www.ingramcontent.com/pod-product-compliance
Lightning Source LLC
Chambersburg PA
CBHW050401110426
42812CB00006BA/1767
* 9 7 8 1 9 5 1 9 4 8 0 5 4 *

ספר

חזרה ברורה

על משנה ברורה חלק ג-ד
סימנים רמ"ב-תכ"ח

חזרה מקיפה כולל דברי

שו"ע ומשנה ברורה

משולב עם תמצית דברי

הביאור הלכה ושער הציון

רובו ככולו בלשונם

מסודר באופן המועיל לזכרון

ונלוה אליו "לוח הלכתא דיומא"

מחזור שנה ושנתיים

כשנוגע למעשה צריך לעיין וללמוד במקור הדין

ספר הלכתא ברורה על מסכת סוכה
וכן ספרי חזרה ברורה: ג' כרכים על כל ו' חלקי משנה ברורה
ניתן להשיג ע"י:
"עם הספר" י. לעוויץ 0047 -377-718
יעקב בלוי 05-266-6245

ספרי חזרה ברורה: ג' כרכים על כל ו' חלקי משנה ברורה
ספר הלכתא ברורה על מסכת ברכות
ספר הלכתא ברורה על מסכת שבת
ספר הלכתא ברורה על מסכת פסחים
ספר הלכתא ברורה על מסכת תענית מגילה וחנוכה
ספר הלכתא ברורה על מסכת ר"ה ויומא
ספר הלכתא ברורה על מסכת סוכה
ספר הלכתא ברורה על מסכת ביצה ומועד קטן
ספרי חזרה ברורה על יורה דעה: ב' כרכים
ספר חזרה ברורה על דיני חושן משפט ע"פ הסדר של הקשו"ע
ניתן להשיג ע"י: www.chazarahmp3.com

1139 East 12th St.
Brooklyn, NY 11230
718 - 646 - 1243
info@chazarahmp3.com

ביד"צ שע"י העדה החרדית שליט"א

BETH DIN TZEDEK OF THE ORTHODOX JEWISH COMMUNITY 26\A STRAUSS ST. JERUSALEM	בית דין צדק לכל מקהלות האשכנזים שע"י "העדה החרדית" פעיה"ק ירושלם תובב"א רח' שטראוס 26/א

FAX 02-6221317 פאקס TEL 02-6236550.טל P.O.B 5006.ת.ד

ב"ה

הסכמת הביד"צ שליט"א

נודע בשערים המצוינים בהלכה גודל ענין החזרה והשינון לדעת את הדרך ילכון בה ואת המעשה אשר יעשון בפרט בהלכתא רברבתא כהלכות שבת וכדו' אשר לפעמים נצרך להם ואין פנאי לחפש מקורו בספר, וע"כ באו ונחזיק טובה להאי גברא יקירא הרה"ג ר' אהרן זליקוביץ שליט"א מעיר נ"י, אשר ערך ספר "חזרה ברורה" לפי סדר המשנה ברורה לחזור ולשנן הלכות שבת תחומין ועירובין שבמשנ"ב חלק ג' וד'.

והנה עבר על הספר ידידנו הגאון רבי חיים יוסף בלויא שליט"א מו"צ פעיה"ק רב שכו' פאג"י ומרבני ועד השחיטה דעדתינו, ומעיד כי הספר בנוי לתלפיות לתועלת ללומדים לשינון וחזרה, ע"כ אף ידינו תכון עמו לחלקו ביעקב ולהפיצו בישראל, והרוצים לידע את המעשה אשר יעשון עליהם לעיין בפנים הספר משנה ברורה ובהלכה, וכידוע מפי הפוסקים שאין לסמוך על ספרי הקיצורים ללא לימוד מקור הדברים בעיון כדת של תורה.

מי יתן וחפץ ה' בידיו של המחבר יצליח להגדיל תורה ולהאדירה מתוך שמחה ונחת וברכת ה' מלא, עדי נזכה לביאת גוא"צ אשר אליו מייחלים עינינו בקרוב הימים בב"א.

וע"ז באעה"ח ביום ז"ך לחודש תמוז - בין המצרים יהיה לששון ולשמחה - תשע"ה לפ"ק הביד"צ דפעיה"ק ת"ו

נאם יצחק טוביה ווייס – גאב"ד	נאם משה שטרנבוך – ראב"ד
נאם אברהם יצחק אולמאן	נאם נפתלי ה' פרנקל

הרה"ג רב עזריאל אוירבאך שליט"א

בס"ד

הרב עזריאל אוירבאך
רב בית הכנסת "חניכי הישיבות", בית וגן
רח' הפסגה 53, בית וגן, ירושלים

Rabbi Azriel Auerbach
Rabbi of "Chaniche Hayeshivot"
53 Hapisga St., Bayit Vegan, Jerusalem

בס"ד

ראיתי את הספר "חזרה ברורה" הנועד לאלו אשר כבר
עסקו בעיון בשו"ע ובס' משנה ברורה - לקיים ושננתם
ובפרט בדבר הלכה בעניני או"ח אשר יום יום ידרושון
לדעת את הדרך ילכו בה, והנה המחבר עשה עבודה
יפה ומתוקנת ערוך ומסודר במעשה אומן לשם שינון הלכה
בבחינת נר לרגלי דבריך ואור לנתיבתי.
וברכה להמשך זיכוי הרבים להחדרת ההלכה היום
יומית מתוך הרחבת הדעת.

עזריאל אוירבאך

בס"ד

ראיתי את הספר "חזרה ברורה" הנועד לאלו אשר כבר עסקו בעיון בשו"ע ובס' משנה ברורה - לקיים ושננתם ובפרט בדבר הלכה בעניני או"ח אשר יום יום ידרושון לדעת את הדרך ילכו בה, והנה המחבר עשה עבודה יפה ומתוקנת ערוך ומסודר במעשה אומן לשם שינון הלכה בבחינת נר לרגלי דבריך ואור לנתיבתי.

וברכה להמשך זיכוי הרבים להחדרת ההלכה היום יומית מתוך הרחבת הדעת.

עזריאל אוירבאך

הרה"ג רב ישראל גנס שליט"א

הרב ישראל גנס
רח' פנים מאירות 2
קרית מטרסדורף, ירושלים 94423

בס"ד א' אלול תשע"ב

ראיתי את הספר "חזרה ברורה" אשר הפליא לעשות

האברך היקר הרב אהרן זליקוביץ שליט"א.

בספר הזה יש עמל רב, יגיעה רבה, סדר נפלא, ובעיקר תועלת

גדולה ללימוד המשנה ברורה שיוכלו לזכור את דבריו, הן המ"ב

הן הבה"ל והן השעה"צ.

ולא נצרכה אלא לברכה שיוסיף המחבר תת תנובה לזכות הרבים

בעוד ספרים מועילים.

הכו"ח לכבוד התורה ועמליה פה עיה"ק ירושלים תובב"א

ישראל גנס

בס"ד א' אלול תשע"ב

ראיתי את הספר "חזרה ברורה" אשר הפליא לעשות האברך היקר הרב אהרן זליקוביץ שליט"א. בספר הזה יש עמל רב, יגיעה רבה, סדר נפלא, ובעיקר תועלת גדולה ללימוד המשנה ברורה שיוכלו לזכור את דבריו, הן המ"ב הן הבה"ל והן השעה"צ. ולא נצרכה אלא לברכה שיוסיף המחבר תת תנובה לזכות הרבים בעוד ספרים מועילים.

הכו"ח לכבוד התורה ועמליה פה עיה"ק ירושלים תובב"א
ישראל גנס

הרה"ג רב שמואל פירסט שליט"א

Rabbi Shmuel Fuerst
6100 North Drake Avenue
Chicago, Illinois 60659
(773) 539-4241
Fax (773) 539-1208

בס"ד

הרב שמואל פירסט
דיין ומו"ץ אגודת ישראל
שיקאגא, אילינאי

ה' מנחם אב תשע"ב

ראיתי הספר "חזרה ברורה" שחיברו הר"ר אהרן זליקוביץ שליט"א
שכתוב בתוכו כל דברי המחבר והרמ"א וכמעט כל דברי המ"ב ושע"צ
וב"ה והכל ערוך בסדר נאה. והתועלת מהספר יהי' ללומדי המ"ב
שיוכלו לחזור על ספר מ"ב באופן קל להבין אותו על בוריו.
ובודאי ספר הנ"ל יהי' תועלת גדולה להרבה לומדי משנה ברורה שיהא להם
קל לחזור על דבריו כדי שיהיו בקיאין בדבריו ועי"ז יזכו לשמור ולעשות
ולקיים את דבר הלכה.
יהי רצון שיזכה המחבר שיתקבל הספר "חזרה ברורה" לפני כל הלומדים
הלכות אלו ויזכה לסיים כל שאר חלקים של המ"ב, ויזכה לשבת באהלה של
תורה כל ימי חייו.

הכו"ח לכבוד התורה,
בידידות,
שמואל פירסט

ה' מנחם אב תשע"ב

ראיתי הספר "חזרה ברורה" שחיברו הר"ר אהרן זליקוביץ שליט"א שכתוב בתוכו כל דברי המחבר והרמ"א וכמעט כל דברי המ"ב ושע"צ וב"ה, והכל ערוך בסדר נאה. והתועלת מהספר יהיה להלומדי המ"ב שיוכלו לחזור על ספר מ"ב באופן קל להבין אותה על בוריה.

ובודאי ספר הנ"ל יהיה תועלת גדולה להרבה לומדי משנה ברורה שיהא להם קל לחזור על דבריו כדי שיהיו בקיאין בדבריו ועי"ז יזכו לשמור ולעשות ולקיים את דבר הלכה.

יהי רצון שיזכה המחבר שיתקבל הספר "חזרה ברורה" לפני כל הלומדים הלכות אלו ויזכה לסיים כל שאר חלקים של המ"ב, ויזכה לשבת באהלה של תורה כל ימי חייו.

הכו"ח לכבוד התורה,
בידידות, שמואל פירסט

הרה"ג רב שמואל פעלדער שליט"א

RABBI SHMUEL FELDER
BETH MEDRASH GOVOAH
LAKEWOOD N.J.08701

שמואל יצחק פעלדער
דיין ומו"ץ בית מדרש גבוה
לייקואד נ"י ושערי'

בעזהי"ת יום א' כ"א אייר תשע"ב לפ"ק

הן הובא לפני קונטרוס שחיברו ר' אהרן זליקוביץ שליט"א על משנה ברורה אשר בשם "חזרה ברורה" יקבנו המכיל בתוכו כל דברי המחבר והרמ"א ומ"ב, וגם תמצית דברי הביאור הלכה ושער הציון, הכל עורך בצורה מסודרת ומאירת עינים, באופן ששייך לחזור על ספר משנה ברורה עם תמצית בה"ל ושעה"צ באופן קל ובהיר בלא בלבול ועירבוביא.

ובודאי שיש בחיבור זה תועלת גדולה ללומדי משנה ברורה לחזור ולשנן הדברים בצורה מועילה ביותר למען תהיה תורתם בלבם ערוכה ושמורה להיות בקיאין בדבר הלכה ללמוד וללמד לשמור ולעשות ולקיים.

ועל כן אברך הרב המחבר שיזכה שיתקבלו הדברים באהבה ובשמחה לפני הלומדים ויזכה לחבר עוד חיבורים כזה ואחרים בתורה הקדושה ולשבת באהלה של תורה כל ימי חייו מתוך מנוחת הנפש והרחבת הדעת.

הכו"ח לכבוד התורה
שמואל יצחק פעלדער

הרה"ג רב יחזקאל רוטה שליט"א

RABBI Y. ROTH
1556-53RD STREET
BROOKLYN, N. Y. 11219
TEL:(718) 435-1502

יחזקאל רוטה

אבדק"ק קארלסבורג
בארא פארק ברוקלין, נ.י. יע"א

בס"ד

תפארת שבנצח למב"י לסדר כללותיה ופרטותיה ודיקדוקיה מסיני תשע"ד לפ"ק

בימי הספירה שמסוגלים מאד ללמוד הלכה ברורה, כמבואר בתשו' המפורסמת לכ"ק זקיני זי"ע בשו"ת מראה יחזקאל סי' ק"ד בשם רבו הרה"ק מרימנאב זי"ע, שכל ההלכות שנשתכחו בימי אבלו של משה והחזירן עתניאל בן קנז כדאיתא בתמורה ט"ז, היתה בימי העומר, ועי"כ מסוגל מאד בימים הקדושים הללו לעשות חזרה על הלימוד שלא ישתכח, ועי"ז רומז לשון והחזירן מלשון חזרה, ועי"כ מאד מתאים כעת לחזק את ידי הרב המופלג צמ"ס כמוהר"ר **אהרן זליקוביץ** שליט"א שאיתמחי מכבר לערוך חיבור **חזרה ברורה** על המ"ב או"ח, ונתעטר בהמלצות והסכמות מגדולי הרבנים שיחי', ועל של עכשיו באתי מה שהוציא עתה חדש מן הישן על הלכות או"ה שביו"ד, ובוודאי יועיל להלומדים לחזור על לימודם, ודבר גדול עשה בזה שיהי' מוכן ומזומן לפני הלומד הלכות שירוץ בהם בלי גימגום וחיפוש, ובזה יתרבה יודעי דת ודין לזכור הלכה המביא לידי מעשה, והמחבר יהי' נמנה בין מזכי הרבים להגדיל תורה ולהאדירה, ויזכה להמשיך בעבוה"ק על מי מנוחות מתוך הרחבה וכט"ס עדי שיתרומם קה"ת וישראל ב"ב אמן.

הכו"ח לחיזוק תוה"ק ולומדיה

הק' יחזקאל רוטה

הקדמה

בעזה"י. תנא דבי אליהו: "כל השונה הלכות בכל יום מובטח לו שהוא בן עולם הבא, שנאמר 'הליכות עולם לו', אל תקרי הליכות אלא הלכות". הנה כתב המ"ב בהקדמתו וז"ל: "נראה בעליל דחלק או"ח הוא היותר מוקדם ללימוד לכל, אף שכל ד' חלקי שו"ע נצרכים למעשה, מ"מ חלק זה הוא מוקדם לכל, כי ידיעתו הוא הכרחי בכל יום מימי חייו לקיום התורה, ובלעדו לא ירים איש הישראלי את ידו ואת רגלו" עכ"ל. וכתב החזו"א זצ"ל: "ההוראה המקובלת מפי רבותינו אשר מפיהם אנו חיים, כמו מרן ב"י ומג"א והמ"ב, היא הוראה מקוימת כמו מפי סנהדרין בלשכת הגזית".

והנה כדי לקבל את התועלת האמיתית מהלימוד בספר משנה ברורה, הרי הוא ככל שאר גופי תורה שקנוי רק ע"י הרבה חזרה. וכדאיתא בגמ' עירובין דף נ"ד: "מאי דכתיב 'לוחות האבן', אם אדם משים עצמו את לחייו כאבן זו שאינה נמחית, תלמודו מתקיים בידו ואם לאו אין תלמודו מתקיים בידו". ופרש"י: "שלחייו אינן נלאין מלחזר על למודו וללמד לאחרים". ובפרט כשזה נוגע לידיעת ההלכה למעשה שיש בו הרבה פרטים ופרטי פרטים, דשייך רק אם משים עצמו את לחייו כאבן. **ועוד** מבואר מגמר' עירובין דף נ"ג מעלת הלימוד בבהירות בלא בילבול וערבוביא, וז"ל: "בני יהודה דגמרי מחד רבה נתקיימה תורתן בידם, בני גליל דלא גמרי מחד רבה לא נתקיימה תורתן בידם". ופירש"י: "דהיו שומעין מזה בלשון זה ומזה בלשון אחר, אע"פ ששניהם אחד, שינוי לשון מבלבלן ומשכחן", עכ"ל. מבואר מזה דבלבול קשור הוא עם השכחה, וככל שמתמעט הבלבול מתמעטת השכחה.

ואני לא באתי ח"ו להרהר אחר אופן הסידור של הח"ח זצ"ל, ולא להוסיף על דבריו ולא לגרוע מהם, ורק להקל על החוזר בספר משנה ברורה באתי, שיהא שייך לחזור על תוכן הענינים עם כל הפרטים והסברות שבהם, באופן בהיר בלא שום בלבול וערבוביא, כל דבר ודבר על אופנו. ובזה הלכתי בדרך השונה הלכות ועוד ספרים ספרי חזרה על המשנה ברורה שקדמוני. ועיין בהקדמה להשונה הלכות, וכתב וז"ל "ושמענו שאחד מתלמידי הח"ח זצ"ל סידר ג"כ קיצור מהמשנה ברורה על חלק ראשון, וגם היה לו הסכמה מהח"ח זצ"ל, אך לא נדפסה מפאת המלחמה".

ויש ג' תועליות שאפשר להפיק מהספר הזה: א'. מה שמסודר באופן שאין צריך להסתכל תוך השו"ע וחוץ לשו"ע בכל אות ואות, כדי לראות מה שהמ"ב אומר, שדבר זה מצד עצמו מפריע מאד על ריכוז, וגם גורם לאיבוד זמן. ובספר זה דברי המשנה ברורה הם מסודרים ומשולבים מיד ובתוך דברי השו"ע, באופן ששייך לקרוא את כל הענין בהמשך אחד.

ב'. אופן סדר המשנה ברורה הוא, שלפעמים אי אפשר להבינו אלא א"כ תראה את המשך דברי השו"ע, וגם לפעמים הוא מביא ציור הדומה לענין בעוד שלא נגמר עדיין הנדון לפניו לגמרי, וזה גורם בלבול לחוזר. ע"כ שיניתי את סדר המ"ב במקומות האלו, ולפעמים לקחתי קצת דבריו

הקדמה

מה שנוגע להבנת דברי המחבר, ושמתי אותם מיד אחר המחבר, ושאר דבריו נתתי בסוף הענין. וכל זה רק בכדי שיקל על החוזר ולא יתבלבל מפני סדר הדברים. **וגם** חלקתי כל סעיף קטן ארוך הכולל כמה ענינים לקטעים קצרים, ובכל קטע חלקתי אותו לפרטים ע"י השחרת ראש הענין, כדי שלא יוטרד החוזר מחמת רבוי הדברים.

ג. מה שבהרבה מקומות דברי הביאור הלכה ושער הציון הם נחוצים מאד, או מפני חידוש הלכה שיש בהם, או מפני מה שמוסיפים הסבר בנדון לפנינו, ואין שייך למי שחוזר שילמוד כולם. וגם אם היו מסודרים תוך דברי המשנה ברורה מיד אחר הענין שהם שייכים אליו, זה מאפשר לזכור אותם. ולכן לקטתי דברי הביה"ל והשעה"צ העיקריים, ונתתי אותם לתוך דברי השו"ע והמ"ב כדי להקל על החוזר.

וזאת למודעי שדברי השו"ע והרמ"א וסידורם לא שונו על ידי בשום אופן. גם דברי המשנ"ב הובאו בדרך כלל כלשונם ממש ללא שום שינוי, מלבד במקומות מועטים בלבד, שבהם נאלצתי לשנות מעט למען הסדר הטוב. גם את לשונות הביאור הלכה והשער הציון שהוצבו בתוך דברי השו"ע והמשנ"ב השתדלתי כמיטב יכולתי שלא לשנות, מלבד במקומות שהיה הכרחי לעשות זאת, הן מחמת צורך ההבנה והן מחמת סידור הדברים.

כדי שלא יצטרך ללומד, לבדוק בכל הלכה האם הוא מדברי השו"ע, הרמ"א, או המשנ"ב, הבאתי את דבריהם בצורת "פונטים" שונים: דברי השו"ע המחבר הובאו באותיות גדולות ברורות ב"פונט" זה: **מחבר**. ודברי הרמ"א הובאו באותיות כתב רש"י גדולות וברורות ב"פונט" זה: **רמ"א**. הציטוטים מהמשנ"ב נעשו באותיות רגילות ב"פונט" זה: משנה ברורה. את הליקוט מדברי הביאור הלכה הכנסתי לסוגריים עגולים ב"פונט" זה: (**ביאור הלכה**). ואת תמצית השער הציון הצגתי בסוגריים מרובעים וב"פונט" שונה: [שער הציון]. במעט המקומות בהן היה צורך בהוספה כלשהי, הודפסו הדברים באופן זה: ‹באופן זה›.

ויה"ר שהספר הזה יהיה לתועלת הרבים, להיות בקיאין בדבר הלכה להגדיל תורה ולהאדירה, ללמוד וללמד לשמור ולעשות ולקיים, ושלא אכשל בדבר הלכה, ולהיות ממזכי הרבים, ולראות בבנין בית המקדש בב"א.

מפתח הלכות

הלכות שבת

מפתח הלכות

חלק ד' – הלכות רשויות בשבת

הלכות עירובין

הלכות תחומין

מפתח הלכות

הלכות ערובי תחומין

הלכות ראש חודש

לוח ראשי תיבות

א״ז – אליהו זוטא
או״ז – אור זרוע
א״ח או״ח – אורחות חיים
אס״ז – אסיפת זקנים
ארה״ח – ארצות החיים
א״ע – אבן עוזר
א״ר – אליהו רבא
א״ש – אמונת שמואל
ב״י – בית יוסף, בית יעקב
בה״כ – בית הכסא
בהכ״נ – בית הכנסת
ברכ״י – ברכי יוסף
בפ״ע – בפני עצמו
במ״א – במגן אברהם, במקום אחר
בא״א – באשל אברהם
במ״ז, במשב״ז – במשבצות זהב
ב״ח – בית חדש
בה״ט – באר היטב
ב״ש – ברוך שאמר
בה״ל – ביאור הלכה
ד״מ – דרכי משה
דו״פ – דרישה ופרישה
דה״ח – דרך החיים
דגמ״ר – דגול מרבבה
ד״ז – דבר זה
דאה״נ – דאין הכי נמי
דמש״א – דמשק אליעזר
הגר״ז – הגאון ר׳ זלמן מלאדי
הק״נ – הקרבן נתנאל
וכי״ב, וכיו״ב – וכיוצא בזה
ח״א – חיי אדם
חו״י – חוות יאיר

חכמ״א, חכ״א – חכמת אדם
חי׳ – חידושי
י״א – יש אומרים, יד אהרן, יד אפרים
יה״ק – יד הקטנה
ישו״י – ישועות יעקב
יש״ש – ים של שלמה
כנה״ג – כנסת הגדולה
שכנה״ג – שיורי כנסת הגדולה
כמ״ש – כמו שכתוב
כמ״פ – כמה פעמים
כ״מ – כסף משנה, כן מוכח
ל״ח – לחם חמודות
לבש״ר, לב״ש – לבושי שרד
מ״מ – מכל מקום, מעדני מלך, מקדש מלך, מאמר מרדכי
מאמ״ר – מאמר מרדכי
מחה״ש – מחצית השקל
מ״ב – משנה ברורה
מ״ג, מג״ג – מגן גבורים
מנ״ב – מנחת ברוך
משו״ה – משום הכי
מ״א, מג״א – מגן אברהם
מהרי״א – מה״ר יהודה אסאד
מהר״י ב״ח – מה״ר יעקב בן חביב
מה״ת – מן התורה
מ״ל – מאיר לארץ
מ״ר – מי רגלים
מעיו״ט – מעדני יו״ט
משפ״צ – משפטי צדק
נ״א – נשמת אדם
נו״ב – נודע ביהודה
נ״פ – נראה פשוט

נל״פ – נראה לי פשוט
נה״ש – נהר שלום
נ״ש – נחלת שבעה
ס״ח – ספר חסידים
עו״ש – עולת שבת
עט״ז – עטרת זקנים, עיין ט״ז
עאכ״ו – על אחת כמה וכמה
עה״י – עבודת היום
ע״ת – עולת תמיד
פ״מ, פמ״ג – פרי מגדים
פמ״א – פנים מאירות
פ״ת – פתחי תשובה
פ״ח, פר״ח – פרי חדש
קש״ע – קיצור שו״ע
ראב״ח – ר׳ אליהו בן חיים
רח״ו – ר׳ חיים ויטאל
רמ״מ – ר׳ משה מינץ
רמ״ך – רבינו משה כהן
רע״א – רבי עקיבא איגר
רי״ו – רבינו ירוחם
ר״י – רבינו יונה
שע״ת – שערי תשובה
ש״א – שאגת אריה, שארי אחרונים, שערי אפרים
שבו״י – שבות יעקב
שנו״א – שנות אליהו
ש״ש – שולחן שלמה
ת״י – תוספות ישנים, תוספות ירושלים
תבו״ש – תבואת שור
תו״ש – תוספות שבת
תר״י – תלמידי רבינו יונה

§ סימן רמב - להזהר בכבוד שבת §

סעיף א - הנה עיקר מצות עונג שבת נתפרש לנו על ידי הנביאים, וכמו שנאמר: וקראת לשבת עונג, **ויש** פוסקים שס"ל דעיקרו הוא מן התורה, שהשבת הוא בכלל מקראי קודש, שנאמר: וביום השביעי שבת שבתון מקרא קודש וגו', ומקרא קודש פירשו חז"ל בספרא, דהיינו לקדשו ולכבדו בכסות נקיה, ולענגו בעונג אכילה ושתיה, [רמב"ן, **ועיין** בספר החינוך ובב"י, דלדידהו הוא מד"ס, ואפי' לדידהו צריך ליזהר מאד בזה, שחמורים דברי סופרים יותר מד"ת, ושכרו מפורש בקבלה: אז תתענג על ד' וגו'].

והפליגו חז"ל מאד במצוה זו, ואמרו: דכל המענג את השבת נותנין לו נחלה בלי מצרים, וניצול משעבוד מלכיות, וזוכה עבור זה לעשירות, ועי"ש עוד כמה מאמרים בענין זה.

והנה בגדר מצוה זו יש ג' מאמרי חז"ל בזה: **א)** הא דאמרו דצריך לענגו בדגים גדולים וראשי שומין ותבשיל של תרדין, שזה היה מאכל חשוב בזמניהם, וכן בכל מקום ומקום לפי מנהגו יענגוהו במאכלים ומשקים החשובים להם עונג, **ולפי** שמן הסתם רוב בני אדם עיקר ענוגם בבשר ויין ומגדנות, לכך איתא בסימן ר"נ ס"ב, דירבה בבשר ויין ומגדנות כפי יכלתו, **ב)** הא דאמרו דאפילו דבר מועט שעשאו לכבוד שבת קיים מצות עונג שבת, ואפי' כסא דהרסנא, היינו דגים קטנים מטוגנין בשמנן, **ג)** הא דאמר ר"ע: עשה שבתך חול ואל תצטרך לבריות.

וחילוק כל אלו המאמרים הוא באופן זה: דהיינו למאן דאפשר ליה, צריך לכבדו כפי יכלתו, **ומי** שהשעה דחוקה לו ביותר, היינו שאין לו רק מזון ב' סעודות לשבת, בזה אמר ר"ע: עשה שבתך חול ואל תצטרך לבריות, ואינו מחויב לא בג' סעודות ולא בכסא דהרסנא, **ומי** שיש לו ממון כדי לקנות מזה מזון ג' סעודות ויותר מזה קצת, מחויב להוציא אותן על שבת כדי שיקיים ג' סעודות וכסא דהרסנא, **וה"ה** מי שאין לו כלום והוא מוטל הכל על הצדקה, הרי הגבאים מחויבים ליתן לו ג' סעודות וכסא דהרסנא עכ"פ, ובאדם נכבד הכל לפי כבודו, וכמו שנתבאר ביו"ד בסי' רנ"ג, **ולא** אמרינן בזה: עשה שבתך חול ואל תצטרך לבריות, דלא אמרינן הכי אלא במי שעדיין לא נצטרך ליטול, אבל מי שכבר בא לידי מדה זו לפשוט ידו וליטול, נותנים לו הכל כנ"ל, **ובמקומות** שנוהגין הגבאים לקבוע לעניים רק שתי סעודות ולא הסעודה ג', לאו שפיר עבדי, ועכ"פ בימות הקיץ בודאי יזהרו בזה.

אפי' מי שצריך לאחרים - «כלומר שיש לו מעט משלו, אבל אינו יכול להתפרנס מן הריוח - עולת תמיד»,

אם יש לו מעט משלו, צריך לזרז עצמו לכבד את השבת - בא השו"ע לומר, דאם יש לו גם מעט משלו, צריך לדחוק עצמו לכבד ולענג שבת כראוי, כיון דאפשר לו ויש בידו להוציא ע"ז, ולא סגי בכסא דהרסנא לחוד, ולזה סיים דיצמצם בשאר ימים מהוצאותיו, כדי שיהא נשאר לו זה לכבוד שבת, [**אבל** לא שיטיל על אחרים הוצאות כבוד שבתותיו לענגו כראוי, כיון דיכול להסתפק במעט].

וטוב ליזהר שלא יפחות משני תבשילין, **גם** טוב שיאכל בכל סעודה מג' סעודות דגים, אם לא שאין נאותים לו לפי טבעו או ששונאן, ושבת לעונג ניתן ולא לצער, וכדלקמן בסי' רפ"ח.

אם מוכרי הדגים מייקרין השער, נכון לתקן שלא יקנו דגים איזה שבתות עד שיעמוד השער על מקומו, **והנה** בבה"ט הביא, דלא יעשו תקנה רק אם הוסיפו המקח יותר על שליש מכמו שהיה מקדם, **אבל** בא"ר ובפמ"ג כתבו, דאף פחות משליש יוקר יש לעשות תקנה משום עניים, **עוד** כתב שם, דאין בזה משום בטול מצות עונג, דיש לענג השבת במאכלים אחרים. **אם** תקנו לאסור לאכול דגים כמה שבתות, ואחד קנה מקודם, מותר.

ולא אמרו: עשה שבתך חול ואל תצטרך לבריות, אלא למי שהשעה דחוקה לו ביותר - «היינו דמתחלה קס"ד דמה שאמרו: עשה שבתך חול, מיירי באנשים שאינם דחוקים כ"כ, ואפ"ה הזהירו שלא יפזר על עונג שבת כדי שלא יבוא עי"ז לבסוף להצטרך לבריות, וא"כ ה"נ בעניננו טוב יותר שיצמצם ולא יפזר על עונג שבת המעט שיש לו, כדי שלא יתדלדל ביותר, ולזה ביאר ואמר, דהתם מיירי למי שהשעה דחוקה לו ביותר, היינו שאין מגיע לו מממונו כי אם ב' סעודות על

שבת, ולזה אמרו דמוטב שיעשה שבתו חול כדי שלא יצטרך לבריות, **אבל** בענינינו שיש לו מעט משלו לפזר על שבת, צריך לענג שבת במה שיש לו, ויבטח בה' שיתן לו אחרים עבור זה, דהוצאת שבתות ויום טוב הוא חוץ ממזונות הקצובין לו לאדם מר"ה, וכמו שאחז"ל).

למי שהשעה דחוקה לו ביותר - ומיירי כשאין לו משכונות ללות עליהם, ובלא משכון אין יכול להשיג, **דאל"ה** צריך ללות כדי שלא לבטל מצות עונג שבת, וכמו שאחז"ל שאומר הקב"ה: בני לוו עלי ואני פורע, [ויבטח בד' שהוא יעזרנו לשלם לו, **ובעטרת** זקנים משמע דלא ילוה אא"כ הוא משער שיהיה לו במה לפרוע, וכנראה דהכל לפי הענין].

ועיין בט"ז ותוספות שבת ושארי אחרונים שכתבו, דאף מי שהשעה דחוקה לו ביותר, דהוא פטור מדינא מסעודה ג' וכסא דהרסנא, **מ"מ** נכון מאד שיראה להשתדל להיות עכ"פ מן הכת האמצעית, דהיינו בקיום ג' סעודות וכסא דהרסנא.

על כן צריך לצמצם בשאר ימים כדי לכבד השבת - דבמזונות של שבת ויו"ט אם מוסיף מוסיפין לו, וכמו שאחז"ל: כל מזונותיו של אדם קצובין לו מר"ה ועד ר"ה, ויש ליזהר שלא יוסיף בהן פן לא קצבו לו כ"כ, [**ובעו"ה** יש אנשים שמהפכין הסדר, ובאין עי"ז לידי גזל וחילול השם], **חוץ** מהוצאות שבת ויו"ט, והוצאות בניו לת"ת, שאם מוסיף מוסיפין לו - טור.

לוין ברבית לצורך סעודת שבת או סעודת מצוה, והיינו מא"י או מישראל בדרך היתר, [ודלא כמה שראיתי לאחד שהתיר רבית דרבנן].

אם שלחו לו דבר מאכל שיאכלנו בשבת, לא יאכלנו בחול, כ"כ בס"ח, **ועיין** לקמן בסימן תרצ"ד ס"ב, דדעת השו"ע שם, דהעני יכול לשנות במגבת פורים למה שירצה, אף דגבוהו לצורך פורים, **אכן** גם שם יש מחמירין בזה, עיין בטור שם.

(**ואם** יש לו רק מעט מעות, ובא שכיר לתבוע עבור פעולתו שגמר לו היום, {**דאם** גמרו מאתמול אין עליו רק איסור ד"בל תשהה", והוא כשאר בע"ח דעלמא, אך בתלמיד חכם יש לעיין}, **נראה** דצריך ליתנם להפועל כדי לקיים מה שכתוב: ביומו תתן שכרו ולא תבא עליו השמש, אף שעי"ז לא ישאר לו במה לענג השבת, **או** שיפייסנו שיתרצה להמתין עד אחר השבת, **דחיוב** תשלומי שכיר בזמנו הוא מדאורייתא, וזה הוי רק מדברי קבלה, **ואפילו** להפוסקים דזה ג"כ הוי מדאורייתא, שם הוי עשה ולא תעשה, ולא אתי עשה ודחי לא תעשה ועשה, וזה לא מיקרי כ"תבעו ואין לו" דאינו עובר בבל תלין, וכן דברינו הוא דוקא אם כבר הביא הפעולה לבית בעה"ב וקבל ממנו, דאל"ה יש לבעה"ב עצה אחרת שלא לקבל ממנו, ואז אינו עובר, אפילו אם אמר לו הפועל: בא וטול החפץ ממני ואיני רוצה לעכבו תחת השכירות).

מתקנת עזרא שיהיו מכבסים בגדים בחמישי בשבת, מפני כבוד השבת - היינו כדי שיהיו לבנים לשבת, **אבל** לא בע"ש, כדי שיהיו פנוים להתעסק בצרכי שבת, **ולפי** זה צריך ליזהר שלא לילך בחלוק אחד כמה שבתות, כדי שלא לעבור על תקנות עזרא.

הגה: נוהגין ללוש כדי שיעור חלה בבית - היינו מלבד שהלישה והאפיה הוא מכלל כבוד שבת ויו"ט, כמו שמסיים לבסוף, **עוד** יש בזה טעם, כדי לקיים מצות חלה, לפי שאיבדה את אדם הראשון שהיה חלתו של עולם שנברא בע"ש.

לעשות מהם לחמים לבצוע עליהם בשבת ויו"ט, והוא מכבוד שבת ויו"ט, ואין לשנות – (ויש לזה רמז בכתוב: והיה ביום הששי והכינו את אשר יביאו את אשר תאפו אפו וגו', משמע דיש לאפות בע"ש להכין לשבת, גם בזמן הגמרא היה מנהג קבוע לזה כמו שהביא המ"א, **ובעו"ה** היום התחילו איזה נשים להשבית המנהג ההוא, ולוקחין מן האופה, ולאו שפיר עבדי, דמקטינים בזה כבוד שבת).

ועיין באחרונים, דאפי' הנוהגין לאכול פת פלטר של א"י בחול, מ"מ בשבת ויו"ט נכון ליזהר שלא לאכול כי אם מפת ישראל מפני כבוד השבת ויו"ט, [ולפי"ז אפי' בתוך הסעודה נכון ליזהר], **ופשוט** דאם הוא אנוס שאין לו על מה לקדש כי אם על פת של אינם יהודים, כמו שמצוי לאנשי חיל העברים, יכול לקדש עליו.

יש שכתבו, שבמקצת מקומות נהגו לאכול מוליתא, שקורין פשטיד"א, בליל שבת, זכר למן שהיה מכוסה למעלה ולמטה - בטל, ואף זה מכוסה הבשר

סימן רמב – להזהר בכבוד שבת

בין דפי העיסה, **ולא ראיתי לחוש לזה** - ובמקומותינו המנהג לאכלן.

(לכאורה מנהג זה תמוה לרבים, דמה ראו לעשות בשבת זכרון למן שלא ירד בו כלל, **והתוספות** כתבו, דמשום שלא ירד המן יש לעשות זכר לו, והוא דחוק, **גם** לפי"ז היה להם לעשות פשטידא גם ביו"ט, והרמ"א לענין לחמים קאמר בשבת ויו"ט, ולענין זה קאמר רק בליל שבת, משמע דוקא קאמר, ומה נמרצו אמרי יושר של התורת חיים שכתב טעם הגון לזה, והוא לפי דשבת בראשית הוא דוגמת שבת שלעתיד לבא שהוא יום שכולו שבת, ולכן אנו עושים כמה דברים בשבת זה דוגמתו, היינו לאכול בשר ודגים נגד סעודת שור הבר ולויתן, ומקדשין על היין נגד היין המשומר בענביו לצדיקים לעתיד לבא, **וכבר** אמרו חז"ל דעל שם זה נקרא "שחקים", שבו שוחקים מן לצדיקים לעתיד לבא, ולכך שפיר יש לעשות בשבת זכר למן ההוא).

§ סימן רמג – דין המשכיר שדה ומרחץ לא"י §

סעיף א - דע ששלושה חילוקים יש: אחד הוא אריסות, ששוכר לא"י שיעשה המלאכה בשדה או במרחץ, והרווחים או הפירות יחלוקו, **הב'** הוא שכירות, שא"י נוטל כל הרווחים או הפירות, ונותן לישראל עבור שדהו ומרחצו דבר קצוב לכל שנה, **הב'** חילוקים אלו מותרים בשדה לגמרי, ובמרחץ רק מדינא, דא"י אדעתיה דנפשיה עביד, **אלא** שחכמים אסרו אלו הב' חלוקים במרחץ משום מראית העין, מפני דנקראת על שמו ויבואו לחשדו שעושה בשליחותו, **אבל** החלוקה הג' דהוא קבלנות, דהיינו שיהיו כל הרווחים לישראל, רק שישראל נותן לא"י דבר קצוב לכל שנה עבור פעולתו, זהו ודאי אסור מדינא במרחץ, דהוי הא"י שלוחו של ישראל, וישראל נהנה ממלאכה בשבת, דאם לא יעשה יום אחד יפסיד הישראל ריוח אותו יום, **וע"כ** אם מנהג רוב אנשי המקום להשכירם או ליתנם באריסות כמבואר בס"ב, חזר להיות המרחץ כשדה, הב' חילוקים ראשונים מותר, והחלוקה הג' אסור.

וכל היתר שכירות דכאן, היינו שהוא משכירו דרך הבלעה עם ימות החול, **אבל** ליום השבת לחוד אסור, אפילו בשדה וגם נתפרסם, **זהו** עיקרי הדינים שבסימן זה בקצרה.

לא ישכיר אדם מרחץ שלו - בין שבנהו בעצמו, או אפילו קנה וישב בה ונקרא שמו עליו, **לא"י** - וכ"ש לישראל מומר, דעובר נמי משום "לפני עור לא תתן מכשול", וטעם זה שייך אף בשדה ובכל דבר.

מפני שנקרא על שמו, וא"י זה עושה מלאכה בו בשבת - פירוש דמדינא שרי להשכירו לא"י לשנה או לחודש, שיתן לו כך וכך בין יסיק בו הא"י בין לא יסיקנו, וכל הריוח יהיה לא"י, **דאיסור** שכר שבת ליכא, דהא מושכרת היא לו לשנה, **ואיסור** דאמירה לא"י בודאי לא שייך בשכירות, דלנפשיה הוא עושה, **ואפילו** אם יש לו לא"י רק חלק בריוח המרחץ, גם כן אמרינן אדעתיה דנפשיה עביד, כמש"כ בסוף הסעיף, **אלא** שאסור בכל זה מפני מראית העין, שנקראת על שמו של ישראל, ויאמרו הבריות דשכיר יום הוא ושלוחו הוא, **ודוקא** כשמשכירו לשנה או לחודש, אבל להשכירה לא"י לימים, שיתן לו הא"י כל יום ויום שיסיקנו כך וכך, אף דגם זה אדעתיה דנפשיה עביד, מ"מ מדינא אסור, דהוי כשכר שבת.

ועיין לקמן בסימן רמ"ד, דדבר האסור מפני מראית עין, אינו אסור אלא בתוך התחום של ישוב ישראל.

דסתם מרחץ לאו לאריסותא עביד, (פי' אריס הוא העובד ליקח חלק ממה שיצמיח לבעליו) - פי' דכתב להלן דשדה מותר להשכירו, מטעם זה שיתלו באריסות, וע"ז קאמר דבמרחץ ליכא האי טעמא להתיר, דאין דרך ליתנו באריסות, ולא יתלו ג"כ שהשכירו כפי האמת, דלא שכיח, **ואמרי שכל הריוח של ישראל, ושכר את הא"י בכך וכך ליום, ונמצא הא"י עושה מלאכה בשליחותו של ישראל** - וזהו איסור גמור, כמו שאמרו בכמה מקומות דאמירה לא"י שבות, **ואסמכוהו** אקרא: דכל מלאכה לא יֵעָשֶׂה בהם, ולא כתיב: לא תַעֲשֶׂה, לרמז דאפילו ע"י אחרים לא יעשה, **ואפילו** כשעושה בעצמו מלאכה של ישראל בשבילו, ג"כ צריך למחות בידו.

אבל שדה, מותר - להשכירה לא"י בדבר קצוב, דאף דנקראת נמי על שמו כמו מרחץ, דכל מחובר סתמא שם בעליו עליו, ולהשכיר נמי לא שכיח כל כך, מ"מ מותר, **שכן דרך לקבל שדה באריסות, ואע"פ שיודעים שהוא של ישראל, אומרים: הא"י לקחה באריסות, ולעצמו הוא עובד** - וכיון דהוא אדעתיה דנפשיה, שרי, ולא יחשדוהו בשכיר יום.

(יש לעיין אם הפירוש דרוב העולם נותנין באריסות, וכ"כ הרא"ש, אבל אם המנהג שוה לשכור פועלים כמו אריסות, אסור, דלא יתלו באריסות, **או** דילמא דבכה"ג ג"כ שרי, ומה שאמר בגמרא אריסא אריסותיה עביד, היינו שדרך נמי ליתנו באריסות, לאפוקי מרחץ דאין דרך ליתנו באריסות, וכמו שכתב הר"ן, לפי שהוצאותיו מרובין ושכרו מועט, ויודעין הכל שבשביל ישראל הוא עושה, ומלשון הרמב"ם משמע כמו שכתבנו למעלה בשם הרא"ש, וכן משמע מלשון השו"ע בס"ב).

ותנור - להשכיר תנורו לאפות בו, **דינו כמרחץ** - דתנור נמי אין דרך להשכירו וליתנו באריסות כמו מרחץ, ויחשדו דשכיר יום הוא אצלו.

ורחיים דינם כשדה - משום דדרכו ליתנו באריסות כמו שדה, ולפיכך להשכירו נמי מותר וכדלעיל, **ועיין** בר"ן דמשמע, דאם אין דרך אנשי אותו המקום ליתן רחיים באריסות, דינו כמו מרחץ לאיסור, **דבאמת** תלוי בכל אלו הדברים לפי מנהג המדינה בין להקל בין להחמיר, וכדלקמיה בס"ב.

הגה: ואע"פ שלא לקחה הא"י רק לשליש או לרביע, ויש לישראל הנאה במה שהא"י עובד בשבת, שרי, דהא"י אדעתא דנפשיה עובד - אשדה וריחיים קאי, דהמחבר מיירי בשכירות, והוא מוסיף דאף אריסות מותר, **והמחבר** ג"כ ס"ל כן, דמטעם זה התיר בשכירות כנ"ל, אלא שהוא ביאר בהדיא.

ודוקא בזה שנותן לא"י חלק בתבואה, אבל אם שכר הא"י לעבוד בו כל השנה, ושיטול היהודי כל התבואה מהשדה, **אף** דמדינא בזה ג"כ שרי, דהאינו יהודי אדעתיה דנפשיה עביד, דאף אם לא יזבל ויחרוש ויקצור השדה בשבת יכול לעשות בחול, וממהר בשביל עצמו, **מ"מ** אסור, דיבאו לחשדו בשכיר יום, ולא יתלו באריסות כשיראו לבסוף שאין לו שום חלק בפירות הארץ, וכדלקמן בריש סימן רמ"ד.

ודע דבמרחץ כה"ג, דהיינו ששוכר אינו יהודי לעבוד בו כל השנה, ושיטול היהודי כל הריוח של השבתות, מדינא אסור, וה"ה בריחיים באופן זה, **דהא** דשרינן מתחלה מדינא, היינו דוקא בשדה וכדומה, דהמלאכה קצובה, ואפשר להשלימה בכל עת, דאין ריוח לישראל במה שעושה האינו יהודי בשבת, דאם לא יעשה היום יעשנה ביום אחר, אז אמרינן אדעתיה דנפשיה עביד, **אבל** במרחץ וריחיים, דהמלאכה אינה קצובה, וכל יום ריוח לעצמו, דאם לא יעשה יום אחד יפסיד הישראל אותו היום, [**ואף** דבמ"א סיים עוד, דאף אם לא יעשה הא"י בשבת יצטרך לשלם לו, עיין בפמ"ג שהסכים דאין תלוי בזה, וצ"ע בפרט זה], **א"כ** עיקר המלאכה בשביל ישראל הוא, ומדינא אסור כמו שכיר יום, דאף דמקבל שכר, לא אמרינן אדעתיה דנפשיה עביד, הואיל ונהנה הישראל ממלאכת שבת, **ואפילו** להט"ז לקמן בסימן רמ"ד דמתיר להרמב"ם, נראה דאסור ג"כ בזה מדינא, דרגילות להקפיד על האינו יהודי כשמבטל איזה יום, **וכיון** דמדינא אסור, אפי' נתפרסם ששכרו לשנה, וגם הוא חוץ לתחום דאין בו משום מראית העין, ג"כ אסור, **ואין** היתר כי אם היכא דיש לא"י קצת חלק בריוח השבתות, דאז אמרינן דאדעתיה דנפשיה עביד, ומותר בריחיים, וגם במרחץ במקום שנתפרסם הדבר, וכבס"ב, **וכ"ש** שמותר היכא שמוכרו לו לגמרי בכל ערב שבת, [**ובזה** לא שייך שכר שבת, דעל עת המכירה קנוי לו להא"י לגמרי, **אבל** בשכירות צריך שיהיה דוקא בהבלעה].

סעיף ב - אפי' מרחץ או תנור, אם השכירם שנה אחר שנה, ונתפרסם הדבר על ידי כך שאין דרכו לשכור פועלים אלא להשכירם; וכן אם מנהג רוב אנשי אותו המקום להשכירם או ליתנם באריסות, מותר להשכירם לא"י או ליתנם לו באריסות - דתו ליכא חשדא, **ואף** דאין דרך אותו המקום ואותו האיש רק להשכיר, מ"מ מותר גם באריסות, דיתלו דהשכירו לו.

הגה: ואפילו במקום האסור, אם אין המרחץ או התנור של ישראל, רק שכרם מא"י וחזר והשכירם לא"י, שרי, דאין שם הישראל נקרא עליו.

ואם שכרן מישראל, נראה דאסור, דעי"ז יחשדו אותו ישראל בעל המרחץ, שהאינו יהודי הוא שכיר יומו.

בב"י הביא בשם תשובת הגאונים, דה"ה אם קנה מאינו יהודי, ותיכף קודם שישב בה השכירם, דלא נקרא שמו עליו, ויש לסמוך ע"ז.

י"א דבשכירות נמי אינו מותר אלא כשלא ישב בה הישראל, כמש"כ הב"י בקנה, **אבל** הא"ר ושארי אחרונים כתבו, דבשכרו מאינו יהודי, אף שישב בה הישראל, מותר להשכירה לאינו יהודי, דלא נקרא שמו עליו, (**ובאמת מסתברא כותיה** ‹דא"ר›, **דהא משמע בגמרא דשכירות לא שכיחא כ"כ, וממילא שם בעליו הראשון הא"י עליו אף עתה, ויתלו דשכיר יום של הראשון הוא, וכשיודע להם דמישראל הוא, יודע גם זה דשכרו מישראל, אם** לא שישב בה הישראל כמה שנים ונתפרסם לכל, אז יש לעיין בזה).

וכן אם יש מרחץ בבית דירה, ואין רוחצין במרחץ רק אותן שבביתו, והם יודעים ששכרו א"י, שרי - היינו שהמרחץ אינו בר"ה, רק בחצירו באחד מהבית דירה שלו, ולכך אם אין רוחצין בו בחול אלא אותן שבביתו, שרי, דאנשים אחרים לא ידעו אם יש שם מרחץ, ואותן שבביתו היודעים מזה, גם הם יודעים שהשכירו לא"י, **אבל** כשרוחצין בו גם אנשים אחרים, הלא נתפרסם שיש שם מרחץ, ואותו המרחץ נקרא מכבר על שם ישראל, וכשיראו אח"כ שעשן יוצא ממנו בימי השבת, יתלו דבשליחותו הסיקו הא"י.

וכ"ז כשהוא בבית דירה שלו, אבל אם הוא עומד בר"ה במקום רואים, אז אפילו אם אינם רוחצין בו רק אותן שבביתו, מ"מ אסור, דהא הכל יודעים שיש שם מרחץ, ואין הכל יודעים שהשכירו לאינו יהודי, כן כתבו הרבה אחרונים.

ויש מקילין עוד, דאם הוא עומד ברשות אחר בפני עצמו שלא בחצירו, אז אפי' רוחצין בו גם אנשים אחרים, אפ"ה שרי, דמסתמא אין הכל יודעים שהוא שלו, רק אותן השכנים של המרחץ, ומסתמא נתודע להם גם את זה שהשכירו לא"י, [**אך** עצם הסברא לא ברירא לי כ"כ, דאם ישב בה ישראל מכבר קודם שהשכירו, מאי מהני מאי דהוה עתה ברשות אחר, הלא כבר נקרא שם ישראל עליו עי"ז, **ואם** לא ישב בה מעולם, רק תיכף השכירו לא"י, א"כ פשיטא דשרי אפי' אם הוא עומד ברשותו, **ולפענ"ד** אפשר דבכוון השמיטו הרמ"א וב"י דין זה, וצ"ע].

ואם עבר והשכירו במקום האסור, י"א ששכרו מותר; וי"א שאסור, וכן עיקר - והאחרונים הסכימו דלא פליגי, דבמקום דמותר מדינא, כגון שהשכיר המרחץ לאינו יהודי לשנה או לחודש, דמשום שכר שבת ליכא דהלא הוא בהבלעה, ואינו אסור אלא משום מראית העין כנ"ל בס"א, **לכן** בדיעבד מותר לקבל השכר מהאינו יהודי, **משא"כ** אם השכירו לימים, דמדינא אסור משום שכר שבת, [וכן אם הוא בקבלנות על כל השנה באופן דאסור מדינא], **לכן** אפילו הביא האינו יהודי מעצמו מעות, אסור לקבל הימנו כמ"ש בסימן רמ"ה ס"ו, וע"ש מה שכתבנו במ"ב, **ואם** המלאכה מוטלת על ישראל, עיין ריש סימן רמ"ה.

§ סימן רמד – איזו מלאכות יכול הא"י לעשות בעד הישראל §

סעיף א - פוסק אדם (פירוש מתנה) עם האינו יהודי על המלאכה, וקוצץ דמים - היינו קבלנות, שמתנה עמו שיעשה לו איזה מלאכה בשכר דבר קצוב, **ואם** עושה לו בטובת הנאה, ע"ל בסי' רמ"ז ס"ד ובסי' רנ"ב ס"ב.

והאינו יהודי עושה לעצמו, ואף על פי שהוא עושה בשבת, מותר - דכיון שקצץ, אדעתיה דנפשיה קעביד למהר להשלים מלאכתו, דלישראל אין קפידא בזה, דאם לא יעשהו היום יעשהו למחר, **דאם** קובע לו מלאכתו בשבת אסור, כדלקמן סימן רמ"ז ס"א.

בד"א בצנעה, שאין מכירים הכל שזו המלאכה הנעשית בשבת של ישראל היא - היינו שהיא מלאכת צנעה, לפי שאין הכל מכירין שהיא של ישראל וכמו שמפרש, **אבל** אה"נ דאפילו אם הוא עושה

סימן רמד – איזו מלאכות יכול הא"י לעשות בעד הישראל

אותה בפרהסיא שרי, כיון דהמלאכה עצמה אין ידוע שהיא של ישראל.

ואפילו אם קצת יודעים שהיא מלאכת ישראל, שרי, **ואף** על גב דמבואר לקמן בהג"ה דיש לחוש לאורחים ובני ביתו שיחשדו אותו, **שם** שהיא מלאכת מחובר, וסתם מחובר שם בעליו נקרא עליו, החמירו בו ביותר.

אבל אם היתה ידועה ומפורסמת, אסור, שהרואה את הא"י עוסק אינו יודע שקצץ, ואומר שפלוני שכר הא"י לעשות מלאכה בשבת; לפיכך הפוסק עם הא"י לבנות לו חצירו או כותלו, או לקצור לו שדהו - ר"ל דסתם מחובר הוי כאלו ידוע ומפורסמת שהיא של ישראל, **אם היתה המלאכה במדינה** - היינו בתוך העיר שקרוי מדינה לפעמים, **או בתוך התחום** - שרגילין אנשי העיר לפעמים לילך לשם, **אסור לו להניחם לעשות לו מלאכה בשבת, מפני הרואים שאינם יודעים שפסק** - ואפילו אם הוא עומד במקום שאין ידוע שהוא שלו, ג"כ אסור, דיש לחוש לשכניו שיודעים שהוא שלו, ויחשדוהו ששכירו הוא לימים.

ואע"ג דדרך שדה לאריסות, וא"כ יסברו שלקחה באריסות כמ"ש סי' רמ"ג ס"א, **מ"מ** אסור, דשאני התם דכשיחקרו הדבר ימצא שכן הוא, שהאינו יהודי חולק בפירות, **אבל** הכא שיראו בעת הקציר שאין האינו יהודי נוטל בריות, ידעו למפרע דלאו אריס היה, ויחשדוהו ששכיר יום היה, דשכיח לשכור פועלים לימים למלאכה.

ואפילו אם מנהג העיר לשכור בקיבולת, דעת הט"ז להחמיר שלא להניח להאינו יהודי לעשות בשדה בשבת ויו"ט, וכ"ש בבנין בית, דאכתי יחשדוהו בשכיר יום, שגם זה הוא רגילות, **ויש** שמקילין בזה כשמנהג כל העיר הוא בקיבולת, (ועיין בפמ"ג שכתב, דלטעם הר"ן דאסרינן אפילו בקיבולת דשדה, משום דמיחזי לאינשי כשכיר יום, היינו אפילו ידעו שקבלן הוא, לדידהו אין חילוק כל שאין הא"י נוטל בריות, ויבאו להתיר אף שכירי יום ממש, לפי"ז אפילו נתפרסם ומנהג המקום לשכור רק בקיבולת, ג"כ אסור, וחמיר יותר לשיטתו מלשיטת הט"ז הנ"ל, **אבל** לטעם השו"ע שכתב: "אינו יודע שקצץ, ואומר שפלוני שכר הא"י לעשות לו מלאכה בשבת", משמע דהיכא שנתפרסם שזה האיש שכר בקבלנות, או שמנהג אותו המקום לשכור הפועלים בקבלנות, שרי, והוא מצדד שם להקל בזה, **ולענ"ד** יש לעיין הרבה בזה, דשיטת הר"ן הנ"ל לאו יחידאה הוא בזה, דיש עוד הרבה פוסקים דס"ל כוותיה לדינא, **והנה** בקיבולת דשדה, אם נתפרסם שזה האיש דרכו בקבלנות, או שמנהג המקום כן, לא נוכל למחות ביד המקילין, שבלא"ה יש כמה ראשונים שס"ל, דבשדה מותר קיבולת משום דיתלו באריסות, ונהי דאנן קי"ל להחמיר בזה כסתימת השו"ע כאידך רבוותא, מ"מ באופן זה נראה דיש לצרף דעתם להקל, **אמנם** בקיבולת דבית, שדעת ר"ת להקל ‹דאין שבח לישראל במה שבונה בשבת›, יחידאה הוא בזה, וגם הוא בעצמו חזר בזה כמו שכתב רבינו ירוחם, ‹דבנין הבית רגילות לשכור מידי יום יום, והרואה אינו אומר קבלנותיה עביד, אלא שכירי יום נינהו›, יש לעיין אם יש להקל אפילו בנתפרסם וכנ"ל, אח"כ מצאתי בנשמת אדם, שגם דעתו להחמיר בזה, **וע"כ צ"ע למעשה**).

וקיבולת, ‹כשהוא מנהג כל העיר›, הוא דוקא כשכל המלאכה הוא בקיבולת, לאפוקי אם רק האדריכל לבדו הוא קבלן, ושאר המסייעים דרך לשכרם לפעמים ליום, ואפילו אם הוא שכרם הכל בקבלנות, ג"כ אסור, (כ"כ האחרונים, ונ"ל דהכוונה הוא, דאותו בעה"ב דרכו לשכור לפעמים בעצמו את השכירים שתחתיו לשכירי יום, ולכך לא נקרא תו שם קבלנות על הבנין, **אבל** אם הדרך הוא תמיד שאין בעה"ב יודע כלל מכל עסק, רק שהוא שוכר האדריכל, והאדריכל בעצמו דרכו לשכור לפעמים שכירי יום תחתיו, תו הוי זה ג"כ בכלל קבלנות).

איתא בס"ח, מעשה באדם אחד ששכר אינו יהודי לבנות ביתו בקבלנות, והיה האינו יהודי בונה בשבת, והיו מתרעמים עליו ולא חשש לכך, ולא היו ימים מועטים שלא נשאר הקרקע לא לו ולא לזרעו.

הגה: ואפי' אם דר בין העובדי כוכבים - ר"ל שהוא דר מחוץ לתחום העיר, וגם אין עיר אחרת בתוך תחומו, אפ"ה **יש לחוש לאורחים הבאים שם, או לבני ביתו, שיחשדו אותו** - [ואפי' אם המלאכה רחוקה מדירתו, רק שהיא בתוך תחומו דדירתו, נחשב כאילו היה עירו שמה], **ומה** דמקילין לקמיה מבחוץ לתחום, היינו כשרק המלאכה היא שם, אבל הוא בעצמו דר בעיר.

ואם היתה המלאכה חוץ לתחום, וגם אין עיר אחרת בתוך תחומו של מקום שעושים בו מלאכה, מותר - דתו ליכא משום מראית העין, ואינו יהודי כי קטרח בדידיה קטרח.

‹ואם יש עיר אחרת בתוך תחומו של מקום, אסור, וה"ה כשדר שם איזה יהודי בתוך התחום של מלאכה, ג"כ אסור, [דבודאי לא גרע מחשש דאורחים אחרים], ויצוה להאינו יהודי קודם שבת שלא יעשה בשבת.

והנה מתוך מה שנתבאר בזה הסעיף מוכח, דאסור לשכור אינו יהודי בקבלנות לפנות זבלו מחצר, והוא עושה בו בשבת, דהוא מתקן החצר בזה, והוא בכלל מלאכת מחובר, **ויש** מקומות שנוהגין היתר לשכרו ליקח הזבל מרחוב אף שעושה בו בשבת, וכתב המ"א דטעמם, דבשל רבים ליכא חשדא, אבל בשכיר יום פשיטא דאסור, **והאחרונים** השיגו על טעמו, ודעתם דאין נ"מ בזה הענין בין רבים ליחיד, וגם הוא בעצמו כתב לבסוף, דבמקום שאין נוהגין היתר ברחוב אין להקל, ע"ש טעמו דיש חלול ה' בדבר וכדלקמיה.

והנה אפי' אם נאמר דבשל רבים ליכא חשדא, מ"מ הסכים המ"א שאין להתיר לבנות בהכ"נ בשבת בקבלנות, כי בזמנינו שאין האומות שכנינו מניחים לשום אדם לעשות מלאכה בפרהסיא ביום חגם, איכא חילול ה' אם נניח אנחנו לעשות ביום שבת ויו"ט, **ומ"מ** כתבו כמה אחרונים, דאם יש חשש ח"ו שיתבטל הבנין בהכ"נ לגמרי, מותר להניח לאינו יהודי לבנותו כשהוא בקבלנות, ובלבד שיהיה מפורסם לכל שהוא בקבלנות.

ואינו יהודי שהכניס צאן של ישראל לדיר שדהו, ע"ל סימן תקל"ז סעיף י"ד.

סעיף ב - לפסול האבנים ולתקן הקורות, אפי' בביתו של אינו יהודי אסור, כיון דלצורך מחובר הוא - כדי לשקעם בהבנין, ע"כ חשבוהו כמחובר, **וצריך** למחות בידו אם הוא בתוך התחום, אפילו עושה רחוק מהבנין, [**דלכו"ע** אסור אם הוא קרוב לבנין].

ואם עשו כן, לא ישקעם בבנין – (הנה בטור כתב דאסור לשקעם בבנין, **והא** דלענין בית כתב הטור בסימן תקמ"ג, וממנו העתיק המחבר בס"ג, דרק נכון להחמיר, **תירץ** בתו"ש, דהכא שרוצה לשקעם בבנין חשוב כלכתחילה, **וממ"א** משמע דגם זה חשוב כדיעבד, דיש הפסד עי"ז, **ולענ"ד** נראה דבכונה שינה המחבר מלשון הטור, ולא כתב בלשון אסור, וכונתו דרק נכון להחמיר בזה, ולא כדעת הטור, וכן מוכח מהגר"א ביאורו).

ודוקא כשאבנים וקורות הם של ישראל, ונתנם לאומן אינו יהודי לסתתם ולתקנם, **אבל** אם האינו יהודי מסתת אבנים שלו ומתקן קורות שלו, שהישראל עשה עמו קיבולת על הכל, והברירה עוד ביד האינו יהודי לסתת אבנים אחרות ולהחזיק אלו לעצמו, **אפילו** עושה זה לצורך ישראל, אם אינו בביתו של ישראל, אף שהוא מפורסם שעשה זה לצורך ישראל, מותר, שזה לא נקרא עדיין מלאכת ישראל, כ"כ הדגמ"ר, **וכבר** קדמו בתשובת הרדב"ז, אך שמסיים שם, דאם היה האינו יהודי מסתת אותם בשבת סמוך לבנין, אין נכון הדבר משום מראית העין, שלא יאמרו שכירו הוא.

הגה: וי"א דאם אינו מפורסם שהוא של ישראל, שרי - היינו שאינו צריך למחות בא"י אם יעשה מלאכתו בשבת, ובלבד שלא יאמר לו שיעשה בשבת.

וכ"ז דוקא אם האינו יהודי עושה בביתו, או שיהיה עכ"פ רחוק מהבנין, כדי שלא יהיה מינכר שהוא של ישראל וכנ"ל.

והי"א קאי אכולהו, דהיינו אף מחובר גמור לא אסרו בקבלנות אלא בסתמא, דמסתמא שם הישראל נקרא עליו, **אבל** בידוע לנו שאינו מפורסם הבנין על שם ישראל, לא אסרו בקיבולת, **והא** דציין הרמ"א הי"א על סיתות אבנים, משום דבבנין ממש אין מצוי זה.

ומשמע בכמה אחרונים דסבירא לן לדינא כהי"א הזה לענין סיתות האבנים, ואפשר דגם המחבר מודה ליה בזה, **אך** לענין מחובר גופא, אפילו אם הבנין עומד במקום שאין ידוע שהוא שלו, ג"כ אין להקל, דיש לחוש לשכניו או לבני ביתו שיודעים שהוא שלו ויחשדוהו.

סעיף ג - אם בנו אינו יהודי לישראל בית בשבת באיסור - היינו שהיה בקיבולת ובתוך התחום, דהוא אסור רק משום מראית עין, דבאמת אדעתיה דנפשיה עביד וכנ"ל, **נכון להחמיר**

שלא יכנסו בו - לעולם, ואפילו אחרים, **אבל** מ"מ מותר ליהנות ממנו ולמכרה לא"י.

והאחרונים כתבו, דבדיעבד יש לסמוך בקבלנות על דעת ר"ת (שמתיר לבנות בית בקבלנות), ומותר לדור בו אפילו לעצמו, **וכן** בסיתות האבנים ותיקון הקורות, אם היה בקבלנות יש להתיר בדיעבד לשקעם בבנין.

אבל אם היו שכירי יום, דמדינא אסור, יש בזה איסור מצד הדין בדיעבד, ולא "נכון" בלבד, כ"כ המ"א, וכן מוכח ג"כ דעת הב"ח לענין שכיר יום, **וכ"כ** הח"א, דבשכיר יום אסור מדינא בענין זה שהוא מילתא דפרהסיא, לו לעולם, ולאחרים בכדי שיעשו, (ורק נכון להחמיר שלא יכנסו בו לעולם אפי' אחרים – שונה הלכות), [ויכול למכרו], **ויש** מקילין דאף בכה"ג אינו אסור מדינא כי אם בכדי שיעשו, [ורק נכון להחמיר], **וע"ל** בסי' שכ"ה סי"ד שם במ"ב.

הגה: מיהו אם התנה ישראל עם א"י שלא לעשות לו מלאכה בשבת, והאינו יהודי עשאה בעל כרחו למהר להשלים מלאכתו - ר"ל שעבר על תנאו שהתנה עמו מקודם, **אין לחוש** - דהיינו שאין צריך אפילו למחות לו עוד בעת שעושה המלאכה. **(מרדכי)**.

ועיין במ"א שמפקפק מאד בדין זה, דכיון שהוא מחובר והוי מילתא דפרהסיא, [ודעת הא"ר דמטלטלין בבית ישראל דינו כקרקע], איכא חשדא דרואים שלא ידעו שהתנה, וכן בא"ר נתקשה על עיקר הדין של המרדכי, **וע"כ** אין להקל בזה, אלא יראה למחות לו ולמנעו מפעולתו, [**ופשוט** דבמחאה לכו"ע מהני אפי' בקרקע, דמאי הו"ל למעבד].

וכתב הא"ר, דמ"מ נראה שא"צ ליתן להם מעות כדי שיפסקו, כיון שבכך התנה מתחלה ונרצו לכך, עכ"ד, **ומשמע** מלשונו, דאם לא התנה מתחלה, אין די במחאתו בלבד, אלא צריך לפזר ממעותיו כדי שיפסקו, **ונראה** שטעמו, דפשע, דהו"ל להתנות מתחלה, וצ"ע לדינא.

סעיף ד - מלאכת פרהסיא, אפילו במטלטלין, כגון ספינה הידועה לישראל, דינה כמו מלאכת מחובר - אין מיירי שעושה אותה ברשות ישראל, דא"ה אפילו היה דינו רק כמטלטלין דעלמא, ג"כ היה אסור, כדמוכח בסימן רנ"ב ס"ב, דאף במטלטלין אסור אם עושה אותה ברשות ישראל, **אלא** מיירי שלא בביתו, **ועיין** במ"א ושארי אחרונים, דדוקא אם עושה את הספינה במקום גלוי ומפורסם, **דאם** בצינעה אין להחמיר בה, כדמוכח בסימן רנ"ב ס"ג.

(**עיין בסימן רנ"ב ס"ג, דכתב שם המחבר על דין זה: יש להחמיר ולאסור, משמע דלאו מדינא כ"כ, והוא סותר להך דהכא, ולדינא משמע מאחרונים, דתפסו להך דהכא לעיקר**).

סעיף ה - אם שכר אינו יהודי לשנה או לשתים שיכתוב לו או שיארוג לו בגד - "או שיארוג לו, הרי זה" וכו' - כצ"ל, **הרי זה כותב ואורג בשבת, כאלו קצץ עמו שיכתוב לו ספר או שיארוג לו בגד, שהוא עושה בכל עת שירצה.** (רמב"ם).

כתב מ"א: כונת הרמב"ם, כדרך השרים שיש להם סופר מיוחד, או חייט מיוחד, שבכל עת שצריך השר לכתוב מחויב לו לכתוב, ובעת שאין צריך לו יושב ובטל, **ולכן** מותר לכתוב או לארוג בשבת, שהוא עושה בכל עת שירצה, שהרי הישראל אין אומר לו לעשות בשבת, ואם רצה עושה למחר, ואין הישראל מרויח במה שעושה בשבת, **אבל** אם שכרו לארוג לו תמיד בשנה זו, או לכתוב לו תמיד, אסור אף להרמב"ם לכתוב לו בשבת, אף שאין מדקדק עליו על ביטול איזה יום, מ"מ הרי מרויח הישראל בעשייתו.

ומהט"ז משמע, דגם בכה"ג חשוב להרמב"ם קבלנות, כיון שאינו מקפיד עליו אם יבטל איזה יום, **דאם** הוא מקפיד עליו שלא ישב איזה יום בטל, אסור לכו"ע, דהוי כאלו צוהו לעשות ביום השבת.

עוד כתב הט"ז, דאם שכרו לגמור ספר או בגד תוך אותו זמן, הוא כמקפיד, והיינו בשידוע דא"א לגמור אם לא שיעשה גם בשבת, **ואף** שאם יאנוס עצמו וישב בלילה יוכל לגמור בחול, אעפ"כ הוי זה כמצוה לו לעשות בשבת, [**ולא** התיר הרמב"ם אלא כשאין עליו לגמור המלאכה, ואין מקפיד על ביטולו].

והוא שלא יחשוב עמו יום יום - ר"ל שלא ידקדק עליו אם מבטל איזה יום ממלאכתו, **ולא יעשה המלאכה בבית ישראל** - דבזה אפילו קבלנות גמורה אסור, כדלקמן בסימן רנ"ב.

ויש מי שאוסר בשוכר אינו יהודי לזמן - הוא דעת הראב"ד, **והנה** לדעת הט"ז הנ"ל ניחא בפשיטות טעם הראב"ד, דס"ל דאף שאינו מקפיד על ביטולו, מ"מ הרי הישראל מרויח על ידו, **ולדעת** המ"א הנ"ל ג"כ ניחא, דס"ל להראב"ד דהישראל מרויח במה שעושה בשבת, דשמא יצטרך גם למחר לכתוב, ולא יוכל לעשות שניהם כאחד.

(**עיין** בא"ר, שדעתו להורות כהדיעה הראשונה, ומ"מ לכתחילה טוב ונכון לצאת גם דעת היש מי שאוסר, שכן גם המ"מ נשאר אצלו דין של הרמב"ם בצ"ע, וגם הלבוש כתב דמסתבר דעת הראב"ד, אלא דמשמע דלבוש מפרש פלוגתייהו כדעת הט"ז, ונראה דבאופן שמיירי המ"א, לכו"ע מותר לדעת הלבוש).

הגה: ודוקא ששכרו למלאכה מיוחדת, כגון בגד לארוג או ספר לכתוב - דבזה אפשר שלא יגיע לישראל ריוח ע"ז שהוא עושה בשבת, כגון שלא יצטרך הישראל אריגה או כתיבה כ"כ, **אבל כששכרו לכל המלאכות שיצטרך תוך זמן השכירות, לכו"ע אסור** - דקרוב הדבר לודאי שיצטרך למחר מלאכה אחרת, וא"כ מרויח הישראל במלאכת הא"י בשבת, ולכך אפי' אם לא יחשוב עמו יום יום אסור. **וכמו שיתבאר סוף סימן רמ"ז.**

ומטעם זה יש למחות ביד השפחות כשעושין מלאכת אדוניהן בשבת, אפילו כשעושין שלא בבית ישראל ושלא בצווי בעליהן, דהא הם שכורין לכל המלאכות, **וכ"ש** כשעושין בבית ישראל, דזה אסור אפילו בשכור למלאכה מיוחדת וכנ"ל.

ועיין בט"ז דמביא בשם רבינו שמחה, דהוא אוסר להשפחה אפילו לעשות מלאכת עצמה בבית בעליה, והטעם, מפני הרואים שלא יאמרו: מלאכה של ישראל היא עושה, **והא"ר** הביא בשם סה"ת, דמלאכת עצמה מותר, ודעתו שגם רבינו שמחה מודה לזה, ע"ש בדבריו, והפמ"ג יישב דברי הט"ז ע"ש, **ועיין** בספר ח"א, דלתקן השפחה בגדיה, לכו"ע מותר בבית בעה"ב, שהוא ניכר שמלאכת עצמה היא עושה, ועיין מש"כ בס"ו.

סעיף ו - יהודי הקונה מכס, ומשכיר לו א"י לקבל מכס בשבת - הלשון אינו מדויק, כי הכונה הוא ששוכר את הא"י, **מותר אם הוא בקבולת, דהיינו שאומר לו: לכשתגבה מאה דינרים אתן לך כך וכך** - דהיינו שאין מזכיר לו יום השבת כלל, אלא בסתמא: אם תגבה כך וכך, אתן לך סך כך וכך, א"כ לא הוי שכיר יום, **וגם** לית כאן שכר שבת כלל, (מצד המכס עצמו שבא לכיסו של ישראל – יד אפרים), שכבר שכר מהשר המכס של כל השנה עם השבתות בכלל.

ואז שרי מדינא, כמו בעורות לעבדן בריש סימן רנ"ב, דמותר ליתן לו קודם שקיעת החמה אם הוא בקיבולת, משום דאדעתא דנפשיה קעביד, **אע"ג** דאסור שם לקבוע לו מלאכתו בשבת, (אבל הכא הרי ישראל קובע לו לעשות בשבת, דהא בחול הישראל בעצמו גובה המכס, רק שמצוה לגוי שיקבלו בשבת, וא"כ אפי' אמר לו מכל מאה כו' הו"ל לאסור – מחה"ש), **ועוד** דהוי מילתא דפרהסיא, שהעסק היה ידוע לכל שהוא של ישראל, וכמו שהיה עושה הא"י עתה בבית ישראל דמי, דאסר שם, **מ"מ** התירו בזה משום פסידא, דאדם בהול על ממונו, ואי לא שרית ליה אתי לגבות בעצמו, ויבוא לידי איסורא דאורייתא, דשמא יכתוב פתקא כדרך המוכסים - ב"י.

ולפי"ז משמע דבמכס שאין כותבין, כגון אותן שלוקחין מיני מאכל במכס, אסור אפילו ע"י א"י, דלא יבא לידי איסור דאורייתא אפילו אי לא שרינן ליה, **אבל** הט"ז ומ"א מסקי, דאפילו באופן זה שרינן ע"י א"י משום פסידא, [**טעם** הט"ז, דאפי' בדרבנן מקילינן ע"י א"י משום פסידא, שלא יבוא לידי איסור חמור מזה, דהיינו ע"י עצמו, **וטעם** המ"א, דהכא מותר אפי' למאן דלא שרינן שבות דשבות במקום פסידא, משום דבענינו הוא כמציל מידו, שלא ישתקע ממונו ביד א"י], **מיהו** בעצמו אסור לקבל אף המכס של מיני מאכל, אפילו אם לא הובא מחוץ לתחום, ולא שייך בו חשש צידה ומחובר, משום "ממצוא חפצך", וכמ"ש סימן ש"ו.

יהודי ששכר בשול המלח מן השר, מותר להשכיר לו פועלים בקיבולת, שאם יעשה לו כך וכך מלח יתן לו כך וכך, **ואע"פ** שהכלים והעצים הם של ישראל, שרי, ובלבד שלא יביאו עצים מרשות הישראל בשבת, **שכל** קבלנות אינה מותרת אא"כ מסר להם מע"ש כל מה שרוצה למסור לצורך המלאכה, ויוציאום מרשותו מע"ש, **אבל** אין לו היתר לשכור א"י על שבת וחודש, דמ"מ מרויח הישראל במלאכתו, ואין לו היתר אלא

בקבלנות, [**אבל** אין מותר בזה אא"כ לא קבע לו מלאכתו בשבת, דבזה לא מקרי פסידא כמו לגבי מכס].

הגה: וכן יוכל להשכיר המכס לכל השבתות לאינו יהודי, והא"י יקח הריוח של שבתות לעצמו - ר"ל דבזה ג"כ מדינא שרי, דא"י כי עביד אדעתא דנפשיה עביד, **ולא חיישינן שיאמרו לצורך ישראל הוא עושה, דבמקום פסידא כי האי גוונא לא חששו.**

וכתב המ"א דגם משום שכר שבת לית בזה, אף שהוא משכירו לשבת לחוד, משום דהרי הוא כאלו קנה ממנו המכס, והו"ל כאלו יודע שיביאו לו א"י סחורה בשבת, ומכרה בע"ש לא"י שהוא יקבלה ממנו בשבת, דפשיטא דשרי, וכן גבי מטבע, מוכר לו הורמנא בעלמא מה שיש לו מהמלך, וכל הריוח יקח הא"י, (**עיין** בתו"ש שהקשה, דבענינינו אין יכול הישראל להקנות לו, דהוי דבר שלא בא לעולם, ונראה דזה היה סברת הגר"א ג"כ, ומה שיישבו הפמ"ג קצת, היה נראה לו לדוחק), **ואין** בזה רק משום מראית העין, שיאמרו שהוא עושה לצורך ישראל, שישראל שכרו לכתוב בשבת ולקבל המכס, **וזהו** שכתב הרמ"א: ולא חיישינן וכו' דבמקום פסידא וכו', ולא הזכיר כלל משכר שבת.

(**ומשמע** דבעצם הענין לא פסיקא ליה להמ"א לפי המסקנא שלו, אם מקילינן כלל משום פסידא לענין שכר שבת, **אבל** הט"ז סובר בהדיא דבמכס שהוא עסק גדול, וכן גבי מטבע, לא אסרינן משום שכר שבת, דאדם בהול על ממונו, ואי לא שרית ליה אתי לידי איסור יותר גדול, וכן דעת התוספות שבת ג"כ, **ועיין** בביאור הגר"א דמשמע מיניה דהוא סובר ג"כ כהט"ז ותוספת שבת הנ"ל, דיש בזה שכר שבת אך שהתירו משום פסידא, **נמצא** לפי"ז דהט"ז והתו"ש והגר"א כולם בחדא שיטתא קיימי, וכן משמע בלבוש, וע"כ יש להקל בזה, **אך** לדברי כולם משמע דבשכיר יום אין להקל בשום גוונא).

דע דמשמע מכל הפוסקים, דלא התירו אפי' במקום הפסד גדול אלא באופן זה שצייר השו"ע, דהיינו או בקיבולת, או שמשכיר לו את גוף הריוח, דבכל זה העובד גלולים אדעתא דנפשיה קעביד, **אבל** בשכיר יום ממש אסור בכל גווני, ומזה תדע שאותן האנשים המחזיקים בית משקה, שלוקחין מע"ש איזה א"י בביתן על יום השבת לעסוק במכירת המשקה, שלא כדין הם עושין, **דאף** אם נחשוב מניעת ריוח יום השבת להפסד גדול, מ"מ הלא לא התירו בשכיר יום ממש, [**ואפי'** למאן דשרי שבות דשבות במקום הפסד, היינו כשאין לו עצה אחרת, אבל בזה הלא יכול לתקן הדבר מע"ש וכמו שכתוב בשו"ע, או שיקנה לו מבע"י], **וגם** דאולי הוא רק בכלל מניעת הריוח, כמו שכתבו האחרונים לענין תנור ומרחץ, **ועכ"פ** אין להתיר אלא באופן שציירו השו"ע והרמ"א, או שיקנה לו מע"ש כל הדברים שנותן לו למכור, [היינו במשיכה ובכסף, וע"פ הדחק בכסף בלחוד, שיתן לו מקצת מעות ע"ז], **ואף** דעכ"פ עדיין העסק נקרא על שם ישראל, זה מותר משום פסידא.

ולפי מה שכתבנו לקמיה בשם הט"ז, יהיה מותר בזה לישראל לישב מרחוק ולשמור שלא יגנוב הא"י מהעסק, **אך** שיזהר שלא יתערב בהעסק, ושלא ידבר עמו כלום מענינים ההם, והוא דבר קשה ליזהר שלא לדבר כלום כשיושב שם, **אך** העולם נוהגין להתיר, והנח להם מוטב שיהיו שוגגין ואל יהיו מזידין, והבוטח בה' ואינו מחפש צדדי קולות על שבת, אשריו.

וישראל הממונה על מטבע של מלך, דינו כדין הממונה על המכס, ואע"פ שמשמיעים קול בשבת בהכאת המטבע - וע"כ מותר ליתן הכסף לא"י מבעוד יום בקיבולת, שאם יעשה לו מן הכסף כך וכך יתן לו כך וכך, או שישכיר לו הישראל הריוח שיעלה מזה בשבת להא"י וכנ"ל, משום פסידא, [**והיינו** אפי' אם הוא מילתא דפרהסיא וידוע שישראל שכרו מהמלך. **ושלא** במקום פסידא, כגון באיש אחר שנותן כסף לא"י ע"ז, אינו מותר אפי' בקיבולת, אא"כ עושה הא"י בביתו, כדי שלא יהיה שם הישראל נקרא ע"ז].

ויזהר שלא ישב הישראל - שהשכיר לו או שלוחו, **אצל הא"י בשבת כשעוסק במלאכתו במטבע, או בקבלת המכס** – (אפי' אם השכירו לא"י לשבתות, ואין לו עסק בכך, **אפ"ה אסור, שלא יאמר לצרכו הוא עושה).**

וכתב הט"ז, דמה שאסור לישב שם, היינו כדי לידע מה היא ההתעסקות שעושה הא"י, וכדי לקבל הימנו חשבון ע"ז למחר, דזה אסור משום "ממצוא חפצך", כדלקמן סימן ש"ו ס"א, **אבל** אם אינו יושב שם אלא כדי

לשמור את הא"י שלא יגנוב מן המכס, מותר, **ומזה** ניחא מה שנהגו מחזיקי רחיים מהשר, להושיב שם ישראל אפילו בשבת, **רק** יזהרו שלא ידבר כלום בהעסק, עכ"ל, וכ"כ שארי אחרונים.

§ סימן רמה – ישראל וא"י שותפין איך יתנהגו בשבת §

סעיף א- טעם הדברים אלו {דאם הישראל יש לו איזה עסק או מלאכה בשותפות עם הא"י} דבעינן "התנו", **דאל"ה** כיון דמתחלה בשעת עשיית השותפות היה מוטל המלאכה על שניהם יחדו, ולהכי אם אח"כ יאמר להא"י: עשה אתה לבדך בשבת וטול לך כל הריוח של שבת, ואני אעשה לבדי יום אחד בחול כנגדו ואטול אותו לעצמי הריוח של אותו יום, הו"ל כאלו מעמיד את הא"י לפועל בידים, כאלו אומר לו: עשה אתה עבורי בשבת ואני אעשה נגד זה עבורך בחול, והוי שלוחו ממש.

ולפ"ז אם שותפו הא"י בעצמו אינו עושה כלום, רק שא"י אחרים הבאים לאפות מסיקין בו בתנור של השותפות ונותנים סך מה בשכרם, יכול הישראל לקבל משותפו שכרו המגיע לו לפי חלקו אפילו אם לא התנו, **ובלבד** שלא יקח ממנו משכר שבת לבדו, אלא יקח ממנו סתם בהבלעת שאר ימים, כדי שלא יהיה שכר שבת, **ולא** חיישינן משום מראית העין, שיאמרו לצורך ישראל הוא עושה, כיון שידוע שיש לא"י חלק בו.

וההיתר גמור הוא, שיתנו מתחלה קודם שלוקחין בשותפות: עבוד אתה בשבת ותקח כפי מלאכתך הן רב או מעט, ואני אעבוד כנגדך יום אחד בחול ואטול כפי מלאכתי, **ובשעת** חלוקה יטול הא"י שכר עבור השבת, והישראל יטול יום א' כנגדו הן רב או מעט, **והטעם**, דכיון שהתנו בתחלה, לא הוטל על הישראל כלל מעיקרא לעשות בשבת, ואין הא"י שלוחו.

אבל אם לא התנו מתחלה, ובשעת חלוקה אומר לא"י: טול אתה כנגד עמלך בשבת ואני בחול, זהו ודאי אסור, **ואם** לא התנו מתחלה, ובשעת חלוקה חלקו סתם בשוה, זהו בעיא בגמרא ולא אפשיטא, ופסק הרמב"ם לחומרא, והרא"ש לקולא, והמחבר סתם כהרמב"ם, והרמ"א פסק בהג"ה כהרא"ש במקום הפסד גדול.

ואם התנו קודם שבאו להשתתף כנ"ל, ובשעת חלוקה נתרצו לחלוק בשוה, זהו מותר אף להרמב"ם וכמש"כ בס"ב, **זהו** עיקרי הדינים שבסעיפים הראשונים, ויתר הפרטים וגם טעמיהן יבוארו לקמיה.

ישראל וא"י שיש להם שדה או תנור או מרחץ או רחיים של מים בשותפות – (היינו שהוא של שניהם בעצם, או שקבלוהו מאחד להתעסק בו בשותפות), **או שהם שותפין בחנות בסחורה, אם התנו מתחלה בשעה שבאו להשתתף, שיהיה שכר השבת לאינו יהודי לבדו, אם מעט ואם הרבה, ושכר יום א' כנגד יום השבת לישראל לבדו, מותר** - וגבי שדה צריך שיאמר לו: תעמול לזרוע ולחרוש בשבת, ותטול בשעת קצירה כנגד עמלך בשבת, ואני או שלוחי אעמול בחול, ואטול ג"כ כנגד יום שלי.

דכיון דאינם מחשבין זה כנגד זה ליטול בשוה, א"כ אינם שותפים כלל ביום שבת וביום א', רק בשאר הימים, (**ונראה** דה"ה **אפילו** לא פירשו כן בפירוש "אם מעט ואם הרבה", דמסתמא כן הוא), **ולאפוקי** אם מתנה עמו בשעת התנאי שלבסוף יבואו לחשבון שיהיה השכר לשניהם בשוה, דאסור, דעל כרחך הוא עמו כשותף גם ביום השבת.

ואם אח"כ בשעת חלוקה באו לחשבון, לומר: כמה נטלת אתה מרובה ואני מועט, נחלוק המותר שיהיה לשניהן בשוה, **דעת** המ"א לפסוק כדעת הראב"ד שמחמיר בזה, משום דאיגלאי מילתא למפרע דהתנאי דמעיקרא הערמה בעלמא הוי, **ויש** מקילין בזה כיון דהתנו מעיקרא, **ועיין** בא"ר שהאריך ג"כ בזה, ולבסוף נשאר בצ"ע.

ואם לא נודע אח"כ ריוח של כל אחד ואחד על יומו, כגון בחנות, רשאין לכתחלה לחלוק בשוה, [**ונראה** דבזה יכול הישראל להכריח להא"י שיחלקו בשוה, ובס"ב הוא דוקא ברצונו].

ואם לא התנו בתחלה, כשיבואו לחלוק נוטל א"י שכר השבתות כולם, והשאר חולקים אותו; ואם לא היה שכר השבת ידוע, יטול הא"י לבדו שביעית השכר, וחולקים השאר -

כתב סתמא לאסור בלא התנו, אפילו אם לא אמר לו: עבוד אתה בשבת ואני בחול, **וגם** בשעת חלוקה לא הזכיר לו של שבת, אלא רוצה לחלוק עמו סתם בשוה, **אפ"ה** אסור, כיון שלא התנו קודם שנשתתפו.

הגה: ויש מתירין השכר בדיעבד, אפילו לא התנו, וחלקו סתם - היינו שבשעת חלוקה לא הזכיר לו ישראל את השבת, לומר: אתה תטול כנגד יום עמלך בשבת, ואני אטול כנגד יום עמלי בחול, אלא חלקו סתם בשוה, **וגם** מיירי שלא אמר לו בתחלה עבוד אתה בשבת ואני אעבוד כנגדך בחול, אלא הא"י עשה מעצמו שלא בצוויו, **דאל"ה** אסור לכו"ע בכל זה, דגלי דעתו דשלוחו היה על שבת, והוא עמל כנגדו בחול, כיון שמתחלה הוטל על שניהן יחד.

וני"ל דבהפסד גדול יש לסמוך עלייהו – (ואפשר שאם נטל הא"י סתם כנגד יום השבת הן רב הן מעט, והישראל כנגדו יום חול בסתמא, ולא הזכיר שנוטל כנגד השבת, ג"כ מותר במקום הפסד גדול).

ודע, דכל הסעיף הזה מיירי שהישראל והאינו יהודי הם שותפים בגוף התנור והמרחץ, **אבל** אם אין לא"י חלק בגוף התנור, רק שהוא מקבל חלק בריוח בשביל שהוא אופה ומסיק התנור, **י"א** דלא מהני בזה אפילו כשמתנה בתחלה: טול אתה חלקך בשבת ואני יום אחד בחול, דכיון שגוף התנור הוא של ישראל, הו"ל כמשכיר לו תנורו על שבת, שיסיק לו בשביל זה השכר יום אחד של חול, ואסור ליטול שכר שבת, **ועיין** במ"א שמסיק, דיש לחוש להחמיר כדעה זו.

ודוקא באופן זה שהוא שלא בהבלעה, אבל אם הוא בהבלעה, כגון שאומר לאופה טול אתה ב' וג' ימים, שרי כשהתנה זה בתחלת השותפות, **ויש** מאחרונים שסוברין, דלא בעינן בזה שאין לא"י חלק בגוף התנור, התנו מעיקרא, כיון שהוא בהבלעה, [**ואם** הא"י נוטל חצי הריוח בכל יום עבור אפייתו, אף להמ"א לא בעינן דוקא שיתנה מעיקרא, אם הוא בהבלעה, דהא הוא כאריס ממש, **ולכן** אם נתפרסם שהוא אינו שכיר יום, דתו ליכא משום מראית עין, שרי].

וי"א שכל זה לא מיירי אלא בשותפות שכל אחד עוסק ביומו - דאז כיון דהישראל עושה כל יום א', הו"ל הא"י כשלוחו לעשות כל יום השבת בשבילו, ולכך בעינן שיתנה מעיקרא וכנ"ל, **וכתבו** האחרונים דה"ה אם הא"י נתן מעות לישראל להתעסק בהם בחול, ובשבת מתעסק הוא, דאסור לישראל לקבל ממנו שכר מן הריוח שנולד בשבת, אא"כ יתנה הישראל עמו מעיקרא שלא יהיה מוטל עליו יום השבת כלל, **דאל"ה** כיון דהמלאכה הזאת מוטלת על ישראל, והא"י עושה שליחותו, אסור.

אבל כשניהם עוסקים ביחד כל ימי החול, ובשבת עסק האינו יהודי לבדו, מותר לחלוק עמו כל השכר, דאינו יהודי אדעתא דנפשיה קא עביד - בשביל חלקו, דהו"ל כאריס דמותר מדינא, וכנ"ל בריש סימן רמ"ג, דכיון שהוא לוקח בפירות עביד אדעתיה דנפשיה, וחלק הישראל נשבח ממילא, וה"ה כאן, **אלא** דשם אסור בתנור משום מראית העין, שיאמרו שכירו הוא, וכאן ליכא מ"ע, דהכל יודעין שיש לא"י חלק בו.

ואין הישראל נהנה במלאכתו בשבת, כיון שאין המלאכה מוטלת עליו לעשות - ר"ל דהנאתו הוא רק הנאה דממילא, אבל אין הא"י עושה מלאכתו בשבילו להנותו, דליהוי כשלוחו בזה, כיון דאין מוטל כלל על ישראל בזה לעשות בשבת, **דהא** בחול מחממין שניהם, ובשבת אין הא"י יכול לכופו שיעסוק עמו, משו"ה בודאי אדעתיה דנפשיה עביד.

ומ"מ לא יטול שכר שבת אלא בהבלעה עם שאר הימים - דאל"ה מחזי כשכר שבת.

סעיף ב - היכא שהתנו בתחלה, אם אח"כ בשעת חלוקה נתרצה הא"י לחלוק בשוה, מותר - ר"ל שעלה, לפי מה שהתנו הן רב או מעט, על חלק השבת יותר מיום אחד החול של ישראל, ובשעת חלוקה נתרצה לחלוק בשוה, **אפ"ה** לא אמרינן דאיגלאי מלתא למפרע דהא"י היה שלוחו למלאכת שבת, **אלא** מתנה בעלמא הוא דיהיב ליה הא"י, כיון דהתנו מתחלה שיהיה יום השבת שייך לו לבדו.

ודוקא שריצוי של א"י שיהיה החלוקה בשוה היה בסתמא, שלא ע"י עשיית חשבון מריוח שני הימים, **אבל** אם בא ע"י עשיית חשבון, שהישראל אמר

לא"י בשעת חלוקה: את שקלית בשבת ק' זוזי, ואנא שקילנא ביום החול נ' זוזי, מלא לי החסרון, ועי"ז נתרצה הא"י להשלים לו, [וכן להיפך, אם ריוח יום החול היה יותר מיום השבת, והא"י אמר לישראל: מלא לי], **כבר** כתבתי בס"א שיש דעות בזה.

סעיף ג - היכא שלא התנו בתחלה, יש תיקון ע"י שיחזיר המוכר להם דמי הקרקע - ובחו"מ איתא שצריך עתה קנין מחדש להקנות להמוכר, ולא סגי בזה שיחזיר לו הדמים והשטר מכירה, ועיין שם לענין קנין הא"י.

או ימכרוהו לאיש אחר, ויחזרו ויקנוהו בשותפות, ויתנו בשעת הקניה; ואם נשתתפו בחנות ולא התנו, יחזור כל אחד ויטול חלקו ויבטלו השותפות, ואחר כך יחזרו להשתתף, ויתנו בתחלה; ואם קבלו הקרקע לעשות בו מלאכה בשותפות, יבטלו השיתוף וימחלו זה לזה, ואחר כך יחזרו להשתתף ויתנו בתחלה.

הגה: ואם ירצה להשכיר לאינו יהודי חלקו בשבת, או לשכרו בקבולת, שרי – (היינו בין לא"י זה שותפו או לאחר), **וכמו שנתבאר לעיל ס"ס רמ"ד לענין מכס ומטבע דשרי, וכ"ש כאן דשרי עם שותפות אינו יהודי.**

עיין במג"א וט"ז שנתקשו בזה מאד, דלמה יהיה מותר, ואינו דומה לסימן רמ"ד, דשם שרי משום פסידא דווקא, [דבענינינו אינו דומה כלל למכס, דשם שאני שהוא עסק גדול ואדם בהול על ממונו, ולכך שרינן משום פסידא, משא"כ בזה], **ותירץ** המג"א במסקנא, דהכא איירי שמשכיר לו את חלקו בשבת בהבלעה, דהיינו שמשכיר לו כל ימי השבתות שלו עם ב' וג' ימים מימי החול, דתו ליתא כאן משום שכר שבת, **ומה** דשרי בקיבולת, מיירי ג"כ שלא ייחד לו שבת בהקיבולת, אלא בסתמא: כל אימת שתעשה בעצמך ותרויח לי כך וכך אתן לו כך וכך, **ועיקר** רבותא דהרמ"א דקמ"ל דלא חיישינן בזה למראית עין, שיאמרו לצורך ישראל הוא עושה, כיון שידוע שיש לא"י חלק בו, **ומש"כ** "כמו שנתבאר", כונתו כמו שם דלא חששו למ"ע, וכ"ש הכא דליכא מ"ע כלל, כיון שהוא בשותפות עם הא"י, **וכן** הט"ז מסיק לדינא דאינו מותר בזה אלא בהבלעה, ואעפ"כ יזהר שלא לדבר עם הא"י בהעסק בשבת, כמ"ש האחרונים בס"ס רמ"ד.

[**עיין** בט"ז, דלא שרינן שלא בהבלעה אפי' במקום דא"א לו לבטל השותפות, **ודעת** המ"א לא ברירא דעתו בזה לפי המסקנא, היכא דא"א לבטל השותפות].

סעיף ד - יכול ישראל ליתן לאינו יהודי מעות להתעסק בהם, ואע"פ שהאינו יהודי נושא ונותן בהם בשבת, חולק עמו כל השכר בשוה, מפני שאין מלאכה זו מוטלת על ישראל לעשותה שנאמר שהא"י עושה שליחותו - שאם היה מוטלת עליו, אסור מדינא, כמ"ש בס"א שאם לא התנה שאסור, **ומשום** מיחזי כשכר שבת ליכא, דהרי הוא בהבלעה.

וכן אין העסק ניכר ממי הוא - ר"ל דמשום מראית העין, שיאמרו הבריות שהא"י שכירו הוא, ליכא ג"כ, דהלא אין העסק ניכר של מי הוא, **שאם** היה ניכר ונקרא על שם ישראל, היה אסור, כמ"ש סימן רמ"ג ס"א גבי מרחץ ע"ש, **ומ"מ** כ"ז אינו מותר אלא כשלא יאמר לא"י שיתעסק בהם בשבת, אלא שהא"י בעצמו עושה כן, וכמו שכתב כעין זה בס"ה.

הגה: ודוקא בכי האי גוונא שא"י נושא ונותן לחוד עם המעות, אבל אם כל אחד עוסק ביומו, וישראל צריך לעסוק נגד מה שעסק הא"י בשבת, אסור - אם לא שהתנה עמו בזה קודם שנשתתף עמו, וכנ"ל בס"א.

וישראל שיש לו משכון מן הא"י, עיין לקמן סימן שכ"ה סעיף ב' וג'.

סעיף ה - מותר לישראל ליתן סחורה לא"י למכור, אם קצץ לו שכר - דאז אמרינן אדעתיה דנפשיה עביד, ואינו כשלוחו.

ובלבד שלא יאמר לו: מכור בשבת - ואם יום השוק הוא בשבת, אפילו בסתמא אסור, דהוי כאילו אמר: מכור לי בשבת.

תנור שלקחו ישראל משכון מא"י - (וה"ה בכל אחד מכל הנ"ל, ולאו דוקא תנור), **וקבל עליו האינו יהודי שמה שיעלה שכר התנור יתן לישראל ברבית מעותיו, מותר ליטול שכר שבת** - היינו אפילו שלא בהבלעה, ואין צריך להתנות כלום, **לפי שהוא ברשות האינו יהודי ואין לישראל חלק בו, וגם אין הישראל אומר לו לעסוק בשבת, והאינו יהודי כי טרח בנפשיה טרח, לקיים תנאו.**

סעיף ו - אם אפו אינו יהודי בתנורו של ישראל בשבת על כרחו, ונתנו לו פת בשכר התנור, אסור ליהנות ממנו - לאו דוקא פת, דה"ה אם נתנו לו מעות אסור לו לקבל מהם, ועובדא היה בפת.

עיין בב"ח שכתב, דאיירי דלא אפו בו רק בשבת, וע"כ אף שבע"כ אפו בו, אם יקבל את הככר נוטל שכר שבת, **אבל** אם אפו בו עוד שאר ימים, מותר לקבל מהם שכר שבת ג"כ בהבלעה, **ועיין** בביאור הלכה, דזה מותר אפילו לא היה האפיה בע"כ, דאף דעשה איסורא במה שהרשה להם, וכנ"ל בריש סי' רמ"ג, מ"מ בדיעבד אין לאסור שכרו, דהאיסור בזה הוא רק משום מראית העין, וכמ"ש בס"ס רמ"ג במ"ב.

(עיין בבגדי ישע שעל המרדכי, דדוקא לכתחלה אסור לו לקבל שכר שבת, **אבל** בדיעבד אם קבל, אין ההנאה מזה אסור, **ומלישנא** דשו"ע לא משמע כן, וצ"ע).

§ סימן רמו – דיני השאלה והשכרה לא"י בשבת §

סעיף א - מותר להשאיל ולהשכיר כליו לאינו יהודי, ואע"פ שהוא עושה בהם מלאכה בשבת, מפני שאין אנו מצווים על שביתת כלים - הוא דעת הרי"ף והרמב"ם, וס"ל דהא דתניא: לא ישכיר כליו לא"י בע"ש, ובד' וה' מותר, הוא מטעם שביתת כלים דאסור, ואתיא כב"ש דס"ל אדם מצווה על שביתת כליו כמו על שביתת בהמתו, **אבל** ב"ה ס"ל שביתת כלים אין אדם מצווה עליו, וממילא מותר להשאיל ולהשכיר כליו אפילו בע"ש, ואפילו כלים שעושין בהם מלאכה.

ומ"מ גם הם ס"ל דכל הכלים אין היתר להשכיר רק בהבלעה, אבל לא על שבת לחוד, אפילו אם משכירם בתחלת השבוע, דזה הוי שכר שבת, וכמ"ש אח"כ לפי הי"א, דע"ז לא מצינו מי שמקיל.

וי"א דכלים שעושין בהם מלאכה, כגון מחרישה וכיוצא בה, אסור להשכיר לאינו יהודי בע"ש - הוא דעת הרב רבינו יונה, דהך ברייתא לא אסרה משום שביתת כלים, אלא ככו"ע אתיא, **והטעם**, דכשמוסר בע"ש את הכלים שעושין מלאכה בהן, והא"י יעשה בהן מיד בשבת, נראה כמו שעושה מלאכתו בשליחותו של ישראל, וזה אסור, דאמירה לא"י שבות, **ואע"ג** דבסימן רנ"ב ס"ב איתא דשרי ליתן עורות לעבדן עם חשיכה, דא"י אדעתיה דנפשיה קעביד כיון דקצץ לו דמים, שאני התם, שאין ריוח לישראל במה שהא"י עושה בשבת, **אבל** בשכירות כלים ידוע הוא שאם יתנה עם הא"י שישבות בהכלים בשבת, לא יתן לו שכירות כ"כ, הילכך כיון שיש ריוח לישראל במה שהכלים נשכרים אצל הא"י בסתמא, ועושה בהן מלאכה בשבת, מחזי כשלוחו של ישראל לזה.

מחרישה וכיוצא בה - כגון ריחיים וכל כלי אומנות, **ועיין** בפמ"ג, דה"ה כלים שאין עושין בעצמן מלאכה, כגון גיגית שהשכר נעשה בה, או קדרה שמבשלין בה, וכל כה"ג, כיון שעכ"פ הא"י עושה בהן מלאכה, מחזי כשלוחו של ישראל, **ולא** בא הרר"י למעוטי אלא כשמשכיר לו חלוק וטלית וכה"ג, איזה כלי שאין עומד לעשות בה מלאכה, דמותר להשכיר לו אפילו בע"ש, (וי"ל דבא לאורויי, דדוקא דברים שעושה בהם מלאכה דאורייתא, אבל בעושה בהם מלאכה דרבנן, מותר, כיון דלא מיחזי רק כעובר על שבות דשבות).

וביום החמישי מותר להשכיר לו - דלא מיתחזי כולי האי כשלוחו.

ובלבד שלא יטול שכר שבת אלא בהבלעה, כגון שישכיר לו לחדש או לשבוע - אבל

ליטול שכר שבת לחוד, אפילו בכלי שאין עושין בו מלאכה, או שמשכיר לו חדר לדור בו, אסור לכו"ע.

ולהשאיל לו, מותר אפילו בערב שבת - דכיון שאין ריוח לישראל במלאכת הא"י, לא יאמרו שלוחו הוא לזה, **וע"כ** מותר להשאיל לו אפילו ליום השבת לחוד, אפי' כלים שיעשה הא"י מלאכה בהן.

הגה: וכן עיקר כסברא האחרונה. ומותר להשאיל לו בערב שבת, אע"ג שמתנה שהאינו יהודי יחזור וישאיל לו, ולא אמרינן בכי האי גוונא דהוי כשכירות- היינו שאע"פ שאינו משאילו חנם כי אם בשכר שישאילנו אח"כ, מ"מ כיון דלא הוי בדרך שכירות ממש, לומר: אתן לך כך כדי שתשאילני כלי שלך, שרי - ב"י, (**ונראה דלפי טעם זה, אפילו אם מתנה שהא"י ישאיל לו על יום אחד יותר, מותר, ומ"מ לדינא יש לעיין בטעם הב"י "כיון דלא הוי דרך שכירות ממש", דבהג"מ שממנו מקור הדין זה, מוכח דאפילו בדרך שכירות, באופן זה ג"כ שרי, והנה ע"כ מוכרחין אנו לומר דטעם ההיתר הוא כמו שכתב הגר"א, דכאן לא שייך הטעם שכתב הרא"ש באיסור שכירות לא"י, משום דיש ריוח לישראל, ולפי"ז במתנה שיתן לו הא"י אח"כ בשביל זה את כליו על יום אחד יותר, הרי יש לו ריוח עי"ז, וצ"ע**).

(**ועיין בחידושי רבי עקיבא איגר, דכלים שאין עושין בהם מלאכה, אפילו בשבת מותר להשאיל לו באופן זה, דלא מקרי שכר שבת, ופשוט דמיירי בעיר המוקפת חומה וכדלקמן**).

סעיף ב - אסור להשאיל שום כלי לא"י בשבת - היינו אפילו כלים שאין עושין בהן מלאכה, ואסור אפילו לדעה ראשונה, **ואפילו בערב שבת אם הוא סמוך לחשיכה, כל שאין שהות להוציאו מפתח ביתו של המשאיל קודם חשיכה** - היינו קודם שתשקע החמה, ואסור אז אפילו למכור לו או ליתן לו במתנה, וכמו שמבואר לקמן בסימן רנ"ב ס"א, וע"ש במ"ב מש"כ בזה, **מפני שהרואה סבור שישראל צוהו להוציאו** - לחוץ לר"ה, ואפילו לדידן דלית לן ר"ה גמורה, אסור, דאמירה לא"י שבות הוא אפילו במילי דרבנן, **וא"כ** אם העיר מוקפת חומה דמותר לטלטל בכולה, והא"י ג"כ דר שם, שרי להשאילו כלים שאין עושין מלאכה בהן, (ואפי' בשבת, עיין בבה"ל לעיל), **ולמכור** לו ולהשכירו אסור אף בזה, שלא יאמרו שמכר והשכיר לו בשבת, **ואם** הוא כלים שעושין בהן מלאכה, אפילו להשאילו אסור, אא"כ יוציאם מפתח ביתו קודם השבת, שלא יאמרו בשליחותו של ישראל עושה מלאכה בשבת.

סעיף ג - אסור להשכיר או להשאיל בהמתו לא"י - אפילו ביום ראשון ואפילו בהבלעה, **כדי שיעשה בה מלאכה בשבת** - צ"ל: "שמא יעשה בה" וכו', **שאדם מצווה על שביתת בהמתו** – (וה"ה חיות ועופות שלו, **ואפילו** על מינים שבים ג"כ מצווה על שביתתם), דכתיב: למען ינוח שורך וחמורך וגו', **ואע"ג** דהשכיר הבהמה לא"י, הא קי"ל דשכירות לא קניא, והו"ל בהמתו של ישראל ומצווה על שביתתה.

וי"א דלחומרא אמרינן דשכירות קניא, וע"כ אם ישראל שכר בהמה מא"י, מצווה על שביתתה, **ונכון** להחמיר כיון דהוא איסור דאורייתא, **ואם** שכרה מא"י וחזר והשכירה לא"י, שרי ממה נפשך.

ואם קנה בהמה מא"י או מכר לא"י במשיכה לחוד או בכסף לחוד, הוי ספיקא דדינא, ואזלינן לחומרא לענין שביתת בהמה.

שמא יעשה וכו' - (**והיינו בבהמה גסה, אבל בהמה דקה שאינו מצוי לעשות בה מלאכה, לא חיישינן לזה, וכן איתא ברמב"ם בהדיא. ודע עוד, שלא הוזכר ברמב"ם לחלק בבהמה גסה גופא בין סוס לשאר בהמתו, כמו שהזכיר לענין מכירת בהמה גסה, דבסוס מותר, והטעם, דשם הוא רק גזרה מפני חשש שמא יבוא לשאלה ושכירות ונסיוני, ולכן בסוס דסתמא עומד לרכיבה, שאין בזה משום שביתת בהמתו לרוב הפוסקים, דחי נושא את עצמו, לא גזרו רבנן על המכירה, וכדאיתא בגמרא, משא"כ בשאלה ושכירות גופא דהוא נוגע לאיסור דאורייתא, בודאי יש לחוש שמא יטעינו באיזה משא, או שמא ימשוך בו בקרון, ובפרט במקומותינו שהסוס מיוחד ג"כ למשא, ולא כמו במקומותם שהחמור מיוחד הוא למשא והסוס רק לרכיבה, בודאי פשוט דאסור להשכיר אפילו סוס**).

(אם מכר בהמתו לאינו יהודי וקצב לו דמים, ומסרו לו הבהמה לנסות אם יימצא בה מום יחזירה לו, ואם רוצה בה יחזיק במקחו, כל זמן שלא גילה הלוקח דעתו שאינו חפץ בה, הוי בחזקת הלוקח ולית ביה משום שביתת בהמתו, **ועיין** בספר תוס' ירושלים שהקשה על זה מירושלמי).

הגה: אבל יכול להשכירה או להשאילה, ולהתנות שיחזירנה לו קודם השבת; אבל לא מהני אם מתנה עם הא"י שתנוח בשבת, כי אין האינו יהודי נאמן על כך - ומירתת נמי לא מירתת לעשות בה מלאכה, כיון שהוא ברשותו ע"י שאלה או שכירות, לא נתפס עליו כגנב עי"ז, **משא"כ** ברישא כשמתנה שיחזירנה לו קודם שבת, כבר כלה השאלה והשכירות קודם השבת, ועיין לקמן סי' ש"ה סכ"ג.

ואם השאילה או השכירה לאינו יהודי, והתנה עמו להחזירה לו קודם השבת, ועיכבה בשבת, יפקירנה בינו לבין עצמו קודם השבת - שאז אינו מצווה על שביתתה, כיון שאינו שלו שכבר הפקירה, **ואע"ג** דהפקר בעינן שיהיה בפני שלשה, זהו מדרבנן, אבל מדאורייתא אפילו בינו לבין עצמו סגי, **והכא** שכבר השכירה והתנה עמו שיחזירנה ועיכבה, די בזה כדי להנצל מאיסורא דאורייתא.

ועיין בב"י שיש פוסקים שסוברין, דגם בכאן אף שהוא דיעבד בעינן דוקא תלתא, וע"כ טוב ליזהר בזה לכתחלה אם יש באפשרי, **ועכ"פ** יזהר להפקירה בפני אחד, דרבים מגדולי הפוסקים סוברים, דאף דאורייתא אינה הפקר עד שיפקירה עכ"פ בפני אדם אחד, **ואפילו** בפני אחד מאנשי ביתו די בזה.

או יאמר: בהמתי קנויה לא"י - עיין במ"א שדעתו, דדוקא אם אומר לו בפניו: בהמתי קנויה לך, שאז מתכוין הא"י לקנותה, והיא נקנית לו באמירה זו כיון שהיא ברשותו וקניא ליה חצירו, **אבל** אם אומר כן שלא בפניו, לא קנאה הא"י כלל, ואפילו אם זיכה לו ע"י ישראל אחר, ג"כ לא מהני כמבואר בחו"מ, וכן הסכים הפמ"ג ושארי אחרונים כהמ"א, **ופשוט** דאפילו באומר: בהמתי קנויה לך, בעינן שיהיה לזה ג"כ פסיקת דמים, דאל"ה אין זה מכירה כלל, וכ"כ בח"א.

כדי שינצל מאיסורא דאורייתא - ר"ל דזהו דוקא בדיעבד שכבר התנה עמו ועיכבה בשבת, **אבל** לכתחלה אסור להשכירה על דעת שכשיגיע יום השבת שיפקירנה, ואפילו אם יפקירנה בפני שלשה, שאין הכל יודעים מן ההפקר ואתי לידי חשדא, שיאמרו: בהמתו של ישראל עושה מלאכה בשבת, **ואף** במכירה אין היתר אלא כשמוכר בהמתו לא"י במכירה גמורה על כל ימי השבוע, ולא כשמוכר לו על יום השבת לחוד, מפני חשדא וכנ"ל, **והב"ח** מתיר לכתחלה להשכיר על דעת שיפקירנה בפני ג', דכיון דג' יודעים, מיפרסמא מילתא ולא יבא לידי חשדא, **ובשעת** הדחק אפשר שיש לסמוך על דבריו, ובסוף הסימן נבאר אם ירצה ה'.

הגה: ואם רוצה, יכול להפקירה לפני ג' בני אדם כדין שאר הפקר, ואפילו הכי אין שום אדם יכול לזכות בה, דודאי אין כוונתו רק כדי להפקיע מעליו איסור שבת - ר"ל שבודאי לא היה בדעתו שישאר הפקר לעולם, כי אם ליום השבת בלבד כדי להפקיע מעליו איסור שבת, ולאחר השבת יחזור לרשותו, **אבל** ביום השבת גופא בודאי הוא הפקר גמור, וגם זה מקרי בשם הפקר, וכדאיתא בגמרא, דאפילו הפקר ליום אחד הוי הפקר, **ואין** צריך לחוש שמא יזכה בה אחר בשבת גופא, שבודאי הא"י לא יניחנו כל זמן שהיא תחת ידו למלאכתו.

ודוקא בשבת, אבל ביו"ט, אין אדם מצווה על שביתת בהמתו ביום טוב - דשביתת בהמתו ילפינן ממה דכתיב: למען ינוח שורך וחמורך כמוך, והאי קרא בשבת כתיב, **ואפ"ה** לא ישכירם אלא בהבלעה, דלא יהיה שכר יו"ט.

והנה המרש"ל חולק ע"ז, ודעתו דיו"ט ושבת שוין הן בזה כמו בכל מלאכות, **ועיין** במג"א שהאריך בזה, ומביא דהב"י הביא דעות הראשונים בזה, ומצדד לאיסור, וע"כ יש להחמיר, ובביאור הגר"א ג"כ האריך בזה, ומסיק דהעיקר כדעת מהרש"ל הנ"ל, **וגם** לקמן בסימן תצ"ה ס"ג, מפרש הגר"א מה שכתוב שם בשו"ע, דאין מוציאין משא על הבהמה ביו"ט, הטעם הוא משום שביתת בהמתו.

סעיף ד - ישראל שהשכיר שוורים לאינו יהודי לחרוש בהם, וחורש בהם, יש מתירים אם קבל עליו האינו יהודי אחריות מיתה וגזילה וגניבה ויוקרא וזולא - דעי"ז הוי הבהמה כמו של א"י, ומותר לחרוש בה בשבת, **ואע"פ** שמחזירה בעין אם לא יקרה לה כלום, מ"מ השתא ברשות הא"י קאי לגמרי, כיון דגם ליוקרא וזולא ברשותו היא, [**אבל** בלא יוקרא וזולא לא עדיף משואל, דגם הוא חייב באונסין, ואפ"ה אסור להשאיל לו].

וי"א דכיון שאין האינו יהודי יכול למכרה אם ירצה, נקראת בהמת ישראל, (ועיין למטה בסימן זה) - היינו דשני יש מתירין הכתוב שם, וגם הג"ה שבסוף הסימן, מוכח דס"ל כדעת המתירין, ועיין במה שנכתוב שם.

סעיף ה - אם ישראל ואינו יהודי שותפין בבהמה, מותר לעשות בה האינו יהודי מלאכה בשבת, על ידי שיתנה עם האינו יהודי בתחלה כשקנו אותה, שיטול הא"י בשבת וישראל ביום חול - דנמצא דלא קנויה הבהמה לישראל כלל ביום השבת, **ואז** אח"כ מותרין אפילו לחלוק בשוה, ואין בזה משום שכר שבת, כמ"ש סימן רמ"ה ס"ב, **וגם** דאז אפילו אם אחריות שניהם בשוה כל ימות השבוע בין בחול ובין בשבת, מותר.

ואם לא התנו מתחלה, אסור, אע"פ שהתנו אח"כ - דלאחר שנשתתפו אמר לו: טול אתה בשבת ואני כנגדך בחול, **אף** אם נאמר שאין איסור בזה מחמת שביתת בהמתו, כיון שיש לא"י חלק בה, ועל כרחו של ישראל עושה מלאכה, **מ"מ** אסור, דהא בכל זה הוא נוטל יום אחד כנגד יום השבת, והוי שכר שבת שלא בהבלעה, [**אבל** באמת סובר השו"ע דאסור גם משום שביתת בהמתו].

מלשון זה משמע, דכ"ש דאם לא התנה כלל דאסור, **ובב"י** מצדד לומר, דאם אף לאחר שנשתתפו לא התנה לומר: טול אתה וכו', אלא חולקין סתם השכר כל השבוע בשוה, דשרי, **דהא** נוטל שכר שבת בהבלעה, ואיסור דשביתת בהמתו ס"ל דאין כאן, דהא הא"י עושה בע"כ בשבת מחמת חלקו שיש לו, {**ואך** דעשה בזה איסור מתחלה כשנשתתף, שהיה לו לחוש שיעשה בהבהמה מלאכה בשבת, והו"ל להתנות מתחלה טול אתה וכו'}, **אמנם** מלשון השו"ע משמע, דלא רצה לסמוך ע"ז.

ואם ילוה אותה לא"י בהלואה גמורה, שיהא רשות בידו להוציאה אם ירצה שלא ברשות ישראל, ויזקוף הדמים על הא"י, ואחריות השוורים על האינו יהודי, מותר - היינו ששם אותם בדמים כפי מה שהיא עכשיו, ואם תתיקר או תוזל יהיה הכל ברשותו, **ואפ"ה** התנה ג"כ שיהא רשות בידו להוציאה, דס"ל כדעת היש אומרים הנ"ל בס"ד, דבעינן שיהא הא"י יכול למכרה.

ויש מתירים אפי' לא יהא רשות ביד הא"י להוציאה, ע"י שיזקוף הדמים על האינו יהודי במלוה, ויחזור הא"י ויעשה אפותיקי (פירוש, אפו תהא קאי, כלומר לא יהא לך פרעון אלא מזה) לישראל - ומיירי ג"כ שהלוה אותה לא"י ושם אותה בדמים וכנ"ל, והדמים זקוף עליו במלוה, [**וכ"ש** אם מכר אותם לו במכירה גמורה, וזקף הדמים עליו במלוה, דשרי], **אלא** דבא להוסיף, דאף דעי"ז שעשה אותה הא"י אפותיקי לישראל תו אין לו רשות למכרה, אפ"ה שרי.

[**הב"י** כתב דדעה זו אתיא כהמתירין לעיל בס"ד, **אבל** י"א דאפי' האוסרים שם מודו דשרי, דהתם אין לו רשות למכרה מחמת שהיא בהמת ישראל עדיין, **אבל** הכא לגמרי הוא ברשות הא"י, רק מכח מה שמשכנה אין לו רשות למכרה, ולהכי שרי לכו"ע].

או יהרהנם (פי' משכון בלשון ישמעאל: רהן) אצלו - פי' אע"פ שיניחם ביד הישראל למשכון, שיהיה יוכל להפרע מהם כשלא יתן מעות עבורם, ואח"כ נוטל אותם הא"י ועובד בהם, **אפ"ה** שרי, דאכתי גוף הבהמה ברשות א"י הוא.

ובלבד שלא יאמר לו: מעכשיו - היינו אפילו אם אמר לו: אם לא אתן לך המעות לזמן פלוני יהיו שלך, כיון דלא אמר לו: מעכשיו יהיו שלך, לא קנאם

הישראל למפרע כשלא יפרענו הא"י, ואין לו עליהם עתה רק שעבוד בעלמא.

ויש מתירים ע"י שיזהיר [ישראל] את האינו יהודי שלא יעשה בה מלאכה בשבת, ואם יעבור ויעשה, תהיה אחריות עליו ואפילו מהאונסים - ואע"פ שאין לו לא"י רשות למכרה, אפ"ה שרי, **וסתם** בזה כדעת המתירין לעיל בס"ד, דהכא נמי מיירי שקבלה עליו ברשותו לענין יוקרא וזולא, [**דהשו"ע** לא משמע דשרי מטעם שכיון שהזהירו מירתת].

ויכתוב כן בערכאותיהם - לפרסומי מילתא שלא יבוא לידי חשדא, **דהשתא אם בא לעשות [בה] מלאכה בשבת, אינה בהמת ישראל, שהרי קנאה האינו יהודי להתחייב באונסיה.**

הגה: וכל גדדי היתרים אלו הלכתא נינהו, ויכול לעשות איזה מהן שירצה - היינו דאף קבלת אחריות בלחוד שכתב המחבר לבסוף דבריו, מהני גם בזה, אף דאין לו רשות לא"י למכרה, כיון דעומדת ברשותו לענין יוקרא וזולא, וסתם בזה כדעת היש מתירין בס"ד, **ויותר** טוב שיעשה מכירה גמורה וכדבסמוך, כדי לצאת גם דעת המחמירין שם, כי לדבריהם יש בזה חשש דאורייתא.

ואפילו אם הבהמה כולה של ישראל, דינו כאילו היתה בשותפות האינו יהודי, רק שיפרסם שעשה דרך היתר - [עיין במ"א שכתב, דדעת המחבר שלא להקל באחריות כי אם ע"י שותפות, דשלא בשותפות יש לחוש לדעת המחמירין בס"ד, **ומה** דהקיל בשותפות, אפשר משום דצירף לזה גם דעת הריב"ש, דס"ל דבשותפות כיון דבע"כ של ישראל הוא עושה, לית בזה משום שביתת בהמתו, **ורמ"א** הכריע להקל, **וע"כ** כדי לצאת גם דעת הב"י טוב לעשות כמו שכתבנו, **אמנם** מהגר"א משמע כהיש מתירין הנ"ל].

והיותר טוב שבכל ההתירים, שיקנה אותם לו בחול במכירה גמורה, [וה"ה אם מקנה אותם לא"י אחר], ויתן לו אויפגא"ב ע"ז, ויתר הדמים יזקוף עליו במלוה, ויעשם אפותיקי לישראל שיהיה בטוח במעותיו, **והנכון** שיעשה ענין המכירה בפני דייני העיר, כדי שיעשה כדין תורה, וגם שיפורסם הדבר שלא יהיה חשש מראית העין.

ואם קשה לו לעשות כל אופני ההיתר האלו, והוא שעת הדחק, כגון מי שיש לו שדות, וא"א לו להשכיר באריסות לא"י אם לא יתן לו גם שוורים לחרוש בהם, ולא יוכל למנעו שלא לחרוש בו בשבת, (או לצורך מצוה **דרבים, כגון להוליך אתרוגים**), יש לסמוך על דעת הב"ח הנ"ל, שמתיר ע"י שיפקירם בפני ג' קודם השבת, ויפורסם הדבר ולא יבוא לידי חשד, וההפקר צריך להיות בלב שלם, **אבל** בלא שעת הדחק אין לסמוך על ההפקר, וכמ"ש לעיל במ"ב, וכן הסכים בד"מ בהדיא.

והנה כ"ז הוא כשמשכירה או משאילה לו לעשות מלאכת עצמו, **אבל** לעשות מלאכת ישראל בשבת אין היתר כלל, אפילו אם מכר לו הבהמה במכירה גמורה, שהרי מ"מ עושה הא"י מלאכת ישראל בשבת בשבילו, **ולפי"ז** אם הסוסים הוא של ישראל, וגם הא"י הוא שכירו לכל המלאכות שיצטרך הישראל, אין היתר במכירת הסוסים לו, דהרי אסור לו להניח לעשות מלאכתו, **אא"כ** הוא מושכר לו רק למלאכה זו, ליסע עם הסוסים להוליך לו סחורה בכל עת שיצטרך בשנה זו, אז שרי להרמב"ם כמ"ש סי' רמ"ד ס"ה, **ואפילו** באופן זה אסור לומר לו שיסע בשבת, אלא דאם הוא נוסע מעצמו א"צ למנעו מזה.

עיין בבה"ל שהבאנו, דאין כדאי להתיר ע"י כל ההתירים אלא בשעת הדחק, ולאפוקי מאלו האנשים שמוכרים בכונה את שווריהן לא"י כדי שיעשה בהן מלאכה בשבת, והמלאכה נקראת על שם ישראל, **ואף** דאין למחות ביד המקילין בזה שיש להם ע"מ לסמוך, מ"מ כל בעל נפש יחוש לעצמו שלא לעשות זה כי אם בשעת הדחק ועל פי הוראת חכם, (**והבוטח בה' ומקיים רצון התורה ד"למען ינוח שורך וחמורך" וגו'** כפשטיה, **ואינו עושה שום תחבולות לענין שבת, אשריו, ובודאי הקב"ה יתן לו עבור זה הצלחה בנכסיו בששת ימי המעשה**).

ישראל שיש לו סוס, ובא המושל המכירו להשאילו או להשכירו, והוא אינו יכול למאן נגדו מפני איבה, ימכרנו לו בדבר מועט, ואז יוכל המושל לעשות בו כרצונו, **ואם** אח"כ יחזור ויתן לו הסוס וגם השכירות, מתנה בעלמא יהיב ליה.

§ סימן רמז – דין א"י המביאים כתבים בשבת §

סעיף א - שולח אדם אגרת ביד אינו יהודי, ואפילו בערב שבת עם חשיכה - היינו בעוד שהשמש זורח, **וגם** צריך שיצא הא"י מפתח ביתו של ישראל קודם השבת.

והוא שקצץ לו דמים - ה"ה בכל מלאכות כשנותן לו ואין שהות לגמרו קודם השבת, בעינן דוקא שיקצוב לו דמים בעד מלאכתו, דאז אדעתיה דנפשיה קעביד ולא בשביל ישראל, וכדאיתא לקמן בסימן רנ"ב ס"ב, **אלא** נקט אגרת לאשמועינן, דאי לא קצץ ולא קביע בי דואר במתא, אסור כדמסיק, והטעם כמש"כ לקמיה, **אבל** שאר כלים וחפצים או מעות, אם שולח ביד א"י בע"ש, הדין כמו בכל מלאכות, ולכך אפילו אם לא קצץ, אם יש שהות ביום להגיע למקום מי שנשתלח לו, מותר, ולא חיישינן שמא לא ימצאנו בביתו ויצטרך לחפש אחריו בשבת, [**ואם** קצץ, אפי' עם חשיכה מותר].

ובלבד שלא יאמר לו שילך בשבת - וה"ה שלא יאמר לו: ראה שתהא שם ביום א' או ביום ב', וכיוצא בזה, וידוע שא"א לו להיות שם אלא א"כ ילך בשבת, דזה הוי כאלו אמר לו: לך בשבת.

ואם הא"י אמר מעצמו שילך בשבת, לית לן בה, כיון שהישראל לא אמר לו זה, וא"י אדעתיה דנפשיה קעביד בשביל שכירותיה.

ואם לא קצץ, אי לא קביע בי דואר (פירוש איש ידוע שכל כתב אליו יובל, והוא משלחו למי שנלוח אליו) במתא - היינו שאינו קבוע תמיד הבי דואר באותה העיר שנשתלח שם, אלא הולך לפעמים למקום אחר, **אסור לשלוח אפילו מיום ראשון** - דשמא לא ימצאנו הא"י, ויצטרך לילך אחריו בשבת, **ולכך** החמירו כולי האי וחששו לזה בענינינו, דכיון שכתב ידו של ישראל נושא, וניכר מעשה ישראל, יאמרו בשבת נתן לו להוליך, **וא"כ** אם נכתב האגרת בכתב א"י, שרי להוליך אפילו בע"ש ובלא קצץ, כל שיכול להגיע שם מבעוד יום לבית ראשון הסמוך לחומה, וכמו שהתרנו לעיל בשולח שאר כלים וחפצים ע"י א"י.

אסור לשלוח אפי' מיום ראשון - ואם הוא דרך קרוב כגון מהלך יום אחד, נראה דאף אם הוא משלחו ביום ב' וג' שרי, שאף שלא ימצאנו בביתו, יש לו שהות הרבה ללכת.

כתב עו"ש, ונראה דכל זה מיירי כששולח ע"י הא"י ליד הבי דואר, אבל כשאדם משלח אגרת על ידו לחבירו, אין לחוש שמא לא ימצאנו בביתו שילך אחריו בשבת, ושרי אפילו בע"ש ובלא קצץ, כל שיכול להגיע שם מבעוד יום, וכן נוטה דעת מהר"ר אברהם מפראג המובא בב"ח, וע"ש שהאריך ומסיק להקל בזה, **ודעת** הט"ז ומ"א, דגם בשולח אגרת לחבירו, ג"כ יש חשש זה, **ובפירוש** ר"ח שיצא עתה לאור, מוכח כהעו"ש, עיין שם, **ומיהו** אם אמר לא"י שילך לשם, וימסור לבני ביתו של אותו האיש אם לא ימצאנו, לכו"ע שרי אפילו בע"ש ובלא קצץ, כל שיכול להגיע לבית ראשון הסמוך לחומה של העיר שהאיש שם.

ואי קביע בי דואר במתא - היינו שהאיש הממונה ע"ז קבוע שם תמיד, ובכלל זה הוא מה שקורין עכשיו פאשט מייסטער, שרגיל להיות במקומות גדולים, שהוא עומד על המשמר בעתים ידועים לקבל כתבים ולשלחם להשייכים לכתבים ההם, **משלחן אפילו בערב שבת, והוא שיהא שהות ביום כדי שיוכל להגיע לבית הסמוך לחומה** - לעיר שנשתלח שם, כלומר לבית ראשון מבפנים, [**ואם** הבי דואר ידוע לו שהוא בקצה האחר של העיר, אפי' אם העיר מוקף חומה, אפשר דצריך שיגיע לשם מבע"י].

הגה: ויש מתירין אפילו לא קצץ, ואפי' לא קביע בי דואר במתא, אם משלחו ביום ה' או קודם לכן; ויש לסמוך עלייהו אם צריכים לכך - טעמייהו, דכיון שלא אמר לו ישראל בהדיא שילך בשבת, אין לאסור כי אם סמוך לשבת דנראה כשלוחו של ישראל לזה, ואמירה לא"י שבות אפילו אמר לו בע"ש לעשות מלאכה בשבת, **אבל** מופלג מן השבת קצת, לא מחזי כאומר לו עשה מלאכה בשבת, ולפיכך אין לאסור כי אם ביום ערב שבת.

ואפילו ידוע שלא יוכל להגיע לשם קודם שבת, ג"כ שרי לדעה זו, דכיון שהוא מופלג מן השבת, לא מחזי כשלוחו וכנ"ל.

סעיף ב - אם התנה עמו שיתן לו שכרו – (ר"ל כראוי לו, או כפי מה שיתפשר עמו), **אע"פ שלא פירש כמה יתן לו, דינו כקוצץ, דסמכא דעתיה דאינו יהודי ובדידיה קא טרח; אבל בסתם, אע"פ שיש בדעתו שיתן לו שכר, אסור, דלא סמכא דעתיה ובדישראל קא טרח** - ר"ל לא מבעיא אם הא"י מסתפק כלל אם יתנו לו שכר, דאסור, **אלא** אפילו אם הישראל מבין ממנו שמצפה לשכר מאתו, או ממי שנשתלח לו, אפ"ה אסור, כיון שהישראל לא הבטיחו עדיין.

[**וזה** גרע מס"ד דמותר כשעושה בחנם, דהתם אינו מסתפק כלל אם יקבל שכר, ואז בודאי עושה בשביל טובה שעברה].

סעיף ג - אם שכרו לימים דבר קצוב בכל יום בהליכתו ובחזרתו, אלא שאינו מקפיד עמו מתי ילך, אם הוא בערב שבת, אסור, דכשיוצא בשבת נראה כאילו התנה עמו כך - ר"ל דאף שהתרנו לעיל בקצץ אפילו בע"ש, היינו כשהוא קוצץ לו סך קצוב בעד פעולתו, דאז אדעתיה דנפשיה עביד, ולא מינכר כלל שהמלאכה הנעשית בשבת הוא בשליחות ישראל, **אבל** כששכרו לימים, שקוצב לו שכר בעד כל יום, אף שאינו מקפיד עליו מתי ילך, ואדעתיה דנפשיה עביד פעולתו גם בזה, ולפיכך עדיף מלא קצץ כלל, ומותר בד' וה' אף לדעת המחבר, **מ"מ** כששוכרו בע"ש אסור, דכיון שיוצא תיכף בשבת, נראה כאלו התנה עמו כך ובשליחותו הולך, מאחר שנתן לו שכר בעד היום.

אבל ביום ה' מותר, **ולדעת** הרמ"א לעיל בהג"ה, אפילו לא קצץ כלל מותר ביום ה'.

סעיף ד - אם הא"י מוליך הכתב בחנם - פי' דאין הישראל כופה אותו על כך, אלא מעצמו הוא מתרצה להוליך האגרת, **אפי' נתנה לו בערב שבת, מותר, שהרי האינו יהודי מאליו הוא עושה זה, ואינו אלא להחזיק טובה לישראל מפני מה שקיבל ממנו, והוה ליה כאילו קצץ** - דתלינן שמה שנתרצה הוא מפני הטובה שקיבל ממנו מכבר, ואדעתיה דנפשיה קעביד.

הגה: ויש חולקים וסבירא להו דכל שעושה בחנם, אסור, וטוב להחמיר - הנה מלשון זה משמע, דרק טוב לחוש לדעה זו, וכן בט"ז משמע דדעתו כדעה הראשונה, **אבל** בד"מ משמע, דדעתו הוא כהיש חולקין, וכן בלבוש ובא"ר, **וע"כ** מהנכון שיקצוב לו עכ"פ איזה דבר מועט עבור זה, והוי כקצץ כיון שקיבל עליו שיהיה זה שכרו, וכ"כ בח"א.

אבל במקום שהאינו יהודי מתחיל עם הישראל לומר שילך לו בחנם, ודאי דעתו על הטובה שקיבל ממנו, ושרי.

סעיף ה - אם האינו יהודי הולך מעצמו למקום אחר, וישראל נותן לו אגרת, מותר בכל גוונא - היינו אפילו לא קצץ ליתן לו שכר, אלא בסתמא, דקיי"ל בס"א דאסור לשלוח על ידו כשאין קבוע בי דואר, דחיישינן שמא לא ימצאנו בביתו וילך אחריו בשבת, **אפ"ה** שרינן כאן, כיון שאין הא"י הולך בשליחותו, אלא שמעצמו הולך לשם, בודאי אם לא ימצאנו לא יחפש אחריו, **ודוקא** אם יש שהות להגיע שם מבעוד יום, אבל אם אין שהות להגיע שם מבעוד יום, אסור אף בזה, דאף דהליכתו בשביל עצמו הוא, מ"מ מה שנושא המכתב הוא בשביל ישראל.

ואם יודע שמרבה הדרך בשבילו, אסור.

ודע, דליתן לו בשבת אסור לכו"ע, אפילו בהולך מעצמו, ואפילו קצץ לו שכר מבעוד יום עבור זה, דלא מהני קציצה על שבת גופא, **וע"כ** אסור ליתן אגרת על הפאצט בשבת, אפילו במקום שיש עירוב, **ואפילו** ע"י א"י אסור דבר זה, **אך** במקום הפסד גדול יש להתיר בכה"ג, דהוי שבות דשבות במקום פסידא דמותר, **ושלא** במקום הפסד יש להחמיר אפילו בע"ש, שלא ליתן לא"י האגרת שהוא יתן אותו על הפאצט בשבת, ואפילו בקצץ, שהרי מייחד מלאכתו על שבת.

ומע"ש מותר ליתן אגרת על הפאצט, דעל הפאצט הוי תמיד קצץ, דאף אם אינו משלם כאן, מ"מ יצטרך לשלם מי שנשתלח לו.

סעיף ו - מי שיש לו שכיר אינו יהודי לשנה או יותר, אסור לשלחו ערב שבת באגרת - דמה שהוא שכירו לשנה לא נחשב כקציצה, ודינו בכל הפרטים כמבואר לעיל בס"א בלא קצץ, **אלא** דבזה מקילינן דאין אסור אלא בע"ש, (**והטעם**, דאף שהוא קוצץ לו שכרו עבור כל השנה, מ"מ לא חשבינן זה כקצץ, דעיקר טעמא דקציצה מהני, משום דאין לישראל נפקא מינה מזה, דאם לא יעשה ביום זה יעשה ביום אחר, והא"י אדעתא דנפשיה עביד למהר להשלים מלאכתו, **אבל** בענין זה שהוא שכור לכל המלאכות, קרוב לודאי שיצטרך למחר למלאכה אחרת, וא"כ מרויח הישראל במלאכת א"י בשבת, והרי הוא כשלוחו לזה, **ולפי"ז** היה לו להמחבר לאסור אפילו מיום ראשון, לשיטתו לעיל בס"א בלא קצץ, **אלא** דמשום דסברא זו, דזה לא חשוב כקצץ, לא פסיקא ליה כ"כ, ולכן סמך בזה איש מתירין הנזכר בס"א בהג"ה, ולא אסר אלא בע"ש).

הגה: ומיהו אם לא שכרו רק לשליחות אגרת, יש מתירין, כמו שנתבאר לעיל סימן רמ"ד - היינו דעה הראשונה שם, דס"ל דזהו נחשב כקצץ, ע"ש הטעם, **ומ"מ** אסור לומר לו שילך בשבת, כנ"ל בס"א.

§ סימן רמח – דין המפליג בספינה וההולך בשיירא בשבת §

סעיף א - הנה קודם שנכנוס בביאור דברי השו"ע, נעתיק לשון הברייתא הנאמר בזה בגמרא דף י"ט, **ת"ר** אין מפליגין בספינה פחות מג' ימים קודם לשבת, בד"א לדבר הרשות, אבל לדבר מצוה שפיר דמי, ופוסק עמו ע"מ לשבות ואינו שובת דברי רבי, רשב"ג אומר אינו צריך, ומצור לצידון {שהוא מהלך יום אחד} אפילו בע"ש מותר, ע"כ לשון הברייתא.

והנה הרבה טעמים נאמרו ע"ז בפוסקים, י"א הטעם, שמא יצטרך הישראל לעשות מלאכה בעצמו בשבת משום פיקוח נפש, דמקום סכנה הוא, **או** שיעשה הא"י בעל הספינה עבורו מלאכה, בקשירת הקלע ושאר חילולים, **או** משום איסור תחומין, כמבואר בב"י באריכות.

והרי"ף ס"ל, דאי משום חשש מלאכה או תחומין ודאי היה אסור אף קודם ג' ימים, וגם לדבר מצוה לא היה מותר, **אלא** דעיקר האיסור משום ביטול מצות עונג שבת, דכל ג' ימים הראשונים יש להם צער מחמת נענוע הספינה שגופו משתבר, וכדכתיב: יחוגו וינועו כשכור, וגם מחמת סרחון העולה מן הימים המלוחין, ואין רוחו חוזרת לבוא עד אחר ג' ימים שהורגל בזה, וכמ"ש ס"ב.

וי"א דהטעם שאסרו להפליג בספינה, הוא מפני שנראה כאלו צף ושט על פני המים בשבת, וזהו אסור לכו"ע מפני גזירה שמא יעשה חבית של שייטין, וכדלקמן בסימן של"ט, **וקודם** ג' ימים שרי, דע"י שהוצרך להפליג זמן הרבה קודם שבת אית ליה היכרא, ולא יבוא לעשות חבית של שייטין.

ואותן הפוסקים הנ"ל דס"ל דהטעם הוא משום מלאכה או משום תחומין, מה שחילק הברייתא לדידהו בין תוך ג' ימים לקודם ג' ימים, הוא משום דשלשה ימים קודם שבת מקרי קמא שבתא, וחל עליו להזהר שלא יבוא לידי חילול שבת, **אבל** קודם ג' ימים, דהם מקרי בתר שבת העבר, עדיין לא חל עליו אזהרת שבת הבאה, ושרי להפליג בהם, ואז אף אם יצטרך אח"כ לבוא לידי חילול שבת משום פיקוח נפש, שרי.

והנה המחבר אף שנמשך בס"ב אחר הרי"ף שהעתיק פירושו, מ"מ גם הוא ס"ל כהפוסקים דקודם ג' ימים שרי אף במקום שיצטרך אח"כ לבוא לידי חילול שבת ע"י מלאכה, וכמ"ש ס"ד, **אלא** דס"ל דאף אי לא היה בו שום חשש מלאכה ותחומין, כגון שהיא כולה של א"י, דכשנעשה בה מלאכה מסתמא אדעתיה דא"י נעשה, וגם היא במקום שעמוק יותר מעשרה טפחים, דאין בזה משום איסור תחומין להרבה פוסקים, אפ"ה אסור משום ביטול עונג שבת לחוד, **ועתה** נבוא לבאר בעז"ה את דברי השו"ע.

מותר להפליג בספינה אפי' בערב שבת, אם הולך לדבר מצוה - היינו אף דבודאי לא יקיים עונג שבת עי"ז, כמ"ש המחבר בס"ב, אפ"ה מותר כיון דלצורך מצוה הוא, וקי"ל דעוסק במצוה פטור מן המצוה, **ולא** מבעיא אם הספינה הולכת במקום שהמים עמוקים יותר מעשרה טפחים, דמותר ואין לחוש ליציאת חוץ לתחום, דקי"ל אין תחומין למעלה מי"ט,

אלא אפילו יש מקומות שהמים מועטין פחות מי"ט, ג"כ מותר לצאת בע"ש בספינה, כיון שהוא לדבר מצוה.

ופוסק עמו שישבות - בין אם הוא מפליג בע"ש בין מקודם, כיון שהוא תוך ג' ימים הסמוך לשבת.

ואם אח"כ לא ישבות אין בכך כלום - בספר עולת שבת נסתפק אם א"א לו לפסוק, כגון שהא"י אומר לו שלא ישבות וכה"ג, אי מעכב או לא, [**ואף** דמהמ"א ‹בסמוך› משמע דהוא לעכובא], **הסכימו** רוב האחרונים דהפסיקה הוא רק למצוה בעלמא ואינו מעכב.

כתב המ"א, דבשבת אסור להפליג אפילו לדבר מצוה, דהא לא יוכל לפסוק עמו שישבות ולא ילך, **ויש** שמצדדים דאפילו בשבת שרי לדבר מצוה.

אבל לדבר הרשות אין מפליגין בספינה פחות מג' ימים קודם השבת - דהיינו ביום רביעי בשבת אסור - מ"א בשם הרבה אחרונים, **אבל** הגר"א הביא בשם הרבה ראשונים, דהג' ימים נחשבין עם השבת גופא, וביום רביעי מותר, ועי"ש שכתב שכן מוכח בתוספתא ובירושלמי.

וה"ה ג' ימים קודם יו"ט, דיו"ט ושבת שוין, [דכל הטעמים הנאמרים בפתיחה שייך גם ביו"ט], **וכן** ביו"ט שני אין מפליגין.

הגה: אבל קודם שלשה ימים שרי, אפי' בספינה שמושכים אותה ע"י בהמות - ר"ל דלא נימא דדמי להליכה בקרון, דאסור ליסע בשבת אפילו אם ישב בהקרון קודם ג' ימים, **ועיין** בס"ב בהג"ה, דלפי מה שרגילין למשוך הספינות בבהמות בנהרות, אפילו בתוך ג' ימים מותר להפליג, **אלא** דנקט קודם ג' ימים משום שאר ספינות.

ואפילו אין בגובה המים י' טפחים - דהו"א דאסור משום תחומין, קמ"ל דלא, **והטעם**, כיון שהתחיל קודם ג' ימים, וכמש"כ לקמיה.

ואפילו במקום שיצטרך הישראל לעשות אחר כך מלאכה בשבת להוליך הספינה - הטעם כמו שכתבנו למעלה, דשלשה ימים קודם השבת שייכים לשבת הבא, וחל עליו להזהר שלא יבוא לידי חילול שבת, וכשיצא בתוך הזמן הזה, הרי הוא כאלו מתנה לחלל עליו את השבת, **אבל** קודם לזה שייכים לשבת שעבר, וכיון שהפליג בהיתר אין לו להמנע מחמת שבת הבא, שאז אם יארע לו סכנה ויצטרך לחללו משום פיקוח נפש, אין כאן חילול, **ועיין** לקמן בס"ד מה שנכתוב בזה.

היינו דאין לו למנוע מחמת זה מלישב בספינה, כיון שהוא קודם ג' ימים, **אבל** מ"מ כל מה שיכול לעשות שלא יצטרך בעצמו לחלל את השבת, כגון ע"י א"י וכדומה, פשיטא דמחויב לעשות כן.

ואם הוא דרך מועט, כמו מצור לצידון שאין ביניהם כי אם מהלך יום אחד, מותר להפליג בערב שבת בבקר – (וה"ה אם יש ביניהם מהלך שני ימים, מותר ביום ה'), **מפני שאפשר שיגיע שם קודם השבת** - ר"ל כשיש רוח טוב הולכין ביום אחד, לכן שרי להלוך בע"ש, לפי שאפשר שיהיה רוח טוב.

ודוקא בבקר, דאם ימשך שעה ושתים על היום, אסור, דלא יגיע לשם קודם השבת.

ומקום שנהגו שלא להפליג בערב שבת כלל, אפילו דרך מועט, אין מפליגין.

סעיף ב - הא דאין מפליגין בספינה פחות משלשה ימים קודם השבת, הטעם משום עונג שבת, שכל שלשה ימים הראשונים יש להם צער ובלבול; ודוקא למפליגים בימים המלוחים, אבל בנהרות אין שום צער למפליגים בהם, ולפיכך מותר להפליג בהם אפילו בערב שבת - ואין צריך לפסוק עמו שישבות, **ולענין** להפליג בשבת עיין בס"ג.

והוא שלא יהא ידוע לנו שאין בעומקם עשרה טפחים - דכיון דתחומין דרבנן הוא, ואפילו תחומין די"ב מיל קי"ל דבימים ונהרות אין בהן איסור דאורייתא לד"ה, שאין דומין לדגלי מדבר, **לפיכך** תלינן בספיקו להקל, ואמרינן דעמוק עשרה טפחים מקרקע הספינה לקרקע המים, ואין תחומין למעלה מעשרה.

אבל במקום שידוע לנו שמקרקע הספינה לקרקע הנהר פחות מעשרה טפחים, אסור (לְצֵאת חוּץ לַתְּחוּם) משום איסור תחומין - היינו בכל הג' ימים שקודם שבת, אם יודע שיזדמן לו שם בשבת מקום ההוא, ויצטרך לעבור עליו על איסור תחומין, **אבל** קודם לזה מותר, וכמש"כ בס"א בהג"ה.

שמקרקע הספינה - פי' אע"פ שהמים עמוקים עשרה, אם הספינה משוקעת במים שאין בין קרקע הספינה לקרקע המים י"ט, **לא** מבעיא אם הוא יושב בספינה למטה מיו"ד, נמצא מהלך למטה מיו"ד, **אלא** אפילו אם הוא יושב בספינה במקום גבוה שהוא למעלה מיו"ד מקרקעית המים, ג"כ אסור, כיון שהספינה רחבה ארבעה וניחא להילוך, כעומד למטה דמיא, **ויש** מתירין כשהוא יושב למעלה מיו"ד טפחים ואין רגליו תלויות למטה מיו"ד טפחים, **ויש** לסמוך על דבריהם כשהוא צריך לכך.

הגה: וכן בספינה שיצטרך הישראל לבא לידי מלאכה בשבת - אפילו מלאכה דרבנן, **אסור ליכנס בה שלשה ימים קודם השבת** - הטעם כמו שכתבנו למעלה, **אפילו הם נהרות הנובעים והיא למעלה מעשרה.**

אבל אין איסור במה שהבהמות מושכות הספינה בשבת הנהר, ולא דמי להליכה בקרון שאסור - ר"ל דאם לא היה איסור אחר, כגון בנהרות הנובעים, ולמעלה מי', וגם לא יצטרך הישראל לעשות מלאכה שם, אין לאסור ליסע בספינה היכא שהבהמות מושכות הספינה, דיהיה דומה כאלו יושב בקרון והבהמה מושכת אותו, דאסור, **לא** אמרינן הכי, דהתם הטעם שמא יחתוך זמורה להנהיגה, אבל הכא הבהמות הולכות ברחוק ממנו, וע"כ מותר אפילו בתוך ג' ימים.

סעיף ג - היכא דמותר להפליג מערב שבת, אם נכנס בספינה מערב שבת וקנה בה שביתה - היינו שישב שם כל בין השמשות עד שתחשך, **אע"פ שמפלגת בשבת, מותר** - פי' דהמחבר לא קאמר לעיל להתיר אפילו בנהרות הנובעים ולמעלה מעשרה, אלא להפליג בע"ש, אבל בשבת לא, וכאן אתי לאורויי דלפעמים אף בשבת מותר להפליג בהם, **והוא שלא יצא מהספינה מעת שקנה שביתה** - דאל"ה אסור ליכנס בה בשבת, מפני שנראה כשט על פני המים, וזה אסור כמ"ש סימן של"ט.

הגה: ויש אומרים דאפילו יצא מן הספינה שרי, דמאחר שקנה בה שביתה מע"ש, מותר אח"כ ליכנס בה בשבת ולהפליג - היינו דעי"ז הו"ל הספינה כביתו, ואינו נראה כשט כשנכנס בה בשבת, **ואפילו** לדעה זו, אינו מועיל הקנין שביתה אלא שיהיה מותר לכנוס בהספינה בשבת, אבל כשמגיע אח"כ ליבשה אסור לו לזוז מד' אמותיו, כמ"ש בסימן ת"ד, **אבל** אם לא יצא מהספינה מעת שקנה שביתה, מותר אח"כ לילך במקום שיגיע ליבשה עד אלפים לכל רוח, **והני** מילי כשהיתה הספינה לעולם למעלה מעשרה טפחים, וכמבואר שם, **ובספינה** גופא מהלך את כולה, אפילו אם יצא מבערב לביתו אחר שקנה שביתה, כיון ששבת באויר מחיצות מבעוד יום, **ואם** לא קנה שביתה כלל מבע"י, עיין לקמן בסי' ת"ה ס"ז במ"ב, כי שם בארנו כל פרטי הדינים האלו.

ואפילו אם חל יו"ט ע"ש, שרי לקנות שביתה, ואין בזה משום הכנה מיו"ט לשבת, **ואינו** מועיל לזה הקנין שביתה שקנה מעיו"ט, **ועיין** בסימן תט"ז באיזה אופן אין בו משום הכנה.

ויש שעושין קידוש בספינה, ואח"כ חוזרים לביתם ולנים שם, ולמחר חוזרין לספינה ומפליגין - גם לדעה זו בעינן שישב שם כל בין השמשות לקנין שביתה, **אלא** שסוברין דלכתחלה נכון לעשות שם ג"כ קידוש ולאכול מעט, כדי לפרסם הדבר שקנו שם שביתה, ולא יבואו לחשדם, **וכן נהגו בקצת מקומות ואין למחות, ועיין לקמן סימן של"ט ות"ד.**

(והנה כ"ז איירי בנהרות הנובעין דוקא, דאדברי המחבר קאי הרמ"א, **ובאיזה** מקומות נתפשט המנהג להפליג ע"י קנין שביתה אפילו בים הגדול בשבת, ולא חיישי לטעם עונג שבת, **אבל** במ"צ כתב דאין להקל נגד רוב הפוסקים, ומ"מ במקום שנהגו היתר בזה אין למחות, וכמו שכתב בב"י דיש להם על מי שיסמוכו, והוא שיטת הרמב"ן, דס"ל דטעם איסור הפלגה בספינה הוא דוקא

בספינה שרובה ישראל, דאז הא"י העושים מלאכה בספינה הוא בשבילן, אבל לא כשרובה א"י, ולפי"ז אם הספינה יושביה ישראל, בודאי אסור).

סעיף ד - היוצאים בשיירא במדבר, והכל יודעים שהם צריכים לחלל שבת - אפילו באיסור דרבנן, **כי מפני הסכנה לא יוכלו לעכב במדבר בשבת לבדם, ג' ימים קודם שבת אסורים לצאת, וביום ראשון ובשני ובשלישי מותר לצאת** - כבר נתבאר הטעם, משום דהם נקראים על שם שבת העבר, ואין צריך להזהר עתה שלא יבוא לידי חילול שבת הבא, (והלילה השייך ליום ד' מקרי תוך ג' ימים לשיטה זו).

ואם אח"כ יארע לו סכנה ויצטרך לחלל שבת מפני פיקוח נפש, מותר, ואין כאן חילול - ר"ל כיון דממילא נסבב הדבר לבסוף, ובאונס של פיקוח נפש, אין כאן חילול.

ובכנה"ג כתב בשם הריב"ל, דכשיודע בודאי שיבוא לידי חילול שבת, אסור אף בכה"ג, (אפי' ביום א', בין בספינה בין בשיירא – שונה הלכות), וכ"כ הרדב"ז, **ועפי"ז** סומכין עכשיו שמסכנים בעצמם קצת שלא לחלל שבת, כדי שלא יהיה איסור למפרע על מה שיצא – (מ"א).

ופשוט דלכו"ע אסור לו להבטיח לשיירא בעת שישתתף עמם, שיסייעם באיזה עשיית מלאכה בשבת, ואפילו מלאכה דרבנן, אף שעי"ז תתבטל הנסיעה שלו שלא ירצו להשתתף עמו, ואפילו אם הוא דבר מצוה, דהרי הוא מתנה בהדיא לחלל את השבת.

והעולה לארץ ישראל, אם נזדמנה לו שיירא אפילו בערב שבת, כיון דדבר מצוה הוא, יכול לפרוש - י"א דהוא דוקא כדי להתיישב בה, **וי"א** דאפילו ע"מ לחזור, דלהלוך בה הילוך ד"א נמי הוי מצוה, **ובפרט** לפי מה שהקיל רמ"א בסוף הסימן בהג"ה, ודאי דגם זה הוא בכלל דבר מצוה.

ופוסק עמהם לשבות - והפסיקה הוא לעיכובא, ואם לא יתרצו בזה, לא ילך עמם, (**דלא מבעיא** לדעת המ"א, דסובר דגם בהפלגה בספינה הפסיקה הוא לעכובא, בודאי גם בזה הוא לעכובא, דהלא דין זה נלמד משם, ואפילו לדעת שארי אחרונים דס"ל דהפסיקה שם אינה מעכבת, נראה דהכא אין להקל בזה כלל, דבלא"ה מפקפקים הרבה פוסקים על דין זה דסעיף ד' שסתמו המחבר, והרמ"א לעיל בס"א בהג"ה, והוא נובע משיטת הרז"ה, שהוא תמוה, דהאיך התירו בשביל דבר מצוה לגרום את עצמו לחלל שבת בידים, ואפילו בתחלת השבוע אם הוא יודע שיצטרך לעשות מלאכה בשבת האיך התירו דבר זה, והמעיין ברי"ף יראה שהוא מתמיה אפילו לענין תחומין בהפלגת הספינה שהוא דרבנן, האיך התירו אפילו מיום הראשון ואפילו במקום דבר מצוה, ונהי דלענין הפלגת הספינה בים שהוא מדרבנן תפסינן לדינא להקל בג' ימים הראשונים, כמו שכתב הרמ"א, או לדבר מצוה תוך ג' ימים, אבל לענין מלאכה גמורה האיך התירו דבר זה, וע"כ נראה ברור דהפסיקה בזה אפילו בדבר מצוה הוא לעיכובא, דאם לא יפסוק עמו בודאי יבא לחלול שבת, ולא דמי להפלגתו בספינה דכתבנו במ"ב דהפסיקה אינה לעכובא, דשם הוא למעלה מעשרה, ואפילו אם נקל גם בלמטה מעשרה, היינו דוקא שם בספינה דאינה רק מדרבנן לכו"ע אפילו י"ב מיל, משא"כ בזה שהוא ביבשה).

ואם אחר שיהיו במדבר לא ירצו לשבות עמו, יכול ללכת עמהם חוץ לתחום, מפני פיקוח נפש - אם מתיירא להתעכב במדבר שמא יפגשו בו חיות רעות, או יפגעו בו לסטים ויגזלו ממנו בהמתו, ולא יוכל ללכת ברגליו ויסתכן, או יקחו ממונו ולא יוכל להחיות את עצמו במדבר, או שיקחו ממנו מלבושיו בזמן הקור, כולם הוא בכלל ספק פיקוח נפש, ומותר לילך עמהם חוץ לתחום, **וה"ה** אפילו חוץ לי"ב מיל נמי שרי, עד שיגיע למקום שאין שם שוב חשש סכנת נפשות, ויפרד מהם וישבות שם, ויש לו משם אלפים אמה לכל רוח.

ואם נכנס לעיר אחת בשבת, מהלך את כולה; ואפילו הניחוהו מחוץ לעיר ורוצה ליכנס לעיר, מותר, דכיון דלדבר מצוה נפק יש לו אלפים אמה לכל רוח - דכיון דבאונס יצא חוץ לתחום מפני פיקוח נפש, וגם מתחלתו ברשות נפק, ע"כ לא הוי כשאר יצא חוץ לתחום דאין לו אלא ד"א.

סימן רמח – דין המפליג בספינה וההולך בשיירא בשבת

וכתב המ"א, דדוקא כשהלך לדבר מצוה, אבל אם יצא מתחלה לדבר הרשות, אף שעתה היה מותר לו ללכת עמהם חוץ לתחום מפני פיקוח נפש, מ"מ כיון שעבר מתחלה על דעת חכמים במה שיצא תוך ג' ימים, הרי הוא כשאר יוצא חוץ לתחום דאין לו אלא ד"א.

ועוד כתב, דדוקא כשהלך לדבר מצוה גמורה, ולא כשהלך לסחורה, **דאף** דדעת ההג"ה שגם זה מקרי צורך מצוה, מ"מ לענין שיהיה יכול להלוך בתוך כל העיר, וכן במש"כ המחבר: ואפי' וכו' יש לו אלפים אמה לכל רוח, אין לסמוך ע"ז, כיון שהרבה פוסקים חולקין ע"ז.

ואם יצא קודם ג' ימים אפילו לדבר הרשות, כיון דהשתא היה צריך לצאת מפני פיקוח נפש, יש לו אלפים אמה לכל רוח, כמ"ש סימן ת"ז, **עוד** כתב, דאם הלך תוך ג' ימים מפני שסבר שמותר לילך תוך ג' ימים, הו"ל שוגג, ויש לו אלפים אמה לכל רוח, וכ"כ ש"א.

הגה: יש אומרים שכל מקום שאדם הולך לסחורה - אפילו יש לו מזונות, והולך לסחורה להרוחה, **או לראות פני חבירו, חשוב הכל דבר מצוה** - ולגבות מעות מא"י שהוא חולה, כל עוד שאינו גוסס לא מקרי פסידא ודאית - מ"א, **והא"ר** מיקל בזה, דלא גרע מהולך לסחורה, וע"כ מותר להפליג עבור זה בתוך ג' ימים. **ואינו חשוב דבר הרשות רק כשהולך לטייל.**

ועל כן נהגו בקצת מקומות להקל בענין הפלגת הספינות והליכת שיירא תוך ג' ימים, כי חושבים הכל לדבר מצוה - ודעת מ"א בשם כמה פוסקים, דבהליכת שיירא אין להקל, ‹דהא כתב לעיל דאפי' קודם ג' ימים, אם יודע שיחלל שבת, אסור – מחה"ש›, ‹ומכ"ש אח"כ, דכל הליכת שיירא הוא מקום שיצטרך לצאת חוץ לתחום, ולא מהני מה דחשבינן לה לדבר מצוה – יד אפרים›, **ואין למחות בידן, הואיל ויש להם על מי שיסמוכו** - אבל במקום שלא נהגו להקל, אין כדאי לכתחלה להקל, דכמה פוסקים סוברים דבעינן מצוה גמורה.

§ סימן רמט – דינים השייכים לערב שבת §

סעיף א- אין הולכים בערב שבת יותר מג' פרסאות - מתחלת היום, והוא קרוב לשליש היום, כפי מהלך אדם בינוני י' פרסאות ביום, **כדי שיגיע לביתו** - היינו למקום ששובת שם, **בעוד היום גדול ויוכל להכין צרכי סעודה לשבת, בין שהולך לבית אחרים בין שהולך לביתו** - ואף שהוא מכוין שבביתו יהיה לו יותר עונג שבת, מ"מ אסור, שמא לא ידעו כלל מביאתו, ולא הכינו בשבילו.

(עיין בעו"ש שמחמיר בענין זה, אפילו במוליך מזונותיו עמו, דלא פלוג חכמים בזה, **אבל** בא"ר חולק עליו, ומצדד להקל בזה).

ובנוסע בעגלה או רוכב על סוס, דנוסע במהרה, יוכל ליסע הרבה יותר מג' פרסאות עד שליש היום, **ומהב"ח** משמע להקל בנוסע בעגלה, ליסע אפילו אחר חצות היום, ‹**ושאני** הולך ברגליו, דשמא יהיה עיף וימשך הרבה – פמ"ג›, **ובלבד** שיעמוד לשבות בעוד היום גדול, בכדי שיוכל להכין צרכי שבת.

(לכאורה נראה, אם הולך לדבר מצוה מותר לילך עד סמוך לערב, ממה דאיתא בסימן רמ"ח ס"א ע"ש, אף שגם שם מתבטל מעונג שבת כמ"ש בס"ב, ואולי דבעניננו חמירא דלא הכין כלל, ומ"מ נראה דיש להקל בהליכה יותר מג' פרסאות בענין זה, אם הוא משער שיגיע בעוד יום גדול).

וה"מ כשהוא ביישוב, במקום שיוכל להכין צרכי שבת - ר"ל במקום שכלו הג' פרסאות, כ"כ הלבוש, ועיין בא"ר, **אבל אם במקום שהוא שם א"א לו להכין צרכי שבת, או שאינו מקום יישוב בטוח** - דעמידה בדרך אינו מקום בטוח, דכל הדרכים בחזקת סכנה, ולכן אפי' יש עמו צדה כדי צרכי שבת, **מותר לילך אפי' כמה פרסאות** - עד שיבוא למקום בטוח, **ומ"מ** יזהר שלא יתאחר לבוא עד סמוך לערב.

ואם שלח להודיעם שהוא הולך שם לשבת, מותר לילך כמה פרסאות בכל גוונא.

(ביאור הלכה) [שער הציון] ‹הוספה›

ובמדינות אלו רוב בני אדם מכינים צרכי שבת בריוח, ולכן אין נזהרין בזה כלל, בין כשהולך לביתו או להתארח בבית אחרים, **ובהרבה** אחרונים ראיתי שכתבו, דמ"מ צריך ליזהר לכתחלה שלא ילך או יסע עד סמוך לערב, מפני שכמה פעמים נכשלים עי"ז, ובאים לידי חילול שבת, כי בעל אושפיזא או אפילו בביתו, כשבא סמוך לשבת מוסיפין לבשל בשבילו ומחללין שבת, **וגם** כמה פעמים יארע דלא יגיע למלון ולביתו מבעוד יום עד שחשכה ממש, וכמה חילול שבת יש בהוצאה והכנסה, ויציאה מחוץ לתחום, ושביתת בהמתו, **ולכן** כל זה ישים האדם ללבו, וימהר לשבות אפילו בכפר, ולא יסיתנו היצר לומר: עוד היום גדול והדרך טוב, **אך** אם אירע שהלך עד חשיכה והיה בבה"ש בתוך תחום עיר, מותר להלוך בתוכה, כבסימן ת"ו, וצריך לירד מעגלה וסוס, עיין סימן רס"ו ושם יבואר אי"ה.

סעיף ב - אסור לקבוע בערב שבת – (ואפילו פעם אחת בימי חייו), **סעודה ומשתה שאינו רגיל בימי החול.**

ואפילו היא סעודת אירוסין - פי' אם אירס קודם לכן, אסור לעשות הסעודה בע"ש, דאף דסעודת אירוסין היא מצוה, מ"מ היה לו להקדימה, **אבל** אם אירס בע"ש, מותר לעשות הסעודה, דכיון דאירוסין שריא בע"ש משום שלא יקדמנו אחר, ממילא שרי הסעודה לזה ג"כ, וחשובה כמו סעודת מילה ופדיון הבן שזמנה קבוע, **וכן** אם היו הנשואין בע"ש, מותר לעשות הסעודה ג"כ, **ומ"מ** לכתחלה טוב ונכון אם אפשר לדחות הסעודה למחר או יום אחר, אפי' באירס בע"ש.

ודע דכ"ז בסעודת אירוסין, אבל בסעודה שעושין בשידוכין שלנו, לא הוי סעודת מצוה כ"כ, **ולפי"ז** אין לעשותה בע"ש, אפילו אם נגמר השידוך באותו יום, **ומה** שנוהגין לאכול מיני מרקחת בשעת כתיבת התנאים, לא מקרי סעודה.

מפני כבוד השבת, שיכנס לשבת כשהוא תאב לאכול - וה"ה בעיו"ט, דיו"ט נמי מצוה לענגו ולכבדו, **ואיתא** בגמרא, דהיתה משפחה בירושלים שקבעה סעודתא בע"ש ונעקרה.

וכל היום בכלל האיסור - שאף שאוכלה בבוקר, כיון שהוא מרבה בסעודתו שלא כרגילותו, שוב לא יאכל בלילה לתיאבון.

(**ובפמ"ג** מצדד, דאין הטעם משום לתיאבון, **אלא** דעיקר הטעם הוא מפני שמזלזל בזה כבוד שבת, שעושה ע"ש שוה בזה לימי השבת). **ויש** שכתבו הטעם, שמתוך טרדת הסעודה לא יתעסקו בצרכי שבת.

(**ואפי'** אם הוא עשיר ביותר, ועושה בכל יום סעודה רחבה כמו בשבת, מ"מ בע"ש יש למנוע מלעשות כן, כדי שיאכל לתיאבון בלילה, **ואיש** כזה צריך לעשות בשבת שינוי בסעודת היום, להקדים או לאחר, כדי שיהא מינכר יום השבת משאר ימי השבוע, עיין סי' רפ"ח).

הגה: וסעודה שזמנה ערב שבת, כגון ברית מילה או פדיון הבן – (וה"ה בסיום מסכתא), **מותר, כן נ"ל וכן המנהג פשוט** - דהם ג"כ סעודות מצוה, ואין לדחותם מפני סעודת שבת, **ומ"מ** לכתחלה מצוה להקדימם בשחרית משום כבוד שבת, וכמו שמבואר בסימן תרצ"ה ס"ב לענין סעודת פורים ע"ש, **ובדיעבד** יכול לעשותם אפילו ממנחה ולמעלה.

ואפילו אם אין המילה בשמיני ללידתו, כגון שהיה חולה בשמיני ונדחית, מ"מ מקרי זמנה קבוע, דכל שעתא ושעתא זמניה הוא, דאסור להניחו ערל אפילו יום אחד, **וכן** בפדיון הבן אפילו עבר זמנו, מ"מ כיון שמן הדין אפילו אחר ל' יום כל שעתא ושעתא רמיא חיובא עליה לפדותו, ממילא מותר לעשות ג"כ הסעודה.

(**עיין** במ"א שהביא בשם הלבוש, דאם אפשר לקיים שתיהן מוטב, ואם לאו תדחה סעודת שבת, ור"ל דלא יוכל לקיים בלילה כלל מפני אכילה גסה, **ואפ"ה** אין לו לחוש לזה, כיון שהוא עוסק עתה בסעודת מצוה, ויקיים למחר הג' סעודות כמ"ש בסי' רע"ד, וכן ביאר הפמ"ג כונתו, **ומ"מ** לדינא יש לעיין בזה טובא, דהלא סעודת שבת בלילה היא חובה מצד הדין, משא"כ בסעודת ברית מילה ופדה"ב אינו אלא מצוה בעלמא ולא חיובא כלל, וא"כ אם משער שע"י אכילתו יתבטל לגמרי מסעודת לילה, יש לו למנוע מזה).

(**כתב** הד"מ בשם הא"ז, מצוה לאכול סעודת שבת לתיאבון, ומאחר דעיקר הסעודה הוא לחם, לכן אסור לאכול גרימז"ל בשבת קודם הסעודה, משום דשוב

לא יוכל לאכול עיקר סעודת שבת לתיאבון, והד"מ חולק עליו, והמג"א הסכים עם הא"ז, **ובמקומות** דנוטלין לידים קודם קידוש שעל הכוס, פשיטא דאסור לאכול קודם המוציא, כדי שלא יהיה הפסק רב בין נטילה להמוציא, **וע"ש** עוד שהקשה דהוא גרם ברכה שאינה צריכה, **וגם** דאסור להקדים ברכת במ"מ קודם לברכת המוציא, **והנה** במקומותינו שהמנהג שאין נוטלין לידים קודם קידוש, נהגו העולם להקל בשחרית כדעת הד"מ, ואוכלין מיני מזונות לאחר קידוש קודם הסעודה, **ועיין** בשו"ע של הגר"ז שיישב המנהג, וכתב שאין למחות ביד המקילין, **ומ"מ** יש אנשי מעשה שמחמירין לעצמן במקום דאפשר כדעת המג"א, ותיכף אחר הקידוש נוטלין לידים ומברכין על הפת, ואוכלין הכל בתוך הסעודה, וכ"כ בספר שלחן עצי שטים, **ועכ"פ** לכו"ע נכון להדר שלא למלא כרסו משארי אכילות קודם סעודת הפת).

ולאכול ולשתות בלי קביעות סעודה, ‹כל היום מותר להתחיל› - **ואין** בכלל זה אם הוא שותה כ"כ הרבה מיני משקה עד שיהא שבע, כי הוא בודאי מקלקל תאות המאכל, והחוש יעיד ע"ז, ולפעמים יוכל להבטל ע"י שכרותו מסעודת שבת לגמרי, וע"כ מצוה להמנע מזה עכ"פ מט' שעות ולמעלה, [**ועיין** בט"ז, דבסעודה ומשתה, אם קובע עצמו לשתות, אוסר כל היום, מפני שיוכל להבטל עי"ז מסעודת שבת, **אך** בשתיה לבד, באופן זה בודאי יש להחמיר מט' שעות ולמעלה עכ"פ].

אפילו סעודה שרגיל בה בחול - היינו כמו "ואפילו", ור"ל דלא מבעיא בלי קביעת סעודה כלל, דזה ודאי מותר כל היום, ואפילו מצוה להמנע ג"כ ליכא, **ואפילו** בקביעת סעודה, כיון שאינו עושה סעודה רחבה, רק כמו שרגיל בה בחול, **כל היום מותר להתחיל מן הדין; אבל מצוה להמנע מלקבוע סעודה שנהוג בה בחול מט' שעות ולמעלה** - היינו שעות זמניות, והוא רביעית היום עד הלילה. **ואם** התחיל אינו מפסיק.

(**והיינו** לאכול פת כדי שביעה כרגילותו בחול, אבל מעט להשקיט רעבונו אינו בכלל קביעת סעודה לענין זה).

ומ"מ נראה דבימות החורף בזמן שהימים קצרים מאד, מצוה להמנע מלקבוע סעודה הרגילה אפילו קודם ט' שעות, כל שהוא משער בנפשו שעי"ז לא יהיה תאב לאכול בלילה, (**דלא** עדיף דבר זה מאם היה איסטניס, דאיתא לקמן בסימן ת"ע ס"ג ובסימן תע"א ס"א בהג"ה דמחמרינן ביה, ונהי דשם לגבי מצה חמור מענינננו, היינו דלית ביה חיובא, אבל עכ"פ מצוה איכא, **ואף** שבאמת גם איסטניס א"צ להתענות בע"ש כי אם מצד מדת חסידות, היינו תענית גמור, משא"כ בנידון דידן דהוא רק בהקדמה בעלמא, בודאי מצוה לעשות כן).

סעיף ג - דרך אנשי מעשה להתענות בכל ערב שבת - כדי שיהיו תאבים לאכול בלילה, **ועיין** בב"ח ומ"א וש"א שהסכימו, דאין להתענות בע"ש, כדי שלא יכנס לשבת כשהוא מעונה, **אם** לא שהוא איסטניס כ"כ, שאם יאכל ביום לא יוכל לאכול בלילה לתאבון, אז מנהג טוב הוא, אם אין מזיק לו התענית.

סעיף ד - אם קבל עליו להתענות בע"ש, צריך להתענות עד צאת הכוכבים - וכמו אם קבל תענית סתם בשאר ימי השבוע, דדינו הוא עד צה"כ דוקא, ולא מהני במה שהתפלל תפלת ערבית מקודם, ה"ה הכא, **ואינו** נחשב לאיסור במה שנכנס לשבת כשהוא מעונה, אע"ג דביום השבת גופא אסור להתענות.

(**היינו** דוקא במי שקיבל על עצמו תענית, ומסתמא היתה כונתו לסתם תענית דדינו הוא עד צה"כ, **אבל** בת"צ כגון עשרה בטבת שחל בע"ש, משמע בב"י דמצדד להורות כהפוסקים דס"ל, דהאי מתענין ומשלימין דקאמר הגמ', היינו אם ירצה להשלים רשאי), ‹ודלא כהכרעת הרמ"א בסמוך›.

אם לא שפירש בשעת קבלת התענית, עד שישלימו הצבור תפלתן - ואז מותר אפילו עוד היום גדול, **וכן** אם התנה להתענות רק עד אחר מנחה גדולה, מהני תנאו.

הגה: וי"א דלא ישלים, אלא מיד שיוצאים מבית הכנסת, יאכל - האי י"א ס"ל, דבין בתענית יחיד ובין בת"צ, כגון עשרה בטבת שחל בע"ש, לא יתענה רק עד שיצא מבהכ"נ, דאז כבר קבלו שבת בתפלה שמתפללים מפלג המנחה ואילך, דהיינו י"א שעות זמניות חסר רביע, **ומקרי** עי"ז השלמת התענית מה שמתענה עד אחר קבלת שבת, וה"ה בעיו"ט עד אחר קבלת יו"ט, [**אבל** קודם פלג, אף שקיבל שבת קודם תפלת

ערבית אחר מנחה, לא מהני, ואסור לטעום אז), **ובחול**, גם לי"א לא מקרי השלמת התענית עד צאת הכוכבים.

(ולהאי י"א אין נכון להמתין מעת בואו מבהכ"נ עד צה"כ, אם תאב לאכול ומתעכב מחמת התענית).

(ומדברי הראב"ד משמע, דתיכף משקעה חמה והוא כבר קיבל עליו שבת, אף שלא התפלל עדיין, מקרי עי"ז ג"כ השלמה).

(ונ"ל דהאי י"א וכן סברת הראב"ד, הוא רק במי שקבל התענית שלא בלשון נדר, רק בסתם קבלת תענית, אבל מי שאסר על עצמו לאכול יום א' בלשון נדר, לכו"ע אסור עד שתחשך, שאז כלה היום).

(ונראה פשוט לדעת המחבר, אם חיוב התענית היה עליו מכבר, ורצה לפרוע בתענית ע"ש, אינו יוצא בזה, כיון שלא השלימו כדין, וצריך לצום יום אחר, ולדעת הי"א יצא אפי' לא השלימו עד צאת הכוכבים).

ולכן בתענית יחיד לא ישלים, וטוב לפרש כן בשעת קבלת התענית; ובתענית צבור ישלים,

והכי נהוג - מכריע הרמ"א, דבתענית יחיד לסמוך על הי"א דלא ישלים, ומ"מ לכתחלה טוב יותר שיפרש כן בשעת קבלת התענית, ובדיעבד אין זה לעיכובא, **ובת"צ** (כגון עשרה בטבת שחל בע"ש), חמירא מזה וצריך להשלים כדין, ואפילו תנאי לא מהני, דלאו בדידיה תליא מילתא, **וצבור** שגזרו על עצמן תענית מחדש בשביל איזה ענין, לא חמירא כ"כ ומהני תנאי.

תענית יחיד נקרא, מי שקיבל על עצמו להתענות בע"ש זה, או שדרכו להתענות בכל ע"ש, **או** ערב ר"ח שחל בע"ש, {היינו אותם אנשים שאין אומרים יו"כ קטן ביום ה' שלפניו, דאלו האומרים מתענין ג"כ ביום ה'}, **או** שמתענה יום שמת בו אביו ואמו, או כ' סיון, או שמתענה תעניתים המבוארים בסימן תק"פ.

כתב מ"א, דאם מתענה בכל ע"ש, והשלים פעם ראשון, צריך לנהוג כן לעולם, וה"ה בכל הנ"ל, דמסתמא כל זמן שלא התנה בפירוש שאין דעתו להשלים תמיד, אמרינן דדעתו לנהוג כן לעולם, **ולכתחלה** יותר טוב שלא ישלים בפעם ראשון כשחל בע"ש, וכמו שכתב הרמ"א, וכדי שלא יצטרך להשלים תמיד.

ואם בתחלה כשהתחיל להתענות, יום שמת בו אביו ואמו או ער"ח ושאר תעניתים הנ"ל, חל בחול, ובחול הלא משלימין, וע"כ יש פוסקים דס"ל דאפילו כשיארע אח"כ בע"ש, ג"כ צריך להשלים עד צה"כ, דמסתמא דעתו להתנהג כן תמיד, אם לא כשהתנה בפירוש שאין דעתו להתנהג כן לעולם, **ויש** חולקין ע"ז, וס"ל דמסתמא לא קבל על עצמו להשלים אף בע"ש, **וע"כ** מי שמצטער יוכל לסמוך על המקילין, ולאכול תיכף אחר יציאתו מבהכ"נ אף שהיום גדול.

ואם הוא תענית חלום, צריך להתענות עד צאת הכוכבים - ואפילו הי"א הנ"ל מודו בזה, שהרי אפילו בשבת עצמו יכול להתחיל ולהתענות תענית חלום, וכ"ש שישלים עד הלילה.

והנה יש מהפוסקים שחולקין, וסוברין דגם בתענית חלום די להמתין עד שיצא מבהכ"נ ערבית, דבזה מקרי השלמה, **אבל** האחרונים הסכימו עם השו"ע דאין להקל בזה, דכיון שהוא מפני הסכנה לבטל ולבער חלום רע, שמא לא יועיל לבטלו אם לא ישלים עד הלילה.

§ סימן רנ – הכנת הסעודות לשבת §

סעיף א - ישכים בבוקר ביום ששי להכין צרכי שבת - דכתיב: והיה ביום הששי והכינו את אשר יביאו וגו', הכנה דומיא דהבאה, והבאת המן הלא היתה לאלתר בבקר, דכתיב: וילקטו אותו בבקר בבקר, אף הכנה על שבת תהיה מיד בבקר.

והיינו מיד אחר ק"ש ותפלה, **אך** אם הוא רגיל ללמוד אחר התפלה איזה שעור קצוב, או שלומד עם רבים, אל יבטלנו, וכמש"כ בסוף סימן רנ"א, **ואם** דרך המקום ההוא למכור בבקר, ולא ימצא לקנות אחר למודו, לא יקבע למודו אלא אחר הקניה, **ואם** רגילין למכור בבוקר השכם קודם התפלה, ולא ימצא לקנות אחר התפלה, יקנה ואח"כ יתפלל, (ואע"פ שיצטרך להתפלל אח"כ ביחידות), **אך** יראה לקרות ק"ש מקודם, כיון שכבר הגיע זמנה, (אם במעט זמן של הקריאה לא יאחר הקנייה), **ואין** זה בכלל מה שאמרו: אסור לעשות חפציו קודם שיתפלל, שזו חפצי שמים היא.

ביום הששי וכו' - והוא יותר טוב משיקנה ביום ה', שהוא מינכר יותר שהוא לכבוד שבת, **אם** לא בדבר שצריך הכנה רבה כמו בשר למלוח וכדומה, יש לקנות ביום ה', **אך** אם הבשר שמוצא ביום ה' הוא כחוש, ויש ספק שימצא ביום ו"ו שמן וטוב, ימתין על יום ו', **ומסתברא** דבימים הקצרים כל מה שיכול להקדים ההכנה ביום ה' עדיף.

וטוב שיאמר על כל דבר שקונה "זהו לכבוד שבת", כי הדבור הוא פועל הרבה בקדושה. **ואע"פ** שהכין בהשכמה, מצוה היא לכתחלה שיוסיף גם בין השמשות, **ורמז** לדבר שנאמר: והיה משנה, כלומר שיכינו שנית.

כתיב בתורה: זכור את יום השבת לקדשו, ודרשו בית שמאי שתהא זוכרו מאחד בשבת, נזדמן לך חלק יפה, תהא מתקנו לשבת, **ואמרו** על שמאי הזקן שכל ימיו היה אוכל לכבוד שבת, היה מוצא בהמה נאה, אומר: זו לשבת, מצא אחרת נאה הימנה, אוכל הראשונה ומניח השניה על שבת, נמצא שהאכילה היא כדי שתשאר היפה של שבת, **אבל** הלל הזקן מדה אחרת היתה בו, שהיה אומר: ברוך אדני יום יום יעמס לנו צרכנו, **והסכימו** הרבה פוסקים, שגם הלל מודה שכדברי בית שמאי עדיפא טפי, אלא שהיה בוטח בה' שבודאי יזמין לו לשבת מנה יפה משאר הימים, וכדי לחזק מדת בטחונו היה נוהג כן, **אבל** בשאר כל אדם שאין בטחונו חזק כ"כ, גם הוא מודה דכשמאי עדיפא טפי, **ופשיטא** בדבר שאינו שכיח לקנות, כשיזדמן לו דבר שלא יהיה נפסד, אזי יניח אותו לשבת.

מצוה לטעום מכל תבשיל בערב שבת, כדי לתקן יפה כהוגן, [**ובשלחן** שלמה משמע דעצם הטעימה היא מצוה]. **ועיין** בספר שלחן שלמה, דהטעימה בשבת מכל מין בודאי היא מצוה, ורמז לזה: טועמיה חיים זכו.

ואפילו יש לו כמה עבדים לשמשו, ישתדל להכין בעצמו שום דבר לצרכי שבת כדי לכבדו - דמצות כבוד שבת מוטל על כל אדם, וכדכתיב: וקראת לשבת עונג לקדוש ה' מכובד, ומצוה בו יותר מבשלוחו, **וה"ה** בכל המצות מצוה בו יותר מבשלוחו.

[**ונראה** דלא שייך בזה לומר: מצוה שיוכל לעשות ע"י אחרים אין מבטלים התלמוד אפי' לזמן מועט, והכא הלא יוכל לעשות ע"י שלוחו, דעדיף הוא ממי שהוא אחר לגמרי, **י"ל** דדוקא מצוה שאינה מוטלת על גופו, כגון שיפסיק באמצע הלמוד לילך לגמול חסד עם איזה אדם, במקום שאחר יוכל לעשות עמו הטובה ההיא, **משא"כ** בזה שהכבוד שבת מוטלת על גופו, וממילא מצוה בו יותר מבשלוחו, **א"נ** דדוקא לענין כבוד שבת אמרינן כן דחמירא, משא"כ לענין שאר מצות אם הוא ת"ח ונוגע לביטול תורה, וצ"ע].

(**בהרמב"ם** איתא על דין זה בלשון "חייב", והכונה על איזה דבר מן הדברים, **ואפשר** דלהרמב"ם ג"כ **לאו חוב גמור הוא, אלא כעין חובה משום כבוד שבת, וסברת הרמב"ם, דאל"ה לא היו מבטלים כל הני אמוראים תורתן עבור זה, ומ"מ לא הוי זה חובה גמורה, ותדע, דלא אשכחן בגמרא בשם חובה כי אם על הדלקת נר בשבת, ולענין ג' סעודות, ומ"מ צ"ע**).

ויש לפנות קורי עכביש שקורין שפי"ן וועב"ש מהבית בערב שבת, וכ"ש שצריך לכבד הבית מהאבק והעפר מבעוד יום, וזהו הכל בכלל כבוד שבת, **וידמה** בדעתו כאלו יבוא אליו להתאכסן מלך בשר ודם, כמה מכבד הבית ומציע המטות, וכ"ש שבת מלכתא.

כתבו הספרים, יהרהר בתשובה ויפשפש במעשיו בכל ערב שבת, כי שבת מקרי כלה מלכתא, וכאלו מקבל פני המלך ית"ש, ואין נאה לקבלו כשהוא לבוש בבלויי הסחבות של חלאת העונות.

כי רב חסדא היה מחתך הירק דק דק; ורבה ורב יוסף היו מבקעין עצים; ורבי זירא היה מדליק האש; ורב נחמן היה מתקן הבית, ומכניס כלים הצריכים לשבת ומפנה כלי החול; ומהם ילמד כל אדם - היינו אפילו החשוב יותר, ובפרט בימים הקצרים, ומכ"ש כשרואה שכבר הוא סמוך לשבת, שאז הוא מחויב לעסוק בכל כחו, **וראיתי** אנשי מעשה גדולי תורה שהיו מכבדין הבית בעצמן בימים הקצרים, כדי שלא יתחלל שבת, וזהו חיוב גמור על כל אדם, דמאי שנא דאין לו מי שיכין, או שהשליח אין לו פנאי.

ולא יאמר: לא אפגום כבודי, כי זה הוא כבודו שמכבד השבת – (יישב בזה מה שהקשה

בשו"ת חוות יאיר: איך הקילו בכבודם, הא גדול כבוד הבריות שדוחה לא תעשה שבתורה, היינו לא תעשה דרבנן, ושב ואל תעשה אף בדבר תורה, לכן קאמר דזהו כבודם, שעוסק בעצמו במצוה וניכר שעושה כן לכבוד השם יתברך, וכן הוא אומר בדוד המלך ע"ה: ונקלותי עוד מזאת וגו', משא"כ אם אין ניכר, כמו זקן ואינו לפי כבודו באבדה וכדומה, שמתחלל כבוד הת"ח עי"ז, ור"ל שאין הכל יודעין שהוא עוסק במצוה, ולכן אפילו אם ירצה להחזירו ברבים ויודיעם שהיא אבדה, ג"כ פטרתו התורה מזה, ובזה מיושב הא דאיתא בקידושין, דרב נחמן עסק בעצמו במצות מעקה, ששם הוא דבר שהכל יודעין בעת שהוא עוסק שהוא מצות ה').

הגה: ויש להשחיז הסכין בערב שבת, כי זהו מכבוד השבת שמכין עצמו לאכילה - ובספרי מסמיך לה אקרא: וידעת כי שלום אהלך, זו השחזת הסכין, **כי** אם קהה הסכין יוכל לבוא לפעמים לידי קטטה ח"ו.

סעיף ב - ירבה בבשר ויין ומגדנות כפי יכלתו - עיין לעיל בסימן רמ"ב, שם מבואר כל הפרטים בזה.

§ סימן רנא - שלא לעשות מלאכה בע"ש מן המנחה ולמעלה §

סעיף א - העושה מלאכה בע"ש מן המנחה ולמעלה אינו רואה סימן ברכה - מאותה מלאכה, שאף שירויח במקום זה, יפסיד במקום אחר, (**ואיסורא** נמי אית בזה, רק שאינו חמיר האיסור כשארי איסורי שבות שהיה חייב ע"ז מכת מרדות, כן איתא ברמב"ם ובסמ"ג ובאו"ז, והנה הט"ז כתב דאין בו איסורא, רק דאין בו סימן ברכה).

ופרקמטיא שרי, ומ"מ משמע מהגמרא דזמן סגירת החנויות הוא קודם זמן הדלקת הנרות, [דזמן הסגירה הוא בתקיעה שניה, והדלקה הוא בשלישית], (**ודעת האחרונים, דגם בפרקמטיא יש להחמיר עכ"פ ממנחה קטנה ולמעלה, ויש מקילין בזה בצנעא, והעולם** נהגו להקל לענין סגירת החנויות, ונראה שסומכין על הט"ז הנ"ל).

יש מפרשים: מנחה גדולה - היינו בשש ומחצה, **ויש מפרשים: מנחה קטנה** - היינו תשע ומחצה. והשעות הם זמניות, **והסומך** על המקילין לא הפסיד.

(**עיין במ"א שמסכים להמקילין, ומ"מ משמע מיניה** דפועלי שדה צריכין לשבות במנחה גדולה, והנה בזמנינו לא נהגו ככה, ואפשר דהטעם הלא הוא כדי שיבאו לעיר ויכינו צרכי שבת, ובזמנינו כל אחד מהפועלים אנשי ביתו מכינין צרכי שבת, ומ"מ כל ירא שמים יראה לפסוק ממלאכתו שבשדה עכ"פ בזמן מנחה קטנה, {**אם לא שהוא דבר האבוד, דאז לא עדיף מחוה"מ**}, ורבים מחמירים אף ממלאכתו שבבית).

וכ"ז בעושה מלאכת עצמו, אבל פועל הנשכר אצל בעה"ב בסתם, איתא בחו"מ, דזמנו הוא סמוך לשקיעת החמה, ורק כדי שילך לביתו למלאות לו חבית מים ולצלות לו דג קטן ולהדליק לו את הנר, **אם** לא במקום שיש מנהג קבוע לפסוק מקודם, [**וכ"ז** בדיעבד שנשכר ליום סתמא, אבל לכתחילה מוטל על הפועל שלא לשכור את עצמו ליום שלם בערב שבת, כי אם עד זמן מנחה קטנה].

הגה: ודוקא כשעושה המלאכה דרך קבע, אבל אם עושה אותה דרך עראי, לפי שעה, ולא קבע עליה, שרי - היינו אפילו בשכר.

ולכן מותר לכתוב אגרת שלומים וכל כיוצא בזה – (עדיפא הו"ל למכתב, דאפי' שריית דיו וסמנים, או צידת חיה ועופות, דזה בודאי אסור בחוה"מ כל שאינה צורך המועד, ג"כ מותר בערב שבת).

סעיף ב - לתקן בגדיו וכליו לצורך שבת, מותר כל היום – (ה"ה לתפור בגדים מחדש, אף דהוא מלאכה גמורה ובערב פסח אסור בזה, לענין ערב שבת מקילינן, ומשמע דאפילו לתפור מעשה אומן מותר, **ובביאור** הגר"א משמע דמותר רק מעשה הדיוט, ומשארי אחרונים לא משמע כן).

הגה: וכ"ה בגדי חבירו, אם הוא לצורך שבת ואינו נוטל עליו שכר.

ואם הוא עני שאין לו מה יאכל, שרי כמו לענין חוה"מ, וה"ה כל המלאכות המותרות בע"פ ובחוה"מ, מותרות בע"ש, **ואפי'** יש לו לחם, רק הוא צריך לצרכי שבת לענגו בבשר ודגים ומשקין טובים, ג"כ י"ל דשרי, [**וכן** אפי' בעצמו כבר הכין, רק שצריך כדי ליתן לשכירו לצרכי שבת, ג"כ שרי], **אבל** בלא"ה יש ליזהר בזה מאד, כי משמע מכמה פוסקים, דמלבד דאין רואה סימן ברכה, יש חשש איסור בזה.

(**ואם הוא רואה שאם לא יביא לו הבגד על שבת, יפחות** לו משכירותו מכפי מקח הנהוג לזה, **או שמכאן ולהבא לא יתן לו להשתכר, אפשר דהוא בכלל דבר האבוד, ואם התחיל בזמן ההיתר, אם הוא שעת הדחק דיהיה לו עליו תרעומות אם לא יביא לו על שבת, נראה לי דיוכל לגמרו אפילו אחר זמן מנחה קטנה, אפילו בשכר, ואף שהמצאנו הרבה פרטי קולא בענין זה, מי שהוא בעל מלאכה ירא ה', יראה לכתחלה לזרז עצמו שלא יבא למדה זו שיצטרך לעשות עד סמוך לשקיעת החמה, אם לא מי שהשעה דחוקה לו, וכמו שכתבנו במ"ב).**

וה"ה למי שכותב ספרים לעצמו דרך למודו. הגה: אבל אסור לכתוב לחבירו בשכר - לכן יזהר ג"כ הכותב סת"ם, שלא יכתוב בשכר, **אם** לא שהוא צריך עתה למזוזה או ס"ת או תפלין, או שהוא דחוק לצרכי שבת וכנ"ל.

ומסתפרין כל היום, אפי' מספר ישראל - היינו אפילו אם הספר נוטל שכר, **והטעם**, דנראה לכל שעושה המסתפר לצורך שבת, ולכן שרי, **ולא** דמי לתיקון בגדים שאסור בנטילת שכר, דהתם אין ניכר בפעולה שהוא לצורך שבת, משא"כ בזה, **וע"כ** יש ליזהר מלגלח לא"י.

(**עיין בביאור הגר"א שמפקפק בזה מאד, ולפי דעתו יש ליזהר ממנחה ולמעלה אפי' בחנם, כי היא תמיד מלאכת אומן, ע"ש).**

כתב המ"א, שהאר"י ז"ל היה נזהר שלא לגלח אחר מנחה אפילו בע"ש, **וביארו** כונתו, דמש"כ "אחר מנחה", היינו אחר שהגיע זמן מנחה, אבל לא מיירי שהתפלל מנחה, **והיינו** דקאמר אפילו בע"ש, דר"ל לא מיבעיא בחול קודם שהתפלל מנחה, אלא אפילו לצורך שבת שהוא מצוה, ג"כ לא היה מגלח אחר שהגיע זמן מנחה ולא התפלל, **והעולם** שאינם נזהרים בזה אפילו אחר שהגיע זמן מנחה קטנה, י"ל דכיון שקוראין לבהכ"נ, לא חיישינן שיעבור עי"ז זמן התפלה.

ויש לאדם למעט קצת בלמודו בע"ש, כדי שיכין צרכי שבת - לכן אין קובעין ישיבה באיזה מקומות בע"ש, **ובס'** סדר היום כתב, דאם רגיל ללמוד דבר שיש לו קצבה, או שלומד עם רבים, אל יבטלנו, **ופירש"י** על הסדרא מקרי דבר שיש לו קצבה, וע"כ לא גזרינן שמא ימשך עד הלילה, **ואם** לא ימצא אח"כ לקנות, אזי לא יקבע הלימוד בבקר, וע"ל בסי' ר"נ שהארכנו בזה בבה"ל.

ואם יש לו משרת שיכין בשבילו, אין צריך למעט בלמודו בע"ש, וכ"ש אם הכין ביום ה', בודאי יוכל ללמוד כדרכו, **מיהו** מ"מ צריך לתקן איזה דבר לכבוד שבת, ואפילו יש לו כמה עבדים, כמ"ש בסימן ר"נ.

(**אגב דאיירינן בענין תספורת, ראיתי להזכיר ענין אחד** מה שאיזה מהמון נכשלין בו בעו"ה, והוא בענין איסור דהקפת פאת הראש, וכמו שאבאר, כי ידוע דעל איסור הקפת פאת הראש יש ג"כ לאו בתורה, והוא הלאו ד"לא תקיפו פאת ראשכם", **וי"א** דפאת הראש חמור עוד מפאת זקן, דעובר על הלאו אפי' אם מעבירים במספרים כעין תער, דהיינו סמוך לבשרו, **ושיעור** הפאה הוא מכנגד שער שעל פדחתו ועד למטה מן האוזן, מקום שהלחי התחתון יוצא ומתפרד שם, וכל רוחב השערות שבמקום זה לא תגע בו יד להעבירם, מצד שהוא הכל בכלל פאת הראש, ומשם ולמטה מתחלת פאת הזקן, **גם**, אחד המקיף ואחד הניקף הוא בכלל לאו זה, **ובעו"ה** מצוי שמעבירין את הפאות עד סמוך לבשרן ממש, ואין משיירין כלל, ויש בזה חשש דאורייתא, והיה להם לשייר עכ"פ קצת מן הקצת, **וביותר** מזה, יש מהבחורים שבעת שהספר מספר ראשו הוא מגלח לו השער שאצל אזנו, והוא מחמת שמוטעין, שחושבין שפאת הראש נקרא רק מה שאנו קורין פאה, ולא כן הוא כאשר כתבנו, והוא לאו גמור דאורייתא לד"ה, וגם זה הלאו הוא אפילו על הניקף וכנ"ל, **וע"כ** אפילו אם המספר הוא א"י, יש לישראל להזהירו שלא יגע בו כלל במקום ההוא, **וגם** במרחץ מותר להפסיק את המספר שלא יגלח במקום ההוא, אם יהיו דבריו נשמעין לו, דכדי לאפרושי מאיסורא מותר אפילו במרחץ).

§ סימן רנב – מלאכות המותרים והאסורים להתחיל בע"ש כדי שיהיו נגמרים בשבת §

סעיף א - מותר להתחיל במלאכה בערב שבת סמוך לחשיכה, אע"פ שאינו יכול לגומרה מבעוד יום והיא נגמרה מאליה בשבת, כגון: לשרות דיו וסממנים במים והם נשרים כל השבת - ובשבת אסור משום מגבל, שמערב הדיו והמים יחד, וי"א דאסור משום צובע, **אפ"ה** כיון שמתחיל בזמן המותר בע"ש, וממילא נגמר הפעולה בשבת, שרי, **וכן** בכל הני דקחשיב, יש בהן איסור דאורייתא כשעושה אותם בשבת, אפ"ה כיון שמתחיל בע"ש שרי.

ולתת אונין (פי' אגודות) של פשתן לתנור כדי שיתלבנו - אפילו אין טוח כיסויו בטיט, אפ"ה לא חיישינן שמא יגלה הכיסוי ויחתה בגחלים, דכיון דהרוח קשה להן, לא חיישינן שמא יגלהו.

ולתת צמר לתוך היורה - והיא קולטת הצבע, **שאינה על האש, והיא טוחה בטיט, שאם היא על האש אסור, שמא יחתה (פי' יגלה ויעור הגחלים במחתה)** - היינו אפילו יש זמן שיקלוט עין הצבע מבעוד יום, אפ"ה אסור, שמא יחתה כדי לקלוט היטב.

ואפילו אינה על האש, אם אינה טוחה בטיט, אסור, שמא יגיס בה בכף, והמגיס בקדרה, אפי' אינה על האש, חייב משום מבשל - דע"י הגסה בקדירה רותחת מתקרב הבישול במהרה.

הנה אף דהמחבר השוה הגסה ביורה להגסה בקדירה, אינו שוה לגמרי, דבקדירה אם היא מבושלת כל צרכו תו לית ביה איסורא, **ואלו** ביורה אסור בכל גוונא להגיס בה, כמבואר לקמן בסימן שי"ח סי"ח, **וע"כ** אסור לתת צמר ליורה רותחת סמוך לחשיכה כשאינה טוחה, אף שיש שהות לקלוט הצבע מבע"י, שמא יגיס משחשיכה.

ומותר לפרוס מצודות חיה ועופות ודגים והם נצודים בשבת - ובשבת אם הוא עושה כן, ובשעת פריסתו נכנס החיה לתוכה, חייב משום צידה.

ומותר למכור לא"י ולהטעינו סמוך לחשיכה – (היינו להטעין לו על חמורו, וה"ה להגביה המשאוי על כתפו, או ליתן לו מתנה והלואה), **ובלבד שיצא מפתח ביתו מבעוד יום** – (אף אם מכר לו מקודם), ר"ל דאי אין שהות לזה, או שהא"י מתנה עמו שיקח ממנו בשבת, אף המכירה אסור.

(והטעם), כדי שלא יהיה נראה שהישראל צוהו להוציאו לחוץ, **ויש** עוד טעם לזה, שלא יחשדו את הישראל שמכר לו בשבת, או משכנם בידו, ולטעם זה אסור אפילו בעיר המוקפת חומה, או מקום שיש עירוב, **וכן** הסכימו האחרונים, דבענינינו לענין מכירה וכן לענין שכירות איזה חפץ, ודאי דיש להחמיר אפילו במוקפת חומה והא"י דר שם, שיוציאם מביתו מבעוד יום, [**אך** מח"א משמע, דבמקום צורך גדול יש להתיר למסור לו במקום שיש עירוב, ולסמוך אטעם ראשון].

(**ואם הא"י** השאיר החפץ אצלו ובא בלילה ללקחו, נראה דיש להקל בשעת הדחק ליתן לו אפילו אם איננו אלם, דכיון שהאיסור הוא רק משום מראית עין, אין להחמיר בזה, שהוא רק חשד איסור דרבנן במקום שאין רואין).

הגה: ויש מתירין שיוליך הא"י בשבת אם יחד לו הא"י מקום מבעוד יום בבית ישראל - סברתם, דהוי כאלו כבר מונח בביתו של א"י.

ויש להחמיר - כדי שלא להרגיל הא"י בכך, **ועיין** באחרונים שהסכימו, דמדינא אין להקל בזה, דקי"ל בסימן ת"מ גם גבי חמץ דלא מהני בייחד לו מקום, **גם** דהרואה סבור שישראל צוהו להוציאו, ע"כ אין להקל בזה אלא במקום הפסד וצורך גדול, **ואם** הא"י אלם, יש להתיר אפילו בלא ייחד לו מקום, דבכה"ג לא גזרו חכמים, **כתב** ע"ת, נראה דאם השכיר את החדר לא"י בפרוטה על משך יום השבת, אין להחמיר כלל, ע"ש,

אבל המ"א ושארי אחרונים כתבו, דאפילו בשכירות החדר אין לסמוך להקל, **וע"ל סי' שכ"ה.**

סעיף ב - ומותר ליתן בגדיו לכובס א"י, ועורות לעבדן (פי' האומן שמעבד ומתקן העורות) - וה"ה לשארי מלאכות, **סמוך לחשיכה** - ובעינן שיוציאם ג"כ מפתח ביתו מבעוד יום, **אם קצץ לו דמים** - היינו סך ידוע, ולא שכיר יום, **והטעם**, דכיון דקצב לו דמים בעד מלאכתו, ואינו מקפיד עליו שיעשנו תיכף, תו כי קעביד ביום השבת אדעתיה דנפשיה קעביד, למהר להשלים מלאכתו.

(ועיין בב"י דמסיק, דאין חלוק בין אם הא"י עושה גמר מלאכה בכלי, ובין אם הא"י עושה כל הכלי בשבת, כגון שנתן לו הישראל עצים ועשה כלי, או מטוה ועשה בגד, **וכן** אין חלוק בין אם העצים והמטוה הוא של ישראל, או שבקשהו שיעשה הכל משלו).

ועיין סימן רמ"ז ס"ב, דאם התנה עמו שיתן לו שכר ויתפשר עמו, אע"פ שלא פירש כמה יתן לו, דינו כקצץ, **ובזמן** הזה כלים לכובס סתמא דינו כקצץ, דקצבתו ידוע, ולכן המנהג פשוט ליתנם ע"ש סמוך לחשיכה, (כ"כ מ"א וא"ר, אך סתם המ"א דבריו מאד, ולא פירש אם ר"ל שלא התנה כלל, מפני שאין עושין בחנם, או דבפעם ראשונה קצץ עמו, וקמ"ל דדי בזה, **וע"כ** נראה שר"ל שהבטיח ליתן לו שכר, אך שלא פירש כמה יתן, דעד כאן לא שרינן ברמ"ז שלא פירש כמה יתן לו, אלא בהבטיחו שיתן לו שכרו כראוי או שיתפשר עמו, ולכך סמכא דעתיה דא"י, וסבר שיתן לו שכרו משלם ודינו כקצץ, **אבל** אם אמר לו הישראל סתם שיתן לו שכר, אין דינו כקצץ, דהא אין הא"י יודע כמה יתן לו, ושמא יתן לו דבר מועט, **ולכן** כתב המ"א דבזמן הזה שכלים לכובס קצבתן ידוע, ולא יסבור הא"י שיתן לו דבר מועט, לכן אפילו אם אמר לו סתם שיתן לו שכר ג"כ סגי, והוי כמו שקצב לו בפעם אחד, ששוב בודאי נוכל לסמוך ע"ז תמיד, וזהו שסיים: דאטו בכל פעם וכו', **ואולי** דכונת המ"א לענין כביסה, לפי שקצבתן ידוע לכל, אפילו אם לא התנה עמו כלל סגי, שסמך שיתן לו כפי הקצבה הידועה, **משא"כ** בעורות לעבדן, שאין ע"ז קצבה ידועה, לכן אף שאין עושין בחנם, לא סמכא דעתיה דא"י, וסבר שיתן לו דבר מועט, **וצ"ע** למעשה).

או שעושה אותם בטובת הנאה - היינו שנתרצה הא"י לעשות לו בחנם, ואמרינן דמסתמא הוא בשביל איזו טובה שעשה לו הישראל מתחלה, וע"כ אדעתיה דנפשיה קעביד.

והוא שלא יאמר לו לעשות בשבת - וכן אם אמר לכובס: ראה שאני צריך להם במו"ש, כגון שרוצה ליסע מיד במו"ש, גם זה אסור אפילו בקצץ, **דכיון** שא"א לגמרו אא"כ יעשה בשבת, הו"ל כאלו אומר בפירוש שיכבס בשבת, והוי כשלוחו, [**וע"כ** אסור אפילו בנותן לו כמה ימים מקודם].

וגם שיעשה הא"י המלאכה בביתו - ר"ל שלא בבית ישראל, דאז מחזי כאלו הוא עושה בשליחות ישראל, **וכתב** הח"א, דבבית ישראל אסור אפילו אם הוא דבר שמנהג כל בני העיר ליתנו בקבלנות, ולא אתו למחשדיה בשכיר יום, ג"כ אסור מטעם זה, דיאמרו שצוהו לעשות בשבת, [**וראיתי** באיזה מקומות ששוכרין להם א"י בקבלנות לנער את פשתיהן בחצרן, ומנערין שם ביום השבת, **ולא** יפה הם עושין, דאף אם הוא מנהג כל העיר בקבלנות, הלא ברשות ישראל לעולם אסור, **וע"כ** יראה להקנות להם הפשתן בע"ש שיהיה להם לגמרי].

הגה: ואם לא קצץ - היינו שלא התנה עם הישראל אודות שכרו, והא"י מצפה לתשלום שכר, **אסור בערב שבת** - דכשנותנו לו בע"ש, מחזי כאלו נותנו לו ע"מ שיעשה בשבת, ולא אמרינן אדעתיה דנפשיה קעביד, כיון שהישראל לא הבטיחו בהדיא, **וכשקצץ** דאדעתיה דנפשיה קעביד, לא מחזי כאלו אומר לו כן.

וכתבו הפוסקים, דכשיש שהות לגמרה מבע"י, מותר אפילו בע"ש, ואפילו לא קצץ, לכו"ע, **ומה** שדייק הרמ"א "בע"ש", דבד' וה' שהוא מופלג מן השבת, מותר ליתן לו אפילו שאין יכול לגמרה קודם השבת, כיון שלא אמר לו שיעשה בשבת.

(הרמ"א אזיל לשיטתו בסימן רמ"ז ס"א בהג"ה, דמתיר בלא קצץ ביום ה', **ועיין** במ"א, דאף שהחמיר הרמ"א שם שלא בעת הצורך כהמחבר, בזה הקיל, ע"ש טעמו, וכן משמע מהא"ר וש"א דיש להקל בזה בד' וה').

ועי"ל סי' רמ"ז דיש חולקין אם עושה לו בחנם, דהיינו בטובת הנאה - וס"ל דדינו כלא קצץ, ואדעתיה דישראל קעביד ואסור בע"ש, **ועיין** בד"מ דמסכים להיש חולקין, ועי"ל בסי' רמ"ז במש"כ במ"ב.

אם לא שהא"י בעצמו מתחיל עם הישראל לומר שיעשה לו בחנם, אז ודאי דעתו על הטובה שקיבל ממנו מכבר, ודינו כקצץ.

ואם ראוהו עושה מלאכתו בשבת, אם היה עושה בטובת הנאה, צריך לומר שלא יעשה בה בשבת - אף שהמחבר הקיל למעלה ליתן לו אף בטובת הנאה מבע"י, ואין לו לחוש מה שיעשה בשבת, אפילו אם הוא יודע שיעשה, כיון שאינו מצוהו ע"ז, וכמ"ש לעיל בסימן רמ"ז במ"ב, **מ"מ** כשבא לביתו ומצאו שעושה, מחזי דמדעתיה עביד כיון שאינו מקבל שכר ע"ז, וצריך לומר לו שלא יעשה.

(**ואפי'** אם הא"י התחיל בעצמו לומר שיעשה לו טובה, דהא להמחבר בכל גווני בחנם מותר לכתחלה למסור, דהוא בכלל טובת הנאה, ואפ"ה כשרואהו בשבת צריך למחות, וא"כ ה"ה בזה).

הגה: ואפילו נתנם לו כמה ימים לפני שבת - ר"ל דבזו הנתינה לא"י היה לכו"ע מותר וכנ"ל, אפ"ה צריך למחות כשרואהו.

אבל אם התנה עמו מתחלה ליתן לו שכרו, אף שלא פירש לו סך ידוע, א"צ למחות בידו, דבעבידתיה קעסיק.

(**ויש מאחרונים שמקילין עוד יותר, דכל שעושה בשכר, אף שלא התנה עמו כלל אודות השכר, וזהו "לא קצץ" הנזכר בכל מקום, אם היה זה בדרך היתר, דהיינו שהיה כמה ימים לפני שבת, או שמסר לו בע"ש והיה שהות לגמרו קודם השבת, א"צ למחות לו כשרואה שעושה בשבת, דכיון שעושה עכ"פ בשכר, אמרינן בעבידתיה קעסיק**).

ודע, דאם היה הא"י שכיר יום אצלו בימי החול, והוא רוצה עתה ג"כ לעשות מלאכתו בביתו בצינעה, צריך לילך ולמחות בידו כיון שנודע לו, אע"פ שאין עושה לפניו, [דמבואר בכמה מקומות דשכיר יום אדעתא דישראל קעביד].

כתב מ"א, דאם מצוה לא"י לעשות לו מנעלים, וראהו עושה בשבת, אפי' לא קצץ, א"צ למחות בידו, **דהא** אכתי לא נקרא שם ישראל עליהם, ואי בעי הא"י מוכרם לאחר, ולזה יעשה מנעלים אחרים, וא"כ לאו בדידיה קעסיק.

סעיף ג - ואם היתה מלאכה מפורסמת וידוע שהיא של ישראל, ועושה אותה במקום מפורסם, טוב להחמיר ולאסור - (פי' שאם עושה בשבת צריך למחות בידו, אפילו קצץ, אבל לכתחלה רשאי ליתן, ולא חיישינן שיעשה בשבת, **ואם** הוא יודע ודאי שיעשה בשבת במקום מפורסם, אסור ליתנו לו, **אם לא** בספק שמא לא יעשה בשבת).

דעורות לעבדן וכלים לכובס סתמן אין ידוע שהוא של ישראל, וע"כ אפילו אם הוא מעבד וכובס במקום גלוי, אין למחות בידו כשקצץ, **אבל** אם היתה המלאכה ידוע שהוא של ישראל, וגם הוא עושה אותה במקום גלוי לכל, צריך למחות בידו שלא לעשות בשבת, דהרואה אינו יודע שקצץ, ואתו למחשדיה בשכיר יום, וכנ"ל בסימן רמ"ד ס"א, **וע"ש** בס"ד דדעת השו"ע שם דמדינא אסור בזה, וע"ש בבה"ל.

ולפי"ז החלוקים שניכרים שהם של ישראל, והא"י מכבסן ע"ג הנהר שהוא מקום גלוי ומפורסם, צריך למחות בידו כשרואהו בשבת - מג"א, **אבל** בתו"ש כתב, דלא שייך בזה חשדא, דלא נודע של מי הוא, **והח"א** הקיל בזה עוד מטעם אחר, דכיון שידוע שמנהג כל בני העיר ליתן כלים לכובס בקבלנות, ע"כ אפילו אם הא"י מכבסן במקום מפורסם מותר, דאין בזה חשדא משום שכיר יום, וכעין מה שכתב בסימן רמ"ג ס"ב, **וה"ה** בכל הכלים שדרך ליתנן בקבלנות, **ואין** איסור בזה אלא כשעושה בבית ישראל, דשם לא מהני שום היתר.

סעיף ד - כל שקצץ - ובאופן שלא היה איסור בהנתינה, שהיה בזה ג"כ שארי הפרטים שצריך לקציצה, וכנ"ל בס"ב, **אע"פ שיעשה הא"י מלאכה בשבת, מותר לישראל ללבוש הכלי בשבת עצמה, דכל שקצץ, אדעתיה דנפשיה קא עביד** - ולא דמי למה שמבואר בסי' רע"ו, דא"י שהדליק הנר בשביל ישראל, אפי' אם היה על ידי

קציצה, אסור להשתמש לאורה, **דהכא** אע"ג שהישראל נהנה בלבישתו ממלאכת שבת, מ"מ א"י לא עבד בשבת בשביל הנאת ישראל, רק אדעתיה דנפשיה למהר להשלים פעולתו, **משא"כ** התם הדלקתו בשבת היה כדי שישתמש בו הישראל עכשיו, ולכן אסור, [**היינו** אפי' אם התאכסן הישראל בביתו של א"י, דבבית ישראל בלא"ה לא מהני קציצה], **ולפי"ז** גם בענינינו, אם הישראל אמר לא"י סמוך לחשיכה: מדוע לא גמרת מלאכתי, והשיב לו: אעשה זאת למענך בשבת, אה"נ דאפי' לדעת המחבר אסור ללבשו בשבת כמו גבי נר.

הגה: ויש אוסרין ללובשו כל שידוע שהא"י גמרו בשבת - טעמם, דאסור לישראל ליהנות מהמלאכה בשבת בכל גווני, כיון שמ"מ נעשה המלאכה בשבילו, (וטעמם שייך בכל מלאכות שהא"י עושה).

(**ודוקא** אם הוא מלאכה דאורייתא, **אבל** אם הוא מלאכה דרבנן, אין להחמיר).

וצריך להמתין במו"ש בכדי שיעשה - כדי שלא יהנה ממלאכת שבת, **ולפי"ז** בשני ימים טובים של גליות, אם עשה הא"י בראשון, מותר בתחלת יום שני בכדי שיעשה ממ"נ, דאם היום ראשון קודש, השני חול, ואם היום ראשון חול, בודאי מותר.

ואין חילוק בכל זה בין מי שנעשה בשבילו בין לאחרים, **ובספר** א"ר הקיל לאחרים בקצץ.

והכי נהוג לכתחלה, אם לא שצריך אליו בשבת שאז יש להקל – (היינו שאין לו בגד לשבת כי אם זה, ולא הוי כמו לצורך המועד האמור בחוה"מ).

ואם יש לתלות שנגמר בע"ש, מותר בכל ענין - דהא יש מתירין בכל ענין, **ואם** היה המנעל מתוקן בע"ש, רק שתקנו והחליקו בשבת, שרי, דהא היה יכול ללבשו בלא"ה, **וה"ה** כלי פשתן שנתן הא"י תחת המכבש בשבת, שרי ג"כ מטעם זה.

ודוקא אם שגר לו הא"י לביתו, אבל אסור ליקח כלים מבית האומן בשבת ויו"ט - ואפילו יודע ודאי שנגמר קודם שבת ויו"ט, ואפילו אם הוא לצורך שבת, **והטעם**, מפני מראית העין, דיאמרו שבשבת עשאו ומדעת ישראל, **ואיתא** בלבוש, דאפילו אם לא יביאם בידו אלא ילבשם שם בבית הא"י, ג"כ אסור מטעם זה, **וכתב** המ"א, אפשר דאפילו ע"י א"י אסור להביאו, דעובדא דחול הוא.

ואין חילוק בין אומן ישראל לא"י, (**ואם** הוא לצורך שבת באומן ישראל יש לעיין, דלפי מה שכתב הנ"י וכן הר"ן, דהטעם הוא מפני מראית העין, דיאמרו שנתן לו לתקנם במועד, אפשר דבשבת ויו"ט לא חיישינן לחשדא זו באומן ישראל, **וכן** לטעם רש"י שם דהוא משום טורח, כבר כתב הב"י וכן בא"ר, דלצורך שבת לא חיישינן משום טורח, **אך** לפי מה שכתב התו"ש ופמ"ג, דלכך אסור להביא אף ע"י א"י משום עובדא דחול, ושם הלא איירי אף לצורך שבת, משמע דאסור גם בזה, וצ"ע).

(**ואם** אינו מאמינו שיונח אצלו עד לאחר שבת, הנה לענין חוה"מ מבואר הדין בסוף סימן תקל"ד, ולענין שבת אינו מבואר בפוסקים, **ונראה** דאם גם הוא צריך להבגד לצורך שבת, יש להקל בזה שיביאו בצינעה לתוך ביתו).

וכ"ז בכלים שעשה לישראל, אבל א"י שעושה מנעלים על המקח, מותר לישראל המכירו לילך וליקח ממנו בשבת ולנועלם - דהא אדעתיה דנפשיה עבד בשבת, **ואיסור** דהבאה מבית האומן, ס"ל להרמ"א דלא שייך בזה אף שהוא הולך אצלו, משום דכיון שהכל יודעים שהא"י רגיל לעשות לעצמו בשביל מקח, תו ליכא משום מראית העין שיאמרו שצוה לו לעשותם.

ובלבד שלא יקצוץ עמו דמי המקח - דהיינו שלא יזכיר לו סכום דמים, דאל"ה הוי בכלל מקח וממכר, אע"פ שאינו משלם לו עכשיו.

והמג"א ושארי הרבה אחרונים חלקו על דבריו, וס"ל דגם בזה אסור לילך אצלו וליקח ממנו כמו משאר אומן, (**ולפי"ז** אפילו יודע ודאי שנגמר אצלו בערב שבת, **או** שהיה אומן ישראל, ג"כ אסור), **אלא** אחר שהביא «העכו"ם» לבית ישראל מותר ללבשו, דמסתמא לאו אדעתיה דישראל עבד אם הוא עיר שרובה א"י, **אך** אם הא"י הוא חנוני שאינו אומן, אפשר דיש להקל, **וגם** בזה מפקפקים התו"ש והפמ"ג, דהוי עכ"פ עובדא דחול.

(**הנה** בב"י הביא בשם הג"א שתי דעות, אי יש בזה משום מוקצה אם גמרן ביו"ט, ומשמע דס"ל להרמ"א

להלכה כדעת המתיר, ועיין בסימן שכ"ה ס"י בבה"ל, מה שנכתוב שם דלא יסתור להך דהכא).

סעיף ה - ומותר לפתוח מים לגנה והם נמשכים והולכים בכל השבת - היינו שפותח מים סמוך לחשיכה משפת המעין, שילך לגינה להשקותה.

ולהניח קילור (סם של רפואה שנותנין על העין)

עבה על העין - היינו אף שנשאר מונח בשבת, ועי"ז מתרפא והולך, **וה"ה** שמותר להניח אז תחבושת על המכה, **אע"פ שאסור להניחו בשבת** - שמא ימרח.

עבה - דקילור רך וצלול אף בשבת גופא מותר להניחו, כשהיה שרוי מבע"י, כדלקמן בסי' שכ"ח סכ"א.

ולתת מוגמר תחת הכלים - לבונה ומיני בשמים נותנין על האש, ומעשנין הבגדים שיהא ריחן נודף, **והם מתגמרים מאליהם כל השבת.**

ואפילו מוגמר מונח בכלי, דאין אדם מצווה על שביתת כלים - וכ"ש כשהמוגמר מונח על הארץ דשרי.

ולתת שעורים בגיגית לשרותן - דבשבת אסור, וכדלקמן בסימן של"ו סי"א ע"ש.

וטוענין בקורת בית הבד והגת מבעוד יום על זיתים וענבים - ואפילו לא נתרסקו מקודם, מותר לטעון, כיון שמתחיל הפעולה קודם שתשקע החמה וכנ"ל, **והשמן והיין היוצא מהם מותר** - פי' אף מה שיוצא בשבת, **ולא** גזרינן שמא יסחוט, כמו שגזרו במשקין שזבו מזיתים וענבים שלא נתרסקו, וכדלקמן בסימן ש"כ ס"א, **דהתם** יש חיוב חטאת אם יסחוט, ע"כ גזרו אפילו בזבו מעצמן, אבל הכא שכבר נדרסו ע"י הטעינה, ובלא"ה זב מעצמו, אלא שיוצא טפי ע"י הסחיטה בידים, בזה אין איסור אלא מדרבנן, ע"כ בזב מעצמו בשבת שרי לגמרי, **אך** כתב המ"א, דבזה אין מותר רק אם הוא טוען בעוד היום גדול, שיוכל להתרסק קודם שבת ע"י טעינת הקורה, **אבל** אם יטעון סמוך לשקיעה ממש, דלא יתרסקו קודם השבת ע"י הקורות, אסור המשקין היוצא מהן, גזירה שמא יסחוט, **(וע"ל סימן ש"כ סעיף ג').**

וכן בוסר - ענבים בתחלתן כשהן דקים, מוציא מהן משקה לטבל בו בשר, לפי שהוא חזק וקרוב להחמיץ, **ומלילות** - שבלין שלא בשלו כל צרכן, מרסקן וטוענין באבנים, ומשקה זב מהן ומטבל בו, **שריסקן מבעוד יום, מותרים המשקים היוצאים מהם** - והטעם הוא ג"כ כנ"ל.

ועיין בבה"ל דאין להתיר כי אם בשדכן ג"כ קודם השבת, ודיכה הוא יותר מריסוק, (**כי** שלשה דברים יש, ריסוק ודיכה ושחיקה, ריסוק בתחלה, ואח"כ דך אותם באיזה כלי, ואח"כ שוחק אותם יפה, **וע"כ** אין להתיר משקין היוצא מבוסר ומלילות אא"כ דכן מבעוד יום, וכן ע"י טעינת קורה, צריך שיהיו מרוסקין קודם הטעינה, דאז תחשב הטעינה כדיכה).

ומותר לתת חטים לתוך רחיים של מים, סמוך לחשיכה - וה"ה שמותר אז בעצמו לפתוח ג"כ את המסגרת של המים, שעי"ז טוחנין הריחיים, [**ואף** דאם יפתח בשבת גופא נראה דחייב חטאת, דהוי כמו שטוחן בידים, אפ"ה הלא לבית הלל לא גזרינן אטו שבת].

ודוקא של מים ולא של בהמה, דאדם מצווה על שביתת בהמתו.

(**נתינת חטים לתוך ריחים של מים בשבת איכא חיוב חטאת**, {ודלא כהמ"א}, **אף דהטחינה אח"כ ממילא אתי, וכמו הפורס מצודה, ובשעת פריסתו נכנס החיה לתוכה ונלכדה, דחייב אף דאתי ממילא, וכן כשאופה בתנור, אף שהאפיה ממילא אתי לבסוף, מ"מ מקרי מעשה ממש, אף שאינו מקרב האש לגבי הפת, אלא הפת לגבי האש, והאש פועל פעולתו לבסוף, אפ"ה חייב, וה"ה בענינינו, אף שהטחינה ממילא אתי לבסוף, אפ"ה חייב).**

(**והנה כ"ז מיירי שהמסגרת של המים היה פתוח, והוא נותן החטים לתוך האפרכסת, ומתחיל תיכף אחר נתינתו להטחן, ואם יש תחתיה עוד תבואה אחרת, יש לעיין אם יש בזה חיוב חטאת, ואינו דומה לנותן שמן לנר, דקיי"ל דחייב משום מבעיר, אף דבלא"ה ג"כ דולקת, דאפשר דהתם דולקת יותר בטוב ע"י הוספת השמן, וגם אפשר דהפתילה גופא מושכת עתה מן השמן**

הזה, משא"כ בענינננו, **ואפשר** לאידך גיסא, דכיון דהריחים טוחנין ובודאי יבוא גם לתבואה זו, דומה לאפיה ובשול אף שאינו תיכף, רק כיון שיהיה נאפה ונתבשל לבסוף, חייב הרודה הפת בתנור והנותן הקדרה על האש, וצ"ע).

(**אבל** אם פותח מסגרת המים בשבת, נ"ל דאף להמ"א חייב, דהלא תיכף מתחיל להטחן, והוא עושה מעשה ממש שעל ידו מסבב גלגל המים והריחים, והוא דומה כאלו הוא עצמו היה מסבב הריחים בכחו דחייב).

(**וראיתי** להתפארת ישראל שכתב, דריחים של רוח נ"ל דלכו"ע לית ביה חיוב חטאת, אם נותן התבואה לתוך האפרכסת, דהרי התראת ספק הוא, שמא יפסוק הרוח באמצע, **ולא** נהירא, דאפילו אם יפסק הרוח תיכף, מ"מ יטחן בודאי כגרוגרת והרבה יותר ע"י הריחים גופא, כידוע שכל דבר שדוחפים בכח, אפילו אם יפסק כח הדוחף, יהיה מתנענע מעצמו עוד במקצת).

ולא חיישינן להשמעת קול, שיאמרו רחיים של פלוני טוחנות בשבת. ויש אוסרים ברחיים ובכל מקום שיש לחוש להשמעת קול - כלל בזה כל כיוצא בזה המשמיע קול, דאוושא מילתא ואיכא זילותא לשבתא, וכמו שכתב בד"מ.

ואם הריחיים של א"י, בודאי שרי לתת לתוכה מבעוד יום, וה"ה אם השכירו לא"י, **ואם** הישראל מסר לא"י התבואה מבעוד יום, אז אף אם הא"י טוחן אותם בשבת, שרי בקצץ, דא"י אדעתיה דנפשיה עביד, **רק** שלא יעמוד ישראל אצלו, דמחזי כשלוחו, כמ"ש סוף סימן ש"ז, **ולצורך** הפסח מותר לישראל להיות עומד שם לראות שלא יתחמץ, וכן מותר להושיב שומר שלא יגנוב הא"י, **ובלבד** שלא ידבר עמו בשום עסק, וכמו שכתבנו לעיל בסוף סימן רמ"ד.

הגה: והכי נהוג לכתחלה – (ומ"מ משמע בד"מ, דהיכא דנהוג להתירא אין למחות בידם).

מיהו במקום פסידא יש להקל, כמו שנתבאר לעיל סוף סימן רמ"ד - הטעם, דאז יכול לסמוך אדעה ראשונה שמקלת ליתן מבע"י, **אבל** בשבת אסור ליתן אפילו ע"י א"י, ואפילו הוא שכירו, **ועיין** לעיל בסימן רמ"ג במ"ב סוף ס"א, דיעשה שטר מכירה לא"י דהוא מוכרו לו על שבת.

ומותר להעמיד כלי משקולת שקורין זייגע"ר מערב שבת, אע"פ שמשמיע קול להודיע השעות בשבת, כי הכל יודעים שדרכן להעמידו מאתמול - ולא יחשדוהו שהעמידו בשבת, **והנה** מוכח כאן דאסור להעמידו בשבת, **ואפילו** לומר לא"י להעמידו בשבת, וכונתו לשם מצוה לידע זמן ק"ש ותפלה, ג"כ צ"ע, דאפשר דיש בו מלאכה דבר תורה, ולא הותר ע"י א"י אפי' במקום מצוה, **ועיין לקמן סי' של"ח** - וע"ש במ"ב מה שנכתוב בזה.

סעיף ו - לא יצא אדם ע"ש סמוך לחשיכה במחטו בידו, ולא בקולמוסו - וה"ה כשאוחז שאר חפץ בידו, **שמא ישכח ויוציא** - היינו שישכח ויוציא את החפץ משתחשך מרשות לרשות, או יעבירנו ד"א בר"ה.

וה"ה כשיש לו שאר חפץ מונח לו בכיסו, דדרך הוצאה היא וחייב בשבת, ואסרו לצאת בו מביתו סמוך לחשיכה, שמא ישכח ויוציא משתחשך, **אבל** מותר לצאת לר"ה סמוך לחשיכה במחט התחובה לו בבגדו, במקום שאין דרך להוציא כן בחול, (**ואפילו** באומן מקרי שלא כדרך הוצאה, **והגר"א** פסק בבאורו דהלכה כר"י, דבאומן אפילו תחובה לו בבגדו חייב בשבת, וממילא יהיה אסור לו לצאת סמוך לחשיכה אפילו תחובה בבגדו), **וכל** כיו"ב בענין שאם היה יוצא בו בשבת פטור מדאורייתא, כמבואר לקמן בסימן ש"א, ואף שעכ"פ מדרבנן אסור, לא גזרו חז"ל גזירה לגזירה.

ולפי"ז האידנא דליכא ר"ה אלא כרמלית, שרי לצאת בחפץ שבידו סמוך לחשיכה, היינו קודם שקיעה, דלא הוי אלא גזירה לגזירה - מ"א, **מיהו** לדעת הרבה פוסקים והמחבר מכללם, גם בזה"ז איכא ר"ה, כמו שמוכח בסימן שמ"ה, **ולפי** מה שכתב הגר"א בבאורו, אסור סמוך לשקיעה ממש אפילו לכרמלית, (דכל השקלא וטריא דגמרא אי גזרינן גזרה לגזרה, הוא רק בסמוך לחשכה, **אבל** עם חשכה, היינו שסמוך לשקיעה ממש, אסור אף בדבר שבשבת גופא הוצאה דרבנן).

סמוך לחשיכה – (עיין בפמ"ג שמצדד שהוא חצי שעה קודם בה"ש, כמו סמוך למנחה, וכ"כ בנהר שלום, והנה בירושלמי איתא, דהאי "סמוך לחשיכה" הוא סמוך למנחה, ור"ל למנחה קטנה, והנה כל הפוסקים לא הביאו הירושלמי זולת בפי' ר"ח, ועכ"פ הנכון להחמיר כפמ"ג ונה"ש, וגם מהגר"א מוכח דהאי "סמוך" איננו עם שקיעה ממש).

אבל מותר לצאת בתפילין - ר"ל שבראשו, **סמוך לחשיכה** – (ואפי' עם שקיעה ממש), ולא גזרינן שמא ישכח מלסלקם עד שחשיכה, ויצטרך אז לפנות ויסירם מעל עצמו וישאם ד"א בר"ה, כמ"ש סימן ש"א ס"ז, **לפי שאינו שוכחן** - בראשו מסתמא, שמצוה למשמש בהם ואסור להסיח דעתו מהם, **אבל** אם אוחזן בידו, אסור לצאת בהם סמוך לחשיכה כמו שארי חפצים, דמסיח דעתו מהם וישכח ויוציאם משחשיכה מרשות לרשות או שישאם ד"א.

סעיף ז - מצוה למשמש אדם בכליו - בבגדיו, בכל מקום שדרכו להשתמש בו, כגון בכיסין התפורין לו, ואף בחגורו במקום שהמנהג להניח בתוכו חפציו, **בערב שבת סמוך לחשיכה, שלא יהיה בהם דבר שאסור לצאת בו בשבת** - דשמא יש בהם איזה דבר ויוציאנו לר"ה, או שמא יש דבר מוקצה ויטלטלנה בשבת, [**ולא** שייך כאן ספיקא דרבנן לקולא, דדבר מצוי ורגיל הוא לשאת בכיסו כל ימי החול מעות ושארי דברים, **ועוד** דהא איכא לברורי בקל].

נראה דה"ה בשבת, אם הוא רוצה לצאת חוץ לעירוב, והוא רגיל לשאת בכיסו דבר המותר לטלטל, שצריך למשמש מתחלה, [**דאפי'** אם נימא דלדידן לית לן ר"ה אלא כרמלית, דאינו אלא איסור דרבנן, הלא איכא לברורי בקל וכנ"ל].

(לשון "מצוה" איתא ג"כ בטור, והנה בגמרא איתא "חייב אדם למשמש" וכו', **ונראה** דלהכי שינו הלשון, משום דהיה קשה להו, דבמתניתין לא אסרו לצאת סמוך לחשיכה אלא אם אוחז דבר האסור לצאת בו בשבת, אבל לא שיצטרך למשמש פן יש לו איזה דבר שאסור לצאת בו בשבת, **וגם** שם הלא לא גזרו רק כשרוצה לצאת בהחפץ חוץ לביתו, ובזה משמע דאף כשיושב בביתו סמוך לחשכה ג"כ חייב למשמש, **ולזה** שינו הלשון וכתבו "מצוה", דהאי "חייב" אינו אלא מצוה, משא"כ שם איסורא הוא, **אבל** לפי מה שמחלק הגר"א, דמה דנקט חנניה "עם חשכה", לאו היינו סמוך לחשכה דמתניתין, ד"עם חשכה" הכונה סמוך לשקיעה ממש, אתי שפיר כל מה שהקשינו, דסמוך לשקיעה ממש חיובא איכא למשמש, ואף כשיושב בביתו, וברמב"ם נמי איתא "חייב למשמש עם חשיכה", כלשון הברייתא).

§ סימן רנג – דיני כירה ותנור ליתן עליה הקדירות בערב שבת §

סעיף א- הנה מפני שהסימן הזה רבו פארותיו, וכדי שלא יבלבל עיני הקורא בו, אמרתי להעתיק מספר מחצית השקל פתיחה קטנה אליה מעיקרי הדינים שלה, כדי שירוץ הקורא בו. **דע**, שיש ענין שהיה וענין חזרה, שהיה מקרי שנותן תבשיל מע"ש ע"ג כירה לא דרך הטמנה, ומניחו עומד ע"ג כירה ובשבת נוטל מהכירה, **וחזרה** מקרי כשהניחם מע"ש ע"ג כירה, ובשבת נוטלו מהכירה ורוצה להחזירה שנית ע"ג כירה, זהו עיקר דין חזרה לכו"ע, **אבל** יש עוד ענין חזרה, שנוטלו מע"ש סמוך לחשיכה ומחזירו, כמבואר בס"ב בהג"ה.

ופליגי חנניה ורבנן, דחנניה ס"ל אם התבשיל כבר נתבשל כמאכל בן דרוסאי, הוא כחצי בישול, וי"א כשליש בישול, מותר להשהותה ע"ג כירה אפילו אם אינה גרופה מן הגחלים, ואינה קטומה, היינו שמכוסה הגחלים באפר, **וחכמים** ס"ל דאסור אם אינה גרופה וקטומה, אא"כ נתבשל כל צרכו ומצטמק ורע לו.

ובריש פרק כירה תנן: כירה שהסיקוה וכו' בגפת ובעצים לא יתן עד שיגרוף או עד שיתן את האפר, ומבעי להש"ס, האי לא יתן דתנן, ר"ל לא ישהה אלא אם כן גרוף וקטום, ואתיא כרבנן דחנניה, **או** לא יתן ר"ל לא יחזיר, אבל שהיה מותרת אפילו אינו גרוף וקטום, ואתיא כחנניה, ולא איפשיטא האי בעיא, **ופסקו** הרי"ף והרמב"ם והעומדים בשיטתם לשהות תנן, וכרבנן דחנניה, דאפילו לשהות בעינן ע"ג גרופה וקטומה, **והתוספות** פסקו להחזיר תנן, אבל לשהות מותר אפילו על אינה גרופה משנתבשל כמאכל בן דרוסאי וכחנניה, **והן** השתי דעות שהובאו בשו"ע בסימן זה, דעה א' היא

דעת הרי"ף והרמב"ם, והי"א שמביא המחבר בסוף ס"א הוא דעת רש"י ותוספות הנ"ל, זהו מה שבארנו בקצרה, ומעתה נבוא לבאר את דברי השו"ע בעז"ה.

כירה שהיא עשויה כקדירה, ושופתין על פיה קדירה למעלה, ויש בה מקום שפיתת שתי קדירות - גם בתוכה יש מקום להעמיד הקדרה, ומותר להשהות במצטמק ורע לו, **אלא** משום דרוצה להשמיענו איסור במצטמק ויפה לו אפילו על פיה.

אם הוסקה בגפת שהוא פסולת של זיתים, או בעצים - וה"ה פחמין וגללי בהמה גסה, **וי"א** דה"ה פסולת של שומשמין, דגם הם בכלל גפת הנזכר במשנה, וכדלקמן בסי' רנ"ז ס"ג לענין הטמנה, **אסור ליתן עליה תבשיל מבעוד יום להשהותו עליה** - (וה"ה דאסור ליתן עליה חמין שלא הוחמו כ"צ, לדעה זו דפסק דלא כחנניה), **משום** דכל הני עבדי גחלים, וחיישינן שמא יחתה בהם.

והיינו ליתנו קודם שקיעת החמה להשהותו עליה לצורך הלילה, [**דלאחר** זה הוא בכלל ספק חשיכה, ואפי' חי אסור ליתן].

וה"ה אם היה נתון, צריך לסלק כשהגיע זמן חשיכה, אם לא נתבשלה כל צרכה, או שמצטמק ויפה לו.

(**ליתן עליה** - היינו על גב הכירה, וגבה נקרא עובי דפנות הכירה, וכ"ש נגד חלל הכירה מלמעלה, ואפילו אם היא מכוסה בכסויה ומעמידה על הכיסוי, כ"כ רש"י, **אך** מדברי הרמב"ם משמע לכאורה, דע"ג כיסוי אין בכלל על גבה, דאפשר דהוא כמו שאם כסה הגחלים באפר, דאמרינן דמסתמא שוב הסיח דעתו ממנה ולא אתי לחתויי, **ואעפ"כ** צ"ע בדעתו).

(**ואם** כונתו לצורך מחר, יש פוסקים שמתירין, דלא חיישינן שיבא לחתות, וכמו בחייתא, ומדינא אין לסמוך ע"ז, דדוקא בחייתא שא"א לאכלו, אבל בזה שאפשר לאכלו, חיישינן שימלך לאכלו ויחתה, **אלא** שבדיעבד יש לסמוך ע"ז, רק שלא יהא רגיל לעשות כן).

אא"כ נתבשל כל צרכו והוא מצטמק (פי' הולך וחסר) ורע לו, דליכא למיחש שמא יחתה - היינו דכיון שכבר נתבשלה לגמרי, עד שאם תתבשל יותר תצטמק לרעה, לא חיישינן לחיתוי, ומותר ליתנה אז לכתחלה.

מצטמק ורע לו - פי' כל דבר שאדם עצב כשיבש ונתכווץ מחמת רוב הבשול, [**ואפי'** התבשיל בעצם יפה לו הצמוק, רק האדם עצוב מזה מחמת דצריך לאורחין, שרי], **וכן** ביפה לו, היינו שהוא שמח מזה.

(**בגמרא איתא**, כל תבשיל דאית ביה מוחא [קמח] מצטמק ורע לו, לבר מליפתא, דאע"ג דאית ביה מוחא יפה לו, וה"מ דאית ביה בשרא, וגם לא בעי ליה לאורחין, הא לית ביה בשרא, או דקבעי ליה לאורחין, מצטמק ורע לו, דע"י הצימוק מתפרך הבשר ואין ניכר, ואין דרך כבוד לתת לאורחין כך, ועיין בפמ"ג שביאר, דאפי' לית ביה מוחא ג"כ רע לו בלית ביה בשרא, **אכן** מסוגיא דברכות משמע, דהצימוק יפה ללפת אף בעצים לחוד, וע"כ דכונת הגמרא דוקא היכא דאית ביה מוחא, **אך** מרש"י משמע קצת כהפמ"ג, ויש ליישב).

(**עוד** איתא שם בגמרא, לפדא [מאכל מתאנים] דייסא ותמרא, מצטמק ורע לו, והיינו אפילו בלא מוחא, **ובדף** ל"ח שם, כרוב ופולין ובשר טרוף, מצטמק ויפה לו, ועי"ש ברש"י ובגליון הש"ס בשם הערוך, מה שפירש על בשר טרוף, **עוד שם בגמ'**, דמים חמין מצטמק ורע לו, וביצים מצטמק ויפה להן, אלא אם איירי בצלי שמונח אגומרי, ומתחרך ע"י הצימוק, **וכל** שאינו יודע בבירור אם הוא מור"ל או יפה לו, ראוי להחמיר בו, **כ"ז** כתבנו לפי דעה זו, ועיין מה שנכתוב אי"ה לקמן לדעה השניה).

או שהוא חי שלא נתבשל כלל - היינו דאפילו הוחם התבשיל נמי מותר להשהות, ולא גזרינן שמא יחתה, כיון דעצם הבישול לא נתבשל כלל, [**אבל** אם נתבשל קצת, אפי' פחות ממאכל בן דרוסאי, אסור].

דכיון שהוא חי מסיח דעתו ממנה עד למחר, ובכל הלילה יכול להתבשל בלא חיתוי - פי' אז שרי ליתנו סמוך לשקיעה ממש, אבל אם נתנו מבעוד יום, אסור, דכבר נתבשל קצת קודם שבת, וצריך לסלק כשהגיע זמן שבת, אא"כ נתבשל כ"צ קודם זה.

וכ"ז דוקא בשר חי שא"א להתבשל לצורך סעודת הלילה, אבל ירק ושארי דברים שהם קלי הבישול,

לא מהני מה שהוא חי, וכן מה שכתב לקמיה חתיכה חיה, היינו ג"כ בשר.

(נראה דאפילו אם התנור חומו רב, ויכול להתבשל באיזו שעות בלילה במשך הזמן, אעפ"כ אם אין דרכן של בני אדם להמתין בסעודתם כ"כ, בודאי אסוחי מסח דעתיה מיניה ולא אתי לחתויי, וכן מורה לשון הרמב"ם).

אבל אם נתבשל קצת ולא נתבשל כל צרכו, ואפי' נתבשל כל צרכו והוא מצטמק ויפה לו, חיישינן שמא יחתה - למהר בישולו כדי לאכול בלילה, או כדי שיהיה מצטמק יפה.

ואסור להשהותו עליה אא"כ גרף, דהיינו שהוציא ממנה כל הגחלים - חוץ לכירה, ומותר בזה וכן בקטם, אפילו רק נתבשל קצת.

או קטם, דהיינו שכסה הגחלים - היינו כל הגחלים, **באפר למעט חומם** - וא"צ לקטום עד שאין ניכר שם אש כלל, רק בכסוי אפר כל שהוא מלמעלה על פניהם סגי, ואפי' הובערה אח"כ שרי - גמ', **עוד** אמר שם, דאפילו היו הגחלים של רותם, שאינם ממהרין להכבות, ג"כ שרי, **והטעם** בכל זה, כיון דגילה דעתו דלא בעי לגחלים, סגי, דבודאי לא אתי לחיתויי.

עוד איתא, דגחלים שעממו היינו שהוחשך קצת מראיתן, הרי הן כקטומה, **והטעם**, דכיון שלא חשש ללבותן שלא יעוממו, מוכחא מלתא שאינו קפיד בחתויה.

ואם נתן בה חתיכה חיה, מותר כאילו היתה כולה חיה, דעל ידי כך מסיח דעתו ממנה.

ואפי' אינה גרופה (פי' שמשך הגחלים מהתנור), וקטומה (פי' שכסה הגחלים באפר), מותר לסמוך לה קדירה בסמוך חוצה לה - היינו אפילו אם היד סולדת במקום ההוא, והיינו ג"כ אפילו לא נתבשלה שליש, **דכיון** דאינו אלא סומך לה מבחוץ, לא חמיר האי כירה מגרופה וקטומה הנ"ל, דמותר שם להשהות אפילו לא נתבשלה כדי שליש וכנ"ל.

י"א דלא שרינן הכא כי אם הסמיכה בע"ש להשהותה משתחשך, אבל להחזיר בשבת אסור אפי' בסמיכה, **ורק** לסברא שניה המוזכר בסוף הסעיף מותר אפילו בחזרה, (שהרי לדעה שניה דס"ל להחזיר תנן, הספק של הגמ' בסמיכה, היה לענין חזרה, ופשטו דמותר - דברי סופרים), ע"פ האופנים המבוארים בס"ב, **אבל** כמה אחרונים חולקין ע"ז, ודעתם דחזרה בסמיכה מותר לכו"ע, **ואפי'** בסמיכה לכתחלה בשבת, יש מקילין [ב"מ דגמ"ר] היכא שהקדירה עדיין חם ומבושל כל צרכו, ועיין במה שכתב הרמ"א בסוף הסימן ובבה"ל שם.

ואם הוסקה בקש או בגבבא, מותר לשהות עליה אפילו אינה לא גרופה ולא קטומה - לפי שאין בה חשש חיתוי, שמיד שכלה השלהבת כלה גם הגחלת.

וה"ה דמותר לשהות בתוכה, דכיון דכגרופה דמיא, ומבע"י הוא נותנו לתוכה, מה לי תוכה מה לי ע"ג.

(וה"ה דמותר להחזיר אפילו בשבת, דכגרופה וקטומה דמיא).

(יש לעיין, דבש"ס ופוסקים נקטו לשון "שהסיקוהו בקש וגבבא", דמשמע דהיה אחר ההיסק, ולהכי בעצים אסור משום שמשאירים אחריהם גחלים, ואיכא למיחש משום חיתוי, משא"כ בקש שאינם משאירים אחריהם גחלים, **ולפי"ז** אפשר דאם הניח הרבה קש שבוער זמן רב, אפשר דאסור להשהות עכ"פ בשעה שבוער, **או** אפשר דהש"ס אורחא דמלתא נקט, שהיה דרכם להעמיד הקדרה אחרי ההיסק, אבל ה"ה בשעה שמסיקים נמי מותר, **והטעם**, דבשעה שבוער בלא"ה אין לחוש לחיתויי, דלמה ליה לחתות כל זמן כשבוער, וא"צ לחתות כי אם בשנכבה, וזה אשמעינן דבקש כיון שנכבה לא יועיל חיתויו, דכלה גם הגחלת, משא"כ גבי גפת ועצים לעולם אסור, דיבא לחתות בגחלים אחר שיכלה האש, וצ"ע).

הגה: שתי כירות המתאימות זו אצל זו ודופן של חרס ביניהם, האחת גרופה וקטומה והשניה אינה גרופה וקטומה, מותר לשהות על הגרופה וקטומה, אע"פ שמוסיף הבל משאינה גרופה וקטומה - להכירה הגרופה, והו"א דלהוי כאינה גרופה, קמ"ל דלא אמרינן הכי, ואפי' בשבת מותר להחזיר עליה.

ותנור - היינו בתנור שלהם שעשויות ככירה, אך מתוך שקצרות למעלה ורחב למטה נקלט חומו רב לתוכו טפי מכירה, לכך החמירו בו יותר מכירה, **אפילו אם**

הוסק בקש וגבבא, אסור אפילו לסמוך לו, אפי' אם הוא גרוף וקטום - מפני שהגורף אינו גורף אלא רוב האש עצמה, וא"א שלא תשאר ניצוץ אחד, ובתנור שחומו רב חיישינן שמא יחתה כדי שיבערו אותם הניצוצות.

והנה מלשון המחבר משמע דס"ל כדעת הטור, דאפילו בקש ובגבבא אסור בגרוף וקטום, וכן הוא דעת ה"ר יהונתן המובא בחידושי הר"ן, **אכן** מלשון הרמב"ם משמע, דבקש וגבבא אינו אסור בתנור כי אם באינו גרוף, וכן הוא דעת הכל בו וחידושי הר"ן, **ויש** להקל בזה.

הגה: כל זמן שהיד סולדת בו - אבל אם אין היס"ב, מותר ליתן אפילו על גביו אפילו בשבת, **ואפשר** דאפילו אין גרוף וקטום מן הגחלים ג"כ שרי, כיון שהמקום שמעמיד שם הקדרה אין היד סולדת בו.

וכ"ש שאסור לשהות בתוכו או על גבו - ודוקא בלא נתבשל כ"צ, או במצטמק ויפה לו, **אבל** במצטמק ורע לו מותר, וכן בקידרא חייתא, ואפילו באינו גרוף וקטום.

וכופח, שהוא מקום שפיתת קדירה אחת - הוא עשוי כעין כירה, אלא דכירה הוא מקום שפיתת שתי קדרות, וכופח הוא מקום שפיתת קדרה אחת, לפיכך נפיש הבליה מכירה, שהמקום צר והחום מתקבץ בו ביותר, וזוטר הבליה מדתנור.

אם הוסק בקש או גבבא, דינו ככירה - ואפילו לא גרף את הקש ולא קטם, **בגפת או בעצים, דינו כתנור** - שאפילו גרף וקטם אסור, בין בתוכה בין ע"ג בין בסמיכה.

(והתנורים שלנו דינם ככירה) - שפיהם מן הצד, ועוד שרחבים ביותר [משפיתת קדרה אחת], אין חומם רב כ"כ, וע"כ דינו ככירה, **ובספר** תפארת שמואל הביא בשם רש"ל, שחולק ע"ז וסובר דשוים הם לדינא ע"ש, **ועכ"פ** בתנור של נחתומין שמסיקין בו תדיר וחומו רב, טוב להחמיר לדונו כתנור.

ואם שכח ושהה - וכ"ש אם שגג בדין, **אם הוא תבשיל שבישל כל צרכו, מותר אפי' הוא מצטמק ויפה לו** - ואפילו הוא בתוך התנור, והטעם, דלא נהנה ממנו כ"כ, כיון דבלא"ה היה ראוי לאכילה שנתבשל כ"צ, וע"כ בדיעבד מותר.

ואם הוא תבשיל שהתחיל להתבשל ולא בישל כל צרכו, אסור עד מוצאי שבת - לכל אדם, וכ"ש לבני ביתו דאסור, כיון דנתבשל בשבילם.

בהגהות אשר"י מבואר דגם במו"ש הוא בכדי שיעשה, כמו בעבר ושהה, **ומלשון** הרמב"ם לא נראה כן.

ואם עבר ושיהה אסור בשניהם. הגה: עד בכדי שיעשו – (כדי שלא יהנה ממלאכת שבת – רש"י, והרמב"ם נתן הטעם, כדי שלא ישתכר כלום, ולא יבא להקל פעם אחרת).

ואם החזירם א"י בשבת - לצורך ישראל, (והנה בלבוש כתב, דדוקא שלא בידיעת ישראל, דאל"ה מתחשב כמזיד, ולא נהירא).

דינו כשכח ושיהה - דמה שנעשה ע"י א"י במזיד, לא חמיר ממה שנעשה ע"י ישראל בשוגג, וע"כ אפי' אם מצטמק ויפה לו מותר, כיון שנתבשל כל צרכו, ואין נהנה ממנו כ"כ, (**ואף** דבחזרה אסור אפי' בשוגג, וכדלקמיה, הכא מקילינן, משום דשם גופא לא פסיקא כ"כ).

(והנה בהחזירו א"י והיה מבושל כמאכל ב"ד, לכאורה יש להקל לדעת רמ"א דלקמן, דהא כתב דדינו כשכח ושהה, ובשהיה ס"ל לקמן דסגי כמאב"ד, **אך** יש לדחות, דהא מ"מ בחזרה כו"ע שוין דאסור, ואף אם נימא דהוא רק איסור דרבנן לחנניה, הלא גם איסור דרבנן אסור לעשות ע"י א"י, ואפילו בדיעבד אסור, ומה דמקילינן הכא במצטמק ויפה לו, אף דבזה ג"כ יש איסור מדרבנן עכ"פ ע"י ישראל, משום דאין הישראל נהנה כ"כ ממלאכתו, כיון שמקודם היה מבושל כ"צ, משא"כ בזה שלא נתבשל כל צרכו, הלא עכ"פ הישראל נהנה ממלאכתו, וכ"ש להפוסקים שסוברין דיש בזה איסור דאורייתא ע"י ישראל, וכדלקמן בסימן שי"ח בב"י, ולא שייך דין הרמ"א הכא כי אם במצטמק ויפה לו).

ואם החזירם ישראל - בשבת אפילו בשוגג, **דינו כעבר ושהה** - במזיד, ואסור אם מצטמק ויפה לו.

(ומיירי באופן שהחזרה אסור לד"ה, דאל"ה אין להחמיר בדיעבד).

והטעם דמחמרינן בחזרה טפי מבשהיה, משום דקעביד מעשה, **ועיין** במ"א שפסק, דלאחרים שרי בזה, מאחר שהיה מבושל קודם כ"צ, והיה שוגג.

ודע דדין זה הוא אפילו לשיטת הרמ"א, דפוסק בסוף הסעיף כהי"א, דבשהיה מותר כמאכל בן דרוסאי, הכא בחזרה שוים הם לדינא, דהא לכו"ע בחזרה אסור אפילו אם נתבשל כל צרכו.

ואם מצטמק ורע לו, מותר, שהרי לא נהנה מן האיסור - ר"ל אע"ג דלכתחלה אסור בחזרה אפילו אם מצטמק ורע לו, בדיעבד מותר אפילו החזיר במזיד, שהרי לא נהנה כלל.

וי"א שכל שנתבשל כמאכל בן דרוסאי, (פי' שם אדם שהיה אוכל מאכלו שלא נתבשל כל צרכו) - י"א חצי בישול, וי"א שליש בישול, והשו"ע לקמן בסימן רנ"ד ס"ב סתם חצי בישול, ובמקום הדחק אפשר דיש להקל.

או שנתבשל כל צרכו ומצטמק ויפה לו, מותר להשהותו ע"ג כירה - ס"ל דכיון שנתבשל שראוי לאכול ע"י הדחק, תו ליכא למיחש שמא יחתה, דכיון שראוי לאכילה למה יחתה בחנם, ולכך שרי אפילו באינה גרופה וקטומה, **ואין** צריך לזה אלא כשעדיין לא הגיע למאב"ד, **או** כשבא להחזירה בשבת, דמחזי כמבשל אם אינה גרופה, [**וי"א** הטעם בזה, דכשנוטלה מן האש פעמים שמצטננת קצת, וחיישינן שמא יחתה בגחלים].

הגה: או אפי' ע"ג תנור - וה"ה בתוך התנור והכירה, דלא מפלגינן בין תנור לכירה, אלא מה שאסור בכירה שאינה גרופה משום חשש חיתוי, אסרינן בתנור אפילו בגרוף, דמשום חום התנור חשבינן ליה כאינו גרוף וכנ"ל, **אבל** מה שהתירו בכירה אפילו באינה גרופה, דלא אתי לחתות משום דכבר נתבשלה, גם בתנור מותר.

אפי' הוסק בגפת ועצים, ואפי' אינה גרופה וקטומה; ולא הוזכרה גרופה וקטומה והיסק בקש ובגבבא, אלא כשהתחיל להתבשל ולא הגיע למאכל בן דרוסאי - דאז חיישינן שמא יחתה בגחלים, אם הוסקה בגפת ועצים, וגם איננה גרופה מן הגחלים.

(עיין בחי' רע"א שכתב, דדין זה אינו ברור, דיש פוסקים שסוברין, דאפי' גרופה וקטומה לא מהני בזה), (דחיישינן שמא יגיס, ע"ש).

וכן לענין אם נטל הקדירה מעליה ובא להחזירה עליה בשבת - עיין לקמן בס"ב.

ואם שכח ושהה תבשיל שהתחיל להתבשל ולא הגיע למאכל בן דרוסאי, אסור - היינו אפילו לאחרים עד מו"ש, ואם בעינן בזה בכדי שיעשה, עיין לעיל בס"ק ל"ב. **ואצ"ל אם עבר ושהה.**

דבהגיע למאכל בן דרוסאי, לדעה זו מותר אפילו לכתחלה.

ונראה דלענין דיעבד יש להורות, דכמאב"ד הוא שיעור שליש, שרבו העומדים בשיטה זו, עיין בא"ר.

הגה: ונהגו להקל כסברא האחרונה - (עיין בב"י שהאריך הרבה באלו השתי דעות, והעתיק דברי הרא"ש שכתב: דמפני שישראל אדוקים במצות עונג שבת, ובודאי לא ישמעו לנו, ע"כ הנח להם, ע"ש, **משמע** מזה דרק משום זה לא רצה למחות, וכן הב"י גופא ממה שהעתיק דעה הראשונה בסתמא, והדעה השניה בשם י"א, משמע ג"כ דעתו נוטה להחמיר, **אך** מ"מ אין בנו כח למחות במקילין, שכבר נהגו העם כהי"א, וכמו שכתב הרמ"א, **וע"כ** לפי"ז לכתחלה בודאי טוב ליזהר שיהיה מבושל כ"צ קודם חשכה, ולסלקו מן האש, **אך** אם אירע שנתאחר הדבר, כגון שבאו אורחים קודם שקיעת החמה, והוצרך לבשל איזה תבשיל עבורם, יכול להעמיד על הפטפוט לבשל, אף שלא יתבשל עד השקיעה רק כחצי בישול, סגי, ויניחנו עומד על הפטפוט עד שיגמר בשולו, ומותר לסלק ממנו בלילה, דהא אין עומד על הגחלים).

וכל זה בענין שהה, שהקדירה יושבת על כסא של ברזל - כעין פטפוט של שלש רגלים, והגחלים מונחים תחתיו, **או ע"ג אבנים** – (שעומדת בתוך הכירה או בתוך התנור), **ואינה נוגעת בגחלים.**

(ודע, דכירות שלנו שהן מחוברות בבנין עם התנור, לכו"ע רק דין כירה יש להן, ועיין לעיל במה שכתבנו לענין תנורים שלנו).

אבל הטמנה ע"ג גחלים, לד"ה אסור - הכי ס"ל להמחבר, דאם שולי הקדרה נוגעין בגחלים, מקרי הטמנה, וממילא דאסור אף בנתבשל כל צרכו ומצטמק ורע לו, וכדלקמן בסימן רנ"ז ס"ז.

הגה: וי"א דאפי' אם הקדירה עומדת ע"ג האש ממש, כל זמן שהיא מגולה למעלה - היינו שאין מכסה עליה בבגדים מלמעלה, ועיין לקמן ברנ"ז ס"ח, **לא מקרי הטמנה, ושרי** - היינו דהוא רק בכלל שהיה, ושרי בשנתבשל מבעוד יום כמאב"ד, לפי מה שנהגו כסברא אחרונה. **וכן המנהג.**

ואפילו אם הקדרה עומדת בתוך התנור והתנור סתום, לאו בכלל הטמנה היא, וכדלקמן בסימן רנ"ז סוף סעיף ח' ע"ש.

רק שנזהרים לנתקו קצת קודם השבת מן האש, כדי שיוכל ישראל להסירו משם - דקשה לישראל ליזהר שלא ינענע הגחלים בעת נטילתו את הקדרה, (ושרי בזה אפילו כשעומדת בתוך התנור, ואיננה עומדת עתה על האש, כיון שכבר נתבשלה, היינו לדעה הראשונה כשנתבשלה לגמרי, ולהי"א כמאב"ד).

ואם לא נתקו מן האש ומצאו ע"ג האש בשבת, יש להסירו משם ע"י א"י; ואם ליכא א"י, מותר לישראל להסירו משם; ויזהר שיקחהו משם בנחת ולא ינענע הגחלים, ואז אף אם ינענען קצת, דבר שאין מתכוין הוא ושרי.

ודוקא כשעומדת הקדרה ע"ג גחלים, אבל הגחלים מונחים סביב הקדרה, אסור לישראל, משום שע"י נטילתו בודאי יחתה בגחלים, ואסור, דעי"ז מבעיר התחתונות ומכבה העליונות, ואף שאין מתכוין לזה, פסיק רישא הוא, **ואפילו** ע"י א"י יש מחמירין בזה, עיין במ"א וא"ר, **ומ"מ** נראה דלצורך שבת יש לסמוך על דעת המקילין ע"י א"י, [דבאמת הלא הוא רק פ"ר דלא ניחא ליה, ואיסורו מדרבנן לכו"ע, **ולהלן** בסוף הסימן כתב במ"ב, דאמירה לא"י דהוי שבות בלא מעשה, מותרת אף בפסיק רישא דניחא ליה, וצ"ע].

ודין פתיחת התנור וסתימתו ע"י הא"י, יתבאר בסוף סימן רנ"ט, ע"ש במ"ב.

סעיף ב - כירה שהיא גרופה וקטומה, ונטל הקדירה מעליה, אפי' בשבת, מותר להחזירה - דלא תימא דלא התירו חכמים אלא כשנטל מע"ש ומחזיר בע"ש סמוך לחשיכה, קמ"ל דמותר ליטול ולהחזיר אפילו בשבת גופיה, ואפילו כמה פעמים, (**והיינו אפילו מצטמק ויפה לו**), [**ואין** חילוק בין כשנטלה מהכירה מבעוד יום ובין בשבת גופא].

אבל אינו גרוף וקטום, אסור אפי' במצטמק ורע לו, וכן בתנור אפי' גרוף וקטום, (**ואם** הוסק הכירה בקש או בגבבא, **דינה כגרופה וקטומה**).

כל זמן שהיא רותחת - פרט זה אינו דומה לכל הנזכרים בסעיף זה, דבהם הטעם הוא דלא התירו חכמים חזרה כי אם באופן זה, **אבל** בזה הטעם הוא, דכיון שנסתלק מרתיחתו, דהיינו שאין היד סולדת בו, יהיה בו שוב איסור בישול, וכדלקמן בסימן שי"ח ס"ד, **ולפי** מה שפסק הרמ"א שם סט"ו בהג"ה, נהגו להקל אם לא נצטנן לגמרי.

הגה: ועודה בידו - ר"ל שלא הסיר הקדרה מידו מעת נטילתה מן הכירה עד שעה שיחזירנה, **ולאפוקי** אם הניחה ע"ג מטה או ספסל וכדומה לזה בינתים, הוי כמו שהניחה ע"ג קרקע בינתים, **וזה** (ע"ג קרקע) אסור לכו"ע, דבטלה לה השהיה הראשונה, ושוב כשמחזיר ומניחה ע"ג הכירה הו"ל כמושיב לכתחלה ע"ג הכירה בשבת, **וחכמים** לא התירו אלא חזרה, אבל לא להושיב לכתחלה, אף שכבר נתבשלה כל צרכה ואין בה מן הדין משום איסור בישול, מ"מ כיון שמעמידה במקום שדרך לבשל שם תמיד, נראה כמבשל לכתחלה בשבת. [**ולא** הזכרתי פינה ממיחם למיחם שזכר המ"א, (דאסור להחזיר התבשיל כשפינהו לקדירה אחרת), משום דבלא"ה יש דעות שמקילין במיחם שני, (דהבעיא היא כשמחזיר למיחם ראשון), ע"כ לפענ"ד פשוט דיש לסמוך על המקילין בבעיא זו].

ולא הניחה ע"ג קרקע - (לפי מה שהעתיק הרמ"א מקודם לדינא, דבעינן עודה בידו דוקא, תו לא צריכינן למכתב שלא יניח ע"ג קרקע, **אלא המחבר** שיטה אחרת יש לו, **דדוקא ע"ג קרקע אסור, דאז בטלה השהיה הראשונה, אבל לא במניחה ע"ג ספסל וכדומה בינתים,**

ודע, דאם הניחה ע"ג קרקע, אף שהיה דעתו להחזירה, אסור אפילו לדעת המחבר).

הגה: ודעתו להחזירה - הטעם ג"כ כנ"ל, שעי"ז לא בטלה עדיין שהיה הראשונה שהשהה אותה על הכירה מבעוד יום, כיון שהיה דעתו להחזיר עד שלא תצטנן, [**דאם** יהיה דעתו להחזיר אחר שיצטנן, אין מחשבתו מועלת כלום, אחרי שאסור לעשות כן, והוי כאין דעתו להחזיר, **ונראה** דאם חישב להחזיר עד שלא נצטנן לגמרי, ג"כ די לפי מה דקימ"ל כהרמ"א בזה], **אבל** אם בתחלה כשנטלה לא היה דעתו לזה, ושוב נמלך להחזיר תיכף, אסור אף שלא הניח ע"ג קרקע בינתים, דהו"ל כמושיב לכתחלה בשבת.

ועיין בביאור הלכה שהבאנו הרבה מהראשונים, שמקילין בעודן בידו אפילו אין דעתו להחזיר, וכן מקילין בדעתו להחזיר אף שבינתים הסירן מידו, [היינו ע"ג הספסל וכדומה, ולא ע"ג הקרקע], **ונראה** שבעת הצורך יש לסמוך ע"ז.

(בחידושי רע"א כתב, **דאפילו אם זה המניח היה אדם אחר** שאין הקדרה שלו, ג"כ מועיל המעשה שלו לאסור שוב להחזיר ע"ג כירה, ולא שייך בזה אין אדם אוסר דבר שאינו שלו, **אך אם עודו בידו**, ורק בעת שסילק מהכירה לא היה בדעתו להחזירו, **אם מחשבתו מועלת לאסור שוב להחזיר, זה תלוי במחלוקת הראשונים**, עי"ש שהאריך).

ודוקא על גבה - היינו על עובי דפנותיה מלמעלה, או ששם כיסוי על חללה והעמיד הקדירה על הכיסוי, **ואפילו** אם תלה הקדירה לתוך אויר הכירה, וקצת דפנותיה בולטין מלמעלה, כדרך הקדירה שקצרה מלמטה ורחבה מלמעלה, ג"כ בכלל ע"ג הוי, **ולא** מקרי תוכה אלא כשיושבת הקדירה על קרקעית הכירה.

אבל לתוכה אסור - דכיון שהוא מעמיד לתוכה כדרך שמבשלין בה תדיר, נראה כמבשל, **ואותן** הכירות שאין להן תוך וחלל, אלא הן פשוטות, ותוכן וגבן אחד, מותר להחזיר להן, דאין עליהן שם תוך, **ואם** יש אש בכירה, עיין סימן שי"ח סט"ו.

ובתנור, אסור להחזיר אפי' הוא גרוף וקטום - אפילו הוסק בקש או בגבבא וכנ"ל, **וה"ה** לכופח, **אם הסיקו בגפת ועצים** - דהלא לא הותרה חזרה לכו"ע אלא בגרופה, [היינו אפי' להי"א דמיקל בס"א], ובתנור וכופח שהבלם רב לא מהני גריפה, וכדלעיל בס"א.

הגה: ודוקא שנתבשל מבושל כל צרכו - קאי ארישא, דאמר אפי' בשבת מותר להחזירה ע"ג כירה כשהקדירה רותחת, ולזה ביאר דדוקא כשהוא מבושל כ"צ, אבל אם לא נתבשל כ"צ, שייך אחריו עוד בישול, (**ואזיל זה לפי מה שפסק המחבר בשי"ח ס"ד, אבל לפי מה שביארנו שם, דיש הרבה ראשונים שסוברין דכשנתבשל כמאב"ד תו לא שייך בישול כשהיא רותחת, ישתנה זה הדין ג"כ לענין חזרה, ומ"מ קשה להקל, דהוא נוגע בענין דאורייתא**).

ואז מותר להחזיר, ואפילו לכירה אחרת - ואפילו אם הבלה מרובה מראשונה, מ"מ לא הוי רק בכלל חזרה ושרי, **אבל** אם היתה בתחלה טמונה בדבר שאינו מוסיף הבל, ובשבת בא להושיבה לכירה, או להיפוך מכירה להטמנה, אסור, דזהו פעולה חדשה, ואין טומנין משחשיכה אפילו בדבר שאינו מוסיף הבל, וכדלקמן בסימן רנ"ז.

אבל אם לא נתבשל כל צרכו, אסור אפילו לאותה כירה.

וי"א דכל זה - פי' הא דבעינן דוקא עודה בידו, גם דעתו להחזיר, **אינו אסור רק כשנטלו מן הכירה מבעוד יום, ולא החזירו עד שחשכה** - דכיון שלא היה הנטילה בשבת, נראה חזרתו כפעולה חדשה, והוי כנותן לכתחלה ומבשל, משו"ה מצרכינן עכ"פ עודנה בידו וכה"ג, כי היכי דליהוי הכירא שאינו אלא חזרה.

אבל אם לקחו משם משחשכה, אפי' הניחו ע"ג קרקע מותר (ר"ן) - ואפילו לא היה דעתו להחזיר, והטעם, שהרי הכל ידעו דכבר עמדה הקדירה בכירה ונתבשלה כבר. **אבל** גרוף וקטום לכו"ע בעינן.

וכן נוהגים להקל בתנורים שלנו שיש להם דין כירה, וסומכים עלמס על דברי המקילין - היינו שמחזירים לתוך התנור בשבת מה שנותר להם

אחר שלקחו מן הטשאלינ"ט לאכילה, כדי שלא יצטנן, [**אבל** ליתן לתוכו מאכלים שלא הטמינו בו, לכולי עלמא אסור בכל גווני].

וטוב להחמיר - כי הרבה פוסקים חולקין על הר"ן, **ועוד** כי הב"י סובר, שגם הר"ן לא התיר אלא ע"ג כירה ולא בתוכו, וגם המ"א מצדד כהב"י ע"ש, ומי עדיפא תנור שלנו מכירה, **ומ"מ** נראה שיש זכות על המנהג, כי כבר נתבאר בפוסקים שאין לאסור חזרה אא"כ יש חום שהקדירה יהיה נעשה רותחת מן החום, וזה אין מצוי כ"כ, ע"כ אין לפקפק בזה, ואח"כ מצאתי בלבוש כדברינו.

מיהו אם נצטנן, לכו"ע אסור - היינו אם נצטנן לגמרי וכמ"ש למעלה, והטעם, דשייך אח"כ עוד בישול חדש, **ועיין** במ"א שכתב, דאפילו בדבר יבש שאין בו מרק, דלא שייך בו בישול, ג"כ אסור, דכיון שכבר נצטנן בטלה השהיה הראשונה, והוי כנותן עתה מחדש בתוך התנור, לזה אסור בכל גווני, ‹**אבל** הבה"ל בס"ה חולק עליו – שונה הלכות›, **וכ"ז** כשמניחו עתה במקום שע"י החום יהיה היד סולדת בו.

כתבו האחרונים, דבמקום שמותר להחזיר, מותר אפילו לסתום פי התנור בדף אחר החזרה, דסתימת הדף לא מקרי הטמנה, **מיהו** אם ע"י סתימת פי התנור יהיה רותח, טוב שלא לסתום וכנ"ל.

ודע דכ"ז הוא באין גחלים בוערות בתנור, אבל אם יש שם גחלים בוערות, פשוט במשנה דבאין גרוף וקטום אפילו לב"ה אסור להחזיר, ואפילו תנור שלנו דדמי לכירה ג"כ אסור בכל גווני, **ולפי** מש"כ בס' ישועות יעקב, דלענין חזרה סגי כשגרוף הגחלים לצד אחד, יש להקל אם גרף הגחלים מבע"י שיהיו רק לצד אחד, [**משא"כ** לענין שהיה, בעינן שיגרוף כל הגחלים לחוץ].

וי"א דאם הוציא מאכל מן התנור, אסור להניחו בכרים ובכסתות - דזה מקרי תחלת הטמנה, דמה שהיה מונח מתחלה בתנור ענין אחר הוא כנ"ל, ואין טומנין בשבת אפילו בדבר שאינו מוסיף הבל, ולכן אפילו היה עדיין המאכל חם ורותח אסור, **ואם** אינו טמון היטב בתוכם, שהוא פתוח מלמעלה, שרי, דזה לא מקרי הטמנה, כמ"ש רמ"א בסוף ס"א בהג"ה.

וי"א דכל שהוא סמוך לחשיכה - כדי להבין דברי הי"א מוכרח אני להאריך קצת, דהנה התוס' והרא"ש וסייעתם הוכיחו, דבע"ש נמי שייך דיני חזרה, דהיינו אם נטל מבעוד יום מן הכירה, או מן התנור לדידן, אסור להחזיר עליו אא"כ הוא גרוף וקטום, **והקשו** ע"ז, א"כ דאסרינן להחזיר אפילו בע"ש, אם יסלק הקדרה מן הכירה בע"ש בהשכמה לא יהיה יכול להחזיר, ואיזה שיעור זמן נתנו חכמים ע"ז, **ומסקי** דאם הוא סמוך לחשיכה כ"כ, עד שאם היה קר לא היה יכול להרתיחו באותו זמן, אסרו אז להחזיר בלא גריפה, דאם יהיה מותר אז להחזיר, יחזיר גם בשבת, וכולא חדא גזירא היא, ובשבת אסור שמא יחתה.

או סמוך לברכו שהוא קבלת שבת לדידן - בזמנם היו נוהגין לומר ברכו בהקדם, וקמ"ל דכיון דע"י ברכו הוא קבלת שבת, הוי כשבת גמור, ובעינן שאותו השיעור יהיה קודם ברכו דוקא, **ועיין** במ"א שחולק ע"ז, וס"ל דלא נזכר זה השיעור רק קודם חשיכה, ולא קודם ברכו.

אם הוא סמוך כ"כ שאם נצטנן הקדירה אי אפשר להרתיחה מבעוד יום, דינו כמו בשבת עצמו - היינו אפילו הוא קודם שקיעת החמה איזה זמן, דינו כמו בשבת, **והיינו** רק לענין דבעינן גרופה וקטומה כמו בשבת, אבל לענין דעתו להחזיר ושלא יניחנו ע"ג קרקע, לא בעינן בזה.

ודוקא אחר שנגמר כל בישול הקדירה, ומניחה לעמוד על הכירה עד הערב לשמור חומה, בזה הוא דמחמרינן אם נטלה, שלא להחזירה לשאינה גרופה, **אבל** כל זמן שלא נתבשל כ"צ, נוטלה ומחזירה בכל גווני, דלא שייך למיגזר דיחזיר גם בשבת, דזהו מבשל בשבת, ופשיטא דמזדהר בהכי אפי' אי שרית להחזיר מבע"י, **ויש** מחמירין גם בזה משום לא פלוג. **וחי** לגמרי שרי להחזיר סמוך לחשיכה ממש, אפי' לאינה גרופה וקטומה, וכמ"ש ס"א.

ויש מקילין בזה - הוא דעת רש"י וסייעתו, דס"ל דלא גזרו על חזרה כי אם משחשיכה ולא מבעוד יום.

והמנהג להקל, אך טוב להחמיר במקום שאין צורך כל כך - ולפי"ז אין ליטול הקדרה מכירה ולתנו ע"ג תנור שאינו גרוף וקטום סמוך לחשיכה, דאף דתנור שלנו דינו ככירה, הא בכירה גופיה יש להחמיר לדעה זו,

ואם הוא גרוף וקטום, מותר אף בשבת, [**אבל** היש מקילין דלית חזרה בע"ש רק שהיה, מותר אף בלא גרופה, אם הוא מבושל כ"צ ומצטמק ויפה לו, לדעה שניה הנ"ל בסוף ס"א, **ולדעה** ראשונה שם, עכ"פ במצטמק ורע לו שרי].

ודוקא ע"ג כירה ממש - היינו דבזה יש אוסרין חזרה סמוך לחשיכה וכנ"ל, **אבל לסמוך, אפי' סמוך לאש** - (ר"ל וכ"ש סמוך לכירה), **במקום שהיד סולדת בו** - דאי אין היסל"ב, אפי' בשבת שרי, **שרי אפי' סמוך לחשיכה** - היינו אפי' נצטנן לגמרי, ואי לא נצטנן לגמרי, אפילו בשבת שרי, וכמש"כ בסימן שי"ח סט"ו בהג"ה.

ובתנור אין חילוק בין להחזיר עליו או לסמוך אצלו - היינו בתנור של זמן התלמוד, וכבר כתוב זה בס"א, אלא דשם מיירי לענין שהיה, וכאן מיירי לענין חזרה, **אבל** תנורים שלנו שפתוחים מן הצד, הם ככירה.

ודוקא במקום שהיד סולדת, אבל אין היד סולדת שם, שרי אפי' בשבת, כמו שיתבאר לקמן סי' שי"ח.

סעיף ג - המשכים בבוקר וראה שהקדיחה תבשילו, וירא פן יקדיח יותר, יכול להסיר ולהניח קדירה ישנה ריקנית על פי הכירה - דאם יהיה בה תבשיל, אסור להשימה על הכירה מחמתה גופה.

ישנה - אבל חדשה אסור, דמתלבן ע"י החום, ונעשית כלי גמורה עי"ז, **ובקדרות** שלנו שכבר נגמר תיקונן ועשייתן בתנור של יוצרים, אפשר שיש להקל במקום הדחק.

(**ואם** הקדרה גדולה שסותמת את פי כל הכירה, אסור, דעי"ז מכבה את חום האש שבכירה).

ואז ישים הקדירה שהתבשיל בתוכה ע"ג הקדירה ריקנית - דהו"ל כירה כגרופה וקטומה, שהרי הקדרה סותמת את פי הכירה, וממילא מותר אח"כ להשים עליה הקדרה שהתבשיל בתוכה, וכדלעיל דחזרה ע"ג גרופה וקטומה מותר.

ולפי"ז ה"ה גם בתנורים שלנו כשהאש בתוכה, ג"כ שרי ליתן למעלה ע"ג מעזיבה שעל התנור, כיון שהמעזיבה מפסיק בין הקדרה ובין האש, וה"ה כשנותן לתוך הקאכלין שבתנור, **אכן** במהרי"ל איתא, דצריך להפסיק שם על המעזיבה באיזה עץ או דף להכירא, [שאינו חפץ בחום הרבה, ולא יבא לחתות באש שלמטה לחמם התנור], וישים הקדירה עליה, וכן משמע בסוף הסימן ברמ"א, וז"ל: מותר להעמידן אצל תנור בית החורף, וכתב המ"ב: אבל עליו אסור, **ועיין** במ"א שהעתיק ג"כ כמהרי"ל, ומשמע שם דע"י היכר דבר המפסיק מותר אפילו ליתן לכתחלה בשבת, ועיין בחידושי רע"א, **וכ"ז** כשהתבשיל עדיין חם שלא נצטנן, דאל"ה אסור משום בישול, אם יוכל להתחמם שיהיה היד סולדת בו.

ויזהר שלא ישים קדירתו ע"ג קרקע - וכדלעיל בדיני חזרה, (דאם הניחן ע"ג קרקע, אין ע"ז שם חזרה כשרוצה להניחה אח"כ, וכתחלת הנחה דמיא, דאסור אפילו ע"פ כירה גרופה וקטומה, ואפילו הרמ"א מודה דהנחה בשבת לכתחלה אסור).

ושתהיה רותחת - עיין לעיל במ"ב, דנהגו להקל אם לא נצטנן לגמרי, **(וכבר נתבאר שנוהגים להקל אף אם נתנה על גבי קרקע).**

(**ולכאורה** סותר המחבר את עצמו, דלקמן בס"ה העתיק לדינא את דברי הרשב"א, דמותר ליתן לכתחלה בשבת, דאף שהקדרה התחתונה עומדת על האש, כיון שהיא מפסקת ומעמיד הקדרה עליה, אין דרך בשול בכך, ועדיפא מכירה גרו"ק, והוי כמעמיד נגד המדורה דמותר אף בשבת אם היה מבושל כ"צ, **אח"כ** מצאתי בפמ"ג שיישב זו הקושיא בטוב טעם, והוא דבסעיף ה' שאיירי בעומדת ע"ג קדרת חמין או תבשיל, לא נחשב כלל כעומד ע"ג כירה, ולהכי מותר אף ליתן לכתחלה בשבת, **משא"כ** בענינינו /שהקדרה ריקנית ועומדת רק לסתום את חום הכירה שלא יהיה כ"כ חום, נעשית הכירה עי"ז רק כשאר כירה גרופה וקטומה, דאסור ליתן עליה בשבת תבשיל לכתחלה, ובאמת אם היה עומד שם מבעוד יום קדרה שיש בה תבשיל, היה מותר ליתן עליה לכו"ע קדרה זו אף בשבת לכתחלה).

סעיף ד - יש למחות ביד הנוהגים להטמין מבע"י קומקום של מים חמין - ר"ל שמכינין מבעוד יום מים חמין, פן יצטרך לערות אותן

לתוך התבשיל, **ונותנים אותם לתוך הקדירה בשבת כשהתבשיל מצטמק** - ודעת השו"ע למחות בזה, דפעמים אחד היד סולדת בו, והשני אין היד סולדת בו, וכשמערה אחד לחבירו מתבשלים זה עם זה.

(וע"ל סי' ש"ח) - ועיין באחרונים שכתבו, דלפי מה שיבואר לקמן בסימן שי"ח סט"ו בהג"ה, דאנן נוהגין כהפוסקים, דאם לא נצטנן לגמרי, אפילו בדבר לח אין בו משום בישול עוד, א"כ אפילו אם אחד אין היד סולדת בו, ויתחמם ע"י התערובות, ג"כ שרי, **ואפשר** שלזה כוון הרמ"א, במש"כ: ועיין לקמן בסימן שי"ח, והיינו דאין להחמיר בהדבר.

וכן הוא מעשים בכל יום, שנותנין לתוך הקערה קטניות ומערין עליהן מכלי ראשון רוטב של בשר, וא"כ כיון שהקטניות בכ"ש והעירוי הוא מכ"ר, הו"ל בשול, [דאף שהקטניות הוא דבר יבש, ובו לכו"ע אין בישול אחר בישול, אפי' נצטנן לגמרי, מ"מ ע"פ רוב יש בו מרק ג"כ], אלא ע"כ דכיון שלא נצטנן לגמרי, לא שייך בו בשול, **ומ"מ** משמע ממ"א במסקנתו, דאף שאין למחות ביד הנוהגים להקל, טוב יותר לנהוג שלא לערות הרותחין מן הכ"ר לקערה על מה שבתוכו כי אם בכף, ‹דפעמים לא מבחינים והמשהו מרק כבר נצטנן לגמרי – חזי' בתרא›, **ואם** הקטניות עם המרק שבקערה נצטנן לגמרי, בודאי יש מדינא ליזהר שלא לשפוך עליהם מכ"ר, כי אם ע"י כף, [**דבלא** מרק לא שייך בו בישול אפי' נצטנן לגמרי, וכנ"ל].

סעיף ה - מותר לתת על פי קדירת חמין בשבת - אפילו היא עומדת על האש, **תבשיל שנתבשל מע"ש כל צרכו, כגון פאנדי"ש וכיוצא בהן לחממן** - דע דדעת הרשב"א, דדבר שכבר נתבשל, אפילו אם נצטנן אח"כ לגמרי, תו לית ביה משום בשול, אפילו הוא דבר שיש בו רוטב, **אבל** השו"ע סתם לקמן בסימן שי"ח ס"ד, כדעת הרא"ש שסובר, דבדבר שיש בו מרק אם נצטנן יש בו אח"כ עוד משום בשול, **והכא** בפאנדי"ש דמיקל השו"ע לחממן, ואפילו אם יהיה היד סולדת בו, משום דהוא דבר שאין בו רוטב, כי פאנדי"ש הוא לחם אפוי הממולא בבשר, ולכו"ע לית ביה משום בישול אף אם נצטנן לגמרי, כמ"ש סימן שי"ח סט"ו.

לפי שאין דרך בישול בכך - ר"ל דאף דקי"ל שאסור ליתן לכתחלה בשבת על הכירה אפילו נתבשל כ"צ והוא דבר חם, וגם הכירה גרופה וקטומה, **התם** הטעם משום דנראה כמבשל בשבת, דדרך בישול בכך, אבל הכא אין דרך בישול בכך ע"י הפסק קדירה, ואין נראה כמבשל, **ואם** יש בה הרבה שומן שנקרש, יש להחמיר משום נולד, שנימוח השומן, כמ"ש סימן שי"ח סט"ז בהג"ה ע"ש.

אבל להטמין תחת הבגדים הנתונים ע"ג המיחם, ודאי אסור - ר"ל דאם קדרת החמין או המיחם היה מכוסה מלמעלה בבגדים, אפילו אם אין אש תחתיה, ג"כ אסור להטמין הפאנדיש תחת הבגדים, משום איסור הטמנה, דקי"ל דאסור להטמין בשבת, אפילו תבשיל שהוא מבושל כל צרכו וחם, ואפילו בדבר שאין מוסיף הבל, [**דאם** היה אש, גם הקדרה שלמטה אסור להשהותה תחת הבגדים].

הגה: וה"ה שאסור להניחו ע"ג כירה אפי' גרופה וקטומה, דלא התירו אלא חזרה וכדרך שנתבאר - והנחה לכתחלה בשבת אסור אפילו הוא עדיין רותח ומצטמק ורע לו.

ויש מתירין ליתן לתוך תנור שאפו בו מבע"י - היינו שנותן בשבת בבוקר בתוך התנור התבשיל שנתבשל, כדי שיתחמם, **דמאחר שלא הטמינו בו רק אפו בו מבע"י, לא נשאר בו רק הבל מעט ואין לחוש לבישול** - דאף שבתוך התנור והכירה קי"ל דאפילו גרוף וקטום אסור להחזיר, דאינו מותר רק על גבה, הכא אחר שלא הטמינו בו חמין לשבת, רק אפו בו מבעוד יום, אין בו למחר רק חום מועט, ואין נראה כמבשל עי"ז, [דאף שיש חום שהיד סולדת בו, מ"מ אין דרך לבשל בתנור כזה שחומו הוא רק מאפיה דאתמול].

ומשמע דאם היה טמון בו חמין מבערב, דנפיש הבליה דתנור, היה אסור ליתן בו בבקר התבשיל שנתבשל כדי להתחמם, **וכ"ז** הוא להכל בו, אבל בד"מ, וכן מהרמ"א לעיל בס"ב בהג"ה, מוכח דנוהגים להקל להחזיר לתוך התנור בכל גווני, אלא שמסיים שם: דטוב להחמיר.

ובלבד שלא נצטנן לגמרי - דאם היה התבשיל מצטנן לגמרי, קי"ל דיש בו עוד משום בישול, ואסור להניח אפי' בתנור כזה, דשמא יגיע התבשיל עד שיהיה היסל"ב, (ועיין במ"א שכתב, ואפי' בדבר שאין בו מרק, דלית ביה משום בשול, אסור אם נצטנן, דהו"ל כמניח לכירה לכתחלה בשבת, דאסור, דלא התירו אלא חזרה, עכ"ל, וחידש בזה דין חדש, **אבל** בביאור הגר"א כתב, דדוקא בדבר שיש בו מרק, דאם נצטנן יהיה עוד בשול, וכן משמע להמעיין בד"מ, ומזה נובע דברי הרמ"א בהג"ה זו).

ויש מחמירין בזה - טעמם, דחזרה לתוך התנור לעולם אסור, בין אם החום שבתנור רב או מעט, דלא נתנו חכמים דבריהם לשיעורים, **ומיהו** דוקא כשיש חום בתנור שהיד סולדת בו, דאל"ה אין עליו שם תנור שהוסק כלל.

ואם החום - צ"ל: שאם החום **כל כך בתנור שהיד סולדת בו, אסור** - דאל"ה אפילו להיש מחמירין שרי, וכן סתם הרמ"א לעיל בסוף ס"ב בהג"ה, **ועיין לקמן סימן שי"ח.**

וכל הדברים שאסור לעשות מדברים אלו, אסור לומר לאינו יהודי לעשות - היינו אפילו דברים שאין בהם רק איסור דרבנן. **לכן אסור לומר לאינו יהודי להחם הקדירה אם נצטנן** - ואפילו אם לא יתנה על גבי האש או הכירה ממש, [אלא ע"ג התנור, וכל כיוצא בו שהוא תולדת האור], דשוב אין בזה משום איסור חזרה, אעפ"כ אסור משום איסור בשול, כיון שנצטנן לגמרי, כמ"ש סי' שי"ח ס"ד וסט"ו בהג"ה ע"ש.

ואם עשה כן, אסור לאכלו אפי' צונן - אף דלא נהנה ממלאכת א"י, מ"מ קנסוהו שימתין עד לערב בכדי שיעשה, הואיל ונעשה מלאכה (דאורייתא) ע"י צוויו.

ומ"מ כתבו המג"א וש"א, דבדיעבד יש להתיר התבשיל, באופן זה שלא העמידו על האש ממש כי אם על התנור, מאחר דיש פוסקין שמתירין אפי' לישראל לעשותו לכתחלה, כמו שכתוב שם בסט"ו בהג"ה. [**דאם** העמידו ע"ג האש, יש בזה איסור לכו"ע משום חזרה, ואסור אף בדיעבד כשעשה זה ע"י הא"י], (**ואע"ג** דאפי' חממו ע"ג האש להפוסקים הנ"ל עכ"פ בדיעבד מותר, **מ"מ** בזה לא רצה מ"א לסמוך עליהם, כיון דלדידן איכא איסור תורה, וגם לדעת הפוסקים איכא שבות, ולדידן ראוי לקנסו לאסור בדיעבד – מחה"ש).

ואם עשה הא"י כן מעצמו בשביל ישראל, שרי לאכול צונן, כיון שאין נהנה ממלאכתו כלל, ולא היה רוצה בכך, א"כ לאו כל כמיניה לאסרו על ישראל, **מיהו** אם ישראל רואהו, צריך למחות בידו.

(**ואפי'** דבר יבש שנתבשל מכבר ונצטנן לגמרי, אף דאין בו משום חשש בשול עוד, כמ"ש בסי' שי"ח סט"ו, אפ"ה אסור לחממו בתנור אפי' ע"י א"י, ואפי' דיעבד אסור גם בזה כשהוא חם עדיין, (דכל שישראל נהנה, אף מלאכה דרבנן אסור – פמ"ג), דכשיהיה צונן מתיר בזה הפמ"ג).

(**וכתב הפמ"ג**, דכיון דקי"ל דשבות לצורך שבת שרי לכתחלה, ובדבר יבש אין בו רק שבות דחזרה, אפשר דהמיקל בזה ע"י א"י אין גוערין בו, ועיין לקמן בסימן שי"ח בסופו מה שכתב השע"ת בשם מהרי"ט, להקל בדבר יבש שאין בו מרק ליתנו תוך התנור ע"י א"י אף לכתחלה, ובסימן זה משמע מכמה פוסקים דאין סוברין כן, ומ"מ נראה דיש לסמוך עליו לצורך שבת להקל בזה, וכנ"ל בשם הפמ"ג, ובברכי יוסף מצאתי בשם אחד מן האחרונים, שמצדד אפילו בדבר שיש בו מרק להקל להחם ע"י א"י אם נצטנן, אם אינו נותן ע"ג האש או הכירה ממש, שסומך על הפוסקים שסוברים דאין בשול אחר בשול אפילו אם נצטנן, וצ"ע אם יש לסמוך ע"ז, דמסימן זה לא משמע כן, **אך** אם הוא לצורך שבת ואין לו עצה אחרת, אפשר דיש לסמוך על זה).

אמנם אם לא נצטנן כ"כ, שעדיין ראויים לאכול, אם חממו אותו הא"י, מותרין לאכול - ולכן אע"ג שנהנה מהחמים, שרי בדיעבד, כיון שהיה יכול לאכול בלא החמים, ואפילו העמידו הא"י ע"ג האש ממש בצווי, אעפ"כ אין לאסור התבשיל בדיעבד, **ואפילו** חימם הא"י תבשיל ובשר ביחד, והתבשיל לא היה מתחלה ראוי לאכול מחמת צנינותו, אעפ"כ לא נאסר הבשר, כי הוא היה ראוי לאכול אף בצונן.

לכן נוהגין שאינם יהודים מוציאין הקדירות מן התנורים שמטמינים בהן, ומושיבין אותן אצל תנור בית החורף או עליו, ומבערת השפחה אח"כ התנור ההוא, וע"י זה הקדירות חוזרים ונרתחים

- אדלעיל קאי, ופירושו, דכיון שאסור לומר לא"י להחם, לכך נוהגים שהא"י נותן התבשיל שנתקרר לגמרי על התנור קודם שהוסק, שאז ליכא שום איסור כיון שאין שום אש בתנור, ומה שמסיק אח"כ את התנור, עיקר כונתו אינו אלא לחמם בית החורף דשרי, דהכל חולים הם אצל צינה, וכמ"ש בסוף סימן רע"ו, ולא לחמם את התבשיל, **ואף** דהוי פסיק רישא לגבי התבשיל שנתחמם ממילא, מ"מ באמירה לא"י דהוי שבות דלית בו מעשה, לא מחמירנן כולי האי, ושרי אף בפסיק רישא.

ודע דכ"ז באייבלי"ך שבתנור בית החורף שלנו, שאין דרך לבשל בחול מלמעלה ע"ג התנור, לכך נוכל לומר דאין עיקר כונת הא"י בההיסק רק לחמם הבית, ולא לבשל הקדרות שעומדות מלמעלה ע"ג התנור, **אבל** התנורים שקורין ענגליש"ע קיכי"ן, שדרך הכל לבשל בחול על גביהן מלמעלה, איסור גמור יש בזה להעמיד המאכל לחמם ע"י הא"י אפילו קודם הסקה, דודאי כונת הא"י בההיסק אח"כ גם בשביל בשול הקדרות.

אבל ע"י ישראל, אסור בכה"ג - ר"ל להושיב הקדרות אצל תנור בית החורף או עליו אפילו קודם ההיסק, דהו"ל כאחד נותן הקדרה ואחד האש, דהראשון פטור אבל אסור, **משא"כ** באמירה לא"י דשרי, דהא עיקר כונתם לחמם הבית דשרי.

ומזה נראה היתר, שאם נתן הא"י מים לתוך הקדרה הקבוע בתנור ונתחממו, שמותר הישראל להנות מהם להדיח בהם כלים, **ואפילו** לכתחלה מותר לצוות לו בזה, דק"ו הוא, דהא בתבשיל כשנותנו ע"ג התנור כונתו לחממו, ואפ"ה שרי, כש"כ כאן שאין כונתו לחמם המים אלא שלא יבקע הקדירה, **ואפשר** דאפילו נתן הא"י המים אחר שהוסק שרי ג"כ מטעם זה, **ומ"מ** לומר לא"י נראה לאסור אחר שהסיקו, **אבל** ישראל אסור ליתן המים לתוך הקדירה אפילו קודם שהסיקו הא"י.

והא דמתירין להדיח כלים במים שנתן הא"י להקדירה, דוקא כשאינם מלוכלכים בשומן, דאל"ה אסור לשפוך הרותחים עליהם, משום שממחה השומן והוי נולד, כמ"ש סימן ש"כ סי"ד, אלא יניח הכלי תוך המים ולא יערה עליהם, דזה שרי משום דלא קעביד מעשה.

אבל אם הקדירות עדיין חמין - אפילו אין היד סולדת בהן, **מותר להעמידן אצל תנור בית החורף** - אפי' ישראל ואפילו לאחר שהוסק, [דהא הטעם הוא משום חזרה], **מאחר שנתבאר דתנורים שלנו יש להם דין כירה, וסמיכה בכירה שאינה גרופה וקטומה כדין גרופה וקטומה לענין נתינה עליה** - ר"ל וכי היכא דהתם מותר להחזיר אפילו בשבת, ה"נ מותר לסמוך בכירה ותנורים שלנו אף כשאינו גרוף.

ודוקא אצל, אבל עליו וכ"ש בתוכו אסור, כיון שאינו גרוף וקטום, ואפי' קודם היסק אסור ליתן עליו, משום חשש שמא יחתה אח"כ בגחלים להרבות חומו, שהקדירות שלמעלה יהיו נרתחים, **והעולם** נהגו היתר ליתן עליו קדרות חמין קודם היסק, ויש להם על מה שיסמוכו, וכמש"ל סוף ס"ג, (והיינו כמש"כ שם, כיון שיש הפסק מעזיבה הו"ל כגרוף וקטום, ואע"ג דכתב שם בשם מהרי"ל דבעינן שיתן שם דבר מה להפסיק משום הכירא, מ"מ קודם היסק הקילו – מחה"ש), **אבל** אחר היסק לא ינהוג כן, רק צריך ליתן איזה דף או עץ תחת הקדירה להכירא, וכנ"ל בשם מהרי"ל.

וכבר נתבאר שנהגו להקל בחזרה בשבת אפי' הניחה ע"ג קרקע, וה"ה לסמוך לתנור שאינו גרוף וקטום, הואיל והקדירה עדיין חם ומבושל כל צרכו - הוא ענין בפני עצמו, ור"ל כי היכי דלענין חזרה על גבי גרופה, נתבאר לעיל דמותר אפילו הניחן ע"ג קרקע מקודם, ה"ה לענין לחזור ולסמוך אצל תנור שאינו גרוף הנ"ל, אפילו אם העמידו מקודם ע"ג קרקע, ג"כ מותר. **וכן המנהג פשוט להתיר, ועיין לקמן סי' ש"ח** – (לפי הדגמ"ר מוכח דהרמ"א קאי על סמיכה לכתחלה בשבת, וזהו דוחק, ויותר נכון כמו שמפרש בחדושי רע"א, דהרמ"א מיירי לענין חזרה, וע"כ שמפרש דברי הרמ"א כמו שבארנו).

§ סימן רנד – דיני תבשילין המוכנים מע"ש כדי להגמר בשבת §

סעיף א – (כדי שיתבאר לך היטב דברי המחבר והרב באלו השתי סעיפים, אקדים דברי התו"ש שהעתיק דברי הגמרא והפוסקים בקצרה, גרסינן בש"ס י"ח ע"ב: והשתא דאמרת כל מידי דקשיא ליה זיקא לא מגליא ליה, דגדיא (הרך), בין שריק {שטח פי התנור בטיט סביב} ובין לא שריק, שפיר דמי, דברחא, והיינו

עז, ושריק, נמי שפיר דמי, דברחא ולא שריק, רב ירמיה אסר, ורב אשי שרי, **וכתבו** הפוסקים דקי"ל כרב ירמיה, **וקפריך** הגמרא ולרב אשי דשרי, והתנן אין צולין בשר בצל וביצה אלא כדי שיצולו מבע"י, וקמשני, התם בבשרא אגומרי, ע"כ, **וכתבו** המפרשים, דרב ירמיה נמי מודה לתירוץ זה לפי המסקנא. **וכתבו** התוס' והרא"ש, דבצלי איירי, ולהכי ברחא ולא שריק אסור אפילו חי, **אף** דבקדרה חייתא מותר ליתן לכתחלה סמוך לחשכה, משום דבצלי בלא קדרה מתבשל מהרה שיהיה ראוי לאכילה בלילה, ושמא יחתה).

(**והנה** לדעת הרמב"ם והמחבר, עיקר הטעם דשרי בגדי בין שריק ובין לא שריק, משום שאינו צריך רק לחמימות מעט, לכך לא חיישינן שמא יחתה, שאם יחתה יתחרך, ולכך אפילו הוא חוץ לתנור סמוך לגחלים, ליכא למיחש שמא יחתה מטעם זה, מיהו היינו דוקא אם הוא סמוך לגחלים, אבל אם הוא מונח על הגחלים ממש, **אף** בגדי אסור, דכיון שהוא מונח על הגחלים ממש, בודאי אינו חושש על מה שיתחרך, כי חפץ הוא שיצלה מהרה באיזה אופן שיהיה, **אך** בשמונח על הגחלים ממש ונצלה מבע"י כמב"ד, שרי גם לדעה ראשונה דבריש סי' רנ"ג, דס"ל דגבי תבשיל לא מהני כמב"ד, כמו שנתבאר שם, אבל בצלי המונח על הגחלים ודאי שרי כשהוא כמב"ד, דבכה"ג ודאי לא יחתה אחר מב"ד, שחושש לפסידא דצלי שלא יתחרך, כיון שכבר נצלה כמב"ד).

(**ובבשר** שור ועז ס"ל לרמב"ם והמחבר, דשרי כשהוא טוח בטיט והוא בתוך התנור, מטעם דודאי לא יפתח התנור לחתויי, דאם יפתח התנור תכנס הרוח ויתקשה הבשר ויפסד, **ולכן** אם הצלי מונח בקדרה כגון צלי קדר, דאז אינה מתקשה, אם הוא חי לגמרי, שרי כמ"ש רסי' רנ"ג, אבל אם נתבשל קצת, אסור אפילו הוא צלי קדר, כיון דאינו מתקשה יש לחוש פן יפתח התנור ויחתה, **ולפי"ז** הא דמשני התם בבשרא אגומרי, היינו כגון שמונח על הגחלים ממש כמ"ש ס"ב, דבכה"ג אין חושש לחירוך רק שיצלה מהרה, ולכך לא שרי אלא בכמב"ד דוקא, וכשהגיע למב"ד שרי לכו"ע, אף לדעת הרמב"ם והמחבר ברסי' רנ"ג וכמ"ש).

(**כל** זה הוא לדעת המחבר כאן, אבל לדעת הרא"ש והטור שהביא הרב בהג"ה, עיקר טעמא דשרי בגדי, משום דקשיא ליה זיקא, ולא מגלי כיסוי של התנור, ובזה שרי אף כשפי התנור מכוסה ואינו טוח בטיט, **אבל** בברחא לא שרי אלא דוקא כשהוא טוח בטיט סביב הכיסוי, בכה"ג הוא דליכא למיחש לחיתוי, דלא טרח כולי האי לסתור הטיחה שסביב פי התנור, ומהאי טעמא שרי אפילו הוא בקדרה, **ואינהו** מפרשי דהא דמשני התם בבשרא אגומרי, היינו שהתנור אינו מכוסה כלל, אלא הוא פתוח לגמרי, ולהכי אסור אפילו בגדי, מיהו כשהוא כמב"ד, אז שרי גם לדעה ראשונה דבריש סי' רנ"ג, ואפילו אינה מונחת על הגחלים אלא סמוך לגחלים, דבצלי שהוא כמב"ד ליכא למיחש שמא יחתה, ובזה נתבארו כלל דברי המחבר והרב, עכ"ל תו"ש).

אע"פ שבשר חי מותר להשהותו - היינו שמותר ליתן לכתחלה להשהותו ע"ג כירה ותנור, אפילו אם אינם גרופים וקטומים, דכיון שהוא חי מסיח דעתו ממנו עד למחר, ובכל הלילה יכול להתבשל בלא חיתוי, וכנ"ל בריש סימן רנ"ג.

הני מילי בקדרה, אבל בצלי שאצל האש אסור להניחו סמוך לחשיכה, שממהר להתבשל ואתי לחתויי - אפילו אם צולה את הצלי בתנור, והתנור מכוסה אך שאינו טוח בטיט, חיישינן שיגלה הכיסוי ויחתה שם בגחלים.

אם לא שיש שהות מבעוד יום להיות נצלה כ"כ, שיהיה מצטמק ורע לו, והוא לדעה ראשונה המבואר ברס"י רנ"ג, **ולדעה** שניה שם סגי אם נצלה מבע"י כמב"ד.

שאצל האש - לאפוקי צלי קדר, דינו כבקדרה ומותר להשהותו בחי, **גם** מיעט המחבר בזה, אם נותנו ע"ג האש ממש, דשם אפילו בבשר גדי אסור, וכדלקמן בס"ב, ע"ש הטעם.

(**ודע** דכ"ז הוא לדעת השו"ע, שפסק כשיטת הרי"ף והרמב"ם והרא"ש, שפסקו כר' ירמיה בגמרא, דברחא ולא שריק אסור, **אבל** יש עוד הרבה ראשונים פסקו כרב אשי בלישנא בתרא, דברחא ולא שריק שרי, **וע"כ** כתב הב"ח, דבדיעבד אם עבר או שכח, ושהה בתנור מכוסה אף שאינו טוח בטיט, מותר, **מאחר** דיש מתירין לכתחלה, וה"ה כל כיוצא בזה).

כתבו האחרונים בסימן רנ"ג, דמיני קטניות וירקות ושאר דברים רכים, אפי' בקדירה ממהרין להתבשל, וע"כ אפי' בחי חיישינן בהן שמא יחתה, וע"ל בס"ח ובה"ל שם.

וה"מ בבשר שור או עז - שהוא בשר קשה וצריך בשול ביותר, וחיישינן לחתויי, **אבל בשר גדי** - הרך, **ועוף, שהם מנותחים לאברים, מותר, דלא חיישינן לחיתוי** - בין אם הוא חי לגמרי או שנתבשל קצת, וכדלקמן בהג"ה, **שאם יחתה בגחלים יתחרך (פי' יצא מגדר הצלי ונכנס בגדר הנשרף) הבשר, שאינו צריך אלא חמימות האש בלבד** - לפי טעם זה אין חילוק בין אם צולהו בתנור שפיו מכוסה, או צולהו מגולה אצל האש, דהכל שרי, ודלא כיש מחמירין דלקמיה בהג"ה.

אבל אם אינו מנותח, צריך בשול כשור ועז, ואם יחתה בגחלים לא יתחרך הבשר, וחיישינן לחתויי.

ואם הוא בתנור, וטח פיו בטיט, בין גדי ועוף שלמים, בין בשר שור או עז, מותר, דלא חיישינן לחיתוי, שאם בא לפתוח התנור ולחתות, תכנס הרוח ויצטנן התנור, ויתקשה הבשר ויפסיד.

ואם הוא בקדרה, לא מהני כשהוא טוח בטיט לדעה זו, דהא לא יתקשה, **ועיין** לקמיה בהג"ה דמסיק דהמנהג להקל בזה.

הגה: ואין חילוק בזה - קאי אכל גווני היתר וגווני איסור המבוארים בסעיף זה, **בין אם הוא חי לגמרי או שנתבשל קצת** - דאילו יכול להצלות מבעוד יום צלי הראוי, אפילו בשר שור מותר, **והנה** לעיל בריש סימן רנ"ג מבואר שתי דעות מהו נקרא בשול הראוי, וה"ה בעניננו לענין צלי, וכמו שכתבנו למעלה.

ודע דכ"ז דוקא בעניננו דמיירי לענין צלי, אבל לענין קדירה, או צלי קדר דג"כ דינו כקדרה, יש חילוק בין חי לנתבשלו קצת, דבחי מקילינן ליתנו סמוך לחשיכה, בין בשר שור בין בשר גדי ועוף, **ובנתבשל** קצת אסור אפילו בשר גדי ועוף, שמא יחתה, דלא שייך בו ההיתר שיתחרך ע"י החיתוי, כיון דבקדירה הוא וצריך בישול רב, **ומה** נקרא מבושל קצת, מבואר לעיל בריש סימן רנ"ג, דעה קמייתא ס"ל שם עד שיתבשל כל צרכו, וכשיתבשל יותר יהיה מצטמק ורע לו, **והי"א** שם ס"ל, דמכיון שנתבשל כמאכל בן דרוסאי נקרא בישול גמור, ומותר ליתנו ע"ג כירה ותנור שאין גרוף וקטום.

וכל זמן שהלל הגוף שלם, אע"פ שאין עליו ראשו וכרעיו, מקרי שלם.

ויש מחמירין וסוברין דבתנור טוח בטיט, הכל שרי - ר"ל אפילו בקדירה ונתבשל קצת, דלא חיישינן שיפתחנו ויחתה, כיון שהוא סתום בטיט ואינו מוכן לחתות, וחולק בזה אדעת המחבר שמחמיר בזה, וכמש"כ.

והא דנקט הרמ"א בלישניה ויש מחמירין, אע"ג דלענין זה הוא קולא, משום דבצלי דאנן קיימינן ביה הוא חומרא וכדלקמיה.

וע"ג האש שהוא מגולה, הכל אסור - אין ר"ל על גבי הגחלים ממש, ["ועל גביו" נקרא שנוגע בהגחלים אפי' מצדיהן], דבזה אפילו להמחבר הכל אסור, וכמו שמבואר לקמן בס"ב, אלא ר"ל אצל האש, [היינו בסמוך לו], (**ואפילו הוא בתנור**, כל שאינו מכוסה הוא כמו שצולהו בגלוי אצל האש, דלא שייך קשיא ליה זיקא, דבלא"ה הוא פתוח), **ובא** לאפוקי בזה מדעת המחבר דלא חילק בבשר גדי שמותר, בין אם צולהו בתנור שפיו מכוסה, ובין אם צולהו בגלוי אצל האש, **אבל** לדעתו אין היתר בגדי כי אם כשצולהו בתנור שפיו מכוסה, ורק שאינו טוח בטיט, ואז אמרינן בגדי ועוף דקשה ליה זיקא, ולא יפתח פי התנור, **אבל** כשצולהו מגולה אצל האש, גם בגדי ועוף חיישינן לחתויי.

(הכל אסור – ר"ל אפי' בשר גדי, והיינו עד שיצלו מבע"י כמאב"ד לדעת זו, ואפי' בבשר שור סגי בזה השעור, [אפי' אם נסבור בקדירה כהאוסרין בריש סי' רנ"ג], ובין כשצולה אצל האש, היינו בסמוך לו, או ע"ג האש, הכל שוה לדעתם, ולהכי לא הזכיר הרמ"א בפירוש, דלדעה זו יש קולא בנצלה מבע"י כמאב"ד, דמותר אפילו בבשר שור, דלא צריך לזה, דכבר כתב הרמ"א לעיל ברנ"ג סוף ס"א, דאפי' בקדרה נהגו להקל דסגי בכדי מאב"ד).

(אבל לדעת הרמב"ם והוא דעת המחבר בס"א וב', ע"ג האש ממש, וה"ה בצדי הגחלים כל שנוגע בם, שוה בשר גדי ושור לשעור מאכל בן דרוסאי כמבואר בס"ב, ושלא ע"ג האש ממש כי אם אצל האש בגלוי, {וה"ה בתנור שפיו מכוסה ואינו טוח, דהכל שוה לדעתם},

בבשר שור אסור עד שיתבשל כל צרכו כמ"ש במ"ב, ובבשר גדי מותר לגמרי וכנ"ל בס"א).

ובתנור שפיו מכוסה אלא שאינו טוח בטיט, אז יש לחלק בין גדי ועוף לשאר בשר כדרך שנתבאר, והכי נהוג כסברא זו – (והיינו דע"ג האש שהוא מגולה אסור אף בגדי ועוף, והיינו רק לכתחלה, אבל דיעבד יש להקל בגדי ועוף אצל האש, אף שהוא מגולה לגמרי, כיון שהמחבר מתיר לכתחלה כשיטת הרמב"ם).

סעיף ב - אין צולין בצל וביצה או בשר - וה"ה שארי דברים שאין נאכלין חיין וכדלקמיה, **ע"ג גחלים** - היינו שנוגעין בהגחלים, **אלא כדי שיצלה מבע"י משני צדדיו, כמאכל בן דרוסאי שהוא חצי בישולו** - ולאחר הצליה ימתין עד שיכבו הגחלים, ואז יטלם.

אפי' הוא בשר גדי - דהיינו אפילו הוא מנותח, דמקילינן לעיל בס"א, הכא ע"ג גחלים שאני, וכדמפרש והולך, **דכיון שהניח ע"ג גחלים אינו חושש אלא שיצלה מהרה ואע"פ שיתחרך, הלכך חיישינן שמא יחתה.**

אבל כשנצלה כמאכל בן דרוסאי, לא חיישינן דלמא אתי לחתויי, אפילו אם הוא בשר שור, שמאחר שהוא ראוי לאכילה למה יחתה להפסידו – (ואפילו האוסרין בריש סימן רנ"ג לענין בשול, וסבירא להו דבעינן שיהא מבושל כ"צ, הכא לענין צלי לכו"ע סגי בכדי מאכל ב"ד).

אבל אם יצלה בסמוך להגחלים, כבר נתבאר בס"א דעת המחבר, דבבשר גדי ועוף שהוא רך, לא חיישינן כלל לחיתויי, שעי"ז יתחרך הבשר, ומותר ליתנו בסמוך לחשיכה אפילו אם לא יהיה נצלה מבע"י כמאכל ב"ד, וה"ה בצל וביצה, (**דהלא** טעם של בשר גדי הוא שממהר להתבשל בצלי שאין צריך חיתוי, וממילא החיתוי יקלקלהו, וכ"ש בשאר דבר חוץ לבשר שהוא יותר ממהר להתבשל טפי מגדי, שהחיתוי יקלקלהו), **ובבשר** שור ועז שהוא קשה, בעינן שיהא נצלה כל צרכו מבע"י דוקא, דאל"ה חיישינן לחיתוי, כי לא יפסד ע"י החיתוי כיון שהוא אינו מונח ע"ג הגחלים, [**אם** לא שנותנו בתנור וטח פי כיסויו בטיט, אז מותר ליתנו בסמוך לחשיכה וכנ"ל].

ודעת הרמ"א כהפוסקים דאין חילוק בין ע"ג הגחלים או בסמוך להן, בין בבשר שור או בשר גדי ועוף, השיעור שיצלה מבע"י כמאב"ד, [**אם** לא שסתום פי התנור ואינו טוח בטיט, אז מותר בבשר גדי, דבודאי לא יפתחנו לחתות דקשיא ליה זיקא], **ואם** הוא טוח בטיט, שרי לדידיה בכל גווני ליתנו סמוך לחשיכה, דלא חיישינן שיסתור הטיח ויחתה, [דלהב"י אף בזה אסור כשצולהו ע"ג גחלים], **וכבר** כתב בס"א דנהגו כסברא זו.

סעיף ג - אם עבר - שנתן במזיד סמוך לחשיכה כ"כ, עד שלא היה שהות לצלות מבעוד יום כמאכל בן דרוסאי, **או שכח** - ששכח הצלי ע"ג כירה, **ונצלה בשבת באיסור, אסור** - בין לו בין לאחרים, עד מוצ"ש בכדי שיעשו, וכדלעיל בסי' רנ"ג ס"א, (וע"ש דבשכח הביא ב' דעות אם צריך כדי שיעשו, וצ"ע), כדי שלא יבוא להשהות במזיד ויאמר שכחתי, (**וע"ל ס"א בבה"ל**), (דבדיעבד אין אוסרין אם היה התנור מכוסה).

(**ואם** בין השמשות ג"כ בכלל זה, ומתי נקרא בה"ש, עיין לקמן בסימן רס"א ס"א בבה"ל).

סעיף ד - פירות שנאכלין חיין, מותר ליתנם סביב הקדירה - והקדרה עומדת על הפטפוט ותחתיה יש אש, [באופן היתר, כגון שהיא כמאב"ד דשרי להי"א, או שהיא מצור"ל דשרי לד"ה].

אע"פ שא"א שיצלו קודם חשכה - וקמ"ל דמותר ליתן קודם חשיכה פירות סביבה, אף שהפירות נוגעין באש וניצולין בשבת מחום האש, **ולא** דמי לבשר בצל וביצה הנ"ל, דאסור ליתנם אא"כ ניצולו מבעוד יום כמאב"ד, **דהכא** כיון שנאכלין חיין, הרי שהוא כתבשיל שנתבשל כמאכל בן דרוסאי, דיותר הם טובים בלא בישול כלל משאר תבשיל שנתבשל כמאב"ד, ולא אתי לחתויי, [**ואפי'** להאוסרין בסימן רנ"ג במאב"ד, מודו הכא, דחשוב כמו צליה על האש, כיון שהפירות נוגעין בגחלים].

ולא דמי לבצל בס"ב, דאסור אע"פ שלפעמים אוכלין אותו חי, מ"מ אין טוב לאכלו חי כמו תפוחים, **וה"ה** לכל דבר שאין טוב לאכלו חי, כמו תפוחי יער וכדומה, אסור כבצל וביצה הנ"ל.

והא דנקט "סביב הקדרה", ולא נקט סתמא דמותר ליתנם על האש, דבר ההווה נקט, ובימיהם היה רגילות לנהוג כן, **א"נ** משום דין הכסוי דנקט בסיפא דשייך בקדירה, נקטיה.

ומיהו צריך ליזהר שלא יחזיר הכיסוי אם נתגלה משחשיכה, ושלא להוסיף עליו עד שיצולו, מפני שממהר לגמור בישולם בשבת - אף דמצד הקדירה, אם נתגלה בשבת הכיסוי שלו שכיסוהו מלמעלה, מותר לחזור ולכסותו שלא יצטנן, וכן להוסיף עליו, וכדלקמן ברנ"ז ס"ד, **שם** הקדירה כבר נתבשלה מבע"י, אבל הכא שהפירות מתבשלין והולכין בשבת, והכיסוי הוא גם עליהן, וע"י הכיסוי הוא ממהר לגמור בשולו, אסור.

וכ"ש שאסור להניחם בשבת גופא סמוך לתנור כדי לצלות, ואפילו אם נותנו בשביל זה קודם שהוסק, אסור, כדלעיל בסוף סימן רנ"ג, **אבל** קודם חשיכה מותר ליתן אותם על תנור החם או בקאכלי"ן, והיינו קודם לשקיעה, ועיין בסימן רס"א בדין בה"ש.

סעיף ה - אין נותנין סמוך לחשיכה פת בתנור, אלא כדי שיקרמו (פי' שיעלה על פני הלחם קרום וקליפה מחמת האש) פניה המדובקים בתנור - מבעוד יום, דתו לא חיישינן שמא יחתה בגחלים.

והאחרונים הסכימו, דה"ה דסגי אם מתקרם פניה שכנגד האש, **ואפשר** דגם המחבר ס"ל הכי, והא דנקט "פניה המדובקים", ס"ל דזהו יותר בקל מתקרם, **ואין** חילוק אם הוא נאפה בקרקע התנור או בבעקי"ן, ועיין לקמיה בהג"ה.

ועיין בביאור הגר"א בהג"ה שבסמוך, דדוקא אם הפת דק, אבל אם הוא עב אינו מתבשל מהרה, וצריך שיהיה נקרם הפנים התחתון שכנגד התנור, וגם הפנים שלמעלה נגד חלל התנור.

ולא חררה ע"ג גחלים, אלא כדי שיקרמו פניה שכנגד האש. הגה: וכל שפורסה ואין החוטין נמשכין, קרוי קרימת פנים - ואפי' אם היה הפת עבה, נמי סגי בזה השיעור לכו"ע, דכיון דאין חוטין נמשכין, בודאי נקרמו פניה היטב בין למעלה בין למטה.

וכ"ז בשאין גרוף וקטום, אבל בכירה או בתנור שלנו כשהוא גרוף וקטום, או כשסותם פי התנור בטיט, מותר ליתן הפת בתנור סמוך לשקיעה בכל גווני.

ופשטיד"א או פלאדי"ן, צריך שיקרמו פניה למעלה - היינו לצד חלל התנור, **ולמטה** - לצד תחתית הכלי שנאפית בו.

ועיין במ"א וט"ז שכתבו, דלפי דעת המחבר לעיל, סגי בשנקרם במקום אחד לבד, **אמנם** בביאור הגר"א כתב, דלפי שהוא עב ואינו מתבשל מהרה, לכך לכו"ע בעינן מלמעלה ומלמטה, **וגם** הדגול מרבבה כתב דכו"ע מודים בזה, אמנם מטעם אחר, דכיון דפשטיד"א חלק עליון וחלק התחתון אינם מגוש אחד, דהרי המוליתא שבתוכה מפריד ביניהם, הוי כשני עוגות, ובכל אחד צריך קרימת פנים, וכ"כ בספר חמד משה.

ויתבשל מה שבתוכה כמאכל בן דרוסאי - היינו מה שממלאין בהפשטיד"א בשר ודגים וכה"ג, דאל"כ אף שקרמו פניה, חיישינן שמא יחתה בגחלים כדי שיתבשל מה שבתוכה.

ואם נתן אותם סמוך לחשיכה ולא קרמו פניהם, אם במזיד, אסור - לרדות אפי' ע"י שינוי, ואפי' אם אין לו מה יאכל, ואפי' אם א"י רידהו שלא מדעתו, אסור לו לאכול, [דהלא האפיה היה באיסור].

עד מו"ש בכדי שיעשו - היינו האכילה, אבל הרדיה מן התנור פשוט דמותר תיכף במו"ש.

ואם בשוגג, אם אין לו מה יאכל, מותר לו לרדות ממנו מזון שלש סעודות - ואם בפת אחד שהוציא יש בו כדי ג' סעודות, שוב אסור לרדות, אע"ג דאין לו לכל סעודה ככר שלם ולחם משנה.

והא דלא קנסינן גם בשוגג כמ"ש בס"ח, דלא מחלקינן שם בין שוגג למזיד, דכיון דאין לו פת אחר לאכול, וא"א לקיים מצות ג' סעודות בלא פת, שרי, אבל תבשיל אין חיוב כ"כ לאכול בשבת, **ואה"נ** דאם אין לו דבר אחר לאכול כלל, כי אם אותו התבשיל בלבד שהשהה בשוגג, מותר לו לאכלו, שאסור להתענות בשבת, כמ"ש סימן

(ביאור הלכה) [שער הציון] «הוספה»

רפ"ח, **ולפי"ז** דכל ההיתר הוא מפני שאין לו פת אחר לאכול, אפילו בתנורים שלנו שמבואר לקמן בס"ז שאין בהם משום רדייה, ג"כ אסור להסתפק מן הפת יותר מג' סעודות.

ואומר לאחרים שאין להם מה יאכלו: בואו ורדו לכם מזון שלש סעודות – (נראה דהוא עצמו אסור לרדות בשבילם, אף דהם צריכין לג' סעודות, דכי אומרים לו לאדם חטוא כדי שיזכה חברך, עיין שבת דף ד' ע"א, דאמרו זה אף לענין להציל את חבירו מאיסור מלאכה דאורייתא, וק"ו בזה).

וכשהוא רודה, לא ירדה במרדה (פי' כרחת ומזרה, תרגום מרדה: פאל"ה בלע"ז), אלא בסכין וכיוצא בו, שלא יעשה כדרך שעושה בחול; ואם א"א לרדות בשינוי, ירדה במרדה - דרדיית הפת לא הוי שבות גמור, אלא משום עובדא דחול אסור, ולכך היכא דא"א לשנות וצורך שבת הוא, התירו.

ואם נתנה בכדי שיקרמו פניה, כיון דלא עבד איסורא, וצורך שבת הוא, רודה כדרכו – (מדברי הפמ"ג משמע, דכונת השו"ע הוא דוקא ג' סעודות, דזה קרוי צורך שבת, **ואין** מוכרח זה בכונת הר"ן לענ"ד, **ועוד** אפשר לומר, דאם רוצה לאכול מפת זה שהוציא, גם זה קרוי צורך שבת, דדוקא לעיל שהדביק באיסור, התנה השו"ע כשאין לו מה יאכל פת אחר, אבל לא בזה).

ובספר א"ר כתב, דיש להחמיר כהפוסקים דס"ל דאפי' נתנה בהיתר, צריך להיות הרדייה דוקא בשינוי.

ושלא לצורך היום, אסור אפילו בשינוי.

הגה: וכל זה בתנור שאינו טוח בטיט - אתחלת הסעיף קאי, **אבל אם הוא טוח בטיט** - מותר ליתן, דלא גזרינן שמא יסתור הטיט ויחתה, ועיין בסעיף ז' האיך יתנהג בענין הרדייה.

(**אף** דבס"א משמע, דלהרמב"ם והוא דעת המחבר שם, דבזה לא מהני טוח, לא רצה הרמ"א להביא דעת החולקים אכל בו, משום דכבר כתב שם בס"א דהכי נהוג כסברא זו, והוא אזיל לשיטתו, אח"כ מצאתי שגם הגר"א רמז לזה).

או שאינו אופה לצורך שבת רק למו"ש, דיש לו זמן לאפותו, מותר, דלא גזרינן בכה"ג שמא יחתה (כל בו) - דאפילו בלא חתוי יהיה נאפה היטב.

ועיין במג"א שכתב, דבתנורים שלנו, כיון דקי"ל לקמיה בס"ז, דמותר לרדות מהם בשבת ולאכול אפי' יש לו הג' סעודות על שבת, חיישינן שמא ימלך לאכול מהפת שבתנור בשבת, ויחתה בגחלים כדי שיתבשל מהרה.

סעיף ו - ואם נתנו בשבת, אפילו במזיד, מותר לרדות קודם שיאפה, כדי שלא יבא לידי איסור סקילה - דהו"א "הלעיטהו לרשע וימות", קמ"ל דשרי, **וכ"ש** כשהדביק בשוגג דשרי, כדי שלא יבוא לידי איסור חטאת.

ואפילו במרדה, ומ"מ אם אפשר לעשות בשינוי, כגון ע"י סכין וכה"ג, יעשה, **אך** כ"ז דוקא אם לא יצטרך להשהות עי"ז, כדי שלא יבוא ע"י השהיה לידי קרימת פנים להתחייב עי"ז.

ודוקא הוא בעצמו מותר לרדות, אבל אחרים אסורים לרדות בשבילו, בין כשהדביק במזיד ובין בשוגג, אפילו מי שהדביק את הפת איננו בפה שיודיעוהו, דאין אומרים לו לאדם: עשה חטא קל כדי שלא יבוא חברך לידי איסור חמור, כיון שחבירו פשע במה שהדביק, [ואפי' בשוגג פשע, דהו"ל ליזהר שלא יבא לזה]. **ואפילו** בתנורים שלנו שאין בהם איסור רידוי, מצדד בא"ר דאסור לאחר, משום דהבצק מוקצה הוא ואינו ראוי לטלטול, **וכ"ז** לענין אפיה, אבל לענין בישול פשוט הוא, דאם אחד שכח או עבר והניח קדרה סמוך להאש, צריך גם אחר לסלקו, כדי שלא יבוא חבירו לידי איסור, דבסילוק הקדירה אין כאן איסור כלל, וממילא יש כאן מצוה לאפרושי מאיסורא.

סעיף ז - בתנורים שלנו שאין בהם רדייה - דמלאכת רדייה שייך רק בתנוריהם, שהיו מדבקין הפת בדפני התנור, אבל בתנורים שלנו שמונחת בשולי התנור, לא שייך בהם רדייה.

מותר להוציא יותר משלש סעודות, בסכין או בשום דבר שיתחוב בו - וה"ה דיכול להוציא במקל, דכ"ז הוא דרך שינוי, **ומ"מ לא יוציא ברחת, משום דמחזי כעובדין דחול** - ונראה דע"י א"י מותר להוציא אף ברחת, והוא הכלי שאנו מוציאין בו הפת בחול.

וכתב המ"א, (ומיירי) כשהדביק בהיתר, דבתנורים שלהם היה אסור להוציא כל הפת שאין צריך לו לצורך שבת, וכנ"ל בס"ה, אפילו ע"י שינוי, **משא"כ** בשלנו דלא שייך רדייה, מותר להוציא כל הפת אף שהוא הרבה והרבה יותר מג' סעודות שצריך לו לשבת.

אבל כ"ז כשרוצה לאכול מהם בשבת עכ"פ מקצת מהם, דאל"כ אסור לרדות לצורך חול, ואפילו טלטול בעלמא אסור כשהוא בשביל חול, כמ"ש הפוסקים דאסור להביא יין בשבת לצורך מו"ש, **ונראה** דע"י א"י שרי, **ובספר** א"ר מקיל ע"י עצמו בתנורים שלנו במקום פסידא שיתקלקל הפת, **אך** המ"א לא ניחא ליה בזה, דהרי יכול לאכול מן הפת בשבת.

(וקשה, דמשמע מיניה דאי הדביק באיסור, דהיינו שלא היה שהות כדי קרימת פנים, לא מהני תנורים שלנו אף לענין הוצאה, ואמאי, נהי דאסור להסתפק מהן יותר מג"ס מפני שנאפה באיסור, עכ"פ ההוצאה מתנור יהיה מותר, דהרי לא שייך רדיה בשלנו, וכיון דצריך להוציא לצורך הג"ס, ממילא הטלטול הוא לצורך שבת, ומותר להוציא בשביל זה כל הפת, וכמו שכתב בחמד משה לענין הדביק בהיתר, דאף דאין צריך לאכול מהן אלא מקצת, מותר להוציא כולו, דעל כל אחד נוכל לומר דחזי ליה, **וע"כ** נלענ"ד דכונת המ"א במש"כ "ומיירי", היינו רבינו ירוחם מיירי באופן זה, דהוא ס"ל דבלא"ה אסור לטעום כלל מן הפת, כדין תבשיל ששכח ושיהה באיסור, וכיון שאסור לטעום ממנו, ממילא אסור להוציאו ולטלטלו לצורך חול, **אבל** לפי דעת השו"ע שפוסק כהר"ן והרמב"ם, דאפי' בשהדביק באיסור בשוגג, התירו לו לגבי פת שיאכל ממנו ג"ס, ממילא בתנורים שלנו שאין בהם איסור רדיה, מותר להוציא כל הפת וכנ"ל, **אך** מפני שהוא קצת דוחק בדברי המ"א, וגם הפמ"ג מבארו כפשטיה, לכן העתקתיו במ"ב דדוקא בהדביק בהיתר, **ועכ"פ** נ"ל, דאפי' הדביק באיסור סמוך לחשכה בשוגג, והוא מקום פסידא שיתקלקל הפת, דמותר להוציא כולו, דבלא"ה דעת הא"ר להקל בתנורינו במקום פסידא, אפי' אין בדעתו לאכול כלל, משום זה, אך הוא מיירי בהדביק בהיתר, ואנו נקיל בשהדביק באיסור וכשצריך לאכול ממנו הג"ס).

סעיף ח - לא ימלא אדם קדירה עססיות (פי' מיני קטניות הגדלות בא"י ולא בבבל) ותורמוסין, ויתן לתוך התנור ערב שבת סמוך לחשיכה - היינו אפילו הוא גרוף וקטום, כמ"ש בסימן רנ"ג ס"א, **מיהו** תנורי דידן דמיא לכירה, דשרי גרוף וקטום, **ואם** הוא טוח בטיט שרי בכל ענין, כפי מ"ש הרמ"א בס"א בהג"ה.

מפני שדברים אלו אינם צריכים בישול רב, ודעתו עליהם לאכלם לאלתר, ומפני כך אע"פ שלא נתבשלו כל עיקר, הרי הם כשאר תבשיל שהתחיל להתבשל ולא נתבשל כל צרכו, שאסור להשהותו - וה"ה לשאר מיני קטניות וירקות ודברים רכים, שכולם אינם דומים לבשר, דקי"ל לעיל בריש סי' רנ"ג דמותר ליתנו סמוך לחשיכה כשהוא חי, לפי שבודאי לא יתבשל לסעודת הלילה, ולסעודת מחר יתבשל אפילו בלא חיתוי, **אבל** אלו קלים להתבשל, וחיישינן שמא יחתה בגחלים לצורך סעודת הלילה.

והוא הדין לכירה וכופח. הגה: כשאינן גרופים וקטומים ואפשר לחתות - אכירה לבד קאי, ונקט לשון רבים אכירות דעלמא, דאלו כופח הלא מבואר בסימן רנ"ג, דכשהסיקוהו בעצים לא מהני גריפה וקטימה.

ואם עשה כן, אפילו בשוגג, אסורים למו"ש עד כדי שיעשו - כדי שלא יהנה ממה שעבר על איסור דרבנן, **ועיין** לעיל בסימן רנ"ג ס"א בהג"ה, דאם נתבשל מבעו"י כמאכל בן דרוסאי, די.

סעיף ט - כיוצא בו, לא ימלא חבית של מים, ויתן לתוך התנור ע"ש עם חשיכה - אא"כ יש שהות שיתחממו קודם בה"ש, אף שלא יתחממו כל צרכן, [היינו לפי מה שפסק הרב לעיל ברנ"ג, דבתבשיל לא בעינן שיתבשל כל צרכו, וכן ה"ה בחמין].

וכן אסור ליתן מים לתוך הקדרות שבתנורים ע"ש עם חשיכה, אע"ג דמתכוין רק שלא יפקע הקדירה מהחום שבתנור, ולמאי יחתה, מ"מ הא הדרך הוא שמדיח בהם הכלים, וחיישינן שמא יחתה בהתנור כדי שיתחממו המים, ולכך צריך לזהר ליתנן שיתחממו במקצת מבע"י, [**ואפשר** דבשעת הדחק אם שכח ליתן מקודם, יכול לסמוך על הא"ר, דמצדד לומר דלהדחה לא חיישינן שמא יחתה, אך שיתנן קודם שקיעת החמה].

אע"ג דמים ראויין לשתות חיים, והיה ראוי להיות דינם כפירות הנאכלים חיים בס"ד, **מ"מ** אינם טובים כ"כ כפירות, ומהני להם החימום הרבה, ויש בהם גזירת חיתוי.

ואם עשה כן, אסורים למוצאי שבת בכדי שיעשו - ובתנור שלנו כשהוא גרוף וקטום, או כשהוא טוח בטיט, שרי וכנ"ל.

§ סימן רנה – הכנת האש קודם הכנסת שבת §

סעיף א- אין עושין מדורה מעצים סמוך לחשיכה, עד שיצית בהם האור בענין שתהא השלהבת עולה מאליה, בלי סיוע עצים אחרים - דהיינו שלא יהא צריך לומר: הבא עצים דקים ונניח תחתיהן כדי להבעיר, דאל"ה חיישינן שמא יחתה ויניד העצים משתחשך.

וה"ה אם רוצה להסיק אז התנור של בית החורף, נמי דינו כמדורה, אא"כ התנור טוח בטיט דאז שרי - תו"ש, **ומשמע** דאם יש שיעור סמוך לחשיכה שתהא שלהבת עולה מאליה, שפיר דמי אף בתנור שאינו טוח בטיט, **ומ"מ** נראה לי, דלכתחלה נכון למנוע מהיסק סמוך לחשיכה אף באופן זה, אלא יראה שיהיה אף גמר ההיסק בחול, דמצוי הוא שנשאר אח"כ האודים בתנור, ומוכרח הוא לכבותן לבסוף ע"י א"י כדי שלא יתקרר התנור אם ימתין עד שיכלו לגמרי, ואינו נכון להביא עצמו לזה לכתחלה, **ואינו** דומה להא שמתירין להסיק בשבת ע"י א"י לכתחלה במדינות הקרות, דהתם אין לו עצה אחרת, דמה שהסיק אתמול כבר נתקרר, אבל הכא הרי יכול להסיק מקודם, אם לא שהיה אונס בזה, [**אבל** אין לאסור מפני שיצטרך לבסוף לצוות להא"י בשבת לסתום פי התנור למעלה, מקום שהעשן יוצא, וזה הוא בעין פסיק רישא לענין כבוי הגחלים, דזה מותר ע"י א"י, כיון שאינו עושה כיבוי ממש].

ואם הוא עץ יחידי, צריך שיאחוז האור ברוב עביו וברוב הקיפו - שיכנס האור מבפנים בתוך עביו עד רובו, וגם שיתפשט ברוב היקפו מבחוץ.

ואם לא הודלקה כל כך, אסור ליהנות בה בשבת, גזירה שמא יחתה בה ויניד העצים כדי שתעלה השלהבת - פי' אפילו הודלקה אח"כ לגמרי, וכמש"כ בסוף סימן רנ"ד בעססיות ותורמוסין, דכל שעבר על דברי חז"ל, אסור ליהנות עד מו"ש.

וכשהודלקה כשיעור - פי' מבעוד יום קודם השבת, **יכול להתחמם כנגדה בשבת ולהשתמש לאורה, בין אם הוא ע"ג קרקע או על גבי המנורה.**

הט"ז כתב, דמ"מ יש ליזהר שלא לישב בסמוך אצל זנבות האודים, לפי שיש לחוש שמא יגע בהם לקרבם אצל המדורה, **אבל** דעת הא"ר והתו"ש דלא חיישינן לזה, ומותר להשתמש אפילו בסמוך להמדורה או התנור, אם לא בדבר שצריך עיון רב או לקרות כנגדה, דאז חיישינן שמא יטה, וכדלקמן בסימן ער"ה.

ואפי' היא מדברים שאין עושין מהם פתילה לשבת - דבמדורה מתוך שההיסק רב, כל אחד מבעיר את חבירו.

סעיף ב- י"א שבפחמין אפילו לא אחז בהם האור אלא כל שהוא, שרי, מפני שהם דולקים והולכים.

סעיף ג- מדורה של זפת ושל גפרית, ושל קש - זנבי שבלים, **וגבבא** - שגובבין משדה אחר הקצירה, **עיין** בגמרא דה"ה שומן ושעוה וכל דבר הניתך, **אפי' לא אחז בהם האור אלא כל שהוא, שרי.**

וכן מדורה של קנים, ושל גרעיני תמרים, כשהם מפוזרים - הטעם, דכיון שאחז בהן האור קצת מבעוד יום, שוב הם דולקין מאליהן, [**ורש"י** רמז דמיירי בגרעינין יבשין, ומסתמא ה"ה בקנים].

אבל אם הקנים אגודות, והגרעינים בסל - דשוב אין השלהבת יכולה ליכנס בהן, **צריכים שיצית בהם האור עד שתהא שלהבת עולה מאליה** - והוא דעת הרי"ף והרמב"ם.

ויש אומרים בהיפך - הוא דעת הרא"ש והטור, דכשהם מפוזרות, כל אחת מהן לא תמצא את חברתה לבערה, והם כבים והולכים, הילכך צריכים רוב, משא"כ כשהם נאגדים יחד, וכן בגרעינין.

§ סימן רעו – שש תקיעות שהיו תוקעין בע"ש §

סעיף א- כשהיו ישראל ביישובן, היו תוקעין בע"ש שש תקיעות, כדי להבדיל את העם מן המלאכה. הגה: ונהגו בקהלות הקדושות, שכל שהוא סמוך לשבת כחצי שעה או שעה, שמכריז ש"ץ להכין עצמן לשבת, והוא במקום התקיעות בימיהם - היינו חצי שעה קודם שנתכסה השמש מאתנו, וזהו הכרזת הש"ץ על כל בני העיר שיראו להכין עצמם לשבת, **ולבעלי** מלאכות ראוי לשלוח איש לבטל אותן ממלאכתן מקודם, דהיינו שתי שעות ומחצה קודם צאת הכוכבים, שהוא זמן מנחה קטנה, וכנ"ל בסימן רנ"א - מ"א, וזהו לערך שעה ורביע קודם שנתכסה השמש, [**ובעו"ה** נתפשט המנהג בכמה מקומות שעושין עד סמוך לשקיעה, וזהו מצד שרובם עניים וצריכין המעות ליפות השבת, וזה לא נוכל למחות בידן, אבל באמת אם אינו דחוק לזה, יזהר מזה].

עוד כתב המ"א, דראוי לבעלי החנויות שיסגרו חנותן כמו שעה קודם השבת, [**היינו** שעה קודם השקיעה, וזהו ג"כ בערך הנ"ל, ומש"כ המ"א שעה, אפשר דבזמנו היו נוהגין להקדים תפלת ערבית בע"ש שעה ומחצה קודם הלילה, וא"כ יהיה בסך הכל ב' ומחצה, **או** אפשר דרצה המ"א לבטל הרע במיעוטו, וכדי שירצו העולם למעט הרגלן]. **כי** גדולה המכשלה, שלפעמים בא שר אחד ונמשך המשא ומתן עד שחשיכה ממש, **ומלבד** זה, כפי הרגיל שהנשים כשבאות מהחנויות רוחצות ולובשות בגדי שבת קודם הדלקת הנרות, ואם יתאחרו מלצאת יבואו ח"ו לספק חילול שבת, ובפרט בימים הקצרים, ע"כ מהנכון מאד שיקדימו לצאת.

ואודות קבלת שבת ג"כ יש קלקול, שרוב העם יש להם היתר בטעות, שכל עוד שלא אמרו "ברכו", או קבלת שבת כפי הנהוג בימינו, עושין כל הצריך להם לשבת, אע"פ שהוא לילה ממש, וע"כ יש להקדים לקבל שבת, [**ועיין** בפמ"ג, שדעתו דטוב שיקדימו הקבלת שבת, וה"ברכו" ימתינו עד שיגיע זמן ק"ש, **ואפשר** שזהו רק בזמנו, אבל בימינו אם יתנהגו כן, לא יצייתו לנו ויבואו מביתם קודם מעריב, וע"כ נהגו בכמה קהלות קדושות כעת ע"פ עצת הגדולים, להקדים גם ה"ברכו", וכדי שלא יבאו לחילול שבת החמורה, **אך** מהנכון מאד שכשיבואו לביתם יחזרו ויקראו ק"ש, ואף שכלל העם לא יזהרו בזה, מ"מ אין למנעם מלהקדים מעריב, ויסמכו בק"ש על מה שקורין לפני המטה], **ואין** להמתין על אדם גדול שעדיין לא בא, אם הגיע זמן של קבלת שבת, כי זכות הוא לו שלא יתחלל שבת על ידו.

וכן ראוי לנהוג בכל מקום - כדי שלא יבואו ישראל לידי חילול שבת, ובקהלות גדולות מאד שא"א להכריז, נכון מאד שימצאו אנשים המתנדבים בעם לילך ולזרז בכל רחובות קריה על דבר סגירת החנויות והדלקת הנרות, **וכעת** נמצא כן בכמה עיירות גדולות חבורות קדושות המיוסדות על השגחת השבת, ואשרי חלקם, כי הם מזכים את ישראל לאביהם שבשמים, ויזכו עבור זה המתחזקים תמיד במצוה זו לבנים גדולי ישראל.

(והנה כיון שהוא במקום התקיעות, ע"כ אפילו כשחל ע"ש ביו"ט, ג"כ יש להכריז, כמו מאז שהיו תוקעין בו, כמו שאמרו חז"ל, **ועיין בפמ"ג שכתב, דיו"ט ע"ש ראוי להקדים באמירת "ברכו" או קבלת שבת בעוד יום גדול, דסמוך לחשיכה אסור מן התורה לבשל מיו"ט לשבת, דלא שייך "הואיל", ובטשאלינ"ט שנותנין מבעוד יום לתוך התנור לצורך שבת, יזהר ליתן מבעו"י כ"כ שיהא ראוי לאכול עכ"פ כמאב"ד).**

§ סימן רנז – דיני הטמנת חמין §

סעיף א- אין טומנין בשבת, אפילו בדבר שאין מוסיף הבל - לאחר שנתבשל התבשיל רוצה להטמינו בדבר שישמור חומו, כגון בכרים וכסתות וכדומה, ואסרו לעשות כן בשבת, וטעמא, דשמא ימצא אז קדרתו צוננת וירתיחה, דחייב משום מבשל, **ואפילו** למ"ד דאינו חייב משום מבשל בזה, כיון שנתבשל פעם אחד, מ"מ איכא למיגזר שמא יחממה ע"ג האש ויחתה בגחלים, ויתחייב משום מבעיר, [**ולפי"ז** אפילו הוא דבר יבש, דלכולי עלמא אין בזה משום בישול, ג"כ אסור להטמין].

אבל בספק חשיכה, טומנין בו - דסתם קדרות בין השמשות רותחות הן, וליכא למיגזר הגזירה הנ"ל.

ואין טומנין בדבר המוסיף הבל אפי' מבע"י - גזירה שמא יטמין באפר שיש בו גחלים ויחתה בשבת.

כתב הפמ"ג, דאפילו אם הטמין קודם חצות בבקר, מ"מ עביד איסורא כשמשהה בהטמנה זו על שבת ואינו מסלק קודם חשיכה, [**וגרע** משהיה דעלמא שעל הכירה, דאפי' בנתבשל כ"צ ומצטמק ורע לו אסור].

‹**אבל** בדבר שאינו מוסיף הבל מותר להטמין מבע"י› – **והיינו** לצורך שבת, אבל לצורך מוצ"ש, מוכח מסימן תר"ט בהג"ה שם, דאין מטמינין בכל גווני, כ"כ המ"א, **אך** תמה ע"ז, ומסיק דרק חומרא הוא שנהגו כן ולא מדינא, **ועיין** בלבוש וא"ר, ולדידהו בודאי מותר להטמין לצורך מו"ש, ואין שם אפילו מנהג להחמיר.

ואם הטמין בדבר המוסיף הבל, התבשיל אסור אפילו בדיעבד; ודוקא בצונן שנתחמם, או שנצטמק ויפה לו - פי' לענין דיעבד, אבל לכתחלה אסור אפילו מצטמק ורע לו, כמ"ש בס"ז.

אבל בעומד בחמימותו כשעה ראשונה, מותר - הטעם, דהא לא אהני מעשיו כלל, **וכתב** המ"א, דה"ה המטמין בשבת בדבר שאינו מוסיף הבל, דשרי בדיעבד אע"ג דעשה איסורא, דהא אינו אלא עומד בחמימותו, [**ומשמע** דבדבר המוסיף הבל בשבת, אף בעומד בחמימותו אסור, וצ"ע - רעק"א].

הגה: וי"א דאם שכח והטמין בשוגג בדבר המוסיף הבל, שרי לאכול - וה"ה אם שגג בדין וסבר שמותר, גם זה שוגג מקרי, **טעם** הי"א הוא, דס"ל דהטמנה שוה בזה לשהיה, דפסק המחבר לעיל ברנ"ג ס"א, דאם שכח ושהה אפילו תבשיל שמצטמק ויפה לו, מותר לאכול.

(**עיין במ"א שכתב, דדוקא בנתבשל כל צרכו, אבל אם נגמר בשולו בשבת, אסור, דודאי לא עדיף משהיה, ולא העתקתיו, משום דלפי מאי דפסקינן כהי"א בשהיה לעיל, דכמאב"ד מותר, ממילא ה"ה הכא, וכבר הקשה כן התו"ש, ומפני חומר הענין נ"ל, דדעת המ"א שלא לאחוז הקולא בשני ראשין, דהיינו לפסוק בענינו כהי"א, דשוה לשהיה, ובשהיה נפסוק ג"כ כהי"א שם, ודי אם נקל בזה בכל צרכו, ועיין בח"א שהעתיק ג"כ לדינא כהי"א הזה, ודוקא בכל צרכו, ואולי ג"כ טעמו כמו שכתבנו, ומ"מ במקום הצורך אפשר דיש לסמוך בדיעבד בשוגג אף בנתבשל רק כמאב"ד, וכדעת התו"ש, וכן משמע בשלחן עצי שטים**).

והנה דעת המ"א והט"ז והגר"א, דהמחבר ס"ל דאפילו בשוגג אסור לאכול עד מו"ש, ולכך סתם הדבר, **ומ"מ** נראה דבמקום הצורך יש לסמוך על דעת הי"א הזה, שהרבה אחרונים מצדדים כן, **ובפרט** אם היה נתבשל כל צרכו, דבלא"ה יש מקילין לקמן בס"ז בהג"ה, ע"כ אין להחמיר בזה לענין דיעבד בשוגג.

וי"א דכל זה אינו אסור אלא כשעושה לצורך לילה, אבל כשמטמין לצורך מחר, מותר להטמין מבע"י בדבר שמוסיף הבל - הטעם, דעיקר מה שאסרו להטמין במוסיף הבל, הוא משום שמא יבוא להטמין ברמץ ויחתה בגחלים, וע"כ כיון שמטמין לצורך מחר, ס"ל להי"א דלא שייך גזירה זו, דאפילו אם לא יגיע התבשיל למאכל בן דרוסאי, יתבשל ממילא כל הלילה, ולא יבוא לחתות, **וה"ה** דס"ל להי"א הזה, דמותר להטמין בנתבשל כ"צ, דלא יבוא ג"כ לחתות, וע"כ מותר בזה אף במטמין לצורך לילה, והוא כדעת היש מקילין לקמן בס"ז בהג"ה.

(ובדיעבד יש לסמוך על זה, ובלבד שלא יהא רגיל לעשות כן) - משמע דאם הוא רגיל, אף בדיעבד אסור, והטעם, דמעיקר הדין אין להם מקום להי"א, כמ"ש הגר"א ושארי פוסקים, וכן כתבו דהיש מקילין דלקמן אין להם מקום בדין, ולכך כתב שם רמ"א: דאין לנהוג כן בשארי מקומות.

סעיף ב - אפילו תבשיל שנתבשל כ"צ, אסור להטמין בשבת אפילו בדבר שאינו מוסיף הבל - ומ"מ בדיעבד שרי וכנ"ל.

ומ"מ לשום כלים על התבשיל כדי לשמרו מן העכברים, או כדי שלא יתטנף בעפרורית, שרי - היינו אפילו בגדים שמעמידין את החום של הקדרה שלא יצטנן, אפ"ה שרי, כיון שאינו מכוין לזה, **שאין זה כמטמין להחם, אלא כשומר ונותן כיסוי על הקדירה.**

(וע"ל סי' רנ"ג) – (איני יודע כונתו, ואולי למש"כ שם בס"ה, דאסורין להטמין תחת הבגדים אף שהוא דבר יבש, או למש"כ שם בהג"ה, דאף ע"י א"י אסור).

סעיף ג - אלו הם דברים המוסיפים הבל: פסולת של זיתים או של שומשמין, וזבל ומלח וסיד וחול, בין לחים בין יבשים.

אע"ג דלענין הטמנה בתוכן שוין הן, מ"מ יש חילוק ביניהן, דבשומשמין וה"ה בכל הדברים הנזכרים כאן, דוקא להטמין לתוכן אסור, אבל אם הטמין בדבר המותר, כגון בקופה של צמר וכה"ג, מותר להניח הקופה עליהן, **אבל** על גפת של זיתים אסור להניח, דחמימי טפי, ומוסיפין הבל למעלה דרך הקופה להקדרה.

ותבן - בין אם הוא ארוך, או נחתך לחתיכות דקות, **וזגין** - הוא פסולת של יקב יין, **ומוכין** - כל דבר רך קרוי מוכין, כגון צמר גפן, ותלישת צמר רך של בהמה, וגרירת בגדים בלוים, **ועשבים, בזמן ששלשתן לחין** - חשיב לתבן וזגין כחדא.

דלחין יש בהן הבל הרבה יותר מיבשין, **ומסתימת** המחבר משמע, דבין לחין מחמת עצמן, ובין לחין מחמת דבר אחר, שניהם אסורין, **אמנם** כמה אחרונים הסכימו, דדוקא לחין מחמת עצמן, שהם מחממות יותר מלחין מחמת משקה שנפלו עליהן משיבשו.

ואלו דברים שאינם מוסיפים הבל: כסות - וה"ה כרים וכסתות וגיזי צמר, **ופירות** - כגון חטין וקטניות, **וכנפי יונה (או שאר נוצות)** - ונקט מתחלה כנפי יונה, והוא לשון התלמוד, משום דהיה מצוי להם, **ונעורת של פשתן** - דק דק שנוערין מן הפשתן, **ונסורת של חרשין, (פי' הקש הדק הנופל מן העץ כשמגררים אותו במגירה).**

הגה: י"א דמותר להטמין בסלעים - היינו אבנים קטנים שמוציאין מהם אש, וקורין אותן אבני אש, **אע"פ שמוסיפין הבל, דמלתא דלא שכיחא לא גזרו ביה רבנן** - היינו דהא לא שכיח כלל שיטמין בסלעים, משום שמשברים הקדרה או שמקלקלים המאכל, **אבל** דבר שלפעמים טומנין בהם, אע"ג דלא שכיח, גזרו בהו רבנן.

כתב רש"ל בתשובה: אפר חם הוא דבר שאינו מוסיף הבל, ושרי לטמון בו, אא"כ מעורב בגחלים, והביאוהו הא"ר ותו"ש וש"א, **וה"ה** בכל דבר שאינו מוסיף הבל, אפי' הם חמים שרי.

סעיף ד - אע"פ שאין טומנין בשבת אפי' בדבר שאין מוסיף הבל, אם טמן בו מבע"י ונתגלה משחשיכה, מותר לחזור ולכסותו - מש"כ "ונתגלה" לאו דוקא, דהא אף לכתחלה מותר לגלות, כמ"ש בסמוך, אלא דקמ"ל דאף בכה"ג שנתגלה ממילא, דוקא משחשיכה, **אבל** אם נתגלה מבעוד יום, אסור לכסותו בשבת, דהוי ליה כמטמין לכתחלה בשבת, **וכ"ש** דאם גילהו בידים מבע"י, אפילו על דעת לכסותו משתחשך, דאסור לכסותו בשבת, [**ומוכח** בבאור הגר"א, דאפי' אם גילהו בין השמשות, ג"כ אסור לכסותו בשבת].

וכן אם רצה להוסיף עליו בשבת, מוסיף; וכן אם רוצה ליטלו כולו ולתת אחר במקומו, בין שהראשון חם יותר מהשני, בין שהשני חם יותר מהראשון, אפילו לא היה מכוסה אלא

בסדין, יכול ליטלו ולכסותו בגלופקרין - ר"ל דלא תימא דהטמנה בסדין אינה חשובה הטמנה, שאינו מועיל, וא"כ כשמכסה עליו בגלופקרין בשבת, הו"ל כמטמין לכתחלה, קמ"ל דאף סדין מועיל עכ"פ במקצת.

והוא שנתבשלה הקדירה כל צרכו; אבל אם אינה מבושלת כ"צ, אפילו להוסיף על הכיסוי אסור, שתוספת זה גורם לה להתבשל - (כתב המ"א, כשטמונה בדבר שאינו מוסיף הבל, פשוט שאינו גורם בשול כלל, אלא איירי בדרך שכתב בס"ח, והיינו שהקדרה עומדת ע"ג כירה שיש תחתיה גחלים קטומים, ולמעלה מכוסה בבגדים בענין שאין נוגעים בקדרה, וכמבואר בס"ח דמותר להטמין בדרך זה, ואז גורם בשול ע"י הוספת כיסוי, **ובספר** בית מאיר חולק עליו, וכתב דפשטיות הטור והשו"ע משמע דמיירי בכל גווני, וכ"כ בספר נהר שלום, והטעם כתב בספר בית מאיר, דכשמטמין דבר רותח שעומד ברתיחתו ומתבשל, אף שמטמין בדבר שאין מוסיף הבל אלא מעמידו בחמימותו וברתיחתו, כל שעה שמאריך הרתיחה והבישול מתבשל המאכל יותר, ובהוספה גורם בשול, וזה מוכח מפרש"י, וכן מוכח בבאור הגר"א, ולכן לא העתקתי דברי המ"א להלכה).

סעיף ה - אם פינה התבשיל בשבת מקדירה שנתבשל בה לקדירה אחרת, מותר להטמינו בדבר שאינו מוסיף הבל - דלא אסרו אלא כשהוא בכלי ראשון שנתבשל בו, אבל כשפינהו לכלי אחר, אף שעדיין היד סולדת בו, מותר, **ואין** נ"מ אם נתכוין בפירוש כדי לקרר, או בסתמא לאיזה סיבה, **ואפילו** אם חזר ועירה אותו אח"כ לכלי ראשון שהיה בו, נמי שרי, דתו לא מקרי כלי ראשון, והו"ל כצונן דמותר להטמינו, **ואפילו** בכלי ראשון, אם נתקרר עד שאין היס"ב, ג"כ נראה דשרי להטמינו, אם הוא במקום הצורך.

ודוקא בדבר שאינו מוסיף הבל, דבדבר המוסיף הבל, אפילו צונן גמור אסור וכדלקמיה.

סעיף ו - מותר להטמין בשבת דבר צונן בדבר שאינו מוסיף הבל - כגון מים או תבשיל תחת כרים וכסתות, **כדי שלא יצטנן ביותר, או כדי שתפיג צינתו** - ואפילו אדם חשוב שרי.

אבל בדבר המוסיף הבל, אפילו להטמין צונן גמור ואפילו מבע"י נמי אסור – (עיין בתו"ש שכתב, דבחול (ר"ל חול הים) מותר, אף שגם הוא מדברים המוסיפין הבל, זהו רק לדברים חמין, אבל לדברים קרים מקרור הוא).

סעיף ז - כל היכא דאסרינן הטמנה, אפילו בקדירה מבושלת כ"צ אסרינן - ולא דמי לשהיה ע"ג כירה, דלכו"ע מותר במבושל כ"צ וכבסימן רנ"ג, דסתם הטמנה עיקרו הוא לצורך מחר, וצריך חיתוי טפי שלא יתקרר התבשיל, ולכך חיישינן בכל גווני לחיתוי אם יטמין ברמץ, וגזרו משום זה בכל דבר המוסיף הבל וכנ"ל, **ואפילו** אם מטמין לצורך הלילה, לא חלקו חכמים בגזירתם, **משא"כ** בשהיה, דסתם שהיה הוא רק לצורך הלילה, שהרי מניחה מגולה, ולא יתקרר בזמן מועט, ולא חיישינן לחיתוי בזה, [**ואם** משהה לצורך מחר, ג"כ שרי, דכיון שהוא מגולה מתקרר הרבה, וחתוי מעט לא יועיל].

ואפי' מצטמק ורע לו - ובדיעבד מותר לכו"ע במצטמק ורע לו, וכנ"ל בס"א.

הגה: וכן עיקר – (שכן פסקו כל הפוסקים, ושיטת היש מקילין היא שיטה יחידאה).

ויש מקילין ואומרים דכל שהוא חי לגמרי או נתבשל כל צרכו, מותר בהטמנה כמו בשיהוי, וכמו שנתבאר לעיל סימן רנ"ג - ס"ל כיון שהוא חי, אפילו אם היה מטמין ברמץ, לא היה מתבשל ע"י החיתוי לצורך הלילה, ועד למחר בלאו החיתוי יתבשל, ולכך לא חיישינן.

וקאי אהטמנה בדבר המוסיף הבל מבעוד יום, אבל להטמין בשבת בדבר שאינו מוסיף הבל, אפילו מבושל כ"צ ומצטמק ורע לו, אסור לכו"ע, [דהא הטעם שמא ימצא קדרתו צוננת וירתיחנה וכנ"ל].

(כל צרכו – עיין במ"א שכתב, דלדעת י"א אפילו נתבשל כמאב"ד, ועיין בא"ר שחולק עליו, ועיין בתו"ש מה

שכתב בזה, ולבסוף מסיק גם הוא, דבכונה נקט הרמ"א כ"צ, לאשמעינן דבפחות מזה, אף במקום שנהגו להקל, יש למחות בידם, מאחר דגם בשהיה יש דעות בזה).

ובמקום שנהגו להקל על פי סברא זו, אין למחות בידם, אבל אין לנהוג כן בשאר מקומות.

סעיף ח - אע"פ שמותר להשהות קדירה ע"ג כירה שיש בה גחלים ע"פ הדרכים שנתבארו בסי' רנ"ג - דהיינו שמעמידה ע"ג כירה מלמעלה על פיה, ואין שולי הקדירה נוגעין בגחלים שלמטה, וה"ה בכה"ג אם עומדת ע"ג כסא של ברזל בתוך כירות שלנו, **וגם** תהיה הקדירה מבושל כל צרכה, לפי דעת המחבר שם.

אם הוא מכוסה בבגדים, אע"פ שהבגדים אינם מוסיפים הבל מחמת עצמן, מ"מ מחמת אש שתחתיהם מוסיף הבל (ואסור) - ואפי' אם מפזר אפר ע"ג הגחלים, מ"מ מוסיף הבל הוא.

ומיהו כל שהוא בענין שאין הבגדים נוגעים בקדירה, אע"פ שיש אש תחתיה, כיון שאינו עושה דרך הטמנה, שרי - דהיינו כעין שצייר המחבר בסמוך.

הלכך היכא שמעמיד קדירה ע"ג כירה או כופח שיש בהם גחלים - עתה חזר לפרש בקיצור מה שכתב בתחלת הסעיף: "אע"פ שמותר להשהות", **ואין שולי הקדירה נוגעים בגחלים, שיהוי מקרי, ומותר ע"פ הדרכים שנתבארו בסימן רנ"ג** - המחבר אזיל לשיטתו בסימן רנ"ג סוף ס"א, **אבל** לדעת הרמ"א שם בהג"ה, אפילו שולי הקדירה נוגעין בגחלים ג"כ שרי, כיון שהקדירה מגולה למעלה ואין טמון בבגדים.

ואם נתן על הקדירה כלי רחב שאינו נוגע בצדי הקדירה, ונתן בגדים על אותו כלי רחב, מותר - עתה חזר לפרש בקיצור מה שכתב: ד"בענין שאין הבגדים נוגעין" מותר.

ה"ה כשנותן ע"פ הקדירה דף רחב, בענין שהבגדים שמכסה מלמעלה לא יגעו בצדי הקדירה.

דכיון שאין הבגדים נתונים אלא על אותו כלי רחב שאינו נוגע בצדי קדירה, אין כאן הטמנה.

והנה כ"ז כשיש אש בכירה, אבל אם אין אש בכירה כלל, י"א שאין לאסור להעמיד קדירה עליה ולכסותה בבגדים, דאף שחום הכירה שתחתיה ג"כ גדול ומוסיף הבל, מ"מ שרי, **דדוקא** ע"ג גפת וכדומה אסרו, משום דראוי להטמין בתוכה, וגזרו שמא יטמין ברמץ, אבל הכא אין ראוי להטמין בתוך הקרקע של הכירה, הלכך ליכא למיחש למידי, **וגם** מטעם אחר י"ל דלא דמי לגפת, דגפת מוסיף הבל בעצמו, אבל כירה אין חומה אלא מחמת האש, ובכל שעה מתקרר והולך, **ויש** שחוששין בזה להחמיר, אא"כ מניח כלי או דף רחב על הקדירה מלמעלה ואח"כ מכסה אותה בבגדים, כמ"ש בשו"ע, **ומ"מ** אין למחות ביד הנוהגין להקל.

ועל פי זה תדע, דמה שנוהגין להעמיד קאווי או תבשיל בע"ש מבע"י על התנור מלמעלה, ומכסין אותן בבגדים, דאף שלא יפה הם עושין לדעת פוסקים המחמירין, מפני שחום התנור מוסיף הבל, אא"כ יניח איזה דף רחב על הקדירה, מ"מ אין למחות בם, דיש להם על מה שיסמוכו וכנ"ל, [**וה"ה** אם מעמידה בגומא שנעשית על התנור או בתוך הקאבלי"ן, אך בעינן שלא יהיה הגומא או הקאבי"ל מצומצמת לפי ערך הקדרה לבד, דזה ג"כ חשוב כעין הטמנה, אלא שיהיה קצת אויר מפסיק בין הקדרה לדופן הגומא והקאבי"ל, ואז מותר לכסות אותה אפי' בבגדים].

אמנם אם נותן חול ע"ג התנור, אע"פ שאין מטמין כולו בתוכו, רק ששולי הקדירה עומדים בחול, ולמעלה מכוסה בבגדים ע"ג הקדירה, בודאי אסור, שחול הוא מהדברים המוסיפים הבל, וגזרינן שמא יטמין בו כולו, **ואם** כופה כלי רחבה, או שנותן עליה דף רחב, ומכסה בבגדים מלמעלה, מותר אף שמעמידו עד חציו בחול.

וכן מותר להניח הקדירה בתנורים שלנו ע"י שיתן בתוכה חתיכה חיה - פי' עד השתא מיירי לענין כירה, ועתה בא לפרש דגם בתנור מותר ליתן קדרה מבע"י, ואף שאינו גרוף וקטום, כיון שנותן בה

חתיכה חיה לא חיישינן לחיתוי, וה"ה אם היא מבושלת כ"צ, דאל"ה אסור משום שהיה, **דאף** שהקדרה כולה נתונה בתוך התנור, ומכסה את פי התנור ג"כ בבגדים, ובודאי מוסיף הבל ע"י חום התנור, אפ"ה אין שם הטמנה ע"ז ושרי, כיון שאין הבגדים נוגעין בקדירה.

והוא שלא תהא הקדירה נוגעת בגחלים - דאם היו שוליה נוגעין בגחלים, ס"ל דמחמת זה גופא מקרי מטמין בדבר המוסיף הבל ואסור, **והרמ"א** ס"ל דעי"ז לא חשיב הטמנה.

ואע"פ שמכסה פי התנור בבגדים, כיון שאין הבגדים נוגעים בקדירה, לאו הטמנה היא ושרי.

(עיין במ"א דמשמע מיניה, דלדעת הרמ"א שרי אפילו כשמכסה מלמעלה בבגדים, ובענין שאינם נוגעין, **ובספר** א"ר חולק עליו וסובר, דכיון שהוא מכסה מלמעלה בבגדים, גם הרמ"א מודה דאין להקל, אלא כשאין שולי הקדרה נוגעין בגחלים).

הגה: והטמנה שעושין במדינות אלו, שמטמינים בתנור וטחין פי התנור בטיט, שרי לכו"ע, וכמו שנתבאר לעיל סי' רנ"ד, ויתבאר לקמן סוף סי' רנ"ט - הנה לענין הטמנה אין צריך כלל טיח בטיט גם להרמ"א, אלא דבא לומר דבטיח שרי בכל ענין, אפילו אין נותן בה חתיכה חיה של בשר, וגם היא עדיין בתחלת בשול, דבלא טיח היה אסור בזה להניח הקדרה בתנור שאינו גרוף וקטום משום חשש חיתוי, ובטיח שרי.

ואעפ"כ י"א דצריך ליזהר שלא יטמין הקדרה בתנור בתוך הגחלים מכל צד, דקרוי הטמנה בדבר המוסיף הבל מחמת הגחלים גופא, [**דאף** דבזה ליכא למיחש לחיתוי, מ"מ שייך למגזר שמא יטמין ברמץ מגולה, ולא עדיף מגפת של זיתים]. **ויש** מקילין גם בזה, דהא טוח בטיט ולא אתי לחיתויי, וכן משמע באור זרוע, **וטוב** להחמיר לכתחלה, וגם מטעם אחר, פן ישארו הגחלים לוחשות עד למחר, ולא יוכל להסיר הקדירה משם, וכדלעיל ברנ"ג ס"א בהג"ה, **ועכ"פ** במקום שלא נהגו להטיח הסתימה בטיט, בודאי אסור להטמין הקדרה בתוך הגחלים, אפילו אם הקדרה כבר מבושל כל צרכה.

ודע דמבואר לעיל, דדוקא בבשר כשהוא חי אין בו חשש חיתוי, דע"י חיתוי לא יתבשל שיהא ראוי לאכול לצורך הלילה, **אבל** פשטיד"א או מיני קטניות או מיני בצק, ממהרין להתבשל, ואף כשנותנן סמוך לחשיכה כשהן חיין, יש בו חשש חיתוי משחשיכה, כדי למהר בישולן לצורך סעודת הלילה, וצריך שיהיה התנור טוח בטיט, **ובמקומות** שלא נהגו לטוח התנור בטיט, אסור ליתן מינים אלו בתנור סמוך לחשיכה, אם לא ניתן בהן חתיכת בשר חי, אא"כ יש שהות שיתבשל עכ"פ מבע"י כמאכל בן דרוסאי, או שיכסה הגחלים באפר, כמ"ש סימן רנ"ג.

ומצוה להטמין לשבת כדי שיאכל חמין בשבת, כי זהו מכבוד ועונג שבת - אבל מי שמזיק לו החמין, מותר לאכול צונן.

וכל מי שאינו מאמין בדברי החכמים ואוסר אכילת חמין בשבת, חיישינן שמא מין הוא - ובימינו בעו"ה מצוי קלקול גדול, ע"י אלו שפורשין עצמם בשאט נפש ממצות אכילת חמין בשבת, שבאין לבסוף עי"ז לידי איסור, שמצווין לא"י שיחמו עבורן חמין בשבת, **וכמה** פעמים יבואו עי"ז גם לידי איסור דאורייתא של שלשה אבות מלאכות, והן: בישול והבערה וכיבוי, שמעמידין את הכלי עם עלי הטיי"א על המוליאר {ובלשוננו סאמאווא"ר} בשעה שהגחלים בוערות, הרי בשול, ובכל פעם כשנוטל את הכלי מעליו ומחזירו אח"כ, הוא עובר על מבעיר ומכבה, דבשעה שהכלי עומד עליו מתכבה האש במקצת, ובהסירו מתבערים הגחלים, **והעושה** כן במזיד הוא פסול לעדות ולשבועה מן התורה, ומכרית את נפשו מארץ החיים, כי היא עבירה שחייבין עליה כרת וסקילה, וכל בעל נפש לא יסור ממנהג ישראל להטמין חמין על שבת, ולקיים מצות עונג שבת כאשר נהגו אבותינו מעולם, ושומר מצוה וכו', **וזה** לשון בעל המאור בפ' כירה: כל מי שאינו אוכל חמין וכו', וצריך להזמין, לבשל להטמין, ולענג את השבת ולהשמין, הוא המאמין, וזוכה לקץ הימין, ע"ש עוד.

§ סימן רנח – שמותר להשים ע"ש דבר קר על קדירה חמה §

סעיף א - מותר להניח מבעוד יום כלי שיש בו דבר קר ע"ג קדירה חמה - ואפילו הוא דבר חי, ויתבשל עתה ע"י חום הקדירה שתחתיה, ג"כ שרי כיון שמניח מבע"י.

שאין זה כטומן בדבר המוסיף הבל - ר"ל אפילו כסה אז הכלי והקדרה בבגדים, ובודאי ניתוסף חום על הדבר קר ע"י הקדרה, אפ"ה שרי, דלא חשיב הקדרה כגפת ודומה לה המוסיפין הבל, **דהתם** הוא מוסיף הבל מחמת עצמו, אבל אין להקדרה הבל מעצמה, ואדרבה כל שעה חומה מתמעט והולך, ולהכי שרי.

(**ודע**, דהכא כתב הב"י הטעם דמתקרר, וכמו שכתבנו במ"ב, ולעיל בסימן רנ"ז הכריע הב"י בעצמו, לענין העמדה ע"ג כירה קטומה, דמקרי מוסיף הבל אף שמתקרר מחמת עצמו, ודלא כרש"י, **וע"כ** דשם חמירא מחמת שחום הכירה גדול מאד).

(**ואם** הקדרה התחתונה מונחת ע"ג האש, אז יש לזה דין מוסיף הבל ע"י האש, וכדלעיל בסימן רנ"ז ס"ח, ואסור אפי' מבע"י לכסות עליהן בבגדים מלמעלה, משום הטמנה, **ואם** אין מכסה בבגדים, יש לזה דין שיהוי, וצריך שיהיה הדבר קר נתבשל כמאב"ד מבעוד יום, לדעת הרב לעיל בסימן רנ"ג). ‹**ועי"ל** סי' רנ"ג ס"ה, דע"ג קדרה מלאה אין בו איסור אפי' להניח בשבת, וצ"ע – שונה הלכות›.

ודוקא להניח הדבר קר מבע"י, אבל להניחו בשבת על הקדרה תחת הכיסוי בגדים שעליה שיתחמם, אסור, ואפי' אין החום כ"כ שיוכל לבוא ליסל"ב, דבשבת לא התירו להטמין את הצונן אלא כדי שתפיג צינתו, אבל בזה שמוליד חום ע"י הטמנה, אסור, **ואם** אין הקדרה מכוסה בבגדים, אין איסור להניח עליו הדבר קר, אלא כשיוכל לבוא לידי יד סולדת בו, וכדלקמן בסי' שי"ח ס"ו.

כתבו האחרונים, שאסור ליקח כלי ובתוכו משקה צונן, ולתחוב אותו בשבת לכלי מלא מים חמין, שיתחמם בתוכו, אפילו לא יוכל לבוא לידי יד סולדת בו, שזהו דרך הטמנה ממש, כיון שכולו טמון בתוכו, [**אבל** אם כוונתו להפיג צינתו לבד, ובמקום שלא יוכל לבא לידי יד סולדת בו, אפשר דיש לסמוך על דברי המקילין, דס"ל דלא מקרי זה דבר המוסיף הבל, וממילא מותר להטמין הצונן בו, וכנ"ל ברנ"ז ס"ו], **אבל** אם חם כ"כ שיוכל לבוא לידי יד סולדת בו, אז אפילו אינה טמונה כולה בתוכו, שמגולה למעלה, וגם אין כונתו רק להפיג הצינה בלבד, אפ"ה אסור, פן ישכח עד שיהיה היד סולדת בו, ויתחייב משום מבשל, וכדלקמן בסי' שי"ח סי"ד.

§ סימן רנט – כמה דיני הטמנה וטלטולם §

סעיף א - מוכין - פי' יבשים, כמ"ש סימן רנ"ז ס"ג, **(פי' כל דבר רך קרוי מוכין כגון: צמר גפן, ותלושי צמר רך של בהמה, וגרירת בגדים בלויס)** – (עיין במ"א, ונראה שלא היה לפניו מה שכתוב לפנינו, "וגרירת בגדים בלוים", כי באמת הוא ממציינים, והמ"א השמיט זה, וכנראה שבכונה השמיטו, אף שכתוב זה ברש"י במשנה, היינו לדינא דהטמנה, אבל למה שכתוב פה, שמוכין חשיבי מגיזי צמר, ע"כ לא איירי במוכין כזה, ‹אלא באלו› שמוכן רק לעשות לבדים).

שטמן בהם דרך מקרה, אסור לטלטלן - דסתמן חשובין הם ואדם מקצה דעתו מהן, מפני שעומדין לעשות מהן לבדין, והן מוקצין מחמת חסרון כיס, דמקפיד להשתמש בהן שאר דברים, ולפיכך אפילו טמן בהם דרך מקרה, עדיין הם עומדין בהקצאתן ואינם בטלים להטמנה.

(**ודע**, דדעת הא"ר להסכים לשיטת הראשונים, הסוברין דמוכין דינו כגיזי צמר כל זמן שאינם עומדים לסחורה, וע"י הטמנה בעלמא שרי למחר לטלטלינהו, **ובמקום** הדחק נראה דיש לסמוך ע"ז).

דרך מקרה - לאפוקי אם רגיל להטמין בהן, נסתלק מהן שם מוקצה אף שלא יחדן בפירוש, **ודעת** הב"ח דאפילו בשני פעמים סגי לזה.

אלא מנער הכיסוי והן נופלות; וכגון שמקצתן מגולה - כדי שיהיה לו מקום פנוי לאחוז הכסוי,

כדי שלא יצטרך לטלטל המוכין להדיא, **שאין זה טלטול אלא מצדו.**

ואם יחדן לכך, מותר לטלטלן - פי' שיחדן מע"ש להטמנה לעולם, ואפילו היה היחוד רק במחשבה בעלמא, לא בפה.

אבל אם טמן בגיזי צמר, אפילו לא יחדן לכך, מותר לטלטלן - אף דסתם גיזי צמר מוקצה הוא לטויה לאריגה, מ"מ אין חשובין כ"כ כמו מוכין, וכיון שטמן בהן, כמאן דיחדן להכי דמי.

וה"מ סתם גיזין שאין עומדין לסחורה, אבל אם נתנם לאוצר לסחורה, צריכין יחוד - דכיון שהם עומדים אצלו לסחורה, מסתמא עתיד להחזירן אח"כ ג"כ לאוצר, (ואפי' כשאינו מקפיד עליהם מלהשתמש בהם שום דבר), וע"כ אין מבטלן להטמנה, והוי ממילא מוקצה, אם לא שיחדן להטמנה מע"ש.

ואם טמן בהם בלא יחוד, מנער הכיסוי והן נופלות, דהיינו לומר שנוטל כיסוי הקדירה שיש תורת כלי עליה - וכגון שמקצתה מגולה, וכנ"ל גבי מוכין, **ואם** אינה מגולה כלל, יכול לתחוב בכוש ולנער את הכיסוי, וכדלקמן בסי' שי"א ס"ט.

ואע"פ שהם עליה לא איכפת לן, דלא נעשית בסיס להן - דהא אין הכיסוי תשמיש להצמר, אדרבה הצמר משמש להקדירה לחממה.

סעיף ב - הנותנים אבנים ולבנים סביב הקדירה, צריך שייחדם לכך לעולם - היינו שייחדם מע"ש להטמין בהם תמיד, דאל"ה יהיה אסור למחר לטלטלן משום מוקצה, **וכן** עצים העומדים להסקה, יזהר מלסתום בהן פי התנור בע"ש, דאל"ה יהיה אסור למחר לטלטלן בשבת משום מוקצה.

(בב"ח כתב, דאפי' הטמין כמה פעמים, לא מהני בזה כל זמן שלא יחדן לעולם, וזה גרוע ממוכין, ע"ש טעמו).

שהרי כל זמן שלא יחדן אינם חשובים לו ומשליכן - היינו דלאחר שנשתמש בהן, הדרך להשליכן לחוץ, שאין עליהם שם כלי ואינם חשובין, וע"כ הם בכלל מוקצה, דאדם מקצה דעתו מהם.

הילכך אסור לטלטלן, אם לא שיצניעם ומייחדן לכך - והאבנים או לבנים המונחים ע"ג הכירה תמיד, שרי לטלטלינהו, דמיוחדין לתשמיש.

סעיף ג - הטומן בקופה מלאה גיזי צמר שאסור לטלטל - היינו אותם שהוקצו לסחורה, וכנ"ל בס"א, **והוציא הקדירה, כל זמן שלא נתקלקלה הגומא, יכול להחזירה** - דחזרה מותר בשבת בדבר שאינו מוסיף הבל, וכדלעיל ברנ"ז ס"ד.

ואם נתקלקלה - שנפלו הגיזין שמכאן ומכאן למקום מושב הקדירה, **לא יחזירנה** - לפי שמזיז את הגיזין שהוא מוקצה, (והכי גרע טפי מטילטול מן הצד, דשרי כמ"ש ססי' שי"א, דהכא צריך לטלטל אילך ואילך כשרוצה להטמין, תוס' – מ"א). (**והרא"ש** נתן טעם וז"ל: דודאי יטלטל הגיזין בידו, ועל ידי הקדרה לא יטלטל, פן ישפך התבשיל אם ינענע הצמר על ידי הקדרה, עכ"ל – מחה"ש).

ואפי' לכתחלה יכול להוציאה על דעת להחזירה אם לא תתקלקל, ולא חיישינן שמא יחזירנה אף אם תתקלקל.

וי"א שאפילו טמן בדבר שמותר לטלטל, אם נתקלקל הגומא, לא יחזיר, מפני שתצטרך הקדירה לעשות לעצמה מקום כשמחזירה, ונמצא כמי שטומן בשבת.

(הנה בא"ר וש"א כתבו, דהעיקר כדעה הראשונה, וכן משמע מהמחבר, **ובבאור** הגר"א הביא ראיה מהירושלמי להיש אומרים).

סעיף ד - טמן בדבר שאינו ניטל - שנתן דבר מוקצה סביב הקדרה, **וכיסה פיה בדבר הניטל, מגלה הכיסוי ואוחז בקדירה ומוציאה.**

ואם טמן בדבר הניטל, וכיסה פיה בדבר שאינו ניטל, מפנה סביבותיה ואוחז בקדרה ומוציאה, דלא נעשית בסיס להן כמ"ש סוף ס"א, ואח"כ מנער את הקדרה, והדבר שאינו ניטל נופל מאליו.

סעיף ה - טמן וכיסה בדבר שאינו ניטל, אם מקצת הקדירה מגולה, נוטל ומחזיר; ואם לאו, אינו נוטל.

סעיף ו - יו"ט שחל להיות בע"ש, יש מי שאוסר להטמין באבנים - היינו אפי' אם יחדן לכך מכבר, דלית בהן משום מוקצה, **משום דהוי כמו בנין** - היינו דסידור האבנים, דהוי כמו דופן, הוי בכלל בנין עראי ואסור מדרבנן ביו"ט.

ויש מתירים - ס"ל דמשום כבוד שבת לא גזרו, **ואם** אפשר להטמין בענין אחר, אסור לכו"ע.

ועיין בא"ר שכתב שהמנהג כהיש מתירים, וכ"כ הגר"ז.

סעיף ז - התנור שמניחין בו החמין וסותמין פיו בדף ושורקין (פי' מחליקין) אותו בטיט, מותר לסתור אותה סתימה כדי להוציא החמין - שאין זה בכלל סתירת בנין אפילו מדרבנן, כיון שלא נעשה לקיום כלל.

ולחזור ולסותמו - הוא ענין בפני עצמו, [גדמה] דלית ביה משום בונה אין רבותא, דהא בשבת אינו מטיח בטיט, **וגם** שנימא דאין מותר כי אם כשכוונתו לחזור ולסותמו תיכף, גם זה אינו, דבכל גווני מותר לפתוח, וע"כ כמו שכתבנו], **וקמ"ל** דלא צריך למיחש שמא יש בפנים גחלים לוחשות, וכשיסתמנו יגרום שיכבו.

ואם יש בו גחלים לוחשות, מותר ע"י א"י - אבל ע"י ישראל אסור לסתום, דמכבה הגחלים, ואע"פ שאין מתכוין לכך, אסור משום פסיק רישא, **אבל** באמירה לא"י לא קפדינן כולי האי, כמ"ש סוף סימן רנ"ג.

ואם אינו סותמו לגמרי, אפילו ע"י ישראל שרי, דאינו מכבה, **וכתב** המ"א, דדוקא כשמניחו הרבה פתוח, אבל אם מניחו רק מעט פתוח, יש לאסור משום מבעיר, דטבע הרוח להיות מפיח דרך נקב קטן, ודמי למפוח, ומבעיר יותר התנור מאלו היה פתוח לגמרי.

כתב הא"ר, דבמקום הדחק מותר הישראל לסתום התנור, אפילו ביש גחלים לוחשות, כי יש לסמוך על דעת תרומת הדשן שמיקל, וס"ל דלא הוי פסיק רישא שיכבו הגחלים ע"י הסתימה, **ואם** אש בוער בתוכו, אף לתה"ד אסור, דהסתימה גורם לאש שיכבה מהר.

ודע דכ"ז לענין סתימת התנור, אבל לענין פתיחת פי התנור, לכו"ע אסור ע"י ישראל, אם ידוע שיש גחלים לוחשות, אפילו אם אינו שרוק בטיט, דהרוח מבעיר את הגחלים, [**ואף** שלא ניחא ליה בהבערה, מ"מ הלא פ"ר דלא ניחא ליה ג"כ אסור מדרבנן].

הגה: ויש מחמירין שלא לסתור סתימת התנור הטוח בטיט ע"י ישראל, אם אפשר לעשות ע"י א"י; וכן אם אפשר לעשותו ע"י ישראל קטן לא יעשה ישראל גדול; ואם א"א, יעשה גדול ע"י שינוי קצת, והכי נהוג - טעמם, דאולי כיון שטוח בטיט, יש בזה קצת משום סתירת בנין, ולכך יש להחמיר היכא דאפשר.

ונ"ל, כל דמותר לחזור לסתום התנור, היינו ביום, דכבר כל הקדירות מבושלות כל צרכן, אבל בלילה סמוך להטמנתו, דיש לספק שמא הקדירות עדיין אינן מבושלות כל צרכן - היינו אפילו אם אינו יודע שכן הוא, יש לו לחוש לזה מסתמא, **אסור לסתום התנור, דגורם בישול, כמו שנתבאר סימן רנ"ז סעיף ד'** - דע"י סתימת פיו, ואפילו בלא טיחה בטיט, מוסיף חום ומתבשל במהרה, ואסור אפילו אם התנור גרוף וקטום מן הגחלים.

ואפילו בדיעבד אסור התבשיל, כדין מבשל בשבת, והוא שלא הגיע עדיין למאכל בן דרוסאי, דבהגיע אין לאסור בזה בדיעבד, [**אבל** לכתחילה, הלא כתב הרמ"א פה בעצמו, דתלוי בנתבשלו כ"צ].

ואם התנור אינו גרוף וקטום מן הגחלים, אסור לישראל לסתמו אף אם הקדרות כבר מבושלות כ"צ מבעוד יום, דבלילה מסתמא עדיין לא נתאכלו הגחלים ולוחשות הן, ויש חשש כיבוי ע"י הסתימה.

ואפי' ע"י א"י אסור - הסתימה, ואפילו בלא מירוח בטיט, דהוא מקרב הבישול ממש ע"ז, **כמו שנתבאר לעיל ס"ס רנ"ג** - וכ"ש דאסור לומר למרח

הסתימה בטיט, דיש בזה משום מלאכת ממרח, ואסור אפילו היה סתום התנור מקודם.

ולענין דיעבד אם סתם הא"י התנור, אין לאסור התבשיל, דלא אהני מעשיו כ"כ, דבלא"ה היה מתבשל לבסוף.

כתבו האחרונים, דאפילו בקיץ שרגילין לצאת מבהכ"נ בעוד יום גדול, שעדיין לא חשכה ולא הגיע זמן בה"ש, ואין איסורו לישראל רק מדרבנן מפני שקיבל עליו שבת, אפ"ה יש ליזהר מלומר אז לא"י לסתום התנור, דיבוא לומר לו גם בחורף שיוצאים מבהכ"נ סמוך לחשיכה, ועד שיטול ידיו ויקדש ויאמר לא"י אודות התנור, יהיה לילה ממש.

(ושאר דיני חזרה בשבת ע"ל סי' סי"ח).

בו יבואר כל עקרי הענינים של שהיה והטמנה בקיצור, ממ"א ותו"ש ושארי אחרונים.

כללא דמילתא: בזמן הזה שאנו מניחים הקדרות בתוך התנור מגולות, ואין אנו עושין שום הטמנה סביב דופנותיהן, א"כ אין להן רק דין שהיה, ולא הטמנה בדבר המוסיף הבל, **ואף** אם העמידה על הגחלים, כיון שמגולה למעלה לא מקרי הטמנה, כמ"ש רמ"א סוף סימן רנ"ג ס"א בהג"ה, **ולפיכך** אם נתבשלו כמאכל בן דרוסאי מבעוד יום, היינו כחצי בישולו וי"א שליש בישול, מותר להשהותן אע"פ שאין התנור גרוף ולא קטום.

ובשר אם נותנו חי בקדירה סמוך לחשיכה ממש, דהיינו קודם שקיעת החמה, הרי זה ג"כ מותר, **אבל** צלי ומיני בצק ומיני קטניות ופשטיד"א, לא מהני חי, וצריך שיתבשל כמאב"ד קודם שבת, **אך** אם נותן בהם חתיכת בשר חי סמוך לחשיכה, אפילו הם בתחלת בישולם, ג"כ מותר, **ובתנור** טוח בטיט הכל שרי.

ואם יודע שיש בו גחלים לוחשות, אין לפותחו כי אם ע"י א"י ולא ע"י ישראל, דמבעיר האש ע"י פתיחתו והוי פסיק רישא, **ואם** הגחלים סביב הקדירה, לא יקח ישראל הקדירה כי אם א"י, **ואם** הקדרה עומדת על הגחלים, שרי ע"י ישראל אם א"א בענין אחר, אך שיזהר שיקחהו משם בנחת ולא ינענע הגחלים, **וה"ה** בליל שבת כשלוקח הקדירה מן התנור, ג"כ צריך ליזהר בכל זה,

וע"כ נזהרים סמוך לחשיכה כשמשהין הקדרה המבושלת לליל שבת בתנור, לנתקו קצת קודם השבת מן האש, כדי שיהיה אח"כ יכול להסירו משם בלי שום חשש.

ומותר להניח בשבת תבשיל חם שנתבשל כל צרכו סמוך לתנור על הלבזבז שלו, אפילו הוסק התנור ואינו גרוף וקטום, דסמיכה לא אסרו בזה, **ועיין** לעיל תחילת סימן רנ"ג וסופו, מחלוקת האחרונים אי שרי סמיכה בתחילה בשבת, **ועל** התנור נהגו העולם היתר אם לא הוסק עדיין, אבל אם הוסק ויש אש בתוכו, לא, **ואם** נתן לבנה או דבר אחר על התנור להפסק, ואח"כ נותן הקדרה עליה, שרי.

וכ"ז בתבשיל חם קצת, אבל בתבשיל קר לגמרי, אפילו קודם שהוסק אסור אפילו לסמוך, כי אם ע"י א"י קודם שהוסק, **ולאחר** שהוסק אפילו ע"י א"י אסור, דיש בזה חשש בישול, **ולצורך** חולה שאין בו סכנה, או לצורך קטן שאין לו מה לאכול, מותר לחמם ע"י א"י, אפילו בתוך התנור, **ודבר** שאין בו רוטב, אפילו קר כחם דמי, דבדבר יבש שנצטנן קי"ל דאין בישול אחר בישול.

ופירות חיין אף שנאכלים כך, וכן מיני משקין, דינם כתבשיל שיש בו רוטב ונצטנן לגמרי, דשייך בהם בישול.

וליתן דבר מה על הקדרה הקבוע בתנור, דינו כמו על התנור ובתוך הקאכלי"ן, **ולתת** לתוך המים שבקדרה ההיא קנקן עם משקין, פשיטא דאסור, **וישראל** אסור ליתן מים לתוך הקדרה ההיא בשבת, אפילו קודם שהוסק, **אך** אם נתנם הא"י קודם שהוסק, שרי ליהנות מהם, **גם** בע"ש סמוך לחשיכה אסור לישראל ליתן שם מים לתוך הקדירה ההיא כשהוסק אז, אא"כ שיוכלו להתחמם כחצי חומם מבע"י, **ובשעת** הדחק ששכח ליתן מקודם, וירא שמא תבקע הקדרה מהחום, אפשר שיש להקל, **אך** שיזהר ליתנן עכ"פ קודם שקיעת החמה, וכמו שכתבתי בסוף סימן רנ"ד ע"ש.

אסור לכרוך בשבת קדרה עם מאכל חם בכרים וכסתות, אם הוא תחלת הטמנה, אבל חזרה מותר, **וכ"ז** דוקא אם הוא באותה קדרה שנתבשל בה, אבל אם פינה לקדרה אחרת, מותר לכרוך הקדירה ההיא.

§ סימן רס – דיני הכנסת שבת §

סעיף א - מצוה לרחוץ - מפני כבוד השבת, **ומ"מ** אין זה חובה גמורה, והמקיימה מקבל עליה שכר, ושאינו מקיימה אינו נענש עליה.

הגה: כל גופו (טור) - היינו בחמין, (**ובפושרין** יש לעיין, אבל בצונן בודאי לא יצא בזה ידי המצוה, **אך** אם לאחר שנשתטף בצונן נתחמם היטב ע"י הבל הזיעה שהעלה על עצמו, אפשר הוא בכלל רחיצה בחמין).

(עיין בא"ר שמפקפק בדין הטור, ונ"ל דאם לא השיג בבית המרחץ מים חמין רק מועטין, מוטב שירחץ בהן פניו ידיו ורגליו, דהוא מבואר בגמרא בהדיא).

(ומשמע בגמרא, דאפילו מי שתורתו אומנותו יש לו לבטל כדי לקיים רחיצה בחמין, דמביא שם הגמרא מרבי יהודה בר אלעאי, **אך** שם בדידיה לא נזכר כי אם פניו ידיו ורגליו).

וגם על הנשים שייך מצות רחיצה, **ובימי** החורף שהימים קצרים ואין להם פנאי, יקיימו מצות הרחיצה בפניהם וידיהם, **ואף** לאנשים די בזה כשאין להם פנאי, ועיין בא"ר.

ומאד יש ליזהר שלא יבוא ע"י מצות הרחיצה לחשש חילול שבת, ובעו"ה הרבה נכשלין בזה בימי החורף כשהימים קצרים, שיושבין כמעט עד שחשיכה, **ואף** אם גמר את עצם הרחיצה בהיתר, ג"כ מזדמן איסור לידו, שפעמים הוא סורק את ראשו בסוף, שהיא מלאכה דאורייתא בשבת, **גם** מצוי שאחר גמר כל הפעולות סוחט האלונטית מהמים שנבלע בו, והוא בכלל מכבס, וכמו שיבואר לקמן בסימן ש"ב, **וראוי** לכל מי שנגע יראת השם בלבו, למנוע את העם מזה, וזכות הרבים יהיה תלוי בו, וגם כדי שלא יתפש ח"ו בעונם, וכידוע מאמר חז"ל: כל מי שיש לו למחות באנשי ביתו ואינו מוחה, נתפס בעון אנשי ביתו, וכל מי שיש לו למחות באנשי עירו ואינו מוחה, נתפס בעון אנשי עירו.

(ואם א"א לו, ירחץ) פניו ידיו ורגליו בחמין בע"ש - וכעת אין נוהגין ליזהר ברחיצת רגלים, ואפשר דדוקא במדינותיהם שהיו רגילין לילך יחף, ודרכו לרחוץ במים מפני האבק והעפר, משא"כ במדינותינו.

וה"ה בכל זה בעיו"ט, אבל ביום ה' לא הוי יקריה דשבת, אא"כ אי אפשר לו לרחוץ בע"ש, אז כל כמה דמקרב לשבת טפי מעלי, וכן לענין להסתפר.

ומצוה לחוף הראש – (בב"ח העתיק בחמין, ובאמת לא נזכר חמין בהפוסקים, ובכל מידי דמהני למיחף הראש סגי, ובזמן הגמרא היה דרכם ע"י איזו נתר וכדומה, וכדאיתא בשבת נ' ע"ב ברש"י ד"ה חופף עי"ש).

ולגלח הצפרנים בע"ש - וביום ה' מקפידין שלא ליטלן, מפני שהצפרנים מתחילין לחזור ולצמוח ביום ג' לגלוחן, ואם כן אין זה תיקון כבוד שבת, שחוזר לצאת.

יש שכתבו שאין לקוץ אלא בע"ש או בעיו"ט, ואין לקוץ צפרני הידים ורגלים ביום אחד, **והנכון** שיקוץ מן הרגלים ביום ה', ומן הידים ביום ו' - מ"א.

איתא בגמרא: השורף צפרנים חסיד, קוברן צדיק, זורקן רשע, שמא תעבור עליהן אשה מעוברת ותפיל, **ולכן** בבית המדרש דלא שכיחי נשי, או בית המרחץ שעשוי רק להרחצת אנשים, מותר לזרוק, **גם** איתא שם בגמרא, דאין בכחן להזיק רק בדוכתא דנפילי, אבל אי כניש להו בתר הכי ושדי להו לאבראי, לית לן בה, **וכתב** בפרישה, מכאן דאם חתך בביתו במקום דשכיחי נשי, ונפל מידו קצת צפרניו, יכבד אותו המקום ויזיזם ממקומם, ושוב לית לן בה, **והא"ר** כתב, דאפשר דדוקא כשהשליכן חוץ לחדר הוי שינוי מקום.

ויש ליטול הידים אחר גילוח הצפרנים, וכדלעיל בסי' ד'.

הגה: ואם היו שערות ראשו גדולות, מצוה לגלחן - בתער או במספרים, והטעם, כדי שלא יכנוס לשבת כשהוא מנוול.

יש מקומות שאין מגלחין ואין נוטלין צפורנים בר"ח, אפילו חל ביום עש"ק, כי כן צוה ר"י חסיד.

וכשנוטל צפרניו לא יטול אותן כסדרן, ויתחיל בשמאל בקמיצה; ובימין באצבע. וסימן לזה: דבהג"א בשמאלו; ובדאג"ה בימין - בתשב"ץ כתוב, שמהר"ם לא דקדק בזה, וכ"כ על האר"י, **מ"מ** יש ליזהר לכתחילה - מ"א.

סעיף ב - כשיהיה סמוך לחשיכה, ישאל לאנשי ביתו בלשון רכה - כי היכי דליקבלו מניה, ולעולם אל יטיל אדם אימה יתירה בתוך ביתו, שמתוך היראה הם מחללין שבת, ומאכילין לאדם דבר האסור לו, ובאין לידי כמה עבירות.

וסמוך לחשיכה היינו קודם בין השמשות בעוד ודאי יום, ושיהיה בו עוד שהות להוסיף מחול על הקודש, **דכל** הני אין יכול לעשותם אח"כ בשבת, לכך יזרז אודותם בע"ש, **והטעם** שמאחר מלישאל עד עתה, כדי שלא יפשעו ויאמרו עדיין יש שהות.

עשרתם? ערבתם? - ובמקומות שאין דרך להניח עירובי חצרות כי אם מע"פ לע"פ, [וכהיום נמנעו מזה, משום דדרך ליפול בו בקיץ תולעים], וגם עירובי תחומין אין דרכו להניח, אין צריך לומר זה.

הפרשתם חלה? - וכעת אין נוהגין לישאל זה, ועיין בתשו' כנסת יחזקאל שכתב טעם לזה, **אך** בע"פ בודאי צריך לישאל, ואם חל בשבת צריך לישאל בע"ש.

ויאמר להם: הדליקו את הנר - בפת"ח תחת הה"א, בלשון צווי, דאין שייך שאלה, דהא רואה שלא הודלק, **וה"ה** שיזהירם שיפסקו מלעשות מלאכה, **ואם** הוא אז בבית המדרש או במקום אחר, צריך לשלוח אחר שיזהירם לזה.

ובמקום שאין מעשרין, אין צריך לומר: עשרתם.

§ סימן רסא – זמן הדלקת הנרות לשבת §

סעיף א - ספק חשיכה, והוא בין השמשות - וה"ה אם נסתפק אם הגיע הזמן לבה"ש, (ולא הוי ס"ס, דספק חסרון ידיעה אינו נכנס כלל בגדר ספק, ואפילו לענין מעשר דהוא דרבנן, וכ"ש לענין הדלקה, משא"כ ביה"ש דהוא ספק לכל העולם, ועוד נ"ל דמש"ה לא הוי ספק, דהוא משם א', ספק יום ספק לילה).

(והיינו כדי שיעור הלוך ג' רביעי מיל אחר שקיעת החמה) - היינו אחר סוף שקיעה, דלדעת התוספות והשו"ע נמשך מתחילת השקיעה עד סופה יותר משלשה מילין, וכדלקמן בס"ב, ואח"כ מתחיל הזמן דבין השמשות, ועיין לקמן במ"ב בס"ב, **(ושיעור מיל הוא שליש שעה פחות חלק ל').**

אין מעשרים את הודאי - אפילו במעשר פירות דהוי דרבנן, דהו"ל כמתקן, **וה"ה** שאסור להפריש חלה אף בחו"ל.

וחמור חלת חו"ל יותר ממעשר, דלענין מעשר אם אין לו מה יאכל בשבת, תו הוי לצורך מצוה, וקי"ל דלא גזרו על שבות בה"ש לצורך מצוה, וכמו שפסק לקמיה, **ולענין** חלה יש להחמיר בכל גווני, שהרי חלת חו"ל יכול לאכול בלא הפרשת חלה, ולשייר מעט עד אחר שבת ולהפריש מן המשויר, **ולכן** כשחל שבת בע"פ, ולא הפריש חלה מהמצה בע"ש מבעוד יום, מותר להפריש אף בע"ש בין השמשות, דא"א לאכול ולשייר חתיכה מכל מצה, (שהיא טירחא גדולה – דרך אמונה), **וה"ה** אם לא הפריש חלה מבעו"י מהלחם חמץ שיאכל בבוקר בשבת.

ואין מטבילין את הכלים - המחבר העתיק לשון המשנה אף שאין נוהג עתה, דהמשנה איירי לענין להטביל כלים מטומאתן, **משום** דנ"מ מזה לדידן לענין טבילת כלים חדשים הנקחין מן הא"ז, לדעת האוסרים להטבילן בשבת כדלקמן בסימן שכ"ג ס"ז, דאסור נמי לדידהו להטבילן בין השמשות, **והטעם**, משום דנראה כמתקן את הכלי, דע"י הטבילה מותר להשתמש בה, **אך** אם הוא צריך לשבת ואין לו אחר, יכול להטביל בין השמשות ולברך כדין.

(**ועוד** אפשר לומר, דאיירי לענין כלים טמאים בלחוד, ואתא לאשמעינן בזה דכהיום ג"כ חל גזירת חכמים, דאסור להטביל כלים טמאים לטהרן, **אף** דהיום אין נראה כמתקן, שאין טומאה וטהרה נוהג עתה, ומה תיקון יש בהטבלה, ואפ"ה אסור משום "דבר שבמנין צריך מנין אחר להתירו").

ואין מדליקין את הנרות - בזה אסור אפילו לצורך מצוה, שיתבטל ע"ז מסעודת שבת וכה"ג, דספיקא דאורייתא הוא, **ואפילו** בדיעבד אם הדליק או שעשה שאר איזה מלאכה בין השמשות, אסור ליהנות ממנה, כמו אם היה עושה אותה בשבת גופא, דאסור אפילו אם עשה אותה בשוגג, וכמבואר בסימן שי"ח, (פמ"ג, **ולענין** תוספת שבת מצדד להקל, **אך** בדיעבד אם

עבר והדליק או שעשה שאר מלאכה אחר השקיעה, בזמן דאיכא דעות בין הפוסקים בעצם זמן בין השמשות, יש להקל בדיעבד ליהנות ממנה).

ואין מערבין עירובי תחומין - דבגמרא יש סמך לעירובי תחומין מקרא, וע"כ חמיר דאפילו לדבר מצוה אסור, כ"כ הער"ש, **ובלבוש** מיקל לדבר מצוה, **ושתי** דעות האלו נמצאים בספר מאירי, ע"ש שכותב, דלדעה המתרת יהיה איירי הגמרא דאוסר לערב, דוקא בדבר הרשות, ובמערב ברגליו, דבעלמא מותר אפילו לדבר הרשות, דבפת הא קי"ל דאפילו מבעוד יום אין מערבין אלא לדבר מצוה.

(וע"ל סי' תט"ו ס"ב) - ר"ל דמבואר שם דבדיעבד עירובו עירוב, וע"ש במ"א.

אבל מעשרין את הדמאי - דרוב עמי הארץ מעשרין הן, ולא מקרי תיקון.

וטומנין את החמין - בדבר שאינו מוסיף הבל, כמ"ש בתחלת סימן רנ"ז, עי"ש שמבואר כל פרטי הדין בטעמיהן.

ומערבין עירובי חצירות – (היינו אפי' לדבר הרשות, והטעם, דכל עירובי חצרות הוא בכלל מצוה, דמצוה לחזור אחר עירובי חצרות, ולא גזרו בביהש"מ, והכ"מ כתב, דמ"מ לא מקרי בשביל זה עירובי חצרות מצוה, אלא שהתירו מטעם שהוא טרוד ונחפז עליה).

ויכול ג"כ לברך, (ולא הוי כשאר דברים דקי"ל ספק ברכות להקל, והטעם צ"ל, דלענין עירובי חצרות דקיל, עשו הדבר כאלו הוא יום ודאי), **ועיין** בס"ד ובמה שכתבנו שם, **ומ"מ** לכתחלה יזהר שלא יאחר העירובי חצרות עד בין השמשות.

(וה"ה דיכול להניח אז עירובי תבשילין).

(**ואם** ספק לו על הזמן גופא אם הוא בין השמשות או שהוא כבר לילה, יזהר שלא לברך, ולענין עצם העירוב לכאורה יש להחמיר, דלא אמרינן בזה ספיקא דרבנן לקולא, ויש לעיין, ועיין לקמן במה שכתבנו בכללי שיעורי הזמנים, איך יש לנהוג למעשה).

(וע"ל סי' שפ"ג) - היינו דשיתופי מבואות יש לו דין עירובי חצירות, ועוד פרטי דינים ע"ש.

ולשאר דברים שאסור מדרבנן חוץ מאלו דקחשיב פה, דין בה"ש כמו שבת עצמה, **אם** לא שהוא לדבר מצוה או שאר דוחק, וכמבואר לקמן בסימן שמ"ב עי"ש.

ומותר לומר לא"י בין השמשות, להדליק נר לצורך שבת - דאמירה לא"י הוא בכלל שבות, ולא גזרו על שבות בין השמשות לצורך מצוה, וכדלקמן בסימן שמ"ב ע"ש.

המחבר אזיל לשיטתו, דסבירא ליה לקמן בסימן ש"ז ס"ה, דבשבת גופא אסור ע"י א"י במלאכה דאורייתא, אפי' אם הוא לצורך שבת, ועיין לקמן בסימן רע"ו ס"ב בהגה"ה.

וכן לומר לו לעשות כל מלאכה שהיא לצורך מצוה - אף שאיננה בשביל שבת, וכדלקמן בסימן שמ"ב עי"ש ובמ"ב.

או שהוא טרוד ונחפז עליה - כתב רש"ל: היינו כל דבר שאם לא יהיה נעשה הוא מצטער בשבת, שרי לעשות ע"י הא"י בין השמשות, **אבל** לבי נוקף להחמיר אם אין לו בהן שום צורך בשבת רק לצורך חול, **אך** אם הוא הפסד מרובה או לצורך גדול, שרי שבותין בבה"ש, ובפרט שבות דאמירה לא"י דלית ביה מעשה, **וע"כ** מותר לומר לא"י בין השמשות להדליק נר יא"צ, מאחר שהעולם נזהרין בו, חשבינן כלצורך גדול, עכ"ל בקיצור.

הגה: וכן מי שקבל עליו שבת שעה או ב' קודם חשיכה, יכול לומר לאינו יהודי להדליק הנר ושאר דברים שצריך (מהרי"ו) - אפילו שלא במקום מצוה, דכיון שעוד היום גדול, בודאי יש מקומות שעדיין לא קבלו עליהן שבת ועושין בעצמן מלאכה, די לנו במה שע"י הקבלה נשבות בעצמנו ממלאכה.

ודוקא שעה או ב', אבל חצי שעה סמוך לחשיכה, דאז אפשר דבכל מקומות ישראל קבלו עליהן השבת, חמירא טפי, ואסור אפי' לומר לא"י שיעשה מלאכה, **מיהו** לצורך מצוה שרי. **ואפילו** לפי מה שפוסק המחבר לקמן בס"ד, דאחר קבלת שבת אסור לעבור אפילו על שבות במקום מצוה, **מ"מ** לענין אמירה לא"י לא מחמרינן טפי מבהש"מ, (וגם אחר קבלת שבת מותר לצורך מצוה - מחה"ש).

ודע, דבענייננו איירינן שהצבור שבעירו קבלו עליהן השבת, וחל קדושת שבת בע"כ אפילו אם אחד לא

ירצה לקבל, וע"כ כתב "לומר לא"י" וכו', ומטעם הנ"ל, **אבל** ביחיד שקבל עליו השבת, מותר אפי' לומר לישראל חברו שיעשה לו מלאכה, וכדלקמן בסי' רס"ג סי"ז.

שעה או ב' קודם כו' – (לכאורה בשתי שעות קודם חשיכה, הלא הוא קודם פלג המנחה, ואין בקבלתו כלום, ואפילו בעצמו היה יכול להדליק, **ואולי** דמהרי"ו סובר כסברת הב"ח שנביא לקמן).

(וע"ל סי' שמ"ב).

סעיף ב - י"א שצריך להוסיף מחול על הקודש - בין בכניסתו ובין ביציאתו, ואין על הזמן הזה לא לאו ולא כרת, כי אם מצות עשה מן התורה, **וילפינן** מדכתיב ביוה"כ "ועניתם את נפשותיכם בתשעה לחודש בערב, מערב עד ערב תשבתו שבתכם", ואמרינן: יכול בט' מתענין, ת"ל "בערב", אי "בערב" יכול משתחשך, ת"ל "בתשעה", הא כיצד מתחיל ומתענה מבעוד יום כדי להוסיף מחול על הקודש, וגם ביציאתו מוסיף מדכתיב "מערב עד ערב", **ומדכתיב** "תשבתו שבתכם", ילפינן דכל מקום שנאמר "שבות" כמו שבת ויו"ט, גם כן צריך להוסיף ולשבות ממלאכה, (**וי"א דהוא מדרבנן**).

וזמן תוספת הוא ע"כ קודם בין השמשות, דבבה"ש הוא ספק שמא הוא לילה וחייב עליה אשם תלוי, ולא צריך קרא לאוסופי.

וזמן תוספת זה הוא מתחילת השקיעה, שאין השמש נראית על הארץ, עד זמן בין השמשות; והזמן הזה שהוא ג' מילין ורביע, רצה לעשותו כולו תוספת, עושה; רצה לעשות ממנו מקצת, עושה - היינו ע"י דיבור שהוא מקבלו עליו לשם תוספת שבת, או ע"י אמירת "ברכו", וכדלקמן בס"ד, **ואם** מהני לזה קבלה בלבב, ע"ל בסי' תר"ח ס"ג בהג"ה ובמ"ב שם, **וע"ל** ברס"ג ס"י בהג"ה, דמנהגנו שהאשה המדלקת נרות לשבת היא מקבלת שבת בהדלקה זו.

ובלבד שיוסיף איזה זמן שיהיה וודאי יום מחול על הקודש - ולא סגי בהוספה כל שהוא, אלא שצריך קצת יותר, (ונראה דעכ"פ הוא פחות מכדי ג' רבעי מיל), **ושיעור** התוספת עם בין השמשות ביחד, עולה כמעט חצי שעה.

ושיעור זמן בין השמשות הוא ג' רביעי מיל - והוא לערך רבע שעה, [ולדעת הגר"א הוא מעט יותר], ‹דמיל לדידיה הוא 22.5 דקות›, **שהם מהלך אלף ות"ק אמות קודם הלילה.**

הוא דעת ר"ת וסייעתו, דס"ל דשתי שקיעות הן, מתחלה נכסית החמה מעינינו ושוקעת, והוא הנקרא תחלת השקיעה, ושוהה כדי ג' מילין ורביע מיל ועדיין יום הוא, **ומאז** והלאה מתחיל השקיעה שניה, שאז מתחיל להשקע האור לגמרי, והוא נקרא סוף השקיעה, ונמשך זמנה כדי שיעור מהלך ג' רבעי מיל, שהוא אלף ות"ק אמות, והוא בה"ש, ואח"כ יוצאין ג' כוכבים בינונים שהם סימן ללילה, **ונמצא** שלדעתו מתחלת השקיעה עד צאת הכוכבים היא ארבעת מילין, [**ויש** עוד זמן מועט לר' יוסי עד צאת הג' כוכבים, דהא לדידיה אחר השלמת הג' רבעי מיל עדיין ביה"ש הוא, אלא מפני שהוא זמן משהו לא חש השו"ע לכתבו], **ועיין** מה שכתבנו בסמוך, דהרבה פוסקים חולקין ע"ז, וס"ל דמיד שנתכסה החמה מעינינו הוא בה"ש, שהוא ספק יום ספק לילה.

לילה נקרא מן התורה לכל דבר, משיראו ג' כוכבים בינונים, (ומפני שאין אנו בקיאין בין גדולים לבינונים, ע"כ צריך לפרוש ממלאכה אפילו לדעת ר"ת, ג' רבעי מיל קודם שיתראו שום כוכבים, **ודע**, לפי מה שידוע שנשתנה השעור דד' מילין לפי האופק והזמן, ובמדינותינו רגילות להראות הכוכבים קודם השלמת השעור דד' מילין, לא יוכל לעשות מלאכה בע"ש עד השלמת הזמן המבואר בשו"ע אפילו לדעת ר"ת, כי כבר חשך היום באותו הזמן והוא לילה, או עכ"פ ספק לילה, אלא יפרוש עכ"פ חצי שעה קודם הזמן שרגילות להתראות הכוכבים באותו מקום).

והנה השו"ע הזכיר בסעיף זה דעת ר"ת וסייעתו, אבל הרבה מהראשונים ס"ל, וגם הגר"א הסכים לשיטתם, דבה"ש מתחיל תיכף אחר תחלת השקיעה, היינו משעה שהחמה נתכסה מעינינו, ונמשך זמנו כדי ג' רבעי מיל, ואח"כ בסמוך לו יוצאין הג' כוכבים בינונים, והוא לילה מן התורה לכל דבר, (**והטעם** לכל זה, דהנה בפסחים צ"ד איתא, דמשקיעת החמה עד צה"כ שיעור ד' מילין, ובשבת ל"ד ל"ה איתא, דמשקיעת החמה מתחיל בה"ש, ואמר שם דמשך בה"ש תלתא רבעי מיל ואח"כ

הוי לילה, ואמרינן שם דג' כוכבים בינונים הוי לילה, א"כ קשה אהדדי, וע"כ תירץ ר"ת וסיעתו לחלק, דההיא דפסחים הוא התחלת השקיעה, משקיעת גוף השמש כשנכסה מעינינו, ומאז עד צה"כ ד' מילין, **ומשתשקע** החמה שבשבת, שם הוא סוף השקיעה, שהוא כשנשקע גם אור השמש מרוב הרקיע, לבד לצד המערבי, ומאז מתחיל בה"ש, שהיא ג' רבעי מיל קודם צה"כ, **ומהתחלת** השקיעה שהוא שקיעת גוף השמש עד סוף השקיעה הנ"ל, הוא יום, והוא משך ג' מילין ורביע, ואז הוא זמן תוספת שבת, וכמ"ש כאן בשו"ע, ובין כולם המה ד' מילין, ועד ד' מילין מהתחלת השקיעה לא הוי לילה ודאי, זהו שיטת ר"ת וסיעתו, **אבל** הגר"א ז"ל חולק על שיטה זו, והאריך בכמה ראיות דשקיעת החמה שבשבת לענין בה"ש, הוא ג"כ התחלת השקיעה, כמו שקיעת החמה שבפסחים, ומיד אחר שקיעת גוף השמש מתחיל בה"ש, ומשך זמן בה"ש הוא ג' רבעי מיל, **וקושיא** הנ"ל תירץ לחלק בין צה"כ דשבת לצה"כ דפסחים, דצה"כ דשבת הוא זמן של לילה שהוא ג' כוכבים בינונים, וצה"כ דפסחים הוא צאת כל הכוכבים הנראים בלילה, שהוא זמן מאוחר הרבה, והוי ד' מילין אחר התחלת השקיעה, **ואע"ג** שנראה לעינים שמשך בה"ש שהוא עד צאת הכוכבים הוא הרבה יותר מג' רבעי מיל, הוא כמו שכתב הגר"א בבאורו, ששעור הגמרא נאמר רק על אופק בבל או א"י, ובמדינותינו שנוטה יותר לצפון, מתארך יותר, **ולכן** לענין סוף בה"ש אין לנו משך זמן מסוים מן הגמרא על אופק שלנו, ורק תלוי לפי הראות מתי הוא ג' כוכבים בינונים, אבל לא גדולים, ולפי שאין אנו בקיאין איזהו בינונים, צריך להמתין ‹מו"ש› עד קטנים, כמ"ש סי' רצ"ג).

ולפי"ז יש ליזהר מאד שלא לעשות מלאכה אחר שהחמה נתכסה מעינינו, ואפילו מלאכת מצוה כגון הדלקת הנרות לסעודת שבת, ג"כ יזהר מאד לגמור הדלקתם קודם שתשקע החמה, דלאח"כ הוא בכלל בה"ש, (וח"ו להקל בזה, דהוא ספק איסור סקילה לדעת כל הני רבוותא, **ובפרט** בימינו שאין העולם בקיאין בזמן בה"ש, ובאופן זה לכו"ע יש להחמיר לפרוש ממלאכה מתחלת השקיעה, כדאיתא בס"ג, **ולאו** דוקא לענין שבת, דה"ה לכל דבר שיש בתורה שנ"מ בין יום ובין לילה, אזלינן להחמיר דתיכף בהתחלת השקיעה מתחיל בה"ש).

(**ודע**, דבספר יראים לרבינו אליעזר ממיץ, החמיר עוד יותר לענין התחלת בה"ש, וס"ל דבה"ש מתחיל ג' רבעי מיל קודם התחלת השקיעה, והובאו דבריו באגודה ובמרדכי, **ועיין** בב"ח שהאריך בזה, **ודעתו שיש ליזהר לכתחלה לנהוג כשיטת היראים, והביא שכן היה מנהג הקהלות מאז, ועיין במ"א שהביא ג"כ את דברי הב"ח**, ‹וכן ראיתי זקנים ואנשי מעשה שפירשו ממלאכה ב' שעות קודם שבת, עכ"ל. **ונסתפקתי** בטעם שיעור ב' שעות, דבגמרא פסחים איכא פלוגתא בשיעור מתחלת השקיעה עד צה"כ, דאיכא דס"ל דהוי מהלך ד' מיל, ואיכא דס"ל דהוי מהלך ה' מיל. ובפוסקים איכא מחלוקת בשיעור מיל, די"א דשיעור מיל הוא ח"י מינוטי"ן, או ששיעור מיל הוא כ"ד מינוטי"ן, **וא"כ** י"ל דהני אנשי מעשה ס"ל כמ"ד דמתחלת השקיעה עד צה"כ הוא שיעור ה' מיל, וס"ל כמ"ד דשיעור מיל הוא ח"י מינוטי"ן, וא"כ ה' מיל עולה שעה ומחצה, {וזהו צה"כ, צ' מינוט אחר השקיעה}, וג' רביעי מיל לפני ה' מיל, {היינו לפני שקיעה}, הוא בהש"מ, עולה קרוב לרביעית שעה, וקצת קודם בהש"מ צריך להוסיף מחול על הקודש, ועולה יחד קרוב לב' שעות, לכן פירשו ב' שעות קודם צה"כ. **או** משום דס"ל כמ"ד מתחלת השקיעה עד צה"כ הוא ד' מיל, אלא דס"ל כמ"ד דשיעור מיל הוא כ"ד מינוטין, א"כ ד' מיל עולה שעה ומחצה ועוד שש מינוטין, {וזהו צה"כ, צ"ו מינוט אחר השקיעה}, וג' רביעי מיל לפניו, {היינו לפני השקיעה}, הוא בהש"מ, והוא לפי זה ח"י מינוטין, עולה יחד שעה ומחצה וכ"ד מינוטי"ן, וחסר משני שעות ו' מינוטי"ן, ולכן פירשו שני שעות לפני צה"כ מפני תוספת שבת – מחה"ש›, **ומשמע מיניה שלחומרא חשש לדברי הב"ח, אכן הגר"א דחה שיטת הרא"ם הנ"ל, ומ"מ לכתחלה בודאי טוב לחוש לדברי הרא"ם, ולהקדים מעט יותר בהדלקת הנרות כדי לצאת גם שיטתו).**

ולכתחלה אין להמתין עד הרגע האחרון, רק יקדים הדלקתם משעה שהשמש בראשי האילנות כדלקמן, **ומי** שמחמיר על עצמו ופורש עצמו ממלאכה חצי שעה, או עכ"פ שליש שעה קודם שקיעה, אשרי לו, דהוא יוצא בזה ידי שיטת כל הראשונים, [**היינו** אפי' לשיטת הרא"ם, ואפי' אם נסבור דמיל הוא כ"ד מינוט, ויוצא בזה מדינא גם התוספות שבת להרבה אחרונים].

(**עיין בפמ"ג**, דהד' מילין הם שעות שוות ולא זמניות, א"כ לפי"ז אפילו בתקופת תמוז ג"כ השעור הזה, **אמנם** בספר מנחת כהן דעתו להלכה, דאפי' לשיטת ר"ת הארבעה מילין הם זמניות, ובימי הקיץ מאריך יותר, ולא

נאמרו דברי הגמרא רק בזמן ניסן ותשרי שהימים והלילות שוין, משא"כ בשאר ימים משתנה הענין לפי הזמן, **אך** למעשה מסיק שם, שאין לסמוך על סברא זו רק להחמיר, וכגון במוצ"ש, ולא להקל, וכן הוא גם דעת הגר"א, וכן כתב הגר"א עוד, דשיעורי הגמרא לא נאמר רק באופק בבל, אבל במדינותינו שנוטין לצד צפון, הבה"ש מאריך תמיד יותר, וכ"כ ספר מנחת כהן).

ולענין מו"ש, עיין בבה"ל שבארנו בשם הפוסקים, דלכו"ע השעור דג' רבעי מיל משתנה לפי הזמן והמקום, ולא נאמר זה בגמ' אלא באופק בבל, ובזמן ניסן ותשרי שהימים והלילות שוים, ובמקומותינו שנוטה לצד צפון העולם, מתארך הרבה יותר, (ומי הוא בזמנינו שיוכל לכוין הזמן בצמצום), **ע"כ** יש ליזהר מאד שלא לעשות מלאכה במוצ"ש, אף שנתאחר זמן רב אחר השקיעה, (עד שיראו הג' כוכבים בינונים, שזהו הסימן המובהק ללילה הנאמר בגמ' בכמה מקומות, וקודם לכן לא הוי לילה ודאי, וסימן זה שייך בכל מקום ובכל זמן, אך מפני שאין אנו בקיאין בבינונים צריך קטנים), וכדלקמן בסי' רצ"ג ס"ב.

(**ולדעת** ר"ת, צריך להמתין במוצ"ש מלעשות מלאכה עד זמן ד' מילין, שהוא עכ"פ שיעור שעה וחומש מעת התחלת השקיעה, שלדעתו אז זמן יציאת ג' כוכבים בינונים, ונכון לכתחלה לצאת דעת ר"ת וכל הני רבוותא המחזיקים בשיטתו, שלא לעשות מלאכה במוצ"ש עד שיושלם השעור דד' מילין).

(**ולענין** שעות זמניות בימים הארוכים, נראה דאם רואה שהכסיף העליון ושוה לתחתון, דהיינו שנשקע האודם מן כל כפת הרקיע בצד המערבי, ויש ג"כ ג' כוכבים, א"צ להחמיר להמתין על שעות זמניות בימים הארוכים, אפילו לדעת ר"ת, **דהא** אלו שני הסימנים ג"כ נאמר בגמרא על זמן הלילה, ואיתא ג"כ שם בגמ' דאביי הוי מסתכל על סימנא דהכסיף, ע"ש בגמרא, ומשמע דבסימן זה לבד היה מסתפק, ונהי דאין אנו בקיאין כ"כ כמותם, עכ"פ בהצטרף ג"כ סימן הכוכבים, בודאי שוב אין לנו להחמיר יותר, ומוטב לנו לומר שאין אנו בקיאין בחשבון האופקים שמשתנה החמה בתהלוכותיה לפי המקום והזמן, וע"כ אין אנו יודעין היטב חשבון הד' מילין, שהוא רק סימן אחד, ויש לנו במה לתלות, משנאמר שאנו טועין באלו השני סימנים).

הגה: ואם רוצה להקדים ולקבל עליו השבת מפלג המנחה ואילך, הרשות בידו - ונאסר בעשיית מלאכה, (**וע"ל סי' רס"ז**) - אבל אם קיבל עליו השבת קודם פלג המנחה, אין בקבלתו כלום, **ופלג** המנחה נקרא שעה ורביע קודם הערב, וע"ל בסי' רל"ג דהוא שעות זמניות, דהיינו בין שהיום ארוך או קצר מתחלק לי"ב חלקים, וחלק ורביע קודם הערב הוא פלג המנחה.

גם כתבנו שם דיש דעות בין הפוסקים, אם שעה ורביע הזו הוא קודם השקיעה, או קודם צאת הכוכבים, (**ולצד** זה אין בין דברי הרמ"א להקודם, רק חלק עשרים מן השעה, דארבעה מילין הם שעה וחומש, ומפלג המנחה עד הלילה הוא שעה ורביע, וידוע דרביע יתר הוא על חמישית רק בחלק עשרים), **ע"כ** לעניננו בדיעבד אם קבל על עצמו לשם תוספת שבת עד שעה ורביע שקודם השקיעה, יש להחמיר שלא לעשות מלאכה.

(**עיין** בפמ"ג שכתב, דמי שמקבל שבת בתוך הד' מילין, הוא דאורייתא, ובעשה דתוספת שבת, ומן הזמן הזה עד פלג המנחה, הוא רק מדרבנן).

סעיף ג - מי שאינו בקי בשיעור זה, ידליק בעוד שהשמש בראש האילנות - או בראשי הגגות הגבוהים. (**הוא** תלמוד ערוך בשבת ל"ה ע"ב, ולפי"ז בזמננו דבודאי לא קים לן ג"כ בשעורא דרבנן, ובפרט בשבת דהוא מסור לכל, בודאי החיוב ע"פ הדין לכו"ע להדליק קודם השקיעה, אח"כ מצאתי זה בשו"ע של הגר"ז שהזהיר מאד על הדבר).

ואם הוא יום המעונן, ידליק כשהתרנגולין יושבים על הקורה מבעוד יום; ואם הוא בשדה שאין שם תרנגולין, ידליק כשהעורבים יושבים מבעוד יום - וה"ה כשיש לו מורה שעות שהולך בטוב, ויודע עי"ז אימתי הוא זמן השקיעה, יכול לסמוך עליו.

(**וכתב** שם עוד הגר"ז, דאם יהיה איזה אונס ח"ו שלא תוכל למהר להדליק עד שקיעת החמה, אזי תצוה לא"י להדליק נרות של שבת, והיא תברך עליהן הברכה, ותבא עליה ברכת טוב ותקבל שכר על הפרישה, עכ"ל, וע"ל בסי' רס"ג, במש"כ במשנה ברורה בשם האחרונים, שדעתם דאין לאשה לברך בזמן שהא"י מדליק).

סעיף ד - אחר עניית ברכו, אע"פ שעדיין יום הוא - ר"ל אפי' הוא זמן הרבה קודם ביה"ש, כל שהוא אחר פלג המנחה, **אין מערבין** - אפילו לדבר מצוה, **ואין טומנין, משום דהא קבלו לשבת עליהן** - משום דהוא התחלת תפלת ערבית של שבת, לכך הכל פורשין אז ממלאכה, וכדלקמן בסי' רס"ג ס"י, דהוא כמי שקבל עליו קדושת שבת בפירוש, **ואסור** אז בכל הסייגים והגדרים שגדרו חז"ל לשבת, כגון לכנוס למרחץ להזיע בעלמא, וכ"ש ברחיצה בחמין, וכה"ג בכל השבותין, **ובא** המחבר להשמיענו, דאפילו אותן דברים שהתירו בביה"ש, כגון עירובי חצרות והטמנה, דהוא בודאי לצורך שבת, וה"ה כל שבות שהוא לצורך מצוה, אפ"ה אסור כאן, **והטעם**, דכיון דקבל עליו שבת בפירוש, אף שהוא זמן הרבה קודם ביה"ש, חמור מביה"ש בלי קבלה.

ולפי"ז לא יצוייר ההיתירא דבין השמשות הנ"ל לענין עירובי חצרות והטמנה וכה"ג, רק אם הוא במקום שאין שם צבור, דאל"ה בודאי רוב הצבור קבלו כבר שבת בבין השמשות, והמיעוט נמשכין אחריהן בע"כ.

(**ועיין בט"ז**, דפוסק דמותר לערב אפילו אחר שקבל עליו שבת, וכן בדה"ח מצדד לפסוק, דכל שבות לצורך מצוה מותר אפילו אחר שקיבלו הצבור שבת, ואפילו בחצי שעה שקודם חשיכה, והטעם, דלא חמיר הזמן הזה מבין השמשות, ובודאי לא היה דעת הצבור לקבל על עצמם התוספת שיהא חמיר מבה"ש עצמו, ועיין בבאור הגר"א, ומשמע מדבריו דהוא מצדד יותר לדעת האוסרין, והביא דגם דעת הרמ"א כן בסימן רנ"ג ס"ב בהג"ה, ומ"מ נראה לענ"ד, דבהצטרף עוד איזה ספק יש להורות להקל בענין זה, כגון שהוא שתי שעות קודם חשכה, דלכמה פוסקים הוא קודם פלג המנחה ואין בקבלתו כלום).

ועיין בביאור הלכה בשם הרבה אחרונים שכתבו, דדוקא ע"י "ברכו" שהוא קבלת שבת של ציבור, **אבל** אם יחיד קבל עליו שבת מבעוד יום, לא חמיר מבין השמשות, וכן משמע ממ"א.

ולדידן הוי אמירת "מזמור שיר ליום השבת" כעניית "ברכו" לדידהו - דמסתמא כיון שמזכיר שבת הוי כקבלה, **וכתב** המ"א, ועתה נוהגין לומר "מזמור שיר" וגו', ואפ"ה עושין כל המלאכות עד "ברכו", והיינו כשהזמן הוא קודם בין השמשות, והטעם, משום דמעיקרא הכי קבלו עלייהו, ואין מתכוונים בזה לקבלה, **וכ"ז** בזמן המג"א, אבל במקומותינו המנהג כהיום, מיד שאומרים "מזמור שיר" מקבלין הצבור שבת עלייהו, ואסור בכל המלאכות אפילו עדיין היום גדול.

וכתב בס' דרך חכמה, דה"ה במקומות שנוהגין לומר "לכה דודי", ומסיימין "בואי כלה", הוי קבלת שבת ממש.

§ סימן רסב – לקדש השבת בשלחן ערוך ובכסות נקיה §

סעיף א - יסדר שולחנו - מע"ש ללילי שבת, (היינו בחדר שהוא אוכל שם, בודאי צריך לכסות כל השלחנות שיש שם, ואפילו ביתר החדרים, ג"כ אפשר דראוי לעשות כן). **ויציע המטות** - שיושבין עליהן, וטוב שתהיה מוצעת גם המטה שישן עליה. **ויתקן כל ענייני הבית, כדי שימצאנו ערוך ומסודר בבואו מבהכ"נ** - שזהו כבוד שבת, ואמרו חז"ל: שני מלאכי השרת מלוין לו לאדם בע"ש מבהכ"נ לביתו, אחד טוב ואחד רע, כשבא לביתו ומצא נר דלוק ושלחן ערוך ומטה מוצעת, מלאך טוב אומר: יהי רצון שיהא כן לשבת הבא, ומלאך רע עונה אמן בע"כ, ואם לאו הוא להיפך ח"ו.

טוב לפנות קורי עכביש מהבית מבעוד יום, לנקות את הבית לכבוד שבת, **וטוב** ליזהר בסעודת הלילה שלא לזרוק דבר בבית חוץ לשלחן, אם אין דרכו לכבד את הבית בדבר המותר אחר סעודה זו, כדי שלא ינוול את הבית, **וכן** בסעודת שחרית אם אינו מכבדו אח"כ.

הגה: ויהיה שלחנו ערוך כל יום השבת - עד לאחר הבדלה, **וכן המנהג, ואין לשנות** - יש נוהגין להיות ב' מפות על השלחן, מלבד העליונה שעל הלחם, משום שכשמנערין המפה נמצא השלחן מגולה.

סעיף ב - ישתדל שיהיה לו בגדים נאים לשבת - כפי יכלתו, דכתיב: וכבדתו, ודרשו חז"ל: שלא יהא מלבושיך של שבת כמלבושיך של חול, **וטוב** שלא ילבש בשבת מכל מה שלבש בחול, אפילו חלוק, **ואם** אפשר לו, טוב שיהיה לו גם טלית אחר לשבת.

סימן רסב – לקדש השבת בשלחן ערוך ובכסות נקיה

ואפילו אם הוא בדרך לבדו, ובבית אינו יהודי, ג"כ ילבוש בגדי שבת, כי אין המלבושים לכבוד הרואים, כי אם לכבוד השבת.

(ולבישת בגד לבן בשבת, אם מחזי כיוהרא לא יעשה, ובא"ר הביא ראיה מהגמרא, דרבנן לבשו גלימי אוכמי בשבת, ובביתו רשאי אדם לעשות מה שירצה, לא בפני רבים).

כתב בספר חסידים: אל יקח אדם ילד בשבת עד שישים תחלה כר בחיקו, כדי שלא יטנף בגדיו.

ואם א"א לו, לפחות ישלשל בגדיו למטה דרך כבוד, (פי' ישלשלם כלפי מטה שיהיו ארוכים כמדת העשירים היושבים בביתם, רש"י) - היינו שאינם צריכים לסלק בגדיהם מן הארץ בשביל מלאכה.

סעיף ג - ילבש בגדיו הנאים - וילך בהם עד מו"ש אחר הבדלה, **וישמח בביאת שבת כיוצא לקראת המלך, וכיוצא לקראת חתן וכלה** - וכל המרבה לכבדו הן בגופו הן בבגדיו הן באכילה ושתיה, הרי זה משובח.

בזוהר ומקובלים הזהירו מאד שלא יהיה שום מחלוקת בשבת ח"ו, ובפרט בין איש לאשתו, וכן מוכח בגיטין, גבי הנהו בי תרי דהוו מינצו בהדי הדדי, עי"ש.

דרבי חנינא מעטף וקאי בפניא דמעלי שבתא, ואמר: בואו ונצא לקראת שבת מלכתא; ר' ינאי אומר: בואי כלה, בואי כלה.

בקצת מקומות נוהגין לצאת מבהכ"נ לעזרה, ואומרים: בואו ונצא וכו', **ואנו** נוהגין שמהפכין פניהם לצד מערב כשאומרים: בואי בשלום וכו', **ונוהגין** לעמוד אז ולעשות דוגמא כמו שמקבל פני אדם גדול.

נהגו שלא לקבל את השבת ביוה"כ שחל בשבת, רק שאומרים "מזמור שיר ליום השבת" קודם "ברכו", **ואפילו** הנוהגין בשאר יו"ט כשחל בשבת לומר עוד איזה מזמורים בשביל שבת.

הגה: וילבש עצמו בבגדי שבת מיד אחר שרחץ עצמו, וזהו כבוד השבת, וע"כ לא ירחץ לשבת אלא סמוך לערב, שילבש עצמו מיד - היינו כשהוא רוחץ עצמו מעט בביתו, וכמו שמובא בגמרא לענין ר' יהודא בר' אלעאי, **אבל** כשהוא הולך לבית המרחץ, בודאי מהנכון להקדים עצמו כדי שלא יבוא לחילול שבת, ובפרט בימי החורף כשהימים קצרים.

וגם הנשים נוהגות קודם הדלקת הנרות לרחוץ את עצמן וללבוש בגדי שבת, ואשרי להם, **אמנם** בימים הקצרים שמתאחרים לישב בחנות, ואח"כ רוחצות ולובשות, ובין כך יבואו ח"ו לספק חילול שבת, **לכן** טוב להזהיר להם שיקדימו לבוא לרחוץ וללבוש, וכשמתאחרת, מצוה יותר שתדליק כך במלבושי חול, מלבוא ח"ו לספק חילול שבת, **ואם** הבעל רואה שמתאחרת, מצוה גדולה שהוא ידליק הנרות, ולא ישגיח בקטטת אשתו, **ומצוה** גדולה יותר לישב בחשך מלחלל שבת ח"ו.

§ סימן רסג – מי ומי המדליקין, ואם טעו ביום המעונן §

סעיף א - יהא זהיר לעשות נר יפה - הנה עיקר הדלקת הנר הוא חובה משום מצות עונג שבת, ומחמת הידור מצוה יראה לעשותו יפה.

ואיתא בש"ס, דזוכה עבור זה לבנים תלמידי חכמים, דכתיב: כי נר מצוה ותורה אור, ע"י נר מצוה דשבת בא אור דתורה, **ולכך** ראוי שתתפלל האשה אחר שתגמור ההדלקה והברכה, שיתן לה הקב"ה בנים זכרים מאירים בתורה.

והדלקת הנר צריך להיות בכל החדרים שהולך שם בשבת, עכ"פ נר אחד, אף שאינו אוכל שם, כדי שלא יכשל בעץ או באבן, **מיהו** הברכה תברך על הנר שבמקום אכילה.

ויש מכוונים לעשות ב' פתילות, אחד כנגד "זכור" ואחד כנגד "שמור" - היינו כשהוא דולק שמן בנר, **ואם** הדלקתו הוא בנרות, עושה שני נרות, **ואם** מעותיו מצומצמין, נראה שטוב יותר שיקנה אחד יפה, ולא שנים גרועין.

ויש שמכוונין לעשות נר של שעוה משני נרות קלועים ביחד, זכר למה שאמרו חז"ל: ד"זכור" ו"שמור" בדבור אחד נאמרו, ומנהג הגון הוא, **אבל** אותן האנשים

שמדבקין אותן בשעת הדלקה סמוכין זה לזה, שלא כדין עושין, כי לבסוף מתחממות זו מזו ונוטף השעוה ע"ז, וגם נכפלות ונופלות.

ומותר להדליק מנר לנר, בין אם מדליק שנים או יותר, ואין בזה משום בזוי מצוה, דכולן של מצוה הם, (**והא"ר** כתב בשם פענח רזא, שטוב שיהיה נר מיוחד להדליק בו תמיד כל הנרות של שבת), **אבל** אסור להדליק קיסם או נר של חול מנר של שבת, משום בזוי מצוה, **ונהגו** להחמיר בזה אפילו אם כונתו כדי להדליק בו נר אחר של שבת.

(**ויש** לעיין, היאך מותר מדינא להדליק מנר לנר בנר של שבת, בשלמא בנר חנוכה, אף דעיקר מצוה הוא נר אחד, והשאר הוא רק למהדרין, מ"מ כיון דההידור הזה הוא נזכר בגמרא, תו הוי נר של מצוה, ומותר מדינא, רק דנהגו להחמיר מחמת זה כדאיתא שם בהג"ה, **אבל** בשבת לא נזכר כלל בגמרא שתי נרות, כי אם דעצם ההדלקה הוא חובה, ואנו עושין בעצמנו לרמז בעלמא, ובפרט אם מדליק יותר משתים, מנ"ל דמותר להדליק מנר לנר, אפשר דזה הוי כמו אם רוצה להדליק נר של חול בחנוכה, היינו יותר מחשבון הקצוב, דבודאי אסור מדינא, **ואולי** משום דלכל מה דמיתוסף אור, יש בו יותר שלום בית ושמחה יתירה, הכל הוא בכלל עונג שבת, ומקרי נר של מצוה, ועדיף זה מנר חנוכה דמחמירין בו, משום דהשאר אינם רק להידור).

אסור להדליק נרות של שבת משעוה הבאה מבית תפלתם של אינם יהודים, אפילו באופן שמותר להדיוט, כגון שבטלו הא"י, אפ"ה אסור למצוה משום דמאיס, **ועיין** בפמ"ג שכתב, דאם אין לו נר אחר כי אם זה, דשרי, ומ"מ לא יברך על זה, **ועיין** לעיל סימן קנ"ד סי"א ובמש"כ שם.

הגה: ויכולין להוסיף ולהדליק ג' או ד' נרות, וכן נהגו - ויש נוהגין להדליק ז' נרות כנגד ז' ימי השבוע, ויש עשרה כנגד עשרת הדברות, **ואין** צריכין להיות כולן על השלחן.

ואשה ששכחה פעם אחת להדליק, מדלקת כל ימיה ג' נרות - מיירי בשהיתה רגילה בשנים, ואם היתה רגילה מתחלה בשלשה, צריכה להדליק כל ימיה ד', **ואם** שכחה כמה פעמים, צריכה להוסיף בכל פעם עוד נר אחד יותר, והכל משום קנס, כדי שתהא זהירה בכבוד שבת, **וע"כ** אם נאנסה ולא הדליקה, כגון שהיתה בבית האסורים וכיוצא בזה, א"צ להוסיף.

כתב הא"ר, דבאשה עניה יש להקל בששכחה, שתוסיף כל ימיה מעט שמן בנר, **ואם** היא מדלקת נרות, תדליק תמיד נר אחד מעט יותר ארוך מבתחלה.

(**ואם** לא שכחה לגמרי, רק שחסרה נר אחד ממה שהיתה רגילה מתחלה, א"צ להוסיף, דכ"ז הוא רק מנהג, והבו דלא לוסיף עלה).

כי יכולין להוסיף על דבר המכוון - ר"ל ששתי נרות הוא מכוון כנגד "זכור" ו"שמור" וכנ"ל, **נגד דבר אחר, ובלבד שלא יפחות.**

סעיף ב - אחד האנשים ואחד הנשים חייבים להיות בבתיהם נר דלוק בשבת; אפי' אין לו מה יאכל, שואל על הפתחים - (וה"ה צריך למכור כסותו), **ולוקח שמן ומדליק את הנר, שזה בכלל עונג שבת הוא** - אין הכונה דאין לו כלל מה יאכל, דבזה מוטב שיחזור על הפתחים כדי לקנות לחם לשבת, דיקיים בזה מצות קידוש, וגם עיקר סעודת שבת, **אלא** הכונה שאין לו לאכול משל עצמו, שהוא מתפרנס מקופת הצדקה, אפ"ה צריך להשתדל להשיג ג"כ נר לשבת, דהוא עיקר עונג סעודת שבת.

ומי שיש לו מעות מצומצמין, מצות לחם לסעודת שבת קודם לכל, (**עיין** בפמ"ג, דלחם כדי שביעה בעינן, ולא בכזית, ור"ל אם הוא רעב, דאל"ה בודאי יוצא בשעור קטן, וכדאמרינן בגמרא: לעולם יסדר אדם שלחנו בע"ש אע"פ שאינו צריך אלא לכזית), **ונר** לשבת קודם ליקח משאר מאכלים, דאף דשאר מאכלים ובשר הוא ג"כ בכלל עונג שבת, מ"מ נר עדיף יותר משום שלום בית וכדלקמן, **ומיהו** משום נר די נר אחד לחוד, והשאר יוציא על מאכלי שבת, כדאמרינן בגמרא, דאפילו עני צריך לעשות דבר מועט לכבוד שבת, **ועיין** במה שכתבנו לעיל בסימן רמ"ב במ"ב.

(**וראיתי** בדה"ח שהעתיק, דפת כדי שביעה של שלש סעודות קודמת לנר, **וצע"ג** בזה, דהלא ראינו דאחשבו רבנן לנר שבת וחנוכה משום שלום בית

ופרסומי ניסא יותר מסעודה ג', דהלא בשביל נר שבת וחנוכה צריך לשאול על הפתחים כדי להשיגה, ובשביל סעודה ג' אינו חייב לזה, ובפרט מה שכתב הדה"ח דשלש סעודות כדי שביעה קודם יותר מנר שבת, לענ"ד פשוט דאין להחמיר בזה בסעודה ג', דדי בכביצה ויותר מעט, והשאר יוציא לנר של שבת).

סעיף ג - הנשים מוזהרות בו יותר, מפני שמצויות בבית ועוסקות בצרכי הבית - ועוד טעם, מפני שכבתה נר של עולם, שגרמה מיתה לאדם הראשון, **ומ"מ** טוב שהאיש יתקן הנרות.

ואפילו אם ירצה הבעל להדליק בעצמו, האשה קודמת, אם לא שיש הרבה נרות, יכול הוא ג"כ להדליק.

וכשהיא יולדת בשבת ראשונה, מדליק הבעל ומברך. **ובימי** נדותה האשה מברכת בעצמה.

אם אין ידו משגת לקנות נר לשבת ולקידוש היום, נר שבת קודם - ואע"ג דקידוש דאורייתא, מ"מ על היין דרבנן, דמן התורה יוצא בתפלה, וכמו שנכתוב בסי' רע"א, **ועוד** דהא יכול לקדש על הפת.

וכן אם אין ידו משגת לקנות נר לשבת ונר לחנוכה, נר שבת קודם משום שלום הבית, דאין שלום בבית בלא נר.

ואם יש לו נר אחד, סגי, ויוציא המותר לקידוש או לנר חנוכה, וגם לחנוכה בנר אחד סגי, **ואם** יש לו נר אחד לשבת ונר אחד לחנוכה, ויש לו עוד מעט מעות, נ"ל דטוב יותר לקנות עוד נרות לחנוכה להיות מן המהדרין.

(ואם אין ידו משגת לקנות יין לקידוש ולקנות נר חנוכה, ע"ל סימן תרע"ח).

כתב המ"א, דאשה סומא ג"כ יכולה לברך על נר שבת, דהא נהנית ג"כ מהמאורות, **ומיהו** אם יש לה בעל שהוא פקח, הוא יברך, **ואם** אוכלת בשלחן אחד עם אחרים שברכו והדליקו, לא תברך, דהא עיקר הטעם שכולם מברכין, משום שמחה יתירה שיש ע"י ריבוי הנרות, כמ"ש בסעיף ח', והא ליכא שמחה גבה.

סעיף ד - לא יקדים למהר להדליקו בעוד היום גדול - היינו כשהוא זמן הרבה קודם תוספת שבת, **שאז אינו ניכר שמדליקו לכבוד שבת** - וזמן תוספת שבת להשו"ע הוא מעט קודם סוף השקיעה, (וכשמדליק זמן הרבה קודם לזה, הוא בכלל לא יקדים, ואפילו אם הוא בתוך שעור ד' מילין המבוארין לעיל, **ואף** דמבואר לעיל בהמחבר דיכול להוסיף עד התחלת ד' מילין, היינו בשקיבל עליו שבת מאותו הזמן ועשה אותו לתוספת, ובכאן הלא איירי בלי קבלה, **ולדעת** הגאונים דמתחלת השקיעה הוא זמן בה"ש, א"כ זמן התוספת הוא זמן מועט קודם לזה, ולא יקדים הוא זמן הרבה קודם לזמן הזה), **ועיין** בסי' רס"א במ"ב, דמסקינן שם, דמי שפורש עצמו ממלאכה חצי שעה או עכ"פ שליש שעה קודם השקיעה, אשרי לו, דהוא יוצא בזה ידי כל הראשונים.

(**לפי** מה דמבואר לקמן בס"י בהג"ה, דהמנהג דאשה כשמדלקת מסתמא מקבלת שבת בזה, א"כ תוכל שפיר להקדים עד זמן פלג המנחה, **אם** לא כשמתנית שאינה מקבלת שבת בזה).

וגם לא יאחר - היינו היכא שהוא מדליק בצמצום בסוף זמן המותר, **והטעם**, משום דשמא בין כך ובין כך יאחר הזמן, וע"ל בסימן רס"ב ס"ג במ"ב.

ואם רוצה להדליק נר בעוד היום גדול ולקבל עליו שבת מיד - היינו שיפרוש עצמו מכל מלאכות האסורות, ואפילו מאותם דברים שהם אסורים מדרבנן, **רשאי, כי כיון שמקבל עליו שבת מיד אין זו הקדמה, ובלבד שיהא מפלג המנחה ולמעלה** - אבל קודם פלג המנחה אין קבלתו קבלה אף בדיעבד, ועיין בסימן רס"א ס"ב במ"ב.

שהוא שעה ורביע קודם הלילה - היינו צאת ג' כוכבים, **ודעת** הלבוש והגר"א, דפלג המנחה הוא שעה ורביע קודם השקיעה, **ולכו"ע** שעה ורביע זו היא שעה זמנית, דהיינו שמתחלק כל יום לי"ב חלקים לפי שעותיו, בין שהוא ארוך או קצר, להשו"ע מתחלק מעה"ש עד צאת הכוכבים, ולהלבוש והגר"א מזריחת השמש עד השקיעה.

(**ועיין** בסי' רס"א במ"א שהביא בשם הב"ח, דיש לחוש לדעת הר"א ממיץ, ולפרוש עצמו ממלאכה שתי שעות קודם הלילה, ומשמע מיניה דלא חשש לדעת

השו"ע שפסק דלא יקדים יותר משעה ורביע, **ולמעשה** בודאי יש לסמוך על הב"ח והמ"א, דיוכל לקבל עליו שבת שתי שעות קודם הלילה, דאף דבסי' זה סתם הרמ"א ולא חלק על המחבר, בסי' רס"א ס"א בהג"ה העתיק שם בשם מהרי"ו, ע"ש, משמע דס"ל דעל שתי שעות קודם הלילה חלה הקבלה, **ובפרט** דדעת הלבוש והגר"א הנ"ל דפלג המנחה הוא שעה ורביע קודם השקיעה).

הגה: וע"ל סימן רס"ז. ואם היה הנר דלוק מבעוד היום גדול - אפילו אם היה אחר פלג המנחה, ומיירי שהיה דלוק לענין אחר, **יכבנו ויחזור וידליקנו לצורך שבת.**

אבל אם הדליק לצורך שבת, אף שלא קבל עליו שבת בהדלקתו, מ"מ אין צריך לכבותו, אף דלכתחלה לא היה לו להדליק כ"כ מקודם, שאינו ניכר שמדליקין לצורך שבת, מ"מ בדיעבד שפיר דמי, (**ואם** נרצה להחמיר לכבות ולחזור להדליק, כדי שתהיה ההדלקה בזמנה ולא יעבור על לא יקדים, יצא שכרו בהפסדו, דתהיה ברכתו הראשונה לבטלה).

(וכ"ז כשהיה ההדלקה אחר פלג המנחה, אבל אם הדליק קודם פלג המנחה לצורך שבת, אפילו אם קבל עליו שבת מאותו הזמן, אין הדלקתו מועילה כלום אף דיעבד, וצריך לכבות ולחזור ולהדליק ולברך).

סעיף ה - כשידליק, יברך: בא"י אמ"ה אקב"ו להדליק נר של שבת - ואפילו כשמדליק כמה נרות, טוב יותר שיאמר "נר", כי עיקר החיוב הוא נר אחד, **אחד האיש ואחד האשה.**

(**ואם** נסתפקה אם ברכה או לא, א"צ לברך, דספק ברכות להקל, ועוד דסרכא נקטא ואתיא, **ואם** ידעה בודאי שלא ברכה, משמע מא"ר דיש להקל לברך כל זמן שהוא שעת היתר להדליק).

גם ביו"ט צריך לברך: להדליק נר של יו"ט - ואין צריך לברך זמן על ההדלקה, **מיהו** במקום שנהגו אין למחות בידן. (**ונשים** שלנו מברכות גם שהחיינו בעת הדלקת הנרות ביו"ט, ואין למחות בידן, דע"פ רוב בעיו"ט מדליקות לעת ערב ממש, וקאי שהחיינו על יום טוב, ויש מפקפקים בזה, והנח להן לבנות ישראל מנהגן - ערוה"ש). **ואם** חל יו"ט בשבת, אומר "של שבת ושל יו"ט".

וביוה"כ בלא שבת, יש מי שאומר שלא יברך, וע"ל סימן תר"י - דמביא שם המחבר דעת הפוסק המצריך לברך, דסבירא ליה דגם יוה"כ, אף שאין בו אכילה ושתיה ואין שייך עליו מצות עונג, אפילו הכי שייך בו משום שלום בית.

(ועי"ל דכונת המחבר להורות טעם על מה דס"ל שאין לברך, כי לקמן בסימן תר"י ס"א כתב המחבר, דמקום שנהגו להדליק מדליקין, ומקום שלא נהגו להדליק אין מדליקין, ע"כ אף דמנהגנו הוא להדליק, אפ"ה אין לברך, דאמנהגא לא מברכין).

הגה: יש מי שאומר שמברכין קודם ההדלקה - כשאר כל המצות שמברכין עליהן עובר לעשייתן.

ויש מי שאומר שמברך אחר ההדלקה - ס"ל דאם תברך הוי כאלו קבלה לשבת בפירוש, ושוב אסורה להדליק, **וא"כ** ביו"ט דלא שייך זה, לכו"ע תברך ואח"כ תדליק, **ודעת** המ"א דלא פלוג, **אבל** הרבה אחרונים ס"ל כמ"ש מתחלה.

וכדי שיהא עובר לעשייתו, לא יהנה ממנה עד לאחר הברכה, ומשימין היד לפני הנר אחר הדלקה ומברכין, ואח"כ מסלקין היד, וזה מקרי עובר לעשייה, וכן המנהג.

(**ואשה** שמתנית שאינה מקבלת שבת בהדלקה, או איש דקי"ל לקמן דאין צריך להתנות, משמע בדה"ח, דאפ"ה ידליקו ויפרסו ידיהם ואח"כ יברכו, **משום** דלא פלוג, וכדעת המ"א, **אבל** מדברי הגאון רע"א והח"א מוכח, דבזה יברכו ואח"כ ידליקו).

י"א כשיש חופה בע"ש, ומאחרין בה עד אחר שקיעת החמה, והאשה אינה רוצה לקבל שבת לפני החופה, פן תצטרך לעשות עוד איזה דבר האסור בשבת, **ע"כ** תדליק הנר בלא ברכה קודם החופה, ואח"כ בחשיכה תפרוס ידיה על הנרות ותברך, **או** כשהוא עדיין ביה"ש אחר החופה, תאמר לא"י להדליק, דלא גזרו על שבות בה"ש לצורך מצוה, וכנ"ל בסי' רס"א, והיא תברך.

ותמהו האחרונים ע"ז, דלא שייך ברכה בדלוקה ועומדת, ובפרט דעתה הוא זמן איסור להדליק, ואיך תאמר "וצונו להדליק", **ועל** אידך תקנה דתאמר לא"י

להדליק ג"כ קשה, הא אין שליחות לא"י, וא"כ היא אינה מדלקת ואיך תברך, **ואפילו** ישראל הַמְצַוֶּה לחבירו להדליק, ג"כ דעת הדה"ח דהַמְצַוֶּה לא יברך רק המדליק, כ"ש בזה דהאשה לא תברך, **ומסקי** האחרונים עצה אחרת לזה, דהיינו לפי מה דקיי"ל דיכולה לברך ולהתנות, עכ"פ בלצורך, שאינה מקבלת שבת בהדלקה, ה"נ בענינינו הוי לצורך, ותדליק ותברך קודם שהולכת לחופה, ותתנה, **וה"ה** נמי באשה שחל ליל טבילתה בע"ש, תדליק ותברך קודם הליכתה לבית הטבילה, ותתנה שאינה מקבלת שבת עד אחר רחיצה וחפיפה.

סעיף ו - בחורים ההולכים ללמוד חוץ לביתם - היינו שיש להם נשים, אלא שהולכין חוץ לביתם, **ואף** שאשתו מדלקת בביתו, אינו נפטר בברכת אשתו, כיון שיש לו חדר מיוחד במקום שמתארח שם, **וכ"ש** אם אינו נשוי דמחויב להדליק.

צריכים להדליק נר שבת בחדרם - אפילו החדר מיוחד רק ללון שם, ואוכלים בבית אחר, **ולברך עליו** - דהדלקת נר חובה משום שלום בית, שלא יכשל בעץ או באבן.

וצריך להיות הנרות ארוכים, שידלקו עד שיבואו לביתם בלילה, ובלא"ה הוי ברכה לבטלה.

ועל הירידים שמתאכסנים הרבה בעלי בתים בחדר אחד, ואין הבעל הבית עמהם בחדרם, חל עליהם חובת הדלקה בברכה, אפילו אם נשיהם מדליקין בביתם, **ע"כ** ישתתפו כולם וידליק אחד ויברך, ויכוין להוציא כולם בברכתו, וגם הם יכוונו לצאת בברכתו, **ואם** הבעה"ב ג"כ עמהם בחדרם, אין צריך להשתתף עמו בפריטי, כיון שנשיהם מדליקים בביתם, וכדלקמן בס"ז.

אבל מי שהוא אצל אשתו, א"צ להדליק בחדרו ולברך עליו, לפי שאשתו מברכת בשבילו - אבל להדליק צריך, אפילו אינו אוכל שם, כדי שלא יכשל בעץ או באבן.

(**ועתה** נסביר טעם סעיף זה וסעיף הסמוך לו, והוא: דכשיש לאיש כמה חדרים, צריך להדליק בכל החדרים משום שלום בית, **ע"כ** אם הוא בביתו אצל אשתו, והיא מברכת במקום אחד, הוי כאלו הוא היה המברך, וממילא נפטרו כל החדרים שהוא מדליק בהברכה, וכמו לענין בדיקת חמץ, דמברך במקום אחד ועל סמך זה הוא בודק כל החדרים, **משא"כ** אם הוא איננו בביתו, ויש לו חדר מיוחד לעצמו, איך יפטר בהברכה שברכה שם אשתו במקום אחר, **ואף** דהוא אינו אוכל שם, עכ"פ משום שלום בית חייב להדליק ולברך, **משא"כ** בס"ז דאין לו חדר מיוחד, א"כ הסברא דמשום שלום בית אין שייך שם, שהרי בלא"ה יש שם אורה, ולא נשאר עליו כי אם במה שיש מצוה על כל איש ישראל הדלקת נר בשבת, וזה יוצא במה שאשתו מדלקת שם בביתו, ע"כ אין צריך להשתתף אז בפריטי).

סעיף ז - אורח שאין לו חדר מיוחד - הא אם היה לו חדר מיוחד, צריך להדליק ולברך, אפילו אם מדליקין עליו בביתו, וכנ"ל בס"ו, **וגם אין מדליקין עליו בביתו, צריך להשתתף בפרוטה** - וה"ה אם הבעה"ב מקנה לו חלק בנר שלו במתנה, וכמ"ש לקמן בסימן תרע"ז לענין נר חנוכה.

והביא המג"א בשם תשובת רש"ל, דגם הבחורים צריכין להשתתף, ומסיק שם, דאפשר דהיינו דוקא כשאוכל בפני עצמו, **אבל** אם סמוך על שלחן בעה"ב, הרי הוא בכלל בני ביתו, ע"ש.

סעיף ח - ב' או ג' בעלי בתים אוכלים במקום א', י"א שכל אחד מברך על מנורה שלו - דכל מה דמיתוסף אורה, יש בה שלום בית ושמחה יתירה להנאת אורה בכל זוית וזוית.

ויש מגמגם בדבר - טעמם, דבלא"ה יש שם אורה מרובה מנרות שהדליק הראשון.

ונכון ליזהר בספק ברכות ולא יברך אלא אחד.

הגה: אבל אנו אין נוהגין כן - אלא כדעה הראשונה, **וכתב** המ"א בשם השל"ה, דמ"מ לא יברכו שנים במנורה אחת שיש לה קנים הרבה, **ויש** מקילין גם בזה, **וכתב** הפמ"ג, דיש לסמוך ע"ז בנשים עניות שאין להם כי אם מנורה אחת.

ואם יש לאחד מהן חדר המיוחד לו, אע"פ שאינו אוכל שם, ואינו משתמש שם שום צורך אכילה, לכו"ע יכול לברך שם, וכנ"ל בסעיף ו'.

סעיף ט - המדליקין בזוויות הבית ואוכלים בחצר, אם אין הנרות ארוכות שדולקות עד הלילה, הוי ברכה לבטלה - שכיון שאינו יכול לעשות שום תשמיש אצלן כשחוזר אח"כ לביתו בלילה, שלא יכשל בעץ ואבן, לית ביה משום שלום בית.

משמע דאם אוכל בבית, אף שאין דולקת עד הלילה, סגי ולא הוי ברכה לבטלה, שאף שעדיין יום, יש לו הנאה ושמחה בשעת אכילה מן הנרות, ‹דמ"מ כבוד שבת הוא להיות אור בשעת הסעודה – ערוה"ש›, **ומצוה** מן המובחר שיעשה נרות ארוכות, שיהיו דולקות עד הלילה, אף שרוצה לאכול מבעוד יום, ‹שיהא נר של שבת – פמ"ג›.

ואם בבית שהדליק היה קצת חשך, ומשתמש שם שום דבר לאור הנרות לצורך סעודה, ליכא איסורא, אף שאין דולקת עד הלילה, ואף שאוכל בחצר.

ואין מותר לאכול בחצר רק דוקא במצטער הרבה בביתו משום זבובים וכיוצא, הא לא"ה צריך לאכול דוקא במקום נר.

סעיף י - לבה"ג, כיון שהדליק נר של שבת חל עליו שבת ונאסר במלאכה, ועל פי זה נוהגות קצת נשים שאחר שברכו והדליקו הנרות, משליכות לארץ הפתילה שבידן שהדליקו בה, ואין מכבות אותה.

וי"א שאם מתנה קודם שהדליקה שאינה מקבלת שבת עד שיאמר החזן "ברכו", מועיל. וי"א שאינו מועיל לה.

ויש חולקים על בעל ה"ג ואומרים שאין קבלת שבת תלוי בהדלקת הנר אלא בתפלת ערבית, שכיון שאמר החזן "ברכו", הכל פורשין ממלאכתם; ולדידן, כיון שהתחילו "מזמור שיר ליום השבת" הוי כ"ברכו" לדידהו.

הגה: והמנהג, שאותה אשה המדלקת מקבלת שבת בהדלקה - ותתפלל מנחה תחלה, דהואיל דכבר קבלה שבת, שוב א"א להתפלל תפלה של חול, **ובשאין** שהות לזה, יותר טוב שתתפלל ערבית שתים וכדלקמן בסעיף ט"ו, מלכנוס ח"ו בספק חלול שבת.

אם לא שהתנה תחלה, ואפילו תנאי בלב סגי - ואין להתנות כי אם לצורך, מאחר שיש חולקין וסוברין דלא מהני תנאי וכנ"ל.

אבל שאר בני הבית מותרין במלאכה עד "ברכו".

ואם האיש מדליק, אפילו כשהוא מברך על הדלקתו וכדלעיל בסעיף ו', ליכא מנהגא ומותר במלאכה, **ומ"מ** טוב להתנות.

ועיקר הדלקה תלויה בנרות שמדליקין על השלחן, אבל לא בשאר הנרות שבבית - היינו דיברך על נרות שעל השלחן ולא על שאר הנרות, לפי שעיקר המצוה לכתחלה הן הנרות שאוכלין לאורן, וראוי שתהא הברכה עליהן, ואפילו על נר אחד סגי.

והיינו בבעה"ב, שיכול להדליק על השלחן ולברך עליו, אבל באורח אם יש לו חדר מיוחד לעצמו, אפילו אינו אוכל שם, מדליק שם נר ומברך עליו, וכנ"ל בס"ו.

ואם יש הרבה נשים, ואין לכל אחת שלחן בפני עצמה, יכולה לברך על הנרות שעומדים בבית בשאר מקומות, כגון על הנרות שדולקין על המנורה התלויה באמצע הבית וכה"ג, **דכללא** נקטינן, דבכל מקום שמדליק כדי לעשות שם איזה תשמיש, איכא משום שלום בית וראוי לברך.

וצריך להניח הנרות במקום שמדליקין, לא להדליק במקום זה ולהניח במקום אחר - היינו אפילו אם יתנה בפירוש שאינו מקבל שבת עד שיהיו הנרות על מקומם, שאסור להדליק במקום שאין משתמשין בו ולהניח הנר במקום שמשתמשין בו, **משום** דקי"ל הדלקה עושה מצוה, וכיון שהדליק במקום שאין משתמשין בו, שאינו מקום חיובא, לא מהני הדלקתו כלום, אף שמניח אח"כ במקום חיובא, **וצריך** לכבות ולחזור ולהדליק.

אבל אם הדליק בבית במקום שמשתמשין בו, מותר לטלטלם אח"כ ולהניח במקום אחר, דכל הבית הוי מקומם, **והלבוש** מחמיר אף בזה, ובמקום הצורך יש להקל, **כתב** הח"א, ‹אבל› הנשים שמדליקין בסוכה בחג, ומטלטלין לתוך הבית, לא יפה הן עושין, ‹**ויתכן** הטעם, דכיון שמעביר מבית לבית, נראה יותר שהדליק לצורכו, ובאופן זה מודה ללבוש – משנה ברורה המבואר›.

סעיף יא - אע"פ שלא התפללו הקהל עדיין, אם קדם היחיד והתפלל של שבת מבע"י - היינו מפלג המנחה ולמעלה, וכדלעיל בסי' רס"א ס"ב בהג"ה, **חל עליו קבלת שבת ואסור בעשיית מלאכה, ואפי' אם אומר שאינו רוצה לקבל שבת** - ואף דבהדלקה י"א דמהני תנאי, וכדלעיל בס"י, בתפלה שאני, כיון שהזכיר בה קדושת שבת.

סעיף יב - אם רוב הקהל קבלו עליהם שבת, המיעוט נמשכים אחריהם בעל כרחם - ואם רוב הקהל לא היו בבהכ"נ, אין נמשכין אחר המיעוט, **וכן** בעיר שיש בה בתי כנסיות הרבה, אין אחת נמשכת אחר חברתה, ואפילו אם באחת רוב, **אבל** אם עושה מנין בביתו, אפי' מנין קבוע, בטל אצל הרוב.

סעיף יג - אדם שבא לעיר בע"ש וכבר קבלו אנשי העיר עליהם שבת, אע"פ שעדיין היום גדול, אם היו עליו מעות או שום חפץ, מניחו ליפול - פי' שהולך לחדר ומניחו ליפול שם להצניעו, וכמ"ש סימן רס"ו סי"ב.

סעיף יד - אם ביום המעונן טעו צבור וחשבו שחשיכה, והדליקו נרות והתפללו תפלת ערבית של שבת, ואח"כ נתפזרו העבים וזרחה חמה, א"צ לחזור ולהתפלל ערבית, אם כשהתפללו היה מפלג המנחה ולמעלה - דלא מטרחינן צבורא אף שבטעות היתה, (ואפילו התפללו באותו היום מנחה אחר פלג המנחה, אף דהוי תרתי דסתרי, לא מטרחינן צבורא משום זה), **אבל** אם התפללו מעריב קודם פלג המנחה, אפילו צבור נמי מחזירין, דלאו זמן תפלת ערבית היא כלל.

ואם יחיד הוא שטעה בכך, צריך הוא לחזור ולהתפלל תפלת ערבית - כיון שבטעות התפלל, שסבר שכבר חשכה, (היינו אפילו התפלל אז מנחה קודם פלג המנחה, ואע"ג דבכל ערב שבת מותר באופן זה להתפלל ערבית קודם הלילה, דקיי"ל דעביד כמר עביד וכו', **אפ"ה** כיון שהוא נוהג תמיד כרבנן, ובטעות התפלל היום, שסבר שכבר חשכה, לכך צריך לחזור ולהתפלל), **והוא** הדין בחול נמי דינא הכי, כיון שהוא נוהג תמיד להתפלל מעריב בזמנו כרבנן, והיום בטעות התפלל.

ולענין עשיית מלאכה, בין ציבור בין יחיד מותרים, דקבלת שבת היתה בטעות.

וי"א שאותם שהדליקו נרות אסורים בעשיית מלאכה - אף אם לא התפללו, **ושאר אנשי הבית מותרין** - דבלא הדלקה, אף שהתפללו תפלת שבת, כיון שבטעות היתה, לא שמה קבלה.

וטעם הי"א, דסבירא להו דקבלה שהיא ע"י הדלקה עדיפא, דאית בה מעשה, (**והוא** מהב"י, ולפי"ז אם היו מקבלין על עצמן שבת ע"י אמירה, דהיינו ע"י "מזמור שיר ליום השבת", והיתה בטעות, שאח"כ נתפזרו העבים וזרחה החמה, היו מותרים לכו"ע במלאכה, **אבל** לפי מה שהסביר הגר"א בבאורו טעם הי"א, נראה דגם זה אסור להי"א, דהוא הסביר הטעם של הי"א, דס"ל דקבלה בטעות הוי קבלה, ומתפלה אין ראיה, דתפלה בטעות אינה כלום ואפילו בצבור, רק משום דלא מטרחינן להו לחזור ולהתפלל, לכן הקבלה שבאה ע"י התפלה ג"כ אינה כלום, משא"כ בקבלה דהדלקה, עכ"ד, **א"כ** לפי"ז ב"מזמור שיר", או בסתם קבלה בע"פ, דינו כמו בהדלקה).

(עיין בא"ר שכתב, דוקא בצבור, אבל יחיד שהדליק נרות בטעות, לא חשיב קבלה כלל, **והפמ"ג** והדה"ח מחמירין בהדלקה אף ביחיד, וכל זה דוקא לאחר פלג המנחה).

ועיין באחרונים שהביאו בשם כמה מגדולי הפוסקים, דס"ל דקבלת צבור בטעות אפילו רק ע"י תפלה שמה קבלה, **רק** שבזה אין המיעוט נמשכין אחר הרוב, כיון שבטעות היתה הקבלה, **ואין** להקל נגד אלו הפוסקים, **ובמקום** הדחק יש לסמוך על דעה קמייתא שבשולחן ערוך.

וי"א שאותו נר שהודלק לשם שבת אסור ליגע בו ולהוסיף בו שמן, ואפי' אם כבה אסור לטלטלו - היינו אפילו אחר שלא הדליק עדיין ולא קבל שבת, כ"כ הא"ז, **וכתב** המ"א הטעם, דאזיל

לשיטתיה דקבלת צבור בטעות שמה קבלה, וא"כ הוקצה הנר למצותו, וכיון שהוקצה לבעלים הוקצה לכל, וגם אסור ליגע בו, דחיישינן שמא ישתמש בו, **ולצורך** מצוה יש להקל, (**ועיין בשו"ע הגר"ז, שמתמיה מאד על איסור הנגיעה**).

כתב הפמ"ג, מי שהדליק נר שבת בעוד היום גדול, והתנה שלא לקבל שבת, אפ"ה הוקצה הנר למצותה, ואסור להשתמש בו תשמיש חול, ואפילו אחרים אסורים, דמוקצה לבעלים אסור לכל.

סעיף טו - מי ששהה להתפלל מנחה בע"ש עד שקבלו הקהל שבת - היינו באמירת "ברכו" או ב"מזמור שיר ליום השבת", כל מקום לפי מנהגו, וכדלעיל בסי' רס"א ס"ד ע"ש, **לא יתפלל מנחה באותו בהכ"נ** - היינו אפילו עוד היום גדול, ומשום שאחרי שהקהל קדשו היום, לא יעשנו חול אצלם, **אלא ילך חוץ לאותו בהכ"נ ויתפלל תפלה של חול.**

(ולא קשה מסי"ב, דיחיד נגרר אחר הרוב רק לענין מלאכה, אבל לענין תפלה, כל שלא ענה עמהם "ברכו", מתפלל של חול חוץ לבהכ"נ).

והוא שלא קבל שבת עמהם, אבל אם ענה וקבל שבת עמהם - היינו שענה "ברכו", ועשהו בעצמו קודש בעניית "ברכו", **אינו יכול להתפלל תפלת חול** - דאיך יעשנה אח"כ חול, ומשו"ה לית ליה תקנתא.

אלא יתפלל ערבית שתים - היינו מתחלה לשם שבת, ואח"כ שניה לתשלומי מנחה, **ואם** הפך אפשר דיצא, הואיל ועדיין יום הוא וזמן מנחה.

סעיף טז - אם בא לבהכ"נ סמוך לקבלת הצבור שבת, מתחיל להתפלל מנחה - ולא ימתין עד שיענה "ברכו", דאם יענה, שוב לא יוכל להתפלל אח"כ מנחה.

ואע"פ שבעודו מתפלל יקבלו הצבור שבת, אין בכך כלום, הואיל והתחיל בהיתר - ואע"פ שהיה יודע שלא יוכל לגמור אפילו חצי התפלה קודם "ברכו", מ"מ מקרי התחיל בהיתר, **לפי** שאיסור זה שלא להתפלל תפלה של חול אצל המתפללים של שבת, אינו אלא חומרא בעלמא, **ומ"מ** טוב יותר באופן זה, שיצא לחוץ בהכ"נ ויתפלל שם.

סעיף יז - י"א שמי שקבל עליו שבת קודם שחשכה, מותר לומר לישראל חבירו לעשות לו מלאכה. הגה: ומותר ליהנות מאותה המלאכה בשבת - דכיון שלחבירו מותר, אין איסור אמירה שייך בזה, **וסעיף** זה איירי כשיש שהות הרבה עד בה"ש, דאם הוא סמוך לבין השמשות, בודאי קבלו רוב אנשי העיר שבת, והמיעוט נגרר אחריהן בע"כ, וכדלעיל בסי"ב, ולא שייך דין זה.

כשמגיע סמוך לבין השמשות, אל ימתינו לומר "מזמור שיר ליום השבת", או שאר מזמורים הנוהגים לומר בשביל קבלת שבת, בשביל איזה אנשים העוסקים בביתם בעניניהם ומשהין לבוא לבהכ"נ.

וכל שכן במוצאי שבת, מי שמאחר להתפלל במו"ש או שממשיך סעודתו בלילה, מותר לומר לחבירו ישראל שכבר התפלל והבדיל - היינו שהבדיל בתפלה, דבזה מותר לעשות מלאכה, וכדלקמן בסימן רצ"ט, אף שלא הבדיל על הכוס, **לעשות לו מלאכתו להדליק לו נרות ולבשל לו, ומותר ליהנות ולאכול ממלאכתו, כן נ"ל.**

וכ"ש במו"ש - פי' דהא בע"ש כבר קבל שבת וא"א לחזור, ואפ"ה שרי, וכ"ש במו"ש דכל שעה ושעה אם רוצה מתפלל ומבדיל, מכ"ש דמותר לומר.

והלבוש אוסר ליהנות אא"כ בירך והסיח דעתו מהשבת, והאחרונים הסכימו עם השו"ע, **ואם** אמר: "המבדיל בין קודש לחול" באמצע סעודתו, לכו"ע שרי, דאפי' הוא בעצמו מותר אז במלאכה, **אך** צ"ע אם יכול אח"כ לומר "רצה" בבהמ"ז, כיון שעשהו מתחלה לחול.

כתב הפמ"ג, במו"ש אין היחיד נגרר אחר הרוב, אע"פ שכולם לא התפללו ולא הבדילו, יכול הוא להבדיל ולעשות מלאכה משיגיע הזמן.

§ סימן רסד – דיני הפתילה והשמן §

סעיף א- אין עושין פתילה לנר של שבת, בין נר שעל השלחן, בין כל נר שמדליק בבית, מדבר שהאור אינו נאחז בו, אלא נסרך סביביו והשלהבת קופצת, כגון: צמר ושער וכיוצא בהם - הטעם בפסול פתילות ושמנים, שאין מאירין יפה, וחיישינן שמא יטה הכלי שיבוא השמן שבתוכו אל הפתילה כדי שידלק יפה, וחייב משום מבעיר.

(ע"כ אפילו אין לו פתילות ושמנים אחרים כי אם אלו הפסולים, ועי"ז יבטל מצות הדלקה, נראה דאסור מטעם זה, **לבד** עיטרן, דטעם איסורו הוא רק משום שמא יניחנו ויצא, אין להניח הודאי מפני הספק, כ"כ הפמ"ג).

(השו"ע איירי בנר של פמוט שקורין לאמפ, אבל באמת ה"ה בנר של שעוה וחלב שאנו עושין, ג"כ אין עושין בהן הפתילות הפסולות).

(אבל ליו"ט מותר כל הפתילות והשמנים, חוץ משמן שרפה, ע"ש בגמרא כ"ד ע"א, **ולכאורה** בעטרן גם ביו"ט אין מדליקין, לפי מה דקי"ל לעיל בסימן רס"ג ס"ה, דביו"ט נמי מברכין על הדלקה, אלמא דביו"ט נמי חובה, וא"כ שמא יניחנו ויצא, ולענין צרי, מצאתי בפמ"ג שמסתפק בזה).

אלא מדבר שהאור נתלה בו, כגון פשתן נפוצה, ובגד שש, וצמר גפן, וקנבוס, וכיוצא בהן - והא"ר כתב, דנכון להחמיר לכתחלה בקנבוס אם אפשר באחר.

הגה: ואם הדליק בדברים האסורים - בין פסול פתילות ובין שמנים, **אסור להשתמש לאורו** –

(עיין בתשובת הרשב"א הטעם, כיון דכל איסור הדלקה הוא מפני שמא יטה, א"כ גם עתה לענין להשתמש שייך שמא יטה, **ולכאורה** בחלב מהותך, דבאמת הוא נמשך אחר הפתילה, רק מטעם גזרה שאינו מהותך, יש לעיין לענין דיעבד).

ואסור אפי' תשמיש שאין צריך עיון, שמא יטה, דאילו בדבר שצריך עיון, אסור לעשות בשבת לאור הנר אפילו בנר יפה, כבסימן ער"ה, **והט"ז** כתב, דבענייננו אפילו ביש אחר עמו שרואה אותו, אפילו הכי אסור, דא"א ליזהר שלא יטה.

וי"א דאם יש נר אחד מדברים המותרים, מותר להשתמש לאור האחרים - אפילו הנרות עומדות בחדר אחר, דכיון שיש במקום אחד נר כשר, יזכור ולא יטה גם במקומות אחרים, כן פירש במ"א, **ובא"ר** כתב שכונת הרמ"א, היינו דוקא באותו חדר עצמו, **ועיין** בביאור הגר"א, מדמה עניננו לנר חנוכה להי"א הזה, ושם הלא אינו מותר להשתמש לנר חנוכה כי אם כשהנר כשר עומד אצלם, ולא בחדר אחר, הרי דמפרש כהא"ר, וכן בספר קרבן נתנאל מחמיר כשעומד בחדר אחר.

וכן דבר שאפשר בלא נר, מותר לעשות אפילו אצל נרות האחרים - כגון לשכב בחדר, או למשוך יין מן המרתף, והיינו דרך כלי שקורים הא"ן או ליבע"ר בל"א, אבל לא דרך ברזא.

הא"ר פירש, דוקא כשיש עכ"פ נר אחד כשר בבית, שעי"ז מותר אפילו בחדר אחר, **אבל** שארי אחרונים פירשו, דאפילו אין נר כשר כלל, מותר להי"א הזה.

ולצורך שבת יש להקל בדיעבד - והיינו דוקא לענין להשתמש כשכבר הדליק, ומטעם דכיון דיש לו נר כשר שמדליק יפה, תו לא אתי להטות, **אבל** אין להקל מטעם זה להדליק לכתחלה נר כשר עם פסול.

ואם יש נר אחד כשר ועומד אצלו נר פסול, כתב המ"א דמותר להשתמש אפילו שלא לצורך שבת, דלא יהא אלא נר אחד בלחוד, (**ולטעמיה אזיל**, דס"ל דהדין הראשון של הי"א מיירי אפילו בחדר אחר).

(**אבל** לפי מה שבאר הגר"א, דקולת הי"א בעומד אצלם ממש, ואפ"ה כתב הרמ"א דדוקא לצורך שבת, **ומשום** דשם בנר חנוכה גופא לא ברירא הדין לפי דעת רש"י והר"ן, וע"כ הכא לענין שבת מחמירין אם לא לצורך שבת, **או** דס"ל להרמ"א כמש"כ הא"ר, דיש לחלק דלא דמי לנר חנוכה, דהכא יש חשש שמא יטה **אף** שיוכל לראות בנר הכשר, דאדם רוצה שכל הנרות ידלקו יפה, **משא"כ** התם דבהנאה תליא מלתא, וכיון שיוכל להשתמש אצל אחר לא חשיבא הנאה).

סעיף ב - כרך דבר שמדליקין בו על דבר שאין מדליקין בו, אם נתכוין להעבות (פי' לעשותה עבה) הפתילה כדי להוסיף אורה, אסור - אף דעתה ע"י הכריכה האור נאחז ומאיר יפה, ולא אתי להטות, אפ"ה אסור, גזירה שמא ידליק בו לבדו.

ואם נתכוין להקשות הפתילה כדי שתהא עומדת ולא תשלשל למטה, מותר - אפילו מדליק שניהם יחד, דכיון שאין מכוין לפתילה להדליקו, לא גזרו בו.

(**ונ"ל** בשיש בדבר שמדליקין בו מעוטא, וא"כ אין נמשך אחר הפתילה, אפי' בלהקשות אין להקל, שמא יטה).

ומטעם זה מותר לכרוך דבר שמדליקין בו על גבי גמי או קש, כדי ליתן הפתילה בעששית – (עיין מ"א שכתב, דגמי או קש כיון דלא חזי לפתילה בעינייהו, ליכא למגזר שמא ידלק בו בעיניה, ע"כ אפילו נתכוין להעבות הפתילה שרי, עכ"ל, **ומדברי** רבינו ירוחם משמע דאסור בזה לדעת רש"י, **ובספר** תו"ש ג"כ מפקפק בזה לדעת הרמב"ם).

הגה: נותנין גרגיר של מלח - לפי שהמלח צולל את השמן שתמשך אחר הפתילה, **וגרים של פול** - כדי להניח הפתילה עליו, ובתוספתא פ"ב איתא טעם העושה כן, כדי שיהא שוהה ודולק, **על פי הנר בע"ש, כדי שיהא דולק יפה בשבת.**

סעיף ג - אין מדליקין נר לשבת אלא משמן הנמשך אחר הפתילה, ולפיכך אין מדליקין בזפת, ולא בשעוה, ולא בשמן העשוי מצמר גפן, ולא באליה, ולא בחלב - היינו שיניחם בנר ויתן הפתילה בתוכם כמו שעושין בשמן, **אבל** נרות כעין שלנו, מבואר בס"ז דשרי.

ושומן הבהמה הוא ג"כ בכלל חלב לענין זה, **ולענין** חמאה יש לעיין, אך לפי מה שידוע דדרך להתיך החמאה והשומן קודם שמדליקין בו, יש עצה לזה, דהיינו שיתן לתוכם מעט משמנים הכשרים, ומהני בודאי, וכדלקמן בס"ה, **אך** מ"מ לכתחלה טוב ליזהר מלהדליק בהן אם יש לו שמנים אחרים, כי לפעמים נשאר בנר שומן, ונותן חמאה ומבשלן, ועובר על איסור בישול בשר וחלב, וגם על איסור הנאה, **אם** לא בשומן עוף, דקי"ל דאין בו משום בישול והנאה.

אין מדליקין בשמרי שמן, דהוא עב ואינו נמשך היטב אחר הפתילה.

וכן אין מדליקין בעטרן, מפני שריחו רע ויניחנו ויצא – (עטרן הוא פסולתא דזיפתא, דהיינו לאחר שיוצא הזפת מן העץ, זב ממנו ע"י האור פסולת צלול כשמן, ונקרא עטרן, והוא נמשך אחר הפתילה, אלא מתוך שריחו רע ביותר, לפיכך גזרו בו שמא יניחנו ויצא), וחובה לאכול בשבת אצל הנר.

(**אבל** נפט, והוא מין שמן שריחו רע, אך אינו כמו עיטרן, לא גזרו בו, לבד בנפט לבן אסרו חז"ל להדליק בו אפילו בחול, מפני שהוא עף ומבעיר את הבית, **ונמצא** לפי"ז שהשמנים שלנו שדרך העולם להדליק בו, שקורין גאז, שריחו רע במקצת, מדליקין בהם בשבת, אף דבעת הכביה ריחו רע ביותר, אעפ"כ אין לחוש לזה, דשם לא שייך שמא יניחנו ויצא).

ולא בצרי - הוא שמן אפרסמון, וריחו טוב מאד, **מפני שריחו נודף, שמא יסתפק ממנו ונמצא מתחייב משום מכבה** – (ובזה אפילו יש לו נרות אחרות בלתו, אסור).

ויש עוד טעם אחר בש"ס, מפני שהוא עף ונדבק בכותלי הבית, ומבעיר את הבית, ואדם בהול על ממונו ויבוא לכבות, **וכתב** המג"א, דמזה למדנו שלא יסתום התנור בעצים, שלא יבוא לידי חילול שבת עי"ז.

סעיף ד - אפי' נתן מעט שמן זית בשמנים אלו שאינם נמשכים, ואז נמשכין – (לאו דוקא שמן זית, דה"ה ע"י משהו שאר שמנים ג"כ נמשך אחר הפתילה, וכדלקמן בס"ה, אלא לרבותא נקטיה), **אין מדליקין בהם** - דגזרינן דילמא אתי לאדלוקי בעינייהו, **אבל** אם היה רובו משמנים הכשרים, ומיעוט מהפסולים, בטל ברוב ומותר.

סעיף ה - חלב מהותך - שהתיכו אותו על האור, או שהוא חלב מחוי ממעי הבהמה, **וקרבי דגים** - שנימוחו, **אין מדליקין בהם; ואם נתן בהם מעט מאחת מהשמנים שמדליקין בהם, מותר להדליק בהם** - דלפי עיקר הדין היה מותר בחלב מהותך, לפי שנמשך אחר הפתילה שפיר, **אלא** דרבנן גזרו בו אטו שאינו מהותך, וכשהוא בתערובות לא גזרו בו, דהו"ל גזירה לגזירה.

(**ואם** אפילו מעט שמן אין לו, כתב בתשב"ץ דיסחוט אגוז לתוך החלב המהותך, כי שמן אגוזים הוא ג"כ משמנים הכשרים).

והוא שחלב מהותך עדיין לא נקרשו, אבל אם נקרשו, הר"ן אוסר אפילו בנתינת שמן לתוכו, וכתב הא"ר דכן עיקר.

ושמן צלול שעושין מגלגל עינו של דג או מבשרו, מותר אפילו בעיניה.

סעיף ו - שאר כל השמנים חוץ מאלו, מדליקים בהם; ומ"מ שמן זית מצוה מן המובחר - דהוא נמשך אחר הפתילה טפי מכולהו, **ואם** אין שמן זית מצוי, מצוה בשאר שמנים שאורן צלול, והם קודמין לנר שעוה, **ונר** שעוה קודם לנר של חלב, דאורה צלול ויפה, **ונ"ל** דכ"ז לפי ענין הנר, דבנר שלנו שקורין סטרין, שצלול בודאי יותר מן השעוה, ואינו רגיל להטות בו אפילו בחול, זה עדיף מנר שעוה, ואולי אף מכל השמנים, דהרי בודאי לא אתי להטות, **ועיין** מה שנכתוב לקמן בסימן ער"ה.

(ושמן של איסור הנאה, כגון של ערלה וכדומה, אסור לנר שבת, דלא שייך מצות לאו ליהנות ניתנו, דעיקר המצוה משום עונג הוא, ודמי לישיבת סוכה).

סעיף ז - כרך זפת או שעוה או חלב סביב הפתילה, מדליקים בהם - דלא אסרו בכולהו אלא אם היו נתונים בכלי ונותן הפתילה בתוכם, כמו שעושין בשמן, שאז אין נמשכים אחר הפתילה, **אבל** בזה נמשך שפיר עם הפתילה שבתוכו, **ודוקא** אם הפתילה כשרה, אבל אם היא פסולה, לא מהני הכריכה סביב לה.

סעיף ח - המדליק צריך שידליק רוב מה שיוצא מן הפתילה מהנר - כדי שיהא הלהב עולה יפה מיד שיסלק ידו, כמו שהיה הענין בהדלקת המנורה, **וה"ה** בנר שעוה וחלב.

(**ע"כ** יו"ט שחל להיות ע"ש, אין מדליקין בחתיכות בגד ג' על ג' מצומצמות, דכיון דאדליק בה פורתא, הו"ל שבר כלי, דאין עליה עתה שם בגד וכלי, ואסור שוב להדליק בה, כמש"כ סימן תק"א, **אא"כ** קפל הבגד לפתילה מעיו"ט, דנתבטל עי"ז מתורת כלי).

סעיף ט - א"צ להבהב הפתילה, (פי' ענין הבהוב יפול על דבר שאינו נשרף לגמרי וגם לא קיים לגמרי, אל תאכלו ממנו נא, תרגום יונתן: מהבהב). הגה: ומ"מ נהגו להדליק הפתילה ולכבותה, כדי שתהיה מחורכת ותאחז בה האור יפה - ואף בנר הכרוך כעין שלנו, עושין כן, **וזה** יעשה האיש מתחלה, ויהיה תועלת שלא תשהה האשה בהדלקתה בהגיע זמנה. (**והנה** בזמננו אין שום תועלת בהבהוב הנרות, ואדרבה פעמים ההבהוב גורע וגורם לקושי בהדלקת הנר אח"כ, ולכן אין מהחובה לנהוג כן, (בשם החזו"א), **אלא** הבעל יתעסק בתיקון הנרות והעמדתן על הפמוט והכנתן להדלקה – פסקי תשובות).

סעיף י - אין מדליקין בסמרטוטין - היינו בלאי בגדי פשתן הגסים, **אפי' מחורכין** - ומטעם שאין האור נאחז יפה בהן, ועיין בפמ"ג.

אין מדליקין על השלחן בנר חרס ישן, דמאיס, אא"כ הסיקו באור, **ואם** הוא של זכוכית או של חרס מצופה, שרי, שאינו מאוס כ"כ, **ובאיש** עני שאין לו, ודאי מותר, ממה שיתבטל מנר שבת דהוא חובה.

§ סימן רסה – דין כלים הנתנים תחת הנר §

סעיף א - אין נותנין כלי מנוקב מלא שמן על פי הנר, כדי שיהא נוטף בתוכו, גזירה שמא יסתפק ממנו ויתחייב משום מכבה - דכיון שהוא בכלי אחר שאין הנר בתוכו, לא

בדיל מיניה, וכיון שהקצהו לנר, המסתפק חייב משום מכבה.

ואפילו להפוסקים שסוברין דעל סתם כיבוי אין בו חיוב חטאת, רק איסורא בעלמא, מלבד כשהוא מכבה כשצריך להפחמים, וכדלקמן בסימן של"ד סכ"ז, אפ"ה גזרו ביה רבנן הך גזירה.

ואם חברו לו בסיד או בחרסית, מותר, דכיון שהוא כלי אחד, בדיל מיניה משום איסור שבת.

סעיף ב - לא ימלא קערה שמן ויתננה בצד הנר, ויתן ראש הפתילה בתוכה בשביל שתהא שואבת - ר"ל שנותן קצה השני מהפתילה שאינו דולק בהקערה לשאוב השמן, **גזירה שמא יסתפק ממנו** - דסד"א כיון דהפתילה מונחת גם בקערה יהיה בדיל מניה, קמ"ל דאפ"ה גזרינן.

וגם בזה אם חברו בסיד או בחרסית מותר.

סעיף ג - אין נותנין כלי בשבת תחת הנר לקבל שמן הנוטף, מפני שהוא מבטל כלי מהיכנו - שהיה מוכן מתחלה לטלטלו, ועכשיו אסרו בטלטול מחמת השמן שבתוכו, שהוא מוקצה מחמת איסור, כמש"כ בסימן רע"ט, **וחכמים** אסרו לבטל כלי מהיכנו, מפני שדומה כאלו סותר הכלי ומשברה, (**וי"א מפני שהוא כקובע לו מקום ומחברו בטיט, ודמי למלאכה**).

(**וכתב הפמ"ג, דאפי' כלי שמלאכתו לאיסור, אף דמתחלה היה ג"כ עליה קצת שם מוקצה, אעפ"כ אסור להעמידה לקבל שמן הנוטף, דמתחלה היתה הכלי מותר לטלטלה עכ"פ לצורך מקומה, ועכשיו אסור לגמרי**).

ואם יש בכלי דבר המותר, מותר להניחו תחת הנר לקבל בו שמן, דהא יכול לטלטלו אגב ההיתר, אם הוא בענין שמותר לטלטל בשבילו, כמו שכתב בסוף סימן ש"י עי"ש.

עוד עצה אחרת כתב בתשובת מהרי"ל, והסכים עמו המ"א, דישים כלי מבעוד יום תחת השלחן, ובשבת אחר האכילה יסיר את השלחן, והכלי עומד מעצמו תחת הנר, **ואף** דהוא גורם בשבת לבטל כלי מהיכנו ע"י הסרת השלחן, מ"מ שרי כיון שאינו מבטלו בידים בשבת, **ועוד** דהא אין אנו נזהרים מלהשים כלי בשבת על השלחן תחת הנר אע"פ שנופל בו שמן, כי אין מתכוין לכך, **ה"נ** אין מתכוונים כשמסיר השלחן אלא להצלת השלחן שלא יפול עליו הנר.

אבל מותר לתת תחת נר של שעוה או של חלב, שחושש שמא יפול וידליק מה שתחתיו, ומניח שם כלי שיפול על הכלי, **ומטעם**, דכיון דאפשר לנער מיד האיסור מתוך הכלי, כמש"כ סימן רע"ז, לא חשיב מבטל כלי מהיכנו, ‹דאפי' הנר דולק מותר לנער, רק שלא יכוין לכבות – מחה"ש›, **ולא** דמי לשמן שאינו רוצה לנערו ולהפסידו.

ולהעמיד כלי תחת הפחם שבראש הפתילה שיפול לתוכו, אסור, אם לא במקום הפסד, **ואע"ג** דלאחר שכבו יכול לנערם מן הכלי, מ"מ חשיב ביטול כלי מהיכנו לפי שעה עכ"פ, כיון שא"א לנערם מיד, ‹משום דע"י ניעור ודאי יכבו – מחה"ש›.

ומותר ליתנו מבעוד יום, והשמן הנוטף אסור להסתפק ממנו בשבת - שכבר הוקצה השמן בין השמשות, ומיגו דאיתקצאי בין השמשות לנר איתקצאי לכולי יומא, **וגם** הכלי אסור בטלטול ע"י השמן, שנעשה בסיס לה.

ונראה אפילו יש שמן היתר הרבה בכלי מבע"י, והניחה אז לקבל שמן הנוטף, מ"מ אסור להסתפק, דדבר שיש לו מתירין לא בטיל.

ואם לא נטף לתוכו שמן כלל, לא נאסר הכלי לטלטל במחשבה בעלמא, **ובא"ר** כתב, דאם נטף שמן לתוכה מבע"י, מתקיים מחשבתו שחשב עליה, ומקרי ע"ז כלי שמלאכתו לאיסור, אף אם אח"כ נשפך השמן, **וכמו** אם הניח מעות על הכלי מבע"י, אף שנטלו מבע"י, מ"מ הוי מיוחד לאיסור והוי מוקצה.

הגה: ואסור ליגע בנר דולק כשהוא תלוי, אע"פ שאינו מטלטלו ואין בו משום מוקצה בנגיעה בעלמא, מ"מ אסור פן יתנדנד קצת מנגיעתו ויטה - השמן אל הפתילה, ויתחייב משום מבעיר, או כאשר ירחקהו יתחייב משום מכבה, **ועיין** בסי' רע"ז ס"ג, דבנר של שעוה לא חיישינן לזה, (**ועיין באו"ז שמחמיר אף בנר של שעוה**).

משמע מזה, דבלא חשש הטייה אין לחוש משום איסור טלטול מוקצה ע"י הנדנוד, **וכתב** המ"א, דמיירי שדבר היתר מונח עליו ורוצה ליקח ממנו, והוי טלטול מן הצד דמותר, כמש"כ סימן שי"א ס"ח, **אבל** ליגע בו ממש, אסור במנורה תלויה, אפילו אין הנר דולקת בתוכה, (**אמנם** באו"ז מצאתי, שממנו נובע הדין של הרמ"א, דאפילו נוגע ממש במנורה תלויה, מקרי טלטול מן הצד).

סעיף ד - נותנים כלי - אפילו בשבת, **תחת הנר לקבל ניצוצות** - שלהבת הנוטפת מן הנר, כדי שלא יודלק מה שתחתיו, **מפני שאין בהם ממש** - בניצוצות, שמיד הן כבין, **ואין כאן ביטול כלי מהיכנו** - אף לשעה מועטת, דמיד יכול לנערן, ולא הוי ביטול כלי מהיכנו – מחה"ש, ומותר לטלטל את הכלי אף אחר שנפלו לתוכו.

מיהו האפר של ניצוצות אסור לטלטלן, דהוי נולד.

אבל לא יתן לתוכו מים אפי' מבע"י, מפני שמקרב זמן כיבוי הניצוצות – (ואפילו אם עבר ונתן, יסלקנו, **ואפילו** אם ירצה להעמיד הכלי עם מים קודם שמדליק השמן, מצדד המג"א להחמיר).

ואע"ג דבשאר מלאכות קי"ל, דשרי להתחיל אותו מבעוד יום והמלאכה נגמרת בשבת, כמ"ש רסי' רנ"ב, ולא גזרינן שמא יתחיל לעשות כן בשבת, **שאני** התם דהכל יודעין שהוא מלאכה, ולא יטעו לעשות כן בשבת, **אבל** הכא יש לחוש שמא יחשוב שאין בזה שום איסור, ויעשה כן בשבת, ויש לחוש שמא יגביה הכלי עם המים נגד הניצוצות ויכבה אותן.

כתב הא"ר בשם או"ה, כשיש סכנת דליקה ח"ו, מותר ליתן כלי מלא מים לקבל הניצוצות, **ולפי"ז** אם רואה נר שנכפף ויפול על השלחן, רשאי להעמיד תחתיו כלי מלא מים, **ועיין** בפמ"ג שמפקפק בעיקר דינו של האו"ה, **ונראה** דיש להקל במקום הדחק ע"י קטן.

ומ"מ מותר ליתן מים בעששית שמדליקים בה בערב שבת, כיון שאינו מתכוין לכבוי אלא להגביה השמן - וע"כ לא גזרינן שיעשה כן בשבת.

(ובדא"ש כתב עוד טעם, דבשמן אין כיבוי כלל, דאפילו לא יתן לתוכה מים, כשיכלה השמן תכבה הפתילה, **וכתב** המ"א, דלפי"ז אף בשבת מותר ליתן מים לעששית, אם מדליקה א"י לצורך חולה, **ובא"ר** חולק ע"ז, וגם המ"א מודה דאסור, **ובמקומות** שנוהגין להדליק בעששית מע"ש ונותנין תחלה מים ואח"כ שמן, וכשקורין א"י בשבת להדליק לצורך חולה, עושה כן מעצמו כמנהג העיר, מותר).

הגה: וי"א אפילו מתכוין לכבוי – (פי' שמתכוין שאחר שיכלה השמן יתכבה תיכף, ולא יתקלקל הכלי, כ"כ הט"ז, **ובא"ר** בשם המלבושי יו"ט פי', שכשהשמן קרוב למים מתכבה הנר, אף שיש עדיין קצת שמן, וקמ"ל דאפילו מתכוין שיתכבה בשביל זה), **שרי, מאחר שאין המים בעין אלא תחת השמן, לא הוי אלא גרם כיבוי, וכן נוהגין** – (ואף דבסימן של"ד קי"ל, דגרם כיבוי שרי דוקא במקום פסידא, זהו בשבת עצמה, אבל לא גזרינן בכה"ג ע"ש אטו שבת).

וליתן בע"ש מים לתוך הקנה שעומד בו נר שעוה או חלב, כדי שיכבה כשיבוא עד המים, אסור לכו"ע, דהא מתכוין לכיבוי, והאש נופל לתוכו ממש, והמים בעין והם תחת האש, **ומ"מ** במקום צורך יש להתיר בזה לסמוך על הפוסקים דס"ל, דדוקא כשהמים בכלי אחר אסור, שמא יעשה כן בשבת, אבל באותו נר עצמו לא שייך למיגזר שיעשה כן בשבת, שהכל יודעין שאסור ליגע בנר הדלוק, **גם** יזהר ליתן המים בקנה קודם שמדליק הנר. **ולכו"ע** מותר לתחוב הנר בע"ש לתוך החול וכיוצא, בענין שכשיגיע האור לשם ימנעהו מלשרוף יותר ויכבה מאליו, שגרם כיבוי הוא.

§ סימן רסו – דין מי שהחשיך לו בדרך §

סעיף א - מי שהיה בא בדרך וקדש עליו היום, והיה עמו מעות, ויש לו חמורו וגם יש עמו א"י, לא יניח כיסו על חמורו, מפני

שהוא מצווה על שביתתו – (ואע"ג דליכא הכא משום שביתה, דהא פסק בס"ב: כשהיא מהלכת מניחו עליה, וכשהיא עומדת נוטלו הימנה, **אפ"ה** כיון

דבמלאכה גמורה הוא מצווה על שביתתו, לא״י יהיב ליה ולא לחמור).

אפשר דה״ה כששכר את החמור מא״י, די״א דשכירות קניא לחומרא, וכמ״ש בסי׳ רמ״ו, (**והפמ״ג מצדד**, שבזה טוב יותר ליתן על חמור של א״י, מלעבור על איסור דאמירה לא״י שבות, דשכירות קניא לחומרא הוא רק חומרא בעלמא, אך כ״ז באופן שלא יהיה מחמר, **ועוד כתב**, דאפשר דאפילו אם הבהמה היא של ישראל חברו, טוב יותר שיתן על החמור, דלפני עור לא שייך בכאן, דחברו אינו יודע כלל ואנוס הוא, והא״י שיש עמו יחמר אחריה).

אבל אם שכר את הא״י שיוליכנו למקום פלוני, א״כ לא שכר את החמור, דהא הא״י חייב במזונות ובאחריות החמור, ולא שכר דוקא חמור זה ממנו, **א״כ** פשיטא דאין הישראל מצווה על שביתתו, ע״כ טוב יותר שיניח הכל על החמור, **אך** יזהר שלא יהיה מחמר, דהיינו שלא יגעור בבהמה שתלך מקולו, או שאר דברים שמחמתו תלך הבהמה, דאיסור מחמר שייך אפילו על הבהמה שאינה שלו להרבה פוסקים כדלקמן, (**וא״צ** בזה להניח עליו כשהוא מהלך, וכדלקמן בס״ב, דשם אין עמו א״י, והוא בעצמו המחמר, ע״כ צריך ליזהר בזה אפילו הבהמה של חברו, כדי שלא יעבור על איסור דמחמר, משא״כ בענינינו דאיירי ביש עמו א״י, הא״י יהיה המחמר).

אלא נותן כיסו לא״י להוליכו לו, ולמו״ש לוקחו ממנו - אף שהא״י שלוחו לישא בשבת, מ״מ הקילו חכמים, משום דקים להו שאדם בהול על ממונו, ואי לא שרית ליה אתי לידי איסור חמור, שיוליך ד׳ אמות בר״ה, **ועיין** באחרונים שכתבו, דבזמן הזה דליכא ר״ה לכמה פוסקים, נמי דינא הכי.

ואפי׳ לא נתן לו שכר על זה - והא״ר מצדד לומר, דאם הוא מבעוד יום, טוב יותר שיתן שכר.

ואע״פ שנתנו לו משחשיכה, מותר - נקט לשון דיעבד, משום דלכתחלה ע״כ צריך ליתן מבעוד יום משום איסור מוקצה.

אבל אם מצא מציאה, אינו יכול ליתנה לא״י - דכיון דלא טרח בה, לא חייס עלה ולא אתי לאתויי ד״א בר״ה, אפילו אי לא שרית ליה ליתן לא״י, **א״כ באה לידו מבע״י, דהשתא הויא ככיסו.**

ואם יש לו משא כבד על החמור או בעגלה, וא״א לו ליתנו לא״י, וגם א״א ליזהר במה דכתב בס״ב, לסלק המשא בכל פעם שתתחיל הבהמה ללכת, יראה להקנות מבע״י החמור להא״י כדין תורה. (**ואעתיק** בזה מש״כ הח״א וז״ל: צריך ליזהר שתהיה המכירה ע״פ דין תורה, דהיינו הסוסים במשיכה, ולפחות במסירה, ומשיכה דוקא בסימטא או בחצר של שניהם, ואם נתן בעל האכסניא רשות לשניהם להשתמש שם, הוי כחצר של שניהם, ומסירה אינו קונה שם אלא דוקא בר״ה, **וגם** יתן לו הא״י כסף, די״א דמשיכה אינו קונה בא״י, וי״א דכסף אינו קונה, ולכן צריך דוקא שניהם, ויהיה מתנה עמו שמקנה לו בכסף זה שנותן לו אוי״ף גא״ב, **ויזהר** שיפסוק דמים של כל סוס וסוס, דבלא פיסוק דמים אינו נקנה לו, לא כמו שעושין ההמון, שאומרים לא״י: אני מוכר לך הסוסים, דזה אינו קנין כלל, אלא צריך לפסוק דמים של כל אחד ואחד לבדו, ויתן לו אוי״ף גא״ב, והשאר יזקוף עליו במלוה, **וגם** לא יתנה עמו שמוכר לו לשבת לבד, **אלא מכירה חלוטה**).

ואם אין בקי בדרכי קנין הצריך לזה, (לפי מה שידוע שרוב הסוחרים ובפרט בעלי עגלות אינם בעלי תורה להיות בקי בדינים), יפקירנו בפני ג׳, או עכ״פ בינו לבין עצמו, (דבזה יצא עכ״פ לדעת הרא״ש, **ולכתחלה** יזהר בזה מאד שיהיה הפקר עכ״פ בפני א׳, ולא בינו לבין עצמו, דלדעת הרמב״ם והחו״מ אפי׳ מן התורה לא הוי הפקר בזה), דאז אין עובר על איסור שביתת בהמה, שהבהמה אינה שלו, (**ויתנו שאפי׳** כשיקח בידו בליל שבת אינו רוצה לזכות בו עוד, **אלא שיהיה הכל של א״י וכו׳**), **וירד** מן העגלה ויזהר שלא יהיה מחמר וכנ״ל, **ואף** לאחר שעשה כל ההיתרים הללו, שמכר הכל או הפקיר, צריך ליזהר מאד שלא יתנו לא״י או על העגלה שום דבר מהחפצים שלקחו מן העגלה בע״ש, ‹כיון שחזרו וזכו בהם – ח״א›, דאסור ליתן לא״י בשבת ע״מ להוציא, ‹אם אינו בהול, ע״ש, וכגון בגדים שיכול ללבוש, שאינו בהול להעבירם ד״א ברה״ר›, אלא כל מה שלקחו מן העגלה ישאר בידם עד מוצ״ש, [ח״א].

סעיף ב - מנהיג חמור טעונה קרויה מחמר, ואיסורו הוא מן התורה, מדכתיב: לא תעשה כל מלאכה אתה ובהמתך, וקבלו חז״ל דר״ל מלאכה שנעשית בשותפות ע״י אדם ובהמה, דהיינו שהיא טעונה איזה דבר והוא מחמר אחריה ומנהיגה ע״י קולו וכיוצא בו, **ואין** עובר על זה אלא כשהיא עושה עקירה והנחה

על ידו, ד"לא תעשה כל מלאכה" כתיב, ובלא זה לא מקרי מלאכה, **וכן** ה"ה לענין איסור שביתת בהמה.

אם אין עמו אינו יהודי - וה"ה אם אינו מאמין לא"י,

מניחו על חמורו, וכדי שלא יהא חייב משום מחמר (פי' מנהיג את החמור) אי איכא עקירה והנחה, מניחו לאחר שעקרה יד ורגל ללכת, דלאו עקירה היא - דלא נעשית העקירה על ידו, ‹ע"י הבהמה›, **וכשהיא עומדת נוטלו הימנה** – (משמע מפשטא דלישנא, דהיינו לאחר שעמדה, **והרמב"ם** פסק, כשהיא רוצה לעמוד קודם שתעמוד, כדי שלא יהיה לא עקירה ולא הנחה, וכן העתיק בלבוש, **אך הרשב"א** בחדושיו כתב על דברי הרמב"ם, שאינו נראה כן), **ולאחר שתחזור ותעקור רגלה יניחנו.**

וי"א שצריך ליזהר מלהנהיגה בקול רם כל זמן שהכיס עליה – ‹הרמב"ם›, וכתב הרב המגיד שהרשב"א כתב שאינו מחוור, דכיון שאינו מניח עליה עד שתהא מהלכת, אינו מחמר עוד, **אבל** הוא ז"ל טען בעד הרמב"ם, שאין כוונת הגמרא להתיר אלא כשהוא אינו עושה מעשה כלל, אבל כשהוא מנהיג לא התירו בכך – ב"י›.

ואפילו אם אין הבהמה שלו צריך ליזהר בכך, דאיסור מחמר שייך אפילו בבהמת אחרים, **וכ"ש** אם הבהמה שלו דאיכא תרתי, מחמר ושביתת בהמתו.

ואם מעצמה אינה מתחלת לילך, הוא יכול לזרזה שתתחיל לילך אם אין עליה אוכף, ומשום כיון שבתחלת הילוכה אין שום דבר מונח עליה, אין שייך בזה איסור מחמר, **וכ"ז** כשהבהמה היא לבדה, אבל אם היא מושכת בעגלה, כשיגעור עליה בקול להתחיל לילך אחר שעמדה, הוא עובר על איסור מחמר, ואין לו שום עצה להמלט מאיסור זה, דאפילו אם הפקיר הבהמה ואינו עובר על איסור שביתת בהמתו, הלא עכ"פ עובר על איסור מחמר וכנ"ל, **וע"כ** אם קשה לו לעמוד במקומו, יראה לשלוח למקום הסמוך ויביא משם א"י שיביא העגלה למלון, ויפקיר הבהמה שלא יעבור על שביתת בהמתו, ובזה יסולק מכל מכשולים, **וכ"ז** כשהוא בתוך התחום, אבל למי שהחשיך חוץ לתחום, אין לו היתר כלל, אם לא במקום סכנה.

הגה: והוא לא ירכב על החמור, אלא ילך ברגליו; ואם הוא צריך לצאת חוץ לתחום מפני שמתיירא מן הלסטים, או שאר סכנה, ואפילו הוא תוך התחום - פירוש, ואז אין איסור כשילך ברגליו, אלא דוקא אם רוכב, אפ"ה **יכול לישב על החמור ולרכוב** - מחמת סכנה, **וכ"ש** כשהוא חוץ לתחום, דיעשה איסור בלא"ה בהליכתו, בודאי יוכל לרכוב ולהנצל מהם, **ועיין** בב"י, דיש סברא דטוב לרכוב שם מלילך ברגליו, ‹מדאיבעיא לן אם יש תחומין למעלה מי' ולא איפשיטא, ולדעת כמה פוסקים נקטינן לקולא, כמבואר בסי' ת"ד, והרוכב ע"ג בהמה הוא למעלה מי', ואע"פ שעובר על גזירת רבנן דאין רוכבין על גבי בהמה, על איסור תחומין דהוו דאורייתא אליבא דמ"ד מיהא לא עבר, ואם ילך ברגליו יעבור אדאורייתא›, **אך הוא דחה אותה שם**, ‹דתוך י"ב מיל לכו"ע אפי' הולך על רגליו ליכא אלא איסורא דרבנן דתחומין, וכשרוכב עבר על איסור רכיבה, ואת"ל יש תחומין למעלה מי' עבר נמי אאיסור תחומין, ואפי' את"ל דאין תחומין למעלה מי' מ"מ לא הרויח כלום ברכיבתו›, **ואפי'** לפי סברא ההיא, דוקא לענין רכיבה, אבל כשהבהמה מושכת בקרון, אפי' אם הקרון גבוה י', ‹כל שהוא רחב ד', כארעא סמיכתא היא ואית ביה איסור תחומין לכו"ע›, לכו"ע טוב יותר שילך ברגליו משישב בקרון, כי ע"י הישיבה עובר על איסור שימוש בבע"ח, וגם על תחומין, משא"כ אם ילך ברגליו לא יעבור רק על תחומין, **ולבד** כל אלה מצוי ע"י הישיבה בקרון לעבור על איסור מחמר, **ובמקום** סכנה הכל שרי.

כתב הפמ"ג, יש ליזהר כשעומדת בשבת ברשות הרבים עגלה ריקנית עם סוסים, שלא להגביה קול ויהיה כמחמר, אפי' בבהמת אחרים וכמ"ש למעלה, **וכ"ש** עגלות נמוכין בימי החורף שקורין שליטי"ן, דאין גבהן עשרה, ‹דעגלה גבוה י טפחים ורחבה ד', הוה רשות לעצמה, וליכא מחמר ושביתת בהמתו – פמ"ג›.

סעיף ג - היה עמו חמור וחרש שוטה וקטן, יניחנו על החמור ולא יתננה לאחד מאלו - שהן בני אדם כמותו, ואתי לאחלופי באדם אחר המחוייב במצות.

סעיף ד - היה עמו חרש ושוטה, יתננו לשוטה לפי שאין לו דעת כלל - אבל חרש דעתא קלישתא אית ליה.

סעיף ה - שוטה וקטן, יתננו לשוטה, שהקטן יבא לכלל דעת; חרש וקטן, יתננו

למי שירצה - דכל אחד יש לו מעלה בפני עצמו וכנ"ל, (**כתב הפמ"ג**, יראה לי דהיינו דוקא שאינו בנו, אבל בנו קטן שהוא בר חינוך מדרבנן, יתננו לחרש ושוטה, ומסתפק דאפשר אפילו אם החרש ושוטה הוא בנו, שאינם בר חנוך כמו קטן).

סעיף ו - וי"א שכשנותנו לאחד מאלו, מניחו עליו כשהוא מהלך, ונוטל ממנו כשהוא עומד - וכנ"ל בבהמה בס"ב, והטעם, כדי שלא יעשו החש"ו איסור דאורייתא על ידו, **ואע"פ** שאינו מצווה על שביתתם כמו בבהמה, מ"מ הרי אסור להאכילם איסור בידים, וכדלקמן בסימן שמ"ג לענין קטן, וה"ה לחרש ושוטה כמו שנתבאר שם.

הגה: ודוקא כשנותן להם משחשכה, אבל כשנותן להם מבע"י, מותר בכל ענין - דאז אינו נקרא זה מאכיל בידים, כיון דעתה עדיין לית ביה איסורא, ומה שיעמוד החש"ו אחר שחשכה ואחר כך חוזר ועוקר רגליו, הלא מעצמו עושה זה, וא"צ למחות בידו כשעושה איסור, ע"כ אין צריך ליטול הכיס מעליו כשעומד, **אבל** בבהמה שהוא מצווה על שביתת בהמתו וגם שהוא מחמר אחריה, ע"כ אף שהניח עליה מבע"י, חייב ליטול הימנה כשעומדת משחשיכה להשתין מים וכיוצא בזה, ולחזור ולהניח עליה אחר שכבר עקרה רגליה ללכת, כדי שלא תעשה עקירה והנחה בכיס שלו בשבת, ויעבור על איסורי תורה.

(**וקשה לי, דא"כ אפילו אם נתן על החש"ו משחשכה, אמאי פסק השו"ע דנוטל ממנו כשהוא עומד, דהיינו משום כדי שלא יעשה אח"כ החש"ו עקירה על ידו, הא במה שנותנו עליו בפעם ראשונה כשהוא מהלך סגי, כיון דתחלת נתינתו על החש"ו בהיתרא היתה, שלא עשה עקירה ע"י שנתנו עליו כשהוא מהלך, ומה שיעשה עקירה חדשה אחר עמידתו, הלא מעצמו עושה דבר זה, ודמי להא דנתנו עליו מבעוד יום, ובדוחק יש לחלק, דבנתנו עליו מבעוד יום, עדיין לא הגיע זמן איסורו בעת הנתינה, ע"כ לא דמי כלל למאכיל איסור בידים, משא"כ בנתנו משחשכה, שהגיע זמן איסור בתחלת נתינתו עליו, לכן אף דנתנו כשהוא מהלך, צריך עכ"פ ליזהר ליטול ממנו כשעומד, כדי שלא יעשה עקירה בהכיס אח"כ).**

(ומ"מ אכתי קשה, אמאי מותר מבע"י, הא תנן: קטן שבא לכבות אין שומעין לו, מפני ששביתתו עליך, והיינו מפני שיודע שניחא לאביו בכך, והוא עושה דבר זה לרצונו, לכך אסור, **וא"כ** בענינינו אמאי מותר לו להניחו אח"כ לעקור הכיס כשעמד משחשכה, מי עדיף מאלו בא הקטן מעצמו משחשכה ליטול הכיס ולהביאו למקום המשתמר, היה צריך אביו למחות בידו כשיודע שניחא לאביו בכך, וכ"ש בענינינו שנתן לו על דעת זה מבע"י, **ואולי** י"ל, דמה שאמרו שאסור בקטן העושה על דעת אביו, הוא רק מד"ס, כיון שאינו מצוהו בפירוש לזה, והכא מפני הפסד התירו, **ואולי** דזהו טעם האוסרים שהובא במ"א).

והמ"א מצדד להחמיר אף מבעוד יום, ונראה דבכרמלית יש להקל.

סעיף ז - אם אין עמו שום אחד מכל אלו, יטלטלנו פחות פחות מארבע אמות - דשבות חמור הוא מאד, דילמא לא יצמצם בשעורו ויבוא להוליך ד' אמות בר"ה, ובקושי גדול התירו חז"ל דבר זה משום פסידא, ומפני שאדם בהול על ממונו וכנ"ל, **ולכך** לא התירו חז"ל אלא דוקא כשאין לו שום אחד מכל אלו הדרכים.

ויעמוד לפוש בינתים רגע אחד להפסיק ביניהם, והנחת גופו כהנחת חפץ, **ואע"ג** דאינו עומד בינתים לצורך עצמו לנוח קצת, אלא כדי שלא יעביר ד"א בבת אחת, אפ"ה מקרי עומד לפוש, **ויש** מחמירין שצריך דוקא לישב בינתים, או להניח החפץ ע"ג קרקע, ‹דכיון שאינו עומד אלא משום שלא יבא לידי איסור, לא הו"ל כעומד לפוש – מ"א›.

כתבו האחרונים, דפחות פחות מד"א יותר עדיף שיהיה ע"י שנים משיהיה ע"י אחד, ובזה לכו"ע א"צ לישב שום אחד ולא לעמוד לפוש, דבכל אחד הוי מעשה חדש.

וזה אינו מועיל אלא לענין טלטול בר"ה או בכרמלית, שהאיסור הוא משום טלטול ד' אמות, ע"כ מהני זה, **אבל** מכרמלית לרה"י או לרה"ר, וכ"ש מר"ה לרה"י, דהאיסור הוא משום הוצאה מרשות לרשות, דאסור אפי' בחצי אמה, אינו מועיל זה, **ע"כ** בענינינו כשבא סמוך לביתו שהוא רה"י, יזרוק הכיס כלאחר יד לביתו, כדי שלא תהוי הכנסה גמורה, **ואפילו** אם עשה הנחה כשבא סמוך לביתו, ג"כ התירו להכניס לביתו כלאחר יד משום הפסד.

כתב הט"ז: לא יפה עושין אותן שנושאין תינוק למול בפחות פחות מד"א, דמ"מ יש איסור מה שמוציאין מרה"י לרחוב שהוא כרמלית, **אלא** יוציאנו ע"י א"י מרשות

לרשות, ואח"כ יטלטלנו בפחות מד"א, ולבהכ"נ יכניסו ג"כ ע"י א"י, **ולהמ"א** אין לעשות כן, דהא אפשר למול בביתו.

ודוקא כיסו, או מציאה שבאה לידו - היינו מבע"י, וכנ"ל בס"א, **אבל אם לא באה לידו, לא.**

(עיין בפמ"ג שמוכח מדבריו, דדוקא פחות פחות מד"א ע"י אדם אחד הוא דאסור, אבל מחברו לחברו, אף שכל אחד מוליך פחות מד"א, ועל דעת כן עושין, שרי, דבאופן זה לא גזרו על פחות מד"א, **ודע**, דהוא דוקא במצא דבר שמותר לטלטלו, אבל אם מצא דבר שאסור לטלטלו, אסור עכ"פ משום מוקצה).

סעיף ח - י"א דדוקא מי שהחשיך לו בדרך, שהיה סבור שעדיין יש שהות ביום - שקצת אונס חשיב, **אבל מי שיצא מביתו סמוך לחשיכה, ושכח והוציא לרשות הרבים, לא התירו לו שום אחד מהדרכים האלו** - ר"ל ויעשה כפי המבואר לקמן בסי"ב בהג"ה, דיתיר חגורו בשוק והוא נופל, ואומר לא"י לשמרו.

הטעם, דפושע הוא, כיון דבעת היציאה היה סמוך לחשיכה, היה לו לחוש שמא ישכח ויטלטלנו בר"ה, אבל כשיצא מבע"י שרי ע"פ הדרכים הנ"ל.

ובספר א"ר הביא דעת הרשב"א החולק על הי"א הזה, וס"ל דגם בזה יש לסמוך על כל הדרכים הנ"ל, וכתב דיש לסמוך עליו.

סעיף ט - הגיע לחצר החיצונה המשתמרת - הקשה המג"א, דהא כי קאי הבהמה פורתא לפני הפתח, מעייל מר"ה לרה"י, וכמ"ש סי"א, **וצ"ל** דגבי בהמתו לא החמירו כ"כ, ועיין בפמ"ג שנדחק מאד בתירוץ זה, **ויש** מתרצים דיזהר ליטול מהבהמה תיכף בבואה לחצר בעודה מהלכת, כדי שלא תהיה ההנחה ע"י הבהמה, או שיזהר ליטול ממנה קודם שנכנסה לחצרו, ולא יניח עליה עד לאחר שעקרה רגליה לכנוס לחצר, כדי שלא תהיה העקירה על ידה, **ואף** שאח"כ עומדת בחצר והוי הנחה, לית לן בה, דכל דבר שבחבירו פטור אבל אסור, בחמורו מותר לכתחלה.

נוטל מעל החמור כלים הנטלים - ואפילו הם יותר מט"ו סאין, שרי משום צער בע"ח, **אבל** בלא"ה אסור לפנות מן העגלה כלל, כמש"כ ס"ס של"ג.

ושאינם נטלים, מתיר את החבלים והשקים נופלים; ואם היתה טעונה כלי זכוכית שאסור לטלטלם, כגון שהם כוסות של מקיזי דם שאין ראוים בשבת לכלום לפי שהם מאוסים - ואע"ג דמוקצה מחמת מיאוס מותר, היינו היכא דחזי לכסויי ביה מנא, אבל הכא לא חזי לכסות, שאם יפלו ישברו, **ואם יפלו לארץ ישברו, מניח תחתיהם כרים וכסתות; ודוקא במשאות קטנים שיכול לשמטן מתחתיהן** - ולא נאסרו מטעם בסיס לדבר האסור, כיון שלא היו עליהן בה"ש.

ואע"ג שקודם שיספיק לשמטם כולם בנחת שלא ישברו הכלים, הרי הם מבוטלים מהיכנם באותה שעה עי"ז, אפ"ה התירו חכמים לעשות כן, כדי שלא יהיה הפסד ע"י השבירה, **וכתבו** הרבה פוסקים, דדוקא כלים שיש הפסד מרובה בשבירתן, אבל חתיכות זכוכית רחבות שאינן כלים, שאין הפסד כ"כ בשבירתן, דהם עשוים להחתך לחתיכות קטנות, ולית בזה רק הפסד מועט, אסור להניח כרים תחתיהן, לפי שמבטלן עכ"פ מתשמישן לשעתן, **וכן** מסיק המ"א לדינא, דיש להורות שאין מבטלין כלי מהיכנן אפילו לפי שעה, אלא במקום הפסד מרובה.

אבל אם הם גדולות שאינו יכול לשמוט הכרים מתחתיהן, אסור להניחם תחתיהן, מפני שמבטל כלי מהיכנו, (פי' מהתשמיש שהיה מוכן לו), אלא פורקן בנחת שלא ישברו – (ומ"מ אסור לסמוך עליה כשפורק, דהוי משתמש בבע"ח).

ולבטל כלים מהיכנן לכל היום במקום הפסד מרובה, יש אוסרין ויש מתירין, (ומה דאסרינן להניח כרים וכסתות תחת משאות גדולות, (לפי המתירין), היינו משום שיכול לפורקן בנחת ולא יבא לידי הפסד, **ואם** א"א לפורקן, אה"נ דמותר להניח כרים וכסתות אף במשאות גדולות, **ומשמע** ממ"א דלאו דוקא בענינינו, דה"ה דבעלמא מותר לבטל כלי מהיכנו במקום הפסד מרובה, **ובאמת** קשה מאד להקל בזה, דפשטות הסוגיא מוכח דאסור בהפסד מרובה).

ולא יניחם על הבהמה משום צער ב"ח – (בלשון הרמב"ם איתא: ולעולם לא יניח וכו', והיינו אפילו אם לא יכול לפרוק בנחת, מ"מ יראה שלא יהיה מונח על הבהמה משום צער בע"ח, ומשמע מדברי הגר"א, דבאופן זה מותר להניח תחתיהן כרים וכסתות אף דהוא מבטל כלי מהיכנו, וכשיטת היש מתירין הנ"ל, והא דאוסר בשו"ע מתחלה במשאות גדולות, מיירי בשאפשר לו לפורקן וכמו שמפרש המ"א, **אכן** לפי מה שבארו הרמב"ן והרשב"א בחדושיהם, אסור להניח תחתיהן כרים וכסתות בכל גווני, וכדי להסיר הצער מהבהמה, יתיר החבלים ויפלו השקין עם הכלים אע"פ שישברו).

סעיף י - חשכה לו בדרך ותפילין בראשו, או שיושב בבית המדרש בשדה וחשכה לו - היינו דנעשה ביה"ש, וא"א לו לישא אותם בידו לביתו מפני קדושת שבת, **ולהשאיר** אותם שם בדרך או בבה"מ א"א מפני בזיון התפלין, דבתי מדרשות שלהם היה בשדה מקום שאין משומר מפני הגנבים, **מניח ידו עליהם עד שמגיע לביתו** - התירו לו חכמים לנשאם עליו דרך מלבוש עד ביתו, **אך** צריך לכסותם, שלא יראוהו שהוא נושא עליו התפלין בשבת, **ואם יש בית סמוך לחומה שנשמרים בתוכו, מניחן שם.**

סעיף יא- היתה חבילתו מונחת על כתיפו וקידש עליו היום, רץ תחתיה עד ביתו - דכל כמה דלא עמד לפוש אין כאן עקירה בשבת, **ודוקא** כשאין עמו א"י ולא בהמה ולא חש"ו, **וגם** במקום שאין יכול להוליכו פחות פחות מד' אמות, כגון שמתירא מליסטים שיגזלוהו, או שיש מים רחב ד' אמות, **ועיין** מה שכתבתי בסמוך, דלדידן דלית לן ר"ה גמורה, אפשר דשרי בכל ענין.

ודוקא רץ, אבל לילך לאט, לא, כיון דלית היכירא אתי למעבד עקירה והנחה, דזמנין קאי ולאו אדעתיה - ואם עמד לתקן המשא פטור, דזה לא מקרי הנחה, **אבל רץ אית ליה היכירא** - דעביד שינוי בהליכתו, וע"י כן יזכור שבת ולא יעמוד.

וכי מטי לביתיה, כי היכי דלא קאי פורתא ואשתכח דקא מעייל מרשות הרבים לרה"י, זריק לה כלאחר יד, דהיינו שלא כדרך זריקה, כגון מכתפיו ולאחריו - דהיינו שמהפך אחוריו כלפי החצר וזורקו מכתפיו, דכלאחר יד ליכא איסורא דאורייתא, ומשום הפסד חבילתו התירו לו דבר זה.

(**בגמרא** איתא בזה הלשון: סוף סוף כי מטא לביתיה א"א דלא קאי פורתא, וקא מעייל מר"ה לרה"י, ומשני דזריק לה כלאחר יד, וזה כונת השו"ע: כי היכי וכו', **ומשמע** מהגמרא דכיון דאח"כ זורק כלאחר יד, שוב אין לנו לחוש אפי' אם יעשה הנחה בבואו סמוך לביתו, מאחר דבתחלת הפעולה לא היתה עקירה, שהיתה החבילה מונחת עליו מבעו"י, וכן דעת המי"ט הובא בא"ר, ומ"מ יש מחמירין שלא יעמוד לפוש, ומה דאמרו: א"א דלא קאי פורתא, זה לא הוי הנחה לגמרי, רק נראה כהנחה).

סעיף יב - י"א דדוקא בחבילה התירו לעשות כן - שהיא כבדה, ואין דרך לרוץ במשא כבד, ואית ליה הכירא, **אבל לא בכיסו** - שהוא קל אין היכר בריצה.

וי"א דה"ה לכיסו - והיינו במקום שא"א בהנך דרכים הנזכרים לעיל. **והמיקל** כהי"א לא הפסיד, ט"ז, **וכתב** המ"א בשם הש"ג, דלדידן דלית לן ר"ה, אפשר דלכו"ע שרי בכל ענין.

הגה: ומי ששכח כיסו עליו בשבת, אם הוא בביתו, יכול לילך עמו לחדר להסיר חגורו וליפול שם להצניעו - דכיון שהמוקצה בידו, יכול לילך עמו לכל מקום שירצה, **והגר"א** בבאורו החמיר בזה, **ואם** יתיר חגורו תיכף ויפול המעות יוכל להביא לידי הפסד, אפשר שגם להגר"א מותר.

(**ובדה"ח** מכריע, דבכיס שיש עליה תורת כלי, והיא לא נעשה בסיס להמעות כיון שהניחה בשכחה, ומותר לטלטלה לצורך מקומה, לכן אם היה בידו יכול להוליכו לתיבה, **אבל** דברים המוקצין בגופן, כגון מעות ואבנים שאין להם שום היתר טלטול אפי' לצורך גופו או מקומו, ונטלו בידו, אסור לילך עמהן למקום אחר, רק יזרוק אותן תיכף, **מלבד** איזמל של מילה, אף שהוא מוקצה

מחמת חסרון כיס, ואסור לטלטלו אפי' לצורך גופו, מ"מ כשהוא בידו יכול להניחו באותו חדר במקום שירצה, דאי יצטרך להשליך האיזמל מידו וישבר, מימנע ולא מהיל).

ואם הוא בשוק - או במקום שלא עשו ברחוב ההוא שיתופי מבואות, **אסור להביאו לביתו, רק מתיר חגורו בשוק והוא נופל, ואומר לא"י לשומרו, ואם מביאו אין לחוש** - (אפי' לדעת הי"א שמתירין גם בכיס לרוץ, ס"ל דהכא אסור, כיון שהוא בעיר ויכול לומר לעכו"ם לשומרו – מאמר מרדכי), **ואם** מתירא לסמוך עליהם, רשאי לצוותם להוליך לביתו.

ודוקא כשאין מתיירא מן הא"י שמא יקחוהו, אבל אם ירא שמא יקחו אותו הא"י, (וגם אין יכול להוליכו פחות פחות מד' אמות – שונה הלכות), רשאי לרוץ עמו לביתו שלא לעמוד כלל, כדי שלא יעשה עקירה באמצע הדרך, **ובתנאי** כשנזכר כשהוא מהלך, ולא עמד לפוש, שלא עשה עקירה כלל בתחלת ריצתו, **וגם** כשבא סמוך לביתו יזרקנה תיכף כלאחר יד לביתו וכנ"ל.

ועצה (של "לצוותם להוליך לביתו"), טוב יותר בשאפשר לו מכל האופנים הנ"ל.

וע"ל סי' ש"י, אם הכיס תפור בבגדו מה דינו.

סעיף יג - מצא ארנקי בשבת, אסור ליטלו, אע"פ שירא פן יקדמנו אחר - אפילו אם יעמוד תחתיו ולא יעביר ד' אמות, אפ"ה אסור משום מוקצה, **ולא** שייך להתיר משום פסידא, כיון שעדיין לא זכה בה, (וע"י טלטול ברגל יש להקל).

וכתב המ"א, דאפילו לא"י אסור לומר ליטלו, **ובספר** א"ר מקיל ע"י א"י, והביאו הפמ"ג, וכן בחידושי רע"א מיקל ג"כ ע"י א"י, **אך** דהוא לא הקיל כי אם ההגבהה ע"י הא"י, דהוא רק טלטול בעלמא, אבל לא לצוותו להוליך לביתו, **אך** אם הא"י בעצמו מביאו לבית ישראל, נראה דאין למנעו לכו"ע וכנ"ל.

(**ואם עבר והגביהו, יראה עכ"פ אח"כ לטלטלו פחות פחות מד"א, ולבסוף יזרקנו לאחריו כדי שלא יהיה הנחה**).

(ע"ל ס"ז במ"ב, דדוקא כשבאה לידו מבע"י וכנ"ל בס"א, וצ"ע).

(**ואם** הוא מקום שרוב ישראל דרין בו, ומגביה כדי להחזירו אח"כ לבעליו, **היתרא דפחות מד"א בודאי לא שייך בזה לכו"ע, דאין בהול בזה כיון שהוא רק להחזירו לבעליו, אך לענין איסור מוקצה יש לעיין**).

§ סימן רסז – דין התפלה בערב שבת §

סעיף א - בתפלת המנחה בערב שבת אין נופלין על פניהם - מפני שהוא סמוך להכנסת שבת, כ"כ הלבוש, **וכתב** הפמ"ג, ונראה דה"ה כשמתפללים מנחה גדולה אחר חצות, נמי אין נופלים על פניהם, **וכן** מי שאוכל פת אחר חצות, ג"כ אין לומר "על נהרות בבל", כי אם "שיר המעלות".

סעיף ב - מקדימין להתפלל ערבית יותר מבימות החול - משום דהוי נהיגי עלמא לקבל עליהם שבת מכי פתח הש"ץ "ברכו", וכדלעיל בסימן רס"א ס"ד, לכך מהנכון להקדים להתפלל ערבית כדי להקדים הקבלת שבת, **וה"ה** דיכול לקבל עליו שבת קודם תפלת ערבית.

ומפלג המנחה יכול להדליק ולקבל שבת בתפלת ערבית - אבל קודם פלג המנחה אין יכול להדליק ולקבל שבת, **ואפילו** אם בדיעבד התפלל תפלת שבת, צריך לחזור ולהתפלל.

ופלג המנחה, י"א דהוא שעה ורביע קודם הלילה, וי"א דהוא שעה ורביע קודם השקיעה, **ועיין** לעיל בסימן רס"ג ס"ד ובמש"כ שם במ"ב.

משמע מדברי המ"א, דאפילו הנוהגין להתפלל מעריב בזמנה, מותרים להתפלל בליל שבת מבע"י, ובלבד שיהיה מפלג המנחה ואילך, דכיון דמצותה להוסיף מחול על הקודש, וכבר קבל שבת עליו, יכול לסמוך על דעת הסוברים דהוי כלילה לענין תפלה, **אך** הנוהג כן יזהר עכ"פ בע"ש להתפלל מנחה קודם פלג המנחה, כדי שלא יהיה תרתי דסתרי אהדדי, {**היינו** דלדעת ר' יהודה בגמרא, זמן מנחה נמשך רק עד פלג המנחה, ומשם ואילך הוא זמן תפלת ערבית, ולדעת רבנן, זמן מנחה הוא עד סוף היום, וזמן מעריב הוא בערב}.

וי"א דבצבור יש להקל להתפלל מעריב מבע"י, אף אם התפלל מנחה אחר פלג המנחה, (**הוא מדה"ח, שכתב דבצבור יש להקל, מטעם כיון דבשאר מקומות נוהגין להקל בזה גם בחול, מטעם שטרחא לאספם פעמים**

ולקבצם, עכ"פ יש להם לסמוך על האי טעמא בערב שבת, עכ"ל), **ונ"ל** שאין לסמוך על זה, (משום דכל האחרונים לא הזכירו קולא זו, וטעמם הוא, כיון דאנן נהיגין בשאר ימות החול להתפלל בזמנה כדין, משום שאין לקולא זו מקור מן הש"ס, ‹ועיין מש"כ לעיל סימן רל"ג ס"א במ"ב›, איך נסמוך על קולא זו בשבת), **רק** כשהוא מתפלל מעריב עכ"פ בבין השמשות ובשעת הדחק, אבל לא כשהוא עדיין ודאי יום, **וק"ש** יחזור ויקרא כשהוא ודאי לילה.

ולאכול מיד - הטעם, דכיון דקבל עליו שבת והוסיף מחול על הקודש, נחשב כשבת לענין זה דיכול לקדש ולאכול מיד, ויכול לגמור סעודתו מבע"י, **ויש** חולקין וסוברין, שיזהר למשוך סעודתו עד הלילה, ויאכל כזית בלילה, **וטעמם**, דכיון דהג' סעודות ילפינן ממה דכתיב: אכלוהו היום כי שבת היום לה' וגו', בעינן שיקיים אותם ביום שבת עצמו, **ולכתחלה** נכון לחוש לדבריהם.

ואם לאחר שהתפלל מעריב אין עד הלילה חצי שעה, יש ליזהר שלא להתחיל לאכול, אלא ימתין עד הערב ויחזור ויקרא ק"ש בלא הברכות, ואח"כ יאכל, הואיל ולהרבה פוסקים לא יצא ידי חובת ק"ש קודם הלילה, ‹**עיין** בסימן רל"ה ס"ב, וצ"ע›, **מיהו** הנוהג להקל בזה אין למחות בידו, דיש לו על מי לסמוך, **וכ"ז** לענין היתר אכילה, אבל לענין ק"ש גופא דהוא דאורייתא, אין לסמוך, ויזהר לקרותה בלילה לצאת ידי חובת ק"ש.

(ועי"ל סי' רל"ג כיצד מִשערין שיעור פלג המנחה).

סעיף ג - בברכת "השכיבנו" אינו חותם "שומר עמו ישראל" - דבשבת א"צ שמירה, כי השבת בעצמו הוא השומר אותנו.

אלא כיון שהגיע ל"ובצל כנפיך תסתירנו", אומר: "ופרוס סוכת שלום עלינו ועל ירושלים עירך" - ר"ל דגם "כי אל שומרנו" וכו' לא יאמר, דלא כמנהגנו, והאחרונים יישבו המנהג, **"בא"י הפורס סוכת שלום עלינו ועל כל עמו ישראל ועל ירושלים"** - ואם שכח ואמר "שומר עמו ישראל" תחת "הפורס סוכת שלום", אם נזכר תכ"ד, יאמר מיד אחר תיבת "לעד", "הפורס" וכו', **ואם** שהה כדי דבור {הוא כדי שיאמר "שלום עליך רבי ומורי"} מעת שסיים תיבת "לעד", א"צ לאמרו, ולא יחזור עוד הפעם.

המנהג לומר אחר סיום הברכה, "ושמרו בני ישראל" וגו', ובמועדים "וידבר משה" וגו', בר"ה "תקעו", וביוה"כ "כי ביום הזה" וגו'.

§ סימן רסח – דין הטועה בתפלת השבת §

סעיף א - אומר: "ויכולו" בתפלת ערבית - דאמר רב המנונא: כל המתפלל ואומר "ויכלו", כאלו נעשה שותף להקב"ה במעשה בראשית, אל תקרי "ויכולו" אלא "ויכַלו", פירוש הקב"ה והוא, **ומ"מ** בדיעבד אם לא אמרו אין מחזירין אותו, וכ"ש לדידן דאומרים בקידוש "ויכלו".

בנוסח "אתה קדשת", צריך להפסיק מעט בין "לשמך" ו"תכלית", כדי שלא יהיה כחוזר למעלה ח"ו, **וכן** ב"ויכלו" יפסיק בין "אלהים" ובין "את".

המנהג לומר בליל שבת "וינוחו בה", וביום "וינוחו בו", ובמנחה "וינוחו בם".

סעיף ב - אם טעה והתחיל תפלת החול, גומר אותה ברכה שנזכר בה שטעה, ומתחיל של שבת - הטעם הוא, דבדין הוא דבעי לצלויי י"ח ברכות בשבת כמו בחול, ולהזכיר קדושת היום בעבודה כמו בר"ח וחוש"מ, ורק משום כבוד שבת לא אטרחוהו רבנן, ותקנו ברכה אחת אמצעית לשבת, **ולכן** בדיעבד שהתחיל הברכה, גומרה, שהיא ראויה לו מן הדין, ואח"כ מתחיל הברכה המיוחדת לשבת, **וה"ה** בכל זה לענין יו"ט.

לא שנא נזכר בברכת "אתה חונן", לא שנא נזכר בברכה אחת משאר הברכות, בין בערבית בין בשחרית מוסף ומנחה - דבדיעבד גם במוסף אם התפלל י"ח ברכות, ורק הוסיף בה "ונעשה לפניך חובותינו בתמידי יום ובקרבן מוסף", יצא, וכדאיתא בס"ד, לכך גם לה שייך בדיעבד הברכה של חול.

וי"א דבמוסף פוסק אפילו באמצע ברכה - דסבירא להו, דבמוסף לא שייך כלל תפלת י"ח

ברכות, דאף בחול אין אומרים רק שבע ברכות, ולכך פוסק אפילו באמצע ברכה.

וכן פסקו האחרונים, משום ספק ברכה לבטלה.

סעיף ג - אם היה סבור שהוא חול והתחיל אדעתא דחול, ומיד כשאמר תיבת "אתה" נזכר קודם שאמר "חונן", הוה ליה התחיל בשל חול, וגומר אותה ברכה - דאפי' בערבית ומנחה שיכול לסיים ב"אתה קדשת" ו"אתה אחד", מ"מ כיון שכונתו היתה לתפלת חול, מקרי התחיל בשל חול, וגומר ברכת "אתה חונן" - ב"י, **והמ"א** חולק עליו וס"ל, דדוקא בתפלת שחרית שאינו מתחיל בתיבת "אתה", ומינכר בדבורו שהוא לשם חול, **אבל** בערבית ומנחה כיון דלא מינכר בדבורו, לא מקרי עי"ז התחיל בשל חול, ויאמר "אתה קדשת" ו"אתה אחד", וכן דעת הפמ"ג והדה"ח.

אבל אם היה יודע שהוא שבת, ושלא בכוונה התחיל תיבת "אתה" - ר"ל שנכשל בלשונו מחמת הרגלו דחול, אבל לא נתכוין לשם תפלת חול, **אפילו אם הוא בתפלת שחרית שאינה פותחת ב"אתה", אינו גומר ברכת "אתה חונן", דחשבינן ליה כטעה בתפלת שבת בין זו לזו. הגה: דהרי יכול לומר "אתה קדשת" או "אתה אחד"** - לפי דבתיבת "אתה" אינו מינכר שהוא לשם "אתה חונן", דהרי יכול לומר "אתה קדשת" ו"אתה אחד", **וע"כ** דינו כמו שאם היה מתחיל עתה בזמן תפלת שחרית "אתה קדשת" או "אתה אחד", ונזכר באמצע הברכה, דפוסק ומתחיל תיכף "ישמח משה", **וה"נ** כשאומר "אתה", הוי כאומר "אתה קדשת", ופוסק ומתחיל "ישמח משה", ולא הוי כאומר "אתה חונן" לגמור הברכה.

ודוקא אם התחיל רק תיבת "אתה", אבל אם אמר "אתה חונן", שמוכח שהוא לשם חול, אע"ג שהיה רק מחמת שנכשל בלשונו, גומר כל אותה הברכה. (**אבל** קשה, כיון שנכשל בלשונו, אפי' אם אמר אתה חונן מאי הוי, דנכשל בלשונו לא נחשב לדבור כלל, וצ"ע).

סעיף ד - מי שהתפלל תפלה של חול בשבת ולא הזכיר של שבת, לא יצא - וה"ה ביו"ט, ואפי' ביו"ט שני, **ואם** ספק לו אם התפלל של חול או של שבת, ג"כ צריך לחזור, דמסתמא התפלל של חול כמו שהוא רגיל.

ואם הזכיר של שבת בתוך י"ח, אע"פ שלא קבע ברכה לשבת, יצא. הגה: ובמוסף אפי' לא אמר רק "ונעשה לפניך את חובותינו בתמידי יום ובקרבן מוסף", יצא - ר"ל שאמר בא' מן הברכות "יהי רצון שנעשה לפניך" וכו', **וכ"ש** אם אמר הנוסח של המוסף כהלכה, רק שחיסר הפסוקים של הקרבנות, דיצא.

סעיף ה - טעה והתפלל של חול בשבת, ולא הזכיר של שבת, אם עקר רגליו חוזר לראש; ואם לא עקר רגליו, אע"פ שסיים תפלתו, אינו חוזר אלא לשל שבת - ואפילו נזכר קודם "מודים", לא יכלול אותה בעבודה, לומר: "רצה נא במנוחתנו ביום השבת", דלכתחלה צריך לומר ברכה לקדושת היום, **ובדיעבד** יצא.

(וע"ל שכח של שבת בשחרית, עיין סימן קכ"ו).

סעיף ו - הטועה בתפלת שבת והחליף של זו בזו, אינו חוזר - שעיקר ברכה רביעית היא "רצה במנוחתנו", וזה נאמר בכל הברכות של שבת, **ודוקא** כשסיים הברכה, אבל אם נזכר באמצע ברכה, פוסק.

וי"א שאם החליף של מוסף באחרת, (חוזר) - ואפילו אם האחרת ג"כ מענין השבת, כגון "ישמח משה" וכה"ג, כיון שלא נזכר בה מענין קרבן מוסף של שבת, וכ"ש אם היא תפלה אחרת לגמרי, **ודינו** כדלעיל, דאם עקר רגליו חוזר לראש, ואם לא עקר רגליו, חוזר ל"תכנת שבת", **וכתב** הח"א, דאם נזכר אחר שסיים הברכה האמצעית קודם שהתחיל "רצה", יאמר "ונעשה לפניך קרבן מוסף", ויצא בזה.

(והנה בדה"ח כתב, דכל היכי שנזכר באמצע איזה ברכה מג' אחרונות, חוזר ל"תכנת שבת", **ובח"א** מצדד לומר, דכל היכי שטעה ולא הזכיר של מוסף בקדושת היום, אזי יאמר בעבודה, כשיאמר "והשב את העבודה", יאמר "ונעשה לפניך בתמידי היום ובקרבן מוסף").

או אחרת בשל מוסף, חוזר - היינו שאמר הנוסח "תכנת שבת", וכונתו היתה לשם שחרית, **ואף** שהזכיר

בהברכה מענין שבת, אעפ"כ חוזר, כיון שאמר מוסף תוך תפלתו, ושקר לפני המקום, **ודינו** ג"כ כדלעיל, דאם עקר רגליו חוזר לראש, ומתפלל תפלה אחרת כהוגן לשם שחרית, **אבל** של מוסף לא יתפלל עוד, כי כבר יצא בתפלה הראשונה ידי מוסף, אף שכונתו היתה לשל שחרית, **ואם** נזכר קודם שעקר רגליו, בכל מקום שהוא עומד, אפלו באמצע ברכה מג' אחרונות, פוסק באמצע ומתחיל "ישמח משה".

האחרונים תמהו על מה שכתוב בלשון "וי"א", דכו"ע מודים בזה.

סעיף ז - חוזרים לומר "ויכלו", משום יו"ט שחל להיות בשבת שאין אומרים אותו בתפלה - ואגב שבת זה תקנו לכל השבתות.

וגם להוציא למי שאינו יודע; ואומרים אותו בקול רם ומעומד - לפי שבזה אנו מעידים להקב"ה במעשה בראשית, ודין עדים בעמידה, כדכתיב: ועמדו שני האנשים, **וטוב** לומר אותה ביחד בצבור, דעדה שלמה בעינן להעיד להקב"ה, **ועכ"פ** יהיה בשנים.

(**עיין במ"ב שכתבנו, דלכתחלה יהדר אותה לומר ביחד, הוא ממ"א, דלכתחלה טוב להדר לצאת גם דעת הת"ק, דס"ל דצריכין להעיד כאחד דוקא, ובאמת קי"ל בחו"מ סימן כ"ח, דאין צריכין להעיד ביחד).**

(**עוד שם, דלכתחלה טוב בעשרה, ומטעם זה המתפלל בלחש ימהר לסיים תפלתו, כדי שיאמר "ויכלו" עם הקהל – פמ"ג).**

ויחיד המתפלל, י"א דאינו חוזר לומר "ויכלו", דאין עדות ליחיד, **וי"א** דיחיד יכול לומר, אבל אין צריך עמידה, **וטוב** שגם היחיד יאמר, אבל לא יתכוין לשם עדות אלא כקורא בתורה.

כתב מטה משה, אם שכח לומר בבהכ"נ, יאמר אותו שבקדוש מעומד, **והמנהג** לומר אותו שבקדוש מעומד אף אם אמרו בבהכ"נ.

סעיף ח - ואומר ש"צ ברכה אחת מעין שבע, ואין היחיד אומר אותה - הוא מה שהש"ץ אומר אחר התפלה: "בא"י או"א וכו' קונה שמים וארץ" וכו', **ונתקנה** משום סכנת מזיקים, שבתי כנסיות שלהם היו בשדה, ולפעמים בני אדם מאחרים לבוא לבהכ"נ, וישארו יחידים בבהכ"נ בשדה, לפיכך תקנו ברכה זו, כדי שבעוד שש"צ מאריך בה, יסיימו גם הם תפלתם, וגם האידנא לא זזה תקנה ממקומה.

הגה: מיהו אם היחיד רוצה להחמיר על עצמו, יכול לאומרה בלא פתיחה ובלא חתימה; וכן נוהגין הצבור לאמרה עם ש"צ בלא פתיחה וחתימה - דהיינו שמתחיל "מגן אבות" עד "זכר למעשה בראשית" בלבד, כי עיקר התקנה היה שהש"ץ יברך אותה, **ע"כ** נראה פשוט שמה שנוהגין באיזה מקומות, שהש"ץ אומר בקול רם רק עד "קונה שמים וארץ", ואח"כ אומר בלחש, לא יפה הן עושין, אלא אחר שסיימו הקהל יתחיל הוא "מגן אבות" בקול רם.

סעיף ט - יו"ט שחל להיות בשבת, אינו מזכיר של יום טוב בברכה מעין שבע (פי' "אל עליון קונה" וכו') - כי לא תקנוה אלא בשבת, ואפילו בשבת אינו חובה מצד הדין, רק שתקנוה משום סכנה וכנ"ל, ומה דתיקון תיקון ואין להוסיף עליה.

(**קאי** על כל יו"ט, לבד מיו"ט א' של פסח שחל להיות בשבת, דאין אומרים אותו, דלא נתקן אלא משום מזיקין, ובפסח הוא ליל שמורים).

סעיף י - א"א ברכה מעין שבע בבית חתנים ואבלים - פי' כשמתפללין בביתם במנין, **דליכא טעמא דמאחרין לבא שיהיו ניזוקין** - וכ"ש אותן שמתפללין לפרקים במנין בבית.

ובמקום שנוהגין לאמרה אין למחות בידם, כ"כ המ"א בשם הרדב"ז, **אבל** הפמ"ג מפקפק בזה, דהוי ספק ברכה לבטלה.

אבל כשיש קביעות על איזה ימים ויש ס"ת אצלם, וכמו בירידים, דומה לבהכ"נ קבוע ואומרים.

סעיף יא - אף בשבת שאחר יו"ט אומרים ברכה מעין שבע.

סעיף יב - אין לדבר בשעה שאומרים ויכלו, ולא בשעה שאומר ש"צ ברכה מעין שבע - בטור בשם ס"ח: מעשה בחסיד א' שראה לחסיד אחר במותו {פי' בחלום} ופניו מוריקות, אמר לו למה פניך

מוריקות, אמר לו מפני שהייתי מדבר ב"ויכלו" בשעה שהיה הצבור אומרים, וב"מגן אבות" וב"יתגדל", עכ"ל.

סעיף יג - אם התפלל של חול ולא הזכיר של שבת, או שלא התפלל כלל – (וכ"ש אם חיסר "משיב הרוח"), **ושמע מש"צ ברכה מעין ז' מראש ועד סוף, יצא** - משום דתפלת ערבית רשות, מקילינן בה. **ולכתחלה** יש ליזהר לומר עם הש"ץ מלה במלה, מן תחלת הברכה עד סוף "בא"י מקדש השבת".

ואם כבר אמר הש"ץ, צריך לחזור ולהתפלל, ולא יאמר ביחיד ברכת מעין שבע.

גם נכון הדבר, שאם נזכר קודם ששמע מהש"ץ הברכה הנ"ל, שלא יסמוך ע"ז, רק יתפלל עוד הפעם תפלת שבע כסדר, כי יש חולקין על עיקר הדין הזה, עיין בטור.

(וכ"ז מהני בשבת לחוד, **אבל ביו"ט** שחל להיות בשבת אין יוצא בברכת מעין שבע, **הואיל ואין מזכיר יו"ט** בברכת מעין שבע).

§ סימן רסט – דין הקידוש בבית הכנסת

סעיף א - נוהגין לקדש בבהכ"נ, ואין למקדש לטעום מיין הקידוש, אלא מטעימו לקטן, דאין קידוש אלא במקום סעודה - היינו דאין המקדש יוצא בקידוש זה, כיון שאינו במקום סעודתו, משו"ה אסור לו לטעום כלום עד שיקדש במקום סעודתו. **(וע"ל סי' רע"ג).**

הנה י"א שיזהר ליתן רק לקטן שלא הגיע לחינוך, **אבל** המ"א כתב בשם הפוסקים, דמותר ליתן אפילו לקטן שהגיע לחינוך, היינו כבר שית כבר שבע, כל חד לפום חורפיה, **ואדרבה** אם יתן רק לקטן שלא הגיע לחינוך, יהיה ברכת המברך לבטלה, דהא לא הגיע לחנכו בברכה, **ואפילו** לפי מה שמבואר לקמן בסימן שמ"ג, דאסור להאכיל בידים לקטן אפילו דברים שאסורים מדרבנן, הכא שרי מפני כמה טעמים, עיין במ"א, (כיון די"א דאפי' גדול מותר לשתות דיוצא בקידוש זה, אע"ג דלא קי"ל הכי, מ"מ לקטנים שרי, **א"נ** כיון דא"א בענין אחר, שרי, **ולפמ"ש** הרב"י, כל מידי דהוא רביתא דתינוק, כגון אכילה ושתיה, מותר להאכילו בידים, דלא גזרו בו חכמים, דהא אפי' ביה"כ מצוה להאכילו, ואין מחנכין אותו אפי' לשעות, {א"כ למה אמרו דאסור להאכיל לקטן נבלות בידים}, דיש חילוק בין אכילת איסור, לאכילת היתר בזמן האסור, **וה"ה** דמותר להאכיל לקטנים בשבת בשחרית לפני קידוש, וכ"ש, דהא י"א אפי' גדול מותר לאכול – מ"א), ואסור לענותו.

כתבו האחרונים, דאם אין קטן שהגיע לחינוך בבהכ"נ, אזי ישתה כשיעור רביעית, שיהא חשוב במקום סעודה, כמש"כ סי' רע"ג ס"ה, ויוצא בזה, ויברך אח"כ ברכה אחרונה, ויחשוב בדעתו לצאת בקידוש זה, **ומ"מ** יכול אח"כ לחזור ולקדש בביתו להוציא בני ביתו.

ומהדרין אחר יין, [**ובפמ"ג** מסתפק, דבביהכ"נ אפשר דוקא איין], **ונוהגין** לקנות בדמים המצוה מי שיתן יין לבהכ"נ לקידושא ואבדלתא.

ומעיקרא לא נתקן אלא בשביל אורחים דאכלי ושתי בבי כנישתא, להוציאם ידי חובתם - ואע"ג דהמקדש עצמו לא יצא, מוציא את האחרים, כמ"ש סימן רע"ג, דבקידוש יכול לברך לאחרים אע"פ שאינו אוכל עמהם.

ועכשיו אע"ג דלא אכלי אורחים בבי כנישתא, לא בטלה התקנה, זהו טעם המקומות שנהגו לקדש בבהכ"נ; אבל יותר טוב להנהיג שלא לקדש בבהכ"נ, וכן מנהג ארץ ישראל - ובמדינתנו נוהגין לקדש בבית הכנסת בשבת ויו"ט, מלבד בליל א' של פסח אין לקדש בבהכ"נ. **ואין** לבטל המנהג, כי הרבה גאונים יסדוהו.

הגה: ונהגו לעמוד בשעה שמקדשין בבית הכנסת - ואמרו הראשונים, שזה מועיל לעייפות הברכים.

§ סימן ער – לומר משנת במה מדליקין

סעיף א - נוהגים לומר פרק "במה מדליקין" - לפי שיש בו דין הדלקה, וג' דברים שצריך אדם לומר בתוך ביתו ע"ש עם חשכה, **והספרדים**

אומרים אותו קודם תפלת ערבית, והוא הנכון - שבמקומותם מקדימין להתפלל ערבית, וע"י קריאת פרק זה שיקרא מקודם, ידע במה מדליקין, ויזכור הג'

דברים ויזהיר עליהם, **וע"כ** כתב השו"ע דהוא הנכון, דלאחר תפלת ערבית מאי נפקא מינה.

ובמקומות שנוהגין לאמרו אחר תפלת ערבית, כתב במנהגי מהרא"ק הטעם, כדי שאם יאחר אדם מלהתפלל, יהיה לו שהות להתפלל בעוד שיאמרו "במה מדליקין", **ולכן** אין אומרים אותו בשבת חוה"מ, לפי שאין מאחרין כ"כ לבוא לבהכ"נ, לפי שאין עושין בהם מלאכה.

כתב הב"ח שיש לומר "במה מדליקין" אחר קידוש, דעיולי יומא עדיף ומקדמינן ליה, **ובמקומותינו** המנהג לומר "במה מדליקין" קודם, וכתב בפרישה הטעם, דנר ביתו וקידוש היום, נר ביתו עדיף, וכדלעיל בסימן רס"ג.

סעיף ב - יש שאין אומרים אותו ביום טוב שחל להיות בערב שבת - לפי שאין יכול לומר "עשרתם", שאין מעשרין ביו"ט, **וכן** ביו"ט שחל בשבת, משום לא פלוג.

ויש שאין אומרים אותו בשבת של חנוכה - מפני שנזכר בה פסול שמנים, שהם אסורים בשבת ולא בחנוכה, **הגה: ואין נוהגין כן בחנוכה.**

ובשבת של חול המועד אין אומרים אותו; וכן ביו"ט שחל להיות בשבת אין אומרים אותו - וכן ביוה"כ שחל בשבת אין אומרים אותו.

§ סימן רעא – דיני קידוש על היין §

סעיף א - כשיבא לביתו, ימהר לאכול מיד - היינו לקדש, כדי שיזכור שבת בעת תחלת כניסתו, דכל כמה דמקדמינן ליה טפי עדיף, ומכיון שקידש, צריך לאכול מיד, כמבואר בסימן רע"ג ס"ג בהג"ה, **ואם** אינו תאב לאכול, יכול להמתין מלקדש עד שירעב, שכבר זכר את השבת בתפלתו בבהכ"נ, ויוצא בזה המ"ע דאורייתא להרמב"ם וכדלקמן, **ומ"מ** נראה דהיכא דיש בזה משום שלום בית, או שיש לו בביתו משרתים או שאר אורחים, ובפרט אורח עני, לא יאחר בכל גווני, דכיון דהם מוטלים עליו, לא יוכל לעכבם בשביל שהוא רוצה לקיים מצוה מן המובחר.

ומ"מ מהנכון לקרות ק"ש מקודם, אם מסתפק שבבהכ"נ לא קראה בזמנה, ועיין לעיל בסימן רס"ז במ"ב.

מיד – (ואפי' קודם חשכה, כ"כ הט"ז, **אבל** לפי מש"כ המ"א, יש להחמיר בתוך זמן חצי שעה דקודם לילה, משום חובת ק"ש, דלא נפיק במה שקרא מקודם בבהכ"נ להרבה פוסקים, ובפרט לדידן דנוהגין בכל יום להתפלל מעריב בזמנו, ולהתפלל מנחה אחר פלג המנחה, **וכ"ז** בתוך חצי שעה, אבל קודם שהגיע הזמן דחצי שעה, מותר לקדש ולאכול בשבת ע"י קידוש זה, דיוצא בו ידי קידוש כל שהוא מפלג המנחה ולמעלה, **ומ"מ** לפי מה שהתעורר המ"א להקשות, לדידן דמתפללין מעריב בזמנו ומנחה אחר פלג המנחה, אלמא דלא ס"ל כר"י, האיך אנו יוצאין בזה, **ואף** שמיישב זה, מ"מ לכתחלה יותר טוב למנוע מזה כנלענ"ד, **ואודות** דברי הט"ז הנ"ל, לענ"ד לולא דבריו הייתי אומר, דאין כונת הטור כלל במה שאמר "מיד" לזרז לדבר זה, רק שבא הטור לומר דבהגיע זמן חיוב קידוש, דהיינו אחר שהוא לילה שאז מתקדש היום, מצוה לעשות דבר זה תיכף ולא לאחר, דלשון "זכרהו על היין בכניסתו" משמע תיכף משמתקדש היום, **אבל** לא בא לומר שמצוה לזרז עצמו לקדש משום שהוא קבל מעצמו עליו השבת, דלא צריכינן לזרוזי כל זמן שלא הגיע עדיין זמן חיובא, **ואפשר** דיש לחלק בין מעט קודם חשיכה ובין הרבה, אף דהוא ג"כ אחר פלג המנחה, כי הרמב"ם משמע שס"ל, דאפי' לרבנן דר"י מותר לקדש מעט זמן קודם חשיכה, ומקרי דבר זה שכבר הגיע זמן חובת המצוה של קידוש לכו"ע, וע"כ ממילא נכון להקדים לזמן זה, **משא"כ** בזמן הרבה קודם, אף שהוא אחר פלג המנחה, ומותר לסמוך על שיטת ר"י, לא מצינו אפי' לר"י שיהא נכון להדר אחר זה).

כתב הרמב"ם: מ"ע מן התורה לקדש את יום השבת בדברים, שנאמר: זכור את יום השבת לקדשו, כלומר, זכרהו זכירת שבת וקידוש וכו', ומדברי סופרים שתהא זכירה זו על כוס של יין, (**ועיין** בחדושי רע"א שהביא, דמדברי הר"ן מוכח דס"ל דקידוש על היין או על הפת הוא דאורייתא, **וכן** הביא שם עוד, דמדברי הרא"ש מוכח ג"כ דס"ל דבתפלה בלבד אינו יוצא בודאי, וביותר ס"ל, דאפילו בקידוש גמור שלא במקום סעודה תיכף, ג"כ אין יוצא מה"ת, **ולדעת** רבינו יונה, בקידוש גמור יוצא המ"ע דאורייתא אפילו שלא במקום סעודה).

וכתב המ"א, דלפי (מה שמבואר מהרמב"ם, והוזכר שיטתו עוד בכמה פוסקים ראשונים), מדאורייתא בקידוש שאומר בתפלה סגי, דקרא כתיב: זכור את יום השבת, והרי זכר אותו, וקידוש במקום סעודה מדרבנן, **ע"כ** אם ספק לו אם קידש או לא, א"צ לחזור ולקדש, דספיקא דרבנן לקולא, **גם** דקטן שהגיע לחינוך, יכול להוציא לפי"ז אפי' לגדול בקידוש, אם הגדול התפלל כבר, [**ודוקא** אם הקטן לא התפלל עדיין, אבל אם התפלל אין יכול להוציא הגדול בכל גוונא, דהוא תרי דרבנן, והגדול הוא חד מדרבנן, **והח"א** חולק ע"ז], (כיון שיש בו צד שלא יהיה בו אלא חד דרבנן, כל זמן שלא התפלל, יכול להוציא לזה שאינו מחוייב אלא מדרבנן - שם).

ואולם יש לפקפק בזה הרבה, דהא קי"ל לעיל בסימן ס' ס"ד, דמצות צריכות כונה לצאת בעשיית המצוה, ומסתמא אין מדרך העולם לכוין לצאת את המ"ע ד"זכור" בתפלה, כיון שיש לו יין או פת ויכול לקדש עליהן אח"כ בברכה כדין, וטוב יותר שיצא אז המ"ע דאורייתא, משיצא עתה ויהיה בלא כוס ושלא במקום סעודה, **ועוד** כמה טעמים אחרים שיש לפקפק בזה, וכמו שבארתי בבה"ל, **ע"כ** יש למנוע מלצאת ידי קידוש ע"י קטן, ואפילו אם יזהר השומע לומר עמו מלה במלה, ג"כ נכון למנוע מזה, (הוא משום דהלא כיון שאינו יוצא בהקידוש כלל, צריך להיות כוס לפניו, **ואפשר** לומר דכיון שהוא סומך ברעיוניו על הכוס שעומד לפני התינוק, די בזה, **אבל** בתשו' הגרע"א משמע, דאינו סובר לסברא זה כל עיקר, **ומדברי** התו"ש משמע, דכל שלא הגיע לי"ג שנה אינו מועיל אפילו אם יאמר עמו מלה במלה), (כיון שאין הכוס בידו), **אם** לא שמונח לפניו ג"כ פת או יין בעת הקידוש וכדלקמיה.

(**עוד** ראיתי לעורר בדין זה, דהא איתא בפסחים: אמר רב אחא בר יעקב, וצריך להזכיר יציאת מצרים בקידוש היום, כתיב הכא זכור וגו', וכתיב התם למען תזכור וגו', והובא מימרא זו בר"ח שלפנינו וגם ברי"ף ורא"ש, ומשמע מהרמב"ם דהוא דאורייתא ולא אסמכתא בעלמא, וא"כ איך יוצא ידי קידוש בתפלה, הא לא נזכר בתפלת לילה יציאת מצרים כלל, ועל הרמב"ם לא קשה כלל, דמה שאמר דיוצא בזכירת דברים, היינו כשמזכיר בה גם יציאת מצרים, **אבל** על המ"א ושארי אחרונים שהעתיקו דבריו להלכה קשה, איך העלימו עין מזה, **ושמעתי** שבס' מנחת חינוך ג"כ הפליא בזה על המ"א, ומחמת זה מסיק להלכה דלא כוותיה, **ולענ"ד** יש ליישב דבריו קצת, או דסובר דהוא רק מדרבנן, והגז"ש הוא אסמכתא בעלמא, או דסובר דיוצא מן התורה במה שהזכיר יצ"מ סמוך לתפלה, ד"השכיבנו" כגאולה אריכתא דמיא, כמו שאמרו חז"ל, ולא צריכינן שיזכיר דוקא בקידושא גופא, **אבל** מ"מ הוא דוחק, דהא מפסיק בג' ראשונות, **ואולי** אפשר לומר, דכיון שמזכיר פסוק "ושמרו בני ישראל את השבת" וגו' תיכף ל"השכיבנו" שהיא גאולה אריכתא, די בזה מן התורה, שיש בזה שבחו של היום שבת, **ואף** שלא הזכיר עדיין קדושת היום, וברמב"ם נזכר "שבח וקידוש", זה הלא יזכיר תיכף אחר ג' ראשונות, ובודאי לא נגרע המ"ע במה שהפסיק בג' ראשונות, דהוא שבחו של הקב"ה, בין שבח שבת לקידושו, זהו הנ"ל ליישב דברי המ"א מפני חומר הקושיא, **אבל** מ"מ לדינא צ"ע, דאולי כונת הגמ' שיזכיר יצ"מ בתוך הקדוש, ובנוסח תפלתנו לא מצינו זה, ומפני כל הטעמים הנ"ל כתבנו בפנים, שיש לפקפק בזה הרבה, וגם בדה"ח כתב, דלכתחלה יש לחוש לגדולי הפוסקים שס"ל, דאין יוצא דבר תורה בתפלה).

(**וראיתי** בחדושי רע"א שמסתפק, דאולי יוצא המ"ע באמירת "שבתא טבא" בלבד, **ולפלא**, דהרי הרמב"ם כתב דבעינן זכירת שבת וקידוש).

(**ודע עוד**, דאם הוא נער בן י"ג שנה, אף דכתב המ"א דלא חשבינן ליה כגדול, כיון שאין ידוע לנו שהביא שתי שערות, מ"מ אם האיש כבר התפלל, נראה דיכול הנער להוציאו מכח ס"ס, א', דשמא הביא ב"ש, ועוד, דפן יצא האיש בתפלה, דאף לפי סברתנו דחוששין שמא לא כוון לצאת, ועוד שארי טעמים הנ"ל, מידי ספיקא לא נפקא).

ודע, דקידוש של יו"ט הוא מדרבנן, ומ"מ יש לו כל דין קידוש של שבת, **ואם** יו"ט חל בע"ש ואין לו אלא כוס א', מניחו לשבת שהוא מן התורה, [**ומסתברא** דאפי' אם כבר התפלל, מ"מ עיקרו הוא מן התורה], **וביו"ט** יקדש על הפת, [מ"א, **ועיין** בפמ"ג דמפקפק קצת בדין המ"א], (דאימא דמצוה דרבנן דהאידנא עדיף, והא דאין שום מצוה דבר תורה נדחית מפני "דרבנן", היינו בהגיע זמן שניהם - שם).

סעיף ב - נשים חייבות בקידוש אע"פ שהוא מ"ע שהזמן גרמא, (פי' מ"ע התלויה בזמן), משום דאתקש "זכור" ל"שמור", והני נשי הואיל ואיתנהו בשמירה איתנהו בזכירה - ד"זכור את יום השבת לקדשו" האמור בדברות הראשונות, ו"שמור את יום השבת לקדשו" האמור

בדברות אחרונות, שניהם בדבור אחד נאמרו, ו"זכור" קאי על מ"ע דקידוש וכנ"ל, ו"שמור" קאי על שמירה ממלאכה, וכשם שבאיסור מלאכה בודאי גם נשים מוזהרות, דבמצות לא תעשה אין חלוק בין זמן גרמא בין שאין הזמן גרמא, כן בעשה ד"זכור" גם נשים מצוות.

ופשוט דקטן אינו מוציא את האשה, דלא אתי דרבנן ומפיק דאורייתא, [ואפי' כבר התפללה ראוי להחמיר], **ואפילו** אם הוא בן י"ג שנה, חיישינן שמא לא הביא שתי שערות, דבמילי דאורייתא לא סמכינן אחזקה, דמכיון שהגיע לכלל שנים הגיע לכלל סימני שערות, עד שיתמלא זקנו, [לאו דוקא, אלא כל שיש רבוי שער בזקנו], **ולכן** תקדש האשה לעצמה, ואם אינה יודעת לקדש בעצמה, תאמר עמו מלה במלה מראשו ועד סופו, ולא תכוין לצאת בקידושו, **ובאופן** זה כיון שהיא אומרת הקידוש בעצמה, נכון שיהא פת או יין מונח גם לפניה בעת הקידוש, ולא תסמוך על מה שהנער אוחז הכוס או הפת בידו, כיון שאינה יוצאת בקידוש שלו, (**הוא כדי לצאת דעת הגרע"א, דס"ל דאין לומר, דלענין קידוש על הכוס שהוא דרבנן, סמכינן על חזקה דרבא שהביא ב' שערות, ולגבי דאורייתא יוצאות באמירתן, דכיון דמברכת לעצמה, לא שייך לומר דיוצאת ג"כ בשמיעה, דאם באת לומר דיוצאת בשמיעה דשומע כעונה, א"כ ברכתה שבפיה לבטלה**), **ועצה** זו מועילה אפילו אם הוא קטן ביותר.

(**ועיין בשע"ת דכתב: אולי יש לומר בזה, דאומרת לעצמה רק נוסח הקידוש בלי פתיחה וחתימה, ומדאורייתא יוצאת בזה, דאין חיוב ברכה מדאורייתא רק להזכיר את יום השבת, ולגבי דרבנן סמכינן דהביא ב' שערות ויוצאת בשמיעתה, וזהו דוחק לחלק הברכות לחצאין, וגם לא תדע ליזהר בזה, וע"כ העתקתי אופן הפשוט, ואולם קצת נוכל לייעץ באופן אחר, דתאמר עמו רק פרשת "ויכלו" בלבד, ומסתבר דיוצאת בזה ידי קידוש דאורייתא, ואח"כ כשמשומעת הברכה, יוצאת בזה גם מצות קידוש על הכוס, אך לפי מה שכתבנו לעיל, דילפינן מגז"ש דצריך להזכיר יציאת מצרים בקידוש, וא"כ ב"ויכלו" ליכא עדיין יצ"מ**), (דרק כשתתפלל יש ס"ס, וכדלקמן, דעכ"פ אמרה השכיבנו).

וכ"ז בשלא התפללה האשה תפלת ערבית, אבל אם התפללה, דלדעת המ"א הנ"ל כבר יצאה ידי קידוש דאורייתא, **בזה** יש לסמוך על נער בן י"ג שנים שיוציאה אח"כ בקידוש, [דהוי ס"ס], דהיינו שיכוין להוציאה.

כתב בספר א"ר, שני אנשים אם רוצים להוציא בני ביתם, לא יקדשו כאחת, דתרי קלי לא משתמעי.

ומוציאות את האנשים, הואיל וחייבות מן התורה כמותם - וכן הסכימו הט"ז ומ"א והגר"א וש"א, **ומ"מ** יש להחמיר לכתחלה שלא תוציא אשה אנשים שאינם מבני ביתה, דזילא מילתא.

ולכן יכולה להוציא אפילו היא כבר יצאת ידי קידוש, וכמו באיש לקמן בסימן רע"ג ס"ד, דלענין קידוש אנשים ונשים שוין, [**עיין** בפמ"ג שמסתפק בזה, דאולי אשה אע"פ שהיא מחוייבת, אינה בכלל ערבות שתוכל להוציא כשיצאת כבר, ונשאר בספק, וגם הדגמ"ר הלך בשיטה זו שאינה יכולה להוציא, **אבל** הגרע"א חולק ומוכיח, דאשה במה שמחוייבת מן התורה היא בכלל ערבות כאיש, ויכולה להוציא].

אך לענין זמן יש חילוק, דבאיש זמן חיובו מן התורה כשהוא בן י"ג, ובאשה כשנעשית בת י"ב, דאז היא מתחייבת בכל המצוות.

ודע, דכשאחד מוציא לחבירו ידי קידוש, צריך לכוין להוציאו, והשומע צריך לכוין לצאת, **לכן** מהנכון שיזכיר בעה"ב לבני ביתו שיכוונו לצאת, **ועיין** לקמן בסימן רע"ג במ"ב סק"ל מה שנכתוב שם.

סעיף ג - אם אין ידו משגת לקנות יין לקידוש, ולהכין צרכי סעודה לכבוד הלילה ולכבוד היום ולקידוש היום, מוטב שיקנה יין לקידוש הלילה, ממה שיכין צרכי הסעודה - דקידוש הוא מ"ע דאורייתא, ולהכין צרכי סעודה הוא מצות עונג מדברי קבלה, וכדכתיב: וקראת לשבת ענג, **ואע"ג** דהמ"ע של "זכור" נוכל לקיים בזכירת דברים של קדושת שבת בלבד, ועל היין אינו אלא מד"ס וכנ"ל, אפ"ה כיון דעיקר קידוש הוא מן התורה, גם יין שלו קודם לכל, **והסכימו** האחרונים, דכ"ז דוקא כשיש לו פת לצורך הלילה ולצורך היום, אבל כשאין לו פת, מוטב שיקנה לו פת ויקדש עליו, דהא חייב לאכול פת בלילה, וכן למחר ביום השבת, [**אך** מה שכתב הט"ז דלחם משנה הוא דאורייתא, דעת המ"א אינו כן].

(**ונראה דאם ריפתא חביבא לו יותר מיין, יותר טוב שיקדש אריפתא, ויקנה צרכי סעודה, שיקיים שתי המצות, ממה שיקנה לו יין לקידוש, ויאכל פת לבד**).

או ממה שיקנה יין לצורך היום - היינו לצורך קידוש היום, והטעם, דקידוש הלילה עיקרו הוא מדאורייתא, וקידוש היום הוא רק מדרבנן, **ואע"ג** דבלילה יוכל לומר ברכת קידוש אריפתא, וביום כשלא יהיה לו על מה לקדש ישאר בלי קידוש, **מ"מ** כיון דבמקום שיש יין אין מקדשין אריפתא, דלילה עדיפא.

והא דתניא: כבוד יום קודם לכבוד לילה, היינו דוקא בשאר צרכי סעודה - כגון שיש לו מעט מיני מגדים, טוב יותר שיניחם לצורך סעודת היום, **ובספר** ים של שלמה קורא תגר על שאין נזהרים בזה, ואדרבה מוסיפין בליל שבת, **אבל אם אין לו אלא כוס אחד לקידוש, כבוד לילה קודם לכבוד יום** - היינו בין לצרכי סעודה דיום, ובין לקידוש שעושין ביום, וכמו שכתב בריש הסעיף.

ואם יש לו לקידוש לילה, ואין לו לקידוש היום ולכבוד היום, אף דמסתבר דכבוד היום עדיף מקידוש היום, מ"מ אפשר דדי לו בפת, והמותר יקנה לו יין לקידוש היום, (מ"א, **ולכאורה** הלא מצות עונג הוא מ"ע מדברי קבלה, וכדאיתא ברמב"ם, ובפת חרבה אין מקיים מצות עונג, וכדמוכח בשבת קי"ח ע"ב, ובמה מינכר כבוד היום בכך, **ואולי** דכונתו עם כסא דהרסנא, והשאר ליין).

סעיף ד - אסור לטעום כלום קודם שיקדש - וזהו רק איסור דרבנן, והטעם, כיון דחיוב של הקידוש חל עליו מיד בכניסת שבת, ואפילו לא קבל עליו שבת בהדיא, דכיון שנעשה ספק חשיכה ממילא חל עליו שבת, ואם קבל עליו שבת, אפי' עדיין יום גדול דינא הכי. **ואם** רוצה לקבל שבת מבע"י ולקדש ולאכול, ולהתפלל ערבית אח"כ בלילה, רשאי, ובתנאי שיהיה חצי שעה קודם זמן מעריב, כדלעיל בסי' רל"ה ס"ב.

ואפילו אין לו אלא כוס אחד, יקדש עליו ויברך בהמ"ז בלא כוס, היינו אפילו למאן דס"ל בהמ"ז טעונה כוס, ולא יאכל קודם שיקדש.

אפי' מים - ושרי לרחוץ פיו במים, כיון דאינו מכוין להנאת טעימה.

ואפי' אם התחיל מבעו"י, צריך להפסיק - ואע"ג דהתחיל בהיתר, שאני הכא דהקידוש שייך לסעודה, ולכתחלה איתקון שיקדש קודם סעודה ובמקום סעודה.

שפורס מפה - לכסות הפת עד אחר הקידוש, ואח"כ יסירנה, כי היכי דתתראה דאתא הסעודה השתא ליקרא דשבתא, **ואף** אם לא ישב עדיין לאכול, ג"כ דינא הכי דצריך פריסת מפה בעת הקידוש, וכדלקמן בס"ט, **אלא** דקמ"ל בזה דאף שהוא באמצע אכילתו, די בפריסת מפה, [דלא בעינן שיעקור השולחן לגמרי ויקבענו מחדש לכבוד שבת], **ומקדש.**

ואם היו שותים יין תחלה, אינו אומר אלא קידוש בלבד בלא ברכת היין - דכיון דבירך כבר בתוך הסעודה בתחלת שתיתו, שוב א"צ לברך עתה "בורא פה"ג" קודם הקידוש, **וה"ה** שאין צריך לברך על היין שבתוך הסעודה, דהא אין שום היסח הדעת בין שתיית הכוס של קידוש לשתיית היין שבתוך הסעודה.

ואח"כ מברך ברכת "המוציא" - היינו כשבא לגמור אח"כ סעודתו, מברך ברכת "המוציא" מחדש, דאינו יוצא ב"המוציא" שבירך בתחלת הסעודה, **לפי** שהקידוש שבינתים שהיה צריך לאמרו מפני שנאסר באכילה עד שיקדש, זה הוי הפסק, לפיכך צריך לברך שנית ברכת "המוציא", **ובהמ"ז** רק פעם א' בסוף הסעודה.

ואם אין לו יין ומקדש על הפת, אינו מברך "המוציא" - שזמן ברכת "המוציא" שלו הוא קודם קידוש, ולא היה עדיין הפסק שיהיה צריך מחמת זה לברך שנית, לכן א"צ לברך "המוציא" לכו"ע.

וי"א שאף כשמקדש על היין אינו מברך "המוציא" - דס"ל דקידוש לא הוי הפסק.

וכיון דספק ברכות להקל, יש לתפוס כהי"א.

סעיף ה - שנים שהיו שותים ואמרו: בואו ונקדש קידוש היום, נאסר עליהם לשתות עד שיקדשו - דע"י אמירת "בואו ונקדש", חלה עליהם חובת קידוש היום, ונאסר עליהם לשתות.

ומיירי הכא מבעוד יום, דאלו בספק חשיכה וכ"ש בודאי חשיכה, אפילו לא אמרו "בואו ונקדש", ממילא חל חובת קידוש, ואסור לאכול ולשתות, וכמש"כ בס"ד.

ואם רצו לחזור ולשתות קודם שיקדשו, אע"פ שאינם רשאים, צריכים לחזור ולברך

תחלה בפה"ג, ואח"כ ישתו - הטעם, דאסחו דעתייהו מלשתות עוד קודם קידוש, ולכן דומה זה לאומר קודם בהמ"ז "הב לן ונברך", דצריך השותה אח"כ לחזור ולברך, **ומ"מ** על כוס של קידוש, דעת המ"א שא"צ לברך "בורא פה"ג", ויוצא בהברכה שבירך בתחלת השתיה, דהא לא אסחו דעתייהו מכוס של קידוש במה שאמרו "בואו ונקדש", **וכן** נראה דא"צ לברך ג"כ על היין שישתה אחר כוס של קידוש, דהא לא אסח דעתיה רק מהשתיה שקודם קידוש, [**ודע** דעו"ש וט"ז דעתם, שאף בכוס של קידוש גופא צריך לחזור ולברך בפה"ג], **ולפי** שיש דעות הרבה בדינים אלו, ראוי לכל בעל נפש ליזהר שלא יבוא לידי כך.

כתב הט"ז, דכשלא אמרו "בואו ונקדש", אלא שהחשיך, אם רצו לחזור ולשתות אין צריכין לחזור ולברך, אף דאסור מחמת שהוא קודם קידוש, האיסור לבד אין עושה היסח הדעת.

הגה: אדם ששכח לקדש עד לאחר שברך ברכת "המוציא", ונזכר קודם שאכל - היינו קודם שטעם פרוסת "המוציא", **יקדש על הפת** - ר"ל שיאמר ברכת "אשר קדשנו", ולא יאמר עתה "ויכלו", רק בתוך הסעודה, **ואח"כ יאכל.**

וצריך לקדש על הפת אע"פ שיש לו יין, דאל"כ יהיה "בורא פה"ג" הפסק בין ברכת "המוציא" לאכילה, **מיהו** צריך להביא לפניו עוד לחם משנה, וזה לא מקרי הפסק, דהוי מצורך סעודה, וכדלעיל בסי' קס"ז ס"ו.

אבל אם נזכר לאחר שטעם, יקדש על היין אם יש לו, ובציור זה, בין כשאין לו יין ואומר ברכת "אשר קדשנו" על הפת, ובין כשיש לו יין ומקדש על היין, כשחוזר לאכול את הפת, א"צ לברך שנית "המוציא", ‹**ואפי'** לאותה דיעה דסעיף ד' דצריך להמוציא, היינו כיון שאכל כבר מבע"י, אבל כאן שבירך המוציא אחר שנכנס שבת, ודאי לא צריך שנית להמוציא – ט"ז›.

אבל בהבדלה יאכל תחלה - פי' פרוסת "המוציא", כדי שלא תהיה הברכה לבטלה, **דהרי אין מבדילין על הפת.**

ואח"כ צריך להפסיק ולהבדיל, **ועיין** מש"כ המ"א, דלהפוסקים הבדלה דרבנן, א"צ להפסיק, אלא גומר סעודתו ואח"כ מבדיל.

סעיף ו - אם גמר סעודתו - ומיירי ג"כ שנטל ידיו למים אחרונים, **וקדש היום קודם שברך בהמ"ז** - שקודם שהתחיל בבהמ"ז ראה שקידש עליו היום, **מברך בהמ"ז על כוס ראשון** - דמכיון שנטל ידיו צריך לברך תיכף.

ואח"כ אומר קידוש היום על כוס שני - אבל אין אומר שניהם על כוס אחד, דאין עושין מצות חבילות חבילות.

וצריך להזכיר של שבת בבהמ"ז, אע"פ שמברך קודם קידוש - דאזלינן בתר השתא, כיון דבשעה שהוא מברך כבר נתקדש היום, **ומ"מ** פשוט דלכו"ע אם לא הזכיר של שבת אינו חוזר.

אבל אם לא נטל ידיו, גם הדעה ראשונה ס"ל דפורס מפה ומקדש מקודם, ולא יברך בפה"ג בעת הקידוש אם שתה יין מקודם באמצע הסעודה, וכנ"ל בס"ד, **ואפי'** אמר "הב לן ונברך", ג"כ מקדש מתחלה, כיון שלא נטל ידיו עדיין, **אך** בזה צריך לברך בפה"ג בעת הקידוש, כיון שאמר "הב לן ונברך", וכנ"ל בסי' קע"ט ס"א.

הגה: וי"א דאינו מזכיר של שבת, דאזלינן בתר תחלת הסעודה - שהיה בזמן חול, **וכן עיקר, כמו שנתבאר לעיל סוף סימן קפ"ח** - וכ"ז דוקא כשלא אכל משחשכה מאומה, אבל אם אכל מעט גם משחשכה, לכו"ע צריך להזכיר של שבת.

ויש מחלוקת אם יטעום מכוס של ברכת המזון קודם שיקדש - דאית דס"ל דמברך בפה"ג וטועם תיכף, כמו בכל כוס של בהמ"ז, **ולא** חשיב טועם קודם קידוש, משום דהכוס שייך לסעודה שהיה קודם חובת קידוש, **וממילא** שוב א"צ לברך לדידהו בפה"ג על כוס שני של קידוש, רק ברכת "אשר קדשנו" בלבד, **ואית** דס"ל שאינו טועם ממנו, משום דאסור לטעום קודם קידוש, וממילא אינו יכול לברך עליו בפה"ג, **אלא** מברך תחלה בפה"ג על כוס של קידוש, ומקדש ושותהו, ואח"כ שותה כוס זה של בהמ"ז בלא ברכה.

גם אם צריך לאכול מעט אחר הקידוש כדי שיהא הקידוש במקום סעודה - די"א כיון שאכל בתחלה, הוי קידוש במקום סעודה, ושוב א"צ לאכול,

וי"א דאינו נחשב למקום סעודה, כיון שהיתה של חול, וצריך עתה בשבת לאכול עכ"פ מעט.

וי"א דאף בגמר סעודתו אינו מברך בהמ"ז תחלה - ס"ל דע"כ צריך לאכול מיד אחר הקידוש, כדי שיהא נחשב למקום סעודה, דסעודה שאכל מתחלה אינה מועלת לזה וכנ"ל, וכיון דע"כ צריך לאכול, בהמ"ז שבינתים למה לי, ודינו כמו המקדש באמצע סעודתו הנ"ל בס"ד, שפורס מפה ומקדש.

אלא פורס מפה ומקדש, ומברך "המוציא" - ולא דמי לדלעיל בס"ד, די"א דא"צ לברך "המוציא", דהכא שאני, דהא מיירי שנטל ידיו למים אחרונים וכנ"ל, וכבר נסתלק לגמרי בזה לכו"ע מאכילה ראשונה, **ומטעם** זה גם בפה"ג צריך לברך על הכוס של קידוש, ואינו יוצא בברכת בפה"ג שבירך על היין ששתה מתחלה בתוך הסעודה, **ואם** לא נטל ידיו, דינו כמו לעיל בס"ד.

ואוכל מעט - היינו כזית עכ"פ כדי שיהא נחשב למקום סעודה, [**ולענין** לצאת בזה ידי שיעור סעודת שבת, משמע בסי' רצ"א דבעינן שיהיה כביצה], והיינו קצת יותר מכביצה, כמו שביאר שם), **ואח"כ מברך בהמ"ז.**

הגה: וכוי נכוג לכוליא את נפשיה מפלוגתות שבסברא ראשונה - היינו דאם יעשה כדעה ראשונה יפול בספיקות, אם להזכיר של שבת, ואם יטעום מכוס בהמ"ז, ואם צריך לאכול אחר הקידוש, **ואף** דעתה אינו יוצא ידי דעה ראשונה, דס"ל דצריך לברך בהמ"ז מיד, **הא** עדיפא, דאם יעשה כדעה ראשונה, יש חשש ברכה שא"צ לדעה שניה, שיצטרך לברך בהמ"ז ב' פעמים.

סעיף ז - אע"פ שאסור לו לטעום קודם קידוש, אם טעם, מקדש - פי' כל אימת שנזכר אפילו בלילה, ולא נימא שימתין עד למחר בבוקר קודם האכילה, כדי שיהיה הקידוש קודם הטעימה, **ומשמע** בפוסקים, דלאו דוקא טעימה בעלמא, אפילו אם עבר ואכל ושתה, ג"כ צריך לקדש אח"כ.

סעיף ח - אם לא קידש בלילה, בין בשוגג בין במזיד, יש לו תשלומין למחר כל היום - עד ביה"ש, **ופשוט** דבעינן שיהיה ג"כ מקום סעודה כמו בלילה.

ובביה"ש מצדד הפמ"ג, דיאמר הנוסח של קידוש בלי הזכרת שם ומלכות בפתיחה וחתימה, [**והיינו** כשהתפלל, דחשש לדעת המ"א דיוצא בתפלה מדאורייתא, ותו הו"ל ספיקא דרבנן, **ואם** לא התפלל, יברך ברכה גמורה, דהו"ל ספיקא דאורייתא, ע"ש, **וצ"ל** דאף דהוא זמן הבדלה ואסור לטעום, ואיך יטעום מן הכוס, ואיך יאכל שיהיה הקידוש במקום סעודה, צ"ל דאיירי כשהוא באמצע סעודה שלישית, **א"נ** קידוש שמקורו מדאורייתא, דוחה לאיסור הטעימה שקודם הבדלה שהוא דרבנן].

הגה: ואומר כל הקידוש של לילה מלבד "ויכלו" - לפי שבלילה היתה גמר מלאכת השם יתברך.

סעיף ט - צריך שתהיה מפה על השולחן תחת הפת, ומפה אחרת פרוסה על גביו - בטור בשם הירושלמי, שלא יראה הפת בשתו, שאין מקדשין עליו אלא על היין, והוא יש לו דין קדימה בשארי מקומות, **ולפי"ז** אם מקדש על הפת, אין צריך לכסות עליו מפה, **אבל** לטעם אחר שכתב הטור, שהוא זכר למן, שהיה מונח בקופסא, טל למעלה וטל למטה, ממילא גם במקדש על הפת צריך לכסות במפה, וכן נוהגים.

ומשמע בפמ"ג, שלכל הטעמים די במקדש על היין שיהיה מכוסה עד אחר שגמר הקידוש, **וכן** בשחרית צריך ג"כ להיותה פת מכוסה עד אחר הקידוש מטעמים אלו, **ובח"א** משמע, דלטעם זכר למן, טוב שיהיה מכוסה עד אחר ברכת "המוציא".

כתב בא"ר ודה"ח, כשמקדש על הפת, יניח ידיו על המפה ועל הלחם משנה בשעת הקידוש, **וכשיגיע** ל"המוציא", יגלה הלחם משנה ויניח ידו עליהם ויברך "המוציא", וכשיגיע להשם, יגביה שניהם למעלה עד שיגמור השם, ואח"כ יניחם, **ואחר** גמר "המוציא" יחזור ויכסה במפה, ויניח ידו עליהם עד שיגמור הקידוש.

סעיף י - מקדש על כוס מלא יין - דכוס של קידוש והבדלה הוא בכלל שאר כוס של ברכה, דצריך שיהיה מלא, וכנ"ל בסימן קפ"ג ס"ב בהג"ה, **ואם** אינו מלא ואין לו כוס אחר לערות בתוכו, מותר לקדש עליו, כיון שיש שיעור רביעית בהיין שבתוכו, וכדמוכח לקמיה בסעיף י"א.

שלא יהיה פגום - היינו שאם שתה אחד ממנו, פגמו, ואין לקדש עליו, **ועיין** לעיל בסימן קפ"ב, ששם מבואר פרטי דיני כוס פגום, **וע"ש** בסעיף ז' וי"ן, דבשעת הדחק שאין לו כוס אחר, ואין לו עצה לתקן הכוס, מברכין על כוס פגום, **ועיין** באשל אברהם, דבקידוש של לילה אפשר שטוב יותר שיקדש על הפת.

וטעון כל מה שטעון כוס של בהמ"ז - היינו שיהיה הכוס שלם, ויהיה מודח היטב מבפנים ומבחוץ, וכל שאר דברים הנזכר לעיל בסימן קפ"ג לענין כוס בהמ"ז.

ואומר "ויכלו" מעומד - שהוא עדות על בריאת שמים וארץ, ועדות בעינן מעומד, **ואע"פ** שאומרו בתפלה, חוזר ואומרו כדי להוציא בניו ובני ביתו - טור, **וברוקח** הביא בשם מדרש, דצריך לומר "ויכלו" ג' פעמים, אחד בתפלה, ואחד לאחר התפלה, ואחד על הכוס.

וכתבו האחרונים, דאם שכח לומר "ויכלו" בשעת קידוש, אומרו באמצע סעודה על הכוס.

ואח"כ אומר בפה"ג ואח"כ קידוש. הגה: ויכול לעמוד בשעת הקידוש, ויותר טוב לישב - דבכה"ג מקרי טפי קידוש במקום סעודה, כיון שיושב במקום סעודתו בעת הקידוש, **וכן** הסכים בבאור הגר"א ומטעם אחר, דכיון שאחד פוטר חבירו, בעינן קביעות שיקבעו יחד, ובישיבה מקרי קביעות, וכנ"ל בסימן קס"ז, **ולפי** דבריו גם השומעים צריכין לישב, וטוב ליזהר בזה לכתחלה, ויש לומר דגם דעתו הוא רק לכתחלה, **ועכ"פ** צריך ליזהר שיקבעו השומעים עצמן יחד בעת הקידוש כדי לצאת, ולא שיהיו מפוזרים ומפורדים והולכים אחד הנה ואחד הנה, דזה לא מקרי קביעות כלל.

ונוהגים לישב אף בשעה שאומר "ויכלו" - דכיון שאמרוה כבר בבהכ"נ מעומד, אין מקפידין שוב ע"ז, ואומרים אותו מיושב כמו שאר הקידוש.

רק כשמתחילין עומדין קצת לכבוד השם, כי מתחילין "יום הששי ויכלו השמים", ונרמז השם בראשי תיבות.

וכשמתחיל יתן עיניו בנרות - והוא סגולת רפואה לעינים שכהו על ידי פסיעה גסה, **מיהו** אין מדקדקין בזה כ"כ. **ובשעת הקידוש בכוס של ברכה, וכן נראה לי, וע"ל סימן קפ"ג ס"ד** - היינו דשם מבואר זה, שיתן עיניו בכוס של ברכה שלא יסיח דעתו.

סעיף יא - אם אין לו אלא כוס אחד, מקדש בו בלילה ואינו טועם ממנו, שלא יפגימנו, אלא שופך ממנו לכוס אחר - כשיעור מלא לוגמיו, [דבפחות מזה לא יצא], **וטועם יין של קידוש מהכוס השני.**

ובמ"א הסכים לדעת התוספות, דכוס של חובה צריך להיות הטעימה דוקא מכוס שיש בו רביעית יין, **וע"כ** הנכון שיעשה כך, ישפוך מתחלה מהכוס הראשון לתוך כוס אחר, ויזהר שישאר בו רביעית יין, ויטעם מהכוס הראשון כשיעור מלא לוגמיו, ואח"כ ישפוך היין שבכוס אחר לתוך כוס זה, דבזה נתקן פגימתו, וכדלעיל בסימן קפ"ב סעיף וי"ו, ויוכל לקדש עליו אם יש בו עתה רביעית יין.

ולמחר מקדש במה שנשאר בכוס ראשון - מלשון זה משמע דמקדש בזה הכוס גופא, ואף דלעיל בס"י כתב דצריך להיות הכוס מלא, זהו רק למצוה, ואין מעכב אם אין לו, **ופשוט** דאם יש לו כוס אחר קטן מזה, צריך לשפוך היין לתוכו כדי שיהיה מלא.

ואם לא היה בו אלא רביעית בצמצום, ונחסר ממנו בלילה - לאו דוקא בצמצום, אלא ה"ה אם אפילו יש לו יותר מזה, אלא דאחר טעימת מלא לוגמיו לא ישאר לו כשיעור רביעית, **אלא** דנקט הכי לרבותא, דאפילו בזה יש לו תקנה ע"י מזיגת מים, **מוזגו למחר להשלימו לרביעית** - ומיירי כשהיה היין חזק, שאחר המזיגה יוכל לקדש עליו, וע"ל בסימן רע"ב ס"ה.

והיינו דוקא כשיש לו כוס אחר להבדלה - קאי אדלעיל, שכתב דכשיש לו כוס אחד מקדש בו בלילה, ואשמעינן דהיינו דוקא וכו', **שאל"כ מוטב שיניחנה להבדלה שא"א בפת, משיקדש עליו ולא יהא לו יין להבדלה.**

בזה איירי השו"ע שהכוס הוא שיעור מצומצם, וממוזג כבר, דאל"ה הלא יכול לקדש בלילה, ולמוזגו להשלימו גם להבדלה וכנ"ל.

וי"א דקידוש הלילה עדיף מהבדלה, **ואפילו** לדעת השו"ע, אם יש לו שכר להבדלה, מוטב לקדש על היין, דהא לכו"ע מבדילין אשיכרא, כמ"ש בסימן רצ"ו ס"ב, וקידוש אשכרא הרבה פוסקים אוסרים, וגם על הפת מחמיר ר"ת, **ולכן** אפילו בשחרית טוב יותר שיקדש על היין, אם יש לו שכר להבדלה.

מיהו מה שנהגו לקדש בבהכ"נ וגם להבדיל, בזה בודאי ההבדלה שהוא להוציא רבים י"ח, עדיף מקידוש שאינו אלא מנהג, כמ"ש סימן רס"ט, [מ"א, **ואינו** מבואר בדבריו, אם הדין כן גם כשיש לו שכר להבדלה, וצ"ע].

ואם יש לו שני כוסות מצומצמים אחר מזיגה, יקדש בלילה באחד ויבדיל על השני; ולא יקדש ביום, דקידוש דלילה עדיף - וכדלעיל בסימן זה ס"ג, ועי"ש במ"ב.

המ"א הביא בשם שכנה"ג, דטוב לקדש על כוס גדול, (שהיה בה שיעור לקדש שלש קידושין), **שישייר** מאותו הכוס לקידוש היום ולהבדלה, והיינו שיתקננו בכל פעם שלא יהיה פגום, ויקח בשחרית ובהבדלה כוס קטן מהקודם, כדי שיהיה מלא, **אבל** הא"ר פקפק בזה המנהג, (וז"ל: ואני אומר דעדיף לברך בכל פעם על יין המובא מחנות, כדלעיל סימן קפ"ג ס"ב, ועוד דבקושי יש לתקן פגום, ומה לנו להכניס בתחלה לזה), וכן במאמר מרדכי ממאן בזה, וכתב דטוב יותר לעשות כמנהגנו.

סעיף יב - אחר שקידש על כוס, נוטל ידיו ומברך ענט"י - ולא קודם, כדי שלא יפסיק בהקידוש בין נט"י ל"המוציא", **אבל** בני ביתו שאינם מקדשין בעצמן, אלא יוצאין בשמיעתן מבעה"ב, יוכלו ליטול ידיהם קודם.

ואם נטל ידיו קודם קידוש, גלי דעתיה דריפתא חביבא ליה - היינו דלכך נוטל ידיו, שהוא רעב וממהר לאכול פת, **ולא יקדש על היין אלא על הפת** - ודוקא הכא דאיכא ג"כ חשש הפסק, שמקדש על היין אחר נטילה, וכמו שכתבנו, **אבל** בעלמא היכא דלא נטל ידיו, מותר לקדש על היין אף דריפתא חביבא ליה יותר מיין, (**ולא** סגי ליה בטעם הפסק לחוד, דאינו הפסק גמור, דהוא צורך סעודה, ולכך צירף לזה זה הטעם), **וע"ל** בסימן רע"ב ס"ט בהג"ה במה שכתבנו שם.

הגה: וי"א דלכתחלה יש ליטול ידיו קודם הקידוש ולקדש על היין, וכן המנהג פשוט במדינות אלו ואין לשנות - דס"ל דאין הקידוש מקרי הפסק כיון שהוא צורך סעודה, ולכך יקדש על היין וישתה הכוס ואח"כ יברך "המוציא" ויבצע הפת, **וכיון** דאינו הפסק ס"ל לרמ"א דטוב לנהוג כן לכתחלה, משום דכשאין לו יין ומקדש על הפת, בע"כ צריך ליטול ידיו קודם הקידוש, וע"כ טוב לנהוג כן תמיד באופן אחד.

רק בליל פסח, כמו שיתבאר סי' תע"ג - משום שאז מפסיקין הרבה באמירת הגדה עד הסעודה.

ולמזוג את הכוס בחמין אחר הנטילה קודם "המוציא", ודאי אין לעשות כן לכו"ע, כיון דצריך לדקדק יפה שימזוג כדרכו, שלא יחסר ושלא יותיר, הוי היסח הדעת.

וכמה אחרונים כתבו, דטפי עדיף לכתחלה לקדש על היין קודם נט"י, וכדעת המחבר, דבזה יוצא מדינא לכל הדעות, ובכמה מקומות נהגו כדבריהם, **מיהו** אם כבר נטל ידיו קודם קידוש, בזה יש לעשות כהרמ"א, דאעפ"כ יקדש על יין.

כתב בדה"ח, אם מקדש על הפת להוציא גם השומעים, צריכין השומעים שיכוונו לצאת גם בברכת "המוציא", **דאם** לא יכוונו לברכת "המוציא", רק יכוונו לצאת בקידוש היום, וברכת "המוציא" רוצין אח"כ לברך בעצמן בשעת אכילה, עושין איסור, דמהפכין סדר הקידוש, ע"ש, **ולפי"ז** צריכין ג"כ ליזהר ליטול ידיהם בשוה עם הבעה"ב כשמקדש על הפת, דאל"ה איך יכוונו לצאת בברכת "המוציא" שלו.

סעיף יג - צריך לשתות מכוס של קידוש כמלא לוגמיו - ואם לאו לא יצא, דבעינן שיעור חשוב שתתישב דעתו עי"ז, (**והאי** דנקט לישנא דלכתחלה, נראה דבא לאשמועינן, דאפי' לכתחלה די בזה, ולא בעינן שישתה כל הכוס, כמו לקמן לענין ד' כוסות בסי' תע"ב).

דהיינו כל שיסלקנו לצד אחד בפיו ויראה מלא לוגמיו - ר"ל ולא בעינן שיהא מלא פיו ממש משני הצדדים.

והוא רובו של רביעית - היינו באדם בינוני מחזיק שיעורו כך, ושיעור זה די אפילו אם היה הכוס גדול שמחזיק כמה רביעיות, **אבל** באדם גדול ביותר, משערינן כמלא לוגמיו דידיה לפי גדלו, ומ"מ לא בעי לשתות טפי מרביעית.

(רובו של רביעית, הוא שיטת התוס' ושארי פוסקים, **אבל** בסימן תרי"ב ס"ט העתיק המחבר, דשעורו הוא פחות מרביעית, והוא כדעת הר"ן, **ותימה** למה לא הביא המחבר כאן דעת הר"ן אפילו בשם י"א, **ואפשר** לומר דשם דמיירי לענין חיוב חטאת, נקט השעור דהוא חייב לכו"ע, דלענין איסורא אפילו כל שהוא אסור מן התורה, **אבל** הכא לענין קידוש, דשיעור הטעימה הוא מדרבנן, סמך אתוס' ושארי פוסקים, דדי ברוב רביעית לאדם בינוני, דזהו שעורו).

(**ומשמע** דבקטן לפי קטנו אף שהוא בן י"ג שנה, ולא בעינן אפי' רוב רביעית, **ולענ"ד** יש לעיין בזה, ואינו ראיה מיוה"כ, דשם טעם החיוב הוא משום יתובי דעתיה, משא"כ לענין קידוש, אפשר דתקנת חכמים הוא כך, שישתה דוקא רוב הכוס שהוא מקדש עליו, וצ"ע).

(**ודע** דלענין קטן ממש, כשמקדש משום מצות חינוך, בודאי יש לסמוך להקל דדי במלא לוגמיו דידיה, שהוא פחות מרוב רביעית).

(**ודע** עוד, דמה שכתבו הפוסקים דבגדול כמלא לוגמיו הוא כמלא לוגמיו דידיה, הוא דוקא מרווח ולא דחוק, **ולענין** יותר מרביעית אין נ"מ מזה, כמ"ש במ"ב דדי ברביעית בכל אדם, ונ"מ רק לענין פחות מרביעית).

ודע, דשיעור רביעית הוא כמעט מלא שתי קליפות מביצה בינונית של תרנגולת, והוא שיעור ביצה ומחצה עם הקליפה, דלוג הוא ששה ביצים כדאיתא בגמרא, וממילא רביעית הלוג הוא ביצה וחצי, **ויש** מחמירין מאד בענין השיעורין, והוכיחו דהביצים נתקטנו בזמנינו למחצית ממה שהיה בימי הגמרא, וע"כ שיעור רביעית הוא בכפלים, וכן נ"מ מזה לענין כזית מצה, דהוא כחצי ביצה כמבואר בסי' תפ"ו, **ועיין** בבה"ל מה שכתבנו בענין זה, דנכון לחוש לדבריהם לענין קידוש של לילה, (דלענין דאורייתא כגון כזית מצה בליל פסח, בודאי יש להחמיר כדבריהם, וכן לענין קידוש של לילה דעיקרו הוא דאורייתא), **ועכ"פ** יראה לכתחלה שיחזיק הכוס כשני ביצים, (דהנה בסוגיא דיומא מוכח, דשעור כמלא לוגמיו משני הצדדים באדם בינוני הוא יותר מרביעית, וזה כבר בחנתי ונסיתי בכמה אנשים בינונים המלא לוגמא שלהם משני הצדדים, ועלה לכל היותר רק עד שני ביצים בינונים בקליפה שלהם), **והשתיה** אף שהכוס גדול, די שישתה כמלא לוגמיו דידיה, (ומיהו לענין קידוש שחרית, ולשאר כוס של ברכה, יש לסמוך על מנהג העולם, **וע"כ** מי שאין לו יין כ"כ, ישתה רק כמלא לוגמיו דידיה, והיותר ישייר עד למחר, ובשחרית יכול לקדש על כוס קטן מזה).

ודע עוד, דהשיעור של מלא לוגמיו צריך לשתות בלי הפסק הרבה בינתים, דהיינו שלא ישהה מתחלת שתיה ראשונה עד סוף שתיה אחרונה יותר מכדי שתיית רביעית, ועכ"פ לא יפסיק זמן רב כדי אכילת פרס, **ואם** הפסיק בכדי אכילת פרס, אף בדיעבד לא יצא, וצריך ליזהר בזה כשמקדש בשחרית על יי"ש, שאז מצוי להכשל בזה.

סעיף יד - אם לא טעם המקדש, וטעם אחד מהמסובין כמלא לוגמיו (פי' מלא פיו), יצא - דכיון שהמסובין שמעו מתחלה את הברכה, והוא כוון עליהם להוציאן, מהני טעימתן לכולם, **אבל** אם שתה אחר שלא כוון עליו בברכה, ואותו האחר בירך מחדש, משמע שאין יוצאין בטעימתו, ודינו כאלו נשפך הכוס לקמן.

ואין שתיית שנים מצטרפת למלא לוגמיו - דבעינן שיטעום בעצמו או אחד מהמסובין, שיעור הנאה שתתיישב דעתו עליו.

ומ"מ מצוה מן המובחר שיטעמו כולם - היינו טעימה בעלמא, וא"צ מלא לוגמיו רק לאחד, **וכתב** המג"א, דמי שיש לו יין מעט, מוטב שיטעום אחד כשיעור, והמסובין לא יטעמו כלל, כדי שישאר הנותר למחר לקידוש או להבדלה, [**ואף** דמצוה מן המובחר שיטעמו כולן, מוטב שידחה זה ולא ידחה טעימה כשיעור מלא לוגמיו לאחד, דדבר זה לעיכובא לכמה גדולי ראשונים].

וי"א דכיון שבין כולם טעמו כמלא לוגמיו, יצאו, דשתיית כולם מצטרפת לכשיעור -

היינו בדיעבד, (**ובדה"ח** כתב, דבדיעבד מהני צירוף כל המסובין אפילו לא טעם המקדש כלל), **אבל** לכתחלה לכו"ע צריך שיטעום המקדש כשיעור.

והגאונים סוברים, שאם לא טעם המקדש לא יצא, וראוי לחוש לדבריהם - היינו ליזהר לכתחלה, **ובדיעבד** הסכימו הרבה אחרונים, דאפילו שתיית כל המסובין מצטרפין למלא לוגמיו, אך שלא ישהה על ידי שתיית כולם יותר מכדי אכילת פרס, (**ואף** שאין למחות ביד המקילין בזה אף לכתחילה, דיש להם על מה לסמוך, מכל מקום לכתחלה נכון ליזהר בזה מאד).

ודוקא בקידוש - שהוא ד"ת ואסמכו אקרא לקדש על היין, **אבל בשאר דברים הטעונים כוס, מודים הגאונים דסגי בטעימת אחר.**

סעיף טו - קידש, וקודם שיטעום הפסיק בדיבור, חוזר ומברך בפה"ג, ואין צריך לחזור ולקדש - דההפסק אינו מגרע אלא ברכת בפה"ג, מפני ששח בין ברכה לטעימה, אבל הקידוש כבר יצא, שהיה על הכוס כדין, וישתנה עתה אחר הברכה.

ואם הפסיק בדברים השייכים להסעודה, וכ"ש בדברים השייכים לקידוש, לא הוי הפסק בדיעבד, וא"צ לחזור ולברך.

וה"ה אם נשפך הכוס קודם שיטעום ממנו, יביא כוס אחר – (**נראה דאפילו אם לא נשפך** לגמרי, כיון שלא נשתייר בו מלא לוגמיו, צריך להביא כוס אחר), **ומברך עליו בפה"ג** - דעל אותו הכוס לא היה דעתו מתחלה.

ואם היה דעתו בתחלה בשעת ברכה לשתות יין יותר, א"צ לברך בפה"ג, אלא ישתה תיכף כוס אחר בלא ברכה, **ובלבד** שלא יפסיק בדיבור שלא מענין הקידוש.

וא"צ לחזור ולקדש - דכיון שקידש מתחלה על היין כדין, וגם טעם כשיעור, אע"פ שלא טעם מאותו הכוס שקידש, יצא, **ודוקא** שלא הסיח דעתו בינתים, אבל אם כבר יצא ממקומו בינתים קודם שטעם מכוס אחר, צריך לחזור ולקדש.

כתבו הפוסקים, אם קידש על הכוס וסבר שהוא יין, ונמצא שהוא חומץ או מים, יקח כוס אחר של יין ויברך בפה"ג ויקדש שנית, דכיון שלא היה יין, נמצא שלא קידש על הכוס כלל, **ומ"מ** אם היה דעתו מתחלה משעת ברכה לשתות יין יותר, א"צ לברך שנית בפה"ג, רק לקדש, **והא** דצריך לקדש שנית, דוקא שלא היה יין מוכן לפניו, אבל אם היה יין מוכן לפניו בכלי על השלחן או על הספסל בעת הקידוש, ודעתו היה לשתות ממנו אח"כ, א"צ גם לקדש שנית, דהוי כאלו קידש על כל היין שמוכן לפניו, וישתה מהן תיכף מלא לוגמיו.

וי"א עוד, דה"ה אם אין יין לפניו, והיה הפת מונח לפניו על השלחן, א"צ לקדש מחדש, אלא יבצע תיכף אחר הקידוש על הפת, ודי בברכת "המוציא" לבד, [**ודה"ח** חולק, ומסתברא כוותיה, דהא לא היה בדעתו כלל לקדש על הפת בעת ברכת הקידוש, דהא אחז הכוס בידו]. **ונראה** דאם קידש קודם נט"י כמנהגנו היום, אין שייך לומר דחל הקידוש על הפת.

וכ"ז שנמצא הכוס מים וכה"ג דבר שאינו משקה כלל, אבל כשנמצא שכר או שאר משקה שהיה חמר מדינה באותו מקום, א"צ ליקח כוס אחר לקידוש, אלא יברך עליו "שהכל" וישתה.

כתב המ"א, אם קידש שחרית על שכר ונשפך הכוס, א"צ להביא אחר, כי י"א שדי במה שמברך "המוציא" על הפת, **והגרע"א** חולק ע"ז, (וז"ל: לענ"ד מה תועלת במה דקידש על השכר, כיון דלא שתה בודאי לא יצא, וביותר, קידוש של יום דליכא רק נוסח הברכה שעל הכוס, וכיון דלא שתה, הברכה לבטלה, וכלא בירך כלל, וכיון דודאי לא יצא בקידוש שעל הכוס, למה נסמוך על הי"א דדי בפת, ומאי שנא זה מכל קידושין של יום דלכתחלה אין סומכים לקדש על הפת).

סעיף טז - לא יטעמו המסובין קודם שיטעום המקדש - היינו אף שהיו להם כוסות בפני עצמן לשתיה, **אם הם זקוקים לכוסו, ששופך ממנו לכוסות שבידם ריקנים או פגומים** - פגום נקרא כשטעם מי (שהוא) מהמשקין מתחלה, **ומבואר** בסעיף שאחר זה, דכשהכוסות של המסובין פגומין, מצוה שישפוך המקדש מעט מכוסו לתוך כוסן, שבזה יתקן כוסן שלא יהיה פגום, **והואיל** שהם זקוקין לכוסו, צריכין להמתין עליו שיטעום מתחלה.

אבל אם היו להם כוסות יין שאינם פגומים, רשאים לשתות קודם שישתה המקדש.

סעיף יז - א"צ לשפוך מכוס המקדש לכוסות יין שלפני המסובין, אא"כ היו פגומים, שאז צריך לשפוך לכל כוס וכוס - קודם שישתה המברך,

כדי שישתו כולם מכוס שאינו פגום - [וכששותין כולם מכוס של ברכה, אע"ג דהוא שותה מתחילה, מקרי מכוס שאינו פגום, דחשובין כמקדש גופא, **ורק** כששופך מכוסו לכוסן בעינן שישפוך קודם שישתה בעצמו].

ואע"ג דשתיית כל המסובין לא מעכבא, כדלעיל בסי"ד, מ"מ מצוה לכתחלה שישתו מכוס שאינו פגום.

§ סימן ערב – על איזה יין מקדשים §

סעיף א - אין מקדשין על יין שריחו רע - היינו שמסריח קצת מחמת שמונח בכלי מאוס,

אע"ג דריחיה וטעמיה חמרא - ואף דמברכין עליו בפה"ג, אפ"ה לקדש אסור משום "הקריבהו נא לפחתך" וגו'. **ופשוט** דה"ה על השכר שריחו רע אין מקדשין.

ואפילו אין לו יין אחר, ואפילו בדיעבד אם קידש, משמע מדברי הרמב"ן שהובא בב"י דלא יצא, (**אך לענ"ד** יש לעיין בזה, וכי משום "הקריבהו נא לפחתך" יהיה פסול דיעבד, הלא אם שחט בהמה כחושה לקרבן, יש בזה ג"כ משום "הקריבהו נא לפחתך", ואפ"ה בודאי יצא בדיעבד בקרבן כזה, ד"מבחר נדריך" הוא רק מצוה לכתחלה, וה"נ לענין קידוש).

ואם מותר להבדיל על היין כזה, עיין בחדושי רע"א שמסתפק בזה, (וכן מסתפק אי מותר לקדש בשחרית על יין כזה, **לפי** מה דאיתא בב"י, דלדעת הרמב"ן דאין מקדשין על יין לבן, אפ"ה מבדילין, משום דלא גרע משכר, **אפשר** דה"ה בכל הני דסימן זה, **אף** דאין מקדשין אפשר דמבדילין), **ולי** נראה פשוט הדבר לאיסור, (דהתם הטעם דכשר להבדלה, דאף דאין ע"ז שם יין, מ"מ לא גרע משאר חמר מדינה דכשרין להבדלה, ואיירי שהיין לבן הוא חמר מדינה, **משא"כ** בזה שהטעם הוא משום "הקריבהו נא לפחתך", מה חילוק יש בין קידוש להבדלה), אח"כ מצאתי בברכי יוסף שכ"כ בשם ספר בית יהודה.

(**ואם** אין מסריח, רק שנקלט בו ריח אחר ע"י החבית, לא מצאתי בפוסקים, **אח"כ** מצאתי קצת ראיה להחמיר ממנחות פ"ו ע"ב: אין מביאין יין לנסכים לא המתוק ולא המעושן, ופירש הרמב"ם שם בבאורו, דמעושן הוא שאם היה לכלי ריח, אותו היין היה בו הבל והוא הנקרא מעושן וכו', וכיון דלנסכים פסול אפי' דיעבד, גם לקידוש נמי פסול, **אבל** אם נפרש המשנה דיין מעושן כפשטיה, וכמו שפירשו שארי הראשונים, שוב אין ראיה לדין הנ"ל, **ואולי** דגם בזה יש משום "הקריבהו נא לפחתך" וגו', וצ"ע).

ולא על יין מגולה, אפילו האידנא דלא קפדינן אגילוי - משום שאין מצויין אצלנו נחשים, אפ"ה אסור משום "הקריבהו נא לפחתך", **מיהו** אם עמד שעה מועטת מגולה, אין להקפיד האידנא, כל זמן שלא נמר טעמו וריחו, **וכתב** הח"א, דדוקא במקום שהיין ביוקר, דלא קפדי כולי האי בגילוי מועט, אבל המקדש על השכר [בשחרית], יהיה זהיר בזה, **ונראה** דבאין לו אחר, אין להקפיד בדיעבד גם בשכר כמו ביין, [דטוב יותר לקדש ע"ז, משישאר בלי קידוש כלל].

הגה: ואין מקדשין על היין דריחיה חמרא וטעמיה חלא - דבתר טעמא אזלינן וכחלא דמי, ולכך לקמן בס"ג בטעמיה חמרא, מקדשין עליו אע"ג דריחו חלא, [**והגר"א** הסכים לדעת התוס', דהוא דבר שאינו, דכיון דטעמיה חלא, כ"ש דריחו נעשה חלא מקודם], **וטעמיה** חלא נקרא, כל שבני אדם נמנעין לשתותו משום חמצותו, וכמ"ש סימן ר"ד ס"ד, **וכתבו** האחרונים, דלחנם העתיק הרמ"א דין זה, דגם בפה"ג אין מברכין עליו כדאיתא שם, וכ"ש שאין מקדשין.

סעיף ב - יין מגתו מקדשין עליו; וסוחט אדם אשכול של ענבים ואומר עליו קידוש היום - בזה אשמועינן רבותא טפי, אף שהוא חדש לגמרי, שזה מקרוב שסחטו קודם השבת, אפ"ה מותר לקדש עליו. **ומ"מ** מצוה מן המובחר ביין ישן, והיינו כשכבר עבר עליו מ' יום.

סעיף ג - מקדשין על יין שבפי החבית, אע"פ שיש בו קמחין - היינו נקודות לבנות,

הגה: ויש אוסרין לקדש עליו, אלא יסננו תחלה להעביר הקמחין.

אבל אם יש עליו קרום לבן אין מקדשין עליו, **וכתב** הא"ר, דכשהסיר הקרום אין להחמיר.

ועל יין שבשולי החבית (מקדשין), **אע"פ שיש בו שמרים; ועל יין שחור; ועל יין מתוק** - מדסתם משמע בין שנתבשלו הענבין בחמה יותר מדאי, ועי"ז היין מתוק מאד, **ובין** שהיין מתוק מאד מחמת הפירות עצמן, שהיין הזה הוא גרוע ופסול לנסכים, ואפ"ה כשר לקידוש, (**ותמיהני**, דהרי מסיק שם ר"א במנחות פ"ז, דהליסטוון דכשר בדיעבד לנסכים, הוא משום דחוליא דשמשא לא מאיס, ומתוק מחמת עצמו פסול, משום דחוליא דפירי מאיס, וכן פסק הרמב"ם, ואמאי כשר לקידוש במתוק מחמת עצמו, **דלא** מיבעיא לדעת הרמב"ם, דמבושל פסול לקידוש משום דפסול לנסכים, בודאי גם בזה פסול, **ואפי'** להמכשירין במבושל לקמן בס"ח, הלא טעמם מבואר בהרא"ש והר"ן, משום דס"ל דע"י הבישול אישתני למעליותא, משא"כ במתוק מחמת עצמן, הלא הטעם מבואר בגמרא דחוליא דפירי מאיס, וא"כ בקידוש נמי לפסול, ודע דבטור לא נזכר שם סתם מתוק, רק יין הליסטוון, ופי' ע"ז שהוא מתוק).

ועל יין דריחיה חלא וטעמיה חמרא (מקדשין). **ומ"מ מצוה לברור יין טוב לקדש עליו** - היינו אף דמקדשין אכל הני אף לכתחלה, מ"מ מצוה מן המובחר לברור יין טוב, **וע"כ** טוב שלא יקח מסתם יין שבמרתף לקידוש, עד שיראה מתחלה אם אינו מקולקל.

סעיף ד - מקדשין על יין לבן - ולכו"ע מצוה לכתחלה לחזר אחר יין אדום, אלא דאם אין לו אדום, או שאינו משובח, ס"ל לדעה זו דמותר לכתחלה לקדש על לבן.

והרמב"ן פוסלו לקידוש אפי' בדיעבד, אבל מבדילים עליו - אם הוא חמר מדינה שם, שהכל שותין אותו, והטעם, דלא גרע משכר, דקי"ל דמבדילין עליו אם הוא חמר מדינה, **וה"ה** דמטעם זה מותר לקדש עליו בשחרית לכו"ע, לפי מש"כ האחרונים לקמן בס"ט, דבשחרית נוהגין להקל לקדש על כל משקה שהוא חמר מדינה.

ומנהג העולם כסברא ראשונה - ובא"ר משמע, דביין שהוא לבן יותר מדאי, נכון לחוש לדעת הרמב"ן שלא לקדש עליו, אלא בשעת הדחק שאין לו אדום, [או שאינו טוב].

סעיף ה - יין חי, אפי' אם הוא חזק, דדרי (פי' שראוי למזוג) על חד תלת מיא, מקדשים עליו; ומ"מ יותר טוב למזגו - היינו שהוא מצוה מן המובחר.

ובלבד שיהא מזוג כראוי - היינו שלא יחלישנו יותר מדאי, **והמברכין** על היין שאין בו אלא מתיקות בעלמא, וטעמו כמים, מברכים לבטלה, ואינם יוצאין ידי קידוש, ועיין מה שכתבנו לקמיה.

הגה: ויינות שלנו יותר טובים הם בלא מזיגה.

סעיף ו - יין צמוקים מקדשין עליו - היינו שנעשה היין מענבים שנצטמקו, בין שנצטמקו מחמה או ע"י תולדות האור, **אף** דלענין נסכים אין מביאין מהן לכתחלה, מ"מ לקידוש כשר, **ואופן** עשייתן הוא, שלוקח הצמוקין וכותשן, ונותנין עליהם מים ותוסס, אז נקרא יין אחר שנשתהו ג' ימים.

[**ובתשו'** משכנות יעקב הוכיח, דצריך לסחוט הצמוקין ג"כ, ולא בשריה לבד, כדי שיצא הלחלוחית מגוף הצמוקין, ובאופן זה לא בענין תסיסה ג' ימים כלל, וכענין שאמרו: סוחט אדם אשכול של ענבים ואמר עליו קידוש היום, ובזה השיג על כמה אחרונים שסוברין היפך זה, **ולענ"ד** י"ל, דכיון שכותש אותם היטב, ושוהה ג' ימים במים לתסיסה, אז נקלט כל גוף לחלוחית הצמוקים במים שעמדהם, אף בלא סחיטה, ולכתחילה בודאי נכון ליזהר בזה].

כתב בספר בכור שור, דלפי מה שמבואר לעיל בסימן ר"ד ס"ה בהג"ה, דאחד משׁשה יין [חי] במים ודאי בטל, ואין מברכין עליו בפה"ג, **אף** בכאן צריך ליזהר ליתן צמוקים כ"כ במים, עד שיהיו הצמוקים מעט יותר מאחד משׁשה נגד המים, דאל"ה [היינו אם ששה חלקים מים, וחלק אחד מלבר צמוקין], תהיה הברכה לבטלה, דלא עדיף מאלו היו כל הצמוקים יין, **והנה** יש פוסקים

שסוברים, דכל זמן שיש בו טעם יין, יין מקרי, מ"מ כל ירא שמים יזהר בזה, דכבר נפסק דבטלו באחד משׁשׁה במים, [ומ"מ נראה דאם הוא חמר מדינה שם, שמזיגת הכל הוא באופן זה, יוכל לקדש עליו בשחרית, דלא גרע משאר משקין דעלמא, **אך** לא יברך עליו בפה"ג].

(ודעת המשכנות יעקב, שיהיה הלחלוחית אחד מד' במים, וכענין שאמרו: כל חמרא דלא דרי על חד תלת מיא לאו חמרא הוא, ע"ש, והנה אף שמי שחננו ד' שהיכולת בידו, בודאי מצוה לברור יין טוב ויפה לקידוש, כדי לצאת ידי כל החששות, וגם כדי לקיים מצוה מן המובחר, מ"מ אחרי שיש פוסקים שהחזיקו בשיטת הרא"ש והטור, דבטעם יין לבד מקרי יין, אף שאין בהם כדי מזיגה, אין לנו להחמיר יותר ממה שהעתיקו כמה גדולים דברי הבכור שור, שיהיה הצמוקים מעט יותר מאחד משׁשׁה במים).

וכתב הבכור שור, דמשערינן את גודל הצמוקים כמו שנתהוו אחר שנפחו ע"י המים, ולא כשעת נתינתן במים, **אבל** ביד אפרים מפקפק עליו בזה, וכן בדרך החיים חולק עליו בפשיטות בזה, וסובר דמשערינן הצמוקין כפי עת נתינתן למים, ולא כפי נפיחתן אח"כ, דנפיחתן הוא רק ע"י המים שנכנסו בם.

(והנה דרשתי את עושי היין, ולפי מה שהציעו לפני אופן עשייתן, יש בסתם יין שיעור הזה של אחד משׁשׁה במים, ויותר, **אף** לפי מה שכתב בעל דה"ח, דמשערינן את הצמוקים כפי שעת נתינתן במים ולא אחר שנתנפחו).

(והנה לכאורה היה לנו לשער ששה פעמים מים נגד לחלוחית היוצא מהם, ולא נגד כל הצמוקים, **ואפשר** מפני שלא ידעינן כמה נפק מיניה, סמכו להקל לשער כאלו היה כל גופם יין, ודוחק, **אח"כ** מצאתי בתשובות משכנות יעקב, שדעתו באמת להחמיר לשער נגד לחלוחית היוצא מהם, ולא נגד כל הצמוקים).

(והוא שיש בכן לחלוחית קצת בלא סחיטה) - ר"ל שאם אינו יוצא מהם שום לחלוחית, אף אם ידרכום ברגל או יעצרום בקורה, אלא ע"י שריה בלבד, אין מקדשין עליו, ואפילו "בורא פה"ג" אין מברכין עליו.

סעיף ז - שמרי יין או חרצנים שנתן עליהם מים, אם ראוי לברך עליו בפה"ג, מקדשין עליו, (וע"ל סי' ר"ד סעיף כ') - דשם מבואר איזה שמרי יין וחרצנים שמברכין עליהן.

סעיף ח - מקדשין על יין מבושל, ועל יין שיש בו דבש - כעין קונדיטון שנעשה מיין ודבש ופלפלין, ואפילו אם נשתנה טעמיה וריחיה עי"ז.

ס"ל דע"י כל זה אין משתנה היין לגריעותא.

וי"א שאין מקדשין עליהם - אפילו אם נתן בו דבש כל שהוא, ס"ל דמשתנה לגריעותא, ואפילו בפה"ג אין מברכין עליהם אלא "שהכל".

ואותן האנשים שמשימין מי דבש ביין למתק, או משימין שם צוקער, יש להחמיר לפי דבריו.

הגה: והמנהג לקדש עליו, אפילו יש לו יין אחר, רק שאינו טוב כמו המבושל או שיש בו דבש - דאם הם שוין, יש לחוש לדעת היש אומרים שמחמירין בזה שלא לקדש, **ולענין** ברכה, כבר נפסק לעיל בפשיטות בסימן ר"ב ס"א, דמברכין עליו בפה"ג.

וע"כ מותר לבשל הצמוקין ולסנן היין ולקדש עליו, **ויש** מחמירין, דלא נקרא יין עד שיהיה תוסס ג' ימים אחר בישול הצמוקין.

(ויין מעושן, עיין בחדושי רע"א, דלדעת התוס' פסול משום דאשתני לגריעותא ע"י העשן, ולהרמב"ן שם כשר כמו מבושל).

סעיף ט - במקום שאין יין מצוי, י"א שמקדשים על שכר ושאר משקין - ודוקא במקום דהוי חמר מדינה, דהיינו שאין יין מצוי בכל העיר בשנה הזו, ועיקר שתייתן הוא משכר ושאר משקין, **ואם** יש שם יין אלא שהוא ביוקר, מקרי מצוי, **ואם** אין יין ישראל מצוי, אע"פ שיין א"י מצוי, לא מקרי מצוי עי"ז.

וחלב ושמן אין בכלל זה, דהא אינו חמר מדינה, דאין רגילין לשתותו למשקה.

חוץ מן המים - ר"ל אף אם שתיית כל המקום ההוא הוא רק מים, אפ"ה אין דינו לקרותו חמר מדינה עי"ז, **ואודות** יין שרוף עיין לקמיה.

וי"א שאין מקדשין. ולהרא"ש, בלילה לא יקדש על השכר אלא על הפת - ומניח ידיו

עליו עד גמר הקידוש, **והטעם**, דכמו שצריך לאחוז בידו הכוס של קידוש, כך צריך לאחוז הפת בידו כשמקדש על הפת.

גם הרא"ש ס"ל כהי"א הראשון, אלא דכיון שהפת בא לצורך סעודת שבת, חשיב טפי משכר לקדש בו בלילה.

ולדינא יש ליזהר לכתחלה שלא לקדש בלילה על שום משקה, חוץ מן היין, או פת אם אין יין בעיר וכדלקמיה, **דהרבה** גדולי הראשונים מחמירין שאינו יוצא בזה ידי קידוש, וגם המחבר לא הכריע בזה להלכה.

ובבקר יותר טוב לקדש על השכר, שיברך עליו "שהכל" קודם ברכת "המוציא", שאם יברך על הפת תחלה אין כאן שום שינוי; ודברי טעם הם - דבשכר, הברכה שהוא מוסיף קודם הסעודה הוא היכר שהוא לכבוד השבת, משא"כ אם יברך על הפת אין כאן היכר כלל, שהרי בבוקר אין אומרים נוסח הקידוש.

והיינו דבשכר הוא יותר טוב מעל הפת, כמו שמפרש הטעם, אבל יין במקום שהוא מצוי, ודאי יברך עליו אפילו ביום, **ומ"מ** במדינתנו שהיין ביוקר, ורוב שתיית המדינה הוא משאר משקין, לא נהגו אפילו הגדולים להדר אחר יין ביום, שהקידוש שלו הוא רק מדרבנן לכו"ע, וסומכין עצמן על דברי המקילין בזה, **ומי** שמברך גם ביום על היין, ודאי עושה מצוה מן המובחר.

ואם חביב לו יין שרוף, יכול לקדש עליו ביום לכתחלה במדינתנו שהוא חמר מדינה, **אך** שיזהר ליקח כוס מחזיק רביעית, ולשתות ממנו מלא לוגמיו שהוא רוב רביעית, **ובדיעבד** או בשעת הדחק שאין יכול לשתות כמלא לוגמיו, ואין לו יין ושאר משקין, אפילו שתיית כל המסובין מצטרפין למלא לוגמיו. **ולענין** מי דבש ושאר משקים, עיין במה שכתבנו לקמן בסימן רצ"ו במ"ב.

הגה: וכן המנהג פשוט כדברי הרא"ש; ואם יין בעיר, לא יקדש על הפת – (והיינו אפי' אם הפת חביב עליו יותר מיין, וכדמוכח מהד"מ), כדי לחוש לדעת ר"ת, שסובר דאין מקדשין על הפת כלל, **ודע**, דאפילו להרא"ש ויתר הפוסקים דנקטינן כוותייהו, דמותר לקדש על הפת, ג"כ מודו דבמקום שיש יין בעיר אין מקדשין על הפת, דעיקר מצוה הוא על היין, **אך** דלדידהו אם הפת חביב לו יותר מיין, אז מותר לקדש על הפת אפילו יש לו יין, **וכן** פסק בדה"ח, **ואפשר** שע"ז סומכין העולם להקל בזה.

(והנה מהרמב"ם משמע דמפרש "דריפתא חביבא ליה", היינו יותר מיין, **ובטור** בשם רב האי משמע "דריפתא חביבא ליה", היינו שהיין אינו מקובל ונהנה ממנו, **ונראה** דבאופן זה שצייר רב האי, בודאי נוכל לסמוך לקדש על הפת לכתחלה).

ומי שאינו שותה יין משום נדר, יכול לקדש עליו וישתו אחרים המסובין עמו - ובמ"א הכריע דאסור בזה לקדש ע"מ שישתו אחרים, כיון שהם יודעים לברך בעצמן בפה"ג, וכדמוכח לקמן סימן רע"ג ס"ד, **אלא** הם יקדשו בעצמן, והוא יקדש על הפת. (**אמנם** נראה דגם רבינו הרמ"א כוונתו כגון שהאחרים אינם יודעים לקדש בעצמן – ערוה"ש).

ואם אין אחרים עמו, יקדש על הפת ולא על היין, או ישמע קידוש מאחרים - ר"ל ילך אצל מסובין אחרים שמקדשין לעצמן, [דהא איירי דאין אחרים עמו].

סעיף י - ברכת יין של קידוש פוטרת יין שבתוך הסעודה - מברכת בפה"ג, **וה"ה** שפוטרת יין שלאחר הסעודה קודם בהמ"ז.

[**ואף** דקידש קודם נט"י כמנהגינו, אף דבהבדלה י"א דאינו פוטר רק אם הבדיל אחר נטילה, הכא שאני], **דכיון** שהוא במקום הסעודה, צרכי סעודה הוא, ומחמתה הוא בא.

ואינו טעון ברכה לאחריו, דבהמ"ז פוטרתו - דכוס של קידוש הוא ג"כ בכלל דברים הבאים מחמת הסעודה, **בין שהוא על הכוס בין שאינו על הכוס.**

(וע"ל סי' קע"ד סעיף ו') - היינו דשם מבואר, דאפילו לא היה לו יין כלל בתוך המזון, ג"כ פוטר הבהמ"ז לכוס של קידוש.

§ סימן רעג – שיהיה הקידוש במקום סעודה §

סעיף א - אין קידוש אלא במקום סעודה - דכתיב: וקראת לשבת ענג, במקום ענג שהוא הסעודה, שם תהא הקריאה של קידוש.

ובבית אחד מפנה לפנה חשוב מקום אחד, שאם קידש לאכול בפנה זו ונמלך לאכול בפנה אחרת - וכ"ש אם קידש על דעת לאכול בפנה אחרת, **אפי' הוא טרקלין גדול, א"צ לחזור ולקדש** - ומ"מ לכתחלה טוב שלא לסור ממקום שקידש, דהא יש מחמירין גם במפנה לפנה, **אם** לא שהיתה דעתו בעת שקידש לאכול בפנה אחרת, אז מסתברא דאין להחמיר בזה.

אבל אם נמלך לאכול בחדר אחר, אף שהוא באותו בית, צריך לחזור ולקדש, כיון שלא היה דעתו לזה בעת שקידש.

הגה: ומבית לסוכה חשוב כמפנה לפנה - כגון שירדו גשמים וקידש בבית, ואח"כ פסקו הגשמים ורוצה לאכול בסוכה, וה"ה להפך, שקידש בסוכה וירדו גשמים, ורוצה לאכול בבית, בכל זה אין צריך לקדש שנית, **ומיירי** שהסוכה בתוך הבית, שהוסר היציע, ואין שם הפסק מחיצה אחרת רק מחיצת הסוכה, וע"כ ס"ל דכיון שאין מחיצת הסוכה עשויה לתשמיש אלא לשם מצות סוכה, חשיב כמפנה לפנה בלא מחיצה, דקי"ל דאפי' לא היתה דעתו מתחלה לכך א"צ לקדש שנית, **אבל** אם הסוכה עשויה מחוץ לבית, שמחיצות הבית מפסיקות, הו"ל כמחדר לחדר, דכשאין דעתו מתחלה צריך לקדש שנית, **אם** לא שרואה את מקומו הראשון וכדלקמן, **זה** הוא באור דברי רמ"א לפי מה שביארו המ"א.

ומפני שיש פוסקים החולקים על כל זה, (דא"ר והגר"א ומאמר מרדכי השיגו על רמ"א המקיל במבית לסוכה, וס"ל דסוכה כיון שהיא עשויה מחיצה בפני עצמה, חשיבא כמחדר לחדר, וצריך לחזור ולקדש אם לא היתה דעתו לזה מתחלה, **ומיהו** בעל דה"ח העתיק לדינא את דברי הלבוש שמיקל עוד יותר בענין זה, ולהלבוש אפי' כשהסוכה עשויה חוץ לביתו, שמחיצת הבית מפסקת ביניהן, א"צ לחזור ולקדש, אפילו לא היתה דעתו לזה מתחלה, דמסתמא כיון דדרך הוא ליכנס לסוכה כשפוסקין הגשמים, לכן אע"ג דלא אתני כאתני דמי, **ואם** הסוכה עשויה בחצר, דהוי לגמרי בית אחר, מוכח מדה"ח שס"ל דבעינן ג"כ שיראה מהבית מקום הסוכה, **ובשארי** אחרונים לא ראיתי לאחד שיתפוס דברי הלבוש לדינא), **ע"כ** (לאפוקי נפשיה מידי ספיקא), טוב כשרוצה לעקור אחר קידוש את דירתו לסעודה ‹אולי צ"ל "לסוכה"›, שישתה מתחלה רביעית יין במקום ההוא, דאז חשיב עי"ז כמקום סעודה וכדלקמן, ולכו"ע אין צריך שוב לקדש שנית, [**ואם** עוקר מקומו מסוכה לבית מחמת הגשמים, יוכל לאכול כזית פת בסוכה, דאז חשוב במקום סעודה עי"ז].

וי"א שכל שרואה מקומו, אפילו מבית לחצר, א"צ לחזור ולקדש - שכיון שיכול במקום הסעודה לראות את המקום שקידש, אפילו דרך חלון, ואפילו רק מקצת מקומו, חשיב הכל כמקום אחד.

וה"ה מבית לבית אם רואה מקומו, ואין שביל היחיד קבוע בימות החמה ובימות הגשמים מפסיק ביניהן.

ואין לסמוך על דעת הי"א הזה רק לענין דיעבד, בשעת הדחק שלא יכול לסעוד במקום הקידוש, **אבל** בלא"ה יזהר מאד שלא להקל מבית לבית ע"י ראית המקום, כי יש אחרונים שמחמירין אפילו דיעבד.

וי"א שאם קידש במקום אחד על דעת לאכול במקום אחר, שפיר דמי, (וע"ל ריש סי' קע"ח), והוא שיהיו שני המקומות בבית אחד - היינו תחת גג אחד, אע"פ שאין רואה מקומו, **כגון מחדר לחדר או מאיגרא לארעא, (וכן עיקר).**

(ומ"מ לכתחלה לא יעשה כן אלא במקום דוחק, דהא המ"א מחמיר לכתחלה אפילו במפנה לפנה, **ונהי** דשם כתבנו דמסתברא דאין להחמיר בזה, מ"מ לענין מחדר לחדר בודאי נכון לחוש לכתחלה לדעת הר"ן שמחמיר בזה, **מיהו** אם גם רואה מקומו, נראה דיש להקל אפילו לכתחלה, אם דעתו לזה בעת הקידוש).

סעיף ב - אם קידש בבית אחד ע"מ לאכול שם, ואח"כ נמלך לאכול במקום אחר - היינו אפי' בחדר אחר שבאותו בית, כיון שלא היתה דעתו לזה מתחלה, וכדלעיל בס"א, **צריך לחזור ולקדש**

במקום שרוצה לאכול שם - ואיירי דלא אכל כזית בבית ראשון, אבל אם אכל כזית יצא, כדלקמן בסעיף ה'.

סעיף ג - אם קידש ולא סעד, אף ידי קידוש לא יצא - קמ"ל דלא תימא דוקא אם רוצה לאכול במקום אחר, הוא דלא מהני הקידוש להתיר לו באכילה, כיון שלא קידש במקום סעודה, **אבל** אם אינו רוצה לסעוד אח"כ כלל, יצא עכ"פ ידי קידוש, קמ"ל, (ועוד י"ל דכונת המחבר, להעתיק מימרא דשמואל בגמ', דאף ידי קידוש לא יצא, וכ"ש ידי יין).

הגה: וצריך לאכול במקום קידוש לאלתר - ולא יפסיק אפי' זמן קצר, **כתב** בשכנה"ג, דאם מאיזה סיבה קם מדוכתיה ויצא לחוץ, ואח"כ חזר למקומו, (לכאורה מיד), א"צ לחזור ולקדש מחמת שיצא לחוץ, כיון שלבסוף היתה הסעודה במקום הקידוש, ע"ש, **ויש** חולקין בזה, **וע"כ** לכתחלה יזהר בזה מאד, **אך** בדיעבד, ובפרט כשהיה צריך לעשות צרכיו, נראה ודאי דאין להחמיר לקדש שנית, דהרי זה כדברים שהם צרכי סעודה.

או שיהא בדעתו לאכול שם מיד - מלשון "או" מבואר, דמעיקרא לא מיירי כשהיה בדעתו בפירוש בשעת קידוש לאכול לאלתר, אלא בסתמא, ואפ"ה יצא כיון שאכל לאלתר, **והדר** אשמועינן, דאם היה בדעתו בשעת קידוש לזה, אפי' אם ארעו אח"כ אונס ולא אכל מיד אלא אח"כ, ג"כ יצא, (ויש שמפקפק בזה, ובפרט אם היה הפסק גדול), **ואם** יצא גם ממקומו בינתים, דעת כמה אחרונים שצריך לחזור ולקדש. [**לא** ברירא דין זה כולי האי].

אבל בלאו הכי, אפי' אכל במקום קידוש אינו יוצא - היינו שלא היתה דעתו לאכול מיד, כגון שדעתו להפסיק בדברים אחרים, והפסיק, **אפילו** היה ההפסק אח"כ מחמת אונס, אף שאכל אחר זה במקום קידוש, לא יצא.

ונראה דאם היה ההפסק מחמת הדברים שהם צורך סעודה, לא חשיב הפסק. **וה"ה** כשהיה טרקלין גדול והלך מפנה לפנה לאכול שם, או כשקידש בחדר זה ע"מ לאכול מיד בחדר אחר שהוא תחת גג אחד, או מארעא לאגרא, ועל ידי ההליכה גופא נשתהה איזה זמן, ג"כ אין צריך לחזור ולקדש, (כיון שהוא מצרכי הסעודה, לא חשיב שהייה כלל).

ואם היה בדעתו שלא לאכול שם מיד, ונמלך ואכל, יצא - פי' מתחלה כשקידש היה בדעתו שלא לאכול כלל עד אחר זמן, וגם זה היה בדעתו ג"כ שלא יאכל בבית זה אלא בבית אחר, **מ"מ** כיון שאח"כ נמלך ואכל מיד במקום הקידוש, אין צריך לחזור ולקדש.

סעיף ד - יכול אדם לקדש לאחרים אע"פ שאינו אוכל עמהם - ואפילו אם כבר יצא לעצמו, **דלדידהו הוי מקום סעודה; ואע"ג דבברכת היין אינו יכול להוציא אחרים אם אינו נהנה עמהם** - דקי"ל כל ברכות הנהנין אין אדם מוציא את חבירו, אם הוא עצמו אינו נהנה אז, רק בדבר שהוא חוב, כגון קידוש וכיוצא בו, אדם מוציא חבירו, וכמבואר הכל בסימן קס"ז סי"ט וכ', **כיון דהאי בפה"ג הוא חובה לקידוש היום, כקידוש היום דמי, ויכול להוציאם אע"פ שאינו נהנה.**

וה"ה דלקטנים מותר לקדש אע"פ שאינו אוכל עמהם, כדי לחנכם במצות, [ואפי' קטנים שאינם בני ביתו], **והוא** שאינם יודעים לקדש בעצמם, וכדלקמיה לענין גדול.

הגה: ואפילו בקידוש של יום בשחרית בשבת, מותר לעשות כן - ר"ל אף דשם כל הקידוש הוא רק בפה"ג לבד, **מ"מ** כיון דהיא מצוה, ועיקרו נתקן שלא בשביל הנאה, אלא מצוה עליו כשאר מצות, משו"ה מוציא אחרים אע"פ שאינו נהנה, כקידוש הלילה, **ולא** דמי לברכת "המוציא" של שבת של כל השלש סעודות, דאינו מוציא אם אינו אוכל עמהם, **דאף** שהם חוב, אין החוב עליו משום מצוה, אלא כדי שיהנה מסעודת שבת, ואין להמצוה עצמה חוב, דהא אם הוא נהנה ממה שמתענה, א"צ לאכול, ע"כ אין מוציא אחרים אם אינו אוכל עמהם, **ואם** קידש על הפת, אז מוציא גם בברכת "המוציא", דהאי ברכת "המוציא" כברכת בפה"ג לקידוש היין דמיא.

והוא שאינם יודעים - דאם יודעים לקדש בעצמם, אינו יכול להוציאם בקידוש שלו, אם אינו יוצא אז בעצמו בהקידוש, **והפר"ח** חולק, וס"ל דבכל גווני יוכל להוציאם, **ובספר** ארצות החיים מסיק ג"כ, דמדינא יכול להוציא בכל גווני, אך לכתחלה המצוה שיקדש בעצמו

כיון שהוא בקי, וגם חבירו המוציאו אינו יוצא עתה בהקידוש.

ואשה אלמנה שאינה יודעת בעצמה איך לקדש, לא תוכל ליכנס בבית אחר לשמוע קידוש, כיון שאינה סועדת שם כלל, **אלא** יכנס אחר לביתה לקדש לפניה, ומהני זה אף שהוא אינו יוצא עתה בהקידוש.

ואם עדיין לא קידש לעצמו, יזהר שלא יטעום עמהם, שאסור לו לטעום עד שיקדש במקום סעודתו.

סעיף ה - כתבו הגאונים, הא דאין קידוש אלא במקום סעודה, אפי' אכל דבר מועט - היינו עכ"פ שיעור כזית, דהאי "שחייב עליו ברכה", אתרוייהו קאי, **או שתה כוס יין** - היינו כשיעור רביעית, **שחייב עליו ברכה** - אחרונה, וסתם המחבר כאן כדעת הפוסקים דלברכה אחרונה צריך שיעור רביעית דוקא, **והפמ"ג** מצדד, דאפי' אם נאמר בעלמא דלברכה אחרונה א"צ רביעית, לענין שיהיה נקרא במקום סעודה לא חשיב בפחות מרביעית יין, **יצא ידי קידוש במקום סעודה, וגומר סעודתו במקום אחר** - ושם א"צ לברך עוד על הכוס קודם שיסעוד, דהא כבר יצא ידי קידוש.

עיין לעיל בסי' קע"ח, דלכתחלה לא יעקור ממקומו בלי בהמ"ז, **אך** בדיעבד כשעקר א"צ לברך בהמ"ז מקודם, אלא אחר גמר הסעודה.

ודוקא אכל לחם או שתה יין - וכ"ש אם אכל מיני תרגימא מה' מינים דיצא, דהם חשיבי טפי לסעודת שבת מיין, **אבל** שכר ושאר משקין, אפילו אם היו חמר מדינה, אין יוצא בם במקום סעודה, דלא סעיד הלב כמו יין.

אבל אכל פירות, לא - דה' מינים נקרא מזון, ויין סועד הלב, אבל שאר דברים, אפילו אכל מהם הרבה, אינו חשוב סעודה כלל, **וע"כ** מה שנוהגים לילך לבית חתן או מילה, ואין שם כיסנין אחר קידוש רק מיני מגדים, אין לו לטעום שם כלל, **ולא** סגי במה שהמקדש שותה כל הכוס אף שהוא מחזיק רביעית, דזה מהני רק לשותה עצמו, אבל לא לאחרים.

והנה בשלטי גבורים כתב, דאף בפירות די, דכל סעודת שבת נחשבת קבע, אך דעת הטור ושו"ע עיקר, מ"א, **אך** אם חלש לבו קצת, ואין לו עתה מחמשת המינים לסעוד אחר הכוס, דעת איזה אחרונים דיש לסמוך על הש"ג בשחרית, **אבל** בלילה בודאי אין לסמוך עליו, דשארי פוסקים לא ס"ל כוותיה.

הגה: ולפי זה היה מותר למוהל ולסנדק לשתות מכוס של מילה בשבת בשחרית, אם שותין כשיעור - דהיינו שישתה שיעור רביעית, **אבל נהגו ליתן לתינוק.**

וי"א שאינו יוצא ידי קידוש במקום סעודה אפילו ישתה שיעור רביעית, רק צריך לשתות רביעית יין מלבד הכוס של הקידוש, [**ומ"מ** בקידוש של שחרית יש לסמוך על המקילין, אם אין לו יין כ"כ, אבל בקידוש של לילה אין להקל בזה].

[**ואפי'** ישתה עוד כוס אחר בלילה מלבד זה, ג"כ יש לעיין אם נסמוך ע"ז], **עיין** בחדושי הגרע"א ובתו"ש שהוכיחו, דלכמה ראשונים אינו יוצא ידי קידוש במקום סעודה ע"י כוס יין, **וע"כ** נראה שאין להקל בזה אלא במקום הדחק.

(**ובספר** מעשה רב כתב, שהגר"א אף בקידוש היום לא היה מקדש אלא במקום סעודה גמורה, ולא מיני תרגימא או יין).

סעיף ו - ואם קידש בביתו, ושמע שכנו ושלחנו ערוך לפניו - נראה דלאו דוקא, אלא ה"ה כשרוצה לערוך השלחן לאכול לאלתר, כיון שהיה דעתו לזה בשעת הקידוש, וכנ"ל בס"ג בהג"ה, **יוצא בו, דשפיר הוי מקום סעודה.**

וה"ה דאפילו לכתחלה יכול לקדש בביתו כדי שישמע שכנו הדר בבית אחר, מ"א, **ואם** שכנו אינו יודע בעצמו לקדש, מהני הקידוש שלו אפי' הוא אינו אוכל בעצמו, וכדלעיל בס"ד, ועיין מש"כ שם, **עוד** כתב המ"א, דה"ה כשמקדש על הפת, שיכול לברך להם "המוציא".

(**וקשה**, דלקמן בסימן רצ"ו פסק השו"ע בס"ו, דהבדלה אומר מיושב, והטעם כתב שם בבאור הגר"א, משום דבעינן קביעות כשהוא להוציא אחרים, והאיך

יכול להוציא שכנו כשהוא בבית אחר, דלא שייך ע"ז שם קביעות כלל, **ולענין** דיעבד לא קשה מידי, דכבר פסק לעיל בסימן קס"ז סי"ג, דבדיעבד יכול להוציא אפילו בלי קביעות כלל, **כי** קשה לי, אליבא דהמ"א, דכתב דאפי' לכתחלה יכול לקדש בשביל שכנו, **אם** לא שנדחוק עצמנו, דכיון שמכוין השומע לצאת, מקרי קביעות אפילו אם הוא בבית אחר).

וכגון שנתכוין השומע לצאת, ומשמיע להוציא - לאו דוקא בענין זה, דה"ה בכל שמקדש לאחרים דינא הכי, **וכשהש"ץ** מקדש בביהמ"ד בזמנינו, [דמכוין רק משום מנהג], לא יצא השומע אפילו אם יתכוין לצאת והוא רוצה לסעוד שם אח"כ, **אא"כ** נתכוין הש"ץ להוציאו.

(**עיין** בחדושי רע"א שהערה, לפי מה שחידש המ"א, דמצוה דרבנן א"צ כונה לצאת, א"כ לכאורה נראה בענינינו לפי מה דפסק המ"א, דמדאורייתא יוצא בתפלה, א"כ ממילא יהיה יוצא בדיעבד אם רק נתכוין לשמוע, אף שלא כוון לצאת ידי המצוה, **ואולם** לפי מה שכתב התו"ש והגרע"א, דבסתם אמרינן שאין מכוין לצאת בתפלה, משום דמצות קידוש הוא במקום סעודה, ניחא הכל, **וגם** עיקר דינא דהמ"א, מוכח בסי' רי"ג ס"ג דהשו"ע לא ס"ל לחלק בזה, וכן במגן גבורים מפקפק בדברי המ"א מאד, וכן מהגר"א מוכח דלא ס"ל כן).

סעיף ז - י"א שאין מקדשים אלא לאור הנר;

וי"א שאין הקידוש תלוי בנר, ואם הוא נהנה בחצר יותר מפני האויר או מפני הזבובים, מקדש בחצר ואוכל שם אע"פ שאינו רואה הנר, שהנרות לעונג נצטוו ולא לצער; והכי מסתברא - והיינו במצטער הרבה, (דהכרעתו קאי רק אסיפא, שהוא נהנה בחצר יותר), **דאל"ה** צריך לאכול דוקא במקום נר, (דהרבה אחרונים ס"ל, דעיקר הסעודה תלויה בנר), **ועיין** בפמ"ג שמצדד, דיותר טוב שיקדש בבית ויאכל מעט, ואח"כ יגמור סעודתו בחצר, **ועיין** בסימן רס"ג ס"ט מה שכתוב שם מענין זה.

אבל לא יקדש בבית ויאכל בחצר, וכדלעיל בס"א.

§ סימן רעד – דיני בציעת הפת בשבת §

סעיף א - בוצע על שתי ככרות (שלימות) - זכר למן, דכתיב: לקטו לחם משנה, **וגם** ביו"ט צריך לבצוע על שתי ככרות, **וגם** הנשים מחויבות בלחם משנה, שהיו ג"כ בנס המן, **ואם** יוצא בלחם משנה בפת הבאה בכיסנין, ע"ל בסימן קס"ח ס"ז שם במ"ב ובה"ל, ‹לא מצאתי – שונה הלכות›.

ועוגה שנשרפה קצת, ועדיין לא נחתך ממנה, יש אומרים דיוצאין בו לענין לחם משנה, עיין בשע"ת.

אם אין לו פת שלמה, אינו מעכב, ויכול לקדש אפילו על כזית פת.

ונכון לנהוג שזה שבוצע יכוין לפטור בברכת "המוציא" כל המסובין, וגם יאמר להמסובין שיכוונו לצאת בברכתו, כדי שכולם יצאו בלחם משנה, **וכשמוציא** אחרים יאמר "ברשות רבותי", אע"פ שהוא הבעה"ב או הגדול, והוא מדרך ענוה.

שאוחז שתיהן בידו - בשעת "המוציא", **ובוצע התחתונה** - הב"ח תמה, דאין מעבירין על המצות, **והט"ז** תיקן זה, ונהג להניח התחתון קרוב אליו יותר מן העליון, ונמצא שפוגע תחלה בתחתונה, **או** לוקחין העליונה בשעת ברכת "המוציא" ומניחין אותה למטה, ובוצעין עליה.

ובוצע התחתונה - שהרי לא נאמר לחם משנה אלא בלקיטה, **ורש"ל** ושל"ה נהגו לחתוך שניהם, כפירוש הרשב"א, וכן הסכים הגר"א, **ואם** מקפיד על ההוצאה, עושה ג' חלות גדולות וג' קטנות, ובכל סעודה בוצע אחת גדולה ואחת קטנה, **והעולם** נוהגין כהשו"ע.

הגה: ודוקא בלילי שבת, אבל ביום השבת או בלילי יו"ט, בוצע על העליונה, והטעם הוא על דרך הקבלה.

ועיין לעיל בסי' קס"ז בהג"ה, שלא יחתוך בככר עד אחר הברכה, כדי שיהיו הככרות שלמות, **והמדקדקים** רגילים לרשום בסכין קודם ברכה.

כתב הפמ"ג, אם אין לו בשבת פת ישראל כי אם פת א"י, מותר לאכול ממנו, ועי"ש עוד.

סעיף ב - מצוה לבצוע בשבת פרוסה גדולה שתספיק לו לכל הסעודה - ולא מחזי כרעבתן, כיון שאינו עושה כן בחול, ודאי כונתו שחביב עליו המצוה ורוצה לאכול הרבה. **(וע"ל סי' קס"ז)**.

סעיף ג - אין המסובין רשאים לטעום עד שיטעום הבוצע - היינו אע"פ שנתן הבוצע לפני כל אחד ואחד את חלקו, וכנ"ל בסי' קס"ז סט"ו ע"ש.

ואם יש לפני כל אחד לחם משנה - אז אע"פ שהוא מוציאם בברכתו, **יכולים לטעום אע"פ שעדיין לא טעם הוא** - אבל אם אין לפני כל אחד לחם משנה, אע"פ שכל אחד ככרו שיאכל ממנו הוא לפניו, כולם צריכים לסמוך על הבוצע שיש לפניו לחם משנה, ואינם רשאים לטעום קודם לו.

סעיף ד - סעודה זו ושל שחרית אי אפשר לעשותם בלא פת - ר"ל אפילו לדעת המקילין לקמן בסימן רצ"א ס"ה לענין סעודה שלישית, שאין צריך לעשותה דוקא בפת, **באלו** שתי סעודות מודו כו"ע, דהם עיקר כבוד השבת.

אם יש לו אונס שאינו יכול לקיים סעודת ערבית, ידחה הסעודה עד למחר, שיאכל ג' סעודות ביום, **ובלבד** שיקדש בלילה ויאכל מיד אחר הקידוש כזית מחמשת המינים, או שישתה רביעית יין, כמו שכתוב בסימן רע"ג.

§ סימן ערה – דברים האסורים לעשות לאור הנר בשבת §

סעיף א - אין פולין (פי' לבער את הכנים מהבגדים, תרגום בערתי הקדש: פליתי), ואין קורין בספר, לאור הנר, ואפי' אינו מוציא בפיו, שמא יטה - להביא השמן לפי הפתילה, כדי שידלק יפה, וה"ה שאין בודקין הציצית, וכל כה"ג דבר הצריך עיון. (**והנה אם צריך עיון הרבה או מעט, הפמ"ג סתם כהמ"א בשם הר"ן, דאפילו בעיון מועט, והגר"ז כתב דדוקא בשצריך עיון הרבה, והביא ראיה מלשון הרמב"ם והטור**, (עיין לקמן סי"א וי"ב), **ומ"מ לדינא צ"ע, כי גם דעת הרמב"ן והריטב"א בחדושיהם כהר"ן, והביאו סמוכות לזה מן הירושלמי**).

ואסור לקרות לאור הנר ביום במקום האופל.

ואפי' הוא גבוה עשר קומות שאינו יכול ליגע אליו, שלא חלקו חכמים בדבר, ומטעם זה יש לאסור אפי' הוא בעששית או קבוע בחור שבכותל.

ואם היא סגורה במפתח, יש מתירים, וטעמם, דדוקא כשגבוה הנר י' קומות אסרו, משום דדרכו כן לפעמים, כדי שעי"ז יראה מה שבגבוה, **משא"כ** להסגיר, שאין דרכו כלל אם לא משום איסור שבת, אית ליה היכרא ולא שייך שיפתח להטות, דדמי לקורא פרק "במה מדליקין", [**וכתב** המהח"ש, דע"י קשר משונה דמי לסגירה במפתח], **ויש** אוסרין בכל גוונא משום לא פלוג, **ועיין** בא"ר שמצדד להתיר בשמסר המפתח לאדם אחר, דדמי לאומר לחבירו: תן דעתך עלי שלא אטה, דמתיר בס"ג.

(**עיין ט"ז, החילוק בין דבר הנאסר, שעליו אמרינן דלא פלוג, משא"כ לענין אדם הקורא, אמרינן דלא נאסר על איש כזה מעולם, וע"כ יש חלוק בין אדם חשוב לאינו חשוב, ובין ענין אחד לב' ענינים וכדלקמן, ולפי"ז פשוט דאם הוא גידם בשתי ידיו, או שהיו ידיו קשורות מאיזה סבה, דמותר לקרות לאור הנר**).

וכן בנר של שעוה - האי "וכן" קאי ארישא, דבזה נמי גזרו שלא לקרות לפניה, ואף דהוא כרוך על הפתילה כעין נרות של שעוה וחלב שלנו, ולא שייך בו שמא יטה, **אעפ"כ** יש לחוש שמא ימחוט {שמסיר ראש הפתילה להסיר חשכה} ונמצא שהוא מכבה.

והב"ח בשם רש"ל כתב, דנהגו להקל לבדוק כלים וציצית ולקרות אצל נר של שעוה, וה"ה אצל נר של חלב, **והטעם**, דבזה לא שייך שמא יטה רק שמא ימחוט, וכיבוי הוי מלאכה שאינה צריכה לגופה, ולא הוי איסורא דאורייתא, וכ"כ הט"ז, **ומסיק** המג"א, דשלא לצורך יש להחמיר, דהא י"א דכיבוי הוי מלאכה דאורייתא, כמ"ש בסוף סי' של"ד, **והא"ר** כתב בשם המלבושי יו"ט, דבנר של שעוה שייך ג"כ שמא יטה, והביא לזה סמוכין מדברי הרמב"ן, וכ"כ בביאור הגר"א, דבנר של שעוה וה"ה של חלב שייך ג"כ שמא יטה, **ומ"מ** נ"ל דבנרות הטובים שלנו, שקורין סטארין, מותר לקרות

לפניהם לכו"ע, **דלא** שייך שמא יטה רק בדבר שדרכו להטות לפעמים בחול כדי שידלק יפה, ובנר סטארין ידוע דאין צריך להטייה כלל לעולם, **וכ"ש** דלא שייך בו שמא ימחוט, דאורו צלול מאד ואין צריך כלל לזה.

(**ואם עומד** נר של שמן ונר של שעוה וחלב סמוכים להדדי, אין להתיר אפי' לדעת רש"ל, **ואפילו** לדעת המ"א שמקיל לעיל בסימן רס"ד בעומד נר כשר אצל נר פסול, כ"כ בספר תו"ש ופמ"ג, ע"ש הטעם, (שאף נר שעוה לפעמים אינו מאיר היטב, אלא שאין לחוש בו להטיה כי אין ההטיה מועילה לו, ולשמא ימחוט אין חוששים כיון שאיסור מחיטה אינו אלא מדרבנן, אבל אם יש בצדו נר שמן יש לחוש שיטה את נר השמן), **אך בנר שמן ונר שקורין סטארין, נראה** דמותר לקרות לפני הנר שמן כל זמן שהסטארין דולק).

(**והנה כהיום** אין המנהג במדינותינו בהדלקת נר השעוה, רק בהדלקת נרות ממש שקורין לאמפ, ומעולם תמהתי על מה נוהגין כהיום רובא דאינשי להקל בזה לקרות לאורם, הלא שייך בזה שמא יטה כדרכו בחול, **ומתחלה חשבתי** דאפשר דסומכין עצמן על שיטת ראב"ן המובא במ"א, דמקיל בנר של חלב משום דמאיס, ובודאי סברתו דדמי לנר של נפט דמקיל במס' שבת לבדוק כוסות וקערות לאורו, וא"כ כ"ש בענינינו דנותנין גאז בנרות, דהוא מאיס ומסריח יותר מחלב, **אבל** אח"כ ראיתי שאין כדאי לסמוך ע"ז, חדא, דפסק השו"ע לקמן בסי"ב כדעת הרמב"ם, דאפילו בנפט אסור בדבר שצריך עיון רב, דחיישינן שמא יטה, וקריאה לפני הנר הלא נחשב לכו"ע לדבר שצריך עיון הרבה, **ואפילו** לדעת שארי הראשונים המקילין שם בזה, הלא כתב הרמב"ן שם בהדיא בחדושיו, דדוקא לענין בדיקת הכוסות הקילו לפני הנפט משום נקיות, ולא לענין שאר דברים, **ובאמת** דעת הראב"ן היא דעת יחידאה בזה, דלא מצאתי לשום פוסק שיסבור דיהיה מותר לקרות אפי' לנר של נפט, וכ"ש לנר של חלב.

(**ושעמתי** על אנשי מעשה שכותבין על חתיכת נייר באותיות גדולות "שבת היום ואסור להדליק", ומדבקין מבעוד יום הנייר במקום השרייפיל, **ונראה** שע"ז בודאי יש לסמוך להקל, חדא, דדעת מהרש"ל דסגורה במפתח מותר, וה"ה בקשור בקשר משונה, וכמו שכתב במחצית השקל, וא"כ בנדון דידן שקשור הנייר על הנר במקום ההטייה, לא גריע מזה, **גם** כיון שבכל שעה רואה לעינו איסור בהדלקה בשבת, דמי קצת לקריאת פרק "במה מדליקין" המבואר בס"ז דמותר, **ועוד** דדמי למי שמבקש מחברו שיזכירנו, דפסק בס"ג דמותר).

(**אמנם** אחר כתבי כ"ז מצאתי בספר מסגרת השלחן, שהאריך בענין זה של למוד לפני הלאמפי"ן, והביא שם מתחלה דעת האוסרין כמו שכתבנו, **אך** לבסוף מסיק בשם כמה גדולים שצדדו להתיר, אפילו לדעת הרמב"ן הנ"ל, מטעם דלא חשו שמא יטה כי אם בפתילה ובנר בלבד, שזה דרכו בחול, לאחר שהדליק קצת ראש הפתילה שוב אינו דולק כ"כ כמו בתחלה, הלכך צריך להטות השמן אל הפתילה, או למשוך הפתילה קצת לחוץ, **אבל הלאמפי"ן** שלנו דרכן הם שדולקין מעת שמתחילין להדליק אותם עד סוף הדלקה בדרך אחד, ואין האור מתמעט כלל, **חוץ** בסוף כשנשאר מעט נפט בשולי הכלי, אז מתמעט אורו, ואז אינו מועיל אם יסבב הפתילה לחוץ, כי תיכף חוזר ומתמעט כבתחלה, ויותר מתמעט לפי שעושה פחם בראש הפתילה, **וקודם** לכן אין חשש שמא יסבב להרבות האור, דמסתמא תקן בע"ש שידלק האור כ"כ כפי הצורך שלו, ואם היה רצונו לעשות האור גדול יותר, אז היה עושהו מיד גדול יותר וכו', **והלכך** היכא דנותנים הרבה נפט בלאמ"פ, ועושין האור רק כדרך שדרכו לעשותו בחול כשרוצה ללמוד, שוב אין חשש שמא ירצה להרבות אורו, **ומסיק** שם דכן ראוי לנהוג, שימשוך בע"ש הפתילה לחוץ שיהיה אורו רב כדרכו בחול, ואז אין חשש שמא יתקנו בשבת, עכ"ד).

(**והנה** אף שאין היתר זה ברור, מ"מ יש לסמוך להקל לענין תלמוד תורה שלא לבטל, **ובפרט** אם הוא לומד בביהמ"ד אצל נר של נפט, נוכל לצרף דעת הא"ז שמתיר בצבור, וס"ל דכל בצבור הו"ל כתרי בחד ענינא, **ואף** דלא קי"ל הכי, מ"מ יש לצרף דעתו בצירוף הסברא הנ"ל להתיר, וכ"ז כתבנו אם א"א לו באופן אחר, אבל לכתחלה בביתו טוב ונכון שיעשה באופן ההיתר לכו"ע, וכמו שיעצנו מתחלה בראש דברינו).

סעיף ב - ודוקא אחד, אבל שנים קוראים ביחד, שאם בא האחד להטות, (פי' להטות הנר כדי שיגיע השמן לפתילה), יזכירנו חבירו - ודוקא לענין קריאה שהוא מלתא דמצוה התירו בזה, אבל לא לענין רשות, כ"כ המ"א, **ומדברי** הט"ז (לקמן בסמוך) משמע שהוא חולק ע"ז.

אבל שנים קורין - אבל אין פולין, (דכל אחד שהוא מפלה ובודק אחר כנים, הוא בודק במקום אחר, והו"ל כמו לענין קריאה בב' ענינים - ט"ז, **אם** לא שאחד מפלה והשני משמרו, שזה ודאי מותר.

והוא שקורין בענין אחד, שאז ישגיח האחד במה שיעשה חבירו, אבל בשני ענינים לא – (אפילו הוא בספר אחד, ונסתפקתי אם מהני בזה באומר אחד לחברו: תן דעתך עלי, דאפשר כיון דכל אחד טרוד בענינו, לא יעיין עליו היטב, וכן כה"ג לענין שני ספרים בענין אחד, לדעת הי"א המובא בהג"ה, ואולי יש להקל בזה במקום הצורך).

הגה: וי"א דבשני ספרים, אפילו בענין אחד אסור - שכל אחד מעיין בספרו, ואינו משגיח במה שעושה חבירו.

ולכן אסור לומר פיוטים בליל יו"ט שחל להיות בשבת בבהכ"נ, וכן נהגו - פי' אפילו בבהכ"נ דיש רבים, חיישינן להטייה, וכ"ש יחיד בביתו דאסור לאור הנר.

ואפילו לדעת המקילין לעיל בנר של שעוה וחלב, הכא בבהכ"נ דשכיחי רבים, יש להחמיר בכל גוונא שלא לומר הפיוטים, משום לא פלוג, דלפעמים יהיה נרות שמן, ואיכא חשש איסור שמא יטה.

ומש"כ פיוטים, ה"ה הזמירות שאומרים בשבת בבית, **אם** לא מי שרגיל קצת בהם וכמ"ש ס"ט, **או** שאומר לחבירו: תן דעתך עלי שלא אטה.

אבל שאר התפלה מותר לקרות בסידור לאור הנר, והטעם, שתפלה מצויה בפי הכל וא"צ עיון רב, והוי כמו ראשי פרשיות בסעיף י'.

סעיף ג - אם יש אחר עמו, אפי' אינו קורא, ואומר לו: תן דעתך עלי שלא אטה,

מותר - דוקא באומר לו, אבל בסתמא, אפילו יש בני בית הרבה, חיישינן שלא ישגיחו עליו ויבוא להטות.

וה"ה אם אומר כן לאשתו - כלומר שלא תאמר דאשה דעתה קרובה אצלו ואינה משמרתו.

סעיף ד - אדם חשוב, שאין דרכו בחול להטות - פי' שברור הוא שאין דרכו אף בעת הלמוד,

מותר בכל גוונא - אבל מסתמא לא אמרינן כן, דיש גם באדם חשוב שדרכו להטות בחול, וכדאיתא בגמרא לענין ר' ישמעאל בן אלישע, שהיה משים עצמו על דברי תורה כהדיוט.

וכתב הפמ"ג, ועכשיו אין להתיר באדם חשוב, כי כמה פעמים ראינו שמתוך עיון שוכחים ומטים ומוחטים, **ומ"מ** בהצטרף לזה ג"כ נר של שעוה וחלב, נראה דאין להחמיר בזה.

סעיף ה - במדורה, אפילו עשרה אין קורין - ר"ל אפילו בענין אחד, דלאור הנר שרי,

משום דהואיל ויושבים רחוקים זה מזה - (לכאורה ע"כ דקורין בב' ספרים, וא"כ אפילו לאור הנר אסור, וכנ"ל בהג"ה, וי"ל דטעם זה קאי אליבא דפוסקים המקילין בענין אחד אפילו בשני ספרים, וקמ"ל דבמדורה אסור, **וטעם** השני שכתב, ועוד שזנבות וכו', קאי אליבא דכו"ע, ור"ל דעל כן אפילו הם סמוכין זה לזה, וקורין בענין אחד ובספר אחד, ג"כ אסור).

ועוד שזנבות האודים סמוכים להם, אין זה מכיר כשבא חבירו להבעיר ולחתות - ועיין בע"ת, דאם ביקש לאחד שיתן דעתו עליו שלא יחתה, דמותר, והביאו הא"ר.

כתב הט"ז, נ"ל דאע"פ שמותר להתחמם נגד המדורה, כדאיתא סוף סי' רע"ו, **מ"מ** אין לישב בסמוך אצל זנבות האודים, כי יש לחוש שיגע בהם כדי שיבערו היטב, כדרך שמהפכין בזנבות האודים, **ויש** שכתבו דלא חיישינן שיבוא לזה.

סעיף ו - תינוקות של בית רבן קורין לאור הנר, מפני שאימת רבן עליהם - שאין פושטין יד לשום דבר, ואפילו בחול, אלא על פי רבן, ולא אתי לאצלויי, **ומשמע** מסתימת השו"ע שסובר כהרשב"א, דאפילו אין רבן עמהן שרי, דכל שעה מתיראין שיבוא רבן ולא יטו, **ובא"ר** הביא הרבה פוסקים שחולקין ארשב"א.

סעיף ז - מותר לקרות "במה מדליקין" לאור הנר, שהרי הוא מזכיר איסור שבת ואיך ישכח - משמע דדוקא "במה מדליקין", ששם

נזכר ענייני איסור הדלקה, ואיך ישכח וידליק, **אבל** שארי הלכות שבת לא.

סעיף ח - נוהגים לקרות בליל יו"כ במחזורים, מפני שאימת יוה"כ עליהם.

סעיף ט - ליל פסח שחל להיות בשבת, מותר לקרות ההגדה בספר, משום דהוי כעין ראשי פרקים, דאין ע"ה שלא תהא שגורה בפיו קצת.

ומטעם זה יש להתיר, למשכים בשבת לבהכ"נ ומתפלל לאור הנר הדולק שם מבע"י, לפי שהתפלה ושארי דברים שהוא אומר ודאי שגורים בפיו יותר מן ההגדה בפסח, **אבל** ללמוד שם אסור, כיון שצריך עיון.

דאין ע"ה כו' - ואם הוא ע"ה שלא למד מעולם, ואין שגור בפיו כלל בלי סידור, ואין לו שם שום אדם שיבקשהו שיתן דעתו עליו שלא יטה, **מ"מ** אפשר ג"כ דיש להקל, שלא לבטל מצות הגדה שהוא מן התורה, אפילו אין לו רק נר של שמן.

סעיף י - הרב יכול לראות לאור הנר מהיכן יקראו התינוקות, ולסדר ראשי הפרשיות בפיו בספר, וקורא כל שאר הפרשה על פה; וראשי פרשיות לאו דוקא, אלא כל שיודע הפרשה על פה ובקצת צריך לראות בספר, שרי, שמאחר שאינו מעיין בספר תמיד, אית ליה היכירא ולא אתי לאטויי – (פשוט דה"ה אם יודע איזה סוגיא ומסכת כה"ג).

סעיף יא - כלים הדומים זה לזה וצריך עיון להבחין ביניהם - ברמב"ם איתא: וצריך עיון רב, **אסור לבדקן לאור הנר, ואפילו להבחין בין בגדיו לבגדי אשתו, אם הם דומים אסור לבדוק.**

(מסתימת הפוסקים משמע, דבזה לא מפלגינן בין בדיקת שמש קבוע (דא"צ עיון רב), לאינו קבוע (דצריך עיון רב), כמו לענין בדיקת כוסות דבסמוך, **ואפילו** ע"י עצמו אסור, **והטעם** כתב המ"א בשם הר"ן, וכ"כ הרמב"ן והריטב"א, דרק שם הקילו משום נקיות, **וברמב"ם** וכן בטור משמע דדין זה תלוי בדין הסמוך, **ואין** איסור בדיקה כי אם בשצריך עיון רב להבחין ביניהם, ואז אסור אפילו ע"י עצמו, דדמי לשמש שאינו קבוע, ונ"ל דבנר של שעוה וחלב יש לסמוך על דעת הרמב"ם והטור, להקל בשאינו צריך עיון רב, דבלא"ה הב"ח בשם רש"ל מקיל בנרות הללו).

סעיף יב - שמש שאינו קבוע אסור לו לבדוק כוסות וקערות - הדומין זה לזה, **לאור הנר** - לידע איזה מהן להניחן על השלחן, **מפני שאינו מכירן** - וצריך לזה עיון הרבה, ע"כ חיישינן שמא יטה, **והר"ן** כתב שהבדיקה היא לראות אם הם נקיים, ושמש קבוע מפני שהוא בקי בהם מכבר, יודע איזה כלי אינו נקי כל כך.

בין בנר שמן זית, בין בנר של נפט, (פי' מין זפת לבן וריחו רע), שאורו רב - ר"ל אע"פ שאורו רב, אפ"ה חיישינן שמא יטה, כיון שהוא שמש שאינו קבוע.

("פי' מין זפת וריחו רע" – כצ"ל, ותיבת "לבן" ט"ס הוא, דנפט לבן אין מדליקין בו בחול וכ"ש בשבת, כדאיתא בשבת כ"ו ע"א).

הגה: וים מתירין בשל נפט, אפי' בשמש שאינו קבוע - טעמם, דלהטייה לא חיישינן, לפי שאורו רב ולא צריך לזה, ולשמא יסתפק לא חיישינן, משום דמאיס, **ובשמן** זית וכן בשארי שמנים לכו"ע אסור.

ולעת הצורך יש לסמוך על דעה זו, כי כן דעת הרבה ראשונים, וכ"כ בספר שלחן עצי שטים.

אבל שמש קבוע מותר לו לבדוק לאור הנר - של נפט, **כוסות, מפני שא"צ עיון הרבה** - ואע"ג דאפילו להבחין בין בגדיו לבגדי אשתו אסרו, הכא התירו משום נקיות, ר"ן. (עיין בבה"ל).

(**משמע** מדברי המ"א, דמפני הנקיות לא הותר רק בשאינו צריך עיון הרבה, **ובשו"ע** הגר"ז מקיל מפני הנקיות אפי' בשצריך עיון הרבה). (**דלדידיה** השו"ע לא ס"ל כהר"ן, שבודק הכוס אם הוא נקי, וא"כ רק הכא אסור בשצריך עיון הרבה, אבל מפני הנקיות מותר אפי' בשצריך עיון הרבה, ע"ש).

ואם היה נר של שמן זית, אין מורין לו לבדוק, ואע"פ שהוא מותר - ר"ל אם בא לפנינו לישאל, אין מורין לו לכתחלה, ואם עשה מעצמו, אין מוחין בידו.

גזירה שמא יסתפק ממנו - ואע"ג דלענין הדלקה לא אסרו משום זה, שאני הכא דע"י שהוא מתקרב לנר ביותר לבדוק, חיישינן טפי.

(וכתב בספר שלחן עצי שטים, דשאר שמנים הם כנפט, וטעמו, דלא חיישינן לשמא יסתפק רק בשמן זית, ולענ"ד בב"י לא משמע כן, דלא ממעטינן רק נפט מזה משום דהוא מאיס, אבל שאר שמנים דומין לשמן זית לזה, וגם בטור לא נזכר שמן זית, רק שמן סתמא).

הגה: נהגו לכסות הקטנים שלא יהיו ערומים בפני הנרות, משום ביזוי מלוה, וכ"כ הרוקח - קשה, דבלא"ה אסור משום סכנה, דאתי לידי נכפה, כדאיתא בפסחים קי"ב, **ונראה** לחלק בין קטן לגדול.

§ סימן רעו – דיני נר שהדליק א"י בשבת §

סעיף א - א"י שהדליק את הנר בשביל ישראל, אסור לכל – (היינו לעשות לפני הנר דבר שלא היה יכול לעשות בלא נר, וללמוד או לאכול בפני הנר ג"כ בכלל זה לאיסור).

מדרבנן, דאם יהא מותר ליהנות, יאמר לו להדליק, **וה"ה** לכל מלאכה שיעשה הא"י בשבת בשביל ישראל, דאסור לכל ליהנות.

אפי' למי שלא הודלק בשבילו - ולא דמי למי שהובא בשבילו מחוץ לתחום בשבת, דמותר לאחר, וכדלקמן בסימן שכ"ה סעיף ח', **דתחומין** דרבנן, וכן כל איסור דרבנן שעשה א"י בשביל ישראל, מותר לאחר שלא נעשה בשבילו.

(**ואפילו חוץ לי"ב מיל, די"א דהוא דאורייתא, אפ"ה שרי לאחר, דאין מפורש בתורה, ומעביר ד"א בר"ה, דהלכתא גמירא לה כדאמרינן בפרק הזורק, אם עשה א"י בשביל ישראל, אפ"ה אסור לכל ישראל ליהנות מזה, דהלמ"מ פירוש דקרא הוא, והוא בכלל הוצאה, דאל"כ אין עונשין מהלמ"מ, וכיון שהוא פירושו דקרא, תורה שבכתב הוי וכדכתוב בהדיא דמיא, וכן אם עשה מלאכת הכנסה בשביל ישראל, דהא אמרינן בגמרא דסברא הוא, מה לי הכנסה מה לי הוצאה, ועל כן ככתוב בהדיא דמי**).

הגה: ואין חילוק בזה בין קלב לו שכר - היינו מע"ש, **או לא קלב** - וקמ"ל דלא אמרינן בענינו א"י אדעתא דנפשיה עביד, כדי לקבל שכרו הנקצב לו, וכדלעיל בסימן רנ"ב ס"ב לענין קבלנות.

או שעשאו בקבלנות או בשכירות - הוא פירוש למה שאמר מתחלה "בין קצב", ע"ז אמר בין שהקצבה היתה בקבלנות או בשכירות, **וקבלנות** מקרי היכא ששכרו סתם להדליק לו נר בעת שיצטרך, וקצב לו מכל הדלקה דבר קצוב, **ושכירות** מקרי כשנותן לו בכל יום כך וכך, (ור"ל ואף דבקבלנות כתב בסי' רנ"ב ס"ב דמותר, הכא לענין הדלקה אסור), **דהואיל והישראל נהנה ממלאכה עלמה בשבת, אסור בכל ענין.**

(מיהו בבית ישראל בלא"ה אסור בקבלנות, כמבואר שם בסימן רנ"ב, ורמ"א כאן קמ"ל, אף אם הישראל במלון אצל הא"י).

אבל אם הדליקו לצרכו, או לצורך חולה ישראל אפי' אין בו סכנה, הגה: או לצורך קטנים דהוא כחולה שאין בו סכנה - היינו אם צריכים הרבה, אבל בלא"ה לא, **מותר לכל ישראל להשתמש לאורו** - דלא שייך כאן גזירה שמא יאמר לו להדליק בשביל חולה, שהרי מותר לומר אף לכתחלה, וכדלקמן בסימן שכ"ח סי"ז.

לכל ישראל - ואפילו הוא מכירו, ולא חיישינן שמא ירבה בשבילו, דנר לאחד נר למאה, **ובכ"ז** אין חילוק בין אם הא"י הדליק הנר בביתו או בבית ישראל.

(**וביש בו סכנה, אפילו הדליק ישראל בשבילו, מותר לכל להשתמש לאורו, דנר לאחד נר למאה**).

וה"ה לעושה מדורה לצרכו או לצורך חולה - דמותר לכל ישראל להתחמם, ואפילו הוא מכירו,

משום דמדורה קטנה נמי מחממת הרבה אנשים, והוי כמו נר, דנר לאחד נר למאה.

(**ואם** הא"י הדליק איזה קיסם או נר משמן פסול, אסור להשתמש לפניו, דלא עדיף משאם היה של ישראל, דחיישינן בו שמא יטה).

(**כתב** הא"ר, א"י שרצה לתקן נר של ישראל, דהיינו למחוט הפתילה, ונכבה בידו, וחזר והדליקו, נ"ל דמותר, דזה הוי כמו לצרכו, כיון שנכבה בידו, **ולבקש** לא"י למחוט, בודאי אסור).

ויש אוסרים במדורה, משום דגזרינן שמא ירבה בשבילו - ס"ל דבמדורה גזרינן שמא ירבה, ולא דמי לנר, משום דלפי ריבוי אנשים שמסובין אצל המדורה צריך להוסיף ולהגדיל המדורה.

(**ולדבריהם**, אפילו אם נעשה בשביל חולה שיש בו סכנה, אסור לשאר אנשים להתחמם נגדה, משום חשש דשמא ירבה, **ולעת** הצורך יש לסמוך אדעה הראשונה, וכן סתם המחבר בסוף הסימן להקל).

ואם ידוע הוא שאינו מכירו, שרי לכו"ע.

ואם הסיק הא"י התנור לצרכו, כו"ע מודים דרשאי הישראל ליכנס לבית החורף, דחימום לאחד חימום למאה, והוי כמו נר דשרי.

הגה: מיהו אם עשה א"י בבית ישראל - לאו דוקא, דה"ה אם שבת במלון אצל א"י בשבת, כביתו הוא, **מדעתו** - היינו שלא צוהו הישראל, **אין הישראל צריך לצאת** - אע"פ שעושה הא"י בשבילו, לא הטריחו אותו לצאת מהבית, **אע"פ שנהנה מן הנר או מן המדורה** - וה"ה שא"צ להפוך פניו מהנר, אא"כ שרוצה לעשות מדת חסידות, כ"כ המ"א בשם הב"י, **ובחידושי** הרשב"א משמע שהוא מחמיר בזה.

אבל אם צוהו מתחלה, צריך לצאת אח"כ מהבית.

והיינו דוקא אחר שכבר עשה הא"י, ומה יש לו לישראל לעשות, לא הטריחוהו לצאת מהבית בשביל זה, ויזהירנו על להבא שלא לעשות כן, **רק** שאסור להשתמש לאורו דבר שלא היה יכול לעשות בלא נר, או להתחמם נגד המדורה, (וללמוד או לאכול בפני הנר, ג"כ בכלל זה לאיסור).

אבל אם נזדמן לישראל שראה בעת שהא"י רוצה להדליק בשבילו, או לעשות המדורה, צריך למחות בידו, אפי' אם היה זה בביתו של א"י, ג"כ צריך למחות, כיון שהנר והעצים של ישראל, **ואפילו** אם דעת הישראל לצאת אח"כ לחדר אחר, שלא יהנה מהנר, ג"כ צריך למחות, [ודוקא שאינו עושה בקיבולת, אבל כשנהנה אסור בכל גווני], **וכ"ש** בבית ישראל, **ואם** הא"י עושה בע"כ, חייב לגרשו מביתו מפני חילול השם, שיחשדוהו שעושה הא"י בשליחותו, כיון שהוא בבית ישראל, **ואין** חילוק בזה בין אם הא"י עושה בחנם או שקצץ עמו שכר בקיבולת, כיון שהוא עושה בבית ישראל.

סעיף ב- ישראל וא"י שהסיבו יחד, והדליק א"י נר, אם רוב א"י, מותר להשתמש לאורו - דמסתמא אדעתא דרובא קעביד, **ואפילו** אם אח"כ נתרבו ישראל ונתוספו עליהן, או שהלכו להן הא"י, **וכן** להיפוך ברוב ישראל.

(**לכאורה נראה**, דא"י המדליק אינו נחשב לחשבון הרוב, שהוא מדליק על השלחן על דעת המסובין אצלו, ועיין).

(**כתב** במאירי, לא כל הרבים שוים, שאם יש אדם חשוב כ"כ שהדברים מוכיחים שבשבילו נעשה, הולכין אחריו, **ולכאורה** מדברי התוספות לא משמע כן).

ואם רוב ישראל, או אפי' מחצה על מחצה, אסור - הטעם «למחצה על מחצה», משום דליכא למיקם עלה דמלתא, אם בשביל א"י עביד, או בשביל ישראל עביד, (**ולפי"ז** בס"א דפסק לצרכו מותר, היינו ביש הוכחה, וכגון שראינו שהוא משתמש תיכף לאורו וכה"ג, אבל אם היה ספק אם לצרכו או לצורך ישראל, אסור), **וי"א** משום דבמחצה על מחצה מסתמא לשם שניהם נעשה, (**ולפי"ז** לענין ספיקא הנ"ל יש להקל, **ומ"מ** לענין דינא יש להחמיר בספיקא, שכן סתם המחבר בסימן שכ"ה ס"ט וסט"ז ובסימן תקט"ו, ומ"מ נ"ל דבהצטרף לזה עוד איזה ספק, יש להקל ולסמוך על המקילין בזה).

ואם יש הוכחה שלצורך א"י מדליקה - ר"ל לצורך עצמו וכדמסיים לבסוף, **כגון שאנו רואים שהוא משתמש לאורה** - היינו מיד, **וה"ה** אם יש הוכחה שהדליק בשביל איזה א"י אחר, **אע"פ**

שרוב ישראל, מותר - דמסתמא כשהדליק מתחלה, נמי העיקר אדעתא דידיה עביד, ונר לאחד נר למאה.

ואם אנו יודעין שעשה גם בשביל ישראל, אסור, כ"כ המ"א, (ומ"מ הסומך להקל בהדליק לצורך עצמו ולצורך ישראל, דאיכא למימר דהעיקר אדעתא דנפשיה עביד, אין למחות בידו).

הגה: י"א דמותר לומר לא"י להדליק לו נר לסעודת שבת - היינו שיושב בחשך, ואין לו שום נר לאכול, **משום דסבירא ליה דמותר אמירה לא"י אפי' במלאכה גמורה במקום מצוה, (ר"ן ס"פ ר"א דמילה בשם העיטור).**

אבל אם גמר סעודתו, [דוקא גמר, דכל הסעודה חשובה סעודת מצוה], אף שעדיין לא בירך בהמ"ז, **או** שיש לו נר אחד, פשיטא דאסור לצוות לא"י להדליק לו, דהוי שבות שלא במקום מצוה, [**ויש** לעיין אם יש לו כוס לבהמ"ז, דקימ"ל דנותן עיניו בו, **ולפי** מה דמסיק הרמ"א, בודאי יש להחמיר בזה].

מיהו אם יש לו שום נר, ועבר וצוה לא"י להדליק לו נר אחר, שרי ליהנות ממנו בעוד שהנר הראשון דולק, כמ"ש בסעיף ד'.

אבל שבות דישראל עצמו, לכו"ע אסור אפילו במקום מצוה.

ולבנות בהכ"נ בשבת ע"י א"י, כתב המ"א דאסור אפילו לדעת העיטור, **ועיין** בפמ"ג שמסיק, משום דהוי מצוה שאינה עוברת, שיכול לבנותו בחול, **ועיין** בסימן רמ"ד במ"א, שהוא אוסר לעשות דבר זה אף בקבלנות, אם לא שיש חשש שמא יתבטל ח"ו עי"ז בנין הבהכ"נ לגמרי, דאז יש להקל בקבלנות, **ואפשר** דאף ע"י שכירות מותר בכה"ג, אם לא ירצה הא"י בקבלנות.

שע"פ זה נהגו רבים להקל בדבר לצוות לא"י להדליק נרות לצורך סעודה, בפרט בסעודת חתונה או מילה, ואין מוחה בידם - ומוטב שיהיו שוגגין ואל יהיו מזידין.

ויש להחמיר במקום שאין צורך גדול, דהא רוב הפוסקים חולקים על סברא זו, וע"ל סימן ש"ז ס"ה - ר"ל דשם ג"כ מבואר דלא כבעל העיטור.

ושל"ה החמיר אף לצורך גדול, ושכן ראה נוהגים בקהלות חשובים, שיושבים בחשכה במוצאי שבת אפילו בחתונה, עד שאמרו הקהל "ברכו", וכן נהג הגאון הר"ש כשהיו סועדים אצלו סעודה שלישית, **ובפמ"ג** מצדד להקל להדליק ע"י א"י במו"ש לצורך מצוה אף כשהוא עדיין בין השמשות, **וכ"ש** בערב שבת בין השמשות לצורך מצוה, דבודאי מותר, כדלקמן בסימן שמ"ב עי"ש.

ומ"מ מותר לומר לא"י לתקן את העירוב שנתקלקל בשבת, כדי שלא יבואו רבים לידי מכשול, **וכדאי** הוא בעל העיטור לסמוך עליו להתיר שבות דאמירה, אפילו במלאכה דאורייתא, במקום מצוה דרבים.

סעיף ג- אם אומר אדם לעבדו או לשפחתו לילך עמו, והדליקו הנר, אע"פ שגם הם צריכים לו - ר"ל וא"כ הוא הוכחה שלצרכו הדליק, וכדלעיל בס"ב, **אין זה לצורך הא"י, כיון שעיקר ההליכה בשביל ישראל.**

דוקא נקט "לילך עמו", אבל אם משלחם בשליחותו שילכו בעצמם, והדליקו את הנר להאיר להם, אין זה מקרי לצרכו, אף שעיקר הליכתם הוא בשבילו, **כיון** שאין גופו נהנה מהנר בעת ההדלקה, ומותר אח"כ לישראל להשתמש אצל הנר, **וכעין** זה כתב הט"ז בסוף הסימן, וז"ל: נ"ל אותו הנר שמדלקת השפחה כדי להדיח כלי אכילה שאכלו, לא מיקרי לצורך ישראל, כיון שאין גוף הישראל נהנה ממנו, אלא כלים שלו מודחים, והיא חייבת להדיחם, לצרכה היא מדלקת, **ומותר** אח"כ ישראל להשתמש לנר זה אף צרכי גופו, כיון דבעת הדלקת הנר הדליקה לצרכה.

ומותר לסייע להשפחה גם בהדחת הכלים לפני נר זה, **דאף** שמצדד הפמ"ג להחמיר בזה, היינו כשהישראל ידיח לבדו את הכלים אחר שהדליקה השפחה הנר, ומשום דמחזי שהדליקה לצרכו, **משא"כ** בזה, אמרינן דהעיקר אדעתא דנפשה קעבדה, וכנ"ל בס"ב.

הגה: ומותר לומר לא"י לילך עמו - כגון שרוצה שילך עמו למשוך יין מן המרתף, או להביא לחם וכה"ג, **ליטול נר דלוק כבר, הואיל ואינו עושה רק טלטול הנר בעלמא** - ר"ל הואיל דהוא רק איסור

מוקצה, ומוקצה שרי ע"י טלטול מן הצד, כמש"כ בסימן שי"א, וכיון דאי בעי ישראל שקיל ליה בעצמו ע"י טלטול מן הצד, כגון באחורי ידיו או בין אצילי ידיו וכי"ב, כשמביא הא"י באיסורא לית לן בה.

ואין להתיר אלא לבני תורה, דילמא אתי למיסרך ולהקל יותר.

ואין חילוק בין נר של שעוה וחלב, או של שמן, [דלא הוי פסיק רישא גם בשל שמן, כי יכול לילך בנחת], **אך** בנר של שמן נכון להחמיר שלא לומר לא"י שילך עמו במרוצה, כי אי אפשר שלא יתקרב עי"ז השמן להפתילה או יתרחק, ויש בזה משום מכבה ומבעיר אם היה הישראל בעצמו עושה זה, ע"כ אין לומר זה לא"י. **ואף** דאמירה לנכרי מותר בפ"ר {עיין סי' רע"ז ס"ג ברמ"א ובמ"ב}, **מ"מ** אסור מצד האמירה בטלטול מוקצה, דלא שייך הסברא דהיתר דאי בעי ישראל היה שקיל כלאחר יד, דהא אינו יכול לעשות כן מצד ההבערה, וליכא היתר כאן אלא מטעם דלא הוי פ"ר, והיה יכול לעשות כן לשקלו כלאחר יד – רעק"א.

ועיין במ"א, דלטלטל את הפתילה ע"י הא"י כדי שלא יגנב או שלא יפסד, אסור, ורק טלטול כשהוא צריך לו גופא וכנ"ל, או כשצריך למקומו, מותר, וכ"כ בדה"ח.

סעיף ד - אם יש נר בבית ישראל, ובא א"י והדליק נר אחר, מותר להשתמש לאורו בעוד נר ראשון דולק - ר"ל אף דעתה ע"י הנר הזה שהדליק בשביל ישראל נתגדל האור יותר, אפ"ה מותר, **ומיירי** כשהיה יכול מתחלה במקום הזה עכ"פ ליהנות קצת לאור הנר הראשון, ולכן שרי, ובלא"ה אסור, **ועיין** לעיל בס"ב, דלכתחלה לומר לא"י להדליק אסור בכל ענין.

אבל לאחר שיכבה הראשון אסור להשתמש לאור השני - וכן אם היתה מדורה שנדלקה מע"ש, ובא א"י והוסיף עצים בשבת בשביל ישראל, אסור להתחמם כנגדה לאחר שיכלו העצים הראשונים, **וקודם** שיכלו יש להתיר לעת הצורך, [הדעה קמייתא שבס"א, ובפרט דהב"ח מקיל לכו"ע], **וז"ל**: ב"י פי' דבהרבה עצים אסור לגמרי {לדעה שני'} משום שמא ירבה עוד בשבילו, **ותימה** גדולה, הלא אף באלו עצים שכבר הרבה אסור לו להתחמם כנגדן מיד כשיכלו העצים הראשונים, דמעתה לא יגיע שוב להתחמם אצל העצים, וא"כ אין לחוש שירבה עוד הגוי בשבילו, **אלא** העיקר דה"ה הרבה עצים {שרי אפי' לדעה שני'}.

(**ולא** דמי למה דאיתא בס"א, דאם הדליק א"י הנר לצרכו, דמותר הישראל להשתמש לאורו, ושם הלא בודאי מותר להשתמש אף לאחר שהשלים הא"י צרכיו, **דשאני** התם דלא נעשה איסור בהדלקה, משא"כ בזה שכל ההיתר הוא משום שלא נהנה ע"י מעשה הא"י, ולכן אסור אח"כ כשנהנה עי"ז, וכן במדורה נמי אסור משום זה, כשהוסיף הא"י עצים בשבת, לאחר שנכבו העצים הראשונים).

וכן אם נתן שמן בנר הדולק, מותר להשתמש עד כדי שיכלה השמן שהיה בו כבר, ואח"כ אסור - אף דע"י נתינת השמן ניתוסף האור, וכן אם עשה שאר תיקון בהנר בשביל ישראל שעי"ז ניתוסף האור, **אף** דבודאי איסור גמור לכתחלה לצוות לא"י לזה, אפ"ה מותר להשתמש לאורו, כיון דבלא"ה היה יכול מתחלה קצת להשתמש לאורו.

(נ"ל דבעששית שלנו שקורין לאמפ, דדרך הוא לכבות הפתילה קודם שנותנין בו השמן מחדש, א"כ הוי עתה הדלקה חדשה בשביל ישראל, ואסור להשתמש כלל לאורה, **שוב** נ"ל דזה דוקא אם עשהו בצווי ישראל, אבל שלא בצווי ישראל, אף דעשהו לצורך ישראל, יש לדון בו להקל לפי מה שכתב הא"ר, דא"י שרצה למחוט ונכבה בידו, וחזר והדליקו, דמותר להשתמש לאורו, משום דהוי כמו לצרכו, כיון שנכבה בידו, א"כ ה"ה בענינו שכבה אותו בידים, ועליו להדליקו שנית, **ולפי"ז** יהיה מותר בעניננו להשתמש עד כדי שיכלה השמן לגמרי, דהרי ההדלקה היתה בהיתר, אם לא שעשהו בצווי ישראל, דאז אסור לגמרי להשתמש לאורו).

הגה: ומותר למחות בא"י שבא להדליק נר או להוסיף שמן - דסד"א להחמיר בזה, כדי שלא לדבר בענין הדלקה כלל, **ודוקא** כשהנר של א"י, אבל כשהנר של ישראל, צריך למחות בו כשרואה שרוצה להדליק נר או להוסיף שמן בשבילו, וכנ"ל בס"א במ"ב.

ומכיון דמיחה בו והראה לו דלא ניחא ליה שיעשה בשבת בשבילו, אפילו אם אח"כ עשה המלאכה, חשוב כאלו עשה המלאכה לצרכו, ומותר להשתמש לאורו, ואפילו אם היה הנר של ישראל בבית ישראל, **וכ"ז** כשלא יערים במחאתו.

סעיף ה - בארצות קרות, מותר לא"י לעשות מדורה בשביל הקטנים - וה"ה להסיק תנור בית החורף, **ומותרין הגדולים להתחמם בו** - ר"ל כיון דהעיקר נעשה בשביל הקטנים, וכנ"ל בס"א, **אבל** אם נעשה בשביל שניהן ביחד, פוסק השו"ע לקמן בסימן שכ"ה ס"ו, דאסור.

ואפי' בשביל הגדולים מותר - ר"ל אפילו לומר בפירוש בשבת להסיק, **אם הקור גדול** - דבלא"ה אין דרך הגדולים להצטער כ"כ, **שהכל חולים אצל הקור** - וצריך להכין מבע"י הפחמים, שיהיו מזומנים בשבת לפני הא"י, כי אסור לישראל לטלטלם בשבת ולהכינם לפניו.

ומ"מ להסיק אחר מנחה בשבת, שיהא למו"ש, אסור, מאחר דכבר נתחמם בבוקר, [דאם לא נתחמם שרי], **ואע"פ** שכבר נתקרר, אינו קר כ"כ שיהא האדם נחשב כחולה אצל קרירות זה, **ולכן** חייבים למחות לא"י שלא להסיק עוד עד אחר צאת הכוכבים, **ומ"מ** הכל תלוי לפי הקור ולפי בית החורף.

ולא כאותם שנוהגים היתר אע"פ שאין הקור גדול ביום ההוא - ומ"מ אין למחות בהם, דמוטב שיהיו שוגגין ואל יהיו מזידין. **ועכ"פ** יזהרו שלא לומר לו בשבת להסיק או לעשות המדורה, אלא יקצבו עמו בקבלנות, שיסיק לו כל ימות החורף בעת שיהיה קר, **ואז** אף אם הא"י יסיק כשאין הקור גדול, אפשר דהו"ל כאלו עשה מדעתו, וא"צ לצאת מביתו, וכמ"ש בס"א וע"ש במ"ב.

§ סימן רעז – שלא לגרום כבוי הנר §

סעיף א - נר שמונח אחורי הדלת - כגון דלת שנפתחת לפנים, ומאחריה מונח בבית נר דלוק, **ואין** חלוק בזה בין נר של שמן או שעוה וחלב.

אסור לפתוח הדלת (כדרכו), שמא יכבנו הרוח - ודוקא כשהוא נגד פתיחת הדלת ממש, וקרוב אל הדלת בענין שכשיפתח הדלת יוכל להכבות ע"י הרוח המנשב מבחוץ.

ומש"כ "כדרכו", עיין במ"א שכתב דט"ס הוא, דאפילו אם הוא פותח הדלת בנחת, מ"מ הרוח מבחוץ מנשב ואסור, וכן סתמו כמה אחרונים.

עיין במ"א, דאפילו אם אין הרוח מנשב עתה, ג"כ יש לאסור, דבכל רגע ורגע הרוח מנשב וא"א להבחין בזה, **ויש** מקילין בזה, **ונ"ל** דבמקום הדחק יש להקל בזה כשפותח הדלת בנחת לאט לאט, שלא יגרום הדלת גופא לרוח שיבא.

שמא יכבנו - (לכאורה קשה, דהא אמרינן בגמ' דהוא פסיק רישא, ולכך אסור בזה אף שאינו מכוין לכבות, **אולם** לפי מה שפי' שם מהרש"א, דלא הוי פסיק רישא ממש, רק קרוב לפסיק רישא, ניחא הלשון).

אבל לנעול הדלת כנגדו, מותר - שבזה אינו עושה כלום, לא מכבה ולא מבעיר, **וה"ה בחלון שכנגד הנר שעל השלחן.**

ואם הוא קבוע בכותל שאחורי הדלת - ר"ל שהדלת פותחת לפנים, והנר קבוע בכותל באופן אם יפתח הדלת תנקוש ותגיע אל נר שלאחוריה, **אסור לפתוח הדלת ולנעלו כדרכו, שמא תהא הדלת נוקשת עליו ותכבנו, אלא פותח ונועל בנחת.**

והאחרונים כתבו, דלנעול שרי, דלא יבא עי"ז לכבוי, **ועיין** בפמ"ג שיישב קצת דברי המחבר, דמיירי שנועל בכח, דעי"ז מתנדנד הכותל כולו ויבא לכבוי, דהיינו שיתרחק קצת השמן שבנר מן הפתילה, או שיתקרב קצת השמן שבנר אל הפתילה, ויתחייב משום מבעיר.

ואם הוא קבוע בדלת עצמו, שפתיחתו ונעילתו מקרב השמן לנר או מרחיקו ממנו - ויש בזה משום מבעיר או מכבה, ואע"ג דאינו מכוין, מ"מ פסיק רישיה הוא, **אסור לפתחו ולנעלו.**

ואם הוא פותחו ונועלו בנחת בענין שלא יהא פסיק רישיה, מותר, **ואין** איסור בטלטול הדלת משום הנר המוקצה הקבוע בה, לפי שהדלת לא נעשית בסיס לנר, לפי שהיא חשובה שמשמשת לבית, ובטלה אצלו ולא להנר, (**ולמעשה** צ"ע, דבירושלמי מבואר להדיא בזה דדוקא בשכח, **ומפני** חומר הקושיא נ"ל דתלמודא דידן חולק בזה עם הירושלמי).

הגה: ובנר של שעוה - ושל חלב, **מותר לפתוח ולנעול אע"פ שהוא קבוע בדלת** - ומפני שאין בהם משום מקרב השמן או מרחק.

ואם הוא בענין שיש לחוש שע"י הפתיחה ונעילה יכבה לגמרי, אף בשל שעוה אסור.

סעיף ב- אסור לפתוח הדלת כנגד המדורה שהיא קרובה קצת אל הדלת - מפני שהרוח המנשב גורם להבעיר המדורה יותר, ואע"פ שאינו מכוין בזה, מ"מ פסיק רישיה הוא.

ואפי' אין שם אלא רוח מצויה - ר"ל אף דע"י רוח מצויה אין דרך המדורה להבעיר יותר, אפ"ה אסור, דגזרינן אטו שאינה מצויה, **ואם** אין שם רוח כלל, מותר, **ואם** ע"י דפיקת הדלת עושה רוח מצויה, משמע בחדושי הר"ן דאסור.

אבל אם היה פתוח כנגדה, מותר לסוגרו ואין בו משום מכבה - ואע"פ שהרוח היה מבעירה, אין בו משום מכבה, שאינו עושה כלום אלא עוצר הרוח, ואם תכבה תכבה.

סעיף ג- שכח נר על הטבלא - מבעוד יום שלא מדעת, **ואפי'** אם הניחו על הטבלא בכונה, אך לא היה דעתו שישאר שם בשבת, ואח"כ שכחו שם, הוא ג"כ בכלל שוכח.

וה"ה בכ"ז בזמננו, לענין השלחן עם הנרות, (ולא אמרינן דשלחן חשוב ולא נעשה בסיס לנר).

מנער את הטבלא - כשצריך להטבלא, **והוא נופל, אפי' אם הוא דולק** - ואע"ג דאפשר שיכבה הנר ע"י הנפילה, אפ"ה מותר, **רק שלא יכוין לכבותו** - דלא הוי פסיק רישיה, וקי"ל דדבר שאין מתכוין מותר.

וכתב במאירי, דדוקא אם הוא מנערו בנחת, דהיינו שמטה הטבלא ומורידו לארץ, ואח"כ הוא מנערו, דאל"ה הוא פסיק רישיה.

(**ואע"ג** דממילא מיטלטל הנר, אפ"ה שרי, דהוא רק טלטול מן הצד, **אבל** אסור לו להגביה את הטבלא עם הנר, **אפילו** לאחר שכבה הנר, **אם** לא דהוא צריך לו למקום הטבלא, **או** במקום שא"א לנער משום פסידא, **דאז** מותר להגביה הטבלא עם הנר למקום אחר, **ואפילו** כשהוא דולק, **כיון דסוף סוף בשוכח לא נעשה בסיס**).

הגה: וטוב לעשותו ע"י א"י, במקום שא"ל כ"כ -

ואז אפילו בנר של שמן שרי, דבמקום שאין מתכוין שרי ע"י א"י, אפילו הוא פסיק רישיה, **ומשמע** במהרי"ל דאם אין א"י מזומן, יראה לעשות ע"י קטן.

(**עיין בבאור הגר"א, דהטעם משום דחייש לירושלמי המחמיר בזה, ומשמע מן הרמ"א, דאפי' בנר של שעוה יש להחמיר שלא במקום הדחק, והטעם, דהוא קרוב לכבוי, אבל בשכבר כבה, לכו"ע מותר לנער הטבלא בשכח ולהפיל הנר, ואפילו שלא בנחת**).

ובלבד שיהא נר של שעוה וכיוצא בו, או שלא יהא בו שמן - ר"ל שדולקת רק הפתילה וכבר כלה שמן, **אבל אם יש בו שמן, א"א שלא יקרבנו אל הפתילה ונמצא מבעיר** – (**נקט לשון קצרה, ובאמת יש לסיים: או שירחקנו ונמצא מכבה, ואע"ג דהוא פסיק רישיה דלא ניחא ליה, דלא מהני ליה מידי בההוא כבוי, דהשמן אזיל לאבוד שנשפך, וקי"ל דפטור מחטאת לכו"ע, מ"מ אסורא איכא לרוב הפוסקים**).

ודוקא בנער אמרינן דהוא פסיק רישיה, אבל טלטול בעלמא את הטבלא או השלחן ממקום למקום, שרי אפילו מונח עליו נר של שמן, דלא הוי פסיק רישיה, **ודוקא** אם הוא מטלטלו בנחת.

ואם הניחו עליה מדעת, אסור לנערה, שהרי הטבלא היא בסיס (פי' דבר הנושא דבר אחר, תרגום "ואת כנו": וית בסיסיה) לדבר האיסור - בסימן ש"ט יתבאר, שיש מחלוקת אימת נקרא מדעת, אם בעינן דוקא שיניחו על דעת שיהיה שם כל השבת, או אפילו רק בכניסתו לחוד, **והנה** הנרות שאנו מדליקין על השלחן, דעתנו לטלו למחר ע"י א"י, ולדעת הי"א המקילין שם, אין דינו כמניח, ולא נעשה השלחן והמפה בסיס לאיסור, **וכתב** הב"ח, דאם נפל נר של שעוה או חלב על השלחן, ואין א"י או קטן מזומן לפניו, שרי לנער בעצמו, דבמקום פסידא סמכינן על המקילין הנ"ל, דלא מקרי מניח כיון שהיה דעתו לסלק למחר.

ואם היה מונח על השלחן בין השמשות גם ככרות ושאר דברים שצריך לשבת, פשיטא דהם חשובים יותר מן הנר, דהיינו מן שלהבת הנר הדולקת, ונעשה בסיס לגבייהו, **וכמו** שכתוב בסימן ש"י ס"ח, דהיכי דהוא בסיס להיתר ולאיסור, וההיתר חשיב יותר, דהוא בטיל לגבי ההיתר, ושרי לכו"ע לנער, **ואם** א"א לנער במקום זה משום פסידא, דהיינו שיפסיד איזה דבר ע"י הפלת הנר במקום זה, רשאי לטלטל השלחן למקום אחר ולנערו שם, **ואם** צריך למקום שעומד השלחן להושיב שם איזה דבר, רשאי לטלטל השלחן ואפילו בעוד שהנרות דולקות עליו, כיון שהיה מונח עליו הלחם הצריך לשבת, לא נעשה בסיס לאיסור, **ומזה** נובע המנהג שהנשים נזהרות ליתן ככר הצריך לשבת על השלחן קודם הדלקת הנרות, ומנהג נכון הוא, כדי שיהא מותר לטלטל את השלחן כשיהיה צריך לו, **ורק** אם הנר הוא של שמן, יזהר מאד לטלטל השלחן בנחת, כדי שלא יבא לקרב השמן להפתילה או לרחק, **ועיין** בפמ"ג שמצדד לומר, דלאחר שכבו הנרות אינו רשאי לטלטל השלחן עם המנורה שעליה, דהא יכול לנערה מתחלה, והוא שהיתה של מתכות וליכא פסידא בניעורה.

הגה: ומ"מ מותר ליגע בטבלא הואיל ואינו מטלטל הנר – (הלשון דחוק, דהרי היא בסיס, וטלטולה ג"כ אסור, ועיקר ההיתר משום דגם הטבלא אינה מתטלטלת, שהרי מיירי בקבועה, וכמ"ש הט"ז, **ואפילו** אם נפרש דמתיר הרמ"א אפילו בטבלא תלויה, ומטעם דאפילו אם יתנדנד עי"ז, מקרי טלטול מן הצד, כיון דאינו מכוין לנדנוד ממש, ג"כ קשה הלשון, דהיה לו לומר הואיל ואינו מטלטלה בידים, ועיין בסמוך).

וה"ה שמותר ליגע במנורה שבכה"ג והנרות דולקות עליו, ובלבד שלא ינענע - היינו בקבועה על מקום אחד, **אבל** אם היא תלויה, אפילו ליגע בה אסור, שבקל ינענע, ואפילו כשכבר כבו הנרות, כן משמע ממ"א, וכן מהט"ז, וכן משמע מהמרדכי דמיירי בקבועה, (**ולפי"ז** דמיירי במנורה קבועה, מותר אפילו בנר של שמן, **אבל** אם נפרש דמותר אפילו במנורה תלויה, וכמו שכתבנו למעלה, ע"כ דמיירי רק בנר של שעוה, דאל"ה היה אסור אפילו נגיעה בעלמא, מטעם פן יבא ע"י הנגיעה לנדנוד, ויטה השמן אל הפתילה ויתחייב משום מבעיר). ‹עיין לעיל סי' רס"ה ס"ג.

סעיף ד - מותר להניח נר של שבת מבע"י ע"ג אילן, וידלק שם בשבת, דליכא למיחש דלכשיכבה לשקליה מיניה ונמצא משתמש במחובר - דהא קיי"ל דנר שהדליקו בו באותה שבת, אסור לטלטלו אפילו לאחר שכבה, וכדלקמן בסימן רע"ט.

אבל אין מניחין נר של יו"ט ע"ג אילן - ר"ל אפילו להניחו מעי"ט, וכדלקמן בסימן תקי"ד ס"ו, **דשקיל ומנח ליה ונמצא משתמש באילן.**

סעיף ה - מותר לכפות קערה ע"ג הנר בשבת, כדי שלא יאחוז האור בקורה - וה"ה אם עושה בשביל שקשה לעיניו אורו של הנר, או ענין אחר, **אך** יזהר להניח מעט אויר בין הכלי להנר, דאל"כ יכבה הנר.

‹ודוקא› קערה של חרס, אבל של מתכות אסור, כי המחממו חייב משום מבעיר, **אם** לא במקום שיש לחוש שיבוא ע"י הדליקה לידי סכנת נפשות, מותר בכל גוונא.

(**כתב** התוספת שבת, דבנר של חלב יש ליזהר משום הזיעה שעולה למעלה אל הקדרה, כדאיתא ביו"ד סימן ק"ה).

ואע"ג דנוטל הכלי לצורך הקורה שאינה ניטלת בשבת, **קיי"ל** דכלי ניטל אפילו לצורך דבר שאינו ניטל, וכדלקמן בסי' ש"י ס"ו.

(**ואם** הקערה נוגעת בקורה עי"ז, משמע בלבוש דאסור, וטעמו מהא דלקמן סימן ש"י ס"ו, דכתב שם המחבר: ובלבד שלא יגע בו, וכמו שכתב שם המ"א בשם התה"ד, דאם הנגיעה היא לצורך דבר המוקצה, אסור, והכא נמי הלא היא לצורך הקורה, **אכן** לפי מה שפסק שם הגר"א, דנגיעה מותר בכל גווני, א"כ גם בענייננו מותר).

§ סימן רעה – שיכול לכבות הנר בשביל החולה §

סעיף א- מותר לכבות הנר בשביל שיישן החולה שיש בו סכנה – (לכאורה לא היה לו לתלות כלל בחולה שיש בו סכנה, רק באם ע"י מניעת השינה יבא לידי סכנה שרי, ואם לאו אסור, וכן ראיתי לאחד שכתב כן, ומשמע שהוא מפרש כן דברי הגמרא והשו"ע, **אבל** לענ"ד לשון הגמרא והשו"ע הוא כפשוטו ממש, והטעם, משום דשינה יפה לחולה כמו שאחז"ל, לכך התירו לו הכביה בשביל זה בסתמא, דעלול להתרפא עי"ז, וגם עכ"פ לחיות חיי שעה יותר בשביל זה, דגם ע"ז ניתן שבת לידחות, ובלתי השינה אפשר שיכבד עליו החולי ויסתכן יותר, **ומיהו אפילו** בחולה שאין בו סכנה, אם הרופא אומר שע"י מניעת השינה יתגבר עליו החולי יותר, ואפשר שיבא עי"ז לידי סכנה, גם זה שרי, והשו"ע קמ"ל דבחולה מסוכן גם בסתמא שרי).

שפקוח נפש דוחה שבת, וכדלקמן בסימן שכ"ח, **וה"ה** כשמתיירא מפני לסטים שלא יבואו עליו ויהרגוהו, ואין לו עצה להסתיר את האור, ג"כ מותר לכבות, [**וכשידוע** לו שהוא רק סכנת גנבי בלבד, אסור לו לחלל שבת ולכבות].

וכתבו האחרונים, דה"ה בשביל החולה שהוא ספק סכנה, ג"כ מותר לכבות, **אבל** בשביל חולה שאין בו סכנה, אסור לכבות לכו"ע, (**ולאו דוקא הכביה אסור,** דה"ה להשפיל אורה מעט ג"כ אסור בחולה שאין בו סכנה, כידוע דהמעטת האור הוא בכלל מכבה, וכנ"ל בכמה מקומות), **ואפי'** להפוסקים דס"ל דאין על כיבוי חיוב חטאת, משום דהוי מלאכה שאין צריך לגופה, אפ"ה אסור מדברי סופרים, ואיסור כביה חמור משאר איסור דרבנן, כיון דיש בו צד חיוב לכו"ע, **והרמב"ם** פוסק דמלאכה שאין צריך לגופה חייב עליה.

ולכך נקראת מלאכה שאין צריך לגופה, שהרי א"צ לתכלית המלאכה, כי א"צ לכיבוי בשביל עצמו, אלא שהוא מכבה מפני איזה ענין, כגון כדי שיישן החולה, או שהוא חס על השמן שבנר שלא ידלק כולו עכשיו, או שהוא חס על חרס הנר שלא יתקלקל מפני חוזק ההדלקה, או שמכבה עצים דולקים מפני שחס עליהם, או שמכבה את הדליקה מפני שחס על ממונו, כ"ז מקרי אינו צריך לגופו, שהרי אינו מכוין לתכלית המלאכה עצמה, **וכן** הדמיון בשאר מלאכות, כגון החופר גומא וא"צ אלא לעפרה, שהמלאכה היא הגומא, וחייב בבית משום בונה ובשדה משום חורש, וכיון דא"צ לגומא, הוי מלאכה שאין צריך לגופה, **ואין** לך כיבוי הצריך לגופו, אלא כשהוא מכבה עצים כדי לעשות מהן פחמין, דהלא זה צריך לגוף המלאכה, שהרי א"א לעשות פחמין אם לא שיכבה, וכן כשהוא מכבה את הפתילה מפני שצריך להבהבה, שיהא נאחז בה האור יפה כשיחזור וידליקנה.

עיין ברמב"ם בפירוש המשנה, שכתב דדוקא בשא"א להוציא החולה למקום אחר, (ר"ל היכא דחוששים פן ע"י טלטולו יכבד עליו החולי יותר), או להסתיר האור ממנו, ור"ל ע"י כפיית כלי על גביו, וכדלעיל בסוף הסימן עי"ש, או ע"י הוצאה לחדר אחר, **דאל"ה** בודאי יותר טוב לטלטל מוקצה מלעבור על איסור כביה.

(**ונראה** דלהרמב"ם אם אפשר לעשות עצה אחרת, לבד דאיסורא איכא, גם חיוב חטאת איכא, **ומ"מ** יש לעיין לדינא, דאפשר דזה דוקא לדעתו דס"ל מלאכה שאצ"ל חייב עליה, אבל להפוסקים דפטרי, אפשר דמותר לכתחלה בחולה שיש בו סכנה בכל גווני, **ומ"מ** לדינא נראה להחמיר לכו"ע היכא דיש לו עצה אחרת, להסתיר האור ע"י כפיית כלי וכיוצא בזה, **כי** באיסור כביה אף דהיא מלאכה שאצ"ל, מ"מ מפני שהיא קרובה מאד לאיסור תורה, לא רצו להקל בה, דלהכי אסרו בגמרא אף לר"ש בחולה שאין בו סכנה, ובשאר שבותים קי"ל דמותר לישראל לחלל אף בחולה שאין בו סכנה, **ובפרט** בדבר שלהרמב"ם חייב חטאת, האיך נבוא אנחנו להקל לכתחלה).

וכשיקיץ אח"כ, מותר להדליק הנר בשבילו, (ומ"מ נראה דאין מותר רק להדליק הנר כדי שלא ישב החולה בחשך, **אבל** להטות הנר כדי שיאיר יותר בטוב, אסור, כי שבת לא הותר רק מה שהוא הכרח לו).

ובכל זה אם א"י מזומן לפניו ואפשר לעשות על ידו בלי איחור, יעשה על ידו.

§ סימן רעט – דיני טלטול הנר בשבת §

סעיף א - נר שהדליקו בו באותה שבת, אע"פ שכבה, אסור לטלטלו - והיינו אפילו לא נשאר בו שמן כלל, [דהאיסור הוא גם על הנר גופא], **והטעם**, דכיון דביה"ש היה אסור בטלטול, לפי שנעשה הנר והשמן והפתילה בסיס לשלהבת, שהוא דבר האסור בטלטול, ומיגו דאיתקצאי לביה"ש איתקצאי לכולי יומא, **וזהו** הנקרא בגמרא מוקצה מחמת איסור, דקי"ל ביה לאיסורא.

אם יש אימת א"י עליו ע"י הנר, (כמו שהיה בזמן האמוראים, שהיתה אומה אחת שהיו מקפידין ביום חגם על ישראל שמדליקין נר באותו היום, וכל כה"ג), מותר לטלטלו לאחר שכבה, שלטי גבורים וכן הסכים בספר תו"ש, ודלא כמ"א, **ומפמ"ג** משמע, שאם ירא שיכהו או שאר הפסד ממון, לכו"ע שרי.

וכן מותר השמן שבנר שהדליקו בו באותה שבת, אסור לטלטלו ולהסתפק ממנו באותו שבת - וה"ה מותר הנר העשוי מחלב ושעוה, שהדליקו בו באותה שבת וכבה, דאסור לטלטלו ולהסתפק ממנו באותה שבת, [**דאם** לא הדליקו באותו שבת, מקרי כלי שמלאכתו לאיסור, ומותר לטלטל לצורך גופו ומקומו].

דהואיל והוקצה בתחלת כניסת השבת, דהיינו שבביה"ש כשהיה דולק היה אסור להסתפק ממנו, דהמסתפק משמן שבנר חייב משום מכבה, וכדלעיל ברסי' רס"ה, איתקצאי לכולי יומא שלא להסתפק ממנו אף אחר שכבה, **וכיון** שאסור ליהנות ממנו כל יום השבת, ממילא אסור ג"כ לטלטלו, דאינו ראוי לכלום, **ומלבד** זה, בטלטול גופא הוקצה בבין השמשות, שנעשה הכל בסיס להשלהבת, וכדלעיל.

(**ולפי"ז** בנר של שעוה וחלב שכבה ביו"ט, היה מותר להשתמש בהנותר איזה תשמיש, דהא גם בעת שהיה דולק היה מותר לקצרו מלמטה ע"י הדלקה, (ואי משום דהיה בסיס לדבר האסור וכנ"ל, שרי טלטול זה ביו"ט – לבושי שרד), **מיהו** בגמרא יש עוד טעם אחר לר"ש, דהואיל והוקצה בעת שהיה דולק למצותו, **א"כ** לפי"ז ה"ה בנר של שעוה וחלב שהודלק לשם מצות יו"ט וכבה, **אסור** להשתמש בו שוב שום תשמיש אחר ביו"ט, דלא הוקצה אלא למצות הדלקה ביו"ט, וה"ה אם הנר נעשה משומן וכבה, אסור לאכול הנותר אף ביו"ט).

סעיף ב - נר זה שאמרנו שאסור לטלטלו, אפילו לצורך גופו ולצורך מקומו אסור; ויש מי שהתיר, ולא נראו דבריו - ולא דמי לשאר כלי שמלאכתו לאיסור, דמותר לטלטלו לצורך גופו ומקומו, וכמו דאיתא בסימן ש"ח ס"ג, **דהכא** כיון דבביה"ש היה אסור לטלטלו אף לצורך גופו ומקומו, דהיה בסיס להשלהבת וכנ"ל, מיגו דאיתקצאי לביה"ש לגמרי, איתקצאי לכולי יומא לגמרי, **ואין** חילוק בכל זה בין הנר שהדליקו בו השמן, ובין המנורה שהדליקו בה הנרות, דגם הוא נעשה בסיס להנרות.

(**ואפילו** לדעת הסה"ת, דס"ל דבסיס לא הוי אלא א"כ דעתו שישאר כן כל השבת, והכא הלא הנר עומד להכבות, א"כ הלא לא נעשית המנורה כלל בסיס להנר, מ"מ הכא עדיפא, דהוא איירי בדעתו לסלק האיסור מעל הבסיס בשבת, ולכך לא נתבטל הבסיס לגביה, **משא"כ** בזה שאין דעתו כלל לסלק אפילו ע"י א"י הנר מן המנורה עד שיכבה, ממילא נעשית המנורה בסיס להנר מתחלת השבת, ומגו דאתקצאי וכו', כ"כ בספר תו"ש, דלא כט"ז, **גם** בפמ"ג פקפק נגדו, משום דלא דמי למניח אבן ע"פ החבית, דשם לדעת סה"ת דלא נעשה בסיס, אי בעי מנער בבה"ש גופא ולא אתקצאי כלל, **משא"כ** בנר לא שייך זה, דהא צריך לו בלילה, דנר בשבת חובה, ומגו דאתקצאי לבה"ש וכו', **וכ"ז** הוצרכנו אפילו לענין נר של שעוה וחלב, אבל בנר של שמן בודאי אתקצאי הנר להשמן בבה"ש לכו"ע, דהא לא שייך בו כלל נעור אז, דהא אסור לנערו משום כבוי).

הגה: וי"א דמי שהוא איסטניס והנר מאוס עליו, מותר להוציאו, דהוי לדידיה כגרף של רעי - היינו כשהוא מונח במקום ישיבתו, שרי להוציאו משם כשאינו יכול לסבול שיהא מונח אצלו, לאחר שכבה או למחר ביום, **אבל** אם הוא מונח במקום אחר, גם האיסטניס אסור לטלטלו ממקום למקום לכו"ע.

והב"ח ומ"א פסקו, דאף מי שאינו איסטניס, אם הוא אומר שמאוס עליו, שרי לסלקו מעל השלחן,

(ביאור הלכה) [שער הציון] ‹הוספה›

ומשמע בב"ח דלא הקיל אלא בנר של חרס, שהוא מאוס בודאי, וכדלקמן בס"ו, וה"ה של עץ, אבל של מתכת לא מאיס, **ובדה"ח** משמע דיש להחמיר באינו איסטניס, וכדעת ההג"ה, [דמשמע דלאו כל אדם יכול לומר: איסטניס אני, אלא מי שיודע שהוא איסטניס - גר"א].

והמחמיר לא הפסיד - צ"ל: והמחמיר יחמיר, והמיקל לא הפסיד.

סעיף ג - לטלטל נר ע"י שנותנין עליו לחם בשבת, אסור - הטעם, דהא מ"מ כבר איתקצאי בביה"ש, דעדיין לא היה בו אז לחם, ומיגו דאיתקצאי בביה"ש וכו'.

ואם נתן עליו הלחם מבע"י, יש מי שמתיר לטלטלו בשבת ע"י לחם זה - היינו אם הלחם הוא חשיב אצלו יותר מהשמן, וה"ה אם מניח שאר דבר חשוב, **דאז** אמרינן כיון דהנר נעשה בסיס לאיסור, דהוא השמן, ולהיתר, וההיתר חשוב טפי, ולכך שרי, כמ"ש סימן ש"י. **ואין לסמוך עליו** - והטעם, דכיון דהמנורה עיקר עשייתה בשביל השלהבת, לכן נעשית תמיד טפל ובסיס להשלהבת, ולא ללחם ושארי דברים אחרים, אף שהם חשובים יותר.

סעיף ד - אם התנה מע"ש על נר זה שיטלטלנו משיכבה, מותר לטלטלו אחר שכבה - משום דנר עשוי להכבות, משו"ה מהני ביה תנאי, **אבל** בשאר בסיס לדבר האסור, אף לדעה ראשונה לא מהני תנאי, להתנות כשיסתלק הדבר איסור מן הבסיס שיהא מותר להשתמש. •**ובלא** תנאי אינו דומה למש"כ בסי' ש"ט ס"ד, די"א דלא הוי בסיס אא"כ דעתו שישאר כן כל השבת, **דהתם** בדעתו לסלק האיסור מעל הבסיס, משא"כ בנר, אע"ג דעומד להכבות באמצע השבת, מ"מ אין דעתו לסלק אפי' ע"י גוי הנר מן המנורה עד שיכבה, ממילא נעשה המנורה בסיס להנר – משניות עוז והדר•.

הגה: וי"א דלא מהני תנאי, וכן נוהגין במדינות אלו. ודין התנאי ע"ל סי' תרל"ח - היינו לענין שיעשהו קודם בה"ש, כמבואר שם, **אבל** הכא אינו יכול לומר אפילו לדעה ראשונה: איני בודל מהנר כל ביהש"מ, כמו התם, דהא ביה"ש הוא דולק, ועל כרחו אסור לטלטלו - מ"א, **ומדברי** הגר"א בביאורו דכתב, דסברא הראשונה ס"ל כגירסת הרי"ף בביצה ל', משמע לכאורה דמהני ג"כ באומר: איני בודל, כידוע שיטת הרי"ף שם.

ונוהגין לטלטלו ע"י א"י - היינו אפי' אם אינו צריך לו לצורך גופו ומקומו, רק שלא יגנב או שלא יפסד.

ואין בזה משום איסור אמירה לא"י, הואיל והמנהג כך, הוי כאילו התנה עליו מתחלה ושרי, כן נ"ל - ר"ל דלטלטלו ע"י א"י מצרפינן לזה הדעה ראשונה דמהני תנאי.

ואם העמיד עששית על השלחן, ודעתו היה שידלק כל היום כולו, כמו יא"צ וכדומה, וכבה, דבזה לא שייך לומר הוי כאלו התנה, **אפשר** דאסור לטלטלו אף ע"י א"י, **והיינו** דוקא כדי שלא יגנב, אבל לצורך גופו ומקומו שרי ע"י א"י בכל גווני.

סעיף ה - נר שהדליקו בשבת לחיה ולחולה, וילדה החיה ונתרפא החולה, מותר לטלטלו אם כבה - היינו דוקא לצורך גופו או מקומו, דלא עדיפא משאר כלי שמלאכתו לאיסור.

דאין מוקצה לחצי שבת, דדוקא אם איתקצאי ביה"ש שהוא בתחלת כניסת השבת, הוא דאמרינן דאיתקצאי לכולי שבת אף לאחר שכבה, **אבל** לא בזה שהודלק מע"ש לחיה וחולה שיש בו סכנה, שהיה מותר בתחלת השבת לטלטלו, לא איתקצאי לכולי שבת לאחר שנתרפא החולה, אלא על זמן שהוא דולק בלבד, [כ"כ הפמ"ג, **דאילו** הודלק בשביל חולה שאין בו סכנה, אסור לטלטל אף לאחר שכבה, ע"ש הטעם], •**וז"ל**: אע"ג דשבות מותר לחולה שאין סכנה, וטלטול הנר שבות הוא בשעה שדולק, בסיס, יש לומר שבות כזה לא התירו•, **וכ"ש** אם הודלק בשבת גופא לצורך חיה וחולה, דלא היה דולק כלל ביה"ש, בודאי לא איתקצאי לכולי יומא.

וה"ה למדליק בשבת בשוגג וכבה, שמותר לטלטלו - הכל מטעם הנ"ל, דאין מוקצה לחצי שבת, שיאסר אף אחר שכבה.

נקט בשוגג, דלא איירי ברשיעא, ובאמת אפילו הדליקו במזיד, ג"כ מותר לטלטלו אחר שכבה לצורך גופו או מקומו, הואיל ולא היה מוקצה בתחלת כניסת השבת.

סעיף ו - נר שלא הדליקו בו באותו שבת, אפילו הוא של חרס דמאיס, ואפילו

הוא של נפט דמסריח, מותר לטלטלו, דמוקצה מחמת מיאוס מותר - הואיל ואיכא תורת כלי עליה, וחזי לכסויי ביה מנא.

ואף דהוא כלי שמלאכתו לאיסור, מ"מ לצורך גופו ומקומו מותר, וכמ"ש סימן ש"ח ס"ג. (**וכתב בא"ר, דדוקא אם נשתמש בו פעם א', שהדליקו בו פעם א' בחול או בשבת שעברה, הא אם לא הדליקו בו מעולם, רק ייחד אותו להדלקה, הוא בכלל כלי שמלאכתו להיתר עדיין, דהזמנה לאו מלתא היא, ומותר לטלטלו שלא יפסד ושלא יגנב. ודע דהפמ"ג מצדד, דלדעת הרמב"ם, מוקצה מחמת מיאוס, אפילו אם הכלי אין מלאכתו לאיסור, רק שהוא מאוס לבד, ג"כ אין מותר כי אם לצורך גופו ומקומו דוקא, אך** דלדעת המאור והר"ן משמע דלא ס"ל כוותיה בזה).

סעיף ז - מנורה, בין גדולה בין קטנה - אפי' היא חדשה שלא הדליקו בה מעולם, **אם היא של פרקים אין מטלטלין אותה, דחיישינן שמא תפול ותתפרק ויחזירנה, ונמצא עושה כלי.**

ואם דרכה להיות רפוי, שרי, כמ"ש סימן שי"ג ס"ו, **וע"ש** מה שכתבנו במ"ב לענין כוסות של פרקים.

ואפי' אם אינה של פרקים, אלא יש בה חריצים סביב ודומה לשל פרקים, אסור לטלטלה - משום דמיחלף בשל פרקים. **ודע** דלפי המתבאר בסעיף זה, אסור לטלטל נרות שלנו שקורין לייכטע"ר, אף שלא הדליקו בו מעולם, דהרי הם עשויין של פרקים, **ומש"כ** בס"ו, מיירי בנרות שלא היו עשויין פרקים.

§ סימן רפ – תשמיש המטה בשבת §

סעיף א - תשמיש המטה מתענוגי שבת הוא, לפיכך עונת תלמידי חכמים הבריאים - לאפוקי חלושי כח אינם חייבין רק לפי כחן, **מליל שבת לליל שבת** - היינו לבד ליל טבילה.

ויהיה זהיר לקיים עונתו, וצריך להזהר שקודם שיגיע הלילה חייב להראות חבה יתירה ואהבה עם אשתו, ואין צריך לומר שלא ירגיל שום קטטה בע"ש.

מצוה לאכול שום בע"ש או בליל שבת, [והוא מתקנת עזרא], וה"ה שאר דברים המרבים זרע, עיין סי' תר"ח, **כתב** בספר חסידים, דשומים מבטלים תאוה, רק שומים צלויים מרבים זרע, **עוד** כתב, כל דברים מלוחים ממעטים, וכן קטניות. **ועדשים** מבושלים כשאין מלוחים, מרבים.

סעיף ב - מותר לבעול לכתחלה בתולה בשבת, ואין בו משום חובל - דדם מיפקד פקיד, דהיינו שדם בתולים אינו מובלע בכותלי בית הרחם, אלא כנוס הוא שם כמופקד ומוצנע בתוך הכלי, וזה פתחו שיצא הדם מתוכו. **ולא משום צער לה** – (ולקנח אח"כ במפה דם בתולים, עיין סימן ש"כ במ"א, ובבגד אדום בודאי יש ליזהר).

והנה י"א דבמקום שנתפשט המנהג להחמיר בזה, אין להקל להם, **אבל** הט"ז כתב, חלילה לעשות איסור בזה, ובבירור שמעתי שהחסידים גאוני העולם נהגו בעצמם היתר בזה, ע"כ אין חשש חומרא בזה כלל, והמחמיר אינו אלא מן המתמיהין.

ועיין לקמן סי' של"ט במ"א, דלכתחלה ראוי ליחדן אחר החופה יחוד גמור קודם השבת, די"א דחופה שלנו לא מקרי חופה, וא"כ כשיתיחדו אח"כ בשבת, יהיה אח"כ כקונה קנין בשבת.

§ סימן רפא – שלא יכרע בולך אנחנו מודים §

סעיף א - אין לשחות ב"ולך לבדך אנחנו מודים", שאין לשחות אלא במקומות שאמרו חכמים.

הגה: ונוהגים שבשבת מאחרין יותר לבא לבהכ"נ מבחול, משום דבתמיד של ימות החול נאמר "בבקר", ואלו בשבת נאמר "וביום השבת", דמשמע איחור - ומ"מ צריכין ליזהר שלא לעבור זמן קריאת שמע, **וברש"י** משמע שגם בשבת מצוה למהר לקרוא ק"ש כותיקין.

ונוהגין להרבות בזמירות של שבת כל מקום לפי מנהגו, ובכל דבר אם לא אמרו אין

מחזירין אותו - היינו כל דבר שמוסיפין בשביל שבת, ואפי' "נשמת", (**ואם** נזכר כשהתחיל "ישתבח", מסתברא שעד שלא אמר "בא"י אל מלך" וכו', יחזור ל"נשמת" ויאמר כסדר, וכמו ב"זכרנו" ו"מי כמוך", **ואם** איחר לבוא לביהכ"נ, יותר טוב שידלג מפסוקי דזמרה, ולא ידלג "נשמת").

מלבד אם לא אמר: "לאל אשר שבת" וכו', מחזירין אותו - אין הכונה שמחזירין אותו לברכת "יוצר אור", אלא לאחר תפלת ח"י יאמר כך בלי ברכה, ויתחיל מ"שבח נותנים" וכו', [דאל"ה אמאי יהיה קאי]. **משא"כ** שאר זמירות אם שכח אין חיוב לאמרן אחר התפלה, **ואם** נזכר קודם שאמר "בא"י יוצר המאורות" שלא אמר "לאל אשר שבת", אפשר דיש לחזור ולהתחיל מ"לאל אשר שבת", פמ"ג, ע"ש שנשאר בזה בצ"ע, **כתב** הח"א, מ"מ נ"ל שלא ידלג לכתחלה הנוסח ד"לאל אשר שבת" או "הכל יודוך" כדי להתפלל בצבור, שהרי כ"ז נזכר בזהר, ש"מ שנוסח ברכה כך היא.

ויש להאריך ולהנעים בזמירות - היינו לאמרם בנגון שיש בו נעימה, כעין שעושין בפסוקי דזמרה, **אבל** לא להאריך הרבה, וכבר הפליגו הקדמונים בגנות המשוררים המאריכים, ומפרידים אות מחברתה ותיבה מחברתה, **וביותר** מצוי קלקול ע"י הנגונים בסיום הברכה, כשעונין הקהל אמן, לפעמים עונין קודם שיסיים ממש הברכה, ולפעמים מאריכין בניגון אחר סיום התיבה, ועונין בהפסק גדול אמן.

ואין למחות במאריך בהם, אע"פ שהמוחה מכוין משום ביטול תורה - ומ"מ יש ליזהר מאד שלא לעבור זמן ק"ש ותפלה עי"ז, [ומוטב להתפלל ביחידי מלקרות ולהתפלל שלא בזמנו].

ומ"מ בשבת ויו"ט לא יאריך יותר מדאי, כדי שיאכלו קודם שעה ששית, כדלקמן סי' רפ"ח.

§ סימן רפב – קריאת התורה והמפטיר בשבת §

סעיף א- מוציאין ס"ת - יש לומר "בריך שמיה" בפתיחת הארון, בין בשבת ובין בחול, **והנותן** ס"ת והמקבלו צריך שיהא בימין, **ואפילו** אם הוא איטר יד אין לשנות בזה, [דהא הטעם משום שהתורה ניתנה בימין, שנאמר: מימינו אש דת למו, וא"כ אין לחלק בזה].

וקורים בו שבעה - והיא מצוה מדברי סופרים, והיא תקנה קדומה ממשה רבינו ע"ה, וכמ"ש בסימן קל"ה עי"ש במ"ב. **הנה** בזמן המשנה היה המנהג, שהראשון שבקרואים היה מברך הברכה לפניה, והאחרון היה מברך הברכה לאחריה, והאמצעים כולן היו יוצאין בברכתן, **ואח"כ** בזמן הגמרא התקינו, שכל אחד יברך לפניה ולאחריה כמו שנהוג היום.

ואם רצה להוסיף, מוסיף - ונכון שלא להוסיף הרבה מפני טורח הצבור, **ובמקום** שיש לחוש לתרעומות איזה אנשים כשלא יקראו להם לתורה, א"צ לדקדק בזה.

וי"א שהיום שכל אחד מהקרואים מברך לפניה ולאחריה וכנ"ל, אין כדאי להוסיף להרבות בברכות, **אך** במקום הצורך, כגון חתונה או ברית מילה וכל כה"ג, אין לחוש לזה, [**ומשום** ברכה שא"צ לא שייך, דהא הברכה נתקנה בצבור מפני כבוד התורה].

כתבו האחרונים, דבשבת שקורין ב' פרשיות, יש לקרות מנין חצי הקרואים מהשבעה בכל סדרה, דהיינו שקורא להרביעי קצת מהסדר ראשון, ומהסדר שני ג' פסוקים עכ"פ, **ואין** לחוש במה שיוסיף על השבעה בסדר שני, כיון דאין שום חיוב מן הדין להוסיף.

הגה: וכ"ה ביו"ט מותר להוסיף על מנין הקרואים. וי"א דביו"ט אין להוסיף - (כדי שלא יהא שוה עם יוה"כ ושבת אם יקרא בו ו' או ז', וכן ביוה"כ אין מוסיפים על ו' שלא יהא שוה לשבת – הגר"ז). **וכן נהגו במדינות אלו, מלבד בשמחת תורה שמוסיפין הרבה** - דכדי שיזכה כל אחד לקרוא בתורה בעת סיום התורה, אוקמי אדינא כרוב הפוסקים, שמתירין להוסיף ביו"ט.

וכשחל יו"ט בשבת, לכו"ע מותר להוסיף על שבעה כמו בשאר שבתות השנה, דכי בשביל שניתוסף בו קדושת יו"ט נגרע ממנו המעלה דשאר שבתות, **אך** כשחל יוה"כ בשבת, טוב לכתחלה שלא להוסיף על שבעה, משום שראשי הפרשיות מכוונים, שמסיימים במילי דכפרה.

גם בכל יו"ט אין המפטירין ממנין הקרואים, כדלקמן - ר"ל דלמפטיר קורא פרשה בפני עצמה בחובת היום, ומזה ממילא גם כן ראיה דנקטינן לדינא כדעה א', דביו"ט מותר להוסיף על מנין הקרואים וכדלקמן.

סעיף ב - מותר לקרות עולים הרבה, אע"פ שקרא זה מה שקרא זה וחוזר ומברך, אין בכך כלום - ומ"מ אינו עולה מן המנין אם לא שהוסיף לכל הפחות שני פסוקים על מה שקרא הראשון, דאז דיעבד עולה למנין, וכמ"ש בס"ס קל"ז, [אם לא במקום דלא אפשר בענין אחר, כגון בקריאת פרי החג בימי חוה"מ, דע"כ צריך לקרות לד' מה שקרא כבר].

הגה: ויש אוסרים, וכן נהגו במדינות אלו, חוץ מבשמחת תורה שנהגו להרבות בקרואים, ונוהגים כסברא הראשונה - י"א דה"ה בחתונה, **אבל** מנהגנו שלא לקרוא לזה מה שקרא כבר אחד אף בחתונה, [וה"ה כשיש חיובים אין להקל בזה], **לבד** בשמחת תורה נוהגין כרמ"א.

סעיף ג - הכל עולים למנין שבעה, אפילו אשה וקטן שיודע למי מברכין - אבל לא למנין שלשה, מ"א, **ובעולת** שבת כתב עוד, דה"ה למנין דה"ו שיש בר"ח ויו"ט ויוה"כ, ג"כ אין עולה.

ואף אם אין שם כהן אלא קטן, קורין אותו, **ודעת** המ"א שאין אנו מחוייבין לקרותו, דמצות עשה ד"וקדשתו" לא נאמר על כהן קטן, דהא כתיב: כי את לחם אלהיך הוא מקריב, וקטן לאו בר עבודה הוא, [**ורעק"א** דחה, דהא בעל מום מצוה לקדשו אע"ג שאינו ראוי ג"כ לעבודה], **וכן** נוהגין בימינו, שכשאין בבהכ"נ כהן שהוא בן י"ג שנה, קורין ישראל במקום כהן, ואפילו יש שם כהן קטן.

ויותר מזה נוהגין כהיום, שאין קורין קטן כלל לשום עליה, אפילו אם כבר נשלם מנין הקרואים, אלא למפטיר.

ומ"מ אין יכול להיות מקרא את העולים, דהיינו שהוא יקרא בקול רם בס"ת, והעולים אומרים אחריו בלחש, וכל הצבור יהיו יוצאים ידי חובתן בשמיעה ממנו, עד שיביא שתי שערות, **ומשהוא** בן י"ג שנה, בחזקה שהביא שתי שערות לענין זה, **ומ"מ** כשאין שם קורא אחר ותתבטל הקריאה לגמרי, מסתפק הפמ"ג דאפשר דיש להקל באופן זה, אפילו אם לא הביא עדיין שתי שערות, **וכן** בדה"ח מיקל ג"כ בשעת הדחק.

אבל אמרו חכמים: אשה לא תקרא בצבור מפני כבוד הצבור - כתב המ"א בשם מסכת סופרים, שהנשים אע"פ שאין חייבות בתלמוד תורה, מ"מ חייבות לשמוע קריאת ספר כאנשים, **ואין** נוהגות ליזהר בזה, ואדרבה יש מקומות שנוהגות הנשים לצאת חוץ בעת הקריאה.

הגה: ואלו דוקא מצטרפים למנין הקרואים, אבל לא שיהיו כולם - או רובם **נשים או קטנים.**

ודין עבד כנעני כדין אשה, אבל אם אמו מישראל, מותר לעלות - דאז הו"ל ישראל מעליא וחייב בכל המצות.

ואסור לקרות ברגל מגולה - אפי' הוא קטן, **וכן** קטן שהוא פוחח, דהיינו שבגדיו קרועים וזרועותיו וכתפיו מגולין, אסור לקרותו לתורה, [ונ"מ לדידן לענין מפטיר].

ואין איסור לקרות ע"ה נכבד עשיר וגדול הדור, לפני ת"ח, כי אין זה בזיון לת"ח, רק כבוד לתורה שמתכבדת באנשים גדולים. וממזר מותר לעלות לס"ת - שהרי הוא חייב בכל המצות שבתורה כשאר איש ישראל.

וע"ל סימן קל"ז מסדר הקרואים.

סעיף ד - נוהגים לקרות שבעה ולגמור עמהם הפרשה ואומר קדיש, וחוזר וקורא עם המפטיר מה שקרא השביעי - דהנה מן הדין קי"ל דמפטיר עולה למנין שבעה, והיה יכול לגמור הפרשה דהיינו הסדרה עם המפטיר שהוא השביעי, ואח"כ לומר קדיש, **ואך** כדי לצאת גם דעת האומר בגמרא דאין מפטיר עולה למנין שבעה, [**טעמו**, דמה שהוא קורא בתחילה קודם שמפטיר בנביא, הלא אינו אלא מפני כבוד התורה, שלא יהיה כבודה וכבוד הנביא שוה,

אם יקרא בנביא לבדו כמו שקראו מתחילה העולים הראשונים בתורה לבדה], **וע"כ** מהנכון הוא לקרות שבעה קרואים קודם שמתחיל המפטיר, [**ובזה** יוצא אף למ"ד מפטיר עולה למנין ז', דהרי מותר להוסיף בשבת לכו"ע וכנ"ל].

וכדי להודיע לכל שהמפטיר אינו ממנין העולים, תקנו ג"כ [רבנן סבוראי דבתר חבור הגמרא] שהנכון לכתחלה להפסיק בהקדיש בין קריאתו לקריאת שאר העולים, **וממילא** מוכרח לגמור הסדרה מתחלה, כדי שלא יפסיק בקדיש באמצע הקריאה, ואח"כ לחזור עם המפטיר עכ"פ ג' פסוקים ממה שקרא השביעי או האחרון.

וה"ה דיכול להוסיף עוד על השבעה, אך העיקר אשמועינן דנהגו שלא להשלים בהמפטיר את הפרשה, ואח"כ לומר קדיש, אלא יאמר קדיש קודם קריאת המפטיר, וממילא מוכרח לגמור כל הסדרה מתחלה קודם אמירת הקדיש.

מה שנהגו למכור ששי בפני עצמו, יש קצת סמך מהזוהר "שלח לך", **ואחרון** מוכרים בפני עצמו, דאחרון חביב שמסיים בו, **ומ"מ** ח"ו להתקוטט בעבור זה, שכל אותיות התורה הם כולם קדושים וטהורים, וכדכתיב: אמרות ה' אמרות טהורות וגו'.

הגה: וכן נוהגים ביו"ט שאין מפטיר ממנין הקרואים - ר"ל שגם ביו"ט, אף דמדינא היה מותר המפטיר להיות מן המנין חמשה, מ"מ נוהגים ג"כ שאין המפטיר מן המנין, אלא קורא בפני עצמו בפרשה של חובת היום, והקדיש אומר מקודם, **ומ"מ** יוצא בזה אף למ"ד דעולה מן המנין, שהרי רוב הפוסקים סוברים דמותר להוסיף, וכנ"ל בס"א, [**ומ"מ** לא דמי לגמרי לשבת, ששם המפטיר חוזר וקורא מה שקרא השביעי או האחרון, משא"כ בזה, **והטעם**, ששם הקדיש לא נוכל לומר באמצע, ומוכרח לגמור מקודם הסדרא, וע"כ ממילא מוכרח המפטיר לחזור אותן הפסוקים שקראו כבר, **משא"כ** בזה, שיכול לומר קדיש בין גמר הקריאה שבס"ת זו לס"ת אחרת].

אבל בחול שאסור להוסיף על מנין הקרואים, השלישי הוא מפטיר.

וביום שמוציאין ב' ספרים או ג' - כגון ר"ח טבת שחל בשבת, שצריך לקרות פרשת השבוע ופרשת ר"ח וענין של חנוכה, או בשמחת תורה, שצריך לקרות פרשת "וזאת הברכה" ו"בראשית" ופרשת המוספים, **המפטיר** - בלבד **קורא באחרונה** - ובין כשמשלימין המנין, או שמוסיפין על המנין, הכל עולים בשני ספרים הראשונים.

וקטן יכול לקרות בפרשת המוספין, או בד' פרשיות שמוסיפין באדר - ואע"פ שפרשת זכור היא חובה מן התורה שישמענה כל אדם מישראל, והקטן שאינו מחויב בדבר אינו יכול להוציאם י"ח, **מ"מ** הרי עכשיו הש"ץ קורא ומשמיע לצבור ומוציאם ידי חובתן, [**אבל** אם אין הש"ץ קורא, אין הקטן בעצמו יכול לקרות].

וכן נוהגים, אע"פ שיש חולקים - היינו דהחולקים ס"ל, דוקא בשבת שקורא המפטיר מה שכבר קרא השביעי, אז נוכל לקרות לקטן, **משא"כ** בכל אלו, שקורא המפטיר פרשה שלא קראו מתחלה.

ויש מחמירין בדבר שלא לקרותו לקטן לפרשת זכור, וכן לפרשת פרה שי"א שגם היא מדאורייתא, וכן הסכים בא"ר ודה"ח, **ובתשובת** פרח שושן העלה לעיקר, דהקטן לא יקרא בד' פרשיות, והביאו בחידושי רע"א.

וביום א' של שבועות שקורין המרכבה למפטיר, וכן בשביעי של פסח שקורין השירה, ובשבת שובה ג"כ, נוהגין שאין קורין אותו לכתחלה למפטיר.

ואמנם גם בשאר מפטיר ג"כ, דוקא בקטן שהגיע לחינוך, שיודע לחתוך האותיות בטוב, **ודלא** כאותן שמניחים קטנים הרבה לומר ההפטרה.

(**ולענ"ד יש לעיין, אם אינו יכול הקטן לומר מלה במלה עם הש"ץ מתוך הכתב, ונהי דבגדול לא נהגו לדקדק בזה, מ"מ למה צריך להקל כ"כ בקטן לגבב כל הקולות להדדי, ובפרט בפרשת המוספין וכל הד' פרשיות, הלא באמת יש חולקים וס"ל דקטן אינו יכול להיות מפטיר בפרשת המוספין וכל הד' פרשיות, שהמפטיר עולה לפרשה בפני עצמה, ועכ"פ נלענ"ד, דבפרשיות המוספין וכל הד' פרשיות, אין כדאי להקל לקרות קטן למפטיר אם אינו יודע לקרות מלה במלה עם הש"ץ מתוך הכתב**).

ואומרים קדיש קודם שעולה המפטיר - לא חידש בזה כלום על המחבר, רק לאשמועינן מה שסיים לבסוף, דאין חילוק וכו', **ואין חילוק בזה בין הוסיפו על מנין הקרואים או לא, ובין מוציאין ס"ת א' או ג'** - אלא בכל פעם אומרים הקדיש קודם המפטיר דוקא.

והיינו בשבת, אבל בחול שהמפטיר ממנין הקרואים, אומרים קדיש אחר המפטיר, דהיינו אחר שמכניסין הס"ת להיכל, ‹היינו בתענית במנחה›, ולא קודם מפטיר, דאין אומרים קדיש עד שנשלם המנין, **ובחוה"מ** פסח וכן בחוה"מ סוכות, אומרים קדיש אחר שקרא הרביעי, דאז כבר נשלם מנין הקרואים.

סעיף ה - אם לא נמצא מי שיודע להפטיר אלא אחד מאותם שעלו לקרות בתורה - וה"ה בשבת של חזון, אפילו נמצא מי שיודע להפטיר בנביא, רק שלא ידע לקונן כנהוג, גם כן דינא הכי, **וכבר אמר ש"צ קדיש אחר קריאת הפרשה, זה שרוצה להפטיר צריך לחזור ולקרות, ויברך על קריאתו תחלה וסוף** - ואפי' השביעי רוצה להפטיר, צריך לחזור ולקרות, כיון שהפסיק בקדיש, הנכנסים לא ידעו שזה המפטיר קרא מתחלה בתורה, ואיכא בזיון לתורה, כדאמרינן בגמרא, דהמפטיר צריך שיקרא בתורה תחלה מפני כבוד התורה, **היינו** דאי המפטיר יפטיר בנביאים ויברך עליו, ולא יקראו בתורה, הרי אנו משוים דברי הנביאים לתורה בקריאה וברכה, לכן צריך לקרות המפטיר בתורה תחלה, ומזה יראו שהתורה עיקרית, **ומ"מ** נכון יותר בעניננו שהפסיק בקדיש, שיקרא המפטיר א' מן הקודמים ולא השביעי.

הגה: אבל אם לא אמר קדיש, יפטיר מי שעלה לשביעי אם יודע - היינו שיפטיר בנביא, וא"צ לחזור ולקרות בתורה, אלא מה שקרא בשביעי בסיום הפרשה, עולה גם למפטיר, דהא קי"ל דהמפטיר עולה למנין שבעה, **או** כשהוסיפו, מי שקרא באחרון עולה גם למפטיר, **והקדיש** יאמר אחר קריאת הפטרה וברכותיה.

כתב הפמ"ג, דה"ה בכל מפטיר כששכח לומר הקדיש מקודם, ונזכר אחר שכבר קרא המפטיר בתורה, לא יאמר הקדיש עד לאחר קריאת הפטרה וברכותיה.

ואם השביעי אינו יודע, ויצטרך לעלות למפטיר אחד מהקודמים, אז בכל גווני צריך לחזור ולקרות ולברך בתורה לשם מפטיר.

ואם יש אחרים שיודעים להפטיר, לא יפטיר מי שעלה כבר - ובשבת חזון, במקום שהמנהג שקוראים הרב למפטיר, לא יקראוהו מקודם לשלישי.

אם קראו לאדם לתורה בבית הכנסת אחרת, ונזדמן לו אותה הפרשה שקרא היום, צריך לחזור ולברך.

(וביום שמוציאין ב' ס"ת, וקראו ז' בראשונה, ושניה למפטיר, ואין נמצא שם מי שיודע להפטיר, אסור לקרוא לשביעי לס"ת שניה, משום פגמו של ס"ת ראשונה, **אבל** אותם הקודמים י"ל דשרי, ועיין סימן קמ"ד ס"ד, יע"ש וצ"ע).

סעיף ו - אם טעה ש"צ וסיים הפרשה עם הששי ואמר קדיש, א"צ לקרות עוד אחר - ר"ל שא"צ לקרות עוד שביעי מלבד המפטיר, דאחרי שאמר קדיש בסיום הפרשה, אינו קורא אח"כ רק לשם מפטיר לבד, כמו שרגיל תמיד אחר הקדיש, **אלא יקרא עם המפטיר מה שקרא עם הששי** - והוא יהיה עולה למנין ז', וא"צ לחזור ולומר קדיש.

דקי"ל מפטיר עולה למנין שבעה – (ואף דהגמרא מיירי היכי דשייר להמפטיר פסוקים שלא קראן מתחלה, ולכך עולה למנין, ובזה הלא כבר קראן מתחלה, **ומבואר** לעיל בסוף סימן קל"ז, דכשחוזר עם אחד מה שכבר קרא לאחר, אינו עולה מן המנין, **הכא** שאני כיון דלא אפשר בענין אחר, שכבר סיים הפרשה ששייך לשבת זו, וכמבואר שם דהיכא דלא אפשר עולה למנין).

אבל אם נזכר קודם שאמר הקדיש, אז צריך לקרות אחד לשביעי ממה שקרא כבר, ויסיים הפרשה עמו, ויאמר קדיש, **ואח"כ** יחזור לקרות איזה פסוקים למפטיר כמו שרגיל תמיד, [כדי לצאת גם דעת האומרים דאין המפטיר עולה למנין שבעה].

סעיף ז - קרא הפרשה בתפלת שחרית בשבת ודילג פסוק אחד - ה"ה תיבה אחת, אלא שדיבר בהוה, **חוזר וקורא הוא ושנים עמו** - ויברך לפניה ולאחריה על הג' פסוקים. **ואפילו הפטיר והתפלל מוסף, חוזר וקורא** - ועיין לעיל סימן קל"ז סעיף ג', שם מבואר כל פרטי דין זה.

§ סימן רפג – למה אין מוציאין ב' ספרי תורות בשבת

סעיף א - מה שאין מוציאין בשבת ספר שני לקרות פרשת המוספין, מפני שאין בה אלא שני פסוקים - ואין קורין בתורה פחות מג' פסוקים, וכדלעיל סימן קל"ז, ולהצטרף עמה פסוקים שלא מענינו של יום, אי אפשר, **והתוס'** כתבו עוד טעם, לפי שצריך להפטיר בנביא בכל שבת מענינו של יום, ואי קרינן בשל שבת, א"כ יהא צריך להפטיר בדסליק מיניה, והיינו מעניני שבת, וא"כ יהיו כל ההפטרות מענין אחד.

§ סימן רפד – דיני הפטרה וברכותיה

סעיף א - מפטירין בנביא מעניינה של פרשה, ואין פוחתין מכ"א פסוקים - והטעם, מפני שפעם אחת גזרו גזירה על ישראל שלא יעסקו בתורה, וקראו בנביאים שבעה וברכו עליהם, כנגד השבעה שהיו צריכים לעלות ולקרות בתורה, ולא היו קורין עם כל אחד פחות מג' פסוקים, והרי בין כולם כ"א פסוקים, **לכך** אע"פ שהגזירה בטלה, מנהגא לא בטל, ומשו"ה תקנו שהמפטיר יקרא בנביא לא פחות מכ"א פסוקים, **ויהא** קורא בתורה תחלה מפני כבוד התורה, וכמ"ש בסימן רפ"ב במ"ב.

אא"כ סליק עניינא בבציר מהכי, כגון "עולותיכם ספו על זבחיכם".

הגה: ודוקא בשבת בעינן כ"א פסוקים, ג' פסוקים לכל א' מן הקרואים, אבל ביו"ט שקורין ה', סגי בט"ו פסוקים.

ויברך המפטיר ז' ברכות, דהיינו שתי ברכות שמברך המפטיר על התורה לפניה ולאחריה, ואחת על הנביא לפניה, [דברכת "אשר בחר בנביאים טובים" וברכת "בא"י הבוחר בתורה" וכו', ברכה אחת היא], וארבע לאחריה, כנגד ז' שקראו בתורה.

ולא נתקנה ההפטרה רק בצבור – (ואם התחילו ההפטרה בעשרה ויצאו מקצתן, אפ"ה מותר לגמרה עם ברכותיה, **אבל** אם יצאו מקצתן קודם שהתחילו ההפטרה, אף שבעת קריאת התורה היו עשרה, אין מפטירין, דהפטרה בנביא ענין אחר הוא).

אחר שקראו בתורה, אבל בלאו הכי - כגון שלא היה להם ס"ת לקרות בה, **אסור לקרות עם הברכות שלפניה ולאחריה, אבל בלא ברכה שרי** – (ואע"פ שתחלת התקנה היתה על קריאת הפטרה אפילו בלא קריאת ס"ת, וכמ"ש, **עכשיו** שנתבטלה הגזרה, לא תקנו לברך על הפטרה כי אם אחר קריאת ס"ת).

ואם קראו בס"ת ונמצאת אחר הקריאה שהיא פסולה, אפ"ה מפטירין אחריה ומברכין הברכות לפניה ולאחריה, (**ואם** מתחלה ידעו שהיא פסולה, ולא היה להם אחרת וקראו בה בלא ברכה, ורק כדי שלא תשתכח ענין קריאה בספר, וכמ"ש המג"א, משמע בפמ"ג דאפ"ה צריך אח"כ להפטיר ולברך על ההפטרה, **אבל** בחי' רע"א משמע, דבאופן זה הוי כלא קרא כלל, ואין להפטיר אח"כ בברכה, וכן מסתברא).

אם אין עירוב שיכולין להביא הנביא או החומש בבהכ"נ להפטיר, הולכין עשרה ומפטירין בבית שמונח שם, ובברכת ההפטרה ג"כ, דהרי מ"מ קראו בתורה תחלה, אע"פ שלא היה באותו מקום.

כתב הלבוש: תמהתי על שלא ראיתי נוהגין לכתוב ההפטרות כדין ספר, כי היה נ"ל שאין יוצאין כלל בקריאת ההפטרה בחומשים הנדפסין, כיון שאין נכתבין בכל הלכות הס"ת או מגילה, **והט"ז** ומ"א יישבו המנהג, וס"ל דאף שהוא ע"י דפוס, וגם על הנייר, ושלא בגלילה, מותר לענין זה, **ומ"מ** דעת המ"א, דצריך לקרות

ההפטרה מתוך נביא שלם הנדפס, ולא מתוך הפטרה לבד הנדפסת בחומש, וכן ג"כ דעת הא"ר, ע"ש, [**ובתנ"ך** הידועים הנדפסין ע"י המינין, מוטב יותר שיקרא ההפטרה בחומש ולא בם], **ומ"מ** אם אין להם רק הפטרה הנדפסת בחומש, יש לסמוך להקל שלא לבטל קריאת הפטרה, **אך** לכתחלה בודאי ראוי ונכון שיהיה לכל צבור נביאים שנכתבין בקלף כדין, שאז גם השמות נכתבים בקדושה, משא"כ כשהוא על הנייר הנדפס, וכן הנהיג הגר"א בקהלתו, וכעת נתפשט זה בהרבה קהלות ישראל, ואשרי חלקם, [**ואין** למחות ביד הנוהגין להקל, משום "עת לעשות לד'", שקשה לכל ציבור לכתוב נביאים בקלף כדין, **ובודאי** הציבור שהיכולת בידם, יש להם לכתוב נביאים כדין, ובפרט בימינו שמפזרין הרבה כסף על תכשיטי בהכ"נ שאין נחוץ כ"כ, וכונתם לשם שמים כדי לקיים "זה אלי ואנוהו", בודאי מצוה להתנאות בכתיבת נביאים הקדושים].

סעיף ב - אם חל ר"ח בשבת, אין המפטיר מזכיר של ר"ח כלל - דאלמלא שבת אין נביא בר"ח, וקריאת הנביא הוא רק משום שבת.

וי"א שאע"פ שאינו מזכיר בחתימה של ר"ח, מזכירין אותו בתוך הברכה, שאומר: את יום המנוח הזה ואת יום ר"ח הזה; והמנהג כסברא הראשונה.

סעיף ג - צריך לכוין לברכות הקוראים בתורה ולברכות המפטיר - וע"כ מצוה על העולים שיברכו בקול רם, כדי שכל הקהל ישמעו ויוכלו לענות אמן. **ויענה אחריהם אמן** - דע"י עניית אמן חשוב כאלו היה מברך לעצמו, **ויעלו לו להשלים מנין מאה ברכות שחיסר מנינם בשבת.**

אין לענות אמן אחר "אמת וצדק" שאומרים בברכות שאחר הפטרה, שאין זה סיום ברכה, **וכן** אין לענות אמן אחר "הנאמרים באמת" שנאמר בברכה שלפני ההפטרה, דזהו ג"כ ברכה א' עם מה שנאמר אח"כ "בא"י הבוחר בתורה", דזו היא חתימתה, [ולכך אין בה מלכות].

סעיף ד - קטן יכול להפטיר. הגה: ואם קראו למפטיר מי שאינו יודע לומר ההפטרה - היינו שקרא מתחלה הקטן בתורה לשם מפטיר, ואח"כ נמצא שאין יודע לומר ההפטרה, וכן בגדול כה"ג, **יכול אחר לאומרה** - ההפטרה וברכותיה, דאף שתקנו שהמפטיר יקרא בתורה תחלה מפני כבוד התורה, **מ"מ** בדיעבד אמרינן שגם בזה איכא כבוד לתורה, שניכר הדבר שקראו בתורה בתחלה לשם מפטיר, שהרי הפסיק בקדיש מקודם, **והפמ"ג** כתב, דאם יכול עכ"פ לומר מלה במלה כשמקרין אותו, טוב יותר שהוא בעצמו שקרא בתורה לשם מפטיר יאמר אח"כ ההפטרה וברכותיה ג"כ.

אבל לכתחלה אסור לעשות כן - היינו שאין קורין למפטיר מי שלא ידע אח"כ לקרות ההפטרה ג"כ, **ובזמנינו** שהמנהג בכמה מקומות לכתוב נביאים על קלף ובגלילה כס"ת, וא"כ הקורא בנביא הוא מוציא כל הצבור כקריאת ס"ת, **ולכן** אפי' לכתחלה מותר לקרות למפטיר אפי' מי שאינו יודע לקרות בנביא בעצמו, דהוא יאמר כל הברכות, והש"ץ יקרא ההפטרה כמו שקורא בס"ת. **ואף** דמהרמ"א והמ"ב משמע, דבמקומות שאין קורין מהקלף, אלא מספר תנ"ך או מחומש בקול, והקהל מקשיב, לא מהני לכתחילה, ואף דטעמא בעי, מ"מ קשה לדחות דבריהם מחסרון ידיעתי, **מ"מ** בנוגע למעשה, הרי ידחו כמה מהמתפללים מלעלות מפטיר, אף בזמן חיובם, ועלול לגרום שערוריה גדולה בין המתפללים, ולכן יש להקל באופן הנ"ל – מנח"י.

סעיף ה - אם נשתתק המפטיר באמצע ההפטרה, הבא לסיימה לא יתחיל ממקום שפסק הראשון, אלא צריך לחזור להתחיל ממקום שהתחיל הראשון, כמו בס"ת.

ולענין ברכה לפניה, יש דעות בריש סימן ק"מ, ע"ש הטעם וה"ה הכא, **ועיין** בפמ"ג שכתב, דספק ברכות להקל, ועיין במש"כ שם בבה"ל.

ועיין שם בס"א בהג"ה, דאפילו במקום שהש"ץ קורא בס"ת, ג"כ הדין דצריך להתחיל ממקום שהתחיל הראשון, וה"ה כאן.

הגה: ושנים לא יאמרו ההפטרה בפעם אחת, דתרי קלי לא משתמעי - עיין במ"א, דדוקא בקול רם, אבל בלחש מותר לומר, שבזה לא יטריד לחבירו שלא יוכל לשמוע, **וגם** נכון לכתחלה לעשות כן לקרות בלחש מתוך הספר עם הקורא, **ועיין** בפמ"ג דמשמע, דיראה לקרות מלה במלה עם הש"ץ כדי

שיציית להקורא, **ועיין** בספר מעשה רב שכתב, דהא דכתב המ"א שיראה לקרות בלחש מתוך הספר עם הקורא, היינו דוקא כשהקורא קורא מתוך החומש, אבל כשקורא מתוך הנביא, יקרא הוא לבד, וכולם יהיו שומעין, **וע"ש** עוד שכתב, דאם יקראו הכל בקול רם עם הקורא, תהיה ברכת הקורא ברכה לבטלה.

(**ועיין** בשער אפרים שכתב וז"ל: עיקר הדין הוא שזה שעלה למפטיר הוא בלבד יאמר ההפטרה, והצבור יאמרו ג"כ אחריו בלחש, **ובמדינותינו** נהגו שהכל אומרים ההפטרה עם המפטיר ביחד בקול רם, **והוא** מחסרון ידיעה, **ונכון** לבטל המנהג, **ולכתחלה** יש לנהוג שהמפטיר יאמר ההפטרה בקול רם כהקורא בס"ת, והצבור יאמרו אחריו בלחש, **ועכ"פ** טוב שיהיו עשרה עומדים סמוך להמפטיר שישמעו לקול האומר ההפטרה, **וגם** יש שמוסיפין על המנהג, ועושין שהות באמירת ההפטרה, שאף שאחר שסיים המפטיר והתחיל הברכות אין רוצים להפסיק מאמירת ההפטרה, **ולא** יפה הם עושים, שאם אומרים בקול רם, אינם שומעים קול דברים מברכות המפטיר, ולפעמים גורמים שגם אחרים הסמוכים להם אין שומעים, ואף אם מנמיכים קולם, מ"מ הם בעצמם אינם שומעים, **לכן** יש לנהוג שמיד שישמע שהמפטיר סיים ההפטרה ומתחיל הברכות, אע"פ שהוא עדיין לא סיים, ישתוק עד שיסיים המפטיר הברכות, ואח"כ יסיים הוא אמירת ההפטרה, **גם** המפטיר יהיה זהיר שלא להתחיל הברכות עד שיפסוק קול ההמון לגמרי, עכ"ל).

גם לא יהיה נקרא ההפטרה ע"י שנים, דהיינו שאחד יקרא פסוק אחד, והב' שותק עד שמסיים הפסוק, ואח"כ קורא השני פסוק אחר, **כי** המפטיר שקרא בתורה צריך שיקרא הוא לבד כל ההפטרה.

סעיף ו - אין המפטיר מפטיר עד שיגמור הגולל לגלול הס"ת - היינו שאין רשאי להתחיל לומר ההפטרה עד שיגמור וכו', **והטעם**, כדי שגם הגולל יתן לבו למה שיאמר המפטיר, שחובה היא על כל אדם לשמוע פרשת ההפטרה כמו פרשה שבס"ת, **וברש"י** שם משמע, שצריך להמתין עד שיוגלל הס"ת במטפחותיה.

אין לסלק מעל השלחן ספר הנביאים או החומש שקורין בו המפטיר, עד אחר הברכה, כדי שיראה ויברך על מה שהפטיר.

סעיף ז - בשבת שהפרשיות מחוברות, מפטירין בהפטרת פרשה שניה - שבה מסיימין את הקריאה, **הגה: וע"ל סימן תכ"ח** - לענין הפטרת "אחרי" ו"קדושים" כשהן מחוברות, ויתר דיני הפטרה.

ונהגו להזכיר אחר קריאת התורה נשמת המתים - לאפוקי אחר "אשרי" לא יאמר שום דבר, דהקדיש שאומרים לפני העמוד קודם תפלת י"ח, הוא קאי על "אשרי" שאמר בתחלה, וע"כ אין להפסיק ביניהם, ו"יהללו" שאומרים אין הפסק, **ומה** שנשתרבב המנהג שכשיש חולה, אוחז החזן הס"ת בידו לאחר "אשרי" ואומר "מי שבירך", ומפסיק הרבה בין "אשרי" לקדיש שלפני העמוד, שלא כדין הוא.

(ספרי: "כפר לעמך ישראל", אלו החיים, "אשר פדיתה", אלו המתים, מכאן שהמתים צריכין כפרה, וקבעו בשבת, שהכל נמצאים בבהכ"נ, והחי יתן אל לבו).

ולברך העוסקים בצרכי צבור, כל מקום לפי מנהגו; ונוהגין לומר "יקום פורקן", ואין בזה משום איסור תחינה בשבת.

גם נוהגים לומר "אב הרחמים"; ובכל יום שאין אומרים בו "צדקתך צדק", אין אומרים אותו, וכן כשיש חתונה או מילה.

ואם חל ט"ב בשבת, אע"פ שאין אומרים "צדקתך צדק", אומרים "אב הרחמים", כ"כ א"ר, **והפמ"ג** כתב, שג"כ מזכירין בו נשמות, אותן שמזכירין בכל שבת, **אבל** בשבת שמברכין בו אב, או בשבת שחל בו ר"ח אב גופא, אין אומרים "אב הרחמים", ואין מזכירין בו נשמות.

ויש מקומות שאין אומרים אותו כשמברכין החדש - ואין מזכירין בו נשמות, **מלבד בימי הספירה** - משום שהיו הגזרות באותו זמן, **ואפ"ה** אין מזכירין בו נשמות, רק למי שנפטר באותו שבוע - מ"א, **והפמ"ג** כתב, שכדומה שאין מזכירין אז נשמות כלל.

ואפילו חל מילה בשבתות ההם, דאיכא תרתי לטיבותא, אפ"ה אומרים "אב הרחמים", דהא אומרים אותו בימי חדש ניסן כשמברכין חדש אייר, דאית ביה נמי תרתי לטיבותא, **וה"ה** אם יש מילה בניסן, דאיכא ג'

לטיבותא, ג"כ אומרים אותו, דאין חילוק בין תרתי לטיבותא ובין ג' לטיבותא.

אבל כשחל ר"ח אייר בשבת, אין אומרים אותו, **וכ"ש** שאין מזכירים בו נשמות, **וכן** בכל חודש ניסן, אף בימים שלאחר הפסח דהוא תוך הספירה, ג"כ אין מזכירין בו נשמות, **אבל** "אב הרחמים" אומרים בו, כיון שהוא בימי הספירה.

והולכין בכל זה אחר המנהג.

§ סימן רפה – לקרא הפרשה שנים מקרא ואחד תרגום §

סעיף א - אע"פ שאדם שומע כל התורה כולה כל שבת בצבור, חייב לקרות לעצמו בכל שבוע פרשת אותו השבוע - היינו שלא יקדים לקרות קודם אותו שבוע, וגם לא יאחר, דצריך להשלים פרשיותיו עם הצבור, **וכל** המשלים פרשיותיו עם הצבור, מאריכין לו ימיו ושנותיו.

שנים מקרא ואחד תרגום - אבל לא יקרא אחד מקרא ואחד תרגום, ויכוון לשמוע מהש"ץ, **אלא** צריך לקרות ב' פעמים מקרא חוץ ממה ששמע מהש"ץ, **אם** לא שקרא אז ג"כ בפיו, **ועיין** במ"א שכתב בשם לחם חמודות, דבדיעבד יוצא פעם אחת במה ששמע מהש"ץ, **ויש** אחרונים שמחמירין אפי' דיעבד.

ובענין הקריאה יש דעות בזה בין אחרונים, י"א שיקרא כל פסוק ב' פעמים ותרגום עליו, **וי"א** שיקרא כל פרשה ב' פעמים ואח"כ התרגום, היינו שיקרא כל פרשה פתוחה או סתומה ב' פעמים ואח"כ התרגום, **ובמ"א** ובשע"ת מצדדים כדעה ראשונה, **ובספר** מעשה רב איתא, שהגר"א נהג לומר התרגום אחר כל פרשה פתוחה או סתומה, או אחר מקום שנראה יותר הפסק ענין, **ודעביד** כמר עביד ודעביד כמר עביד. ‹**ויש** שקורין כל הסדרה ואח"כ פעם שני ואח"כ התרגום, **ויכול** לעשות כמו שירצה, דלכולם יש פנים בהלכה, **ואפשר** שגם יכול לעשות פעמים כך ופעמים כך – ערוה"ש›.

מי שהוא בקי בטעמים ובנקודות בעל פה, טוב להדר לקרות בס"ת גופא.

אפילו "עטרות ודיבן" - ר"ל אע"פ שאין בו תרגום, **וה"ה** "ראובן ושמעון" וכיו"ב, צריך לקרותו ג' פעמים, **ויש** מחמירין דב"עטרות ודיבן" שיש בו תרגום ירושלמי, צריך לקרות שם התרגום.

סעיף ב - אם למד הפרשה בפירוש רש"י, חשוב כמו תרגום - שהוא מפרש את המקרא כמו שמפרש התרגום ויותר ממנו, וע"כ יוצא במה שקורא שני פעמים מקרא ואחד פירוש רש"י, **ואותן** פסוקים שאין עליהם פירש"י, יקרא אותן ג' פעמים, **אבל** אם קראה בשאר לעז שהוא מפרש רק את המלות לחוד, לא יצא י"ח במקום תרגום, לפי שהתרגום מפרש כמה דברים שאין להבין מתוך המקרא.

מי שאינו בר הכי שיבין את פירש"י, ראוי לקרות בפירוש התורה שיש בלשון אשכנז בזמנינו, כגון ספר "צאינה וראינה" וכיוצא בו, המבארים את הפרשה ע"פ פירש"י ושאר חכמינו ז"ל הבנוים על יסוד התלמוד.

וירא שמים יקרא תרגום וגם פירוש רש"י - כי התרגום יש לו מעלה שניתן בסיני, וגם הוא מפרש כל מלה ומלה, **ופירש"י** יש לו מעלה, שהוא מפרש את הענין ע"פ מדרשי חז"ל יותר מהתרגום, **ובאמת** כן ראוי לנהוג לכל אדם, שילמוד בכל שבוע הסדרה עם פירש"י לבד התרגום, כי יש כמה פרשיות בתורה ובפרט בחלק ויקרא, שא"א להבינם כלל ע"י תרגום לחוד.

מי שאין בידו תרגום רק החומש לבד יש לו, יקרא שני פעמים מקרא, ואח"כ כשיזדמן לו תרגום יאמר. ‹**ועיין** לעיל בס"ב, דלהערוה"ש יכול לעשות כן גם לכתחילה›.

לא יקרא פסוק המאוחר קודם המוקדם, אלא יקרא כסדר.

לא יקרא התרגום תחלה ואח"כ מקרא, אלא יקרא לכתחלה שנים מקרא מקודם, ואח"כ תרגום, [**ובדיעבד** יוצא אף בקורא תרגום באמצע, כדמוכח בלבוש בהדיא]. ‹**והחזו"א** נהג לקרות מקרא תרגום מקרא, שבכך יבין היטב את המקרא שקורא עוד הפעם לאחר התרגום, **אמנם** הקורא תרגום לפני שקרא אפילו פעם אחת מקרא, אפשר לא יצא כלל – פסקי תשובות›.

אם אפשר לו שלא יפסיק בשמו"ת על שום דבר, הוא טוב ויפה מאד, וכן ראיתי מהמדקדקים עושין כן, וכן ראוי לבעל נפש לעשות, [נ"ל דזה הוא אף בין פרשה לפרשה, **אבל** באמצע ענינא, מן הדין אסור להפסיק, וכמו

שאחז"ל: הפוסק מדברי תורה ועוסק בדברי שיחה, מאכילין אותו גחלי רתמים, **ואפשר** שלזה כוון הבה"ט, שכתב: ואיסור גדול להפסיק בקריאת שמו"ת בדבור].

סעיף ג - מיום ראשון ואילך חשיב עם הצבור - כיון שמתחילין במנחתא דשבתא לקרות פרשת שבוע הבא, נחשב שוב הקורא כקורא עם הציבור, **וא"כ** מה שכתב המחבר "מיום ראשון ואילך", לאו דוקא הוא, [ובודאי יוצא מן המנחה ולמעלה].

כמה אחרונים כתבו, דמן המובחר הוא לקרותה בע"ש, ועיין בשע"ת, **ובספר** מטה יהודה כתב, דאם הוא קורא מתחלת השבוע והלאה, הוא ג"כ בכלל מצוה מן המובחר, וכמו שכתב בב"י דמוכח כן מדברי הרמב"ם, **וכן** בספר מעשה רב כתב בהנהגת הגר"א, שהיה נוהג תיכף אחר התפלה בכל יום לקרוא מקצת מהסדרה שנים מקרא ואחד תרגום, ומסיים בע"ש.

סעיף ד - מצוה מן המובחר שישלים אותה קודם שיאכל בשבת - וכדאיתא במדרש, שצוה רבי את בניו: אל תאכלו לחם בשבת עד שתגמרו את כל הפרשה, **ומ"מ** פשוט דאין לעכב מחמת זה האכילה עד אחר חצות, וכדלקמן בסימן רפ"ח, [או כשיש לו אורחים בביתו שתאבים לאכול], דזהו רק מצוה בעלמא ולכתחלה.

מהנכון אם לא קרא שנים מקרא ואחד תרגום בע"ש, להשכים בשבת בבקר ולקרא השמו"ת קודם הליכתו לבהכ"נ, כן איתא באו"ז, וכן מוכח בתר"י.

(המ"א הביא בזה דעות, דמספר הכוונות משמע, דלכתחלה ישלים בע"ש, ורק כשהיה אנוס ישלים בשבת, **ובב"י** ומגיד מישרים משמע, דלכתחלה יתחיל בע"ש וישלים בשבת, ועיין מה שכתבנו במ"ב לעיל בשם האור זרוע ותר"י והגר"א).

ואם לא השלים קודם אכילה, ישלים אחר אכילה עד המנחה - דממנחה ולמעלה מתחילין הצבור לקרות פרשת שבוע הבא. (**ומה** שצוה רבי שיגמרו הפרשה קודם הסעודה, הוא רק משום דחייש דלמא אגב רוב סעודת שבת משתמיט ולא יגמור).

וי"א עד רביעי בשבת - דג' ימים הראשונים שייכין עדיין קצת לשבת שעבר, וכדלקמן בסימן רצ"ט ס"ו לגבי הבדלה, לכן בדיעבד יכול להשלים.

וי"א עד שמיני עצרת - היינו בא"י, ששם עושין שמיני עצרת רק יום אחד, **(דהיינו בשמחת תורה, שאז משלימים הצבור)** - הס"ת, ולכך בדיעבד מקרי עד יום ההוא משלים פרשיותיו עם הציבור, **ויש** לו לקרות אז שנים מקרא ואחד תרגום, ודלא כאותן שקורין מקרא לחוד, כיון שחסר לו גם התרגום, [ב"י, וז"ל: ופשוט הוא, אלא שכתבו כן לאפוקי ממנהג העולם, שקורין ביום שמיני עצרת כל התורה פעם אחת מקרא לבדו.

אבל לכתחלה לכו"ע לא יאחר יותר מיום השבת.

סעיף ה - יכול לקרות הפרשה שמו"ת בשעת קריאת התורה - ובמ"א הביא בשם השל"ה, שמחמיר בזה, אלא הכל צריכין לשמוע הקריאה מפי הש"ץ, וכן הוא דעת הגר"א שהובא בספר מעשה רב, דצריך לשמוע כל תיבה ותיבה ולראות בחומש, ולא יסייע להקורא כלל, **ומשמע** שתפסו העיקר כדעת השבלי לקט בשם רבו, והר"מ שהובא בהגהות מיימוני ובב"י, דרק בין גברא לגברא מותר, **ומ"מ** נראה דלקרוא בלחש מלה במלה עם הש"ץ אין להחמיר בזה, כיון שמכוין אז גם לשמוע כל תיבה מפי הש"ץ, **והמ"א** הביא שם בשם מטה משה, דלכתחלה נכון לעשות כן, וכ"כ כמה אחרונים.

(וע"ל סימן קמ"ו) - דשם מסיק המחבר בס"ב, דנכון להמדקדק בדבריו לכוין דעתו לשמעם מפי הקורא, והוא משום דחשש ג"כ לדעת הפוסקים שהבאתי למעלה.

סעיף ו - מלמדי תינוקות א"צ לחזור ולקרות הפרשה בשבת - מכאן שניגון הטעמים אינו מעכב לגבי שמו"ת.

ודוקא בימיהם שהיו לומדים פירוש המקרא עם התינוקות, ולכך יוצאין בזה גם ידי תרגום, וכדלעיל בס"ב, **אבל** אם לומד פירוש המלות לחוד, לא יצא ידי תרגום, אלא השני פעמים מקרא, דבודאי קרא עם התינוקות שני פעמים, **ולכן** צריך לומר תרגום בעצמו.

סעיף ז - א"צ לקרות פרשת יו"ט - ר"ל שאין צריך לקרות לעצמו שמו"ת, דהא כבר קרא כל התורה מדי שבת בשבתו, **וביום** הו"ר יקרא שמו"ת פרשת "וזאת הברכה", ואם קרא ביום שמ"ע לא הפסיד.

הגה: וכן א"ל לקרות ההפטרות, ומ"מ נהגו לקרות ההפטרה - טעם המנהג, שמא יקראוהו למחר למפטיר, ויהא בקי ורגיל בה, **משא"כ** בפרשיות של יו"ט, ששם החזן הוא הקורא. **ובשבת של חתונה יקרא ההפטרה של שבת ולא "שוש אשיש"** - ר"ל שיש מנהג באיזה מקומות, שקורין בצבור לבד הפטרת הסדרה עוד איזה פסוקים מהפטרת "שוש אשיש", משום דכתיב בה: כחתן יכהן פאר וגו', **וקמ"ל** דבשעה שקורא לעצמו ההפטרה, א"צ לקרות אלו הפסוקים, משום דהוא מצוי ושגור בפי הכל, ובקי בהן בלא זו הקריאה.

ובד' פרשיות יקרא הפטרה דד' פרשיות.

§ סימן רפו – דיני תפילת מוסף בשבת §

סעיף א- זמן תפלת מוסף מיד אחר תפלת השחר - כמו קרבן מוסף שזמנו לכתחלה אחר התמיד, (וגם המתפללין כותיקין, או שמתפלל ביחיד, יתפלל מיד אחר שחרית).

ואין לאחרה יותר מעד סוף ז' שעות - דעיקר זמן הקרבת המוסף היה לכתחלה עד סוף שבע.

(ומשמע דעד שש ומחצה יכול לאחר ואח"כ להתפלל, ולכאורה לדעת המחבר לקמן בדעה א', הלא יוצרך להתפלל מנחה מקודם, ותהיה התפלה שלא כסדר הקרבה, אף אם יתפלל מוסף ג"כ בתוך שבע, וי"ל דמ"מ פושע לא מקרי, כיון שעיקר התפלה לא איחר זמנה, אבל לכתחלה בודאי נכון ליזהר שלא יבא לזה לדעה זו).

ואם התפלל אותה אחר שבע שעות, נקרא פושע, ואעפ"כ יצא י"ח, מפני שזמנה כל היום. ואם שכח ולא התפלל עד שעבר כל זמנה, אין לה תשלומין - כיון שנזכר בה קרבן מוסף, וקרבן מוסף אין לה תשלומין, **משא"כ** שארי תפלות שלא נזכר בהם קרבן כלל, יש להן תשלומין כמ"ש סי' ק"ח.

ויש בה נשיאות כפים - היינו דנושאין כפים במוסף כמו בשחרית, וכנ"ל בסי' קכ"ט.

וע"ש בסי' קכ"ח סמ"ד בהג"ה, דבכל מדינותינו אין נוהגין לישא כפים בשבת כלל.

הגה: ואם התפלל אותה קודם תפלת שחרית, יצא - דקרבן מוסף זמנו מתחלת היום עד הערב, **אלא** דאסור להקדים שום קרבן לכתחלה לקרבן תמיד של שחר, ובדיעבד יצא.

סעיף ב- כל יחיד חייב להתפלל תפלת המוספין, בין אם יש צבור בעיר או לא - דלא תימא דהואיל דהוא במקום הקרבת הקרבן, לא הוטלה המצוה רק על הצבור שבעיר ולא על היחיד, קמ"ל דלא אמרינן הכי.

הגה: ואח"כ חוזר השליח לצבור התפלה כמו בשאר תפלות.

סעיף ג- מותר לטעום קודם תפלת המוספין, דהיינו אכילת פירות, או אפי' פת מועט - דהיינו כביצה, דכל זה הוא בכלל אכילת עראי, **וכ"ש** אם אוכל מיני תרגימא מחמשת המינים דשרי, [**ועד** כמה נקרא אכילת ארעי, עיין בסי' תרל"ט לגבי סוכה, וה"ה הכא], **אפילו טעימה שיש בה כדי לסעוד הלב** - דהיינו שאוכל פירות הרבה, דאכילת פירות לא מקרי קבע.

ואע"ג דלאחר תפלת שחרית כבר נתחייב בקידוש, ואסור לאכול ולשתות מקודם, ואין קידוש אלא במקום סעודה, **י"ל** דדי כשישתה כוס יין אחר הקידוש, (אם אין לו מה' מינים – שונה הלכות), דגם זהו מקרי סעודה, כנ"ל סי' רע"ג, ואח"כ יאכל הפירות, **או** כשאין לו יין כ"כ, יש לסמוך [בקידוש של שחרית] על הפוסקים דס"ל, דדי כשישתה כל הכוס יין של קידוש שמחזיק רביעית, דזהו מקרי ג"כ קידוש במקום סעודה.

(**ואפילו** בכהן שצריך לישא כפיו במוסף, ג"כ מותר לשתות רביעית יין שלנו, דבודאי יש בו ג"כ מים, **ועיין** לעיל בסימן קכ"ח סל"ח, מה שכתבנו שם במ"ב אודות יין שרף).

כתב בא"ר והובא בשע"ת, דאם חלש לבו ואין לו יין ולא שאר דבר לקדש עליו, רשאי לאכול פירות וה"ה

מיני תרגימא מה' מינים קודם מוסף, אף בלי קידוש, (דיש לסמוך בזה על הראב"ד, דס"ל מותר לטעום קודם קידוש של יום, ועוד דבזה יש לסמוך על הנחלת צבי, שכתב דלא חל קידוש קודם מוסף – א"ר, **אבל** בלא"ה אין להקל.

אבל סעודה אסורה - ונראה דאם חלש לבו, יכול גם פת לאכול עד שתתיישב דעתו, אף שהוא יותר מכביצה, [ולסמוך על הב"ח דס"ל דמדינא קודם מוסף מותר לקדש ולסעוד].

סעיף ד - היו לפניו שתי תפלות, א' של מנחה וא' של מוספין, כגון שאיחר מלהתפלל תפלת מוסף עד ז' שעות (ומהלא, טור), שהוא זמן תפלת מנחה, צריך להתפלל של מנחה תחלה ואח"כ של מוסף - שמנחה הוא תדיר.

הגה: ומיהו אם הקדים של מוסף, יצא - דהא דתדיר קודם, הוא רק למצוה ולכתחלה, ולא לעיכובא בדיעבד.

(**ואם** איחר עד סמוך לשבע, מסתפק הפמ"ג, דאולי בזה בכל גווני מוסף קודם לכו"ע, דלא יעבור על מצותו הראויה ויהיה פושע).

וי"א דהיינו דוקא שצריך עתה להתפלל שתיהן, כגון שרוצה לאכול ואסור לו לאכול עד שיתפלל מנחה, אבל אם א"צ עתה להתפלל מנחה, יכול להקדים של מוסף.

ולפי מה דמסיק הרמ"א לעיל בסימן רל"ב ס"ב בהג"ה, אין לאסור לאכול קודם מנחה כשהגיע זמן מנחה גדולה, אלא בסעודה גדולה, **וסעודת** שבת לא מקרי סעודה גדולה, כי אם סעודת נשואין או ברית מילה, ולא חיישינן שמא יפשע, **ובפרט** האידנא דסומכין על קריאה לבהכ"נ למנחה, א"צ להתפלל עתה מנחה.

הגה: ומיהו אם הגיע מנחה קטנה, יתפלל מנחה תחלה - ואם הוא סמוך לערב, ואין לו שהות להתפלל שתיהן, יתפלל מוסף, דמנחה יש לה תשלומין בערבית, משא"כ במוסף - מ"א, **ובספר** דגול מרבבה חולק עליו מהירושלמי שמפורש להיפוך, וכן הקשה עליו בספר בית מאיר, **ובחידושי** הגרע"א מיישבו בדוחק.

ויש מי שהורה שאין עושים כן בצבור להקדים תפלת מנחה לתפלת מוסף, כדי שלא יטעו - פי' בשאר ימים, להתפלל מנחה קודם מוסף אפילו קודם חצות.

סעיף ה - בשבת ויו"ט אין אומרים "ברכו" אחר קדיש בתרא, (וע"ל סי' קל"ג) - ברמ"א, דשם נתבאר היטב דין זה.

§ סימן רפז – נחום אבלים ובקור חולים בשבת §

סעיף א - יכולים לנחם אבלים בשבת, וכן יכולים לבקר את החולה - אמרינן בגמ': בקושי התירו לנחם אבלים ולבקר חולים בשבת, **וע"כ** לא יפה עושין אותן שכל ימי השבוע אין הולכין רק בשבת.

(**אם** לא שבימות החול היה טרוד, ובשבת שיש לו פנאי הולך לחולה אוהבו, שיודע בו שיש לו נחת מזה שהוא בא אליו לבקרו, מצוה קעביד, ואין לו למנוע מללכת בשבת ויו"ט, **ונראה** דה"ה אם הלך לבקרו בחול, ג"כ אין איסור לבקר בשבת, דהלא אמרו חז"ל דאין לבקור חולים שיעור, **ובפרט** אם הוא יודע שבהליכתו להחולה הוא לתועלת, ליעצו איך להתנהג בענין מחלתו, וגם לחזק אותו שלא יפול לבו עליו, בודאי מצוה רבה הוא עושה בזה, **ולא** מעטו הפוסקים רק אם בחול אין הולך כלל, ומכוין שילך בשבת).

ולא יאמר לו כדרך שאומר לו בחול - דמצטער ומעורר הבכי, דאסור בשבת, **אלא אומר לו: שבת היא מלזעוק ורפואה קרובה לבא, ורחמיו מרובים ושבתו בשלום. הגה: וי"א דאין לריך לומר: ורחמיו מרובים וכו', וכן נהגו** - ובנחום אבלים יאמר לו: שבת היא מלנחם, ונחמה קרובה לבוא, **ויש** מקילים דרשאי לומר: המקום ינחמך, (כי המת לא ישוב, וצער האבלים לא יתרבה יותר ע"י ניחומים – דרישה).

כתב בפמ"ג, אם בא האבל לבהכ"נ אחר אמירת "מזמור שיר ליום השבת", שוב לא יקרא השמש: צאו נגד האבל, דאין להזכיר אבילות בפרהסיא, **ומ"מ** לילך בעצמו לומר לו: שבת היא מלנחם וכו', רשאי.

§ סימן רפח – דין תענית, ודין תענית חלום בשבת §

סעיף א - אסור להתענות בשבת עד ו' שעות - דגם בחול האוכל אחר ו' שעות הוי כזורק אבן לחמת, ע"כ נקרא כמו תענית בשבת, **ואם** טעים מידי קודם תפלת מוסף, מותר להתאחר יותר מו' שעות.

ולשם תענית אפילו שעה אחת אסור, **וע"כ** שלא כדין עושין מקצת קהלות, שמתענים בשבת עד סמוך לחצות על הגזרות.

(**ואיסור תענית בשבת, יש דעות בפוסקים אם הוא רק** מדברי קבלה, מדכתיב: וקראת לשבת ענג, **או** הוא מדאורייתא, מדכתיב: אכלוהו היום וגו', **ונראה** פשוט דתענית עד ו' שעות לכו"ע מדרבנן).

הגה: ואפילו לומד ומתפלל, אסור - ולפי"ז הש"ץ שמנגן, ואין יוצאין מבהכ"נ עד אחר שש, שלא כהוגן הוא, ובפרט בחורף שהימים קצרים, ומכ"ש ביו"ט, מלבד בר"ה - ב"ח, **ובא"ר** מצא סמך להקל בלומד ומתפלל להתאחר עד אחר חצות, ובבגדי ישע כתב ג"כ שמותר ללמוד ולהתפלל עד חצות.

סעיף ב - י"א שאדם שמזיק לו האכילה, דאז עונג הוא לו שלא לאכול, לא יאכל - וכמעט קרוב לאיסור האכילה, כיון שמשער שיזיק לו, **והיינו** אם גם כזית קשה לו לאכול, **ועיין** לקמן בסימן רצ"א ס"א בהג"ה. ‹וצ"ע כוונתו›.

הגה: וכן מי שיש לו עונג אם יבכה, כדי שילך הצער מלבו, מותר לבכות בשבת - כתב הט"ז, היינו דוקא אם מחמת רוב דביקותו בהקב"ה זולגים עיניו דמעות, שכן מצינו ברבי עקיבא בזוהר חדש, שהיה בוכה מאד באמרו "שיר השירים", באשר שידע היכן הדברים מגיעים, וכן הוא מצוי במתפללים בכונה, **אבל** סתם לבכות כדי שיצא הצער מלבו, לא, ע"ש, **אבל** בא"ר ותו"ש התירו, כיון שע"י בכיתו ירוח לו, ‹ומה שהקשה דא"כ כל מי שמצער ח"ו יבכה בשבת, לא קשה מידי, דאין זה טבע כל אדם שילך צער מלבו בבכייתו, וגם לפי ענין הצער, והלב יודע מרת נפשו, ואם לעקל וכו' – א"ר›.

סעיף ג - אדם המתענה בכל יום, ואכילה בשבת צער הוא לו מפני שינוי וסת (פי' דבר קבוע) – (ר"ל אפילו אם יאכל מעט, דאל"ה אין לו למנוע מחמת זה), **י"א שראו כמה חסידים ואנשי מעשה שהתענו בשבת מטעם זה, וכן אמרו שכך היה עושה הר"י החסיד ז"ל.**

אבל כשאין לו צער, אף שמתענה על עונות ומחמת תשובה, אסור.

(ועיין באחרונים שכתבו, דעל הא דסעיף ב' וג', א"צ למיתב תענית לתעניתם).

סעיף ד - מותר להתענות בו תענית חלום כדי שיקרע גזר דינו - וגם יבלה כל היום בתורה ובתפלה, ויתכפר לו, **ובסדר** היום כתב, דיוכל להתודות על עונותיו כשמתענה, כמו בחול, ‹שכשם שהתירו להתענות משום שמא גזרו עליו גזירה שיש בה פקוח נפש, מטעם זה עצמו יש להתיר לו אף להתוודות כדי שישוב – מ"ב המבואר›.

ועיין לעיל בסימן ר"כ במ"ב, דעוברות ומניקות אין להורות להן להתענות אפילו בחול, אלא יתנו פדיון נפשם לצדקה, **ובפרט** אם הן חלושות, בודאי אין להן להחמיר על עצמן.

כתב הט"ז, אם הרהר ביום וחלם לו בלילה מענין ההרהור, אין לו להתענות בשבת, דההרהור גרם זה ולא הראוהו מן השמים.

ואם חבירו ראה עליו חלום רע בשבת, וסיפר לו, לא יתענה, אבל אם אירע כן בחול, יתענה - כנה"ג מ"ב ומ"א וא"ר, **ועיין** לעיל בסימן ר"כ במ"א, דמי שחלם לו חלום קשה על חבירו, יתענה, והביאו כאן גם הא"ר, **ומשמע** שהחולם בעצמו יתענה כיון שהוא בחול, **ואולי** דשם מיירי שאינו רוצה לספר לו לצערו.

(**אם אקלע החלום בת"צ, א"צ להתענות יום אחר, דעולה לו יום זה**).

וצריך להתענות ביום ראשון, כדי שיתכפר לו מה שביטל עונג שבת – (וה"ה אם היה יו"ט שחל בשבת, והתענה בו תענית חלום, די ביום אחד לבד).

ואם ביום ראשון הוא תענית חובה, כגון י"ז בתמוז וכדומה, או אפילו תענית יחיד שנהג בו חובה, כגון שיש לו מנהג קבוע תמיד להתענות יום ראשון של סליחות, **אינו** עולה לו, כיון שאף אם לא היה מתענה

בשבת היה מתענה יום זה, וצריך ליתן יום אחר, **ויש** חולקין ע"ז, וס"ל דאף תענית חובה שהוא ביום ראשון עולה לו, ויכוין ביום התענית חובה, שיהיה לו כפרה על מה שהתענה ביום השבת, **ומי** שקשה לו התענית, יכול לסמוך על המקילין דעולה לו.

ואם תשש כחו ואינו יכול להתענות ב' ימים רצופים, לא יתענה ביום א' ויתענה אח"כ.

הגה: וכ"ש אם היה ביום א' חנוכה או ר"ח או פורים או יו"ט, אפילו יו"ט שני של גליות, שאין להתענות עד אח"כ - וצריך בכל זה להקדים כל מה שיכול.

ודוקא אלו הימים, שמדינא אסור להתענות בהם, אבל אם יום ראשון הוא יום שאיסור התענית בו אינו אלא מנהג, כגון יומי דניסן או סיון, או אסרו חג, או בין יוה"כ לסוכות, וכה"ג, יכול להתענות בהם תענית לתעניתו, **וגם** אם התענה בהם תענית חלום, א"צ למיתב אח"כ תענית לתעניתו, **אבל** המתענה תענית חלום בר"ח וחנוכה ופורים ויו"ט שני של גליות וחוה"מ, צריך למיתב תענית לתעניתו.

או ר"ח - ודוקא שאר ראשי חדשים, אבל בר"ח ניסן, דעת המ"א דיכול להתענות בו, מפני שהוא תענית צדיקים, עיין סימן תקפ, [**ואף** שבמ"א נזכר ג"כ ר"ח אב וערב פסח, לא העתקתי, דכדי נסבא, דלא יוכלו לחול ביום א'], **ובתו"ש** חולק עליו, דהא כתב המ"א שם לקמן, דמי שאינו רגיל להתענות תענית צדיקים, ואירע לו איזו צרה ח"ו, אל יתענה בו.

וי"א מי שיש מילת זכרים וחלם לו חלום רע, יתענה מחצי היום - ואעפ"כ אינו מתפלל "עננו" אח"כ, **עד חצי הלילה, ואז יבדיל** - ויש מקילין שלא יתענה רק עד הלילה, [מי"ט הובא בא"ר], **ויש** לסמוך ע"ז כשהיה יו"ט במוצאי שבת.

(**ואם** חלם לו בשבת סמוך למנחה, ואם יצטרך להמתין י"ב שעות משעת הקיצה, יאיר היום ויוכרח להבדיל ביום א', וכן כה"ג אם חלם לו בע"ש סמוך למנחה, ואם יצטרך להמתין י"ב שעות, יאיר היום ויוכרח לקיים קידוש היום ביום שבת, יש לעיין בזה, דאף דבדיעבד יוצא בזה ידי קידוש והבדלה, מ"מ הלא לכתחלה מצות קידוש בליל שבת, וכן הבדלה במוצ"ש, ואפשר דאין לסמוך על הי"א הזה, דלאו מלתא דפסיקא הוא כולי האי, והנה לפי מה שמצאתי בא"ר בשם מי"ט, דמהר"ש מקיל שא"צ להתענות רק עד הלילה, וסמך עליו לענין אם אירע יו"ט במוצ"ש, פשוט דכ"ש בזה דיש לסמוך עליו, שלא לעקור המצות ממקומם).

וביום הראשון יתענה כאילו התענה כל יום השבת - ואפילו אם חלם לו אחר שכבר קיים סעודה ג' אחר חצי היום, וא"כ אפילו בלא החלום אי בעי שלא לאכול עוד הרשות בידו, **מ"מ** כיון שהתענה לשם תענית, עבירה היא בידו, וצריך למיתב תענית ע"ז.

(**י"א** דבחול אם אירע לו חלום רע בצהרים, אין שייך בו תענית כלל אפי' לאיזה שעות, ודבריהם צ"ע).

ואם חלם לו בתחלת הלילה וננער, השל"ה החמיר שלא לטעום גם בלילה, והביאו המ"א, **והא"ר** צידד להתיר, שהתענית אינו מתחיל רק כשיאיר היום.

סעיף ה - י"א שאין להתענות ת"ח בשבת אלא על חלום שראהו תלת זימני.

וי"א שבזמן הזה אין להתענות תענית חלום בשבת, שאין אנו בקיאים בפתרון חלומות לידע איזה טוב ואיזה רע.

והעולם אומרים שנמצא בספרים קדמונים שעל שלשה חלומות מתענים בשבת,

ואלו הן: הרואה ס"ת שנשרף - וה"ה תפלין שיש בהן פרשיות שבתורה, **אבל** נביאים וכתובים משמע דלא, **ומש"כ** שנשרף, לאפוקי אם רואה שנפל מידו.

או יוה"כ בשעת נעילה.

או קורות ביתו (שנפלו) - ובמדרש רבה איתא, שפתרו לאשה שתלד זכר, וכן הות לה.

או שיניו שנפלו - ואם היה לו כאב שינים, לא יתענה, כמו שכתב הט"ז במהרהר.

(והנה לפי המבואר בגמרא, דבר הדיא פתר: דבנך ובנתך שכבן, מסתברא דמי שאין לו בנים ובנות אין להחמיר בו להתענות בשבת, וגם אולי פתר לרע מפני שלא נתן לו רבא מעות, כדמוכח שם).

ואף באלו הג', אין להתענות בשבת אא"כ התענית עונג לו, כגון שנפשו עגומה עליו, וכשיתענה ימצא נחת רוח, **לאפוקי** אם הוא אדם דלא קפיד בחלום רע, או שהתענית קשה עליו, ומצטער יותר בתעניתו ממה שמצטער בפחד החלום, אסור להתענות בשבת - ריב"ש, **ובשם** של"ה כתבו האחרונים, שאף באלו הג' היה רגיל על הרוב לפסוק שלא להתענות בשבת, אלא יתענה ב' ימים בחול, נגד יום השבת ויום ראשון שאחריו. [**נראה** שטעמו היה, דשמא אין נפשו עגומה עליו, אבל בודאי נפשו עגומה מודה].

וי"א הרואה יוה"כ אפילו שלא בשעת נעילה; וי"א הרואה שקורא בתורה; וי"א הרואה שנושא אשה.

והא דרואה שיניו שנפלו, דוקא שיניו, אבל הרואה לחייו שנשרו, חלום טוב הוא, דמתו היועצים עליו רעה.

ונ"ל שהחלומות שאמרו בפרק "הרואה" שהם רעים, גם עליהם מתענין בשבת - ופשוט דגם בזה דוקא אם נפשו עגומה עליו וכדלעיל.

ולא יתענה על חלומות שהם הפסד ממון, אלא דוקא על דברים שמחללין עליהם שבת.

וצריך האדם לדקדק, שהרבה דברים הולכים אחר השם בלשון, כגון "שונרא" "שינרא", ע"ש בגמרא.

סעיף ו - המתענה בשבת, אומר "עננו" אחר סיום תפלתו - היינו קודם "יהיו לרצון", **בלא חתימה, וכוללו ב"אלהי נצור".**

הגה: ויאמר אחר תפלתו "רבון העולמים גלוי" וכו' כמו בחול - כתבו האחרונים, דמותר לומר בשבת "אלהי עד שלא נוצרתי וכו', יהי רצון" וכו', **דאינו** אסור שאלת צרכיו אלא כשמבקש על חולי או פרנסה ודומה לו, שיש צער לפניו, **אבל** חרטת עונות טוב לומר בכל יום, כיון שאינו בלשון וידוי, [**ובענינו** אפי' היה בלשון וידוי ג"ב שרי, וכנ"ל בס"ד].

סעיף ז - אם הקדימה לאכול הוא עונג לו, כגון שנתעכלה סעודת הלילה, יקדים; ואם האיחור עונג לו, כגון שעדיין לא נתעכלה, יאחר. הגה: וכן מי שיש לו סעודות כל יום כמו בשבת, ישנה בשבת - כדי שיהיה מינכר שהוא לכבוד שבת, **להקדים או לאחר** - פי' שעה מועטת, אבל לאחר הרבה אין נראה, שיהא רעב בשבת, (ומ"מ לא יקדים קודם שנתעכל לו המזון).

סעיף ח - אין מתענין על שום צרה מהצרות כלל - היינו אפי' על אותן שמבואר בסמוך שזועקין ומתחננין עליהן.

כשיש מאורע (בשבת) וצריך אדם לרחמים (מיד), מותר לבקש וליפול על פניו ביחיד, (אע"פ שאין שם סכנת היום, **שהרי** התירו אפילו להתענות על חלום אע"פ שאין שם סכנת היום, רק מפני שצריך להתענות בו ביום שחלם בו, **אבל** בצבור אסור לבקש רחמים על המאורע כל שאין שם סכנת היום – הגר"ז).

סעיף ט - אין צועקים ולא מתריעין בו על שום צרה, חוץ מצרת המזונות שצועקים עליה בפה בשבת, ולא בשופר. וכן עיר שהקיפוה אנסין או נהר, וספינה המטורפת בים, ואפילו על יחיד הנרדף מפני אנסין או לסטים או רוח רעה - שנכנס בו רוח שד, ורץ והולך, שמא יטבע בנהר או יפול וימות, **או** שהוא חולה ממיני החלאים, **זועקין ומתחננין בתפלות בשבת; אבל אין תוקעין, אא"כ תוקעין לקבץ העם לעזור לאחיהם ולהצילם. (וע"ל סי' תקע"ו סי"ג).**

סעיף י - נרדף מפני רוח רעה שאמרו, לאו דוקא, דה"ה לכל חולה שיש בו סכנת היום, זועקים ומתחננין; וכן נהגו לומר: מצלאים בשבת על חולים המסוכנים סכנת היום. הגה: וכן מותר לברך החולה המסוכן בו ביום - אבל מי שאינו מסוכן לא, **וכשעושין** "מי שבירך" לחולה שאין בו סכנה, אומר: שבת היא מלזעוק ורפואה קרובה לבוא, **ולברך** המקשה לילד, בודאי מותר, דהא בכלל מסוכנת היא, **וכן** היולדת בתוך שבוע ראשון, ג"כ נראה דלכו"ע אין להחמיר.

§ סימן רפט – סדר סעודת שחרית של שבת §

סעיף א- יהיה שלחנו ערוך ומטה מוצעת יפה - היינו מע"ש, **או** כדי שיישן בה בשבת, או שהוא בחדר שדר שם, ואיכא בזיון אם לא יציע המטות, (יש להציע גם בשבת – שונה הלכות), **אבל** בלא"ה אסור.

ומפה פרוסה כמו בסעודת הלילה, ויברך על היין בפה"ג - יש נוהגין לפתוח מתחלה פסוק "ושמרו בני ישראל" וגו', או "זכור את יום השבת" עד "ויקדשהו", **ויש** מההמון שפותחין מ"על כן ברך" וגו', ושלא כדין הוא, דכל פסוקא דלא פסקיה משה אנן לא פסקינן.

והוא נקרא קידושא רבא - ונקרא בלשון זה, שהוא כמו שקורין סגי נהור, מפני שזה הקידוש אינו כלל דאורייתא, רק שתקנוהו לכבוד שבת, ואסמכוהו אקרא כדאיתא בגמרא.

ואחר כך יטול ידיו, (וע"ל סי' רע"א סעיף י"ב בהג"ה) - היינו דשם מבואר בהג"ה, דנוטלים לידים קודם קידוש, **ועיין** שם במ"ב, דכמה אחרונים כתבו שם, דטוב יותר לנהוג כדעת המחבר.

ויבצע על לחם משנה כמו בלילה ויסעוד - כתב ברוקח, אחר שאכלו כל צרכן, יש מזמרים זמירות ושבח להקב"ה, **וטוב** ללמוד תורה במקצת קודם אכילה.

וגם זה הקידוש צריך שיהיה במקום סעודה, ושלא יטעום קודם לו כלום, כמו בקידוש הלילה - וגם הנשים שייכים בענין זה, דכל מילי דשבת איש ואשה שוין.

ומיהו לשתות מים בבוקר קודם תפלה מותר, מפני שעדיין לא חל עליו חובת קידוש - דקידוש אין שייך אלא בזמן הסעודה, **ומשום** קודם התפלה, לא שייך במים, וכדלעיל בסימן פ"ט.

(ומי שהותר לו לאכול ולשתות קודם תפלה, כגון שהוא לרפואה, וכדלעיל סימן פ"ט ס"ג, פשוט דצריך לקדש מתחלה).

הגה: וע"ל כל דיני קידוש סי' רע"א ער"ב רע"ג.

סעיף ב- במקום שאין יין מצוי, הוי שכר ושאר משקין, חוץ מן המים, חמר מדינה ומקדשין עליו - משמע דבמקום שהוא מצוי, אין לקדש על השכר ושאר משקין, **ועיין** לעיל בסי' רע"ב במ"ב מה שכתבנו שם, דנוהגין להקל בזה בשחרית במדינותינו, **ומ"מ** מצוה מן המובחר על היין הוא, **ולענין** יין שרף ע"ש.

ומשקה שאינו חמר מדינה, הסכימו הרבה אחרונים דאין מקדשין אפילו בשחרית, דדומיא דקידוש הלילה תקנוה, [**ורק** דלענין עיקר הקידוש שנוכל לקדש על חמר מדינא, הקילו בשחרית, ומשא"כ בלילה].

ופרטי הדין של חמר מדינה מבואר לקמן בסימן רצ"ו במ"ב לענין הבדלה, וה"ה כאן.

ואם אין לו שכר ושאר משקין, אוכל בלא קידוש - פי' כשיש לו פת, ואפילו חתיכת פת ולא פת שלם, אומר "המוציא" על הפת, **ואסור** לאכול דבר אחר קודם לכן, לדעת קצת פוסקים, **ואם** אין לו גם פת, אוכל בלא קידוש, ואין לו לבטל מצות עונג שבת בשביל זה, (**ומ"מ אם הביאו לו משקה באמצע סעודתו, יקדש עליו**).

ובלילה אם אין לו חתיכת פת ויין ושאר משקין לקדש עליו, ויש לו תבשיל ופירות וכיוצא בו, **י"א** דאם מצפה שיביאו לו איזה דבר לקדש עליו, ימתין איזה שעות, ועכ"פ א"צ להמתין יותר מחצות, **ואם** הוא אדם חלש, א"צ להמתין, ויאכל מה שיש לו בלא קידוש, ויסמוך על מה שהזכיר קדושת היום בתפלה, **ולכשיביאו** לו אח"כ בלילה פת או יין, אומר עליו כל נוסח הקידוש, ויסעוד כזית עכ"פ.

§ סימן רצ – בשבת ישלים מאה ברכות בפירות §

סעיף א - ירבה בפירות ומגדים ומיני ריח, כדי להשלים מנין מאה ברכות - וגם בליל שבת קודש טוב שישלים בם המאה ברכות.

כי בכל יום מברך אדם מאה ברכות, ועתה שנחסר לו כמה ברכות, שבתפלת שבת יש רק ז' ברכות, וע"כ ישתדל להשלימם.

הגה: ואם רגיל בשינת צהרים, אל יבטלנו, כי עונג הוא לו - ומ"מ לא ירבה בו יותר מדאי, שלא יביאנו לידי ביטול תורה, **שאפילו** ת"ח שלומדים כל השבוע, שמצוה שיתענגו ביותר וכדלקמיה בהג"ה, אין הפירוש שיבלו כל היום בתענוגים, רק ימשכו יותר בתענוג משאר בני אדם.

אבל לא יאמר: נלך ונישן כדי שנוכל לעשות מלאכתנו במו"ש, שמראה בזה שנח וישן בשביל ימות החול.

כתבו הספרים בשם הזוהר, שמצוה על האדם לחדש חידושי תורה בשבת, ומי שאינו בר הכי לחדש, ילמוד דברים שלא למד עד הנה.

סעיף ב - אחר סעודת שחרית קובעים מדרש לקרות בנביאים ולדרוש בדברי אגדה -
דאיתא במדרש: אמרה תורה לפני הקב"ה: רבש"ע כשיכנסו ישראל לארץ, זה רץ לכרמו וזה רץ לשדהו, אני מה תהא עלי, אמר לה: יש לי זוג שאני מזווג לך ושבת שמו, שהם בטלים ממלאכתם ויכולים לעסוק בך.

והעיקר יהיה אז ללמד לרבים את חקי האלהים ואת תורותיו, להורות הלכות שבת והאסור והמותר, **גם** להמשיך לב השומעים באגדה המדריכים את האדם ליראת שמים, **וכדאיתא** בילקוט ר"פ ויקהל: אמר הקב"ה למשה, עשה לך קהלות גדולות ודרוש לפניהם ברבים הלכות שבת וכו', להורות לישראל איסור והיתר וכו', **ולא** כמו שנוהגין עכשיו.

אין להמשיך הדרשה, שיבטל עי"ז סעודה שלישית.

ואסור לקבוע סעודה באותה שעה - בגמרא איתא: בתלת מילי נחתי בעלי בתים מנכסייהו, וחד מנייהו, דקבעי סעודתא בשבתא בעידן בי מדרשא, **והענין** כדאיתא בירושלמי: לא ניתנו שבתות ויו"ט לישראל אלא כדי לעסוק בהם בתורה, מפני שכל ימות החול הם טרודים במלאכתם, ואין להם פנאי לעסוק בה בקביעות, ובשבת הם פנוים ממלאכה ויכולים לעסוק בה כראוי, **לפיכך** אסור לו לפנות עצמו מדברי תורה ולקבוע סעודתו בשעה שדורשין בבהמ"ד דברי תורה ברבים, אלא יקדים אותה או יאחר אותה, **וזהו** תוכחת מגולה לאותן האנשים שמטיילין בעת ההיא בשוקים וברחובות, כי אפילו סעודת שבת שהיא מצוה, אסור אז מפני בטול תורה, וכ"ש לטייל ולהרבות אז בשיחה בטלה שאסור.

ולאכול בלי קביעות סעודה כמו שרגיל בימות השבוע, נראה שמותר, וכנ"ל בסי' רמ"ט ס"ב לענין ע"ש.

והנה כיון שהטעם שאסרו חז"ל קביעות סעודה אז, הוא מפני שיתבטל עי"ז מתורה וכנ"ל, **ממילא** נשמע דמכ"ש שצריך ליזהר שלא יגרום עי"ז ביטול תלמוד תורה דרבים, כגון מה שמצוי בעו"ה לאיזה אנשים, שמזרזין להעולם בשבת בקיץ, אף שעוד היום גדול, להתפלל מנחה ולקיים הסעודה ג', וגורמים שכל אנשי בהמ"ד יפסיקו מלמודם, **וכבר** אחז"ל: אמר ר' יוסי יהא חלקי ממושיבי בהמ"ד ולא ממעמידי בהמ"ד, [ממונים לעת האוכל לומר הגיע עת לעמוד ולאכול], **אם** לא שלא ישאר זמן להתפלל מנחה ולקיים הסעודה שלשית ביום כדין, אז בודאי נכון לזרז לזה.

הגה: ופועלים ובעלי בתים שאינן עוסקים בתורה כל ימי שבוע, יעסקו יותר בתורה בשבת מת"ח העוסקים בתורה כל ימי השבוע; והת"ח ימשיכו יותר בעונג אכילה ושתייה קצת, דהרי הם מתענגים בלמודם כל ימי השבוע.

§ סימן רצא - דין שלש סעודות §

סעיף א - יהא זהיר מאד לקיים סעודה שלישית - וכדאיתא בגמרא: חייב אדם לאכול ג' סעודות בשבת, ואסמכוהו אקרא, דכתיב: ויאמר משה אכלוהו היום, כי שבת היום לה', היום לא תמצאוהו בשדה, ותלתא "היום" כתוב בקרא זה, **ואחז"ל**: כל המקיים שלש סעודות בשבת, ניצול משלש פורעניות: מחבלו של משיח, ומדינה של גיהנם, וממלחמת גוג ומגוג, שנאמר וגו'.

ואף לעני העובר ממקום למקום, צריך ליתן לו כל הג' סעודות בשבת, וכדאיתא ביו"ד בסי' ר"נ, **ועיין** לעיל בסימן רמ"ב במ"ב, דאף בשביל סעודה שלישית, כשמשיג באיזה מקום ללוות, צריך ללוות.

ואף אם הוא שבע, יכול לקיים אותה בכביצה - לאו דוקא, אלא מעט יותר מכביצה, דכביצה מקרי עדיין אכילת עראי, כמ"ש סוף סימן רל"ב, ולא חשיב סעודה - מ"א, **וי"א** שאפילו בכזית יוצא ידי הסעודה, (וכן בכל סעודות שבת), **ונכון** להחמיר לכתחלה אם אפשר לו.

ואם א"א לו כלל לאכול, אינו חייב לצער את עצמו - דהסעודה לעונג ניתנה ולא לצער.

והחכם עיניו בראשו, שלא ימלא בטנו בסעודת הבוקר, כדי ליתן מקום לסעודה שלישית - דאל"כ לפעמים היא אכילה גסה ואינה חשובה אכילה.

הגה: ומי שלא אכל בליל שבת, יאכל שלש סעודות ביום השבת - וג"כ צריך לקדש בשחרית כל הקידוש של לילה מלבד "ויכלו", אם לא קידש בערבית, וכנ"ל בסימן רע"א ס"ח.

ואם שכח "רצה" בבהמ"ז בסעודה שניה, מצדדים האחרונים שלא לחזור ולברך. (ועיין לעיל סי' קפ"ח ס"ז, דפסק שמחוייב לחזור, וצ"ע).

והוא הדין ביו"ט, מי שלא אכל בליל יו"ט, צריך לאכול שתי סעודות למחר ביום, דביו"ט החיוב הוא שתי סעודות, אחת בלילה ואחת ביום, **והוא** הדין שיאמר בשחרית כל הקידוש של יום טוב של לילה, אם לא קידש בלילה.

סעיף ב - זמנה, משיגיע זמן המנחה, דהיינו מו' שעות ומחצה ולמעלה, ואם עשאה קודם לכן, לא קיים מצות סעודה שלישית - ואם התחיל לאכול הסעודה שלישית קודם חצות, ונמשכה הסעודה עד אחר שהגיע זמן מנחה גדולה, יצא, דהא עכ"פ אכלה בזמנה, ולא אזלינן בזה בתר התחלה.

הגה: וי"א דאסור לשתות מים בין מנחה למעריב בשבת, דאז חוזרים הנשמות לגיהנם - ר"ל דאז קרוב לזמן החזרה לגיהנם, ואיתא במדרש: כל השותה מים בשבת בין השמשות, כאלו גוזל קרוביו המתים, ועיין במרדכי פ' ע"פ באורו, (וז"ל: מפני שהם שותים כשהם רוצים לחזור לדינן).

(**ואסור** אפילו לא השלים עדיין הסעודה שלישית שלו, אם כבר שקעה החמה).

וע"כ אין לאכול סעודה שלישית בין מנחה למעריב - דפן יבוא גם לשתות, **אלא יאכל אותה קודם מנחה.**

וי"א דיותר טוב להתפלל מנחה תחלה, וכן נוהגים לכתחלה בכל מדינות אלו - דאסור לאכול עד שיתפלל, **והדעה** הראשונה ס"ל, דסעודה קטנה שרי, כמ"ש בסימן רל"ב.

ובמקום שקשה לו לקיים הסעודה לאחר מנחה, יוכל אפילו לכתחלה לקיים הסעודה קודם מנחה, אם הוא קודם זמן מנחה קטנה, [**דהא** אנן פסקינן לעיל ברל"ב, דסעודה קטנה שרי אפי' סמוך למנחה קטנה].

ומ"מ אין לשתות מים מן הנהרות - ס"ל לדעה זו, דמה דאיתא במדרש הנ"ל: דאין לשתות מים בין השמשות, היינו דוקא בשותה מן הנהרות, **אבל בבית שרי, וכ"ש שאר משקין דשרי.**

וי"א אומרים דאין אסור אלא תוך י"ב חודש על אביו ואמו.

מחבר **רמ"א** משנה ברורה

וי"א דאיסור זה של שתיית מים אינו רק בע"ש - שמפרשים מה דאיתא במדרש הנ"ל "בשבת בין השמשות", היינו בין השמשות של ליל שבת.

סעיף ג - אם נמשכה סעודת הבוקר עד שהגיע זמן המנחה, יפסיק הסעודה ויברך ברכת המזון - וכתבו האחרונים, שאח"כ יקום וילך מעט בינתים, **והנשארים** במקומן לא יצאו ידי חובתן, דהוי כסעודה אחת.

ויטול ידיו ויברך ברכת "המוציא" ויסעוד; ונכון הדבר, שאם לא היה עושה כן, מאחר שנמשכה סעודת הבוקר עד אותה שעה, לא היה יכול לאכול אח"כ אלא אכילה גסה - כי כל זמן האכילה האיצטומכא פתוחה, משא"כ אחר הסעודה, **ולא** חיישינן שגורם ברכה שא"צ, כיון שמוכרח לעשות כן משום סעודה ג' שתהיה כדין, **וזהו** מה שמסיק רמ"א: אבל מי שיודע וכו', כדי לצאת מחשש ברכה שא"צ.

וכתב הב"י, דלא ידרוש ברבים לעשות כן להפסיק סעודתן, כיון שקודם חצות אין רשאין להפסיק, אין הכל בקיאין בזה.

הגה: אבל מי שיודע שאפשר לאכול אחר שיתפלל מנחה עם הצבור - היינו שמשער בנפשו שלא תהיה אז אכילתו אכילה גסה, **לא יעשה סעודה שלישית קודם מנחה** – (ר"ל שלא יחלק סעודת שחרית לשתים, משום חשש ברכה שא"צ, וממילא תדחה עד אחר המנחה, וכמו שכתב הרמ"א בס"ב בהג"ה, דיותר טוב להתפלל מנחה תחלה), **מיהו אם עשה, יצא.**

ואפילו אם חל יו"ט במו"ש, שאי אפשר לו לאכול סעודה שלישית בסוף היום כנהוג, שהרי ראוי לו להמנע מלקבוע אז סעודה בעיו"ט כמו בע"ש, **מ"מ** אם יודע שיוכל אז לאכול עכ"פ כשיעור ביצה ויותר, וכנ"ל בס"א, (ואפי' אחר שעה עשירית), לא יחלק סעודת שחרית לשתים, דהא י"א דאסור לעשות כן משום ברכה שאינה צריכה. ‹והיינו דעת התוס', אבל לדעת הרא"ש, וכן פסק בשו"ע כאן, דלא חשיב כה"ג לברכה שא"צ, וכתב הטעם וז"ל, כיון שעושה לכבוד שבת, אין כאן משום מרבה בברכות שלא לצורך, עכ"ל, מ"מ היכא דאפשר לצאת גם לדעת התוס' עדיף – מחה"ש›.

כתב מ"א בשם ס"ח, מי שיש לו מזון ב' סעודות מצומצמות, ואם יחלקם לג' סעודות לא יהיה לו כל סעודה לשבעה, מוטב שיאכל ב' סעודות לשבעה, **ומ"מ** אם נמשכה סעודת הבקר עד אחר חצות, יחלקנה לשנים וכמ"ש בסעיף זה, דהא מ"מ ישבע כשאוכל שנית, **אבל** לכתחלה אין להמתין עד אחר חצות משום זה, דמבטל במקצת עונג שבת.

[**אבל** לא יחלק הסעודה לשנים קודם חצות, כדי לצאת עכ"פ דעת איזה פוסקים דס"ל, דאף בזה מקיים סעודה ג', **דהוא** חומרא דאתי לידי קולא, דלפסק השו"ע דאינו יוצא קודם חצות, ממילא היא ברכה שא"צ]. ‹**והגם** דלענין ערב פסח שחל בשבת, כתב המ"ב בסי' תמ"ד ס"א, דטוב לחלק את סעודת השבת לשתים›.

סעיף ד - א"צ לקדש בסעודה שלישית - דהיינו לברך על היין קודם הסעודה, דאיתקש יום ללילה לענין קידוש, מה לילה סגי בחד זימנא, אף ביום כשתקנו חכמים לקדש, סגי נמי בחד זימנא בבוקר, [**ונ"ל** פשוט, דאם לא היה לו כוס בבקר, צריך להדר לקדש קודם הסעודה בסעודה שלישית, דומיא דקידוש של לילה, דאם לא קידש, צריך לקדש כל היום כולו].

אבל צריך לבצוע על שתי ככרות - דכל הסעודות שאדם סועד ביום השבת שוות.

הגה: ואם סועד הרבה פעמים בשבת, צריך לכל סעודה ב' ככרות; ולפחות לא יהיה לו בסעודה שלישית פחות מככר א' שלם - דביום ששי ירד המן לכל אחד שני עמרים, ומכל עומר עשו ב' ככרות, הרי ד' לב' עמרים, אכל א' בע"ש וא' בליל שבת וא' בבוקר, הרי נשאר לו רק אחד שלם לסעודה ג'.

שלם - ואם אין לו, די בפרוסה שהיא כביצה, וכנ"ל בס"א, ‹וע"ש דהוא לאו דוקא, אלא כביצה ועוד›, **דאע"ג** דמצות לחם משנה אין לו, מצות סעודה מיהא קיים.

(**ואם יש לו שלם וגם פרוסה, פשוט דיבצע סעודה זו על** הככר השלם, והפרוסה יניח על סעודת מלוה מלכה, דסעודה זו חשיבא הרבה יותר מסעודת מלוה מלכה, אף שגם היא מצוה, **ויש אנשים שחושבין להיפך וטועין בזה**).

ומזה פשט המנהג להקל לבצוע בסעודה שלישית רק בככר א' שלם, אבל יש להחמיר ליקח שנים

- וכן ראוי לנהוג לכתחלה, כי הסברא הראשונה היא העיקר, [**וכתב** הפמ"ג שכן המנהג היום].

ואם אין לו לחם משנה לכל אחד מהמסובין, נכון לנהוג שזה שבוצע יכוין לפטור בברכת "המוציא" כל המסובין, **וגם** יאמר להמסובין שיכוונו שיצאו בברכתו, כדי שכולם יצאו בלחם משנה.

וטוב להדר לברך על היין תוך הסעודה, [לצאת בזה דעת הרמב"ם שסובר כן], ‹שגם סעודה שלישית יש לקבוע על היין, כעין שאר סעודות דשבת›.

סעיף ה - צריך לעשותה בפת - כיון דילפינן ג' סעודות מג' פעמים "היום" דכתיבי גבי מן, צריך לעשותה בפת, **וגם** מצוה לכתחלה להרבות במעדנים כפי יכלתו.

וי"א שיכול לעשותה בכל מאכל העשוי מאחד מה' מיני דגן - שמברכין עליהם "בורא מיני מזונות", **וטעם** דעה זו, כיון דאין דרך לאכול סעודה ג' לתיאבון, סגי בהכי, **וזהו** ג"כ טעם שאר הדעות שמקילין בזה

וי"א שיכול לעשותה בדברים שמלפתים בהם הפת, כבשר ודגים, אבל לא בפירות; וי"א דאפילו בפירות יכול לעשותה - ולכו"ע למצוה מן המובחר בפת ושני ככרות, וכנ"ל בס"ד, אלא דפליגי לענין דיעבד אם יצא בזה.

וסברא ראשונה עיקר, שצריך לעשותה בפת, אא"כ הוא שבע ביותר. הגה: או במקום שא"א לו לאכול פת, כגון בערב פסח שחל להיות בשבת, שאסור לו לאכול פת לאחר מנחה, כדלקמן בהלכות פסח - ע"כ יקיים אותה במיני טיגון שעושין ממצה כתושה, או בבשר ודגים או פירות.

סעיף ו - נשים חייבות בסעודה שלישית - דלכל מילי דשבת איש ואשה שוין, **ועוד** שגם הם היו בנס של המן, ועל כולם אמר "אכלוהו היום", דמזה נלמד חיוב ג' סעודות בשבת.

(וגם חייבות במצות לחם משנה).

§ סימן רצב - דין תפלת מנחה בשבת §

סעיף א - במנחה (אומרים "אשרי" "ובא לציון") - אמירת "ובא לציון" במנחה הוא במקום סדר קדושה דחול, ובשבת שמאריכין הרבה בשחרית ומוסף, הניחוה עד מנחה.

("ואני תפלתי" וגו') - הוא על פי המדרש, שאמר דוד לפני הקב"ה: רבש"ע אין אומה זו כעו"ג, ששותין ומשתכרים ופוחזים, ואנו לא כן, אע"פ שאכלנו ושתינו, ואני תפלתי וגו', **אבל** במנחה של יו"ט א"א אותו, כיון דאין קורין בתורה, שהוא עת רצון עי"ז, **ומיהו** בשבת נהגו לאמרו אף במקום שאין ס"ת, וכן אפילו ביחיד.

ומפסיקין בקדיש קודם "ואני תפלתי".

מוציאין ס"ת וקורין ג' אנשים י' פסוקים מפרשה הבאה - הוא מתקנת עזרא כדאיתא בגמרא.

במנחה א"א קדיש על הבימה לעולם, היינו בין בשבת בין בתענית, רק לפני העמוד קודם תפלת י"ח, וקאי נמי אס"ת, **דאי** יאמרו מיד על הבימה, א"כ לפני העמוד לא יאמרו קדיש, כי אין במה להפסיק בין הקדישים, "יהללו" פסוק אחד לא הוי הפסק, ואף שאומרים מזמור "לה' הארץ", אין זה מעיקר הדין, ולעולם ראוי להסמיך הקדיש לתפלת י"ח, משא"כ בשחרית יש הפסק באמירת "אשרי" בינתים, **ולפי"ז** כשאין ס"ת בשבת במנחה, לא יאמרו רק פעם אחד קדיש אחר "אשרי ובא לציון", **ופסוק** "ואני תפלתי" יאמרו אז קודם הקדיש, כדי שלא יהא הפסק בין קדיש להתפלה.

ואפילו חל יום טוב להיות בשבת, קורין בפרשה הבאה ולא בשל יו"ט - דהא הקריאה איננה בשביל יו"ט, דהא במנחה ביו"ט אין קורין.

סעיף ב - אומרים: "צדקתך" - דמתו בו יוסף משה ודוד, **ולכן** נהגו שלא לקבוע אז מדרש, כי חכם שמת כל המדרשות בטלים, **וב"ח** האריך להוכיח שלא מת משה בשבת, רק בע"ש, ולא נגנז עד שבת במנחה, בשעתא דעת רצון, וכמ"ש בזוהר, ואנו אומרים

צדוק הדין עליו בזמן שנגנז, וי"מ דאומרים "צדקתך" להצדיק הדין על הרשעים שחוזרין לגיהנם במו"ש.

ואם חל בו יום שאילו היה חול לא היו אומרים בו במנחה נפילת אפים, אין אומרים "צדקתך" - פי' בין שיום השבת הוא ר"ח, בין שיום א' שאחריו הוא ר"ח, וא"כ אלו היה חול לא היו אומרים במנחה נפילת אפים, שכבר חל במקצת יום שלאחריו, ולכן גם עתה אין אומרים "צדקתך".

הגה: ונהגו שלא לקבוע מדרש בין מנחה למעריב - היינו כשהוא סמוך לחשיכה, ולכן המנהג לדרוש קודם מנחה, ואם נמשכה הדרשה עד סמוך לחשיכה, אזי לא יאמרו "פרקים" או "שיר המעלות", כדי שיוכלו לקיים סעודה ג' בזמנה.

ואינו איסור, אלא מנהג לזכרון בעלמא, והטעם כנ"ל, ודוקא שלא ללמוד בחבורתא, אבל שנים שנים לומדים בבתיהם, כמ"ש ביו"ד סימן שד"מ סי"ח לענין נשיא שמת.

ובא"ר איתא בשם מלבושי יו"ט, שראה לרבו מהר"ל מפראג כמה פעמים, שדרש בין מנחה למעריב, וע"כ נראה דבזמנינו אין למנוע זה, כידוע שמצוי בעו"ה באיזה מקומות שעוסקין אז כמה אנשים בבהמ"ד בשיחה בטלה, ובודאי טוב יותר לשמוע אז דברי מוסר, כדי שלא יבואו לזה.

אבל אומרים "פרקי אבות" בקיץ, ו"שיר המעלות" בחורף, וכל מקום לפי מנהגו - [וכתב הגר"א, שלכן נהגו לומר "פרקי אבות" בקיץ, אף דהוא ג"כ בכלל מדרש, לפי שבקיץ מתפללין בעוד יום גדול, והוא עדיין זמן בית המדרש, ונראה דהוא נתן טעם רק על המנהג, אבל הרמ"א בעצמו משמע מלשונו טעם אחר לזה, ואפשר משום דאין שונין אותו כדרך שאר לימוד, רק באמירה בעלמא].

§ סימן רצג - דיני ערבית במוצאי שבת §

סעיף א - מאחרין תפלת ערבית, כדי להוסיף מחול על הקודש - היינו אף דמן הדין סגי במה שיתעכב מלעשות מלאכה עד הזמן המבואר בס"ב, מ"מ לכתחלה ראוי ונכון וכן מנהג כל ישראל, לאחר את התפלה, כדי שיתוסף יותר מחול על הקודש.

המנהג לזמר קודם מעריב המזמור "אלהים יחננו" ועוד מזמורים כנזכר בסידורים, ואם יחול ט' באב במוצאי שבת, אין מזמרין, דאז אין זמן חנינה, וכן כשיחול יו"ט במו"ש, ג"כ אין המנהג לזמר, כתב הפמ"ג דאפשר משום דאין אומרים תחנה בשבת ויו"ט, משא"כ בכל שבת יוכל לאמרו משחשכה קודם מעריב, ועיין לעיל בסימן מ"ט בשם חות יאיר, דתהילים מותר המורגל בו לומר בעל פה, ומה טוב ויפה המנהג הזה, א', כדי ללוות שבת שנקראת "כלה מלכתא" בשירות ותשבחות, וכדאיתא במדרש, ועוד, כי ע"ז נתאחר המעריב ונתוסף מחול על הקודש, וגם כדי שלא יבואו לדבר בדברים בטלים, אח"כ מצאתי בכנסת הגדולה כעין מה שכתבתי.

סעיף ב - צריך ליזהר מלעשות מלאכה עד שיראו ג' כוכבים קטנים - וקודם לכן אסור משום ספק יום, ומדינא סגי בג' כוכבים בינונים, אלא שאין אנו בקיאין בזה, ושמא הן גדולים הנראין ביום, לכן אנו מצריכין קטנים.

עיין לקוטי פר"ח על יו"ד שכתב, דאם הרקיע מזהיר כעין אורה של יום, תו לא נחשב אותו הזמן רק בה"ש, והביאו הגאון רע"א בחידושיו, ובבאור הגר"א כתב, דאם נסתלק האדמימות מן כל כפת הרקיע באותו צד ששקעה החמה, אין אנו חוששין במה שמזהיר.

(משמע בגמרא, דכל זמן שלא נסתלק האדמימות מן כל כפת הרקיע באותו צד ששקעה החמה, וזה מקרי בגמרא "הכסיף העליון ושוה לתחתון", אין לסמוך על הכוכבים, וכ"כ בבאור הגר"א, דלהבחין בכוכבים לבד צריך בקיאות רב, דשמא הן כוכבים הנראים ביום, ולכך היו האמוראים מסתכלים אם נסתלק האדמימות לגמרי, ואז מועיל הכוכבים, ואפילו על כוכבים קטנים אין לסמוך מקודם שהכסיף העליון ושוה לתחתון, ומה נקרא הכסיף, נ"ל דהוא כאשר נסתלק האדמימות מן אותו מקום, ונוטה ללובן, מלשון הכסיף פניו, דאף דרש"י פירש דהוא השחיר, נ"ל דלאו דוקא השחיר ממש, דזה נמשך זמן רב מאד, אלא כל שנסתלק האדמימות הוא בכלל השחיר, וכן

מוכח ברשב"א ומאירי, אח"כ מצאתי בעז"ה בערוך שפירש בהדיא, דהכסיף הוא מלשון לובן, ע"ש, וכן בבאור הגר"א משמע, דבמה שנשקע אורה מלהאדים, מקרי הכסיף, ומי שאינו בקי בענין הכסיף, או שהיה יום מעונן, ישער אם יש כדי ד' מילין מעת תחלת השקיעה).

ודע עוד, דבספר תפארת ישראל מצריך ג' קטנים לבד ג' בינונים, ולא ידעתי מקורו, **ואולי** דטעמו, שמא אנו טועין בדבר וגדולים הם, לכך אנו צריכין עוד כוכבים הגדולים מהם, ומזה אנו יודעין שעכ"פ הם אינם גדולים, **ולפי** מה שכתב בשע"ת בשם המטה יהודה והברכי יוסף, ע"ש, (שהבינונים בתחלת צאתם נראים קטנים, ואח"כ נראים לעינינו יותר גדולים, ואחרי גדלם יוצאים כוכבים אחרים קטנים, וקטנים דהכא, היינו שאחר הבינונים שעליהם), ניחא דברי התפארת ישראל בפשיטות, אולם שארי אחרונים לא הזכירו דבר זה, **ואפשר** דאם בשארי מקומות הרקיע מעונן, ולא יכול לראות עוד כוכבים, יש להקל לכו"ע, **ונ"ל** דלפי מה שכתב הגר"א, דבעינן שיסתלק האדמימות מן כל כפת הרקיע באותו צד ששקעה החמה, ואז מועיל הג' כוכבים, נראה דמועיל אז בג' כוכבים קטנים לבד, [**דהא** כששלים ביה"ש דר' יהודה, והיינו כשהכסיף העליון והשוה לתחתון, מתחיל תיכף ביה"ש דר' יוסי {לפי מה שכתב הגר"א, או עד כדי מ"ט אמה, הוא לערך חצי מינוט להשולחן ערוך} והיינו שני כוכבים בינונים, וכמעט תיכף יוצא הכוכב השלישי, וכדמוכח שם דהוא כהרף עין, וממילא אז אין להסתפק שמא גדולים הם].

(**עיין** לעיל בסי' רס"א בבה"ל, שבררנו דאף לשיטת הגר"א (דג' רבעי מיל אחר שקיה"ח הוא צה"כ), **יש** ליזהר בג' כוכבים, משום דבמדינותינו שנוטין לצד צפון, הבה"ש מאריך תמיד יותר, ואין לנו סימן אחר ללילה זולת הכוכבים, **וראיתי** אנשים המהדרין בחנוכה לצאת דעת הגר"א, להדליק הנרות בהקדם אחר שקיעה, שטועין בדבר ומזרזין עצמן גם במו"ש בעוד שלא חשך היום לגמרי, וסומכין עצמן על שיטת הגר"א דהבה"ש אינו ארוך כ"כ כידוע, **אבל** הוא טעות, דג' כוכבים צריך לכו"ע, ואין אנו בקיאין בבינונים וצריך קטנים וכמו שפסק בשו"ע, דזהו הסימן המובהק ללילה, וקודם לכן הוי ספק לילה).

ולא יהיו מפוזרים אלא רצופים - משום תוספת שבת, **וה"ה** כשרואה ג' כוכבים קטנים שאינם רצופים, וממתין מעט אחרי כן, מותר לעשות מלאכה, **דעיקר** טעם הרצופין משום תוספת, וכיון שהמתין מעט הרי הוסיף.

(קשה לי, דלפי מה דפסק המחבר בסי' רס"א כשיטת ר"ת, דמשקיעת החמה עד ג' כוכבים יש כשעור הילוך ד' מילין, א"כ אם אנו רואין כוכבים, ואנו יודעין שעדיין לא נשלם הזמן דד' מילין, ע"כ דאותן הכוכבים הם גדולים, א"כ אמאי לא התנה הכא המחבר, שיהא נשלם השעור דד' מילין מעת השקיעה, **ואפשר** לומר דס"ל, דמכיון שאנו רואין ג' כוכבים, תלינן דמסתמא נשלם השעור, אבל אם אנו יודעין שלא נשלם, אה"נ דצריך להמתין עד שיושלם, **שוב** מצאתי בס' מנחת כהן, **דאפי'** לר"ת, מכיון שאנו רואין סימן הכוכבים, שוב אין להקפיד על שלא נשלם השעור דד' מילין, ע"ש טעמו, (דכיון שנראים הכוכבים, אמרינן שמא טעה בחשבון הארבעה מיל, או שמא אין באותה מדינה בין השקיעה לצה"כ שיעור ד' מיל), **ונ"ל** דאפי' להמנחת כהן, עכ"פ נכון שיראה אז אם הכסיף העליון ושוה לתחתון, כיון שהוא בתוך ד' מילין, דמגמ' מוכח דהכוכבים שראוים לסמוך עליהם שהוא לילה, הם נראים דוקא אחר שהכסיף העליון ושוה לתחתון).

ואם הוא יום המעונן, ימתין עד שיצא הספק מלבו - מה שלא זכר השו"ע, שימתין השיעור ד' מילין מעת תחלת השקיעה, לפי מה שפסק לעיל בסימן רס"א ס"ב, **דאפשר** דמיירי דלא נודע לו גם זמן השקיעה משום הענן. **ואם** יש לו מורה שעות שהולך בטוב, ויודע בבירור שהיה אתמול בזה הזמן לילה על פי הדין, דהיינו ג' כוכבים קטנים, נראה דיוכל לסמוך ע"ז, וכ"כ בברכי יוסף דיוכל לסמוך על מורה שעות.

סעיף ג - מי שהוא אנוס, כגון שצריך להחשיך על התחום לדבר מצוה - היינו שהולך מביתו מבע"י עד סוף התחום, ויושב שם עד הערב, כדי שמיד שיחשך ילך לדבר מצוה הנחוץ לו, **ומיירי** ששם לא ימצא לו כוס להבדיל עליו, **יכול להתפלל של מו"ש מפלג המנחה ולמעלה** - ומ"מ ימתין מלקרות ק"ש עד צה"כ, (דדוקא עם הציבור ראוי להתפלל ולקרות עמהם, {סי' רלה ס"א}, הא יחיד טוב שיקרא ק"ש בלילה אחר צה"כ, פמ"ג),

ולהבדיל מיד; אבל לא יברך על הנר, וכן אסור בעשיית מלאכה, עד צאת הכוכבים.

(וכדי שלא יתפלל בדרך במהלך בלבד, אין לו להקדים להתפלל בביתו, משום דהרי ימתין לקרות ק"ש עד צה"כ, ולא יסמוך גאולה לתפלה, וכבר כתב מ"א, דהעולם סומכין עכשיו אמ"ד סמיכת גאולה לתפלה עדיף מתפלה מעומד).

ומ"מ כתבו האחרונים, דאין לעשות כן, דדבר תמוה הוא לרבים, גם שמא יבואו להקל במלאכה, **ובפרט** בימינו דנוהגין לעשות תמיד כרבנן שמתפללין מנחה עד הערב, בודאי מדינא אסור להקדים מעריב במו"ש, **ואף** דבע"ש יש שמקילין, היינו משום דמצוה להוסיף מחול על הקודש, משא"כ במו"ש.

הגה: ונוהגים לומר "והוא רחום" ו"ברכו" באריכות נועם, כדי להוסיף מחול על הקודש.

§ סימן רצד – דיני הבדלה בתפלה §

סעיף א - אומרים הבדלה ב"חונן הדעת" - ואפילו אם נזדמן שהבדיל על הכוס מקודם, מ"מ צריך להבדיל בתפלה ג"כ, **ואי** עיקר מצות הבדלה היא דאורייתא או דרבנן, עיין במה שנכתוב לקמן ריש סימן רצ"ו.

וקבעוה בברכה זו, מפני שאסור לתבוע צרכיו קודם הבדלה, [**ויש** עוד טעם, מפני שהיא ברכת חכמה, דהיינו להכיר בין קדש לחול, קבועה בברכת חכמה]. **מנהג** פשוט לומר "אתה חונן" וכו' עד "לאנוש בינה", ואח"כ "אתה חוננתנו" וכו', "וחננו מאתך" וכו', **ואם** התחיל מ"אתה חוננתנו" ואילך, יצא, [דהלא יש בה גם מענין הברכה].

ואם טעה ולא הבדיל, משלים תפלתו ואינו חוזר, מפני שצריך להבדיל על הכוס - היינו דלכתחלה מצוה להבדיל בין בתפלה ובין בכוס, והכא בדיעבד סומך עצמו על מה שיבדיל אח"כ על הכוס, **ומ"מ** אסור לעת עתה במלאכה עד שיבדיל בכוס, או שיאמר עכ"פ "המבדיל בין קודש לחול", וכמ"ש סוף סימן רצ"ט.

ואם טעם קודם שהבדיל על הכוס, צריך לחזור ולהבדיל בתפלה - ואע"ג דקי"ל בסימן רצ"ט ס"ה, דאם טעה ואכל קודם הבדלה, יכול להבדיל אח"כ, **מ"מ** כאן דטעה גם בתפלה, קנסינן ליה וצריך לחזור ולהתפלל ולהבדיל בתפלה.

(**אפשר** דדוקא אם לא הבדיל עדיין על הכוס, ובא לפנינו לשאול, אז הדין דיחזור ויבדיל בתפלה ואח"כ על הכוס, **אבל** אם עבר והבדיל על הכוס אחר שטעם, שוב אין צריך לחזור ולהבדיל בתפלה, כיון שמ"מ כבר יצא מצות הבדלה – פמ"ג, **ובדה"ח** סתם דאין חילוק בזה).

(עיין בא"ר ובחי' רע"א שהביאו בשם הרשב"א, דה"ה אם עשה מלאכה אז קודם הבדלה, והיינו בשלא אמר "המבדיל" מתחלה, דצריך לחזור ולהבדיל בתפלה, **ובספר** קובץ על הרמב"ם מפקפק בדין זה של הרשב"א למעשה, והביאו בפתחי תשובה, ע"ש, **והיינו** מפני שהרמב"ם לא הביא דין זה של הטוש"ע כלל, **ומשמע** דלא מפרש כן את מה שאמר הגמרא ד"טעה בזו ובזו" כמו שמפרשי הרשב"א והרא"ש ותר"י, **וכן** מפי' רש"י משמע דלא מפרש כן, וכן בספר אור זרוע פירש בו פירוש אחר, ע"ש, דהיינו שטעה בהבדלה גופא, **וע"כ** לענין מלאכה עכ"פ אין להחמיר בדיעבד לחזור ולהתפלל, מאחר שלא הוזכר בהדיא בתר"י והרא"ש, ויש לסמוך בזה על הרמב"ם).

(ה"ה ביו"ט שחל במו"ש, אם לא אמר "ותודיענו", אינו חוזר, מפני שמזכיר אח"כ הבדלה על הכוס של קידוש, **ואם** טעם אז אחר התפלה קודם שאמר הקידוש של יקנה"ז, ג"כ צריך לחזור לראש התפלה כמו במו"ש, **דכי** משום שאכל גם קודם קידוש איתגורי איתגור).

אם שכח להתפלל, מתפלל שחרית שתים, ואינו מזכיר "אתה חוננתנו" לא בראשונה ולא בשניה, **בד"א** כשכבר הבדיל מאתמול על הכוס, (שכבר יצא בעצם המצוה, אין כדאי להזכיר עתה בתפלה, דאולי לא נתקן השלמה לדבר שיכול לצאת בו מצד אחר), **אבל** אם לא הבדיל כלל, דיש עליו עדיין חיוב מצות הבדלה, יזכיר "אתה חוננתנו" בשחרית בתפלה שניה שהיא להשלמה, (דבתפלה ראשונה אין להזכיר כלל), ואח"כ צריך להבדיל ג"כ על הכוס, כדלקמן סי' רצ"ט ס"ו, (**והטעם** בזה, דהנה המעיין בהרדב"ז יראה, דהוא סובר דבכל גווני אינו צריך להזכיר "אתה חוננתנו" בשחרית, **והמ"א** סובר, דבכל גווני צריך להזכיר, והיינו בתפלה שניה שהיא להשלמה, וכמו שפירשו התו"ש והפמ"ג, **וע"כ** נלענ"ד להכריע כמש"כ).

סעיף ב - טעה ולא הבדיל בתפלה, ואין לו כוס בלילה, וסובר שאף למחר לא יהיה לו, צריך לחזור ולהתפלל - דאם מצפה שיהיה לו למחר, יוכל לסמוך ע"ז שיבדיל למחר על הכוס, וכדלקמן ברצ"ט ס"ו, וא"צ להחזיר התפלה.

(ואפילו לדעת הפוסקים לקמן ברצ"ט ס"ו, דזמנו בדיעבד עד סוף יום ג', הכא לא סמכינן ע"ז, דכולי האי איכא למיחש דלמא לא יהיה לו, ועיין בדה"ח שכתב, אפילו אם מצפה שיהיה לו כוס למחר בלילה, ג"כ אינו מועיל, ולכאורה הלא בס"ג סמכינן ע"ז, ואולי משום דשם א"א לו להקדים קודם, חשוב הכל כזמן מוצ"ש גופא, וכן משמע בבאור הגר"א).

צריך לחזור ולהתפלל - היינו כשעקר רגליו, או כשסיים תפלתו ואינו רגיל לומר תחנונים אחר תפלתו, דדינו ג"כ כעקר רגליו, חוזר לראש, **ואם** לא סיים עדיין תפלתו, חוזר לברכת "אתה חונן", **מיהו** אם נזכר קודם "שומע תפלה", לא יחזור, אלא יאמר "אתה חוננתנו" ב"שומע תפלה", דכשמבדילין בתפלה אומרים "אבינו מלכנו החל עלינו" וכו', דהוא בקשה, והוי מעין "שומע תפלה" דהוא כולל כל הבקשות, **מיהו** אם יש לו כוס, יסמוך על הכוס ולא יאמרנה ב"שומע תפלה", כיון דעיקרה הוא שבח, ולא שייך כ"כ ל"שומע תפלה".

סעיף ג - תשעה באב שחל להיות באחד בשבת, טעה ולא הבדיל בתפלה, א"צ לחזור ולהתפלל, כיון שמבדיל על הכוס במוצאי תשעה באב.

סעיף ד - במקום שאמרו שאינו חוזר להתפלל, מיד כשסיים הברכה - היינו שהזכיר השם של סיום הברכה, דבזה מקרי כאלו כבר סיים, **אין לו לחזור, אע"פ שלא פתח בברכה שלאחריה.**

סעיף ה - במקום שאמרו שאינו חוזר, אם רצה להחמיר על עצמו, אם סיים תפלתו רשאי - בתורת נדבה, **ועיין** לעיל בסוף סימן ק"ז, דאין להתפלל נדבה אלא מי שמכיר עצמו זריז וזהיר ושיכוין.

אבל אם עדיין לא סיים תפלתו, אינו רשאי לחזור - כיון דאינו צריך לחזור, הוי הפסק.

§ סימן רצה – הבדלה שעושה ש"ץ §

הגה: ואומרים: "ויהי נועם" - ופסוק "ויהי נועם" צריך לאומרו מעומד. **ויש** מקומות שאין אומרים "ויהי נועם" בבית האבל, רק מתחילין "יושב בסתר" וגו'. **ונוהגין** לכפול פסוק "ארך ימים".

וסדר קדושה - היינו שמתחילין מ"ואתה קדוש", ואין אומרים "ובא לציון גואל", לפי שאין גאולה בלילה, **ולכן** גם "ואני זאת בריתי" אין אומרים, לפי שסמוכים הם להדדי בספר ישעיה, **באריכות** - היינו בנעימות קול, כדי שיתארך מעט יותר, **כדי לאחר סדר קדושה** - לעכב לרשעים מלחזור לגיהנם, **שאז חוזרים רשעים לגיהנם** - דעד שישלימו ישראל סדריהם נמשכת קדושת שבת, ואח"כ חוזרים לגיהנם, **וכמו** שאחז"ל, דבמו"ש צועק הממונה על הרוחות: חזרו לגיהנם שכבר השלימו ישראל את סדריהם.

ובזמן שאין אומרים "ויהי נועם", כגון שחל יו"ט בשבוע - היינו אפילו חל ביום ו"ו, דבעינן שכל השבוע יהיה ראוי למלאכה, משום דכתיב בו "ומעשה ידינו כוננה עלינו" וגו', **ודוקא** יו"ט גמור, אבל פורים או ערב פסח שחל בימי החול, אין למנוע מלומר "ויהי נועם" במו"ש שלפניו, **אין אומרים סדר קדושה** - ד"ויהי נועם" שייך למלאכת המשכן, שבו ברך משה לישראל בשעה שסיימו מלאכת המשכן, ועי"ז שרתה שכינה, וזהו שמסמיכין פסוק "ואתה קדוש יושב תהלות ישראל", **ולכך** בזמן שאין אומרין "ויהי נועם", אין אומרים ממילא כל סדר קדושה.

אבל אומרים: "ויתן לך" - שהם פסוקים של ברכה בתחלת ימי השבוע.

(**ואח"כ** מבדילין, ובמנהגים משמע דמבדילין קודם "ויתן לך", וכן הוא בכלבו, והמנהג כהיום דמאחרין הבדלה).

סעיף א - מבדיל ש"צ כדי להוציא מי שאין לו יין - דמי שיש לו יין, יותר טוב שיבדיל בביתו כדי להוציא את כל בני ביתו, ועמ"ש ברצ"ו ס"ז במ"ב.

הגה: ונהגו לומר ולהזכיר אליהו הנביא במו"ש, להתפלל שיבא ויבשרנו הגאולה - דאיתא בעירובין: מובטח להן לישראל שאין אליהו בא לא בע"ש ולא בערבי יו"ט מפני הטורח, שמניחין צרכי שבת והולכין להקביל פניו - רש"י, **וע"כ** אנו מתפללים כיון שעבר השבת ויכול לבוא, שיבוא ויבשרנו - טור, **ועיין** בא"ר שכתב, דהמדקדקים אומרים גם שאר פזמונים ושירים כאשר הם מצויים אצלנו, **וראוי** ליזהר לומר "רבש"ע וכו' החל את וכו'", כי הוא בירושלמי וטור סימן רצ"ט.

יש מקומות שמדליקין נרות במקום אופל, דעי"ז זכה שאול למלוכה.

§ סימן רצו – דיני הבדלה על היין §

סעיף א- הנה הרמב"ם סובר דמצות הבדלה היא דבר תורה כמו קידוש, והוא בכלל "זכור את יום השבת לקדשו", שצריך לזכור אותו ולקדשו בין בכניסתו ובין ביציאתו, בכניסה בקידוש, וביציאה בהבדלה, לומר שהוא מובדל בקדושה בראש ובסוף משאר ימים, **וי"א** שהוא מדברי סופרים ואסמכוהו אקרא, וצריך להיות ג"כ בכוס כמו בקידוש, **ואם** הבדיל בתפלה, לכו"ע הבדלה על הכוס דרבנן.

סדר הבדלה: יין, בשמים, נר, הבדלה, וסימנך: יבנ"ה.

וצריך ליזהר שלא יהא הכוס פגום - היינו שאם שתה אחד מן היין מתחלה, נפגם להבדלה, וכמו לענין קידוש לעיל בסימן רע"א ס"י, ע"ש במ"ב, **ועיין** באחרונים בסימן קפ"ג, שאם הכוס בעצמו פגום, אין להקפיד עליו אם אין לו אחר.

הגה: ונהגו לומר קודם הבדלה שעושים בבית "הנה אל ישועתי" וגו', "כוס ישועות אשא" וגו', "ליהודים היתה אורה" וגו', לסימן טוב.

ובשעת הבדלה יתנו עיניהם בכוס ובנר - היינו המבדיל, וגם השומעים העונים אמן, כדי שלא יסיחו דעתם.

ונוהגין לשפוך מכוס של יין על הארץ קודם שסיים בפה"ג, כדי שלא יהיה הכוס פגום - היינו דמשום זה אינו שופך קודם שמתחיל הברכה, כדי שלא יברך תחלת הברכה על כוס פגום שאינו מלא, **ואחר** סיום הברכה ג"כ לא יוכל לשפוך, שיש ביזוי לכוס של ברכה כששופך ממנו אחר ברכה קודם שתיה, **ולכן** שופכין קודם סיום הברכה, ועיין לקמיה.

וטעם השפיכה, דאמרינן: כל בית שלא נשפך בו יין כמים אין בו סימן ברכה, ועושין כן לסימן טוב בתחלת השבוע - והאחרונים הסכימו דלא ישפוך בשעת ברכה כלל, אלא בשעה שמוזג ישפכנו מלא על כל גדותיו, שישפך על הארץ, **וגם** זה יש למעט בחלק הנשפך, משום הפסד משקין.

גם שופכין מן הכוס לאחר הבדלה - היינו לאחר שתיה, **ומכבין בו הנר, ורוחצים בו עיניו משום חיבוב המצוה.**

ושתית הכוס תהיה בישיבה, דאין שותין מעומד לכתחלה.

נהגו הנשים שלא לשתות מכוס הבדלה.

כוס של הבדלה רגיל המבדיל לשתותו כולו, ואינו משקה ממנו בני ביתו - מ"א, **ונראה** שהטעם כדי שיוכל לברך ברכה אחרונה, דכשישתה רק מלא לוגמיו, יש ספק ברכה אחרונה, וכמבואר לעיל סימן ר"י.

סעיף ב- אין מבדילין על הפת - ולא דמי לקידוש, דשאני קידוש שהוא במקום סעודה, והוי מענין הצריך לקידוש, משא"כ הבדלה.

אבל על השכר מבדילין אם הוא חמר מדינה - אם אין לו יין, **ואם** יש לו יין, הוא קודם לכל המשקין, **וחז"ל** הפליגו ג"כ בגודל המצוה, ואמרו: המבדיל על היין או שומע מאחרים שמבדילין, הקב"ה קוראהו קדוש ועושהו סגולה, שנאמר: והייתם לי סגלה מכל העמים, ואומר: ואבדיל אתכם מן העמים.

(ומשמע מהרמ"א לעיל בסימן קפ"ב ס"ב בהג"ה, דבמקום שהיין מצוי אף שהוא ביוקר, מקרי מצוי, ויבדיל על היין, דלא שרי שם אלא משום שא"א לקנות יין בכל סעודה לברך עליו, מיהו אם השכר חביב עליו יותר מן היין, יכול להבדיל על השכר, וכדלקמיה בהג"ה).

(עיין לעיל בסימן רע"ב ס"ט במ"ב ובה"ל שם, מהו חמר מדינה, **ואפילו** לדעת הפוסקים המחמירין לעיל בסימן רע"ב ס"ט לענין קידוש, לענין הבדלה כו"ע מודו דמבדילין, וכדאיתא בגמרא להדיא, דאמימר אבדיל על שכרא משום דחמר מדינה הוא).

(כתב בפמ"ג, אותן שנזהרין משתיית שכר משום חדש, צ"ע כשאין לו יין כי אם שכר, איך יבדיל ויברך עליו, דלדעתו אסור, ואיך יברך עליו וליתן לאחרים לשתות, ע"כ ישמע מאחרים, עכ"ד, **ולענ"ד** גם בזה צ"ע, אם הוא חושש לעצמו שכוס זה הוא כוס של איסור, א"כ איך יוצא ידי הבדלה במה שאחר מברך עליו, **אם** לא שקבל עליו הזהירות בתורת חומרא, ולא בתורת איסור).

וה"ה לשאר משקין - היינו משקין שרגילין לשתותו, **אבל** משקין שרגילין בפסח כגון מי לאקריץ, אינו חמר מדינה, כיון שאין רגילין לשתותו כל השנה, וה"ה כל כיוצא בזה, **ואפילו** מי דבש לא הוי חמר מדינה אלא במדינות שרגילין לשתותן, אבל במקום שאין שותין אותו אלא לפרקים, לא הוי חמר מדינה, וגרע משכר.

ועל יין שרף אין כדאי להבדיל, דהא כתב המ"א דכוס הבדלה רגיל המבדיל לשתותו כולו, ואין משקה ממנו בני הבית, ובי"ש קשה לקיים זה, **אך** כשאין לו משקה אחר, יכול להבדיל עליו, **ואך** שיזהר לשתות ממנו עכ"פ כמלא לוגמיו, שהוא רוב רביעית, ואם לאו לא יצא.

כתב בשערי תשובה בשם הברכי יוסף, דעל חלב ושמן אין להבדיל, שאין רגילין לשתותו למשקה.

חוץ מן המים - אף אם רוב שתיית המדינה הוא מן המים, משום דלא חשיב, **ועל** קווא"ס ובארשט, מוכח מט"ז וא"ר, דאף בשעת הדחק אין מברכין, דאף שההמונים שותין אותן, מ"מ לא חשיבי וכמו מים הוא, **ואף** דעת המ"א דהעתיק דעת רש"ל להקל בשעת הדחק, היינו דוקא גבי כוס בהמ"ז שאין בו חשש ברכה לבטלה, משא"כ בהבדלה, **ובח"א** כתב דבשעת הדחק יש להבדיל על משקה קווא"ס, ולא ידעתי טעמו, **ואולי** מיירי בשנעשה משקה חשוב כעין משקה שכר, **וגם** זה דוקא אם עיקר שתיית ההמון הוא מהמשקה הזה, דאל"ה לא הוי חמר מדינה.

הגה: וטוב יותר להבדיל על כוס פגום של יין מעל שכר - והמ"א מצדד, דבמקום שהשכר הוא חמר מדינה, יש לומר דעדיף מכוס יין פגום, [**ובא"ר** ותו"ש דחו ראיותיו], **ועיין** בביאור הגר"א שכתב ג"כ, דדינא דהרמ"א הוא דוקא כשהשכר אינו חמר מדינה, [**ומסתברא** דשקולין הן].

ונהגו להבדיל במוצאי פסח על שכר ולא על יין, משום דחביב עליו - שלא שתהו כל ימי הפסח, **ודוקא** במקום שהשכר הוא חמר מדינה, אבל בארץ אשכנז דלא הוי חמר מדינה, לא מהני מה שהוא חביב, ואסור להבדיל עליו.

וביו"ט שחל להיות במו"ש, שיש בו קידוש שהוא נאמר על הפת, י"א שאגב הקידוש מבדילין ג"כ עליו - ר"ל אף דבעלמא אין מבדילין על הפת כדלעיל, הכא אגב קידוש שהוא העיקר, אומרים כל היקנה"ז על הפת.

וי"א שיותר טוב לומר הקידוש והבדלה שניהם על השכר. (הגה: והסברא ראשונה עיקר) - טעמו, משום דהרבה ראשונים ס"ל דאין מקדשין על השכר, וכדלעיל בסימן רע"ב ס"ט ע"ש, לכך טוב יותר לעשות כל היקנה"ז על הפת, **ומ"מ** נראה דבזה ידקדק לכתחלה לחפש אחר יין, אפילו אם הפת חביב לו יותר מיין, דכמה גדולי ראשונים סברי דאין אומרים "המבדיל" על הפת אפילו במו"ש שהוא יו"ט, **ואך** אם לא ימצא יין, הפת עדיף משכר.

סעיף ג- אם אין לו יין ולא שכר ושאר משקין - וה"ה אם יש לו שכר, אלא שאינו חמר מדינה, **י"א שמותר לו לאכול** - והא דאמרינן בגמרא, דאמימר איקלע לאתרא ולא היה לו על מה להבדיל, ולן בתענית עד למחר, **ס"ל** לדעה זו, דמחמיר על עצמו היה, [**וע"כ** כתב בד"מ, דממדת חסידות לכו"ע יש להתענות].

ומ"מ צריך שיתפלל תחלה, ויאמר "הבדלה" ב"חונן הדעת", ואעפ"כ כשישיג למחר כוס, חייב להבדיל כדין, וכדלקמן בסימן רצ"ט, **ויש** שרוצים לומר, שיאמר עתה ברכת "המבדיל" בלא כוס, ואין להורות כן.

וי"א שאם מצפה שיהיה לו למחר, לא יאכל עד למחר שיבדיל - היינו שיהיה לו בבקר, אבל בערב אינו מחויב להמתין כ"כ, **ואפשר** דאפילו יותר מחצות היום אינו מחויב להמתין.

ואפילו במוצאי שבת ליו"ט, ג"כ לא יאכל אם אין לו כוס - מ"א, **ומיירי** בשאין לו פת ג"כ, דאם יש לו פת, הלא הכריע רמ"א לעיל בס"ב, דיכול להבדיל על הפת.

ויש להחמיר כסברא אחרונה הזו, אם לא באדם חלש שקשה לו התענית, יכול לסמוך אדעה ראשונה.

ואם אין לו אלא כוס אחד, ואינו מצפה שיהיה לו למחר, מוטב שיאכל קודם שיבדיל, ויברך עליו בהמ"ז ואח"כ יבדיל עליו, ממה שיברך ברכת המזון בלא כוס, לדברי האומרים דבהמ"ז טעונה כוס - אבל אם מצפה שיהיה לו למחר עוד כוס, יבדיל עכשיו על כוס זה, ובאכילה ימתין עד למחר, כדי שיברך על הכוס, למ"ד דבהמ"ז טעונה כוס, **מיהו** המ"א בריש סי' קפ"ב חולק ע"ז, דבשביל כוס בהמ"ז שלא יהיה לו, אינו מחויב למנוע עצמו מלאכול.

ולדברי האומרים דאינה טעונה כוס, לא יאכל עד שיבדיל.

ומיירי שכוס זה לא היה בו אלא רביעית בצמצום, וכבר היה מזוג כדינו, שאם היה משים בו מים יותר לא היה ראוי לשתייה, שאל"כ לד"ה מבדיל תחלה ושותה ממנו מעט - היינו כמלא לוגמיו, **ומוסיף עליו להשלימו לרביעית** - היינו שימזגנו במים, **ומברך עליו בהמ"ז.**

סעיף ד - מי שאין ידו משגת לקנות יין לקידוש ולהבדלה, יקנה להבדלה, משום דקידוש אפשר בפת - דין זה מובא ג"כ לעיל בסי' רע"א סי"א דרך אגב, ועיין שם במ"ב.

סעיף ה - אם אין ידו משגת לקנות שמן לנר חנוכה ויין להבדלה, נר חנוכה קודם - משום דפרסומי ניסא עדיף, **ועוד** דעיקר מצות הבדלה נוכל לקיים בתפלה.

סעיף ו - אומר הבדלה מיושב - מיירי כשמוציא לאחרים ידי חובתן, וע"כ כיון דאחד פוטר חבירו, יש להם לכולם לעשות קביעות, ובמעומד לא הוי קביעות.

הגה: וי"א מעומד, וכן נוהגין במדינות אלו - ס"ל, דכיון שהוא הלוית המלך, אין מלוין אלא מעומד, **ולענין** הקביעות סגי כשמזמנין הכל ועומדין ומכוונין כדי לצאת, וס"ל דמתוך שקובעין עצמן כדי לצאת ידי ברכת הבדלה, מהני נמי קביעות זו לצאת בברכת היין. **ומ"מ** יש מהגדולים שעושים מיושב, וכן משמע מהגר"א – ערוה"ש.

ויקנה"ז לכו"ע טוב לברך מיושב, כמו בשאר קידוש לעיל בסימן רע"א ס"י בהג"ה.

ואוחז היין בימין וההדס בשמאל, ומברך על היין - דכן בכל דבר שמברך עליו, צריך לאחזו בימינו בשעת הברכה, וכדלעיל בסימן ר"ו ס"ד. **ודע** דהאחיזה בשמאל אינה חובה כלל, ולכן אצלינו אין מחזיקין הבשמים בשעת ברכת היין, אלא דהכוונה היא העיקר לאחוז היין בימין וההדס בימין בשעת ברכתם, וממילא דהדבר השני בשמאל, אבל אין זה בהכרח – ערוה"ש.

ושוב נוטל ההדס בימין, והיין בשמאל - ואינו מניחו אז מידו, משום דכל הברכות של הבדלה מצוה להיות על הכוס, **ומברך על ההדס** - ומניחו, ורואה בצפרנים ומברך: בורא מאורי האש, **ומחזיר היין לימינו** - וגומר ההבדלה.

סעיף ז - אפי' שמעו כל בני הבית הבדלה בבהכ"נ, אם נתכונו שלא לצאת, מבדילים בבית - וכ"ש אם יש אחד מבני הבית, אפילו קטן שהגיע לחינוך, שלא שמע עדיין הבדלה, יוכל להבדיל בשבילו, אף שהוא בעצמו יצא כבר ידי חובת הבדלה בבהכ"נ, כגון שנתכוין לצאת, וכמו לענין קידוש לעיל בסימן רע"ג ס"ד, **ועיין** מה שכתבנו לקמיה לענין להוציא נשים.

כ' הלבוש, דהאידנא מסתמא מתכוין כל אחד מבני הבית שלא לצאת בהבדלה שמבדילין בבהכ"נ, שסומכין על הבדלה שבבית, והו"ל כלא הבדילו כלל ולא נפיק בה.

תלמידי חכמים אין סומכין על ההבדלה שבבהכ"נ, ומבדילין בביתם כדי שיוכלו להוציא בני ביתם - מ"א בשם סמ"ע, **וכן** ראוי לכל אדם לנהוג.

כתב המ"א, אם נתכוין לצאת בברכת הבדלה, אע"פ שלא נתכוין לברכת פה"ג, מ"מ יצא ידי הבדלה, דברכת "המבדיל" הוא העיקר, **אלא** דאסור לטעום מהיין אא"כ יברך פה"ג.

סעיף ח - נשים חייבות בהבדלה כשם שחייבות בקידוש

בקידוש - אע"ג דהוי מצוה שהזמן גרמא, דבדיני שבת איש ואשה שוין, דאיתקש "זכור" ל"שמור", וכמ"ש בריש סימן רע"א, והבדלה נמי בכלל "זכור" הוא למ"ד הבדלה דבר תורה, וכמ"ש בריש הסימן, **ואפי'** למ"ד הבדלה דרבנן, דומיא דקידוש תקנוה.

ויש מי שחולק - ס"ל דהבדלה כיון שהיא בחול, אינה תלויה בעניני דיני שבת, והיא בכלל שאר מצות שהזמן גרמא דנשים פטורות.

הגה: ע"כ לא יבדילו לעצמן, רק ישמעו הבדלה מן האנשים

האנשים - והב"ח כתב, אפי' למ"ד שפטורות, מ"מ יכולות להמשיך על עצמן חיוב ולהבדיל לעצמן, כמו בשופר ולולב שג"כ פטורות ואפ"ה מברכות, **ומסיק** המ"א דהעיקר כדברי הב"ח, [ויכולין לסמוך ע"ז למעשה, דבלא"ה הפר"ח וכן הרב יעב"ץ הסכימו לדעה ראשונה], **והנה** לפי מש"כ המ"א, דנהגו הנשים שלא לשתות מכוס הבדלה, א"כ בלאו כל הטעמים האיך תבדיל בעצמה, והלא אינה יכולה לשתות הכוס, וכ"כ בעל דרך החיים, **אלא** כונת המ"א להקל בשאין לה ממי לצאת, דאז בע"כ תבדיל לעצמה ותשתה, כדי שלא לבטל מצות הבדלה.

רק ישמעו כו' - ואם האנשים כבר הבדילו לעצמם, או שנתכונו לצאת בבהכ"נ, לא יבדילו כדי להוציא הנשים, אם אין שם זכרים גדולים או קטנים ששומעין ממנו, דלהיש חולקין הוא ברכה לבטלה, **והנה** בס' זכור לאברהם, וכן בס' ברכ"י הביאו כמה פוסקים, דס"ל דאפי' מי שהבדיל כבר יכול להבדיל בשביל הנשים, **מ"מ** למה לנו להכניס עצמן בחשש ספק לענין ברכה, אחרי דהיא יכולה להבדיל בעצמה, וכמ"ש לעיל בסמוך.

(עיין במ"א שכתב, דפשוט דרשאים לברך לעצמן על הבשמים ועל הכוס, דברכת הנהנין הם, **והא** דלא נקט המ"א ברכת הנר, דברכת הנר לאו ברכת הנאה הוא, דלא נתקן על הנאת האור, דאי הכי היה צריך לברך בכל פעם כשרואה האור, **ומסתפקנא** אפילו למ"ד דנשים חייבות בהבדלה, אם חייבות בברכת הנר, דבשלמא הבדלה אף שהוא זמן גרמא, נכללת במצוה ד"זכור" שהיא שייכא לשבת, ואפילו למ"ד דרבנן, דומיא דקידוש תקנוה, **משא"כ** נר שנתקן על בריאת האור במו"ש, שאינה שייכא לשבת כלל, והיא זמן גרמא, **מנא** לן דחייבות, **ואין** לומר כיון שנקבעת בברכת הבדלה, חדא דינא להו, דזה אינו, דהא יכולין לברך אותה בפני עצמה ג"כ, וגם אין מחויב לחזור אחר האור, כדלקמן בסי' רצ"ח, **ואולי** כיון דלכתחלה מצוה לסדרן ביחד, חדא דינא להו, **ויותר** נכון לומר דאינה חייבת בברכת הנר לכו"ע).

(ולענ"ד יש להן לברך על ברכת הנר, דהא נשים מקיימות כשרוצות מצות עשה שהזמן גרמא ומברכות עליהן - אג"מ).

§ סימן רצז – דיני בשמים להבדלה §

סעיף א- מברך על הבשמים אם יש לו -

והברכה הוא "בורא מיני בשמים", על איזה מין שהוא, **אף** שבחול צריך לברך על כל מין כברכתו, דהיינו על עצי בשמים "בורא עצי בשמים", ועל עשבי בשמים "בורא עשבי בשמים", **מ"מ** במו"ש מברכין על הכל "בורא מיני בשמים", כדי שלא יבואו לטעות ההמון עם, שאין הכל בקיאין בכל ברכה המיוחדת, אבל בברכה זו יוצא על הכל, **ומ"מ** לכתחלה טוב יותר שיקח לבשמים דבר שברכתו "בורא מיני בשמים", כגון המוסק שקורין פיז"ם, או נעגילע"ך, שגם זה להרבה אחרונים ברכתו הוא "בורא מיני בשמים".

מותר לברך "בורא מיני בשמים" על פלפלין שקורין ענגילש"ע פעפע"ר, שגם זה הוא בכלל בשמים, **אבל** בסתם פלפלין יש דעות בין הפוסקים, והוי ספק ברכה, **וכן** זנגביל שקורין אינגבע"ר (הוי ספק).

ואם אין לו, אין צריך לחזור אחריהם

- שאין מברכין עליהם אלא להשיב הנפש, שהיא כואבת מיציאת השבת.

כתבו האחרונים, שאף מי שמתענה בשבת, צריך לברך על הבשמים במו"ש, ‹דכיון שבאת הנשמה יתירה בליל שבת, אינה הולכת עד מו"ש – שם›, **משא"כ** ביוה"כ אף כשחל בשבת, אין צריך לברך במוצאי יוה"כ, [מ"א], ‹דהתם הפסיק מבעוד יום והתחיל להתענות בכניסת שבת, ולא באה הנשמה יתירה כלל – מחה"ש›.

סעיף ב - אין מברכין על בשמים של בית הכסא, ולא על של מתים - דכל זה לאו לריחא עבידי, אלא לעבורי ריח הסרחון. **(ודוקא) הנתונים למעלה ממטתו של מת** - אבל נתונים לפני מטתו, מברכין, שאני אומר לכבוד חיים הם עשויים.

ולא על בשמים שבמסיבות עובדי כוכבים - היינו שמסובין לאכילה לסעודה, **דסתם מסיבתן לעבודת כוכבים** - אבל אם לא היו מסובין כלל, מותר לברך על בשמים שלהן, וכן מסיק הט"ז להלכה, **ומ"מ** כתב לבסוף, דטוב לכתחלה לחוש לדעת רבינו יונה, דס"ל דסתם בשמים של עובדי כוכבים עומד לבסוף למכרן לע"ג, ואין לברך עליהן, **אם** לא במקום שנראה שאין עומד לע"ג, כגון שהוא תגר שדרכו למכור אותם לאנשים הרבה, או שדרכו לשום הבשמים לתבשיל שלו, אז אין איסור לברך עליהם אפי' לדעת ר"י.

הגה: ואם בירך על בשמים אלו לא יצא, וצריך לחזור ולברך על אחרים.

סעיף ג - שקים מלאים בשמים שמשימים העובדי כוכבים תוך קנקני היין, אע"פ שמותר להריח בהם - שאין היין נותן בהם טעם, כי אין דרך שיריחו בשמים מהיין, אלא אדרבה הם נותנים טעם בהיין, **ועוד** שאין מכוין המריח לריח היין, אלא לריח התבלין, **אין מבדילין עליהם** - דמאיס הוא לגבוה.

כתב הט"ז, דאין מברכין על ריח שבכלי שנבלע בו ע"י הבשמים שהיו בו מקודם, **ואם** רואה שבשולי הכלי יש אבק משיורי הבשמים, כמו שרגילות בתיבות שמשימין בהם בשמים, מותר לברך.

סעיף ד - נהגו לברך על ההדס - פי' דשל לולב, כיון דאיתעביד ביה חדא מצוה, ליעביד ביה מצוה אחריתא, **ודוקא** בשאר ימות השנה ולא בסוכות, דהוקצה למצותו, **כל היכא דאפשר** - היינו כל היכא שיש בו עוד ריח קצת, מצוה לכתחלה להדר אחריו, וכ"כ בזוהר, **וסמך** לדבר "ותחת הסרפד יעלה הדס", וסמיך ליה "שומר שבת מחללו" וגו'.

הגה: וי"א דאין לברך על הדס היבש דאינו מריח, רק על שאר בשמים - ס"ל דכיון שנתיבש וניטל ממנו עיקר הריח, אין לברך עליו, **וכן נהגו במדינות אלו; וי"ל דיש להניח גם הדס עם הבשמים, דאז עושין ככו"ע** - ואם אין לו, יכול לברך גם על עשבים שיש להם ריח טוב וכנ"ל.

עיין בט"ז שכתב, על מה דאיתא בטור בשם רבינו אפרים, שהיה לו זכוכית מיוחדת שהיו בה מיני בשמים, והיה מברך עליהן, **דאף** דלהלכה יש לצדד דיכול לברך "בורא מיני בשמים" גם על הבשמים שהיו מונחים בבית לצורך תבשיל, כיון שנוטלן עתה בידו להריח בהן, וכ"כ בספר תוספת שבת בפשיטות, **מ"מ** רבינו אפרים עשה זה למצוה מן המובחר, שייחד אותם מתחלה לשם ריח מצוה, **וכך** נוהגין רוב העולם, שמיחדין כלי לזה וקורין אותו 'הדס' על שם שהיו מניחין שם בדורות הראשונים הדס כדי להריח.

סעיף ה - מי שאינו מריח - היינו שאין לו חוש הריח, **אינו מברך על הבשמים, אא"כ נתכוין להוציא בני ביתו הקטנים שהגיעו לחינוך** - וצריכין שיריחו תיכף אחר ברכתו.

או להוציא מי שאינו יודע - כל האחרונים חולקין ע"ז, וסוברין דוקא להוציא בני ביתו הקטנים הוא דשרי, שמוטל עליו כדי לחנכם במצות, **אבל** לא להוציא מי שאינו יודע, דכיון שהוא אינו חייב בדבר, אינו יכול להוציא אחרים ידי חובתן, **דאף** דבעצם קידוש והבדלה יכול להוציא לאחרים אע"פ שאינו חייב בדבר, כגון שיצא מכבר, שאני התם, שהן חובה על כל איש ישראל, וכל ישראל ערבים זה בזה, **משא"כ** בזה שהוא רק מנהג החכמים, ואין צריך לחזור אחריו וכדלעיל בס"א, הוא דומה לכל ברכת הנהנין, שאינו יכול להוציא אחרים בברכתו אם אינו נהנה אז בעצמו, וכדלעיל בסימן קס"ז סי"ט, **וע"כ** ה"ה מי שהבדיל כבר ויש לו חוש הריח, ובירך על הבשמים, ובא להבדיל פעם אחרת בשביל אחרים, יריח עוד בעצמו פעם אחרת, כדי שיוכל עוד הפעם לברך "בורא מיני בשמים".

ודע, דמה שנוהגין איזה אנשים שאין רוצין לצאת בברכת הנר והבשמים שאומר המבדיל, ומברכין אותן לעצמן בשעה שאומר המברך ברכת "המבדיל", **שלא** כדין הם עושין, דכיון שהם יוצאין בהבדלה, צריכין להטות אזנם ולשמוע ברכת ההבדלה, ולא לברך אז ברכה אחרת, **ולבד** כ"ז, מצוה יותר לצאת כולם בברכתו, ד"ברוב עם הדרת מלך", ולא לברך כל אחד בפני עצמו, וכדלקמן ברצ"ח ס"ד, **אם** לא שהוא רחוק אז מן האור, ולא יוכל להשתמש לאורה, דאינו יוצא אז בברכת המברך, וכדלקמן ברצ"ח ס"ד, **ובאופן** זה לא יכוין לצאת בברכת הנר, אלא יאחר אותה לאחר הבדלה כשיהיה סמוך אצל האש. ‹**מה** איכפית לן אם מכוון לצאת או לא, וי"ל דכיון דיש סברא דאין הברכה על ההנאה אלא על השבח, לכן שייך שיצא אף בלי הנאת אור, לכן יכנס לספק קיום ברכה אם יכוין לצאת – חוי בתרא›.

§ סימן רחצ – דיני נר הבדלה §

סעיף א- מברך על הנר: "בורא מאורי האש", אם יש לו - משום דתחלת ברייתו הוי במו"ש, כדאמרינן בפסחים: במו"ש נתן הקב"ה דעה באדם הראשון, וטחן ב' אבנים זו בזו ויצא מהן אור.

בורא מאורי האש - דכמה נהורא איכא בנורא, לבנה אדומה וירוקה, **ואם** אמר "מאור האש", דעת הב"ח דלא יצא אפילו בדיעבד, **ואם** אמר "ברא מאורי האש", לשון עבר, ‹דהיינו אפי' ביותר פשיטות מ"בורא"›, יצא.

וא"צ לחזור אחריו - שאין מברכין אלא לזכר שנברא האור במו"ש וכנ"ל, **וע"כ** יוכל לברך על הכוס אפילו בלא נר, ומתי שיזדמן לו אח"כ שיראה אש ויהנה לאור, יברך "בורא מאורי האש", **ואך** דוקא בליל מו"ש ולא יותר, דעבר זמנו, וכדלקמן בסי' רצ"ט ס"ו.

והני מילי במוצאי שבת, אבל במוצאי יוה"כ י"א שמחזיר אחריו - דהא דמברכין במוצאי יוה"כ אף כשאינו חל במו"ש, מפני שהוא כעין הבדלה, שכל היום היה אסור להשתמש בזה האור אף לאוכל נפש, ולא כמו בשאר יו"ט, ועכשיו מותר, **ולכך** דעת הי"א דצריך לחזור אחריו כמו להבדלה, [**ואף** דבשבת ג"כ היה אסור להשתמש באור, ואפ"ה א"צ לחזור אחריו, **התם** הלא מותר לברך גם על האור שלא היה במציאות כלל בשבת, אלא הוציאו עתה מן האבנים, ולא שייך בו הבדלה, **משא"כ** במוצאי יוה"כ שאין מברכין על אור היוצא מאבנים, כי אם על אור ששבת מבע"י, ושייך בו הבדלה, שכל היום אסור ועכשיו מותר].

הגה: מי שאין לו כוס להבדיל, כשרואה האש מברך עליו, וכן הבשמים - ואם משער שיזדמן לו כוס בלילה, ורוצה ללמוד קודם שיבוא לידו הכוס, מצדד הגרע"א בחידושיו שלא יברך עתה על הנר, וטוב יותר שיסדרם על הכוס, [**וכן** המנהג, שהרי נוהגין לומר "ויתן לך" אצל הנר קודם שמבדילין].

סעיף ב- מצוה מן המובחר לברך על אבוקה - שאורה רב, **וטוב** להדר שיהיה של שעוה - מ"א בשם כונת האר"י.

עוד כתב בשם ס"ח, דלא יקח עצי דמשחן שקורין קי"ן בל"א, מפני שריחו רע, ונראה דהיינו אותן שנשמע מהן ריח רע של זפת, **והנה** לעיל בסימן רס"ד איתא, דגם בנר של זפת גופא מדליקין בליל שבת, וכן בעיטרן שבודאי ריחו רע, אפ"ה היו מדליקין בו, אי לאו משום שמא יניח ויצא באמצע הסעודה, ובודאי לא עדיף אור הבדלה שאין צריך לחזור אחריו, מנר שבת שהוא חובה, **ואולי** דכונת הס"ח, שאין זה מן המובחר אף שאורו רב, מפני ריחו הרע, אבל לא גריע משאר נר שאינו אבוקה, **גם** בפמ"ג כתב, שאם אין לו נר אחר, יכול לברך עליו.

ויש מי שאומר שאם אין לו אבוקה, צריך להדליק נר אחר לצורך הבדלה, חוץ מהנר המיוחד להאיר בבית - משום היכר שהוא לשם מצוה, **ונראה** דמיירי באופן שאינו יכול לקרב את הנר הזה לנר שבביתו, דאל"ה הרי יכול לקיים מצות אבוקה.

וכ"ז הוא רק למצוה בעלמא ולא לעיכובא.

הגה: ונר שיש לו שתי פתילות מיקרי אבוקה - סתם נר שבגמרא ופוסקים, היינו נר של שמן, וקמ"ל דכיון שאורותיהן מגיעין זה לזה למעלה, הוי אבוקה, **ובנר** שלנו אם מונח שם כמה פתילות, הוי כמו פתילה עבה ואינה חשובה אבוקה, **אך** אם מפריד ביניהם שעוה או חלב, כגון מה שעושין משעוה שהנרות קלועים יחד, או שמדביק יחד ב' נרות להדדי בעת

הברכה, זהו ג"כ חשיב אבוקה, **ומשמע** מדברי המ"א, שיראה שיגיעו המאורות להדדי, דאז חשיב אבוקה, ‹ולא די בדיבוק הנרות בלבד›.

(**ולפי"ז** לפני העששית של זכוכית שלנו שקורין לאמפ, אף שהיא מאירה מאד יותר מכמה נרות, אפ"ה היא רק פתילה עבה ואינה חשיבא כאבוקה, **אמנם** מדברי אגודה עצמו ‹שמקור דברי הרמ"א הם ממנו› יש לומר דכונתו להיפך, **אמנם** מצד אחר נראה דיש למנוע לכתחלה מליקח את העששית של זכוכית בשביל אבוקה, דהרי מי שלוקח אבוקה הוא כדי לקיים מצוה מן המובחר, דמדינא סגי בנר קטן יחידי, וכדאיתא בגמרא ושו"ע, ומצוה מן המובחר נראה דודאי לית בזה, דהרי דעת השו"ע לקמן בסוף הסימן, דאין לברך "בורא מאורי האש" על הנר הטמון באספקלריא, וכפשטות לשון הירושלמי, **ונהי** דדעת האחרונים לפסוק כהרשב"א שמקיל בזה, מ"מ יש כמה ראשונים דקיימי בשיטת הב"י, ומצוה מן המובחר בודאי לית בזה, ועיין בסוף הסימן מה שנכתוב בזה).

סעיף ג - נוהגים להסתכל בכפות הידים ובצפרנים

- הטעם, דהא בעינן שיוכל להכיר לאורו בין מטבע למטבע וכדלקמיה, **ולכך** נוהגים להסתכל בצפרנים, לראות אם יוכל ליהנות לאורו ולהכיר בין מטבע למטבע כמו שמכיר בין צפורן לבשר, **ועוד** שהצפרנים הן סימן ברכה, שהן פרות ורבות לעולם, **וגם** מסתכלים בכפות ידים, שיש בשרטוטי היד סימן להתברך בו.

הגה: ויש לראות בצפרני יד ימין, ולאחוז הכוס ביד שמאל, ויש לכפוף האצבעות לתוך היד - היינו הד' אצבעות על גב האגודל, **שאז רואה בצפרנים עם הכפות בבת אחת, ולא יראה פני האצבעות שבפנים** - ויש נוהגין לפשוט אח"כ הד' אצבעות, ולראות מאחריהם על הצפרנים - מ"א בשם ספר הכונות.

סעיף ד - אין מברכין על הנר עד שיאותו לאורו, דהיינו שיהיה סמוך לו בכדי שיוכל להכיר בין מטבע מדינה זו למטבע מדינה אחרת

- ואפילו אם הוא עומד חוץ לבית, כל שהאור גדול שיוכל להכיר במקום שעומד, מקרי דבר זה נהנה לאורה, ויכול לברך. ‹**מלשון** 'שיוכל להכיר', מדייקינן שא"צ שבפועל יראה ויכיר, אלא כל שעומד סמוך לאבוקה, שאם ברצונו היה מכיר בין מטבע למטבע, די בכך. **ולכן** נוהגין לברך, אפי' כשיש אור חזק בחדר מהחשמל – פסקי תשובות›.

וע"כ אם הוא יוצא בברכת הבדלה מאחרים, ורוצה לצאת גם בברכת "בורא מאורי האש", יקרב עצמו אצל האש כשיעור זה, כדי שיהיה יוכל לצאת גם בברכת "בורא מאורי האש", **ועיין** מש"כ לעיל בסוף סימן רצ"ז.

סעיף ה - אין מברכין על הנר שלא שבת ממלאכת עבירה

- היינו שהודלק באיסור בשבת, ואפילו רק בבין השמשות, ואפילו בדיעבד לא יצא, (**וכתב** בחדושי רע"א, דצריך לחזור ולברך בפה"ג, כיון דברכת "מאורי האש" שבירך לא יצא, ממילא הוי הפסק בין בפה"ג לטעימה).

לאפוקי אור שהודלק לחיה ולחולה, שכיון שלא הודלק לעבירה מברכין עליו - אם אין בהם סכנה, דוקא ע"י א"י, אבל ע"י ישראל כיון שאסור לו להדליק בשבילם, מקרי שלא שבת ממלאכת עבירה, **אבל** כשיש בהם סכנה, אפילו ע"י ישראל, **וכ"ש** ע"י א"י, ואין חילוק בין אם הדליק להחולה ממדורת ישראל או ממדורה של עצמו, כיון שהוא לצורך ישראל ובהיתר הודלק.

אבל אם הדליקו אינו יהודי - היינו אפילו לצורך עצמו, **בשבת** - ואפילו אם אין אנו יודעין, תלינן שמסתמא הדליקו בשבת, **כיון שאם היה מדליקו ישראל היה עובר, לא שבת ממלאכת עבירה מיקרי.**

ואין מברכין על אור של עבודת גלולים - ואפילו אם לא הודלק רק במו"ש, דהטעם, משום דהודלק לכבוד ע"ז, ואסור ליהנות ממנו, **ודוקא** כשהשלהבת קשורה בנר או בגחלת של עבודת גלולים, דכיון שהגחלת יש בו ממש והשלהבת קשורה בו, חל האיסור גם על השלהבת, ולכן אין לברך עליה, **אבל** אם ישראל הדליק נר מנר של עבודת גלולים, שרי לברך עליה, דבזה אין כאן ממשו של איסור רק השלהבת לחוד, והשלהבת אין בו ממש - מ"א בשם רש"ל, **ועיין** בפמ"ג שמצדד, דמ"מ לכתחלה אסור לישראל להדליק נרו מנר של עבודת גלולים, אלא דאם הדליק רשאי לברך עליה.

סעיף ו - עובד כוכבים שהדליק במו"ש מישראל, ‹מברכין עליו› - וקמ"ל בזה, אף דאין מברכין על אור שהדליק הא"י מא"י אחר, אף במו"ש דהודלק בהיתר וכדלקמיה, **התם** משום דגזרינן אטו א"י ראשון שהוא הדליקו בשבת, שלא יבוא לברך על אורו, אבל הכא לא שייך זה, ולכך מותר, **ומיירי** שלא הדליק הא"י הנר במסיבת א"י אחרים, דאל"ה אמרינן סתם מסיבת עכו"ם לעבודת גלולים, ואסור לברך על הנר, וכדלעיל בסי' רצ"ז ס"ב לענין בשמים.

או ישראל מעובד כוכבים, מברכין עליו - היינו אפילו אם הא"י הדליק הנר שלו בשבת, אפ"ה שרי, **דהא** ע"י הדלקת הישראל ניתוסף אור של היתר על מקצת האור שיש בו מן האור הראשון, ועל התוספת של היתר הוא מברך, [**ואפי'** אם הא"י הדליק הנר שלו במסיבה, **אבל** לכתחילה אסור וכדלעיל].

אבל עובד כוכבים שהדליק מעובד כוכבים, אין מברכין עליו - ולא אמרינן בזה דאתוספת אור של היתר שהדליק א"י זה במו"ש הוא מברך, דגזרו אטו א"י ראשון, **ואף** דגם על הנר של הא"י הראשון היה אפשר מן הדין לברך עליו, דהא ניתוסף במו"ש עליו אור של היתר, דמטבע האש להיות ניתוסף עליו תמיד אור חדש, **גזרו** חכמים אטו עמוד ראשון, דהיינו שיבוא לברך סמוך לחשיכה מיד בעוד שלא ניתוסף ההיתר.

וכתב המ"א, דבדיעבד יצא בזה וא"צ לחזור ולברך, כיון דאינו אלא משום גזירה, וכ"כ ש"א, [**הנה** בשו"ע הגר"ז מפרש, דלהמ"א אפי' בא"י ראשון, כיון שהוא אחר עמוד ראשון מותר בדיעבד, **והתו"ש** מפרש דקאי רק אא"י שהדליק מא"י, אבל הנר הראשון שהודלק בשבת, אין לחלק בין עמוד ראשון לעמוד שני אפי' לענין דיעבד, **וכן** נראה להכריע למעשה, מאחר שהפמ"ג מפקפק על עיקר דינו של המ"א].

אם הוציא הא"י אש מעצים ואבנים במו"ש, מותר לברך "בורא מאורי האש" על אותו האש, דלא שייך למיגזר כאן, **אבל** אם הדליק הא"י נר מזה האש, יש לצדד להחמיר, דאתי למיחלף ולהתיר גם בנר שהודלק בנר שלא שבת.

ובמוצאי יוה"כ אין מברכין על נר שהדליק ישראל מעובד כוכבים - מפני שאורו של א"י נעשה בו מלאכה, שהודלק ביוה"כ, **ואף** דבמו"ש מברכין על נר זה, התם הטעם, שהוא מברך על תוספת שלהבת של היתר שניתוסף ע"י הדלקת הישראל, והתוספת הזה כיון שהוא נולד עכשיו, הו"ל כאור היוצא מעצים ואבנים במו"ש דמותר לברך עליו, **משא"כ** במוצאי יוהכ"פ, מבואר לקמיה בס"ח דאין מברכין על אור היוצא מעצים ואבנים, **(וע"ל סי' תרכ"ד ס"כ).**

סעיף ז - היה הולך חוץ לכרך וראה אור, אם רובן עובדי כוכבים, אין מברכין עליו; ואם רובן ישראל - ותלינן שהאור הוא של ישראל, **או אפילו מחצה על מחצה, מברכין עליו** - ומיירי שהוא סמוך כ"כ שיכול להשתמש לאורו, כמ"ש ס"ד.

סעיף ח - אור היוצא מהעצים ומהאבנים מברכין עליו - לפי שגם תחלת בריית האור היה במו"ש ע"י אדם הראשון על דרך זה, שהקיש אבנים זה בזה, **אבל במוצאי יוה"כ אין מברכין עליו** - דזה אין שייך במוצאי יוה"כ, שלא היה אז תחלת ברייתו, **וטעם** ברכתו הוא, לפי שכל היום היה אסור לו להשתמש בהאור, ועכשיו הותר לו, **לכן** אין לברך אלא באור ששבת, דהיינו שהיה דלוק מבע"י ושבת כל יו"כ, שלא היו יכולין להשתמש בו, ועכשיו הותר, [**וה"ה** באור שהודלק ממנו, שיש בו עדיין מקצת מהאור ששבת].

סעיף ט - גחלים הבוערות כ"כ שאילו מכניס קיסם ביניהם הוא נדלק, מברכין עליהם, והוא שעשוים להאיר - אבל אם עשויין כדי להתחמם אין מברכין עליהן, שאפילו על הנר אין לברך אם אין עשוי להאיר, וכדלקמיה בסי"א.

סעיף י - אור של כבשן - ‹ששורפים בו אבנים לסיד›, **בתחלת שריפת הלבנים אין מברכין עליו, שאז אינו עשוי להאיר; ואחר שנשרפו, אז עשוי להאיר ומברכין עליו** - ‹לאחר שנשרפו האבנים רובן, מדליקין אור גדול מלמעלה למרק שרפת האבנים, ומשתמשין נמי לאורה - רש"י›.

סעיף יא - נר בהכ"נ, אם יש שם אדם חשוב מברכין עליו - שעשוי להאיר לאכילתו,

ומיירי שאוכל בבית הסמוך לבהכ"נ והחלונות פתוחים לו, דבבהכ"נ אסור לאכול, כמ"ש סימן קנ"א.

ואם לאו, אין מברכין עליו - שנעשה לכבוד השכינה,

וי"א בהיפך - דכשיש אדם חשוב, נעשה לכבודו ולא להאיר, ובדליכא אדם חשוב שרי, דנעשה להאיר.

כתב בא"ר, דמדתלינן כאן באדם חשוב, ש"מ דכל כי האי גוונא, כגון שמדליק נר בביתו לכבוד אדם חשוב שבא אליו, אין מברכין עליו.

מיהו אם יכבנו ויחזור וידליקנו לצורך הבדלה, ודאי שרי לכו"ע בכל ענין.

איתא ברא"ש והעתיקו האחרונים, דהאידנא אין מברכין כלל על נר של בהכ"נ, שאין מדליקין בו רק לכבוד, שהרי דולקין הנרות אף ביום, **והכונה** על אותן שדולקין לפני העמוד שהם רק לכבוד, **אבל** אותן שלוקחין כל אחד בידו להאיר, מברכין, **וכמה** אנשים נכשלין בזה, שלוקחין מנורות של העמוד על הבדלה, ואין נכון לעשות כן, **ואולי** כשרוצה לצרף מהן לאבוקה אין להקפיד.

ונראה פשוט, דעל נר יארצייט אין לברך, שאינו עשוי להאיר רק לזכר נשמת המת.

איתא בב"י: דבארצותינו נוהגין להדליק בבהכ"נ נר מיוחד כדי להבדיל עליו.

ונר של בהמ"ד שבימינו, מסתברא דתלוי לפי המקום, אם לומדים שם ומדליקין בשביל זה, הרי נעשה להאיר, [**אף** דבגמ' נזכר גם נר של בהמ"ד, לא מיירי באותן שמדליקין לצורך הלימוד, כי אם בהנרות שמדליקין בהמנורות, שהוא לפעמים רק לכבוד].

ואם יש שמש שאוכל שם, מברכין עליו, והוא שלא תהא לבנה זורחת שם - שאם יש לבנה א"צ השמש לאור הנר, ולא נעשה אלא לכבוד השכינה.

(**ונר** שהוא עשוי לכבוד ולהאיר, עיין בפמ"ג שכתב דאין לברך עליו, ומצאתי שכ"כ גם בתר"י, **אכן** ברש"י משמע שאין סובר כן).

(**נסתפקתי**, נר שנדלק בתחלה לכבוד, ולבסוף משתמש בו להאיר לבד, אם יוכל לברך עליו, **ויש** לצדד דיכול לברך, כיון שהיא עתה רק להאיר, דבנר של שבת שהמצוה היא הדלקה, כמו שאנו מברכין "וצונו להדליק", שם אזלינן בתר תחלת הדלקה, שאם הודלקה שלא לצורך שבת רק לענין אחר, צריך לכבותה ולחזור ולהדליקה, **משא"כ** הכא שלא בעינן כלל שידליקנה לצורך הבדלה, וכדאיתא בגמרא: עששית שהיתה דולקת והולכת כל היום, למו"ש מבדיל עליה, וכן על נר של א"י שהדליק מישראל, **וכ"ז** מפני שהברכה נתקנה על בריאת האור שהיתה במוצ"ש, ורק דבעינן שיהא האור עשוי כדי להאיר, וכמו שהיה אצל אדם הראשון, שהיה החושך ממשש והולך, ונטל שני רעפים והקישן זה אצל זה, מאי הוי אם בתחלה לשם כבוד הודלקה, כיון שעתה עומד האור רק להאיר, **ומ"מ** למעשה צ"ע, וטוב שיכבנה ויחזור וידליקנה).

סעיף יב - אין מברכין על נר של מתים, שאינו עשוי להאיר - רק שמדליקין אותן לכבוד המת, **הילכך מת שהיו מוליכין לפניו נר אילו הוציאוהו ביום, והוציאוהו בלילה בנר, אין מברכין עליו** - כיון שגם ביום היו מוליכין לפניו, א"כ הוא לכבוד, אע"פ שצריכין לו עתה בלילה, **וכתב** המ"א, דה"ה על נר שמדליקין לכבוד החתן, אין מברכין.

סעיף יג - סומא אינו מברך - דהא בעינן שיאותו לאורו עד שיהא יכול להכיר בין מטבע למטבע, וכדלעיל בס"ד, ובסומא לא שייך זה, **ועיין** בפמ"ג דנשאר בצ"ע אם יכול להוציא אחרים בברכה זו, כיון שהוא בעצמו פטור מן הדבר, **וכ"ז** דוקא בברכת "בורא מאורי האש", אבל שאר הבדלה אומר.

סעיף יד - היו יושבים בבהמ"ד והביאו להם אור, אחד מברך לכולם - ואע"ג דצריכין כולם לשתוק ולשמוע ברכתו, והוי בטול בהמ"ד, וא"כ היה טוב יותר שיברך כל אחד לעצמו, **אפ"ה** הא עדיפא משום "ברב עם הדרת מלך".

ומיירי שהבדילו מכבר, ולא היה להם אז אור בסמוך להם שיהיו נאותין לאורו, ועתה נזדמן להם, או שיודעין שלא יהיה להם כוס בלילה, **דאי** מצפין שיהיה להם כוס, מוטב שימתינו בברכת הנר ויסדרו על הכוס, וכמש"כ לעיל.

כתבו האחרונים, דאפילו מי שכבר בירך "בורא מאורי האש", יכול לחזור ולברך להוציא בני ביתו.

סעיף טו - נר בתוך חיקו - היינו שהיתה טמונה בתוך חיקו, **או בתוך פנס, (פי' כלי שנותן בו הנר שלא תכבה)** - שאינו רואה השלהבת, ולא נשתמש לאורה.

או בתוך אספקלריא, (אין מברכין עליה) - מוסיף, דאע"פ שהוא רואה את האור דרך האספקלריא, מ"מ לא מקרי זה ראיה ממש לענין ברכת "בורא מאורי האש", דבעינן שיהיה האור מגולה, (שתקנו חז"ל לברך כעיקר ברייתו שהוא בגלוי), **והמ"א** ושארי אחרונים כתבו, דדוקא בפנס שהיא של ברזל, אף שיש בה נקבים, אין רואה השלהבת להדיא, **אבל** באספקלריא של זכוכית, מקרי רואה השלהבת, ויכול לברך עליה כשהיא בסמוך לו שיוכל להשתמש לאורה, **ועיין** בביאור הלכה שהבאנו, דכמה פוסקים סוברים כדעת השו"ע, וע"כ אין כדאי לכתחלה להקל בזה, (**ואף** שאין בנו כח למחות ביד המקילין בזה, דיש להן על מי שיסמוכו, מ"מ לכתחלה בודאי נכון להחמיר בזה, שיקח בעת הברכה הזכוכית מלמעלה, דלדעת האוסרין יש בזה חשש ברכה לבטלה).

רואה את השלהבת ואינו משתמש לאורה - כגון שעומד מרחוק ולא יוכל להכיר בין מטבע למטבע, **משתמש לאורה ואינו רואה את השלהבת** - כגון שעומד מן הצד, **אין מברכין עליה, עד שיהא רואה את השלהבת ומשתמש לאורה.**

§ סימן רצט – שלא לאכול ולא לעשות שום מלאכה קודם שיבדיל §

סעיף א - אסור לאכול שום דבר, או אפילו לשתות יין או שאר משקין חוץ ממים, משתחשך עד שיבדיל - ואפי' בספק חשיכה, [ודלא כט"ז, (בשיטת הרא"ש), **וע"ל** בסי' רס"א במ"ב, דנקטינן לספק חשיכה תיכף משקיעה החמה לענין הדלקת הנרות וכל מלאכה, **ומ"מ** נ"ל דלענין אכילת סעודה שלישית, אם לא אכל מקודם, בודאי צריך לאכול אפילו אחר שקיעה, [**כיון** שהוא דבר מצוה, יכול לסמוך על שיטת הרז"ה, (דמקיל בספק חשיכה), וגם הרא"ש אפשר דסובר כן, (וכנ"ל לפי הט"ז), **ואפשר** עוד, דאתי ספק עשה דרבנן ודוחה ספק איסור דרבנן, וגם מהטעמים שכתבנו בבה"ל, וגם העולם נוהגין להקל בזה]. **ואפי'** לשאר אכילה אם הוא תאב לאכול ולשתות, ג"כ אין להחמיר עד חצי שעה שקודם צה"כ, [**דנראה** דיכול לסמוך על דעת השו"ע לעיל ברס"א, דעדיין לא התחיל בה"ש].

(**והנה** בסעודות גדולות של נשואין, המנהג בכמה מקומות להקל ולישב בספק חשכה, והב"ח מתמה ע"ז, **ונראה** שבמקום הדחק סומכין על הרז"ה, ואין למחות בידן, **ועוד** נ"ל ליישב קצת מנהגן, דמפני שהוא רק חשש דרבנן, והוא במקום מצוה, נקטו לקולא כר' יוסי, דזמן בה"ש דידיה מאוחר מבה"ש דר' יהודה).

כתב המ"א, דמש"כ המחבר "משתחשך", מיירי כשלא התפלל ערבית, **אבל** אם התפלל ערבית, אפי' אם התפלל מבע"י, {דיש אופן שמותר וכבסי' רצ"ג}, חלה עליו חובת הבדלה, ואסור לאכול עד שיבדיל על הכוס, [**ואף** אם הבדיל בתפלה אסור, **והפמ"ג** כתב שאין דינו מוכרח, דלא דמי לקידוש, דע"י הקבלה הוא שבת ואסור במלאכה, שנתקדש היום אצלו, ולכן חל חובת קידוש, **משא"כ** בהבדלה, דעדיין לאו חול הוא לשום דבר].

אבל אם היה יושב ואוכל מבעוד יום וחשכה לו - ואפילו רק התחלה בעלמא, שבירך ברכת "המוציא" מבע"י, ונשתהה לאכול עד שחשכה, **א"צ להפסיק, (אפילו משתייה).**

ואפילו לק"ש ותפלה א"צ להפסיק באמצע סעודתו, כיון שהתחיל מבע"י דהיה בהיתר, **ואין** להחמיר בזה להפסיק, שאם היה מפסיק באמצע, נראה כמגרש המלך, **ודומה** לזה דרשו במכילתא: זכור ושמור, שמרהו ביציאתו כאדם שאינו רוצה שילך אוהבו מאצלו כל זמן שיכול.

ואם הפסיק תוך הסעודה והתפלל, כתב המ"א דאפשר דחלה עליו חובת הבדלה, ואסור לאכול עד שיבדיל, [**ועיין** בא"ר שכתב דאין זה מוכרח, **ועכ"פ** במה שאמר תוך הסעודה תיבת "ברוך המבדיל בין קודש לחול", כדי שיוכל להדליק נר וכדומה, בזה לבד בודאי לא חל עליו חובת הבדלה, ומותר לגמור סעודתו].

ודוקא בזה שהתחיל לאכול בהיתר, אבל אם התחיל באיסור, פוסק ומבדיל, **אך** בלא"ה צריך לפסוק משום ק"ש של ערבית שהיא דאורייתא, אם התחיל לאכול בתוך חצי שעה שקודם צה"כ, וכדלעיל בסימן

רל"ה, **ואין** לסמוך על קריאת השמש לבהכ"נ, ואפילו במקום שדרך לקרות, אלא אם רגיל לילך לבהכ"נ במו"ש.

ואם היה יושב ושותה וחשכה לו - היינו שישב לשתות מבע"י, ולא בתוך הסעודה, וחשכה לו, **צריך להפסיק** – (ולהבדיל וחוזר לשתיתו), **ואפילו** אם רק נעשה ספק חשיכה, צריך להפסיק, דשתיה לאו דבר חשוב הוא שתועיל התחלתו מבע"י.

וי"א דהני מילי בספק חשיכה, אבל בודאי חשיכה, אפילו היה יושב ואוכל, פורס מפה ומבדיל וגומר סעודתו - קאי על מש"כ בדעה קמייתא, דבהתחיל מבע"י א"צ להפסיק אפילו כשנעשה ודאי חשיכה, ולדעה זו צריך להפסיק, **אבל** לענין לכתחלה אין נ"מ בין דעה זו לדעה קמייתא, דאף לדעה קמייתא אסור להתחיל לאכול אפילו בספק חשיכה.

הגה: והמנהג פשוט כסברא הראשונה.

סעיף ב - היו שותים - היינו שהיו שותים בתוך אכילתן, והתחלת אכילה היתה מבעוד יום, **ואמרו: בואו ונבדיל, אם רצו לחזור ולשתות קודם הבדלה א"צ לחזור ולברך** - ס"ל להדעה קמייתא, דכיון שלא היו צריכין להפסיק אף שחשכה, וכדלעיל בס"א, האמירה שאמרו "בואו ונבדיל" אין מזיק לזה, ורשאין לאכול ולשתות וא"צ לחזור ולברך, שלא הסיחו דעתם ע"י אמירה זו, **אבל** כשהיו עוסקים בשתיה לבד, דצריך להפסיק כשחשכה, אם אמרו "בואו ונבדיל", לכו"ע הסיחו דעתם מהשתיה, ואם רוצים לשתות עוד, אע"פ שאינם רשאים, צריכים לחזור ולברך, [**אבל** בלא אמירה, האיסור בלבד אין עושה הפסק והיסח הדעת].

ויש מי שחולק בדבר - ס"ל דכיון שאמרו "בואו ונבדיל", צריכין לחזור ולברך, **והעיקר** כדעה קמייתא.

סעיף ג - כשמפסיק להבדיל, א"צ לברך בפה"ג על כוס של הבדלה - היינו אפילו אם היה קבוע מתחלה לשתיה לבד, דמחוייב להפסיק, אפ"ה א"צ לברך עתה בפה"ג, שנפטר בברכת בפה"ג שבירך על שתיה הראשונה, **ואצ"ל** אם קאי באמצע אכילתו שא"צ מן הדין להפסיק, ורוצה עתה להבדיל על היין, שא"צ לברך עליו בפה"ג, אם כבר בירך בפה"ג על היין שבתוך הסעודה או שלפני הסעודה, **וכן** אם מבדיל על השכר בתוך הסעודה, א"צ לברך "שהכל", אפילו אם לא בירך כלל "שהכל" מתחלה, שברכת "המוציא" פוטרת אותה, (**וגם** ברכת "המוציא" א"צ לברך לכו"ע כשחוזר לגמור סעודתו אחר הבדלה, אחרי דמדינא לא היה צריך להפסיק באמצע הסעודה להבדיל).

(וכשהיו עוסקים מתחלה בשתיה לבד, דצריך מדינא להפסיק, איירי כשלא אמרו "בואו ונבדיל", **וכשאמרו**, תליא זה בפלוגתת הט"ז ומ"א לעיל בסי' רע"א ס"ה, דלהט"ז שם יהיה צריך לברך בפה"ג על הכוס של הבדלה, ולהמ"א שם א"צ, **אבל** כשהיו עוסקים באכילה, אף כשאמרו "בואו ונבדיל", א"צ לברך גם להט"ז).

וי"א שצריך - ס"ל דכוס של הבדלה הוא ענין בפני עצמו ואין שייך לסעודה.

והעיקר כדעה א', ומ"מ טוב ליזהר לכתחלה שלא להבדיל בסעודה, לא על השכר, ולא על היין אם כבר בירך מתחלה על היין, **ואם** הוא מוכרח להפסיק ולהבדיל, כגון שהיה עוסק מתחלה בשתיה לבד, לא יברך, דהעיקר כדעה א'.

סעיף ד - כשהיה אוכל וחשכה, שאמרנו שא"צ להפסיק - ואין לו כי אם כוס אחד, **גומר סעודתו ומברך בהמ"ז על הכוס** - היינו למ"ד בהמ"ז טעונה כוס, ועיין סי' קפ"ב ס"א, **ואינו** טועמו עד אחר הבדלה, כדי שלא יפגמנו, **ואח"כ מבדיל עליו** – (ומשמע מב"ח וא"ז, דיבדיל מיד קודם התפלה, והטעם, כדי שלא יתאחר שתיית הכוס הרבה מעת שבירך עליו בהמ"ז, **אבל** אין העולם נוהגין כן, אלא מתפללין ואח"כ מבדילין, וכן משמע קצת בדה"ח).

ואם יש לו שני כוסות, מברך בהמ"ז על אחד ומבדיל על אחד - הטעם, דאין אומרים שתי קדושות על כוס אחד, ורישא דאין לו כי אם אחד שאני.

ומותר לשתות מהכוס אף שהוא קודם הבדלה, דכוס של בהמ"ז שייך לסעודה, **וכ"ז** למי שנזהר תמיד לברך על כוס, אבל למי שמברך לפעמים בלא כוס, לפי שסומך על הפוסקים שס"ל דאין בהמ"ז טעונה כוס, אסור לו לשתות עתה מהכוס של בהמ"ז קודם הבדלה - מ"א. ‹**ולדידן** שאין אנו שותים, כשאפשר מצוה מן המובחר

להשאירו עד לאחר הבדלה ולשתותו, **וכיון** שיש הפסקה על ידי תפילת ערבית קודם הבדלה, שוב אין קפידא להבדיל על אותו הכוס שבירכו עליו בהמ"ז, דכיון שיש הפסק בין הקדושות אין בזה משם חשש ד'עושה מצוות חבילות חבילות', **ואדרבה** שייך בו הכלל ד'כיון דאיתעביד ביה חדא מצוה ליתעביד ביה מצוה אחריתי' – פסקי תשובות.

וכתב הח"א דזה דוקא אם הוא כבר ודאי חשיכה, אבל אם הוא ספק חשיכה, נראה דיכול לשתות מכוס של בהמ"ז, אף מי שאינו נזהר תמיד לברך על הכוס, [**דסומך** בזה על הט"ז בס"א, דמותר להתחיל בספק חשיכה, **וטעם** זה רפוי, דכמעט כל הראשונים אוסרים בזה, **אלא** דיש לצרף דעת התו"ש, שכתב דאין דברי המ"א מוכרחין, דלכו"ע מצוה מן המובחר מיהו איכא לברך על הכוס, ולכן יכול לטעום אף מי שאינו נזהר לברך על הכוס].

סעיף ה - טעה ואכל קודם שהבדיל, יכול להבדיל אח"כ - וה"ה אם הזיד ואכל, אף דעבר במזיד, מ"מ צריך להבדיל אח"כ בלילה, אלא אורחא דמילתא נקט.

סעיף ו - שכח ולא הבדיל במו"ש - וה"ה בהזיד ולא הבדיל, **מבדיל עד סוף יום ג'** - דכל אלו הג' ימים שייכים עוד לשבת העבר, ומכאן והלאה שייכים לשבת הבאה, **ומ"מ** לכו"ע לכתחלה יקדים להבדיל ביום א', דזריזין מקדימין למצות, **וגם** דאסור לו לאכול קודם שיבדיל, כיון דבידו הוא להבדיל.

כתב בחידושי רע"א בשם ספר לשון חכמים, דבמוצאי יו"ט אין להבדלה תשלומין, דבשבת שייך לומר דהג' ימים ראשונים שייכים עוד לשבת שעבר, משא"כ ביו"ט, **ומ"מ** הגרע"א מצדד שם, דכל יום א' שאחר יו"ט יכול להבדיל.

וי"א שאינו מבדיל אלא כל יום ראשון ולא יותר - דלא ס"ל הסברא הנ"ל, אך ביום הראשון הטעם הוא, דהיום הולך אחר הלילה של מו"ש.

ודוקא בפה"ג והמבדיל בין קודש לחול, אבל על הנר ובשמים אינו מברך אלא במו"ש - דברכת על האור, משום דבמו"ש הוא זמן בריאתו, ועל הבשמים נמי, משום כדי להשיב נפש הכואבת ביציאת נשמה יתירה, וכ"ז לא שייך ממו"ש ואילך.

ויש מי שאומר דהא דקי"ל טעם מבדיל, הני מילי היכא דהבדיל בליל מו"ש, אבל אם לא הבדיל בלילה, כיון שטעם שוב אינו מבדיל.

הגה: והעיקר כסברא הראשונה - ואתרוייהו יש אומרים קאי.

ומי שמתענה ג' ימים וג' לילות, ישמע הבדלה מאחרים - וה"ה דיכול להבדיל בעצמו ויתן לאחרים לשתות, וכדלעיל בסימן רע"ב ס"ט, **אך** המ"א שדי בזה שם נרגא, דזה אינו מותר רק דוקא כשאחרים בעצמן אין יודעים לברך, ולכן עצה זו עדיף טפי.

עיין באחרונים שכתבו, דה"ה אם מתענה ב' ימים וב' לילות, ואפילו יום אחד ולילו, אף דיכול לקיים מצות הבדלה בעצמו אחר תענית, מ"מ יותר טוב שישמע במו"ש הבדלה מאחרים, דקרובי אבדלתא לשבת עדיף טפי, דאז הוא עיקר מצות הבדלה, **והא** דנקט ג' ימים, משום סיפא, דבאין אחרים, יכול להבדיל מבע"י, וזהו דוקא בג' ימים, דיעבור הזמן ולא יוכל לקיים הבדלה כלל, **משא"כ** בשני ימים דלא יעבור הזמן, טוב יותר שימתין ויבדיל לבסוף שני ימים, משיבדיל מבע"י.

ואם אין אחרים אצלו, יכול להבדיל בשבת מבע"י ולשתות - היינו אחר פלג המנחה, ויתפלל ג"כ מעריב מקודם, וכדלעיל בסימן רצ"ג ס"ג, **ואפ"ה** מותר לאכול ולשתות אח"כ, ולא אמרינן דכיון דאבדיל כבר קיבל עליו את התענית ואסור בשתיה, (ואפי' כבר קיבל עליו התענית במנחה), **משום** דעיקר התענית אינו מחמת חובה כט' באב, (**דחמיר, שלא יוכל להבדיל מבע"י, כשחל ט' באב ביום א', דזה נחשב לקבלה ויהיה אסור לו לשתות אח"כ**), אלא מחמת נדרו, ובנדרים הולכים אחר לשון בני אדם, ובלשון בני אדם גם אחר שהבדיל מקרי יום, והתענית אינו מתחיל אלא מתחלת הלילה, ואפשר שגם בבה"ש שהוא ספק לילה, אבל לא מקודם, **וה"ה** כשמקבל עליו תענית של לילה ויום בשאר ימי החול, ג"כ אין חל עליו חובת תענית מבע"י, אף שכבר התפלל ערבית.

ולקבל אח"כ התענית עליו - אין הכונה שיקבל תענית ממש, דהא כבר קיבל עליו היום במנחה, כדרך כל תענית שצריך קבלה במנחה שלפניו, (**והדבר פשוט דהך קבלה לאו קבלת התענית במנחה היא, דפשיטא שכבר התפלל מנחה מקודם שהבדיל**), **ואי** מיירי

שיש עליו נדר מכבר להתענות כל ג' ימים שאחר שבת, ג"כ א"צ עתה קבלת תענית כלל, **אלא** ר"ל שיקבל אח"כ בדעתו שיתחיל התענית מעתה, (שאע"פ שהתפלל מנחה וקיבל התענית בתפלה, דהיינו שקיבל להתענות כל ג' ימים רצופים, מ"מ היה מותר לו לאכול כל הלילה כדין תענית נדבה דעלמא, שהולך ואוכל כל הלילה, אע"פ שקיבל התענית, **וכאן** שרוצה להתענות ג' ימים וג' לילות, היה מותר עכ"פ לאכול עד בין השמשות, וקאמר דמבדיל מבע"י ושותה ומקבל עליו תעניתו ליאסר באכילה ושתיה מאותה שעה, וצריך קבלה אחרת לשיאסר).

(מי שמתענה ב' ימים וב' לילות קודם ר"ה, ולא היה לו במו"ש ממי לשמוע הבדלה, {דאם היה לו, דעת האחרונים דטוב יותר לעשות כן}, ומבדיל בליל ג', ואירע בו ר"ה, **כתב המג"א**, דיעשה הבדלה על כוס אחד וקידוש על כוס אחר, ולא יעשה שניהם על כוס אחד, דאין אומרים שתי קדושות על כוס אחד, אלא ביו"ט שחל במו"ש דתרווייהו חדא מילתא היא, **ולענ"ד** יש לעיין בעיקר הענין טובא אם יכול עתה לעשות הבדלה, דהאיך יסיים עתה בהברכה "המבדיל בין קודש לחול" אחרי שעתה הוא קודש, **ולסיים** עתה "בין קודש לקודש" ג"כ לא יתכן, כמו ביו"ט שחל במו"ש, אחרי שזו הבדלה הוא על של ימי החול, **וכמו** דאמרינן בגמ', דאין להבדיל רק עד יום ג', משום דאח"כ כבר עבר השבת קודש שעבר, ותו מקרי יומא דקמי שבתא דלהבא, וע"כ אין לומר "המבדיל בין קודש לחול", דכבר עבר הקודש, **וא"כ** ה"נ בענינינו, איך יאמר "המבדיל בין קודש לחול", כיון דעתה הוא קודש, וכבר עברו ימי החול, וצע"ג).

סעיף ז - המבדיל על היין על שלחנו, אפילו הבדיל קודם שנטל ידיו, פוטר היין שבתוך המזון שא"צ לברך עליו.

על שלחנו - לאו דוקא, ולא בא למעט אלא חדר אחר, דשם הוי ההבדלה מידי אחרינא, אבל באותו חדר חשוב על שלחנו, דהא בדעתם לשתות אח"כ בסעודה שיאכלו שם אחר זה.

וי"א דלא פטר אא"כ נטל ידיו קודם שהבדיל - שנט"י היא התחלת קביעות הסעודה, ושייכא לסעודה, **והא** דמותר להבדיל ולא חשיב הפסק בין נטילה ל"המוציא", עיין בסי' קע"ד במ"א.

הגה: ואם הבדיל תחלה, צריך לברך אחריו ברכה מעין ג' - הגה זו היא מסקנת דעת הי"א, דס"ל דמה שהבדיל קודם הנטילה, אע"פ שהוא על שלחנו, אינו שייך למה שישתה תוך המזון אח"כ, ומשו"ה צריך לברך מחדש תוך הסעודה על היין, **וע"כ** חייב לברך ברכה אחרונה קודם הסעודה.

ולהלכה, ודאי יש לפסוק ספק ברכות להקל, ופטור מברכה אחרונה, ובתוך הסעודה ג"כ פטור לברך על היין כדעה הראשונה, **ועיין** לעיל בסימן קע"ד ס"ד ובמש"כ שם במ"ב.

סעיף ח - כשפוטר היין שבתוך המזון שא"צ לברך עליו, גם א"צ לברך ברכה אחרונה על כוס של הבדלה - היינו דאז בודאי אמרינן דשתיה חדא היא, והבהמ"ז פוטר גם לכוס הבדלה מברכה אחרונה, ואפילו אם בירך בהמ"ז בלא כוס, הבהמ"ז עצמו פוטרו.

ואם אין לו אלא כוס אחד - דאין לו יין על תוך המזון, וגם אין לו כוס לבהמ"ז, שיפטור גם אותו דרך אגב בברכה אחרונה שלו, **וסבור שיביאו לו יין יותר** - דאל"ה, הלא מבואר ברצ"ו ס"ג, די"א דיאכל קודם הבדלה, ואח"כ יברך בהמ"ז ויבדיל על כוס אחד, ע"ש, **ועוד** דאל"ה, עדיף טפי לברך ברכה אחרונה תיכף אחר שתיית הכוס, ולא להמתין לברך אותה אחר שיסעוד ויברך בהמ"ז, **והבדיל על אותו כוס, ואח"כ לא הביאו לו יותר, ובירך בהמ"ז בלא כוס, יש מי שאומר שצריך לברך ברכה אחרונה על כוס של הבדלה** - ואף דגבי כוס קידוש פסק השו"ע לעיל בסימן רע"ב ס"י, דא"צ לברך ברכה אחרונה אחריו בכל גווני, דבהמ"ז פוטרתו, **קידוש** שאני שהיא צורך סעודה, דאין קידוש אלא במקום סעודה, משא"כ הבדלה.

והנה הי"א הזה הוא דעת הטור, שחילק בסברא זו שכתבנו, **ועיין** במ"א, שהוכיח דהרא"ש לא ס"ל לחלק בזה, וכן בביאור הגר"א דעתו כהמ"א, **וע"כ** נראה שאם לא בירך קודם הסעודה, לא יברך אח"כ.

(**ואם** הבדיל בתוך הסעודה, **אפשר** דלכו"ע א"צ לברך ברכה אחרונה, דבהמ"ז פוטרו).

סעיף ט - אם רוצה לסעוד תיכף להבדלה, צריך ליזהר שלא יביא לחם לשלחן קודם הבדלה, ואם הביא, פורס עליו מפה ומכסהו, לפי שהוא מוקדם בפסוק וצריך להקדימו אם לא יכסנו - אף דבכאן אין להקדימו, דאסור לאכול קודם הבדלה, **מ"מ** כיון שבעלמא הדין נותן להקדימו, וא"כ הוי ביזוי לפת שיקדים לו דבר אחר, לכן יש לכסותו.

אבל אם אינו סועד תיכף, א"צ לכסותו, דלא שייך קדימה בזה.

סעיף י - אסור לעשות שום מלאכה - ואפי' חפצים האסורים מדברי סופרים, **קודם שיבדיל** - אפי' משתחשך, כיון שלא הבדיל עדיין, חל במקצת קדושת שבת עליו, ואסרו חז"ל במלאכה.

ואם הבדיל בתפלה, מותר אע"פ שעדיין לא הבדיל על הכוס. ואם צריך לעשות מלאכה קודם שהבדיל בתפלה, אומר: המבדיל (בין הקודש ובין החול), בלא ברכה, ועושה מלאכה - וא"צ לומר כל הלשון של הבדלה, **ומ"מ** לענין אכילה לא מהני עד שיבדיל הבדלה גמורה על הכוס וגם בתפלה, [**אם** לא שהתפלל ושכח להבדיל, דאז די בכוס לבד, וכנ"ל בסי' רצ"ד], **ומה** שדי בלשון זה לענין עשיית מלאכה, שהוא להכירא בעלמא ללוות את המלך.

בלבוש איתא: אומר "ברוך המבדיל בין הקודש ובין החול", **ומ"מ** אינו נקרא זה ברכה, כיון שאין אומר בה שם ומלכות.

וביו"ט שחל במו"ש, ורוצה לעשות מלאכת אוכל נפש ולא הבדיל עדיין בתפלה, אומר "ברוך המבדיל בין קודש לקודש" בלא שם ומלכות, ומותר במלאכה, **אבל** לענין טעימה אסור אפילו הבדיל בתפלה, שאמר "ותודיענו", עד שיקדש כדין.

הגה: וכן נשים שאינן מבדילין בתפלה - היינו שרובן לא נהגו להתפלל במו"ש, **יש ללמדן שיאמרו: המבדיל בין קודש לחול, קודם שיעשו מלאכה.**

וי"א דכל זה במלאכה גמורה כגון כותב ואורג, אבל הדלקת הנר בעלמא, או הולאה מרשות לרשות, א"ל לזה - הטעם, כיון דמדאורייתא בלא הבדלה מותר במלאכה, רק תקנת חכמים הוא שצריך להבדיל מקודם, הקילו במלאכה שאין בה טורח, **ומזה נתפשט המנהג להקל שמדליקים נרות מיד שאמרו הקהל "ברכו"** - עיין מ"א שמפקפק מאד על מנהג זה, וכן בב"י, דמנין לנו לחלק בין מלאכה למלאכה, וגם רבינו ירוחם אפשר שלא כוון להקל בזה, רק אחר שהבדיל בתפלה, **אבל העיקר כסברא ראשונה** - וע"כ מסיק (המ"א) דיש לדרוש ברבים, שילמדו בנותיהם לומר "המבדיל בין קודש לחול" קודם שיעשו שום מלאכה, **ומכ"ש** אותן שמבערות עצים ואש ומחממות מים, דהוי מלאכה שיש בה טורח ולכו"ע אסור, וכ"כ שארי אחרונים.

[**ודה"ח** מחמיר עוד יותר בזה, דאף לאחר שהבדיל בתפלה או אמר "המבדיל", אין מותר רק להדליק הנר וכדומה, לא מלאכה שיש בה טורח].

ובעל נפש יעשה כמ"ש בדרכי משה בשם אור זרוע, וכן איתא בזוהר, שלא להדליק נר עד אחר סדר קדושה, **אבל** חזן הכנסת מותר להדליק נר אחר שהבדיל בתפלה, או אמר "ברוך המבדיל בין קודש לחול", משום כבוד הצבור שיושבין בחושך, **וטלטול** הנר שרי לכו"ע.

ולהביא יין ביו"ט שני אחר שחשכה, אף שלא התפלל עדיין וגם לא קידש, אפ"ה שרי, דהא אין זה משום מלאכה, רק משום הכנה מיו"ט לחבירו, וכיון שנתקדש היום שרי.

וי"א לדלות מים בכל מו"ש, כי בארה של מרים סובב כל מו"ש כל הבארות, ומי שפוגע בו וישתה ממנו יתרפא מכל תחלואיו; ולא ראיתי למנהג זה.

מהרי"ל היה מקפל הטלית שלו בכל מוצאי שבת, כדי להתעסק במצוה מיד.

ועיין לעיל סימן רס"ג, מי שמוסיף מחול על הקודש, אם מותר לומר לאחר שהבדיל לעשות לו מלאכה.

מחבר רמ"א משנה ברורה

§ סימן ש – שיסדר שלחנו במוצאי שבת §

סעיף א- לעולם יסדר אדם שלחנו במו"ש - היינו לפרוס מפה על שלחנו דרך כבוד, וכן שאר דברים הנהוגים אצלו בעריכת השלחן, **אבל** אינו מחוייב לבשל תבשילין ולהכין יותר ממה שצריך לאכול.

כדי ללוות את השבת - דכשם שצריך לכבד השבת בכניסתה, כן צריך לכבדה ביציאתה, כשם שאדם מלוה את המלך בצאתו מן העיר, **ומטעם** זה נראה שטוב להקדימה, כדי שתהיה סמוכה ליציאת השבת, **ואם** אינו תאב עדיין לאכול, מהנכון עכ"פ שלא יעסוק במלאכה בקבע עד שיקיים סעודה זו, **ועיין** בשע"ת דמשמע, דאינו כדאי בכל גוונא לאחרה יותר מחצות.

ומטעם זה יש נוהגים להרבות נרות במוצאי שבת יותר מימי החול, **ונוהגים** ג"כ לומר פיוטים וזמירות אחר הבדלה.

אפילו אינו צריך אלא לכזית - ומשמע בגמרא דיקבע סעודה זו על הפת לכתחלה, כמו בשאר סעודות של שבת, **וגם** משמע דטוב לכתחלה להדר אותה בבשר או בשאר תבשילין אם יש לו, **ואם** אין לו, או שחושש לאכילה גסה, כגון בקיץ שמאחרין בזמננו לאכול הסעודה ג' סמוך לערב, יקיימה במזונות או עכ"פ בפירות.

ואמרו הקדמונים, דאבר אחד יש באדם ונסכוי שמו, וזה האבר נשאר קיים בקבר עד עת התחיה, ואפילו אחר שנרקבו בו כל העצמות, **וזה** האבר אינו נהנה משום אכילה כי אם מסעודת מלוה מלכה, [**וזהו** הטעם דקיים לאחר מיתה, לפי שאבר זה לא קיבל הנאה מעץ הדעת, דאדם אכלו בע"ש, והוא אין לו הנאה ממאכל כי אם במו"ש, לפיכך לא נגזר עליו להכלות אפי' ע"י מיתה].

ודע, דמ"מ סעודה זו אינה חובה עליו כמו הג' סעודות של שבת, דשם אסמכוהו אקרא, וזה רק מצוה בעלמא, **ונ"מ** היכי דא"א לו לקיים כולם, [**וכן** היכא דיש לו בשר או דגים וכדומה בצמצום, מוטב לייפות בהן יותר השלש סעודות].

§ סימן שא – באיזה כלים מותר לצאת בשבת ואיזה מהם אסורים §

סעיף א- אין לרוץ בשבת אא"כ הוא לדבר מצוה, כגון לבהכ"נ או כיוצא בו - שנאמר: וכבדתו מעשות דרכיך, ודרשו: שלא יהא הילוכך בשבת כהילוכך בחול, שדרך האדם למהר ולרוץ אחר עסקו, **ואף** בחול אין לפסוע פסיעה גסה, דנוטלת אחד מת"ק ממאור עיניו, אלא דבשבת איכא נמי איסורא משום "מעשות דרכיך".

הגה: ואסור לפסוע יותר מאמה בפסיעה אחת - פי' שיהא חצי אמה בין רגל לרגל, וכף רגל אחת הוא ג"כ חצי אמה, **אם אפשר לו בפחות** - דבאי אפשר מבואר בס"ג דשרי, **וזהו** באדם בינוני, ששיעור פסיעה בינונית שלו הוא אמה, ואדם הגדול ביותר, כפי שיעור פסיעה שלו.

וה"ה שאסור לקפוץ.

סעיף ב- בחורים המתענגים בקפיצתם ומרוצתם, מותר - אפילו לכתחלה, שזהו עונג שלהם, **וכן לראות כל דבר שמתענגים בו** - פי' שכל אדם מותר לרוץ כדי לראות דבר שמתענג בו.

(והנה בטור מסיים: "ומותר לראות", ועיין בב"י שכתב דהני שתי תיבות מיותר הוא, **ומשו"ה** השמיט בשו"ע אלו התיבות, **ובספר** חמד משה מיישבו, **דה"ק**, דוקא דבר שמתענג בו ומותר לראות, **לאפוקי** דבר האסור לראות, כגון לילך לבתי תרטיאות וכה"ג, אסור גם בשבת לילך ולראות, דבודאי לא הותר דבר איסור משום עונג שבת).

(וכן מותר לטייל) - אפילו אם כונתו להתעמל ולהתחמם משום רפואה, מ"מ שרי, כיון דלא מוכחא מילתא שעושה כן לרפואה, **אבל** אסור לרוץ כדי שיתחמם לרפואה, כיון דמוכחא מילתא, ואסור משום שחיקת סממנין, **ויש** מחמירין אפילו בטיול אם כונתו להתעמל לרפואה.

סעיף ג- היה הולך והגיע לאמת המים, יכול לדלגו ולקפוץ עליה - דילוג מקרי

(ביאור הלכה) [שער הציון] ‹הוספה›

שמפסיק רגליו ברחבה, וקפיצה הוא היכי שקופץ שתי רגליו בבת אחת.

אפילו אם היא רחבה שאינו יכול להניח רגלו ראשונה קודם שיעקור שנייה – (מלשון זה משמע, דכ"ש אם האמת המים הוא קצר, דשרי לקפוץ, ולא ידענא טעמו, דהא בס"ב כתב דקפיצה אסור, ואולי דבאמת המים כיון שיכול לפעמים ליפול בתוך האמה, התירו לקפוץ עליו בכל גווני, ודמי זה למה דאמר בגמרא במסקנא, כיון דלא אפשר שפיר דמי, דכולהו בכלל לא אפשר הוא).

ומוטב שידלג ממה שיקיפנה, מפני שמרבה בהלוך; ואסור לעבור בה, שלא יבא לידי סחיטה - והיכי דא"א בדילוג וקפיצה, מותר לו להקיף, **אבל** לעבור בה אסור, דיש בזה חשש סחיטה, ולא התירו לו אם לא בגוונא דס"ד וס"ו.

סעיף ד - היה הולך לדבר מצוה, כגון: להקביל פני רבו או פני מי שגדול ממנו בחכמה - וה"ה פני אביו, **יכול לעבור בה** – (היינו אפילו כשהוא לבוש, ואפילו הוא עד צוארו במים, ודוקא היכא דלא רדיפי מיא – גמרא).

ובלבד שיעשה שינוי, כגון שלא יוציא ידו מתחת שפת חלוקו, כדי שיזכור ולא יבא לידי סחיטה.

לאפוקי הרב אצל תלמידו דאסור, **ואם** הוא תלמיד שצריך לו רבו באיזה דברים, הן מצד חדודו וחריפותו, הן מצד שיש לו שמועות מגדולים אחרים, כתב הט"ז דמותר לו לעבור בנהר, דעכ"פ גדול ממנו באיזה דברים, **ובספר** תוספת שבת אסר בזה, **ואם** הרב מסתפק באיזה דבר, והולך לשאול את תלמידו שיודע בזה, מסתבר בזה כהט"ז, דלא גרע מלשאר דבר מצוה.

ועיין במג"א שכתב, דאיש ואשה שוין במצות הקבלת פנים, **ונראה** דאשה היינו דוקא ברשות בעלה.

(עיין במ"א שמחלק בין רגל לשבת, דבשבת רק מצוה, וברגל חיובא, והוא דוחק גדול להמעיין בהש"ס, **אכן** מבואר בריטב"א שכתב, ובאמת הקבלה הוא כפי קירובו לרבו, כי אם הוא בעיר, חייב לראותו בכל יום, ולא סגי בלא"ה, ואם הוא חוץ לעיר במקום קרוב, פעם אחת בשבוע או בחודש, וזהו הענין בשונמית, ואם הוא במקום רחוק, יש לו לראותו פעם אחת ברגל עכ"פ).

(וע"ל סי' תרי"ג סעיף כ' ובס"ח בהג"ה) - היינו דשם מבואר, דאפילו אם איכא דרכא אחרינא להקיף, מוטב יותר לעבור במים מלהרבות בהילוך, כיון דהוא עובר לדבר מצוה, **אבל** האחרונים הסכימו שם, דכיון דיכול להקיף, טוב יותר להקיף מלעבור במים.

ואסור לעבור בסנדלו, דכיון דאינו יכול להדקו ולקשרו יפה, חיישינן דלמא נפל ואתי לאתויי; אבל במנעלו, מותר.

סעיף ה - ההולך לדבר מצוה, מותר לעבור במים אף בחזרה, כדי שלא תהא מכשילו לעתיד לבא - שפעם אחרת לא ילכו לדבר מצוה, כיון שלא התירו לו לחזור.

סעיף ו - ההולך לשמור פירותיו, מותר לו לעבור במים בהליכה - דשמירת ממונו נמי הוי קצת מצוה, ובלבד שלא יוציא ידיו וכו', כדלעיל בס"ד, **אבל לא בחזרה** - דאינו דבר מצוה כ"כ, ומשום שלא תהא מכשילו לעתיד לבוא לא שייך בזה, דמאי איכפת לן אם ימנע ולא יחוס על ממונו, **וגם** בודאי לא ימנע מללכת לשמור, דאדם בהול על ממונו.

סעיף ז – (כללי דיני הוצאה: דבר שאינו מלבוש ולא תכשיט, מקרי משוי ואסור מן התורה, ובמזיד חייב כרת ובשוגג חטאת, והיינו אם הוציא אותה כדרך הוצאתה בחול, **ואם** אין דרך הוצאתה כך בחול, מקרי הוצאה כלאחר יד, ופטור אבל אסור מדרבנן, **ודבר** שהוא מלבוש או תכשיט, מותר מן התורה, אלא שיש כמה דברים מה שאסרו חז"ל, יש מהם שאסרו משום דילמא שלפא ומחוי ואתי לאתויינהו ד' אמות בר"ה, {מיהו יש פלוגתא אם שייך גבי איש שליף ומחוי, כמ"ש ס"ט}, **גם** יש כמה דברים שאסרו משום שהוא רפוי, ודילמא משתליף ממילא ואתי לאתויי, **וגם** יש שאסרו משום דילמא מחייכי עלה, ואתי למישלף ואתויי, **גם** יש כמה דברים שאסרו משום מראית העין, **ועוד** יש כמה דברים שאסרו להאשה, משום שיש כמה דברים החוצצים בטבילה,

וחיישינן דילמא מיתרמי לה טבילה של מצוה, שאז היא צריכה להסירם מעליה, ודילמא אתיא אח"כ לאתויי, וכל דברים שאינם עשויים למלבוש גמור רק לאצולי טנוף, כגון שמנחת מלמעלה חתיכת בגד על צעיפה שלא יתטנף מפני הגשמים, מקרי משא, **אך** אם הוא מלבוש גמור, אף שהוא עשוי להציל מן הגשמים, מקרי מלבוש ולא משא, **ודע עוד**, דאף שהוא תכשיט גמור, אם נושאו בידו, מקרי משוי ודרך הוצאה וחייב עליה).

כל היוצא בדבר שאינו תכשיט ואינו דרך מלבוש - דאלו הוציאו דרך מלבוש, הרי לא הוציאו כדרך כל המוציאין, שכל המוציא דבר שאינו תכשיט לו, מוציאין אותו בידים ולא דרך מלבוש, **והוציאו כדרך שרגילין להוציא אותו דבר** - היינו שלא בשינוי, **חייב** - דע, דכל מקום שנאמר בהלכות שבת חייב, אם עשה במזיד חייב כרת, ובשוגג, דהיינו ששכח שהוא שבת, או שלא ידע שמלאכה זו אסורה, חייב חטאת, **ואם** שכח איזה דבר אצלו והוציאו בשוגג לר"ה, אינו חייב עליה, דמלאכת מחשבת אסרה תורה, דהיינו שמוציאו בכונה, אלא שאינו יודע שהיום שבת, או שמלאכה זו אסורה. **ודיני** ר"ה, עיין לקמן בסימן שמ"ה ס"ז ובמש"כ שם.

וכל תכשיט שהוא רפוי, שאפשר לו בקל ליפול, אסור לצאת בו - דילמא נפיל ואתי לאתויינהו ד' אמות בר"ה, **ואם יצא, פטור.**

ואשה לא תצא בתכשיטים שדרכה לשלפם (פי' להסירם מעליה) ולהראותם - וחיישינן דילמא בתוך כך אתיא לאתויינהו ד' אמות בר"ה. **הגה: ועיין לקמן סימן ש"ג סעיף י"ח, אם אסור אפילו בחצר או בבית.**

הלכך לא יצא איש: לא בסייף - ואפילו אם הוא חגור במתניו, מפני שדרך הוצאה הוא כך בחול, **ולא בקשת ולא בתריס (פי' מגן), ולא באלה** - דומה למקל וראשו עגול כמו כדור, **ולא ברומח, ולא בכלים שאינם תכשיט, ואם יצא חייב חטאת.**

ולא בשריון - מלשון: ושריון קשקשים {שמואל א' י"ז},

ולא בקסדא (פי' כובע של ברזל), ולא במגפיים (פי' אנפלאות של ברזל), ואם יצא פטור, שהם דרך מלבוש - ומ"מ אסור משום מראית העין, שיחשדוהו הרואים שרוצה להלחם בהם בשבת, **וגם** אפילו בחדרי חדרים אסור, וכמ"ש בסעיף מ"ה ע"ש.

ולא יצא בתפילין, מפני שצריך להסירם כשיכנס לבית הכסא - ודילמא אתי לאתויי ד' אמות, **ומשמע** דבלאו האי טעמא לא היה אסור לצאת בהם, אף דקיי"ל שבת לאו זמן תפלין, מפני שהם דרך מלבוש.

ומשמע דבביתו אין איסור להניח תפלין, ודוקא במניחן שלא לשם מצוה, אבל לשם מצוה אסור, כנ"ל בסימן ל"א ועי"ש במ"ב.

ולא יצא קטן במנעל גדול - היינו אדם שהוא קטן במנעל שהוא גדול לו, **דלמא נפל ואתי לאתויי; אבל יוצא הוא בחלוק גדול.**

ולא יצא במנעל אחד, אם אין לו מכה ברגלו, דלמא מחייכי עליה ואתי לאתויי; אבל אם יש לו מכה ברגלו, יצא באותו שאין בו מכה - הטעם, משום דתו לא מחייכי עליה, דידעי שאי אפשר לו לנעול המנעל בהרגל שבה המכה, דמכתו מוכחת עליו.

(וזהו דעת חייא בר רב שם בגמרא, אבל רב הונא ס"ל שם איפכא, דנפק דוקא באותו שיש בה מכה, ע"ש טעמו, והנה דעת המחבר הוא דעת הר"ח והרי"ף והרמב"ם והרא"ש שפסקו כחייא בר רב, **אבל** הרז"ה ותשובת מהר"ם פסקו כרב הונא, והביא בא"ר בשם מלבושי יו"ט וכן הגר"א בביאורו ראיה לדבריהם מהירושלמי, וע"כ הסכימו הרבה אחרונים, דנכון להחמיר שלא לצאת לעולם במנעל אחד, אפילו יש ברגלו מכה, בין על אותה הרגל ובין על הרגל האחרת, ומוטב לילך יחף כשאינו יכול לנעול שניהם, ואף דיש מחמירין שלא לילך יחף בשבת, וכדלקמן בסעיף ט"ז, כאן שא"א בענין אחר מותר, ומ"מ בדידן שאין לנו ר"ה גמורה לדעת הרבה פוסקים, מסתברא בודאי שאין לנו להחמיר יותר

מפסק המחבר, כי יש מקילין לגמרי בכרמלית, וכדלקמן בסימן ש"ג סי"ח).

סעיף ח - לא יצא במחט התחובה לו בבגדו - סעיף זה מיירי אפילו בסתם אדם שאינו אומן, וע"ל בסי"ב, **בין נקובה בין שאינה נקובה** - דמחט לא הוי תכשיט לאיש בכל גווני, ולכן יש איסורא לכולי עלמא.

ואם יצא בנקובה, חייב, ובשאינה נקובה, פטור - ס"ל לדעה זו, דבאיש דינו כמו באשה לקמן בש"ג ס"ט, דנקובה הוי דרך הוצאה לפרקים כשהיא תחובה בבגדה, **אבל** באינה נקובה, [אף דבאיש ג"כ אינו תכשיט], פטור, דלאו דרך הוצאה היא להוציא כשהוא תחוב בבגדו, כי אם בידו.

אבל אם הוציאה בידו, חייב בכל ענין, האיש והאשה, בנקובה ובשאינה נקובה, [דביד דרך הוצאה הוא לכל דבר, ודלא כמי ששגה בזה].

וי"א בהפך - טעמם, דס"ל דבאיש מחט נקובה לאו דרך הוצאה היא כשהיא תחובה בבגדו, שגנאי הוא לו, שיאמרו עליו שהוא חייט, [**ואפי'** אם הוא חייט, פטור אם יוצא תחובה בבגדו, משום דגם הוא אינו יוצא בה בחול כי אם כשהולך במקום שרוצה להודיע שהוא חייט, אבל כל שאינו הולך למקום כזה, אינו רוצה שתהיה המחט תחובה בבגדו שידעו הכל שהוא חייט, ולפעמים גם הוא לגנאי יחשב אותה, **וכ"ז** באיש, אבל באשה לכו"ע דרך הוצאתה היא כן להיות תחובה בבגדה, דכל אשה דרכה ואומנתה לתפור ולתקן בגדי ביתה, וע"כ אינה בושה בדבר], **אבל** באינה נקובה, דרך הוא לפרקים אף בחול כשמוצאה בשוק לתחוב בבגדו, כשיש לו צורך לחצות בו שיניו וכה"ג.

ועיין במ"א שמסיק, דהכל לפי הזמן, אם דרכן לצאת כך בחול ולא הוי תכשיט, הוי דרך הוצאתו בכך וחייב, ואם אין דרך הוצאתו בכך בחול, פטור אבל אסור, משום דאינו תכשיט.

וכתב עוד, דאם רוב העולם אין דרכן להוציא בכך, אע"פ שאנשי מקום אחד מוציאין בכך, פטור אבל אסור, והטעם, משום דבטלה דעתן אצל כל אדם.

(ולדעה ראשונה, אם צריך לו המחט לחבר שפתי המלבושים זה לזה, יש לעיין אם מותר לאיש, ועיין לקמן בסימן ש"ג ס"ט, דלענין אשה מותר במחט שאינה נקובה במעמדת קישורים, ועיין שם בטעם המ"א, משום דהוא לצורך הלבישה, וא"כ לכאורה ה"ה באיש, ואולם לדעה השניה דס"ל, דבאיש חייב באינה נקובה, אפשר דאין להקל מחמת זה, דשם שאני, דבאשה באינה נקובה לכו"ע פטור, וכמו דלא מקילינן מחמת זה באשה לענין נקובה, כן ה"ה באיש לענין שאינו נקוב, דבשניהם יש חיוב חטאת, ויש לחלק, דשם אין דרך להעמיד במחט נקובה, משום דמישתליף, משא"כ באינה נקובה י"ל דהוא דרך לבישה, וצ"ע).

סעיף ט - לא יצא בטבעת שאין עליה חותם - דהוי רק תכשיט לאשה, אבל לאיש הוי משוי, **ומיירי** כ"ז שהוציאו כשהוא מונח על אצבעו, דאי בידו ממש, אפילו יש עליו חותם חייב לכו"ע.

ואם יצא חייב - ומקרי דרך הוצאה על אצבעו, מפני שלפעמים נותנת אשה לבעלה להוליכה לאומן לתקנו, ומניחה באצבעו עד שמגיע לשם, וא"כ אף בחול הוי דרך הוצאה בכך וחייב.

(עיין בב"י בשם רבינו ירוחם, והסכים עמו, דכהיום שדרך האנשים לצאת בחול בטבעת שאין עליה חותם, הוא בכלל תכשיט ופטור אבל אסור).

ואם יש עליה חותם, לרש"י פטור - פי' פטור אבל אסור מדרבנן, דאף דטבעת שיש עליה חותם הוא תכשיט לאיש, שכן דרכו בחול לחתום בו באגרות, מ"מ אסור, דגזרינן דילמא שליף ומחוי ואתי לאתויי ד"א, וכמו בכל תכשיטי אשה דגזרו משום זה.

ולר"ת ולהרמב"ם מותר - ס"ל דבאיש לא גזרינן דילמא שליף ומחוי, לפי שאין דרכו בכך, **דאינו תכשיט אלא לאיש; אבל דבר שהוא תכשיט לאיש ולאשה, אסור גם לאיש** - גם לר"ת ולהרמב"ם, משום דלא פלוג רבנן ואסרוהו גם באיש.

(וע"ל סימן ש"ג) - היינו דשם נתבאר האיך לנהוג בזה בזמנינו, ומשמע שם דאין למחות באיש הנושא אותם, **ובחידושי** רע"א כתב שם, דבעל נפש יחוש לעצמו,

שלא לצאת בטבעת כלל, [שאף דמדינא מותר לאיש לצאת בטבעת שיש עליה חותם, נהגו העם שלא לצאת בטבעת].

סעיף י - טבעת שקבוע בה אבן, וכן אם כתובים בה אותיות, אין עליה חותם מיקרי, שלא נקרא חותם אא"כ חקוקים בה אותיות או צורות - דיכול לחתום בה אגרות, **וה"ה** אם האותיות על הטבעות בולטות, דיבוא אח"כ על השעוה שוקע, ג"כ מקרי טבעת שיש בה חותם, **אלא** דנקט חקוקין משום צורות, דבבולטין, לפעמים בצורות אסור אף בחול להשהותה בביתו, כגון שהיא צורה שלמה של אדם, וכדאיתא ביו"ד, [**ואף** דבשוקע אסור לחתום בה, דיבא על השעוה בולט, ע"כ דסוברין דאעפ"כ תכשיט מקרי, כיון דמותר להשהותה, ויש עליה עכ"פ שם חותם]. **ויש** שפירשו, דהאי צורות לא איירי בצורות אדם כלל, או כגון שהיה רק פרצוף מצד אחד, דזה לכו"ע רשאי לעשות, בין בולט ובין שוקע, ומה דנקט חקוקין, אורחא דמלתא נקט.

סעיף יא - דבר העשוי לתכשיט ולהשתמש בו, כגון מפתחות נאות של כסף כמין תכשיט, אסור, שהרואה אומר שלצורך תשמיש מוציא - היינו אפילו אם כונתו עתה לתלות על צוארו לתכשיט ולנוי, אסור מפני הרואה, **והיינו** אפילו לדעת ר"ת והרמב"ם לעיל בס"ט, דמתיר בתכשיט לאיש, [**וע"כ** מיירי בשזה המפתח דרך לילך בו האיש לבד, דאל"ה, בעשוי לאיש ולאשה, הרי סתם המחבר בס"ט לאיסור, **ויותר** נראה שזה קאי אפי' למאי דאיתא לקמן בש"ג סי"ח, דהאידנא מקילינן לענין תכשיט אפי' דאשה], **או** דמיירי שהמפתח קבוע היטב בשלשלת שעל צוארו, ואין בקל למשלף אותו ולאחויי, אפ"ה אסור מפני מראית עין.

ויש מתירים אם הוא של כסף - דכיון דאין דרך לעשות מפתח מכסף, הרי עיקרו נעשה לתכשיט, ואע"פ שגם משתמשין בו, מ"מ עיקרו לתכשיט עשוי, ומותר כשמוציאו לשם תכשיט, [דאילו הוציאו להשתמש בו, בודאי אסור], **אבל** אם הוא עשוי מברזל ונחשת, אע"ג דעשוי לנוי כעין תכשיט, אסור לצאת בו, דעיקרו לתשמיש עשוי, שכן דרך כל המפתחות לעשות מברזל ונחשת.

[**ואם** הוא של ברזל, ותלוי בשלשלת של כסף באיזה כרס בסופו, דעת הט"ז דהמתירין מתירין גם בזה, דהכסף תכשיט והמפתח בטל לגבייהו, **והתו"ש** חולק עליו ואוסר, דכיון דהמפתח הוא תשמיש בפני עצמו, וגם אין גוף אחד עם השלשלת, אינו בטל לגביה].

והנה אף דמדברי השו"ע משמע דדעתו כהדעה ראשונה, מדקבעה בסתמא, **מ"מ** אין למחות בזה, אחרי דכתב הד"מ בשם האגור, דבאשכנז נוהגין כהמתירין בשל כסף.

הגה: ומ"מ אסור לצאת בתיק של בתי עינים שקורין ברילי"ן - היינו תיק של כסף וקבוע בשלשלת, ולתלות על צוארו לתכשיט, דאלו שמוציאם בידו בלא"ה אסור, אפילו תכשיט גמור, **אע"פ שהתיק הוא של כסף, דהבתי עינים בעצמם הם משוי** - וה"ה בנדן של כסף, אף אם הוא עשוי להתקשט בו, אם יש בו סכין, **ולא** אמרינן דהסכין יהיה בטל לגבי הנדן שהוא של כסף, או בתי עינים לגבי התיק, אלא אדרבה הסכין והבתי עינים הם עיקר, **דהא** אין אומרים: נעשה בתי עינים לתיק, אלא: נעשה תיק לבתי עינים, וה"ה נדן לסכין.

והנה כ"ז מיירי לענין לשאת התיק של הבתי עינים עם הבתי עינים שבתוכו על צוארו לתכשיט, **ולשאת** הבתי עינים גופא על חוטמו במקום שאין עירוב, בודאי אסור בלא"ה, דילמא יפלו מעליו ואתי לאתויי ד"א. ‹כבר כתבו כל האחרונים, שזה רק במשקפיים שבימיהם, שלא היו עשויים עם ידיות, ובקל היה נופל – פסקי תשובות›.

ואם המפתח של נחושת וברזל, אפילו מחובר וקבוע בחגורה, אסור. ויש שכתבו שנוהגין בזה להתיר - ודוקא כשהוא מחובר וקבוע בראש החגור, ועשוי כעין זענקעל {הוא כעין קרס, או מה שאנו קורין שפראנצקעס} לחגור בו, דאז אמרינן כיון שהחגורה מדובק בברזל של המפתח, והם כחתיכה אחת, אע"פ שהברזל עשוי ג"כ כעין מפתח לנעול בו, בטל המפתח לגבי החגורה, **אבל** כשקובע ומחברו באמצע חגורה, אסור, דאין המפתח בטל לגבי האזור, דאין שייך להאזור כלל, **וע"כ** אותן האנשים שמורין לעצמן היתר לשאת בשבת, מחמת שתלוי המפתח בברזל הקבוע בחגורה, וכ"ש במה דתלוי רק בקשר של קיימא, הוא טעות, דאין היתר אלא אם המפתח גופא עשוי מתחלתו כעין זענקעל דוקא, דאז בטל לגבי החגורה.

ואם המפתח הוא של כסף והוא קבוע בחגורה באמצע, אף דבזה אינו גוף אחד עם החגורה, מ"מ יש מתירין מצד שהוא תכשיט, ויש אוסרים, וכנ"ל.

ולשאת את המורה שעות {אוהר זייגער} בבגדיו חוץ לעירוב, אסור לכו"ע, שאין שייך ע"ז שם תכשיט, כיון שאינו דרך מלבוש, והמוציאו לר"ה חייב חטאת, (והוא פשוט יותר מביעתא בכותחא, דאין שייך שם תכשיט בטמון בכיסו).

(**ואפי'** אם רוצה לתלותה בשלשלת על צוארו, ושיהיה המורה שעות מגולה לעין הכל, ג"כ נראה דאסור, **דהא** עיקרו נעשה לכתחלה להשתמש בו, וגם כל מי שנושאו סתמא כונתו בשביל תשמיש, לידע בעת הילוכו את השעה, אלא שממילא מתקשט בו ג"כ, **וראיה**, דבזמן שהוא מתקלקל ואינו הולך, אין דרך בני אדם לשאת אותו, **וכיון** שהוציאו להשתמש בו, אפילו בעשויה לשם תכשיט ג"כ מתחלה, מוכח בירושלמי דיש בזה חיוב חטאת, **ואפילו** אם הוציאו בפירוש לתכשיט בלבד, ג"כ אסור, דלדעה ראשונה בסי"א בודאי אסור, דהרואה יאמר לצורך תשמישו הוציאו, ואפילו לדעה שניה דמתיר, היינו דוקא בשהוא ניכר שהוא לתכשיט, דאין אדם עשוי לעשות מפתח מכסף וזהב, משא"כ במורה שעות, וגם יש בזה חשש דשליף ומחוי אף לאיש, שטעם הפוסקים דמתירין בתכשיט לאיש, הוא משום דאין דרך איש להראות לחבירו, משא"כ במורה שעות, ידוע דדרך להראות לחבירו את השעות, וגם לראות בעצמו, ובתוך כך יטלנו בידו ואתי לאתויי ד"א).

ואפילו אם הוא מחובר לרביד הזהב שנושא על צוארו שהוא תכשיט, ג"כ איסור גמור הוא, (**אף שהוא** חשיב יותר, וכמו שפסקו הפוסקים בנדן של סכין ותיק של בתי עינים, דאף שהם של כסף, מ"מ אין הסכין והבתי עינים בטילין לגביה, משום דאין אומרים: נעשה בתי עינים לתיק, אלא: נעשה תיק לבתי עינים, וה"ה הכא אין אומרים: נעשה מורה שעות להשלשלת, אלא: נעשה שלשלת למורה שעות, **ואפי'** הט"ז (הנ"ל בשעה"צ), **פשוט** דמודה בנידון דידן, דהתם סובר דהמפתח אינו חשוב כלל לגבי השלשלת של כסף, אבל בנידון דידן ודאי יש לו חשיבות גדול), דהמורה שעות יש לו חשיבות בפני עצמו, ואינו בטל לגבי רביד.

(**והארכתי** בכל זה להוציא מדעת גדול אחד, שכתב להקל בזה אגב שיטפיה, ולא הביא לדבריו שום טעם וראיה, **וביותר** אתפלא, שכתב שם בעצמו שהאחרונים אסרו דבר זה, וגם החכם צבי מכללם, ואיך חלק עליהם בסברא בעלמא, **היוצא** מדברינו, דבכל גווני אין צד להקל בזה, ובפרט דלדעת כמה פוסקים יש גם בזמנינו דין ר"ה גמורה, כמבואר לקמן בסי' שמ"ה, ויש בזה חשש חיוב חטאת, דדרך הוצאה הוא בכך, **ומצאתי** בקיצור שלחן ערוך שגם הוא כתב כדברינו, **דאין** להתיר **אפילו** ברביד זהב, והביא שגם הגאון מהר"א העלער הורה כן).

‹**ולענין** שעון יד, נוסף בו עוד סברא להקל, שלובשים אותו על גוף היד ממש, והוא דרך לבישה, ומצינו בזה דיעות בפוסקים המנוגדות מקצה לקצה, **ובודאי** ראוי ונכון לכל ירא שמים לימנע מלצאת בשעון יד בשבת, **אמנם** המקילין אין גוערין בהם, ובפרט אם עשוי מזהב עם רצועה מזהב, **וביותר** אם אכן מגלה דעתו שמשמש הוא לתכשיט על ידי שהולך לבוש בשעון גם כשאינו עובד – פסקי תשובות›.

סעיף יב - לא יצא החייט במחט התחובה לו בבגדו; ולא נגר בקיסם שבאזנו; ולא סורק במשיחה שבצוארו

סעיף יב - לא יצא החייט במחט התחובה לו בבגדו; ולא נגר בקיסם שבאזנו; ולא סורק במשיחה שבצוארו - כל אלו הם שנותנים בני האומנות לסימן מאיזו אומנות הם בצאתם לשוק כדי שיכירום. **ואם יצא, פטור** - דאין דרך הוצאה בכך, אלא בידו, דאפילו אומן דוקא כשהוא רוצה להכריז על עצמו שהוא אומן, אז מוציא בכך, אבל לא בשאר פעמים.

והא דפסק המחבר לעיל בס"ח בדעה ראשונה, דבמחט נקובה התחובה לו בבגדו חייב אפילו כל אדם, שם מיירי שתחובה בבגד במקום שדרך לתחוב בו בחול לפרקים, **וכאן** מיירי כשתחובה במקום שאין דרך הוצאתו לגמרי בכך, רק לאומן כשרוצה להראות שהוא אומן, **לכן** לא מקרי דרך הוצאה ופטור אפילו אומן, כר"מ דס"ל הכי בגמרא.

ובביאור הגר"א פסק דהלכה כר"י, דאומן חייב, ועיין בספר חמד משה שהוא מצדד, דגם דעת הרי"ף והרא"ש מטין כן.

סעיף יג - לא יצא הזב בכיס שעושה להצילו מזיבתו שלא יטנף בה - דדרך הוצאה הוא לאיש זה בחול, [ולהרמב"ם דפסק במשאצ"ל דחייב, גם בזה חייב], ואעפ"כ לא מקרי זה בשם מלבוש, דהוא

עשוי רק להצילו מטינוף, וכל אצולי מטנוף משוי הוא, **אם** לא שהוא מלבוש גמור, וכדלקמן בסי"ד.

וה"ה אם קושר מטלית בפתילה של כובע כדי לקנח בו עיניו, אסור.

וכן אשה נדה שקושרת בגד לפניה שלא תתלכלך בדם נדותה, אסורה לצאת בו, אם לא יהא סינר עשוי כעין מלבוש - מלפניה ומלאחריה, כעין מכנסים בלא שולים, דכיון דדרך מלבוש הוא מותר בכל גווני, וכדלקמן בסי"ד, **אבל** כשהיא לפניה לבד, או שהיא מאחריה בלבד, וקושרתו ברצועות לפניה, בכה"ג לא מקרי מלבוש ואסור.

אבל אם קושרתו כדי שלא יכאב לה הדם ולא תצטער - היינו שלא יפול על בשרה ויתייבש עליה ונמצא מצערה, **מותר לצאת בו** - דכיון שכונתה בשביל צער, אפילו נצלת עי"ז מטינוף ג"כ, דרך מלבוש הוא, כשאר מלבושים שהם עשויים להגנת הגוף ומותר.

(אבל בלא קשירה לא מתקיים, ובסימן ש"ג סט"ו מבואר, דבמוך שהתקינה לנדתה באותו מקום, שרי אף בלא קשירה, דשם מתקיים, אבל הכא לא מתקיים בלא קשירה, כיון שאינו תלוי רק לפניה).

סעיף יד - דבר שהוא דרך מלבוש, אפי' אם אינו לובשו אלא משום אצולי טינוף - ר"ל שלובשו מלמעלה על בגדיו כדי שלא יטנפו, **מותר לצאת בו בשבת.**

הגה: ולכן מותר ללבוש בגד מפני הגשמים - היינו ג"כ אפילו שמוסיף ללבוש בגד מלמעלה לבגדיו רק מפני הגשמים, ובלתי זה לא היה הולך בו, כגון שהוא בגד עב וגס מאד כשק, **או כובע על ראשו** - היינו שלובש מלמעלה כובע גדולה על כובעו, כדי שלא יטנף, אעפ"כ שרי, כיון שהוא דרך מלבוש.

אבל אסור לאשה ליתן בגד על צעיפה מפני הגשמים, דאין זה דרך מלבוש - היינו אם אינו דרך מלבוש, רק שמונח על ראשה לבד, כמו בחתיכת בגד פשתן קטנה, **וע"כ** אסור לאיש לכסות הכובע בפאטשיילע.

אבל אם מתעטפת בו גם קצת מגופה, הוי דרך מלבוש ושרי, אף שהוא לאצולי טנוף, כמו שכתוב לעיל, [**מהמ"א** ותו"ש משמע, דעיטוף ראשה בלבד ג"כ שרי, **אך** מפמ"ג משמע, דכוונת המ"א שיהיה מעטוף ג"כ קצת מגופה, ואפשר דכוונתו להשוות דעת המ"א עם הט"ז, **ובח"א** ראיתי, שיהיה מעוטף גם רוב גופה, ולא ידעתי מנין לו, גם בב"י לא משמע כן], ‹ובדפוס חדש של הט"ז כתוב, דצריך רוב גופה›, **ואפילו** אם הוא בגד גרוע כשק, וכדלקמן בסכ"א, **ושרי** אף לעשירות, כיון דלעניות חזי, חשיב גם לעשירות מלבוש.

ואם כונתה שלא יצערו אותה הגשמים, שרי בכל ענין, אף שממילא נצלת עי"ז מטנוף בגדיה, ובלבד שתקשרנה יפה.

סעיף טו - אין הקיטע יוצא בקב שלו, דהיינו שעושה כמין דפוס של רגל וחוקק בו מעט לשום ראש שוקו בתוכו, ואינו עושה זה להלך בו, שעל כל פנים צריך הוא למקלו, אלא כוונתו כדי שלא יראה חסר רגל אלא נכה רגל, כיון דאינו צורך הילוכו, אסור - היינו דעל כן חיישינן דילמא משתליף מרגלו ואתי לאתויי ד"א.

סעיף טז - קיטע שאינו יכול לילך כלל על שוקיו, אלא יושב על כסא, וכשנעקר ממקומו נסמך על ידיו ועל שוקיו ונדחף לפניו, ועושה סמוכות של עור או עץ לראשי שוקיו או רגליו התלוים, וכשהוא נשען על ידיו ועוקר עצמו נשען גם על רגליו קצת, אין יוצאים בהם בשבת, דאיידי דתלוים ולא מנחי אארעא, זמנין דמשתלפי; אבל בכסא וספסלים הקטנים שבידיו - היינו שנשען עליהם בעת שנדחף לפניו, **מותר לצאת** - דהוא דומיא דחיגר עם מקל בסי"ז.

קטע בשתי רגליו ומהלך על שוקיו ועל ארכבותיו, ועושה סמוכות של עור לשוקיו, יוצא בהם בשבת - דלא שייך כאן דילמא משתלפי.

(ביאור הלכה) [שער הציון] ‹הוספה›

הגה: וכן מותר לצאת במנעל של עץ שהרגל נכנס בו, וליכא למיחש שיפול – (ר"ל אע"ג דבגמרא משמע, דבשל עץ גזרינן דילמא משתמיט מרגלו מפני שאין מהודק, היינו בזמנם שהיה קשור העיקר בשוק, ולא היה הרגל נכנס בו, משא"כ בשלנו).

היינו אע"ג שאין בו עור כלל, אפ"ה מקרי מנעל, **ועיין** בביאור הגר"א ובפמ"ג שהקשו מהא דלקמן סימן תרי"ד ס"ב, דמשמע דדוקא במחופה עור מלמעלה, אבל של עץ לבד לא חשיב מנעל, **ועי"ש** בביאור הגר"א מה שתירץ בזה ליישב דעת השו"ע, לחלק בין שבת ליוהכ"פ, **אבל** מ"מ לדינא משמע דמצדד כהרמב"ן, דשל עץ לבד לא חשיב מנעל אף לענין שבת.

(ולענין סנדל של שעם, לפי הרבינו ירוחם בודאי מותר לצאת בו לכו"ע, אפילו למאן דאוסרים בשל עץ).

וכן בפנטני"ש דמשתלפי במהרה וממילא - היינו מה שקורין בלשוננו פאנטאפי"ל, דאע"ג דמשתלפי במהרה וממילא, היינו ע"י חליצה בידים ובלא התרת קשר, מ"מ כיון דמחופה עור הוא מהודק קצת, ולא חיישינן דילמא יפלו ואתי לאתויי.

ויש מחמירים ואוסרים - היינו בפנטני"ש, ומטעם דילמא משתליף, **והט"ז** כתב דלא חיישינן לזה, דהא אין דרך לילך יחף בר"ה, [ובמקום שדרך איזה אנשים לילך יחף, משמע דגם הט"ז מודה, דלהיש מחמירין יש להחמיר], **והתו"ש** מפקפק קצת בדבריו, ע"ש, **ונראה** דבמקום רפש בודאי אין להקל, **אך** לכו"ע אם שכח ויצא בהן לר"ה, א"צ להסירן, [משום כבוד הבריות], אלא מהלך בהן עד שמגיע לביתו, וכן הדין בכל הני שאסורין משום דאתי לאתויי.

ולא ילך אדם יחף בשבת במקום שאין דרך לילך יחף - ובד"מ משמע, דאפילו במקום שדרכם לילך יחף בחול, בשבת ילבש מנעלים, כדי שיזכור שהוא שבת, **ובב"ח** איתא דגם יש בזה משום עונג שבת, וה"ה דביו"ט צריך ליזהר בזה, דעונג שבת ויו"ט שוין, **ועיין** סימן ב', דגם בחול מדת צניעות הוא שלא לילך יחף.

ולא יצא אדם בשבת כמו שהוא יוצא בחול, בלתי דבר אחר שיזכור ע"י שהוא שבת ולא יבא לחללו.

סעיף יז - חיגר שאינו יכול לילך בלא מקל, מותר לילך בו אפי' אינו קשור בו - דכיון דאינו יכול לילך כלל בלא מקל, הו"ל כמנעל דידיה.

(**ואם** יש מסמר בראש המקל, שעושה גומא בהליכתו, והוי פסיק רישא דלא ניחא ליה, צ"ע אם מותר לילך בו, יע"ש בפמ"ג שמצדד להיתר בזה).

אבל אם אפשר לו לילך זולתו, ואינו נוטלו אלא להחזיק עצמו, אסור - וכן זקן ההולך בביתו בלא מקל, וכשיוצא לחוץ נשען על מקלו מחמת תשות כחו, ואינו נוטלו אלא להחזיק עצמו, אע"פ שגופו מתנענע, אסור, דהוי המקל אצלו כמשוי, כיון דבביתו הולך בלי מקל, (ולפי"ז יש בזה **איסורא דאורייתא** כשהולך כך בר"ה), **אבל** אם הזקין כ"כ דא"א לו לילך כלל בלי מקל, מותר.

וכשאדם הולך במקום שיש חשש שיפול, מחמת שירדו גשמים והמקום משופע, או שהולך בחורף על המים הנגלדים שקורין איי"ז, ומפחד שמא יפול, מותר ג"כ לצאת במקל, דדמי לחיגר, כ"כ הט"ז, **ואליהו** רבא כתב עליו דאין דבריו מוכרחים, וגם בעוד אחרונים ראיתי שדעתם שאין להתיר בזה, רק במקום שיש עירוב, [תשו' גור אריה], (**דבשלמא** חיגר שאינו יכול לילך מבלעדי מקל, הוי אצלו כמנעל וליכא איסור הוצאה, אבל משום סברא דבעית, נתיר לאיסור הוצאה בשבת, זה לא שמענו – שם).

ואפילו הוא מקל תפארת שנושאו לכבוד, אסור, דאף שהוא תכשיט, לא הותר לישא תכשיט בידו, וע"כ מה שנהגו החשובים לצאת במקל שבידם, אסורים לצאת בהם בשבת חוץ לעירוב, **אבל** תוך העירוב מותר אם נושאו לכבוד, או שיש בו צורך קצת, **אבל** בלא צורך כלל איכא זילותא דשבת.

(וחולה שעמד מחליו, דינו כחיגר) - היינו דתלוי ג"כ אם יכול לילך בלי מקל.

סעיף יח - סומא, אסור לו לצאת במקל - היינו חוץ לעירוב, והטעם דעצם הליכתו אפשר לו לילך בלי מקל, ואינו נוטלו אלא ליישר פסיעותיו.

סעיף יט - מי שהוא אסור, וכבלים (פי' כעין טבעות גדולים שסוגרים בהם הרגלים) ברגליו, מותר לצאת בהם - דנחשב לו

כמו מלבוש, דדרך הליכתו הוא כן, ובטלים הם לגבי הגוף, שהוא לבוש בהן, **ולא** חיישינן דילמא נפיל מרגליו ואתי לאתויי, דמסתמא כיון דאסור בהם, בודאי הם בחוזק על רגליו ולא יפלו.

סעיף כ - אין יוצאים באנקטמין, והוא כמין חמור שעושים הליצנים, ונראה כרוכב עליו, והוא נושאו והולך ברגליו; ולא בקשרים, והם עצים גבוהים שיש בהם מושב לכף הרגל והולכים בהם בטיט; ולא בפרמי, והם כמין צורת פרצוף שנותנים על הפנים להפחיד התינוקות - ובכל זה הטעם מפני שאין זה דרך מלבוש, **ואם** הוציא בזה, וכן בקב הקיטע הנ"ל, פטור, מפני שלא הוציא כדרך המוציאין.

סעיף כא - אין יוצאים בתיבה וקופה ומחצלת - כגון שרוצה להגן על עצמו מפני הגשמים, והטעם, דכל הני לאו דרך מלבוש הוא, אלא משוי הוא.

אבל יוצאים בשק ויריעה וחמילה (פי' בגדים גסים) - מפני שדרך הרועים לצאת בהם מפני הגשמים, וכיון דחשיב מלבוש להני, לכן מותר גם לכל אדם לצאת בהם, אפילו שלא מפני הגשמים.

פי' בגדים גסים - כן פירש הרא"ש בנדרים, וכן רש"י בשבת ס"ב פירש נמי מלבוש שק, ומשמע דשק ממש לא, **וצ"ע** בימינו שהרועים נהגו ללבוש שק גופא, איך הדין, **גם** לדבריהם קשה קצת, אמאי קאמר הברייתא לא בתיבה וקופה וכו', יותר היה לה לאשמועינן דבשק ממש לא, **וגם** בשלטי גבורים שעל המרדכי הביא בשם אדרת, והוא הרשב"א, דאפילו שק מותר, וצ"ע.

סעיף כב - יוצאים במוך וספוג שעל המכה - היינו שנתנו מבעוד יום, וכדמפרש לקמיה, **לפי שהם מרפאים, הילכך הוי כמו תכשיט.**

(והנה השו"ע העתיק כל זה הלשון דסעיף זה מלשון הטור, ונראה דהטור שסיים ע"ז: לפי שהם מרפאים, ובע"כ מיירי התוספתא לדבריו, בספוג ומוך ישנים שהם מרפאים, הוא אזיל לשיטתיה, דס"ל דדבר שאינו מרפא, אע"ג דמגין על האדם מצער, הוי משאוי, ולדידיה ע"כ מיירי הברייתא בשנתנו כבר מבע"י, ולא נפל, דאל"ה אסור להחזיר בשבת משום רפואה, **אבל** לפי דעת הרמב"ם, דאף בדבר שאינו מרפא, אלא שמועיל כדי שלא ישרט המכה, ג"כ מותר לצאת בו, וכמו שכתב הגר"א בביאורו בסעיף זה, מיירי התוספתא זו גם במוך וספוג חדשים שאינם מרפאים, אלא שמועיל כדי שלא ישרט המכה, דג"כ מותר לצאת בו, וגם מותר להחזיר אותם לכתחלה בשבת).

וכן בקליפת שום ובצל או באספלנית - מטלית של בגד שמושחין אותו במשיחה, ומשימין אותו על המכה, **ומלוגמא ורטייה שעליה.**

ואם נפלו מעליה, לא יחזירם - דהוי כמו נתינה לכתחלה, דאסרו רבנן לעשות רפואה בשבת, וכדלקמן בסי' שכ"ח, **וכ"ש שלא יתנם בתחלה.**

אבל אסור לכרוך חוט או משיחה על המכה לצאת בו - וה"ה אם ירצה לכרוך אותם על המוך וספוג ורטיה, ג"כ אסור, **דכיון שאינם מרפאים, הוו משוי.**

אבל באגוד שכורך על הרטייה שלא תפול מעליו, יכול לילך בו - היינו דוקא באגד של סמרטוטין, דדרך להשליכו כשמתירו, וע"כ אינו חשיב ובטיל לגבי הרטיה, משא"כ בחוט או משיחה דחשיבי, ואינו בטיל לגבי המוך וספוג.

וקושרו ומתירו - דהלא באגד אין בה משום רפואה.

ובביאור הגר"א כתב, דלדעת הרמב"ם אינו אסור בחוט ומשיחה כי אם כשכורכו על המוך וספוג לצאת בו, דמשום דחשיבי לא בטלי, [ודוקא היציאה אסור, אבל הכריכה גופא אין איסור, כי אין החוט והמשיחה מרפא], **אבל** על המכה ממש, אפילו היה כרוך חוט ומשיחה או שאר דבר חשוב, מותר לצאת בו, דאף דאינו מרפא, מ"מ הרי מועיל שלא יסרט המכה, וע"כ לא הוי משוי, והביא ראיה לדבריו מלשון התוספתא, **ומשמע** מניה שהוא סובר כן להלכה, וכן משמע דעת כמה אחרונים, וכמו שאכתוב לקמן בסכ"ח במ"ב ע"ש.

סעיף כג - הבנים יוצאים בזגין (פי' כמין פעמונים קטנים) הארוגים להם בכסותם - ולכן לא חיישינן דילמא מיפסק ואתי

לאתויי, [ואפי' בבנים גדולים]. **ואפילו** אם הם זגין של זהב שאינו עשוי אלא לבני מלכים, ג"כ לא חיישינן דילמא מחייכי עליה ואתי לאתויי בידו, כיון שהוא ארוג.

אבל אם אינם ארוגים, לא - ואפילו הם קשורים להכסות, וכ"ש בזוג שבצוארו דאסור לצאת, דחיישינן דילמא מיפסק מהכסות או מצוארו ואתי לאתויי, [ומטעם זה אסור אפי' בבני מלכים]. **וכ"ש** אם הם של זהב, דחיישינן דילמא מחייכי עליה להחזיקו כיוהרא, דאינו עשוי אלא לעשירים, ואתי ליטלן ולאתויי ביד.

וכתבו בתוספות בשם הריב"א, דאפילו בנים קטנים שאינם עשירים, [ובדידהו ליכא למיחש דלמא יופסק ואתי לאתויי, דהרי הוא קטן והאיסור לא ספינן להו בידים], **אסורים** לצאת בזוג של זהב שאינו ארוג בכסות, או התלוי בצוארו, דחיישינן דילמא מחייכי עלייהו, וא"א שלא ישמע אביהם ויטלם, ובתוך כך אתי לטלטלם ד"א בר"ה, והביאם המ"א וא"ר.

הגה: ולא מהני הא דמחובר לכסות, רק בדבר שדרכו להיות מחובר שם - דהיינו כגון זוג, שהדרך היה בזמניהם להיות בכל הבגדים לנוי, לכך שרי באריג, שלא גזרו אטו אינו אריג, כיון שהוא נוי לבגד לא הטריחו חז"ל להפסיד אותו ולהתגנות.

(וע"כ מותר לצאת בכיסין התפורים בהבגד, וכן בקאפטו"ר שתלוי בבגד, שמכסה ראשו בשעת הגשמים).

אבל אם חיבר שם דבר שאין דרכו בכך, אסור - היינו דגזרו מחובר אטו אינו מחובר, **ועיין** במרדכי שם שסיים, דאפשר דבכלל משוי הוא, וחיוב חטאת נמי יש בזה, דאינו בטל לגבי הבגד כיון שאין דרכו בכך, **וכן** משמע בתשובת הרשב"א שהובא בב"י, שכל דבר שאין צורך להבגד, ואין תשמיש להבגד, אינו בטל לגבי הבגד, והרי הוא כאלו מוציאן לבדו בלא הבגד, וחייב.

ואותן עגולים ירוקים שגזרה המלכות שכל יהודי ישא אחד מהן בכסותו, מותר לצאת בהן אפילו אינו תפור בכסותו רק מחובר שם קצת - דחשיב מלבוש כיון שדרך לצאת בו כל ימי השבוע, **ולא** חיישינן דילמא יתבייש ושקיל ליה ואתי לאתויי, שאימת מלכות עליו, **גם** לא חיישינן דילמא מיפסק ואתי לאתויי, כמו בזגים שאינן ארוגים, שאין זה חשוב.

וכן מותר לצאת במטפחת שמקנחין בו האף, שקורין פצולי"ט, אם מחובר לכסות - כאן בעינן שיהיה מבע"י תפור היטב להכסות, או עכ"פ שיהיה תפור בשני תכיפות, דאז הוי כמו אריג יחד, וכנ"ל בריש הסעיף, דאל"ה חיישינן דילמא מיפסק ואתי לאתויי, כמו בזגים.

ואע"ג דהוא דבר שאינו לא מלבוש ולא תכשיט, מ"מ לא חשיב כמשוי, דדרך היה בזמניהם לתפור כן להכסות, הלכך בטל הוא לגבי בגד, **ולפי"ז** בזמנינו שאין דרך להיות הפאצילע"ט תפור בהבגד, לא בטיל הוא לגבי בגד, ואסור, וכ"כ בספר זכרו תורת משה, ובספר מטה אשר.

ויש שכתבו, לפי שהפאציילע"ט הוא דבר שאינו חשוב, בטל הוא לגבי הכסות כשתפור בו, **ודוקא** לכסות, אבל אם תפרו לחגורה אינו מועיל, דאינו בטל לגבי חגורה, אא"כ יתפרנו בראש החגורה ויחגור עצמו בו, **וקשירה** בעלמא להכסות או להחגור, אפילו קשרו מבע"י בקשר של קיימא, ג"כ אסור לצאת בו, כיון שאינו חוגר עצמו בהפאציילע"ט.

ומי שרוצה להיות הפאציילע"ט עמו, ולא תפרו להכסות מבע"י, אין לו היתר שיעשה עתה ממנו כעין חגורה לחגור בו, כיון שיש לו חגורה בלא"ה, וחגורה ע"ג חגורה אסור, כדלקמן בסעיף ל"ו, **אלא** יחבר ראש הפאציילע"ט בראש החגורה בעניבה, ויהיה כחגורה ארוכה, ויחגור עצמו בו כל זמן שהולך ברחוב - ט"ז וש"א, **ויש** מאחרונים שמפקפקין בזה, וסוברין דקשר שאינו של קיימא לא מהני לזה, וע"כ לכתחלה טוב לעשות עצה זו גופא מע"ש, ויקשרנו בקשר של קיימא להחגורה בראש, דיחשב כחגורה ארוכה לחגור בה בשבת.

והא דמותר לצאת בזגין הארוגין, דוקא שאין בהם עינבל ואין משמיעין קול - (וה"ה אם הזוג הוא פקוק, והנה במג"א מסיק, דדוקא היכא דבעי לקלא, כגון לקטנים, אבל גדולים מותרים לצאת אף בשיש לו עינבל ומשמיע קול, כיון דלא בעי לקלא, **ועיין** בסימן ש"ה דשם מסתפק המ"א, דאפשר דקול זוג משתמע ככלי שיר,

ובכלי המיוחד לשיר הלא מסיק בשל"ח דאסור, וכן בא"ר מפקפק בדברי המ"א, ע"ש, וגם הגר"א משמע שמסכים לדברי הרמ"א, ע"ש).

סעיף כד - יוצאים במיני עשבים שקושרים אותם בקשרים ותולין אותם לרפואה - דהוא ג"כ בכלל קמיע מומחה, כדאיתא לקמן בסכ"ה, דאחד קמיע של כתב ואחד קמיע של עיקרין, ותכשיט הוא לחולה כאחד ממלבושיו, **ועיין** לקמן בסכ"ה מתי נקרא קמיע מומחה.

סעיף כה - אין יוצאין בקמיע שאינו מומחה, ואם הוא מומחה יוצאין בו - ודוקא כשהוא מוציאו דרך מלבוש, דאז שרי משום דתכשיט הוא לחולה כאחד ממלבושיו, **אבל** לא יאחזנו בידו ויעבירנו ד' אמות.

כלל ההפרש בין איתמחי גברי לאיתמחי קמיע הוא זה: דאיתמחי גברא לא נקרא אלא ע"י שריפא ג' בני אדם מחולי אחת בשלש איגרות, שהיה כתוב בכולן לחש אחד, ואפילו לכל אחד רק פעם א', ואז נעשה גברא זה מומחה אף לשאר אנשים שיש להם חולי זה, אם יכתוב לחש זה, דהלא נתחזק בשלשה בני אדם שהוא מומחה לרפאות בלחש זה, **אבל** לשאר לחשים לא נעשה מומחה לעולם, דלא איתמחי רק על לחש זה שכבר נתברר המחאתו, [היינו אפי' אם כתב כמה לחשים בכמה אגרות ואיתמחא עליהן, אפ"ה לא מהני ללחשים אחרים], **ומומחה** קמיע, כגון שכתב לחש אחד באגרת אחת, וריפא באותה אגרת ג' פעמים, [ואין נ"מ בין שריפא באגרת זו ג' אנשים, או לאיש אחד ג' פעמים, בכל גווני הוי רק איתמחי קמיעא], שעי"ז נעשה אגרת זו מומחה, שכל אדם מחולי זה שישא האגרת הזה יתרפא, **ודוקא** אותה אגרת בעצמה, אבל אם יהיה כתוב הלחש הזה גופא באגרת אחרת, לא מהני, דלא איתחזק הלחש הזה כי אם באגרת הזו, **ואפילו** אם יכתוב אותו גברא בעצמו שכתב האגרת הראשון, גם כן לא מהני, דהלא לא איתמחי גברא בשלש אגרות.

לא שנא אתמחי גברא ולא קמיע, כגון שכתב לחש אחד בשלש אגרות, ורפאו שלשתם שלשה בני אדם - אבל כתב ג' לחשים לא איתמחי גברא כלל עי"ז, שהרי כל לחש לא הועיל כי אם לאדם אחד, [**ואפי'** לאותן הלחשים גופא שריפא, אין עליהם שם קמיעא מן המומחה].

שאיתמחי גברא לאותו לחש בכל פעם שיכתבנו - אפילו לאדם אחר, וה"ה דיכול כל אדם מאותה חולי ליקח בעצמו ולישא אותן האגרות הראשונות שכבר כתב מומחה גברא זה, דכיון דגברא נתחזק כמומחה על לחש זה, מאי נ"מ אם יכתבנו מחדש או לישא מה שכתב כבר.

אבל לא לשאר לחשים, וגם אין הקמיע מומחה אם יכתבנו אחר.

לא שנא אתמחי קמיע ולא גברא, כגון שכתב לחש אחד באגרת אחת וריפא בו ג' פעמים - אפילו רק לאדם אחד, (ולא אמרינן בזה מזליה דחולה גרם, כמו לקמן לענין תלת קמיע לחד גברא, דיותר יש לתלות בהמחאת הקמיע מבמזליה דחולה).

שאותה אגרת מומחה לכל אדם - פי' שכל אדם שיש לו אותה החולי מותר ליקח בעצמו ולישא אותה אגרת, אף שלא רפאה אלא לאדם אחד, שהרי נתחזקה בהמחאתה ג' פעמים, **אבל** אם יכתוב לחש זה באגרת אחרת, אסורה, אפילו אם אגרת הראשונה רפאה שלשה בני אדם, דלא נתחזקה רק אותה האגרת, אבל גברא לא איתמחי לאגרת אחרת.

וכ"ש אי איתמחי גברא וקמיע, כגון שכתב לחש אחד בג' אגרות וכל אחת הועילה לג' אנשים - דאי לא הועילה כל אחת רק לאדם אחד, לא הוי אלא איתמחי גברא ולא הקמיע, וכדלעיל בריש הסעיף, אבל כיון שהועילה כל אגרת פעם אחת לג' אנשים, גם האגרת נתמחאה.

או לאדם אחד שלשה פעמים - גם בזה הא דצייר ג' פעמים, כדי שיהיה גם איתמחי קמיע וכנ"ל.

איתמחי גברא ללחש זה בכל אגרת שיכתבנו, ואתמחו אגרות הללו לכל אדם.

הגה: ודוקא שבאו ג' המחאות ביחד - כגון שכתב אגרת וריפא לראובן ג' פעמים, ועוד אגרת

לשמעון ג' פעמים, ועוד אגרת וריפא לשמעון עוד ב' פעמים, ועדיין לא איתמחי גברא, לפי שלא ריפא ג' אנשים, וגם לא אתמחי קמיע, ואח"כ ריפא באותה אגרת השלישית גם ללוי, ונמצא שבאו שתי המחאות ביחד, [**הנה** ציור זה יהיה תירוץ למה שכתב בפנים "לאדם אחד שלש פעמים", ומה שכתב בפנים "דכל אחת הועילה לג' אנשים", יהיה בדרך זה, דהיינו שאגרת אחת ריפא ראובן שמעון לוי, ועוד אגרת יהודה ישׂשכר זבולן, ועוד אחרת ישׂשכר זבולן הקודמין, ועדיין לא איתמחי גברא, לפי שלא ריפא באגרת זו עדיין לאיש חדש, וגם לא איתמחי קמיעא, ואח"כ גם לבנימין, ונמצא שבאו שני המחאות ביחד].

אבל אם איתמחי גברא תחלה, ואח"כ עשה קמיע וריפא ג' פעמים, לא תלינן בהמחאת הקמיע, רק בהמחאת הגברא שכבר אתחזק – ונ"מ, שאם הפסיד הרופא המחאתו, כגון שכתב עוד ג' אגרות ולא הועילו, אז גם הקמיע שנתן מכבר שריפא ג' פעמים אסורה, דעדיין לא נתמחאה, **משא"כ** כשבאו שניהן ביחד, או שבאה המחאת הקמיע תחלה, אז אע"פ שהפסיד הרופא המחאתו, המחאת הקמיע במקומה עומדת.

אבל אם כתב ג' קמיעים – היינו שלש אגרות אף שהם לחש אחד, **לאדם אחד, ורפאו ג' פעמים, לא איתמחי לא גברא** – דהיינו שאינו יכול לכתוב אגרת אחרת אף בלחש זה, דכיון שלא ריפא בהג' אגרות רק לאדם אחד, אמרינן מזליה דחולה גרים.

(**ואף** דלענין המחאת קמיע, כגון שריפא בקמיע אחת לאדם אחד ג' פעמים, לא תלינן במזליה דחולה זה, התם משום דיכול לתלות בקמיע, ובזה עדיף יותר לתלות וכמש"כ למעלה, **משא"כ** הכא דבקמיע א"א לתלות, אלא במזליה דרופא או דחולה, בזה פסק השו"ע דתלינן יותר במזליה דחולה, ולא איתמחי הרופא עדיין).

ולא קמיע – דקמיע לא איתמחי רק כשאגרת אחת רפאה ג' פעמים.

וכתב המ"א, דאף החולה בעצמו אסור לצאת בהאגרות שרפאוהו מכבר, כיון שנקראו קמיע שאינו מן המומחה, **ושארי** אחרונים מפקפקין בזה.

(**והוא** כשיטת התוספות והרא"ש ורי"ו, וחלקו על שיטת רש"י דמפרש, דכשנותן שלשה מיני קמיעים לשלשה בני אדם מחליים אחרים, נעשה הגברא מומחה לכל, שכל קמיע שיתן יועיל, **ולדעת השו"ע**, באופן זה לא נעשה מומחה כלל, ולא נקרא מומחה גברא רק בשריפא שלשתם בלחש אחד, ואינו נעשה מומחה רק לאותו לחש, **וכן** במומחה קמיע, דלדעת רש"י אם לחש זה ריפא ג' בני אדם מחולי אחד, נעשה לחש זה מומחה, שכל מי שיכתבנו לחולי זה מותר לצאת בו, **ושו"ע** סובר דדוקא אגרת קמיע זו גופא שריפאה לג' בני אדם, אבל אם יכתוב הלחש הזה על קמיע אחרת, לא נקרא קמיע מומחה ואסור לצאת בו, **ומאחר** שר"ח ורש"י ורבינו יהונתן וסמ"ג וסמ"ק והתרומה והמאירי והג"א קיימי בחדא שיטתא להקל, והוא מלתא דרבנן, דאינו חייב חטאת בכל גווני כדאיתא במשנה, נראה דיש לסמוך להקל בעת הצורך, וגם הב"י גופא, לו היה לפניו פירוש ר"ח ורבינו יהונתן, לא סתם כן בשו"ע להחמיר).

ומותר לצאת בקמיע מומחה, לא שנא היא של כתב – ואם הוא מכתבי הקודש, אסור לצאת בה לר"ה, אא"כ מחופה בעור או דבר אחר, דאל"ה חיישינן דילמא יצטרך לפנות, ויסירם מעליו, ואתי לאתויינהו ד"א, **ואם** הוא חולה שיש בו סכנה אי שקיל מיניה, דאז אין צריך להסירם, בכל גווני מותר לצאת.

או של עיקרים – של שרשי סממנין.

בין בחולה שיש בו סכנה, בין בחולה שאין בו סכנה; ולא שנכפה כבר ותולהו לרפואה, אלא אפילו לא אחזו החולי, אלא שהוא ממשפחת נכפין ותולהו שלא יאחזנו, שרי.

וקושרו ומתירו ברשות הרבים, ובלבד שלא יקשרנו בשיר או בטבעת ויצא בו לרשות הרבים, שאז יאמרו שיוצא בו לשם תכשיט, וזה אסור, דלאו תכשיט הוא.

סעיף כו – נאמן לומר הרופא על עצמו שהוא מומחה – וה"ה שנאמן על הקמיע לומר שהיא מומחית, דלא חשדינן ליה שיכוין להכשיל.

סעיף כז – יוצאין בביצת החרגול – הוא חגב, **ובשן של שועל, ובמסמר הצלוב** –

ועיין בגמרא למאי עבדי כל דברים אלו, **בין בחול בין בשבת** - ובזמנם היו אלו דברים איתמחו לרפואה, ויש להם דין קמיע מומחה, ושרי לצאת בהן כשהן תלויין עליו, **ואין בו משום דרכי האמורי, וכן בכל דבר שהוא משום רפואה.**

אבל אם עושה מעשה ואין ניכר בו שהוא משום רפואה - היינו שאין ניכר שיהיה לרפואה, **אסור משום דרכי האמורי** - והא דמותר בדברים הנ"ל, כיון שיאמרו היודעים שהוא לרפואה מצד הסגולה, הוי כניכר.

אבל כל לחש מותר - ואפילו אי עדיין לא אתמחי, ואין אנו יודעין שמרפאין, אפ"ה מותר בחול, דכיון דידעינן שיש לחשים שמרפאים, אמרינן שמא גם בזה ירפא, והוי קצת כמו ניכר, כיון שרגילות שהלחשים ירפאו, **ולא אסרו אלא באותם שבדקן ואינם מועילים** - שידענו שאינן מועילים.

ויש מי שחושש בכל קמיע שאינו מומחה משום דרכי האמורי - הקשה בביאור הגר"א, הא תנן דאין יוצאין בקמיע שאינו מומחה, משמע הא בחול שפיר דמי, ועיין בלבושי שרד שנדחק ליישב, **ואם** החולי הוא דבר שיש בו חשש סכנה, נראה דלכו"ע שרי בכל גווני.

סעיף כח - מי שיש לו מכה בפיסת רגלו, וקושר עליה מטבע להגין שלא ינגף ברגלו, וגם הוא מרפא, מותר לצאת בו - ודוקא בשקשר את המטבע לפיסת רגלו מבע"י באיזה סמרטוט, דלא חשיב ובטיל, **אבל** אם קשר אז בדבר שהוא חשוב, אסור לצאת בשבת, וכנ"ל בסכ"ב.

הוא מלשון הטור, ומשמע מזה דבדבר שאינו מרפא, אלא שעושה כדי שלא ינגף ברגלו, אסור, ואזיל לטעמיה בסכ"ב עי"ש, **אבל** בא"ר הביא בשם כמה פוסקים, דאפילו אם אינו מרפא, אלא שעושה כדי להגין מצער, ג"כ מותר לצאת בו, וכ"כ בתו"ש בשם מהרש"ק, **ועיין** לעיל בסעיף כ"ב מה שכתבנו בשם הגר"א, דדעת הרמב"ם הוא ג"כ הכי, **וע"כ** אם חתך אצבעו בשבת, וכורך חתיכת בגד עליה שלא ישרט בבגדיו, מותר לצאת בו, [דאפי' דבר חשוב מותר כיון שמועיל שלא ישרט, **אך** י"א דאינו מותר לצאת בהן כי אם בשיצא בהן שעה א' מבע"י], **מיהו** יותר טוב שיכרוך על המקום הזה באיזה סמרטוט, דבזה מצדד הפמ"ג דלכו"ע שרי לצאת בו, דלא חשיב ובטיל לגבי המכה, [ויש להקל בזה אף שלא יצא בו שעה א' מבע"י], **מיהו** בכל גווני צריך לרחוץ מקודם הדם שבאצבעו, כדי שלא יצטבע עי"ז.

סעיף כט - היוצא בטלית מקופלת על כתפיו, דהיינו שלאחר שנתנה על ראשו מגביה שוליה על כתפיו - וכ"ש כשהסירה לגמרי מעל עצמו, וקיפלה ונתנה על כתפו, **חייב חטאת** - שאין זה דרך מלבוש והו"ל משוי.

אבל אם אינה מקופלת על כתפיו, אלא משולשלת ברחבה למטה מכתפיו, שרי, שמאחר שהוא מתעטף בטליתו ומתכסה בה כתפו וגופו, אע"פ שמתקצר קצת מלמטה, מותר - היינו אפילו אם אינו מכסה בה רוב גופו, **ויש** מחמירין בדבר, דבעינן שיהא מכסה בה רוב גופו.

ועל פי זה מותר להתעטף בטליתו תחת הגלימא ולהביאו לבהכ"נ - כונתו באופן זה שמתקצר קצת מלמטה, דכיון שעכ"פ מעוטף הוא עד למטה מכתפיו, ואע"ג שמגביה שוליו מלמטה, שרי, דלהתעטף כל גופו בו כמו בבהכ"נ קשה לעשות כן כשהולך בר"ה, אף שילבש גלימא עליו מלמעלה.

כאן שייך הג"ה דסעיף שאחר זה - באר הגולה ועו"ש, **ולפירוש** הגר"א שנכתוב לקמן, ההגהה על מקומה עומדת.

סעיף ל - מותר לצאת ברשות הרבים בטלית סביב הצואר - ואין זה סותר לסעיף הקודם, דמיירי במדינות שנהגו לצאת כן בחול בבתיהם, ולכן מותר אפילו במקופל ומונח סביב הצואר, דדרך מלבוש הוא שם, והוא כעין סודר שהתיר השו"ע לקמן בסל"ד.

(**עיין במ"א דמשמע, דאפילו בטלית מצוה, ועיין בפמ"ג** שהתעורר, דיהיה איסור בשביל הציצית, דאפילו אם נאמר דדרך לבישה הוא, מ"מ אינו חייב בציצית בהליכה זו, דהוא אינו עתה כסות הגוף, והוי הציצית

סימן שא – באיזה כלים מותר לצאת בשבת ואיזה מהם אסורים

משוי, וי"ל דציצית נוי הן לבגד, ודומיא דלילה דמותר לילך אע"ג שאינו חייב אז בציצית, ולא דמי לסעיף ל"ח, דדעתו עליהן להשלים).

הגה: אע"פ שמניח צד ימין על כתפו של שמאל, דדרך ללבשו כך, ולא הוי אלא להתנאות ושרי - מקומה שייך לסוף סכ"ט וכנ"ל, [**דמאי** רבותא הוא להתיר באופן זה, יותר רבותא הוא להתיר כשאינו מעטף כלל, רק מונחת כך על כתפו סביב צווארו, **ואם** בא לומר דדוקא באופן זה, לא היה לו לומר בלשון "אע"פ"].

ובביאור הגר"א משמע, שמפרש דמש"כ בשו"ע "בטלית שסביב הצואר", היינו ששני צדי העליון היה מקובץ ומונח סביב הצואר, אבל שוליה התחתון שמאחוריה היה משולשל למטה, **ולזה** סיים הרמ"א, ד"אע"פ שמניח צד ימין על כתפו של שמאל", ג"כ שרי, משום דדרך ללבשו כך והוא להתנאות, [**היינו** דלא מיבעיא אם אינו מניח צד ימין על כתף שמאל דשרי, דאף שהוא מקבץ מלמעלה סביב צווארו לצד ימין ולצד שמאל את הטלית ומונח על כתפו, מ"מ הלא מאחוריו משולשל הטלית על גופו, ואינו נקרא עדיין בשם מרזב המבואר בגמ' לאיסור, **אלא** אפי' אם מניח צד ימין על כתף שמאל, ג"כ שרי], **ולפי** פירושו שייך דין זה גם במדינתנו.

(ודע דלפי ביאורו, מקור הרמ"א הוא מדברי תוס', ולפי המבואר בתוס', אינו מותר רק בשהניח צד אחד של ימין על כתף שמאל, דהיינו צד העליון שלפניו, אבל כשהניח שני צדדין של ימין על כתף שמאל, זהו מרזב המבואר שם בגמרא לאיסור), [**והרמ"א** סתם בזה, וצ"ע].

סעיף לא - היוצא מעוטף בטליתו וקיפלה מכאן ומכאן בידו או על כתפו - היינו שנטל שני הקצוות שלפניו ולאחריו לצד ימין, וכן של צד שמאל, וקיפלן והגביהן על ידו או על כתפו, **אם נתכוין לקבץ כנפיו כדי שלא יקרעו או כדי שלא יתלכלכו, אסור; ואם קבצם להתנאות בה כמנהג אנשי המקום במלבושן, מותר** - ולא דמי לסכ"ט, דהתם כל שולי הטלית שלאחריו מקופלת ומונח על כתפו, **משא"כ** הכא דרק הקצוות מוקפלין ומונחין על כתפיו, להכי רק איסורא איכא ולא חיובא, וגם תלוי בכונתו.

(והגר"א בביאורו נראה, שמפרש דברי השו"ע, דהוא העתקת לשון הרמב"ם, באופן אחר, שכפל שוליה והגביהה, ואחזה כך בידו או על כתפו, ונעשה כעין מרזב בפנים, ואסרו רבנן להוציא כך כשאינו מכוין להתנאות, משום דלאו דרך מלבוש הוא כ"כ).

וה"מ בטליתות שלהם שהיו יריעה אחת מרובעת, אבל מלבושים דידן כשהוא לבוש בהם ומוציא ידיו מתוכם, מותר לתפוס קצתם בידו ולהגביה כדי שלא יתלכלכו שוליו בטיט או כדי שלא יעכבוהו ללכת - הטעם, דאכתי נשאר עליו עצם הבגד דרך מלבוש, **ומשמע** באחרונים, דאעפ"כ אין להקל אלא במגביה קצת, אבל לא להגביה הרבה ולתתם תחת הזרוע, דנעשה כמרזב.

משמע דכשאינו מוציא ידיו מתוכן, כגון מענטלי"ק של נשים, או שול מאנטי"ל של אשכנזים, אסור להגביהם, דלאו דרך מלבוש הוא, **ומ"מ** נראה דאין להחמיר אלא להגביה הרבה, אבל לא מעט כדי שלא יתלכלך, דעדיין דרך לבישה הוא.

סעיף לב - היוצא במעות הצרורים בסדינו, חייב - דדרך הוצאה היא, וה"ה כשיוצא לחוץ במעות הצרור לו בכיסו התחוב בבגדו.

הגה: אבל בבית - או תוך העירוב, דלית ביה משום איסור הוצאה, **מותר** - להיות לבוש בסדין הזה, **אם צריך לו** - להסדין, [א"ר ופמ"ג לפי פירוש הט"ז דלקמיה, וכן נראה לענ"ד לפי פירוש הגר"א דלקמיה].

וי"א דהאי "אם צריך לו", היינו שירא להניחו שלא יבואו לגזלו, אבל משום צריכות הסדין בעלמא לא הותר לו לטלטל, [להמ"א דלקמיה].

ואפילו אינן צרורים רק שהם מנוקבים - זהובים אדומים או מטבעות כסף, דאין עלייהו שם מוקצה עי"ז, דראוי לתלותו בצואר בתו לתכשיט, [פמ"ג לפי פי' הט"ז, **ודעת** המ"א, דלהסיר לגמרי שם מוקצה בעינן שיחדה לתלותו, והכא משום שירא שלא יגזלוהו הקילו].

ועיין בביאור הגר"א שכתב, דזה קאי גם ארישא, דהיינו בצרורים בסדינו בעי ג"כ מנוקבים, **וטעמו**, דאי לא

היו מנוקבים היה אסור לטלטל גם הסדין, דנעשה בסיס להמעות שצרר בתוכו מע"ש.

(ולפי הי"א לעיל, דהיינו שירא שלא יגזלוהו, לכאורה לפי מאי דמסקינן לקמן, דמותר במקום פסידא להוציא המעות שלא כדרך הוצאה, א"כ למה בעי רמ"א כלל הכא מנוקבים אפי' לענין להוציאם בידו, מי חמיר איסור מוקצה מהוצאה ע"י שינוי, **ואולי** י"ל דהרמ"א קאי הכא להקל אליבא דכו"ע, דשם הלא הוא רק לדעת היש מתירין).

סעיף לג - אסור לצאת בשבת במעות או בכסף וזהב התפורים בבגדו - ולא בטלי לגבי בגד כמו שאר דבר התפור בתוך הבגד, משום דחשובים ולא בטלי, **ומ"מ** לית בהו חיובא כמו בצרורין למעלה, אלא איסורא, משום דלאו דרך הוצאה היא.

הגה: ויש מתירים במקום פסידא, שירא שיגזלנו ממנו אם יניחם בבית וילך מהם - היינו בתפורים בתוך בגדו מע"ש, וטעמם, דכיון דלית ביה אלא איסור דרבנן, משום דלאו דרך הוצאה היא וכנ"ל, וכ"ש בזמן הזה דלהרבה פוסקים לית לן ר"ה דאורייתא, הקילו במקום פסידא, דאדם בהול על ממונו, ואם לא נתיר באופן זה יבוא לעבור על איסור תורה, דיבוא לחפור בקרקע ולהטמין וכה"ג, **וכתבו** האחרונים דה"ה אם לא תפרן מבעוד יום, יוכל להוציאן בשבת ע"י שינוי אחר, שיהיה שלא כדרך הוצאה, דהיינו שיניח המעות בין בגדו לבשרו, או במנעלו, **ומ"מ** לכתחלה טוב יותר לתפור בבגדו מבעוד יום.

וכן נוהגין להקל אם צריך לצאת - כגון שירא שאם ישב בבית כל היום ירגישו בו שהוא שומר מעותיו ויבואו לגזלו.

אבל אם יוכל להיות יושב בבית ולא לצאת, לא יצא - היינו חוץ לעירוב כשהוא לבוש בהבגד.

ובמקום שא"צ לו ויוכל להניחם בבית, יש להחמיר - שלא ללבוש הבגד, דחיישינן שמא יצא בו.

סעיף לד - יוצא אדם בסודר המקופל על כתפיו - אע"ג דבטלית אסור במקופל, כמ"ש בסכ"ט, בסודר שרי, דסודר דרך לבישתו כך בחול לקפלו על כתפיו, **וכ"ז** מיירי במקומות שדרך איזה אנשים לילך כן לפעמים.

אעפ"י שאין נימא כרוכה לו על אצבעו - דאיכא למ"ד בגמרא, דבעינן דוקא שיהא נימא יוצא מהסודר וכרוכה על אצבעו, להחזיקו שלא יפול מכתפיו, אבל לא קי"ל הכי.

ואם אין הסודר חופה ראשו ורובו - והיינו שהוא קצר, ואין בו שיעור כדי לחפות ראשו ורובו,

אסור לצאת בו, אא"כ קשר שני ראשיו למטה מכתפיו זה עם זה - והוי כמו אבנט ושרי אע"פ שקצרה, **אבל** אם יש בהסודר שיעור כדי לחפות ראשו ורובו, אז אף אם מקפלו על כתפיו שרי, וכמ"ש ברישא הסעיף, דמקרי מלבוש ודרך לבישתו בכך, (**ואם פשטו** להתעטף בו גופו, אז בעינן שיהא לבוש בו רוב גופו כמנהג המדינה בהבגד ההוא, ואם לאו אינו דרך לבישה).

סעיף לה - לבדים הקשים אסור להביאם ברשות הרבים או בכרמלית כשהוא מעוטף בהם - שאין דרך מלבוש מלבדים הקשים, והוי כמשוי ואסור, **ומשמע** ברמב"ם, דאפילו אם הם דקין אסור כיון שהוא קשה.

ואם אינם קשים הרבה, מותר - להביאם דרך עיטוף אפילו בר"ה, **ומשמע** ברמב"ם, דדוקא אם הם גם דקים כמו הבגדים, [או אפי' עבים קצת, אבל עבים הרבה אסור].

סעיף לו - מותר לצאת בשבת בשני מלבושים זה ע"ג זה, בין לצרכו בין לצורך חבירו - אע"ג שאין לו שום הנאה בזה, אפ"ה לא מחזי כמשוי, כיון דדרך מלבוש הוא.

בין שהם שני חלוקים, בין שהם שני סרבלים (פי' סרבל כסות העליון), בין שהם שתי חגורות זו ע"ג זו, ואפי' אין מלבוש מפסיק ביניהם. הגה: ויש אוסרים שתי חגורות זה על זה אא"כ מלבוש מפסיק ביניהם, וכן ראוי לנהוג - ולא דמי לשני מלבושים שדרך אדם ללבוש אותן מפני הקור, אבל תרי חגורות מה הנאה יש, ואין דרך לחגור,

ומשוי הוא, **ומשמע** בפוסקים, דלכו"ע אין איסורו אלא מדרבנן, כיון שעכ"פ דרך לבישה הוא, אלא דאסור משום דמחזי כמשוי.

ע"כ שלא"ף מאנטי"ל שתפור בו המיינא, אם רוצה לחגור חגורה על השלא"ף מאנטי"ל, יתיר המיינו התפור בו, ומ"מ לא הוי משאוי, דבטל הוא לבגד אחרי שתפור בו, וכדלעיל בסכ"ג, **משא"כ** אם יחגור בשניהם, הוי החגורה כמשאוי.

וכ"ש לחגור פאציילק"ע על החגורה, דאין דרך לחגור בכך, דאסור, **והח"א** כתב, דבזה אפילו לדעה ראשונה אסור, דכיון שאין דרך לחגור בזה בחול, מינכר לכל שמערים להוציא, ואפילו בכרמלית אסור, **ובט"ז** נתן עצה, שיחבר ראש הפאציילק"ע בראש החגורה בעניבה, דאז יהיה נראה כחגורה ארוכה, ויחגור גם בהפאציילקע, (ועיין לעיל סעיף כ"ג), **ולפי** המבואר, יכול לחגור את הפאציילקע ע"י הפסק מלבוש, דהיינו אם החגורה היא למעלה יחגרנה על המכנסים, **אבל** אסור לקשור את המטפחת סביב הרגל, שאינו דרך מלבוש כלל, אלא יעשה כנ"ל, או יכרוך אותה סביב הצואר בדרך מלבוש.

והיכא שנוהגין לחגור אונטע"ר גארטיל ואיבע"ר גרטי"ל, דהיינו התחתון אין נאה והשני נאה, ועושין כן, שהוא טוב לחגור בשני על הראשון, או שהשני הוא קצר, שרי - פמ"ג, **וכן** בח"א מצדד דאין למחות בזה במדינות שנוהגין כן.

כתבו האחרונים, דמה שנוהגות קצת נשים לחגור בחגורה, ועוד חוגרין בחגורה על הבגד הרחב מלמטה, ושע"י כך הוגבה בגד הרחב מן הארץ, ועושין כן שלא יתלכלך הבגד בעת שיש טיט ורפש, ג"כ שרי, כיון שצורך הוא לכך.

ומותר ללבוש שני כובעים זה על זה - שכן דרכו בחול לשום כובע גדול ע"ג כובע קטן, **וכן שני אנפילאות** - על כל רגל דהוי כשני סרבלים.

סעיף לז - מותר לצאת בשבת בבתי ידים הנקראים גואנטי"ש - והטעם, שהם מלבוש גמור, שעשויין להגין מפני הקור.

ויש מי שמחמיר - משום דלפעמים צריך למשמש בידיו, להסיר ממנו כנה או פרעוש העוקצתו, וחיישינן שמא ישכח ואתי לאתויי ד"א בר"ה.

וזו היא מה שאנו קורין הענטשיך, אבל מה שאנו קורין ארבי"ל, שתוחב בו שתי ידיו, דעת הט"ז דשרי לכו"ע, דבהאי שוב ליכא למיחש שמא יסירנה מידו, דאף אם יעשה כך, הרי הוא לבוש לידו השנית, ולא מיקרי משוי, **ויש** דס"ל דאדרבה זה חמיר טפי, שבקל נופל מידו ואתי לאתויי ד"א, ועוד שרגילין לשאתו לפעמים כך ביד, **וע"כ** לפי מה שכתב השו"ע דראוי לחוש בגוואנטי"ש, ראוי לחוש גם בזה.

להצריך שיתפרם מע"ש בבתי ידים של מלבושיו, או שיקשרם בהם בקשר של קיימא יפה - (וה"ה דמותר לחברם בקרסים), דתו ליכא למיחש שמא יוציאם בידיו. (**עיין בט"ז שהקשה, דכשיהיו תלויים ע"י קשר ולא יהיו על ידו, הרי יש משוי עליו, ומה יועיל לו במה שהוא קשור, דהא ודאי לא בטיל אגביה דבגד וכו', ובביאור הגר"א הקשה ביותר מזה, דאפילו תפירה מאי מהני, מ"ש מטלית שאין מצוייצת וכיוצא, וכמ"ש בסל"ח וסל"ט, וראיתי בא"ר שתירץ, דכיון שקושר בקשר יפה, מחזי כבית יד ארוך, ואין ע"ז שם משא, ולהכי מהני. ועוד ראיתי בספר נהר שלום וכן תו"ש שכתבו, דאף דע"י קשירה בודאי אינו בטיל לגבי הבתי ידים, מ"מ הא לעת עתה לבוש בהן דרך מלבוש, ורק משום חששא דשמא יצטרך להסירם ויביאם בידו, וכיון שהם קשורים, אף אם יוציא ידו מהם לא יפלו לגמרי דניחוש שמא יטלם בידו, רק שיהיו תלויין עליו, והוי שלא כדרך הוצאה ופטור, ולכן לא גזרינן בזה, ואע"ג דלפי"ז גם בקשר שאינו של קיימא היה ראוי להתיר, דתו ליכא חששא דשמא יוציאו בידו, אפשר דחששו שמא יותר הקשר. וט"ז והגר"א דלא ניחא להו בתירוץ זה, משמע דס"ל דדרך הוצאה הוא**).

וראוי לחוש לדבריו - ועכשיו נהגו להקל, ואפשר משום דכיון שלהרבה פוסקים אין לנו ר"ה מדאורייתא בזה"ז, דנגזור דילמא אתי לאתויי, **ומשמע** מדברי האחרונים, דאף שאין למחות ביד המקילין, מ"מ ראוי לכל בעל נפש להחמיר.

סעיף לח - היוצא בשבת בטלית שאינה מצויית כהלכתה, חייב - לא בשביל הטלית, דאע"ג דאינו מקיים עשה דציצית, מ"מ אינו חייב בשביל זה מחמת שבת, דהא מלבושיה הוא, **אלא** בשביל הוצאת החוטין, **ועיין** לעיל בסימן י"ג ס"א במ"ב, שם מבואר כל פרטי הדין הזה.

מפני שאותם החוטים חשובים הם אצלו, ודעתו עליהם עד שישלים ויעשהו ציצית - ר"ל הלכך לא בטלי אגב הטלית, כמו דבטלי הרצועות לגבי כילה לקמן בסל"ט.

(זהו דעת הראשונים דמפרשי מה שאמר בגמרא "הני חשיבי", היינו משום דדעתו להשלים, **ועוד** יש הרבה ראשונים דמפרשי "הני חשיבי", משום דהן חוטין של מצוה, א"נ של תכלת כפירש"י, ונ"מ בזה לכמה ענינים, ואין כאן מקום להאריך). ‹ועיין מש"כ לקמן בסעיף ל"ט›.

ואם היא מצויצת כהלכתה, אע"פ שאין בה תכלת, מותר לצאת בה בשבת - דקי"ל תכלת אין מעכב את הלבן, **(וע"ל סי' י"ג).**

סעיף לט - כילה (פי' יריעה כעין אהל) - הוא כעין טלית שראוי להתעטף בה, **שיש בה רצועות שמותחין אותה בהם** - יש בה רצועות תלויות בה, וע"י הרצועות מותחין אותה באהל, **מותר להתעטף בה ולצאת לרשות הרבים, ואין הרצועות חשובות כמשאוי** - ולא אמרינן הך רצועות לאו צורך עיטוף הוא, שאין הרצועות עשויות אלא לנטותה באהל, והויין משאוי בשעה שמתעטף בה, **שמבוטלות אגבה.**

הילכך מותר לצאת ברצועות התלויות באבנט אע"פ שאין המנעלים קשורים בהם - שדרכן היה לקשור ראש הרצועה האחת במנעלים, ולמתוח אותן למעלה, וראש השני היה קושר באבנטו, ופעמים שהולך בלא מנעלים, כגון ביוה"כ או מפני רוב החום, ונשאר הרצועה תלויה באבנט, **דלא חשיבי ובטלי אגב האבנט.**

אבל אם הם של משי - היינו הרצועות, **חשיבי ולא בטלי, ואסור אם אין המנעלים קשורים בהם** - דאם היו קשורים בהם, הוו בכלל תשמיש לבגד, ומותר בכל גווני.

ואבנט שתלוי בשפתו כמו חוטין מוזהבים, לא שייך כלל לדין זה, דנוי דחגורה הוא ושרי.

וה"ה לכל דבר שנפסק מן הבגד וראשו אחד מחובר, כגון לולאות, ואינו חשוב, מותר לצאת בו; ואם חשוב הוא, אסור לצאת בו - שכיון שאין משמשת כלום לבגד מחמת שנפסק ראשו אחד, הרי הוא משוי ואינו בטל לגבי הבגד כיון שהוא חשוב.

ועיין בח"א שכתב, דלפי מה שכתב המחבר בסל"ח, דחוטי ציצית חשיבי אע"ג דהן חוטין בעלמא, מפני דדעתו להשלים עליהן, ה"ה גבי לולאות, אימתי מותר לצאת בהן כשאינו חשוב, דוקא בשאין דעתו להשלים מצד השני, **וע"כ** כתב, דצריך אדם ליזהר כשנפסק לו רצועה מרצועות בגדיו שקושר בו שתי הצדדים, ומצד אחד נשאר הרצועה, וכן זוג קרסים שנפסק קרס אחד, אפילו שהן משיחה או חוט ברזל בעלמא, ואין חשוב כלל אצלו הרצועה והקרס, מ"מ אסור לצאת באותו בגד, כיון שדעתו להשלים ולתקן צד שנפסק, וזה ישאר במקומו, וא"כ הוא חשוב אצלו ואינו בטל לבגד, **ואך** אם אין דעתו להשלים עליהם, אז כיון שאין חשוב, בטל לבגד ומותר לצאת בו.

סעיף מ - כובע שהוא מתפשט להלן מראשו טפח, אסור להניחו בראשו אפילו בבית, משום אהל - אף שאין אהל בלא דפנות, מ"מ חשיב אהל עראי ואסור מדרבנן, כיון שנעשה השפה להיות לצל להגן מפני השמש.

ודוקא כשהיה השפה שהוציאה קשה ביותר ואינו נכפף, אז חשוב כמו אהל, ואי לא"ה, הרי הוא כגלימא בעלמא, **ובסעיף** שאחר זה דמתיר כשהוא מהודק על ראשו, מיירי כשאינו קשה ונכפף, **או** דמיירי כשאין בו רוחב טפח בהשפה, [**או** שלבשו בע"ש, דלא עשה האהל בשבת].

(ביאור הלכה) [שער הציון] ‹הוספה›

וכובע שקורין בריטלי"ך בל"א, אע"פ שמתפשט להלן מהראש ברחבו טפח, ונוהגין בו להקל, **כתבו** האחרונים כמה צדדים בטעם היתרם, אחד, כיון דאינו קשה ונכפף למטה, אין בו חשש איסור, והיינו כשאין מונח בו נייר קשה, **ואפילו** אם הוא קשה, הלא אינו מתכוין בלבישתו להיות לצל, רק מכוין לכסות ראשו, **וכן** אם השפה עשוי בשפוע, ג"כ יש לצדד דלא מקרי אהל באופן זה, **ובא"ר** כתב דטעם העולם הוא, משום דסומכין עצמם על שיטת רש"י וסייעתו, דס"ל שאין בכובע איסור אהל כלל, ע"ש, [אחרי שהוא דרך לבישה].

ולפי"ז אפילו בקאפעלו"ש שהוא קשה, ויהיה ברוחב השפה טפח, ג"כ אין למחות במקום שנוהגין להקל, אף שמסתמא נעשה שפה כזו לצל, **ובמקום** שלא נהגו להקל בזה, בודאי יש להחמיר כדעת השו"ע, שלא ללבוש בשבת קאפעלו"ש רחב כזה, **וגם** בכתבי האר"י אוסר בקאפלו"ש.

יש נמנעים מלתת הטלית של מצוה על הברייטי"ל בשבת, כדי שלא יהיה הטלית מכאן ומכאן כמו דפנות, **ועיין** במ"א שמפקפק בטעם מנהגם, ובספר מחצית השקל מיישב מנהגם ע"ש, **ומזה** נשתרבב היום המנהג, שאין מכסין ראשיהם בשבת בטלית בעת התפלה אפילו על הכובע קטן, ואין לזה שום טעם וריח, [ואדרבא מצוה לכתחילה לכסות גם ראשו בעת התפלה].

ולענין איסור נשיאת פאראסא"ל בשבת, שהוא עשוי לצל על האדם להגן מפני החמה והגשמים, כתבנו בסימן שט"ו דין זה בכל פרטיו.

סעיף מא - לצאת בשבת בכובע שבראשו העשוי להגין מפני החמה, יש מי שאוסר, משום דחיישינן שיגביהנו הרוח מראשו, ואתי לאתויי ד"א ברשות הרבים - בט"ז משמע, דאפילו חוץ לעירוב יש להחמיר בזה, ועיין לקמן סימן ש"ג סי"ח, ובמש"כ שם במ"ב.

העשוי להגין וכו' - לאפוקי סתם כובע שאדם נושאו על ראשו, אין לחוש דייתי לאתויי ד"א, דבודאי לא ילך בגילוי הראש, וזה הכובע מנהגן היה לשאתו מלמעלה על כובע קטן.

אא"כ הוא מהודק בראשו, או שהוא עמוק שראשו נכנס לתוכו ואין הרוח יכול להפרידו מראשו, או שהוא קשור ברצועה תחת גרונו, דבהכי ליכא למיחש למידי.

ומזה נלמוד דה"ה כובעים שלנו, אם נושא אותן בר"ה על כובע קטן כנהוג, יש ליזהר שיהא מהודק על ראשו, שמא יפול ואתי לאתויי ד"א, **וכן** בברייטי"ל שהמנהג בו להקל וכנ"ל, אם נושא כובע קטן תחתיו, יזהר שלא יצא בו בר"ה, דהא סתמא אינו מהודק, ובודאי חיישינן בו דילמא נפיל ואתי לאתויי, כיון שלא יהיה בגילוי הראש. [ורק ברה"ר חיישינן ולא בכרמלית, ולכן האידנא מותר – ערוה"ש].

סעיף מב - המוצא תפילין בשבת בבזיון במקום שאין משתמרין, אם יש סכנה שגזרו שלא להניח תפילין - והוא ירא ג"כ להוליכן בידו פחות פחות מד"א, וכדלקמיה, דכשירגישו בו אתי לידי סכנה, **מכסן והולך לו.**

ואם אין סכנה, אם יש בהם רצועות, שבכך ניכר שהם תפילין ולא קמיעות - דאי אין בהן רצועות, אמרינן דשמא קמיעין הן, דטרח אדם לפעמים לעשות קמיע כעין תפלין, ונ"מ שא"צ לשמרן ולהחשיך עליהן כלל, [דללבשן בלא"ה אין יכול, שאין להם רצועות], **ועיין** במ"א שכתב, דבזמנינו אין מצוי לעשות קמיע כעין תפלין, וע"כ אפילו באלו שאין להם רצועות, צריך עכ"פ לשמרן ולהחשיך עליהן.

והן קשורות שיכול ללבשן - ר"ל שבראש יש קשר של ראש, וכן בשל יד קשר של יד, מתוקן כראוי לפי מדתו, ולא גדול יותר, שיהא יכול ללבשו, **מכניסן זוג זוג דרך לבישה עד שיכניסן כולן** - ר"ל תפלין אחד של יד על היד, וכן אחד של ראש על הראש, מכניס עד מקום המשתמר וחולץ, ואח"כ חוזר ומכניס באופן זה זוג אחר, **ואף** דקי"ל שבת לאו זמן תפלין הוא, מ"מ כדרך שהוא לובש בחול לאו בכלל משוי הוא אלא תכשיט, **ועל** בל תוסיף אינו עובר, כיון דאינו מכוין בלבישתו לשם מצוה.

ואם אינן קשורות, ובשבת הלא אסור לעשות קשר, א"כ לא יוכל להכניסן דרך לבישה זוג זוג, צריך להמתין עד שתחשך ולהביאם, [**וגם** עניבה אין יכול לעשות, דאף

דקי"ל דעניבה לאו קשר הוא לענין שבת, אפ"ה לענין תפילין ס"ל לכמה פוסקים, דעניבה פסול, אפי' אם יעשה כעין תמונת הקשר של דל"ת ויו"ד, וממילא הו"ל התפילין משוי אם יעשה שלא כמצותו).

כתב המ"א, דאשה המוצאת תפלין, אסורה להכניסן בשבת אף דרך מלבוש, דכיון דאינה רגילה להניחם בחול, הו"ל משוי לגבה, **ויש** מאחרונים חולקים עליו, וס"ל דכיון דמדינא דגמרא אין עליהן איסור בזה, רק דלכתחלה אין נכון להניחן, לא מקרי משוי לגבה, **ועיין** בשער המלך שמצא בשיטה כתב יד, דהראב"ד והרשב"א חולקים בזה.

עוד כתב המ"א לשיטתו, דאם יצאה אשה בטלית מצוייצת, היינו טלית של מצוה שאין רגילין ללבשה כי אם לשם מצוה בלבד, חייבת חטאת, דכיון דאין אשה רגילה לילך בטלית כזה, הוי משוי לגבה, **וגם** בזה יש חולקים עליו.

ואם היו רבים, שלא יספיק ללבשן ולהכניסן זוג זוג, יחשיך עליהם עד הלילה ויביאם - היינו כיון שמבע"י בלא"ה לא יספיק העת להביא כולן, לא ילבש כלל, אלא ימתין שם עד הלילה וישמרם ויביאם.

ואם ירא להחשיך מפני לסטים, מוליכם פחות פחות מד"א, או נותנם לחבירו וחבירו לחבירו עד שמגיע לחצר החיצונה.

סעיף מג - המוצא ס"ת בשדה, אם אינו שעת סכנה, יושב ומשמרו ומחשיך עליו, (לשון הרמב"ם: ובסכנה מניחו והולך לו).

ואם היו גשמים יורדים - שתתקלקל הס"ת, **מתעטף בעור וחוזר ומכסה אותו, ונכנס בו** - התירו לו להתעטף, וחוזר ומתעטף בבגדים מלמעלה ונכנס, שזהו כבודה שלא תתקלקל בגשמים.

סעיף מד - הבא להציל כליו מפני הדליקה, לובש כל מה שיכול ללבוש, ועוטף כל מה שיכול לעטוף – (דכיון דדרך מלבוש הוא, שרי), **ופושט, וחוזר ולובש ומוציא** – (ע"ל בסימן של"ד ס"ח, שהביא המחבר דיש חולקין ע"ז, והכא סתם בזה, ועיין בביאור הגר"א שהכריח דהעיקר כהך דהכא).

סעיף מה - מי שנשרו כליו במים - בין ע"י מי הגשמים, או שנפל בנהר ונתלחלחו כליו, **הולך בהם ואינו חושש שמא יבא לידי סחיטה** - שלא אסרו על האדם הבגדים שלובש אותן, **ואפילו** אם נשרו כליו לבד, הוא לובשן מתחלה ומהלך בהם, **ומסתבר** דהיינו דוקא אם אין לו בגדים אחרים, [דאל"ה, הלא מבואר לקמיה בהג"ה, דבגדים השרוים במים אסור לטלטלם].

(ויזהר שלא ינערם מן המים, שניעור הוא ג"כ בכלל סחיטה, וכדלקמן בסימן ש"ב ס"א).

ולא ישטחם לנגבם, מפני מראית העין, שלא יחשדוהו שכבסן בשבת - עיין מ"א שמצדד לומר, דדוקא כשנשרה במים, אבל אם נפלו מים מועטים עליהם, מותר לשטחן, דליכא למיחש בזה שיחשדוהו שכבסן, **אבל** הרבה אחרונים סוברים דאין לחלק בזה.

ואפי' בחדרי חדרים שאין שם רואים, אסור - הטעם, דלא חלקו חכמים בתקנתן, **כתבו** התוס' והרא"ש, דוקא במקום שיש חשש שיחשדוהו הרואים שעשה איסור דאורייתא, כגון כאן בכיבוס, בזה אסור אפילו בחדרי חדרים, **משא"כ** בדבר שהוא איסור דרבנן אפילו למה שיסברו הרואים, לא החמירו לאסור בזה כי אם בפרהסיא, והובא דבר זה במ"א וט"ז ושארי אחרונים.

ובגדים המלפפים בהם תינוקות שקורין ווינדלין, מותר לשטחן בביתו שיתנגבו, ואפילו בחמה בחצר, דכיון דיש עליהם גם צואת הקטן, וא"כ מוכח שלא כבסן וליכא חשדא, **ואפשר** אפילו אין עליהם צואה, אם לא נשרה כולן בהמי רגלים, (רק מקצתן), דהכל יודעין שדרך התינוקות להשתין, (דאם נרטבו מחמת הכיבוס, היו רטובים לגמרי - תפארת השבת), **ובלבד** שלא ישטחן נגד התנור במקום שהיד סולדת בו וכדלקמיה.

ולא אסרו אלא לשטחן בשבת, אבל אם שטח מע"ש כלים המכובסים, אינו חייב לסלקן בשבת - אפילו הם שטוחין נגד העם, והטעם, דעיקר החשד אינו אלא כששוטחן בשבת, דאז יש רגלים לחשדו

דכבסן היום, דאם כבסן מאתמול היה שוטחן מאתמול, כי לא יאמרו שנשרו במים, שאין הכל יודעין בזה.

ע"כ אלונטית שמביאו בע"ש כשהוא לח מבית המרחץ, ישטחנו לנגבו מבעוד יום, ולא ימתין עד אחר שקיעה, **וע"ל** בסימן שמ"ב דמוכח שם, דאם הוא צריך לו למחר לצורך שבת, יש להקל לשטחו בבה"ש, אך שיזהר שלא יסחטנו, [**ומ"מ** נכון ליזהר לשטחו בצנעא].

סעיף מו - בגדים השרוים במים - אפילו שריה מועטת, **אסור לנגבם סמוך לאש** - אע"ג דאפילו בחמה אסור וכנ"ל, התם משום מראית העין לחוד הוא, וקמ"ל הכא דנגד האש יש איסור תורה משום מבשל ומשום מלבן, דדרך להתלבן ע"י התנור, **וגם** דאסור מחמת זה לנגבן אפילו כשהוא לבוש בהם, אם הוא עומד נגד החום במקום שהיד סולדת בהם, [**ועיין** בא"ר שמסתפק, דאפשר דאפי' כונתו בעמידתו רק לחמם את עצמו ולא לנגבן, יהיה אסור משום פסיק רישא].

וה"ה דאסור להניחן על התנור במקום שהיד סולדת בהם, והעולם נכשלין בזה בעו"ה, שמניחין בחורף בגדים לחים על תנור חם לנגבן, **ובמקום** שאין היסל"ב מותר לנגבן, והוא שלא יניחם דרך שטיחה, דאם שוטחם כדרכם אסור בכל גווני, וכנ"ל בסעיף הקודם, [**דמסתברא** דאיסור מראית עין הוא דוקא כששוטחן, דאז יאמרו שכבסן, דדרך לשטחן אחר הכביסה. **וכל** דברינו הוא רק בשעה שפושטן מעליו וצריך הוא להניחו, דאז מותר להניחו במקום שאין היסל"ב, דלאח"כ אסור בלא"ה משום איסור טלטול, וכדלקמיה בהג"ה, **א"נ** מיירי בדבר שאין מקפיד על מימיו, או בשבאו עליו רק מים מועטים, דלא חיישינן שיבא לסחוט].

(**סתם** בגדים משמע אף בשל צמר – פמ"ג, ור"ל דלא תימא דליבון זה הוא דוקא בשל פשתן, שדרך להניחן בתנור להתלבן, וכדאיתא במשנה שם, **ובפרט** איסור בישול בודאי שייך בכל הבגדים).

הגה: ואסור לטלטלם, שמא יבא לידי סחיטה - ודוקא כשנשרו במים מרובין, אבל כשבא עליהם מים מועטים לא חיישינן שיבוא לידי סחיטה, וכדלקמן סימן ש"ב ס"ט בהג"ה.

והוא שמקפיד על מימיו - היינו שאין רוצה שיהיה בהם מים, אבל המטלניות ששרוים תמיד במים, אין לחוש ומותר בטלטול.

ואסור לילך בשבת במקום שיוכל להחליק וליפול במים, שמא ישרו כליו ויבא לידי סחיטה.

סעיף מז - לא ישטח אדם את כליו בשבת, אפילו מן הזיעה.

סעיף מח - מסתפג אדם באלונטית (פי' בגד שמסתפגין בו לאחר שרוחצין) - אפילו כל גופו, לאחר שרחץ את עצמו במים צוננים, וכדלקמן בסימן שכ"ו.

משמע ממ"א, דבזה"ז טוב להסתפג בדבר שאין מקפיד על מימיו, **ולפי** מנהגן וטבעם שהיה דרכן הרבה ברחיצה, הוה לה גזירת סחיטה גזירה שאין רוב הציבור יכולין לעמוד בה, אבל בזמן הזה דאפשר בלא רחיצה, אסור להסתפג – מחה"ש, **ובביאור** הגר"א משמע, דסתם אלונטית הוא דבר שאין מקפיד על מימיו.

ומביאה בידו - לתוך ביתו במקום שיש עירוב, **ולא חיישינן שמא יבא לסחוט** - ואף דמבואר לעיל בהג"ה, דאסור לטלטל דבר השרוי במים, שאני הכא, כיון דהתירו הסיפוג ולא חששו לסחיטה, משום דא"א בלי סיפוג, לכך התירו גם להביא לביתו, כ"כ המ"א, **ולפי"ז** אחר שהביאו לביתו והניחו על מקומו, שוב אסור לטלטלו, **אבל** בא"ר הביא בשם ספר התרומה, דסיפוג באלונטית לא מחשב אלא כמים מועטים, ולא גזרו על טלטולו משום שמא יסחוט, **וכן** משמע בביאור הגר"א, דמותר לטלטלו, [אך טעמו הוא, משום דסתמו הוא דבר שאין מקפיד על מימיו].

ולא ימסור לבלנים, שהם חשודים על הסחיטה.

סעיף מט - מותר לרחוץ ידיו בנהר בשבת, ובלבד שלא יוציאם עם המים שעליהם חוץ לנהר ד"א - נקט ד"א, משום דסתם מקום היבשה שעל שפת ימים ונהרות הוא כרמלית, **אבל** אם על שפתו היה ר"ה, אסור להוציא ידיו מן הנהר ולחוץ, אלא ינגבם מתחלה היטב זו בזו עד שיסורו המים, כי הנהר הוא כרמלית, ואסור להוציא מכרמלית לרה"ר.

סעיף נ - יוצאים בפשתן סרוק וצמר מנופץ שבראשי בעלי חטטין (פי' בעלי נגעים) - ועושין זה כדי שיהא נראה כשער על ראשן.

אימתי, בזמן שצבען וכרכן - היינו שצבען לנוי, וכרכן במשיחה, דאז נחשב כמלבוש, **או שיצא בהם שעה א' מבע"י** - דגלי דעתיה דלמלבוש קיימי.

ואם לא צבען ולא יצא, אף לטלטלן אסור משום מוקצה, **אך** אם חושב מבעוד יום לצאת בהן, עיין סימן ש"ח סכ"ד דמותר בטלטול. (**ולענין לצאת, עיין בב"י דזה תליא בשיטת הראשונים, דלהרא"ש ותוס' מותר, ולר"ן ורבינו יונה והרשב"א אסור, משום דלא מוכחי מלתא ומחזי כמוציא בשבת. ודע, דהב"י כתב בשם התוספות, דלאו דוקא יצא בהן שעה אחת מבע"י, דה"ה אם ישב בהן, ועיין בביאור הגר"א שכתב, דלדעת אלו הראשונים המחמירין דלא מהני חישב, ה"ה דלא מהני ישב לענין הוצאה**).

סעיף נא - מותר לצאת במצנפת שתולים בצואר למי שיש לו מכה בידו - כצ"ל, וכן נדפס בער"ש ובתו"ש, ומה שנמצא באיזה דפוס "בראשר", ט"ס הוא, **או בזרועו, וכן בסמרטוטין (פי' חתיכות בגד בלוי) הכרוכים על היד או על האצבע שיש בו מכה** - שכל אלו אינם נחשבים להם משוי, אלא הם כתכשיט להם.

ה"ה בכרוכים על המכה ממש - מ"א, **ועיין** לעיל סכ"ב וסכ"ח מש"כ שם, דכן הסכימו עוד הרבה אחרונים.

ומשמע מסתימת המחבר, דבזה נחשב כמלבוש אפילו לא יצא בהן שעה אחת מבעוד יום, משא"כ בסעיף נ' הקודם, כ"כ המ"א, וכן מצדד הא"ר. (**והגר"א כתב, דלדעת המחבר בסעיף הקודם, גם בזה בעינן שיצא בהן שעה אחת מבע"י, וכ"כ הט"ז, אלא דהגר"א בירר לנו, דמה שלא הזכיר המחבר בסעיף זה הפרט זה, הוא לפי שיטת שארי הראשונים, דלענין שיהא נחשב כמלבוש לענין הוצאה לא בעינן שיצא בהן שעה אחת מבע"י, והגמרא שהזכירו לענין פיקורין, הוא משום דבלא"ה אסור משום טלטול, וא"כ המחבר שהזכיר פרט זה בס"נ, שהוא מעתיק בזה לשון הרמב"ם, שס"ל דהגמרא מיירי לענין הוצאה, וכאן השמיטו, סותר בזה דברי עצמו, ולפי"ז בודאי אין להקל בזה נגד שיטת רש"י והרמב"ם ורבינו יונה והר"ן והרשב"א, דכולם בחדא שיטתא קיימי, דטעם האיסור הוא משום הוצאה, וגם בענינינו בעינן שיצא בהן שעה אחת מבעוד יום, ומ"מ למעשה צ"ע אחרי שהמחבר סתם בזה להקל**).

§ סימן שב – דיני נקוי וקפול הבגדים בשבת §

סעיף א - המנער טלית חדשה - וחדשה מיקרי אם לא נשתמש בה עדיין הרבה, שעוד נראה בה חידושו, [והרחיצה בזה לא מעלה ולא מוריד], **שחורה, מן הטל שעליה, חייב, שהניעור יפה לה כמו כיבוס** - אבל חיוורי וסומקי לית לן בה, והטעם, דבחדשה ושחורה מינכר היפוי ע"י הניעור.

(**כתב בא"ר בשם אגודה, דה"ה שלג, ונ"ל דאם עדיין השלג לא נמס כלל, מותר, דהוא כעין נוצות המבואר לקמן בהג"ה, משום דעומדין מלמעלה ולא נכנסין בתוכו, אך יזהר לנער בקל, דאף אם היה נמס קצת ולא מינכר, לא יפול כי אם ממשות השלג העומד מלמעלה**).

והוא שמקפיד עליה שלא ללבשו בלא ניעור - הטעם, דאז חשיבא הניעור כמו הכיבוס, (**דעי"ז מקרי יפוי בהבגד**), **אבל** אם אין דרכו להקפיד, ולובשו לפעמים בלי ניעור, מותר לנער אף לכתחלה.

(**ואם מנער בשביל אחר, והוא מקפיד והאחר אינו מקפיד, לכאורה יש להחמיר, כיון דלהמנער הוי יפוי והוא עושה המלאכה, ויש לדחות, כיון דהבגד אינו מתיפה לבעל הבגד, לא חשיבא מלאכה, ואפשר דזה היה המעשה בכומתא דרב יוסף, עיי"ש בגמרא קמ"ז, ולפיכך היה אביי מחסם למיתבה ליה, ורב יוסף השיב דמותר, דאזלינן בתר בעל הבגד, וכן אם היה להיפוך, הוא אסור לפי זה, וצ"ע**).

(**והנה מלשון הגמרא דקאמר "והוא דקפיד", משמע לכאורה דאפילו בחדתי ואוכמי, לא אמרינן מסתמא הוא מקפיד עליהם, אלא דוקא בידוע שקפיד, וכן מוכח ממ"א שהיה מפרש כן, אבל א"כ קשה מאי טעמא דעולא**

דהיה אומר בפשיטות על הרבנן דקא מחללי שבתא, ובשלמא חדתי ואוכמי ראה עולא, אבל מנא ידע דקפדי, וגם דברי רש"י שפירש על הא דאמר "אלא באוכמי", וז"ל: אלא באוכמי שהאבק מקלקל מראיתה וקפיד עליה, עכ"ל, מוקשה מאד לפי"ז, דלמאי בעינן אוכמי, הא איירי בידוע שקפיד, **וע"כ** אנו צריכין לפרש, דהא דקאמר "והוא דקפיד", היינו למעוטי היכא דלא קפיד, אבל בסתמא אמרינן דבחדתי ואוכמי קפיד הוא, מפני שהאבק מקלקל מראיתה, ועל כן אתי שפיר מה דהיה אומר עולא עליהם דקמחללי שבתא, דהיה סובר כיון דגלימי אוכמי הוו כדפירש"י, מסתמא קפדי עלייהו, וע"ז השיב רב יהודה אנן לא קפדינן, ר"ל שאין דרכנו להקפיד ע"ז, דאנו לובשין כמה פעמים בלי ניעור, וע"כ מתיר אף באוכמי, וכן באביי דהוה קמחסם למיתביה לרב יוסף, עי"ש בגמרא, היה ג"כ מטעמיה דעולא, ורב יוסף השיב לו אנן לא קפדינן מידי, כמו שהשיב ר"י לעולא, **ולפי"ז** הרוצה לנער טליתו שהיא חדתא ואוכמא, אין מותר אא"כ בידוע לו שאין דרכו להקפיד תמיד ע"ז, וכעובדא דרב יהודא, ובכל זה לא רציתי לסמוך על דקדוקנו הנ"ל, וחפשתי בספרי ראשונים ומצאתי בעז"ה שכן מוכח מדבריהם, **ואפשר** עוד לפי"ז, דאם ידוע שאפילו בחיוורי וסומקי ג"כ דרכו להקפיד שלא ללבשו בלי ניעור, יהיה אסור גם שם לנער, ולא שרי הגמרא אלא במסתמא).

הגה: וכ"ש שאסור לנער בגד שנשר במים או שירדו עליו גשמים - ובזה אין חילוק בין שחור לשאר צבעונים כמו בטל לעיל, דדוקא שם שהוא מועט, אין מקפיד לנער אלא באוכמי, אבל בכאן שהמים מרובין, הדרך להקפיד לנער בכל הבגדים, ויש בזה משום סחיטה.

ודוקא בבגד חדש שמקפיד עליו - ר"ל דמסתמא הוא מקפיד עליו לנער, לפי שמתקצר ע"י מים, ‹אזי הוא כפסיק רישיה, שקרוב לודאי [ינער יפה בחוזק] שיסחוט המים ממנו בניעורו›, **ואפי'** אם הבגד ישן, ‹שאף אם יסחוט ממנו המים הרי אינו מתכוין לכך - גר"ז›, צריך ליזהר מלנערו מן המים בחוזק, בענין שיבוא לידי סחיטה באותו הניעור, כידוע כשהבגד בלוע ממים הוא נסחט יפה ע"י הניעור.

וי"א דאסור לנער בגד מן האבק שעליו, אם מקפיד עליו - הוא דעת רש"י וסייעתו, דסברי דהא דאמרינן בגמרא: אמר רב הונא המנער טליתו בשבת חייב חטאת, דהיינו כשמנער טליתו מן האבק והעפר שנבלע בו, וחייב משום מלבן, **ודוקא** בחדתי ובאוכמי, אבל בעתיקי או בחיוורי וסומקי לית לן בה, כמבואר שם, וכמו לעיל לענין טל, וכונת הרב נמי דוקא בחדתי ובאוכמי, [ובזה ג"כ מקרי חדתי כל שלא נשתמשו בה כ"כ, ועדיין היא בחידושה] **והאי** דנקט בלשון איסור, לאשמעינן דאם אינו מקפיד אפילו איסורא לית בה.

(משמע מלשון הרמ"א, דלדעה הראשונה דמפרשי הענין בניעור מטל, לית בזה אפילו איסורא, **וראיתי** בשלטי הגבורים שהקשה על מה שכתב הרא"ש על פירש"י: דלא נהירא דעל הניעור מעפר יהיה שייך בו ליבון, והלא הרא"ש בעצמו פסק דלכסכוסי סודרא אסור, וכן פסקו הטוש"ע לקמן בס"ה, מפני שמכוין לצחצחו, והוי כמלבן, משמע דכל אולודי חיוורא באיזה ענין שיהיה אסור, והכא פסקו כולם דלא שייך ליבון בעפר, ואמאי הא אולודי חיוורא הוא, דמכוין בניעורו לצחצח הבגד שחשך תארו מן העפר שעליו, עכ"ל, ול"נ דע"כ לא דמי כלל לכו"ע האי ענינא לכסכוסי סודרא, אפילו לשיטת רש"י, דאל"ה הלא שם לא מחלקינן כלל בהבגד, וגם אי קפיד או לא, ובכל גווני אסור, משא"כ בענינא דידן, הלא מבואר בהדיא בגמרא דאי לא קפיד שרי לכתחלה, וכן בחיוורי וסומקי, **וע"כ** משום דבענייננו אינו עושה שום פעולת הצחצוח, רק שמנערו מן האבק והעפר שהוטל עליו, לכן לא חשבינן זה לצחצוח רק כשקפיד ע"ז, ובדאוכמי, דבזה האבק לבד ג"כ מכהה מראיתו, משא"כ בכסכוסי סודרא, דעושה הצחצוח בידים להוליד לבנינות על הבגד, אסור בכל גווני, **וא"כ** לפי"ז ניחא אפילו לדעת הרא"ש והטור והמחבר לקמן בס"ה דאינן סותרים אהדדי, **היוצא** מכל זה, דאפילו לדעת המתירים, הוא דוקא באינו עושה שום פעולה כלל, כי אם ניעור בעלמא מן האבק שעליו, אבל אם מכסכס ומשפשף את הבגד להסיר ממנו הכתמים כדי ליפותו, לכו"ע יש עכ"פ איסורא בזה, דלא גרע מכסכוסי סודרא דלקמן, ובכל מיני בגד אסור, **ומה** דמשמע לקמן בסימן של"ז ס"ב בהג"ה, דמותר לכבד בגדים במכבדות שאינן עשויות מקסמים, היינו להעביר את הניצוצות או את האבק, כדמוכח בדרכי משה, ובאופן דשרי, כגון בישן או באינו קפיד, אבל לא לשפשף להסיר בזה הכתמים, דזה אסור אפילו ביד, כמו בכסכוסי סודרא, וכ"ש בכלי, כנלענ"ד ברור).

וטוב לחוש לדבריו – (היינו אפילו ביד, דניעור היינו ביד, וכ"ש ע"י כלי שקורין בארש"ט או מאטאלק"ע – ח"א).

עיין בא"ר שכתב, דמדינא יש איסור בזה, כי הרבה ראשונים סוברין כשיטת רש"י, ע"ש, **ומ"מ** נראה דיש לסמוך על דעה ראשונה להקל ע"י א"י, ובפרט דאיכא לפעמים משום כבוד הבריות בזה, **וטוב** ליזהר כשבא שחרית בשבת לבהמ"ד, להניח כובעו ובגדיו במקום שימור, כדי שלא יפלו לארץ ויעלו אבק עליהם, ויבא לחילול שבת.

(**וע"ש עוד שכתב בשם יערת הדבש, דלפי שלא ידענו עד כמה נקרא חדש, לכן צריך ליזהר בכולם, ושארי אחרונים לא הזכירו דבר זה דאין אנו בקיאין, והמחמיר תבוא עליו ברכה, והמיקל יש לו על מה לסמוך, וטוב שיעשה ע"י שינוי כלאחר יד, אך לכתחלה בודאי נכון ליזהר שלא לבוא לזה, וכמו שכתבנו במ"ב**).

כתוב בהלכות גדולות, ישב לו זרע פשתן או תבשיל על כסותו, מותר לקלפו, ונראה דאם הוא בגד חדש ושחור, אינו מותר לקלפו רק באינו מקפיד, ואם הוא לח מקנחו בסמרטוט וכדלקמן. (**ואין להקשות לפי דברי בה"ג, אמאי פסקינן דטיט שע"ג בגדו מגררו בציפורן, מאי עדיף דבר זה מזרע פשתן או תבשיל על כסותו, י"ל דאה"נ דלבה"ג מיירי שלא בחדתי או באינו מקפיד, א"נ והוא העיקר, דטיט שע"ג בגדו, אף דמגררו בציפורן אין מעביר הכתם לגמרי, רק דמגרר עובי הטיט מלמעלה, וכ"ש לפי מה שכתבו דמיירי בטיט לח, בודאי הכי הוא, לפיכך לא הוי בכלל מלבן ושרי בכל גווני, משא"כ בענין זרע פשתן ותבשיל שנתייבש על בגדיו, ס"ל לבה"ג, דע"י מה שקולפו עובר ממילא ג"כ הכתם מאתו, ולכן אינו מותר רק באופן שמותר ניעור הטלית, והוא שלא בחדתי או באינו מקפיד**).

אבל מותר להסיר הנוצות מן הבגד בשבת - שאין זה דומה לליבון, שאין הנוצות תחובין בתוכו כמו המים והעפר, אלא עומדין מלמעלה, ולכן מותר אפילו בחדש ומקפיד עליו.

וע"ל סימן של"ז – (ר"ל דאפילו באופן המותר להסיר ממנו האבק, כגון בבגד ישן, או אינו מקפיד, או בענין הסרת הנוצות שמתיר כאן בכל גווני, מ"מ אסור להסירם ע"י מכבדת העשויה מקסמים דקים, כדי שלא ישברו, **וכתב** בספר תפארת ישראל, דכהיום נהגו לאסור אפילו ע"י מכבדת העשויה משערות, (וז"ל: ונ"ל דאסור מדהו"ל עובדין דחול, דטריחא מלתא, ומחזי כמתקן מנא), וכ"כ ביערת הדבש, ע"ש הטעם, ואינו מותר אלא ביד).

סעיף ב - הלוקט יבולות שע"ג בגדים, כגון אלו היבולות שבכלי הצמר הנשארים בהם מן האריגה - לשון יבלת, שפירושו גבשושית, וה"ה קשין וקסמין דקין שנארגו בבגד בלי מתכוין, דינן כיבלת, **חייב משום מכה בפטיש** - כל העושה דבר שעי"ז נגמר המלאכה, חייב משום מכה בפטיש, שכן דרך האומן להכות בפטיש על הכלי אחר שנגמרה להשוות עקמימותה.

(**הפמ"ג נסתפק, אי דוקא כשלוקט כל היבלות שיש שם, או אפילו ביבלת אחד חייב, אף שנשאר שם עוד, ונ"ל דבגמרא מבואר, דחיוב מכה בפטיש הוא אפילו בעושה רק מקצת מהגמר מלאכה, כיון שהוא מהפעולות הנעשים בגמר הכלי**).

כתבו האחרונים, דה"ה דאסור להסיר השלל שקורין שטריגיוואנע, שעושין החייטים בתחלת התפירה כדי לחבר החתוכים, **ואפשר** דחיוב נמי יש בזה, שדרך האומנין להסיר בעת גמר מלאכה.

והוא שיקפיד עליהם - פירוש שמסירם בכונה כדי ליפות הבגד, ולא כמתעסק, **אע"פ** שלא היה נמנע מללבשו אם לא היה מסירם, חייב, משום דהך דהכא הוי מלאכה טפי מהאי דסעיף א', ולכן אינו פטור אלא במתעסק, [**ומ"מ** בעיקר הדין לא נוכל לברר, כי באו"ז ובריי"ו ראיתי שהעתיקו לענין זה ג"כ בהטור, דתלוי באם היה נמנע מללבשו מחמת זה].

אבל אם הסירם דרך עסק, פטור - בספר הזכרונות כתב, דאיסור יש בזה.

כתב הרמב"ם: המנער טלית חדשה שחורה כדי לנאותה, ולהסיר הצהוב הלבן הנתלה בה כדרך שהאומנין עושין, חייב משום מכה בפטיש, ואם אינו מקפיד מותר, עכ"ד, **ופירוש** מקפיד לענין זה, ג"כ כל שכוונתו כדי ליפות, וכמו לענין יבלת.

סעיף ג - מקפלים כלים בשבת לצורך שבת - דאם אין מקפלים רגילים שמתקמטים,

ללבשם בו ביום - ולכן אסור לקפל הטלית, אע"פ שמצות ציצית כל היום ויכול להתעטף בו, מ"מ כיון שאין בדעתו להתעטף בו, אסור, **אם** לא במקום שנהגו להתעטף בטליתות במנחה.

ודוקא באדם (אחד) - אבל לא בשני בני אדם, משום דבשנים מתפשטין הקמטים, ונראה כמתקן מנא, **ואם** מקפל על הספסל, דינו כמקפל בשנים.

ובחדשים שעדיין לא נתכבסו - לפי שכל שלא נתכבסו הם קשים, ואין ממהרין לקמוט, ואין חשוב הקיפול תיקון כ"כ עד שיהיה נראה כמתקן מנא.

ולבנים - דבצבועים הקיפול מתקן יותר, **ואין לו להחליף** - אבל אם יש לו להחליף בגד אחר לשבת, [דבבגד חול לא מקרי יש לו להחליף], אע"פ שאין יפה כזה, לא התירו לו לקפלו, **וכ"ש** אם אין דעתו ללבוש כלל בו ביום דאסור וכנ"ל.

ואם חסר אחד מאלו התנאים, אסור.

ומ"מ ביו"ט שחל בע"ש מותר לקפל טליתו כשפושטו, אם היא חדשה ולבנה, אף שאין דעתו ללבשו בו ביום, והיינו כשעשה עירובי תבשילין, דאל"ה הרי אסור לו להכין לצורך מחר, כ"כ בא"ר, **אבל** בחי' רע"א הוכיח, ‹דדבר שאינו מלאכה כלל, ואינו אסור אלא משום טרחה›, אף בלא הניח עירובי תבשילין שרי, אם היא סמוכה לשבת.

ויש מי שאומר דלקפלו שלא כסדר קיפולו הראשון מותר בכל ענין - שאין לקיפול זה שום קיום, ואין כאן מתקן כלל, ולפיכך מותר אפילו אין בו א' מאלו הד' פרטים, ואפי' אין דעתו ללבשו בו ביום.

ונראין דבריו - וכן סתמו האחרונים לדינא, **ומ"מ** מי שרוצה להחמיר על עצמו שלא לקפל כלל, ודאי עדיף, [היינו עד שיושלמו כל הה' פרטים].

מציעין את המטות מלילי שבת לשבת, [היינו כדי לישן עליהם, או כדי להסב עליהם למחר], **ולכתחלה** טוב יותר שיציע מע"ש, **אבל** אין מציעין משבת למו"ש, **ומ"מ** אם המטה עומדת בביתו, והוא דבר מגונה ובזיון לשבת שיעמוד כך, מותר להציע, דמקרי צורך שבת.

[**ואיתא** בתוספתא: מציעין עשר מטות, שאם ירצה מיסב באחת מהן].

[**כתב** בחידושי רעק"א, שמותר להציע מיו"ט לשבת, אף אם לא הניח עירובי תבשילין].

סעיף ד - מכבש (הוא כלי שכובשין בו בגדים אחר הכביסה, והם שתי לוחות זה על זה והבגדים ביניהם) של בעל הבית, מתירין אותו ליטול ממנו בגדים לצורך השבת - אבל שלא לצורך שבת לא, **וה"ה** דאין כובשין בו בגדים, שהוא צורך חול.

ושל אומן אסור, מפני שהוא תחוב בחזקה והתרתו דומה לסתירה - ואם היה מותר המכבש קצת מע"ש, י"א דאעפ"כ אסור להתיר כולו ולשמוט כליו משם, **ויש** מקילין, **אבל** אם היה מותר כולו, לכו"ע מותר לשמוט כליו משם.

סעיף ה - חלוק לאחר כביסה הוא מתקשה, ומשפשפים אותו בידים לרככו, מותר לעשותו בשבת, שאינו מתכוין אלא לרככו - אבל אסור לגלגל ע"י כלי כמנהג, וכן אסור לעשות קמטים בדברים המכובסים ע"י כלים העשויים לכך.

אבל סודר אסור - בין לשפשף מבפנים בין לשפשף מבחוץ, (מסתימת השו"ע משמע, דאינו מחלק בין אם הוא של פשתן או לא, וגם הרמ"א לא בא להוסיף אלא להחמיר בשאר כלי פשתן, ולא להקל בסודר שאינו של פשתן).

מפני שמתכוין לצחצחו והוי כמלבן - כי הוא מקפיד על ליבונו וזיהורו של סודר יותר מכתונת, דשם אמרינן דאינו מכוין אלא לרככו - רש"י, **ונראה** דאם מתכוין בחלוק לצחצחו, אסור כמו בסודר.

הגה: וכובעים - היינו של פשתן, **ושאר כלי פשתן, דינן כסודר** - והטעם שהחמירו בכלי פשתן, מפני שהם קשים אחר רחיצתן, ‹והא"ר גורס במ"א: שהם נאים לאחר רחיצתן›, וריכוכן זהו ליבונן, **ומ"מ** בחלוק מותר אפילו בשל פשתן, מפני שהוא מלבוש תחתון ואינו נראה מבחוץ, מסתמא הוא מתכוין לרככו.

סעיף ו - טיט שעל רגלו, (או על מנעליו), מקנחו בכותל - ולא דמי למה דאיתא בס"ח: אין מגרדין מנעל בין חדש בין ישן, והיינו אפילו יש טיט על גביו, וכונתו להסיר הטיט, וכמו שכתבנו שם, **דשם** לא אסרינן אלא בגב סכין, שע"י הגרירה ממחק העור, משא"כ בקינוח בכותל או בקורה, אין הכרח שיהיה ממחק ע"ז - ב"י, **וכתב** הט"ז, ולפי"ז הא דיש בחצר שלפני פתחי בתי כנסיות על הקרקע ברזל אחד, והוא חד למעלה, ושם מקנחין המנעלים קודם שיכנס בבהכ"נ, אסור לעשות כן בשבת, דזה דומה לגב הסכין ואסור לכו"ע וכו', עי"ש, **והמ"א** מחמיר אפילו היה הברזל עב ורחב בראשו, ולא היה לו חוד, דלא גרע מגב הסכין, אלא יקנח בכותל או בקורה או בחידודי המדרגות, **אך** אם הוא מקנח בנחת אין להחמיר בכ"ז, דלא שייך בזה החשש דממחק העור, **ובפרט** אם הטיט לח, בודאי אין להחמיר.

(והנה הב"ח אוסר בזה משום חשש ממחק כבסעיף ח',

והנה לדינא בטיט לח בודאי אין לחוש לחומרת הב"ח, **ואפילו** בטיט יבש הרוצה להקל כדעת הב"י וסייעתו, דבקינוח בכותל לא שייך חשש ממחק, בודאי אין למחות בידו, **אך** לכתחלה נכון ליזהר בטיט יבש מטעם אחר, והוא הי"א שבסעיף ז', דיש בו חשש טוחן, **וכן** כתב הפמ"ג, וכתב שבטיט שעל רגלו יש להקל לקנח בכותל, אפילו בטיט יבש, משום צערא דגופא, **וה"ה** דמותר לרחוץ טיט היבש שע"ג רגלו יחף במים, ולא הוי כגיבול, דכלאחר יד הוא, ובמקום צערא לא גזרו).

אבל לא בקרקע, דלמא אתי לאשוויי גומות.

ויש מי שאוסר אף בכותל - של אבנים, משום דמחזי כמוסיף על הבנין ומחזקו, ולדידיה אין מקנחין אלא בקורה או ע"ג אבן, [אך דוקא אם היא אבן גדולה, שלא יתנדנד ע"י קינוחו], **וה"ה** דשרי בכותל של עץ.

הגה: ויש מי שמתיר בשניהם - דלמוסיף על הבנין לא חיישינן, משום דבנין חקלאה הוא {בנין גרוע של בעלי הכפרים}, ולשמא יקנח במקום הגומא וישוונה ג"כ לא חיישינן, **ומ"מ** אפילו לדידהו צריך ליזהר כשמקנח בקרקע, שלא יקנח במקום גומא, שע"י ישוונה.

ולענין הלכה, הט"ז כתב, דבמידי דרבנן יש לסמוך על המקילין דמותר בשניהם, **ויש** מן האחרונים שסוברין דנכון להחמיר לאסור בשניהם, **ונראה** דבכותל בודאי יש לסמוך להתיר כדעת המחבר, שכן דעת רוב הראשונים.

וכ"ה דמותר להסירו במעט חרס הראוי לטלטל - ובזה לכו"ע שרי, **ועיין** לקמן סימן ש"ח ס"ז, איזה חרס ראוי לטלטל.

סעיף ז - טיט שעל בגדו משפשפו מבפנים, דלא מוכחא מלתא לאתחזויי כמלבן - היינו שאוחז הבגד בפנים נגד מקום הטיט, ומשפשף זה בזה עד שנופל הטיט, **ואף** דלעיל בס"ה אסר בסודר לשפשפו, ולא מחלקינן בין מבפנים למבחוץ, **התם** הוא מכוין לצחצחו, משא"כ כאן שאין כונתו אלא להסיר הטיט.

ואין חילוק בכל זה בין משי לפשתן וצמר.

אבל לא בחוץ, דדמי למלבן - שמתיפה הבגד ע"ז, ומלבן ממש לא הוי, דאין נותן עליו מים, [**ולא** דמי למה דמחייבינן במנער טלית חדשה מן האבק שעליו, לשיטת רש"י, **דהתם** מצחצח הבגד ע"ז, והוא תיקונו, משא"כ כאן שאינו רק שמסיר הטיט, ורושם הטיט עדיין נשאר, והדרך להעבירו ע"י מים].

ומגררו בצפורן - מבחוץ, דזה לא נחשב ליבון, **וה"ה** דמותר לגררו בגב סכין, ואפשר דאפילו בחודו.

ויש מפרשים דהני מילי לח, אבל יבש אסור דהוי טוחן - בין לגרר בין לכסכס אפילו מבפנים.

אע"ג דהוי מלאכה שאינה צריכה לגופה, עכ"פ איסורא מיהא איכא לכו"ע, **וע"י** א"י מותר, [דהוי מלאכה שאינה צריכה לגופה, ומשום כבוד הבריות שלא לילך בבגדים מלוכלכים, שרי, דהוי שבות דשבות].

כתב הט"ז, נ"ל דוקא ביש ממשות טיט על הבגד, וכשהוא מגרד שם אז נופלים פרורי הטיט, זה דומה לטוחן, **אבל** אם אין שם אלא מראה הטיט, והוא מגרר שם לבטל המראה, אין זה דומה לטוחן, **ומטעם** זה יש להתיר למי שחלוק שלו מטונף קצת, ואין שם ממשות צואה, והוא יבש, יוכל לגרר בצפורן ולהסיר המראה, כדי שיתפלל בנקיות, עכ"ל הט"ז, **ולענ"ד** יש לעיין בזה טובא, דנהי דמשום טוחן ליכא, הרי עכ"פ מכוין בזה ליפות הבגד ולצחצחו, שלא ישאר עליו שום רושם לכלוך, והוי כמלבן, (והגמ' שהתיר לגרר בציפורן, היינו להעביר

הטיט, משא"כ בזה שאין טיט, וכונתו רק לצחצח הבגד וליפותו, שלא ישאר עליו שום רושם כלל, הוא דומה ממש לס"ה הנ"ל), **ודע** עוד, דפשוט דאפי' לדעת הט"ז, אינו מותר רק לגרר בצפורן, או לכסכסו מבפנים, אבל לכסכס מבחוץ אסור בכל גווני, [דהט"ז לא חידש רק דאין בזה משום טוחן, ומ"מ לא עדיף מטיט לח, דגם שם לא שייך טוחן, ואפ"ה אסור לכסכס מבחוץ, משום דמחזי כמלבן].

סעיף ח - אין מגרדין (בסכין או בצפורן) מנעל, בין חדש בין ישן, מפני שקולף העור והוי ממחק - אפילו היה עליו טיט, וכונתו להסיר הטיט, דפסיק רישא הוא, והיינו אפילו בגב הסכין, **וע"כ** נכון ליזהר שיעשה הברזל שלפני בהכ"נ שמקנחין בו המנעלים, עב ורחב ולא חד, ועיין לעיל בס"ו, **ולקנח** בכותל שרי, וכנ"ל בסעיף ו'.

(**עיין בב"י שהביא דעת הכל בו, שכתב דדוקא בטיט היבש, לפי שמתקנו בגרירתו, אבל טיט לח מגררין, שאין בו תיקון בכך, וראיתי בב"ח שהשיג על הכל בו, וכתב: ותימה גדולה, הלא רש"י פי' דטעם הברייתא משום דהוי ממחק, ולפי"ז בודאי אפילו בטיט לח אסור, שקולף העור והוי ממחק, ואיך הוא מפרש דלא כפי' רש"י, ולהתיר מה שאסור לפי' רש"י ולכל הפוסקים, עכ"ל, ובחנם הרעיש עליו, דמרמב"ם משמע נמי שאינו מפרש טעם האיסור משום ממחק, שכלל אותו בפכ"א בדיני כיבוס וליבון, שמתקן את הבגד והעור, ולא בדיני ממחק, ואפילו לרש"י ויתר הפוסקים שהעתיקו הטעם דממחק, נוכל לומר ג"כ דטעם זה לא שייך כי אם בטיט יבש, דבעי לגרר בחוזק ויבוא לידי קילוף העור, משא"כ בלח, ויש לסמוך על דבריהם היכא דיש עוד צד להיתר, כגון בקינוח בנחת, או בכותל אפילו לדעת המחמירין**).

סעיף ט - הנה כדי לבאר את דברי אלו השני סעיפים, צריך להקדים הקדמה קטנה, וזו היא: **א**) המלבן הוא מאבות מלאכות, ולבון שייך בין בצמר ובין בפשתן ובכל שאר מינים שדרכן להתלבן, **ולבון** מקרי בכל דבר שדרך הצמר והפשתן להתלבן ע"ז, ומה שנוהגין שמניח חתיכת פשתן (חדשים, וצע"ק), לאחר אריגתו בחמה, וזורק עליו מים כדי שתתלבן, גם זה הוא בכלל מלבן, **ושיעורו** בחוט שהוא ארוך ד' טפחים.

ב) המכבס בגדים הוי תולדת מלבן וחייב, וכן הסוחטן, שהסחיטה ג"כ מצרכי כיבוס היא, וה"ה דכיבוס שייך בעורות הרכין, וי"א אף בקשין, **אך** יש חילוק בין עורות לבגד, דבעורות לא מקרי כבוס עד שיהיה כיבוס גמור, ובבגדים קיי"ל דשרייתן במים זו היא כיבוסן, וחייב משום מכבס, לא שנא בבגדים לבנים ולא שנא צבועים.

ג) והנה בהא דקי"ל דשרייתן היא כיבוסן, יש דעות בפוסקים: י"א דדוקא כשיש איזה דבר לכלוך על הבגד, דהשרייה מעביר הלכלוך, **אבל** אם אין שם לכלוך, ואפי' הושחר מחמת לבישה, לא מקרי כבוס ע"י שרייה לבד, אם לא שמכבסן ממש, או שסוחט את מימיהן, **ומ"מ** אסור לשרותן מדרבנן, גזירה שמא יבוא לסחיטה, **וי"א** דאפילו אין עליהם לכלוך כלל, אמרינן דשרייתן היא כיבוסן.

אך כ"ז דוקא אם הוא דרך כבוס, אבל אם הוא דרך לכלוך, כגון שנטל ידיו במים ומקנחן במפה, ואפילו אם היו המים טפוחים הרבה על ידיו, וע"י קינוחו הוטפח המפה, אפ"ה לא שייך בזה שרייתו היא כיבוסו, דדרך לכלוך הוא, **ויש** מחמירין עוד, שאם היו המים מרובין, אפילו כשהוא דרך לכלוך אמרינן שרייתו היא כיבוסו, **וע"כ** הם סוברים דכשנוטל ידיו ורוצה לנגבן במפה, יראה לנער ידיו עד שלא ישאר עליהם רק מעט מים, ואז מותר. **ועתה** נבוא לבאר את הסעיפים.

מותר ליתן מים ע"ג מנעל לשכשכו - ר"ל כשיש על מנעל איזה דבר לכלוך, נותן עליו מים עד שיכלה הלכלוך, וזה נקרא שכשוך, (**שאינו נוגע ידיו כלל לכבס**).

אבל לכבסו, דהיינו שמשפשף צדו זה על זה - כדרך המכבסים, **אסור** - וחיובא נמי איכא, דכיבוס שייך אף בעורות.

שמשפשף - והנה מלשון זה משמע, דסתם כיבוס (**בידים בלא שפשוף**) במנעל אפי' איסורא ליכא, **ועיין** בבה"ל שביארנו, דמשמע מדעת הרבה פוסקים, דאיסורא איכא אפילו בכיבוס בעלמא, (**דאף אם אינו משפשף זה על זה, רק שחופף היטב במים את מקום הלכלוך, ומדיחו שיהא נקי, ג"כ בכלל שפשוף הוא**), ואינו מותר רק בשכשוך בלבד, **אך** בכלי עץ לכו"ע אין בו שום חשש כיבוס, ועיין מש"כ לקמיה בס"י.

(**שם כיבוס שייך מן התורה אפילו בשער ובעור, אבל סחיטה לא שייך בתרוייהו מדאורייתא לדעת**

הרמב"ם, כי אם מדרבנן, וכן סתם השו"ע לקמן בסימן תקכ"ו ס"א בהג"ה, דבעור ליכא סחיטה, ובשער מחובר על גוף האדם לא שייך בו שם כביסה, וצ"ע).

אבל בגד שיש עליו לכלוך - אפילו רוק בעלמא, [וכ"ש מי רגלים וצואה], **אסור אפילו לשכשכו** - פי' שאסור ליתן עליו מים כלל, ואפילו מועטים, **דזהו כבוסו** - ר"ל בגד שריתו זהו כיבוסו, והוי בכלל מלבן וחייב, **משא"כ** מנעל אף דשייך בו כיבוס, מ"מ שרייתן אין זה כיבוסן, אא"כ מכבס ממש, **אלא מקנחו בסמרטוט בקל ולא בדוחק, פן יסחוט.**

(הנה מפשטא דלישנא משמע, דסובר כדעה הראשונה המובא ברמ"א, דבדבר שאין בו לכלוך לא אמרינן ביה שרייתו זהו כיבוסו, וכן ביארו המ"א, אולם בספר תו"ש וכן בביאור הגר"א משמע, דהמחבר ג"כ ס"ל לנפשיה כדעת היש אוסרין, והא דנקט יש עליו לכלוך, לישנא דמתניתין נקט, ומשום סיפא דמקנחו).

הגה: ובגד שאין עליו לכלוך, מותר לתת עליו מים מועטים - דשריה לא הוי כיבוס אלא כשיש עליו לכלוך, **ודע**, דאם מכוין בנתינת המים לכבסו, אפילו במים מועטין אסור, **ולא מרובים, שמא יסחוט** - ואם הוא דבר שאין מקפיד על מימיו, ומניחו כמה זמן עם המים, לא גזרינן שמא יסחוט בזה, כמ"ש סי' ש"א סמ"ו.

(**אבל כשיש עליו לכלוך, אפי' דרך לכלוך, כגון לנגב ידים שם, אסור לדעה זו, כיון שיש עליו לכלוך מכבר,** כ"כ הפמ"ג, וכן משמע בעולת תמיד, ‹דלדידהו כל בגד נקי מותר ליתן עליו מים נקיים אף אין דרך לכלוך, וכל שיש לכלוך עליו, אף דרך לכלוך לנגב ידים שם אסור – פמ"ג›, ומ"מ לענ"ד לא ברירא הדבר כ"כ, די"ל דדרך לכלוך לכו"ע שרי, ועיין).

ויש אוסרים בכל ענין - ס"ל דמה דאמרינן שרייתן זהו כיבוסן, הוא אפילו בבגד שאין עליו לכלוך, ולכן אפילו במועטין אסור משום כיבוס, **ומ"מ** אם נתינת מים על הבגד הוא דרך לכלוך, שרי כמ"ש בסעיף יו"ד בהג"ה, **ויש** לחוש לדעה זו להחמיר בשל תורה.

(**והנה** לדינא עיין בביאור הגר"א שכתב, דהנכון כדעה ראשונה, אם אינו מתכוין לכביסה, ובא"ר משמע ג"כ שדעת רוב ראשונים כהדעה הראשונה, ומ"מ כיון שיש כמה ראשונים שמחמירין בזה, וכן הוא דעת הטור, בודאי יש לחוש ולהחמיר באיסור תורה).

סעיף י - הרוחץ ידיו, טוב לנגבם בכח זו בזו ולהסיר מהם המים כפי יכלתו קודם שיקנחם במפה - הוא כדי לצאת גם דעת היש מחמירין שכתבנו למעלה בהקדמה, דס"ל דבכל גווני אמרינן שרייתו זו היא כיבוסו, אף שהוא דרך לכלוך, אלא דאם הוא מעט מים, סוברין דאין בזה משום חשש כיבוס, **אך** משום דאין אנו בקיאין איזה מיקרי מעט, לכך כתבו דמנהג כשר שינגב ידיו בכח, **אבל** מדינא שרי לשתי דעות הנ"ל בהג"ה לקנח במפה, ‹לדעה ראשונה משום שאין לכלוך על המפה, ולדעה שניה מפני שזהו דרך לכלוך›, וכמ"ש בהג"ה.

הגה: ויש שכתבו דאין לחוש לזה, דלא אמרינן שריית בגד זהו כבוסו בכי האי גוונא, דאין זה רק דרך לכלוך - שידיו מלוכלכות ומטנף בהם את המפה, (**ואפילו** אם היה איזה לכלוך על המטפחת שרי, הואיל והניגוב דרך לכלוך הוא), ‹דלדידהו כל דרך לכלוך שרי, אף שיש עליו לכלוך, וכל שאין דרך לכלוך אסור אף בנקי לגמרי – פמ"ג›, **וכן נוהגין.**

ודוקא במפה וכיוצא בהן שאין דרך להקפיד על המים הטפוחים, אבל לנגב בדבר שדרך להקפיד בחול על מימיו הבלועים בו, אסור מטעם שמא יבוא לידי סחיטה, וכמש"כ סימן ש"א סמ"ו, כ"כ המ"א, **ועיין** בפמ"ג שהכריע, דדוקא במים מרובים, אבל במים מועטים כמו שמצוי ע"י סיפוג הידים, לא חיישינן לסחיטה כלל, וכן פסקו הא"ר ותו"ש להקל בסיפוג הידים, ע"ש טעמייהו, **אבל** אם נשפך מים על השלחן וכיוצא בו, לכו"ע אסור לקנחו בבגד שמקפיד עליו אם הוא מים מרובים, שמא יבוא לידי סחיטה.

ולכן מותר לנגב ידיו - שנוטל ידיו במים ומנגבם, **בבגד שהטיל בו תינוק מי רגלים, כדי לבטלם** - ותוכל להתפלל ולברך.

וכגון שהמי רגלים מועטים, כמו שדרך התינוק להטיל בבגדיו שמעוטף בו, ואין נוזל לבגד האם כי אם טיפת דבר מועט, וסגי ליה לבטלו בקינוח ידים.

שאין זה רק דרך לכלוך בעלמא - אבל כשיש עליו צואה, אסור להעבירו אפי' ע"י ניגוב הידים, דאע"פ שהוא דרך לכלוך, מ"מ כיבוס הוא, דהבגד היה מלוכלך יותר מקודם, ועתה מעבירו, (וזהו שכתב הר"ב בס"ט "ויש אוסרין בכל ענין", אף דרך ניגוב אסור שם בצואה - פמ"ג, **משא"כ** מי רגלים אין מאיס כ"כ, וגם שם אין מתירין אלא משום דכונתו רק כדי לבטלן, ולא לכבס וללבן הבגד.

אבל אסור ליתן מים ממש על המי רגלים כדי לבטלם - ודוקא במי רגלים שבבגד, אבל שבארץ מותר.

ואפילו ליטול ידיו עליהם, אף דנעשים שופכים, מ"מ כיון שאין בהם לכלוך חזו לכיבוס, **ואף** דאין מכוין לכבס רק לבטל המי רגלים, מ"מ פסיק רישא הוא, דשרייתו זהו כיבוסו, **ולכן** טוב שלא ליקח תינוק בחיקו בשבת, אם לא על כר, פן ישתין - ספר חסידים.

והנה לפי המבואר בסעיפים אלו, דבגד שיש בו לכלוך לכו"ע שרייתו זהו כיבוסו, צריך ליזהר שלא לשפוך שום מים לתוך כלי ששרויים בו בגדים לכבסן, **אם** לא שהמי משרה עולים מכבר למעלה על הבגדים, מסתברא דמותר, **וכ"ש** שיזהר שלא להטיל בגד למים.

ולכן הרוחץ תינוק לא ישים בגדיו במים. (והנה לענין רחיצת תינוק ביו"ט במים חמין, שבחול דרך הוא להציע מתחתיו המטפחת {הווינדלע"ן} בעריבה שרוחצין אותו בה, שא"א לרחוץ תינוק קטן בלא זה, וביו"ט הלא יש בזה איסור כיבוס, דשורה אותם במים, **אך** א"א לרחוץ בלא זה, יש להתיר באופן שיהיו הווינדלע"ן נקיים מכובסים, דלדעה הראשונה אין בהם משום כיבוס, **ואף** לדעת היש אוסרין אף בנקיים, אפשר דדרך לכלוך הוא, **ואף** אם נימא דאין זה דרך לכלוך, מ"מ כיון דנקיים הם בודאי אינו רוצה כלל בכיבוסן, וכל כונתו רק כדי להציע תחת התינוק, והוי הכיבוס מלאכה שאצל"ג, דאינו אסור לכמה פוסקים אלא מדרבנן, ותינוק זה הוי כחולה שאין בו סכנה אם הוא רגיל ברחיצה, דיש להתיר איסור דרבנן בשבילו, **ומטעם** זה אין לאסור משום שמא יסחוט, כיון דדיינינן ליה כחולה, ובלבד שיזהר שלא יסחוט, **והנה** הפמ"ג רצה להתיר בשעת הדחק אף במלוכלכים, משום דהוי מלאכה שאצל"ג, דאין כונתו בשביל הכיבוס רק להציע תחת הקטן, **ולא** נהירא, דמלוכלכים ניחא ליה הכיבוס, ובחול דעתו שיסחטם אחר רחיצת הקטן ויגגבם ויהיו מכובסין, א"כ כונתו בשביל כיבוס ג"כ, ואין זה מלאכה שאין צריכה לגופה, **ומ"מ** ע"י א"י יש להתיר נתינת הווינדלי"ן למים, **ואפילו** אם הם נקיים ומכובסים, טוב שינתן לתוך המים ע"י א"י אם באפשר, כנלע"ד).

סעיף יא - מי שנתלכלכה ידו בטיט, מקנחה בזנב הסוס ובזנב הפרה - (כתב בספר תו"ש, דהיינו שאינם מחוברין בבהמה, דאל"כ הא קי"ל דאסור לטלטל בע"ח אפילו מקצתו, עכ"ד, **ולענ"ד** יש לעיין בזה, שלא הוזכר זה בשום פוסק, וגם לשון התוספתא אינו מיושב כ"כ, ומה שהקשה משום איסור טלטול, אפשר דלא אסרו רק גופן דבעלי חיים, ולא בשערן שהוא מחובר להן, דלא חשיב כגופן בזה, וצ"ע).

ובמפה הקשה העשויה לאחוז בה קוצים - וכן בסמרטוט שאין מקפיד עליו אם יתלכלך, או בכותל וכדלעיל.

אבל לא במפה שמקנחים בה ידים, שלא יעשה כדרך שהוא עושה בחול ויבא לכבס המפה.

סעיף יב - אסור לנגב כוס שהיה בו מים או יין, במפה, משום דאתי לידי סחיטה - ר"ל אפילו להפוסקים לעיל בס"ט, דלא אמרינן בזה שרייתו זהו כיבוסו, משום דהמפה היה נקי מתחלה ולא היה בה לכלוך, וגם דקינוח זה דרך לכלוך הוא ולא דרך כיבוס, אפ"ה אסור משום שמא יבוא לידי סחיטה.

(**ולכאורה** קשה, הא קי"ל לעיל בס"ט בהג"ה, דבמים מועטים לא חיישינן שיבוא לסחטו, ולמה אסר בכל גווני, ובאמת מטעם זה התיר הרדב"ז (לקמן בסמוך), ודקדקתי היטב בדברי המ"א, ומצאתי שהוא רמז לזה בתירוצו השני, שכתב: א"נ י"ל דה"ק כיון שהכוס צר וכו', וכן משמע בס"ט בהג"ה, **היינו** ר"ל דשם מבואר דבמים מועטים לא חיישינן שמא יבוא לסחיטה, וכמו שהקשינו, וע"כ נד מתירוץ הראשון (דמיירי במפה שמקפיד עליו), וקאמר דס"ל דכיון שהוא צר, בודאי יבוא בעת הניגוב לסחיטה, **א"כ** לפי תירוץ זה, בכוס רחב או בקערה לא חיישינן כלל שיבוא לסחיטה, כיון שהמים מועטין, ומותר לנגב אפילו במפה שמקפיד עליו, ולכן

שפיר יש לסמוך בכוס רחב או בקערה על דברי הרדב"ז שכתבנו במ"ב, שגם השו"ע מודה לו, **והנה** מדברי הגר"א משמע, דס"ל דאף בכוס צר אין בו פ"ר, וכדעת המ"א בתירוצא קמא, ונ"מ דבדבר שאינו מקפיד עליו גם בכוס צר שרי, וכן בדברי הרדב"ז לא נזכר נ"מ בין כוס לכוס, **וע"כ** נראה דבשעת הדחק אין למחות ביד המיקל לנגב בכוס צר, ובלבד שיהיה בדבר שאינו מקפיד עליו לסחטו אחר הקינוח, ויראה מתחלה לשפוך כל המים מן הכלי).

ובתשובת רדב"ז כתב לענין ניגוב כוס וקערה, דהעולם אין נזהרין בזה, ולדינא אין לחוש, דאין דבוק בדופני הכלי מים כ"כ שיבוא לידי סחיטה, **אא"כ** מנגב בה כלים הרבה, דאז קרוב הדבר שיבוא לידי סחיטה בין כלי לכלי, ראוי לגער בו שלא יעשה כן, עי"ש, והביאו בברכי יוסף, **ובסמרטוט** המיוחד לכך, שאין מקפיד עליו לסוחטו, לכו"ע שרי, ונראה דאף לנגב בה כלים הרבה שרי, דאם יהיה הסמרטוט לח מצד אחד ע"י הניגוב, ינגב בה מצד אחר, [**אא"כ** הוא מפה קטנה, דיש חשש שיסחטנו בין כלי לכלי כדי שיהיה ראוי לנגב עוד בה].

עיין באחרונים שסתמו, דבכוס שהוא צר, אין לנגבו אפילו בסמרטוט המיוחד לכך, דא"א שלא לבוא לידי סחיטה, **אבל** דבר רחב, כגון שנשפך מים על שלחן וספסל, לכו"ע מותר לקנחו בדבר שאין מקפיד עליו.

(**וראיתי** באיזה אחרוני זמנינו, שהעתיקו דינא דשו"ע לאיסורא, אפילו בכוס רחב אם הוא מנגב בדבר שמקפיד עליו, והעתיקו ג"כ תירוץ השני של המ"א, דבכוס צר הוא פסיק רישא ואסור בכל גווני, **ולא** נהירא, שאחזו החבל בב' ראשין, דלפי תירוץ הראשון של המ"א, אפילו בכוס צר לא אמרינן דהוי פסיק רישא, ומותר בדבר שאין מקפיד עליו, מדקאמר המ"א: כיון שהכוס צר, ולא כתב דמיירי בכוס צר, משמע דגם בתירוץ הראשון מיירי בכוס צר, דסתם כוס הוא צר, **ולפי** תירוץ השני דוקא בכוס צר, אבל בכוס שאינו צר לא חיישינן כלל שיבוא לסחיטה, ומותר לנגב אפילו בדבר שמקפיד עליו כיון שהמים מועטים).

עיין במ"א שכתב, דבשאר משקין מותר לנגב את הכוס, ואין חוששין שמא יבוא לסחיטה, וכדלקמן בסימן שי"ט ס"י וסימן של"ד סכ"ד, **ודעת** הרבה אחרונים דאף ביין אין לחוש, **ובכוס** צר יש להחמיר אף בשאר משקין.

סעיף יג - אין מסתכלין בשבת במראה של מתכת שהיא חריפה כאיזמל (פי' כעין סכין קטן חד וחריף) - ר"ל ששפת המראה חדה, ועשויה לשם כך, להסיר בה בחול את הנימין המדולדלין מראשו כשרואה שהן מדולדלין, **דחיישינן שמא ישיר בה נימין המדולדלין** - דשמא ישכח ויעשה כדרכו בחול.

ואפילו אם היא קבוע בכותל - שלא יוכל להשיר בה, ג"כ אסור, דלא חלקו חכמים במראה של מתכות בין קבוע לשאינה קבוע.

אבל מותר להסתכל במראה שאין בה חשש זה, אפילו אינה קבועה - כגון במראה של זכוכית כעין שלנו, וה"ה במראה של מתכות כשאינה עשויה חריפה, **והטעם**, כיון דאינה עשויה כלל להשיר בה נימין, לא גזרו כלל עליה, **ולא** חיישינן שמא כשיראה במראה שהן מדולדלין, ילך אחר מספרים כדי להעבירם, דאדהכי והכי מדכר שהוא שבת.

עיין ביו"ד סימן קנ"ו, באיזה אופן מותר להסתכל במראה.

§ סימן שג – דיני תכשיטי אשה §

סעיף א - לא תצא אשה בחוטי צמר, ולא בחוטי פשתן, ולא ברצועות, שבראשה - אכולהו קאי, ולאפוקי חוטין שבצוארה כמ"ש בס"ב, **מפני שצריכה להסירם בשעת טבילה, חיישינן שמא תוליכם ד' אמות ברשות הרבים** - היינו דלמא מתרמי טבילה של מצוה, ותוכרח להסירם מפני חציצה, ואתיא לאתויינהו ד"א, **ועיין** באחרונים שכתבו, דלא פלוג רבנן בתקנתא, ואפילו זקנה ובתולה לא תצא.

ודוקא בדברים קטנים כאלו הוא דחיישינן, כיון דאף בחול לפעמים היא נושאתן בידה, **אבל** דברים שהם עיקר מלבושים, לא חיישינן להכי, דאין דרכה לילך בלעדם, ובודאי תלבשם אחר הטבילה.

ואם הם קלועות בשערה, מותר - דהא ליכא למיחש דלמא אתיא לאתויינהו, דהא אסורה לסתור קליעת שערה, כמ"ש בסעיף כ"ו.

ויש מי שאוסר - דדלמא כשתתרמי לה טבילה של מצוה, תסתור הקליעה ע"י א"י ותוציא החוטין, ואתיא אח"כ לאתויינהו - ט"ז, **ועוד** טעמים אחרים עיין בב"ח ובבאור הגר"א.

ואם הם מעשה אריגה, מותר, שא"צ להסירם בשעת טבילה - דהני לא מיהדקי שפיר ולא חייצי, **ועיין** יו"ד סימן קצ"ח, דסתם שם בס"ג, דדוקא כשמעשה אריגה היו חלולים אז א"צ להסירם.

הגה: ובלבד שלא יהיו מטונפות - דכשהחוטין מטונף בטיט ורפש, המים ממחים את הטיט ומלכלך בשרן בעלייתן מן הטבילה, וע"כ דרכה להסיר מתחלה, וכיון דשקיל לה משום טנוף, אתיא לאתויינהו, **או מוזהבים, דאז מסירן כדי שלא יתטנפו במים** - החוטין ואתיא אח"כ לאתויינהו, [דמשום חציצה א"צ להסיר כיון דעיילי בהו מיא], **וי"א** עוד, דמחוייבת בכ"ז להסיר קודם הטבילה משום חציצה, כיון שמקפדת עליהן, [אע"ג דעיילי בהו מיא].

סעיף ב - מותר לצאת בחוטין שבצוארה, שהם רפוים וא"צ להסירם בשעת טבילה - שאינה מהדקן בחוזק, שאינה חונקת עצמה, **והא** דלא אסרו משום דלמא שלפא ומחויא, דזה אינו שייך אלא בדבר שהוא תכשיט.

אבל בקטלא שבצוארה - היא רצועה רחבה כדלקמיה בסעיף ז"ין, ואינה חונקת, **אסור, מפני שצריכה להסירם בשעת הטבילה, לפי שהיא מהדקת אותה כדי שתראה בעלת בשר** - היינו דמשר"ה יש בזה משום חציצה, **וחיישינן דלמא אתיא לאתויי ד"א ברשות הרבים** - ואף דלקמיה בס"ז משמע, דטעם האיסור הוא משום דהוי דבר חשוב, וחיישינן דלמא שלפא ומחויא, **התם** מיירי ברפויה סביב צוארה, ואפ"ה אסור משום שלפא ומחויא, **והכא** כשמהדקת כדי שתראה בעלת בשר, ממילא לא שלפא מעליה, שאז לא תראה בעלת בשר, **ואפ"ה** אסורה משום דצריכה להסירה משום חציצה.

ולא תצא בטוטפת, והוא כמין ציץ ומגיע מאוזן לאוזן; ולא בשרביטין, והוא ג"כ ציץ ואינו מגיע אלא עד לחיים, שכורכתו על ראשה ותולה לה על לחייה מכאן ומכאן; והוא שאינם תפורים בשבכה; דחיישינן דלמא שלפא לאחווייה ואתי לאתויי ד"א ברשות הרבים - דמיני תכשיט הם.

אבל אם תפורים, ליכא למיחש להכי ומותר - שאינה נוטלת השבכה מראשה בר"ה, כדי שלא תתגלה שערה.

(הנה העתיק בזה לשון המשנה, ובטור איתא, דאפילו קשורים שפיר דמי).

הגה: וי"א דבתולה שאינה חוששת לגילוי ראשה, אפי' תפורה בשבכה אסור, דחיישינן שמא תסירה עם השבכה ואתי לאתויי.

סעיף ג - לא תצא בכיפה של צמר, דהיינו חוטי דעמרא דגדילין ועבידי כי הוצא, (פי' ככלים העשוים מעלי לולבי הדקלים שהם בלאריגה, משא"כ אלטמא העשויה כמין לבד כדאיתא בגמרא שם), ורחבים כשתי אצבעות כשיעור ציץ - והוא תכשיט, וחיישינן דילמא שלפא ומחויא, ועיין לקמן בריש סי"ח.

ולא באיצטמא, דהיינו מטלית שתולין בו חוטין של צבעונין, ותולין אותו לכלה להפריח ממנה הזבובים - וזה אינו לא תכשיט ולא מלבוש, והוי כמשא, שתולין אותו רק להפריח, מפני שאם יעמוד לה זבוב על פניה היא מתביישת לגרשו, [**ומ"מ** נ"ל דלאו משא גמור הוא, דהא לקמן בסי"ח איתא, דמותר בכבול שהוא כיפה של צמר, אף בחצר שאינה מעורבת, וה"ה באיצטמא].

סעיף ד - לא תצא בעיר של זהב, ופירש"י שהוא תכשיט עגול ומציירין בו כמין עיר, ויש באמצע לשון שמחברים אותו למלבוש - אינו חבור גמור ויכולין לשלפה, וכיון שהוא תכשיט, חיישינן דילמא שלפא ומחוי, **ור"ת פי' שהוא כעין עטרה לראש** - והטעם הוא כנ"ל.

ואף שאין דרך לילך בה אלא אשה חשובה, מ"מ חיישינן גם בה דילמא אתיא לאחויי, שחשיב טפי מכלילא דלקמן.

סעיף ה - כלילא, והוא תכשיט שמניחתו על פדחתה מאוזן לאוזן, וקושרתו ברצועות התלויות, מותרת לצאת בו - הטעם, דמאן דרכה למיפק בזה, אשה חשובה, והיא לא שלפא ומחויא - גמרא, **וכתבו** הפוסקים, דבשאר תכשיטים שכל הנשים רגילות בהן, אף חשובה אסורה לצאת בהן, דלא פלוג רבנן בתקנתם.

בין שהיא עשויה מחתיכות של זהב חרוזות בחוט, בין שאותן חתיכות קבועות במטלית.

(עיין בב"י שהוכיח דהרי"ף סובר כן, וכן דעת הרמב"ם, וע"כ פסק כן להלכה, אף דהרא"ש והר"ן והטור כתבו בהדיא לאיסור בדאניסכא, והנה בפיר"ח שלפנינו כתוב בהדיא ג"כ לאיסור, וכן בפירש"י, וגם המעיין בפירוש הרי"ף וברז"ה יראה דאין ראיה כלל ממנו שהוא סובר להתירא, וע"כ יש להסתפק אם יש להקל בחרוזות בחוט, נגד כל הני רבוותא הנ"ל שכתבו בהדיא לאיסור).

סעיף ו - רסוקיא, דהיינו חתיכת מעיל רחבה, אם יש בה רצועות קצרות תלויות בה לקושרן בהם ולהדקן סביבותיה, דמהדק, שרי; ואם אין לו רצועות, אסור - דחיישינן שמא יפול ואתי לאתויי.

סעיף ז - לא תצא בקטלא, דהיינו בגד שיש לו שנצים כעין מכנסים, ומכניסים בו רצועה רחבה וקושרה סביב צוארה, והבגד תלוי על לבה, והוא חשוב ומצוייר בזהב - משום דילמא שלפא ומחויא, ועיין לעיל במה שכתבנו בס"ב.

סעיף ח - לא תצא בנזמי האף - דאף דתכשיט הוא, דילמא שלפא ומחוי ואתיא לאתויי ד"א, **אבל יוצאה בנזמי האוזן. הגה: מפני שאזניה מכוסות** - בקישורים, דטריחא לה מילתא למישלף ואחויי.

ובמקום שנוהגין לגלות האזנים, אסור לצאת בנזמים שבאוזן, היכא דדרך להוציאם משם.

סעיף ט - לא תצא במחט נקובה - היינו אפילו כשהיא תחובה בבגדה, דדרך הוצאה היא באשה לכו"ע, **ואם יצאה, חייבת** - דהוי משוי, ואפילו מעמדת בה קישוריה ותוחבת המחט בצעיף, או סוגרת בה מפתחי חלוקה, דאין דרך להעמיד ולסגור בנקובה, ולכן הוי משוי, ודרך הוצאתה כך בחול ליתן מחטים תחובים בצעיפה או בבגדה. **ולענין** איש ע"ל בש"א ס"ח.

ושאינה נקובה, אם מעמדת בה קישוריה - דהיינו קישורי צעיפה, או שסוגרת בה מפתחי חלוקה וכיו"ב, **מותר לצאת בו.**

יש מאחרונים שכתבו, דדוקא כשהמחט אינו עשוי להתקשט בו, ואז מותר מטעם שכיון שהיא משמשת לה לצורך לבישה, הרי היא כבית יד להמלבושים, **אבל** אם עשוי להתקשט בה, כגון שראשה אחד עב ועשוי כעין תכשיט, אסור מדרבנן להעמיד בה הקישורים, דילמא שלפא ומחויא לחברתה, **וי"א** דבכל גווני שרי, דכיון דלצניעות עבידא, לא שלפא ומחויא, שלא יתגלה שערה ולבה, **וכן** מצדד הגר"א בביאורו, דעיקר טעם ההיתר במעמדת קישוריה, משום דלצניעות עבידא, וע"כ אין למחות ביד הנוהגין להקל בזה, **וכ"ש** מחט שאינה נקובה שלנו שקורין שפילקע, אף שראשה אחד עב, אין עשוי כעין תכשיט כ"כ, ואפשר דלכו"ע שרי, וע"כ בודאי יש לסמוך להקל להעמיד בה הקישורים.

ואם אינה מעמדת בה קישוריה, אסור - לצאת בה כשהיא תחובה בצעיפה או בבגדה, אפילו אם היא מתקשטת בה, כגון שראשה עב ועשוי כעין תכשיט, דאין בו חיובא דאורייתא, אפ"ה אסור מדרבנן, דילמא

שלפא ומחויא, **וכ"ש** דאם אינו עשוי כעין תכשיט, דנחשב משא וחייבת חטאת, **ודע** עוד, דבזה שאינו עשוי כעין תכשיט, אפילו אם צריכה לה המחט לאיזה צורך שיהיה, כגון לחלוק בה שערה וכיוצא בהן, מ"מ הרי הוא משוי גמור, שאין אדם יכול לצאת בכל החפצים הצריכים לו כשאינן לא מלבוש ולא תכשיט.

סעיף י - לא תצא בטבעת שיש עליה חותם, ואם יצתה, חייבת - דאין דרך אשה לשאת עליה טבעת שיש עליה חותם, וע"כ לא הוי כתכשיט, **ומ"מ** דרך הוצאה היא בכך על אצבעה, דלפעמים נותן לה הבעל טבעתו בחול להצניע בקופסא, ומניחה באצבעה עד שמוליכתו לשם.

וכשאין עליה חותם, לא תצא - דילמא שלפא ומחויא, **ואם יצתה, פטורה** - לפי שהוא תכשיט לאשה. **וע"ל** בסימן ש"א ס"ט הדין לענין איש.

סעיף יא - לא תצא בכולייאר - במשנה איתא דעל כוליאר חייבת חטאת, **והוא תכשיט שקושרת בו מפתחי חלוקה** - פי' דרכו של הכוליאר לכך, אבל עתה אינה סוגרת בו מפתחי חלוקה, אלא טוענת כך עליה, ומשו"ה חייבת חטאת, דלא חשיב תכשיט אלא משוי, דאינו אלא להראות עושר, **אבל** אם גם עתה סוגרת בו מפתחי חלוקה, מותר לכתחלה, דהוי תכשיט, ולא שייך דילמא שלפא ומחויא, דא"כ תגלה בשרה, (**ואף** לדעת הי"א בס"ט, דבמחט שאינה נקובה היכא שיש עליה שם תכשיט, אף שמעמדת בו קישוריה, אסור, לגבי כוליאר עדיף טפי).

ולא בכובלת, והוא קשר שקשור בה בושם שריחו טוב - ואשה שריחה רע טוענת עליה, ואינה חייבת עליו מפני שהוא תכשיט, **אבל** לכתחלה אסור, דילמא שלפא ואתיא לאתויי.

(ודוקא שיש בה בושם אפי' כל שהוא, ואם אין בה בושם כלל, חייבת על הקשר גופא, **ולא** אמרינן דהוי תכשיט מפני שקלט הריח – גמרא).

והוא הדין שלא תצא בצלוחית של שמן אפרסמון הקבוע על זרועה.

סעיף יב - אם חסר אחת משיניה ומשימה אחר במקומו, אם הוא של זהב, לא תצא בו, דכיון שמשונה במראה משאר שינים, דלמא מבזו לה ושקלה ליה וממטיא; אבל של כסף שדומה לשאר שינים, מותר, וכ"ש שן דאדם.

סעיף יג - לא תצא במנעל הקרוע למעלה, דמחכו עלה ואתיא לאתויי; ולא במנעל חדש, שמא לא יבא למדתה - ושלפא ליה ואתיא לאתויי, **אא"כ נסתה ללכת בו מאתמול שהוא למדתה** - אפילו רק שעה אחת.

אבל איש מותר, שאין מקפיד כל כך - אתרווייהו קאי.

הגה: ובשאר מלבושים אין לחוש, אפילו באשה - דליכא למיחש בהן דילמא שלפא אותן.

סעיף יד - יוצאת בחוטי שער - שמהדקתן על ראשה, **ואין** זה פאה נכרית, המבואר לקמן בסי"ח דאסורה לצאת בה לר"ה, **דהתם** יש בה משום תכשיט, אבל הכא הוא רק חוטין בעלמא.

[**ולא** דמי לחוטי צמר ופשתן דאסרינן בס"א, דהתם הטעם משום חציצה, והכא לא שייך חציצה, דשער ע"ג שער לא חייצי].

בין שהם עשויים משערה או משער חברתה, ואפילו משער בהמה - ולא אמרינן דמאיס ואתי למשלפא.

ובלבד שלא תצא זקנה בשל ילדה, ולא ילדה בשל זקנה - הטעם בכל זה, משום דמחייכא עלה ואתיא לשלופי ולאתויי.

סעיף טו - יוצאת בקשר שעושין לרפואת קיטוף עין הרע שלא ישלוט - נראה משום דבזמנם היה זה בדוק לרפואה, והוי כקמיע מומחה, **ולא** שייך בזה שליף ומחוי, שאינו דבר של נוי.

ובמוך הקשור ומהודק באזנה - והוא עשוי לבלוע ליחה של צואת האזן.

הקשור ומהודק - דאל"ה חיישינן דילמא נפיל ואתי לאתויי.

ובמוך שבסנדלה - לתענוג, **הקשור בסנדלה** - וגם בזה הא דבעינן קשר, משום דילמא נפיל ואתי לאתויי, **ומשמע** מלשון השו"ע, דבזה לא בעינן מהודק, וכ"כ בתו"ש, [רצ"ע].

ובסנדל ומנעל הסתומים מכל צד, אפילו אינו קשור מותר - לאפוקי פנטינ"ש שלנו, יש חששא באינו קשור, דילמא נפיל ואתי לאתויי.

‹**ומותר** ליתן המוך גם בשבת, כמ"ש לקמן במ"ב. **ודעת** כמה אחרונים, דה"ה דמותר ליתן תבן לכתחלה בשבת במנעלים שלנו הסתומים מכל צד, **ונכון** להחמיר בזה אם לא בעת הצורך.

ובמוך שהתקינה לנדתה. הגה: שלא יפול דם עליה וילערנה - אבל אם אינה עושה אלא בשביל אצולי טנוף, להציל בגדיה שלא יטנפו, אסור, וכמ"ש סימן ש"א סי"ג.

אפי' אינו קשור, דכיון שהוא מאוס לא חיישינן דלמא שקלה ליה, אפילו יש לו בית יד - להמוך שלה, דיכולה לאחוז להמוך בבית יד, קמ"ל דאפ"ה מאיס למשקליה, ואפילו אם יפול לא שקלתיה כלל.

ובפלפל - לריח הפה, **ובגרגיר מלח** - לחולי השינים, **ובכל בושם שתתן לתוך פיה, ובלבד שלא תתנם לכתחלה בשבת** - דבכל רפואה גזרו משום שחיקת סממנים, **א"נ** משום דמחזי כאלו מערמת להוציא, **משא"כ** במוך הנ"ל מוכחא מילתא דצריכה לכך, ולא מתחזי כמערמת להוציא, ואפי' לכתחלה מותר, **והאי** "ובלבד" לא קאי אלא אדסמיך ליה, מה שנותנת לתוך פיה, אבל ארישא לענין מוך לא.

ואם נפל, לא תחזיר - הטעם, משום דמחזי כאלו מערמת להוציא וכנ"ל, **וי"א** דעיקר הטעם הוא רק משום דזה דומה כנתינה לכתחלה, ויש לגזור גם בזה משום שחיקת סממנים, **ולפי** טעם זה אין לאסור להחזיר כי אם בנפלה ע"ג קרקע, ולא בנפלה ע"ג כלי, כמבואר לקמן בסימן שכ"ח סכ"ה, לגבי רטיה שנפלה עי"ש, וכן משמע דעת הגר"א בביאורו, [**ובזמנינו** דלכמה פוסקים אין לנו רה"ר, נראה דיש לסמוך אטעם שני].

ובבתי שוקיים שקושרים במשיחה סביב שוקיה - אפילו אם המשיחה הוא דבר נוי, ג"כ לאו בכלל תכשיט הוא דנימא דשלפא ומחויא, דהוא צורך להמלבוש וכבית יד של הבגד דמי, **וגם** בודאי לא שלפא, שלא יפלו הבתי שוקיים.

בשבולי הלקט ובשארי ראשונים איתא "במשיחה או ברצועה", ובזה ניחא מה שסיים, "ולא חיישינן שמא ישתלשלו", ואמשיחה ורצועה קאי, וכן מוכח בסמ"ק.

אע"פ שאין המשיחה קשורה בהם, ולא חיישינן שמא ישתלשלו למטה.

ויוצאה באצעדה שמניחין בזרוע או בשוק - עיין בבה"ל, דמיירי שמניחה ומהדקה על בשרה, ולא על הכתונת מלמעלה, וע"כ מותר, דלא חיישינן שתשלוף ותחוי, דלא יתגלה זרועה, (שגם זה אינו מדרך צניעות), **וזה** הטעם הוא ג"כ על שוקה.

והוא שתהא דבוקה לבשר ולא תשמט - דאם היא רפויה, חיישינן שמא תפול ואתיא לאתויי.

ויש מי שאוסר בשל זרוע - ס"ל דדוקא בשוק מקילינן מטעם זה, דלא חיישינן שתשלוף ותחוי דלא יתגלה שוקה, ולא בזרוע.

סעיף טז - בכל מה שיכולה לצאת, יכולה להתירו ברה"ר - כגון חגורתה וכה"ג, **ולא חיישינן דלמא מתיא ליה** - והטעם, דכל הדברים שרגילין להסירן, אסרו חז"ל לצאת בהן מביתה כשהיא לבושה בהן, דשמא כשתסירנה אח"כ בר"ה תשכח שהוא שבת ואתיא לאתויי, **אבל** דברים שמותרת לצאת בהן מביתה, משום שאינה רגילה להסירן, מותרת לקשור ולהתיר בר"ה, **דממ"נ**, אם תהיה זכורה שבת בשעת התרה, לא אתיא לאתויי, ואם לא תהיה זכורה שבת, אפי' אם נאסור להתיר ולהסיר לא יועיל.

סעיף יז - יש אוסרים להביא מפתח אפילו בחצר הבית - היינו אפי' בחצר המעורבת, **כי אם בידו, אבל לא בחגורתו, שמא ישכח ויוציאנה לרה"ר** - היינו דבמה שנתיר לו להוציאו בידו לחצר, לא שייך שמא ישכח ויוציאנו גם לר"ה, דא"כ

לא יהא רשאי שום כלי לטלטל בבית ובחצר, שמא ישכח ויוציאנו, **אבל** במה שנתיר לו להוציאו דרך מלבוש, דהיינו כשהוא תלוי בחגורתו, מצוי הוא כשאדם הולך במלבושו שוכח והולך לכל מקום שהוא רגיל אף בר"ה ואינו פושטו באמצע, **וזהו** הטעם גופא של הדעה שניה דסי"ח, שס"ל דכל תכשיט שאסרו לצאת בו לר"ה דרך מלבוש, אסור להתקשט בו גם בבית ובחצר.

סעיף יח – (ביאור טעמי חלוקי הדעות בקצרה: דהנה ממתניתין מוכח, דכל התכשיטין אסורין אפילו בחצר, חוץ מכבול ופאה נכרית דמותרת בחצר, כדי שלא תתגנה על בעלה, ור' ענני בר ששון משמיה דר' ישמעאל בר' יוסי פליג, וס"ל דכולם מותרים בחצר ככבול, **ופסק** הרמב"ם ועוד הרבה ראשונים כרב, דס"ל כתנא דמתני', **אך** בזה גופא יש חלוקי דעות, דהרמב"ם וסייעתו ס"ל, דדוקא בחצר שאינה מעורבת, דדמיא לר"ה, אבל בחצר מעורבת וכ"ש בבית, לא אסרו כלל להתקשט, וזהו דעה ראשונה הנזכר בשו"ע, ודעת הרמב"ן וסייעתו, דאפילו בחצר מעורבת אסור וה"ה בבית, וזהו דעת הי"א הראשון, ודעת התוספות, דהלכה כר' ענני בר ששון, דכל התכשיטין שרי בחצר אף שאינה מעורבת, וזהו דעת הי"א השני, ויתר ביאור דברי המחבר ביארתי במ"ב).

כל שאסרו חכמים לצאת בו לרשות הרבים, אסור לצאת בו לחצר שאינה מעורבת - היינו מבית לחצר, וה"ה שלא להתקשט בהן בחצר גופא כשאינה מעורבת, משום דדמיא לר"ה, **אבל** להוציא לחצר המעורבת שרי, וכ"ש בבית.

חוץ מכבול - היינו כיפה של צמר שבס"ג, וה"ה איצטמא הכתוב שם, **ופאה נכרית, דהיינו קליעת שער** - תלוש, **שקלעה בתוך שערה** - שצוברתה על שערה מלמעלה כדי שתראה בעלת שער, [**ולשון** השו"ע "שקלעה בתוך שערה", הוא לאו דוקא].

והטעם שהתירו תכשיטים אלו, כדי שלא תתגנה על בעלה אם לא תתקשט כלל.

ועיין בביאור הגר"א שמצדד כדעה ראשונה.

וי"א דכל שאסרו לצאת בו, אפילו להתקשט בו בבית אסור, וכ"ש לצאת בו לחצר המעורבת; חוץ מכבול ופאה נכרית - דמותר בכל חצר.

וי"א שהכל מותר לצאת בו בחצר, אפילו אינה מעורבת.

והאידנא, נשי דידן נהגו לצאת בכל תכשיטין - היינו אפילו בר"ה שלנו, [**דבתוך** העירוב דהוי כחצר המעורבת, בודאי יש לסמוך אדעה ראשונה דהיא דעה סתמית], **ואח"כ** חוזר המחבר לבאר אודות המנהג הזה.

ויש שאמרו דמדינא אסורות - דאפילו אם נתיר בחצר שאינה מעורבת, הלא ר"ה שלנו, אפילו אם נאמר דאין עליו דין ר"ה, מחמת שאין ששים רבוא בוקעין בו בכל יום כדגלי מדבר, **הלא** לא גריעא עכ"פ מכרמלית שבזמן הש"ס, ולא מצינו בגמרא שום דעה שמתיר בכרמלית, **אלא שכיון שלא ישמעו, מוטב שיהיו שוגגות ואל יהיו מזידות.**

ויש שלימדו עליהם זכות, לומר שהן נוהגות כן ע"פ סברא אחרונה שכתבתי, שלא אסרו לצאת בתכשיטין לחצר שאינה מעורבת, והשתא דלית לן רשות הרבים גמור, הוה כל רשות הרבים שלנו כרמלית, ודינו כחצר שאינה מעורבת, ומותר - דכיון דהשתא לית לן ר"ה כלל לכמה פוסקים, וליכא למגזר אטו ר"ה, דמיא האי כרמלית שלנו לענין זה לחצר שאינה מעורבת ושריא, **זהו** ביאור דברי השו"ע להמעיין בב"י, אף שהלשון דחוק קצת.

(הנה המחבר בסימן שמ"ה ס"ז סתם שם כדעה הראשונה, דגם בזה"ז איכא ר"ה, **וע"כ** דהכא משמיה די"א הוא דכתב כן, וליה לא ס"ל, ויש לעיין לשיטה זו, למה אין תוקעין שופר בראש השנה בשבת בזמנינו, כיון דליכא רה"ר ולא שייך שמא יעבירנו ד"א).

הגה: וי"א עוד טעם להתיר, דעכשיו שכיחי תכשיטין ויוצאין בהם אף בחול, וליכא למיחש דילמא שלפא ומחויא, כמו בימיהם שלא היו רגילים לצאת בהן רק בשבת ולא הוי שכיחי.

ומיהו טבעת שיש עליה חותם לאשה, ושאין עליה חותם לאיש, דתנן בה חייב חטאת, אף בכרמלית אסור אפילו לדידן - וה"ה

מחבר רמ"א משנה ברורה

דאפילו בחצר אסור, **והוא הדין לכל מאי דאתמר ביה חיוב חטאת** - ר"ל דהתם כשנושא כשהוא לבוש אין בו משום משא, ולית ביה רק איסור דרבנן אפילו בר"ה גמור, משום דילמא שלפא ומחוי, ולכך הקילו בשלנו, משא"כ בזה.

ויש מי שאומר שבזמן הזה שנהגו האנשים לצאת בטבעת שאין עליה חותם, הרי זה להם כתכשיט, ושרי - ובחי' רע"א כתב, דאף שאין למחות בזה, שיש לו על מי לסמוך, מ"מ בעל נפש יחוש לעצמו שלא לצאת בטבעת כלל, והיינו חוץ לעירוב.

ולפי זה אפשר דכיון שנהגו עכשיו הנשים לצאת בטבעת שיש עליה חותם, הרי הוא להן כתכשיט, ושרי - היינו לפי מה שכתב בתחלה ע"פ סברא אחרונה דבתכשיט מותרת.

ומ"מ צריך להזהיר לנשים שלא תצאנה אלא במחטים שהן צריכות להעמיד קישוריהן ולא יותר, כי בזה שאין להן תועלת בו ישמעו לנו - ר"ל אפילו לכל הסברות המקילין, היינו רק בדבר שהוא תכשיט, ולא בדבר שאינו תכשיט, **ולפיכך** מה שהתיר בס"ט מחט להעמדת הקישורים, לא יהיו יותר מחטין בצעיפה מכדי הצורך להעמדת הקישורים, דמחט שאינה מעמדת הקישורים אינה תכשיט כלל, וכמו שביארנו שם בס"ט.

(**משמע דאין סומכין על היתרים הללו כ"כ, ורק שלא למחות להן משום דמוטב שיהיו שוגגין וכו'**).

‹**מובא** בשם החזו"א, שהורה להקל לנשים לצאת בתכשיטים, כי הרמ"א שהוסיף עוד טעם להתיר, מגלה לנו שכן ההלכה למעשה, ושכן המנהג כדברי המקילין שבמחבר - פסקי תשובות. **ועיין** בערוה"ש סכ"ב שמביא עוד טעם להיתר›.

סעיף יט - צריך להזהיר לנשים שלא יטלטלו מחט שניטל חודה או עוקצה לשום בצעיפיהם - מיירי במחט שאינה נקובה, שיש לה קשר עב בראשה שקורין שפילק"ע, והוא נקרא עוקץ, וע"י שניטל ממנה או שניטל חודה נתבטל ממנה שם כלי.

ועיין במ"א שחולק על המחבר, וס"ל דנהי דבמחט נקובה נתבטל שם כלי ע"י שניטל חודה או חורה, וכדלקמן בסי' ש"ח סי"א, **במחט** שאינה נקובה לא נתבטל שם כלי ממנה עד שינטלו שניהם, דהיינו חודה ועוקצה, [**ואף** דעצם דינו מה שחולק על המחבר אינו ברור כוותיה, להקל בנשבר העוקץ, מ"מ אחר שכמה אחרונים העתיקו דברי המ"א לדינא, לא רציתי לנטות מהכרעתם].

אלא א"כ ניטל מע"ש חודה ועוקצה, (ויחדה לשם כך - ומהני לכו"ע אפילו במחט נקובה וניטלו שניהם. **(וע"ל סי' ש"ח סי"א)**.

סעיף כ - הבנות קטנות שנוקבים אזניהם כדי לתת בהם נזמים כשיגדלו, וכדי שלא יסתמו הנקבים נותנים בהם קסמים, מותר לצאת בהם - דאורחא בהכי ולאו משוי הוא.

וה"ה אם נותנים חוטים באותם נקבים, שמותר לצאת בהם אם אינם צבועים, אבל אם הם צבועים, אסור - דחשובין הן, ודילמא שלפא ומחויא, **ועיין** במ"א שמצדד לומר, דאפילו בצבועין אין לאסור כי אם בבתולה שדרכה להיות אזניה מגולות, **אבל** בנשואה שדרכה להיות אזניה מכוסות בקישורין, אין דרכה להיות שלפא ומחויא, דטריחא לה מילתא, וכמו לענין נזמים לעיל בס"ח.

ועיין בביאור הלכה שביארתי, דלדעת כמה ראשונים גם בנשואה אסור בחוטין צבועין, (**דטעם** לנזמי האוזן דמותר, מפני שהוא מהודק, שיש טורח לשלפן, וא"כ לפי"ז בחוטין צבועין דקל ליטלם מעל האוזן, חיישינן דילמא שליף ומחוי).

סעיף כא - יוצאת אשה רעולה, והוא שמעטפת כל ראשה חוץ מהפנים - בערוך וברש"י איתא "חוץ מהעינים", **וקמ"ל** דגם זה דרך מלבוש הוא.

סעיף כב - פורפת (פי' קושרת) בשבת על האגוז ועל האבן - והיינו שמתעטפת בטלית שיש בראשה האחד רצועה, וקושרת אבן או אגוז בראשה השני, וכורכת הרצועה באבן או באגוז שלא יפול הטלית מעליה, **ולא** מחזי כמי שמתכוונת להוציא האבן או האגוז, דנודע לכל שהיא צריכה לכך, **משא"כ** בגרגיר מלח דבסט"ו, שאין הכל יודעים שהיא צריכה לכך, ולכן יש אומרים שם דמשו"ה אסור.

(ביאור הלכה) [שער הציון] ‹הוספה›

שיחדתו לכך - מבעוד יום, דאל"ה גם האבן מוקצה כמו מטבע, **ויוצאת בו.**

וכתבו האחרונים, דמיירי כשהאבן עגולה, דאורחא בהכי לפרוף עליו, לכך מהני בה יחוד אפילו רק לשבת אחת, **אבל** אם אינה עגולה, לא מהני בה יחוד לשבת אחת, כמ"ש סימן ש"ח סכ"ב, אא"כ יחדה לכך לעולם, **וזה** מהני אפילו במטבע וכדלקמיה.

אבל על המטבע אסור לפרוף בשבת, דלאו בר טלטול הוא ולא מהני ביה יחוד - היינו לשבת אחת, אבל אם יחדה מע"ש לענין זה לעולם, גם במטבע מהני, דשוב אזיל מיניה איסור טלטול.

ואם פרפה עליו מע"ש, מותר לצאת בו בשבת - דמעשה מועיל לבטל מינה שם מוקצה, [**ואע"פ** שהסירה מהבגד, מותרת לפרוף בשבת, כיון שפירפה פעם אחת מערב שבת, דמעשה מועיל ונעשה המטבע כמו כלי או מלבוש].

סעיף כג - אם היתה צריכה להוציא אגוז לבנה, ופרפה עליו כדי להוציאו, אם לרשות הרבים, אסור - מדרבנן לעשות כן, אף שהוא דרך מלבוש ואין דרך הוצאה בכך, מפני שנראה כמערמת להוציא בשבת, **ואם לכרמלית, מותר** - ודע, דאלו שתי הסעיפים, אף דמיירי באשה, ה"ה באיש.

סעיף כד - יוצאה באבן תקומה, (פי' הערוך: אבן ידועה שכשהיא על אשה לא תפיל) - היינו מה שאנו קורין שטערי"ן שו"ס, שנושאין נשים מעוברות - ט"ז, **ובביאור** מהרש"ל על הסמ"ג כתב המעתיק, שמצא שהוא אבן חצץ, וחלל בתוכו, ואבן קטן בתוך החלל, כעינבל בזוג, וכן נברא, והביאו בא"ר.

ובמשקל ששקלו כנגדו - המנהג ששוקלין איזה דבר כנגד האבן תקומה, שהוא ג"כ מועיל, **ואיתא** בש"ס: והוא דאיכוון ותקל, דהיינו שנמצא החפץ מאליו מכוון למשקל האבן, ולא חיסרו ממנו או הוסיפו עליו לכוונו, אז יש לו סגולה זו, **שלא תפיל** - והטעם בכל זה להתיר, משום דהוא כקמיע מומחה.

ואפילו לא נתעברה עדיין - אלא שחוששת שמא תתעבר ותפיל, [**ואפי'** אם לא הפילה עד עתה שום עובר].

סעיף כה - אסור לאשה שתעביר בשבת סרק על פניה - הוא צבע אדום, **ובתוספתא** איתא, שלא תקנח פניה בבגד שיש בו סרק, **ומשמע** אע"ג דלא מתכוונת לצביעה, פסיק רישא הוא, **משום צובע** - וטעם הדבר, כיון דאשה דרכה בכך ליפות את עצמה ע"י צביעת פנים, מחזי שפיר כצובע.

אבל איש שאין דרכו בכך, לא מקרי צובע, כמ"ש סוף סימן ש"כ, דמותר לאכול תותים ושאר פירות הצובעים, אע"ג דצובע פניו וידיו בעת האכילה, **ומ"מ** אפילו העברת סרק על פני אשה ג"כ אינו אלא דרבנן, דאין צביעה מדאורייתא על עור האדם.

(**ויש מהראשונים שפסקו דהלכה כרבי אליעזר, דפוקסת וה"ה גודלת וכוחלת חייבת חטאת, ודוקא לחברתה, דלעצמה פטורה, שאינה יכולה לבנות יפה**).

[**ומ"מ** נראה, דגם אשה מותרת לאכול תותים ושאר פירות הצובעים, דדוקא בסרק על פניה שהוא דרך צביעתה לנוי, **משא"כ** באכילת תותים שהפ"ר הוא רק לשפתיה, שבזה גם באשה יראה דאין דרך צביעתה בכך, דלא מצינו בהפוסקים שם שחילקו בזה בין אשה לאיש].

ומטעם זה אסורה לכחול בשבת - עיניהם, **ומטעם זה אסורה לטוח על פניה בצק, דכשנוטלתו מאדים הבשר.**

ויש שנוהגין דבר איסור, להחליק שערותיהם בחלב מהותך ומעורב במיני בשמים, שקורין בלשוננו פומאד"ה, **וחוששני** להם מחטאת, דנראה שיש בזה משום ממרח, וראוי להזהיר בני ביתו ע"ז.

סעיף כו - אסור לקלוע האשה שערה בשבת - מדרבנן, משום דדמי לבנין, וכדדרשינן על הפסוק: ויבן ה' אלהים את הצלע, מלמד שקילעה הקב"ה לחוה והביאה אל האדם, ושכן בכרכי הים קורין לקלעיתא בניתא, **אבל** הקולע נימין בתלוש, חייב משום אורג, כמ"ש הרמב"ם, **והכא** בשער לא חשיב אריגה משום דהוא מחובר בראשו, ועוד דאין סופה

להתקיים, שעומדת לסתירה, [ואיני יודע, אם מה דאינו מתקיים, היינו תמיד, אבל ליום השבת מתקיים, וזהו כשיטת רש"י, **או** דצריך שלא יתקיים אפי' ליום השבת, וזהו כשיטת הרמב"ם].

והנה כ"ז במחובר, והקולעת שער פאה נכרית, שקורין פארוק, אף דאין בזה משום בונה, אסור עכ"פ משום אורג, **דאף** אם נימא דאין סופה להתקיים, עכ"פ מדרבנן מיהו אסור, **ומ"מ** נראה דאין כדאי למחות במקום שלא ישמעו לנו.

ולא להתיר קליעתה - דדמי לסותר, [**ובקליעה** תלושה יש איסור לסותרה, משום דדמי לתולדת פורצ].

אבל יכולה לחלוק שערה. הגה: ויש אוסרים לחלוק שערה, דהיינו לעשות הסייטי"ל - משום חשש תלישה, **והדעה** ראשונה דמקלת ס"ל, כיון דאינה מתכוונת לזה, ולאו פסיק רישא הוא.

וכן נהגו לאסור לעשות ע"י כלי, אבל באצבע בעלמא נהגו להקל.

סעיף כז - אסור לסרוק במסרק בשבת - משום תלישת שער הגוף, דהוי תולדה דגוזז, [**ועיין** בריב"ש, דאפי' למ"ד בעלמא משאצ"ל פטור, הכא חייב, דבמשכן היו גוזזין עורות תחשים אע"פ שלא היו צריכין לצמר, **אמנם** התוס' שם ס"ל דתליא בפלוגתא, **אמנם** איסורא לכו"ע יש בזה].

ואפילו אותו שעושים משער חזיר, שא"א שלא יעקרו שערות - וע"כ אף אם אינו מכוין לתלישת השער, ג"כ אסור דהוי פסיק רישא, [**ואפי'** למ"ד פ"ר דלא ניחא ליה שרי, מ"מ כיון שהוא רוצה בהפרדת השערות, וזה א"א זולת השרת השערות, הוי פ"ר דניחא ליה], **ובגמרא** איתא: דכל הסורק, להשיר נימין המדולדלין {היינו שנתלשו קצת, ועדיין לא נעקרו לגמרי} מתכוין, כדי להפריד היטב שערותיו, **ונ"מ** מזה, דאפילו במסרק רך, כגון בארש"ט רכה, שאינו פסיק רישא, ג"כ אסור, **אם** לא באופן שאין מכוין להשיר הנימין הנ"ל.

ומ"מ מותר לתקן מעט את שער הראש בכלי העשוי משער חזיר, **דדוקא** לסרוק אסור בו, דמשיר שער, אבל לתקן מעט שרי, **ובמסרק** אסור אף בזה, **ונהגו** שיהיה הכלי העשוי משער חזיר מיוחד לשבת, כדי שלא יהיה מחזי כעובדין דחול.

אבל מותר לחוף ולפספס ביד - היינו שמבדיל בידיו שערותיו זו מזו, **וברמב"ם** איתא: חופף על שערו בידו, וחוכך בצפרניו, ואף אם נפל שער ע"ז אינו חושש, שהרי אין כונתו להשיר, ואפשר שלא ישיר, **ועיין** לקמן בסימן שכ"ו ס"ט ויו"ד ובמ"ב שם, שלא יחוף בדבר שמשיר שער ודאי.

כתב בספר ישועות יעקב, ראיתי אנשים מקילים לסרוק ראשם בשבת, וכמעט נעשה הדבר כהיתר אצלם, ואוי לעינים שכך רואות, לעבור בשאט נפש לחלל שבת בידים, ומהראוי לכל חכם בעירו להזהיר ע"ז, אולי ישמעו ויקחו מוסר, עכ"ד, **ומה** שמשיבין שמוכרח לתקן שערותיו כדי שלא יתגנה בפני חבריו, הלא יכול לעשות באופן ההיתר כנ"ל, ‹במסרק רך, כגון בארש"ט רכה, שאינו פסיק רישא, באופן שאין מכוין להשיר הנימין, או לתקן מעט בכלי העשוי משער חזיר›, **ומלבד** כ"ז, הלא יכול לחוף ולפספס שערותיו ביד, ולמה יעבור איסור חמור כזה בידים.

(**איתא בש"ס, דפוקסת אסור משום שבות, דדמי לבנין כמו גודלת, ופרש"י בשם רבותיו, דהיינו שמתקנת שערה במסרק או בידיה, וכתב הריב"ש, שאין כונת רש"י בזה בסריקה, דזה אסור משום גוזז, ועוד שלא אמרו סורקת במסרק, אלא הוא תקון אחר נעשה במסרק, ואפשר שהוא התקון שעושין הנערות, שאחר שראשן היה סרוק יפה, ואין בו חשש של השרת נימין, רוחצין המסרק בשמן טרוף במים, ומעבירין המסרק על ראשן להדביק השערות זו בזו ולהשכיבן על הראש, וזה דומה לבנין, עכ"ל, משמע דבלא"ה שרי לעשות זה התקון אחר שכבר היה הראש סרוק יפה, ואינו עושה רק להשכיב השער).**

§ סימן דש - על איזה עבד מצווה על שביתתו §

סעיף א - וכדי להקל על המעיין לידע טעם חלוקי הדינים המבוארים בסימן זה, אקדים הקדמה קטנה, וכפי מה שמבואר בגמרא ופוסקים, **דהנה** תרי קראי כתיבי, חד: למען ינוח עבדך ואמתך

(ביאור הלכה) [שער הציון] ‹הוספה›

כמוך, זה קאי על עבד שמל וטבל לשם עבדות, וקבל עליו כל מצות עבדים, דהיינו כל מה שאשה חייבת, וא"כ גם מצות שבת בכלל, ואסור לעשות מלאכה בשבת, ואתי האי קרא לאוריי דשביתת העבד מוטל גם על רבו, שהוא מצווה עליו למנעו מעשות מלאכה, אפילו לצורך עצמו של העבד, **ועוד** כתיב קרא: וינפש בן אמתך והגר, ודרשו חז"ל, דקאי על עבד הקנוי לישראל קנין הגוף, אבל לא מל וטבל, רק קיבל עליו ז' מצות בני נח, דגם לזה צריך רבו למנעו מלעשות מלאכה עבורו בשבת, [**אבל** לא דמי לגמרי למל וטבל, דהתם מצווה רבו אף למנעו ממלאכת עצמו], **וה"ה** דאסור מן התורה לכל ישראל לצוות לו לעשות מלאכה עבורם בשבת, **אבל** לעצמו מותר עבד כזה לעשות מלאכה בשבת, כיון דשבת אינו נכלל תוך ז' מצות בני נח, ודינו כגר תושב דאינו מוזהר על השבת, **ומ"מ** אסור מן התורה לישראל לצוות לו לעשות מלאכה עבורו, וכדכתיב: וינפש בן אמתך והגר, **ועבד** הקנוי לישראל קנין גוף ולא מל ולא טבל, וגם לא קיבל עליו אפילו ז' מצות בני נח, בזה נחלקו הפוסקים אם גם ע"ז מצווים אנו על שביתתו.

אדם מצווה על שביתת עבדו שמל וטבל לשם עבדות, וקבל עליו מצות הנוהגות בעבד - דהיינו כל המצות שהאשה חייבת, דמצוה על רבו לשמרו ולמנעו מעשות מלאכה אפילו לצורך עצמו וכנ"ל, **ומותר** להשכיר עבדו לא"י בימי החול, אם מתנה עמו שלא יעשה בו מלאכה בשבת, **ולא** דמי לבהמתו דמבואר לעיל בסימן רמ"ו ס"ג, דאסור להשכירה לא"י בכי האי גוונא, דאין הא"י נאמן על כך, **דהכא** הא"י לא יעשה מלאכה בע"כ של עבד, ויש לעבד נאמנות ע"ז.

אבל אם לא מל וטבל, אלא קבל עליו שבע מצות בני נח, הרי הוא כגר תושב - גר תושב מקרי, כל שקבל עליו לקיים שבע מצות בני נח, ושלא לעבוד עבודת גלולים אפילו בשיתוף.

ומותר לעשות מלאכה בשבת לעצמו - היינו מלאכת עצמו, כגון תפירת בגדיו ותיקון מנעליו וכיו"ב, **או** שעושה להשתכר כדי שיהיו לו מזונותיו בריוח יותר על הספקת אדוניו.

אבל לא לרבו - היינו אפילו לא צוהו רבו בהדיא על המלאכה ג"כ אסור, דמסתמא על דעת רבו הוא עושה, והזהירה התורה ע"ז למנעו, וכדכתיב: וינפש בן אמתך והגר וכנ"ל, **ואפילו** מלאכה דרבנן אסור ג"כ לעשות בשביל רבו, **ויש** מקילין בזה אם לא הזהירו רבו בהדיא ע"ז, כיון שהוא רק מלאכה דרבנן.

ואסור לכל ישראל לומר לו לעשות מלאכה בשבת לצורך ישראל, ואפי' מי שאינו רבו - היינו מן התורה, דכיון דכבר קבל עליו שבע מצות, לכו"ע הוי דינו כגר תושב, דאסרה התורה לישראל לעשות מלאכה על ידו.

ואם לא קבל עליו שום מצוה, אלא עדיין הוא כותי גמור, דינו שוה לקבל עליו שבע מצות - ר"ל דה"ה ג"כ אם לא קבל עליו שום מצוה, אפ"ה כיון שהוא עבד ישראל הקנוי לו קנין הגוף, ס"ל לדעה זו דדינו שוה לקבל עליו שבע מצות, ואסור לעשות מלאכה בשביל שום ישראל וכנ"ל.

ולפי"ז צרכי חולה שאין בו סכנה, דקי"ל אומר לא"י ועושה, וכן מת ביו"ט ראשון, דקי"ל יתעסקו בו עממין, אסור לומר לעבד ישראל אפילו הוא עובד עבודת אלילים, דכיון דמלאכת העבד אסורה מן התורה, לא הותרה בדבר שאין בו פקוח נפש - דדוקא אמירה לסתם א"י שאינו אלא שבות, התירו בדברים אלו, **אבל** בעבד א"י של ישראל, שמוזהרין עליו מן התורה, אין לו היתר אלא בפיקוח נפש.

וכן מת ביו"ט ראשון וכו' אסור לומר לעבד וכו' – (עיין בסימן תקכ"ו בב"י, שדעת הרמב"ן שם לצדד להתיר בעבד שלא מל וטבל, ושיטה זו דשו"ע אתיא כדעת בה"ג שם).

ויש חולקים ומתירים בזה - היינו בזה שהעבד הוא נכרי גמור, ואפ"ה ס"ל לדעה ראשונה דהוא שוה לקבל עליו שבע מצות, דאסור אפילו לישראל אחר לומר לו לעשות לו מלאכה, **וע"ז** חולקים וס"ל, דבזה לא אסרה התורה אלא לעשות מלאכה בשביל רבו, וכדכתיב: וינפש בן אמתך, **אבל** לשאר איש ישראל לא

עדיף משאר א"י דעלמא, דאינו אסור רק מדרבנן, וממילא לצורך חולה אפילו אין בו סכנה מותר.

(ונראה דזה דוקא אם דמי המלאכה לוקח לעצמו, **אבל** אם יתנם לרבו, נחשב זה כמלאכת רבו ואסור, וצ"ע).

ומ"מ אם היה עושה מלאכת רבו שלא מדעתו, וניכר שאינו עושה לדעתו, מותר וא"צ להפרישו, (אפילו קבל עליו שבע מצות) - היינו דאף דמבואר לעיל שמצווה על שביתת עבדו, בין כשקבל עליו ז' מצות, ובין כשלא קבל עליו, שלא יעשה מלאכה עבורו, **היינו** דוקא בדניחא ליה במלאכה זו, דאז אמרינן דמסתמא עושה על דעתו, וע"כ מחויב להפרישו מזה, **משא"כ** כשניכר שאין עושה לדעתו, הוי כמלאכת עצמו, ואינו מוטל עליו למנעו.

ולישראל אחר שאינו רבו, אפי' עושה לדעת ישראל, מותר, כל שאין שם אמירת ישראל - דדוקא גבי רבו שהוא עבדו, אמרינן דמסתמא כל מה שהוא עושה על דעת רבו עושה, **משא"כ** בזה אף שהוא עושה לדעת ישראל, כל שלא צוהו, ומתחיל העבד [בין שקבל עליו ז' מצות ב"נ או לא] או הגר תושב לעשות מאליו, אמרינן דהעיקר אדעתיה דנפשיה עביד להרויח לבסוף ממלאכתו, ואינו אסור אא"כ מצוהו לעשות וכנ"ל.

ועיין סימן רנ"ב סוף ס"ב, דלפעמים צריך למחות מדרבנן.

[**ועיין** בחי' רע"א שהביא בשם הרשב"א, שמסתפק להקל בזה בגר תושב, אפי' אם הוא שכיר שלו, כל שלא צוהו הישראל, **דכיון** שאינו קנוי לו, אמרינן דאדעתא דנפשיה עביד, כיון שאין כבוש תחת ידו כעבד, **אבל** בהגר"א משמע שתופס להחמיר].

ובלבד שלא יהנה ישראל בשבת מאותה מלאכה - והיינו מדרבנן, דלא עדיף העבד משאר אינו יהודי דעלמא שעשה מלאכה לדעת ישראל, שאסור לישראל ליהנות מאותה המלאכה בשבת, וכנ"ל בריש סימן רע"ו.

וי"א שכל שלא קבל עליו ז' מצות בני נח, כיון דעכו"ם גמור הוא, אין רבו מוזהר עליו - ס"ל דלא הזהירה התורה על עבד של ישראל לענין שבת, אלא ביש עליו עכ"פ קצת מצות, דהיינו שבע מצות בני נח, וכמבואר בב"י ע"ש, **ולפי זה צרכי חולה שאין בו סכנה, וכן צרכי מת ביו"ט ראשון, מותר לומר להם לעשותו** - ועיין בא"ר שהביא בשם כמה פוסקים, דלמעשה יש להחמיר כסברא הראשונה.

(ומ"מ לענין ישראל אחר, אפשר דיש לדון זה לס"ס, אחד דשמא הלכה כי"א הזה, שהוא דעת הרמב"ם והרמב"ן והרה"מ, **וגם** דשמא הלכה כהיש חולקין למעלה, שדעתם דלישראל אחר בודאי מותר, **אך** אין הס"ס הזה מתהפך).

אסור לומר למומר וקראים לעשות לו מלאכה בשבת ויו"ט, דעובר משום "לפני עור".

הגה: וכל עבד שמצווה על שביתתו, אסור לצאת בחותם שעשה לו רבו להראות בו שהוא עבדו - אי קאי גם אעבד שלא מל וטבל, עיין בתו"ש ופמ"ג.

ואם הוא של טיט, מותר לצאת בו כשתלוי בצוארו - הנה מתחלה סתם הדבר, ואח"כ ביאר דאם יש בו תרתי למעליותא, דהיינו שהחותם היה של טיט, והוא תלוי בצוארו, מותר לצאת בו, **דלמאי** ניחוש לה, דלשמא יסירנה בידו ויביאנה ד"א בר"ה, בודאי ליכא למיחש, דאית עליה אימתא דרביה, שיאמר שהסירה כדי להראות שהוא בן חורין, **ולשמא** יפסק וישבר החותם מאליו בר"ה, ואתי לאתויי אח"כ לביתו, ג"כ ליכא למיחש, דלמאי יביאנו, דחותם שבור של טיט לא חזי למידי, **ואם** כדי להראות לרבו שהוא כפוף לו ואוחז בידו החותם של עבדות, זה אינו סימן כלל על עבדות, כי אם כשתלוי בצוארו או בכסותו, **אבל** אי אית ביה חדא למעליותא, שהיה תלוי החותם בכסותו, או שהיה החותם של מתכות שהוא חשוב, אסור לצאת בו לר"ה וכדלקמיה, [**ולענין** חצר, עיין בב"ח שמיקל, והא"ר חולק].

אבל לא בכסותו - דילמא מיפסק החותם מאליו, ומירתת מרבו שיאמר שהסירו כדי להראות לכל שהוא בן חורין, ויקפל טליתו כדי שלא יתראה מקום החותם, וישאנו על כתפו, ודמי הטלית על כתפו כמשאוי.

ובשל מתכת בכל ענין אסור - דכיון שהוא חשוב, וקפיד עליו רבו שלא יאבד, חיישינן דילמא מיפסק ואתי לאתויי ד' אמות בר"ה.

ואם העבד עשה החותם לעצמו, אפילו בשל טיט, בכל ענין אסור - היינו אפילו כשהוא תלוי על צוארו, **והטעם**, דכיון שהוא עשה לעצמו אינו מירתת מרבו כשיסירנו, וחיישינן דילמא שקיל ליה בידיה ויביאנו ד"א בר"ה.

סעיף ב - והיכא דמותר העבד לעשות מלאכה לעצמו, אם אמר לו האדון שיעשה לעצמו ויזון עצמו ביום השבת, כיון שהתנה עמו מבעוד יום - לאפוקי להתנות בשבת דאסור, **עושה הוא לצרכי מזונותיו** - שאם ירצה שלא לזונו ושיחזור העבד על הפתחים, הרשות בידו, וא"כ עושה העבד לעצמו.

ובלבד בצנעה, שלא יהא בדבר חשש רואים - ועושה אפילו בבית רבו, כיון שהוא בצינעא, **וכ"ש** אם מרויח אצל אינו יהודי, [ואפשר דגם בזה צריך צנעא, שלא יסברו שהשכירו לא"י], **אבל** לא יעשה לצורך ישראל אחר אפילו בצינעא, דהא מ"מ עבד ישראל הוא, [**כנ"ל** בריש ס"א, דאסור לכל ישראל לומר לעבד ישראל לעשות מלאכתו, **ואף** דזה סילקו מעליו בשבת, מ"מ הרי עדיין בכלל עבד ישראל הוא, כנ"ל פשוט, **ואם** לא קבל עליו הז' מצות, תליא בפלוגתא אם ישראל אחר מותר להשתמש בו, וכמו שכתב המחבר בס"א].

ואם לא אמר ליה כלל, אלא העבד עושה מעצמו ורוצה ליזון ממנו, הביא באליהו רבא בשם ספר משאת בנימין דמותר, כיון שאין הישראל אומר לו שיעשנה, **ובלבושי** שרד בריש סימן זה משמע דאין להקל בזה.

סעיף ג - א"י גמור שהוא שכיר, אין רבו מצווה על שביתתו - ואפילו אם הוא שכיר לכמה שנים, מ"מ הרי אינו קנוי לו קנין עולם, **וע"כ** אפילו אם הוא עושה מלאכת רבו אינו אסור מדאורייתא, שאיננו בכלל עבדו, **והמלאכות** המותרות לכתחלה ע"י א"י, מותר גם על ידו.

אבל אם קבל עליו הז' מצות, הלא הוא גר תושב, ואסור לעשות מלאכה לישראל, אף למי שאינו רבו וכנ"ל.

וכתב ב"י שמהרי"א נסתפק, באותן העבדים והשפחות עו"ג, שאם רצו להמיר דתן וליכנס לדת ישמעאל יוצאים לחירות, **אפשר** שאע"פ שהם עתה קנויות קנין עולם, שמחמת זה הם חשובים רק כשכיר עובד גלולים בעלמא, וצ"ע, **ודעת** האחרונים להחמיר בזה, מפני שיש בזה חשש איסור תורה, **וכ"ש** אם הוא במקום שאין לו רשות לפי דיניהם להפקיע עצמו בהמרת דתו, שבזה ודאי אסור לעשות מלאכה בשבת לישראל.

ועיין ברמב"ם, דאין מקבלין גר תושב בזמן שאין היובל נוהג, **וכן** עבד שאינו רוצה לקבל עליו מצות כי אם ז' כמו גר תושב, ג"כ אין מקבלין אותו בזמן שאין היובל נוהג, **והראב"ד** שם חולק ע"ז, [**אבל** עבד שרצונו למול ולטבול ולקבל עליו מצות שהאשה חייבת, גם בזה"ז נוהג].

במקום שהמלך ירום הודו גזר, שאין שום אדם חוץ מדתם יכולין לקנות עבד ואמה, העבדים והשפחות יכולין להבעיר אש בשבת, דהויין כשכיר בעלמא - רשד"ם וריב"ל, **אבל** יש חולקים, וס"ל דאף עתה גופן קנוי לישראל, **ועכשיו** שפורעים כרגא בעד העבדים והשפחות, לכו"ע גופן קנוי ואסורים במלאכה, **וכן** לקולא, דהיינו שיכול ממזר לישא שפחה, ועבד ממזרת.

(**כתב המ"א, אם קבל עליו מצות הנהוגות בעבד, והוא שכיר, נ"ל דאין רבו מצווה על שביתתו כשעושה לעצמו,** {פי' **דאם עושה לישראל אחר, בודאי אסור מן התורה, דלא גרע מגר תושב בעלמא**}, **דלא הזהירה התורה אלא על עבד הקנוי קנין עולם, אבל העבד אסור לעשות מלאכה אפילו לעצמו, דהא קבל עליו מצות הנהוגות באשה, עכ"ל, וצע"ג, כיון שאין קנוי לו, הלא בודאי אין גירות לחצאין, ומאי מהני קבלתו למצות הנהוגות בעבד, הלא קי"ל בבכורות: א"י שבא לקבל עליו ד"ת חוץ מדבר אחד אין מקבלין אותו, ודוקא בעבד שגופו קנוי ויש עליו שם עבד, גילתה לנו התורה דבאיש כזה די אם יקיים רק מצות הנהוגות באשה, משא"כ באדם דעלמא, אין לנו בתורה רק או גר תושב או ישראל גמור, וזה שלא רצה לקבל עליו כל התורה, מסתברא דאין מדרגתו אלא כגר תושב בעלמא, ומנא ליה להמ"א שיהיה עדיף מגר תושב דהוא אסור לשבות בשבת, וזה יהיה מהני קבלתו שיהיה**

סימן דש – על איזה עבד מצווה על שביתתו

מחויב לעצמו להזהר במצות שבת כישראל, **וא"כ** לפי"ז ימצא איש שיוצא מכלל גר תושב בהרבה מצות יותר כפי קבלתו, ולכלל ישראל לא בא, וגם בכלל עבד אינו, ומנ"ל זה, **אחר** כתבי כ"ז התבוננתי שאפשר לקיים דבריו, דס"ל להמ"א ג"כ דאינו בר ישראל כלל, ובכלל גר תושב הוא, והכל כאשר כתבנו, אלא דס"ל דגר תושב גופא אם רצה לקבל עליו בעת תחלת גירותו עוד מצות מלבד השבע, ג"כ חלה קבלתו שמחוייב אח"כ לקיים, **אלא** דמה דנקטו שבע, רבותא אשמועינן, דאף ששבע מצות מחוייב לקיים כל בן נח, ומאי רבותייהו, אפ"ה חלה הקבלה ובכלל גר תושב הוא לענין שמצווין להחיותו, וכ"ש אם קבל עליו יתר מצות, בודאי מהני, **ולא** תקשה ע"ז דאיך ישמור שבת, והלא גר תושב ג"כ אסור לשמור שבת, כדמוכח ביבמות, דזהו בסתם גר תושב שלא קבל עליו רק שבע מצות כנהוג, וא"כ הוא לענין שאר מצות כא"י גמור, משא"כ כשקבל עליו עוד מצות בתחלת גירותו, ובכללם היה ג"כ שבת, בודאי יכול לקיימם ומחוייב לקיימם, ומה דאיתא בבכורות: דא"י שרצה לקבל כל התורה חוץ מדבר אחד אין מקבלין אותו, היינו לענין לעשותו ישראל גמור, אבל לא לענין גר תושב).

§ סימן שה – במה בהמה יוצאה בשבת §

סעיף א - הנה כתיב: למען ינוח שורך וחמורך וגו', הרי הזהירה התורה שגם בהמת ישראל תנוח בשבת, ולאו דוקא בהמה, ה"ה עופות וכל בעלי חיים, **ולכן** דוקא כשתצא בדבר שהוא לה לשמירה, הוי תכשיט ואורחא, והרי הוא כמלבוש לאדם, ולאו משוי הוא, **אבל** בדבר שאינה משתמרת בו, הוי משוי ואסור, **וה"ה** כשתצא במה שהיא שמירה יתירה לפי ענינה, דלאו אורחה בהכי, ג"כ בכלל משוי הוא ואסור.

בהמה יוצאת במה שמשתמרת בו, אבל אם אינה משתמרת בו, או הוי נטירותא יתירתא ביותר, הוי משאוי - דוקא בשמירה יתירה הרבה, אבל אם רק מעט יותר ממה שצריכין, לא הוי משא, דאי אפשר לצמצם. **וכן כל דבר שהוא לנוי ולא לשימור, לא תצא בו.**

הילכך נאקה - שהיא גמלא נקבה לבנה, **יוצאת בזממא דפרזלא, שהוא טבעת של ברזל, ונוקב חוטמו ומכניסו בו** - נקט והולך בתחלה הבהמות החזקות שצריכות שמירה ביותר, ולא די להם בשמירה קלה, כגון נאקה, שצריך לשמירתה דוקא זממה דפרזלא בחוטמה, ולא די לה בפגא דפרזלא, וכ"ש באפסר, ואסורה לצאת בהם.

וחמרא לובא - הוא חמור הבא ממדינת לוב, **בפגא דפרזלא, דהיינו בריג"א** - היינו בפרומביא הכתוב בסעיף ג', **אבל** לא בזממא, דזה הוא לה נטירותא יתירתא.

ודוקא חמרא לובא, אבל חמור אחר לא, דהו"ל אצלו נטירותא יתירתא, וכמו שכתוב לקמיה בסעיף ג', **ואיתא** בגמרא, דחמרא לובא יוצא אף באפסר, דגם בזה משתמר.

והגמל באפסר שהוא קבישטר"ו - אבל לא בזממא דפרזלא, שהוא לו שמירה יתירה, **ובפגא** דפרזלא מסתפק המ"א, **והט"ז** פסק לאיסור, [**ובאמת** נראה דתלוי הענין באם דרך הגמל לצאת בחול בפרומביא לשמירה, ואז מותר לצאת בשבת, דומיא דסוס].

ופרד וחמור - צ"ל "וכן פרד וחמור", דהיינו שגם הם יוצאים באפסר, **אבל** ברסן שהוא פרומביא אסורים לצאת, וכמו שכתב בס"ג לענין חמור, וה"ה פרד.

וסוס יוצאים - "וסוס יוצא" וכו' - כצ"ל, דאלו חמור אסור ברסן, **באפסר** - הוא מה שקורין אברי"ץ, **או ברסן שהוא פרינ"ו** - היינו בריג"א הנ"ל, שהוא פרומביא, ובלשוננו קורין צו"ם.

אבל לא בשניהם - דדי לה באחד, והשני משוי הוא, **ואם** עסקיו רעים, שאין משתמר באחד, מותר לצאת בשניהם יחד, והכל לפי הענין.

ומותר לכרוך חבל האפסר סביב צוארה ותצא בו - מרש"י ור"ן משמע, דאע"ג שכרוך בחוזק סביב צוארה, שאין אדם יכול להכניס ידיו בין אפסר לצואר, שתהא נוח לימשך כשירצה, אפ"ה שרי, משום דהיא נוי, **ואע"ג** דכל נוי אסור וכנ"ל בריש הסעיף, וכדלקמן בסוף סי"ז, היינו דוקא בנוי דלאו אורחיה

בחול, לאפוקי דבר שדרך כל אדם לעשות כן בחול לנוי לבהמה, לאו משאוי הוא, **אבל** התוספות וכן רבינו ירוחם ס"ל, דנוי אסור בכל ענין, והכא מיירי ברפויין, ומקרי לשמירה, דהא יכול לאחוז בחבל כשתרצה לברוח, **וכ"ש** אם יצא קצת מן החבל תלוי סביב צוארה דשרי, **ופסק** הב"ח כהתוספות לחומרא.

דוקא באלו שמותרים לצאת באפסר, מותר גם לכרוך סביב צוארה החבל היוצא ממנה אם הוא ארוך, **אבל** פרה אסורה לצאת באפסר, וכן לכרוך חבל סביב צוארה, לפי שהיא משתמרת בלא"ה, וכדלקמן בסי"ז ע"ש.

ומותר לטלטל האפסר - וכן הרסן, דמוכן הוא לבהמה ואינו מוקצה, **וליתנו עליה, ובלבד שלא ישען עליה** - ר"ל כשנותן בראש הבהמה יזהר שלא ישען בראשה, דהוי משתמש בבע"ח.

סעיף ב - אם קשר חבל בפי הסוס, הרי זה משאוי, לפי שאינו משתמר בו - דנשמט הוא מפיו, ולא דמי לאפסר שקשור בראשו ואינו נשמט.

סעיף ג - לצאת חמור בפרומביא (פי' רסן של ברזל), אסור - נתבאר בס"א דדוקא חמרא לובא מותר בו.

סעיף ד - כל בהמה שעסקיה רעים, אע"פ שאין בנות מינה צריכות לאותה שמירה והיא צריכה, מותר לצאת בה - וע"כ אפילו פרה שסתמה אינה צריכה שמירה, וכדלקמן בסוף סעיף י"ז, אם היא מורדת, מותרת לצאת בחבל סביב צוארה.

סעיף ה - בעלי השיר, כגון כלבים של ציידים וחיות קטנות - וה"ה סוס, **שיש להם כמין אצעדה סביב צוארן וטבעת קבועה בה, ומכניסין בה רצועה ומושכין אותם בה, מותר שיצאו בשיר הכרוך על צוארן** - ר"ל שהרצועה התלויה בשיר כרוך על צוארן, וכנ"ל בס"א, **ויכולים למשכם בהם** - היינו שאם רוצה יוכל למשוך אותה ע"י הרצועה התלויה, ועיין לקמן בסט"ז.

והיינו אלו דאורחייהו בהכי בחול, **אבל** חתול אסור, דסגי לה בחבל קטן בעלמא, וזה הוא לה נטירותא יתירתא.

סעיף ו - אילים יוצאים לבובים, והוא עור שקושרים להם תחת זכרותם שלא יעלו על הנקבות; והרחלות יוצאות שחוזות, והוא שקושרין אליתן כלפי מעלה כדי שיעלו עליהן הזכרים; ויוצאות כבונות, והוא שקושרים בגד סביבן לשמור הצמר שיהיה נקי.

וטעם כל אלו, דאע"פ שאין נעשין להם לשמירה שלא לברוח, מ"מ כיון שנעשין לשמירת גופן, לשמרן מפני הצער שלא יהיו מוכחשים, או מפני צמרן ובריאותם וטובתם, הוי להו כמלבוש לאדם, ולא למשא הוא להם, ומותרין לצאת בהן.

והעזים צרורות, והוא שקושרים ראשי דדיהן, ודוקא כשקושרים אותם כדי שיצטמקו דדיהן ולא יחלבו, דאז מהדק שפיר - ואפילו אם קישר בשביל זה כיס על דדיהן, ג"כ שפיר דמי, **אבל אם קשר כדי לשמור חלבן שלא יפול לארץ, אסור, דלא מהדק שפיר, וחיישינן דלמא נפל ואתי לאתויי** - אבל בלא"ה משמע דהיה מותר, ולא הוי משוי, דחשיב מלבוש במה ששומר בזה את חלבו, וכמו רחלים כבונות דשרי מפני ששומר בזה את צמרן.

ועיין לקמן בסעיף י"א, דאוסר לעזים לצאת בכיס שבדדיהן, שתלוי עליה כדי שלא יסרטו דדיהן בקוצים, **מיירי** התם שהיו צריכין עוד להחלב, ולא הדקוה שפיר כדי שלא יצטמק החלב, ולכך אסור.

סעיף ז - חמור יוצא במרדעת, (פי' כמין אוכף קטן - עיין בלבושי שרד, שצ"ל "כמין אוכף גדול", **שמניחין על החמור כל היום כולו כדי שיתחמם)** - דמצטער בצינה, דחמרא אפילו בתקופת תמוז קרירא ליה, ונחשב כמלבוש.

והוא שתהא קשורה לו מע"ש - דאז גלי דעתו מאתמול שצריכה לכך, **אבל** אם קשרו בשבת, אסור לצאת בו, כיון דלא גליא דעתו מע"ש שיהא לה למלבוש, [ולפי"ז הוי דאורייתא, **ובתוס'** כתבו, דכשקושר בשבת מחזי כמתכוין להוצאת המרדעת, **וגם** דמחזי כמתכוין להוליך הבהמה למקום רחוק].

ושאר כל הבהמות אסורות - לפי שאין הצינה קשה להן, והוי המרדעת משוי.

ולא יצא באוכף אעפ"י שקשור לו מע"ש - דאין האוכף מועיל לו והוי משוי, **דדוקא** מרדעת מועיל, שהוא מונח על כל הגוף, משא"כ אוכף אין מחמם אלא במקום שמונח.

סעיף ח - מותר ליתן מרדעת על החמור - היינו שלא לצאת לר"ה, כי אם שיהיה בחצר, **מפני הצנה** - היינו דמשום זה לא חיישינן לטרחא דשבת, **ובלבד שלא יקשרנו בו** - היינו אפילו בקשר שאינו של קיימא, **מפני שכשקושר צריך ליקרב אליו, ונמצא משתמש בבע"ח.**

אבל על הסוס, כיון דלית ליה צער צנה, אסור ליתן עליו מרדעת כלל - משום דהוי טרחא שלא לצורך, **ועיין** בביאור הגר"א שכתב, דלדעת רש"י, גם על הסוס וכן לכל הבהמות מותר ליתן מרדעת בחצר, דגם להם יש צער צינה ומועיל החימום.

וכ"ז בסתמא, אבל בשעה שהקור גדול, ואנו רואים שמזיק לסוס, וכן בימות החמה שהזבובים רבים ומצערים להסוס, לכו"ע מותר להניח בחצר המרדעת, או שאר בגד עליו, דלא גרע מחמור, **ובלבד** שיהיה זהיר שלא יסמוך עצמו על הבהמה בשעת הכיסוי.

ולהסיר מרדעת בשבת, בין מן החמור ובין מן הסוס אסור - דהוי טרחא שלא לצורך, **כיון דלית ליה צער אם לא יסירנה** - ואפילו אם כבר נתחממה ע"י משאוי שנשאה מבע"י.

(**המחבר** סתם בזה כדעת הסמ"ג, **ועיין** בביאור הגר"א שכתב, דלדעת רש"י, דמן הסוס וכן ה"ה מכל הבהמות, מותר להסיר המרדעת, וכן האוכף, **דדוקא** מן החמור דאית ליה קרירות ביותר, ויצטנן ממילא אפילו אם לא נסיר מעליו, משא"כ בשארי בהמות, ותלוי כ"ז בפירוש הסוגיא שם, **וכתב** הגר"א דפשטא דשמעתין משמע כדברי רש"י).

ואוכף אסור בין ליטול - הטעם כנ"ל לענין מרדעת, **בין להניח, בין לחמור בין לסוס** - להניח הטעם, דכיון דאינו מחמם רק מעט, הוי טרחא שלא לצורך.

(**ודעת** הא"ר להורות כהטור, דנתינת אוכף על החמור מותר כמו מרדעת, **אבל** מהגר"א משמע שמסכים עם השו"ע).

סעיף ט - אוכף שע"ג החמור שבא מן הדרך ונתיגע וצריך להסירו לצננו, לא יטלנו בידו - דאף דיש להחמור עונג בהסרתו, מ"מ כיון דלית ליה צער אם לא יסירנו, אסור, **וכבר** כתבו בסעיף הקודם, ושנאו משום סיפא.

אלא מתיר החבל מתחתיו, ומוליכו ומביאו בחצר והוא נופל מאליו.

סעיף י - אין תולין לחמור טרסקל (פי' כלי של ערבה קלופה ומכוסה בעור) בצווארו, ליתן מאכל בתוכו שיאכל משם - דכל מידי שאינו אלא לתענוג לבהמה, הוי טרחא שלא לצורך ואסור.

אבל עגלים וסייחים שצווארן קטן ומצטערים לאכול ע"ג קרקע, שרי בחצר; אבל אין יוצאים בו - אפילו אם היה תלוי עליהן מבעוד יום, דהוי משוי.

סעיף יא - לא יצא הסוס בזנב שועל, שתולין בין עיניו שלא תשלוט בו עין הרע, ולא בזהורית שעושים לו לנוי - בכל אלו הטעם, לפי שאין בהם צורך לשמירת גופן והוי משאוי, **לבד** מסנדל שנועלים ברגלי הבהמה, וכן בכיס שבדדי העזים.

ולא עזים בכיס שבדדיהם, שקושרים אותם שלא יסרטו דדיהם בקוצים - ומשמע מהגר"א, דהטעם משום שאינו מהודק יפה, וחיישינן דלמא נפל הכיס ואתו בעליהן לאתויי, **ועיין** לעיל בס"ו מה שכתבנו שם.

ולא פרה בחסום שבפיה, שחוסמים פיה שלא תרעה בשדות אחרים; ולא כל בהמה בסנדל שנועלים ברגליה שלא תנגף - הטעם, משום דלמא נפל ואתי לאתויי, **ונראה** שאין בכלל זה הברזל שקובעין ברגלי הסוסים מלמטה, דכיון שקבוע במסמרים לא חיישינן דילמא נפלי.

אבל יוצאה באגד שע"ג מכה; ובקשקשים שע"ג השבר, והם לוחות שקושרים להם סביב העצם הנשבר בהן; ובשליא שיצאה מקצתה ותלויה בה.

ופוקק זוג שבצוארה ומטייל בה בחצר - היינו שסותם העינבל שבתוכה בצמר או במוכין, דאל"ה אסור משום דמשמיע קול. **אבל לא תצא בו לרשות הרבים אע"פ שהוא פקוק, בין אם הוא בצוארה, בין אם הוא בכסותה** - שעושה לסוסים מעילים שלא יטנפו.

משום דמחזי כמוליכו בשוק למכור - גמרא, **ומשמע** דבאלו דלא שייך זה, כגון בחתולים ועופות וכה"ג, שאין דרך להוליכן למכור בזוג, מותר כשפקוק, **ובסמ"ג** משמע דאסור אף באלו לצאת משום משוי, ועיין במ"א וא"ר.

ודע, דכל הנך דאמרינן בבהמה דאסור לצאת בר"ה משום משוי, בחצר שרי ואפילו אם אינה מעורבת, **ולענין** כרמלית יש דעות בין האחרונים, יש מתירים ויש אוסרים, **ולענין** ר"ה שלנו בודאי יש ליזהר, דיש בזה ספק איסור תורה, (**ואין** להקל אפילו בשעת הדחק, דהרי הרבה גדולי ראשונים ס"ל, דגם באין ששים רבוא שייך ר"ה, דלא בעינן שיהא דומה לדגלי מדבר, וא"כ לדידהו הו"ל איסור דאורייתא של שביתת בהמתו אף בר"ה שלנו), **ובדבר** שהחשש הוא משום דלמא נפיל ואתי בעליו לאתויי, אף המתירים הנ"ל מודים דאסור בכרמלית, **ובדבר** שהטעם הוא משום דמחזי כמוליכו למכור, אף במבוי המעורבת אסור כיון דשכיחי שם רבים, כ"כ מ"א, **והפמ"ג** וכן הבית מאיר מפקפקין בדין זה.

סעיף יב - לא תצא בחותם, בין שהוא בצוארה בין שהוא בכסותה - דאף שהוא ארוג או תפור בכסותה, דליכא למיחש דילמא מיפסק ואתי לאתויי, **אפ"ה** אסור, דגזרו אריג אטו אינו אריג.

סעיף יג - אין הגמל יוצא במטוטלת, והוא כמין כר קטן שנותנים תחת זנבו, אפילו היא קשורה לו בזנבו - דשמא נפיל ואתי לאתויי, **אא"כ היתה קשורה בזנבו ובחטוטרתו** - כמין חטוטרת יש לגמל על גביהם, וכשקשורה בשניהם מיהדק שפיר ולא נפל, **או בשליתה** - כיון דכאיב לה לא מינתחא לכאן ולכאן.

סעיף יד - לא תצא שום בהמה לא עקוד ולא רגול - דמכל זה יש צער גדול לבהמה, ומשוי הוא לה, **ויש** שכתבו משום דילמא נפל החבל ומייתי לה, **פי' עקוד: שקושר ידה אחת עם רגלה** - ודוקא ידה אחת, אבל כשקשורים שני ידיה או שתי רגליה כדי שלא יברחו, כדרך שעושין לסוסים כשרועין, מותר לצאת בהן, דנטירותא הוא לה, ולא הוי משוי, וכנ"ל בריש הסימן, [**ואי** הטעם משום דלמא נפיל ואתי לאתויי, אפשר דשם יותר מהדק שפיר].

ורגול: היינו שקושר אחת מרגליה כלפי מעלה שלא תלך אלא על ג' רגלים.

סעיף טו - לא יקשור גמלים זה אחר זה והוא תופס באפסר הראשון וכולם נמשכים על ידו - משום דמחזי כמאן דאזיל למכרם לשוק, **ומהאי** טעמא אפילו היו קשורין מע"ש, ג"כ אסור למשכן.

אבל אם תופס כמה אפסרי גמלים בידו, מותר. ויש מי שאוסר גם בזה - ס"ל דגם בזה שייך הטעם הנ"ל, **ולא התיר אלא להוציא בהמה אחת לבדו והוא מושכה בחבל** - ועיין

בא"ר שהביא, דהיא רק דעת יחידאה, וכל הפוסקים חולקין עליה, ואין לחוש לה.

סעיף טז - המוציא בהמה והוא מושכה באפסר, צריך ליזהר שלא יצא ראש החבל מתחת ידו טפח למטה, דדמי כמו שנושאה בידו ולא מתחזיא מאפסר הבהמה - ומ"מ אם הוציא טפח אחד מתחת ידו, לא עשה איסור, אא"כ הוציא ב' טפחים, **אלא** דלמעשה יש להחמיר לכתחלה שלא יצא אפילו טפח אחד מידו.

וגם לא יניח הרבה מן החבל בין ידו לבהמה, כדי שלא יכביד עד שלא יגיע בטפח הסמוך לארץ - צ"ל "עד שיגיע", והטעם, דכשיגיע סמוך לארץ לא תהא נראה כאלו הבהמה נמשכת בה, דיהיה מותר מחמת שהוא נטירותא דבהמה, אלא כמשאוי בעלמא.

ואם הוא ארוך, יכרוך אותו סביב צוארה.

סעיף יז - אין חמור יוצא במרדעת בזמן שאינה קשורה לו מע"ש; ולא בזוג אעפ"י שהוא פקוק - כבר מובא לעיל בס"ז ובסוף סי"א, ושנאו משום אינך, דנשנה הכל במשנה אחת בגמרא.

ולא בסולם שבצוארו, והן לוחות שקושרים סביב צוארו שלא יחכך מכתו - טעם כל אלו, לבד מאלו שנבאר בהדיא טעמם, משום דחייס עלייהו, ואי נפיל אתי לאתויי, [**ומרמב"ם** משמע מטעם משוי הוא].

ולא ברצועה שברגלו, והוא כמין טבעת עבה שעושים מקש, וקושרים ברגלי הבהמה שפסיעותיה קצרות ומכה רגליה זו בזו, ועושים לה זה להגין שלא תכה זו בזו - זהו פירש"י, **ובר"ף** פירש עוד, דכשנבקע פרסה של רגל הבהמה, קושרין אותה ברצועה כדי שתחלים ותחזור לכמות שהיתה, וכן פירש הרמב"ם בפירוש המשנה.

ואין התרנגולים יוצאים בחוטים שקושרים ברגליהם לסימן; ולא ברצועה שקושרים ברגליהם כדי שלא ישברו הכלים - כתב הח"א, דאם קשרן לרגליהן כדי שלא יוכלו לברוח, שרי לצאת בהן, דכל מה שדרך לעשות לשמירתן הוי לה כמו מלבוש, [**ומרש"י** משמע דמשום דלמא נפלי, ולא משום משוי, וא"כ אפשר דאף בזה נחוש לזה, **אך** כמו לעיל בסי"ד דמקילין בקשורין שני רגליהם כדי שלא תברח, ולא חיישינן לזה, ממילא גם הכא צריך להיות כן].

ואין האילים יוצאים בעגלה שתחת אליותיהם, שעושים להם כן כדי שלא תהא האליה נגררת בארץ; ואין העזים יוצאות בעץ ידוע שנותנים בחוטמיהם כדי שיתעטשו ויפלו תולעים שבראשיהם; ולא העגל בעול קטן שנותנים על צוארה; ולא בזמם שמניחים בחוטמו של עגל כדי שלא יינק - בביאור הגר"א משמע, דבזה הטעם הוא דהוי כמו משוי, דדמי לחסום שבפי הפרה שבסעיף י"א, דשם הטעם משום משוי.

ולא פרה בעור שנותנים על דדיה שלא יינקו השרצים; ולא ברצועה שבין קרניה, בין אם היא לשימור - דזה הוי נטירותא יתירתא לפרה, והוי משוי וכנ"ל בס"א, **בין אם היא לנוי.**

ולא תצא פרה או שור בחבל שבצוארה, לפי שא"צ שמירה - והוי משוי, **ואם** טבעה לברוח, נתבאר בס"ד דמותר.

אבל עגלים מותרים - אפילו החבל כרוך סביב צוארן, דיוכל לתפסם בהחבל אם יברחו, וכנ"ל בס"א, **לפי שהם מורדים בקל.**

הגה: הבהמה יוצאה בקמיע מומחה לבהמה, אבל לא בשאינה מומחה, אע"פ שהיא מומחה לאדם - מפני שהאדם יש לו מזל ומלאך המליץ עליו מלמעלה, ומזלו מסייע לו שיועיל לו הקמיע, משא"כ לבהמה.

סעיף יח - אין רוכבין ע"ג בהמה - גזירה שמא יחתוך זמורה מן המחובר כדי להנהיגה, דחייב ע"ז משום תולש, דהוא תולדה דקוצר.

ולא נתלים עליה - דכל שמוש בבעלי חיים כללו בכלל רכיבה ואסרו, **ואפילו** במקום דליכא למיחש שמא יחתוך זמורה, כגון במדבר דליכא זמורה, **או** לשפשף את התינוק על גב הבהמה כדי לשעשע אותו, ג"כ אסור, דלא פלוג רבנן במילתייהו.

ואפי' בצדה אסור להשתמש; אבל צדי צדדין, כגון שדבר אחד מונח על צדה והוא משתמש בו - היינו שסומך את עצמו בצד אותו דבר, **מותר** - אבל אם משתמש על גב אותו דבר המונח על צדה, הרי הוא כמשתמש על צדה ממש, וכמו שכתב בהג"ה לקמן לענין קרון, עי"ש במ"ב.

ואם עלה עליה, אפי' במזיד, ירד משום צער בע"ח - ולא כמו גבי אילן, דאם עלה במזיד, קי"ל לקמן בסימן של"ו ס"א, דלא ירד עד מו"ש משום קנסא, הכא ירד משום צער בעלי חיים.

ומטעם זה פורקין משאוי שעליה - היינו אפילו המשוי הוא מוקצה, **ומ"מ** לא רצו להקל מטעם צער בעלי חיים לסלקו בידים, כיון דאפשר לסלקו שלא בידים.

כיצד עושה, מכניס ראשו תחת המשאוי ומסלקו לצד אחר והוא נופל מאליו – (וזה מותר אפילו להר"ן, דס"ל בעלמא דשייך איסור טלטול אפילו ע"י גופו, הכא מותר משום צער בעלי חיים, **ולפי** מה שפוסק המחבר לקמן בסימן שי"א ס"ח כהרא"ש, דטלטול בגופו שרי בכל גווני, א"כ אפילו בלא סברת צער בעלי חיים היה לנו להתיר להכניס ראשו תחתיהן, **ונקט** לשון זה משום מה דמסיים שם הרמב"ם בסוף דבריו בהלכה יו"ד, דאפילו אם השקים גדולים ומלאים כלי זכוכית, שאי אפשר להניחן שיפלו, דישתברו, אפ"ה לא יניחן שם על הבהמה, ופורק אותם בנחת משום צער בע"ח).

הגה: ואסור לישב על קרון שהא"י מנהיגו בשבת, משום שמשתמש בבהמה - ולא נקרא צדי צדדין מפני שהעגלה מחוברת בצדי הבהמה, **כיון** שהוא משתמש ע"ג העגלה, ודינו כמו על צדי הבהמה ממש וכנ"ל, **וגם** להשתמש על דף היוצא חוץ לעגלה מאחוריה, ג"כ אסור, ולא מקרי צדי צדדין, דהכל כלי אחד הוא, [**והמ"א** כתב עוד טעם, כיון דמ"מ הבהמה מוליכתו עם הקרון, הו"ל בכלל שימוש בבע"ח, ואסור בכל גווני].

גם שלא יחתוך זמורה – (בתוס' לא כתבו "גם", דחד טעמא הוא, **וצ"ל** דה"ק, דאף להאומרים דאין כאן שמא יחתוך זמורה, כיון שהא"י מנהיגו, אסור משום שמשתמש, דלא פלוג, **ועוד** דזה שמא יחתוך ג"כ שייך כאן).

שהא"י מנהיגו וכו' - דאם ישראל בעצמו מנהיגו, יש בלא"ה איסור תורה משום מחמר, [**ואם** הבהמה היא שלו, עובר גם על שביתת בהמתו ע"י הקרון, **ואפי'** אם רק שכורה לו, יש דעות דס"ל דשכירות קניא לחומרא].

סעיף יט - בהמה שנפלה לאמת המים, אם המים עמוקים ומפני כך אינו יכול לפרנסה במקומה, מביא כרים וכסתות ונותן תחתיה משום צער בעלי חיים, אע"פ שמבטל כלי מהיכנו - וה"ה דיכול להניח שאר כלים תחתיה כדי שתוכל לעלות, **ונקט** כרים וכסתות לרבותא, אף דלא יהיו ראוים להשתמש בהן עי"ז בעוד שעליהן לחות המים אף לכשתעלה הבהמה, אפ"ה מותר, **דאתי** צער בע"ח דהוא דאורייתא (ממה דהזהירה התורה מצות פריקת המשא מעל הבהמה) ודחי איסור ביטול כלי מהיכנו שהוא רק מדרבנן, שגזרו שלא לבטל בשבת כלי ממה שהיא מוכנת.

אבל אם אין עמוקים, ויכול לפרנסה במקומה שלא תמות, אין מתירין לו להניח כרים וכסתות לבטל כלי מהיכנו.

אבל אסור להעלותה בידים, דכל בעלי חיים הם מוקצים, ואע"ג דאיכא צער בע"ח, אסור, דאין לנו לדמות גזירות חכמים זה לזה - מ"א ותו"ש, **ועיין** בא"ר שהביא, דיש פוסקים שמקילים אף להעלותה בידים, אם א"א ע"י כרים וכסתות, **וע"י** א"י לכו"ע מותר להעלותה, וזה עדיף יותר מהנחת כרים וכסתות ושאר כלים תחתיה.

דין קירוד בהמה בשבת, כמו ביו"ט. (וע"ל סי' תקכ"ג ס"ב).

סעיף כ - כתב הרמב"ם: החולב לתוך כלי חייב, [משום מפרק דהוא תולדה דדש]. **לתוך** אוכל פטור, [דמשקה הבא לאוכל כאוכל דמי], **ומ"מ** איסורא יש, דכל פטורי דשבת פטור אבל אסור.

מותר לומר לאינו יהודי לחלוב בהמתו בשבת, משום צער בעלי חיים שהחלב מצערה, והחלב אסור בו ביום - משום משקין שזבו מפירות העומדים לסחיטה, דקי"ל בסימן ש"כ ס"א דאסורין, והא נמי להא דמיא, **ואפילו** חולב לתוך אוכל אסור, כיון דהבהמה אינה ראויה לאכילה, הוי מוקצה.

וי"א שצריך לקנותו מן האינו יהודי בדבר מועט – (היינו אפילו בתפוח וכיו"ב, ואפילו אינו שוה פרוטה), **שלא יהא נראה כחולב לצורך ישראל** - ס"ל דאמירה לחלוב לא הותר כלל כי אם כשהא"י חולב לצורך עצמו, והישראל קונה אחר השבת ממנו בדבר מועט.

והעולם נוהגין כסברא הראשונה, דמשום צער בע"ח שרי אמירה לא"י לחלוב, בין לא"י מן השוק, ובין להשפחות שנשכרות לכל השנה למלאכתו, ואין למחות בידם, **ומ"מ** טוב שיחלוב הא"י לתוך אוכל, דהו"ל שבות דשבות.

וה"ה דמותר משום צער בע"ח, לומר לעו"ג להמרות האווזות שהורגלו כבר בהמראה, ואין יכולין שוב לאכול בעצמן, **אבל** אין מותר רק פעם אחת ביום, דשוב ליכא צעב"ח - תשו' רמ"א, **ומשמע** שם דאי ליכא א"י, שרי ההמראה ע"י ישראל, ואע"ג דאסרינן לקמן בסימן שכ"ד ס"ט, להמרות האווזות בשבת, הכא שאין יכולין לאכול בעצמן, מותר משום צער בע"ח, **וטוב** לעשות ע"י קטן.

סעיף כא - גבינות שעושות השפחות מעצמן מחלב של ישראל, מותר, כיון שאינו אומר להן שיעשו - היינו דמסתמא אדעתא דנפשה קעבדה.

ועיין באחרונים שהשיגו ע"ז, דכיון שנוטלת החלב של ישראל, ורואה הישראל ושותק, מסתמא אדעתא דישראל קעבדה, שיודעת שניחא ליה בזה, **ואפילו** אם היתה עושה זה אח"כ בבית א"י, מחויב למחות בידה, וכ"ש שהיא עושה זה בבית ישראל, **ועיין** בביאור הגר"א שגם הוא הקשה ע"ז עוד מטעם אחר עי"ש.

ובא"ר ובפמ"ג הסכימו, דכונת השו"ע הוא רק אם עשתה לפעמים דרך מקרה, שמותר אחר השבת ליהנות מהם, **אבל** אם היא עושה כן תמיד, מחוייב למחות, [**איני** יודע, דלפי"ז מאי רבותא דמותר אחר השבת, הלא אפי' אם צוה בהדיא לא"י לעשות לו מלאכה בשבת, ג"כ פסק המחבר בסי' ש"ז ס"כ, דמותר לערב אחר בכדי שיעשו, **ואי** דבהא מותר מיד הכל, טעמא מאי, דהלא מדבשבת אסור, מסתמא חשבינן דהוא לצורך ישראל, וקי"ל דאם עשה א"י מעצמו בשביל ישראל, ג"כ אסור לערב עד בכדי שיעשה].

סעיף כב - מי שיש לו נער אינו יהודי, ורוכב על הבהמה בשבת כשמוליכה להשקותה, א"צ למונעו, שהחי נושא את עצמו - ר"ל דאין חל ע"ז שם משא, שיהיה צריך למנעו מפני שביתת בהמתו, **ואף** דמאי דאמרינן חי נושא את עצמו היינו רק מדאורייתא, אבל מדרבנן אסור, וע"כ אסור לאדם לישא תינוק בשבת, **לא** גזרו שבות זה בבהמה.

אבל צריך למונעו שלא יתן עליה בגדיו ולא שום דבר - אבל באוכף ליכא קפידא, דבטל לגבי הרוכב.

ואם נשאר איזה דבר עליה מע"ש, והיא רוצה מעצמה לצאת לחוץ, בעליה צריך למנעה שלא לצאת, מפני מצות שביתת בהמה, **אבל** אם אין עליה שום דבר, אפילו אם היא רוצה לצאת חוץ לתחום, אין מחויב למנעה מזה, **ורק** להוציאה בידים חוץ לתחומה אסור, [אפי' אם לגבי המוציא לא היה זה חוץ לתחום].

סעיף כג - מותר למסור סוס או פרד או חמור לרועה אינו יהודי; ואע"פ שהאינו יהודי משתמש בהם בשבת, אין בכך כלום, כיון דשלא מדעת ישראל הוא עושה, ואינו ממתין לשכירות ממנו – (היינו שאין לו לחוש שמא ישתמש בה, דכיון דשלא מדעת ישראל הוא ואינו מקבל שכר ממנו, מירתת ובודאי לא ישתמש בה), **ר"ל** דלכך מותר למסור לכתחלה בשבת, דהרועה מירתת להשתמש בה בשבת, שלא יענש ע"ז בדיניהם, כיון שלא מסרה לו למלאכה כלל, **אבל** להשכיר ולהשאיל לא"י אסור אפילו אם מתנה עמו שתנוח בשבת, וכדלעיל בסימן רמ"ו ס"ג, **דכיון** שהשכירה לו למלאכה אינו

מירתת כ"כ, כי יאמר בלבו, בעד יום השבת אראה להוסיף לו לפי ערך המגיע ליום, וכן בשאלה, הוא חושב שיעשה לו טובה כנגדו עבור זה, **משא"כ** בזה שמסרה לו רק לרעות אותה, אז מירתת לעשות בה מלאכה כלל, אף שרוצה לשלם לו, כיון שאינה עומדת לכך.

ואם רואהו משתמש בה בשבת, מוחה בידו - (לפי מה שביארו האחרונים דברי השו"ע הטעם דמירתת), ה"ה כשנודע לו שעושה בה מלאכה, צריך למחות בידו.

(**אבל לפי מה שכתב הטעם בביאור הגר"א, וז"ל:** ועיין תוס' קכ"ב. ד"ה מעמיד כו', דיכול לא יניח אדם את בהמתו לתלוש או לעקור, ת"ל למען ינוח כו', והטעם, כיון שאין המלאכה נעשית בשבילו רק בשבילה – גר"א, **דכיון** דבהמתו עושה זאת לצרכה מותר, וה"נ במוסר לרועה לצורך בהמתו, אין לחוש אם ישתמש בה, דהרי אם ימנע מלמסור לא יהיה לה מנוח – דמשק אליעזר, **משמע דאף אם יודע שעושה בו מלאכה אין לו לחוש לזה, ומה שאסור ברואה, הוא מפני דמיחזי כאלו ברצונו הוא עושה ועל דעתו, וכנ"ל בסי' רנ"ב ס"ב, והנה סעיף זה מדוייק היטב לדבריו, אבל צ"ע א"כ נסתר בזה ההיא דסי' רמ"ו ס"ג, שאסרו במשכיר ומשאיל אפי' אם מתנה שתנוח בשבת,** (מוכח דיש לבה"ל הבנה אחרת בהגר"א, ודלא כהדמשק אליעזר, ורק הטעם משום דהיה בלא ידיעתו ורשותו ובלא תועלתו של הישראל, **ואולי** הטעם משום דלא פלוג בשכירות, וכעין זה כתב בא"ר).

הגה: וכ"ש דאין לחוש שהרועה יוליא אותם חוץ לתחום, דהא תחומין דרבנן - ואפי' אם הוא רואה אין צריך למחות, דדוקא להוציאה בידים אסור וכנ"ל.

ויש מחמירין בדבר, שלא למסור לו בשבת, והעולם נוהגין כהיום היתר בדבר, [כנה"ג, **ולא** ידעתי כוונתו, אם אפי' כשיודע שיוציאנו חוץ לתחום, או דמיירי בסתמא].

וכ"ז כשהא"י מוציאה מעצמו, אבל לצוותו בשבת להוציאה חוץ לתחום לרעות שם, עיין בפמ"ג שמסתפק בזה, (אולי משום דהאיסור מצד הבהמה, ולא מצד המוציאו), ונכון להחמיר, וכ"כ בח"א, **ומטעם** זה, אם מוליכין שוורים למקום אחר למכור, אסור למסור להם בשבת, אפילו אם קצץ עם הא"י כבר על זה הענין קודם שבת, דהוי כמתנה עמו להוליך חוץ לתחום, [**וכ"ש** אם מוליכין את השוורים חוץ לי"ב מיל, דבודאי נכון להחמיר בזה שלא למסור להם, דהא יש אומרים די"ב מיל הוא דאורייתא], **אבל** למסור לו בע"ש, אפילו אם יוליכנה בשבת חוץ לשלש פרסאות (י"ב מיל), שרי.

§ סימן שו – באיזה חפצים מותר לדבר בשבת §

סעיף א- "ממצוא חפצך": חפציך אסורים; אפי' בדבר שאינו עושה שום מלאכה, כגון: שמעיין נכסיו לראות מה צריך למחר, או לילך לפתח המדינה כדי שימהר לצאת בלילה למרחץ – (היינו אפילו תוך התחום), **ודוקא** היכא דמינכרא מילתא, כגון שעומד אצל שדהו הצריכה חרישה או קצירה וכיו"ב, דמינכר הדבר שעומד שם לעיין בצרכיה, **וכן** לילך ולהחשיך על פתח המדינה, כיון שדרך שהמרחצאות שם חוץ למדינה סמוך לפתח המדינה, ניכר שלצורך המרחץ מחשיך, **אבל** אם לא מינכר מלתא, הוא בכלל הרהור בעסקיו דמותר.

וכן אין מחשיכים על התחום לשכור פועלים - היינו לקרב עצמו בשבת עד סוף התחום ולהחשיך שם, שיהא קרוב למקום הפועלים לשכרם במו"ש, **והטעם**, דכל דבר שאסור לעשותו בשבת, אפילו הוא איסור מד"ס, אסור להחשיך בשבילו.

(ועיין במ"א, דכאן אסור אפילו היכא דלא מינכר מילתא שהוא בשביל זה, והטעם ע"ש, (דבסוף התחום החמירו יותר), **והרבה אחרונים כתבו דטעם האיסור הוא, משום דהחשיכה גופא מסתמא מורה שהוא חושב לעשות דבר שהוא אסור בשבת**).

אבל מחשיך על התחום להביא בהמתו - דאף שהיא עומדת עתה מחוץ לתחום וא"א להביאה בשבת, מ"מ לא מיקרי זה מחשיך בשביל דבר האסור, כיון שאם היו בורגנין {הם סכות השומרים} סמוכים זה לזה בתוך שבעים אמה וד' טפחים, היה מותר להביאה, אפי' היה נמשך באופן זה כמה מילין מסוף העיר, משום דכל זה שייך להעיר, **וכיון** שיש לה תקנתא ע"י בורגנין, לכך מותר להחשיך אפי' בלא בורגנין, דלא אסור החשכה אלא בשביל דבר שא"א למצוא תקנתא להאיסור.

(**והיינו** שמחשיך שלא תאבד וכדומה, **אבל אם הוא מביאה כדי לעשות בה מלאכה או ליסע בה, בודאי אסור, ואפי' היא עומדת תוך התחום, וכדלקמיה בהג"ה**).

וי"א שאם אין הבהמה יכולה לילך ברגליה, כגון שהוא טלה קטן, אינו רשאי להחשיך, דאינו רשאי להביא, דאסור לטלטל בע"ח, שהם מוקצים - ר"ל אפילו היו מחיצות שלמות, ‹דה"ה דאנו מתירים להחשיך בדבר שהיה לו היתר אם היה שם מחיצות – מחה"ש›, היה אסור עכ"פ משום מוקצה, ונמצא שהוא מחשיך בשביל דבר האסור לעשות בשבת, ואסור.

וי"א שאם וכו' - כו"ע מודים בזה, ונקט לשון וי"א, מפני שכן דרך המחבר במקום שלא נמצא דין זה מפורש בשאר פוסקים.

הגה: וכ"כ דאסור לטייל למצוא סוס או ספינה או קרון לצאת בו – (אפי' הם עומדים בתוך התחום).

וגם בזה אין איסור משום "ממצוא חפצך" אלא כשניכר הדבר שמתכוין לצרכיו, **או** כשמחשיך עבור זה בסוף התחום, [דזה הוי כמו ניכר], **אבל** אם אינו ניכר רק כהולך לטייל, שרי, אף שדעתו בהילוך זה למצוא סוס וכדומה.

סעיף ב - היתה בהמתו עומדת חוץ לתחום, יכול לקרות לה כדי שתבא - ולא גזרינן דלמא יצא בעליה חוץ לתחום כדי להכניסה לתוך התחום, **ואם** אינה שומעת לו לבוא, מותר להכניסה ע"י א"י, [**ואף** דבסוף סי' ש"ה מסתפק הפמ"ג לענין חוץ לתחום בידים ע"י א"י, נראה דיש להקל הכא משום פסידא], **אבל** אסור להכניסה ע"י ישראל, אפי' ישראל אחר שאין בעליה, שאצלו הוא בתוך התחום, דקי"ל הבהמה והכלים כרגלי הבעלים הן לענין תחומין, וע"כ כיון שיצאת חוץ לתחום שלה, אסור לכל ישראל להזיזה בידים מד"א שלה.

סעיף ג - מחשיכין על התחום לעשות צרכי כלה, או צרכי מת, להביא לו ארון ותכריכין - האי "לעשות", אצרכי מת נמי קאי, דמחשיך כדי לתקנן ולהביאן מהר, ואפ"ה מותר דחפצי שמים הוא, **דבשביל** ההבאה בעלמא פשיטא דמותר להחשיך, (**ולהביא** בשבת אסור אפילו ע"י א"י).

ויכול לומר לחבירו שיחשיך כדי שיביא לו - היינו כדי שיתקנן שם ויביא לו וכנ"ל, **ויכול לומר לו: לך למקום פלוני למחר, ואם לא מצאת במקום פלוני, לך למקום פלוני** - פי' לילך שם ולקנות, דאסור לומר בשביל דבר הרשות, ובדבר מצוה שרי, **אבל** הליכה גרידא, אפילו לדבר הרשות שרי לומר.

ודוקא למחר, אבל בשבת עצמו אסור אף שהוא לדבר מצוה.

לא מצאת במנה קח במאתים; ובלבד שלא יזכיר לו סכום מקח, כלומר, שלא יאמר לו סך ידוע שלא להוסיף עליו - לפי שאין בקציצה שום מצוה רק הצלת ממונו, ולכך אסור.

וכן אם לקח ממנו בשמונה, לא יאמר לו: תן לי עוד בשנים ואהיה חייב לך עשרה - ר"ל שלא יאמר לו ע"י השליח הזה, שיתן לו צרכי המצוה הזו עוד בשנים, ויהיה חייב לו בסך הכל עשרה, שצירוף סך זה אין בו צורך למצוה.

הגה: ואם א"א לו אא"כ יזכור לו סכום מקח, מותר בכל ענין, דהא צרכי מצוה הוא. ויש אוסרים בכל ענין, וכן עיקר - אסכום מקח קאי, דס"ל דכיון דהוא דרך מקח וממכר ממש, לא התירו בשום גווני, אפילו לצורך מצוה.

סעיף ד - השוכר את הפועל לשמור זרעים או דבר אחר - מיירי ששכרו לימים, שבעד כל יום שישמרנו יתן לו כך וכך, והוא שמר גם בשבת, **אינו נותן לו שכר שבת** - שא"צ לשלם לו עבור יום השבת, מדרבנן, גזירה משום מקח וממכר, **ועיין** בטור דמוכח, שאפי' אם הוא רוצה ליתן לו, אסור לו להשכיר ליקח השכר, **אא"כ** הוא נותן לו דרך מתנה.

לפיכך אין אחריות שבת עליו - שאם אירע בהן קלקול בשבת, אינו חייב לשלם.

היה שכיר שבת - היינו של כל השבוע ביחד, **שכיר חודש, שכיר שנה, שכיר שבוע, נותן לו שכר שבת** - ור"ל שאפילו אם יחזור הפועל בתוך הזמן, אינו מנכה לו שכר השבתות מזמן שעבר, הואיל והוא בהבלעה עם שאר הימים, **וזהו** דקמסיים המחבר, שיוכל הפועל לומר: תן לי שכר עשרה ימים, דמיירי שחוזר הפועל באמצע שבוע שני, **וממילא** מחויב לשמור גם

בשבת, **לפיכך אחריות שבת עליו** – (עיין בב"מ נ"ח ע"א, דדוקא בשקנו מידו, הא לאו הכי אין דין שמירה במחובר לקרקע, ואפילו אם היה שכיר שבוע או חודש, אינו חייב במחובר לקרקע כשנגנב).

ונראה דאפילו אם לא אירע בו הפסד, אך שלא שמר ביום השבת, יכול לנכות לו משכרו, מידי דהוי אם לא שמר יום אחר.

ולא יאמר: תן לי של שבת, אלא אומר: תן לי שכר השבוע או החודש, או יאמר לו: תן לי שכר עשרה ימים.

(ואם שכרו לחודש והתנה לשלם לו כל יום כך וכך, מקרי שכיר יום) (ר"ן) - היינו שהתנה עמו שישלם לו לפי חשבון הימים, והלשון הזה מורה שיוכל הבעה"ב לחזור באמצע השבוע, ולא יצטרך לשלם לו בעד כל השבוע, אלא בעד הימים שעברו, ע"כ מיקרי שכיר יום, ואסור לו לקבל שכר שבת לבסוף, אפי' אם משלם לו עבור כל החודש ביחד.

וכתב המ"א, דכן הדין במשכיר חדר לחבירו לחודש, והתנה עם השוכר שישלם לו לפי חשבון הימים, ג"כ אסור לו ליקח שכר שבת, והטעם כנ"ל, **וה"ה** אותן המלוים ברבית לא"י לשנה או לחודש, צריכים ליזהר שלא להתנות עם הלוה בסתמא שישלם לו לפי חשבון הימים שיחזיק המעות תחת ידו, דהלשון הזה מורה שכל אימת שישלם לו, ואפילו אם ישלם לו באמצע השבוע, יחשב לו הרבית לפי חשבון הימים, ולפי"ז נחשב כל יום ויום בפני עצמו, וא"כ יצטרך לבסוף לנכות לו שכר כל השבתות, **אלא** יתנה עמו שאם ישלם לו באמצע השבוע, יפרע לו הרבית מכל השבוע זה כולו, או לא יפרע לו כלל הרבית עבור שבוע זה האחרון.

[**אבל** גם המ"א מודה, דאם הלוהו בסתם על שנה או חודש, ולא הזכיר אז כלום לפי חשבון הימים, ואח"כ בעת התשלומין אירע ששילם לו באמצע השבוע, דשרי, ולא יצטרך לנכות לו עבור השבתות שעברו, **משום** דכיון דמתחילה הלוהו על שנה או חודש שלם, לא הוי שכר שבת, ומה שמקבל ממנו אח"כ באמצע, מחילה בעלמא הוי גביה].

ובספר שבות יעקב חולק על רמ"א, וס"ל דמהר"ן אין ראיה לדין זה, דבענינינו אף שלפי דבריו יוכל לחזור ולסלקו באמצע השבוע, מ"מ מסתמא לא יחזור בו באמצע, והוי שכיר חודש, ומקרי אח"כ השכר שבת בהבלעה, ושרי, וגם בספר א"ר מצדד דיש ספק בדין זה.

(וכ"ז דוקא אם התנה שישלם לו לפי חשבון הימים, אבל אם רק הבטיח לו לשלם לו בסוף כל יום, ולא בסוף שבוע או חודש כשאר שכירות שאינה משתלמת אלא בסופה, גם הרמ"א מודה דאינו יכול לסלקו באמצע, ואינו חוזר ממה שהשכירו בתחלה לחודש, ורק שהתחייב עצמו לשלם לו בסוף כל יום להפועל, וכשאר חיובים שהאדם יוכל להמשיך על עצמו, וכענין שאמרו: מתנה שומר חנם להיות כשואל).

(ז"ל בדק הבית: כתוב בשבולי הלקט, שאם יאמר: כך וכך תתן לי בחודש שיבוא כך ליום, הוי נמי כשכר שבת, ואין נראה כן מדברי הפוסקים שכתבתי בסמוך, עכ"ל, היינו דהשב"ל סובר, דמה שסיים "שיבוא כך ליום", הוי חזרה ממה שאמר מתחלה ששכרו לחודש, **והב"י** סובר דמה שסיים "שיבוא כך ליום", חשבון בעלמא הוא דקמחשב הפועל כמה ירויח לכל יום, וס"ל להב"י דזה דמי למי שאומר: תן לי שכרי של עשרה ימים, דאף שבזה מרמז על שכר יום השבת ג"כ, אפ"ה כיון דלא תבעו בהדיא השכר של כל יום ויום בפני עצמו, שרי, ה"נ בענינינו, דבודאי לבסוף כשיתבענו יתבע ממנו עבור כל החודש או השבוע, מה איכפת לן דחשב באמצע כמה מגיע לו עבור כל יום ויום).

ומה שנוהגים הסוחרים לשכור יהודי בע"ש לשמור העגלות מן הגנבה, הדבר קשה, איך הסוחר עובר על לפני עור, כיון שיודע שודאי יקבל שכר שבת, **ולכן** ראוי שיתנה עם השומר שישמור גם ביום ערב שבת ובמו"ש איזה שעות, ואז הוי כשכר שבת בהבלעה ושרי.

סעיף ה - אסור לשכור חזנים להתפלל בשבת

- וה"ה לשכור תוקע, משום שנוטל שכר שבת.

ויש מי שמתיר - ס"ל דבמקום מצוה לא גזרו רבנן על שכר שבת בזה, **ומ"מ** אינו רואה סימן ברכה, **ומ"מ** אסור לשכור החזן או התוקע בשבת ויו"ט גופא, רק מערב שבת.

הגה: ואם שכרו לשנה או לחודש - פי' שיתפלל גם בימות החול, ומשלם לו לחודש או לשבוע בבת אחת, **לכו"ע שרי.**

ועיין באחרונים שכתבו, שנוהגים להקל לשכור לשבתות לחוד, **והחושש** לדברי האוסרין, לא יקצוב בתחלה, ומה שלוקח אח"כ י"ל שהוא דרך מתנה. **ומילדת** בודאי מותרת ליקח שכר שבת.

סעיף ו - חפצי שמים מותר לדבר בהם - דכתיב: אם תשיב משבת רגלך ממצוא חפצך וגו', ודרשו: חפציך אסורין חפצי שמים מותרין, **כגון: חשבונות של מצוה** - ומותר לחשוב מה שצריך לסעודת מצוה.

ולפסוק צדקה - לעניים או לבהכ"נ.

ולנדב איזה חפץ על בהכ"נ, ג"כ נוהגין העולם להקל, ואע"ג דאמרינן: אין מעריכין {היינו לומר ערך פלוני עלי}, ואין מקדישין בשבת, **היינו** דוקא הקדש מזבח או לבדק הבית, אבל הקדשות דידן מותר, דאין שם הקדש עליהן, אלא חולין הן, **ומ"מ** לכתחלה נכון ליזהר כשמקדיש איזה חפץ ידוע בשבת, כגון ס"ת או עטרה לס"ת, שיקדישנו בפיו מע"ש אפילו בינו לבין עצמו, ואז אפילו מביאו בשבת לבהכ"נ, אינו אלא מפרסם ההקדש שהקדיש מע"ש, [**ומ"מ** בדיעבד לכו"ע בכל גווני מה שעשה עשוי].

ולפסוק מעות לצדקה ולא חפץ ידוע, מותר אפילו לכתחלה בשבת לכו"ע, דהטעם דאסור להקדיש, הוא משום דהוי כמקח וממכר, שמוציא החפץ מרשותו לרשות אחר, וזה אין שייך במעות, **וה"ה** כשאינו מיחד החפץ בשבת, רק שאומר סתם: אני מנדר ס"ת, אף שיש לו בביתו, מותר לכו"ע, דהא עדיין לא יצאה מרשותו, שלא ייחד דוקא לזו.

ולפקח על עסקי רבים - לעיין ולחקור, דצרכי רבים הוי כצורך מצוה, ומותר אפילו לילך לבתי טרטיאות שמתכנסין שם הא"י, כדי לפקח בשביל הרבים.

וכתבו הפוסקים, דלא הותר אמירה לא"י לעשות מלאכה, ולא שבות אחר בשביל עסקי רבים, דרק הפקוח וההתעסקות בדברים בלא מלאכה, דאסור בצרכי יחיד משום "ודבר דבר", זה הותר לדבר מצוה או לצורך רבים.

ולשדך התינוק - צ"ל "התינוקת", **ליארס, וללמדו ספר או אומנות** - דהוא נמי עוסק במצוה, דאם אין לו אומנות עוסק בגזל.

(דע, דתנאים איפלגו בזה הענין בגמרא, דיש סוברין דצריך האב ללמד לבנו תורה וגם ללמדו אומנות, {וה"ה אם מלמדו שידע לסחור}, **והתנא** ר' נהוראי אמר: מניח אני כל אומנות שבעולם ואיני מלמד לבני אלא תורה בלבד, שכל אומניות שבעולם עומדות לו לאדם בעת ילדותו, ולעת זקנתו מת מוטל ברעב, אבל תורה עומדת לו לאדם בילדותו ובעת זקנתו כשהוא חלש, שנאמר וכו', ומ"מ גם זה שמלמד לבנו אומנות, צריך לכו"ע ללמדו מתחלה, וגם בעת שהוא עוסק במלאכתו, תורה ויראת שמים, דאל"ה ימצא במלאכתו גופא כמה ענינים מאיסור גזל, וגם עוד תקלות רבות ופרצת הדת לגמרי ח"ו, **ובפרט** בימינו שהכל מתפזרין במקומות הרבה, אשר אין עם ישראל שומרי דת התורה מצויין שם, אם לא יהיה קבוע בנפשו מנעוריו ידיעת התורה ושמירת המצות, עלול ח"ו שיחלל שבת במלאכות גמורות שיש בהן חיוב סקילה, **ואפילו** בלמוד התורה, שידוע שהיא מגני מן היסורים ומצלי מן החטא, אמרו: כל תורה שאין עמה מלאכה, סופה בטלה וגוררת עון, כ"ש בלמוד המלאכה בלא תורה, בודאי גוררת עונות הרבה, וגם פרצת הדת בכללו ח"ו).

ודוקא לדבר אם רוצה להשתכר, אבל לשכרו ולהזכיר לו סכום מעות, אסור - כנ"ל בס"ג בהג"ה, כדעת היש אוסרים שם.

(הנה מזה הלשון "ודוקא לדבר אם רוצה להשתכר" וכו' משמע, דלשכרו סתמא, אף בלי הזכרת סכום, אסור, ומסוף הדבור משמע להיפך, דדוקא בהזכרת סכום אסור, וצ"ע).

הגה: י"א דבמקום שנוהגין ליתן לקורא בתורה "מי שבירך", ונודר לצדקה או לחזן, דאסור בשבת לפסוק כמה יתן - אלא יאמר סתם: אמור בעבורי "מי שברך".

והמנהג להקל, דהא מותר לפסוק לדקה - ואפילו החזן עשיר, כיון שנותנין לו זה כדי שיתפלל לפני העמוד, הוי צורך מצוה.

ובענין הכרזת מצות בבהכ"נ, יש אוסרין, ויש מתירין, דלא שייך מקח וממכר אלא בחפץ הנקנה, **ובמקום** שנהגו היתר אין למחות בידן.

וקניית מקומות בבהכ"נ, וכן קניית אתרוגים מן הקהל אחר גמר מצותן, שקונין אותם לאכילה או להריח, לכו"ע אסור, **וכן** לקנות שופר או אתרוג ביו"ט מן המוכר אתרוגים, אסור.

והנה מקח וממכר, אחד בפה ואחד במסירה, אסור, גזירה שמא יבוא לכתיבה, **וגם** אסור ליתן מתנה לחבירו, דדמי למקח וממכר, שהרי יוצא מרשותו, **אלא** דבמתנה מותר כשהוא לצורך שבת ויו"ט, כמש"כ סימן שכ"ג ס"ז, וכן לצורך מצוה, **וכן** אסור ליתן משכון לחבירו, אא"כ הוא לצורך מצוה או לצורך שבת - מ"א בשם הפוסקים, **וכתב** עוד, דלפי"ז מה שנהגו ליתן כלים במתנה לחתן הדורש, אינו נכון, **מיהו** מה שמחייבין קצת ליתן לו דמים אפשר דשרי, כיון דבידו לחזור.

סעיף ז - מותר למדוד בשבת מדידה של מצוה - ואע"ג דלא הותר שבות אפילו במקום מצוה, וכמ"ש לעיל, **שאני** מדידה דלא הוי איסור כ"כ, אלא משום דהוי כעובדא דחול, ולהכי שרי במקום מצוה.

כגון: למדוד אם יש במקוה מ' סאה; ולמדוד אזור מי שהוא חולה וללחוש עליו כמו שנוהגים הנשים, מותר, דהוי מדידה של מצוה - דמדידה רפואה היא, ורפואת הגוף מצוה היא, **וגזירת** שחיקת סממנין לא שייך בזה, אלא ברפואה שיש בה ממש, כגון משקה או אוכל.

וה"ה דמותר למדוד חור שיש בכותל המפסיק, אם יש בו פותח טפח להביא הטומאה מהחדר שהמת בו לחדר הסמוך לו, **ואע"ג** שיכולין הכהנים לצאת ממנו, מ"מ כיון שמודד שעורי תורה לא מחזי כעובדא דחול, **וה"ה** דמותר למדוד כדי לשער שיעור ששים לבטל איזה איסור, דכיון דהוא להתלמד על דבר הוראה, לא הוי כעובדין דחול.

סעיף ח - הרהור בעסקיו, מותר - דכתיב: ודבר דבר, דבור אסור הרהור מותר, **ומ"מ** משום עונג שבת, **מצוה שלא יחשוב בהם כלל, ויהא בעיניו כאילו כל מלאכתו עשויה** - וכדאיתא במכלתא פ' יתרו: ששת ימים תעבוד ועשית כל מלאכתך, וכי אפשר לאדם לעשות כל מלאכתו בששת ימים, אלא שבות כאלו כל מלאכתך עשויה, **ומכ"ש** אם יש לו ע"י ההרהור טרדת הלב ודאגה, דיזהר בזה.

סעיף ט - אסור לומר לא"י שילך חוץ לתחום בשבת אחר קרובי המת שיבואו להספידו - דדוקא לומר לו לעשות אחר השבת מותר, משום דהוי צרכי מצוה, וכמש"כ בס"ג, אבל לא שיעשה או ילך בשבת, **וכן** אפי' אמר לו מע"ש לעשות בשבת אסור, אף שהוא לצורך כלה או מת, מ"א. **וצ"ע** קצת, דשבות דשבות במקום מצוה מבואר בסימן ש"ז ס"ה דשרי – פמ"ג. וי"ל דמיירי בי"ב מיל, או דלא הוי מצוה כ"כ – רעק"א.

אבל חולה דתקיף ליה עלמא, ואמר שישלחו בעד קרוביו, ודאי שרי - אפילו לשכור א"י רץ שירוץ כמה פרסאות בשבת להביא קרוביו במו"ש, ג"כ שרי, כדי שלא תטרף דעתו עליו.

סעיף י - להחליף משכון לא"י בשבת, מותר אם הוא מלבוש - לאפוקי מהפוסקים שסוברים דזה מחזי כמשא ומתן.

ויוציאנו הא"י דרך מלבושו - הא לאו הכי אסור, דכיון שהוא ממושכן לישראל, הוי כאלו היא של ישראל, ואסור משום מראית עין, דמחזי שהישראל צוהו להוציאו, **(ועיין לקמן סימן שכ"ה)** - בס"ג בהג"ה, דטוב שהא"י יקח המשכון בעצמו ויניח אחר במקומו, ולא יגע בו ישראל.

סעיף יא - מותר לקנות בית בארץ ישראל מן הא"י בשבת - וסוריא כא"י לדבר זה, כ"כ הרמב"ם, ועיין במ"א מה שכתב בזה.

וחותם ומעלה בערכאות. הגה: שלהס, דכתב שלהס, דאינו אסור רק מדרבנן - ר"ל הכתיבה זו היא מדרבנן, והוי שבות דשבות ע"י א"י, **ומשום ישוב א"י לא גזרו (א"ז).**

וכיצד הוא עושה, מראה לו כיסים של דינרין, והא"י חותם ומעלה בערכאות, **אבל** אסור ליתן לו מעות להדיא.

ועיין בבה"ל שביארנו, דדעת אור זרוע דעת יחידאה היא, ואין לה שום מקום בש"ס, וכל הפוסקים חולקין ע"ז, וס"ל דאף בכתב שלהם הוא איסור מדאורייתא, דבכלל לשון חייב כדאיתא במשנה שבת ק"ג, **ואפ"ה** התירו בכאן ע"י א"י משום ישוב א"י, ואף דהמחבר פסק לקמן בסימן ש"ז ס"ה, דמלאכה דאוריתא אסור ע"י א"י אפילו לצורך מצוה, זה עדיפא, **ולפי"ז** אסור לומר לא"י בשבת לכתוב מכתב אפילו לצורך מצוה, אם לא שהוא ג"כ צורך גדול אפשר דיש להקל, ועיין לעיל בסימן רע"ו ס"ב בהג"ה.

סעיף יב - מותר להכריז בשבת על אבידה - שמי שיודע בה יבוא ויגיד, דהשבת אבדה מצוה, ולומר למי שיודע ממנה שישיבנה, גם זה הוא בכלל חפצי שמים ושרי, **ונהגו** להכריז גם על אבדת א"י מפני דרכי שלום, ובמקום סכנה פשיטא דשרי, **וכתבו** האחרונים, דה"ה דמותר להכריז בשבת על גנבה.

אפילו היא דבר שאסור לטלטלו - שלא יוכל המשיב להשיב היום, אפ"ה מותר כדי לפרסם הענין בשבת, שהוא זמן כנופיא לרבים.

הגה: ומותר להתיר חרמי צבור בשבת, אע"פ שאינו לצורך שבת, הואיל והוא יום כנופיא לרבים, הוי כעסקי רבים דשרי לדבר בם.

משמע דאם הוא לצורך יחיד, להתיר לו מה שהחרימוהו הצבור, היה אסור כשאינו לצורך שבת, **אבל** ממה שכתב בבדק הבית בשם רבינו ירוחם, משמע דאפי' לצורך יחיד מתירין לו, משום דבחול לא יוכל לקבץ הקהל בקל שיתירו לו, **וכן** מצדדים האחרונים להלכה.

וה"ה אם נדוהו בחלום, מתירין לו בשבת, דצורך שבת הוא דלא לישתהי בנידויו.

כתב בב"ח, דמה שנוהגין בירידים, שהשמש קורא מתוך הכתב מי שמוחרם משום חובותיו, הוי כעסקי רבים, דלולא זה היו נפסדין החובות וכל משא ומתן, ואין כח לשום מורה לבטל זה, שנהגו להקל לפני כמה גדולים.

אבל אין מחרימין בשבת כי אם מדבר שהוא לצורך שבת - והמ"א הוכיח, דדין החרם והתרתו שוה, דליחיד אסור להחרים אם עבר עבירה, אם לא שחילל שבת, דהוי כמו לצורך שבת, **ולצורך** צבור מותר אפילו אינו לצורך שבת, דאם לא יחרימו בשבת, לא יתאספו ביום אחר ויתבטל הדבר, **ובספר** א"ר מצדד, דאף לצורך רבים אין כדאי להחרים ביום השבת, משום דכתיב בו ברכה, **ועיין** בספר זכור לאברהם שהביא משם כנה"ג, דהמנהג הפשוט הוא להקל וכדברי המ"א הנ"ל.

ובתשובות דברי ריבות איתא, דחכם יכול לנדות בשבת לכבודו.

סעיף יג - להכריז בשבת על קרקע הנמכר, שכל מי שיש לו זכות עליו יבוא ויגיד ואם לאו יאבד זכותו, אסור - דוקא בכה"ג אסור, דהוי כדן את הדין, אבל אם מכריז סתם: כל מי שיש לו זכות יבוא ויגיד, אע"פ שיש תקנה בעיר שאם לא יגיד בטלה זכותו, מ"מ אינו כדן את הדין, **ומ"מ** לכתחלה אין לנהוג כן, דהוי כדבורא דחול, **אך** אי איכא דוכתא דנהיגי כך, לא מחינן בהו, שיש מקום לומר דהוי כצרכי רבים, אך שהוא ענין מתמיה.

ולהכריז שיש בית למכור או להשכיר בקושטנטינא, נוהגין היתר, [וטעמם, דהוי בכלל צרכי רבים], **אבל** בתשובת הגאונים אוסר אפי' בשל הקדש ויתומים.

הגה: וכן אסור להכריז יין בשבת, דהוי כמקח וממכר - היינו להודיע שיש אצל פלוני ופלוני יין למכור, **וכתב** המ"א, דדוקא במקום ששכיח יין טובא, אבל במקום שאין מצוי כ"כ, הוי הכרזה על יין צורך מצוה בשביל קידוש, **ומ"מ** אסור להזכיר סכום מקח בכל גווני, וכנ"ל בס"ג בהג"ה, **ורש"ל** כתב דיכריז קודם "ברכו", ואם שכח להכריז עד אחר "ברכו", לא יזכיר סכום מקח, [**ובשאר** משקין פשיטא דאסור, אפי' הוא צורך שבת וצורך רבים, דביין מנכר לכל שהוא צורך מצוה, אבל בסתם משקה הוי הכרזה זילותא דשבת].

סעיף יד - מי ששלחו לו שהוציאו בתו מביתו בשבת להוציאה מכלל ישראל, מצוה לשום לדרך פעמיו להשתדל בהצלתה;

ויוצא אפילו חוץ לשלש פרסאות - היינו אף דיש בזה איסור דאורייתא לאיזה פוסקים, **וה"ה** אם יצטרך לחלל שבת עי"ז באיזה מל"ט מלאכות, ג"כ שפיר דמי, דכאשר תמר את הדת לגמרי, תחלל שבת ותעבוד ע"ג כל ימיה, ואם הוא יחלל שבת פעם אחת נקרא איסורא זוטא נגד זה, **ואי לא בעי, בית דין גוזרין עליו.**

אורחא דמלתא נקט, וה"ה אחר רשאי לחלל שבת כדי להצילה מהאיסור הגדול, [**ונ"ל** דנקט בתו משום סיפא, דאי לא בעי, כייפינן ליה שלא להתעלם ממנה, כי הוא גואלה וקרובה].

כתב המ"א: צ"ע אם הבת קטנה ורוצים להוציאה מכלל ישראל, אם יעשה הגדול חטא בשבילה, דהא קי"ל דאין ב"ד מצווין להפרישה מאיסור, **או** דילמא מידי דהוי אפקוח נפש שמחללין על הקטן, דאומרים: חלל עליו שבת א' כדי שישמור שבתות הרבה, ה"נ כן, **ובא"ר** דעתו להקל, דאם לא ישתדל להצילה, תשאר כן גם בגדלותה, [**ואפי'** אם היה ברצון, דפתוי קטנה אונס הוא].

וכ"ז מיירי שהוציאוה א"י מביתו באונס, וע"כ התירו לו לשום לדרך פעמיו להצילה, דקי"ל אם אינו פושע, חייב לעשות איסורא זוטא כדי שלא יעשה חבירו איסורא רבא, **אבל** אם פשעה, אין לו לאביה לחלל שבת עבורה, דאין אומרים לו לאדם: חטוא כדי שיזכה חברך, [**ופמ"ג** מסתפק, דאפשר דוקא מלאכה גמורה, אבל תחומים די"ב מילין, דאין בו לכו"ע רק לאו, מותר לדחותה מפני עבירה גדולה], **ודוקא** באיסור דאורייתא, אבל באיסור דרבנן, [כגון ללכת אחריה חוץ לתחום אלפים], דעת הא"ר דיש להקל לעבור כדי להצילה.

(וע"ל סי' שכ"ח סעיף י') - בהג"ה, דאיתא שם, דמי שרוצים לאנסו שיעבור עבירה גדולה, אין מחללין עליו שבת כדי להצילו, **ואין** סתירה לכאן, דהתם מיירי שרוצים לאנסו שיעבור עבירה פעם אחת, ולהכי אפילו אם היא עבירה גדולה, כגון לעבוד ע"ג, אין צריך לחלל שבת כדי להצילו, דמחלל שבת ג"כ כעובד ע"ג, **משא"כ** כאן שתשאר מומרת ותחלל שבת לעולם.

כתב כנה"ג, דללכת חוץ לתחום בשבת לנקום נקמת אביו מרוצחים, מותר, **ותמה** עליו המג"א וש"א, דהא לא עדיף משאר צורך מצוה, דאסור לילך חוץ לתחום עבורה.

§ סימן שז – דיני שבת התלויים בדיבור §

סעיף א - ודבר דבר: שלא יהא דבורך של שבת כדבורך של חול; הלכך אסור לומר: דבר פלוני אעשה למחר - ודוקא אם הוא דבר שאסור לעשותו בשבת, ואפי' הוא רק איסור דרבנן.

או סחורה פלונית אקנה למחר.

יש שכתבו דאפילו דבר מצוה, כגון כתיבת ס"ת וכה"ג, אסור לומר: אעשה למחר, **אבל** בא"ר וכן במאמר מרדכי וברכי יוסף חולקים עליהם, וסוברים דכל לדבר מצוה שרי, **ומ"מ** נכון לכתחלה להחמיר כשאין צורך לזה בדבורו היום, **ואם** מתיירא שיתרשל בדבר, אז לכו"ע שרי לזרוזי נפשיה, דאמירה לגבוה הוי כנדר.

אסור לעכב האינו יהודי בשבת בשביל החוב, דזהו הכל בכלל "ממצוא חפצך", **אבל** יכול לומר אח"כ בחול לשופט: מדוע לא עכבת הא"י בשבת, כדי שיבין ויעכבנו לשבת הבאה כשיזדמן לו.

אינו יהודי שהיה תפוס אצל השופט בשביל יהודי שהיה חייב לו, יוכל לומר להשופט שיקבל ערבות מאינו יהודי ויניח התפוס, **אבל** לא יאמר לו שיכתוב בערכאות.

ואסור לעכב נכסי ראובן ביד שמעון בשבת.

ובתשובת הב"ח מתיר מי שיש לו חוב אצל האנס, ובשבת נודע לו שהוא ילך מן העיר, ואפשר שלא ישוב עוד, מותר לילך בשבת לקבול עליו אצל השר שיפרענו, דבמקום פסידא לא גזרו.

כתב בא"ר: אם א"י חייב לו, וירא שמא יסע בשבת, יכול להתראות אליו כדי שיתן בשבילו לחבירו הא"י.

ואפילו בשיחת דברים בטלים אסור להרבות - היינו שאין בהם זכר לעשיית מלאכה ולעסקים כלל, וגם אין בהם דברי גנאי וקלות ראש, דאל"ה אפילו מעט אסור.

הגה: ובני אדם שסיפור שמועות ודברי חדושים הוא עונג להם, מותר לספרם בשבת כמו בחול

- ומ"מ יזהר מלהמשיך הרבה בזה, דאף בדבר שהוא עונג גמור כמו אכילה ושתיה ושינה, מבואר בסימן ר"צ ובב"י בסימן רפ"ח, דאין להמשיך הרבה, **דלאלו** שאינם עוסקים בתורה בימות החול, ניתן שבת עיקרו לד"ת, ואפילו לת"ח היגעים בתורה כל ימות השבוע, ג"כ איתא באחרונים שלא ירבו בו יותר מדאי משום בטול תורה.

מותר לספרם - ולאו משנת חסידים היא, והנשמר מלדבר דברי חול, קדוש יאמר לו, **ואנשי** מעשה נזהרים ביותר מזה, שלא לדבר בשבת אפילו דברים הכרחיים כי אם בלשון הקודש, **ונראה** שטעמם הוא למגדר מלתא, כדי שלא יבואו לשיחה בטלה, כ"כ בא"ר.

אבל מי שאינו מתענג, אסור לאומרם כדי שיתענג בכאב חבירו - דאין לו לעבור על "ודבר דבר" בשביל חבירו, **ואם** הוא מתענג במה שהם מתענגים, אפשר דיש להקל.

ואסור לספר בשבת איזה דבר שמצטער בו.

איתא בשל"ה, קבלתי: אדם המבקר לחבירו בשבת בשחרית, לא יאמר לו כדרך שאומר בחול "צפרא טבא", רק יאמר לו "שבת טבא" בלשון קודש, או בלשון חול כמנהגנו היום, כדי לקיים "זכור את יום השבת".

סעיף ב - סעיף זה וכן הסעיפים דלקמן, מה שאסור הוא משום "ממצוא חפצך", דהכל בכלל עשיית חפציו.

אסור לשכור פועלים, ולא לומר לא"י לשכור לו פועלים בשבת – (היינו אפילו אם לא יקצוב להם סכום השכירות ויגמור עמהם המקח, אלא שידבר הא"י עמהם מענין הפעולה ושאם רוצים להשתכר עצמם, גם זה אסור), **ואפילו** אם יאמר לא"י שישכור לו פועלים אחר השבת, ג"כ אסור.

אע"פ שאין הישראל צריך לאותה מלאכה אלא לאחר השבת, שכל מה שהוא אסור לעשותו בשבת, אסור לומר לא"י לעשותו.

וה"ה כל דבר שאסור לישראל לעשות מצד הדין, אסור לומר לא"י לעשותו, **אבל** בדבר שאינו אלא מנהג וחומרא בעלמא, שרי לומר לא"י לעשותו.

ואפילו לומר לו קודם השבת לעשותו בשבת, אסור – (ואפי' קצץ לא מהני בזה, כיון שמיחד לו הפעולה על השבת, וכדלעיל בסי' רמ"ז ובסימן רנ"ב, והנה החת"ס מצדד לומר, דדוקא לומר לא"י שיעשה בעצמו מלאכה בשבת, אסור אף בחול לומר לו, אבל לשכור לו פועלים, דזה הוי אמירה דאמירה, דהיינו שהישראל אומר לא"י שיאמר לפועלים לעשות לו מלאכה בשבת, ‹מיירי שאומר לו לשכור הפועלים בע"ש בשביל שבת, נמצא דלא אמר לו הישראל לעשות איסור של ממצוא חפצך בשבת, ולכן מותר – זכרון יוסף›, אין איסור בזה כשאומר לו בחול, ומיירי במלאכה שא"צ למחות כשרואה את הא"י עושה מעצמו בשבת, והוא מלתא חדתי, ומתשובת הרשב"א המובא בב"י בסעיף זה מוכח להיפוך).

אבל מותר לומר לו אחר השבת: למה לא עשית דבר פלוני בשבת שעבר, אע"פ שמבין מתוך דבריו שרצונו שיעשנה בשבת הבאה - ר"ל אפ"ה מותר, כיון שאינו אומר לו בפירוש רק דרך רמז, **ולא** דמי למה שכתב הרמ"א בהג"ה בסכ"ב, דאפילו דרך רמז לעשות בשבת אסור, **התם** כשמרמז לו בשבת גופא ע"ז, חמיר טפי. ‹**מבואר** דזה נחשב לדרך צווי, דאל"כ מותר גם בשבת עצמו›.

ומ"מ לא יהנה הישראל מאותה מלאכה עד אחר השבת, כדין א"י שעשה מלאכה לצורך ישראל, **א"נ** מיירי בדבר שאין גוף הישראל נהנה ממנו, כגון שכבר יש נר ואש, והא"י מוסיף, **דאל"כ**, הא אפילו אם הא"י הדליקה מעצמו, אסור לישראל ליהנות ממנו.

סעיף ג - אסור ליתן לא"י מעות מע"ש לקנות לו בשבת - וה"ה דאפילו מתחלת השבוע אסור, כיון שייחד לו על שבת, וכנ"ל בס"ב, ואפילו קצץ לא מהני בזה, **אלא** נקט מע"ש משום סיפא, דאם אומר לו: קנה לעצמך, אפילו מע"ש מותר.

(ועיין בפמ"ג שמסתפק לאסור אפילו כשאין נותן לו מעות, כיון דאומר לו שיקנה בשבילו).

אבל יכול לומר לו: קנה לעצמך, ואם אצטרך אקנה ממך לאחר השבת - מקור דין זה נלמד מהא דלקמן סימן תמ"ח ס"ד, לגבי חמץ, **ועיין** בב"ח ובא"ר שמצדדים שם, דאפילו אם מבטיחו שיקנה ממנו אח"כ, ג"כ מותר, כיון דעכשיו קונה לעצמו.

סעיף ד - מותר לתת לא"י מעות מע"ש לקנות לו, ובלבד שלא יאמר לו: קנה בשבת. הגה: וכן מותר ליתן לו בגדים למכור, ובלבד שלא יאמר לו למכרן בשבת - ודוקא בשקצץ לו שכר עבור זה, דאז עושה אדעתיה דנפשיה, דבלא"ה אסור, וכמבואר סימן רמ"ה ס"ה.

(**ואם היה אפשר לו לקנות ולמכור מבעו"י, מותר אפי' בלא קצץ, וכמו שמותר באגרת לעיל ברמ"ז – הגר"א, וכתב דבאופן זה מיירי השו"ע, ולכן לא הזכיר דוקא בשקצץ**).

ואם יום השוק שם בשבת, ובאותו מקום אינו מצוי לקנות כי אם ביומא דשוקא, כמו שרגיל בעיירות קטנות, הו"ל כמזכיר לו יום השבת בפירוש, בין שמבקשו לקנות עבורו, או שנותן לו למכור, ואפילו בתחלת השבוע אסור, **ובמקום** שמצוי קצת גם בשאר ימים, אין איסור אלא אם כן מזכיר בפירוש יום השבת, **וכן** אם אמר לו הישראל: ראה שאני צריך לילך לדרכי במו"ש, הוי ג"כ כמזכיר יום השבת בפירוש.

כתב הט"ז, דמה שהתירו אם לא זכר לו שיקנה בשבת, מ"מ לא יהנה הישראל ממנו באותה שבת, דעכ"פ עשה בשביל ישראל, דאף שמיירי בזה שקיצץ לו שכר כדלעיל, לא מהני, **אבל** הא"ר והתו"ש חולקין עליו, [**אך** בשקונה מיני מאכל, אפשר דיש להחמיר, דמסתמא כוונת הא"י שיהנה ממנו מיד].

כתב בספר חסידים, אל ידור אדם בעיר שיום השוק הוא בשבת, כי אי אפשר שלא יחטא, **ואם** השוק אינו בשכונתו, שרי.

מי שנכר א"י להוליך סחורתו, ובא הא"י ולקחה מבית ישראל בשבת, אסור - דאף שקצץ לו שכר עבור זה, ולא יחד לו שיוליכנו בשבת, וא"י אדעתא דנפשיה לוקח בשבת, אפ"ה אסור, כיון שלוקח מבית ישראל בשבת, וכדלעיל בסי' רנ"ב, **ובענייננו** שהסחורה היא של ישראל, אפי' יחד לו מקום והניח שם הסחורה, לא מהני. **והיו עונשין העושה** - לפי עשרו בממון, או במלקות אם אין לו ממון, **ואם** טעה וסבר שמותר, אין עונשין אותו, ונאמן לומר: שוגג הייתי.

אבל אם לקחה קודם שבת, אע"פ שמפליג בשבת מחוץ לתחום, שרי, כיון שקצץ לו שכר, ואדעתא דנפשיה קעביד, כמ"ש בסי' רנ"ב, [דבלא קציצה אף זה אסור].

סעיף ה - דבר שאינו מלאכה, ואינו אסור לעשותו בשבת אלא משום שבות, מותר לישראל לומר לא"י לעשותו בשבת, והוא שיהיה שם מקצת חולי - דאלו בחולי ממש הכולל כל הגוף, או שיש בו סכנת אבר, אפילו ישראל עושה שבות לחד דעה, כמ"ש סימן שכ"ח סי"ז.

או יהיה צריך לדבר צורך הרבה - עיין במ"א שמסיק, דדוקא במקום הפסד גדול, אבל בלא"ה אין להקל כלל, **ובא"ר** מפקפק אפילו באופן זה, [**ומש"כ** "צורך הרבה", אפשר דוקא בדבר שהוא צער הגוף, כמו שמסיים לרחוץ בו המצטער]. **ועיין** בסי"ט לענין סחורה הנפסדת ע"י גשמים.

או מפני מצוה; כיצד: אומר ישראל לא"י בשבת לעלות באילן להביא שופר לתקוע תקיעת מצוה - [והא קימ"ל דתקיעת שופר לדידן לא דחי שבת, ע"כ צ"ל דמיירי שחל ר"ה יום שבת ויום א' שאחריו, ומביאו לצורך יום א' שהוא יום שני של ר"ה. **ויש** מזה לכאורה סתירה לדברי הט"ז סימן תרנ"ה, שכתב אע"ג דהותר אמירה לגוי להביא לולב ביו"ט, היינו דוקא לשלוח אחריו ביו"ט עצמו, אבל בשבת אין לשלוח בשביל יו"ט שאחריו, **ואפשר** דבשופר מודה ט"ז, דעדיף מלולב כו' – מחה"ש]. **או להביא מים דרך חצר שלא עירבו, לרחוץ בו המצטער** - (**וה"ה דרך כרמלית, דדוקא בר"ה אסור**).

דכיון שהאיסור אינו אלא מדרבנן, ואיסור אמירה לא"י הוא ג"כ רק מדרבנן, והוי שבות דשבות, לא גזרו באופנים אלו.

אבל דבר שאיסורו מן התורה, אסור ע"י א"י אפי' לדבר מצוה, כדלקמן בסי' של"א, **וע"כ** אסור לומר לא"י להדליק נר כדי ללמוד ולהתפלל.

ודע, שאין מדמין דבר לדבר בענין השבותין, ואין לך בם להתיר אלא מה שאמרו חכמים, דלגבי מילה לא התירו שבות דאמירה לא"י במקום מלאכה דאורייתא, כמ"ש סימן של"א ס"ו, וגבי לוקח בית בא"י מותר, כמ"ש סימן ש"ו סי"א.

ויש אוסרין - דס"ל דוקא במילה שרי הגמרא שבות דשבות, כגון להביא דרך חצר שאינה מעורבת האיזמל ע"י א"י למול בו, משום דהיא עצמה דחיא שבת, אבל לא לצורך מצוה אחרת, **ועיין** בלבוש ובא"ר, דהלכה כדעה א', **הגה: ולקמן סי' תקפ"ו פסק להתיר.**

וע"ל סי' רע"ו, דיש מקילין אפילו במלאכה דאורייתא - ע"י א"י במקום מצוה, **וע"ש ס"ז** - מיהו כבר כתב רמ"א לעיל, דיש להחמיר בזה, וכן עיקר, כי דעה זו היא רק דעת יחידאה, והרי"ף והרא"ש והרמב"ם ועוד כמה גדולי ראשונים חולקין עליה, **ואך** לענין מילה מצדד המ"א לקמן בסי' של"א לסמוך על דעה זו.

ודע, דמה דקי"ל אמירה לא"י שבות, הוא אפילו אם אומר לא"י שיאמר לא"י אחר לעשות לו מלאכה בשבת, ‹**ולעיל** בס"ב בבה"ל הביא דהחת"ס התיר כשאומר לו בחול›, **והחות** יאיר מצדד להקל בזה, וכ"ש בדבר שאינו אלא משום שבות, ‹**ואין** ראיה מס"ב לאסור אמירה דאמירה, לפי ששכירת פועלים בשבת אסורה משום ממצוא חפצך ודבר דבר, אף כשלא קצב להם את סכום השכירות, ולא גמר עמהם את המקח, וכנ"ל, ולכן עצם שכירת פועלים היא איסור דרבנן, ואין זה אמירה דאמירה – מ"ב המבואר›, **ועיין** בספר החיים שכתב, דבמקום הפסד גדול יש לסמוך על המקילין, **ועיין** לעיל במה שכתבתי סוף ס"ב, דשייך גם כן הכא, ‹דהיינו שלא יהנה הישראל מאותה מלאכה עד אחר השבת›.

סעיף ו - אסור לחשוב חשבונות אפילו אם עברו, כגון: כך וכך הוצאתי על דבר פלוני; ודוקא שעדיין שכר הפועלים אצלו - דהא בעי למידע כמה צריך ליתן להם, והו"ל חשבונות שצריכין, ואסור מטעם "ודבר דבר", וכנ"ל בריש הסימן.

ואפילו אם אח"כ נתברר לו על פי חשבונו שאין מגיע להם ממנו כלום, מ"מ כיון דמתחלה לא נודע לו דבר זה, והיה נצרך לחשבון לכך, יש בו איסורא, **אבל** אם גם מתחלה היה יודע שאין מגיע להם ממנו כלום, הוי חשבונות של מה בכך ושרי, **ואם** החשבונות האלו יש בהן צורך לחבירו, וחושב החשבונות האלו לצרכו, אסור.

אבל אם פרעם כבר, מותר - כתב הרמב"ם: חשבונות שאין בהם צורך, מותר לחשבן, כיצד, כמה סאין תבואה היה לנו בשנה פלונית, כמה דינרין הוצאנו בחתונת בננו, כך וכך חיילותיו של מלך, וכיוצא באלו, שהן שיחה בטלה שאין בהן צורך כלל, עכ"ד, **ופי'** המגיד משנה, דרמז לנו שיש למנוע מזה מצד שיחה בטלה, שאין שיחה בטלה ראוי ליראי חטא, **וגם** בביאורי רש"ל כתב, שאפילו בחול אינו יפה כ"כ לת"ח, דהוי כמושב לצים, ומבטל בהן לימודו.

סעיף ז - מותר לומר לחבירו - וה"ה לא"י, **הנראה בעיניך שתוכל לעמוד עמי לערב, אע"פ שמתוך כך מבין שצריך לו לערב לשוכרו** - כיון שאינו מפרש בהדיא, רק בדרך רמז לצורך מו"ש, הו"ל רק בכלל הרהור, דמבואר לעיל בסי' ש"ו ס"ח דשרי, [**ורמז** לצורך שבת גופא, שיעשה הא"י, אסור]. ‹**מבואר** דזה נחשב כרמז בדרך ציווי, דסתם רמז מותר גם לצורך שבת›.

אבל לא יאמר לו: היה נכון עמי לערב - דזהו דבור ממש.

סעיף ח - יכול לומר לחבירו: לכרך פלוני אני הולך למחר, וכן מותר לומר לו: לך עמי לכרך פלוני למחר, כיון שהיום יכול לילך ע"י בורגנין - פי' סוכות של שומרים, שעי"ז יוכל לילך בשבת אף כמה מילין, אם הם מובלעים זה לזה בתוך שבעים אמה וד' טפחים.

דהנה מבואר בריש הסימן, דדבר שאסור לעשות בשבת, אסור לומר שיעשה זאת למחר, וקאמר הכא דאף דבשבת אסור לילך מחוץ לתחום, מ"מ מותר לומר לכרך פלוני אני הולך למחר, כיון דעל עצם הליכה אין איסור, אלא שמחוסר בורגנין, **מיהו** אסור לומר: אני רוכב למחר, או שילך בקרון שקורין בל"א פאהרי"ן, כיון דדבורו הוא דבר האסור בעצם, **ואין** מועיל עצה לזה, רק יאמר: אני הולך למחר.

וכן כל כיוצא בזה שיש בו צד היתר לעשותו היום, יכול לומר לחבירו שיעשנו למחר - כגון שיאמר לחבירו שיביא לו למחר מחוץ לתחום פירות שנתלשו מכבר, שאין עליהם איסור מוקצה, **אף** דא"א להביאם היום מטעם איסור תחומין, ומשום איסור רשויות, אפ"ה מותר לומר, כיון שיש בו צד היתר, דאלו היה מחיצות היה יכול להביאם. **ובלבד שלא יזכיר לו שכירות.**

ולעשותו היום אסור אפילו לא"י לומר, ואפילו בדיעבד אם הביא מחוץ לתחום, אסור להשתמש מהם, וכדלקמן בסימן שכ"ה ס"ח.

אבל בדבר שאין בו צד היתר לעשותו היום, אפי' אם אין בו אלא איסור דרבנן, כגון: שיש לו חוץ לתחום פירות מוקצים, כיון שא"א לו להביאם היום, אסור לומר לחבירו שיביאם לו למחר – (היינו אם מבאר לו אותם הפירות, **אבל** אם אמר לו סתם להביא לו פירות למחר, **שרי, אף** שידוע לכל שכונתו על פירות המוקצים, מ"מ כיון דדבורו משמע נמי דבר המותר בשבת, מקרי רק הרהור ושרי).

כתבו האחרונים, דלאו דוקא בסוף התחום, אלא ה"ה בתוך התחום, כיון דא"א להביאם משום איסור מוקצה, **אלא** דמשום סיפא נקט הכי, דלהחשיך אינו אסור אלא בסוף התחום, וכדלקמן בס"ט.

וכן אסור לו להחשיך בסוף התחום כדי שימהר בלילה לילך שם להביאם - אלו הפירות שהם מוקצים, **אבל** פירות שאינם מוקצים, כיון שמותר לומר לחבירו שיביאם לו לאחר השבת, מותר נמי להחשיך בשבילם.

הגה: וכן לא יאמר: אעשה דבר פלוני למחר - קאי על מה שכתב בתחלה, ד"אסור לומר לחבירו שיביאם לו למחר", וקמ"ל דלא נימא דדוקא כשמדבר עם חבירו ומתיעץ עמו, הוא דאסור, כיון שיש לו צורך בדבורו, אבל לדבר בינו לבין עצמו, שאין לו צורך בכך, שרי, **קמ"ל** כיון דהוא דבר האסור לעשות בשבת, אף כשמדבר בינו לבין עצמו, מקרי דבור חול ואסור, וכנ"ל בריש הסימן, [**ולענ"ד** שבשגגה נרשם ההג"ה הכא, וצ"ל אחר תיבת "למחר"].

אבל יכול להחשיך בסוף התחום כדי למהר לילך שם לשמרם, שאפילו היום היה יכול לשמרם אם הם היו בתוך התחום - ר"ל נמצא שעצם השמירה הוי מלאכה המותרת בשבת, ומחשיך בשביל דבר המותר, ומה שהוא חוץ לתחום, הלא היה יכול לילך ע"י בורגנין אם היה לו וכנ"ל.

ואם לא כוון להחשיך אלא לשמרם, יכול אף להביאם - היינו אפילו אם הם מחוברים וצריך לתלשם מבערב, כיון שעיקר כונתו בהחשכה היה בתחלה רק בשביל השמירה.

סעיף ט - מותר להחשיך לתלוש פירות ועשבים מגנתו וחורבתו שבתוך התחום - ומיירי שאינו עומד אצל הגינה, דאל"ה הרי מנכר מילתא ע"י עמידתו שרוצה לעשות בה איזה דבר במו"ש, **ולא אסרו להחשיך אלא בסוף התחום משום דמינכרא מלתא** - אבל בתוך התחום לא מינכרא מילתא על מה הוא מחשיך, **ולא** דמי למש"כ סימן ש"ו ס"א, דאסור לעיין בנכסיו, כגון לילך בתוך שדהו וכדומה לזה, לראות מה צריך לעשות למחר, ואפילו אם היא בתוך התחום אסור שם, **דהתם** מינכרא מילתא בכל גוונא שהוא מחשב לעשות בה איזה פעולה, כגון שהוא סמוך לזמן חרישה או לזמן קצירה או לזמן ניכוש השדה וכדומה, וזה אסור משום "ממצוא חפצך", **ולכן** אסרו ג"כ בגמרא לטייל על פתח המדינה, כדי לצאת משחשכה למרחץ הסמוך לה, שהיה מנהגם להעמיד המרחץ אצל שער העיר בסופה, הכל מטעם זה, **משא"כ** בענינינו לא מינכרא מילתא אלא כשמחשיך בסוף התחום, שאז נראה שמחשיך כדי לעשות אח"כ במו"ש דבר שהיה אסור לעשותו בשבת, **ומ"מ** אינו אסור אלא כשכונתו באמת לזה, אבל אם כונתו להחשיך כדי לילך אח"כ בלילה, מותר, דעצם ההליכה אינו דבר איסור, כדלעיל בס"ח.

סעיף י - מותר לומר לחבירו: שמור לי פירות שבתחומך - היינו אפילו היום, **ואני אשמור פירותיך שבתחומי** - וקמ"ל דלא נימא דהוי כמו ששוכרו, [אף דבעלמא קימ"ל דהוא שומר שכר].

סעיף יא- השואל דבר מחבירו לא יאמר לו: הלויני, דמשמע לזמן מרובה - דסתם הלואה ל' יום, **ואיכא למיחש שמא יכתוב** - המלוה הלואתו לזכרון, **כתב** הפמ"ג בשם הרשב"א, דבלשון הלואה לא מהני אפילו אם מתנה עמו שמלוהו רק לזמן מועט, דלא פלוג רבנן, **עוד** כתב הפמ"ג, דאפילו אם לוה ספרים שהוא דבר מצוה, ג"כ לא יאמר לשון הלואה.

ובמקום שנוהגין שסתם הלואה רשאי לתבוע לאלתר, כמו שנוהגין במדינתנו, רשאי לומר "הלויני" - מ"א, (**וקצת** קשה, דהא הגמ' מקשה דבשאלה נמי היה לנו לאסור, דלא

קפיד המלוה עליה, ואתי למכתב, ומשני דהכירא הוא במאי דמצרכינן ליה לומר "השאילני" דוקא, וא"כ הכא לא שייך זה, וכמו בלשון לעז שאסרו מטעם זה, וכמ"ש הגר"א).

אלא יאמר לו: השאילני - דשאלה שזמנה לאלתר אין חשש שמא יכתוב, (**עיין בפמ"ג שמסתפק, אם אומר לו "השאילני לזמן מרובה" אם מותר**).

ובלשון לע"ז שאין חילוק בין הלויני להשאילני, צריך שיאמר: תן לי - ומותר ג"כ לסיים: ואחזור ואתן לך.

הגה: וכשלוה בשבת ואינו רוצה להאמינו, יניח משכון אצלו - ודוקא יין ושמן ודבר שהוא צורך שבת, אבל דבר שאינו צורך שבת, אסור להניח עליו משכון, {דאסור ליתן משכון אא"כ הוא לצורך מצוה או לצורך שבת, דדמי למקח וממכר - מ"ב סי' ש"ו סוף ס"ו}, **אבל לא יאמר לו: הילך משכון, דהוי כעובדא דחול.**

כשם שאין לוין בשבת, כך אין פורעין בשבת - היינו אפילו אם לוה ממנו כדי יין ושמן לזמן מרובה, אסור לפורעם בשבת, דכשם שבהלואה גזרינן שמא יכתוב, כך בפרעון גזרינן שמא ימחוק החוב מן הפנקס.

והתוספות כתבו, דאם אומר בלשון חזרה ולא בלשון פריעה, מותר, דאית ליה הכירא, ולא אתיא דבר זה לידי מחיקה, **וכ"ז** דוקא בדבר שהוא מאכל וצורך שבת, אבל בלא"ה אסור בכל לשון. ‹הלואה בלא משכון שרי באפשר אף לצורך חול, כל שאומר בלשון שאלה או תן לי. ומשכון אסור {לצורך חול}. ופרעון אסור לגמרי אף בלשון חזרה, כל שאינו צורך שבת – פמ"ג›.

סעיף יב - זימן אורחים והכין להם מיני מגדים, וכתב בכתב כמה זימן וכמה מגדים הכין להם, אסור לקרותו בשבת - בגמ' איתא שני טעמים, אחד, שמא ימחוק מן האורחין ומן המגדים, דהיינו שלפעמים רואה שלא הכין להם כל צרכם, ומתחרט שזימן אורחים יותר מן הראוי, ומוחק מן הכתב כדי שלא יקראם השמש, וכן במיני מגדים ג"כ מתנחם לפעמים למעטם, **ועוד** טעם, שמא יבוא לקרות גם בשטרי הדיוטות, וזה אסור כדלקמיה בסי"ג.

ומה שנוהגין שהשמש קורא מתוך הכתב לסעודה, יש מחמירים, דנהי דלשמא ימחוק ליכא למיחש, אלא כשבעל הסעודה בעצמו קורא, ומטעם שכתבנו, מ"מ הלא איכא למיגזר משום שמא יקרא בשטרי הדיוטות, **אך** כשהסעודה היא של מצוה יש להקל הקריאה להשמש, דהוי בכלל חפצי שמים דשרי, כמ"ש סימן ש"ו ס"ו, [מ"א, **ולבעה"ב** אין להקל הקריאה מן הכתב אפי' בסעודת מצוה - פמ"ג], **וכ"ש** דמותר לשמש להכריז כרוז בבהמ"ד מתוך הכתב, ‹דגם בזה אין חשש מחיקה›.

[**ועיין** בכנה"ג, דאוסר להש"ץ לקרוא מתוך הכתב המתים שמתו באותה שנה לעשות להם השכבות, **ולפי** הפמ"ג דלא התירו בדבר מצוה רק במקום דלא שייך החשש שמא ימחוק, לכאורה יש להחמיר בזה אף למ"א, דבזה נמי שייך הגזירה שמא ימחוק, לפעמים כשנשלמה שנתו, **ובספר** שערי אפרים מצדד קצת להקל].

אמנם בשערי תשובה הביא ליישב המנהג, להקל להשמש לקרוא מתוך הכתב אפילו לסעודת הרשות, **דעל** השמש מעיקרא לא גזרו, כדי שלא יטעה ויביא לידי חורבן ותקלה, כעובדא דקמצא ובר קמצא.

אפילו אם הוא כתוב על גבי כותל גבוה הרבה - שאינו מגיע לשם למחוק, **משום גזירה שמא יקרא בשטרי הדיוטות, דהיינו שטרי חובות וחשבונות** - [ואף דקימ"ל כרבה, דאפי' גבוה נר י' קומות אסור לקרוא לפניו, דלא פלוג, נקט השו"ע טעם דשמא יקרא, דשייך טעם זה בעצם].

(דאפילו) [ואפילו] לעיין בכס בלא קריאה אסור.

אבל אם חקק בכותל חקיקה שוקעת, מותר - דמשום שמא ימחוק ליכא, דחקיקה כיון שהיא שוקעת קשה להמחק, ומשום שמא יקרא בשטרי הדיוטות נמי לא גזרינן, דלא מיחלף בשטר, **דאף** דאם כתב בכותל גבוה אסור משום שמא יקרא, התם מכתיבה לכתיבה מיחלף, אבל הכא מחקיקת הכותל לא אתי לאחלופי בכתיבת השטר.

אבל בולטת אסור, דגזרינן שמא ימחוק, ואפילו גבוה הרבה שאינו מגיע לשם למחוק, משום לא פלוג, וכמ"ש סימן ער"ה.

והפתקאות ששולחין הקונים, שכתוב בהן מע"ש סכום היין והשכר שלוקחין, שלא כדין הוא, דאסור לקרות בהן בשבת, כ"כ בא"ר, **ונראה** דאם כתב בהן רק סימנא בעלמא שרי.

אבל בטבלא ופנקס, אפילו אם הוא חקוק, אסור לקרותו - דכיון שהם מטלטלים, מיחלף בשטרי הדיוטות.

סעיף יג - שטרי הדיוטות, דהיינו שטרי חובות וחשבונות, ‹אסור לקרותם› - י"א משום "ממצוא חפצך", וי"א משום שמא ימחוק, **ואגרות של שאלת שלום, אסור לקרותם** - משום דמיחלף בשטרי הדיוטות.

ואפי' לעיין בהם בלא קריאה, אסור - ‹ואע"ג דמשום ממצוא חפציך דוקא דבור אסור אבל הרהור מותר›, דא"א כשמעיין שלא ישא ויתן בענייני השטרות, לבוש, **ומיירי** כשיודע מכבר מה כתיב בה, וכדמוכח לקמיה.

סעיף יד - לקרות באיגרת השלוחה לו, אם אינו יודע מה כתוב בה, מותר, ולא יקרא בפיו אלא יעיין בה - ‹טעם ההיתר›, דשמא יש בה דבר שהוא צורך הגוף, ואינו דומה לשטרי הדיוטות שהם רק צורך ממונו, **והנה** אף דיש שאוסרים גם באופן זה, כמבואר בב"י, סמך בזה להקל באופן שלא יקרא רק יעיין בלבד, דבעיון בלבד ג"כ יש מתירים בשטרי הדיוטות, [**ואף** דסתם מתחילה להחמיר בעיון, הכא בצירוף שניהם יש להקל].

ואם הובאה בשבילו מחוץ לתחום, טוב ליזהר שלא יגע בה - משום מוקצה, שהובא מחוץ לתחום, {דמלבד זה אין שם מוקצה עליהן אף דאינו כלי, דהלא ראוי לצור על פי צלוחיתו}, אלא יפתחנו הא"י והוא יעיין בה, **ואף** דדבר שהובא מחוץ לתחום קי"ל, דאסור ליהנות ממנה מי שהובא בשבילו, ואף הכא הלא הקריאה והעיון הנאה היא לו, **התם** טעמו משום גזירה, שמא יאמר לא"י שיביא לו מחוץ לתחום, אבל הכא באגרת לא שייך לומר כן, שאינו יודע מי ישלח לו, **וגם** י"ל דלא חשיב הנאה, כיון שאינו נהנה מגופה של מלאכה.

והאחרונים הסכימו דאין בזה משום מוקצה כלל, כדקיי"ל בסימן תקט"ו, דדבר הבא מחוץ לתחום אין בה איסור מוקצה, אפילו למי שהובא בשבילו דאסור ליהנות ממנו, הואיל וראוי לישראל אחר ליהנות ממנה, **ואם** מקפיד על אגרת להשתמש בו, כדרך הסוחרים המניחים אגרת המסחר במקום המוצנע שלא יאבדו, הם מוקצים ואסור לטלטלם.

(**והגר"א** מפקפק מאד על עצם הקריאה או העיון, **היוצא** מדברינו, דעל הנגיעה אין להחמיר כלל, אבל על הקריאה והעיון נכון מאד להחמיר מי שהובא בשבילו, **אם** לא לצורך גדול, דאז יש לסמוך על המקילין).

כ' האחרונים, נהגו שלא לקבל האגרת מיד הא"י המביא בשבת, אלא אומרים לו שיניח ע"ג קרקע או ע"ג שלחן, כי חוששין שמא טרם שיעמוד לפוש יטול הישראל האגרת מידו, ונמצא שהישראל יעשה גמר ההוצאה מרשות לרשות, שהא"י עשה עקירה וישראל הנחה.

ואם האגרת היא חתומה, אומר לא"י: איני יכול לקרותו כל זמן שאינו פתוח, וממילא יבין הא"י ויפתחהו, **ולא** יאמר לא"י בהדיא לפתחו, אם לא לצורך גדול, ‹ועיין לקמן סימן ש"מ סעיף י"ג›.

סעיף טו - כותל או וילון שיש בו צורות חיות משונות, או דיוקנאות של בני אדם של מעשים, כגון מלחמות דוד וגלית, וכותבים: זו צורת פלוני וזה דיוקן פלוני, אסור לקרות בו בשבת - גזירה שמא יקרא בשטרי הדיוטות.

סעיף טז - מליצות ומשלים של שיחת חולין ודברי חשק, כגון ספר עמנואל, וכן ספרי מלחמות, אסור לקרות בהם בשבת - ואין בכלל זה: יוסיפון, וספר יוחסין, ודברי הימים של ר"י כהן, ושבט יהודה, שמהם ילמדו דברי מוסר ויראה, וע"כ אפי' כתובים בלעז שרי.

ואף בחול אסור משום מושב לצים, ועובר משום: אל תפנו אל האלילים, לא תפנו אל מדעתכם - אל אשר אתם עושים מדעת לבבכם.

וכ"ש ההולך לטרטיאות וקרקסיאות, והם מיני שחוק, ושאר מיני תחבולות, וגם בפורים אין מותר רק השחוק שעושים זכר לאחשורוש, **ובעו"ה** כיום נעשה דבר זה כהפקר אצל איזה אנשים, לילך לבית טרטיאות, והכתוב צוח ואומר: אל תשמח ישראל אל גיל וכו', **וגם** איכא בזה משום מגרי יצה"ר בנפשם, **ואחז"ל**: כל המתלוצץ נופל בגיהנם, שנאמר וגו', ויסורין באין עליו, שנאמר: ועתה אל תתלוצצו פן יחזקו מוסריכם.

ובדברי חשק איכא תו משום מגרה יצר הרע; ומי שחיברן ומי שהעתיקן, וא"צ לומר המדפיסן, מחטיאים את הרבים - וכן מוכרי ספרים הסוחרים בענינים כאלו, וממציאין אותם לקונים לקרות בהם, הם בכלל זה, **ואחז"ל:** גדול המחטיא לאדם יותר מן ההורגו, שההורגו הוא רק בעוה"ז, והמחטיאו הוא גם בעוה"ב.

(**אחז"ל:** כל המחטיא את הרבים אין מספיקין בידו לעשות תשובה, והעונש האמור בגמרא על המתלוצץ, שמזונותיו מתמעטין ויסורין באין עליו ונופל בגיהנם, בודאי נאמר גם עליהן, שאפילו מי ששומע ושותק, אמרו שעליו נאמר: זעום ד' יפל שם, וכ"ש מי שהביא לכמה מאות אנשים לכלל זה).

(**בגמ' איתא:** אסור להסתכל בדיוקנאות, וכתבו התוספות בשבת והרא"ש, דדוקא בדיוקנא העשויה לשם עבודת כוכבים, אבל לנוי שרי, וכן משמע דעת שארי הפוסקים, **ויש** מחמירין גם בזה, **וכתב** המ"א, דדוקא הסתכלות אסור לדידהו, אבל ראיה בעלמא שרי לכו"ע).

הגה: ונראה לדקדק, כל דאסור לקרות בשיחת חולין וספורי מלחמות, היינו דוקא אם כתובים בלשון לע"ז, אבל בלה"ק שרי, (וכנ"ל מלשון שכתבו התוס' פ' כל כתבי, וכן נהגו להקל בזה) - דהלשון בעצמו יש בו קדושה, ולומד ממנו דברי תורה, **ולפי"ז** גם אגרת שלום הכתובה בלה"ק שרי לקרות, דיש ללמוד מתוכו הלשון, וגם כתוב בו כמה פסוקים של תורה.

אבל האגודה והט"ז והב"ח ועוד הרבה אחרונים חולקין ע"ז ואוסרין, וכן הוא ג"כ דעת הגר"א, **ולפי"ז** גם באגרת שלום אין נ"מ בין לשון לעז ובין לשה"ק.

אך שטרי חובות וחשבונות, גם להרמ"א אסור אפילו בלה"ק, **ובדברי** חשק שהוא מגרה יצה"ר, לכולי עלמא אסור אפילו בלה"ק.

וכל שאסור לקרותו, אסור אפילו לטלטלו. **וגט** מותר לטלטלו אע"פ שכתוב בלשון לעז, דיכול ללמוד ממנו דיני גט, [**ואם** מקפיד מלצור ע"פ צלוחיתו, אסור לטלטל].

ולענין קריאת צייטונגי"ן בשבת, אף שבתשובת שבות יעקב מקיל בזה, הרבה אחרונים אוסרין, מפני שיש בהם ידיעה מעניני משא ומתן.

סעיף יז - אסור ללמוד בשבת ויו"ט זולת בד"ת; ואפילו בספרי חכמות אסור; ויש מי שמתיר - וכן נוהגין להקל, **וכתב** בא"ר, דירא שמים ראוי להחמיר בזה, כי הרמב"ם והר"ן אוסרים.

ועל פי סברתו מותר להביט באצטרלו"ב בשבת - הוא כלי של החוזים בכוכבים, דמה לי להבין החכמה מן הספר או מן הכלי, **(ולהפכו ולטלטלו כדלקמן סי' ש"ח).**

סעיף יח - לשאול מן השד, מה שמותר בחול מותר בשבת - ר"ל דיש דברים שאסורים אף בחול, מפני שהם בכלל כשוף, [כגון ע"י מעשה], **ויש** דברים שאסורים מפני הסכנה, לדעת ר' יוסי כדאיתא בגמ', וע"כ אמר דדברים המותרים בחול מותר אף בשבת, **ועיין** במ"א ושארי אחרונים שהסכימו, דדוקא משום רפואה שרי, אבל בלא"ה אסור משום "ממצוא חפצך".

סעיף יט - סחורה הנפסדת בשבת ע"י גשמים או דבר אחר; או אתי בידקא דמיא (פי' נחל או אגם מים) ומפסיד ממונו; או שנתרועעה חבית של יין והולך לאיבוד; מותר לקרות אינו יהודי, אע"פ שודאי יודע שהאינו יהודי יציל הממון - דמתוך שאדם בהול על ממונו, אי לא שרית ליה אפילו באופנים אלו, אתי להציל בעצמו ולעשות מלאכה דאורייתא. ‹**שמה** שהותר לרמוז לנכרי שלא בדרך צווי, אלא דרך סיפור דברים, זה רק כשפוגש את הנכרי בדרך, או שהוא ממילא נמצא בביתו וכדו', **אבל** לילך לנכרי ולרמוז לו בלי להגיד לו מה לעשות, מותר רק במקום הפסד, משום שעצם הבאת והזמנת הנכרי דומה יותר לאמירה – משנה אחרונה›.

והיינו אפילו אם יצטרך לזה לעשות מלאכה דאורייתא, כגון להוציא מרה"י לר"ה וכה"ג, **דאלו** טלטול מוקצה בעלמא, או מרה"י לכרמלית, אפילו לצוות לא"י בהדיא שיעשה זה ג"כ מותר, לפי המבואר לעיל בס"ה, אם יש בזה הפסד גדול.

(ולכסות סחורה או פירות או דבר אחר מפני הגשמים, ע"ל סי' של"ה סעיף ז').

(ביאור הלכה) [שער הציון] ‹הוספה›

וכן מותר לומר לאינו יהודי: כל המציל אינו מפסיד, כמו בדליקה שהתירו לומר: כל המכבה אינו מפסיד - ולומר לו בלשון נוכח: אם תציל לא תפסיד, אסור.

ויש מי שאומר שלא התירו אלא בדליקה דוקא. (וע"ל סי' של"ב) - והמיקל לא הפסיד, וכן סתם המחבר לקמן בסי' של"ד סכ"ו, **ולקרות** לא"י להראות לו ולא לומר לו, לכו"ע שרי. (**דהפלוגתא** דוקא באופן שאומר כל המכבה, אבל ההיתר דקריאה לגוי בלי אמירת כל המכבה, דקל יותר, לכו"ע שרי במקום פסידא, אבל בלא הפסד אסור גם זה).

סעיף כ - ישראל שאמר לאינו יהודי לעשות לו מלאכה בשבת, מותר לו ליהנות בה לערב בכדי שיעשו - ולא קודם, כדי שלא יבוא לומר לא"י לעשות מלאכה בשבת, **ואם** היה בפרהסיא, שידעו בו רבים שנעשה בשביל ישראל, אסור לעולם, אפילו עשה הא"י מעצמו בשבילו - מ"א בשם הרמב"ם, וכדלקמן בסימן שכ"ה סי"ד, **ועי"ש** מה שכתבנו דעת הט"ז בשם הר"ן בענין זה.

סעיף כא - אסור לומר לאינו יהודי בשבת: הילך בשר זה ובשל אותו לצרכך, ואפילו אין מזונותיו עליו - דכיון שאותו דבר שאומר לא"י לעשות בשביל עצמו, הוא אינו יכול בעצמו לעשות, הוא בכלל אמירה לא"י שבות ואסור, אף על פי שאינו מתהנה הישראל כלל במלאכה זו, **ואף** בע"ש אסור ליתן לא"י ולומר לו שיבשל בשבת לעצמו.

הגה: אבל מותר לומר לו לעשות מלאכה לעצמו - כגון שיאמר לו: קח בשר שלך ובשל אותו לצרכך, וכה"ג, דכיון שלא היה הדבר מעולם של ישראל כלל, והא"י עושה אותה ג"כ רק בשביל עצמו, לא גזרו עליו איסור דאמירה לא"י.

(ומותר ליתן לא"י נבלה בחול לבשל ולאכול, דהתם לא שייך טעם זה, דהא מותר גם בעצמו ליתן לפיו של א"י, **ועיין** בפמ"ג, דאסור ליתן לא"י בשר וחלב בחול ולומר לו: בשל לך, כיון שאינו יכול לבשלם יחד בעצמו, הוא בכלל אמירה לא"י שבות, **ועי"ש** עוד שמצדד, דה"ה דאסור ליתן לו בשר שיבשל בכלי חולבת בת יומה, **ולא** יצוייר דינו רק אם מצוהו שיבשל בכלי זה דוקא, דאל"ה א"י כי קעביד אדעתא דנפשיה קעביד).

סעיף כב - כל שבות דרבנן מותר בין השמשות לצורך מצוה, כגון לומר לאינו יהודי להדליק לו נר בין השמשות; או אם היה טרוד והוצרך לעשר בין השמשות.

הגה: כל דבר שאסור לומר לא"י לעשותו בשבת, אסור לרמוז לו לעשותו - דגם זה הוא בכלל אמירה לא"י, כיון שע"י רמיזתו עושה בשבת, **וה"ה** שאסור לומר לו בשבת איזה דבר שיבין מתוך כך שיעשה מלאכה, וע"כ אסור לומר לא"י שיקנח חוטמו, כדי שיבין שיסיר הפחם שבראש הנר, **אך** כשאומר הרמיזה לא"י שלא בלשון צווי, כגון שאומר: הנר אינו מאיר יפה, או: איני יכול לקרות לאור הנר הזה שיש בו פחם, ושומע הא"י ומתקנו, שרי, דאין זה בכלל אמירה, **ואין** לאסור מטעם שנהנה ממלאכה שעשה הא"י בשבילו, דאין זה הנאה כ"כ, דגם מקודם היה יכול על פי הדחק לקרות לאורו.

אבל מותר לרמוז לו לעשות מלאכה אחר שבת.

אינם יהודים המביאים תבואה בשבת לישראל שחייבים להם, והישראל נותן לו מפתחו לאוצרו, והאינו יהודי נותנו לשם ומודדים ומונים, יש מי שמתיר, משום דא"י מלאכת עצמו עוסק, ואינו של ישראל עד אחר המדידה ויחשוב עמו אח"כ - ר"ל קודם המדידה והחשבון אינם שלו, [ולכך לא מיחזי כקונה קנין בשבת].

אבל אם התבואה של ישראל, אסור לומר לא"י לפנותו, וה"ה בכל דבר המוקצה, (דאסור, אם הוא שלא יגנב ולא יפסד, משא"כ לצורך גופו או מקומו, עיין סי' רע"ו ס"ג, דהו"ל שבות דשבות, ואין מותר כי אם לצורך מצוה או קצת חולי, וכנ"ל בס"ה - מ"א, **והט"ז** לקמן בסימן ש"ח חולק ע"ז, (דע"י עכו"ם שרי בכל איסור טלטול מוקצה), **ודעת** הא"ר כהמ"א, ועיין בפמ"ג מה שכתב אודות זה, ובמה שכתבנו בסימן רע"ט ס"ד בהג"ה במ"ב.

א"י שהביא חפציו בשבת לבית ישראל, אפילו הם אסורים בטלטול, והביאם בשביל ישראל, כיון שהם ביד א"י, רשאי לומר לו לפנותן לאיזה מקום שירצה.

וכן א"י העושים גבינות בשבת והישראל רואה ויקנה אותם ממנו, דמ"מ הא"י אדעתא דנפשיה קעביד - ר"ל דאע"פ שהישראל עומד בעת עשיית גבינות, ובעת חליבת החלב, כדי שיוכל אח"כ לקנותם ממנו, אפ"ה שרי, דבעת העשייה הא"י אדעתיה דנפשיה קעביד. **ואע"פ שהישראל עומד בעדר הודש או הדשים, ואדעתא למכרם לישראל קא עביד, שרי** - ואפילו אם האינו יהודי אינו עושה הגבינות כי אם בשבת, אם הישראל מקבלם בחובו, ושאם לא יקבלם יפסיד חובו, שרי, דבעת העשייה עדיין הם שלו.

§ סימן שח – דברים המותרים והאסורים לטלטל בשבת §

סעיף א- הנה קודם שנבאר סימן זה אקדים פתיחה קטנה, הנה איסור טלטול מוקצה שגדרו חז"ל, כתב הרמב"ם וז"ל: אסרו חכמים לטלטל מקצת דברים בשבת כדרך שהוא עושה בחול, **ומפני** מה נגעו באיסור זה, אמרו: ומה אם הזהירו נביאים וצוו שלא יהא הילוכך בשבת כהילוכך בחול, ולא שיחת השבת כשיחת החול, שנאמר: ודבר דבר, ק"ו שלא יהא טלטול בשבת כטלטול בחול, כדי שלא יהא כיום חול בעיניו, ויבא להגביה ולתקן כלים מפנה לפנה או מבית לבית, או להצניע אבנים וכיוצא בהם, שהרי הוא בטל ויושב בביתו ויבקש דבר שיתעסק בו, ונמצא שלא שבת, ובטלה טעם שנאמר בתורה: למען ינוח, **ועוד** כשיבקר ויטלטל כלים שמלאכתן לאיסור, אפשר שיתעסק בהם מעט, ויבא לידי מלאכה.

ועוד מפני שמקצת העם אינם בעלי אומניות, אלא בטלים כל ימיהם, כגון הטיילין ויושבי קרנות, שכל ימיהם הם שובתים ממלאכה, ואם יהיה מותר להלך ולדבר ולטלטל כשאר הימים, נמצא שלא שבת שביתה הניכרת, לפיכך שביתה בדברים אלו היא שביתה השוה בכל אדם, ומפני דברים אלו נגעו באיסור הטלטול, ואסרו שלא יטלטל אדם בשבת אלא כלים הצריך להם כמו שיתבאר, עכ"ל.

והראב"ד נתן טעם, שהוא גדר להוצאה, שאם נתיר לטלטל כל דבר, יבוא עי"ז גם להוציא מרה"י לר"ה.

ודע, דמכאן עד ס"ס שי"ב נתבאר ד' חלקים של מוקצה: חלק אחד, מוקצה מחמת חסרון כיס, דהיינו כלי שאדם מקפיד עליו שלא יפגום ולא יתקלקל, **חלק** ב', דבר שאינו כלי ולא מאכל אדם ולא מאכל בהמה, כגון אבנים וקנים ומעות ועצים וקורות ועפר וחול ומת ובע"ח, וגרוגרות וצמוקים שמונחים במקום שמתיבשים, וכל כיוצא בזה דלא חזי, ומקרי מוקצה מחמת גופו, **חלק** ג', כלי שמלאכתו לאיסור בסעיף ג', **חלק** ד', כלי שמלאכתו להיתר ומונח עליו דבר מוקצה, ואפילו הוסרו בשבת, כיון שהיה עליו בין השמשות, מגו דאתקצאי לביה"ש אתקצאי לכולי יומא.

ויש עוד ב' חלקים מוקצה: אחד, דבר שהיה בין השמשות מחובר או מחוסר צידה, וזה יתבאר בהלכות יו"ט, **שנית**, מוקצה מחמת מצוה, כגון עצי סוכה ונויה, ויתבאר אי"ה בהלכות סוכה.

כל הכלים נטלים בשבת - ר"ל אפילו כלי שמלאכתו לאיסור, ניטל עכ"פ לצורך גופו או מקומו, וכדלקמן בס"ג.

חוץ ממוקצה מחמת חסרון כיס - ר"ל שמחמת חשש הפסד הוא מקפיד עליהם שלא לטלטלם, ומקצה אותם מדעתו.

כגון סכין של שחיטה או של מילה, ואיזמל של ספרים, וסכין של סופרים שמתקנים בהם הקולמוסים, כיון שמקפידים שלא לעשות בהם תשמיש אחר - וה"ה שארי דברים שמקפיד עליהם שלא להשתמש בהם תשמיש אחר כדי שלא יתקלקלו, כגון מגרה גדולה שמנסרין בה את הקורות, או סכין של רצענים, או נייר חלק שעומד לכתיבה, (וכלי אורגין ויתד של מחרשה), כמו שכתבו הפוסקים, וכל כה"ג.

אסור לטלטלו בשבת, ואפילו לצורך מקומו או לצורך גופו - דהיינו שצריך לגוף הדבר למלאכה אחרת של היתר.

הגה: ואפי' תחובים בנדן עם שאר סכינים - פי' אותו הסכין של סופרים, **אסור לטלטלו** - דהו"א הואיל והוא תחוב עם שאר סכינים לא קפיד עליה,

קמ"ל דאסור, **אבל** הנדן עם הסכינים שרי לטלטל, אף שהוא ג"כ בתוכו, דהא נעשית בסיס לאיסור ולהיתר, **ומותר** לנער ג"כ את הסכין הזה מתוכו, ‹לאו דוקא, אלא צריך לנער את הסכין המוקצה מתוכו כשאפשר ואין חשש הפסד אם ינערנו, וכמבואר בשו"ע סי' ש"ט ס"ג וסי' ש"י ס"ח – פסקי תשובות›, **ואם** הסכין הזה חשוב יותר מסכינים דהתירא, אסור אז לטלטל הנדן כלל, עיין סוף סי' ש"י.

וה"ה לקורנס של בשמים, שמקפידים עליו שלא יתלכלך - ואם הוא אינו מקפיד, לא הוי לדידיה מוקצה מחמת חסרון כיס.

הגה: וכ"ה כלים המיוחדים לסחורה ומקפיד עליהם - שלא להשתמש בהם כדי שלא יתקלקלו, **אבל** אם אינו מקפיד עליהם, אף שהם מיוחדים לסחורה ונתנם באוצר, ג"כ שרי לטלטל.

סעיף ב- כל כלי, אפי' הוא גדול וכבד הרבה, לא נתבטל שם כלי ממנו, לא מפני גדלו ולא מפני כבדו - ואפי' אם הוא משוי של כמה בני אדם, וה"ה אבן גדולה וקורה גדולה, אם יש תורת כלי עליה, דהיינו שמיוחדים לתשמיש, שרי לטלטלן.

ובכלי מותר אפי' אינו רגיל לטלטלה בימות החול, מ"מ לא אמרינן דמפני כבדותה הוא קובע לה מקום, ומקצה אותה מדעתו מלטלטלה.

ונראה דאם בימות החול הוא זהיר מלהניעה ממקומה כדי שלא תפסד ותתקלקל, ממילא הוא בכלל מוקצה מחמת חסרון כיס, ואסור לטלטלה, [**היינו** אפי' בגוונא דלא הוי פסיק רישא שתתקלקל ע"י הטלטול].

סעיף ג- כלי שמלאכתו לאיסור - כלומר שמיוחדת לדבר שאסור לעשות בשבת, ואפי' אם רק רוב מלאכתו לאיסור, הוא ג"כ בכלל זה, (**ולענ"ד היה נראה, דזה דוקא אם עיקרה הוא רק למלאכת איסור, ורק לפעמים משתמש בה להיתר, אבל אם דרך הכלי להשתמש בה לשניהם, ורק שלאיסור משתמשין בה יותר, מנלן דמקצה דעתיה מניה, דהלא עשויה למלאכת היתר ג"כ, וצ"ע).**

(**אפילו איסורו הוא רק מדרבנן – פמ"ג, ועי"ש עוד לענין קנא"ק האל"ץ, בית קיבול ועץ תקוע ע"י שרויף, ונותנים שם אגוזים כדי לשברם, שצידד להקל).**

מותר לטלטלו ‹בין לצורך גופו... בין לצורך מקומו...›.

(ואם נשתמש לאיסור בבין השמשות - פי' שהיה מונח עליו בין השמשות דבר איסור, **כגון נר שהודלק** - דנעשה אז בסיס לדבר האסור, **עיין לעיל סימן רע"ט)** - אבל אם עשה מלאכה בקורנס, פשיטא דמותר לטלטלו בשבת לצורך גופו ומקומו.

בין לצורך גופו, כגון קורנס של זהבים או נפחים לפצוע בו אגוזים, קורדם לחתוך בו דבילה - ומיירי שאין לו כלי היתר לתשמיש זה, דאל"ה אין לו להשתמש בכלי זה.

בין לצורך מקומו, דהיינו שצריך להשתמש במקום שהכלי מונח שם, ומותר לו ליטלו משם ולהניחו באיזה מקום שירצה - דכיון שהוא בידו, שנטלה לצורך גופה או מקומה, רשאי לטלטלה יותר, **וכתב** המ"א, דה"ה אם שכח ונטלה בידו, רשאי לטלטלה יותר, אף שהנטילה היה שלא לצורך גופה ומקומה, [**ולדידיה**, אפי' במוקצה מחמת חסרון כיס דינא הכי, וכמ"ש בסי' של"א לענין איזמל מילה], **ועיין** באחרונים שהכריעו, דהאי היתרא לא שייך אלא בכלי שמלאכתו לאיסור, ולא במוקצה מחמת גופו, כגון מעות ואבנים וכיוצא בהן, ‹או במוקצה מחמת חסרון כיס – שונה הלכות›, **ובביאור** הגר"א חולק על המ"א, וס"ל דלא התירו אלא כשהתחיל לטלטל ברשות, וכן משמע בר"ן, **ועיין** לקמן סימן של"א ס"ו במ"ב, לענין איזמל מילה.

איתא בסימן שי"א ס"ח, דטלטול מוקצה בגופו, אפילו לצורך דבר המוקצה, מותר, דזה לא נקרא טלטול כלל, **ולפי"ז** אם מונח איזה דבר מוקצה על הארץ, מותר לדחפו ברגליו, כדי שלא יבוא להפסד.

אבל מחמה לצל, דהיינו שאינו צריך לטלטלו אלא מפני שירא שישבר - דהיינו שיתבקע בחמה, **או יגנב שם** - דהוא דומיא דמחמה לצל, **אסור** - וע"י א"י י"ל דשרי בכל זה, ‹דוקא בכלי שמלאכתו לאיסור, פמ"ג א"א סי' ש"ז ס"ק כ"ט›, **ואם** חושב עליו גם לתשמיש, מותר לטלטל, אפילו עיקר כונתו מחמה לצל.

הגה: כל מוקצה אינו אסור אלא בטלטולו, אבל בנגיעה בעלמא שאינו מנדנדו, שרי - עיין בסימן ש"י ס"ו ובמ"א שם, דהיכא דהנגיעה היא לצורך

דבר המוקצה, כגון שכופה כלי על המוקצה לשמרה, צריך ליזהר שלא ליגע בה, **והגר"א** שם בביאורו פסק כהרב המגיד, דנגיעה בכל גווני שרי, אם לא יבוא לנדנוד ע"י הנגיעה, וכ"כ בדה"ח.

ולכן מותר ליגע במנורה שבבהכ"נ שנרות דולקות עליו, או בתנור שדולק בו אש - היינו אפי' בתנור המיטלטל, ומותר ליגע אפילו בשעה שדולק בו האש.

וכן מותר ליקח דבר היתר המונח על דבר מוקצה - היינו אפילו כשהדבר מוקצה תלוי, וע"י לקיחת ההיתר מתנדנד, מ"מ שרי, דזה מקרי טלטול מן הצד לצורך דבר המותר.

וכן מותר לטלטל דבר מוקצה ע"י נפוח, דלא הוי טלטול אלא כלאחר יד, ולא מיקרי טלטול.

סעיף ד - כלי שמלאכתו להיתר, מותר לטלטלו אפי' אינו אלא לצורך הכלי שלא ישבר או יגנב - וה"ה אם היה מלאכתו לאיסור ולהיתר, ג"כ לא מקצה דעתו מניה.

וקדרה שמלאכתה הוא לבישול, ורק לפעמים משתמשין בה למים ולפירות, היא בכלל כלי שמלאכתה לאיסור, אם לא שיש בה מהתבשיל, «שהקדרה טפלה להתבשיל שבתוכה – הגר"ז». (**ומ"מ נראה, דאף כשפנוה מהתבשיל ועומדת בבית, מותר לטלטלה ולסלק לצד חוץ, דהוי כגרף של רעי**).

אבל שלא לצורך כלל, אסור לטלטלו - היינו אם כל היום לא יצרכנו כלל, **אבל** אם יצטרך לו באותו יום, והוא מטלטלו כדי שיהא מוכן לו בשעתו, שרי.

כתבי הקודש - פי' כל הספרים שמותר לקרות בהן, **ועיין** בשע"ת לענין מגילה, ופמ"ג מצדד כהאליהו רבה, דמגילה נמי בכלל זה, «**ניהו** דאסור לקרות בה בצבור, מ"מ כל אדם מותר ללמוד מתוכה – מחה"ש». **ואוכלין, מותר לטלטלם אפי' שלא לצורך כלל.**

וה"ה כוסות וקערות וצלוחיות וסכין שע"ג השלחן, [ולאו דוקא סכין קטן], דתדירין בתשמיש, לא חלה עלייהו תורת מוקצה כלל, וכאוכלין וכתבי הקודש דמי, וע"כ מותרין לטלטלן אפילו שלא לצורך כלל, **ויש** מחמירין אפילו בכלים אלו.

הגה: ותפילין אין לטלטלם כי אם לצורך - היינו כדי שלא יגנבו, או שלא יתקלקלו בחמה, וכיוצא בזה, **והט"ז** ומ"א מחמירין, וסוברין דתפלין מקרי כלי שמלאכתו לאיסור, דהרי אסור להניחן בשבת, וכנ"ל בסימן ל"א, וע"כ אין לטלטלן כי אם בצריך לגופן, היינו כדי שישמרוהו מהמזיקין, או למקומן, **ומ"מ** במקום הדחק יש להקל כדעה הראשונה.

ושופר אסור לטלטלו כי אם לצורך גופו או מקומו - דהרי הוא מיוחד לתקיעה דהוא אסור בשבת, וע"כ מקרי כלי שמלאכתו לאיסור, **ולולב** אסור לטלטלו אפילו לצורך גופו ומקומו, דאין עליו שם כלי כלל.

סעיף ה - יש מתירים לטלטל כלי שמלאכתו לאיסור אפי' מחמה לצל על ידי ככר או תינוק - לאו דוקא ככר, הוא הדין אם נתן שאר חפץ המותר בתוכה.

והנה דעה זו היא דעת הרא"ש, אבל הרבה מהראשונים חולקין ע"ז, וס"ל דלא התירו ככר ותינוק אלא למת בלבד לטלטלו על ידיהם, וכדלקמן בסימן שי"א ס"א, אבל לא בשאר דבר מוקצה אף שהוא כלי, וכן הכריעו הרבה אחרונים, [**ובהפסד** מרובה יש להקל].

וכ"ז דוקא אם יניח בתוך הכלי שאר דבר שאינו מיוחד לה, אבל אם מונח שם דבר המיוחד לה, כמו שום במדוכה ששוחקין בה, או שמונח בקדירה קצת מהתבשיל, לכו"ע מותר לטלטל הכלי אגב המאכל. «**לפי** שהמדוכה היא טפלה ובטלה להשום שבתוכה, כמו שהקדרה טפלה להתבשיל שבתוכה, וה"ז כאלו מטלטל את השום בלבדו, שמותר לטלטלו אף שלא לצורך כלל, **אבל** אם נתן במדוכה ככר או תינוק או שאר דברים המותרים בטלטול, שאין המדוכה טפלה להם, אסור לטלטלה ע"י כן לצורך עצמה – הגר"ז».

סעיף ו - כל הכלים שנשברו, אפי' בשבת, מותר לטלטל שבריהם, ובלבד שיהיו ראוים לשום מלאכה, כגון שברי עריבה לכסות בה החבית, ושברי זכוכית לכסות בה פי הפך.

אפי' בשבת - ר"ל ולא אמרינן כיון דמאתמול כלי זו לאו להאי מלאכה קאי, הו"ל נולד.

שברי כלים הם מחלק ב' שבמוקצה, משום דכשנשברו דמי לצרורות והוי מוקצה מחמת גופו, **אלא** כיון

שבאו מכלי, לא בטיל שם כלי מהם כל זמן שראויים לשום דבר, כגון לכסות, **משא"כ** בצרורות, דאע"פ שראויים לכסות לאו מנא הם, כמבואר בסעיף שאחר זה.

(עיין בפמ"ג שמצדד, דזה הדין קאי אף על כלים שמלאכתן לאיסור, שמותר לטלטלן לצורך גופן ומקומן, דגם בזה סגי כשהם ראויין לשום מלאכה).

(**כתב המ"א**, דלפי מה שכתב בסימן תצ"ה, די"א דנולד אסור בשבת, בעינן כשנשבר בשבת שיהא ראוי למלאכתו הראשונה דוקא, כגון שברי עריבה לצוק לתוכן מקפה, ושל זכוכית לצוק לתוכה שמן, **אבל** הרבה אחרונים כתבו, דכיון דעדיין ראוי לשום מלאכה, לאו נולד הוא, ובכלל מוכן הוא, **אך** אם אינו יהודי עשה כלי בשבת, זה ודאי נולד הוא, ואסור לטלטלו לדעה זו).

אבל אם אינם ראוים לשום מלאכה, לא – (בראויין לשום מלאכה, אז אפי' מחמה לצל מותר ככלי שמלאכתו להיתר, ובאינם ראוים לשום מלאכה, אפי' לצורך גופו ומקומו אסור).

הגה: ואם נשברו במקום שיכולים להזיק, כגון זכוכית שנשברה על השלחן או במקום שהולכין - בביתו או ברחוב, וכדלקמן בסי"ח, **מותר לטלטל השברים כדי לפנותן שלא יוזקו בהם.**

אבל אם הוא של חרס, אסור לפנותן, דאין מצוי כ"כ היזק, ואע"פ שכשהוא דורס עליהן משברן, מ"מ מותר, דדבר שאין מתכוין הוא, **ודוקא** לפנותן בידים אסור, אבל מותר לדחותן ברגליו, דטלטול מוקצה בגופו מותר, וכדלקמן בסימן שי"א ס"ח.

סעיף ז - השו"ע הוסיף בכאן לבאר שני דברים דשייכי לסעיף הקודם: **אחד**, דמה שנזכר שם דסגי במה שיהיה השבר ראוי לכסות בה, מהני אפילו במקום שאין מצויים כלי לכסות בה, דהיינו בכרמלית או בר"ה, כגון שנוטלו לקנח בה מנעלו מטיט, **והטעם**, דכיון דאיכא תורת כלי עדיין על השבר בחצר, גם בר"ה אין שם מוקצה עליה, **שנית**, דאם זרקה לאשפה מבעוד יום, שוב שם מוקצה עליה, ואסור לטלטלה.

חתיכת חרס שנשברה בחול מכלי, וראויה לכסות בה כלי, מותר לטלטלה אפי' במקום שאין כלים מצויים שם לכסותם בה.

וה"ה שנשברה בשבת, כמ"ש ס"ו, אלא דנקט בחול משום סיפא, דזרקה לאשפה מבעוד יום, דאם זרקה בשבת, שרי לטלטלה אפילו כשנשברה מבע"י, **וכן** הדין לענין שירי מחצלת בסי"ב, כיון שבין השמשות היה עדיין על השבר תורת כלי.

(ומ"מ לדעת הי"א בסי' תצ"ה, דנולד אסור בשבת, מחמירין איזה אחרונים כשנשברה בשבת שלא לטלטל בר"ה, מקום שאין מצויין כלים לכסות, עי"ש טעמם, **ולדעת** המ"א הנ"ל, גם בחצר אסור לדעה זו וכנ"ל, **אך** כ"ז אם החרס היא קטנה שאין ראוי למלאכתו הראשונה כלל, אבל אם הוא ראוי, כגון שברי עריכה לצוק לתוכן מקפה וכה"ג וכנ"ל, זה לכו"ע לאו נולד הוא ומותר לטלטל בר"ה, אפי' כשנשברה בשבת, כן מוכח בגמרא).

ואם זרקה לאשפה מבע"י, אסור לטלטלה, כיון שבטלה מהיות עוד כלי – (היינו אפילו כשהיא עדיין ראויה למלאכתו הראשונה, ולא אמרינן דזה חשיב ככלי שלם, דשם אינו נעשה מוקצה בזריקתו, משום דבטלה דעתו).

(נראה דלאשפה לאו דוקא, דה"ה אם זרקה מפתח ביתו לרחוב, ואורחא דמילתא נקט, דאין דרך לזרוק לרחוב מקום הילוך בני אדם, **ואפשר** דאם הניחו אחורי הדלת, ג"כ בכלל אשפה הוא לענין טלטול, **אך** יש לדחות).

(**ואם המוצא** אינו יודע אם נזרקה בע"ש או בשבת, אפשר דיש להקל, עיין בחי' רע"א דלא ברירא ליה מילתא בזה, וכ"ז אם הוא מוצאה באשפה, אבל אם הוא מוצאה בר"ה או בכרמלית שלא במקום האשפה, בודאי יש להקל, אחד, דשמא לא נזרקה כלל מבית דלימא שבטלה בזה, רק שאחד שבר כלי במקום הזה, גם דשמא היום נזרקה).

הגה: ואפילו חזי לעני, הואיל והקלוהו הבעלים שלו אע"פ שהם עשירים, דמוקצה לעשיר הוי מוקצה לעני, כמו שיתבאר סוף הסימן.

ודוקא חתיכת חרס משום דאתיא משברי כלי - היינו כיון דמעיקרא היתה כלי גמורה, עדיין תורת כלי עליה כל שהיא ראויה לשום מלאכה.

אבל דבר שאין בו שייכות כלי, כגון צרורות או אבנים, אע"פ שראויים לכסות בהם כלי,

אסור לטלטלם - וכגון עששית של ברזל, וטבלא, וכן בקעת {היינו חתיכת עץ}, כיון שאינו כלי, אסור לטלטלו אפילו לצורך גופו, כגון לתקוע אותו במקום בריח לדלת, או לסמוך בו איזה דף שישב עליו, **אם** לא שיעשה בו קצת מעשה תיקון קודם השבת, להוכיח שעומד להשתמש בו, **או** שייחדנה מע"ש לעולם להשתמש בו, וכמ"ש לקמן בסכ"ב, ורבים נכשלין בזה.

פתילה נקראת כלי, ואפילו נדלקה קצת ממנה בשבת שעברה או בחול, {דאם דלקה ביה"ש בשבת זו, הוקצה לכל השבת, כדלעיל בסימן רע"ט}, ודינה ככלי שמלאכתו לאיסור, שמותר לטלטלו לצורך גופו ומקומו, **אבל** שברי פתילה שאינן עומדים עוד להדלקה בנר, הרי הן כצרורות ואבנים, שאסור לטלטלן אפילו לצורך גופן ומקומן, **וכן** נר שלם של שעוה או חלב, ואפילו נדלקה כבר בחול או בשבת שעברה, כל שהיא עדיין ראויה להדלקה, מקרי כלי שמלאכתו לאיסור, **ומכאן** מרגלא בפומא דאינשי, דמותר לטלטל נר שלם של חלב או שעוה, כדי שלא תפסד הנר, או ליתנה לא"י שידליקנה לעצמו, **וטועין** הן, שאינו מותר לטלטל כלי שמלאכתו לאיסור, אלא כשצריך למקומה של הכלי, או שצריך הישראל לגופו של הכלי להשתמש בו דבר המותר בשבת, כגון קורנס לפצוע בו אגוזים, וכדלעיל בס"ג, **ובספר** מור וקציעה מחמיר, דאפילו נר שלם ולצורך מקומו אסור לטלטל, שאין עליו שם כלי כלל, דלא חזי לאכילה ולתשמיש.

הגה: וכל דבר שאינו כלי כלל, אסור לטלטלו אפילו לצורך גופו, כ"ש לצורך מקומו.

סעיף ח - כל הכלים הנטלים בשבת, דלתותיהן שנתפרקו מהם נטלים, בין נתפרקו בחול בין נתפרקו בשבת - פי' ולא מבעיא נתפרקו בשבת דמותר, דמוכנין הן על גבי אביהן כי עייל שבתא, אלא אפי' בחול מותר, **משום** דאכתי כלי הוא, שראוי להתחבר עם הכלי, **וע"כ** מותר לטלטלן אפי' מחמה לצל, אפילו כשאין ראוין למלאכה אחרת כלל.

וכ"ז בדלתות הכלי, דככיסוי כלי חשובין, אבל בדלתות הבית או החלונות, אע"פ שראוין לאיזה תשמיש וככלי חשובין, מ"מ כיון שלא הוכנו לכך אסורים בטלטול, דסתמן עומדין להתחבר עם הבית, ולכן אסור בין נתפרקו בחול ובין בשבת, **ודלתות** של לול תרנגולין, כדלתות הבית חשובין גם לענין איסור טלטול.

כתב המ"א, כלים המוקצים שנשברו בשבת, אע"ג דעכשיו אין מוקצים, אסורים, **ור"ל** כגון שהיה מוקצה מחמת חסרון כיס, דכשנשברה שוב אין מקפיד שלא לעשות בהם שום תשמיש אחר, א"כ עכשיו אינם מוקצים, וכה"ג, **אפ"ה** אסורים, משום מיגו דאתקצאי לביה"ש איתקצאי לכולי יומא.

סעיף ט - דלת של שידה תיבה ומגדל יכולים ליטלה מהם - דאין בנין וסתירה בכלים.

ואסור להחזירה, גזירה שמא יתקע - ביתד או במסמר בחזקה, וחייב משום מכה בפטיש, דהו"ל גמר מלאכה, **וי"א** דיש גם בכלים משום בונה, היכא דהוא עושה ע"י תקיעה, דהוא מעשה אומן.

ושל לול של תרנגולים, אסור בין ליטול בין להחזיר, דכיון דמחובר לקרקע אית ביה בנין וסתירה - ומחייב משום בונה, **וא"כ** גם החלונות אסור ליטול ולהחזיר, דמחוברין הם, **ואפי'** ע"י א"י אסור משום שבות.

וצריך לומר דלול דהכא מיירי כגון שבנאה מתחלה במחובר לקרקע, דאם היתה מתחלה כלי בפני עצמו, אלא שחיברה אח"כ לקרקע, דינו כמ"ש בסעיף יו"ד בכלי המחובר לקרקע בטיט, ע"ש, כ"כ בספר תו"ש, **אבל** בפמ"ג כתב, דשאני התם דהוא כיסוי בעלמא, אבל הכא דיש ציר להדלת חמיר טפי, ואפילו כשיש בית אחיזה להדלת אסור, ע"ש.

סעיף י - כסוי בור ודות - בור בחפירה, ודות בבנין, והוא ג"כ בתוך הקרקע, אלא שלמעלה קצת גלוי, **אין ניטלים** - אף שתקנם ועשה בהם מעשה המוכיח שעומד לכסות, **או** שמשתמש בהם תמיד לזה, דבזה הוסר מעליהם שם מוקצה, וכדלקמן בסכ"ב, **אפ"ה** אסור כאן, דכיון דהם כיסוי קרקעות, הוי כבונה אם מכסה אותם, או כסותר אם נוטל הכיסוי, [**אבל** אינו בונה ממש, כיון דאין בכסוי ציר, כי אם מונח כך למעלה].

ועיין במ"א שביאר, דמה שכתב המחבר "אינם ניטלים", היינו דאסורים אפילו בטלטול בעלמא, אפילו אם נתפרקו כבר מע"ש מן הבור, וכ"ש דאסור ליטלם מן

הבור, **והטעם**, דכיון דהם עומדים ומוכנים לכיסוי קרקעות, אינם מן המוכן לטלטל, אף שתורת כלי עליהם, (**ומרש"י משמע, דאלו היה על הדלתות שם כלי, גם הם היו מותרים בטלטול**).

אא"כ יש להם בית אחיזה, דאז מוכח שהוא כלי - ולמשקל ואהדורי עביד, ולא הוי כבונה וסותר.

ושל כלים, אפי' הם מחוברים בטיט - ר"ל שהכלי מחובר לקרקע בטיט מלמטה, **יכולים ליטלם, אפילו אין להם בית אחיזה** - ואף דבעלמא מחובר לקרקע הרי הוא כקרקע, הכא כיון דכיסוי אינו מחובר בציר להכלי, והכלי מגולה למעלה, לא מחזי כבונה.

והוא שתקנם ועשה בהם מעשה והכינם לכך - והיינו שהכינם לכסות הכלי, **וה"ה** אם לא עשה בהם מעשה כלל, רק שיחדו מע"ש לכסוי, ג"כ סגי, דבכל זה הוסר שם מוקצה, וכדלקמן בס"כ גבי חריות, **או שנשתמש בהם מבע"י.**

והוא שתקנם - קאי על כל כיסוי כלים, (**וי"א שאם יש להם בית אחיזה א"צ ייחוד**).

וכסוי חביות הקבורות בקרקע לגמרי, צריכות בית אחיזה - כיון דהם טמונות כולן בקרקע, גזרו רבנן אטו כסוי בור ודות.

סעיף יא - מחט שלימה מותר לטלטלה ליטול בה את הקוץ - הוא מחט מיוחד לתפירה, והוי ככל כלי שמלאכתו לאיסור, ומותר לטלטל לצורך גופו, דהיינו ליטול הקוץ, או שנוקב בה את המורסא להוציא ממנה ליחה.

(**ודע דהמ"א כתב, ובלבד שיזהר שלא יוציא דם דעביד חבורה, עכ"ל, ור"ל שלא יעשנה בענין שיהיה פסיק רישא להוצאת דם, ובזה יוסר מה שהקשה עליו הא"ר, ומ"מ אפילו בזה חלק עליו בעל חמד משה, וסבירא ליה דמותר, דבמקום צערא לא גזרו רבנן אף באופן זה, וכן משמע בסה"ת כהחמד משה**).

וה"ה שמותר לתחוב בה את המלבושים לחברן בעת הדחק, **ואם** הוא במקום שאסור לצאת בו בשבת, כבר מבואר לעיל בסימן ש"ג סעיף ט' דאסור, **ועיין** בסעיף י"ח ובמה שכתבנו שם.

וה"ה שמותר לטלטלה לצורך מקומה, **וכ"ש** שמותר לטלטלה אם מצאה מונחת במקום שיכולין ליזוק בה אנשי ביתו, **דבזה** אפילו בניטל חורה, שאין עליה שם כלי כלל, ג"כ מותר לטלטלה.

ניטל חודה או חור שלה, אסור. וחדשה שלא ניקבה עדיין, מותר - דזימנין דנמלך עלה ואינה נוקבה, ומשוי לה מנא כמות שהיא לנטילת הקוץ, **אבל** בניטל חורה או עוקצה, בטל מינה שם כלי, דאז דרך לזרוק אותה בין שברי מתכות, **ואם** יחדה מבעוד יום לאיזה תשמיש, הוי כלי ומותר לטלטלה, כדין כל כלי שמלאכתו להיתר.

(**נסתפקתי, אם ה"ה באין לה חוד בעת חידושה, הוא ג"כ מותר בזה, או אפשר דעדיין לא חזיא אף לנטילת קוץ בזה, ומהגמ' קכ"ג. בסוגיא משמע קצת ג"כ הכי, וצ"ע**).

סעיף יב - שירי מחצלאות - שנפרדו מן מחצלת ישנה, ובין שנפרדו מע"ש ובין שנפרדו בשבת, **מותר לטלטלם** - אפילו אין בהם ג' על ג', ואפילו מחמה לצל מותר, **דחזי לכסות בהו טינופא.**

ואם זרקן לאשפה מבע"י, אסור לטלטלם - דבטלה מהיות עוד כלי, **ובמחצלת** שלמה, אפילו זרקן לאשפה מותר, דבטלה דעתו אצל כל אדם.

סעיף יג - שירי מטלניות שבלו, אם יש בהם ג' אצבעות על ג' אצבעות מותר לטלטלן - היינו כל זמן שלא זרקן לאשפה, דיש בזה קצת חשיבות, דחזיין לעניים.

ועיין באחרונים שכתבו, דלעשירים אסור לטלטלן, דלהם לא חשיבי שירי מטלניות, [ונראה דבהניחן בקופסא, אפי' לעשירים מותר], **אא"כ** יש בהם ג' טפחים על ג' טפחים, לדעה זו, [**ואפשר** דבזה אפי' זרקן לאשפה מותר, ואפשר לדחות].

שירי מטלניות שבלו – (**ברמב"ם איתא סתם "שירי בגדים", ואפשר דהטור ושו"ע ג"כ אורחא דמלתא נקטו, דהא הטעם, דבפחות מזה לא חזיין לא לעניים ולא לעשירים, כדאיתא בגמרא, וזה שייך בכל גווני**).

ואם לאו (שאין בהם ג' אצבעות על ג' אצבעות), **אסור** – (**היינו אפי'** לצורך **גופו ומקומו, שאין ע"ז שם כלי**).

ויש מתירין אפי' אין להם ג' על ג' - דחזי לקנח בו מידי, והוי כשירי מחצלאות, **ובלבד שלא יהיו טליתות של מצוה** - לפי שאדם בודל מהם מלהשתמש בתשמיש מגונה, וע"כ בעינן בדידהו שיהו ג' אצבעות על ג' אצבעות, והיינו לעניים וכנ"ל.

סעיף יד - מנעל חדש מותר לשמטו מעל הדפוס, אע"פ שמלאכתו לאיסור, כיון דשם כלי עליו, מותר לטלטלו לצורך מקומו - נקט חדש לרבותא, אף שהוא מהודק על הדפוס שפיר, ואינו יכול לשמטו מעליו אא"כ מטלטל גם הדפוס בידים, אפ"ה שרי, **דאף** שהוא כלי שמלאכתו לאיסור, שעל ידו מתקנים המנעלים, מ"מ הלא צריך למקומו, דהיינו המנעל שהדפוס מונח בו, **וכ"ש** כשהמנעל ישן, שהוא רפוי ויכול לשמוט המנעל מעליו בלי טלטול הדפוס בידים, דשרי.

לפי טעם זה, ה"ה דמותר לשמוט הדפוס מתוך המנעל, בין שהוא תקוע בו בחוזק ובין ברפוי, **והא"ר** מפקפק ברפוי, דלמה יטלטל הדפוס, טוב יותר שישמיט המנעל מעליו אחרי שהוא רפוי, ולא יטלטלו בידים, **ובמקום** שקשה להשמיט המנעל, בודאי אין להחמיר.

(עיין בגמרא, דהטעם דמותר המנעל בטלטול, משום שיש שם כלי עליו כיון שנגמר, אף שעדיין לא הוסר מעל הדפוס, וכרבנן דרבי אליעזר, **ולפי** מה שמבואר לעיל בסימן ש"ג סי"ג, דאשה אסורה לצאת במנעל חדש בשבת כשלא נסתה ללכת בו מאתמול, ואפילו בבית יש מחמירין בזה, ע"ש בסי"ח, **אפשר** דצריך ליזהר ג"כ שלא תשמטנו מעל הדפוס, אחרי שאסורה לצאת בו, **אם** לא שצריכה להמנעל להשתמש בו לאיזה דבר אחר, דלא גרע עכ"פ משאר כלי שמלאכתו לאיסור, שמותר לטלטלו לצורך גופו).

סעיף טו - סנדל שנפסקה רצועה הפנימית, עדיין תורת כלי עליו ומותר לטלטלו - שהסנדל יש לו שני תרסיות {הוא מקום קביעת הרצועות}, אחד מבחוץ, ואחד מבפנים בין שתי רגלים, כשנפסק הפנימי ראוי לתקנו, ואע"פ שתיקונו ניכר וגנאי הוא, מיהו לצד פנים לא מתחזי, ע"כ עדיין שם כלי עליו.

נפסקה החיצונה, בטל מתורת כלי ואסור לטלטלו - דכשנפסק החיצונה אינו הגון לתקנו, ודרך לזורקו לאשפה, ע"כ בטל מינה שם כלי, **ואין** חילוק בין נפסקה בשבת בין נפסקה מבע"י.

וכ"ז בסנדלים שלהם, אבל במנעלים שלנו, אע"פ שנפסקה עדיין חזי ללבישה ותורת כלי עליה, **דדוקא** במנעלים שלהם שהיו פתוחים לגמרי מלמעלה, וצדדיו של עץ או של עור קשה, והרצועה נקשרת ע"ג הרגל, ואם נפסקה לא היה יכול לנועלו, משא"כ בשלנו, [**ואם** נפל שולי המנעל מתחתיו, פשוט דגם בשלנו בטל שם כלי].

ואם הוא בכרמלית, מותר לכרוך עליו גמי לח, שהוא מאכל בהמה, לתקנו שלא יפול מרגלו - ר"ל דבכרמלית אין נשמר, ע"כ התירו לו לכרוך כדי שלא יאבד. ‹**תמה** על עצמך, אם טלטולו נאסר, {דדרך לזורקו באשפה וכנ"ל}, היאך נתירהו בפסידא מועטת כ"כ – מאירי›.

ובחוט או משיחה, דעת המ"א דאסור, דלמא מבטל ליה התם, והוי קשר של של קיימא, **אך** לענוב אותו בעניבה, לכו"ע מותר.

ובחצר שהוא נשמר שם, אסור - משום מוקצה וכנ"ל, אלא יניחו שם, **ואם** רבים שם וגנאי לו לילך בלא מנעל, שרי משום כבוד הבריות, [**ונ"מ** גם במנעלים שלנו וכנ"ל].

סעיף טז - חלוק שכבסו אותו ותחבו בו קנה ליבשו - היינו מע"ש, וגם מיירי שנתייבש קצת מבע"י, דאם היה טופח ע"מ להטפיח בבין השמשות, אסור לטלטל החלוק כל השבת, דמיגו דאתקצאי לביה"ש, וכדלעיל בסי' ש"א סמ"ו בהג"ה, איתקצאי לכולי יומא.

יכול לשמטו מעל הקנה - לכאורה הלא מטלטל עי"ז גם הקנה, ובסי"ד מוכח, דהיה אסור לשמוט המנעל מפני דמטלטל עי"ז הדפוס, אי לאו דדפוס היה כלי, וקנה לאו כלי הוא, **י"ל** דהכא מיירי שיכול לשמוט הכתונת בלי טלטול הקנה עמו.

אבל ליקח הקנה מתוכו אסור, לפי שאינו כלי - ואף שכבר נשתמש בו מבע"י, עדיין לא נעשה כלי בכך, דלא היה דרכם ליחודי קנים להכי - ר"ן, **ולפי"ז** לדידן דדרך ליחד קנים לתלות עליהן, שרי בהכי.

ואם תחבו בו כלי - כגון קנה המיוחד לאיזה תשמיש, **מותר ליטלו מתוכו, אפילו הוא מלאכתו לאיסור** - דהלא הוא צריך למקומו של הכלי, דהיינו החלוק.

כירה שנשמטה אפילו אחת מירכותיה - והוא כעין רגלים, **אסור לטלטלה** - והטעם, דגזרינן שמא יתקע הרגל לשם בחוזק לחברה, וחייב משום מכה בפטיש, או משום בנין לאיזה פוסקים, **וכ"ש** אם נשמטו שתים מירכותיה, דאין לה עמידה כלל, בודאי חיישינן שמא יתקע לה הרגלים, [**וי"א** דבשתים תו אין שם כלי עליה לכו"ע].

הגה: וכן ספסל ארוך שנשמט אחד מרגליה, כ"ש שתים, דאסור לטלטלה ולהניחה על ספסל אחרת ולישב עליה, אפילו נשברה מבע"י - הכל מטעם הנ"ל, (**וה"ה** דסתם טלטול אסור ג"כ אצלה, כמו גבי כירה, אלא לרבותא נקט, ומ"מ נראה, דבעת שנשמט הרגל ממנה, וירא שלא תפול הספסל ויזיק לאדם, מותר לטלטלו ולפנותו משם, וכנ"ל בס"ו בהג"ה, וממילא דמותר אז לסמכו על ספסל אחר ולישב עליו, **אך** שיזהר שלא יטלטלנו בישיבתו).

ודוקא בנשמט דאפשר לחברו, וע"כ אסרו אפי' בטלטול, משום שמא אתי ליתקע, **אבל** אם נשבר רגל אחד, דלא שייך בו שמא יתקע, אלא צריך לעשות רגל אחר, ולזה לא חיישינן, ע"כ מותר בטלטול, **ורמ"א** דנקט "אפי' נשברה", לאו דוקא הוא, אלא נשמט קאמר, [**ולפי** הי"א הנ"ל, דבנשמטו שתים תו ליכא שם כלי, אפשר דנקט הרמ"א נשברה לענין שתי רגלים, **ואפשר** דלענין ספסל, כיון דראוי לסמוך אותה על ספסל אחר, עדיין היא ראויה לשום מלאכה], **גם** אם נשמט אותו הרגל מכבר, ואין כאן אותו הרגל כלל, אלא הספסל הוא בלא רגל, אין איסור לסמוך אותו על ספסל אחר, דכאן לא שייך שמא יתקע.

ובישיבה לחוד אם אינו מטלטל, פשיטא דמותר.

אא"כ ישב עליה כך פעם אחת קודם השבת - דכיון שישב עליה כך פעם אחת בלי רגל, שוב לא יתקע.

גם אסור להכניס הרגל לשם משום בנין - היינו אפי' אם לא יתקענה בחוזק, משום חששא שמא אתי לתקוע, דסתם רגלי הספסלין דרכן להיות מהודקין, וחיישינן לזה, **וכ"ז** אפי' בישב על הספסל כבר פעם אחת קודם השבת, דבלא זה אסור הספסל אפילו בטלטול.

וכתב המ"א, דאם דרך הרגל להיות לעולם רפוי אצלו, מותר להכניסו ברפיון, (**ולא** ברירא לענ"ד כ"כ, דמנלן דתליא באדם זה, שאצלו דרכו להיות רפוי, דילמא תליא בדעלמא), **וכ"ז** ברפוי ממש, אבל רפוי ולא רפוי אסור.

סעיף יז - לבנים שנשארו מהבנין, מותר לטלטלם, דמעתה לא קיימי לבנין אלא למזגא (פי' לסמוך ולשבת עליהן) עלייהו - והוי תורת כלי עלייהו, דכל דראוי למידי ועומד לכך, תורת כלי עליה, וכמו נסרים ועורות לקמן בסעיף כ"ה כ"ו, **ומותר** לטלטל אפילו מחמה לצל כדין כלי שמלאכתו להיתר. **ומשמע** דאין צריך מחשבה מערב שבת למזגא עלייהו, **ויש** מחמירין בזה.

כתב הפמ"ג, אם נשברו הלבנים, כל שראוי למידי, הוו כדין שברי כלים בסעיף ו"ו וזיי"ן, ע"ש.

ואם סידרן זה על זה, גלי אדעתיה שהקצן לבנין, ואסור לטלטלם - אפילו לצורך גופו ומקומו, דליכא תורת כלי עליהן, ודינייהו כדין אבנים המבואר לקמן בסכ"ב, דלא מהני מחשבה מע"ש לזה.

סעיף יח - קוץ המונח ברשות הרבים, מותר לטלטלו פחות פחות מד' אמות - עד שיסלקנו לצדי ר"ה, מקום שאין דורסין בו רבים, **ומשמע** במ"א, דדוקא אם לא היה הקוץ מונח שם מע"ש, דאל"כ היה לו לסלקו מע"ש, **אבל** הא"ר חולק עליו, וס"ל דאפילו מונח שם מע"ש, מותר ליטלה בשבת.

ובכרמלית מותר לטלטלו להדיא, משום דחיישינן שמא יוזקו בו רבים, ובמקום הזיקא דרבים לא גזור רבנן שבות - והא דאיתא לעיל בס"ו בהג"ה, דאם יש שברי זכוכית בבית, מותר לסלקו ולפנותו, אף שסתם בית אין מצוי בו רבים כ"כ, **שם** הוא רק איסור מוקצה, ואיסור טלטול ד' אמות בכרמלית, או בר"ה פחות מזה, חמור מזה.

דעת הריב"ש המובא במ"א, דאם היה הקוץ גדול, (וה"ה אבן גדולה הנראה לעינים), אסור לטלטלו, דבנקל

יכול להזהר ממנו שלא יוזק, כיון דנראה לכל, **ועיין** במ"א שהקשה עליו, ובתו"ש מיישבו ומצדד להורות כמותו, **ועיין** בספר שלחן ע"ש, דבטלטול מן הצד מותר גם בזה.

(**וכתב** המג"א בסוף דבריו, ומ"מ צ"ע אם יש להתיר באבן, כי נראה דלא התירו אלא בדבר דלא היה לו לסקל מאתמל, **ונראה** לענ"ד ברור דהדין עם המ"א ולאו מטעמיה, כי נראה דלא התירו בשבת כי אם קוץ, מפני שעלול מאד להזיק בעוקץ החד שלו, משא"כ בסתם אבן, שאין להם עוקצין, אפילו אבן קטן שאין נראה לעינים, **דאף** דלענין נזקין אמרינן דאבנו סכינו ומשאו הוא בכלל בור, שם שאני דהחמירה התורה ביותר).

סעיף יט - סולם של עלייה שהוא גדול ועשוי להטיח בו גגו - שגגותיהן אינן משופעין, וצריכין להטיחן בטיט כדי שיזובו מימיהן למטה, **אסור לטלטלו** - (הוא דעת הרמב"ם), ‹וז"ל: שאין עליו תורת כלי. **ונ"ל** דטעמא דהוי כא' מדלתות הבית, מ"א›, ‹דכיון שהוא עשוי להטיח הגג, הוי כהבנין עצמו וכדלתות הבית, ערוה"ש›, **ולפי** דעת הרמב"ם, אפי' לצורך גופו ומקומו אסור - פמ"ג

(**והטור** פוסק דיש להקל בשבת), ‹ובלבוש פי' {השו"ע} כהטור, שיאמרו להטיח גגו הוא צריך. **וצ"ע**, דלהטור בשבת שרי, {דבשבת ליכא חששא דלהטיח גגו הוא צריך, שאסור להוציאו לחוץ}, ורק ביו"ט אסור. **והמחבר** פסק כרמב"ם שאין תורת כלי, ומשו"ה אסור בשבת ג"כ – פמ"ג›.

(**ובביאור** הגר"א, מצדד לדינא כהרשב"א, דלא אסרו חכמים כלל ‹אף ביו"ט› רק להוליכו ממקום למקום, אבל לא בטלטול בעלמא).

אבל סולמות שבבית שעשויין לטלטל מזוית לזוית לצורך איזה תשמיש, לא אתי למימר להטיח גגו הוא צריך, ‹לכאורה היינו כפי' הלבוש›, ומותר לטלטלו כדי להוציא על ידו איזה דבר מן העליה או להעלותו, **וע"ל** בסימן תקי"ח בט"ז, שכ' דאפי' אם הסולם הוא גדול, ג"כ מותר.

אבל של שובך מותר לנטותו ממקום למקום, אבל לא יוליכנו משובך לשובך, כדי שלא יעשה כדרך שהוא עושה בחול ויבוא לצוד.

סעיף כ - חריות (פי' ענפים) של דקל שקצצם לשריפה, מוקצים הם ואסור לטלטלם - משמע דסתמא לא אסירי, **ועיין** לקמיה מה שכתבנו, דעצים שלנו סתמא עומדים להסקה.

היינו טלטול ממש, אבל לישב עליהם כשאין מזיזן ממקומן, ודאי שרי, **ואפילו** כשמזיזן ע"י ישיבתו, מצדד המ"א להקל, דטלטול מן הצד הוא כל זמן שאין מזיזן בידים, **ומצאתי** במאירי שגם הוא הסכים לזה, רק שכתב דבמקום שאין צורך ראוי לפרוש מזה. ‹**משום** שיש להסתפק אם הוא בגדר טלטול לצורך דבר האסור או לצורך דבר המותר – פסקי תשובות›.

ישב עליהם מעט מבע"י, מותר לישב עליהם בשבת - היינו אפי' לטלטלם כדי לישב עליהם, ואע"פ שלא חישב עליהם מבע"י, דבזה שישב גלה דעתו דלישיבה קיימא, והוסר מעליהם שם מוקצה.

וכ"ש אם קשרן לישב עליהם, או אם חשב עליהם מבע"י לישב עליהם אפילו בחול - ר"ל דבזה שעשה מעשה מבעוד יום, או שחישב בדעתו בהדיא לישיבה, בודאי ביטל מעליהם שם מוקצה.

אפי' בחול - והא"ר הביא בשם כמה ראשונים, שס"ל דמחשבה לא מהני אא"כ חישב לישב עליהם בשבת.

איתא בש"ס, דזמורה שיש בראשה עקמימות כעין מזלג, שראוי לתלות עליו דלי ולמלאות בו, אע"פ שחישב עליו מע"ש למלאות בה, אסור למלאות בה בשבת אא"כ היא קשורה בדלי מע"ש, דחיישינן שמא תהא ארוכה ויקטמנה, מתוך שהיא רכה ונוחה לקטום, ונמצא עושה כלי וחייב משום מכה בפטיש, **ואם** הוא קשה משמע דשרי, אפילו אם רק יחד הזמורה לכך מע"ש, **ואם** הוא מחובר לקרקע, אפילו הוא קשה דליכא חשש שמא יקטום, אפ"ה אסור להשתמש בה אא"כ היא קשורה בדלי, משום מוקצה, דבמחובר לקרקע לא מהני מחשבה להוציאה מתורת מוקצה, **אך** דבמחובר לא שרינן אפילו בקשורה, אלא כשהזמורה הוא פחות מג"ט סמוך לארץ, **דאל"ה** אסור משום משתמש באילן, כמש"כ בסי' של"ו.

סעיף כא - אבל נדבך של אבנים, אע"פ שחשב עליו מבע"י, אסור לישב (עליהם) - פירש המ"א, דהיינו לטלטלם בשבת כדי לישב עליהם, **אבל** ישיבה לחודא שרי בכל ענין, וכנ"ל.

אא"כ למדום (פי' סדרום) - והטעם, דחריות איכא דקיימי לישיבה ואיכא דקיימי לעצים, וכאן לא נאסרו אלא מפני מחשבתו שקצצן לשרפה, ומפני כך

מחשבת ישיבה מוציאה ממחשבת שריפה, **אבל** נדבך של אבנים ליכא דקאי לישיבה, לפיכך אין מחשבה מועילה לעשותה כלי, וצריך מעשה להוכיח שהן לישיבה, ובענין זה המעשה הוא הסידור, **וא"כ** בעצים שלנו שאין עומד בשום פעם לישיבה, אלא להסקה, נמי בעינן שיעשה בהם מעשה מבע"י, וכמו שכתב בסעיף כ"ב לענין בקעת, דלא מהני במה שיחדה לשבת זו.

מלשון המחבר משמע, דבזה שסדרם מבעוד יום כדי לישב עליהם, הוא בכלל מעשה גמורה, ומותר שוב לטלטלם למחר אפילו להדיא, **אבל** המ"א מצדד כשיטת רש"י, דהסידור לא מהני אלא כדי שלא יצטרך ליגע בהם למחר.

הגה: וי"א דדין לבנים כדין חריות, וכן עיקר - עיין במ"א שהשיג על הרמ"א, וסבירא ליה דאבן חמור מחריות, כמו שכתב בסעיף כ"ב, דבעינן דוקא יחוד לעולם, וכן משמע דעת שארי אחרונים.

(**כתב הפמ"ג**: נדבך של אבנים איני יודע מהו, דרש"י פירש: נדבך, סדורות ומוקצות לבנין, משמע דאם אישתייר מבנין, הוי כלבנים, ובר"ן לא משמע הכי, וכמו שכתב המ"מ, דעיקר החילוק, דאבנים לא קיימי כלל לישיבה, ואף בלא נדבך וסדורות, ואף אישתייר מבנין צריך למדום מעשה וכו', דיש חילוק בין לבנים שהם שפים וחלקים וקיימו ג"כ לישיבה, הלכך אישתייר מבנין מותרים, דעומדים לישיבה, ואבנים שאין משופים וחלקים צריך למדום, כי לא קיימי לישיבה וצריך מעשה, עכ"ל, ודע, דאף שהחמיר הפמ"ג בנשתיירו מבנין, היינו בסתם אבנים, אבל אם הם אבני גזית שהם משופים וחלקים, כתב הפמ"ג די"ל דדינם כלבנים שנשארו מבנין, וא"צ מחשבה כלל, ועי"ש שסיים שצ"ע בכל זה).

סעיף כב - אסור לכסות פי חבית באבן או בבקעת, או לסגור בהן את הדלת, או להכות בהן בברזא, (פירוש הקנה שמשימים בחבית להוציא היין ממנו) - וה"ה אם רוצה לסמוך בקורה את הדלת, צריכה יחוד כמו בבקעת, ואז איכא תורת כלי עליה.

אע"פ שחשב עליה מבע"י - לעשות הפעולות האלו בשבת, **וכ"ש** אם לא חשב רק שעשה הפעולות האלו מבעוד יום, **אסור, אא"כ יחדה לכך לעולם** - ולא דמי לחריות הנ"ל בס"כ, דשם איכא חריות דקיימא לישיבה, אבל הכא אין דרך כלל להזמין אבן או בקעת להשתמש בהן, **וע"כ** בעינן שייחד לעולם מערב שבת להשתמש בהן איזה תשמיש, ואז הוסר מעליהם שם מוקצה.

ואם היה רגיל בימות החול להשתמש בהן איזה תשמיש, סגי אפילו לא יחדן בפירוש.

והאי יחוד שכתוב בשו"ע, נראה דאפילו במחשבה בעלמא, ולא בעינן שיפרש בפה.

אבל יחדה לשבת זה בלבד, לא - אא"כ עשה בהן מעשה המוכיח שעומדין להשתמש.

והני מילי, בדבר שאין דרכה לייחדה לכך, כגון הני דאמרן; אבל בכל מידי דאורחיה בהכי, כגון לפצוע בה אגוזים, ביחוד לשבת אחת סגי - ולא דמי לסכ"א, דשאני התם שאין האבן עשויה לישב עליה, משא"כ הכא דאורחא בהכי, להכי מהני ביחוד לשבת אחת, **ועיין** מש"כ לעיל סי' ש"ג סכ"ב. (**ואפי'** אם לא יחדה כלל, רק שפצע בה אגוזים מבע"י, סגי, כמו בחריות אם ישב עליהן מבע"י, וכנ"ל בס"כ).

ויש מי שאומר דלא שנא - ר"ל דבשניהם בעינן יחוד לעולם.

וי"א שצריך שיעשה בה שום מעשה של תיקון מבע"י. (ועיין לעיל סימן רנ"ט דביחוד סגי) - היינו מה שמבואר שם סעיף ב', דאפילו באבנים סגי ביחוד לעולם.

ולענין מידי דאורחיה בהכי, נראה דבמקום הצורך יש לסמוך להקל, דסגי ביחוד לשבת אחת.

סעיף כג - מותר לחתוך ענף מן הדקל מבע"י, ומותר להניף בו על השלחן בשבת להבריח הזבובים - ובלבד שיזהר שלא יהרגם בעת ההברחה. **ונראה** דה"ה לאיים על התינוקות.

כיון דלצורך חתכו, עשאו כלי גמור - לאו דוקא כשחתכו לצורך, דה"ה כשתחתכו לשרפה והוי מוקצה, ואח"כ יחדו לכך מבע"י, כיון דאורחיה הוא, מהני יחוד לשבת זו וכנ"ל.

אבל אסור לומר לא"י בשבת, שיתלוש לו ענף מן המכבדות שמכבדין הבית, אא"כ הוציאו מן המכבדת מבע"י, ויחדו לכך.

סעיף כד - פשתן סרוק וצמר מנופץ שנותנים על המכה, אם חשב עליהם מבע"י לתתם על המכה, (בשבת) - לפמש"ל בס"כ, ה"ה אם חשב ליתנם על המכה בחול, **או שישב בהם שעה אחת מבע"י, או שצבען בשמן** - פי' טבלן בשמן, תרגום וטבל: וצבע, **דגלי דעתיה דלמכה קיימי, או שכרכן במשיחה ליתנם על המכה בשבת, תו לית בהו משום מוקצה** - הטעם הכל כנ"ל בחריות ס"כ, דכיון שחשב או ישב, הוסר מעליהם שם מוקצה.

ומשום רפואה נמי ליכא, שאינו אלא כמו מלבוש שלא יסרטו בגדיו (במכה).

וי"א דלא סגי במחשבה לחוד - עיין מ"א שהקשה על המחבר, ודעתו דלכו"ע סגי במחשבה, ובא"ר יישב קושיתו, ע"ש.

סעיף כה - עורות יבשים, בין של אומן בין של בעה"ב, מותר לטלטלן - אף דבאומן סתמייהו עומדות אצלו למכירה, אפ"ה לא אמרינן בהן דקפיד עלייהו מלהשתמש בהן.

עורות יבשים - בזה מותר לדעה זו אפילו בדקה, **ולחים** דלא חזי לישיבה, אסור בשניהם, אא"כ חישב עליהן לישיבה מבעוד יום.

הגה: וי"א דוקא עורות בהמה גסה דחזי ליסב עליהם, אבל מבהמה דקה, אסור, אא"כ חשב ליסב עליהם מבע"י - ס"ל דאין חילוק, דבין ביבשים ובין בלחים שרי בגסה, **אבל** בדקה בעינן חישב, בין בלחים ובין ביבשים.

והעיקר כדעה הראשונה, דתלה רק ביבשים, ואז מותר בין בעבודים ובין שאינם עבודים.

ואם נתנן לאוצר לסחורה, צריכין יחוד דוקא, וכמו שכתב ריש סי' רנ"ט.

סעיף כו - נסרים של בעה"ב, מותר לטלטלן; ושל אומן, אסור - דבהו קפיד האומן שלא יתקלקלו, **אא"כ חשב עליהם מבע"י, ליתן עליהם פת לאורחים או תשמיש אחר.**

ונסרים של סוחרים שנתנום לאוצר, אפשר דאסור ג"כ לטלטלם, דקפדי עלייהו ג"כ שלא יתקלקו ויתעקמו, כמו אומן, אע"ג דלא החליקן ברהיטני.

סעיף כז - עצמות שראויים לכלבים - אפילו אם נתפרקו מן הבשר בשבת, דמבעוד יום לא היה מוכן לכלבים, אפ"ה שרי, **וכ"ש** אם נתפרקו מבע"י, **וקליפים שראוים למאכל בהמה, ופרורים שאין בהם כזית** - היינו שמפני קטנותן סתמא עומדין רק למאכל בהמה ועופות, **מותר להעבירם מעל השלחן.**

אבל אם אין הקליפים ראוים למאכל בהמה - כגון קליפי אגוזים וביצים וכל כה"ג, **אסור לטלטלם** - וה"ה בעצמות שהם קשים, שאינם ראויים אפילו לכלבים, בין אם נתפרקו בשבת או מבע"י, **אבל** כ"ז הוא דוקא אם נתפרקו לגמרי, לאפוקי אם נשתייר מקצת בשר על עצמות, מותר לטלטל אותם אגב הבשר.

אלא מנער את הטבלא - הוא דף המונח על השלחן כדי לשום עליו הלחם, וה"ה מפה הפרוסה, **והם נופלים** - וטעם ההיתר הוא, כיון דלא מטלטלו בידים, (ומן הארץ מותר לכבד בכנף של אווז).

(**ואיתא** במלחמות, דהיינו שמטלטלה עם הקליפין שעליה עד מקום התנור, ומנערה שם, **ומשו"ע** משמע דאסור להגביה הטבלא, אלא לנערה במקומה).

וה"ה אם מעבירם ע"י דבר אחר, כגון שהוא מגרר אותם ע"י סכין מן המפה, דמותר אם הוא צריך להשתמש במקום שמונח שם העצמות והקליפין, דזה מקרי טלטול מן הצד, ושרי אם הוא לצורך דבר המותר, וכדלקמן בסימן שי"א ס"ח.

ואם נתקבצו הרבה יחד, ומאוס עליו להניחן כך על השלחן, מותר להעבירן בידים, דהוו ליה לדידיה כגרף של רעי.

ואם יש פת על השלחן, מותר להגביה הטבלה ולטלטלה עם הקליפים שאינם מאכל

בהמה, שהם בטלים אגב הפת - ואפשר שאפילו לכתחלה מותר להניח פת, כדי להגביה הטבלא, אם קשה ליה הניעור, עיין במ"א ופמ"ג.

ואם היה צריך למקום השלחן, אפילו אין עליה אלא דברים שאינם ראוים למאכל בהמה, מותר להגביה ולטלטלם.

סעיף כח - חבילי עצים - היינו שהם רכים דחזו למאכל בהמה, **וקש, שהתקינן למאכל בהמה** - היינו שהזמינן, **אפילו הם גדולים הרבה, מותר לטלטלן** - אבל בלא הזמנה, אפילו הם חבילות קטנות, אסור לטלטלן, **וטעמא**, דסתמא עומדין להסקה, ולכך אף שחזו למאכל בהמה אסור.

כתב המ"א, קש שלנו סתמא עומד לשכיבה או למאכל בהמה, **ועיין** בתוספות שבת דזה תלוי במנהג המקומות, ולפי"ז במקומות שחבילי תבן סתמן עומדין לבנין לכסות הגגות, הם מוקצה וצריך הזמנה.

סעיף כט - כל שהוא ראוי למאכל חיה ועוף המצויים, מטלטלים אותו; ואם אינו ראוי אלא למאכל חיה ועוף שאינן מצויים - אצל רוב בני אדם, ומה דעשירים מגדלין אותו המין בבתיהם, לא נחשב מצוי, **אם יש לו מאותו מין חיה או עוף, מותר לטלטל מאכל הראוי לאותו המין; ואם לאו אסור.**

הגה: ולפי זה מותר לטלטל עצמות שנתפרקו מן הבשר מע"ש אם ראויים לכלבים, דהא כלבים מצויים - ר"ל לפי מה שנתבאר, שכשהוא ראוי לחיה ועוף המצוים, אף שאין לו מאותו המין, מותר לטלטל, גם בזה מותר לטלטל.

מע"ש - וכל שכן אם נתפרקו בשבת, דהיה עומד בכניסת שבת לאכילת אדם, דבודאי מותר לטלטל, **ואם** אין כלבים מצוים באותו המקום, גם באופן זה אסור לטלטל.

סעיף ל' - גרעיני תמרים, במקום שמאכילים אותם לבהמה, מותר לטלטלן - אבל מקום שאין דרך להאכילם לבהמה, אסור לטלטלם אע"ג דחזו לבהמה.

ואדם חשוב צריך להחמיר על עצמו שלא לטלטלן אלא דרך שינוי - כגון לזורקן בלשונו, או לטלטלן אגב פת.

הטעם, משום דיש מקומות שאין מאכילין אותם אפילו לבהמה, וגם דלא חזו לבהמה רק ע"י הדחק, ע"כ אדם חשוב צריך להחמיר.

(ולענין גרעיני שאר פירות, אפשר דמודה השו"ע למה שמשמע ברמב"ם, דסגי שיהיה עכ"פ ראוי למאכל בהמה, וגרעינין של תמרים שאני, משום דאינן נאכלין אף לבהמה כי אם ע"י הדחק, ולפיכך החמיר בזה שיהא דרך אותו המקום להאכיל לבהמה, אף דהרמב"ם כלל כל הגרעינים בחדא מחתא, וגרעיני תפוחים ואגסים בלא"ה אפשר דיש להקל, דהם ראוין אף לאכילת אדם, ולפעמים אוכלים אותן ביחד, וכ"ש גרעיני הפירות שקורין פלוימען, שיש בתוכן אוכל, בודאי מותר לטלטל לד"ה, אף שאין בדעתו לאכלן).

סעיף לא - בשר חי, אפי' תפל שאינו מלוח כלל, מותר לטלטלו, משום דחזי לאומצא - היינו שיש בני אדם שדעתם יפה וכוססין בשר חי, שאין איסור באכילתו משום דם אחר שהודח, כשאוכלו כשהוא חי, כמ"ש ביו"ד.

והנה ממ"א מבואר, דדוקא במין הרך כגון יונה ובר אווזא, אבל בשר בהמה אינו חזי לכוס ואסור לטלטלו, **אבל** בט"ז פוסק, דאפילו בשר בהמה תפל מותר לטלטלו, (דלדידן דפסקינן כר"ש, אף אם נימא דלא חזי כ"כ לאומצא, מ"מ שרי), וכן הא"ר מסכים לדינא כהט"ז, ובביאור הגר"א חולק ג"כ על המ"א, משום דאמרינן דכל בשר ראוי לאכול באומצא, ע"ש, **וע"כ** אף שראיתי בהרבה אחרונים שהעתיקו דברי המ"א לדינא, במקום הדחק יש לסמוך על המקילין.

וכן אם הוא תפוח (פי' מסריח), מותר לטלטלו, משום דראוי לכלבים – (היינו אפילו אם נתפח בשבת, וכדעת ר"ש בנבילה שנתנבלה בשבת. **בהמת** א"י שנשחטה אפי' בשבת, שרי לטלטלה, מידי דהוי אנבילה שנתנבלה בשבת דשרי לטלטלה, כדלקמן בסימן שכ"ד).

סעיף לב - דג מלוח מותר לטלטלו - בין המין שקורין הערינ"ג, ובין כל המינין, דכיון שהוא מלוח ראוי לאכול ע"י הדחק, כמו בשר דחזי לאומצא, **וה"ה** דג מעושן.

ושאינו מלוח, אסור מפני שאינו ראוי - הט"ז פירש דהיינו שאינו ראוי אף לכלבים, דאם היה ראוי לכלבים, אף דאינו עומד לאכילת כלבים, מותר לטלטל, **אבל** המ"א כתב, דדבר העומד לאכילת אדם, ואינו ראוי לאכול כך עד מו"ש, אף דראוי הוא לאכילת כלבים, מקצה איניש דעתיה מיניה, משום דלא קאי לכלבים, **ולפי"ז** שומן צונן של בהמה דאינו עומד כך לאכילת אדם, אסור לטלטלו, וכן פסקו האחרונים.

סעיף לג - קמיע שאינו מומחה, אע"פ שאין יוצאים בו, מטלטלין אותו.

אע"פ שאין יוצאין בו - היינו לר"ה, אבל לכרמלית שרי, דאף לר"ה ליכא חיוב חטאת, דדרך מלבוש הוא, ולא אסור רק מדרבנן, וממילא בכרמלית שרי, לפי מה שנוהגין האידנא כסברא אחרונה לעיל בסימן ש"ג סי"ח, כ"כ בספר אליהו רבה, וכן צידד ג"כ בספר תו"ש להורות כמהרש"ל שמיקל בכרמלית, **ודלא** כמ"א, **ובספר** שלחן עצי שטים פסק ג"כ, דמותר לצאת לכרמלית בסתם קמיע שלא בדקוהו ולא הועיל, **אבל** בקמיע שאינו מומחה ודאי, אף לכרמלית אסור, **ומה** נקרא קמיע מומחה, נתבאר לעיל בסימן ש"א סכ"ה.

סעיף לד - כל דבר מטונף, כגון: רעי וקיא וצואה, בין של אדם בין של תרנגולים, וכיוצא בהם, אם היו בחצר שיושבים בה - היינו שדרים בה, כמו החצרות העשויות לפני הבתים, שהוא מקום דריסת הרגל, **מותר להוציאם לאשפה או לבית הכסא** - משום כבודו, **וה"ה** אם הוא מונח במבוי במקום דריסת הרגל, מותר לסלקו לצדדים.

ואפי' בלא כלי - קמ"ל דלא תימא דלא התירו לטלטל רק אגב כלי.

בגמרא איתא, דעכבר מת הנמצא מותר להוציאו בידים, מטעם גרף של רעי, [**ודוקא** אם הוא במקום שמאוס בעיניו].

ואם היו בחצר שאינו דר שם - בין שהוא חצר אחרת, או שהוא חצר שאחורי בתים, או שהוא מונח באשפה שבחצר, **אסור להוציאם** - דהא לא חזי למידי, והוא מוקצה כאבן, **וה"ה** הגרף ועביט בלא רעי ומי רגלים, ג"כ אסור, כיון שהוא מקום שאין דר שם, **ואם** הוא מלא וא"א לפנות עליו, מותר להוציאו ולהחזירו משום כבוד הבריות.

ואם ירא מפני התינוק שלא יתלכלך בה, מותר לכפות עליה כלי - אשמעינן בזה, דלא תימא דאין כלי ניטל אלא לצורך דבר הניטל.

סעיף לה - אע"פ שמותר להוציא גרף של רעי ועביט של מי רגלים, אסור להחזירם, אא"כ נתן לתוכם מים - אע"פ שהוא כלי, מ"מ הוא בכלל מוקצה מחמת גופו, משום דמאיס הרבה, **וחמיר** מסתם מוקצה מחמת מיאוס, דקי"ל בריש סימן ש"י דמותר, דגרף הוא כאבן ודומיהן, **ורק** להוציאן ממקום שדר שם התירו משום כבודו, אבל להחזירן צריך מים, דאז מטלטלן ע"י המים.

ודוקא כשהם ראוים עדיין לשתיית בהמה, דאל"כ אף המים גרף הן.

כתב המ"א, דבעודו בידו מותר להחזיר אף בלא מים, **ועיין** בא"ר ובפמ"ג שמפקפקין בזה.

והנה מדסתם השו"ע, משמע דאפילו א"צ להוציא בו צואה ומי רגלים, שרי להחזירו ע"י מים, **ויש** מחמירין בזה כמ"ש בב"י, [טעמייהו, דלא התירו ע"י ככר ותינוק אלא למת בלבד, וע"כ מה דהתירו ע"י מים, היינו כשצריך לו להוציא בו עוד צואה או מי רגלים, **אבל** אי צריך לו לפנות עליו, בזה אפשר דאפי' בלא מים שרי להחזיר, משום כבוד הבריות], **ועיין** בספר א"ר שמכריע, דאם הוא מקום המשתמר, לא יכניסנו שלא לצורך.

גרף ועביט שניהם של חרס, אלא של רעי נקרא גרף, ושל מי רגלים נקרא עביט, וה"ה אם הוא של עץ, **ועיין** לעיל בסימן פ"ז לענין אם הוא של מתכות.

סעיף לו - אין עושים גרף של רעי לכתחלה, דהיינו להביא דבר שעתיד לימאס כדי להוציאו לכשימאס - בגמרא משמע, דאפילו

אם לא עשה כדי להוציאו, אלא דבר העשוי לבסוף להוציאו, ג"כ אסור, **שאף** שהתירו להוציא הדבר המאוס, מ"מ לעשות לכתחלה דבר שיהיה בודאי אח"כ מאוס לפניו ויוציאנו, אסור, (**דאם** הוא ספק שיהיה מאוס, אין לאסור), **והא** דנקט השו"ע "כדי להוציאו", משום סיפא נקט, דבדיעבד אין לאסור אף שהכניסו באופן זה.

(עיין בביאור הגר"א דס"ל, דדעת השו"ע הוא דאפילו במקום הפסד אסור לעשות לכתחלה, **ולא** הותר כי אם במה שמביא בסעיף שאח"ז, שהוא מביא עצמו אל הגרף).

ואם עבר ועשאו, מותר להוציאו.

סעיף לז - במקום דאיכא פסידא - היינו שיבא לידי הפסד אם ישאר הגרף שם, שיגנב שם, או שאר קלקול עי"ז, **והוא** מונח בבית באיזה חדר מקום שאין דר שם, או שמונח בחצר במקום שאין דריסת רגלו שם, דאל"ה היה מותר להוציאו, וכנ"ל בסל"ד, **מותר להכניס מטתו אצל גרף של רעי ולקבוע ישיבתו שם** - כגון מטתו לשכב עליה, או שיכניס שלחנו ויאכל שם, **כדי להוציאו** - דעי"ז נחשב כאלו דירתו שם, וממילא מותר להוציא הגרף, **אבל** ישיבה בעלמא שם לא מהני.

סעיף לח - מכניס אדם מבע"י מלא קופתו עפר - ומערה בביתו על הארץ, **ומייחד לו קרן זוית, ועושה בו כל צרכיו בשבת, כגון: ליטול ממנו לכסות צואה או רוק וכיוצא בזה** - ובענין שאין בו משום עשיית גומא, דהיינו שיטול בשוה, או שהחול דק או תיחוח, דתיכף כשנוטל החול נופל לתוך הגומא וסותמה.

אבל אם לא ייחד לו קרן זוית, בטל אגב עפר הבית ואסור לטלטלו - אפילו אם בעת שהכניס הקופה לבית היה כונתו לכסות צואה ורוק, **מ"מ** כיון שפזרו באמצע ביתו למדרס רגלים, הרי הוא בטל לגבי קרקעית הבית, והוא מוקצה ואסור, **ולפי"ז** אסור ליקח בשבת מעט מן החול המפוזר בקרקע הבית להשתמש בו לאיזה דבר.

(**וראיתי** בחידושי רע"א שהביא בשם נזירות שמשון, שכתב דאם יש רצפת אבנים או נסרים, שרי, **ולענ"ד** יש לעיין בזה טובא, אחד, דרש"י כתב דהוא בטל לקרקעית הבית, כיון שנתנו למדרס רגלים והוא מוקצה, וא"כ אף שהקרקע מחופה ברצפת אבנים או נסרים, גם הוא בכלל קרקעית הבית הוא ובטל לגביה, ובכלל מוקצה הוא כיון שהקצה אותו מדעתו, **ועוד** נ"ל, דאפילו אם נסבור כהנז"ש, ג"כ אינו מותר רק בשהכניסה עפר וחול לכתחלה לאיזה תשמיש, ואח"כ פזרו בביתו למדרס רגליו, בזה אמרינן כיון שאינו בטל לגבי קרקע, ממילא הוא בכלל התירו כדמעיקרא, **אבל** אם הכניסו לכתחלה רק לפזר בבית למדרס רגליו ופזרו, בודאי אסור להגביהו בשבת ולטלטלו, כיון שלא ייחד לו מבעוד יום קרן זוית, במה הוסר מעליו שם מוקצה שיש על סתם עפר וחול, **והשו"ע** שהוצרך לומר בטל אגב עפר הבית, ולא אסרו מטעם שלא היה יחוד עליו, מיירי נמי כמו שכתבתי במ"ב, אפילו אם בעת שהכניסו היה בשביל איזה תשמיש, וא"כ יש שם יחוד עליו, אפ"ה אסור מטעם דבטל, והרי הוא כמו שהקצה אותו עתה מדעתו).

הגה: ולכן מותר ליקח פירות הטמונים בחול, כי אין אותו עפר מוקצה - ואם טמון בעפר שהוא מוקצה, ע"ל סימן שי"א סעיף ח' וט' מה שכתוב שם.

סעיף לט - אסור לטלטל בהמה חיה ועוף - דהם בכלל מוקצה כעצים ואבנים, דהא לא חזו, **ואפילו** אם יכול להגיע להפסד על ידם, כגון שהעוף פורח על גבי הכלים ויכול לשברם, אפ"ה אסור לתפסם בידים, **ואפילו** אם הוא מורגל בבית מכבר, דתו אין בו משום חשש צידה, כמבואר בסימן שט"ז, אפ"ה ליטלם בידים אסור משום מוקצה, אלא יפריחנה מעליהם, **וכמבואר** במ"א, דאיסור טלטול מוקצה הוא אפילו במקום הפסד.

ואע"פ כן מותר לכפות את הסל לפני האפרוחים כדי שיעלו וירדו בו - ואין בו משום חשש ביטול כלי מהיכנו על אותו זמן שהם עליו, דהא יכול להפריחם בכל שעה.

ובעודם עליו אסור לטלטלו - ואם היו עליו ביה"ש, אסור אע"פ שירדו, דמיגו דאיתקצאי לבה"ש איתקצאי לכולי יומא.

סעיף מ - כל בהמה חיה ועוף - בין גדולים בין קטנים, **מדדים אותם בחצר, דהיינו שאוחז בצוארן ובצדדים ומוליכן, אם צריכין הבע"ח לכך** - ומשום צער בע"ח, דאל"כ אסור לעשות כן, דבכל מידי דלא חזי לטלטול, כשם שאין מטלטלין כולו, כך אין מטלטלין מקצתו, כמ"ש סימן שי"א ס"ז גבי מת, שלא יזיז ממנו אבר.

בחצר - אבל לא בר"ה, דגזרינן שמא יגביהם ויעבירם ד"א ויתחייב חטאת, דגבי בהמה לא אמרינן חי נושא את עצמו, (דמשמטת עצמה כלפי מטה – רש"י). **ועיין** בטור, דס"ל דבכרמלית נמי אסור לדדות כמו בר"ה, וכן פסק בלבוש, **ודלא** כב"י שצדד להקל בזה, **ומ"מ** נראה דבעגלים גדולים מותר לדדות בכרמלית, עיין בר"ן שהובא בב"י, (דדוקא בקטנים שבהם, דמתוך שהן קשין להנהיגם ברגליהם אתי לטלטלינהו, אבל בגדולים לא גזרינן).

ובלבד שלא יגביהם בענין שיעקרו רגליהם מן הארץ, דמוקצין הם ואסור לטלטלן; חוץ מתרנגולת שאין מדדין אותה, מפני שמגבהת עצמה מן הארץ ונמצא זה מטלטל; אבל דוחים אותה מאחוריה בידים כדי שתכנס - אפילו אם אינו לצרכה כדי להאכילה, אלא לתועלתו כדי שלא יבוא לידי הפסד ממון, כגון שברחה מן הבית לחוץ, וה"ה אם ברחה מן הביצים, [**ואפי'** אם ברחה לר"ה ג"כ שרי לדחותה], **אבל** בלא הפסד ממון, אפילו הדחיה אינו נכון, כיון שאינו לצרכה. (וצ"ל דוחין לאו טלטול כ"כ הוה, ומ"מ הפסד ממון בעינן, הלא"ה אסור – פמ"ג).

סעיף מא - האשה מדדה את בנה, אפי' ברשות הרבים - דהא אפילו תגביהנו פטורה, דחי נושא את עצמו, ולית בזה אלא איסורא דרבנן, והוי גזירה לגזירה. **ואם** נושא כפות או חולה, חייב, דבזה לא שייך שנושא את עצמו. **והנושא** מת, הוי מלאכה שא"צ לגופה, עיין סימן רע"ח.

ובלבד שלא תגררהו - מפני שנושאתו, כ"כ רש"י, משמע דס"ל דהוי כמו שנושאו, וא"כ אפילו בכרמלית אסור, **ויש** שמקילין בזה, (**דמה שאסרו גרירה, הוא בקטן שאינו יכול לילך בעצמו כלל, שאז חייב כשנושאו, ולכך אסרו גרירה כדי שלא יבא לישאנו על** כתפו, **ולפי"ז** לדעת הב"י שמתיר לדדות בהמה וחיה בכרמלית, אין להחמיר בו בגרירה בכרמלית, וכ"ש דאין להחמיר בגרירה כלל לדעתו, למי שיכול לדדות בעצמו).

אלא יהא מגביה רגלו אחת ויניח השניה על הארץ, וישען עליה עד שיחזור ויניח רגלו שהגביה, שנמצא לעולם הוא נשען על רגלו האחת - אבל לישא אותו על כתפו, גם בכרמלית אסור לכו"ע, ויש מהמון שנכשלין בזה, שנושאין קטנים על כתפיהם, וטעותן הוא מפני שהקטן יכול לילך בעצמו, ושגגה היא, דאיסור דרבנן יש בכל אופן אפילו בכרמלית, (**דכיון דמדרבנן נשיאת החי הוא כמו שאר דברים ממש, שוב אין חילוק בזה בין כרמלית לר"ה**), **ומ"מ** טוב למנוע מלומר להן, שבודאי לא ישמעו לנו, ומוטב שיהיו שוגגין ואל יהיו מזידין, **וקטן** שאין יכול לילך בעצמו כלל, חייב לרוב הפוסקים כשנשאו בר"ה, **וע"י** א"י שרי, לדידן דאין מצוי אצלנו ר"ה, (דרוב הוצאות של קטן הצריך לאמו בגדר צורך גדול – שבט הלוי).

המוציא תינוק וכיס תלוי בצוארו, חייב, אף שהתינוק יכול לילך בעצמו, דאין בו איסור דאורייתא, דחי נושא את עצמו, מ"מ חייב משום כיס, דכיס אינו בטל לגביה, שהוא אין צריך לו, **אבל** המוציא גדול המלובש בכליו, פטור, דבגדיו טפלים לו, ועליו אינו חייב, דהוא נושא את עצמו, ולית ביה אלא איסורא דרבנן.

סעיף מב - דבר שהוא מוקצה מותר ליגע בו, ובלבד שלא יהא מנענע אפי' מקצתו, (וכבר נתבאר ס"ג).

סעיף מג - מותר לטלטל מוקצה ע"י נפיחה, (וכבר נתבאר ריש סימן זכ).

סעיף מד - כלי שנתרועעה, לא יטלו ממנה חרס לכסות בו או לסמוך בו - ר"ל שלא יתלוש ממנו, דבמעשה התלישה הוא בכלל תקון כלי, וכמו שיתבאר בסי' ש"מ, שכל דבר שמתקנו בשבת לאיזה תשמיש, יש בו משום תקון כלי, **וה"ה** אם כבר נפל החרס, והוא מתקנו להסיר בליטותיו ועוקציו כדי שיוכל לכסות בו וכה"ג, דאסור, והוא בכלל מכה בפטיש כמ"ש רש"י, **אבל** ליקח החרס שנשבר מהכלי, ולכסות בו מנא בלי שום תיקון, ודאי שרי, כמבואר לעיל ס"ו.

סעיף מה - אסור לשחוק בשבת ויו"ט בכדור - בין אם היא של נייר או של עץ, שאין שם כלי עליו מחמת שראוי לשחוק בו, והוי כאבן שהוא מוקצה מגופו, **ואפילו** בטלטול בעלמא אסור לדעה זו.

הגה: ויש מתירין, ונהגו להקל - אפשר שטעמם, שכיון שעשוי לכך ומיוחד לזה בתמידות, לא שייך בו שם מוקצה, וכדלעיל בסכ"ב, **ומ"מ** לכו"ע אסור לשחוק בר"ה ואפילו בכרמלית בשבת, דבקל הוא שיפול לחוץ מד' אמות, ואתי לאתויי, **אבל** ביו"ט מותר אפילו בר"ה לשחוק בו לדעה זו.

וכ"ז כששוחק שלא ע"ג קרקע, אבל ע"ג קרקע לכו"ע אסור, משום חשש אשויי גומות, וכדלקמן בסי' של"ח לענין שחיקת אגוזים, **ומ"מ** אין למחות בנשים וקטנים, דמוטב שיהיו שוגגין ואל יהיו מזידין.

סעיף מו - אסור לשאת תחת אציליו זרע התולעים שעושין המשי, מפני שאסור בטלטול, ועוד שהוא מוליד בחומו - ר"ל שע"י החום יוצאים התולעים מן הזרע, **ואע"ג** דאין מכוין לזה, מ"מ פסיק רישא הוא, ומלאכת מחשבת הוא.

סעיף מז - יש אוסרים לטלטל בגד שעטנז - מפני שאסור ללבשו, ומוקצה הוא, ואפילו לצורך גופו ומקומו אסור.

ויש מתירים - שמ"מ מלבוש הוא, ותורת כלי עליו.

והעיקר כסברא הראשונה, וע"כ משכונות של א"י אסור לטלטלן בשבת.

סעיף מח - מותר לטלטל מניפה בשבת להבריח הזבובים - ככל כלי שמלאכתו לאיסור דמותר לטלטלו לצורך גופו, {כי עיקר יעודו להכות זבובים ויתושים ע"מ להרגם – אז נדברו}, ועיין מש"כ לעיל בסכ"ג.

סעיף מט - מכבדות שמכבדים בהם הקרקע, מותר לטלטלם - אפילו מחמה לצל, **והמחבר** אזיל לשיטתו, דס"ל בסימן של"ז ס"ב, דמותר לכבד קרקע המרוצף, א"כ הוא בכלל כלי שמלאכתו להיתר, **אבל** לפי מה שפסק הרמ"א שם, דאפילו מרוצף אסור, א"כ הוא בכלל כלי שמלאכתו לאיסור, ואין לטלטלו כי אם לצורך גופו ומקומו.

סעיף נ - הרשב"א מתיר לטלטל האצטרלו"ב בשבת, וכן ספרי החכמות; ולדעת הרמב"ם יש להסתפק בדבר - היינו מה שכתוב לעיל בסימן ש"ז סי"ז, דאסור ללמוד בשבת בספרי החכמה, וכן להביט באצטרלו"ב, הוא כלי שחוזין בו הכוכבים, אפשר דלדידיה ה"ה דאסורים בטלטול, **ועיין** בביאור הגר"א שדעתו, דאפילו להרמב"ם מותר בטלטול, {ומה שמסתפק כאן, דלמא דמי לספרא דאגדתא, כמש"כ בפרק הנזקין [דאסור לטלטולי]}, אבל נ"ל דלא דמי, דשם אפי' בחול אסור, משא"כ כאן, ולא גרע מקמיע שאינו מומחה ושטרי הדיוטות - גר"א}, **וגם** בענין לימוד מצדד כשיטת הרשב"א, **ועיין** מה שכתבנו לעיל בסי' ש"ז סי"ז.

סעיף נא - מה שמורה על השעות שקורין רילוז"ו, בין שהוא של חול - הוא כלי שממלאין בו חול, והחול יוצא דרך נקב מתחתיתו, ועשויה קוין קוין לשער בו השעות, **בין שהוא של מין אחר** - כגון שהוא עשוי חוליות חוליות, להכיר בו השעות כשהצל מגיע לאיזה חוליא, **יש להסתפק אם מותר לטלטלו** - דדמי למדידת הזמן או הצל, והוי בכלל כלי שמלאכתו לאיסור, דמדידה בשבת אסור כשאינה של מצוה, **ואפי'** אם הוא לומד על ידו, מ"מ עיקר המדידה אינה של מצוה, **מיהו** כשצריך לו לגופו או מקומו, בודאי שרי, דהא כלי הוא.

(וככר פשט המנהג לאסור) - ובזייגע"ר שלנו יש להתיר, {י"ל דעתה תכשיט הוא לכל אדם, ואפשר להתיר – פמ"ג}, **ודוקא** הקטנים שקורין טאשי"ן אוה"ר, אבל הגדולים שקורין וואנ"ד אוה"ר, {שאין הדרך לטלטלם}, אסור לטלטל, **ואפילו** אותן כלי שעות העומדין בתיבה על הקרקע, {ואין מקפידים עליהם שלא לטלטלם}, יש להחמיר בטלטול אם לא לצורך מקומו.

סעיף נב - מוקצה לעשירים הוי מוקצה - ר"ל שהוא דבר שהוא גרוע בעיני העשירים, ואין דרכם להשתמש בו מחמת עשרם, ומקצים אותם מדעתם, **כגון** שירי מטלניות שהם פחותים משלשה טפחים על שלשה טפחים, דלא חזיין רק לעניים לאיזה טלאי, ולא לעשירים, ע"כ נאסר לעשירים אף בטלטול.

ואפילו עניים אין מטלטלין - שכבר הוקצה מדעתו של בעה"ב העשיר, **ואין** חילוק בין עניים

שבביתו בין עניים שחוץ לביתו, דאזלינן בתר מי שהוא בעליו, **והא** דאיתא לעיל בסי"ג, דאם יש בהן ג' אצבעות על ג' אצבעות מותר לטלטלן, היינו דוקא כשהם של עני, ואז מותר גם העשיר לטלטל אותן, **ועיין** בט"ז שמסיק, דדוקא כשהעשיר דר בבית העני, שאז הוא נגרר אחריו, **אבל** עשיר דעלמא אסור לטלטל, כיון שמ"מ אינו ראוי לו, שהוא פחות מג' טפחים על ג' טפחים.

עוד כתבו הפוסקים, דמה שפסק המחבר דמוקצה לבעה"ב הוי מוקצה לכל, הוא דוקא בדבר שאינו ראוי לבעליו מחמת גריעותא כנ"ל, **אבל** דבר שאינו ראוי לבעליו מחמת איסור, כגון שנדר מככר, לא נעשה מוקצה בשביל זה, הואיל דמותר לאחרים, ואף הוא עצמו מותר לטלטלו, **ואם** אסר על כל העולם, אז אסור לכל לטלטלו.

§ סימן שט – טלטול ע"י דבר אחר אם מותר בשבת §

סעיף א - נוטל אדם את בנו והאבן בידו, ולא חשיב מטלטל לאבן - ומיירי שהוא בחצר, דאין בה אלא משום איסור טלטול, ולכך לא אסרו בזה משום צערא דתינוק כדלקמן, **אבל** בר"ה ודאי אסור משום איסור הוצאה, דכשנושא את התינוק הוי כאלו נושא את האבן בידו.

והוא שיש לו געגועין עליו, (פי' שיש לו עגמון כשאינו עם אביו), שאם לא יטלנו, יחלה - ולכך לא אסרו טלטול שלא בידים במקום סכנת חולי, **וא"ת** ישליך האבן מידו כמ"ש ס"ג, דצריך לנער האבן מהכלכלה, י"ל שיצעק התינוק ויבכה, **ואם** נפל האבן מיד התינוק, אסור להגביה וליתנו לו, דזהו טלטול בידים, **אלא** יוריד התינוק מעל כתפו ויגביה התינוק את האבן, ויחזור ויטלנו.

אבל אם אין לו געגועין עליו, לא - דמה שמטלטל להתינוק עם המוקצה, הוי כאלו הוא עצמו מטלטל להמוקצה, ואסור.

ואפילו כשיש לו געגועין עליו, לא התירו אלא באבן, אבל אם דינר בידו, אפילו לאחוז התינוק בידו והוא מהלך ברגליו, אסור, דחיישינן דילמא נפיל ואתי אבוה לאתויי - ר"ל ונמצא מטלטל המוקצה בידים, וזה לא התירו אפילו במקום שנוגע לחשש חולי הבן, כיון דלא הוי חשש סכנת נפש.

וי"א שלא אסרו אלא כשהוא נושא התינוק עם דינר בידו - ר"ל דאז יוכלו לטעות ולומר, דכשם שהתירו בשביל התינוק לישאנו כשהדינר בידו, אף שממילא מתטלטל גם הדינר, כך מותר לישא את הדינר עצמו בידו אחר שנפל, וליתנו ליד התינוק, **אבל לאחוז התינוק בידו, אע"פ שדינר ביד התינוק, אין בכך כלום.**

(נקטינן לחומרא כסברא הראשונה – ב"ח, **אבל** בא"ר כתב, דיש לסמוך על דעה זו משום סכנת חולי, וגם דרמב"ן בתראה הוא והר"ן הביאו).

סעיף ב - כלכלה שהיתה נקובה וסתמה באבן, מותר לטלטלה, שהרי נעשה כדופנה - ומיירי שהדקה יפה להכלכלה, או שקשר, אבל בלא"ה לא נעשה כדופנה.

וכן דלעת שתולין בה אבן כדי להכבידה למלאת בה מים - היינו דלעת יבשה וחלולה שממלאין בה מים, ורק מפני שהיא קלה וצפה ע"פ המים, תולין בה אבן כדי להכבידה, **אם הוא קשור יפה שאינו נופל, מותר למלאת בה, שהוא כמו הדלעת עצמה שהוא בטל אגבה** - [ונחשב האבן ע"י ההידוק כמו דופן הדלעת - גמרא, **ולפי"ז** היה משמע לכאורה, דוקא כשהאבן נתון בתוך הדלעת, וכלשון המשנה, "האבן שבקירויה", **אבל** לא כשהוא תלוי על הדלעת מבחוץ, **אבל** לשון השו"ע, "שהוא בטל אגבה", משמע דבכל גווני בטל], **ואם לאו, אסור** - שהדלעת עצמה מוקצה, שנעשית בסיס לדבר האסור.

סעיף ג - כלכלה מלאה פירות ואבן בתוכה, אם הם פירות רטובים, כגון: תאנים וענבים, יטול אותה כמו שהיא - אף שיש אבן בתוכה, דנעשית הכלכלה בסיס לאיסור ולהיתר,

וההיתר חשוב יותר, ובטל האיסור לגבה, והוי כאלו אינו בסיס רק להיתר, **ואע"ג** דממילא מיטלטל גם האבן, שרי לטלטל הכלכלה ולהגיע למקום שירצה, **שאם ינער הפירות מתוכה, יפסדו** - וא"צ ללקט הפירות מתוך הסל בידו, פן יפלו לארץ, **אבל** אם הפירות מונחים בסלים קטנים תוך הכלכלה, יטלם בידו מתוך הכלכלה.

אבל אם הם פירות שאינם נפסדים, ינערם וינער גם האבן עמהם - ר"ל ואח"כ יחזור ויניחם לתוך הכלכלה אם רוצה להגיעם לשלחן, **ואך** יזהר שלא יתפזרו אחת הנה ואחת הנה, דאל"ה אסור ללקט אותם ולהניחם אח"כ בתוך הכלכלה, משום עובדא דחול, וכמבואר לקמן בס"ס של"ה, **ולא יטלנה עמהם** - כיון שיוכל באיזה עצה לתקן שלא יטלטל האבן, לא הקילו בזה, אף שהוא בסיס לאיסור ולהיתר.

וכן אם יכול לנער האבן לבד מתוך הכלכלה ולהשליכו, ג"כ מחוייב בזה, וכמבואר לקמן בסי' ש"י ס"ח בהג"ה.

והני מילי כשא"צ אלא לפירות או לכלכלה; אבל אם היה צריך למקום הכלכלה, מטלטלה כמות שהיא - דאז א"א לנער, דשמא יפול האבן למקום שצריך אליו, לכך יכול ליטלנו כמות שהיא עם האבן, ולטלטלה עד מקום שירצה, וינער אותה שם, או יניחנו כמות שהיא.

סעיף ד - שכח אבן על פי חבית, או מעות על הכר, מטה חבית על צדה והאבן נופלת, ומנער הכר והמעות נופלים - דבמניח בכונה על פי החבית, הרי החבית גופא מוקצה, ואסור להטותה, דנעשית בסיס להאבן וכדלקמיה.

ומיירי בשצריך ליקח מהיין שבתוכה, וכן בכר כשצריך לשכב עליו, ולכן התירו לטלטל המוקצה באופן זה, שאינו מטלטלו להדיא רק ע"י ניעור, **אבל** אם אינו צריך להם כלל, רק שחושש משום פסידת המוקצה גופא שלא יגנבום, אפילו ניעור אסור, כ"כ מ"א בשם רי"ו, [**משא"כ** בציור דעיקר הטלטול בשביל דבר ההיתר, דאי איכא הפסד למוקצה ע"י הניעור, א"צ לנערה, אלא מטלטלה להההיתר עם המוקצה ביחד, אף דזה הוי גרע מסתם ניעור דעלמא, משא"כ הכא דכל הטלטול בשביל האיסור, **ודמי** למאי דקי"ל בעלמא בטלטול מן הצד דאינו מותר כי אם לצורך דבר ההיתר, **ואעפ"כ** דין זה דמ"א לא ברירא כולי האי, דאפשר בניעור קיל טפי, ומרי"ו אין ראיה, דהוא לא הזכיר שם ניעור, ואפשר דמיירי לענין טלטול הכר ממש עם המעות]. **ואם** מטה החבית והכר בגופו ולא בידו, מותר אפילו באופן זה.

ויכול לטלטל אח"כ הכר, כיון שנסתלק ממנו המוקצה.

ומ"מ מותר ללמוד בשבת על השלחן, אפי' בעוד שיש עליו מעות או שאר דבר מוקצה מצד אחר, דאע"ג דדרך לנענע עם למודו, מ"מ לא הוי פסיק רישא - מהרי"ל, [**נראה** דמיירי באופן דהניעור של המעות לא הוי הפסד לו, ולכך אם היה זה פ"ר היה אסור, משום דאפשר לנער לארץ, **אבל** אם יהיה לו הפסד ע"י ניעור, אף פ"ר שרי, וכמו לענין חבית כשהיתה עומדת בין החביות, דהא גם בזה אין כוונתו בנענועו בשביל המעות, אלא בשביל הלימוד דהוא דבר ההיתר, וכמו בעלמא לענין טלטול מן הצד. **ודע**, דמשמע ממהרי"ל, דפ"ר בדרבנן אסור].

ואם היתה החבית בין החביות, בענין שאינו יכול להטות אותה במקומה - שחושש שלא יפול על החבית וישברם, **יכול להגביהה כמו שהיא עם האבן למקום אחר, להטותה שם כדי שיפול מעליה** - דהרי הוא רק טלטול מן הצד, כיון שאינו מטלטל המוקצה להדיא רק עם ההיתר, וכונתו ג"כ בשביל שהוא צריך לההיתר וכנ"ל, ודבר זה שרי כדלקמן בשי"א ס"ח, **ואפ"ה** ברישא כשהיה אפשר לו בניעור, צריך ניעור דוקא.

(**ואם** מותר לישא אותה עם האבן עד מקום שהוא רוצה לפנותה, או רק לסלקה מבין החביות, עיין בחידושי רעק"א).

ואם הניחם עליה מדעתו, על דעת שישארו שם בכניסת השבת - היינו כל זמן בין השמשות, **אסור להטות ולנער** - דנעשה החבית והכר בסיס להמוקצה שעליהם, והם גופא מוקצה. **בסיס** היינו כַּן ומקום מושב, תרגום "לכנו": לבסיסיה.

(**דע דאיתא בראשונים, וכן הסכימו הרבה אחרונים, דאפי' יש בתוך החבית יין, לא אמרינן דנעשה החבית בסיס**

לאיסור ולהיתר, **וכתבו** הטעם, משום דפי החבית מלמעלה לא נעשה בסיס כי אם להאבן שמונח עליה).

אבל אם הניחם בכונה בחול, ולא היה דעתו בפירוש שישארו שם בשבת, ואח"כ שכחם שם, מקרי שוכח, [**אבל** בע"ש, אפי' בסתמא חשיבא כאילו כוון שישאר גם בשבת]. **ודעת** הב"י, דאפילו הניחם בע"ש, כל שלא היה דעתו בפירוש שישאר שם בכניסת שבת, ובביה"ש שכחו לסלק, גם זה הוא בכלל שכח. [**דאם** היה דעתו בפירוש, בודאי כו"ע סוברין דנעשה בסיס].

והנה בעיקר דין בסיס מסיק במ"א, דלא מקרי בסיס אא"כ הניח עליו דבר המוקצה בשביל שיתיישב עליו בטוב, **אבל** מה שמניחין בדרך אקראי, כמו שרגילין להשים בתיבה חפצים אלו על אלו, מפני שאין לו ריוח לפנות לכל חפץ מקום בשולי התיבה, כה"ג לא חשיב מניח אלא שוכח, ומותר לטלטל חפץ המותר אחר שניערו המוקצה מעליו, **ומ"מ** התיבה גופא לכו"ע הוי בסיס לדבר איסור, אם המוקצה חשוב יותר, ואסור לטלטלה, דהא עכ"פ דעתו היה שיהיה מונח המוקצה בתיבה.

ולפי"ז מה שנוהגין בשבת להסיר המפה העליונה מעל השלחן, אחר שמסיר הא"י המנורה מעליה, כדין עושין, לפי שא"צ שתהא המנורה דוקא על המפה, אלא על השלחן, ואינו מעמידה על המפה אלא מפני שא"א לו לפנות מקום להמנורה בגוף השלחן עצמו, או מפני שאינו חושש לפנות לה מקום, ולפיכך לא נעשית המפה בסיס להמנורה שעליה שתאסר בטלטול, {**ובמפה** התחתונה א"צ לכל זה, דהלא בזמננו הדרך להניח עליה הלחם ביה"ש, ונעשית בסיס לזה דהוא חשוב יותר}, **ויש** מחמירין בכל זה, [ט"ז, י"א על מקום העמדת הנרות, וי"א בכל המפה העליונה]. **ובמקום** הצורך נראה דיש להקל, דכמה אחרונים סוברין כוותיה דהמ"א.

קינה של תרנגולת, ויש שם ביצה שיש בה אפרוח, שאותה ביצה אסורה בטלטול, אף שלא ידע מבע"י שיהיה שם הביצה, מ"מ כיון שדרך הוא בכך, הוי כמניח ולא הוי כשוכח, ונעשה הקינה בסיס להביצה, **וכן** בכל מקום כיוצא בזה, בדבר שדרכו להיות המוקצה עליו, בודאי הוי כמניח, [**ואין** סתירה לדין מ"א הקודם, דהתם אף אם דרכו להניח שם בתיבה גם דברים המוקצים, מ"מ אין הכרח שהם יונחו על הדברים המותרים].

וי"א דאפילו הניחם שם על דעת שישארו שם בכניסת השבת כדי שיטלם בשבת, מותר להטות ולנער בשבת; ולא אסרו אלא במניחם על דעת שישארו שם כל השבת - ס"ל דלא נעשה בסיס כלל, כיון שחשב לסלק מעליו המוקצה אח"כ, **וה"ה** אפילו אם חשב שיהיה מונח עליו כל היום, עד איזה זמן קודם שקיעת החמה, ואח"כ לסלקם, ג"כ לא מקרי בסיס לדידהו, ואם נמלך אח"כ לסלק המוקצה מקודם, מותר לנער, דכיון דאינו על כל יום השבת, לא חל שם בסיס כלל, **אבל** אם חשב לסלק בין השמשות, הוי כמי שחשב על כל היום, דביה"ש ספק לילה.

(עיין בחידושי רע"א שמביא מדברי התוספות, דמ"מ לא הוי כשוכח גמור, דשם בצריך למקום החבית והכר, מותר אפילו להגביה ממש עם דבר המוקצה, וכדאיתא בס"ד, משא"כ בזה, אינו מותר בכל גווני רק הניעור בלבד, וע"ש שמאריך בזה).

ובמקום פסידא יש לסמוך על דעה זו. **ודע** דאפילו לדעה זו, מסתברא דדוקא כשחשב בהדיא לסלק אח"כ המוקצה בשבת, ע"י ניעור או ע"י א"י, או דבר שדרכו בכך לסלק המוקצה אח"כ, **אבל** אם חשב בסתמא שיהיה מונח עליו המוקצה בשבת, לכו"ע נעשה בסיס, אף דלא חשב בהדיא שיהיה מונח עליו כל השבת.

הגה: ואז אפילו נטל האיסור משם, אסור לטלטל הכלי, דמאחר שנעשה בסיס לדבר האסור למקצת השבת, אסור כל השבת כולה - זה קאי גם אדעה ראשונה, דאפילו לא הניחו אלא לכניסת שבת, וניטל אח"כ, מ"מ אסור הכלי כל השבת.

וכן בכל מוקצה - כגון גרוגרות וצמוקים שנתייבשו בשבת ונעשו ראוים לאכילה, אפ"ה הוו מוקצה לכל השבת, כיון דאתקצאי לביה"ש, **וכן לקמן סימן ש"י.**

אם אדם הניח דבר מוקצה על של חבירו - ואפילו אם הדבר מוקצה הוא ג"כ של חבירו, **לא אמרינן דנעשה בסיס לדבר האסור, דאין אדם אוסר של חבירו שלא מדעתו** - ומותר לטלטל הכלי כשצריך לה, אחר שינער המוקצה ממנה.

אך אם עשה כן לטובת חבירו, ומן הסתם ניחא ליה בזה, כגון שנטל ראובן כלי והעמידו מבע"י תחת הנר בבית שמעון, כדי שיפול הנר לתוכו ולא תהיה דליקה, ונפל הנר לתוכו קודם ביה"ש, [דאל"ה לא נעשה בסיס לכל השבת כולה], והיה בתוכו עד אחר ביה"ש, נעשית הכלי בסיס להנר, ואסור לטלטלה כל השבת אף לאחר שנסתלק הנר, כ"כ הרבה אחרונים, **ובדה"ח** מצדד, דאם היה בדעתו לסלק אח"כ המוקצה בשבת, נוכל לצרף בזה דעת הי"א הנ"ל, דבזה לא מקרי בסיס כלל.

סעיף ה - הא דלא שרי אלא להטות ולנער, דוקא בצריך לגוף החבית והכר - אשוכח קאי, דבמניח הרי החבית גופא נעשית בסיס ומוקצה הוא, **אבל אם צריך למקום החבית והכר ולא תספיק לו הטייה והניעור** - דצריך שיהיה לו אותו המקום פנוי לגמרי, **יכול לטלטלם עם האבן ועם המעות שעליהם לפנות מקומם, (וכן כוא לקמן סי' ש"י).**

§ סימן שי – דיני מוקצה בשבת §

סעיף א - עץ שתולין בו דגים, אע"פ שהוא מאוס, מותר לטלטלו, דקי"ל במוקצה מחמת מיאוס כרבי שמעון, דשרי - עץ זה הוי כלי, כיון שמיוחד לתלות דגים, **אלא** משום דמאיס דריחו רע, הוי לר' יהודא מוקצה מחמת מיאוס, **ואנן** קי"ל כר"ש דשרי.

(עיין בפמ"ג שמסתפק, אם דוקא לצורך גופו או מקומו, או אפילו מחמה לצל, **ועיין** מה שכתבנו לעיל בס"ס רע"ט בבה"ל).

סעיף ב - אין שום אוכל תלוש הראוי לאכילה מוקצה לשבת - דבדבר שאינו אוכל, אף לר"ש יש מוקצה לפעמים, כגון מוקצה מחמת חסרון כיס, **וכן** בדבר שאינו כלי, כגון מעות וצרורות ואבנים וכיו"ב, **ובדבר** שהיה מחובר מבע"י, ג"כ לכו"ע הוי מוקצה, שאין דעתו עליו מאתמול, ועיין בב"י.

דתמרים ושקדים ושאר פירות העומדים לסחורה, מותר לאכול מהם בשבת - דאע"ג דעומדים לסחורה, דעתו עליהם לאכול מהם כשירצה.

ואפי' חטים שזרעם בקרקע ועדיין לא השרישו (מותר לטלטלן) - דאי השרישו, היה חייב משום עוקר דבר מגידולו, **ועיין** במאירי שכתב, דדוקא כשלא היו הזרעים עדיין מכוסין בעפר.

וביצים שתחת התרנגולת - ר"ל שהושיב התרנגולת על הביצים מבע"י כדי לגדל אפרוחים, **מותר לטלטלן** - ר"ל דאע"ג דדחינהו בידים מלהשתמש בהן, מ"מ כיון דחזיין ללקטן ולאכול, לא הוו מוקצה, **דלכשיהיו** מוקצה בעינן שני פרטים: דחינהו בידים, ולא חזו, וכמש"כ בסוף הסעיף.

וכן תמרים הלקוטים קודם בישולן, וכונסין אותם בסלים והם מתבשלים מאליהן, מותר לאכול מהם קודם בישולן - דאפילו כשהכניסו בסלים, עדיין איכא דאכיל להו הכי.

אבל גרוגרות וצמוקים שמניחים אותם במוקצה לייבשן - רחבה שאחורי הבתים קרוי מוקצה, **אסורין בשבת משום מוקצה, שהן מסריחות קודם שיתייבשו** - שכשהניחן ליבשן ונשתהו מעט, שוב אינן ראוין לאכילה עד שיתייבשו.

דכיון שיודע שיסריחו הסיח דעתו מהם, וכיון דאיכא תרתי: דחינהו בידים, ולא חזו, הוי מוקצה - היינו אפילו בטלטול אסורין, דהרי הן כאבנים ועפר.

ואפילו היה אוכל מן הענבים עד שחשכה, והותיר והניחן במוקצה, או העלן לגג ליבשן לעשות אותן צמוקין, **אפ"ה** שם מוקצה עליהן, דהשתא כיון דהניחן לייבשן אסח דעתיה מינייהו.

ודוקא גרוגרות וצמוקין, אבל שארי פירות שהעלה לגג ליבשן, אין בהם משום מוקצה, דהם חזיין לאכילה אף קודם שיתייבשו.

מחבר **רמ"א** משנה ברורה

הגה: י"א דאין הכנה שייך בשל אינו יהודי - ר"ל דבר שהוא אסור בישראל משום דאתקצאי בין השמשות ולא הוזמן מבע"י, בא"י לא שייך זה, דאין הא"י מקצה מדעתו כלום, וכיון שהוא מוכן לאיש אחד מוכן לכל, **אבל** דבר דאסור בבין השמשות משום מחובר, או משום שהיה מחוסר צידה, ותלשו הא"י או צדו בשבת, אף שהדבר הוא של א"י, לכו"ע אסור, וכן באיסור נולד ג"כ הכי, [**ולפי"ז** פשוט, דאבנים ומעות וכיוצא בזה, אין נ"מ בין של א"י לישראל, דהלא אלו אפי' הזמנה מבע"י לא מהניא].

(**ולפי"ז א"י שהדליק נר בבין השמשות, וכבה אח"כ, מותר לישראל לטלטל המנורה אח"כ, בנתאכסן ישראל בבית א"י, ובחזו"א** מפקפק ע"ז, כיון דבשעה שדולק לא חזי למידי או דנעשה בסיס לשלהבת, **אם לא שהדליק הא"י לצורך ישראל, דאז נעשה בסיס לכל השבת**).

ואפילו גרוגרות וצמוקים שבידו מותרים (כל בו) - ר"ל דאף שהעלה הא"י מבע"י ליבשן, ודחיין בידים, מ"מ לא חל עלייהו שם מוקצה, **ועיין** בספר בית מאיר שמפקפק בזה מאד, כיון דדחייה בידים ולא חזי לאכילה, אטו משום דא"י הוא נותן דעתו יותר לזה, והגר"ז סובר ג"כ כהבית מאיר, **וע"כ** מפרש דמיירי השו"ע דוקא בגרוגרות וצמוקין דחזו ולא חזו, וכדלקמן בס"ה, דפוסק השו"ע שם דמהני הזמנה, בזה פסק הכלבו דבא"י אפי' אי לא הזמין מהני, דאינו מקצה מדעתו, **אבל** אי לא חזו לגמרי, דקי"ל דאפי' הזמנה לא מהני בישראל, בזה אין נ"מ בין ישראל לא"י.

סעיף ג - בין באיסור אכילה בין באיסור טלטול, כל דבר שהיה ראוי בין השמשות, אם אירע בו דבר שנתקלקל בו ביום וחזר ונתקן בו ביום, חזר להיתרו - כגון שירדו גשמים על הצמוקים ונתפחו עד שאינן ראויין לאכילה, ואח"כ שזפתן השמש ונתיבשו עד שנעשו ראוין, חזר להיתרו, **והטעם**, דאין שייך שם מוקצה לחצי שבת, כיון שביה"ש היה ראוי.

האי "בין בין", הוי רבותא טפי ברישא לענין איסור אכילה, ור"ל דלא מיבעיא לענין טלטול בעלמא, בודאי אמרינן דאין מוקצה לחצי שבת, ומותר לטלטלו אחר שנסתלק מעליו שם מוקצה, אלא אפי' לאכלו מותר.

אבל דבר שהוקצה בין השמשות, אסור כל היום - דעיקר הכנה מבעוד יום בעי, כדכתיב: והיה ביום הששי והכינו את אשר יביאו, וזה הלא בתחלת כניסת היום הוקצה מלהשתמש בו.

כתב הט"ז, איזמל שמל בו בשבת, אין לטלטלו אחר המילה, דהא מוקצה הוא מחמת חסרון כיס, דהא אדם מקפיד שלא להשתמש בו דבר אחר, **ודלא** כהמקילין לטלטל אותו, מטעם דאין מוקצה לחצי שבת, **דהא** בין השמשות ג"כ היה מוקצה מחמת חסרון כיס, ואין לטלטלו אז לשום דבר, וע"כ אע"פ שעומד למחר למלאכת מילה, מ"מ אחר גמר צורך שלו חוזר לאיסור טלטול של בין השמשות, ע"כ יצניעו באותו חדר שהוא מל שם, **והמ"א** מסכים עמו ג"כ בעיקר הדין, אך דעתו שיש להחמיר שבעוד שהאיזמל בידו, לא יניחנו מידו עד שיניחנו במקום המשתמר, או שיוליכנו לביתו, דכל מוקצה שהוא בידו מטלטלו לאיזה מקום שירצה, וכדלעיל בסימן ש"ח ס"ג, **ואם** הוא ג"כ פורע, וצריך להניח האיזמל מידו, כתב הא"ר שיקבל אחר מידו, והוא יוליכנו שם למקום המשתמר, **ומ"מ** בדיעבד אם הניחו מידו, ויש חשש שלא יגנב שם, מצדד הא"ר דיש לסמוך על רמ"א וש"ך, דסוברים דמותר לטלטלו, והביאו החחכמת אדם בהלכות מילה.

סעיף ד - גרוגרות וצמוקים שהיו מוקצים, וכשהגיע בה"ש כבר נתייבשו והם ראויים לאכילה, אע"פ שלא ידעו הבעלים באותה שעה שנתייבשו, ואח"כ נודע להם שבה"ש כבר היו יבשים - והו"א דמחמת זה חל עלייהו שם מוקצה, דהוקצה מדעתם אלו הפירות בשבת זו, **מותר** - קמ"ל דלא אמרינן הכי, דהרי הוא לא הסיח דעתו מהם אלא כדי שיתיבשו, והרי כבר נתיבש והוכן מבע"י.

סעיף ה - גרוגרות וצמוקים דחזו ולא חזו - היינו שנתיבשו קצת על הגג מבעוד יום, **דאיכא אינשי דאכלי ליה ואיכא דלא אכלי ליה, אי אזמניה, נפיק ליה מתורת מוקצה; ואי לא, לא.**

אבל אם אינם ראויים והזמינם, הזמנה לאו מלתא היא - דהרי הם כאבנים ועפר.

כתבו הפוסקים, אימתי אמרינן דאתקצאי לבין השמשות, דוקא דברים שגמרו בידי שמים, כגון גרוגרות, דאין נגמרין אלא ע"י חום החמה, ושמא יהיה יום ענן בשבת, ואסח דעתיה מנייהו, **אבל** דבר שנגמר בידי אדם, כגון תמרים שנתן עליהם מים בע"ש, אף דבודאי אינם ראוים בבין השמשות לא התמרים ולא המים, דהא לא קלטו טעם התמרים שיהו ראוין לשתיה, וגם התמרים לעת עתה לא חזיין, **אפ"ה** לא אסח דעתיה מנייהו על יום השבת שיהא מוקצה מחמת זה, דהא בידו להשהותן עד למחר שיקלטו טעם התמרים.

סעיף ו - כל דבר שאסור לטלטלו, אסור ליתן תחתיו כלי כדי שיפול לתוכו, מפני שאוסר הכלי בטלטול, ונמצא מבטל כלי מהיכנו - והוי כסותר הכלי.

אבל מותר לכפות עליו כלי - היינו דלא כר' יצחק, דס"ל דאסור לטלטל שום כלי אלא בשביל דבר המותר לטלטל.

ובלבד שלא יגע בו - ואע"ג דמותר ליגע במוקצה, כדלעיל בסי' ש"ח ס"ג, **הכא** אביצה קאי, וכדי שלא ינענע אותה, **אבל** דבר שאינו מתנדנד ע"י הנגיעה, שרי, באר הגולה והגר"א וכ"כ בדה"ח, **ודלא** כמ"א וט"ז.

סעיף ז - מטה שיש עליה מעות, או אפילו אין עליה עתה והיה עליה ביה"ש, אסור לטלטלה, דמגו דאתקצאי לבין השמשות אתקצאי לכולי יומא. הגה: ואפילו לצורך גופו או לצורך מקומו - דדין הבסיס כאותו המוקצה שעליו, וכיון דמעות הוי מוקצה מחמת גופו, דאסור אפילו לצורך גופו ומקומו, גם דין המטה כך הוא.

ומיירי שהניח, דאי בשכח, הלא אף בעודן המעות עליה מותר לנערן, וכ"ש שלא נעשית המטה בסיס לכל השבת, וכדלעיל בסי' ש"ט ס"ד.

מטה שיש עליה מעות - (משמע אפילו לא היו המעות עליה בין השמשות, אסור לטלטלה בעודן עליה, ומשכחת לה שהניחן א"י או תינוק המעות בשבת לדעת ישראל, **ואם** מותר לנער אז המעות מעליה, עיין במ"א שהביא דעות בזה, ומשמע שדעתו נוטה דלא נעשה בסיס, כיון שלא היו עליה בין השמשות, ומותר לנער).

וה"ה לכל דבר היתר שמונח עליו איסור; אבל אם אין עליה עתה מעות, וגם לא היה עליה ביה"ש, מותר לטלטלה, אפילו יחדה למעות והניחם עליה מבע"י, כיון שסילקן קודם בין השמשות – (באמת היה יכול להשמיענו יותר רבותא, דאפי' הניחם עליה בשבת ואח"כ סילקם ממנה, כיון שלא היו עליה בין השמשות, אף שמיוחדת היתה למעות, ג"כ שרי, **אלא** דנקט לשון זה לאפוקי מדעת היש אוסרין, דמיירי בשהניח עליה מבע"י ואח"כ סילק ממנה, דאפילו באופן זה אסור, הואיל והיתה מיוחדת לזה, ולהכי נקט המחבר ג"כ הך לישנא).

הגה: ויש אוסרין בייחד לכך והניח בכס, אע"פ שסילקן מבע"י - טעמו, דהוא גריע משאר כלי שמלאכתו לאיסור, כיון שיחדה בהדיא לזה, מסתמא מיחד לה מקום, ומקפיד שלא להשתמש בה תשמיש אחר זולת זה, וע"כ דינה כמוקצה מחמת חסרון כיס, כ"כ הפוסקים, {**ומ"מ** אם לא הניח בה עדיין מעות כלל, רק ביחוד בעלמא, אין שם מוקצה עלה, דהזמנה לאו מילתא היא}, **וכתב** המ"א, ולפי"ז אפי' לצורך גופו ומקומו אסור, ונשאר בתימה על הרמ"א, שכתב לשיטה זו דלצורך גופו או מקומו מותר, דליתא, והביא ראיות לזה, {דהא אפי' לדעת המתירין, יחדה לכך הוי כלי שמלאכתו לאיסור, ואינו מותר כי אם לצורך גופו ומקומו - פמ"ג}, **וכן** בפרישה וביאור הגר"א מסכימים לדבריו, ועיין מה שכתבנו לקמיה.

ולכן אסור לטלטל כיס של מעות אע"פ שהוציא המעות ממנו מבע"י, אא"כ עשה בו מעשה שפתחו מלמטה וסלקו מן היחוד - דמעשה זו מבטל המחשבה דיחוד, והמעשה שעשה בה מעיקרא שהניח בה מעות, **וכן נוהגין.**

מיהו לצורך גופו או לצורך מקומו, מותר - עיין לעיל מש"כ בשם המ"א ושארי אחרונים שתמהו ע"ז, וס"ל דלשיטה זו אסור בכל גווני, **ומ"מ** לדינא מסכים בספר א"ר, דאף שהכיס מיוחד למעות, כל שאין דרכו

להקפיד להניח בו דברים אחרים, איננו בכלל מוקצה מחמת חסרון כיס, רק כסתם כלי שמלאכתו לאיסור, ושרי לצורך גופו או מקומו, וכן הסכים בספר ב"מ, ע"ש.

וכן בכיס התפור בבגד, הואיל ועיקר הבגד עומד ללבוש, אם הוציא המעות משם, מותר ללבוש הבגד - [דלצורך גופו מותר]. **דהכיס בטל אצלו** - ר"ל וע"כ מותר לצאת בו אפי' לר"ה, ולא אמרינן דהכיס הוי משאוי - מ"א, (ומשו"ה הוצרך לטעם דהכיס בטל – מחה"ש), [**דלענין** טלטול, בלא"ה שרי לדעת רמ"א, שכתב מתחילה דלצורך גופו מותר], **עוד** כתב, דאפי' אם נסבור למעלה, דאף לצורך גופו ומקומו אסור, וכמש"כ לעיל, מ"מ הכא שרי ליתן בתוך הכיס וליטול ממנו, דהא חזינן דלא קפיד עלייהו בחול להניח בו גם דברים אחרים.

אבל אם שכח בו מעות, מותר לטלטל הבגד, דלא אמרינן דכל הבגד נעשה בסיס למעות, הואיל ואין המעות על עיקר הבגד - כלומר דהכיס אינו תפור לארכו בבגד, אלא פיו לבד תפור, והוא כולו תלוי, **דאם** היה הכיס כולו תפור בבגד, אמרינן דכל הבגד נעשה בסיס, **ואף** דהכא מיירי בשכח, מ"מ עכ"פ היה צריך לנער מתחלה המוקצה, וכדלעיל בסי' ש"ט ס"ד, **משא"כ** כשהכיס תלוי, אין צריך אפילו ניעור מתחלה, **ויש** מחמירין וסוברין דגם בזה צריך ניעור מתחלה.

כונתו העיקר לברר לנו, דהואיל ויש עדיין מעות בהכיס, אסור ללבשו, שמא ישכח ויצא, וכדמסיים לבסוף, ורק לטלטל מותר.

ודע עוד, דלאו דוקא שכח, דאפילו אם הניח מעות בכוון מבע"י, ודעתו היה שישאר שם כל השבת, אף דהכיס נעשה בסיס להמעות, **מ"מ** מותר לטלטל הבגד אף בעוד שהמעות מונח בכיס, דהבגד לא נעשה בסיס הואיל ואינם על עיקר הבגד, {**ומ"מ** אסור להכניס ידו בהכיס, דעכ"פ הכיס נעשה בסיס להמעות, **ואפילו** לאחר שהוסרו המעות מתוכם, דהרי עכ"פ ביה"ש אתקצאי הכיס להמעות}, **ומ"מ** אם אפשר בניעור יראה לנער מתחלה, דיש שסוברין דאף שהמעות אינם על עיקר הבגד, ג"כ צריך לנער קודם שיטלטל הבגד, בין בהניח ובין בשכח, וכמ"ש לעיל.

[**וכתב** מ"א, דמה דנקט "שכח", משום דלכתחילה אין להניח מעות, שמא ישכח ויצא, **ובעניי** לא ידעתי מקור לזה, **ולענ"ד** משום דרצה להשמיענו לדיוקא, דהיכא דהמעות על עיקר הבגד, כגון שהכיס תפור לארכו, אפי' שכח צריך לנער מתחילה קודם שמטלטל הבגד].

כתב המ"א, דוקא כשפה הכיס תפור להבגד, אז אמרינן דהוא בטל לגבי הבגד, **וכן** כשיש מעות תוך תיבה שבשלחן, שקורין טישקעסטיל, ועשוי בענין שא"א להוציאו לגמרי מן השלחן, וע"כ נתבטל לעיקר השלחן, **אבל** כשכיס מלא מעות קשור לבגד, הוא כלי בפני עצמו ואינו בטל לגבי הבגד, **וכן** התיבה אם יכולין להוציאו לגמרי מן השלחן, וא"כ כל אחד ואחד כלי בפני עצמו, ולא נתבטל לגבי השלחן, **וממילא** אסור לטלטל הבגד והשלחן, שהרי הם נעשים בסיס להמעות, כשהניח את המעות בם מע"ש על דעת שיהיו שם בשבת, {**אם** לא שמונח על השלחן דבר היתר שחשוב יותר, ונעשה השלחן בסיס לו, [**ופמ"ג** מסתפק אם מהני דבר זה גם לענין תיבה, שיהא מותר לטלטלה, דאפשר דבעינן דוקא שיהא דבר היתר מונח בתוכה, ונשאר בצ"ע]}, **ואם** שכח ליטלם מע"ש, עכ"פ צריך מדינא ניעור מתחלה, **אך** אם יש בתוכם רק איזה פרוטות, בטלים לגבי הבגד והשלחן, דאין אדם מבטל בגדו ושלחנו בשביל איזה פרוטות - ח"א.

עוד כתב: דנ"ל דוקא כשהתיבה שבשלחן הוא מיוחד תמיד למעות או שאר דבר מוקצה, **אבל** כשהתיבה התלויה בשלחן עשויה תמיד להניח בה לחם וסכינים, ואירע שהניח בה מעות, אפילו אין בה לחם וסכינים, **אע"ג** דהטישקעסטי"ל ודאי אסור לטלטל, אבל מותר לטלטל השלחן, שהרי גם הטישקעסטי"ל הוא בעצם כלי שמלאכתו להיתר, וא"כ נעשה השלחן בסיס לאיסור ולהיתר, וצ"ע.

אבל אין ללובשו בשבת, דחיישינן שמא יצא בו, כדלעיל סימן ש"א סל"ג. ועיין לעיל סימן רס"ו אם שכח כיסו אצלו בשבת, מה דינו.

סעיף ח - כלי שיש עליו דבר האסור ודבר המותר, מותר לטלטלו, כגון: מחתה שיש עליה מבע"י אפר שמותר לטלטלו לכסות בו רוק או צואה, ויש עליה ג"כ שברי עצים

שהם אסורים בטלטול, מותר לטלטל מחתה כמו שהיא.

אפר שמותר - לאפוקי אם הוסק בשבת, דאסור בזה לכו"ע משום נולד, דנעשה מעשה חדש, דמעיקרא עצים והשתא אפר, **ואם** נתערב אפר המותר באפר האסור, והאיסור לא היה ניכר קודם שנתערב, בטל ברוב, **דאי** היה ניכר, קי"ל דדשיל"מ אפילו באלף לא בטל, ומוקצה יש לה מתירין בערב.

כתב הח"א: נ"ל דמים הנוטפין מן האילנות בימי ניסן, אסורין ג"כ משום נולד, **ואפילו** יש כבר כלי עם מים מע"ש שנוטף לתוכו, אפ"ה אסור, ולא אמרינן בזה דבטל, **דהא** טיפה הנוטפת היתה ניכר קודם שנתערב בהמים, וקי"ל דדבר שיל"מ אפילו באלף לא בטיל.

וכגון שדבר המותר חשוב מדבר האסור; אבל אם דבר האסור חשוב יותר מדבר המותר, בטל אצלו ואסור לטלטלו - ואם שניהם שוין, אסור.

כתבו הפוסקים, דאם לכל העולם ההיתר חשוב יותר, ולדידיה אינו חשוב, אזלינן בתר דידיה, וה"ה איפכא.

וטעם היתר טלטול זה, משום דלא אפשר למינקט קיטמא לחודיה, אפילו אי שדי ליה מהמחתה - ר"ל דלמה בסימן ש"ט ס"ג אמרינן, בפירות המונחים עם אבן בסל, דאע"ג דהסל הוא בסיס לאיסור ולהיתר, מ"מ היכא דאפשר לא יטלטל הפירות והסל כל זמן שהאבן מונח שם, אלא ינער מתחלה הכל על הארץ, ואח"כ ילקט הפירות לתוך הסל ויטלטלם, **והכא** נמי אף שצריך להאפר, נימא דינער הקיטמא עם השברי עצים על הארץ, ואח"כ יכנס הקיטמא לבד תוך הכלי ויטלטל למקום שירצה, **ולזה** כתב, דהכא לא אפשר לכנס אח"כ הקיטמא לבד, משום דשברי עצים היינו שברים קטנים או פחמין קטנים, שא"א ליטול האפר מבלעדם.

או אם צריך למקום המחתה, (כמו שנתבאר לעיל סי' ש"ט) - דאז א"א לנער, דיפול למקום שצריך אליו, לכן מטלטלה כולה ביחד.

ואם א"צ אלא לגוף המחתה, לא יטלטלנה כמו שהיא, אלא ינער האפר ושברי העצים במקומם, ויטול המחתה - ואי איכא הפסד בניעור, א"צ לנער, וכמ"ש בסימן ש"ט ס"ג.

הגה: וכן אם יוכל לנער האיסור לחוד, ינערנו ולא יטלטלנו עם ההיתר.

וכל זה לא מיירי אלא שהיה ההיתר עם האיסור מבעוד יום; אבל אם היה האיסור עליו לבד - ר"ל בבין השמשות, **לא מהני מה שהניח אלו ההיתר בשבת** - דאפילו אם היה ניטל האיסור לגמרי משם, ג"כ אסור כיון דאתקצאי לבין השמשות, וכנ"ל בס"ז, **אבל** אם בשבת הונח עליו דבר איסור, הואיל וביה"ש לא אתקצאי, הו"ל מוקצה לחצי שבת, וקי"ל דאין מוקצה לחצי שבת, אלא כל זמן שהאיסור מונח עליו אסור בטלטול, **ע"כ** מותר להניח עליו דבר של היתר החשוב יותר, ומטלטל הכל ביחד, אם אי אפשר לו לנער האיסור משם.

סעיף ט - תיבה שיש בה דבר המותר לטלטל ומעות, אם המעות אינם עיקר, מותר לטלטלה כמו שהיא, על פי התנאים שנתבארו במחתה.

§ סימן שיא – דיני מת בשבת ושאר טלטול מן הצד §

סעיף א - מת שמוטל במקום שירא עליו מפני הדליקה, אם יש ככר או תינוק, מטלטלו על ידיהם - וה"ה שאר חפץ שמותר לטלטל, והיינו שמניח עליו או אצלו ומטלטלו עמו, ולא מינכר כ"כ טלטול המוקצה, אף שגם המת הוא מוקצה, מפני שמטלטל שניהם כאחד, **ולא** התירו ע"י עצה זו דככר או תינוק אלא למת בלבד מפני בזיון המת, אבל לא בשאר דבר מוקצה כאבן וכיו"ב, וכמ"ש לקמן בס"ה.

והטעם שהצריכו לכל זה, ולא התירו לטלטלו להדיא כמו שמסיים לבסוף, משום דכל מה שאפשר למעבד בקצת היתר טפי עדיף.

ואם אין לו ככר או תינוק, אם יש לו שתי מטות, מטלטלו על ידי שיהפכנו ממטה למטה, דהוי טלטול מן הצד - ואע"ג דטלטול מן הצד ג"כ שמיה טלטול כשמטלטלו לצורך דבר המוקצה, כמ"ש ס"ח, **מ"מ** בדליקה התירו, מטעם דאדם בהול על מתו, ואי לא שרית ליה אתי לכבויי.

ולענין טלטול המטה אחר שסילק המת ממנה, תלוי בזה, אם היה חי ביה"ש, לכו"ע מותר לטלטל אח"כ המטה, דלא נעשית בסיס למת כיון דלא אתקצאי ביה"ש, **אך** אם מת בע"ש, הרא"ש אוסר, **והמאור** מתיר, ‹דאין המטה צריכה למת, וכל עצמו א"צ להטילו אלא ע"ג הקרקע, כדתנן שומטין הכר מתחתיו – מ"א›, **ואם** היה דעתו מתחלה שיהיה מונח המת עליה כל השבת, ואח"כ סלקוהו ממנה, לכו"ע נעשית המטה בסיס ואסור לטלטלה.

ואם אין לו לא זה ולא זה, מטלטלו טלטול גמור.

וכל זה באותו רשות - משמע מזה, דלרשות אחר אסור להוציא בכל גווני, (שפוסק כהרמב"ם, שלא הותר מפני כבוד הבריות ‹להוציאו לכרמלית›, רק כשהחיים מתבזים עי"ז, וכמש"כ בריש ס"ב), **אבל** הרבה אחרונים הסכימו, דאפי' לרשות אחרת שלא ערבו עם זה, או לכרמלית, שרי להוציא מפני בזיון המת, **ולענין** אם צריך לזה ככר ותינוק, תליא בשתי דעות המבואר בס"ב.

ויש מאחרונים שכתבו, דגם דעת המחבר הוא כן, ומה שכתב "באותו רשות", ר"ל דמה שכתבנו מילתא דפסיקא דצריך לכתחלה ככר או תינוק, הוא דוקא באותו רשות, **אבל** כשמוציאו לרשות אחר, כגון שהדליקה הוא בכל החצר, והוכרח להוציאו משם, אז לאו מילתא דפסיקא הוא, די"א דאדרבה דטוב להוציאו בלא ככר ותינוק, כדי למעט באיסור הוצאה, וכמבואר בס"ב, (**ובאמת** מדברי המחבר עצמו בסוף ס"ב, שכתב: וה"ה אם הוא בבזיון אחר, כגון שהיה בספינה וכו' וכן כל כיוצא בזה, מוכח להדיא דה"ה לענין שריפת המת, דלא גרע מזה, **וע"כ** אנו מוכרחין לומר באחד משני אלה, או דהרמב"ם בעצמו יודה לענין דליקה במת, דמותר להוציאו לרשות אחרת, ומה שכתב המחבר "באותו רשות", הוא כמו שכתבתי במ"ב, **או** דהמחבר בעצמו חזר מזה לבסוף, והחזיק בסעיף ב' את שיטת רש"י לדינא, וכמו שכתב הגר"א בהדיא בביאורו).

(ולענין דינא בודאי יש להקל, דאפילו אם נימא דהרמב"ם מחמיר בזה, **הלא** מכמה גדולי הראשונים מוכח דפליגי עליה, **וגם** דכרמלית הוא דבר של דבריהם, ובודאי שומעין להקל).

מת המוטל בחמה, מטלטלו מחמה לצל באותו רשות ע"י ככר או תינוק - מיירי שעדיין לא הסריח, אלא שחושש פן יסריח, ולכך החמיר המחבר דדוקא באותו רשות מותר להוציא, ואזיל לטעמיה בריש ס"ב, **אבל** לדעת רמ"א בהג"ה שם דהביא דעת רש"י וטור, גם במוטל בחמה שהוא קרוב להסריח, נמי שרי להוציא לרשות אחר, וכן פסק הב"ח להקל.

ואם אין לו ככר או תינוק, לא יטלטלנו כלל, אפילו להפכו ממטה למטה, דטלטול מן הצד שמיה טלטול. (ועיין לקמן בסימן זה ס"ו מאי תקנתיה).

(**ואפילו** לדעת רמ"א דמיקל בסמוך להוציאו לכרמלית משום כבוד הבריות, מ"מ לענין טלטול באותו רשות לכו"ע אסור בלא ככר ותינוק, משום דהוצאה היכי דהוא מוכרח לזה, א"א בענין אחר, **משא"כ** לענין טלטול, אפשר לתקוני ע"פ רוב ע"י ככר ותינוק, ולכך לא פלוג אפילו היכא דאין לו, וי"א משום דאיסור טלטול חמיר מאיסור הוצאה לכרמלית).

ומטעם זה אסור לדחוף ע"י קנה דבר שהוא מוקצה, **אך** אם דחיפתו הוא מפני שצריך להשתמש במקום שמונח בו המוקצה, שרי, דהוי טלטול מן הצד לצורך דבר המותר, וכדלקמן בס"ח, **ועיין** לעיל בסימן ש"ח במ"ב סכ"ז.

סעיף ב - מת שהסריח בבית, ונמצא מתבזה בין החיים והם מתבזים ממנו. הגה: וי"א דאפילו לא הסריח עדיין, אלא שקרוב להסריח, מותר להוציאו לכרמלית - דגדול כבוד הבריות שדוחה לא תעשה דדבריהם.

ואם היה להם מקום לצאת בו, אין מוציאין אותו, אלא מניחים אותו במקומו ויוצאים

הם - הוא דעת הרמב"ם, וטעמו, דס"ל דעיקר ההיתר מפני כבוד החיים, שהחיים מתבזים ג"כ ע"י שהמת נסרח ונתבזה, ולכך ביש להם מקום לצאת משם, דתו ליכא כבוד החיים, אין מוציאין אותו, **לבד** ממת שבא בספינה האמור בסוף הסעיף, שם הוא בזיון גדול למת כשהא"י מתאספין סביבותיו, וחששו לכבודו, **משא"כ** הכא ליכא בזיון כ"כ למת, כיון שמונח במקום שאין רואין, ועוד כיון שכבר הסריח.

ודע, דלדעת היש אומרים הנ"ל, שמקילין בקרוב להסריח, אפילו יש להם מקום לצאת, מותר להוציאו מפני שלא יסריח.

וי"א שלא התירו להוציאו לכרמלית אלא ע"י ככר או תינוק - דהוצאה דא"א לתקוני שרי, אבל טלטול דאפשר לתקוני ע"י ככר, מתקינים.

ויש מי שאומר שכל שמוציאו לכרמלית, מוטב להוציא שלא בככר ותינוק, כדי למעט בהוצאה.

עיין בא"ר שהכריע כדעה הראשונה, משום שהרבה פוסקים סוברין כמותה, **ומ"מ** נ"ל כשאין לו ככר ותינוק, מותר להוציא אף בלא ככר ותינוק, דאף לדעה הראשונה אין הכרע שהוא לעיכובא.

ויש מי שמתיר להוציאו אף לרשות הרבים - טעמו, דהו"ל מלאכה שא"צ לגופה, דהא אין צריך למת, ולית ביה רק איסור דרבנן לר"ש דקיי"ל כוותיה, ובמת לא גזרו מפני כבוד הבריות, **ע"י תינוק, אבל לא ע"י ככר** - דוקא כשהתינוק הוא גדול קצת, דשייך בו חי נושא את עצמו, ולית ביה בעלמא רק איסור דרבנן, ובמת לא גזרו, **משא"כ** בקטן ביותר, הוא שוה לככר, וחייב על הוצאתם גופא, [**ודע**, דבכל הסימן היכא שנזכר תינוק, מותר אפי' קטן ביותר, דלא גרע מככר דמותר].

אבל הדעה ראשונה ס"ל, דלא התירו אלא כרמלית דלית לה עיקר בדאורייתא, **משא"כ** בזה דשם מלאכה עליה אלא שאין צריך לגופה, לא התירו אף במת, [בין ע"י תינוק בין שלא ע"י תינוק]. **ועיין** בט"ז וכן בא"ר דהלכה כדעה ראשונה, משום דהרבה פוסקים סוברין כמותה, **ובפרט** דמלאכה שא"צ לגופה ג"כ לא ברירא דהוא פטור עליה, דיש שפוסקין כרבי יהודה דמחייב עליה, עיין בסוף סי' של"ד.

וה"ה אם הוא בבזיון אחר, כגון שהיה בספינה והיו הא"י מתאספים שם; וכן כל כיו"ב.

הגה: וכ"כ דמותרים לומר לא"י לטלטלו, כמו ע"י ככר ותינוק - ר"ל כמו שהתירו בישראל ע"י ככר ותינוק, התירו ע"י א"י אף בלי ככר ותינוק.

וממילא משמע קצת מלשון זה, דדוקא לכרמלית, אבל לר"ה דאסור לרוב פוסקים ע"י ישראל אף ע"י ככר ותינוק, אפילו ע"י א"י אסור, וכ"כ במ"א, **ובא"ר** מצדד בשם כמה פוסקים, שסוברין להקל גם בר"ה, [**ונראה** דברה"ר שלנו יש להקל ע"י א"י, ונוכל לצרף לזה גם דעת הרמב"ן, שמתיר אפי' ע"י ישראל לרה"ר, משום דהוי מלאכה שא"צ לגופה, **ונהי** דבזה לא קימ"ל כוותיה, עכ"פ ע"י א"י וברה"ר שלנו יש להקל].

ואסור לטלטל מת ע"י ככר ותינוק לצורך כהנים - שיהיו יכולים להיות בבתיהם שהיו תחת גג אחד עם המת, **או דבר אחר** - דלא הותר טלטול המת ע"י ככר או תינוק אלא לצורך המת.

וכתבו האחרונים, דטלטול מן הצד, דהיינו להפכו ממטה למטה, שרי לצורך כהנים, אפילו שלא ע"י ככר ותינוק, **דהרי** הוא טלטול מן הצד לצורך מקומו, דשרי, וכדלקמן בס"ה.

ומ"מ בין בזה, וכן במה שמתיר הרמ"א ע"י א"י, הוא דוקא אם הקרובין רוצין, דמשום בזיון המת ליכא בזה, דמה לו כשמטהרין אותו בבית זה או בבית אחר, **אבל** אין יכולין לכופן להוציאו מן הבית שמת שם, {אם לא במקום שהמנהג לשאתו מיד במקום שמטהרין אותו, יכול לכופן}, **ואפילו** היה בהכ"נ תחת גג אחד עם המת, והכהנים מעוכבין עי"ז לילך לבהכ"נ דהוא מצוה, משום דזהו כבוד הקרובים, שיטהרו ויעשו צרכי המת בביתם, **אם** לא בנפל דליכא משום כבוד, י"א דיכולין לכופן להוציא מן הבית בשביל הכהנים, ועל פי האופנים המבוארים למעלה.

אבל ע"י א"י יש מתירין, (וכן ראיתי נוהגים לצורך מלוה או חתונה) - דשבות דשבות לצורך מצוה שרי, וכדלעיל בסימן ש"ז ס"ה, **ועי"ש** דלצורך גדול

חשוב ג"כ כצורך מצוה, ולהכי שרינן הכא ע"י א"י לצורך כהנים, וכן משמע מהגר"א.

סעיף ג - יש מי שאומר שאם נתן על המת אחד מכלים שהוא לבוש - היינו שהיה המת לבוש בו מתחלה, וכ"ש אם נתן עליו שאר כלים שמלאכתן להיתר, **חשוב כנותן ככר או תינוק.**

(**אף** דהמחבר כתב יש מי שאומר, אין כונתו בזה שאחרים חולקין ע"ז, כמו ביש מי שאומר שכתב בסעיף שאחריו, **דידוע** דרכו בדבר שאינו מוצא בפוסקים אחרים בפירוש, לכתוב בלשון זה לפעמים, דבאמת הכל מודים בזה ודבר פשוט הוא, כיון שאינו לבוש המת עתה בהן, הוא כשאר כלי שמלאכתו להיתר).

סעיף ד - יש מי שאומר שלא הצריכו ככר או תינוק אלא למת ערום, אבל אם הוא בכסותו, א"צ ככר או תינוק - בסעיף זה הוסיף, דאפילו אם המת לבוש בו עכשיו, ג"כ מהני כמו ככר ותינוק, **ובב"י** הקשה ע"ז, דליהוי הכסות בטיל לגביה, **ועיין** במ"א שיישבו, דדוקא תכריכין הן בטלין אצלו, שאינו עתיד לפושטן, אבל המלבושין שהיה לבוש בם מחיים, בודאי עתיד להפשיטן מעליו, ואין בטילין אצלו, (**ולענ"ד** יש לפקפק בדין זה טובא, חדא, דאטו הגמרא בערטילאי עסקינן, אם לא שנדחוק דאיירי שלבשוהו מבע"ש התכריכין, ולא היה פנאי לקברו, **ועוד** דבגמרא קמ"ב איתא בהדיא, דהמוציא אדם שהוא לבוש בבגדים, דפטור אף על הבגדים, מפני שהבגדים טפלים לו, **וכבר** הקשה כן בא"ר, **וע"ש** מה שדחה בשם מהר"ל, דדוקא באדם חי, אבל באדם מת הרי הוא עתיד להפשיטן מעליו, ע"כ לא בטילי לגביה, והם ככר ותינוק, וכעין מה שכתב המ"א, **אבל** כ"ז דחוק מאד, דהלא כסותו בודאי בעת שהוא לבוש בה, צריך לה לתשמיש גופו יותר ממטתו שהוא מושכב בה אחר מיתתו, דא"א לו לשכב ערום, **ואפ"ה** גם במטתו, אף דבודאי עתיד לסלקו ממנה לבסוף, אפ"ה מוכח בגמרא דכל זמן ששוכב בה, אם רוצה לטלטלו צריך ככר או תינוק, או שיהפכנו ממטה למטה דלהוי טלטול מן הצד, ולא התירו משום המטה גופא, {דהא היא לא נעשית בסיס}, **אלא** ודאי אף דעתיד לסלקו ממנה, אעפ"כ כל זמן ששוכב עליה חשיבה טפלה לו ובטלה לגביה, **וא"כ** כ"ש בבגדיו כל זמן שהוא לבוש בהן טפלין לו ובטלין לגביה, כיון שהוא צריך להן עתה, ולא נחשב ככר ותינוק).

סעיף ה - אם צריך למקום המת או לדבר שהמת מונח עליו, מותר לטלטלו מן הצד, דהיינו שהופכו ממטה למטה, כיון דלצורך דבר המותר הוא - ר"ל שאין כונתו בטלטולו בשביל המת גופא, שהוא אסור בטלטול, אלא בשביל המקום או הדבר שהוא מונח עליו, שהוא מותר בטלטול.

לא התירו לטלטל ע"י ככר או תינוק אלא במת בלבד, אבל לא בשאר דברים האסורים לטלטל - עיין לעיל סימן ש"ח ס"ה ובמ"ב שם.

סעיף ו - מת המוטל בחמה ואין להם מקום לטלטלו, או שלא רצו להזיזו ממקומו, באין שני בני אדם ויושבים מב' צדדיו, חם להם מלמטה, זה מביא מטתו ויושב עליה, וזה מביא מטתו ויושב עליה - כדי להפסיק בינם לקרקע, **חם להם מלמעלה, זה מביא מחצלת ופורס על גביו, וזה מביא מחצלת ופורס על גביו, זה זוקף מטתו ונשמט והולך לו, וזה זוקף מטתו ונשמט והולך לו** - ר"ל שזוקפה ומסירה, והוא נשמט מתחת המחצלת, והמחצלאות הם קשים וזקופים ונשארים ממילא כאהל על המת, **נמצאת מחיצה עשויה מאליה, שהרי מחצלת זה ומחצלת זה גביהן סמוכות זו לזו, ושני קצותיהן על הקרקע משני צדי המת.**

ואין להקשות, כיון דלבסוף זוקף מטתו ומסירה אח"כ, ונשאר רק המחצלת פרוסה על המת, יביאו מיד המחצלת ויפרוס על גביו, ואח"כ כשישמט ישאר על המת, **יש** לומר, דאם כן יהא ניכר יותר שעושה לצורך המת, ואסור לעשות אהל עראי לצורך המת, **אבל** השתא ניכר שעשו לצורך עצמן, שהרי כשחם להם מלמטה הביאו מטה, ויאמרו שגם המחצלת הביאו מתחלה רק בשביל עצמן.

ועיין במ"א, דאם הוא מתירא שלא יסריח המת ויצטרכו לצאת, שרי לפרוס עליו מחצלת להדיא, אך שיהיה בלא עשיית אהל, ‹דהיינו מלמעלה למטה, תחלה יעשה הגג ואח"כ המחיצות – מחה"ש›, [**ובא"ר** משמע, דבלא טעם שיצטרכו החיים לצאת מן החדר, ג"כ שרי בשביל המת לבד, לדידן דקימ"ל שלא כר' יצחק, דאמר אין כלי ניטל אלא לצורך דבר הניטל, **ובתו"ש** מיישב זה, ע"ש], ‹מתוך שאדם בהול על מתו, שמא יעשנו באיסור, ולכך לא התירו לעשות כן רק לצורך החיים – שם›.

סעיף ז - מותר לסוך המת - בשמן, **(ולהדיחו)** - במים, והיינו במים קרים, ‹אבל בחמין אסור משום רחיצה בחמין – רד"ך›, **והטעם** בכ"ז שהתירו, דזהו לאו בכלל טלטול, אלא נגיעה בעלמא, כיון שאין מזיז בו אבר.

ולשמוט הכר מתחתיו כדי שלא יסריח - ע"י חום הכרים וכסתות. **ומותר** לזלף חומץ על גבי בגדים של המת, בשביל שלא יסריח למוצאי שבת ויוכלו להתעסק בטהרתו.

אבל אסור לשמוט המת מעל גבי הכר, דהוא טלטול ממש, **והעולם** נוהגין להגביה אותו מעל הכרים ע"י ככר אף במקום שאין לחוש שיסריח, ויש למחות בידם, **רק** לשמוט הכרים מתחתיו מותר, [**וגם** זה אינו מותר רק בשביל שלא יסריח], ‹**אולי** משום דמזיז את המוקצה מעט – מ"ב המבואר›.

ובלבד שלא יזיז בו שום אבר; ואם היה פיו נפתח והולך, קושר את הלחי בענין שלא יוסיף להפתח, אבל לא כדי שיסגר מה שנפתח או קצתו, שאם כן היה מזיז אבר; ומטעם זה אין מעצימין עיניו של מת בשבת - ובמקצת מקומות נוהגין להעצים עיניו ולישר אבריו שלא יתעקמו, ואומרים דאיתא בזוהר שהיא סכנה, **ואף** דדבר זה אין לו שרש על פי הדין, דבמשנה איתא דאין מעצימין עיניו של מת, וכן שלא יזיז בו אבר, וכל הראשונים סתמו כן, וכמו שפסק בשו"ע, **מ"מ** במקום שנהגו אין למחות, כיון שיש להם סמך על פי הזוהר, **אך** באמת בזוהר לא נזכר סכנה כי אם לענין עינים, ואה"כ לישר האברים אין להם שום סמך, **ובא"ר** כתב, דבמקום שנוהגין להקל בזה משום שחוששין שלא יתעקמו ויהיה בזיון למת, יעשו כמ"ש במרדכי, שמניח ככר או שאר דבר שמותר לטלטל וכנ"ל על אותן האברים, ודוחק עליו עד שיפשטו אבריו.

ואם היה המת מלוכלך בטיט וצואה עד שמאוס בעיני רואיו, מותר לטלטלו ע"י ככר ותינוק, ולרחצו במים בידו, ולא ע"י מפה משום סחיטה, **אבל** בלא"ה אסור בכל זה ‹לטלטלו לרחצו ע"י ככר או תינוק – מ"א›, ואפי' ע"י א"י אסור.

סעיף ח - טלטול מן הצד לצורך דבר המותר, מותר, הלכך צנון שטמן בארץ, ומקצת עליו מגולים - דאי לא היו העלין מגולין כלל, הרי בע"כ מזיז עפר בידים, ואסור, **ואפילו** אם ירצה לתחוב מחט או כוש דרך העפר בצנון וליטלו, וכמו בס"ט, ג"כ אסור, דנראה כעושה גומא, **ויש** מקילין ע"י תחיבת מחט וכוש, ‹והטעם, דכוש הוא דק מאד, ואין ניכר הגומא אף אחר שהוציאו – לבושי שרד›.

ולא השריש - דאי השריש, אפילו אם היה גם גוף הצנון מגולין מלמעלה, ג"כ אסור להזיזן ממקומן, משום תולש. **וגם לא נתכוין לזריעה** - דאם היה נתכוין לזריעה, אף שלא השריש אסור, כיון שמתחלה היה רוצה בהשרשתן, וטמונין בקרקע כדרך הזריעה, **ועיין** במ"א שהקשה ע"ז מהא דקי"ל בגמרא, והובא לעיל בסי' ש"י ס"ב, דחטין שזרען בקרקע ועדיין לא השרישו, דמותר ללקטן ולאכלן, **ומ"מ** אין לזוז מפסק המחבר, דכן נמצא בכמה ראשונים, **וההיא** דלעיל תירץ המאירי, דמיירי כשלא היו הזרעים עדיין מכוסין בעפר.

נוטלו, אע"פ שבנטילתו מזיז עפר ממקומו - ר"ל דמ"מ רק טלטול מן הצד הוא, וכונתו הוא בשביל לקיחת הצנון דהוא דבר המותר, **ואע"פ שהוסיף מחמת לחות הקרקע, מותר.**

כתבו האחרונים, דההיתר דלקיחת הצנון מהארץ, מיירי כשטמונין בשדה, דאי בבית אסור, שמא יבא להשוות אח"כ הגומות שבקרקע הבית שנעשה עי"ז, {**ואך** אם הם טמונין בחול ועפר שמונחין בקרן זוית, והכניסו לעשות בו צרכיו, מותר להוציאן, ואפי' לא היה מגולה כלל מלמעלה, וכמו שנתבאר לעיל בסי' ש"ח סל"ח, וע"ז רמז בהג"ה בס"ט}, **וכעין** זה איתא בגמרא ג"כ, גבי עמודים של אורג שהיו תקועין בקרקע הבית, שאסור לטלטלן ממקומן, שמא יבא להשוות הגומות אח"כ.

הגה: ואפי' הניחו שם מבע"י להיות שם כל השבת, דאין באוכלין משום בסיס לדבר האסור - ר"ל דאף דבעלמא אם הניח דבר מוקצה על איזה כלי על דעת שישאר שם כל השבת, לכו"ע נעשה הכלי גופא ג"כ מוקצה מטעם בסיס לדבר האסור, וכנ"ל בסי' ש"ט ס"ד, **מ"מ** הכא לא נעשה הצנון בסיס להעפר שעל גבו, מטעם דאין באוכלין וכו', **ור"ל** דבאוכלין אלו לא שייך בסיס, דהלא לא היתה כונתו בהטמנה שיהא האוכל משמש להעפר, אלא אדרבה שיהא העפר משמש להאוכל, **וה"ה** לענין פירות הטמונין בתבן דלקמיה, אפי' היה דעתו שישארו שם כל השבת, ג"כ לא נעשו הפירות בסיס להתבן שעל גבן, מטעם הנ"ל.

וטלטול בגופו, אפי' לצורך דבר האסור, מותר - פירוש שאינו נוגע בידו, כי אם בגופו או בשאר אבריו, מקילינן בו יותר משאר טלטול מן הצד, וע"כ מותר אפילו לצורך דבר האסור.

הילכך קש שעל המטה, דסתמו מוקצה להסקה, מנענעו בגופו - כדי שיהא צף ורך לשכב עליו, **והיינו** במקומות שמסיקין בקש, אבל במקומותינו סתמא עומד למאכל בהמה או לשכיבה, ומותר לנענעו אפילו ביד.

ודע, דהשו"ע מיירי שהקש לא הונח על המטה לשם שכיבה, דאי הונח במבע"י לשם שכיבה, תו נסתלק ממנו שם מוקצה בכל מקום.

ואם הניח עליו מבע"י כר או כסת, מנענעו אפי' בידו, שהרי הכינו מבע"י לשכב עליו - היינו אפי' אם לא חשב בהדיא לשכב עליו, חשבינן ע"י מעשה זו כאלו חשב, **ואם** חשב בהדיא, מהני אפי' בלא כר וכסת, וכמש"כ הרמ"א, **(וכן אם חשב לשכב עליו)** - פי' אפי' הניחו להקש על המטה בסתמא, ואח"כ חישב עליו, [**ולשון** "וכן" אינו מדוקדק כ"כ, דבגמ' מוכח דחשב עדיף מהניח ולא חשב].

סעיף ט - הפירות הטמונין בתבן - הוא הקנה הנקצר עם השבולת, **או בקש** - הוא מה שנשאר בשדה אחר הקצירה, **המוקצים** - לאפוקי אם הזמינן למאכל בהמה או לשכיבה, ובמקומותינו סתם תבן מיוחד למאכל בהמה, **יכול לתחוב בהם מחט או כוש ונוטלם, והקש ננער מאליו** - דהוי טלטול מן הצד לצורך דבר המותר, ושרי כדלעיל בס"ח.

וכ"ז כשהיה טמון בתבן המוקצה שמונח במקומו ועומד להסקה, **אבל** אם לקח בע"ש מקצת ממנו והטמין בו פירות, זה ודאי נסתלק מעל התבן שם מוקצה, דהרי הכינו להטמין בו פירות, ומותר לטלטל התבן בהדיא.

הגה: ואם טמונים בחול ובעפר - היינו בעפר שהוא צבור בבית להשתמש בו, דאין עלייהו שם מוקצה, **ע"ל סימן ש"ח סעיף ל"ח.**

והנה לפי מה שנתבאר בסימן זה, דטלטול מן הצד לצורך דבר האסור אסור, תדע לנכון, דמה שנוהגין איזה אנשים למכור בשבת, ולקבל המעות בכלי או ע"י בגד או גורר בסכין, מלבד הרעה הגדולה של מקח וממכר בשבת, **כמה** סמיות עינים יש בזה, דאף כשנימא דזהו טלטול מן הצד, הלא הוא בשביל דבר האסור, שהוא המעות, ואין שום ספק שהוא איסור גמור.

§ סימן שיב – הנצרך לנקביו במה מקנח בשבת §

סעיף א - משום כבוד הבריות התירו לטלטל אבנים לקנח - וה"ה צרורות או שאר דבר כה"ג דלאו בר טלטול הוא, **ואפי' להעלותם לגג עמו דהוי טרחא יתירה, מותר.**

ומי שיש לו מקום מיוחד לבית הכסא - פי' שהמקום קבוע לו לבהכ"ס, **יכול להכניס עמו אבנים לקנח מלא היד** - דכיון שקבוע לו לכנוס שם תמיד, א"כ אפילו אם ישתיירו לו אבנים ערבית, יוכל לקנח בהם שחרית, **וע"כ** התירו לו להכניס מלא היד, ואפילו ד' וה' אבנים, ולא הוי טלטול שלא לצורך, [**ואפי'** אם היו האבנים גדולות יותר מכביצה, כיון שבין כולם אין יותר ממלא היד, דכי טורטני יכניס לשם], **ואף** דאותו המקום אינו מיוחד לו לעצמו, ואפשר שיקחו אחרים את האבנים לקנח, **לית** לן בה, דמה לי הוא מה לי אחר, ואפשר ג"כ שיצטרך לו אח"כ בעצמו, ולהכי שרי.

וכתב המ"א בשם הפוסקים, דהא דמתירין בבהכ"ס קבוע להכניס שם אבנים בשבת, היינו דוקא בשאינו מיוחד לו לעצמו, אלא נכנסין גם אחרים שם, דלא היה לו להכין מע"ש, דחשש שמא יטלוהו אחרים, ובפרט אם הוא בבהכ"ס שבשדה, דטרחא הוא להכין מע"ש דרחוקה היא, **אבל** אם היה סמוך לו לביתו, וגם מיוחד לו לעצמו, דאין נכנסים אחרים לשם ואפילו מבני ביתו, אין להתיר להכניס שם אבנים כלל, דהיה לו להכין מאתמול, **והא"ר** מצדד להקל בזה בכל גווני, וכדעת הלבוש, והטעם, משום דלא מסיק איניש אדעתיה להכין שם אבנים מע"ש.

ואם אין לו מקום קבוע - היינו שהולך פעם למקום זה, ופעם הולך למקום אחר, **מכניס עמו כשיעור בוכנא קטנה** - דאסור להכניס יותר ממה שצריך לו ודאי לפעם אחד, דהיינו כשיעור בוכנא קטנה, דאם יכניס יותר וישתייר, נמצא שטלטל תחלה שלא לצורך, [**ואף** דיכול להועיל בזה לאחרים, אין מתירין בשביל זה לבד לכתחילה, **וגם** דהא אחרים יכולין להביא לעצמן].

ברי"ף ורא"ש איתא: כשיעור ראש בוכנא קטנה שדכין בו את הבושם, וכן משמע בטור.

ואם ניכר באבן שקנחו בו - היינו מע"ש, **מותר להכניסו אפי' הוא גדול הרבה, או אפי' הם הרבה ממלא היד, מותר ליטול כולן, דכיון שקנחו בהן הוכנו לכך** - ומיירי כשלא יחדן מע"ש בפירוש לכך, דאם יחדן, [ובדבר שדרכו בכך לפעמים, די ביחוד לשבת אחת, לדעה ראשונה לעיל סי' ש"ח סכ"ב, דהיא העיקרית], אפילו לא קינח בהן מעולם מותר להכניסן כמה שירצה, [**דבראש** בוכנא מותר אפי' היה עליהן שם מוקצה, וכמ"ש בריש הסימן].

וה"ה נייר חלק שמקפיד עליו, דיש בו משום מוקצה, [דאם סתמא, אין בו משום מוקצה, דהא עומד לכסות פי הפך], ג"כ מהני יחוד מע"ש, דעי"ז הוסר מעליו שם מוקצה, ומותר להכניס לבהכ"ס כמה שירצה, **ואם** לא יחדן, אינו מותר להכניס לבהכ"ס שאינו קבוע רק כפי צרכו לפעם זה בלבד, [כמו שהתירו באבנים כראש בוכנא בכל גווני], **ואסור** לקרוע הנייר בשבת, וכמבואר לקמן בסימן ש"מ סי"ג ע"ש במ"ב.

משמע מלשון "ואם ניכר", דאם אינו ניכר, אף שידוע שקינח בו, אסור ליקח ממנו מלא היד אם אין לו מקום קבוע, **ויש** מקילין בזה, דכיון שידוע שקינח בו, הוי כניכר, [א"ר, **ומגמ'** לא משמע כן, ואפשר דהוא מיירי רק באבנים קטנים].

הגה: יש אומרים דוקא בחצר מותר לטלטל אבנים.

וי"א דאפילו מכרמלית לרה"י נמי שרי, דהא נמי אינו רק איסור דרבנן, ומשום כבוד הבריות התירוהו - (ואף שיש בזה שני איסורין דרבנן, טלטול מוקצה וגם מכרמלית לרה"י, אפ"ה כבוד הבריות דוחה אותן).

וכן עיקר, [**עיין** בא"ר שכתב, דמ"מ אין להקל בזה כשיש לו ביהכ"ס לעצמו שאין אחר נכנס לשם, **ואף** שדעתו לעיל להקל כשהוא רק משום טלטול מוקצה בלבד, בזה חמיר טפי], **ור"ה** דידן, אף שלהרבה פוסקים דינו ככרמלית, מ"מ אין להקל.

סעיף ב - אם ירדו גשמים על האבנים ונטבעו - היינו שהכניסן מתחלה לקנח בהן, ואח"כ ירדו עליהן גשמים ונטבעו בקרקע או בטיט, **אם רישומן ניכר** - היינו שניכרין למעלה מן הקרקע, ולא נטבעו בקרקע לגמרי, **מותר ליטלן כדי לקנח, ואין בזה משום סותר** - ר"ל אפילו אם היה זה באיזה רצפה שבחצר, והו"א דיש בזה חשש סתירה, שסותר הרצפה בזה שנוטל האבן, **ולא משום טוחן** - דהו"א דטוחן בנטילתו את העפר שסביבו, קמ"ל דשרי.

סעיף ג - צרור שעלו בו עשבים, מותר לקנח בו - מדסתם משמע, דאפילו מונח על הארץ מותר ליטלו, **ואף** דיש בזה עכ"פ לכו"ע איסור תלישה מדרבנן, דמחזי כתולש, **הכא** משום כבוד הבריות לא גזרו, **ועיין** במה שנכתוב לקמן בסימן של"ו ס"ה וס"ח במ"ב ובה"ל.

ולא חיישינן שמא יתלשו, דאף אם יתלשו ליכא איסורא, דדבר שאין מתכוון הוא - ר"ל דאף דבהתלישה יש בו איסורא דאורייתא לכו"ע, וכדלקמן בסימן של"ו ס"ה, **אפ"ה** לא חיישינן שיהיה נתלש, כיון שאינו מתכוון לזה, ולאו פסיק רישא הוא.

סעיף ד - לא יטלטל רגב אדמה לקנח בו, מפני שאינה ראויה לקינוח לפי שהיא נפרכת - ר"ל וע"כ איסור טלטול בדוכתיה קאי, [ומרי"ף ורמב"ם משמע קצת, דהאיסור הוא מפני שקרובה להתפרך, ר"ל ונמצא דיש בזה חשש טחינה]. (עיין במאירי, דאם הוא רגב קשה כאבנים שאינה עשויה להתפרך, מותר).

אסור לקנח בחרס אפילו בחול, משום סכנה, שלא ינתק שיני הכרכשתא, (פי' המעיס התלוים בפי טבעת) – (והא דלא נקט הטעם שלא ישלטו בו כשפים, וכדלעיל בסי' ג', משום דבסעיף זה כלול נמי הדין לענין שבת, ולענין שבת עיקר הטעם דאין מקנח בחרס הוא משום סכנה, דמשום זה איתא בגמ' דעדיף יותר לקנח בצרור אף שהוא מוקצה, מלקנח בחרס אף שיש עליו תורת כלי).

סעיף ה - היו לפניו בשבת צרור ואזני חרס חלקים, דכיון דחלקים הם ליכא משום סכנה, מקנח באוזן החרס שהוא ראוי לכסות בו פי הכלי - ואף דעדיין יש בזה חשש כשפים, וכדלעיל בסימן ג', **מ"מ** לא התירו משום זה לקנח בצרור שהוא מוקצה, כיון שיש לו חרס לקנח שאין בו משום מוקצה, וכדמפרש, **ובפרט** לפי מה שכתב רמ"א שם, דהאידנא לא חיישינן בזה לכשפים, **ובאינם** חלקים דיש חשש סכנה בדבר, מוטב יותר לקנח בצרור אף שהוא מוקצה.

צרור ועשבים, יקנח בעשבים אם הם לחים - דלא הוי מוקצה, **אבל ביבשים אין מקנחין, מפני שהם חדים ומחתכין את הבשר** - אלא יקנח בצרור אף דהוא מוקצה.

איתא בגמרא: מותר לפנות אחורי הגדר דשדה חבירו, ומותר ליטול צרור לקנח אפילו בשבת, והיינו מן השדה, **אבל** לא יטול מן הגדר, אפילו בגדר עב דאין עושה נקב, דנראה כסותר.

סעיף ו - מקנחין בשבת בעשבים לחים אפי' הם מחוברים, ובלבד שלא יזיז - היינו שלא ישמוט אותם ממקום חיבורם, משום תלישה, **ומשום משתמש במחובר ליכא, דלא אמרו אלא באילן אבל לא בירק.**

סעיף ז - היה צריך לנקביו ואינו יכול לפנות, שרפואתו למשמש בפי הטבעת, שממשמש שם בצרור והנקב נפתח, לא ימשמש בשבת כדרך שממשמש בחול, דהיינו שאוחז הצרור בכל היד, משום השרת נימין - דהוא בכלל תולש, ואע"ג דאינו מכוין לזה, פסיק רישא הוא ע"י המשמוש.

אלא ממשמש כלאחר יד, דהיינו שיאחז הצרור בב' אצבעותיו, וממשמש - בנחת.

לא ימשמש בצרור של הקינוח להחליקו שלא ישרט בשרו, כדרך שהוא עושה בחול, משום ממחק, אלא כלאחר יד, [**ומ"א** הביא בשם ר"ח משום כתישה, ואינו מובן אלא כהמאירי דלעיל, דברגב קשה שאינה עשויה להתפרך מותר, וע"י משמוש הצרור להחליקו יכול להתפרך].

סעיף ח - למשמש בברזא - פי' של עץ, **בפי הטבעת** - וה"ה בפתילה שקורין צעפי"ל, שמכניסין בפי הטבעת, וכמו שמבואר בסוף סימן שכ"ח, **דינה כצרור, שלא יאחזנה אלא בב' אצבעותיו.**

ואסור לצאת בברזא, אפילו תחובה כולה בגוף - שכיון שמכניסה תדיר כדי לחזור ולהוציאה, אינה בטלה אצל הגוף, והרי זה כמוציא בפיו ומרפקו דאסור מד"ס, **אבל** דבר הבלוע בגוף מותר לצאת בו, כגון לבלוע מרגלית או זהב ולצאת בו לר"ה, [מ"א, **ונראה** ממ"א ד"תדיר" לאו דוקא הוא, אלא העיקר תלוי אם הוא דבר שדרכו להוציא אח"כ, ורק במרגלית התיר שאין דרכו להוציא בעצמו כלל אח"כ].

סעיף ט - אסור לפנות בשדה ניר בשבת - היא שדה שנחרשת ועומדת לזריעה, **שמא יבא לאשויי גומות** - דמצוי בה אז ע"י החרישה רגבים וגומות, וע"כ חיישינן שמא בעת שיפנה ישכח, ויטול מהרגבים שלפניו וישליך למקום הגומות, **ואמרינן**: היתה

לו גומה וטממה, גבשושית ונטלה, בבית חייב משום בונה, שמתקן הבית בכך, **בשדה** חייב משום חורש, שהרי השוה בזה את פני הקרקע ויהיה טוב לזריעה.

(עיין בט"ז שכתב, דניר הוא חרישה ראשונה ועומד לזריעה, והוא מפי' רש"י שם בגמרא, **ומשמע** דבסתם שדה שלא נחרש עדיין, או בחרישה שניה שלאחר הזריעה, לא חיישינן לאשווי גומות, **ואף** דעצם איסור אשווי גומות שייך בכל גווני, מ"מ לא גזרו שמא יבא להשוות גומות רק בשדה ניר, והטעם כמ"ש במ"ב, דבחרישה ראשונה מצוי בה רגבים).

ואם היה שדה חבירו, אפילו בחול אסור, מפני שדש נירו ומקלקל – (עיין בפמ"ג, דבשדה חבירו אסור גם בחרישה שניה שלאחר הזריעה, ובב"ק דף פ"א ע"ב משמע, דתלוי בירידת הטל, ע"ש).

סעיף י - אבנים גדולות שמצדדין אותן כמין מושב חלול, ויושבים עליהם בשדות במקום המיוחד לביה"כ, מותר לצדדן - היינו להעמיד הדפנות שמכאן ומכאן, **אבל** להניח אבן למעלה על שתיהן, אסור משום אהל, אף דאהל עראי הוא, כ"כ מ"א, **אבל** הא"ר ומאמר מרדכי מתירין גם בזה.

ואע"ג דבנין עראי הוא, לא גזרו ביה רבנן משום כבוד הבריות - י"א דוקא אם היו האבנים מוכנים מכבר לזה, דאל"ה לא הותר איסור מוקצה בשביל זה, דלא מצינו שהותר אלא לקינות.

§ סימן שיג – טלטול דלת וחלון והמנעול בשבת §

סעיף א - פקק החלון, כגון: לוח, או שאר כל דבר שסותמין בו החלון, יכולים לסתמו אפי' אם אינו קשור - ואפי' על ארובה שבגג שרי, ואינו נחשב לאהל, «ליאסר מטעם דעושה אהל עראי לכתחלה», דהאהל כבר עשוי, וכשפוקקו אינו אלא מוסיף על האהל, דהיינו שמכסה החלל שהיה באהל, וגם הוא עראי, **ולא אמרינן דהוי כמוסיף על הבנין** - «ליאסר מטעם דמוסיף על אהל קבוע», כיון שדרכו בכך לפתוח ולסגור תמיד, «ותוספת עראי על אהל קבוע מותר – הר צבי», וכן משמעות הפמ"ג, ודלא כחז"א». (**ואם אינו עומד** לפתוח אלא לעתים רחוקות, אסור כמוסיף על אהל קבוע, כ"כ המ"א והפמ"ג, **וע"כ** בעינן שיהא הפקק קשור ותלוי מבעוד יום).

הר"י הלוי כתב, דהא דאיתא בש"ס, שפקקו את החלון בשבת מפני המת, שלא יכנס הטומאה לבית ויטמאו הכלים, **היינו** דוקא קודם שימות המת, דלא הוי אלא תוספת אהל עראי, וגם לא מיקרי מתקן עדיין, **אבל** לאחר מיתתו מיקרי תיקון גמור, **והמג"א** חולק עליו, וסובר דזה לא מיקרי מתקן, דהכלים שהיו בתוכו כבר נטמאו, ואינו מועיל אלא להבא, שלא יטמאו כל אשר יהיה אח"כ בהבית, **ובשע"ת** מצדד כהמג"א, ועיין בפמ"ג.

והוא שיחשוב עליו מע"ש לסתמו בו - וזה מהני אפילו אם לא נשתמש בו עדיין מעולם לזה, **וכ"ש** אם נשתמש בו מכבר אפילו רק פעם אחת, דכבר ירדה עליהם תורת כלי, ולא צריך תו אפילו מחשבה. (**ובקשור** א"צ אפילו מחשבה, ב"ח וא"ר).

(היינו דכיון דהכינו לכך, לית ביה איסור טלטול, ובלא"ה אסור משום טלטול, אבל משום בנין לא שייך בפקק החלון כלל, כ"כ הב"ח וכן הפמ"ג, **ולפי"ז** מה שכתב השו"ע "לסתמו בו", הוא לאו דוקא, דה"ה אם הכין במחשבה לאיזה דבר שיהיה, סגי, וכן ביאר הפמ"ג, **וכתב** עוד, דאם הוא כלי, אף אם הוא כלי שמלאכתו לאיסור, כגון דף שעורכין עליו, דהוא מותר לצורך גופו, תו א"צ אפילו מחשבה, וכן משמע בהרא"ש דהטעם הוא משום איסור טלטול, **ובביאור** הגר"א כתב, דטעם השו"ע הוא כרש"י, דאל"ה נראה כמוסיף על הבנין).

ודע, דהא דבעינן דעתו מע"ש, היינו דוקא בדבר שדרך לבטלו שם, אבל דבר שאין דרך לבטלו לעולם, אלא לפי שעה, כגון בגד וכיו"ב, מותר לסתום בו אפי' לא היה דעתו עליו מע"ש. «**לכאורה** זהו דוקא להגר"א, דהטעם משום דנראה כמוסיף על הבנין, דאי משום טלטול, מאי נ"מ».

והוא שיחשוב וכו' - (עיין בב"י דכן הוא מסקנת הרא"ש, ודלא כהר"ן דבעי שיהיה תורת כלי, כמו בקנה לקמיה, **אמנם** מצאתי דהרבה ראשונים ס"ל כוותיה, הלא המה הרמב"ן והרשב"א והרא"ם, **וע"כ** צ"ע למעשה).

וקנה שהתקינו להיות נועל בו - היינו שתוחבו אצל הדלת בכותל, {ולא שסוגר בו את המסגרת או ב' חצאי דלת}, וע"כ דמי קצת לנגר המבואר לקמיה, דלא מהני ליה מחשבה, **א"צ שיקשרנו בדלת** - צ"ל "נמי א"צ" וכו', **ומ"מ דמי לבנין יותר מפקק החלון, ולא סגי במחשבה שיחשוב עליו מאתמול, וצריך שיתקננו לכך** - היינו דכיון שתקנו יש עליו תורת כלי, ויוצא מתורת בנין.

לרש"י, היינו שיתקננו לשם כלי שיהא ראוי לשום תשמיש, שיהא ראוי להפך בו זיתים או לפצוע בו אגוזים - דבעינן דוקא שיהא ראוי לשום תשמיש אחר.

(**ואפילו** אם יחד רק לזה, מ"מ נ"ל דלא מקרי עדיין כלי שמלאכתו לאיסור, כיון שלא היה עדיין רק הזמנה בעלמא לזה).

ולר"ת א"צ שיהא ראוי לדבר אחר, אלא כיון שתקנו ועשה בו מעשה והכינו לכך סגי - דא"צ שיתקננו אלא לנעול בו, דבזה נמי יש תורת כלי עליו, ויוצא מתורת בנין.

ולעת הצורך יש להקל כר"ת, דכן סתם השו"ע לעיל בסימן ש"ח ס"י.

הגה: ומיקרי ע"י כך כלי שמלאכתו להיתר - דמלאכת הנעילה הוא להיתר, **ומותר לטלטלו כמו שנתבאר לעיל סי' ש"ח ס"ד** - היינו אפילו שלא לצורך גופו ומקומו, רק צורך קצת, וזהו שציין רמ"א: כמו שנתבאר לעיל בסימן ש"ח.

אבל קנה שמוסקין בו זיתים, אע"פ שנועלין בו, מקרי מלאכתו לאיסור, כיון שעיקרו עשוי לכך, הולכין אחר רוב תשמישו. **אבל** בעניננו דאיירינן לענין לנעול בו, דהוא לצורך גופו, מותר כיון שיש עליו תורת כלי, אפילו עומד למסוק בו זיתים.

ונגר שהוא יתד שנועלים בו, ותוחבין אותו באסקופה למטה, ודומה טפי לבנין - ר"ל שנראה כשאר נגרים ויתדות שנועץ בכותל, דיש בזה משום בנין, **לא סגי בהכי, ואין נועלים בו אא"כ יהא קשור** - (מיהו בקשור א"צ אפילו מחשבה שיחשב עליו מבעוד יום – ב"ח וא"ר).

(**אבל** במחשבה בעלמא שחישב עליו מע"ש, איכא איסור דאורייתא לדעת רש"י, **אבל** לדעת הרא"ש איסור זה הוא רק מדרבנן, וכ"ז בנגר שאין בראשו גלוסטרא, אבל ביש בראשו גלוסטרא, אפשר דלכו"ע הוא רק מדרבנן, כיון דתורת כלי עליו).

וכיצד יהא קשור, אם יש בראשו גלוסטרא, דהיינו שהוא עב באחד מהראשים וראוי לכתוש בו, שדומה לכלי - היינו דכיון דכלי הוא, לא הוי כבנין, דנראה לכל דלפי שעה משימו שם, **סגי אפי' אם קשור בחבל דק שאינו ראוי להיות ניטל בו** - שאם רוצה לטלטלו ע"י אותו חבל, מיד נפסק.

משמע דעכ"פ קשור מיהו בעינן, וכן פסק הט"ז, דהקשירה הוא לעיכובא, **ובספר** אליה רבא כתב, דלעת הצורך יש לסמוך על המקילין ע"י גלוסטרא, כיון שהוא כלי, אף בלי קשירה כלל, **אבל** בביאור הגר"א משמע דמצדד לדינא כהט"ז.

(**והיינו** ביש בו גלוסטרא ממילא, אבל אם עשה גלוסטרא לראשו, משמע בב"י דזה לכו"ע מותר אפילו בלי קשירה כלל, כיון דעשה בו מעשה שמוכיח עליו שהוא כלי, לא מחזי כבונה כלל, **ומביאור** הגר"א מוכח דס"ל, דלדעת הטור אין לחלק בזה כלל).

ואם הנגר מחובר לדלת, ומושכין אותו ותוחבין בחור, מותר לכו"ע אף בלי קשירה.

ואפי' אם אינו קשור בדלת עצמו אלא בבריח הדלת - או במזוזה שאחורי הדלת, והו"א דאינו מינכר כ"כ דהוא רק לנעילה. **ואפי' אם החבל ארוך ואינו תלוי כלל באויר, אלא כולו מונח בארץ.**

ואם אין בראשו גלוסטרא, אם הוא קשור בדלת עצמה, סגי אפי' בחבל דק שאינו ראוי לינטל בו, ואפי' כולו מונח בארץ; ואם אינו קשור בדלת אלא בבריח, צריך שיהא הקשר אמיץ שיהא ראוי לינטל בו - ובלא"ה

אסור, אפילו אם הנגר תלוי באויר ואינו נגרר כלל בארץ, **משום** דכיון דאין על הנגר תורת כלי, בעינן שיהיה יותר היכר שהוא עומד רק לנעילה, דלא יהיה נראה כבונה.

ואפי' הכי א"צ שיהא תלוי, אלא אפי' כולו מונח בארץ, מותר.

שאין אסור אלא כששומטו ומניחו בקרן זוית - קאי אלעיל, שכתב דמותר אפילו בחבל דק, וע"ז סיים וכתב: שאין אסור אלא כששומטו, היינו שאינו קשור כלל, וכששומטו ממקום החור שנועל שם הדלת מניחו בקרן זוית, דאז אינו נראה כמוכן לנעול, והוי כבונה.

סעיף ב - כל נגר שאמרנו - היינו אפילו יש בראשו גלוסטרא והוא קשור, **מיירי שהאסקופה גבוה, וכשנועץ אותו במפתן אינו נוקב בארץ** – (ואפשר דלדברי הרי"ף יש להקל ביש בראשו גלוסטרא, אף בנוקב בארץ).

אבל אם נפחתה האסקופה, בענין שכשמכניס הנגר בחור נוקב תחתיו בארץ, הוי בנין ואסור לנעול בו – (בגמ' איתא, משום דמחזי כבונה).

ואם עשה לו בית יד {והוא כמו גלוסטרא דלעיל, ודומה למקבת שכותשין בו בשמים, **אך** לעיל איירי דהגלוסטרא היה בו ממילא, וכאן איירינן דעשה אותו בידים} **מוכח** דכלי הוא ותו לא מחזי כבונה, דאין דרך לשקע כלי בבנין לבטלו שם, וכיון שעשה בו מעשה לעשותו כלי, שרי, ואפילו אינו קשור, כ"כ ב"י, והביא ראיה מן הרי"ף, **והגר"א** כתב בביאורו, דלדעת רש"י והטור לא מצינו היתר בנקמז, דהיינו נפחתה האסקופה, אפילו ע"י עשיית בית יד.

ואם מתחלה עשה חלל בקרקע, מקום שהנגר יהיה ראשו שם, ואינו מוסיף נקב בארץ, אין איסור, [**ובא"ר** מפקפק קצת בזה, וכן בפמ"ג], **ובזה** ניחא מה שברוב הבתים עושין נקבים בחומה אצל הדלת מכאן ומכאן, ותוחבין הבריח לשם, שהולך מקצה זה לזה, ולא אמרינן דהוי כבונה, דמה לי שנכנס בחומה או למטה בארץ, **אלא** משום שנעשה מתחלה לכך נקבים בחומה, ע"כ אין איסור, **ועוד** נראה, דכיון שעושין טבעת של ברזל באמצע הבריח, ובו אוחזין בשעת פתיחה ונעילה ומושכין את הבריח, זה הוי כעשה לו בית יד דמותר אפי' באינו קשור, אפילו בנפחתה האסקופה - ט"ז וש"א, **ונראה** דאפי' לדעת הגר"א, שמחמיר לעיל בעשה לו בית יד לדעת רש"י והטור, יש להקל בזה מפני צירוף טעם הראשון של הט"ז.

סעיף ג - רחבה שאחורי הבתים, שאין נכנסים ויוצאים בה תדיר - ר"ל וע"כ אין עשוי להפתח אלא לזמנים רחוקים, לפי שאין דרך כניסתו ויציאתו עליהם, ומחזי כמוסיף על הבנין ע"י נעילתו, אם לא באופנים המבוארים פה, דאז מנכר שהם דלת.

(ועיין בתו"ש דמצדד, דבפתח העשוי ליכנס בפחות מל' יום, הוי כפתח העשוי ליכנס בה תדיר).

אם עשה דלת לפתחה, או שתולה בה מחצלת של קנים, וכן פרצה שגדרה בקוצים כעין דלת - היינו שסתמה בחבילות של קוצים העשויה כעין דלת, ופעמים שהוא פותחה, ורוצה עתה לנועלה, **אם יש להם ציר, (פי' ציר, נוקבין הדלת וקובעים בו עץ חד, כדי להכניסו בארץ לחזור לכאן ולכאן), או אפי' אין להם עתה ציר, אלא שהיה להם ציר** - היינו שניכר שהיה להם ציר.

נועלים בהם, אפי' הם נגררים בארץ, רק שקשרם ותלאם לנעול בהם - ר"ל שקשרם ותלאם שם מבע"י כדי לנעול בהן, וע"כ מותר לנעול בהן בשבת, **שאף** שכשהן פתוחין הן נגררות בארץ, ורק כשהוא נועלן מגביהן וזוקפן על האסקופה, **מ"מ** כיון שהן קשורות ומחוברות שם מבע"י, ויש להן היכר ציר, לא מחזי כבונה בשבת.

ולא חשיב כבונה, שניכר בהם שהוא דלת כיון שהיה להם ציר. הגה: וכ"ש אם יש להם ציר עדיין; ובלבד שלא יחזיר הציר למקומו, כדרך שיתבאר לקמן סי' תקי"ט.

אבל אם אין להם ציר ולא היה להם ציר, אין נועלים בהם אא"כ היו גבוהים מן הארץ - ר"ל שהיו קשורות ותלויות מבע"י, בענין שאף כשפותחן אינן נגררות בארץ, ואפילו הן גבוהין מן הארץ רק כמלא

נימא, **והטעם**, ששוב אינו נראה כבונה בנעילה זו, אף אם אין להם היכר ציר, הואיל שאף כשהן פתוחין הן מחוברין וקבועין שם היטב שאין נגררות בארץ.

ופתח העשוי לכניסה ויציאה תדיר, נועלים בו, אפי' לא היה לו ציר מעולם והוא נגרר - בארץ כשפותחה, שכיון שמשתמשין בה תדיר, הכל יודעין שלדלת היא עשויה, ולא מחזי כבונה.

והנה מלשון המחבר משמע, דעכ"פ קשור מיהו בעינן, **אבל** מל' הג"ה בס"ד משמע, דס"ל דאפי' אינו קשור כלל שרי, אם יש לה אסקופה מלמטה, **ויש** להקל בזה.

סעיף ד - דלת העשוי מלוח אחד, או שאין לה אסקופה התחתונה, וכשפותחים שומטין אותה ועוקרים אותה, אין נועלים בה אפי' יש לה ציר - היינו לפי שאין לה תקוני הדלת כשאר דלתות, הוי כסתימה בעלמא ונראה כבונה, **ומיירי** כאן אפילו בפתח העשוי לכניסה ויציאה תדיר.

ודעת הרמב"ם דלא אסור אלא בתרתי לריעותא, דהיינו שהוא מלוח אחד, וגם אין לה אסקופה, **ובפתח** העשוי לכניסה ויציאה תדיר, מצדדים האחרונים דיש לסמוך על שיטתו להקל.

וכשפותחין וכו' - משמע מזה דהוא מיירי בשאינה קשורה, **אבל** אם היא קשורה ותלויה, אף שנגררת בארץ כשפותחה, שרי אף שאין לה תקוני דלתות כראוי, **והיינו** משום דכאן מיירי בפתח העשוי לכניסה ויציאה תדיר, (**לכאורה** ר"ל כשיש לה ציר, דאל"כ במאי שאני מלעיל ס"ג {לשיטת המחבר} בדלת רגילה), [**הגר"א** לפי גירסת הרי"ף, **אך** לפי גרסתינו אפשר דאף בעשויה לכניסה ויציאה תדיר, ג"כ אסור בדלת אלמנה].

הגה: אבל דלת העשויה מקרשים הרבה, שרי אע"פ ששומטים אותה כשפותחה - היינו שאינה קשורה כלל, **אם יש לה אסקופה** - ואע"ג דבריש ס"ג בדלת של רחבה, שגם היא מסתמא עשויה כשאר דלתות, ואפ"ה מחמרינן שיהא קשור ותלוי מבע"י, **הכא** איירי בפתח שהוא עשוי לכניסה ויציאה תדיר, וכנ"ל, וס"ל דבזה לא בעינן קשר כלל וכדלעיל.

וה"ה במקום שנועלים בקרשים הרבה, ויש חקיקה למעלה ולמטה שמכניס בהם הקרשים - ר"ל דהחקיקה נחשבת כאסקופה, **שדינם כדלת, הואיל ואינן לוח אחד בכל הדלת** - ר"ל דאע"ג דהקרשים אינם מחוברים, והוא מכניס כל קרש בפני עצמו, אפ"ה לא נחשב כדלת של לוח אחד.

כבר כתבנו לעיל, דהאחרונים מצדדים להקל אף בלוח אחד, כיון שיש לו אסקופה, והוא עשוי לכניסה ויציאה תדיר, [**וה"ה** להיפך, באין לה אסקופה ועשויה מלוחות הרבה].

סעיף ה - שידה תיבה ומגדל שפתחיהן מן הצד, ויש להם שני צירים, אחד למעלה ואחד למטה - ויש חור במפתן שהציר נכנס לתוכו, וכנגדו יש למעלה חור אחד, שהציר העליון הוא בתוך החור.

אם יצא התחתון כולו ממקומו, אסור להחזירו, שמא יתקע - בחוזק בסכין וביתדות, שלא יוכל עוד לצאת משם, והוי מכה בפטיש.

ואפילו היכי שהחור הוא באמצע פתח התיבה, דלא שייך למגזר כ"כ שמא יתקע, אפ"ה אסור, דגזרינן באמצע אטו מן הצד, **ואפילו** בצירים שלנו שהם מברזל, אסור להחזיר דלתי הכלים, דגזרינן שמא יראה שהציר אינו תקוע יפה, ויחבר אותו במסמרים.

אבל אם יצא מקצתו, דוחקו עד שמחזירו למקומו, כיון שהעליון נשאר במקומו, בקל יכול להחזיר התחתון.

אבל כשיצא העליון - דעי"ז הוא נופל לגמרי, **אסור אפי' לדוחקו ולהחזירו למקומו** - גם הדחיקה אסור כמו חזרה, [**ואם** הוא מדאורייתא או מדרבנן, תלוי בשיטת רש"י ותוס'].

סעיף ו - מטה של פרקים - היינו שעשויה פרקים פרקים, בשביל בעלי אומנות שיוכלו לשאת אתם בדרך, וכשבאין על מקומם מחזירין פרקיה יחד ומושיבין אותה, **אסור להחזירה ולהדקה** - גזרה

שמא יתקע ביתדות ומסמרים, **והח"א** חולק, וז"ל: המהדק חייב משום מכה בפטיש. **ובאמת** אפי' אינו רוצה להדק אסור, וכדמסיים, {דרק} אם דרכה להיות רפויה מותר, וכ"כ רמ"א בהדיא, אלא דכתב להדקה, דאז חייב. **ואם תקע חייב חטאת** - דהוי גמר מלאכה, וחייב משום מכה בפטיש, **וי"א** דכיון שעושה בזה כלי גמור, חייב משום בונה.

ואם היא (דרכה להיות) רפויה, מותר לכתחלה - דשוב אין לחוש כלל שמא יבוא לתקוע, **(ובלבד שלא יהדק)** - ורפוי ואינו רפוי אסור.

דרכה להיות רפויה - (והיינו שאינו מקפיד אם יתנועע בתוך החור, מותר, דאין לגזור אלא בדבר שצריך להיות מעמידה בדוחק – כלבו בשם הראב"ד, **אבל** בסמ"ג איתא, דדוקא דבר שצריך גבורה ואומנות אסור, עכ"ל המ"א).

וכוס של פרקים - שיש כוס שמפרקין אותו מעל רגלו, **מותר לפרקו ולהחזירו בשבת** - כשהוא רפוי, והטעם, דאין דרך להדק כ"כ בחוזק שיהיה חשוב כמו תקיעה, וע"כ אין לחוש שמא יתקע - [טור].

ויש מי שאומר שדין הכוס כדין המטה - ס"ל כיון דעכ"פ דרך להדק, גם ברפוי אסור כמו במטה של פרקים, **וה"ה** השטענד"ר שבבהכ"נ שמונחים עליו ספרים, אם הוא של פרקים.

ולכתחלה יש להחמיר כדעה זו, **אך** אם הוא לצורך שבת, יש לסמוך אדעה ראשונה.

הגה: ואם דרכו להיות מהודק - ר"ל להיות מהודק ותקוע בחוזק, **אע"ג דעכשיו רפוי, אסור** - שבזה אף הטור דהוא דעה ראשונה, מודה דאסור.

כתב המ"א, דכוסות שלנו העשויים בחריצים סביב, כמו אלו שיש שרוי"ף סמוך לרגלם, ומהודקים בחוזק, לכו"ע אסור, [והיינו אפי' להדקו ברפוי, מטעם שמא יהדק בחזק, **והנה** מלישנא דהמ"א מוכח, דכשיהדק בחוזק ע"י השרוי"ף, הוא חשוב כמו תוקע ממש, וע"כ אסור להטור בכל גווני, **ומהט"ז** משמע דס"ל, דאפי' ע"י השרוי"ף בחוזק הוא רק איסור דרבנן, וא"כ ממילא לדעה ראשונה דהוא דעת הטור, שרי כשמהדקו ברפוי, **ועיין** בספר מאמ"ר שמאריך בענין כלי של שרויף, ומצדד להקל, ומ"מ מסיק דלמעשה יש להחמיר כהמ"א, **אך** בעיקר הדין משמע שם דס"ל, דע"י שרויף הוא רק איסור דרבנן בכל גווני]. **וכיסוי** הכלים אפילו אם עשויים כך, שרי, דהתם אין עשויים לקיום, רק לפותחן ולסוגרן תמיד, וכ"כ הט"ז.

ואפילו הכלים שאסור לפורקן ולהחזירן, מ"מ לטלטלן שרי, ולא גזרו אלא במנורה שדרכה להתפרק, כמש"כ ס"ס רע"ט, וכל כיוצא בו, אבל דבר שאין דרכו להתפרק, שרי בטלטול.

סעיף ז - קורה שנשברה, מותר לסמכה בארוכות המטה, שהם כלי, לא כדי שתעלה, דא"כ הוי ליה בונה, אלא כדי שלא תרד יותר.

ואם אינו כלי, רק עץ בעלמא כמו מקל, אע"פ שמוכן הוא לטלטל, מ"מ אסור לסמכו תחת הקורה, דדמי לבונה, כ"כ מ"א, **אבל** הא"ר ותו"ש חולקים עליו, ומתירים בכל דבר ששם כלי עליו לענין טלטול, כיון שהוא עושה רק כדי שלא תרד יותר.

והוא שיהיו רפויים, שיכול ליטלם כשירצה, אבל אם מהדקם שם, אסור - הטעם, דמבטל כלי מהיכנו, שאינו יכול שוב ליטלו משם בשבת, **ואם** אינו תחוב בחוזק כ"כ, שרי.

ועיין בפמ"ג, [שהוא מצדד, דלפי הא"ר ותו"ש דלעיל, אפי' במהדקו שרי במקל, דלא שייך שם ביטול כלי מהיכנו, כל שאין שם כלי עליו, **ולענ"ד** דבר חדש הוא ולא נהירא, דכיון שגזרו איסור שלא לבטל כלי מהיכנו, לא פלוג במילתייהו, ואסרו כל דבר שהיה מתחילה מותר לטלטל, והוא גורם בפעולתו שיהא אסור לטלטל].

סעיף ח - ספסל שנשמט אחד מרגליו, אסור להחזירו למקומו - ואפילו לעשותו רפוי, גזירה שמא יתקע ביתד כדי לחזקו.

ולהניח אותו צד השמוט על ספסל אחר, יש מי שמחמיר לאסור - ואפילו בטלטול אסור לדידהו, והכל מטעם גזירה דלמא אתי להניח הרגל בתוכו ולתקוע, **וכן** סתם הרמ"א לעיל בסימן ש"ח סט"ז בהג"ה כהיש מי שמחמיר, **ועי"ש** במ"ב ובה"ל כל פרטי דין זה.

(וע"ל סי' פ"ח סט"ז) - היינו דשם מבואר, דאם ישב עליה כבר כך פעם אחת מבע"י כשהיה סמוך על ספסל אחר, מותר גם בשבת לסמכו על ספסל אחר, ולא חיישינן שמא יתקע.

סעיף ט - התוקע עץ בעץ, בין שתקע במסמר, בין שתקע בעץ עצמו - בין בבנין ובין בכלי, **עד שנתאחד, הרי זה תולדת בונה** - וכן התוקע העץ בתוך הקרדום, או שתקע יתד בתוך הבית יד של הקרדום כדי להדקו. **וכן** המפרק עץ תקוע, חייב משום סותר, והוא שיתכוין לתקן.

סעיף י - חצר שנתקלקלה במימי גשמים, יכול לזרות בה תבן, ולא חשיב כמוסיף על הבנין - משום דלא מבטל ליה התם, דחזי למאכל בהמה או לטיט, **אבל** דבר דמבטל ליה התם, כמו טיט וחול וצרורות, אסור, דאיכא משום אשויי גומות, **ודוקא** הכא שבא לתקן החצר אסור, דדמי לבנין, **אבל** בענין אחר, כמו שנוהגין לפזר חול בבוקר בבית כדי לכסות הרוק, שרי, דהא שרי לכסות הרוק באפר, כמש"כ סוף סימן ש"י, כיון שאינו מכוין לבנין.

ובלבד שישנה, שלא יזרה לא בסל ולא בקופה, אלא בשולי הקופה, שיהפכנה ויביא תבן על שוליה, דהיינו על ידי שינוי; אבל ביד אסור - משום דהוא עובדא דחול, **וע"י** אינו יהודי שרי אם יש בו צורך הרבה, ככל מידי שהוא שבות דשבות.

§ סימן שיד – דברים האסורים משום בנין וסתירה בשבת §

סעיף א - אין בנין וסתירה בכלים, והני מילי שאינו בנין ממש, כגון חבית, הגה: שמינה מחזקת ארבעים סאה - היינו אמה על אמה ברום ג' אמות, עם עובי הדפנות, בלא עובי הלבזבזים והרגלים {לבזבזים הוא כמו זר סובב אצל שפתה}, **שנשברה ודיבק שבריה בזפת, יכול לשברה ליקח מה שבתוכה** - עיין בפמ"ג שמצדד, דהיתר השבירה הוא אפילו שלא במקום שמדובק בזפת.

דאלו היא מחזקת מ' סאה, הו"ל כאהל, ואית ביה משום בנין וסתירה, אפילו בנין וסתירה כל דהו, (ועיין בא"ר שהביא, דדעת הרשב"א, דבחבית רעועה כזה, אפילו מחזקת ארבעים סאה אין שייך בה שם סתירה, ונראה דיש להקל ע"י א"י, דבלא"ה הוא איסור דרבנן, דהרי הוא מקלקל).

שאינו בנין ממש - אבל בנין גמור וסתירה גמורה שייך גם בכלים, **ולכן** דוקא בדיבק שבריה בזפת יכול לשברה, דאין זה סתירה גמורה, **אבל** אם היתה שלמה, הוי סתירה גמורה ואסור, אפילו בכלי קטן.

ובלבד שלא יכוין לנקבה נקב יפה שיהיה לה לפתח, דא"כ הוה ליה מתקן מנא - וה"ה אם מתיז ראשה מלמעלה, ומכוין ליפות השבירה שתשאר עוד כלי.

עיין בט"ז, דמשמע דאפילו אם הנקב הוא נקב קטן שאינו עשוי להכניס ולהוציא, ג"כ אסור עכ"פ מדרבנן, אפילו בחבית כזו שהיא רעועה, **ואם** הוא נקב גדול שעשוי להכניס ולהוציא, יש בו איסור תורה, וכן משמע בביאור הגר"א.

אבל אם היא שלמה, אסור לשברה - מטעם סתירה, ואף דבעלמא קי"ל דסותר אינו חייב אלא כשהוא ע"מ לבנות, דאל"ה מקלקל הוא, מדרבנן מיהו אסור.

אפי' בענין שאינו עושה כלי - ר"ל שאינו עושה נקב לפתח, אלא שוברה.

ובביאור הגר"א הסכים להפוסקים דס"ל, דאין סתירה בכלים אפילו כשעושה שבירה בכלי שלמה, **אם** לא כשעושה אותה כלי ע"י השבירה, דאז חייב עכ"פ לכו"ע משום מכה בפטיש.

(ודע, דאף דמדעת רש"י משמע, דבמקלקל היכי שהוא לצורך שבת מותר לכתחלה, תוספות ורא"ש ור"ן פליגי עליה – מ"א, ונ"מ מזה גם לענין שאר מלאכות, ואפשר דגם רש"י מודה בשאר מלאכות, ואפילו להפוסקים דס"ל דאף כלי שלם מותר לשברו וליקח ממנו

האוכל, טעמייהו רק משום דס"ל דאין שייך שם סתירה כלל בכלים, אבל לא משום דמקלקל הוא, **ולא** מצינו שום שבות שיהיה מותר ע"י ישראל משום שהוא לצורך שבת, וע"כ פשוט דאין להקל בזה כלל).

ואפי' נקב בעלמא אסור לנקוב בה מחדש - רבותא טפי, דאפילו נקב בעלמא, ר"ל נקב שאינו יפה לפתח, דאית ביה תרתי לטיבותא, שאינו שובר החבית, וגם שאינו פתח, אפ"ה אסורה.

ואפי' יש בה נקב חדש, אם להרחיבו, אסור - היינו אפילו אם אין מרחיבו כ"כ שיהיה עשוי להכניס ולהוציא על ידו, אפ"ה אסור עכ"פ מדרבנן.

הגה: ובלבד שיתכוין לכך - בא לבאר בזה רק דעת המחבר, דדוקא כשמתכוין להרחיב, אבל אם אינו מתכוין, אע"ג דהוי פסיק רישא שיתרחב ע"י פעולתו, שרי, וכמו שסיים המחבר בעצמו אח"כ, **אבל** דעת הרמ"א גופא אח"כ בהג"ה, דאפילו אם אינו מכוין להרחיב, אסור אם הוא פסיק רישא, **והיה** לו לכתוב זה שם בשם י"א, אך שרצה לסתום כן להלכה, ועיין מה שכתבנו שם.

וכתבו האחרונים לקמן בס"ט, דהני חביות קטנות של מרקחת, אסור להסיר החשוקים שקורין רייפין, כדי ליקח מה שבתוכה, **ולא** דמי לחבית שמדובקת שבריה בזפת, דהתם דרכה מתחלה לעשות כן, והוי ככלי שלמה, **אך** ע"י א"י בודאי יש להתיר, וכדלקמיה בס"ז, **ובקשור** ע"י חבלים, אפילו ע"י ישראל יש להתיר.

כתב הרמב"ם פכ"ג: העושה נקב שהוא עשוי להכניס ולהוציא, כגון נקב שבלול התרנגולים, שהוא עשוי להכניס האורה ולהוציא ההבל, חייב משום מכה בפטיש, {**הוא** שם הכולל לכל גמר מלאכה, שהוא תולדת אב מלאכה זו, שהאומן מכה בפטיש על הכלי בשעת גמרה להשוות עקמימותו}, **לפיכך** גזרו על כל נקב אפילו עשוי להוציא או להכניס בלבד, שמא יבוא לעשות נקב שחייבין עליו, **ועיין** במ"א שביאר, דאפילו הוא לול שאינו מחובר לקרקע, דלית ביה משום בונה על עשיית הנקב, אפ"ה חייב משום מכה בפטיש, שהוא גמר מלאכת הלול.

וכתב עוד בפרק יו"ד: כל העושה דבר שהוא גמר מלאכה, הרי זה תולדת מכה בפטיש וחייב, העושה נקב כל שהוא בין בעץ בין במתכות, בין בבנין בין בכלים, הרי זה תולדת מכה בפטיש וחייב, [**ומיירי** שהוא מכוין בזה לאיזה תועלת, דאם הוא דרך השחתה, הרי זה בכלל מקלקל, ויש בזה רק איסור מדרבנן], **וכל** פתח שאין עשוי להכניס ולהוציא, אין חייבין על עשייתו, עכ"ד, [**נראה** דרק אבלים קאי, דהנקב שעושה להם יש עליה שם פתח, כדאיתא בגמרא, ולכן בעינן שיהא עשוי להכניס ולהוציא דומיא דפתח, **אבל** בשאר דברים לא בעינן רק שיהיה דרכו של אותו דבר לעשות בו נקב כזה לאיזה תשמיש].

איתא בגמרא, דאם תקע מסמר בכותל {לתלות עליו}, חייב משום מכה בפטיש. **העושה** נקב בקרקע הבית שיצאו המים, חייב משום בונה.

ואם היה סכין תקוע מע"ש בחבית - היינו שהיה תקוע בחוזק, וע"י הוצאתו והכנסתו פסיק רישא הוא שיתרחב הנקב, אפ"ה **מותר להוציאו ולהכניסו, שהרי אינו מתכוין להוסיף** - כיון דעיקר איסורו הוא רק מדרבנן, ס"ל דשרי, כיון שאינו מתכוין לזה.

הגה: ודוקא שהוציאו ג"כ פעם אחת מבע"י, אבל אם לא הוציאו מבע"י, אסור, דהוי פסיק רישא דעושה נקב ופתח לחבית - דעת הרמ"א לחלוק עליו, דדוקא כשהוציאו פעם אחת מבעוד יום, דעי"ז נתרחב קצת, דתו לא הוי פסיק רישא, **אבל** בלא"ה אסור דפסיק רישא הוא, דאף דהוא פתח שאין עשוי להכניס ולהוציא, דאיסורו הוא רק מדרבנן וכנ"ל, ס"ל דפסיק רישא אסור אף במלתא דרבנן.

דעושה נקב ופתח - ר"ל דאף דמבואר בסי"ב, דהיכא שהסכין היה תחוב בדבר תלוש, מותר להוציאו בשבת בכל גווני, דלא שייך שם משום בונה, **הכא** שאני דיש בו משום מתקן פתחא, ואף שאין עשוי להכניס ולהוציא, עכ"פ מדרבנן אסור.

ועיין לקמן בסי"ב, דבכותל שהוא מחובר, גם המחבר מודה דאסור להוציא הסכין שהיה תקוע בו מערב שבת, **וה"ה** בחבית שמחזקת ארבעים סאה, דיוצא ג"כ משם כלי, דהוי כאהל, דשם במתכוין להרחיב הנקב חייב משום קודח דהוי תולדה דבונה, ולכן אפילו אם אינו מכוין, עכ"פ פסיק רישא הוא.

והנה לענין עיקר הדין, הסכימו המ"א וא"ר והגר"א והגרע"א, דפסיק רישא אסור אף במלתא דרבנן, **ומ"מ** הכא מצדדים המ"א והגר"א, דמדינא אף בכותל שרי היכא שאין מתכוין, כיון שא"צ להגומא, והוי מלאכה שאין צריך לגופא, **וגרע** משאר איסור דרבנן דאסור היכא שהוא פסיק רישא, כיון שהוא ג"כ מקלקל, וגם הוא כלאחר יד, וממילא נעשה הגומא בכותל ע"י הוצאת הסכין שמתרחב הגומא, וכדלעיל בסימן שי"א ס"ח גבי צנון ע"ש, **אלא** שהעולם נהגו בו איסור להוציא, דנראה כעושה נקב בכותל, **וגם** הט"ז מצדד כן בעיקר הדין אף בכותל, ומ"מ סיים דאין בידו להקל נגד התה"ד והשו"ע והרמ"א, שפסקו כולם בסוף הסימן להחמיר לענין כותל, **וכן** הוא ג"כ דעת הא"ר כהשו"ע והרמ"א, דאפשר דניחא ליה שיהא הנקב מרווח לחזור ולתחוב בו הסכין, ובאופן זה בודאי לכו"ע אסור, **אלא** לענין חבית, דעיקר איסור הוא רק מדרבנן, יש לסמוך היכא שהוא צורך גדול על דעת המחבר, שמתיר להוציא הסכין בשבת, כיון שאין מתכוין להוסיף הנקב, אפילו היכא שלא הוציאו מעולם מתחלה.

כלי שנתרועע, אם מותר ליטול ממנו חרס, ע"ל סימן ש"ח סעיף מ"ד.

סעיף ב - היה בה נקב ונסתם - אפילו היה אותו מקום מקום הברזא, שסתמו ועשאו במקום אחר, ועתה רוצה לפתחו, **אם הוא למטה מן השמרים, אסור לפתחו, דכיון שהוא למטה וכל כובד היין עליו, צריך סתימה מעליא, וחשיב כפותח מחדש** - וע"כ אסור לעשות שם אפילו נקב קטן שאין עשוי להכניס ולהוציא על ידו.

למעלה מן השמרים, מותר לפתחו - אפי' הוא נקב גדול, דאותה הסתימה לא חשיבא סתימה כלל.

סעיף ג - במקום נקב ישן נוקבין אפי' במקדח, (פי' כלי מיוחד לנקוב), כגון שנשברה הברזא - נקט דבר ההוה, וה"ה אם היה הנקב במקום אחר שנסתם.

דלא חשיב סתימה כלל, כיון שהוא למעלה מן השמרים, בין שהנקב ההוא היה גדול או קטן, **ובלבד** שלא ירחיבו יותר ממה שהיה מתחלה.

ולכן מותר לנקוב במגופה שסותמין בה הכלי זכוכית, שקורין שטאפק"י, אפילו בכלי המתוקן לכך.

וי"א דלא שרי לנקוב נקב ישן אלא בחבית של חרס שאין הסתימה מהודקת יפה, אבל בחבית של עץ שמהדקים מאד העץ שסותמים בה הנקב, וחותכים ראשו על דעת שלא להוציאו, ודאי נראה שזה נקב חדש, ואסור - זו היא דעת הכל בו, **ועיין** בא"ר שכתב, דשאר פוסקים פליגי ע"ז, ופסק כמותם, וכן פסק בנחלת צבי, **אבל** בפמ"ג וח"א משמע, דיש לחוש להחמיר כדעת הי"א, [**ובשו"ע** הגר"ז כתב, דיש להקל במקום צורך גדול].

סעיף ד - ברזא שבחבית ואין אדם יכול להוציאה, מותר ליקח ברזא אחרת ולהכות באותה ברזא לצורך לשתות יין בשבת. הגה: ובלבד שלא יהיה הברזא הראשון נגד השמרים, כמ"ש ס"ב.

סעיף ה - מותר ליתן קנה חלול (בחבית או ברזא) להוציא יין - שהרי עומד ומיוחד לכך, ואינו מתקן כלי, **ומ"מ** נראה דאסור לתקוע היטב בחזקה ביתדות, דיש בזה משום גמר מלאכה.

אע"פ שלא היה בו מעולם - ואע"ג שאינו יודע אם יגיע למדתו, אפ"ה מותר, **ועיין** בב"י שכתב, שנראה מדברי הרמב"ם, שאע"פ שהקנה עצמה אינה מתוקנת כל צרכה, וחסרה שום תיקון, אפ"ה מותר להכניסה, ולא חיישינן שמא יתקנה.

אבל ליתן עלה של הדס בנקב שבחבית, שהעלה עשוי כמרזב והיין זב דרך שם, לא, דגזרינן שלא יתקן מרזב ליינו שיפול היין לתוכו וילך למרחוק, דכשלוקח העלה ומקפלו כעין מרזב נראה כעושה מרזב; ולא דמי לברזא או קנה שאינו עושה בו שום מעשה. הגה: ויש

מתירים אפילו בעלה של הדס במקום שיש לו הרבה קטומים, ואין לחוש שמא יקטום.

דע, דהמחבר שכתב טעם האיסור: מפני שנראה כעושה מרזב, ורמ"א מסיים: ואין לחוש שמא יקטום, הוא פלוגתא דאמוראי בגמרא, חד אמר טעם האיסור שמא יעשה מרזב, וחד אמר גזירה שמא יקטום העלה מן הענף ליתנו לחבית, **ואמרינן** מאי בינייהו: דקטים ומנחי, היינו שהיו לו הרבה קטומים מוכנים מע"ש לזה, ולכך אין לחוש שמא יבוא לקטום, למ"ד משום מרזב, אסור אף בכה"ג, ולמ"ד שמא יקטום, שרי, **ופסק** הרא"ש והטור כמ"ד שמא יקטום.

[**אבל** אם אין לו אלא אחד, יש לחוש שמא יתקלקל אותו האחד, כן משמע מן הטור, **אבל** בב"ח כתב, דדוקא בהרבה הוא דשרי, ולא בשנים ושלשה, וכן נראה שהוא דעת הרב].

(**כן פירש הטור מה שאמר בגמרא: איכא בינייהו דקטים ומנחי, אבל בר"ח משמע, דהיינו שמונח בתוך החבית מבעוד יום, ואפ"ה לרב יימר דס"ל משום דהוא כמרזב, אסור למשוך היין דרך שם, ולרב אשי** ‹דגזר שמא יקטום›, **אין אסור אלא ליתן לכתחלה העלה בחבית בשבת**).

סעיף ו - מותר להתיז ראש החבית בסייף - דכלי שמלאכתו לאיסור מותר לטלטל לצורך גופו, **דלאו לפתח מכוין, כיון שמסיר ראשה** - אלא להרחיב מוצא שפתיה שיוכל בקל ליקח מה שבתוכה.

דאין בנין וסתירה בכלים, ומיירי בחבית גרועה שמדובק שבריה בזפת, ולא בשלמה, וכמבואר הכל לעיל בס"א.

ודוקא כשהוא עושה זה מפני האורחים. **ומותר** ג"כ לקרוע העור מעל פי חבית של יין, ובלבד שלא יכוון לעשות זינוק, פי' כעין מרזב.

ואם ירצה להתיז רק ראש המגופה לבד, אפילו בחבית שלמה שרי, דלא מקרי שבירה, כיון שאינה מחוברת לחבית.

אבל לנקבה בצדה, בין של חבית בין של מגופה, אסור - דנקב הרי הוא כעושה פתח לחבית, ואפילו נקב קטן שאינו עשוי להכניס ולהוציא, ג"כ אסור מדרבנן, בין במגופה ובין בחבית, **אפי'** ברומח שעושה נקב גדול ואינו דומה לפתח, **דכיון דהוי מצדה, ודאי לפתח מכוין** - דאי אינו מכוין לפתח, אלא להרחיב מוצא היין, היה לו לפתוח את המגופה.

בין של חבית בין של מגופה - אלא דיש חילוק ביניהם, דלענין מגופה, אינו אסור בנקב כזה אלא כשעושה הנקב מצדה של מגופה, **אבל** כשמנקב למעלה בראש המגופה למשוך משם את היין, מותר וכדלקמיה, **אבל** בחבית אסור בכל מקום שעושה בה נקב, **ומה** שנקט השו"ע בצדה, משום מגופה נקט.

וליקוב המגופה למעלה, מותר, דלאו לפתח מכוין, שאין דרך לעשות פתח למעלה - שלא יפלו עפר וצרורות, [**אבל** בנקב שעשוי להכניס ולהוציא, משמע ממגן אברהם דאסור גם במגופה מלמעלה מדרבנן].

אלא נוטל כל המגופה - ואפילו בחבית שלמה שרי, שאין המגופה חיבור לחבית וכנ"ל, **ומסתברא** דבזה לכו"ע מותר, ואפילו שלא מפני האורחים.

סעיף ז - חותמות שבכלים - הוא לשון סגירה, כלומר שהכיסוי שלהם סגור בקשרי חבלים, **כגון: שידה תיבה ומגדל, שהכיסוי שלהם קשור בהם בחבל, יכול להתירו** - דלאו קשר של קיימא הוא, שהרי להתיר תמיד הוא עשוי.

או לחתכו בסכין, או להתיר קליעתו - ולא מקרי סותר, משום דלאו סתירה גמורה היא זו, ואינו אסור בכלים לכו"ע.

עיין בבה"ל בס"ח, דלדעת הרמב"ם יש איסור להתיר קליעתו.

ודוקא כעין קשירת חבל וכיוצא בו; אבל פותחת של עץ ושל מתכת, אסור להפקיע ולשבר, דבכלים נמי שייך בנין גמור וסתירה גמורה - ושבירת פותחת של עץ ומתכת, הוי סתירה גמורה.

ומטעם זה אסור להסיר הצירים שקורים גונזי"ש שאחורי התיבות, אם נאבד המפתח - דכשבירת פותחת דמיא, ויש בזה משום סתירה, **וכן** המחזיר דלת הכלי על צירה, יש בזה משום בנין.

ויש מתירים בזו - ס"ל דלא דמי לשבירת פותחת, וסתירה גרועה היא, כיון שא"צ לשבור שום דבר.

ודע, דלכו"ע אסור לקבוע הצירים או מנעול במסמרים להכלי, דהוי תיקון מנא, **ועיין** בח"א שכתב, דאפילו ע"י אינו יהודי אסור, דהוי מלאכה דאורייתא.

ושבירת פותחות של תיבות - וה"ה שאר כלים, **יש מתיר ויש אוסר** - היש מתיר ס"ל, דאין שייך שם סתירה כלל בכלים, וכמו שביארתי לעיל בס"א במשנה ברורה, דיש ראשונים שסוברין כן, **ואף** דהמחבר סתם מתחלה בסעיף זה גופא, בשבירת פותחת לאיסור, אפ"ה הביא כאן דעת היש מתירין, כדי לסמוך עליהן להקל עכ"פ ע"י א"י, וכמו שמסיים אח"כ, וכדאיתא בב"י.

ויש להתיר ע"י א"י - ויש שכתבו דדוקא בהפסד מרובה, או שנחפז הרבה לצורך מצוה.

וכ"ז בשבירת הפותחת, אבל לפתוח אותו בסכין או במחט גדול, שרי אפילו דלת של בית.

סעיף ח - חותלות (פי' מיני כליס) של תמרים וגרוגרות - כלים עשויים מכפות תמרים כמין סלים, ומניחים בתוכן תמרים רעים להתבשל, **אם הכיסוי קשור בחבל, מתיר וסותר שרשרות החבל, וחותך אפילו בסכין** - באמת כל האי דינא היינו הך דס"ז, ונקטיה משום סיפא, לאשמועינן דבזה אפילו גופן של חותלות מותר לשבור, כמו שמפרש הטעם.

ואפי' גופן של חותלות, שכל זה כמו ששובר אגוזים או שקדים כדי ליטול האוכל שבהם - ודוקא הני דלאו כלים גמורים הן, דאינם עשוים אלא שיתבשלו התמרים בתוכן, **אבל** כלי גמור, כבר סתם המחבר בריש ס"ז לאיסור, **ומחצלת** שתופרים בו פירות, מסתפק הפמ"ג אם דמי לחותלות.

(ועיין בחידושי רע"א שנשאר ע"ז בצ"ע, מהא דהביא המ"א בשם הרמב"ם, דהפותל חבלים חייב משום קושר, והסותר חייב משום מתיר, **ואף** דהוא סותר שלא ע"מ לבנות, יהיה עכ"פ אסור מדרבנן, דהוא סותר קשר של קיימא, **ועל** הרמב"ם קשה, דלמה התירו כאן להפקיע, **ולענ"ד** דהרמב"ם יפרש מה שאמר בגמרא "מפקיע", היינו דמנתק וקורע, וע"כ מותר, דלא עדיף ממה שהתירו לחתוך אפילו בכלי, **אבל** לסתור גדילת החבל, אימא לך דאסור, דהוא בכלל מתיר קשר של קיימא).

סעיף ט - מותר להפקיע ולחתוך קשרי השפוד, שקושרים בטלה או בעוף הצלויים - וה"ה פירות שקשורים או תפורים יחד בחוט, מותר להתיר או לחתוך החוט.

דפסיקת החוט מותר בדבר תלוש, כנ"ל בס"ז, ואין בו משום מלאכת מחתך, שאינו מקפיד על המדה.

כתבו הפוסקים, המבקע עצים לחתיכות גדולות, איסורו הוא רק מד"ס משום עובדא דחול, **והמבקע** לחתיכות קטנות, חייב משום טוחן, **ואם** מקפיד הוא על המדה, חייב משום מחתך, אפילו בחתיכות גדולות, [**וע"כ** מי שאנסוהו א"י לחתוך עצים בשבת, מוטב שיבקע אותם לחתיכות גדולות, ולא ינסר אותם, דעל נסירה חייב משום טוחן].

סעיף י - חותמות שבקרקע, כגון דלת של בור שקשור בו חבל, יכול להתירו, דלאו קשר של קיימא הוא, שהרי עומד להתיר; אבל לא מפקיע וחותך, משום סתירה - דכיון שהוא מחובר לקרקע, יש בו משום בנין וסתירה, (**עיין** רש"י עירובין, דס"ל דגזירה דרבנן הוא, ולא סותר ממש, **ולשיטת התוספות שם אין זה מוכרח**).

ודוקא כשעשוי לקיים על מנת שלא להסירו בשבת - אלא במוצאי שבת, **אבל** אם אין דעתו להסירו אף במוצאי שבת, גם להתירו אסור, דהוי קצת קשר של קיימא, **אבל אם אינו עשוי לקיים כלל, מותר, ומטעם זה מותר להתיר דף שמשימין אותו לפני התנור ושורקין אותו בטיט, שאינו עשוי לקיום. (וע"ל סי' רנ"ט).**

סעיף יא- אסור ליתן שעוה או שמן עב בנקב החבית לסתמו, מפני שהוא ממרח, (פי' הערוך, סיכה משיחה טיחה מריחה שיעה, ענין אחד הוא) - וכיון דהוא משום חשש מירוח, אסור אפילו אם אין מכניס השמן בתוך הנקב, אלא בהנחה בעלמא על גבו מלמעלה, **וגם** אין חילוק בזה בין ת"ח לע"ה.

אע"ג דאין מירוח בשמן, אסור, דגזרינן אטו שעוה, **ודוקא** שמן עב, כיון דשייך בו קצת מירוח, אתי לאחלופי.

והאי שעוה צ"ל דהכינו לתשמיש מאתמול, דאל"כ בלאו הכי אסור משום מוקצה, דלאו כלי הוא, **וכשהכינו** לכך מותר לטלטלו, ולא גזרינן שמא ידבקנו לכותל או לדבר אחר, דאף אם ידבק אינו אלא מדרבנן, שמא ימרח בעת הדיבוק. **שומן** וחלב דינו כשעוה.

אבל בשאר דברים, דלית בהו משום מירוח, (הואיל ואין היין יוצא אז), מותר - היינו אפילו להכניסו תוך הנקב, דהואיל ואין היין יוצא אפילו בלי תיקון, לא מחזי כמתקן.

ואם היה היין יוצא דרך הנקב, אסור לסתמו - מדרבנן, מפני דמחזי כמתקן, **ודוקא** כשסותמו בדבר שאין דרך לסתום בו, כמו בצרור קטן או בקיסם, **אבל** מותר לכו"ע לסתום בעץ, כגון בברזא, כמו שהוא דרך תמיד לסתום בו.

והאחרונים כתבו, דהעיקר כדעת הרמב"ם שחולק ע"ז, וס"ל דאפילו אם אין היין יוצא דרך שם, ג"כ אסור ליתן שום דבר בתוך הנקב לסתמו, משום דהוי כעין בונה, **אלא** דעל גב הנקב מלמעלה דלית ביה משום בנין, אינו אסור כי אם בדבר שמתמרח.

ואפילו ליתן בו שום דרך הערמה, לומר שאינו מכוין אלא להצניעו שם - כיון דבאמת מכוין הוא לסתמו.

ואם הוא ת"ח, מותר לו להערים בכך - דכיון שהוא ת"ח, אין לחוש בו שאם נתירנו ע"י הערמה יבוא לעבור על איסור דרבנן זה אפילו בלי הערמה, **וכתב** המ"א, דאף דקי"ל דהאידנא אין לנו דין ת"ח, מ"מ לענין זה אין להחמיר, ע"ש, **ויש** שחולקין עליו.

סעיף יב- סכין שהוא תחוב בכותל של עץ מבע"י, אסור להוציאו בשבת, כיון שהוא דבר מחובר - דע"י הוצאתו, כיון שהיה מתחלה תקוע קצת בחוזק, א"א שלא יתרחב הסדק שם, ועשיית נקב כל שהוא בכותל מחובר יש בו משום קודח, דהוא תולדה דבונה, **ואף** דאין מתכוין לזה, כמעט פסיק רישא הוא, **ועיין** לעיל בס"א במ"ב מה שכתבנו דעת אחרונים בזה.

נקט של עץ, דבכותל של לבנים, מצוי כמה פעמים שאין שורותיהם מדובקים זה לזה, ואז מותר להוציא אפילו אם לא היה דצה ושלפה מבעוד יום.

אבל אם הוא תחוב בספסל, וכן בכל דבר תלוש, מותר להוציאו – (כלל בזה אף חבית שאינה מחזקת ארבעים סאה, שהיה תקוע בה סכין מבע"י, דמותר להוציאו, וכדמוכח בב"י, **אך** הרמ"א פליג עליו לעיל בסוף ס"א בהג"ה).

(הגה: ואם דלה ושלפה מבע"י, אפי' בכותל, שרי) - להוציאה, ואף לחזור ולתחוב אותו בכותל, דכיון דכבר נעץ הסכין בכותל מבעוד יום והוציאו והדר נעצו, כבר הורחב מקום מושבו, ותו לא הוי פסיק רישא, **אבל** אם לא חזר ונעצו מבעוד יום, נראה דאסור לתחוב אותו בכותל, דעדיין לא נתרחב במה שהוציאו פעם אחת מן הכותל.

(**ודע**, דאפילו לדעת החולקין על השו"ע, וס"ל דמדינא אין איסור בכל גווני להוציא הסכין מן הכותל, וכנ"ל בס"א במ"ב, **היינו** דוקא לענין הוצאה מן הכותל, דהסדק נעשה ממילא, **אבל** לתחוב אותו בתוך הכותל, דהוא עושה הסדק בידים, בודאי לכו"ע אסור, **אם** לא הורחב עדיין מקום מושבו, **ולפי** מה שכתבנו במ"ב, אין מותר לתחוב בכותל עד שכבר נתחב שני פעמים בחול).

§ סימן שטו – דברים האסורים משום אהל בשבת §

סעיף א- אסור לעשות אהל בשבת ויו"ט אפילו הוא עראי - דהעושה אהל קבע, כגון שפורס מחצלת או סדינין וכיו"ב לאהל, ועושה אותן שיתקיים, אף דאין זה בנין ממש, חייב משום בונה, דעשיית אהל הוא תולדת בונה, והסותרו חייב משום סותר, **וגזרו** על אהל עראי משום אהל קבע, וכן על סתירת אהל עראי משום סתירת אהל קבע, ופרטי דיני אהל קבע יבואר לקמיה.

ודוקא גג - ואף כשאין מחיצות תחתיו, כגון לפרוס מחצלת על ד' קונדיסין דרך עראי, להגין מפני החמה והגשמים, [**ואם** עושה עניבה שיתקיים זמן הרבה, חשיב אהל קבע כיון שיש רוחב טפח, וחייב מן התורה, **וי"א** דאפי' בלא קשר, כל שהוא פורס לזמן מרובה, הוי אהל קבע].

אבל מחיצות מותר - דעיקר אהל הוא הגג שמאהיל עליו, ולכן גזרו בו משום אהל קבע, **משא"כ** מחיצות עראי לחוד, לא נחשב כאהל כלל.

ואין מחיצה אסורה אא"כ נעשית להתיר סוכה - כגון שהיה לה רק ב' דפנות, ועשה מחיצת עראי לדופן ג', דאז חשיב הך מחיצה כבנין, דעל ידה נתכשרה הסוכה, **או להתיר טלטול** - על ידה במקום שאסור לטלטל, דכיון דחשבינן לה מחיצה לענין היתר הטלטול, חשיב בנין.

הגה: אבל מחיצה הנעשית לצניעות בעלמא, שרי - כגון להפסיק בין אנשים לנשים כששומעין הדרשה.

(**לכאורה** יש להקשות מהא דאיתא בביצה ל"ב, אבנים של ביה"כ מותר לצדדן ביו"ט, ומסיק שם הטעם, דאף דמחיצה לבד בלא גג חשיב בנין עראי ואסור בעלמא, הכא משום כבודו לא גזרו רבנן, **הרי** מפורש דגם במחיצת עראי בלא גג ג"כ אסור, **אף** דאין ע"ז שם אהל עראי, אסור מטעם בנין עראי, **ואפשר** דמחיצת אבנים שאני, דדרך בנין קבע הוא, וכשמצדדן בקרקע לבנין קבע, חייב משום בונה, וכדאיתא בריש פרק הבונה, ולהכי חמיר טפי, **ולפי"ז** יתכן לומר, דהא דמתירין מחיצת עראי לצניעות, היינו נמי דוקא בדבר שאין דרך לעשותה תמיד לקבע, כגון בוילון או מחצלת וכיו"ב, **אבל** אם יעשה מחיצת עראי של אבנים ולבנים זה על גב זה, אסור, **ויותר** נראה לומר, דדוקא במחיצה שעשויה תמיד כדי להפסיק בין הרשויות, אמרינן כיון דהיא אינה מתרת, וגם היא עראי, לא חשיבא, **משא"כ** כשמצדד אבנים כדי לישב עליהן, חשיבא טפי, דלאו משום מחיצה אייתינן עלה, כי אם משום גזרת אצטבא, ע"ש בגמרא).

ולכן מותר לתלות וילון לפני הפתח, אע"פ שקבוע שם - ר"ל שאינו עשוי להסיר משם, אלא תלוי שם תמיד, אפ"ה חשיב מחיצת עראי, כיון שהוא נע ונד ברוח מצויה, וגם אינו מעכב לעוברים דרך שם, **אבל** לחברה למעלה ולמטה ומן הצדדים בענין שאין נזוז ממקומו, אסור משום בנין, דסתימת קבע הוא, ב"י, [**ועיין** בפמ"ג, דמשמע מיניה דהוא מן התורה, דתוספת קבוע באהל קבוע אסור מן התורה, **ומ"מ** נראה דזה דוקא אם דרך הוילון ששוהה שם כמה ימים בסתימה זו, אבל אם הדרך הוא להפתח תמיד, לא חשיב סתימה קבוע מן התורה, **ואפשר** דאף מדרבנן אין איסור בזה, דמאי גריעא מפקק החלון, ובפרט אם יש שם אסקופה להפתח, ע"ל סי' שי"ג ס"ג בסופו].

וכן פרוכת לפני ארון הקודש - זה פשיטא דשרי, דכיון שיש בלא"ה דלת לאה"ק, א"כ הפרוכת אינו תלוי רק לצניעות בעלמא, **וכמה** אחרונים מקילין אפי' אם אין דלתות לארון הקדש, וכמו וילון אצל הפתח וכנ"ל.

מותר לתלות בשבת סדינין המצויירים על הכותל לנוי, ואפילו לקבעם שלא יהיו נזוזים ממקומם ג"כ שרי, כיון שאין עשויים כלל למחיצה.

ובלבד שלא יעשה אהל בגג טפח - עיין סעיף י"ב.

וכן מותר לעשות מחיצה לפני החמה או הנר, או בפני הנרות שלא יכבה אותן הרוח - פשוט דכל זה במחיצת עראי, אבל לעשות מחיצת קבע שיתקיים כן, אסור, [**ולקשור** וילון בעניבה שלא תנוד ברוח, משמע ממ"א דלא חשיב בזה מחיצת קבע, **וגבי** וילון כתב בב"י, דאם מחברה מכל הצדדין שלא יהיה הרוח מנידו, חשיב קבע, **ולפמש"כ** מקודם, דדוקא אם עשויה להיות כן כמה

ימים, ניחא בפשיטות, דהכא הוא רק לפי שעה, **אי** נמי דשם שעשויה לסתום פתח של בנין קבוע, חמיר טפי].

אבל אסור לעשות מחיצה בפני אור הנר כדי שישמש מטתו, וכן לפני ספרים כדי לשמש או לעשות צרכיו - דכיון דאסור לשמש בפני אור הנר או ספרים, מקרי מחיצה המתרת, **וכתב** המ"א, דהיינו דוקא אם עושה מחיצה גבוה יו"ד טפחים, והנר גבוה ונראית למעלה, דמאפיל בטליתו ומשמש, כדמשמע בסימן ר"מ סי"א בהג"ה, {**ובשל"ה** משמע, דאף באופן זה יש ליזהר מאד, ועיין בא"ר שם}, **דכיון** שהנר נראית, א"כ ההיתר בזה הוא רק משום דיש ע"ז שם מחיצה שגבוה יו"ד, וחשבינן עי"ז להנר כעומד בחדר אחר, **ואז** צריך שיקשרנה ג"כ שלא תניד אותה הרוח, דאל"ה אין שם מחיצה עלה, ולכן אסור לעשותה בשבת, דחשיבא מחיצה המתרת, **אבל** אם המחיצה מכסה את כל הנר עד שאין נראית, דאין צריך שתהיה המחיצה גבוה עשרה דוקא, כיון שהנר מכוסה, א"כ ההיתר בזה לאו משום מחיצה, אלא מחמת כיסוי בעלמא, **ולכן** אף שהיתה המחיצה גבוה עשרה נמי מותר לעשותה, דלא חשיבי מחיצה המתרת, דאינו רק משום כיסוי בעלמא.

וכן לענין לשמש ולעשות צרכיו בפני הספרים, אם המחיצה גבוה עד שאין הספרים נראין, מותר לעשותה, דלא חשבינן לה כמחיצה המתרת, רק ככיסוי בעלמא, ולכן לא בעינן אז ג"כ שיהיה קשור לצד מטה. **ועיין** באחרונים שפירשו דבריו, דמ"מ בעינן כשעושה אותה בשבת, שיהיה על הספרים עוד כיסוי, דאז יהיה נחשב כאלו מונחין בכלי תוך כלי.

והנה אף שיש אחרונים שמפקפקין על חילוקו, וסוברין דכיון דסוף סוף ע"י המחיצה הותר עתה לשמש ולעשות צרכיו, חשיבא מחיצה המתרת ואסור לעשותה, מ"מ נראה דבשעת הדחק יש לסמוך על דבריו, **ועכ"פ** לכו"ע מותר לכסות הספרים בכיסוי בעלמא, והיינו כלי בתוך כלי, להתיר התשמיש, דזה לא הוי מחיצה כלל.

אם לא הגיה מבע"י טפח, שאז מותר להוסיף עליה בשבת – (במ"א איתא, טפח בולט מן הצד, והיינו שמוסיף אח"כ ברחבה, **אבל** בב"י הביא בשם המרדכי, שהיה כורך המחיצה לצד מעלה, ונותנה על המוט, ומשייר בה רוחב טפח, ואח"כ בשבת פושטה לצד מטה, **ובתו"ש** הקשה ע"ז, דבטפח למעלה לא חשיב עדיין מחיצה כלל, דאין קרוי מחיצה רק בעשרה, **אבל הפמ"ג** כתב, דע"כ בכל גווני מותר, וכ"כ הגר"ז ולבושי שרד).

ולכן פארוואן שעומד מופשט טפח מע"ש, מותר לפושטו כולו, **אבל** אם היה מקופל, אע"פ שכולו הרבה יותר מטפח, לא מהני, שהרי לא נעשה זה בשביל מחיצה - ח"א.

(**וע"ש** בנשמת אדם שמצדד, דבמקום שיצרו של אדם תוקפו, והנרות דולקים, ויש לחוש ח"ו למושז"ל, או שישמש לאור הנר דאיכא סכנה, שמותר אז לסמוך על הפוסקים שהביא המ"א, שמתירין לעשות מחיצת עראי לזה, ומותר להעמיד הפארוואן אף שלא היה נפשט מע"ש, **וע"ש** שכתב הטעם, דלדידהו לא חשיב זה מחיצה המתרת כלל, מפני שיכול להסתיר הנר בעצה אחרת, כגון ע"י כפיית כלי, **וע"ש** שהוא מתיר כשיצרו תוקפו, אפילו אם אור הנר נראה למעלה מהמחיצה, אבל בלא"ה חלילה להקל בזה).

סעיף ב - עצים שתוקעין ראשן האחד בדופן הספינה, וכופפין ראשן השני בדופן השני של הספינה, ופורסין מחצלת עליהם לצל - היינו שעושין כמו חשוקין, שקורין רייפי"ן, על פני רוחב הספינה מלמעלה, ועושה כן בעצים הרבה סמוכין זה לזה, על כל ארכה של ספינה.

אם יש ברחבן טפח - שרוחב העץ העגול היה טפח, ואפילו רק באחד מהן, **או אפילו אין ברחבן טפח, אם אין בין זה לזה ג"ט** - היינו ג"כ אפילו רק במקום אחד, ואמרינן לבוד, והוי כאלו היה ג' טפחים מכוסה במקום אחד, **חשיבי כאוהל, ומותר לפרוס עליהם בשבת מחצלת, דהוי ליה תוספת אהל עראי ושרי** - דדוקא לעשות אהל עראי מתחלה אסור, אבל אם נעשה כבר, מותר להוסיף עליו, ובזה כיון שהיה בעץ אחד רוחב טפח, דהוא שיעור אהל, או שהיה פחות מג"ט בין זה לזה, דהוא שיעור לבוד, והוי כמו העצים מחוברים יחד בשיעור ג' טפחים, חשוב נעשה אהל מכבר.

והא דלא חשיבי כ"ז לאהל קבע, היינו משום דאין עושין אותן אלא לפי שעה ולא להתקיים.

וה"ה עריסת התינוק שיש עליה חשוקים, ופורסין עליהם סדין להגן מפני הזבובים, אם החשוקים נעשים מבע"י בדרך שנתבאר, מותר לפרוס עליהם סדין בשבת, ואם לאו אסור, **וה"ה** דאסור לפרוס סדין על העגלות, דעשוי ג"כ להגן על מה שתחתיה, והוי כאהל, **אם** לא שהיה פרוס כבר מע"ש ברוחב טפח, וכמו שכתב השו"ע.

ומטעם זה, מחצלת פרוסה כדי טפח, מותר לפרוס שאר המחצלת בשבת - ר"ל דהכא נמי כיון דהיה טפח פרוסה מבע"י, מותר אח"כ לפרוס עוד, דאינו אלא מוסיף על אהל עראי, **אבל** בלא"ה אסור.

ואף דלקמן בס"ג אמרינן, דאינו אסור משום אהל עראי אלא כשעושה גם מחיצות תחתיו, **שאני** הכא שעושה להדיא בשביל אהל לצל, או להגן מפני הצינה והגשמים, וכמו שכתבתי לקמיה בס"ג.

וטפח שאמרו, חוץ מן הכריכה - היינו שאם היתה מחצלת פרוסה לשם גג, וכרכה מע"ש, דצריך שתשאר טפח פרוס כדי שיהיה מותר לפרוס הכל וכנ"ל, אין רוחב העיגול של הכריכה עולה בשיעור טפח, דהכריכה אינה חשובה פרוסה על הגג לאהל, **אלא** צריך שישייר טפח פרוס לבד מרוחב העיגול של הכריכה.

יש מהאחרונים שכתבו, דאפ"ה לפרוס המחצלת כשהיא כרוכה על איזה דבר ששייך בו אהל להדיא, אסור משום אהל, **דדוקא** בזה שהיה פרוס מתחלה וכרכה, לא מחזי בזה כמשייר לאהל, אבל לתתנה כך כשהיא כרוכה על דבר אחר, אסור.

סעיף ג'- הנה כדי שנבין היטב את דברי הסעיף, אקדים הקדמה קצרה, והוא: דאף דלענין בנין קבע, אף אם עשה איזה דבר משהו להוסיף על הבנין, בין במחיצות ובין בגג, חייב, וכ"ש אם עושה את כל הגג, **מ"מ** לענין אהל עראי, לא אסרו בעושה את הגג לחוד, אם לא שעושה את הגג כדי להגן מפני החמה והגשמים וכיו"ב, דאז הוא קצת בבחינת אהל, **אבל** בלא"ה לא אסרו כי אם בעושה גם המחיצות עראי שתחתיו בשבת, [**ולאפוקי** אם היו המחיצות קבועין מעיקרא בזה המקום, ואפי' אם היו ד' מחיצות], **גם** לא אסרו כי אם בשעשה כסדר, מתחלה המחיצות ואח"כ הכיסוי, דאז דומה קצת לאהל קבע, אבל אם עשה להיפך לא אסרו, **ויש** פוסקים שסוברין, דבעינן שיהיה צריך ג"כ לאויר שתחתיו, וכוותייהו פסק המחבר לקמן בסעיף ז"ין.

מטה כשמעמידים אותה, אסור להניח הרגלים תחלה ולהניח עליהם הקרשים - דהוא כדרך בנין, דהרגלים הם מחיצה, והקרשים של הכיסוי הוא כמו גג, ונמצא כעושה אהל בשבת, וע"כ צריך לשנות.

בדקדוק כתב לשון זה, ("להניח הרגלים"), דדוקא להניח אסור, דהוי בזה כמתחיל לעשות מחיצות לאהל, ואסור כשמניח אח"כ הקרשים למעלה, **אבל** אם היו מונחים מכבר בזה המקום, מותר להניח הקרשים עליהם, וכנ"ל, **אך** אם המטה רחבה ביותר, אסור לדעת המ"א אפילו באופן זה, ועיין בסי"ג מה שנכתוב בזה.

אלא ישים הקרשים תחלה באויר - אוחז הקרשים של הכיסוי באויר, **ואח"כ הרגלים תחתיהם** - דהוא שלא כדרך בנין.

והני מילי כשהרגלים הם דפים מחוברים, כמו דפני התיבה - כתב הב"י, דבעינן שיהיו המחיצות מגיעין עד לארץ, אך אם סמוך לארץ פחות מג' שם אין הדופן מגיע, אמרינן בזה לבוד, (**ואף** דבעלמא שם מחיצה כשגבוה י', הכא לענין איסורא משום דדמיא לאהל, לא שייך כלל דבר זה, דכיון שיש ע"ז שום תמונה משתי דפנות קטנות וגג עליהן מלמעלה, אסרו חז"ל לעשות דבר זה, ונהי דלענין שיהיו המחיצות מגיעין עד סמוך לארץ עכ"פ פחות מג"ט, ס"ל להפוסקים דגם בזה בעינן כמו בעלמא, אבל זה ברור דאפילו במחיצות קטנות שבקטנות כגובה טפח אסרו חכמים בזה). **ולענין** תיבה שיש לה שולים גם מלמטה, כמו תיבה שקורין שלא"ף באנ"ק, עיין בסי"ג מה שנכתוב בזה.

כתב הט"ז, דאף דבטור איתא: ד' דפין מחוברין, לאו דוקא הוא, דבמטה שדרך להשתמש באוירה מתחת, בהנחת מנעלים וכיו"ב, אסור אפי' כשיש לה רק שני דפין משני צדדין המגיעין לארץ, דבשתים לבד חשיב אהל עם מחיצות, וכדלקמיה בס"ו לענין חביות, וכן כתבו שארי אחרונים.

אבל רגלים של מטות שלנו, וכן רגלי השלחן, מותר בכל גוונא - דרגלי המטות ושלחנות שלנו אין להם מחיצות.

הטעם, דבאהל עראי כזה שאינו מתכוין בעשייתו לשם אהל שתחתיו, אלא לתשמיש אחר על גביו מלמעלה, ורק ממילא נעשה כמו אהל למטה, לא אסרו אלא כשעושה גם מחיצות תחתיו.

(**ודעת** הרשב"א, וכן משמע מסקנת הר"ן והרה"מ, והובאו דבריהם בב"י, **דאם צריך לאויר שתחתיו להשתמש, אסור אפילו בלא מחיצות, וע"כ במטות שלנו ג"כ אסור, דמשתמש באוירו בהנחת מנעלים וכיוצא בו, והובא ברי"ו שתי הדעות ולא הכריע, והמחבר סתם כדעת המקילין, ומשום דהוא דבר של דבריהם, ומ"מ לכתחלה נראה שטוב לחוש לדברי הרשב"א וסייעתו להחמיר, אם לא בשעת הדחק**).

והיכא שפורס סדין או מחצלת לשם אהל, כגון להגן מפני החמה והגשמים, או כדי שיהיה ראוי להשתמש תחתיו *באיזה דבר, אסור אף בלא מחיצות, וכההיא דסעיף ב' בסופו.

***מדובר** בגג שנעשה להגנה על החלל שתחתיו, ולא שנעשה כדי להשתמש בחלל שתחתיו תשמיש כל שהוא, שבזה לא די להחשיבו כאהל בלא עשיית מחיצות, חוץ מלדעת הרשב"א – חזו"א.

וכן רגלי השלחן - הוא אפילו כשיש לו מעט מחיצות, ואינו אסור אלא כשיש לו ד' דפין מכל הצדדין כמו תיבה, דאז חשיב אהל בהנחת הדף מלמעלה, משום דבלא"ה סתמו אינו עומד להשתמש באוירו, וכשאינו משתמש באוירו לא חשיב אהל, וכדלקמיה בס"ז, וע"כ צריך שיהיה לו ד' דפין מכל הצדדין כמו תיבה, דאז ראוי להשתמש באוירו, ט"ז, **ויש** מאחרונים שמצדדין להקל בהשלחן, להניח עליו הדף מלמעלה אפילו כשיש לו ד' מחיצות מכל צד, דמסתמא א"צ לאויר שתחתיו, אם לא שדרכו להשתמש שם, **אך** לשון השו"ע שכתב: וכן רגלי השלחן, משמע דבשלחן אם היו מחיצות, היה ג"כ צריך להחמיר, **וע"כ** נכון בודאי לחוש לדברי הט"ז, לאחוז הדף באויר ויכניסו תחתיו הרגלים.

ומשמע מדברי הפמ"ג, דכל זה דוקא כשמטלטל הרגלים ממקום למקום כדי להניח עליהם הדף שלמעלה, דאז נחשב כשמעמידן לצורך זה כאלו התחיל בעשיית האהל, **אבל** אם עומדין במקום אחד, אפי' להט"ז מותר להניח עליהם הדף, אף שלהרגלים יש להם מחיצות מכל צד, וכמו שכתבנו לעיל גבי מטה.

ונראה דכל זה כשהיה רפוי, אבל אם הדף שעל השלחן מהודק ותקוע בחוזק, וכמו שמצוי בכמה שלחנות, אסור משום בנין, **ואפילו** אם עתה אינו תוקע בחוזק, אם דרכו תמיד להיות מהודק ותקוע בחוזק, ג"כ יש ליזהר בזה, וכמו לענין ארוכות המטה אם עשויה להתחבר עם הרגלים בחוזק, וכמבואר הכל בסימן שי"ג ס"ו לענין מטה של פרקים, ע"ש.

כתב המ"א, דלסתום נקב שהעשן יוצא, שקורין קומי"ן, בכר של תבן וכיוצא בו, אפשר דאסור, (דאפי' כבר יש לו מחיצות, מכל מקום אם הוא בנין חשוב אסור - מחה"ש), **דכיון** שיש לאותו המקום מחיצות בפני עצמו, הוי כעושה אהל בתחלה, **ואינו** דומה למה שהתרנו בסימן שי"ג לסתום הארובה שבגג, מטעם דהוא רק הוספת אהל עראי, התם הארובה אינו מחזיק אלא מקצת הגג, אבל כאן הנקב שהעשן יוצא מחזיק כל רוחב המחיצות שסביב לה, והוי ע"י סתימת הכר כגג על המחיצות, **ולפי"ז** פשוט דאם הנקב הוא בכותל מן הצד, מותר לסתום בכר, דהוא רק תוספת מחיצה בעלמא - פמ"ג, **עוד** כתב, דבלע"ד שעשוי בקומי"ן וקבוע שם, מותר לסתום בו בשבת ויו"ט, דהואיל דקבוע שם הוי כדלת.

ועיין בתו"ש שכתב, דמה דמסתפק המ"א, הוא דוקא כשהחור שהעשן יוצא הוא מחזיק ג"ט, דאל"ה אמרינן לבוד והוי כסתום ושרי, וכעין מה שכתוב למעלה בס"ב, **אך** הפמ"ג לא פשיטא ליה דבר זה כל כך, **ומ"מ** נראה דהסומך על התו"ש לא הפסיד, דבלא"ה דבר זה רפוי הוא אצל המ"א גופא, דאפשר דהמחיצות שתחתיו לא חשיבי מחיצות לענין זה, הואיל שעשויות מכבר.

ונראה דכל זה כשאינו מונח אז גחלים לוחשות בהתנור, דאל"ה בכל גווני אסור לישראל לסתום את החור למעלה, דע"י סתימתו גורם כיבוי להגחלים, **ואף** דאינו מכוין לזה, פסיק רישא הוא, וכעין מה שכתב בסימן רנ"ט בסופו, ובסימן רע"ז ס"א.

סעיף ד - מטה שהיא מסורגת, (פי' נארגת) בחבלים, אם יש בין חבל לחבל ג"ט - דאל"ה אמרינן לבוד, וכסתום מעיקרא דמיא, וכנ"ל

בס"ב, וע"ש במ"ב, דאפילו אם רק במקום אחד היה פחות מג"ט, ג"כ סגי, **אסור לפרוס עליה סדין, משום דעביד אהלא; וכן אסור לסלק בגד התחתון מעליה, משום דקא סתר אהלא** - ולפי המבואר לעיל בס"ג, ע"כ מיירי הכא בשיש לה מחיצות המגיעות לארץ, אבל במטה שלנו מותר בכל גווני, [**וגם** מיירי שהעמיד עתה אותה בשבת במקום הזה כדי לפרוס עליו, דאם היתה עומדת פה מבע"י, הרי נעשו המחיצות מבע"י, ולית בזה משום אהל ארעי וכנ"ל, **ולפי"ז** משכחת לענין איסור דרבנן, דסתירה חמור מבנין, דבסתירה בודאי אפי' הכל נעשה מבע"י שייך בהו שם סתירה].

(**ודע**, דאפילו אם יש לה מחיצות, וה"ה לדעת הרשב"א דמחמיר אפילו כשאין לה מחיצות, ג"כ יש עצה בפריסת הסדין, אף שיש ג"ט בין חבל לחבל, **דהיינו** שיאחזו האנשים הסדין או הכר באויר, ויכניס אחר את המטה תחתיה, וכיון שהוא שלא כדרך בנין, לעשות תחלה הגג ואח"כ יכניס תחתיה מה שלמטה מהגג, התירו באהל עראי, וכדלעיל בס"ג).

ואם היה עליה כר או כסת או בגד פרוס מע"ש, כשיעור טפח, מותר לפרוס בשבת על כל המטה - גם בזה הטעם, משום דמותר להוסיף על אהל עראי בשבת.

סעיף ה - כסא העשוי פרקים, וכשרוצים לישב עליו פותחין אותו והעור נפתח, וכשמסירים אותו סוגרים אותו והעור נכפל, מותר לפתחו לכתחלה - דהא עביד וקאי מבע"י, אלא שפושטו ומיישבו כדי לישב עליו, [**והיינו** אפי' היה הכסא עשוי עם מחיצות, וע"י הפשיטה נפשטין גם המחיצות, **דאל"כ** בלא"ה שרי לפי מה שפסק השו"ע לעיל בס"ג], **ומה"ט** שרי להעמיד החופה ולסלקה, [היינו כשהיתה החופה קשורה בהכלונסות מע"ש].

וה"ה הדף שקבוע בכותל שבביהכ"נ שמניחין עליו ספרים, **מיהו** בדף בלא"ה שרי, דהא אין כונתו במה שפושט את הדף לשם אהל, וא"כ אין עליו שם אהל עראי כיון שהוא בלא מחיצות, [**לאפוקי** בחופה שכונתו בהגג לשם אהל, אפי' בלא מחיצות שם אהל ארעי עליו, וכנ"ל במ"ב בס"ג].

(**ולפי"ז** נראה לכאורה, דה"ה במטות של ברזל שלנו שעשויין מקופלין וסמוכין לכותל, וכשרוצין לישן עליהן פושטן, דמותר לפושטן בשבת, דהא עביד וקאי מבע"י, ואין עושה שום מלאכה רק שפושטן, **אך** זהו שגגה, דהכא הא איירי שגם הגג, והוא העור שעל הכסא, ג"כ קבוע בו מכבר, ועל כן גם הגג הלא עביד וקאי, כדאיתא בשו"ע, דפרט זה הוא לעיכובא, **ומשא"כ** באלו המטות שפורסין עליה עתה הסדין בשבת אחר פשיטתה, והוא נעשה כסדר האהל, שמתחלה המחיצות ואח"כ הגג, דאסור, **אך** אם השליבות של המטות סמוכין זה לזה, שאין ביניהן ג"ט, דכלבוד דמיא, אפשר דיש להקל, מטעם דגם הגג כאילו נגמר כבר מבע"י, **גם** יש לכאורה לדון בזה להקל מטעם שאין לה מחיצות, וכבר פסק השו"ע לעיל בס"ג, מתנאי המטה דבעינן שיהיו לה מחיצות, ועכ"פ שתי מחיצות, **אך** גם בזה יש לפקפק מאד, דלפי מה שבירנו לעיל בבה"ל, דבענינינו לא בעינן שיהיו המחיצות גבוהות י', ודי במחיצות כל דהו, א"כ הרי יש להמטה שתי מחיצות בשולי המטה, אחת מצד ראשה ואחת מצד מרגלותיה, ואף שאינן מגיעות לארץ, יש להשגיח אולי אין בינם לארץ ג' טפחים, וכלבוד דמיא, **אך** לכל אלו הדברים יש עצה, דאפילו אם יש בין שליבה לשליבה ג' טפחים, וגם אם נימא דהמחיצות שבצד ראשה ומרגלותיה חשובות מחיצות לענין זה, ג"כ יש עצה, דהיינו שמתחלה יפרסו אנשים את הסדין ויאחזוה באויר, ואח"כ יפשוט אחד את המטה ויעמידה תחת הסדין, וזה שרי כיון שהוא שלא כדרך בנין, וכמו שפסק השו"ע לעיל בס"ג, **אך** מ"מ עצם דין הפשטת המטה זו רפיא בידי, דמצינו בכמה מקומות שאסרו חז"ל משום טרחא דשבת, ובזה נמי אפשר דיש בפשיטתו משום טרחא, וצ"ע, {**ואם** יש בזה מפני כבוד האורחים שנתארחו אצלו, מבואר בסימן של"ג דאז לא חיישינן לטרחא, ויעשה העצה שכתבנו מתחלה}, **אך** אם יש לו מטה אחרת לשכב, בודאי דאין נכון לפשוט המטות אלו, דלא עדיף מקיפול הכלים דאסרו חז"ל היכא דיש לו להחליף, וכמבואר בסי' ש"ב).

(**ומטות** שלנו המחוברת ועומדת, אם היא זקופה או מוטה על צדה, מותר לנטותה לישבה על רגליה, דלאו מידי עביד אלא ליתובי בעלמא, **ועיין** בפמ"ג שמסתפק לענין תיבה המחזקת ארבעים סאה, אם מותר לכפותה על

אוכלין ומשקין, דאפשר דכיון שיש עליה שם אהל, חמיר טפי, ע"ש, וספיקתו הוא רק לפירש"י, דלפירוש התוס', כל הברייתא זו משום אהל אתנייה, וע"כ בשיש לה מחיצות, ואעפ"כ התירו במטה לזקפה משום דליתובי בעלמא עביד).

סעיף ו - כשמסדרים חביות זו ע"ג זו, אחת ע"ג שתים, אוחז בידו העליונה ויסדר התחתונות תחתיה; אבל לא יסדר התחתונות תחלה ויניח העליונה עליהן - משום דעביד כעין אהל כשמסדר אח"כ העליונה מלמעלה, שהוא כגג על המחיצות, **ואף** דבאהל צריך לאויר שתחתיו בין המחיצות, הכא נמי צריך לאויר שביניהם, שהיו מתעפשין אילו לא היה אויר ביניהם.

(**ואע"ג** דדבר שאין מתכוין שרי, היינו כשעושה איזה דבר ואינו מכוין שיצא הדבר הזה מה שהוא יוצא על ידו, כגון שהוא גורר ספסל ע"ג קרקע, ואינו מתכוין שיעשה חריץ עי"ז, **משא"כ** כאן שמתכוין לעשות מה שהוא עושה).

סעיף ז - מותר להניח ספר אחד מכאן ואחד מכאן ואחד על גביהן. הגה: הואיל וא"צ לאויר שתחתיהן - מזה הטעם נמי שרי לפרוס מפה על השלחן, וקצות המפה תלויות למטה מן השלחן מכל צד, ואפילו אם מגיעות סמוכות לארץ, דאין בזה משום אהל, כיון דא"צ לאויר שתחת השלחן, **ועוד** כיון שמה שמונח על השלחן אין בו משום אהל, שאין שם חלל בינו לשלחן, מותר גם היוצא ממנו.

להניח ספר וכו' - והיינו דוקא כשצריך ללמוד משניהם, או שהספר התחתון מונח שם כבר, דאל"ה אף שהוא רוצה כדי להגביה הספר העליון ללמוד בו, יש בזיון לספר התחתון, ואף בחול אסור - ט"ז, **אבל** במ"א מצדד להתיר, וכן בח"א כתב דיש להתיר.

סעיף ח - כל אהל משופע - היינו אפילו עשאו לקבע שיתקיים כמה ימים, **שאין בגגו טפח, ולא בפחות מג' סמוך לגגו רוחב טפח, הרי זה אהל עראי, והעושה אותו לכתחלה בשבת, פטור** - היינו מחטאת, אבל אסור מדרבנן, גזירה אטו אהל קבע, (**אפילו אם לא עשאו לקבע, משום לא פלוג**).

ועיין במ"א, שכ"ז הוא לדעת הרי"ף והרמב"ם, אבל לדעת רש"י והרא"ש, כיון שאין בגגו טפח, לא חשיב אהל כלל ומותר לכתחלה, והשו"ע סתם כדעת הרי"ף והרמב"ם, וכן הוא ג"כ דעת ר"ח, **ובפמ"ג** מצדד דגם רש"י והרא"ש מודו לדעת הרמב"ם בזה, כיון שעשאו לקבע שיתקיים זמן כמה ימים.

וה"ה אם עשה הגג בשוה, ג"כ אין חייב מחמתו אא"כ רוחב טפח, דבלא"ה לא חשיב אהל, **והא** דנקט "משופע", משום סיפא, לאשמעינן דדוקא אם לא היה בפחות מג' סמוך לגגו רוחב טפח, דהיינו שאינה מתרחבת טפח עד לאחר שירדה ג' טפחים, **הא** אם מתרחבת טפח בתוך ג', הוי כאלו היה גגה טפח.

אבל אם יש בגגו טפח, חשיב אהל קבע וחייב, שכן מצינו אהלי טומאה טפח, [וה"ה לענין גובה המחיצות, נמי שיעורו טפח כמו לענין אהלים]. (**ומ"מ** נ"ל, דאם היה כרוך עליו חוט או משיחה, **פטור מחטאת**, ויש בזה רק איסורא, **וכמו** בשאין בגגה טפח אזיל ליה חד דרגא ע"י חוט ומשיחה, שבלא חוט ומשיחה יש איסורא, ובחוט ומשיחה מותר, כן בשיש טפח שיש חיובא, ע"י חוט ומשיחה הוא רק איסורא, **ואף** דמן הסברא יש לחלק בזה, דדוקא לענין דרבנן שייך חוט ומשיחה, אבל לא לענין דאורייתא, **אבל ע"כ** אנו מוכרחין לומר דלענין כילה ס"ל לר"ח כן), **ודוקא** שעשאו לקבע, אבל לעראי, כגון שפרס מחצלת ע"ג ד' עמודים, אף שיש בגגו כמה טפחים, איסורו רק מדרבנן.

(והנה על דבר נשיאת אמבריל"ו, הוא הגגות הנושאין על ראשן מפני החמה והגשמים, ובלשוננו קורין אותו פאראס"ל, רבו האחרונים בזה בספריהם, **ובדרך** כלל יש הרבה והרבה שמחמירין ואוסרין שלא לפורסן בשבת מטעם אהל, וכמו שכתבו הפוסקים, דכל היכא דמתכוין לשם אהל, דהיינו להגן מפני החמה והגשמים, אפילו בשביל הגג לבד בלא מחיצות ג"כ יש איסור, ובזה הפאראס"ל נמי הלא מתכוין להגין מפני החמה והגשמים, **ואינו** דומה לכסא טרסקל המבואר בסעיף ה' להיתר, דהתם אינו עושה שום מעשה בשבת, רק שמרחיב ופושט הקמטין שהיו בו מאתמול, **משא"כ** בזה שצריך

לקשור אותו ברצועות אחר פריסתו, או להעמידו ולהדקו אח"כ מתחתיו בחוט של ברזל כמנהגנו, כדי שלא יתמוטט הגג ממצבו, דאסור, וכן מצדד ג"כ הפמ"ג, ע"ש שכתב שקושרין ברצועות וכדומה, **ובפרט** לפי מה שכתב הרמב"ם, וז"ל: ומותר להניח מטה וכסא וטרסקל, ואע"פ שיעשה תחתיהן אהל, שאין זה דרך עשיית אהל לא קבע ולא עראי, **בודאי** אין שום ראיה להקל מזה לענייננו, ונהפוך הוא דיש ראיה לאיסורא, מדכתב במטה וכסא: מפני שאין זה דרך אהל וכו', משמע בזה הפאראסא"ל שפריסתו דרך אהל הוא אסור, **ובנו"ב** כתב דלדעת הרי"ף שכתב הר"ן, דכילה שבגגה טפח הוא בכלל אהל קבע וחייב, והביאו המ"א, יש בזה חשש חיוב סקילה, **ואף** דיש שדוחין את דבריו, וס"ל דגם להרי"ף לית בהו חיובא, מ"מ מידי איסורא לא נפקא להרבה פוסקים, בין בשבת בין ביו"ט, וע"כ השומר נפשו ירחק מזה מאד, וכ"ז שכתבנו הוא מפני חשש אהל, דאיסורו הוא בכל מקום שנושאו, ולפעמים יש בזה עוד איסור הוצאה והכנסה לכו"ע, והוא כשנושאו במקום שאין עירוב).

סעיף ט - משמרת שתולין אותה לתת בה שמרים לסננן, ומותחין פיה לכל צד, חשוב עשיית אהל ואסור לנטותה - ונראה דעשוי כמין שק, שקורין לוגין זא"ק, והוא רחב ופתוח למעלה, וסתום וחדוד למטה, ומכניסין קצה החדוד בתוך הכלי, והקצה העליון הרחב מסבבים בשפת פיהו את הכלי, ונמצא הוא גג לכלי ועשוי כאהל, ואסור מדרבנן, **אבל** לתלות המשמרת כשהיא שטוחה על איזה יתד ובלי כלי תחתיה, מותר, דאפילו אהל עראי לא חשיב, **וכ"ש** דמותר לתלות כלי ביתד.

סעיף י - טלית כפולה - שנותנה על המוט הנתון בין שתי כתלים, ושני ראשי הכפל משולשלין ומגיעין לארץ, ונכנס בין שני קצותיה וישן מפני החמה, **והיה** אסור לעשות כן בשבת דמקרי אהל עראי, ופטור אבל אסור, כמבואר בסעיף ח"ת, **ובא** לומר, דטלית המקופלת ומונחת על המוט מע"ש, **שהיו עליה חוטין שהיתה תלויה בהם מע"ש** - שעל ידן פושטן לקצותיה, **מותר לנטותה** - לפושטה בשבת על כל אורך המוט, **והטעם**, דכיון דע"י החוטין קל למושכה בהן, הוי כאלו היתה הטלית פרוסה מכבר טפח מע"ש, והוי רק מוסיף על אהל עראי ושרי, וכנ"ל בס"ב.

וכתב המ"א, דמיירי שאחר פריסתה לא יהיה בגגה מלמעלה רוחב טפח, וגם לא בפחות משלש סמוך לגגה רוחב טפח, **דאי** יש בה רוחב טפח, הו"ל כאהל קבוע ולא מהני החוטין.

ומותר לפרקה - שכל אהל שאין בו משום בנין אין בו משום סתירה.

וכן הפרוכת - כלול בזה גם וילון שלפני הפתח, **ועיין** במ"א, דהאי "וכן" לאו דוקא הוא, דשרי בזה אע"פ שלא היו עליה חוטין, משום דאין אהל אלא העשוי כעין גג, **והנה** לפי מה שהביא בעל מגדול עוז בשם רבינו חננאל, וכן הוא בפיר"ח שלפנינו שיצא מקרוב לאור, דבפרוכת נמי צריך שיהיו חוטין כרוכין עליה מע"ש לתלות בם, **יותר** טוב לומר דהרמב"ם בעל הלכה זו נמי ס"ל כהר"ח, ואתי שפיר מלת "וכן" כפשטיה, וכן מוכח מביאור הגר"א דהוא מפרש כן, **אך** לדינא אין נ"מ בזה, דמוכח מהטור ושארי פוסקים דמותר לתלות בכל גווני, וכן מוכח מהרמ"א לעיל בס"א בהג"ה, דכיון שלא נעשית להתיר, אין שום איסור עלה.

כתב מ"א, דמחיצה העשויה להתיר, שפסק השו"ע לעיל בס"א דאסור לעשותה בשבת, הוא אפילו כשהיו חוטין כרוכין עליה מע"ש, **ויש** שמקילין בזה.

סעיף יא - כילת חתנים - עץ אחד עומד לראש המטה גבוה מהמטה, וכן עומד עץ במרגלות המטה, ומוט נתון עליהם, ופרוש על המוט וילון גדול, ושני ראשין יורדין מכאן ומכאן כמין אהל על פני כל המטה, **שאין בגגה טפח ולא בפחות מג' סמוך לגגה רוחב טפח, הואיל שהיא מתוקנת לכך** - פי' שהכינה לכך מבע"י, **מותר לנטותה ומותר לפורקה** - אע"פ שלא היו חוטין כרוכין עליה מע"ש, **אבל** אם אינה מתוקנת, אסור כמו שפסק השו"ע בס"ח, דאפילו אהל שאין בגגו טפח אסור לעשותו בשבת, אא"כ היו חוטין כרוכין עליה מע"ש וכנ"ל.

והוא שלא תהא משולשלת מעל המטה טפח - הטעם, דכיון שהיא משולשלת מעל המטה טפח בזקיפה לאחר כלות השיפוע, הו"ל האי טפח מחיצה,

וכל השיפוע שממעל למטה נחשב לגג, והוי אהל ממש, **מיהו** מטה דידן שאין כילה עליה, שפורסין עליה סדין, אע"פ דנחית מפוריא טפח לית לן בה, **והטעם**, דהא מה שמונח על המטה לא מקרי אהל, כיון שאין חלל תחתיו.

סעיף יב- הנוטה פרוכת וכיוצא בה, צריך ליזהר שלא יעשה אהל בשעה שנוטה - כלומר דבשעה שעוסק בתלייתה, דרך הוא שמתקפלת מעט מרחבה, ואם יהיה הכפל טפח, הו"ל אהל, [**ואע"ג** שאותו מקום שמתקפל אינו קשה, שיהיה נחשב זה המקום לגג, מ"מ כיון שמכוין לעשות מחיצה, לנטות את הפרוכת, גרע טפי].

כ"ז הוא לשון הרמב"ם, וס"ל דאף שמסתמא יש עליה חוטין מבע"ש שהיא תלויה בהן, דאל"ה אסור לתלותה לדעתו, כמו שכתב השו"ע בס"י, אפ"ה צריך ליזהר בזה, [**והרמב"ם** אזיל לשיטתו, דס"ל דכשיהיה הכפל רחב טפח, תו לא מהני חוט או משיחה, **משא"כ** לפי' רש"י והרא"ש, דס"ל דתמיד מהני חוט או משיחה, שוב אין לחוש לזה].

לפיכך אם היא פרוכת גדולה, תולין אותה שנים, אבל אחד אסור - דשנים יכולין לתלותו כולו כאחד שלא תתקפל, ומשא"כ אחד, [**ואע"ג** דאינו מכוין לזה, וע"כ אנו מוכרחין לומר דס"ל דפס"ר הוא, והוא דוחק], **ומטעם** זה יש נמנעין קצת שלא לתלות הפרוכת בשבת.

ואם היתה כילה שיש לה גג - היינו יריעה פרוסה מלמעלה על איזה דבר, ונעשית כעין טלית כפולה שביארנו בס"י, ומיירי בשכרוך עליה חוט או משיחה מבע"י, דומיא דפרוכת דאיירי ביה מעיקרא, דצריך לדעת הרמב"ם שיהיה עליה כרוך חוט מבע"י, וכנ"ל בסעיף יו"ד, **ולהכי** מסיים שיש לה גג, היינו שיהיה עכ"פ הגג רוחב טפח, וכ"ש היכא שהגג רחב הרבה, דאי אין לה למעלה רוחב טפח, הלא קי"ל דמותר לפורסה לכו"ע כשכרוך עליה חוט או משיחה מבע"י.

אין מותחין אותה ואפילו עשרה, שא"א שלא תגבה מעט מעל הארץ ותעשה אהל עראי - ר"ל דלא נימא היכא שהכילה היא רחבה, שכל אחד יקשור רק זוית הכילה להכתלים, ונשאר אמצע הכילה מונח על הקרקע, (ר"ל המטה), ואין שם אהל עליה, קמ"ל.

(**הנה** לפי מה שכתב מתחלה שיש לה גג, ואפ"ה כתב דיעשה אהל עראי, משמע מזה כמו שהוכחנו לעיל בס"ח לדעת הר"ח, דאפילו בגג רחב טפח, אם יש חוט או משיחה הוא רק אהל עראי).

סעיף יג- בגד ששוטחין על פי החבית לכסות, לא ישטחנו על פני כולו, משום אהל, אלא יניח קצת ממנו מגולה - ואע"ג דשרי להחזיר הקדירה ע"ג כירה, ולא חיישינן משום אהל הואיל והמחיצות כבר עשויות, ובאהל כזה שאין כונתו לאהל אלא שממילא נעשה, אינו אסור אלא אם יעשה מחיצות ג"כ, וכנ"ל בס"ג במ"ב, **יש** לומר הואיל והכובא רחבה יותר מדאי, נעשה כאהל - מ"א, **ולפי"ז** מה שכתב בשו"ע "חבית", היינו נמי ברחבה הרבה.

(**עיין** לקמן בסי' ש"כ במ"ב, דבבגד שאינו עשוי לכך, יש לחוש שמא יבוא עי"ז לידי סחיטה, **ואפי' אם אינו** מכסה כולה אסור, **אלא** מיירי הכא בבגד העשוי לכסות בו, שאינו מקפיד עליו אם נשרה בהמשקה שבתוך החבית).

וכתב המ"א, דה"ה בתיבה רחבה שיש עליה כיסוי, אם אינו קבוע בצירים, אסור להניח עליה בשבת, **ותיבה** שאינה רחבה כ"כ, מותר לכסותה, ואין בזה משום חשש אהל, הואיל והמחיצות כבר עשויות, **והיכא** שמטלטלה ממקום זה להעמידה במקום אחר, ושם מכסה אותה, אסור בכל גווני, דהוי ע"י העמדתו כאלו עושה המחיצה עם הכיסוי ביחד. (**אך** סתימת שאר הפוסקים להתיר בכל גווני – פסקי תשובות).

ולכן צריך ליזהר בסעודות גדולות שמניחין שלחנות על חביות, צריכין ליזהר שיהפוך צד החבית הפתוח לצד הקרקע, ועל צד הסתום יניח השלחן - ח"א, **עוד** כתב, דטי"ש קעסטי"ל שנשמט כולה מן השלחן, אם יש טפח בעומק חללה, אסור להחזירה, שעושה אהל, [**והקיצור** שולחן ערוך דחה קצת את דבריו, דהרי הוא בכלל ממעלה למטה דלא אסרו חז"ל, **ואפשר** דח"א ס"ל, דדוקא ממעלה למטה מפני שהוא דרך שנוי, משא"כ בזה].

וכן מטה שקורין שלאף באנק, שיש לו כסוי ואינה מחוברת בצירים, אין להחזיר עליה הכיסוי, דיש בזה משום עשיית אהל, **מ"מ** אין למחות בהנוהגין להקל בכל זה, דיש להם על מי שיסמוכו כדלקמיה.

(ולענ"ד אפשר עוד לומר, ‹בנוגע שלאף באנק›, דאף שבעת שהרחיבה אחר שפירק הדף מעליה, היא בכלל כובא שאסרו חז"ל לכסותה כולה מצד שהיא רחבה יותר מדאי ונעשית כאהל, מ"מ כיון שבעת שהוא מכסה אותה בהכיסוי למעלה, כבר חיבר לפרקיה ונתקצרה ברחבה, תו הוי בכלל סתם מטה, שמשמע מתוס', דהיכא דמחיצותיה עשויות מכבר ועומדות על מקומן, תו אין בכיסויה משום חשש אהל).

וה"מ כשהכובא, (פי' כלי) - גיגית, **חסרה טפח** - כלומר שאינה מלאה, אלא שיש מהכיסוי עד מה שבתוך הכובא טפח, משו"ה מקרי אהל, **אבל אם אינה חסרה טפח, מותר, דאין כאן אהל.**

ודעת הראב"ד והרשב"א, דבכל גווני אין בכיסוי כלים משום אהל, והא דאסרו בגמרא לכסות על כל הכובא, מפני שנראה כמשמר, ר"ל כאלו מסנן מן הפסולת, **ונכון** להחמיר כדעת השו"ע, שהיא דעת הרבה ראשונים, וע"כ חבית גדולה של מים, אין לכסותה כולה בשבת כשאינה מלאה כולה, [**ואם** היתה מכוסה מע"ש אפי' במקצת, מותר לכסות כולה בשבת, דאוסופי על אהל ארעי שרי, וכנ"ל בס"ב], **והנוהגין** להקל בזה אין למחות בידם, שיש להם על מי לסמוך וכנ"ל.

§ סימן שטז – צידה האסורה והמותרת בשבת §

סעיף א - הצד צפור דרור למגדל - של עץ, ונעשה ככלוב גדול, **והיינו** שפתח שער המגדול, ועשה תחבולות עד שנכנס הצפור לתוכו, וסגר עליו, **שהוא ניצוד בו** - ואפילו לא תפסו עדיין בידו, חייב, כי בסגרו המגדול נגמרה הצידה, **אבל** במה שהכניסו לבית, אפילו הבית קטן וגם חלונותיו סתומין, עדיין אינו נצוד, שטבעו של הצפור דרור שאינו מקבל מרות, ודר בבית כבשדה, שנשמט מזוית לזוית ואינם יכולים לתפסו, ולכן אינו נקרא צידה מדאורייתא.

(**עיין** בפמ"ג, דצפור דרור הם הקטנים ביותר הדרים בענפי אילן, ומשוררים, ומרוב קוטנה של הצפור נשמטת מזוית לזוית וקשה לתופסה, **אבל** תורים ובני יונה הם בכלל שאר צפרים שזכר המחבר, ע"ש).

ושאר צפרים, וצבי, לבית או לביבר - קרפיפות המוקפים לגדלם שם, **לצדדין** קתני, דבצפרים וכן בשאר עופות אינו חייב עד שיהיה הביבר והבית מקורה, וגם חלונותיו סתומין, שהוא יכול לברוח דרך שם, **ובצבי** ושאר חיות חייב אפילו אינו מקורה, וגם חלונותיו פתוחין.

שהם נצודים בו, חייב - לאפוקי אם הבית והביבר גדול, שאין יכולין לתפסו בשחיה אחת, היינו בריצה אחת, אלא צריך להנפש קודם שיגיעינו, לא מקרי צידה דאורייתא, אף שהוא מקורה, וממילא הצודהו שם בבית או בביבר חייב, **ועיין** לקמן בסי"ב במ"ב.

(ושיעור מה "דמטיא לה בשחיה אחת", ושיעור ד"אם צ"ל הבא מצודה ונצודנו", כבר כתבו הפוסקים, דאידי ואידי חד שיעורא הוא, וע"כ אפילו בעופות שייך שיעור זה).

השולה דג מן הים לתוך ספל של מים, חייב דהוי צידה, **אבל** אם עקרו והבריחו לתוך בריכת מים, לא הוי צידה, שגם שם נשמט לחורין ולסדקין, **ועיין** לקמן בס"ח במ"ב בסופו. **הצד** ארי אינו חייב, עד שיכניסנו לכיפה שלו שהוא נאסר בה.

ואם אינו נצוד בו, פטור אבל אסור - על כל הסעיף קאי, וע"כ צפור דרור שנכנס לבית דרך הפתח או החלון, אע"ג שאינו ניצוד שם, מ"מ אסור לסגור הפתח והחלון, **ובזמן** הקור שיש צער צינה, או צער אחר, כתב הח"א דמותר לנעול, אם אין כונתו רק להציל מן הקור, ואינו רוצה כלל בצידת הצפור, כיון דאין בו צידה דאורייתא, אע"ג דהוי פסיק רישיה בדרבנן, **אבל** בשאר חיה ועוף דשייך בו צידה דאורייתא בבית, אסור, אע"ג שאינו מכוין כלל, דהוי פסיק רישיה.

(**ודע עוד**, דבגמרא איתא: **דאם איכא בביבר או בבית עוקצי** ‹פיאות להשמט, רש"י›, הוא בכלל ביבר גדול, וכתב שם ר"ח, דהני אוקימתא כולהו הילכתא נינהו, וכן העתיקם הרי"ו, **וצריך** טעמא על הרמב"ם שהשמיט זה, ואולי ס"ל להרמב"ם, דשיעורא דשמואל ד"הבא מצודה ונצודנו", אין להשוותו רק עם הני תרי שיעורי קמייתא, דתלוי בהביבר לפי גדלו וקטנו, **משא"כ**

לפי סברא דעוקצי, דינא הוא דאפילו אם הביבר קטן, שאין צריך להביא מצודה עבורו, ג"כ הוא בכלל מחוסר צידה עדיין, וכיון דהגמרא מביא מימרא דשמואל באחרונה, ש"מ דלית הלכתא כהאי לישנא, א"נ דנכלל במה שכתב הרמב"ם בהלכות יו"ט, שאין זו צידה גמורה וכו', צריך לרדוף וכו', וה"נ בזה).

(עוד אמרתי להביא פה מה שיש לכאורה להסתפק בענינינו, אם הכניס עוף לבית והדלת פתוחה או החלון פתוח, או ביבר שאינו מקורה, אפשר דליכא אפילו איסור דרבנן, דדוקא היכא דהדלת נעולה, דהחיה והעוף ניצודין עכ"פ במקצת, רק צריך עוד לרדיפה והשתדלות, משא"כ היכא דפתוח, עדיין לא נצודה כלום, **ובתוספתא** תניא: הצד צבי לחצר שיש לה ב' פתחים, פטור, ומשמע אבל אסור, ככל פטורי דשבת דקי"ל בהו לאיסור).

סעיף ב - צד צבי ישן או סומא, חייב - דהני דרכן להשמט כשמרגישין יד אדם, וע"כ כשצדו הוי צידה ממש, **וה"ה** שאר מינים, כ"כ הא"ר, **(וצע"ק** ממה דאיתא בגמ', דחגבים בשעת הטל פטור, ופי' רש"י משום שאז עיניהם מתעוורות, והרי הם כניצודין ועומדין, **וע"כ** דיש מינים שכשהם סומין לא עבידי לרבויי).

חיגר או חולה או זקן, פטור - שאין יכולין להשמט, ואפילו אם החיגר יכול להלך קצת, עכ"פ הרי יכול להגיעו בשחיה אחת, ע"כ חשיבי כניצודין ועומדין.

וה"ה קטן, וקטן מקרי קודם שיכול לרוץ, כ"כ המאירי.

אבל אסור, וע"כ כשמוצא לפעמים ארנבת חולה מונחת על הדרך, אע"פ שאינה יכולה לזוז ממקומה, אסור ליקח אותה, דהוי צידה מדרבנן, **וי"א** דחייב, ועיין בבה"ל, **ובלא"ה** אסור ליקח אותה משום מוקצה.

(ובגמרא מקשה: והתניא חולה חייב, ומשני: לא קשיא כאן בחולה מחמת אשתא, כאן בחולה מחמת אובצנא [עייפות], ועיין בט"ז דרוצה לצדד, דהמחבר יסבור כרש"י, דדוקא בחולה מחמת אובצנא, היינו שאינו יכול לזוז ממקומו מחמת עייפות, אז חשיב כניצוד, אבל בחולה מחמת אשתא חייב, **ובאמת** מדסתם המחבר משמע דאיירי בסתם חולה, וס"ל כהר"ח, דהברייתא דפוטרת איירי מחמת אשתא, וכן כתב הגר"א, וממילא מחמת אובצנא חייב, **אך** אפשר דלהר"ח ג"כ, אם אינו יכול לזוז ממקומו מחמת עייפות, ס"ל כרש"י דחשיב כניצוד, והוא איירי בשאינו עיף כ"כ, **ובב"י** משמע דהר"ח איירי בכל גווני, ואיני יודע טעמו למה עדיף מחיגר וזקן).

(ודע דנסתפקתי, לרש"י דס"ל בהדיא דעייפות כזה חשיב כניצוד, וע"כ פטור הצודהו אח"כ, **איך** הדין אם רדף אחר איזה חיה ועוף כדי לצודו, עד שעשהו עיף שאינו יכול לזוז ממקומו, **או** שהכהו באיזה דבר עד שנעשה חיגר, אם חייב עבור זה גם משום צידה, אף שלא תפסו בידו, **או** אפשר אין דרך צידה בכך, דדרך צידה לטלה אחר שצדה, או להכניסה למקום משומר).

הגה: המשסה כלב אחר חיה בשבת, הוי צידה - היינו, אם לא עשה בעצמו מעשה כלל, רק במה ששיסה את הכלב, והכלב תפסו, הוי רק צידה מדרבנן, **ואם** עשה בעצמו ג"כ מעשה לזה, כגון שברח הצבי מן הכלב והיה עיף ויגע, והיה הוא רודף אחריו, והשיגו הכלב ע"ז, הוי צידה גמורה, **ואפילו** אם רק עמד בפניו והבהילו עד שהגיע הכלב ותפסו, הוי ג"כ תולדה דצידה ומיחייב, שכן דרך הציידים.

(ועיין במ"א שכתב, דכונת הרמ"א הוא רק לאיסורא בעלמא, מפני שלא עשה מעשה, והאחרונים תמהו עליו, דלא מצינו בסימן זה שיכתבו הפוסקים דהוי צידה, והכונה יהיה לאיסורא, אלא ודאי דהכונה לחיובא, **אך** הוא מיירי היכא דעושה מעשה, אך הרמ"א קיצר בזה).

(ואם תפסו הכלב בלא הסיוע שלו, ואח"כ לקח הוא מיד הכלב, לכאורה ג"כ פטור מחטאת, דכבר ניצוד ועומד ע"י הכלב, דומיא דמאי דאיתא בתוספתא, דאם צדו אחד ונתנו לחבירו, השני פטור).

וי"א אף בחול אסור לצוד בכלבים, משום מושב לצים - ואינו זוכה לשמחת לויתן.

סעיף ג - כל שבמינו נצוד, חייב עליו; אין במינו נצוד, פטור אבל אסור - ואפילו אם הוא צדן לאיזה צורך, ג"כ לא חשיב צידה.

הלכך, זבובים אע"פ שאין במינן נצוד, אסור לצודן - ודבורים, משמע בב"י דהוא בכלל דבר שבמינו ניצוד, אבל שאר פוסקים פליגי עליה, וכן משמע מהגר"א, **וחגבים** טהורים, לדעת רש"י הוא דבר שבמינו

ניצוד, והרמב"ם אין סובר כן, **ודגים** הוא בכלל דבר שבמינו ניצוד.

הגה: ולכן יש ליזהר שלא לסגור תיבה קטנה, או לסתום כלים שזבובים בו בשבת, דהוי פסיק רישיה שניצודו שם - אלא יתן סכין או שום דבר אחר בין הכיסוי להתיבה, בענין שיוכלו לצאת משם, **וכן** אם יש חור קטן בתיבה, אף שאינו נראה להדיא להזבובים, אפילו הכי מותר, דתו לא הוי פסיק רישיה.

ויש מקילין במקום שאם יפתח הכלי ליטלם משם,

יברחו - הוא דעת הטור, דס"ל דאע"ג דבש"ס איתא להדיא גבי כוורת דבורים, דאם מכסה אותו באופן שאין בו נקב, אסור משום פסיק רישיה, וכדלקמן בס"ד, **מ"מ** זבובים שאני, דלא מקרי צידה כלל, דלרוב קטנותן מצוי שכשפותח הכלי בורחין הכל משם, **משא"כ** בכוורת דבורים שהיא מלאה מהם, והם גדולים קצת, א"א שלא יתפוס אחד מהם, ולכך חשיב צידה עי"ז.

והב"ח פסק להחמיר כדעה הראשונה, וכן המ"א כתב דכן עיקר, **וע"כ** יש לראות להפריח הזבובים.

ועיין בט"ז שהכריע, דמכיון שהפריח הזבובים שראה בעיניו, תו אין צריך לעיין ולדקדק אולי יש שם עוד איזה זבובים, כיון דזה לא הוי אלא ספק פסיק רישיה במילתא דרבנן, דהוא דבר שאין במינו ניצוד, אין להחמיר כל כך, (**ובפרט אם יש בהתיבה אוכלים, לפי מה שכתב הפמ"ג, דבתיבה שיש אוכלין ומשקין דבודאי לא ניחא ליה הזבובים דשם, שיטנפו את האוכלין, והוא פ"ר דלא ניחא ליה, יש לצדד יותר להתיר, בודאי אין להחמיר אם הפריח הזבובים שראה אותם**).

(**הנה הט"ז חידש כאן דבר חדש בענין פסיק רישא, והוא, דכשם דהיכא דמספקא לן אם יעשה האיסור או לא, אמרינן דבר שאינו מתכוין מותר לר"ש, כגון בגרירת מטה כסא וספסל, דספק הוא אם יעשה חריץ ע"י הגרירה, כמו כן ה"ה היכא דמספקא לן אם יש איסור בהמעשה שעושה, והוא אינו מתכוין להאיסור, נמי מותר לר"ש, ולכן מותר בנעילת התיבה, דשמא אין בה עתה זבובים, ולולא דבריו הסברא להיפוך, דאם האיסור יעשה בודאי ע"י המעשה, היינו הנעילה, אך ספק הוא אם יש כאן איסור, היינו דבר הניצוד, הו"ל ספיקא דאורייתא, ושם בגרירא שאני, דמספקא לן על דבר אחר, היינו החריץ הנסבב ע"י פעולתו, ולכך מותר דבר שאינו מתכוין, דאפשר שלא יעשה החריץ, משא"כ בענינינו דספק הוא על עצם הנעילה אם יש בזה מעשה צידה, הוי כשאר ספיקא דאורייתא, ובענינינו לענין זבובים אין נ"מ בזה, דהכא בלא"ה אינו אלא איסור דרבנן, דהו"ל דבר שאין במינו ניצוד, וא"כ הוא ספיקא דרבנן, ונ"מ בעלמא היכא דהוא ספיקא דאורייתא, כגון שרוצה לנעול הדלת, ומספקא ליה אם יש שם צבי וכדומה שנכנס מתחלה לתוכו, אפשר דהוא בכלל ספיקא דאורייתא, אף שאינו מכוין להצידה, אכן מצאתי ראיה לדברי הט"ז**).

שלא לסגור תיבה קטנה - אבל תיבה גדולה סבירא ליה לרמ"א דלכו"ע שרי, דאפילו אם היה אדם עומד בתוכה, לא היה יכול לתפסה בחד שחיה, וגם הוא דבר שאין במינו ניצוד, [**ר"ל** משום דהוי תרי דרבנן, מש"ה מותר באינו מכוין, אע"ג דהוי פסיק רישא].

סעיף ד - פורסין מחצלת ע"ג הכוורת, (מקום שמתכנסים בו הדבורים לעשות דבש) - בחמה מפני החמה ובגשמים מפני הגשמים, **ובלבד שלא יכוין לצוד, וגם הוא בענין שאינו מוכרח שיהיו נצודים, כי היכי דלא להוי פסיק רישיה** - כגון שלא יהדק המחצלת על הכוורת כ"כ, כדי שיוכלו הדבורים עכ"פ לצאת בדוחק, **או** שיש בכוורת איזה חור קטן, ויכולים לצאת משם, ואע"ג שאין נראה להדיא להדבורים עי"ז, אפ"ה שרי, דקי"ל כר"ש דדבר שאין מתכוין מותר, **אבל** כשאין בו חור כלל, אז הוי פסיק רישיה, ואסור אפילו במילתא דרבנן.

(**ועיין בא"ר שתמה על השו"ע, דלפי מה שכתב: וגם הוא בענין שאינו מוכרח וכו', דהיינו שיכולים הדבורים להשתמט ממקום צידתם, אפילו אם היה מתכוין לצודם ג"כ שרי, דהרי מ"מ אינם ניצודים, שיכולים לצאת, ונ"ל דהכונה במש"כ השו"ע: וגם הוא בענין וכו', היינו שיש שם בכוורת חור קטן, דבכה"ג לא שרי כי אם לר"ש, ודוקא בשאינו מתכוין, אבל חור גדול אם היה בכוורת, אפילו במתכוין שרי, דהרי מ"מ אינם ניצודים כלל**).

הפורס מצודה, ובשעת פריסתו נכנסה החיה לתוכה, חייב חטאת, אבל אם נכנסה אח"כ לתוכה, פטור אבל אסור, **וכתב** המג"א, דמכאן מוכח שיש ליזהר שלא

להעמיד בשבת המצודה לצוד בו עכברים, וכ"כ בפסקי תוספות שבת י"ז.

סעיף ה - צבי שנכנס לתוך הבית - מאליו, **ונעל אחד בפניו** - היינו שסתם הדלת, ואפילו בלא מנעול, כיון שאין הצבי יכול לברוח, **חייב** - וכ"ש אם הכניסו לבית ונעל בפניו דחייב.

(מיירי שהבית אינו גדול, דמטא ליה בחד שחיה, וכנ"ל בס"א, דאל"ה פטור אבל אסור, **ולפי"ז** יש ליזהר מאד, באם קנה עוף קודם השבת, ועדיין לא הורגל העוף בהבית, ואירע שנכנס בשבת לתוך הכלוב שלו {הוא מקום המיוחד לסגור בו העופות}, שלא לסתום את דלת הכלוב, דבזה נחשב צידה גמורה, ששם המקום קצר ומטא ליה בחד שחיה, משא"כ כשהוא בבית).

(**ודוקא** כשידע בעת הנעילה שצבי בתוכו, אבל אם אח"כ נודע לו שיש שם צבי, פטור, דזה דומה לנתכוין להגביה תלוש וחתך מחובר, דאנוס הוא, **ואפילו** אם נתכוין אח"כ שלא לפתוח הדלת עד הערב משום הצבי, ג"כ אין איסור בדבר, וה"ה בישב על הפתח ולא ידע שצבי בתוכו, ואח"כ נודע לו שיש שם צבי, מותר לו לישב ולשמור עד שתחשך, מפני שקדמה צידה למחשבה).

נעלו שנים, פטורים - דכתיב: ואם נפש אחת תחטא בשגגה מעם הארץ בעשותה וגו', ודרשינן "בעשותה", העושה את כולה ולא העושה את מקצתה, **וא"כ** כיון שכל אחד בפני עצמו יכול לנעלו, הרי כל אחד אינו עושה אלא מקצתו.

אין אחד יכול לנעול, ונעלו שנים, חייבים - דאורחיה הוא לנעול בשנים, והרי לכל אחד מלאכה, דבלאו איהו לא מתעבדא, (**ואפילו** אם היה בעל כח גדול, אלא שעושה באופן שהוא לבדו לא היה יכול לעשותו, כגון שעושה באצבע אחת, שצריך לסיועת האחר, נמי מקרי אינו יכול וחייב).

ואם אחד יכול לעשות בעצמו, והשני אינו יכול, ועשוהו שניהם, זה שיכול חייב, דמסייע אין בו ממש, והוי כאלו עשה הכל לבד, וזה שאינו יכול, פטור אבל אסור.

הגה: ואם הפתח כבר מגופף - פי' סתום באופן שאין הצבי יכול לברוח, **מותר לנעלו במנעול** - דהמנעול רק שמירה הוא ולא צידה, דכבר ניצוד ועומד, **וכן** כשהיה הצבי קשור בבית, מותר להגיף את הדלת, **ואפילו** אם ניתר הצבי אח"כ, א"צ לפתוח הדלת כדי שיצא, כיון דבהיתר סתם הדלת.

סעיף ו - ישב אחד על הפתח ומלאו, יכול השני לישב בצדו - ואפילו אם כונתו בשביל הצבי, שרי, כיון דכבר נצוד ע"י הראשון.

ואפי' אם עמד הראשון והלך לו, השני פטור ומותר; והראשון, חייב - ומיירי שבעת שהלך הראשון לא זז השני ממקומו כלל, וכגון שהליכתו היתה לתוך הבית, **או** שהשני ישב בתוך חלל הפתח מבפנים להבית, והראשון ישב בתוך חלל הפתח לחוץ, ונמצא כשהלך הראשון נשאר הוא על מקומו, **וע"כ** מותר לו לכתחלה לישב עד שתחשך, אף שהוא מתכוין בשביל הצבי, כיון דאינו עושה מעשה מחדש, אלא הוא שומר להצבי שכבר ניצוד, **דאם** היה להיפוך, שהשני ישב מבחוץ והראשון מבפנים, א"כ היה צריך השני לקום ממקומו בעת שהלך הראשון לחוץ, וממילא נתבטלה צידת הצבי, וכשחוזר השני לישב על מקומו למלא את הפתח, הרי הוא חייב משום צידה, (תוס' יו"ט).

(**וכן** סוברים רוב האחרונים וכמעט כולם, {ודלא כהמ"א שכתב, דהיכא שכבר ניצוד פעם אחת, תו לא שייך בו צידה}. **ולפי"ז** אם קנה עוף מחדש קודם השבת, ועדיין לא הורגל העוף בהבית, ואירע שנפתח הדלת, אסור לסגרו אח"כ, דנחשב עי"ז צידה גמורה, ויש בזה חיוב חטאת, **ואפילו** אם מכוין בסגירתו הדלת לשמור ביתו לבד, פסיק רישא הוא, וכ"ש אם מתכוין לשמור העוף שלא יצא מן הבית, **ודוקא** כשהבית קצר, דמטא ליה בחד שחיה, אבל אם הבית גדול, או שהעוף כבר מורגל בבית, ובא הוא מעצמו לערב למקומו, דאין בצידתו לכו"ע רק איסור דרבנן, וכדלקמן בסי"ב, י"ל כה"ג לא גזרו על סגירת הדלת, אחרי שכבר ניצוד קצת פעם א', **ובאמת** אי אפשר ליזהר בזה כלל, על כן כדי להנצל מחילול שבת, ראוי ליזהר כשקונה עוף מחדש קודם השבת, והבית קצר דמטא ליה בחד שחיה, יהיה קשור אצלו עד אחר השבת).

(**נסתפקתי**, בישב על הפתח בשגגת שבת או שגגת מלאכה {דבמזיד מבואר לקמן בשו"ח ס"א, דאסור לו לעולם ליהנות מזה} ואח"כ נודע לו, אם מותר

לו לישב עד שתחשך, דמאי דהוה הוה ולא יתקן האיסור במה שיסתלק, **אכן** מדברי הרמב"ן ובפרט מדברי הרשב"א, שכתב בהדיא טעם ההיתר לישב ולשמור עד שתחשך, מפני שלא עבר איסור דאורייתא במה שישב מתחלה, משמע דבענינינו אסור לישב כשנודע לו).

ישב אחד על הפתח ולא מלאהו, וישב השני ומלאהו, השני חייב, שעל ידו נעשה הצידה.

אסור לנעול את ביתו כדי לשמור כלי ביתו, אם יודע שיש צבי בתוכו, אע"פ שאין מתכוין לצידת הצבי, דהוי פסיק רישיה ואסור מן התורה, וכ"ש אם מתכוין בשביל שניהם.

נכנסה לו צפור תחת כנפי כסותו, אף דכבר ניצוד ועומד הוא, מ"מ אסור לו ליקח בידו משום מוקצה דבע"ח, אלא יושב ומשמרו עד שתחשך, או אם יש לו בית הולך ומניחו שם.

מותר לפתוח את הבית בפני הצבי, או לפרוק אותו ממצודתו, ובלבד שלא יטלטלנו.

סעיף ז - הצד נחשים בשבת, או שאר רמשים המזיקים, אם לרפואה, חייב

- דמקרי דבר שבמינו ניצוד, **ואם בשביל שלא ישכנו, מותר** - היינו אפי' במקום שאין רגילין הנחשים להמית, ואין רצין אחריו אלא עומדין במקומן, דבזה אסור לילך להרגן וכדלקמן בס"ו, אפ"ה לצודן שרי, דהיינו שכופה עליהם כלי או שקושר אותן, [**ועיין** בספר נהר שלום שכתב, דלהכניסם בתוך כלי בדרך שאר צידה אין נכון, כדי שלא יבואו לחשדו שהוא צדם לצרכו]. **והטעם**, דהא הוי מלאכה שאין צריך לגופה, דהא אינו צריך לצוד אלא שלא ישכנו, ואם היה יודע שיעמוד ולא יזיקנו, לא היה צד, וקי"ל דמלאכה שאינו צריך לגופה פטור אבל אסור מדרבנן, והכא משום הזיקא אפילו איסור דרבנן ליכא, **ואפי'** להרמב"ם דמחייב בעלמא במלאכה שא"צ לגופה, מודה בזה, וכתבו דטעמא, משום דס"ל דזה לא מיקרי מלאכה כלל, והוי כמתעסק בעלמא, כיון שאין רצונו בעצם הצידה כלל, ואדרבה כונתו להבריח אותו מעליו.

(**ונ"ל** דבמקומות שדרכן להמית, כגון נחש בא"י ועקרב בחדייב, אפשר אפי' הוא היה מתכוין בצידתו לרפואה, ג"כ פטור, כיון דמצוה לבערו מן העולם כדי שלא יהרוג בני אדם, וכדלקמן בס"י, **דומה** למה דאמרינן ביומא פ"ד, בתינוק הטובע בנהר, פורש מצודה ומעלהו, ואע"ג דקמכוין למיתצד דגים, ויש לדחות, דהכא קמיכוין רק לרפואה ולא לתועלת שניהם, א"כ דומה למה דאמרינן בפסחים כ"ה, לא אפשר וקמיכוין אסור, אף דעצם הפעולה הוא מצוה במקום שרגילין להמית אדם, מ"מ גרע במה שהוסיף בכונתו, ועיין).

סעיף ח - שמונה שרצים האמורים בתורה, הצדן חייב

- דהנה מתחלה ביאר המחבר דין צידה בחיה ועוף, דבאותן המינים סתמייהו ניצודין לצורך, **ועכשיו** ביאר המחבר דין צידת שרצים, דבהו יש חילוק, דבאותן המינים שיש להן עורות, והוא הח' שרצים האמורים בתורה: החולד והעכבר והצב וגו', יש צידה, דמסתמא צדן ג"כ לצורך זה, **אם** לא שכונתו היתה בהדיא שלא לצורך, ופטור משום דהו"ל מלאכה שא"צ לגופה, **אבל** שאר שרצים אין להן עורות, וסתמייהו ניצודין שלא לצורך, אם לא שכונתו היה בהדיא לאיזה צורך, ואז הוא חייב אם הוא דבר שבמינו ניצוד.

(**הוא** טעם התוס', ויש עוד טעם אחר בר"ן והובא במ"א, דהח' שרצים אין דרכן להזיק, וסתמייהו ניצודין לאיזה צורך, **משא"כ** בשאר שרצים דדרכן להזיק, וסתמייהו ניצודין כדי שלא יזיקו, והוי מלאכה שאצ"ל ופטור, **והנה** לפי דבריו, אם ימצא בשאר שרצים איזה מין שאין דרכו להזיק, יהיה ג"כ חייב כמו בהח' שרצים, וכן כתב הפמ"ג).

והחובל בהם, אע"פ שלא יצא מהם דם, אלא נצרר תחת העור, חייב

- טעם לחיוב חבלה, הוא מפני נטילת נשמה שבאותו מקום, כי הדם הוא הנפש, **וע"כ** אפילו יצא הדם כל שהוא, או נצרר הדם כל שהוא, חייב, דנצרר היינו שנאסף ונקבץ במקום אחד, ושוב אינו חוזר ונבלע בהבשר.

(**דעת** הרמב"ם, דחובל חייב משום מפרק שהוא תולדה דדש, דדמים שמפרק מתחת העור כמפרק תבואה מקשיה דמי, ואע"פ שלא יצאו לחוץ, מ"מ נעקרו ממקום חבורם, **ולפי"ז** בעינן שיצא דם כשיעור גרוגרת ממקום למקום לענין חיוב חטאת, כמו בדש, **גם** אם חבל בשרו לאחר מיתה ויצא דם, חייב, **ולצד** דחיובא דחובל הוא מחמת נטילת נשמה שבאותו מקום שחבל, כי הדם הוא הנפש, א"כ לא בעינן שיעורא, ורוב הפוסקים הסכימו

לזה, ומ"מ פעמים שחייב אף משום צובע, כגון שנצטבע העור כשיעור צביעה ע"י הדם שנתקבץ תחתיו מן החבלה, ויש לו איזה צורך בצביעה זו).

נקט חבלה בשרצים, משום דבהו יש שרצים שאין להם עור, ואינו חייב עד שיצא הדם, כמו שמסיים המחבר, **אבל** כ"ש דיש חיוב חבלה בבהמה חיה ועוף, שכולם יש להם עור, וחייב אפילו בנצרר.

וכ"ז מיירי כשצריך לדם החבלה לכלבו או לאיזה ענין, או לבשר שנצרר בו הדם להאכיל לכלבו עם דמו, **דאל"ה** הוא בכלל מקלקל ופטור, **ויש** מן הפוסקים שסוברין, דלפיכך חייב בנצרר הדם, דאין זה בכלל קלקול אלא תקון, שדרך העולם להכותם כדי להחליש שיהא נוח להכבש - [המאירי].

(**ודע עוד**, דלכאורה לפי מה דפסק המחבר לקמיה, דהצדן שלא לצורך פטור, א"כ ע"כ דס"ל מלאכה שאצ"ל פטור, א"כ אמאי מחייב בחובל, הא הוי מלאכה שאצ"ל, **ואפשר** דס"ל להמחבר, דסתם חבלה הוי מלאכה הצריכה לגופה, וכמש"כ המ"א בשם רש"ל, (דאם דעתו היה שיצא ממנו דם כדי שיַחלשו ויתגבר הוא עליו, הוי צריכה לגופה), **א"נ** כיון דמיירי המחבר בשצריך לדם החבלה לאיזה ענין, כי היכי דלא להוי בכלל מקלקל, וכמש"כ במ"ב, א"כ הוא בכלל מלאכה הצריכה לגופה, וכ"ש ליש מן הפוסקים שהעתקתי במ"ב, והוא המאירי, בודאי הוא בכלל מלאכה הצריכה לגופה לסברתו, כמו שכתב בהדיא שם, ע"ש).

ואם עשה חבלה באדם דרך נקמה, או בבהמה חיה ועוף של חבירו באופן זה, ויצא הדם או נצרר, דעת הרמב"ם שחייב בזה בכל גווני, כי אינו בכלל מקלקל, **והטעם**, מפני שמיישב את דעתו בדבר זה וינוח יצרו, והואיל וחמתו שוככת בדבר זה הרי הוא כמתקן וחייב, וה"ה בקורע בחמתו, **והראב"ד** פוטר ע"ש, [ותלוי זה בדין מלשאצ"ל אם חייב או פטור, והרמב"ם לשיטתו דס"ל מלשאצ"ל חייב], **ולכו"ע** איסור יש בזה, דכל המקלקלין בכל מלאכות שבת אף שפטורין מחטאת, מ"מ אסורין, (היינו אפילו אם היה מקלקל וגם מלאכה שאצ"ל), **וע"כ** יזהר מאד שלא להכות שום חי בשבת הכאה שיכול לבוא לידי חבורה, כי עכ"פ איסור יש בדבר לכו"ע, והעולם נכשלין בזה.

וכן אסור לחוך שחין, שע"י החיכוך מוציא דם שנבלע בבשר, וא"כ עושה חבורה, **ואם** הוא מקיז דם לאדם לרפואה כשאין בו סכנה, או בבהמה, חייב לכו"ע, דהוא בכלל מתקן, וגם הוא מלאכה הצריכה לגופה, דהא רוצה עתה בחבלה זו כדי להתרפאות, **ולפי** זה הוצאת השן הוא מלאכה דאורייתא, דהוא בכלל חובל לרפואה, כ"כ מ"א והפמ"ג והח"א, **ובמאמר** מרדכי משמע, דהוצאת השן רק איסור יש בו ולא חיוב חטאת, דחבלת הדם הנעשה עי"ז א"צ לגופה, וכן משמע מהגר"ז.

(**ונראה** דמה שכתב המ"א: ונ"ל דחובל לרפואה והוא הקזת דם חייב לכו"ע, ור"ל דהוא בכלל מתקן אף להראב"ד, וגם דהוא בכלל מלאכה הצריכה לגופה, כיון שהוא צריך להתרפאות ע"י חבלה זו, וכמו שביאר הפמ"ג, היינו לשיטת רוב הפוסקים דחיוב חובל הוא מפני נטילת נשמה, וע"כ לא איכפת לן במה שדם החבלה ניתז לארץ ויוצא לאיבוד, **וכמו** שחייב בשוחט משום נטילת נשמה לכו"ע אף שהדם יוצא לאיבוד, משום שעיקר כונתו לשחטה בצואר, וזו המלאכה צריך לה לגופה, **משא"כ** לדעת הרמב"ם דחיוב חובל אינו משום נטילת נשמה, רק משום מפרק הדם ממקומו וחשיב כדש, א"כ בעניננו הוא בכלל מלאכה שאין צריך לגופה, כיון שאין צריך להדם).

ושאר שרצים, אינו חייב החובל בהם אא"כ יצא מהם דם - הטעם, דקי"ל חבורה החוזרת לא שמה חבורה, וע"כ שאר שרצים שעורן רך ממש כבשר, במהרה נצרר בו הדם וישוב אח"כ לקדמותו, לפיכך אינו חייב עד שיצא דם, **משא"כ** ח' שרצים שאין עורן רך, אין נצרר בו הדם עד שנתהוה חבורה גמורה שאין חוזרת לקדמותו, ויש לחייבו אף בנצרר משום נטילת נשמה שבאותו מקום.

והצדן לצורך, חייב; שלא לצורך - כגון לשחק, [דזהו ג"כ בכלל שלא לצורך], וכה"ג, **או סתם, פטור אבל אסור** - משום דהוה ליה מלאכה שאצ"ל.

(**לכאורה** לפי מה שכתב המ"א הטעם בשם הר"ן, המעיין בר"ן יראה שמחלק, דבח' שרצים שאין דרכן להזיק, ע"כ סתמייהו ניצודין לאיזה צורך, **משא"כ** בשאר סתמייהו ניצודין שלא לצרכן, רק כדי שלא יזיקו, והוה מלאכה שאצ"ל, ע"ש, **א"כ** היה צריך להיות מותר לכתחלה מטעם זה, **דומיא** דמה שהקיל המחבר בס"ז לענין רמשים המזיקים, ואמאי כתב דפטור אבל אסור,

ואפשר לומר דמה שכתב המחבר בס"ז רמשים המזיקים, היינו דוקא דומיא דנחשים ועקרבים שנשיכתן קשה מאד, ולכך התירו חז"ל האיסור דמלאכה שאצ"ל, משא"כ בזה, **ולא** דמי לפרעוש דבס"ט דג"כ נשיכתו קלה, אבל מ"מ הלא עומד על בשרו ועוקצו, משא"כ הכא, **אם** לא דהשרץ רץ אחריו להזיקו, דבזה בודאי מותר לצודו, ואפשר אפילו להורגו וכדלקמן בס"י, **ועיין** מה שכתבתי לקמיה עוד ישוב ע"ז).

ולהרמב"ם חייב - אפילו שלא לצורך, כל שנתכוין למלאכה, דס"ל מלאכה שאינו צריך לגופה חייב עליה, **ורוב** הפוסקים פוסקים כדעה הראשונה דפטור מחטאת, משום דבעינן מלאכת מחשבת, ואסור מדרבנן.

(**לכאורה** לפי מה שכתב המ"א הטעם בשם הר"ן וכנ"ל, קשה אמאי כתב השו"ע דלהרמב"ם חייב, הלא גם הוא מודה בהא דס"ז דהוא מותר לכתחלה, ומטעם דזה הוי בכלל מתעסק בעלמא, כיון שכונתו רק להבריח אותו מעליו שלא יזיקנו, **וא"כ** בענינינו דסתם שרצים ניצודין כדי שלא יזיקו, היה צריך להיות מותר לכתחלה, **אמנם** לאחר העיון נ"ל שאינה קושיא כלל, דהא כל טעם הרמב"ם שמתיר בהא דסעיף ז', אף דבעלמא ס"ל מלאכה שאינה צריכה לגופה חייב, הוא משום דהוי בכלל מתעסק בעלמא להנצל מנשיכתו, וזה שייך רק כשמכוין בעת הצידה בשביל זה, **משא"כ** כשצודן סתמא או אפילו שלא לצורך, הואיל ומ"מ נתכוין לצוד, לא יתבטל שם צידה בשביל דסתמייהו דהני שרצים ניצודין בשביל שלא יזיקו, **גם** בדברינו יוסר הקושיא שהקשינו לעיל על השו"ע, אמאי כתב דפטור אבל אסור, והא מתחלה כתב בס"ז, דבשביל שלא ישכנו מותר, וה"נ דכוותיה, **אבל** לפי דברינו ניחא, דלא הקילו רק כשנתכוין בשביל שלא ישכנו, אבל לא כשנתכוין לצוד, אף דצידה שלא לצורך היתה, הוי מלאכה שאינה צריכה לגופה ואסור עכ"פ מדרבנן).

הצד דגים מן הנהר, אפי' נתנו תיכף בתוך ספל של מים שלא ימות, חייב משום צידה, **ואם** הניחו עד שמת, חייב גם משום נטילת נשמה, **ולאו** דוקא מת, אלא אפילו אם הניחו עד שיבש כרוחב סלע בין סנפיריו, ועדיין הוא מפרכס, והחזירו בתוך המים, חייב ג"כ משום נטילת נשמה, דשוב אינו יכול לחיות, **ואמרינן** בגמרא, דלאו דוקא יבש ממש, אלא כשזב ריר משם ונמשך האצבע שם כשמניחו עליו, [**ואם** העלה אותו מן הספל של מים שהוא נצוד ועומד שם, והניחו עד שנתיבש כסלע, חייב משום נטילת נשמה לבד], **וא"כ** צריך ליזהר שלא יצוה לא"י ליטול דג מן החבית של מים ולהניחו ביבשה, אע"פ שירא שמא ימות ויפסדו המים, דלא מקילינן איסור דאורייתא ע"י א"י במקום הפסד, **אם** לא שיצוהו ליתן אותו תיכף בתוך בריכה אחרת של מים, וטלטול בע"ח שהוא איסור דרבנן מקילינן ע"י א"י בזה, ‹דכיון דטלטול כלאחר יד שרי בישראל, לצורך היתר שלא יסריח המים, שרי בעכו"ם כדרכו – פמ"ג. עיין סי' רע"ו ס"ג›.

סעיף ט - פרעוש, הנקרא ברגו"ת בלשון ערב - היינו השחורה הקופצת, **אסור לצודו** - אף דהוא דבר שאין במינו ניצוד, עכ"פ אסור מדרבנן, וכנ"ל בס"ג, **ואיצטריך** לאשמעינן לאפוקי מדעת איזה מן הפוסקים, דסברי דאף זו היא בכלל מאכולת, שמותר לצודה ולהרגה.

ואם הוא ספק לו בלילה אם הוא כנה או פרעוש, מותר לצודה ואסור להורגה, [דהוא חשש דאורייתא, **ואף** דהוא מלשאצ"ל, אפשר משום דעיקרו הוא מדאורייתא, **ומ"מ** בראש שאין מצוי שם פרעושים, יש לעיין בזה], **ומותר** לפלות הבגדים מפרעושים בשבת, אך יזהר שלא יטלם בידו, דהוא בכלל צידה, רק יפילם מעליו.

אא"כ הוא על בשרו ועוקצו - היינו דמשום צערא דעקיצה לא גזרו רבנן על איסור צידה, ומותר לצודו ולהשליכו, וזהו שכתב "עוקצו", מ"א וכ"כ הגר"א, דהאי "עוקצו" דוקא הוא, **ויש** מקילין גם כשהוא על חלוקו מבפנים, ליטלו בידו ולהשליכו, פן יבא לידי עקיצה, [ט"ז, **ועיין** בא"ר שמצדד לפסוק כהט"ז באם הוא על בשרו, דמצוי לבוא לידי עקיצה, **ולענין** על בגדיו מלפנים, הביא בשם ספר יראים, דירא שמים יפרוש, והצדן לא הפסיד, **והנה** באמת יש בזה פלוגתא דרבוותא, דיש מחמירין אפי' על בשרו כל זמן שאינו עוקצו, ע"כ מן הנכון להחמיר לכתחילה, ואין למחות ביד המקילין], **ואם** אפשר לו להפילו לארץ בלי נטילה ביד, בודאי נכון להחמיר בזה.

ואסור להרגו - הטעם דמחלקינן בין פרעוש לכנה הוא, דכל מלאכות דשבת ממשכן ילפינן להו, וילפינן מיתת כל בע"ח לחיוב משחיטת אילים מאדמים, שהיו במשכן בשביל עורותיהן, **ולאו** דוקא ע"י שחיטה,

דה"ה ע"י הכאה וחניקה או נחירה וכל כי האי גוונא, כיון שבא ע"ז נטילת נשמה חייב, **ואמרינן** מה אילים מאדמים שפרים ורבים, אף כל שפרים ורבים, לאפוקי כנה דאינה באה מזכר ונקבה, אלא באה מן הזיעה, לא חשיבא בריה, **אבל** פרעוש אע"פ שגם היא אינה פרה ורבה, מ"מ כיון שהוייתה מן העפר, יש בה חיות כאלו נברא מזכר ונקבה, וחייב עליה משום נטילת נשמה, (וי"א דגם פרעוש פרה ורבה).

(ומה שכתב בלשון אסור, ולא קאמר דההורגו חייב, משום דכונת המחבר הוא דאפילו באופן דעוקצו, ורוצה להרגו משום זה כדי שלא יעקצנו עוד, אפ"ה אסור, **ובאופן** זה בודאי אינו צריך לגופו של הפרעוש, והו"ל מלאכה שאצ"ל, ולרוב הפוסקים פטור מחטאת, אבל מ"מ איסורא יש לכו"ע, **ולא** דמי לצידה דמקילינן בעוקצו, היינו לפי שאין במינו ניצוד, וליכא איסור דאורייתא כלל בזה, **משא"כ** בהריגה, דכשצריך לגופה חייב, לכך לא מקילינן משום צערא בעלמא, אפילו כשאינו צריך לה).

הגה: ואף לא ימללנו בידו - להתיש כחן שלא יחזרו אליו, **שמא יהרגנו, אלא יטלנו בידו ויזרקנו.**

ועיין בספר א"ר, (דמצדד להקל במלילה, והיינו כשעוקצו, דאל"ה אסור ללקחו בידו משום צידה, **וגם** יזהר שלא ימללנו בדוחק, דיבוא לידי הריגה, מ"מ למעשה נראה שאין להקל בזה, אחרי דדעת רש"י והתוספות והרא"ש ורבינו ירוחם בהדיא להחמיר בזה, וגם הרמ"א הביא זה לפסק הלכה).

(ובספר ח"א ראיתי שהחמיר ביותר מזה, דהיינו אם ספק לו אם כנה או פרעוש, אל ימללנה, **ויש לעיין בזה**).

אבל כנה, מותר להרגה - בכל מקום שמוצאה, בין על בשרו או על בגדיו, דרך מקרה, והטעם כנ"ל, **אבל** רמשים שהן פרים ורבים מזכר ונקבה, [וה"ה מביצי זכר ונקבה], או שהוייתן מן העפר, כמו הפרעושים, ההורגן חייב.

ורמשים שהוייתן מן הגללים ומן הפירות שהבאישו וכיו"ב, כגון תולעים של בשר, והתולעים שבתוך הקטניות, ההורגן פטור, ואסור מדרבנן, (ומה שמותר לענין כינה, אפשר משום שנתהוה מזיעה, או משום צערא ומאיסותא התירו לגמרי), **ודוקא** התולעים שנתהוו מן הפירות אחר שנתלשו, ובבה"ל בררתי דדוקא כשנתהוו אחר שנתעפשו, **אבל** אותן הגדלים בפירות במחובר, יש בהן איסור דאורייתא להרגן, דמקרי שרץ גמור.

(**היוצא** מדברינו, דאף אלו המינים שתחלתברייתם לא הוי מזכר ונקבה, כגון אלו הנולדים בזרעים ובפירות בין בתלוש ובין במחובר, **אעפ"כ** יש בכחם לפרות ולרבות, וההורגם חייב, **ולא** נתמעט אלא כינה הנולדת מן הזיעה, (דמותר), או הנתהוה מן הגללים ומן הפירות אחר שהבאישו), (דפטור אבל אסור).

והמפלה בגדיו מכנים, לא יהרגם - דכיון שמצויים שם פרעושים, גזרינן שמא יהרוג ג"כ פרעושים.

(**כתב** בא"ר, שהרבה ראשונים מתירין בזה, וע"ז סמכו העולם להקל, **ומ"מ** סיים דירא שמים יש לו להחמיר כדעת הרא"ש והטור).

ומ"מ מותר לזרקן במים, דהריגה גופא אינו אלא גזירה, ולא גזרו בזה, **אבל** בפרעושים דיש בהן חשש דאורייתא, אסור גם בזה, דהוא כמו הריגה ממש.

אלא מוללן בידו וזורקן; אבל המפלה ראשו, מותר להרגם - דבראש אינו מצוי פרעושים, ולא שייך לגזור בשבילם, **וכתב** הט"ז, דה"ה במפלה על בשרו ג"כ מותר להרגם, דשם ג"כ אינו מצוי שיחפש אחר פרעושים, ולא גזרו בזה כי אם במפלה את בגדיו.

לא יקח אדם הכנים מעורות שועלים וכדומה, משום שהוא מנתק מן הצמר, והוי פסיק רישיה.

סעיף י - כל חיה ורמש שהם נושכים וממיתים ודאי - כגון כלב שוטה וכה"ג, [כל דבר הממית לפי המקום והזמן], **נהרגים בשבת אפילו אין רצין אחריו** - ואפי' בורחין מלפניו, [ואפשר אפי' כשאין נראין לפניו, אלא מחפש אחריהן].

ושאר מזיקין, כגון: נחש ועקרב במקום שאינם ממיתין, אם רצין אחריו, מותר להרגם - לדעת הרמב"ם דמחייב במלאכה שאין צריך לגופה, צ"ל דהכי קאמר, שאין ממיתין ודאי, אלא הוא ספק פקוח נפש, ולכן ברצין אחריו איכא חשש סכנתא ושרי, **מיהו**

לדידן דסבירא לן מלאכה שאין צריכה לגופה מדרבנן הוא דאסירא, אף שאין ספק פקוח נפש כלל, שרי משום צערא בעלמא, כדי שלא יוזק.

(בגמרא איתא, דכשנזדמנו לו נחש ועקרב בשבת, בידוע שנזדמנו לו להרגן, וקאמר ע"ז שם, דמיירי בשנשופין בו, ופירש"י: כן דרך הנחש שהוא עושה כעין שריקה כשרואה שונאו וכועס, והעתיקו זה הרי"ף והרא"ש, **וע"כ** מיירי שאין רצין אחריו, וקמ"ל עולא דזה הוי כרצין, **או** אולי דאף ברצין אין מותר רק בנשופין בו, **ובין כך ובין כך אתפלא על מה שלא העתיקו הרמב"ם והשו"ע את זה).**

ודוקא אלו וכל כי האי גוונא, שמזיקין הן בטבען ונשיכתן נשיכה עוקצת, אלא שאין דרכן להמית בזה המקום, **משא"כ** פרעוש דלעיל, וכל רמשים קטנים כה"ג, דאף ע"י עקיצתן ליכא צער כולי האי, בהני אסור להורגן אף כשהם עוקצין אותו, אלא יבריחם מעליו.

ואם לאו, אסור; אבל מותר - לכפות עליהן כלי, וה"ה **לדורסם לפי תומו, ואפילו במתכוין אלא שמראה עצמו כאילו אינו מכוין** - דמלאכה שא"צ לגופה היא, והכא כשהן מזיקין, (אף שאין ממיתין), אפי' מדרבנן לא גזרו כשאין הורגן להדיא, **אלא** שיראה לפני הרואה כאלו אינו מתכוין, שלא יאמרו זה נוטל נשמה בשבת במתכוין, ולא ידעו לחלק, **אמנם** נמלים ושאר שקצים ורמשים, אפי' דרך הילוכו אסור לדרסן.

(ולהרמב"ם ע"כ צ"ל, דמיירי שיש חשש פיקוח נפש ברצין, לכך אף בשאינן רצין שרי לדורסן לפי תומו, כיון דיש חשש סכנת נפשות).

אסור להרוג בשבת שממית שקורין שפי"ן, ואף שאומרים העולם שהוא סכנה כשנופל במאכל, מ"מ לא ברי הזיקא, וגם יכול לכסות המאכלים, לכן יש למחות בידם, **וכ"ש** דיש ליזהר מלהרוג שאר רמשים ותולעים הנמצאים בפירות.

סעיף יא - לא ישפשף ברגליו רוק ע"ג קרקע, משום משוה גומות.

וע"ג רצפה תליא בפלוגתא דסימן של"ז ס"ב, גבי כבוד הבית במרוצף, ע"ש, **ולהרמ"א** דאוסר שם בכל גווני, ה"ה הכא דאסור אף על גבי רצפה, **וע"ג** ספסל לכו"ע שרי, דלא שייך בזה אשווי גומות, **ומשום** מירוח גופא ליכא למיסר, דלא שייך מירוח אלא כשממרח איזה דבר ע"ג חבירו, וכונתו שיתמרח, **אבל** כאן רוצה שיהיה נבלע.

אבל מותר לדרסו לפי תומו, שאינו מתכוין למרח ולהשוות גומות - (כוון המחבר לבאר, **דהאי לפי תומו אינו כבסעיף הקודם)**, ‹דהתם שאני משום שמזיקין נינהו, ועוד דהתם עיקר המעשה הוא הריגת הנחש, אבל הכא אין עיקר המעשה המירוח, דכשידרוס עליו מבטלי מאיסותא – ב"י›.

ואע"ג דממילא ממרח הוא - כלומר דלפעמים ממרח, ואיכא למיחש שמא ישכח ויכוין וישוה גומות, כמש"כ סימן ש"ב ס"ו, **כי לא מכוין שרי, משום מאיסותא.**

אע"פ שבעת שדורס על הרוק מצוי שמשפשף ג"כ מעט, אעפ"כ התירו משום מאיסותא, כיון דלא משפשף הנה והנה ולא הוי פסיק רישיה.

ודוקא כשהוא בדרך הלוכו, אף שהוא מתכוין לדרוס על הרוק, אבל אינו מתכוין למרחו, **אבל** אסור לילך למקום הרוק כדי לדרוס עליו, דזה אינו נקרא לפי תומו, **אלא** ילך ויציג רגלו על הרוק, ויזהר שלא ישפשף כלל, דזה מותר בכל גוונא.

כתב המ"א, האידנא דליכא דקפיד ברוק משום מאיסותא, צריך ליזהר שלא יהיה שום שפשוף כשדורס עליו, רק יציג רגלו על הרוק, **ובליחה** היוצאת מן הפה או מן החוטם, ודאי איכא מאיסותא, ושרי לדרסו לפי תומו, **ובבהכ"נ** אפילו ברוק שרי לדרוס עליו לפי תומו, דנוהגין בו כבוד, וכדלעיל בסימן צ' סי"ג.

ונראה דאפילו בביתו כשהוא מרוצף, אין להחמיר ברוק יותר מבליחה, (**הטעם**, **דהא"ר חולק על המ"א, וסובר דרוק וליחה שוין להקל, וכן משמע בדרישה, ונהי דהאחרונים סתמו כהמ"א, עכ"פ ברצפה דבלא"ה איכא דעות המקילין, יש לסמוך עליהם, וגם** דהוי כעין גזירה לגזירה, דהיינו מרוצף אטו אינו מרוצף, ואינו מרוצף שמא ישכח ויכוין להשוות גומות).

סעיף יב - חיה ועוף שברשותו - כולל כל מיני בע"ח שהרגילן בבית ונעשו בני תרבות, **מותר לצודן** - היינו אפילו בחוץ, **והטעם**, כיון שהם

בני תרבות והורגלו בבית, וממילא יחזרו לביתם בערב, ונוח לתפסן, לכן אף כשיצאו מן הבית הרי הן כניצודין ועומדין, ולא שייך בהם צידה.

ובלבד שלא יטלם בידו, שכל בע"ח הם מוקצים, אלא רודף אותם עד שיכנסו למקום צר ונועל בפניהם.

והוא שלא ימרודו; אבל אם הם מורדים, אסור לתפסם אפילו בחצר, אם החצר גדול שאם לא גדלו בין בני אדם היו צריכים מצודה

- היינו שעכשיו שנתגדלו בין אנשים אין צריכין להם מצודה, כי יבואו מעצמן לביתם לערב, **ומ"מ** כיון שמרדו ואין נוח לתפסם, והחצר גדול, מחזי כעין צידה, ואסור על כל פנים מדרבנן.

אבל אם החצר קטן, דבלא"ה אין צריכין להם מצודה, אפילו איסור דרבנן ליכא, [**ולגבי** עוף בעינן שיהיה ג"ב מקורה].

אסור לתפסם – (לאו דוקא לתפסם, דהא אפי' לא מרדו אסור לתפסם, דמוקצים, אלא ר"ל לצודן להכניסן למקום צר שנצודים בו ועומדים בו ומוכנים לתפסם, **ועי"ל** דהאי לתפסם, ר"ל לדדותם בצוארם ובצדדיהם שלא בהגבהה מן הארץ, דשרינן לעיל בסי' ש"ח סל"ט).

הגה: וי"א דאסור לצוד חיה ועוף שברשותו - היינו כשהם בחוץ, או בפנים בבית גדול שיש בו שיעור צידה, דהיינו שלא יכול להשיג בשחיה אחת, וכנ"ל בריש הסימן, (וכונת הרמ"א להחמיר אפי' באווזין ותרנגולין), **ואם צדן פטור** - ופסקו האחרונים כהי"א הזה.

ולפי"ז יש ליזהר שלא להכניס העופות בשבת מן הבית {כשהוא גדול ומחוסר צידה שם} למקום הכלוב שלהם, ששם המקום צר ומקרי צידה גמורה, (**ואפילו אם היו העופות בתוך הכלוב, ונפתח הכלוב, יש ליזהר שלא יסגירנו, כיון שהוא מכוין בזה לצודם שלא יצאו חוצה, אבל מותר להאכיל להעופות אשר בלול ביום ש"ק ע"י א"י, ואם הא"י בעצמו יסגור, לית לן בה, ונראה דדוקא שהבית גדול, או שהלול עומד בחצר, דאם הבית קטן, מותר לסגור הלול, ואפילו אם הבית גדול, יוכל ג"כ להאכילם בענין שלא יפתח הלול לגמרי שיוכלו לברוח**).

ואם יצאו העופות לחוץ וחושש שלא יגנבו אותן, אף דאסור לתפסן בעצמו בידים, מ"מ אם תינוקות קטנים צדין אותם, א"צ למחות בידן, **גם** דמותר לומר לא"י שיצוד אותן, דהוי שבות דשבות, כ"כ הח"א, **וכתב** עוד, דמותר לעמוד בפני העוף שלא יברח, כדי שממילא יחזור לבית, **גם** הביא המ"א בשם האגודה, דמותר לדחות העוף מאחריו שיכנס לבית, אם הבית גדול שאין יכול להשיגו שם בשחיה אחת, דאין כאן צידה גמורה.

ואם הוא מתכוין להכניסם לכלוב רק כדי שלא יעשו היזיקות בבית, אפשר שיש להקל, (**הטעם**, דזה הוי מלשאצ"ל, דרוב הפוסקים ס"ל כר"ש, **ולא נשאר לנו רק האיסור דרבנן שיש בזה, וגם הלא הוא דבר שאינו מחוסר צידה, דהוא ג"כ רק מדרבנן, כיון דהוי תרי דרבנן אפשר שיש להקל במקום הפסד, ודומיא** דמה דפסק **המשאת בנימין** (בשם האגודה, הביאו גם המ"א לעיל), **דאם חושש שלא יגנבו ואיכא הפסד, מקילינן דחיית התרנגולת לבית, שהיא צידה כלאחר יד, במקום דיהיה האיסור צידה רק מדרבנן, כגון שהורגלה לבוא לביתה).** (**והמ"ב** לעיל לא הביא זה דדחייה הוי דרבנן, אלא משום דהבית גדול, ועכ"פ מביא ראיה דבתרי דרבנן אפשר להקל).

ובח"א כתב, דאם דרכו של אותו העוף שאין נשמט מן היד, כמו שיש מן התרנגולות שתיכף היא יושבת כשרוצין לתפסה, ואין צריך לרדוף אחריה, **דבהו** אין איסור צידה כלל לכו"ע אם הורגלה כבר בבית, ומותר להכניסה ע"י דחיה או לרדפה אף לבית קטן או לכלוב שלה, וכן יש להקל.

ואם היו עופות חדשים שלא הורגלו בבית, יש בזה איסור בכל גוונא, ואפילו אם נכנסו בעצמן לכלוב, אסור לנעול הדלת של הכלוב בפניהם, (**כי שם אם יכניסם לכלוב שהוא מקום צר, כדי לשמרם שלא יצא לחוץ, הוא איסור צידה דאורייתא, לפי מה שכתבו האחרונים, דבהו שייך צידה דאורייתא, וא"כ אף כשיכניסם רק בשביל שלא יזיקו, דהוא בכלל משאצ"ל, יש בזה עכ"פ איסור דרבנן לרוב הפוסקים).**

אבל פרה וסוס - פירוש דבפרה וסוס שהם מיני בהמות, לא שייך צידה כלל אפילו מדרבנן, אפילו קנה אותם מחדש ועדיין לא הורגלו לבוא לביתו, **כי** אין עשויין להשמט מתחת ידי אדם, ומותר לתפוס אותן ולסגור אותן במקום צר, **וכל שכן שאר חיה ועוף** - שברשותו, שעשויין להשמט מידי אדם, אף שאין צריכין מצודה לתפסן, כי יבואו מעצמן לביתן לערב, מ"מ יש בו

איסור צידה דרבנן, **שמרדו, אם לדן חייב חטאת, וכן עיקר** - אפילו פרה וסוס חייב חטאת עבור צידתן, אפילו נתגדלו מתחלה בביתו, **והוא** שמרדו הפרה והסוס לגמרי וברחו מרשותו, עד שצריך לבקש מצודה או איזה תחבולות לתפסו, וגם אינן באים לערב לביתו, [**דאל"כ** אינו חייב חטאת רק איסורא בעלמא].

ושאר חיה ועוף וכו', מיירי ג"כ שמרדו וברחו ואינן חוזרין לביתו בערב, אלא לנין בשדה כאווזא ובר אווזא שלנין על המים וקשה לתפסן בלי מצודה ותחבולה, **וגם** המחבר מודה דבזה חייב חטאת הצודה אותן.

וכתבו האחרונים, דמזה נלמוד דה"ה אם קנה אווזין ותרנגולין מחדש, ועדיין אינן רגילין כלל בביתו, ואם יצאו לא יחזרו עוד לבית, אלא תנקר באשפה, הצדן חייב, **ואם** יצאו מן הבית אסור לצודן אפי' ע"י א"י, **ונראה** דאם הבית גדול, דלא מטא ליה בחד שחיה, מותר ע"י א"י להכניסן בתוכו, אם חושש שיבוא לידי פסידא, **ואם** תינוקות קטנים רודפין אותם להחזירן לתוך הבית הזה, ג"כ אין מוחין בידן.

(ודע עוד, דאם קנה עוף מחדש, ועדיין לא הורגלה לצאת ולבוא להבית, כי לא הניחוה לצאת חוצה, ואם תצא מן הבית לא תדע לחזור לעצמה, רק בתוך הבית הורגלה לבוא לכלובה לערב, נ"ל פשוט דבתוך הבית יש לה דין חיה ועוף שברשותו, ואין בה צידה דאורייתא, **אבל** אם יקרה שתצא לחוץ, דינה כמו שאר עופות חדשים שלא הורגלו לבוא לביתן).

(**אם** קנה עוף מחדש אצל אחד בעירו במקום קרוב, אין בה צידה דאורייתא למי ומי שיצודה כשהיא בחוץ, דאף שלא הורגלה לבוא לביתה החדש, עכ"פ הורגלה לבוא לכלובה הישן אם יניחוה, וכנצודה ועומדת דמיא, **ותדע**, דאטו דין המשנה דחיה ועוף שברשותו פטור, איירי דוקא כשצדן הבעה"ב ולא אחר, והא ודאי ליתא, אלא ודאי כיון שהחיה ועוף הוא ברשות איזה אדם, הויא כנצודה, ושוב אין בה צידה דאורייתא לכל, **וכתבתי** זה לעורר לב המעיין, ועדיין אינו ברור למעשה).

חתול, דינה כשאר חיה ואסור לתפסה בשבת - ר"ל דאין דינה כבהמה, אלא כחיה ועוף, ויש בה כל פרטי דיני איסור צידה כמו בהם וכנ"ל.

§ סימן שיז – דין קשירה ועניבה בשבת §

סעיף א - בגמרא אמרינן דיש כאן ג' חלוקות: אחד חייב חטאת, ואחד פטור אבל אסור, ואחד מותר לכתחלה, **ולשיטת** הרי"ף והרמב"ם והמחבר דסתם כותייהו, דינא הכי: דאם הוא קשר של קיימא, כגון שדרכו שיהיה כך לעולם, דהיינו שאינו קוצב זמן בדעתו להתירו, והוא קשר שעשוי להתקיים תמיד, (**ונראה דקשר שדרכו של העולם לעשותו בקביעות, לא אזלינן בתר מחשבת הקושר לבטל שם קשר ממנו, ומדאורייתא אסור**), **והוא** ג"כ מעשה אומן, חייב חטאת, ונתבאר לקמן בסוף הסעיף בהגה מה הוא מעשה אומן, **ואם** הוא קשר של קיימא ואינו מעשה אומן, מעשה אומן ואינו קשר של קיימא, (**מקרי כשהקשר עשוי שלא להתקיים בתמידות, ואפילו אם הוא עשוי באופן חזק, שלא יכול להתירו באחת מידיו**), פטור אבל אסור, **אינו** מעשה אומן ואינו קשר של קיימא, מותר לכתחלה.

ודעת רש"י והרא"ש ושארי פוסקים, דלא תלי כלל בעצם הקשר אם הוא מעשה אומן, אלא דעיקר החילוק הוא: דאם הוא קשר של קיימא, דהיינו שדרכו שישאר כך לעולם וכנ"ל, חייב חטאת, ואפילו אם הוא מעשה הדיוט, **ואם** אין דרכו לקושרו רק לזמן, פטור אבל אסור, דדמי קצת לשל קיימא, ואפילו אם הוא מעשה הדיוט, **ואם** דרכו להתירו באותו יום, מותר לכתחלה, אפילו הוא מעשה אומן, דאין שם קשר עליו, **וי"א** דכל מי שדרכו להתיר בתוך ז' ימים, הוי כמו שדרכו להתיר באותו יום, **ומעתה** יבוארו דברי המחבר והרב על נכון.

הקושר קשר של קיימא, והוא מעשה אומן, חייב - ואפילו לא מיהדק שפיר, ויוכל להתירו באחת מידיו, חייב, כיון דלא יהיה ניתר מעצמו.

כגון: קשר הגמלים - שנוקבין לגמל בחוטמו, ונותנין בו טבעת של רצועה, וקושרין אותה ועומדת שם לעולם, וכשרוצה לקושרו, קושר רצועה ארוכה באותה טבעת וקושרין בה, ופעמים שמתירה, ואותו קשר הראשון הוא קשר הגמלים, שהוא קשר של קיימא.

וקשר הספנים - גם הוא כמין טבעת שעושין מן רצועה בנקב שבראש הספינה, ואותו קשר מתקיים תמיד, וכשרוצה להעמידה, קושר רצועה באותה טבעת ומעמידה בה, וכשרוצה להתירה מתיר הרצועה ונוטלה, ואותו קשר הראשון של הטבעת הוא קשר הספנים.

וקשרי רצועות מנעל וסנדל שקושרים הרצענים בשעת עשייתן - היינו הקשר שקושר בתוך המנעל שלא תוכל הרצועה לצאת, והוא קיים לעולם, **וכן כל כיוצא בזה.**

אבל הקושר קשר ש"ק ואינו מעשה אומן, פטור.

הגה: ויש חולקים שסבירא להו דכל קשר של קיימא - היינו שאין דרכו להתירו לעולם וכנ"ל, **אפילו של הדיוט, חייבין עליו.**

ודעה זו פליגא אמחבר גם בשאינו של קיימא והוא מעשה הדיוט, והיה דעתו שיתקיים הקשר איזה זמן, דלהמחבר מותר, ולדעה זו פטור אבל אסור, דדמי קצת לקשר של קיימא, **וע"ז** קאי הני תרי י"א שהביא הרמ"א, דלדעה הראשונה כל קשר שאינו עשוי להתיר באותו יום עצמו, מקרי של קיימא במקצת, ואסור לכתחלה, **ולדעה** שניה כל שמתירו בתוך שבעה ימים לא מקרי של קיימא כלל, ומותר לכתחלה.

וי"א שכל קשר שאינו עשוי להתיר באותו יום עצמו - אלא למחר, **מקרי של קיימא** - אבל אם עשוי להתיר בליל מו"ש, לא מקרי של קיימא כלל, ומותר לכתחלה, **ומיהו** אם קושר בליל ש"ק, ועשוי להתיר ביום שבת עצמו, אע"ג דאין ממש באותו יום, מ"מ י"ל דשרי, דכל פחות מכ"ד שעות, ביומו מקרי. **ויש מקילין לומר דעד ז' ימים לא מקרי של קיימא (וע"ל סי' שי"ד ס"י).**

וקשר שאינו של קיימא ואינו מעשה אומן, מותר לקשרו לכתחלה – (כל זה הוא לשון הרמב"ם, והיינו אפילו אם הוא עשוי לאיזה זמן, ולשיטת הרא"ש דוקא כשאינו של קיימא כלל, וכנ"ל בהג"ה).

(קושרת אשה מפתחי חלוקה אע"פ שיש לו ב' פתחים, ר"ל ויכולה לפושטה וללובשה בדוחק אף אם לא תתיר אח"כ אלא קשר אחד, והו"א דחד קשר בטולי מבטלה ולא תתירנו, **וחוטי** סבכה אע"פ שהיא רפויה, {סבכה נקרא מה שהיא לובשת מלמעלה על השער לכסות}, והרבותא היא דהו"א כיון שהוא רפוי, משלף שלפא לה מלמעלה ולא תתיר הקשר, ויהיה ממילא קשר של קיימא, קמ"ל דאשה חסה על שערה שלא תנתק, ומתרת אותו, **ורצועות** מנעל וסנדל שקושרין אותן על הרגל בשעת מלבוש, ונודות יין ושמן, אע"פ שיש לו ב' אזנים {היינו האזנים שכופלין לתוכו וקושרין}, ובאחת מהן יכול להוציא היין, והו"א דחד מינייהו בטולי מבטל ליה ולא יתירנו, וקדרה של בשר, אע"פ שיכולה להוציא הבשר ולא תתיר הקשר).

הגה: וכן לענין התרתו, דינו כמו לענין קשירתו - ר"ל דאם הוא קשר שחייבין על קשורו, חייבין על התירו, **וכל** שהוא פטור אבל אסור או מותר לכתחלה, גם בהתירו כן הוא. **וכל** קשר שמותר להתירו, אם אינו יכול להתירו, מותר לנתקו אם הוא לצורך, **ואין** לעשות כן בפני ע"ה, שלא יבא להקל יותר.

(עיין בב"י שכתב: הנה הרא"ש כתב דיראה לו שאינו מחויב במתיר, כי אם במתיר ע"מ לקשור קשר של קיימא, דומיא דציידי חלזון שהיה במשכן, **וכתב** הב"י ע"ז, דמדרבנן אף להרא"ש אסור בכל גווני, **ודע**, דהרבה פליגי על הרא"ש בזה, **והנה** בעיקר הדין צ"ע לי על דברי הרא"ש, דאף דאם נימא דבעינן בזה דומיא דמשכן, הלא גם בקורע, דאיתא במשנה בהדיא דבעינן ע"מ לתפור, ומשום דבמשכן כן היה כדאיתא בגמרא, ואפ"ה קי"ל דה"ה בקורע ע"מ לתקן, וע"כ הטעם, משום דכיון שיש תיקון ע"י קריעתו, כקורע ע"מ לתפור דמי, א"כ ה"נ בשיש תיקון ע"י התרתו הקשר, כמתיר ע"מ לקשור דמי).

כיצד - אדלעיל קאי, בשל קיימא ואינו מעשה אומן, דפטור אבל אסור, **נפסקה לו רצועה וקשרה, נפסק החבל וקשרו, או שקשר חבל בדלי** - התלוי שם על פי הבאר לשאוב בו מים, **או שקשר רסן בהמה, הרי זה פטור** – (ומה דאיתא לעיל, דקשר הגמלים חייב, מיירי שבעל הגמל עשה הקשר דהוא מעשה אומן, וכאן באדם דעלמא שהוא מעשה הדיוט), **וכן כל כיוצא באלו הקשרים שהם מעשה הדיוט, וכל אדם קושר אותם לקיימא.**

וכל קשר שאינו של קיימא, אם קשרו קשר אומן, הרי זה אסור - היינו אפי' בשעשאו להתיר באותו יום עצמו, אסור לדעה זו כיון שעשהו מעשה אומן.

ולצורך מצוה, כגון שקושר למדוד אחד משיעורי התורה - היינו שקושר שני חבלים ביחד כדי שיוכל למדוד בהם שיעור מקוה, **מותר לקשור קשר שאינו של קיימא** - היינו אפילו הוא עשוי לזמן, [כי להרמב"ם בודאי אין חילוק בין יום אחד או לזמן וכנ"ל, **ולהטור** שס"ל בעלמא כהרא"ש, דלזמן יש איסור דרבנן, ס"ל להטור דבזה התירו משום דהוא מילתא דמצוה], **והיינו** אפי' הוא מעשה אומן, דאל"ה אפי' בלא מצוה שרי, **ומיירי** כשא"א בענין אחר, דאל"ה יעשהו מעשה הדיוט, או עניבה לבד, וימדוד בו, ולא יצטרך להתיר איסור דרבנן.

כתב בספר בית מאיר, שמה שהעתיק השו"ע דמותר במקום מצוה, הוא רק דעת הרמב"ם והטור, **אבל** לרש"י והתוספות וברטנורה שם, מצדד דקשר האסור, אסור אפילו במקום מצוה, עי"ש.

הגה: וי"א דיש ליזהר שלא להתיר שום קשר שהוא שני קשרים זה על זה, דאין אנו בקיאים איזה מקרי קשר של אומן, דאפילו בשאינו של קיימא אסור לקשרו וה"ה להתירו, וכן נוהגין - פי' כיון דלרי"ף ורמב"ם אסור לכתחלה באומן, אפילו כשמתיר בו ביום, ואין אנו בקיאין מהו קשר של אומן, ומסתברא דכל קשר שקושרין אותו הדק היטב הוי של אומן, לכך אנו נזהרים בכל קשר שהוא של שני קשרים, דשני קשרים הוי קשר אמיץ, [כי להרא"ש מותר אפי' בקשר אומן אם אינו עשוי להתקיים].

ומש"כ "שום קשר", ר"ל אפילו אותן קשרים המבוארין לקמן בסימן זה דמותר לקשור ולהתיר, היינו דוקא בקשר אחד.

ומ"מ נראה דבמקום צער אין לחוש ומותר להתירו, דאינו אלא איסור דרבנן ובמקום צער לא גזרו.

והא דבעינן ב' קשרים זה על זה, היינו כשקושר ב' דברים ביחד, אבל אם עשה קשר בראש אחד של חוט או משיחה – (וה"ה בראש של חבל, ובראש החוט של תפירה), **דינו כב' קשרים** - דאז מתהדק שפיר ומקרי קשר של אומן.

סעיף ב - נשמטו לו רצועות מנעל וסנדל, או שנשמט רוב הרגל - שמנעלים שלהם היו עשויים פרקים, ומחוברים ע"י הרצועות, וכשנשמט חלק המנעל שעל רוב הרגל ממקומו, מחזירו ומהדקו מחדש ע"י הרצועות, **ויש** מפרשים שנשמט מנעלו מרוב רגלו ע"י שאין מהודק, ורוצה ליתן הרצועה בנקב אחר, **מותר להחזיר הרצועות למקומם** - ודוקא אותן הרצועות, אבל רצועה חדשה שלא היתה שם מתחלה, אסור, דמקרי מתקן מנא, **ובלבד שלא יקשור** - פי' שלא יעשה קשר בראשו שלא ישמט, דהוי קשר של קיימא, כמ"ש סוף סעיף א'.

אבל במנעל חדש אסור ליתן הרצועות בשבת, אפילו אם הנקב רחב, דמתקן מנא, **וה"ה** בסרבל או במכנסים חדשים, אסור להכניס שם רצועות או משיחה, דמבטל ליה התם, ומקרי מתקן מנא, **אבל** אבנט שרי להכניסו אפילו במכנסים חדשים, דלא מבטל ליה התם, והוא עשוי להכניס ולהוציא תדיר.

הגה: ודוקא שיוכל להחזירו בלא טורח - דהיינו שהנקב רחב, **אבל אם צריך טורח לזה, אסור, דחיישינן שמא יקשור** - והאחרונים השיגו ע"ז, דאפילו הנקב רחב אסור במקום שרגילים לקשור, דחיישינן שמא יקשור, **ובמקום** שהנקב צר, אפילו במקום שאין רגילין לקשור אסור, דצריך טורח, **וא"כ** ברצועות שלנו במנעלים ובמכנסים, דרגילין לקשור בראשן, אפי' אם הנקב רחב אסור להחזירן.

סעיף ג - מתירין בית הצואר מקשר שקשרו כובס, שאינו קשר של קיימא - שאינו עשוי להתקיים רק עד שיקחנו הבעה"ב לביתו, (והוא לכמה ימים שהכביסה נמשכת, ומ"מ מותר לכתחלה כיון דעשוי לכך שיפתחנו אחר הכביסה, וכיון שאינו של קיימא שיהא בו איסור תורה לא אסרו חכמים – ערוה"ש), **ויש** מחמירין בדבר, אא"כ עשוי להתיר באותו יום של הכביסה.

אבל אין פותחין אותו מחדש, דמתקן מנא הוא - וחייב משום מכה בפטיש, דהוא גמר מלאכה.

הגה: אפילו כבר נפתח, רק שחזר האומן וקשרו - בטוב, עד שאינו יכול להתירו אא"כ יחתוך החוטים, או ינתקן, (דאי היה יכול להתירו, היה מותר להתירו, כיון דאינו של קיימא, דדוקא לענין תפירה הביא רמ"א י"א דאפי' אינו של קיימא אסור להתיר התפירה – מחה"ש), ולכן חשיב עתה כפתיחה מחדש, ואסור משום תיקון מנא. (**משום** דכל מאי שהוא לתיקון הבגד וצורך בעשייתו, אינו בכלל קורע, ודוק – עולת שבת).

ובספר יש"ש כתב, דכתונת שנתקשרו המשיחות ולא יוכל להתיר, שרי לכו"ע לנתקן, שהרי אינו עשוי אלא להתירו בכל זמן שירצה, ולא מקרי קשר, **ואף** זה לא יעשה בפני ע"ה אלא בצנעא, **ע"כ** צ"ל דס"ל להיש"ש, דדוקא כשחזר האומן וקשרו אסור לנתק, אבל שאר קשירות שרי, כ"כ מ"א, **והטעם** אפשר, דכשקשרו האומן בשעת מלאכה, יש בזה משום מכה בפטיש כשחותכו ומנתקו אח"כ, דהוא גמר מלאכה, (דקודם לכן לא היה מתוקן מעולם ללבשו – גר"ז), **אבל** שאר קשירות שנקשרו אחר שכבר נגמר הבגד, אין שייך בזה משום מכה בפטיש כשמנתקו אח"כ.

ואם אינו רגיל להתיר הקשר של הכתונת אלא משבת לשבת, אסור לנתק, כמו דאסור להתיר, **ומ"מ** אם דרכו לעשות עניבה, ובלא כונה נקשר, דינו כקשר שעשוי להתיר בכל יום.

או תפרו ביחד כדרך שהאומנים עושין - שתופרין אותו עד שנגמרה מלאכתו. (**לסימן** נקטיה, שדרך האומנים לתפור, אבל מיירי שהוא מעשה הדיוט, דבהא חמור תפירה מקשירה, [וכדלקמן ברמ"א], שאפילו אינו של קיימא וגם מעשה הדיוט, אסור – לבושי שרד).

ולכן – (כמו לענין מכה בפטיש אין חילוק בתפירה אם הוא של קיימא או לא, ודלא כקשירה), **אסור לנתק או לחתוך זוג של מנעלים התפורים יחד כדרך שהאומנים עושין** - והטעם נראה, משום דהוא חשיב כקורע ע"מ לתקן, (דאי משום מכה בפטיש, הא תפרו אחר שכבר נגמר המנעלים וכדלעיל), **אע"ג דהתפירה אינה של קיימא, דאין חילוק בתפירה בין של קיימא לאינה ש"ק. ויש מתירין בתפירה שאינה ש"ק, ואין להתיר בפני ע"ה.**

כל קשר שהוא עשוי לזמן ולא לתמידות, ואפילו אם הוא קשר אמיץ, יש להקל ע"י א"י לקשור ולהתיר אם הוא לצורך הרבה, דהוי שבות דשבות.

סעיף ד - קושרין דלי במשיחה או באבנט וכיוצא בו - דהוא חשיב ואינו מבטלו שם, והוי קשר שאינו של קיימא. **אבל לא בחבל** - אפילו חבל דגרדי דהוא חשיב, ג"כ אסור, דגזרינן אטו חבל דעלמא דאינו חשיב ודרכו לבטלו שם, והוי של קיימא.

סעיף זה איירי כשקושר דלי לבאר שיהיה לשאוב בו מים, **וה"ה** כשנפסק חבל שעל הדלי גופא, דבמשיחה ואבנט מותר, ובחבל אסור, אם לא בעניבה וכדלקמיה, **ואפילו** אם יחשוב לקשרו שם רק לפי שעה, ג"כ אסור.

וה"מ בדליים הקבועים בבור, אבל דליים שלנו שאינם קבועים בבור - ר"ל ועתיד לחזור וליטול את הדלי משם, **אינו קשר של קיימא.**

(**עיין** מ"א שהעתיק בשם התוס', "שאינו עשוי לעמוד שם זמן מרובה", **והנה** משמע לפי"ז, דלדעת הכלבו שהובא בס"א בהג"ה, דיותר מיום א' מקרי של קיימא קצת, ואסור לכתחלה, גם בזה אסור, ומ"מ למעשה אין להחמיר בזה, דלשון "שאינם קבועים בבור" הועתק גם בהרבה ראשונים, ומזה סעד גדול להקל במקום הצורך, דאפילו יותר מיום אחד לא מקרי של קיימא כלל עדיין).

סעיף ה - עניבה מותר, דלאו קשר הוא - (ר"ל אפילו מהדקו יפה ודעתו שיתקיים כן תמיד).

הגה: ואפילו אם עשה קשר אחד למטה, נוהגין בו היתר - וכתבו האחרונים, הא דנוהגין היתר בקשר אחד למטה, היינו דוקא כשעשוי להתיר בו ביום, ומשום דע"י עניבה ע"ג קשר עדיין אינו נקרא מעשה אומן, **אבל** אם היא לקיימא על איזה זמן, כגון בלולב וכיוצא בו, אסור לעשות קשר למטה, אלא עניבה בלבד, **ורשאי** לעשות שתי עניבות זה ע"ג זה, וכן יש לנהוג.

סעיף ו - קושרים חבל בפני הפרה בשביל שלא תצא, אפילו בב' ראשי הפתח, ולא חיישינן שמא יתיר ראש האחד ויוציאנה דרך שם, ויניח ראש השני קשור - דמסתמא יתיר את שניהם ולא הוי קשר של קיימא, **וה"ה** דמותר לקשור

שני חבלים זו למעלה מזו, ולא אמרינן דמבטל ליה לאחד, דפעמים מתיר את זו ולפעמים זו, **אבל** אם בדעתו לבטל לאחד, אסור.

סעיף ז - מטלטלין חבל של גרדי (פי' אורג), לקשרו באבוס ובפרה, ולא חיישינן שמא יתיר ראש הא' ויניח ראש השני קיים - דחבל גרדי חשוב ולא יניחו שם, **אבל חבל דעלמא לא** - דלמא יניח ראש אחד קשור, **אבל** אין הטעם משום מוקצה, דסתם חבל שבבית מוכן הוא לתשמיש.

ולא גזרינן חבל של גרדי אטו חבל דעלמא, כמו שכתב בס"ד, דהכא בפרה אפילו חבל דעלמא לא שכיח דיהא של קיימא.

והני מילי לקשרו באבוס ופרה; אבל אם היה קשור באבוס ורוצה לקשרו בפרה, או אם היה קשור בפרה ורוצה לקשרו באבוס, מותר בכל חבל - דסתמא אותו הקשר שהיה כבר, מניחו להיות קשור, ומתיר ראש השני.

כל קשר שלפעמים נמלך ומבטלו שם לעולם, אע"פ שתחלת עשייתו לא היתה ע"מ להניח שם, אסור מדרבנן, **הלכך** אסור לקשור רצועות המכנסים, שלפעמים נמלך ומבטלו שם לעולם עד שיהיה בלוי, **ועיין** בתחלת הסימן בביאור הלכה מה שכתבנו שם אודות זה, (שאם דרך של כל העולם לעשותו בקביעות, לא אזלינן בתר דעתו, ומדאורייתא אסור).

אוכלי בהמה מותר לקשור בהן בשבת, דלא שייך בו קשר של קיימא - רמב"ם, **וכתב** הח"א, דדוקא בגמי לח וכיוצא בו, דכשיתיבש תנתק, **אבל** קש וכיוצא בו, וכן בעלין של לולבין דלא מינתק, דינו כתבן, (**ועיין** בסימן שכ"ד ס"ד בהג"ה, דמוכח דגם באוכלי בהמה יש קושר ומתיר, וכן משמע מלשון רש"י, וכן משמע דעת הרמ"ך המובא בכ"מ).

הפותל חבלים חייב משום קושר, והמפרידן ואינו מכוין לקלקל, חייב משום מתיר - רמב"ם.

§ סימן שיח – דין המבשל בשבת §

סעיף א- אחד המבשל את המאכל או את הסממנין, או המחמם את המים, {**ר"ל** אף דמים ראוי לשתיה בלא בישול, וה"ה חלב, מ"מ חייב כיון דמשתבח ע"י הבישול}, **ואחד** האופה את הפת, הכל ענין א' הוא, דאפיה הוא מענין בישול, אלא שאפיה הוא בפת, ובישול הוא בשארי דברים. **המתיך** אחד ממיני מתכות כל שהוא, או המחמם את המתכות עד שתעשה גחלת, הרי זה תולדת מבשל, {שהרי בחימומו הוא מרככו שיהא ראוי לתקנו ולעשות ממנו כלי, והרי הוא מרפה דבר הקשה}, **וכן** הממסס את הדונג {שעוה} או את החלב, או את הזפת והכופר והגפרית וכיוצא בהן, הרי זה תולדת מבשל וחייב, **וכן** המבשל כלי אדמה עד שיעשו חרס, חייב משום מבשל, {דקודם שמתחזק הכלי ונצרף בהכבשן ונעשה חרס כראוי, מתבשל בה טיט של הכלי}, **וכן** הנותן חתיכת עץ בתנור כדי שיתייבש, וידוע שמתחלה הוא מתרפה ויוצא ממנו הלחלוחית, חייב משום מבשל, **כללו** של דבר, בין שרפה גוף קשה באש, או שהקשה גוף רך, [ר"ל כיון שהקשה מסתמא מתרפה תחלה, וחייב על הרפוי], הרי זה חייב משום מבשל - רמב"ם, **וע"כ** יש ליזהר מאד, שלא להניח עצים לחים על התנור ליבשן אחר שקיעת החמה, דהוא חשש דאורייתא.

הניח בשר ע"ג גחלים, אם נצלה צליה גמורה כשיעור גרוגרת, חייב, ואפילו הגרוגרת אינה במקום אחד, אלא מתלקט משנים ושלשה מקומות, ג"כ חייב, **ואפילו** אם לא היה צליה גמורה רק כמאב"ד, ג"כ חייב, אלא דבזה שאינו צליה גמורה, צריך שיהיה הבשר צלוי משני הצדדים של הבשר דוקא, ואם לאו פטור, כ"כ הרמב"ם, **וכ"ז** הוא לענין חטאת, אבל איסורא יש בכל גווני, **וכן** מה שכתב הרמב"ם מתחלה לענין צליה השיעור גרוגרת, הוא ג"כ רק לענין חיוב חטאת, אבל איסור דאורייתא יש בכל גווני, כדקי"ל חצי שיעור אסור מן התורה.

המבשל בשבת, (או שעשה אחת משאר מלאכות), במזיד, אסור לו לעולם - ליהנות מאותה מלאכה, דקנסוהו רבנן, **ומ"מ** מותר לו ליהנות מדמיה של המלאכה, **כתב** המג"א בשם הרשב"א, דגם הקדירה שבישל בה בשבת אסורה לו לבשל בה, מפני שהיא בלועה מדבר האסור לו, **ודוקא** המבשל לבריא, אבל המבשל לחולה מותרת הקדרה.

ולאחרים מותר למוצאי שבת מיד - ואפילו למי שנתבשל בשבילו, דלא בעינן להמתין בכדי שיעשו אלא במלאכה הנעשית ע"י א"י בשביל ישראל, משום דקל בעיניו איסור דאמירה לא"י, ויבוא לעשות כן פעם אחרת כדי שיהיה מוכן לו במו"ש מיד, **אבל** דבר שנעשה ע"י ישראל בידים, ודאי ליכא למיחש דעי"ז שנתיר למו"ש מיד, יבא פעם אחרת לומר לישראל לבשל לו בשבת בשביל זה, **ועוד** שהישראל לא ישמע לו, דאין אדם חוטא ולא לו.

אם היה במו"ש יו"ט, אפילו בישל בהיתר, כגון שבישל בשבת לחולה, מ"מ אסור לבריא גם ביו"ט ראשון, דאין שבת מכין ליו"ט.

אם נתערב בשבת אותו דבר שנתבשל במזיד באחרים, דעת המ"א דאינו מתבטל, ואסור לו בשבת ליהנות מזה, דכיון דלמו"ש יהיה מותר לאחרים, מקרי דבר שיש לו מתירין דאינו בטל אפילו באלף, [**אבל** במו"ש מותר ליהנות לכו"ע, דמתבטל אז, ואם נתערב במו"ש, מתבטל לכו"ע]. **ומה** שכתב ביו"ד ס"ס ק"ב היפוך זה, נדחק המ"א לישבו, ועיין בחוות דעת שם שחולק עליו, **וכ"ז** להמבשל בעצמו, אבל לענין אחרים לכו"ע מקרי דבר שיש לו מתירין, [**ואם** נתערב דבר שנתבשל בשוגג, לכו"ע הוי דבר שיש לו מתירין במו"ש, ואינו בטל].

ובשוגג - שגג בדין או שכח, כ"ז בכלל שוגג הוא, **אסור בו ביום גם לאחרים, ולערב מותר גם לו מיד** - הנה בגמרא פליגי בענין שוגג ומזיד ר"מ ור' יהודה, ודעת השו"ע הוא דעת ר' יהודה, שכן הסכימו הרי"ף והרמב"ם והגאונים, **והגר"א** הסכים בבאורו לשיטת התוספות וסייעתם, דפסקו כר' מאיר, דבמזיד אסור בין לו בין לאחרים עד מו"ש, ובשוגג מותר גם לו מיד, **ובמקום** הצורך יש לסמוך על זה בבשול בשוגג.

(**ודע**, דלדעת השו"ע דפסק כר"י, דבשוגג מותר ליהנות במו"ש, זהו בכל מלאכות דמנכר הקנס שקנסו חז"ל שלא ליהנות בו ביום עד מו"ש, **אבל** בנוטע בשבת וה"ה בזורע, דבלא"ה אין יכול ליהנות לאלתר, שוגג שוה למזיד, דבשניהם צריך לעקור הנטיעה).

(**כתב** בח"א, דוקא בדבר שנעשה מעשה בגוף הדבר, שנשתנה מכמות שהיה כמבשל וכיו"ב, **אבל** המוציא מרשות לרשות, שלא נשתנה הדבר מכמות שהיה, אם בשוגג מותר אפילו לו, ואפילו בו ביום, **ואם** במזיד, **אסור** אפילו לאחרים עד מו"ש מיד, **ומ"מ** יש להחמיר בכל איסורי תורה כמו מבשל, עכ"ל).

וכל שיש ספק פלוגתא בזה אי הוי בכלל בישול או לאו, או בשאר מלאכות כה"ג, אין לאסור בדיעבד, דכל האיסור הזה הוא רק מדרבנן שקנסוהו, וספיקא דרבנן לקולא.

ואם היא מלאכה דרבנן, עיין בביאור הגר"א שהאריך להוכיח, דלכו"ע אם עשה אותה בשוגג, אין לאסור בדיעבד ליהנות ממנה.

(ואם אמר לאינו יהודי לעשות לו מלאכה בשבת, ע"ל סימן ש"ז סעיף כ').

סעיף ב - השוחט בשבת לחולה, בין שחלה מאתמול בין שחלה היום, מותר הבריא לאכול ממנו חי (בשבת) - ובלא מליחה, דאסור למלוח בשבת, והדחה בעי משום דם בעין, משא"כ דם הבלוע בו ליכא איסור כל זמן שלא פירש.

הטעם, כיון דעיקר השחיטה לצורך החולה, דאי אפשר לכזית בשר בלא שחיטה, ולא שייך בזה שמא ירבה בשבילו.

שחלה היום - ולא אמרינן דהבהמה היא מוקצה מחמת איסור, דאיתקצאי בבה"ש מחמת איסור שחיטה, שבאותו פעם לא היה חולה עדיין שיהיה דעתו עליה לשחטה, **דהא** אנן קי"ל כר"ש, דלית לו מוקצה אלא היכי דדחיה בידים, כגון נר שהדליקו עליו באותו שבת, דדחיה בידים שלא להשתמש בו באותה שבת כיון שהדליק בו, אבל גבי בהמה לא דחיה בידים, ועיין עוד בב"י.

אבל המבשל (או עשה שאר מלאכה) לחולה, אסור (בשבת) לבריא, או לחולה שאין בו סכנה - דגם הוא כבריא לענין זה, שאסור מן התורה לבשל עבורו ע"י ישראל, [**ולפי"ז** אפי' אין עו"ג לבשל עבורו, ג"כ אסור לאכול מזה, **ועיין** בפמ"ג שמפקפק בזה].

דחיישינן שמא ירבה בשבילו - ליתן בשר לתוך הקדרה, וזהו איסור דאורייתא כשמרבה בשבילו, אפילו הוא מרבה בפעם אחת קודם שיתן הקדירה על האש, **וי"א** דהוי דרבנן כיון שהוא בפעם

אחת, עיין ב"י, **ועיין** בספרי אהבת חסד, שבירדנו ראיה מהגמרא דהעיקר כדעה הראשונה.

אבל במו"ש מותר מיד, ולא בעינן לזה בכדי שיעשה. **וטעימה** אם התבשיל יפה בשביל החולה, מותר גם בשבת.

הגה: ואפי' בישל ע"י אינו יהודי, אסור בשבת - לבריא ליהנות ממנו, **אבל** במו"ש מותר מיד, וטעמו, דכיון דהא"י בישל בהיתר, לא בעי להמתין בכדי שיעשו, **וגם** לא גזרו בזה משום בישולי א"י.

ואם קצץ פירות מן המחובר לחולה בשבת, אפי' היה חולה מבע"י - ר"ל והיה בדעתו מבע"י לקצוץ הפרי בשבת, **אסור לבריא בשבת, משום שגדל והולך בשבת, ויש בו משום מוקצה** - שאין הכנה מועלת כלל במחובר כיוצא בזה שהוא גדל והולך בשבת.

מ"א מקשה, דליבטל הגידולים בעיקר שהוא הרוב של היתר, ויהא מותר לבריא כשנחלה מבע"י, **ובביאור** הגר"א מצדד ג"כ כן להלכה.

אבל פרי שנגמר בשולו ושוב אין גדל והולך, מועלת בו הכנה אע"פ שהוא מחובר, **אבל** חולה שנחלה היום, אסור בכל גווני ליהנות לבריא, משום מוקצה דמחובר.

סעיף ג - כשם שאסור לבשל באור, כך אסור לבשל בתולדת האור, כגון: ליתן ביצה בצד קדרה, או לשברה על סודר שהוחם באור, כדי שתצלה - והמבשל בו חייב, לפיכך המניח פירות או מים על התנור או בתוך הקאכלין לאחר שהוסק התנור, ונתבשלו שם, חייב, **ומדרבנן** אסור להניח אפילו קודם שהוסק, וכדלקמיה, **וכל** דיני בישול הנזכרים בסימן זה, שייכים גם בדבר שנתבשל ע"י תולדת האור.

ואפילו בתולדת חמה, כגון: בסודר שהוחם בחמה, אסור, גזירה אטו תולדת האור - ואפילו בדיעבד אסור, **ואפשר** דלאחר שבת מותר אף למבשל עצמו.

וכן אסור להטמינה בחול או באבק דרכים שהוחמו מכח חמה – (עיין בפמ"ג, דאפילו אם הביצה צלויה כ"צ, ג"כ אסור להטמינה, דאיסור הטמנה הוא אפילו במבושל כל צרכה, כמ"ש בסימן רנ"ז ס"ז).

ואפילו מבע"י, דחול הוא דבר המוסיף הבל, כמבואר לעיל בסימן רנ"ז ס"ג, ואסור להטמין בו אפילו מבע"י כמבואר שם - הרא"ש, **ובחידושי** רע"א הביא בשם הרשב"א, דמותר להטמין בו מבע"י, דכל שהוחם בע"ש מן החמה, מצטנן לגמרי בליל שבת, [**ואף** דחול מקרי מוסיף הבל, היינו בתבשיל רותח, אבל לא בתבשיל צונן, דחמימי חיים ודקרירי קריר. **עוד** כתב, דתולדת חמה מותר להטמין בשבת בדבר שאינו מוסיף הבל].

ואפילו אם לא יטמין, אלא יגלגלה בשבת על גבי חול החם כדי שתצלה, נמי אסור, דגזירה אטו תולדת האור, **וע"כ** אסור לצלות ביצה על גג רותח מחמה.

המבשל בחמי טבריא פטור מחטאת, דהוי כתולדת חמה, אבל חייב מכת מרדות, דאיסור יש בזה, הלכך אסור להעמיד מאכל ע"ג חמי טבריא בשבת, **אבל** להשהות עליהן מע"ש מותר, (**ובחידושי רע"א מצדד, דגם** על תולדת אור מותר להשהות, דלא גרע מכירה גרופה דמותר, כיון דלא שייך שמא יחתה), **ולהניח** בתוכן אסור, משום הטמנה בדבר המוסיף הבל, כמ"ש סימן שכ"ו ס"ג.

אבל בחמה עצמה, כגון: ליתן ביצה בחמה, או ליתן מים בחמה כדי שיוחמו, מותר - ולא גזרינן אטו אור, דחמה באור לא מיחלף.

סעיף ד - תבשיל שנתבשל כל צרכו, יש בו משום בישול אם נצטנן - היינו שאין היד סולדת בו, אף שהוא קצת חם עדיין, (**ואם הורק** לכלי שני, **אף** אם היה עדיין יד סולדת בו, **יש** לומר דדינו כמו נצטנן, ויש בו עתה משום בישול), **וע"כ** אסור מן התורה להניח התבשיל הזה בשבת במקום חם שהיס"ב, **ולערב** אותו בתבשיל רותח בכלי שני יש להקל.

אבל אם היד סולדת בו, אף שנצטנן מרתיחתו, לא שייך בו בישול עוד, דבכלל רותח הוא, ואין בישול אחר בישול, **ודוקא** לענין להחזירו לתנור כשהוא גרוף מן הגחלים, או שהם עמומין, (**או להעמידו נגד המדורה**), **אבל** לתנור כשאינו גרוף, וכ"ש על האש ממש, אסור להחזיר לכו"ע אפילו רותח גמור, וכדלעיל ברנ"ג.

וכ"ז הוא דעת המחבר, (**דיש בזה פלוגתא דרבוותא**, דדעת הרמב"ם והרשב"א והר"ן, דשוב אין בו משום בישול אפילו נצטנן לגמרי, **אך** דהמחבר סתם להחמיר כדעת רש"י ורבינו יונה והרא"ש והטור, **ועיין** בביאור הגר"א שלא הכריע בין השיטות), **אבל** הרמ"א לקמן בסט"ו בהג"ה כתב, דכל זמן שלא נצטנן לגמרי, נהגו להקל דאין בו משום בישול, וע"ש.

וכל דינים האסורין משום בשול, אפילו ליתן על הכירה או התנור קודם היסק אסור, כמ"ש סימן רנ"ג.

הגה: וי"א דוקא אם מצטמק ויפה לו - אבל אם מצטמק ורע לו, מותר להניח סמוך למדורה אפילו במקום שהיס"ב.

ועיין בב"ח שפסק כסברא הראשונה, דאין חילוק בזה, וכן משמע בביאור הגר"א.

ואם לא נתבשל כל צרכו, ואפי' נתבשל כמאכל בן דרוסאי - וה"ה יותר, עד שיגמר בישולו, **שייך בו בישול אפילו בעודו רותח** - מן התורה.

(**ואף** דהיה יכול לאכול ע"י הדחק מתחלה את התבשיל, וחייב על שיעור כמאב"ד משום מבשל, מ"מ המסייע לגמור כל צרכי בישולו, גם הוא בשם מבשל יקרא מן התורה, **ולפי"ז** אם נטל בשבת הקדרה מן הכירה, וספק לו אם כבר נתבשל כ"צ, אסור לו להחזירו, אף שהוא עודו בידו והכירה גרופה, כל שיש חום בכירה שיוכל להתבשל יותר ע"י עמידתו שם).

ופשוט דאפילו ע"י א"י אסור לגמור הבישול, **ונראה** דבדיעבד אין לאסור התבשיל, דיש לסמוך על הפוסקים שסוברים, דכיון שנתבשל כמאכל ב"ד שוב אין בזה משום בישול, (**דכל שיש ספק פלוגתא אי הוי בישול, אין לאסור בזה בדיעבד**).

והני מילי שיש בו בישול אחר בישול - ר"ל הא דאמרן דבנצטנן שייך בישול בכל גוונא, **בתבשיל שיש בו מרק** - דבדבר לח, כיון שאזיל חמימותו ונצטנן, בטל ממנו שם בישולו הראשון.

אבל דבר שנתבשל כבר - היינו בנתבשל כל צרכו, **והוא יבש** - ר"ל שהריקו המרק ממנו, **מותר לשרותו בחמין בשבת** - אפילו בכלי ראשון רותח, כדי שיהיה נימוח שם ויהיה דבר לח, דאין בישול אחר בישול, **אבל** לא יתנו לכ"ר שעומד על גבי האש, [מפני דיש מחמירין דעל האש יש בישול אחר בישול, **ועוד** דיש בזה משום חשש חזרה].

ודוקא שנתבשל, אבל אם לא נתבשל אלא נשרה מע"ש בכלי ראשון שהיס"ב, אסור לשרותו בחמין שהיס"ב בשבת, **דאע"ג** דאין כאן תוספת בישול, מ"מ כל זמן שלא נתבשל ממש אלא היה בכלי ראשון, ניתוסף בו קצת בישול כשמניחו פעם שני בחמין, **ויש** מקילין בדבר, **ודעת** הפמ"ג, דהמקילין מיירי בדבר שדרכו וטבעו קל להגמר בישולו אף בכלי ראשון שהוסר מן האש, אבל דבר שאין דרכו להתבשל לגמרי בכלי ראשון, לכו"ע אסור, **וטוב** להחמיר בכל גוונא, ע"ש, **וכ"ז** לענין לשרותו בכלי ראשון, אבל לשרותו בכ"ש אף שהיס"ב, יש להקל בכל גוונא, כיון שבע"ש נשרה בחמין שהיס"ב.

ואם הוא דבר יבש שלא נתבשל מלפני השבת, אין שורין אותו בחמין בשבת - שהיד סולדת בהן, ואפילו אם לא יניחו שם עד שיהיה נימוח, **ואפילו** בכלי שני נמי אסור לשרות, דמיחזי כמבשל, **ולא** דמי לתבלין בסעיף ט', דלא אסר אלא בכלי ראשון, דתבלין עשויין למתק הקדירה, ולא מיחזי כמבשל.

אבל מדיחים אותו בחמין בשבת - והיינו שמערה עליו מכ"ש, **דמכ"ר** אסור לערות עליו, דעירוי כ"ר ומבשל כדי קליפה, כמו שכתוב סעיף יו"ד, **וה"ה** דשרי לערות מכ"ש ע"ג דבר לח צונן, דהו"ל כהדחה בעלמא.

חוץ מן המליח הישן - דג מלוח של שנה שעברה, **ומן הדג שנקרא קולייס האספנין** - הוא שם דג שאוכלין אותו מחמת מלחו ע"י הדחה בחמין, **שאינם צריכים בישול אלא מעט, והדחתן היא גמר מלאכתן** - והוי בישול, **ואיתא** בגמרא, דאם הדיחן בחמין חייב חטאת, (**ולאו דוקא אלו, דה"ה לכל כיוצא בזה, דבר דק ורך ביותר**).

והדחתן וכו' - ר"ל בחמין, אבל בצונן מותר להדיחו ואף לשרותו, **ואפילו** בדבר שע"י שריה בצונן נעשה ראוי לאכילה, שכל דבר שאינו אוכל, מותר לעשותו אוכל בשבת, כמ"ש בסימן שכ"ד, (**דבאלו הענינים של אוכל לא שייך מכה בפטיש**).

(לכאורה נראה שגם בזה הוא דוקא כשהיד סולדת בו, דדומיא דמדיחין דרישא, דבודאי מותר אפי' בחמין שהיסל"ב, וע"ז קאמר שם במשנה חוץ ממליח הישן כו', משמע דאיירי באופן אחד, והט"ז וש"א לא הזכירו היתר רק צונן, וצריך טעם למה, וצ"ע למעשה).

והנה כמה אחרונים כתבו, דטבע של אלו הדברים, שאין יכולין לאכלו כל זמן שלא הודח בחמין, וע"כ הדחה שלהן חשיבא בישול, דמשוי לה אוכל, וה"ה שאר דבר מלוח כיוצא בזה שאין יכולין לאכול כלל בלי הדחה, **אבל** דברים שיכולין לאכלן ע"י הדחת מים צוננים, אין איסור להדיחן בחמין מכלי שני, **ולפי"ז** דג מלוח שבמקומנו שנקרא הערינ"ג, שיכולין לאכול ע"י הדחת צוננים, ולפעמים אף בלי הדחה, מותר להדיחו אף במים חמין, **ומהט"ז** משמע דיש ליזהר שלא להדיחו בחמין, וכ"כ בס' שלחן עצי שטים ובח"א, וכן נכון לנהוג למעשה.

(**ובאמת** קשה מאד להקל, אחד, דלפעמים הוא משל שנה שעברה, ואולי הוא בכלל מליח הישן שנזכר במשנה, **ואפילו** אם ידוע שהוא של שנה זו, הלא ידוע שהוא דג שהיה נקרא בלשונם טונינא, וא"כ אף אם נפרש דעת הפרדס בטונינא להקל להדיחו אף בחמין, וקולייס האיספנין שאסרו במשנה להדיחו בחמין, מין דג אחר הוא, מ"מ להלכה אין בנו כח להכריע כן, דהרבה ראשונים מפרשין דקולייס הוא טונינא, א"כ משמע מזה דהוא מחלוקת קדומה בין הראשונים בפירוש קולייס, ומי יוכל להכריע ולהתיר בענין חיוב חטאת, ומה שהקשה הפרדס, דהלא טונינא ראוי לאכול אף בלי הדחה בחמין, ואמאי נחייב אהדחה משום בישול, **יש לתרץ**, דהוא כמו שאר דברים שנאכלין כמות שהן חיין, ואפ"ה חייב בבישולן, וכמו שנכתוב לקמן, והטעם, דמשתבחין יותר ע"י הבישול, ובזה נמי קים להו לחז"ל דבהדחה מועטת בחמין נגמר בישולן ונשתבחו לאכילה כמו בבישול גמור וחייב חטאת, **וע"כ** יש ליזהר בזה מאד שלא להדיחו בחמין, ואפילו בעירוי מכלי שני).

הגה: וה"ה כל דבר קשה שאינו ראוי לאכול כלל בלא שריה - ר"ל דבר שהוא ראוי לאכול חי בלא בישול, אך שהוא יבש וקשה מאד עד שאינו ראוי לאכול כלל מחמת זה בלא שריה בחמין, **דאסור לשרותו בשבת, דהוי גמר מלאכה** - ואפילו בכלי שני, **וה"ה** אם הוא דבר שיהיה נעשה ראוי לאכילה ע"י הדחת חמין בעלמא, גם ההדחה אסור, וכנ"ל לענין דג מליח.

ולכאורה למה צריך הרמ"א לסיים דהוי גמר מלאכה, תיפוק ליה דכל דבר יבש שלא נתבשל מבעוד יום אסור לשרותו בחמין בשבת וכנ"ל, **י"ל** דרוצה להשמיענו, דבזה שהוא גמר מלאכתו יש איסור בשריה מדאורייתא, כמו בהדחת מליח הישן.

ועתה נבאר דין בישול עלי הטיי"א, השייך בכמה ענינים לסעיף זה, הנה טיי"א בשבת פשוט בפוסקים דיש בו משום בישול, ובמזיד יש בו איסור סקילה, ובשוגג חיוב חטאת, וע"כ יש ליזהר בו מאד, ובעו"ה רבים נכשלים בו ומקילין לעצמן בקולות שאין בהם ממש, וע"כ מוכרח אני לבאר אופני ההיתר והאיסור בזה בעזה"י: **הנה** לערות מכלי ראשון על עלי הטיי"א, יש בזה בודאי חשש אב מלאכה, דקי"ל דעירוי מבשל כדי קליפה, כדלקמן בסעיף י"ד, **וכ"ש** אם יעמידנו אח"כ על התנור או בתוך הקאכלין עד שיהיה היד סולדת בו, בודאי יבוא לכו"ע לידי איסור סקילה עי"ז, **ואפילו** אם ירצה ליתן את עלי הטיי"א לתוך הכלי אחר שיערה החמין לתוכה, כדי שיהיה על המים שם כלי שני, ג"כ אסור, כדקי"ל בסעיף זה, דדבר שלא בא בחמין מלפני השבת, אין שורין בשבת אפילו בכ"ש, **וכ"ש** לפי מה שמבואר בסעיף זה, דיש דברים רכים קלי הבישול שמתבשלים אפילו בהדחה מכלי שני, אפשר דיש בהעלים ג"כ חשש איסור דאורייתא אפילו באופן זה, **וע"כ** הסכימו האחרונים, דיש לערות עליהם מע"ש רותחין מכלי ראשון, כדי שעי"ז יהיה נקרא הטיי"א מבושל במקצת, דעירוי מבשל כדי קליפה, ויהפך בעת העירוי את הטיי"א היטב בתוך הרותחים, מלמעלה למטה ומלמטה למעלה, ויותר טוב שיהיה מבושל ממש ע"י העמדה במקום שמתבשל, **ואח"כ** יריק את העסענס לכלי אחר, כדי שישארו עלי הטיי"א יבשים, ויהיה מותר לו לערות אח"כ בשבת עליהם מים חמין מכלי ראשון, כיון שכבר נתבשלו מע"ש, כדין דבר יבש, דקי"ל בסעיף זה דאין בו בישול אחר בישול אפילו אם נצטנן, **דאם** ישאר בו משקה העסענ"ס, הרי קיי"ל דבלח יש בישול אחר בישול אם נצטנן, **אם** לא שמי העסענס הצוננים הם מרובין, שלא יתחממו ע"י המים שמערה עליהן למחר, **וכן** הדין לענין קאוו"י, יזהר שלא יערה עליהם

מים חמין מכלי ראשון, אם לא שעירה עליהם מאתמול והריק את המים מעליהן, והטעם ככל הנ"ל.

ואח"כ מותר לו להחזיר גם מי העסענ"ס אלו הצוננים לתוך הכלי זה גופא, וכמו שכתבנו לעיל, דדבר לח שנצטנן מותר לו ליתנו בתוך כלי שני רותח, (תחלת הסעיף, דלערב אותו בתבשיל רותח בכלי שני יש להקל), (**ועיין** בספר בית מאיר שכתב, דמ"מ אין למחות ביד אחרים שנותנים העסענ"ס הצונן מקודם, ואח"כ מערה מכ"ר אף שהוא יד סולדת בו, כיון שהוא מבושל, מיהו כל בעל נפש יחוש לעצמו שלא לערות מכלי ראשון כל זמן שהיסל"ב, ע"ש).

ודע, דאף שהתרנו לערות חמין על עלי הטיי"א והקאוו"י, אם נתן עליהם מאתמול מים מכ"ר, אעפ"כ יזהר שלא יעמיד את הטיי"א והקאוו"י בתנור או בקאכלין אחר ששפך עליהם מים, דהא אין עירוי מבשל רק כדי קליפה, וא"כ לא נתבשל אתמול רק כדי קליפה, ועכשיו ע"י העמדה בתנור יתבשל לגמרי.

והנה אופן זה שבארנו, אף שאין למחות ביד הנוהגים בו, מ"מ כתבו האחרונים עצה המובחרת מזה, דהיינו שיתקן העסענס מע"ש לגמרי, שלא יצטרך לערות לתוכו עוד רותחין למחר בשבת, ולמחר כשיצטרך לשתות יתן העסענס הצונן לתוך הכוס ששותה בו, אחר שעירו המים חמין לתוכו ונעשה כ"ש, וה"ה שמותר לתת לתוך הכוס הזה שהוא כ"ש חלב שנצטנן, **אבל** אסור לערות עליהם מכ"ר וכדלעיל בסעיף זה, **וכשהעסענס** שלו אינו צונן, הוא בודאי טוב לצאת בזה ידי כל הדעות, [**באופן** זה טוב שיערה המים לתוך העסענס, לצאת בזה גם דעת החוששים לצביעה].

סעיף ה - יש מי שאומר, דדבר שנאפה או נצלה, אם בשלו אח"כ במשקה - ר"ל שנתנו בקדרה כשמתבשלת עם רוטב, **דאם** נותנו במשקים צוננים, תיפוק ליה דיש בו משום בישול עבור המשקים, **יש בו משום בישול** - דאע"ג דאין בישול אחר בישול בדבר יבש, מ"מ יש בישול אחר צלי, ואפילו עדיין רותח מחמת הצליה, וה"ה דלשיטה זו יש צלי אחר בישול, **ולכן** אסור ליתן דבר שנתבשל אצל האש בלי רוטב, ולאו דוקא אצל האש, דה"ה בכל מקום שיוכל להצלות מחום התנור, **ולכן** צריך ליזהר שלא להחזיר בשר מבושל בלי רוטב לתוך התנור, במקום החום שהיד סולדת בו, ואפילו אם יעמידנו ע"ג קדרה המפסקת.

(**ועיין** בפמ"ג, דאם עשה צלי אחר בישול בע"ש, דלא נתבטל שם בישול הראשון, ומותר לשרותו בחמין בשבת כשאר דבר מבושל, **ונראה** דה"ה לדידיה בבישול אחר צלי, דמותר בשבת להניחו בלי רוטב בתנור, אף שיצלה, דלא נתבטל שם צלי ראשון ממנו, **אך** לענ"ד אין דין הפמ"ג מוכרח, דנהי דמוכח דלא נתבטל שם הראשון, הרי שם השני בודאי קיים, ושפיר יש לומר דמקרי עתה בשול אחר צלי, **אך** זה נלענ"ד, בבשלו ואח"כ צלאו בע"ש, דמותר להניחו בתנור בשבת, דפעולה אחרונה נקבע בו יותר, ומקרי צלי אחר צלי).

אבל לכו"ע אין צלי אחר צלי, ודבר שנצלה מותר ליתנו אצל האש אפילו אם נצטנן, **ובלבד** שלא יקרבנו ביותר, כדי שלא יבוא לחתות, **וגם** לא יעמידנו על קרקעית התנור, אלא ע"י הפסק כלי ריקנית תחתיה, כדי שלא יהיה נראה כמבשל, ועיין לעיל בסימן רנ"ג ס"ה, (ע"ש בס"ג בבה"ל וצ"ע), **וה"ה** באפיה כה"ג, דאין אפיה אחר אפיה.

ואסור ליתן פת אפי' בכלי שני שהיד סולדת בו - הוסיף בזה דין אחר, והטעם, דסבירא ליה לדעה זו, דיש דברים שמתבשלים אפילו בכלי שני מפני שהם רכים, ואין אנו בקיאים, וע"כ הוסיף לאסור ליתן פת האפוי דהוא רכיך אפילו בכלי שני, **וה"ה** דלדעה זו יש להחמיר נמי בשאר דברים שלא ליתנם בכלי שני, [חוץ ממים ושמן, וכדלקמן סימן זה], **ועיין** לקמן בס"ט אודות תבלין.

ויש מתירין. הגה: בכלי שני - ס"ל דאין כלי שני מבשל בשום דבר, **ועיין** בח"א שכתב, דהיכא שהיד נכוית בו, לכו"ע מבשל אפילו בכלי שני.

ויש מקילין אפילו בכלי ראשון - ס"ל דאין שייך שם בישול אחר אפיה או צליה, וה"ה להיפך.

ונהגו ליזהר לכתחלה שלא ליתן פת אפילו בכלי שני כל זמן שהיד סולדת בו - פי' שאין נותנים לחם במרק של הטשאלינ"ט בקערה שהיא כלי שני, **וכ"ש** שיזהר שלא לערות עליהם מכלי ראשון.

ובכלי שלישי מצדד הפמ"ג להקל, ע"ש, **ובדיעבד** אפילו בכ"ר אין לאסור, דיש לסמוך איש מקילין.

ואותם שחותכים הבצלים ונותנין לתוך המרק בקערה, לא ישימו רק אחר שלא תהיה היד סולדת בהמרק, דבלחם יש קולא מחמת שנאפה כבר, ואפ"ה נזהרים, כ"ש בבצלים שצריך ליזהר, כי אין אנו בקיאין במידי דמקרי רכיך וכנ"ל, **וכ"ש** לפי מה שנוהגין ליתן הבצלים לתוך התבשיל שהוא דבר גוש, בודאי יש ליזהר בזה, דיש פוסקים שסוברים דדבר גוש שמונח בכלי שני דינו ככ"ר, **ואפילו** אם ימתין עד שיהיה המרק שבקערה אין היד סולדת בו, מ"מ יזהר שלא ישפוך אח"כ על שיורי בצלים שנשאר בקערה, מן המרק שבקדרה אם היד סולדת בהן, דעירוי מבשל כדי קליפה כדקי"ל בסעיף י', ויש בזה חשש דאורייתא.

וכן מה שנוהגין איזה אנשים כשעושין חמין מרגלי בהמה, לחתוך חתיכת פת בכלי ולערות עליהם המרק של הרגלים מכ"ר, לא יפה הם עושין, **דאפילו** אם לא יתן הפת בתחלה עד שיערה המרק תחלה בכלי, כדי שיעשה כ"ש, הלא כתב רמ"א דיש ליזהר בזה, **אלא** אם רוצה ליתן פת, ימתין עד שלא יהיה היד סולדת במרק, או שלכל הפחות ישאב בכף מן הקדרה, כדי שתהיה הקערה כלי שלישי, **וכ"ש** אם רוצה ליתן בצלים ושומים לתוך החמין האלו, בודאי יזהר מאד לעשות כן, דאם יערה עליהם מכלי ראשון שהיד סולדת בהן, יש בזה חשש אב מלאכה וכנ"ל.

סעיף ו - כלי שיש בו דבר חם שהיד סולדת בו - המחבר אזיל לשיטתיה בס"ד, דאם נצטנן קצת עד שאין היד סולדת בו, יש בו עוד משום בישול, **אבל** לפי מה שכתב רמ"א בהג"ה בסט"ו, דנוהגים להתיר אם לא נצטנן לגמרי, א"כ לא בעינן יד סולדת בו, **מותר להניחו בשבת ע"ג קדירה הטמונה** - בבגדים מבע"י, **כדי שישמור חומו ולא יצטנן** - ואשמועינן דמותר להניח הכלי תחת הבגדים שכיסו בהן הקדרה, **ואף** שאין טומנין בשבת אפי' בדבר שאינו מוסיף הבל, הכא כיון דעיקר הטמנה היה מבע"י לצורך הקדרה, דזה מותר, ולכן אם נתגלתה הקדרה דמותר לכסותה, מותר לכסות דרך אגב גם הכלי שיש בו הדבר חם.

ואפילו לא נתבשל כל צרכו, דאמרינן לעיל בס"ד דיש בו משום בישול אפילו ברותח, שאני הכא דלא יבוא ע"ז לידי בישול גמור, רק שישתמר חומו בתוכו - ט"ז, **אבל** הרבה אחרונים חולקין עליו, וס"ל דאינו מותר רק בנתבשל כל צרכו, דיש לחוש שמא יתוסף מעט בישול ע"י החום, **וכתב** בספר מאמר מרדכי, דבכל צרכו, אפי' יהיה מצטמק ויפה לו ע"י העמדה זו, ג"כ שרי.

ויכול לטוח פיו בבצק - כדי שלא יצא חומו, **אם יש לו בצק שנלוש מאתמול** - ומיירי בשאינו מוקצה, כגון דצריך הבצק לתרנגולין שבביתו.

ועיין במ"א, דדוקא בבצק שהוא אינו בר מירוח, אבל בשעוה וזפת או טיט שהוא דבר המתמרח, אסור משום ממרח, וכענין דאיתא לעיל בסי' שי"ד סי"א, דאסור ליתן שעוה בנקב החבית לסתמו מפני שהוא ממרח, **והט"ז** כתב דבצק נמי בר מירוח הוא, אלא הטעם דאין בזה משום מירוח, לפי שאין מקפיד עליו לדבק אותו בטוב, רק שלא יהיה מגולה לגמרי שלא יתקרר, **אבל** שם גבי נקב החבית קפיד עליה לדבק היטב, ולהחליקו סביב הנקב שלא יזוב היין החוצה, עכ"ד, **ולפי** זה אף בטיט ושעוה מותר בענייננו, **אבל** להמ"א הנ"ל אסור.

(**ומשמע מזה**, דבצק מותר להניח על גבי כלי חם שהיד סולדת בו, ולא חיישינן שיבוא לקצת אפיה, כדי קרימת פנים).

אבל אין מניחין כלי שיש בו דבר שאינו חם כל כך, על גבי קדירה שהיא חמה כל כך, שהעליון יכול להתחמם מחומה עד שתהא היד סולדת בו - דתבשיל שנצטנן, קי"ל בס"ד דיש בישול אחר בישול, וע"כ אסור אפילו לא הטמינם כלל בשום דבר.

והיינו אפילו אם אין בדעתו להשהות שם כ"כ, חיישינן דילמא מישתלי, וכדלקמיה בסי"ד.

(**אבל** אם לא יוכל לבוא לשיעור יד סולדת בו, מותר להניח אפילו קר לגמרי, **אף שיתחמם קצת**).

וה"מ בדבר לח, אבל בדבר יבש אפילו נצטנן לגמרי שרי, וכדלקמיה בס"ח, [**ומיירי** בלי הטמנה דוקא, וכדלעיל ברנ"ג, דבהטמנה אסור].

סעיף ז - יש מפרשים דהא דשרי להניח כלי שיש בו דבר חם ע"ג קדירה הטמונה, אפי' כלי התחתון על האש שרי - הטעם, דכיון

שהקדרה מפסקת, איכא היכרא טובא, ואינו נראה כמבשל, **ומיירי** שהיה הכלי מבושל כל צרכה.

ויש מפרשים שאם כלי התחתון על האש, לעולם אסור - ס"ל דע"י קדרה המפסקת הוי כמו כירה גרופה, דאסור להניח עליה לכתחלה, **ועיין** מה שכתבנו לקמיה, דהלכה כדעה הראשונה.

סעיף ח - להניח דבר קר שנתבשל כל צרכו ע"ג מיחם שעל האש, י"א שדינו כמניחו כנגד המדורה - סעיף זה וסעיף ז"ן ענין אחד הוא, ואלו השתי דעות שבסעיף זה הם עצמן שבסעיף ז"ן, **אלא** דשם מיירי בדבר לח, דאם היה מצטנן יש בו משום בישול, לכך כתב כלי שיש בו דבר חם, **והכא** איירי בדבר יבש, דאפילו נצטנן אין בו עוד משום בישול, וכדלעיל בס"ד.

וכל דבר שמותר להניחו כנגד המדורה במקום שהיד סולדת בו, כגון שיבש - דהיינו כל מה שנתבאר בס"ד דאין בו משום בישול, כגון ביבש אפילו נצטנן, ומותר לשרותו בכלי ראשון, ה"ה דמותר להניחו נגד המדורה רחוק קצת, דלא חיישינן לחיתוי, וכמבואר בסט"ו, **מותר להניחו ע"ג מיחם שעל גבי האש** - ואע"ג דאפילו בכירה גרופה מן האש, לא שרי בסימן רנ"ג אלא חזרה, אבל להניח לכתחלה אסור, כמבואר שם בס"ה בהג"ה, וא"כ הכא אע"פ שהמיחם שלמטה מפסיק בין הכלי ובין האש, מאי הוי, **צ"ל** דס"ל לדעה זו, דהפסקת המיחם אפי' באינה גרופה, עדיף מכירה גרופה, דהתם הקדרה עומדת ע"ג כירה שהוא מקום שדרך לבשל תמיד, ונראה כמבשל, **אבל** בכאן שעומדת על גבי קדרה שאין דרך בישול בכך, ולכן שרי אף להניח לכתחלה.

וי"א דהוי כמניח ע"ג כירה לכתחלה, ואסור אפי' אם נתבשל כל צרכו, ואפילו אם מצטמק ורע לו, ואפילו אם נותנו שם לשמור חומו – (ואפילו יבש והיה רותח, ג"כ אסור).

וראשון נראה עיקר - וכן פסק הא"ר והגר"א, וקאי גם על הא דסעיף ז"ן, דענין אחד הוא, וכמו שכתבנו למעלה.

ומ"מ אם הוא תבשיל שיש בו רוטב ומצטמק ויפה לו, אסור לד"ה - דכיון שיש בו רוטב, כבר פסק המחבר לעיל בס"ד, דבנצטנן יש בישול אחר בישול, וממילא אסור ליתנו ע"ג מיחם חם אף אם אינו ע"ג האש, וכנ"ל בס"ו, (ו"**אסור** לדברי הכל", ר"ל אף לסברא ראשונה, וכ"ז לדעת הרא"ש ושו"ע ס"ד, **אבל** לדעת המ"מ המובא בסט"ו בהג"ה, שאפילו דבר שיש בו רוטב ונצטנן אין בו משום בשול, כאן ג"כ מותר).

דע, דכל לשון הסעיף הזה הוא מלשון רבנו ירוחם, ואזיל לשיטתיה הנזכר לעיל בס"ד בהג"ה, דדוקא במצטמק ויפה לו אז יש בישול אחר בישול, **ולדינא** כבר כתבנו לעיל בס"ד, דהלכה כשאר פוסקים דאין מחלקין בזה, **ואף** המחבר אפשר דסובר כן כמו שסתם שם, אלא דלישנא דרבנו ירוחם נקיט ואזיל.

סעיף ט - כלי ראשון, (פי' הכלי שמבשלים בו על האש), אפילו לאחר שהעבירוהו מעל האש, מבשל כל זמן שהיד סולדת בו - היינו אפילו כבר פסק רתיחתו ממנו, **אבל** אם אין היד סולדת בו, אפילו כלי ראשון אינו מבשל, **ואם** לא העבירוהו מעל האש, אסור ליתן לתוכו תבלין ואפי' מלח בכל גוונא, ואפי' דעתו לסלק את הקדרה מהר משם, פן ישכח עד שיתבשל, וכדלקמן בסי"ד.

לפיכך אסור ליתן לתוכו תבלין - אבל בכלי שני מותר לתת תבלין, אפי' יד סולדת בו, דאין מתבשל שם, **ואם** מונח בכלי שני דבר גוש שהיד סולדת בו, יש ליזהר בזה, דיש פוסקים שסוברין דדבר גוש כל זמן שהיס"ב דינו ככלי ראשון.

אבל מלח מותר ליתן לתוכו כיון שהעבירו מעל האש, דצריכא מלחא בישולא כבשרא דתורא - ואף שנימוח אף בכלי שני, מיחויו אינו בישולו, שאף בצונן אתה רואה כן.

שהעבירו מעל האש - דעל האש אפי' בישרא דתורא מתבשל, [אפי' אינו מעלה רתיחות].

ויש מי שאוסר לתת לתוך כלי זה בשר מלוח - ר"ל בשר שנמלח והודח כדין, **אפי' הוא של שור** - דנהי דהבשר אינו מתבשל, הלחלוחית שבו מתבשל.

הגה: וכ"ל דבלא מלוח נמי אסור, אלא דנקט מלוח, דבלאו הכי אסור משום דם שבו - היינו דלא נטעה לומר, דהטעם שאוסר הוא משום דהמלח מרכך הבשר, ומתבשל אח"כ בכלי ראשון, **אלא** דאפי' בלא נמלח כלל היה אסור לתתנו מפני הלחלוחית וכנ"ל, **והא** דנקט המחבר מלוח, דאי לא היה מלוח היה אסור לתתנו מפני איסור דם בכלי רותח, בלא איסור שבת.

ויש אוסרים לתת מלח אפילו בכלי שני כל זמן שהיד סולדת בו; והמחמיר תע"ב - בגמרא איכא תרי לישני בזה, ללישנא בתרא הוי מלח לקולא, דקשה להתבשל כבישרא דתורא, מש"ה מותר אפי' בכלי ראשון כשהעבירוהו מהאש, **וללישנא** קמא הוי מלח לחומרא, דאפי' בכלי שני מתבשל, **ופסקו** רוב הפוסקים כלישנא בתרא, אלא מפני שיש מחמירין, לכן כתב דהמחמיר תבא עליו ברכה.

(**וה"מ** במלח שחופרין, אבל מלח שעושין ממים שמבשלין אותם, אין בו משום בישול לכו"ע, דאין בישול אחר בישול, וכדלקמן בסט"ו, **וכן** בצוקע"ר מותר מהאי טעמא ליתנו בכ"ר, לאחר שהעבירוהו מן האש, [מדרבנן מפני שנראה כמבשל], **ויש** שמפקפקין בזה, ‹וסוברים שעשיית במלח והסוכר היא דרך אפיה, והוי בישול אחר אפיה, ועוד שכיון שאינם ראויים כי אם ע"י המיחוי במים, הרי זה כמו שלא נתבשלו כל צרכם›, **וטוב** ליזהר מכלי ראשון לכתחלה.

ואם עבר ונתן מלח אפילו בכלי ראשון, אפילו הוא על האש, שעבד איסורא - דע"ג האש אפי' לפסק השו"ע אסור וכנ"ל, **מותר המאכל, דהמלח בטל ע"ג המאכל** - ואע"ג דמידי דעביד לטעמא לא בטיל, שאני הכא דהוי זה וזה גורם, דהכא מיירי שנמלח ג"כ מכבר בע"ש, וגם מיירי דהמלח שנתן עכשיו לא היה בה כדי ליתן טעם בקדרה זולת המלח של אתמול, **אבל** אם היה במלח של עכשיו לבדו כדי ליתן טעם, אסור המאכל עד מו"ש, [ואפי' במזיד אין להחמיר יותר], אם נתן בהכלי כשעומד על האש, [דלאחר שהעבירו, הא קימ"ל דמדינא מותר בכלי ראשון], **וה"מ** במלח שנעשה מחפירה, אבל במלח שנעשה ממים שמבשלין, אין לאסור המאכל וכנ"ל, [אף דלכתחילה בודאי אסור על האש].

(ובתבלין כשנתנו לכלי ראשון, אף שנתן ג"כ קצת מע"ש, יש לעיין בדיעבד לענין התבשיל, דהא הוי דבר שיש לו מתירין, **דבמלח** מתיר רבינו שמחה, משום דנימוח מיד ואין מתבשל, דצריכא מילחא בישולא וכו', ומתבטל מקודם שנאסר, ‹דלאחר שנימוח לא ניכר ולא הוה דבר שיש לו מתירין, כבסי' ש"כ ס"ב – פמ"ג›, משא"כ בתבלין, **ואפשר** דגם בכאן מתבטל קודם שנתבשל, וצ"ע).

סעיף י - אסור ליתן תבלין בקערה ולערות עליהן מכלי ראשון - דאף דתבלין אין מתבשל בכ"ש וכנ"ל, מ"מ העירוי מכ"ר קי"ל דהוא מבשל כדי קליפה, **ואפי'** בדיעבד אסור אם עירה להדיא עליהן שלא נפסק הקילוח.

(הנה בשארי דברים חוץ ממים ושמן, כבר מבואר לעיל בס"ה, דיש ליזהר לכתחלה אף בכלי שני, **אך** לענין דיעבד אין להחמיר בכלי שני, **ובעירוי** מכלי ראשון נראה דינן כמו לענין תבלין, **וכ"ז** בדבר שלא נצלה ונאפה, **אבל** בדבר שנצלה או נאפה, אין לאסור בדיעבד אפילו הניח אותם בכלי ראשון, דיש לסמוך אפוסקים החולקין על ר"א ממיץ, וס"ל דאין בישול אחר אפיה וצליה, וכנ"ל בס"ה בהג"ה).

סעיף יא - אמבטי (פי' כלי שרוחץ בו) של מרחץ, שהיא מלאה מים חמין, (אע"פ שהיא כלי שני), אין נותנין לה מים צונן, שהרי מחממן הרבה - דכיון שהן לרחיצה, מסתמא חיממן הרבה, ומתבשלין הצוננים שמתערבין בהם אע"פ שהאמבטי היא כ"ש, וזהו שכתב: שהרי מחממן הרבה.

(**עיין** באחרונים שכתבו, דדוקא מים מועטין שאפשר שיתבשלו שם, אבל אם נותן הרבה כל כך עד שהחמין נעשים פושרים עי"ז, שרי, וכמו לקמיה בסוף סי"ב, **ונראה** דאם היה האמבטי כלי ראשון, יש לחוש לדעת הר"ן ורי"ו, שכתבו דבאמבטי אסור ליתן אפי' צונן מרובים, ‹מתוך שמקפידין הרבה על חומו, אסרו בו אפי' הפשר – ר"ן›.

(**ומיירי** שרוצה ליכנס לשם ליטול מעט מים חמין ולרחוץ בהן אח"כ פניו ידיו ורגליו, דמותר אם הוחמו מע"ש, וכדלקמן בסי' שכ"ו).

ואפי' בחמי טבריא, אסור ליתן צוננים באמבטי שהומשך מן המעין לתוכה, אלא צריך ליטול

מהאמבטי בכ"ש, ואח"כ יתן המים לתוכה, אפילו המים צוננים מועטין מן החמים, וכדלקמיה בסי"ב.

אבל נותן הוא ממים חמין שבזה האמבטי, לתוך אמבטי אחר של צונן - ואפי' אם האמבטי הוא כ"ר, מותר לערות לתוך מים צוננים, אם הם מרובין על החמין, (**ונ"ל דאם עתה אין היד סולדת בהן, אפילו לא היו בתחלה המים צוננין מרובין כ"כ, אם אירע שלא היו החמין חמין כ"כ, ונעשו פושרין שלא ע"י הרבה מים צוננין, ג"כ שרי**).

(**ואם היה האמבטי כלי שני, משמע מט"ז דלכו"ע מותר אפי' אם הצונן מועטין**, (דלדידיה הטור התיר אף עירוי מכ"ר, ולהרמב"ם אף דאסר בכ"ר מ"מ התיר בכ"ש), **והפמ"ג מפקפק בזה לדעת הטור**), (דאזיל בשיטת המ"א, דהטור החמיר בכ"ר, וממילא צידד די"ל דה"ה בכ"ש, ועיין בסי"ב).

ואע"ג דאסור לערות על תבלין כמ"ש בס"ד, דהוי ככלי ראשון, זהו דוקא על דבר גוש, אבל הכא שאני, שמתערבין החמין עם הצונן, ומתבטל חמימותן כיון שהצונן מרובים, **וליתן** חתיכת בשר רותח לתוך רוטב צונן, [שנצטנן לגמרי, לפי מה שפסק הרמ"א בסעיף ט"ו בהג"ה], אסור, דכיון שאינו מתערב מבשל כדי קליפה, [**ומ"מ** לענין דיעבד נראה דאין לאסור הרוטב, דיש לסמוך איש מקילין לקמן סט"ו, דס"ל דאין בישול אחר בישול אפי' בנצטנן, ובפרט שבעצם דין זה מפקפקין הב"מ והנ"א].

לתוך אמבטי אחר - לרבותא נקט, דאע"פ שהוא אמבטי, לא גזרו, וכ"ש לתוך כלי אחר שיש בו צונן.

סעיף יב - מיחם שפינה ממנו מים חמין, מותר ליתן לתוכו מים צונן (מרובים) כדי להפשירן - אבל מועטין שיוכלו להתחמם מחום המיחם עד שתהא היד סולדת בהן, אסור, **אבל** מרובין מותר אפי' אם ימלא את כל הכלי במים צוננים, וע"י זה יוכל הכלי לבוא לידי צירוף, דהיינו כשהכלי מתכות חם ונותנין לתוכו צונן, מחזקים את הכלי, וזה הוא גמר מלאכת הצורפין, שרתיחת האור מפעפעתו וקרוב להשבר, והמים מצרפין פעפועיו, אפ"ה שרי, כיון שאין מתכוין לזה, **ולאו** פסיק רישיה הוא, דאפשר שלא יגיע הכלי עי"ז לידי צירוף, **והמכוין** לצרף, י"א שהוא חייב מדאורייתא, וי"א שהוא מדרבנן.

ומותר לצוק מים חמין לתוך מים צונן, או צונן לתוך חמין - ובשניהן אפי' המים צוננים מועטין, שעדיין היד סולדת בהן אחר התערובות, ג"כ שרי, כיון שהוא בכלי שני, קי"ל דכלי שני אינו מבשל.

והוא שלא יהיו בכלי ראשון, מפני שמתחממין הרבה - דאם החמין הם בכלי ראשון, אסור לצוק בתוכם מים צוננים, וה"ה דאסור לערות מהם לתוך מים צוננים מועטים, שיתבשלו על ידם.

(**ומשמע ממ"א דגם דעת הטור הוא כן, דחמין לתוך צונן בעינן ג"כ שיהיו מרובים, וכדעת התוספות, והט"ז כתב דדעת הטור להקל בחמין לתוך צונן, אפילו בצונן מועטים, אך הרמב"ם מחמיר בזה, ועיין בספר בית מאיר שהאריך בזה הרבה, ומסיק דדעת הטור להקל, וכן הוא ג"כ דעת הרשב"א והר"ן, וטעמם, דזה לא חשיב עירוי כיון שמתערבין זה בזה, וממילא חשיב החמין שנשפך לתוך הצונן ככלי שני, ואין יכול הצונן המועט להתבשל ע"י החמין, ומ"מ מסיק דלדינא אין להקל בזה נגד דעת התוספות, דנוגע באיסור דאורייתא, וז"ל: לכן נלענ"ד לדינא, כמו המורגל האידנא שעושין משקה שקורין פאנ"ש, דהיינו שסוחטין מבע"י לימוני"ס הרבה למימהן, ומערבין לתוכו צוק"ר ומשקה שקורין ארא"ק, וביום שבת או בליל שבת מערין על תערובות זה מים חמין הרבה שנתבשלו בשבת בהיתר, בעניותנו בודאי צריכים לחוש לדעת התוספות ולאסור מכלי ראשון, אא"כ אין היד סולדת בם, כי הוא נוגע באיסור דאורייתא דמבשל בשבת, אך בדיעבד נראה לענ"ד דיש לסמוך על הרשב"א והר"ן שמתירין להדיא, אף שסברת טעמם קשה עלינו להשיג, ומה שנוהגין נמי הכי במשקה קאפ"ע או טיי"א, שמבשלין קודם שבת מעט מים עם קאפ"ע וטיי"א, באופן שהוא חזק מאד בטעמו, וביום השבת מערין עליהם מים חמין הרבה שנתבשלו בהיתר, בזה יש עוד סעד להתיר, מטעם היש מקילין המבואר בסט"ו, והוא דעת הרשב"א ודעמיה, דס"ל דאף בלח שנצטנן אין בישול אחר בישול וכו', עי"ש, לכן אין למחות ביד אחרים העושים, אבל לעצמו כל בעל נפש יחוש אף בזה, שלא לערות מכלי ראשון כל זמן שהיד סולדת בו, עכ"ל, וכן דעת הגר"א ג"כ משמע שחושש לדעת התוס' הנ"ל**).

הגה: ואם המים מרובים כל כך שא"א שיתבשלו, רק שיפיגו צנתן - ואפי' חמין קצת כעין פושרין, רק שלא יהיה היסול"ב, **אפילו בכלי ראשון שרי.**

ואם המים מרובין - קאי אצונן לתוך חמין, וכן אם חמין לתוך צונן היה הצונן מרובים, שרי, **ועיין** בח"א שכתב, דבצונן לחמין, דוקא ששופך בשפיכה גדולה הכל בפעם אחת, אבל מעט מעט אסור לערות, שהרי מבשל תיכף, ומה יועיל מה שמצטנן אח"כ, [**יש** לעיין, שהרי בדבר חריף קימ"ל כדי שיתן על האור ויתחיל להרתיח, הרי דעל האור ג"כ אינו מבשל ברגע ראשונה, וגם כאן אף שמתערב תיכף בהחמין, מ"מ אין מתבשל תיכף עד שישפוך השאר].

רק שלא יהיה על האש - וה"ה סמוך לאש במקום שיכול להתבשל, פן ישכח ויניחנו שם, וכדלקמיה בסעיף י"ד.

סעיף יג - מותר ליתן קיתון של מים או של שאר משקים, בכלי שני שיש בו מים חמין - אף דמים בלבד בלא כלי ג"כ מותר לערב בתוך כלי שני, וכנ"ל בסי"ב, **נקט** ע"י כלי משום סיפא, לאשמועינן דבכלי ראשון אפי' ע"י הפסקת כלי אסור.

כלי שני מיקרי, כשעירו מן כלי ראשון שהרתיחו החמין בתוכו, לתוך כלי זה, ומותר אפי' אם היד סולדת בו, **אבל** אם שואב בכלי ריקן מתוך כלי ראשון, י"א דדינו ככלי ראשון, **ובפרט** אם משהה הכלי ריקן בתוכו עד שמעלה רתיחה, ודאי מקרי כ"ר.

אבל בכלי ראשון אסור – (נראה שאם הצוננין שבכלי עליון מרובים כ"כ שא"א שיתבשל, שרי, דלא גרע היכא דמפסיק כלי מהיכא שנתערבו ממש).

סעיף יד - מותר ליתן קיתון של מים או שאר משקים כנגד האש להפיג צנתן – (ואפילו כדי להפשיר נמי מותר, כיון שלא יוכל להגיע לשיעור יס"ב).

ובלבד שיתנם רחוק מהאש בענין שאינו יכול להתחמם באותו מקום עד שתהא היד סולדת בו - היינו שאפי' אם יעמדו שם המים והמשקין זמן מרובה, לא יתחממו כ"כ.

(פי' מתחממת ונכוית), דהיינו מקום שכריסו של תינוק נכוית בו - דלא נוכל לשער ביד, דיש שסולד מרתיחה מועטת, ויש שאינו סולד.

אבל אסור לקרבו אל האש למקום שיכול להתחמם שתהא היד סולדת בו, ואפילו להניח בו שעה קטנה שתפיג צנתו, אסור, כיון שיכול להתבשל שם - וחיישינן דילמא מישתלי ליטלו.

הגה: וה"ה בפירות או שאר דברים הנאכלים כמות שהן חיין - היינו שאסור להניחן במקום החום להפיג צינתן, פן ישכח עד שיצלו, **ואף** שנאכלין כמות שהן חיין, ג"כ אסור, דשייך בהן שם בישול, שהם משתבחין עי"ז, **אבל** ליתנן רחוק מהאש, אפי' דבר שאין נאכל כמות שהוא חי שרי. **וע"ל סימן רנ"ד.**

ומ"מ מותר ליתן אלונטית וכלי עופרת סמוך לאש לחממו, היינו שיש בהכלי תבשיל שלא נצטנן, ורוצה שיהיה חם, אף אם הוא קרוב כ"כ עד שיוכל הכלי להיות ניתך שם או לשרוף האלונטית, **דכיון** דלא ניחא ליה בהכי, הוי דבר שאין מתכוין, **וגם** מסתמא לא ישכח ויזהר הרבה ליקח אותו משם קודם שיתיך או ישרוף.

סעיף טו - דבר שנתבשל כ"צ והוא יבש שאין בו מרק, מותר להניחו כנגד המדורה אפי' במקום שהיד סולדת בו - הטעם, דכיון שכבר נתבשל, שוב אין בזה משום חשש בישול, **ומיהו** על האש ממש אסור מדרבנן, מפני שנראה כמבשל, **אבל** בזה שמעמידו כנגד המדורה, שאין דרך בני אדם ברוב פעמים לבשל כך, אפי' איסור דרבנן ליכא - הרשב"א, **ועיין** מש"כ לקמיה בשם הרא"ש, שסובר דסמוך למדורה ג"כ אסור, אלא צריך להרחיק קצת.

כל צרכו והוא יבש - דאי לא הוי כל צרכו, אפי' אם היה דבר יבש והוא רותח, יש בו עוד משום בישול, כנ"ל בס"ד, וממילא אסור להעמידו במקום שהיס"ב, **ואי** הוי דבר לח, אפי' בכל צרכו יש בו עוד משום בישול אם נצטנן, לפי מה שפסק המחבר בריש ס"ד.

כנגד המדורה - נקט נגד המדורה ולא אצל המדורה, להורות שצריך להרחיק קצת מן המדורה, ולכן לא חיישינן שיבוא לחתות באש, דכיון שהצריכו חכמים להרחיק קצת, אית ליה הכירא ולא אתי לחתויי, הרא"ש.

וראיתי איזה אחרונים שכתבו, דמיירי שהיה עשוי מדורה בפני עצמה, אבל כשמדורת עצים הוא בתוך התנור, אסור להכניס שם קדירה אפי' אם מרחיק קצת מן המדורה, כיון שהוא מקום שהיד סולדת בו, **ולא** גרע ממה שמבואר בסימן רנ"ג, דאסור להכניס קדרה לכירה כשאינה גרופה, דהוא אפי' אם אינו מעמידו סמוך להאש, **אך** אם אינו מעמיד את הקדרה על קרקעית התנור, כי אם על איזה כלי המפסיק, אז יש להקל, וכנ"ל בסי' רנ"ג ס"ג, [**והח"א** מפקפק אפי' בקדרה מפסקת, דתוך אויר התנור, דכל האויר חם, אין הפסק בין קרקעיתו לתנור מתיר כלום – חזו"א].

(**צ"ע, הא בס"ה מביא המחבר דעת הרא"ם, דיש בישול אחר צלי, וע"ש במ"א, דה"ה דיש צלי אחר בישול,** ואיך מתיר הכא בסתם).

הגה: ואפי' נצטנן כבר - לפרש דברי המחבר בא, דמיירי בנצטנן, ולהכי לא התיר אלא ביבש, **אבל אם הוא רותח** - היינו שהיס"ב, **אפילו בדבר שיש בו מרק, מותר.**

ויש מקילין לומר דכל שאין נותנו ע"ג האש או הכירה ממש רק סמוך לו, אפילו נצטנן מותר - פליג אמחבר דס"ל דדוקא כשהוא יבש, אבל בדבר לח שנצטנן יש בישול אחר בישול, **ודעה** זו ס"ל דאין בישול אחר בישול בכל גווני, ואפי' נצטנן לגמרי.

שאינו נותנו על גבי האש וכו' - דאם נותן ע"ג ממש, אף שאין בו איסור דאורייתא לדידהו, עכ"פ אסור מדרבנן, מפני שנראה כמבשל, **וגם** דאתי לחתות בגחלים.

ונהגו להקל בזה אם לא נצטנן לגמרי, וכמו שכתבתי לעיל סי' רנ"ג - אף דלדעת המחבר, כיון שנצטנן מעט מחמימותו ואין היס"ב, שוב יש בו משום בישול, וכמו שכתבנו לעיל בס"ד, **המנהג** להקל בזה, דסומכין בזה איש מקילין כל זמן שלא נצטנן לגמרי.

סעיף טז - מותר ליתן אינפאנדה כנגד האש במקום שהיד סולדת - היינו ע"ג איזה כלי המפסיק, דאל"כ אסור, וכנ"ל בסימן רנ"ג ס"ג וס"ה.

אינפאנדא הוא פשטיד"א הנזכר בכמה מקומות, והוא פת כפולה הממולא בחתיכות שומן, ונותנו שם כדי לחממו, **והטעם** שמותר, דכיון שהוא יבש, אף שנצטנן, לא שייך ביה בישול עוד, וכמ"ש בסט"ו.

ואע"פ שהשומן שבה שנקרש חוזר ונימוח - מ"מ מקרי יבש, כיון שבשעה שנותנו לחממו לא נמחה עדיין.

ולא דמי לריסוק שלג וברד, המבואר לקמן בסימן ש"כ ס"ט דאסור מטעם נולד, שמוליד המים, וה"נ הרי מתחלה היה עב וקפוי, ועכשיו נעשה זך וצלול, **דשאני** הכא דלא עביד כלום בידים, אלא ממילא הוא נמחה, **וגבי** ברד נמי תניא: אבל נותן הוא לתוך הכוס של יין לצננו ואינו חושש, ואע"פ שנימוח, כיון שהוא ממילא.

הגה: וכ"ש קדירה שיש בה רוטב שנקרש, שכשהשומן נימוח אינו בעין, דשרי - דבזה כשהוא נימוח מתערב השומן עם הרוטב ואינו ניכר, ודמי ממש להא דאמרינן: אבל נותן לתוך הכוס, משום דאינו ניכר כשנימוח הברד לתוכו.

והיינו רק לענין איסור נולד דלא שייך בזה, אבל לענין איסור בישול הכא חמיר מדלעיל, דהא רוטב הוא דבר לח, ודבר לח שנצטנן שייך בו בישול, כמ"ש המחבר בס"ד, **וע"כ** אינו מותר הכא רק אם יעמיד הקדרה במקום שאין היד סולדת בו.

ויש מחמירין - ס"ל דגם בזה שייך איסור נולד, ואפי' בקדרה שהשומן מעורב עם המרק, **ולא** דמי להא דאמרינן: אבל נותן הוא לתוך הכוס, דהתם אין הברד ניכר כלל כשנמחה בהכוס, **אבל** שומן שנמחה צף למעלה וניכר הוא, ואפי' להניחו בחמה שיהיה נמחה, ג"כ אסור לדעה זו.

ודע דאפי' להיש מחמירין, אינו אסור כי אם כשיש הרבה שומן על הפשטיד"א, שכשיהיה נימוח יהיה זב לחוץ ויהיה מינכר בפני עצמו, **אבל** אם אין על הפשטיד"א כ"כ שומן, או שמעמידו כ"כ בריחוק מקום מן החום, שלא

יהיה נימוח עד שיזוב לחוץ, אלא מעט ממנו יהיה נימוח בתוכו לבד, או אם השליך לחוץ השומן שעליו, מותר לחמם הפשטיד"א לכו"ע, ואף שעדיין נפשר וזב מבשר שומן שבתוכו, דבר מועט הוא ושרי לכו"ע, **וכן** מותר להחם בשבת חתיכת בשר שמן, אע"פ שמקצתו זב, כיון דדבר מועט הוא הנפשר, לא חשיב ושרי.

כתבו האחרונים, כד של מים או שאר משקין שנקרש מלמעלה, שרי לכו"ע להעמידו במקום שלא יגיע ליד סולדת בו, [דאי יכול להגיע, אפי' יחזיק רק שעה קטנה אסור, כנ"ל בסי"ד], דהקרח כשימס יהיה מתערב תיכף תוך המשקים שתחתיו ואינו ניכר, [**דאי** נקרש כולו, אסור להיש מחמירין, ואין להקל אלא לצורך שבת, לפי מה שמסיק הרמ"א].

ונהגו להחמיר - ומ"מ קודם שהוסק התנור, מותר להניח הפשטיד"א, כיון דיש מתירין אפי' אח"כ, **ואין** לעשות כן בפני ע"ה.

מיהו במקום צורך יש לסמוך אסברא ראשונה - היינו דאז אפי' לכתחלה מותר, ובדיעבד בכל גווני אין לאסור.

סעיף יז - אסור ליתן צונן (על המיחם), אפילו להפשיר, כל שהמיחם חם כל כך שאילו היה מניחו שם הרבה היה בא לידי בישול, דהיינו שיהיה יד סולדת בו - דחיישינן שמא ישכח ויניחנו שם עד שיתבשל.

לפי מה דמסיק הרמ"א לעיל בסט"ו בהג"ה, יש להקל בזה אם היה דבר מבושל ולא נצטנן לגמרי.

שדין מניח ע"ג מיחם, כדין מניח כנגד המדורה - ר"ל ומבואר לעיל בסי"ד, דאפילו להפיג צינתו אסור, אם יכול לבוא לידי בישול.

ואם אינו חם כל כך, מותר - אפי' אם הצונן הוא דבר שלא נתבשל מעולם. **ואם** המיחם עומד ע"ג האש, עיין לעיל בס"ח.

סעיף יח - האלפס והקדירה שהעבירן מרותחין מעל גבי האור, אם לא נתבשל כ"צ, אין מוציאין בכף מהם, שנמצא מגיס ואיכא משום מבשל - וכ"ש להגיס ממש דאסור, ויש חיוב חטאת בזה לפי מה שפסק השו"ע לעיל בס"ד, דבזה מסייע ומקרב להבישול וחשיב כמבשל, [**אבל** בהוצאת הכף, איסורו הוא רק מדרבנן, שהוא כעין הגסה].

(**ובדיעבד אם עשה הגסה בלא נתבשל כ"צ, לא נאסור,** דיש לסמוך על דעת הראשונים, **דאחר** שנתבשל כמאב"ד תו אין בו משום בשול, **וממילא** דכ"ש דאין בו משום הגסה).

ואם נתבשל כל צרכו, מותר - אפי' להגיס בו, דאין בישול אחר בישול, וכדלעיל בס"ד.

שהעבירן מרותחין - נקט "שהעבירן" לרבותא, דאפי' בזה אסור כשלא נתבשל כל צרכו, **ובנתבשל** כל צרכו, אפי' עומד ע"ג האור מותר להוציא בכף, כן משמע בב"י, **אבל** בא"ר מסיק דיש לאסור בזה, [כן הוכיח מכל בו, ולהכל בו אם היה הגסה ממש, יש בו חיוב חטאת, כיון שהוא על האש, **ולא** אדע הטעם, דמאי עדיפא הגסה מבישול ממש, וכל הפוסקים מודים דבמבושל כל צרכו אין בו משום בישול, **ועכ"פ** בדיעבד בודאי אין לאסור בזה, וכדעת שאר הפוסקים].

אבל צמר ליורה, אע"פ שקלט העין, אסור להגיס בו (פי' לנענע אותו בכף) - משום צובע, שכן הוא מלאכת הצביעה להגיס תמיד כדי שלא יתחרך, גם ע"י הגסה נקלט הצבע בצמר יותר, [**ויש** עוד טעם, דהסממנים צריכין בישול לעולם, **ונ"מ** אם מבשל סממנים במים בלא צמר, דלשני תירוצים הקודמין מותר הגסה, כשאר תבשיל שבישל כל צרכו, ולטעם זה אסור].

הגה: ולכתחלה יש ליזהר אף בקדירה בכל ענין - אלא יהפוך הקדירה לקערה ולא יוציא בכף.

ועיין באחרונים דלא נהיגין להחמיר בזה, דבאמת העיקר כמו שכתבנו מתחלה, דמבושל כל צרכו אפי' להגיס מותר, וכמבואר לקמן בסימן שכ"א סוף סי"ט, **והרוצה** להחמיר יחמיר בהגסה ממש, אבל להוציא בכף אין להחמיר כלל בנתבשלה כל צרכה ואינה על האש.

(ומשמע דכל המינים שוים להקל בזה, **ובמ"א** משמע, דבשאר מינים חוץ מן קטניות, שיכול לשפוך בקל מן הקדרה לקערה, ישפוך ולא יוציא בכף לכתחלה, **אבל** אין העולם נוהגין כן).

(ביאור הלכה) [שער הציון] ‹הוספה›

סעיף יט - אסור לטוח שמן ושום על הצלי בעודו כנגד המדורה, אפילו נצלה הצלי מבעוד יום, דמ"מ יתבשל השום והשמן - לאו דוקא כנגד המדורה, דה"ה במעביר את השפוד שתחוב עליו הצלי מהאש, כל זמן שהוא רותח שהיס"ב אסור לטוח עליו, **ואפילו** אם הניח אח"כ על הקערה שהוא כ"ש, ג"כ אסור, דהא כמה פוסקים סוברים דדבר גוש כל זמן שהיס"ב אפילו בכ"ש מבשל, **ומ"מ** בדיעבד אין לאסור כשהוא מונח בכלי שני, דסמכינן על הפוסקים דכלי שני אינו מבשל בכל גווני, [**ואם** טח על הצלי בשומן קודם שהניחו בכלי, אוסר בכחוש עד כדי נטילה, ואם טח בשָׁמֵן, אוסר עד ששים].

וכ"ז בשום ושמן דהוא דבר חי שלא נתבשל, אבל בשומן שנקפא, מותר לטוח אפי' כנגד המדורה, דאין בו שוב משום בישול כיון שכבר נתבשל, וכמו שכתבנו למעלה בסט"ז, דדבר יבש שכבר נתבשל אין בו שוב משום בישול, [**דאי** אינו נקפא, הוי בכלל דבר לח נצטנן, ושייך בו בישול].

ומשום נולד ליכא, כיון דנבלע בהבשר ואינו בעין, ובלבד שלא ירסקנו בידים, [**והא"ר** כתב, דלפי מה שמבואר לקמן בסי' ש"כ במ"א, דכמה פוסקים סוברים דמותר לרסק ברד לתוך הכלי, ה"ה הכא דמותר לרסק, **וטוב** להחמיר לכתחילה, דגם שם בשו"ע משמע להחמיר], **רק** יניחנו עליו מעט מעט והוא נימוח מאליו, [והטעם, דבמעט מעט נבלע תיכף, ומותר אפי' להיש מחמירין הנ"ל], **וה"ה** דמותר לטוח מטעם זה בשומן אווז שנקפא, ע"ג מיני קמחים וקטניות, כגון לאקשי"ן ערביזי"ן היר"ז, שנתנום ע"ג קערה אף שהוא רותח, ורק שיניחנו עליו מעט מעט והוא נימוח מאליו וכנ"ל.

איתא בתוספתא: אחד נתן את האור, ואחד נתן את העצים, ואחד נתן את הקדרה, ואחד נתן את המים, ואחד נתן את הבשר, ואחד נתן את התבלין, ובא אחר והגיס, כולם חייבים, **היינו** שהנותן האור חייב משום מבעיר, דכשהוא מוליך גחלת ממקום למקום הוא מתלבה מרוח הליכתו, **והנותן** העצים ג"כ חייב משום מבעיר, **ואידך** כולהו משום מבשל, וגם מגיס נמי מטעם זה, שכל העושה דבר מצרכי בישול הרי זה מבשל, **והנותן** את הקדרה מיירי בחדשה, וחייב משום שמתלבן ומתחזק הקדרה ע"י שנותנה על האש.

אחד נתן את הקדרה, ואחד נתן את המים, ואחד נתן את הבשר, ואחד נתן את התבלין, ואחד נתן את העצים, ואחד הביא את האור, ובא אחר והגיס, שנים האחרונים חייבים, **וכתב** הרב המגיד, דלד"ה כל שאין בבישולו חיוב, כגון במבושלת כל צרכו, אין בהגסתו חיוב, **וב"י** כתב בשם הכלבו, דכשהיא על האש חייב בהגסה אפילו במבושל כל צרכו.

כלי בישול שלנו שקורין סאמאווא"ר, שהוקם מע"ש, אסור ליטול ממנו מים בשבת כשאינו גרוף מן הגחלים, **הטעם**, מפני שהוא עשוי פרקים, הוא מתיירא שמא יתאכל פירוקו והוא מוסיף מים, **ולפי"ז** יש ליזהר כשישב לשתות מן הכלי בישול שלנו קודם שקיעה, ובאמצע קידש עליו היום, שלא לשתות ממנו עוד.

«ובמיחמי מים בזמנינו, הגם שכשנגמרים המים מן המיחם עלול לישבר ולישרף גוף החימום, מ"מ אין חשש מלהשתמש בו בשבת, כי לא גזרו חז"ל אלא כשעלול לישבר גם לולא מוציא מים, כי המים מתאדים מאליהם, לאפוקי במיחם דזמנינו שמותקן בו טרמוסטט, או כפתור שבת, שאינו נותן למים להתאדות אפילו לאחר זמן רב, ושמא יוציא בידים את כל המים לא חששו, ובפרט במיחמים שלנו שהברז מותקן בגובה קצת, שמראה לאדם סימן ליזהר שלא לגמור את כל המים. **ואכן** יש ליזהר לא להטות ולהוציא את כל המים מן המיחם, כי גורם בכך לכיבוי גוף החימום – פסקי תשובות».

§ סימן שיט – דין הבורר בשבת §

סעיף א - הנה בורר הוא אחד מל"ט אבות מלאכות של שבת, וחייבין עליה ג"כ חטאת בשוגג ומיתה במזיד, כמו על שאר מלאכות, ובעו"ה הרבה אנשים נכשלין באיסור בורר, וע"כ אראה לבאר אותה בעז"ה בכל פרטיה, ואקדים לזה הסימן הקדמה קצרה, והוא: **אין** חל איסור בורר מן התורה כי אם באחד משלשה אופנים, שאז דרך ברירה היא כן בחול, **א)** אם בורר פסולת מן האוכל, אפילו בורר בידו ודעתו לאכול מיד, ג"כ חייב, שזהו דרך ברירה בחול לברור הפסולת מן האוכל, **ב)** אם הוא בורר בכלי שדרך לברור בה, כגון בנפה וכברה, חייב אפילו הוא בורר האוכל מן הפסולת ודעתו לאכול מיד, שכן דרך הבורר בכלי, פעמים הוא בורר האוכל מן הפסולת, כגון שנקבי הכברה דקין והאוכל הוא גס, ופעמים הוא להיפוך, **ואם** הוא בורר

בכלי שאין דרך לברור בה, פטור אבל אסור וכדלקמיה, **ג)** אפילו אם הוא בורר אוכל מן הפסולת ובידו, אך שדעתו לאכול לאחר זמן, חייב, **ואינו** מותר לברור כי אם באופן שיזהר בכל ג' אופנים, דהיינו שיבורר האוכל מן הפסולת, וגם שהברירה יהיה בידו ולא בכלי, וגם שיהיה דעתו לאכול מיד, שאז לאו דרך ברירה היא אלא דרך אכילה היא - אלו עיקרי הכללים שבסימן זה, ויתר הפרטים נבאר אי"ה בסימן הבא.

הבורר אוכל מתוך פסולת, או שהיו לפניו שני מיני אוכלים ובורר מין ממין אחר, בנפה ובכברה, חייב - שזהו דרך ברירתו, ואפילו היה בדעתו לאכול לאלתר.

מין ממין אחר - (לענין חיובא דנפה וכברה, אין חילוק בין אם בירר אותו המין שהיה רוצה לאכול, והמין השני נשאר על מקומו, או להיפוך, וכן כשדעתו לאכול שניהם לאלתר, **אבל** לענין התירא כשבירר בידו, אינו מותר רק כשבירר אותו המין שרוצה לאכול ולא להיפוך, כי זה המין חשוב כאוכל והשני חשוב כפסולת).

(**עיין** בפמ"ג שכתב, דבדיעבד אם בירר, י"ל דאסור לאותה שבת, דנהנה ממלאכת שבת, **אולם** לפי מש"כ הגר"א לעיל בסימן שי"ח ס"א, ‹דפסק כדעת ר"מ, דבשוגג מותר לו ולאחרים מיד›, אין להחמיר בשאר מלאכות בשוגג לענין דיעבד). ‹**דבבישול** לא הקיל שלא במקום הצורך, וכמ"ש שם, כיון דנשתנה גוף הדבר, וכדמבואר שם בבה"ל – אז נדברו›.

בקנון ובתמחוי, פטור אבל אסור - דהוי בורר כלאחר יד, דעיקר ברירה אינו אלא בנפה וכברה.

פירש"י, קנון הוא כלי עץ שעושין כעין צנור, רחב מצד אחד וקצר מצד אחד, והבורר קטניות נותן אותם בצד הרחב, ומנענע אותם והם מתגלגלים ויורדים דרך פיו הקצר, והפסולת שאינם עגולים נשארים בכלי, **ותמחוי** היא קערה גדולה.

(**ואפילו** בירר בהן רק חצי שיעור גרוגרת, ג"כ אסור, גזירה אטו חצי שיעור דנפה וכברה, דיש בזה איסור תורה, דקי"ל חצי שיעור אסור מן התורה).

ואם בירר בידו כדי לאכול לאלתר, מותר - היינו דוקא האוכל מן הפסולת, **ולהיפך** בכל גווני חייב, וכדלקמן בסעיף ד' וה'.

(**ואפילו** בירר רק כדי להאכיל לבהמה ועופות לאלתר, ג"כ שרי).

(והנה מדלא העתיק המחבר שיטת התוס', דס"ל דאוכל מן הפסולת הוא דוקא כשאוכל מרובה על הפסולת, הא אם הפסולת מרובה, דרך לברור האוכל, ובכלל ברירה הוא, **משמע** דלא ס"ל כן, וכן משמע לקמן בס"ד בהג"ה).

הגה: וכל מה שבורר לצורך אותה סעודה שמיסב בה מיד, מקרי לאלתר - ר"ל אפילו יאריך זמן הסעודה כמה שעות, מקרי לאלתר כיון שהברירה היא סמוך לסעודה.

ואם כונתו כדי שישתייר גם אחר סעודה, או על סעודה אחרת, חייב חטאת, **אך** אם ממילא נשתייר מברירתו עד לאחר הסעודה, אין בכך כלום, כיון שכבר בירר בהיתר, [**ואם** בירר לאותה סעודה, ואח"כ נמלך לעזבה לסעודה אחרת, אף דחיוב חטאת אין בזה, דקדמה מעשה למחשבה, מ"מ לא אריך למעבד הכי - פמ"ג, **וצריך** ראיה לדבריו].

ואפילו אחרים אוכלים עמו, שרי - ר"ל דאחד יכול לברור בעד כל בני הסעודה, ואין בזה משום בורר, דדרך אכילה היא, **ואפילו** אינו אוכל בעצמו כלל עמהם ג"כ שרי, והאי "עמו" שכתב רמ"א לאו דוקא הוא.

ולכן מותר לברור הירק שקורין שאלאטי"ן מן העלין המעופשין שבו, כל מה שצריך לאכול באותה סעודה - ודוקא באופן זה דהוי אוכל מן הפסולת, אבל לא להיפך, ליטול העלין המעופשין מן הטובים, דהוי בורר פסולת מן האוכל וחייב, **ואפילו** אם אין העלין הללו פסולת גמור, שראויין לאכילה ע"י הדחק, אפ"ה יש איסור לבררם מדרבנן, דמחזי כבורר פסולת מן האוכלין.

(**באופן** ברירה זו יש חילוק, דאם הם עלים מופרדים, יבור לו הטובים ויניח המעופשים, **אבל** אם הם קלחים, כגון חזרת, שהעלים שמבחוץ הם המעופשים, אז יסיר מוצא המעופשות, דהו"ל כמסיר הקליפה לאכול התוך, דזהו לאו דרך ברירה, רק לתקן המאכל).

וה"ה כשמונח לפניו קטניות או שאר פירות, ויש בהם מתולעים ומעופשים, וכן פירות שנפלו לארץ ונתערבו בעפר וצרורות, **יזהר** שלא יברור בידו רק מה שצריך

(ביאור הלכה) [שער הציון] ‹הוספה›

לאותה סעודה שרוצה לאכול תיכף ולא יותר, דאז חייב, **וגם** יזהר שיברור דוקא האוכל מן הפסולת ולא להיפוך.

סעיף ב - הבורר אוכל מתוך הפסולת - דפסולת מתוך האוכל אפי' לאלתר חייב וכדלקמיה, **בידו** - וה"ה בקנון ותמחוי, **להניחו אפילו לבו ביום, נעשה כבורר לאוצר וחייב** - דרוב ענייני ברירה הוא אלאחר זמן, ואז הדרך לברור בכל דבר אפילו בידו, וכ"ש באיזה כלי, **דלאלתר** דרך מאכל הוא, לברור האוכל מן הפסולת בעת האכילה, אלא דאם הוא בורר בנפה וכברה, או שהוא בורר הפסולת מן האוכל, דמינכר מלתא דלשם ברירה הוא, אפי' לאלתר חייב.

ע"כ יש ליזהר במה שנוהגין העולם, להכין הבצלים בחומץ לאיזה תיקון מאכל לסעודה ג', ובוררין העלין הטובים מן הכמושים והמתולעים, שלא יעשו זה רק סמוך לסעודה, וגם יזהר שלא יברור הכמושים מן הטובים, דזה הוי פסולת מן האוכל, **ובשלטי** גבורים כתב, דנהג להכין זה מע"ש, דקשה ליזהר בעניני הברירה בזה, **והנה** המחמיר ועושה כן תע"ב, ומ"מ אין למחות ביד המקילין ומכינין בשבת, דיכול לסמוך על הרמ"א הנ"ל בס"א בהג"ה, אך שיזהר בכל מה שכתבנו.

סעיף ג - היו לפניו שני מיני אוכלים מעורבים, בורר אחד מאחד ומניח (בשני כדי) לאכול מיד - ר"ל דאותו שרוצה לאכול עתה חשוב כאוכל, והשני חשוב פסולת, וא"כ צריך לברור זה שרוצה לאכול מיד דחשוב כאוכל, ולהניח השני בקערה, **אבל** איפכא לא, דהוי פסולת מתוך אוכל, דקיי"ל דאסור לברור אפי' כשרוצה לאכול המין השני לאלתר.

(יש גדולים שאינם סוברין כן, שכתבו דבשני מיני אוכלים אע"פ שלא אכל מה שבירר, אלא מה שהיה בורר בידו הניחו לבו ביום או למחרת, ואכל המין הנשאר, שרי, דלא אסרינן זה אלא בבורר פסולת גמור מתוך אוכל, משא"כ הכא דהוי ב' מיני אוכלים, וכל שבורר כדי לאכול לאלתר שרי, **אמנם** למעשה אין לזוז מדברי התה"ד והרמ"א, ונוגע בענין איסור דאורייתא).

(סעיף זה מיותר הוא, דכבר כתב דין זה בס"א, ולא נקטיה אלא משום סיפא, דאם בירר והניח לאחר זמן, דדין זה עדיין לא נזכר, כי בס"ב לא איירי אלא באוכל ופסולת, ולא בשני מיני אוכלין).

(הנה בספר ישועות יעקב הקשה בעיקר מלאכת בורר, אפילו בורר פסולת מתוך אוכל אמאי חייב, הרי הוא מלאכה שאין צריך לגופה, דהרי אינו צריך להפסולת כלל, אלא שבוררו כדי לדחות הנזק מעליו, והרי הוא כמוציא את המת לקוברו, ותירץ דענין מלאכת בורר הוא, שהפסולת אינו ראוי לאכילה, וגם האוכל אין ראוי כ"כ לאכילה עם הפסולת שבתוכו, גלל כן הוא מפריד הפסולת מן האוכל, וא"כ המלאכה אינה נקראת על ברירת הפסולת, רק דמתקן האוכל שיהיה ראוי לאכילה, וזהו מלאכה הצריכה לגוף האוכל, דמשוי ליה אוכל גמור, **ולפי"ז** דוקא פסולת מתוך אוכל דאין ראוי לאכילה כלל מתחלה, ומשוי ליה אוכל ע"י הברירה הזאת, **אבל** בשני מיני אוכלין, כשמפריד האוכל השני מחמת שאינו רוצה לאכלו, חשוב משאצ"ל, כיון דאוכל זה שרוצה לאכול כעת ראוי לאכילה אף אם לא נפרד האוכל השני, ופרידתו הוא רק מחמת שכעת אין נפשו חשקה בו, הוי משאצ"ל, עכ"ל, **וא"כ** לפי דבריו יהיו דברי הרמב"ם הנזכר בשו"ע ס"א, לשיטתו דמלאכה שאצ"ל חייב, **אבל** לדידן דפסקינן דמלאכה שאצ"ל פטור, לא יהיה חייב לפי"ז בבורר אותו שאין חפץ לאכול אפילו בכלי, ורק אם בורר אותו שחפץ לאכול לאלתר ובכלי, או בידו ולאחר זמן, וקשה, דלפי דבריו אמאי העתיק הרא"ש ויתר הפוסקים, דס"ל דמשאצ"ל פטור, את הדין דאותו שאינו חפץ לאכול מקרי פסולת, **וע"כ** צ"ל דס"ל דגם בשני מיני אוכלים המעורבים, מתיפה כל מין ע"י ברירת חבירו ממנו, וע"כ מיקרי מלאכה הצריכה לגופה).

(הנה הפמ"ג מסתפק, דאם בירר מין אחד מחבירו ודעתו להניח שניהם אלאחר זמן, אם שייך בזה ברירה, דהי אוכל והי פסולת, ע"ש, **ולענ"ד** נראה פשוט מלשון הרמב"ם, דס"ל דהברירה מה שבורר מין אחד מחבירו, ועי"ז הוא כל מין בפני עצמו, זהו עצם המלאכה, אלא דאם דעתו לאכול תיכף והוא בידו, הוי דרך מאכל, **וא"כ** ק"ו הדבר, ומה היכא שהניח מין אחד על מקומו שייך שם ברירה, וכ"ש בזה שלקח כל מין ומין ובירר לעצמו דחייב, והנה הפמ"ג, אהא דאיתא שם דשרי לסנן החלמון מן החלבון ע"י מסננת, שהוא דומה לנפה וכברה, אף דמקרי ב' מינים, והטעם, משום דאין מסנן החלמון כדי לאכול, כי אם ליפות מראה החרדל, ומזה הוכיח שם דה"ה דמותר לברור שני מיני אוכלים אחד מחבירו אף ע"י נפה

וכברה, היכא דאין רוצה לאכלם עתה, **ולענ"ד** לא דמי כלל, דהתם תרוייהו אינם עומדים לאכילה לעולם, דהחלבון נתערב בפסולת החרדל, ואין רוצה לאכלה, והחלמון יורד למטה לגוון ולא לאכילה, ולפיכך אין שייך ע"ז שם בורר, שאין מתקנם ע"י ברירתו לאכילה לעולם, **אבל** כשבורר שני מיני אוכלים כל אחד מחבירו כדי לאכול כל מין בפני עצמו לאחר זמן, הרי שפיר מתקן שניהם ע"י ברירתו, ובורר גמור הוא וכמו שכתבנו).

הגה: ושני מיני דגים מיקרי שני מיני אוכלים, ואסור לברור אחד מחבירו, אלא בידו כדי לאכלן מיד - ר"ל שיברור אותו שרוצה לאכול מיד, ולא יברור אותו שרוצה להניח לסעודה האחרת, **אע"פ שהחתיכות גדולות וכל אחת נכרת בפני עצמה** - ר"ל דמ"מ שייך בזה ברירה, כיון שאין מסודרות כל מין בפני עצמו, אלא מעורבין ביחד.

אבל כל שהוא מין אחד, אע"פ שבורר חתיכות גדולות מתוך קטנות, לא מיקרי ברירה - אם לא שקצת מהם אינם טובים כ"כ כמו חתיכות האחרים, כגון שנקדחו מכח הבישול איזה חתיכות דגים, ורוצה לברור אותן שלא נקדחו, או שאיזה חתיכות דגים הוי מדג חי, ואיזה מדג מת, ורוצה לברור אלו מאלו, בכל זה אפילו במין אחד שייך ברירה, וצריך לברור זה שרוצה לאכול עכשיו, ודמי ממש לעלין מעופשין בס"א.

ואפילו היו שני מינים ובורר משניהם ביחד הגדולות מתוך הקטנות או להיפך, שרי, הואיל ואינו בורר מין אחד מתוך חבירו.

ותפוחים חמוצים ומתוקים, מסתפק הפמ"ג אי מקרי מין אחד אם לא, **ואם** מחמת חמיצותו אין ראוי לאכול, הוה בודאי דומה לפסולת, ויש בזה משום איסור ברירה, **ואפי'** נאכלים ע"י הדחק, יש בזה איסור מדרבנן, ודמי לעלין מעופשין הנ"ל בס"א.

והנה הט"ז מחמיר אפילו במין אחד, שלא יברור אלא אותו שרוצה לאכול עתה, או שיקח סתם מן הבא בידו להניח לסעודה אחרת לא דרך ברירה, **אבל** הרבה אחרונים חלקו עליו, והסכימו עם הרמ"א שפסק כתה"ד.

בשר צלי ומבושל מקרי ב' מינים לענין זה, וכ"ש בשר של מיני עופות מחולקין, **וע"כ** צריכין ליזהר בסעודות גדולות שמונחים כמה מיני עופות יחד, ובוררין להניח למו"ש, שיבררו אלו שרוצין לאכול עכשיו ולא להיפוך.

כתבו האחרונים, דה"ה בכל דבר כשהם שני מינים, כגון כלים ובגדים, שייך ברירה, וע"כ צריך לברור זה המין שרוצה ליטול עכשיו, והשאר ישארו על מקומם, ולא להיפוך, **ואפשר** דאם תלוים כמה בגדים על הכותל, ומחפש אחר בגדו שרוצה עכשיו ללבשו, ועי"ז מוכרח לסלק מתחלה כל שאר הבגדים, לא הוי בכלל בורר, **וכן** אם מונחים בקערה כמה מינים יחד זע"ז, והמין שרוצה לאכול מונח למטה, ומסלק אלו שמונחין למעלה כדי שיוכל להגיע להמין שלמטה וליטלו, לא הוי בכלל בורר.

(**וכדמשמע** לשון הרמב"ם והשו"ע, דקאמר: היו לפניו וכו' מעורבים, משמע אבל אינן מעורבים לא שייך שם בורר במה שמסלק מין אחד מחבירו, **ואפילו** אם תרצה לדחוק ולומר, דבמה שאינו מסודר כל מין בפני עצמו הוא בכלל מעורבין, ושייך בזה שם ברירה, מ"מ נראה דאין להחמיר בזה רק כשמסלקו מלמעלה ודעתו בברירתו כדי להניחו לאחר זמן, דאז אם הוא בכלל ברירה, נוכל לומר דמקרי מלאכה וגם מלאכה הצריכה לגופה, כיון דבהסרתו מכינו אלאח"כ, לא שנא אם מכינו על יום זה או על יום אחר, **אבל אם אינו** חושב אודותו כלל, רק שרוצה להסירו כדי להגיע למין שלמטה ממנו, זה לא הוי בכלל בורר כלל, ודומיא דמה דפסק השו"ע לעיל סי' שט"ז ס"ז, לענין צידת נחש, דאם מתעסק שלא ישכנו, מותר, והוא אפי' להרמב"ם דס"ל דמשאצ"ל חייב, וכמ"ש המפרשים הטעם, כיון שאינו רוצה בעצם הצידה, רק כדי להפרידו מעליו, לא הוי בכלל מלאכה דאורייתא, וה"נ בענינינו, דרוצה לסלקו רק כדי להגיע למין שלמטה ממנו, **ולענין** פסולת מתוך אוכל שאני, שמתיפה האוכל ע"י ברירתו, משא"כ בזה שאינו מתיפה המין שלמטה עי"ז, ורק משום עצם הברירה שבורר כל מין מחבירו, וזה לא שייך בזה, וכמ"ש ראיה מצידת נחש, **ואף** אם נאמר דהיא עכ"פ מלאכה שאצ"ל, ויש עכ"פ איסור מדרבנן, מ"מ נראה דבענינינו אין להחמיר בזה, דהתה"ד גופא מצדד מתחלה להקל אפילו כשנתערבו יחד היטב, והוא רוצה לבררו כדי להניחו לאחר זמן, ומשום דלא שייך שם בורר היכא דכל מין ניכר בפני עצמו, ולא החמיר בזה

לבסוף רק מטעם חשש חיוב, ע"ש, וכיון דבירנו בענינננו דלית בזה חיובא בכל גווני, נראה דאין להחמיר בדבר).

ואם בירר והניח לאחר זמן אפי' לבו ביום, כגון שבירר שחרית לאכול בין הערבים, חייב - וה"ה אם היה זמן מופלג מסעודת בין הערבים, (כ"כ בתוספת שבת ועוד אחרונים, ויש אחרונים והמ"א מכללם, שהעתיקו דלענין שני מיני אוכלים נשתנה הדין מן בורר אוכל מפסולת, ולא נקרא לבו ביום כי אם מסעודה לסעודה, **הא** אחר שאכל הסעודה ומכין לסעודה האחרת, אף שהוא עדיין זמן מופלג לה, מ"מ בכלל לאלתר הוא, ויש ליזהר בזה דנוגע באיסור דאורייתא).

סעיף ד - הבורר פסולת מתוך אוכל, אפילו בידו אחת, חייב - אף דלקמן בס"ז איתא, דלנפח בידו אחת מותר, התם לאו דרך ברירה הוא בזה, משא"כ בסתם ברירה לא מיקרי שום שינוי ע"י מה שבירר בידו אחת, **ויש** דלא גרסי כלל תיבת "אחת", ועיקר רבותא הוא דאפילו בידו, דבאוכל מתוך פסולת מקילינן בזה היכא שכונתו לאכול לאלתר, הכא חייב.

הגה: ואפילו האוכל מרובה ויש יותר טורח בברירת האוכל, אפ"ה לא יברר הפסולת אפי' כדי לאכול לאלתר - ר"ל דביו"ט בכה"ג צריך לברור הפסולת, קמ"ל דשאני התם דמשום שמחת יו"ט הוא כדי למעט בטרחא, אבל הכא דרך ברירה הוא.

(ויש להסתפק אם שם בורר מונח דוקא כשבורר מקודם ומכין לאכול לאלתר, אבל אם בעת האכילה גופא שאוחז בידו ורוצה לאכול מוציא הפסולת ומשליכו, לא שייך בורר, אף שעושה דבר זה קודם האכילה, דזהו דרך מאכל, **או** דילמא לא שנא, אלא צריך להשליכו אחר שיאכל דוקא, או שישליך מן האוכל עמו, **ומצאתי** בספר ברכי יוסף שכתב, שנחלקו בדבר מהר"י אבולעפיא ומהרי"ט צהלון, שמהרי"א מיקל, ומהריט"ץ אוסר, **ומטעם** זה אוסר להשליך הזבוב מן הכוס אא"כ ישפוך ג"כ קצת משקה עמה, והתיר רק מטעם אחר, וכתב הברכי יוסף, דמסתימת הפוסקים שלא חילקו בזה, משמע דפסולת מתוך אוכל אפילו באופן זה חייב, **ובינותי** בספרים ומצאתי שהראשונים פליגי בסברא זו, **אמנם** מדברי השו"ע לקמן סט"ז משמע דס"ל כמהריט"ץ, דלא התיר שם במים שיש בהם תולעים לסנן לתוך פיו ע"י מפה, רק מטעם דמה שמעכב בשעת שתיה את הפסולת שלא יכנס לתוך פיו, אין זה מעין מלאכה ומותר, ומדלא קאמר סתם דבשעת שתיה גופא אין שייך בורר, אלא ודאי דס"ל כמהריט"ץ דלא שנא).

(**וראיתי** בס' מאמ"ר שכתב על סעיף זה, וז"ל: מכאן נראה ברור, דמה שנוהגין בסעודות גדולות וכיוצא, לקרוע הדג מגבו ולהסיר השדרה שבאמצע, דיש ליזהר בשבת מלעשות כן, דהו"ל בורר פסולת מתוך אוכל דחייב אפי' בלאלתר, אלא יניח השדרה שם ולא ישליכנה לחוץ, **וכן** יזהר כל אדם שלא להשליך עצמות הבשר לחוץ, אלא בדרך אכילה, דהיינו עצם שיש עליו קצת בשר יאחז בו לאכול ממנו, ולהשליכו אח"כ מידו, {מלשון זה משמע דאף בעת האכילה גופא צריך ליזהר שלא להפריש העצמות מן הבשר ולהשליכו לחוץ, רק אחר שכבר קלף הבשר ואכל יכול להשליכו, אבל לא ברירא דבר זה וכמש"כ למעלה}, **ואותו** שאין עליו בשר אל יגע בו, אלא יאכל הבשר והעצמות ישארו בקערה, ואח"כ ישליכם אם ירצה, עכ"ל. **והנה** אין העולם נזהרין כלל לדקדק בזה, דהיינו לא מיבעיא בעת האכילה גופא, דבזה אפשר שלא נוכל למחות בידם, דיש להם על מי לסמוך וכנ"ל, **אלא** אף קודם האכילה, וכגון האנשים ונשים שמכינים המאכל להביא להשלחן, ג"כ אין נזהרין כלל וקולפין העצמות מעל הבשר מקודם, ואו"כ נכשלין באיסור חיוב חטאת, **ואמרתי** לחפש עליהם זכות, דהיינו לא מיבעיא אם העצמות רכיכי וראויים ג"כ לאכילה, דמצוי הוא דאף לאחר שמפרידם חוזר ואוכלם, דבודאי אין שם פסולת עלייהו כלל, **אלא** אפילו אם הם קשים, והוא משום כיון דהעצמות והבשר הם בחבור אחד, שייך בענינננו מה שהביא המ"א בשם היש"ש, לענין לוזים ובטנים שנשתברו ועדיין הם בקליפתן, דאף לענין בורר מין אחד הוא ואין שם פסולת עליו, ובאיזה הענין שמתקן האוכל מתוך השומר, תקון אוכל בעלמא הוא ואין שם מלאכה עליו, ע"כ, **ואף** הכא נמי תיקון אוכל בעלמא הוא ואין שם מלאכה עליו, אפי' כשקולף וחולץ העצמות מעל הבשר, ובלבד שיהיה לאלתר, **וכמו** שם לענין קולף שומים ובצלים, אף דגם שם הקליפה הוא פסולת, אפ"ה קי"ל בס"ס שכ"א, דהיכא דקולף כדי לאכול לאלתר דמותר, וע"כ משום דלאלתר אין שם פסולת על הקליפה, אלא

תיקון אוכלא בעלמא, ואין דומה לפסולת דעלמא שהוא פסולת גמור שהוא נפרד מן האוכל, משא"כ זה שהוא מחובר ביחד עם האוכל, וה"נ בעניננו היכא דכונתו לאכול לאלתר, אמרינן דתיקון אוכל בעלמא הוא ואין שם פסולת עלייהו, כיון דעדיין לא נפרדו ומחוברים ביחד).

(**היוצא** מכל הנ"ל, דבעת האכילה גופא, המקיל וקולף העצמות מן הבשר בודאי לא נוכל למחות בידו, **ואפילו** לתקן קודם אכילה באופן זה, ג"כ לדעת הרמ"א והמהרש"ל, דרך אוכלא הוא אם כונתו לאכול הבשר לאלתר, **ויש** לצרף לזה ג"כ דעת איזה מן הראשונים שהובאו בברכי יוסף, שסוברין דלאלתר מותר אף פסולת מתוך אוכל, ואף דרבים המה האוסרים, ולכן לא פסק בשו"ע כוותייהו, מ"מ בענין זה דבלא"ה יש הרבה סברות להקל וכנ"ל, לא נוכל למחות ביד הנוהגין להקל, **אבל** לתקן דבר זה אלאחר זמן כמו שנוהגין בסעודות גדולות, יש ליזהר מאד, וכמו שהבאנו לעיל בשם המאמר מרדכי, ודומיא דלקלוף שומים ובצלים, דאסור אלאחר זמן, וכדאיתא בסוף סימן שכ"א ע"ש, **וכ"ז** בעצמות שיש עליהם בשר, אבל אותם העצמות שאין עליהם בשר כלל, יש ליזהר שלא לברום ולהשליכם מעל הקערה קודם האכילה, דהו"ל פסולת מתוך אוכל דשייך בו ברירה אפילו בלאלתר, אלא יטול הבשר, והעצמות ישארו בקערה, וכמש"כ למעלה בשם מאמ"ר, **ואם** קשה לו לדקדק בזה, ימצוץ בפיו מעט כל עצם קודם שמשליכו לחוץ, דשוב אין שם פסולת עליו, כנ"ל).

(**והנה** מה שנוהגין הרבה אנשים, שמכינין מאכל בש"ק בשחרית הנעשה מרגלי בהמה, להניחו על סעודה ג', יש מהם שנכשלים בכמה איסורים עי"ז, ע"כ מוכרח אנכי לבארם כדי שידעו לעשות בדרך היתר: **א)** שדרכן לקלוף שומים ובצלים ולחתכן דק דק ולהניח בתוכן, ויש בזה ב' איסורים, אחד על הקילוף, כיון דהוא אלאחר זמן חייב משום בורר, וע"כ הרוצה ליתן שומים ובצלים אלאחר זמן, לא יקלפנו, **ואיסור** שני על החיתוך שמחתכו דק דק, דיש בזה משום טוחן, וכדלקמן בסימן שכ"א סי"ב ע"ש, דלאחר זמן לכו"ע חייב משום טוחן, **ויש** הרבה שמחמירין בזה אפילו בלאלתר, עיי"ש במשנה ברורה, ולפי"ז אפילו האנשים שמכינין אותו המאכל לאכלו לאלתר, ג"כ צריכין ליזהר שלא יחתכו הבצלים דק דק, **ב)** אם הרוטב חם שהיד סולדת בו בשעה שנותן הבצלים והשומים לתוכן, יש בזה גם משום מבשל אם הוא בכלי ראשון, **ואפילו** אם הוא בכלי שני יש מחמירין בזה, ובפרט אם היד נכוית בו, דבודאי יש ליזהר בזה מאד, וכמו שכתבנו לעיל בסימן שי"ח סעיף ה' עי"ש במ"ב, **ודבר** זה מצוי מאד אצל האנשים האוכלין את המאכל הזה כשהוא חם בבקר, וגם מערבין בתוכו חומץ ופירורי פת יבש, וע"כ צריכין ליזהר מזה מאד אפילו בכלי שני, כשהרוטב חם שהיד נכוית בו, **ומהנכון** ליזהר אפילו אם הוא יסל"ב, שלא ליתן אז שום דבר לתוכן, **ג)** שבוררין העצמות מן הבשר ומשליכין אותן לחוץ, ויש לדון בזה משום בורר לכו"ע, כיון דהוא אלאחר זמן, **אם** לא שימצוץ כל עצם קצת בפה קודם שיזרקנו, ואז אין שם בורר עליו, **ואולי** יש לומר דעצם שיש בו מוח נחשב כמין אחד עם הבשר, ואין בו משום ברירה, **אבל** לא מסתברא, דלא עדיף מבשר צלי ומבושל דכתבנו לעיל דמקרי שני מינים, וע"כ הנכון לעשות כמ"ש).

סעיף ה - הבורר תורמוסין מתוך פסולת שלהם, חייב, מפני שהפסולת שלהם ממתקת אותם כשישלקו אותו עמהם - ומבלעדי זה התורמוס מר מאד, וחשיב כפסולת, והפסולת אינו מר כ"כ, **ונמצא כבורר פסולת מתוך אוכל, וחייב.**

סעיף ו - אין מוללין מלילות - מלילה הוא שמולל השבלים כדי לפרק הדגן מתוכן, ואסור מפני שנראה כדש, [רש"י, **ומר"ח** וערוך משמע דס"ל דהוא מדאורייתא]. **אלא מולל בשינוי, מעט בראשי אצבעותיו** - בגמרא איתא שם: ומולל בראשי אצבעותיו, וזהו השינוי שאינו מולל בידו, **ומה** דקאמר "מעט", היינו שלא ימלול בהם רק מעט. **הגה: ואע"פ שמפרק האוכל מתוך השבלים, הואיל ואינו מפרק רק כלאחר יד כדי לאכול, שרי.**

וה"ה בשרביטין של קטניות, שאין להוציא מהן הקטניות רק מעט, וע"י שינוי. **וצ"ע** דכל העולם נוהגין היתר, וצ"ל כיון שעודן לחין, ואף השרביט אוכלין אותו, לא הוי מפרק, רק כמפריד אוכל מאוכל, **אבל** יבשין, או שאר מיני קטניות שאין השרביטין ראוין לאכילה, כגון פולין שלנו וכן השומשמין מקליפתן, אסור לכו"ע בלי שינוי, (**ואפי'** נתקו הקטניות מן השרביטין מבפנים), **אף** שדעתו

לאכול מיד, [**דלענין** מפרק אין נ"מ בין מיד ללאחר זמן, **ואי** אין דעתו לאכול מיד, אפי' ע"י שינוי אסור, כשאר בורר אוכל מתוך פסולת שאסור בלאחר זמן, **ודש** ומולל אין בו משום בורר, שעדיין יש לו פסולת, משא"כ בזה].

ויש מחמירין - דס"ל דדוקא לרכך השבלים מותר ע"י שינוי, אבל לפרק הדגן מתוך השבלים, אף ע"י שינוי אסור, אף שדעתו לאכול לאלתר, מפני שנראה כדש, **אבל** כשנתפרק הדגן מן השבלים מע"ש, (שכבר נתלשו מע"ש מן השבלין, אבל עוד הן בקליפתן החיצונה – ב"י), מותר לקלפו לכו"ע, דאין זה בכלל מפרק כלל, ואפי' לקלוף הרבה מותר, כדאיתא בגמרא, **וכ"ז** כשדעתו לאכול לאלתר, כדאיתא לקמן בסוף סימן שכ"א, עי"ש. **ולרכך** תפוח קשה, אפשר דמותר אפי' בלי שינוי.

ולכן אסור לפרק האגוזים לוזים או אגוזים גדולים מתוך קליפתן הירוקה - דזה דמי כמתוך השבלין, והיינו אפי' ע"י שינוי, דבלי שינוי לכו"ע אסור, **וטוב להחמיר אחר דיכול לאכלן כך בלא פירוק.**

אבל לכו"ע מותר לשבר הקליפה הקשה, (כיון שדרך לעשותו בשעת אכילה, לא חשוב דש), **ולקלוף** גם הקליפה הדקה שעל האגוז גופא, (מהאי טעמא – אגלי טל), וכדלקמן בסוף סימן שכ"א.

לוזים ובטנים שנשתברו ועדיין הם בקליפתן, משמע מדברי הפמ"ג בסימן זה, שיש ליזהר לברור האוכל מתוך הקליפות ולא להיפוך, ואפי' כשדעתו לאכול מיד ומשום בורר, **אבל** לקמן בסימן תק"י הביא המ"א בשם הים של שלמה, דדבר זה שקולף הקליפה מהן, בכלל תיקונא אוכלא הוא, ולא שייך ברירה בזה, **ואף** שהקשה עליו המ"א, כבר יישבו הא"ר והביאו הפמ"ג שם, דכיון שדעתו לאכול מיד שרי.

סעיף ז - היו לו מלילות מע"ש, לא ינפה בקנון (ופירש"י: כלי שראשו אחד רחב והשני עשוי כמין מרזב, ונותנין הקטניות בראשו הרחב ומנענע האוכל ומתגלגל דרך המרזב, והפסולת נשאר בכלי), ותמחוי (פי' קערה גדולה) - גזירה משום נפה וכברה, דיש בזה חיוב חטאת.

ולא בשתי ידיו - דהיינו לדבק שתי ידיו כאחת, וליקח בשניהם ולנפח, **וה"ה** דמיד ליד חברתה אין נכון לדעת הרמב"ם, [**והטור** מיקל בזה, ומלשון הגמרא משמע יותר כדעת הרמב"ם], **אלא מנפח בידו אחת בכל כחו.**

וה"ה דאפי' אם מלל מעט בשבת וכנ"ל, ג"כ מותר לנפח בידו אחת, והאי דנקט מע"ש, לאשמעינן דאפילו היו לו הרבה מלילות, ג"כ מותר לנפח בידו אחת.

סעיף ח - אין שורין את הכרשינין - הוא מאכל בהמה, **(פי' הערוך וי"ל בלע"ז), דהיינו שמציף מים עליהם בכלי כדי להסיר הפסולת** - וה"ה תפוחי אדמה וכל כה"ג, לא יתן עליהם מים כדי להסיר האבק והעפר מעליהם.

וה"ה אם יש פסולת ואוכל מעורבין, אסור ליתנם במים כדי שיפול הפסולת למטה, כגון עפר, או שיציף למעלה, כגון תבן.

ולא שפין אותן ביד כדי להסיר הפסולת, דהוה ליה כבורר – (ועיין בפמ"ג שמסתפק אם יש בזה חיוב חטאת, ולענ"ד מלאכה גמורה הוא מדאורייתא).

אבל נותנן בכברה אע"פ שנופל הפסולת דרך נקבי הכברה - כיון שאינו מתכוין לכך, (ולשון רש"י בזה, אע"פ דלפעמים נופל וכו', ומשמע דס"ל דאל"ה אסור משום דהוי פסיק רישא).

סעיף ט - משמרת - כלי שמסננין בה השמרים והיין יורד זך וצלול, **אפילו תלויה מע"ש** - (היינו מה שמתוחה על פי חלל איזה כלי שמסתנן בה, דלתלותה בשבת בודאי אסור, וכדלעיל בסי' שט"ו ס"ט), **אסור ליתן בה שמרים** - וחיוב חטאת נמי יש בזה משום בורר, שנברר האוכל מהפסולת עי"ז, או משום מרקד, ע"ש בגמרא.

(אבל מותר לתת מע"ש לתוך המשמרת, והיין זב ממנו בשבת).

אבל אם נתן בה שמרים מערב שבת, מותר ליתן עליהם מים כדי שיחזרו צלולים לזוב - ר"ל שיהיו השמרים צלולים, והמים יזובו מהם עם מקצת מן היין שנשאר בלוע בו, **והטעם** שאין בנתינת

מים משום בורר, שהמים שהוא נותן צלולים הם, ואין בהם דבר שצריך לברר מהם.

מותר ליתן בשבת מים ע"ג שמרים שנשארו בחבית, וקולטין המים טעם היין, ומוציאין אותן בשבת ושותין אותו.

סעיף י - יין או מים שהם צלולים, מותר לסננן במשמרת - כיון דבלאו הסינון ג"כ הם צלולים וראוים לשתות, לכן אין בזה משום בורר, **וצלולים** מקרי, כל שראוי לשתות כך בלי סינון לרוב בני אדם, **ויש** מחמירין דדוקא כשכולם יכולים לשתות כך, ואין מסננן אלא כדי שיהיו צלולין ביותר, **וכן** משקה שקדים הכתושין מע"ש, מותר לסנן בשבת, הואיל דיכולים לשתותו כך בלי סינון.

הגה: ואע"פ שיש בו קסמין דקין, הואיל ורואין לשתות בלאו הכי - איתא בסמ"ג: קצת קסמין, והכונה, דאלו היו הרבה אין ראוי לשתות כך לרוב בני אדם בלי סינון. **וה"ה** אם יש בהיין קצת קמחין, שראויין לשתות כך לרוב בני אדם, ג"כ שרי לסנן אפילו במשמרת.

(ומי שהוא איסטניס, וא"א למישתי הכי היכא שיש בו קסמין וכדומה, אפשר אף דרובא דאינשי לא קפדי כלל, לא אמרינן בטלה דעתו, ולדידיה אסור דהוה בורר).

אבל בסודר, מים אסור - לסנן, אפי' מים צלולין לגמרי, **משום ליבון** - דשרייתו זהו כיבוסו, כ"כ הב"י בביאור דברי הטור, (משא"כ במשמרת, כיון שהוא עשוי לכך), **ומיירי** בשאינו עומד מוכן לכך, דאל"ה דינו כמשמרת.

והמג"א והגר"א מסקי, דלא אמרינן בזה שרייתו זהו כיבוסו, כיון שאין עליו לכלוך, וכדלעיל בסימן ש"ב ס"ט, **ועיקר** טעם האיסור הוא, משום דיכול לבוא לידי ליבון, דהיינו ע"י סחיטה, **משא"כ** במשמרת שעשויה לכך לא יבוא לסחטו, **וה"ה** בסודר אם היה עומד מוכן לכך וכנ"ל.

ויין ושאר משקין, מותר - דלא שייך בהו שמא יסחוט, שאין הבגד מתכבס ומתלבן על ידם, **ואפילו** את"ל דגם על ידם מתלבן קצת, מ"מ לא חיישינן לסחיטה, דאינו חושש לסחטם, דאינו יכול לנקותו מריחו וחזותו, **ולצורך** משקה הבלוע בו ג"כ אין דרך לסחטם.

מדעת הט"ז לקמן בסוף סימן ש"כ משמע, דסובר דדוקא ביין אדום, אבל ביין לבן אסור לסנן כמו מים, **אבל** הא"ר חולק עליו, ע"ש.

ואם הם עכורים, בין מים בין יין, אסור לסננם - משום בורר, בין במשמרת ובין בסודרים, **ומיירי** בעכורים לגמרי דלא משתתי הכי כלל, דאלו בעכור קצת ואפשר דמשתתי הכי, אך רובא דאינשי קפדי שלא לשתותו בלי סינון, אין איסור רק במשמרת, **אבל** בסודרין דאין דרך לסנן בו, מותר לסנן יין ושאר משקים, [ומיהו מהרשב"א מוכח, דדוקא באין בו שמרים כלל, שעיכורו אינו מחמת השמרים].

ולהרמב"ם, במשמרת אסור ואפילו מים ויין צלולים - וטעמו נראה, משום שלא יעשה כדרך שהוא עושה בחול, **ולדינא** הלכה כדעה ראשונה.

ואפילו בסודרים לא התירו אלא בצלולין, אבל לא בעכורים - היינו אף בעכורים קצת, דאלו בעכורים לגמרי, הלא אף לדעה הראשונה אסור וכנ"ל, **ובזה** טוב לחוש לדברי הרמב"ם.

(משמע דסובר דבצלולין אפילו מים מותר בסודרין, וטעמו כתב הגר"א, דס"ל דלא אמרינן שרייתו זהו כיבוסו היכא דאינו מתכוין לכביסה, והא דלא חיישינן שמא יסחוט, דמיירי בסודרין המיוחדין לכך).

ויין מגתו, כל זמן שהוא תוסס, (פי' שנרתח כרותח), טורף חבית בשמריה ונותן לתוך הסודר - זהו לדעת הרמב"ם, ולדעה הראשונה אפי' במשמרת שרי.

ויין מגתו וכו' - פי' שאז כל היינות עכורין, ושותין אותן בשמריהן, ואין כאן תיקון, דבלא"ה משתתי, וע"כ אפילו כשהוא טורפה ונעשה עכור, כצלול דמי.

(והוא מפירש"י, והרמב"ם מפרש טעם דבין הגתות הוא, מפני שאז עדיין לא נפרשו השמרים מן היין יפה יפה, וכל היין גוף אחד הוא, ע"כ לא שייך שם ברירה אפילו אם יסננו, וע"כ התירו בסודר).

(כתב הט"ז, דה"ה חומץ אף שהוא עב ועכור, דרך בני אדם לשתותו בלי סינון, וע"כ דינו כיין מגתו ומותר לסננו, **אבל** אם הוא עב הרבה שאין ראוי לשתותו

כלל, אסור לסננו אפילו בסודר משום בורר, וזהו בסתם חומץ, אבל חומץ שהתליע, וניכרים בו התולעים נגד השמש, אסור לסננו אפילו בחול).

סעיף יא - כשמסננין היין בסודר, צריך ליזהר שלא יעשה גומא (בסודר) לקבל היין, משום שינוי - שלא יעשה כעובדין דחול, **ור"ל** במשקה עכור קצת, אבל כשמסננין בו יין צלול דמותר לסנן במשמרת, אף בסודר אין צריך שום שינוי.

סעיף יב - כל מקום שמותר לסנן יין בסודר, מותר לסננו בכפיפה מצרית, (פי' קופה שעושין מן הגומא וממיני ערבה) - "כל מקום" בא לרבות לדעה הראשונה, דאפילו יין שהוא עכור קצת, דאסור לסננו במשמרת וכנ"ל, אפ"ה מותר לסננו בכפיפה מצרית, שאינה עשויה לשמר בה בימות החול, **וכן** מים בין צלולים בין עכורים במקצת, מותר לסנן על ידה.

ואותו כלי העשוי כנפה שמסננין בה, דינו כמשמרת הואיל ומיוחד לכך, ואין לסנן בה אלא יין צלול ומים צלולים, וכנ"ל בריש ס"ק.

ויזהר שלא יגביה הכפיפה משולי הכלי טפח, משום שינוי - שלא יהיה כעובדין דחול, **ולפי"ז** מים ויין צלולין דגם במשמרת מותר וכנ"ל, ממילא מותר להגביה הכפיפה טפח ויותר.

ועיין בבה"ל שביארנו, דהרבה ראשונים סוברין דהטעם שצריך שלא יהיה הכפיפה גבוה טפח, הוא משום חשש אהל דשיעורו בטפח, ולפי"ז גם כשמסנן יין ומים צלולים דינא הכי, (והגם דאין איסור אהל אם המחיצות מתוקנים כבר, וכדמבואר לעיל סי' שט"ו, אא"כ הוא רחב הרבה, **עיין** לקמן בבה"ל, שיטת הט"ז שם, דשאני היכא דמלא משקין, דאין ראוי להשתמש בו כלל, כיון שאין להניח שם דבר יבש, א"כ כשהוא מכסה הוי כעושה מחיצה ג"כ, דדוקא עכשיו ראוי להשתמש בו, ותחלה היה כאלו אין שם מחיצות), **ודע**, דענין עשיית אהל לא שייך בזה אלא כשמכסה בהכפיפה כל חלל הכלי שתחתיה, **אבל** אם אוחזה בידו אחת על הכלי שלא על פני כולה, ושופך בידו השניה, מותר אפי' ביותר מטפח, **וגם** לטעם השו"ע דס"ל משום שינוי, אפשר דגם זה שינוי מקרי, **ובפרט** אם היה צלול, דאין צריך זה השינוי כלל לטעם הראשון, וכמו שכתבנו.

(לטעם השו"ע דמסיים משום שינוי, אפי' אם הגביה מע"ש ג"כ אסור לשמר, **אבל** לרש"י ויתר הפוסקים דהטעם הוא משום אהל, אם התקין זה מע"ש מותר לשמר בשבת).

(ולענין סודר, דעת הר"ן והביאו המ"א, דשם לא בעינן שיהיה פחות מטפח משולי הכלי שתחתיה, דדי בהשינוי שזהיר בו שלא יעשה בו גומא קודם הסינון, ומשום חשש אהל אין בזה, דאין הכלי שתחתיה רחב הרבה, וכשיטתו לעיל בסוף סימן שט"ו, והט"ז חולק עליו, וס"ל דגם בסודר צריך שלא יגביהנו משולי הכלי שתחתיה טפח משום חשש אהל, או שלא יכסה בהסודר על פני כל הכלי, דאז אין בזה משום חשש אהל לכו"ע).

סעיף יג - כלי שמערין (פי' שמריקין) בו יין מהחבית, לא יתן בפיו קשין וקסמין - ר"ל אפי' מע"ש כדי לסנן דרך בו בשבת, **בחוזקה** - דדרך הוא לתחוב פיו בחוזק כדי שיעכבו הקסמין והטינופות מלעבור, **שאין לך מסננת גדולה מזה** - בגמרא איתא: דמחזי כמשמרת, ופי' הר"ן דלאו משמרת ממש היא, שהרי עוברין בה שמרים, אלא כיון דאיתא קסמין וטינופת דלא עברי בהו, דמי למשמרת, עכ"ל, **ומש"כ** השו"ע: שאין לך כו', היינו לענין דמעכב היטב עכ"פ הקסמין והטינופות מלעבור.

(מדברי הראב"ד המובא בר"ן משמע, דאם אינו מהדק בחוזק, ויוכלו קצת קסמין וקשין לעבור דרך שם, לא אסרו בזה, דלא מיחזי כמשמרת, ולכן קאמר הגמרא: לא נהדק איניש וכו', **ובטור** סתם הדברים ולא הזכיר דדוקא בחוזק).

ומיירי השו"ע ביין עכור קצת, דאם הוא יין צלול ומסננו רק מפני קסמין דקין שבו, אף במשמרת ממש מותר וכנ"ל.

סעיף יד - מותר לערות בנחת מכלי לחבירו, ובלבד שיזהר שכשיפסוק הקילוח ומתחילים לירד נצוצות קטנות - ר"ל טיפות קטנות המטפטפות כשנפסק הקילוח, **הנישופות באחרונה מתוך הפסולת, יפסיק ויניחם עם השמרים; שאם לא יעשה כן, הני ניצוצות מוכחי שהוא בורר** - ר"ל דמוכח שהוא בוררם מתוך

הפסולת שבשולי הכלי, אבל תחלת שפייתן כשעדיין אין הפסולת ניכר, לאו בורר הוא.

ומיירי שרוצה לשתות לאחר זמן, דאם בדעתו לשתותו לאלתר, הלא קי"ל דאוכל מתוך פסולת כשבוררם שלא ע"י כלי מותר, אם בדעתו לאכול מיד, וכאן אף שמערה מכלי לכלי, מ"מ עיקר הברירה נעשה על ידי ידיו, **ואם** נתן קיסמין בפי הכלי שמערה בתוכו כדי שיסתנן היטב, בזה אפילו לאלתר אסור אם אינו מפסיק כשמתחילין הניצוצות לירד משם, דחשיב כבורר ע"י כלי.

ואסור לשפוך השומן מן הרוטב, ואפי' אם לא יסירם בכף אלא ישפוך בהכלי עצמה, דהוה כבורר ביד ולא בכלי וכנ"ל, מ"מ אסור, דהשומן מקרי פסולת לגבי הרוטב אם אינו רוצה לאכול השומן לאלתר, ופסולת מתוך האוכל אסור אף אם רוצה לאכול האוכל לאלתר, כמש"כ בריש הסימן, **ואם** שפך ביחד עם השומן גם מקצת מן הרוטב, שרי.

מותר להגביה החבית על איזה דבר כדי שיקלח ממנו היין היטב - ואע"פ שעי"ז יורד יין גם מתוך השמרים, אינו חשוב כבורר כל זמן שאין הניצוצות מתחילין לירד מן השמרים כמו שנתבאר.

סעיף טו - מסננת שנתן בה חרדל לסננו - היינו מע"ש, דבשבת אסור לסנן חרדל ע"י מסננת, משום דהפסולת שבחרדל נשאר למעלה, ומיחזי כבורר כיון שאינו אוכלן, וכמבואר לקמן בסי' תק"י ס"ג, דאפי' ביו"ט אסור לברור, **מותר ליתן בה ביצה, אע"פ שהחלמון יורד למטה עם החרדל, והחלבון נשאר למעלה** - ר"ל ואינו עומד לאכילה, אעפ"כ לא חשיב כבורר אוכל מתוך הפסולת, דאף החלמון שהוא מסנן אינו בשביל אכילה, רק כדי ליפות מראה החרדל - טור, **ואם** הוא מסנן כדי לאכול החלמון, אסור, דשני מיני אוכלין מקרי ושייך ע"ז שם ברירה, **ויש** מקילין בזה, [דס"ל דמקרי מין אחד], ונכון להחמיר, **וע"כ** יש ליזהר מלברור החלמון מן החלבון ע"י איזה כלי, כדי לטרוף אותו ולשפוך לתוך הקאווע, כמו שנוהגין במקום חלב, {ובענין שאין בו משום מבשל, ע"ל בסוף סי' שי"ח}, דאסור משום חשש בורר, **אבל** מותר ליקח החלמון בידו, דהוי בורר אוכל לאלתר וביד דמותר, **וה"ה** דמותר ע"י עירוי מקליפה לקליפה, דזה ג"כ מקרי כבורר בידו, וכנ"ל בסי"ד במ"ב.

סעיף טז - מים שיש בהם תולעים, מותר לשתותן ע"י מפה בשבת, דלא שייך בורר ומשמר אלא במתקן הענין קודם אכילה או שתיה, אבל אם בשעת שתיה מעכב את הפסולת שלא יכנס לתוך פיו, אין זה מעין מלאכה, ומותר – (ורצונו לומר דלא שייך שם ברירה במה שמעכב ע"י פיו – מבה"ל סעיף ד').

והא דאינו אסור משום שמא יסחוט, כיון דאינו נשרה במים רק דבר מועט מהבגד כדי הנחת פיו, אינו חושש לסוחטו, **ומ"מ** יש ליזהר שלא ישתה דרך בית יד מכתונת שלו, דבזה חיישינן יותר שמא יסחוט, שמצטער בלבישתו.

ומשום מלבן ליכא, כיון דליכא לכלוך, וכמו שכתב בסימן ש"ב ס"ט, **וא"כ** לדעת האוסרין שם, אסור ע"י מפה, **והיינו** דוקא במים, אבל ביין ושארי משקין לכו"ע שרי, דאין המפה מתלבן ע"י שרייתן, **ובא"ר** כתב להקל אף במים אפילו לדעת האוסרין שם, [כיון שאינו נשרה כי אם דבר מועט, וטעם קלוש הוא], **ובמקום** הדחק יש להקל כיון שאינו מתכוין לכביסה, [דהסמ"ג כתב, דלא אמרינן שרייתו היא כיבוסו בדבר שאינו מתכוין, וכ"ש בזה שאינו רק מעט, בודאי לא מתכוין לכביסה, **וגם** בלא"ה רוב פוסקים סוברים, דבאין בו לכלוך לא אמרינן שרייתו היא כיבוסו].

אלא במתקן הענין קודם אכילה כו' - וע"כ כשנופל זבוב או ד"א במאכל ומשקה, לא יסיר הזבוב בין ביד בין בכלי, דהוי בורר פסולת מאוכל, **אלא** יקח קצת גם מהמאכל או המשקה עמו ויזרוק.

סעיף יז - המחבץ (פי' עושה חמאה מן החלב), תולדת בורר הוא - ומכלל זה המעמיד חלב במקום חם כדי שתעשה גבינה, **וכן** הלוקח חלב ונותן בו קיבה או שאר מיני חימוץ כדי לחבצו, **או** העושה כמין כלי גמי ונותן הקום בתוכו ומי החלב נוטפין, **כ"ז** בכלל מחבץ דהוא תולדה דבורר, ואסור אפילו ע"י א"י.

וכן הקולט שומן הצף על פני החלב שקורין סמעטענע, גם זה הוא בכלל בורר, ע"כ יזהר שכשיגיע סמוך לחלב, יניח קצת עם החלב, ואז שרי, וכמ"ש סי"ד, **וה"ה**

(ביאור הלכה) [שער הציון] ‹הוספה›

להיפוך, שיטול קצת מן החלב עם השומן הזה, אבל ליקח השומן בצמצום אסור, אפילו דעתו לאכול לאלתר, שהרי הוא לוקח בכף.

וכ"ז דוקא כשצריך לאכול בשבת, דאל"כ הוי כמכין משבת לחול, **ואם** א"צ לו רק שחושש שיפסד ויתקלקל, מותר לעשות ע"י א"כ שאינו בורר בצמצום וכנ"ל, דההכנה לחול הוא איסור מדברי סופרים, ומותר ע"י א"י במקום פסידא, וכמ"ש סימן ש"ז ס"ה.

והלוקח הקום ועושה גבינה, חייב משום בונה, שכל המקבץ חלק אל חלק ודבק הכל עד שיעשה גוף אחד, דומה לבנין.

לפיכך אע"פ שנותנים שומשמים ואגוזים לדבש - ר"ל אע"פ שמותר ליתן, **לא יחבצם בידו** - ר"ל לא יקבצם בידו להפריד אותם מן הדבש, **(ע"ל סי' ש"מ סעיף י"א).**

משמע מזה דהאיסור הוא משום בורר, ולפי"ז אם דעתו לאכול לאלתר, שרי לחבוץ בידו, **ועיין** במ"א שהביא מהתוספתא ראיה, דאיסורו הוא משום לש, ולפי"ז אפי' דעתו לאכול לאלתר אסור, (**והרמב"ם** שהעתיק דין זה, אזיל לשיטתו דפסק כר' יוסי בר' יהודה, דנותנין מים למורסן, דעל נתינת מים אין איסור משום לש, ובלבד שלא יגבל, **אבל** לדעת הפוסקים דפוסקים כרבי, דנתינת מים לתוך הקמח אסור, גם הנתינת שומשמין ואגוזים לדבש אסור משום לש, **וא"כ** לדעת הי"א המובא לקמן בסי' שכ"א ושכ"ד, גם בהנתינה יש איסור, כנלענ"ד).

ודע, דבתוספתא איתא: אבל מחבץ הוא מעשה קדירה ואוכל, ור"ל להפריד בכף מאכל עבה מן הרוטב, דמותר, משום דדרך אכילה הוא בכך.

נהגו שלא ליתן שמרים במשקה בשבת כדי להעמידם, אע"פ שראוי לשתותו בשבת, **והמ"א** כתב דזהו תולדת בורר, דעי"ז יורדין גם שמרי המשקה עצמו בשולי הכלי, והוא דומיא דמחבץ, שע"י הקיבה שנותנים בו מתפרד הקום מן החלב.

הגה: הרוקק ברוח בשבת והרוח מפזר הרוק, חייב משום זורה - וזורה את התבואה ברחת לרוח, הוא אחד מל"ט אבות מלאכות, **(מהרי"ל בשם א"ז וירושלמי פרק כלל גדול).**

ולא ראינו מי שחושש לזה, כיון דאינו מתכוין לכך, וכ"ש דאין זה דרך זורה - חידושי רעק"א.

(**בתשו'** ר' עקיבא איגר נסתפק, בשופך מים מועטים מצלוחית דרך חלון, והרוח מפזר הטיפות, א' פונה לכאן וא' פונה לכאן, אי חייב משום זורה, **והעלה** לצדד הרבה להקל, מדהשמיטוהו הפוסקים הירושלמי, ש"מ דלא ס"ל כן, אלא דמלאכת זורה הוא כעין בורר, דמברר פסולת מתוך אוכל, אבל בכולו פסולת אינו חייב משום זורה, **ואף** לדעת הרמ"א יש לצדד, דהוא דוקא ברוק, דכמו דאין דישה ומעמר אלא בגידולי קרקע, כן אין זורה אלא בגידולי קרקע, **ואדם** נקרא גידולי קרקע, **אבל** לא במים דלא הוי גידולי קרקע, **ועוד** דלא ניחא ליה, ופסיק רישא דלא ניחא ליה יש מתירים, ע"ש, **ובספר** אלפי מנשה פירש, דכונת הירושלמי, דהוא במעביר ארבע אמות ברשות הרבים ע"י הרוח, והוא על דרך דוגמא, פי' דכמו בזורה אף דהרוח הוא מסייעתו אפילו הכי חייב, כן ברוקק דהעברתו ע"י הרוח ג"כ חייב, והוא נכון).

§ סימן שכ – דיני סחיטה בשבת §

סעיף א - זיתים וענבים, אסור לסחטן - והסוחטן חייב משום מפרק דהוא תולדה דדש, **(ע"ל סי' רנ"ב ס"ה)** - דשם נתבאר לענין טעינת הקורה מבעוד יום על זיתים וענבים, וע"ש מה שכתבנו במ"ב.

ואם יצאו מעצמן, אסורים - גזירה שמא יבוא לסחטו לכתחלה, **אפילו לא היו עומדים אלא לאכילה** - דהיינו שקבצם לאכילה, והטעם, דכיון דרובן לסחיטה קיימא, ניחא ליה בהמשקה שזבו, ושמא ימלך עליהן לסחיטה.

ותותים ורמונים, אסור לסחטן - אף שסתמייהו עומדין לאכילה, הואיל ומקצת בני אדם סוחטין אותם כזיתים וענבים, אסרוה רבנן אטו זיתים וענבים.

ואם יצאו מעצמן: אם עומדים לאכילה, מותר - דלא ניחא ליה במה שזבו, וליכא למגזר שמא יסחוט, **ואם עומדים למשקים, אסור** - ואם לא נתכוין בעת קבוצו לא לאכילה ולא למשקה, רק סתמא, אסור, דכעומדין למשקה דמי כל זמן שלא קבצן לאכילה.

ושאר כל הפירות, מותר לסחטן - משום דעומדין לאכילה וליכא דבעי להו למשקין, אין שם משקה על היוצא מהן, והוי כמפריד אוכל מאוכל, **ואף** דהוא חשב עליהן בסחיטתו למשקה, בטלה דעתו אצל כל אדם.

(**ואף** דלשיטת רש"י, דוקא אם סחטן סתמא, ונוכל לומר דכונתו כדי למתק הפרי ולא לשם משקה, **כיון** דדעת הרי"ף והרמב"ם והסמ"ג והרא"ש והטור ורבינו יונה והרמב"ן והרשב"א והריטב"א והכלבו, כולם תפסו להתיר בשארי פירות אפילו בשסחטן לשם משקה, אין לנו לחוש לדעת המחמירין מצד הדין, דיחידאי הם לגבייהו, וגם דאפשר דלפי תירוצא דרב פפא גם רש"י ותוספות מודים, וכמו שכתבו הפוסקים, **אם** לא במקום שנהגו להחמיר כשיטת רש"י וסייעתו, אין להקל בזה).

הגה: ובמקום שנהגו לסחוט איזה פירות לשתות מימיו מחמת למא או תענוג, דינו כתותים ורמונים - משמע דבאותו מקום אסור ובשאר מקומות שרי, **אך** אם דרך להוליך המשקה של הפירות ממקום למקום, אסור בכל העולם.

וכ"ז הוא לדעת הרמ"א, אבל המ"א האריך בענין זה, ומסקנתו, דאם נודע לנו שבאיזה מקום נהגו לסחוט למשקה, ואפי' הנוהגים בזה הוא רק מקצת בני אדם, מחמת שיש להם פירות הרבה, ולא עיר שלמה, אסור מחמת זה לסחוט בכל מקום, וכן כתבו כמה אחרונים.

עוד כתב המ"א, דדוקא בענין שאם היה לכל העולם פירות הרבה כאלו היו סוחטין אותם, **אבל** בלא"ה אמרינן דבטלה דעתם, (**והיינו אפילו בזה המקום גופא, אכן עיקר דינא דהמ"א אינו ברור, ועכ"פ בזה המקום שנהגו לסחוט, בודאי אין להקל בכל גווני, וכן משמע מסתימת הרמ"א, כנלע"ד**).

אבל אם נהגו לסחטו לרפואה לבדו, אין לחוש.

ותפוחים כהיום ג"כ דינו כתותים ורמונים, דיש מקומות שנהגו לסחוט מהם הרבה, **אך** אם התפוח מבושל, וסוחט שיצא ממנו, שרי, דהא סוחט כל האוכל ממנו.

והני אגסים שקורין בערנע"ס בלשון אשכנז, אסור לסחטן, מפני שבמדינות אשכנז נהגו לסחטן למשקה, ואפשר שאם היה לכל העולם הרבה היו ג"כ סוחטין, **אבל** הפירות שאין הדרך כלל לסחטן בשום מקום, מותר לסחטן אפילו למשקה וכנ"ל.

ודעת הב"ח שאסור לסחוט שום פרי, אלא אם כונתו רק למתק הפרי, אבל למימיו אסור, וכתב שכן המנהג, **ועיין** בבה"ל שביארנו דמדינא אין להחמיר בזה, אם לא במקום שנהגו להחמיר אין להקל, וכן דעת המ"א וכמה אחרונים, **ואפילו** במקום שנהגו להחמיר בשאר פירות, היינו דוקא כשסוחטו לשם משקה, אבל כשסוחטו בקערה לטבל בו המאכל, שרי, דלא מקרי משקה בזה, **ובזיתים** וענבים אסור אף באופן זה.

וכ"ז דוקא לסחוט אסור, אבל מותר למצוץ בפיו מן הענבים המשקה שבהן - מטעם דאין דרך סחיטה בפיו, וכל דבר שאין דרכו בכך לא גזרו בו, **ואע"ג** דאסור לינוק מהבהמה אפילו בפיו, כמו שמוכח לקמן סימן שכ"ח סל"ג, התם יניקה מן הבהמה אינו שינוי גמור, דדרך כל בע"ח לינוק, **אבל** הכא דאין דרך סחיטה כלל באופן זה, לא גזרו.

וכ"ש בשאר דברים - כגון שנתן בשר במרק או פת ביין ומוצץ אותם, דבלא"ה אין בסחיטתן משום חיוב חטאת, דהם כמו כבשים ושלקות לקמן בס"ז, **וכן** מותר לדעה זו למצוץ תותים ורמונים בפיו, או קני צוקער.

ויש אוסרין למצוץ בפה מענבים וכיולא בהם - היינו אפי' שאר דברים המבוארים למעלה, **וטעם** דעה זו, דס"ל דלא גריע דבר זה מיונק מן הבהמה, דגם שם הוא שינוי ואעפ"כ אסרו חכמים.

ועיין באליהו רבה שכתב, דבזיתים וענבים שסחיטתן מדאוריתא, הנכון להחמיר מלמצוץ אפילו בפיו כסברא אחרונה, **ובשארי** דברים אין להחמיר, **ומסתברא** דאפילו בזיתים וענבים אין להחמיר רק כשהוא דרך יניקה לבד, דהיינו שמוצץ אותם ואינו משימם לתוך פיו,

אבל אם משימם לתוך פיו ומוצץ המשקה ומשליך החרצנים לחוץ, לכו"ע דרך מאכל הוא, וכן משמע מפמ"ג.

סעיף ב - זיתים וענבים שנתרסקו מע"ש, משקים היוצאים מהם מותרין - דכיון שנתרסקו יזוב המשקה מאליו, ושוב אין בזה חיוב חטאת אפי' אם יסחוט בידים, ולכן לא גזרו על משקין היוצאין.

(וכ"ש חלות דבש שריסקן מע"ש ויצאו מעצמן דמותרין).

(**בטור** כתב "שנתרסקו יפה", וכונתו דבעינן שיהיה נדוך היטב, וכמו שכתב בעצמו לעיל בסימן רנ"ב, **והמחבר** בכונה השמיט תיבת "יפה", דאזיל לשיטתו שם, דס"ל דאפילו במחוסר דיכה מותר המשקין היוצאין, וכמו שכתב הגר"א והמא"מ שם, **ולענין דינא** כבר כתבנו לעיל בסי' רנ"ב בבה"ל בשם הא"ר, דאין להתיר בריסוק לבד כל זמן שמחוסר דיכה, וכשיטת הטור וסה"ת).

ואפי' אם לא נתרסקו מע"ש, אם יש יין בגיגית שהענבים בתוכה, אע"פ שהענבים מתבקעים בשבת בגיגית, מותר לשתותו בשבת, שכל יין היוצא מהענבים מתבטל ביין שבגיגית - ואע"ג דלאחר שבת יהיה לו היתר, וקי"ל דדבר שיש לו מתירין אפילו באלף לא בטיל, **הני** מילי באיסור שהיה ניכר תחלה בעין ואח"כ נתערב, משא"כ בזה כל מעט ומעט שיוצא נתערב תיכף ונתבטל בששים ביין ההיתר שהיה בו מכבר, ואין חל עליו שם איסור, **ולפי"ז** אם הענבים מונחין בפני עצמן, והיין זב מהם במדרון ויורד לתוך יין שהיה שם כבר מע"ש, אסור כל היין להסתפק ממנו, משום דבר שיש לו מתירין, שהרי מקודם שנתערב היה בעין וניכר.

כתבו האחרונים, דמותר לתת ענבים בשבת בתוך היין שיתבקעו ויוציאו יינם, כמו בשלג בסעיף ט"ת, **וכן** מותר לשרות צמוקים וכיוצא בהם במים לעשות שתיה.

סעיף ג - חרצנים וזגים שנתן עליהם מים לעשות תמד, מותר למשוך מהם ולשתותם - דאף שיוצא קצת יין מחרצנים בשבת, תיכף נתבטל בהמים וכנ"ל, **ואפי' לא נתן מים, והיין מתמצה וזב מאליו, מותר לשתותו** - כיון שכבר נתרסקו ונדרכו הענבים מבעוד יום.

כתב הח"א, צמוקים שחתכן ונתן עליהן מים וסחטן בשבת, חייב לכו"ע, דבהו לא היה זב היין מאליו, ואינו דומה לענבים שנתרסקו, **ומ"מ** אם נתן הצמוקים והיין לתוך משמרת או סודר מע"ש, ומסתנן והולך בשבת, אפ"ה מותר לשתות מאותו יין בשבת, **ודוקא** שהסודר או המשמרת מגיע עד היין שבכלי, בענין שתיכף כשיצא מן המשמרת אינו ניכר כלל ובטל.

סעיף ד - מותר לסחוט אשכול ענבים לתוך קדירה שיש בה תבשיל כדי לתקן האוכל - (וה"ה תוך קערה, דאין שום חילוק בין קדרה לשאר כלי, ודלא כדמשמע מדברי רש"י), **דהו"ל משקה הבא לאוכל וכאוכל דמי** - כי השם מפרק בזיתים וענבים, אינו כי אם בשצריך לסחיטת הפרי למשקה, שאז חשוב פריקה, שמפרק המשקה מן האוכל, משא"כ בזה אין זה דרך פריקתו, דהוי כמפריד אוכל מאוכל, **ועיין** לקמיה בס"ז בהג"ה, דר"ח אוסר בזה, אך רוב הפוסקים חולקים עליו, ולכך סתם השו"ע להקל מצד הדין, **ומ"מ** המחמיר תע"ב, כמ"ש בתשו' הרא"ש.

(מדסתם המחבר דבריו, משמע דס"ל לעיקר כדעת בעל ההשלמה שהובא בב"י, דאפילו באשכול העומד למשקה ג"כ מותר).

(**אבל** לתוך כלי שיש בה משקה, אסור, וחיובא נמי יש בזה, כ"כ הא"ר וש"א ופשוט).

אבל אם אין בה תבשיל אסור - (וחיובא נמי יש בזה), **ואפי'** דעתו ליתנו אח"כ לתבשיל, ג"כ אסור, דבעינן שיסחטנו לתוך התבשיל, **ועיין** בדרישה שכתב דחיובא נמי יש בזה, [**אח"כ** מצאתי בתשו' רדב"ז דיש בזה איסורא ולא חיובא, כיון שדעתו ליתן תוך התבשיל, וכ"כ הפמ"ג, **וכתב** עוד, דה"ה בתותים ורמונים יש איסור באופן זה].

סעיף ה - יש מי שאומר דה"ה לבוסר - הם ענבים שלא נתבשלו כל צרכן, **שמותר לסחטו לתוך האוכל.**

ור"ת אוסר בבוסר, (הואיל ואינו ראוי לאכול) - היינו דמשום זה הוי כבורר אוכל מתוך פסולת, כי אותן בני אדם האוכלין אותו בטלה דעתן אצל כל אדם,

(לכאורה הרי בסי' ר"ב פסק דמברכין על הבוסר פרי אדמה, וכל דבר שאין ראוי לאכול אין מברכין עליו, גם בעוקצין פ"ו מ"ג, ס"ל לר"ע דמטמא טומאת אוכלין, **ואפשר** דלאו דוקא שאינו ראוי לאכילה כלל קאמר, אלא ע"י הדחק, ולכן נקרא פסולת נגד מה שסוחט, וא"כ הוא מדרבנן).

והוא הדין בשאר פירות שאינם ראוים לאכילה, אסור לסחטן למימיהן אפי' לתוך אוכל, **ויש** להחמיר כסברא אחרונה.

ואם רוצה לאכול לאלתר אותו דבר שסוחט לתוכו הבוסר, מותר, כדלעיל בסי' שי"ט לענין בורר, דמותר באוכל מתוך פסולת אם הוא לצורך אותה סעודה, **דהא** משום סחיטה ליכא כאן, כיון שבא לתוך האוכל, כ"כ הער"ש והט"ז, **והמ"א** השיג על זה, דהא דמותר שם, משום שאין דרך ברירה באוכל מתוך פסולת, **משא"כ** בזה דרך ברירתו הוא, דאי אפשר בענין אחר.

(**ועיין** בפמ"ג שרמז, דבתוספות איתא הטעם לענין חולבת, משום דש, שנוטל האוכל מן הפסולת, ובענינינו ג"כ הבהמה היא כפסולת, וכשנוטל האוכל ממנה כדישה חשיבא, וכן ה"ה לענין בוסר, **ולפי"ז** נסתר הקולא לגמרי, דבדישה אין נ"מ בין לאלתר לאחר זמן, ונראה שכן הוא האמת, **ע"כ** בודאי מהנכון להחמיר כדעת המג"א, אף אם נסבור דאין בזה משום בורר).

ועיין בא"ר שמצדד להקל כהער"ש והט"ז, **ועיין** בבה"ל שכתבנו דנכון להחמיר כדעת המ"א, **אך** אם הבוסר ראוי לאכול ע"י הדחק, מי שסומך על דברי הער"ש וט"ז אין למחות בידו, (**דלענין** בורר ליכא בזה אלא איסורא מדרבנן, וכדלעיל בסימן שי"ט, ודש נראה ג"כ דלא שייך כ"כ באופן זה מדאורייתא, דאין דומה למפרק מן הקש, מסתברא דיש לסמוך להקל בשעת הדחק כדעת הט"ז וער"ש).

סעיף ו - מותר לסחוט לימוני"ש - ובלשוננו ציטרי"ן, והיינו אפילו למשקין, ואף שדרך לסחטן בחול, כיון שאין דרך כלל לסחטן לצורך משקה, אלא לטבל בו אוכל, הוי כשאר פירות, וכנ"ל בס"א, **ואפילו** אם הדרך לסחטן בחול לתוך מים שנתנו בהם צוקע"ר לשתות לתענוג, מ"מ נוהגין העולם להקל לעשות זה בשבת, **ואפשר** משום דלא מיתסר אלא כשדרך לשתות מי סחיטת הפרי גם בלא תערובות משקה אחר, **א"נ** דלא מיתסר אלא כשסוחטין מימיו לבד ואח"כ מערבין אותם, אבל אם המנהג לסחוט מימיו לתוך משקה אחר ליתן בו טעם, שרי - ב"י וט"ז.

ולפי"ז בזמן הזה שידוע שממלאין חביות למאות לשתות עם פאנ"ש באיזה מקומות, צ"ע גדול אם מותר לסחטן בשבת לתוך משקה, דאפשר דדמי לתותים ורמונים כיון דדרך לסחטן בכלים בפני עצמם, **וע"כ** צריך ליזהר שיסחוט מקודם על הצוקער בפני עצמו, דהוי כמשקה הבא לאוכל, וכן לסחטו לתבשיל ועל גבי האוכל פשיטא דשרי, וכנ"ל בס"ד, (**היינו** דבזה אין צריך לחוש לחומרת הר"ח שכתבנו בסעיף ד', דלתירוץ הראשון של הב"י שהבאתי במ"ב, בכל גווני אין להחמיר לענין לימוני"ש).

ודע דהשו"ע דמתיר לסחוט לימוני"ש, היינו קודם שנכבשו, **אבל** אם כבושים במלח ושאר דברים, דינם ככבשים ושלקות וכדלקמיה.

סעיף ז - לסחוט כבשים (פי' פירות ומיני ירקות המונחים בחומץ ובמלח כדי שלא ירקבו), ושלקות - היינו ירק וכיוצא, ששלקן קודם השבת, ונשארו מימיהן בהן.

אם לגופם, שא"צ למים ואינו סוחטן אלא לתקנם לאכילה - ר"ל שסוחטן ממשקה הצף עליהן והנבלע בהן, כדי לתקן גופם לאכילה לבד, וא"צ למימיהן, **כמו** שדרך לסחוט הירק שקורין שאלאטי"ן לאחר ששרו אותן במים, לכן איננו בכלל מפרק כלל.

אפי' סוחט לתוך קערה שאין בה אוכל, מותר - ואף דסוחט לתוך הקערה ואין המשקה הולך לאיבוד, מ"מ כיון שאינו מכוין בשביל המשקה, איננו בכלל מלאכה, **ודוקא** לצורך שבת, אבל אסור לסחוט בכל גווני לצורך מו"ש.

וה"ה דמותר לכתחלה לסחוט לאקשי"ן משומן הנבלע בהן, אם הוא עושה משום שאין יכול לאכלן משום שומן הרבה שבהן, כ"כ בדרישה, **ובח"א** מיקל מטעם אחר, דשומן שמפרישו הוי ג"כ אוכל, והוי כמפריד אוכל מאוכל.

ובזיתים וענבים אסור בכל גווני, משום דרוב העולם סוחטין אותן למימיהן.

ואם צריך למימיהן, מותר לסחוט לתוך קדירה שיש בה אוכל - דלא גרע מאשכול דמותר וכנ"ל בס"ד, וה"ה לתוך המורייס דהוי מאכל, **אבל** לתוך המשקין אסור.

אבל אם אין בה אוכל, אסור - ואע"ג דשאר פירות מותר לסחוט אפי' למימיהן, וכנ"ל בס"א, **שאני** התם שאין שם משקה על מי פירות, והוי כמפריד אוכל מאוכל, **משא"כ** הכא דהיה שם משקה עליו מקודם שנבלע, ושייך בו שם סחיטה, **ומ"מ** חיוב חטאת ליכא לדעה זו, דס"ל דבר תורה אינו חייב אלא על סחיטת זיתים וענבים בלבד, וכמ"ש בריש הסימן.

ולר"ח, כל שהוא צריך למימיהן, חייב חטאת, אפילו סחט לקדירה שיש בה אוכל - הנה הר"ח בשני דברים פליג על דעה הראשונה, **א)** דס"ל דאם צריך למימיהן חייב אפי' בכבשים ושלקות, **ב)** דכל היכא שצריך למימיהן לעולם חייב אפילו כשסוחט לתוך האוכל.

ואף דכל הפוסקים פליגי ע"ז, (והיינו בדין השני), דס"ל דמשקה הבא לאוכל כאוכל דמי, וכנ"ל בס"ד, והלכה כדבריהם, ולכך הזכיר המחבר דעתם בסתמא, **מ"מ** הביא ג"כ דעת ר"ח, להורות דטוב להחמיר כדבריו, והמחמיר תבא עליו ברכה, וכמ"ש בתשובת הרא"ש שהובא בב"י. (**אבל** בדין הראשון שלו, יש הרבה ראשונים דס"ל כוותיה).

(**ודע עוד, דאפילו לשיטת הר"ח דסובר כר' יוחנן נגד רב ושמואל, דסובר דכבשים ושלקות כשסחטן** למימיהן חייב, מ"מ מודה דשאר פירות מותר לסחוט למימיו לכתחלה, וכנ"ל בס"א, ולהכי לא הזכיר המחבר כלל בס"א דעה זו לענין שאר פירות, אפילו לחומרא בעלמא, **וע"כ** טעמו משום דס"ל, דכבשים ושלקות דרך לסחטן, משא"כ בשאר פירות, **או** משום דהבלוע בכבשים שם משקה עליו מקודם).

(ולדבריו, הסוחט אשכול לקדירה נמי אסור) – (האי לשון "נמי" לאו דוקא, דכ"ש באשכול של ענבים וזיתים לקדירה דחייב לר"ח, דעיקר סחיטה הוא בזיתים וענבים, **אלא** משום דהשו"ע סתם לעיל בס"ד, ולכך הזכיר הרמ"א דגם שם יש פלוגתא).

סעיף ח - הסוחט דג לצירו - ר"ל שסחט דג להוציא צירו שצריך לו, **דינו כסוחט כבשים ושלקות למימיהן** - ומיירי בציר שנבלע בו ממשקה דעלמא, לכך דומה כסוחט שלקות למימיו דאסור וכנ"ל, **אבל** בציר היוצא מגופו, דומה לסוחט שאר כל הפירות למימיו, דמותר וכנ"ל בס"א.

סעיף ט - השלג והברד, אין מרסקין אותם, דהיינו לשברם לחתיכות דקות כדי שיזובו מימיו - דדמי למלאכה שבורא המים הללו, ואסור מדרבנן, **א"נ** גזירה שמא יסחוט פירות העומדין למשקין, [**והשמטתי** טעם דנולד, דהמחבר לא ס"ל, מדהתיר נגד השמש].

אבל לשבור חתיכה ממנו שרי, ואפי' אם יזובו קצת מים ע"ז, דלא נתכוין לזה, ועוד שהולך לאיבוד.

אבל נותן הוא לתוך כוס של יין או מים, והוא נימוח מאליו ואינו חושש - כיון דלא עביד מעשה בידים לא גזרו ביה, **ויש** מתירין אפילו לרסק בידים לתוך הכוס, **והטעם**, דכיון שנתערב במה שבתוך הכוס ואינו בעין, לא גזרו ביה כלל.

וכן אם הניחם בחמה או כנגד המדורה ונפשרו, מותרים - ליהנות מהם, **וה"ה** דמותר לכתחלה להניח כיון שממילא הוא נימוח, וכמו לתוך הכוס, **ולדעת** רמ"א בסימן ש"ח סט"ז בהג"ה, גם הכא יש להחמיר, דאף דנימוח מאליו אסור משום נולד, **ואינו** דומה לתוך הכוס, דהתם הוא מעורב במים ואינו ניכר.

סעיף י - מותר לשבר הקרח כדי ליטול מים מתחתיו - דשבירת הקרח אינה מלאכה כלל, ולא אסרו בריסוק אלא אם הוא עושה כדי שיזובו מימיו, משא"כ בזה.

כתב המ"א, דבנהר או באר אסור, דכיון דהוא מחובר לקרקע יש בו משום חשש בנין וסתירה, **אבל** הרבה אחרונים חולקין עליו, וס"ל דשם מים עליהן ואין שייך בו בנין וסתירה, **ולצורך** שבת יש להקל.

סעיף יא - צריך ליזהר בחורף, שלא יטול ידיו במים שיש בהם שלג או ברד - כדי

שלא יבוא לידי ריסוק, **ושלחן** עצי שטים מיקל בזה, אך שיזהר שלא ירסקם. **ואם יטול, יזהר שלא ידחקם בין ידיו, שלא יהא מרסק** – (עיין מ"א שכתב, דלהמתירין לרסק לתוך הכוס, גם בזה שרי, וטעמו, משום דמעורב במי הנטילה ולא גזרו ביה, **ואין** להקל בזה, דדין זה העתיקו כמה וכמה ראשונים).

סעיף יב - יש ליזהר שלא ישפשף ידיו במלח - הטעם כנ"ל בשלג וברד, דגם בזה יתהוה מים ע"י השפשוף.

והיינו דוקא במלח לבד, אבל מותר להשליך מלח במים אפילו הרבה, וליטול ידיו מהם אחר שנימוחו, וכמו שהתירו לעיל ליתן שלג וברד לתוך הכוס, **אך** שלא יעשה מי מלח עזין, דהיינו שני שלישי מלח ואחד מים.

סעיף יג - דורס שלג ברגליו ואינו חושש - ואף אם השלג נימוח וזב עי"ז, לית לן בה, כיון דהוא אינו מתכוין לזה, **והט"ז** כתב, דכיון שהוא דבר שא"א ליזהר בזה, לא גזרו ביה.

סעיף יד - הר"מ מרוטנבורג מתיר להטיל מי רגלים בשלג - דומיא דדורס שלג ברגליו.

והרא"ש היה נזהר - שע"י השתן ודאי נימוח, ולא דמי לסעיף ט' דשרי ליתן שלג לתוך הכוס אע"פ שנימוח, דהכא כיון דעביד מעשה גרע טפי.

ועיין בט"ז שפסק להקל, וכן הא"ר כתב להקל, **אם** לא שאפשר בלא טורח טוב ליזהר.

סעיף טו - אסור לפרוס סודר על פי החבית וליתן על גביו הכלי שדולים בו, שמא יבא לידי סחיטה - שיסחוט הסודר מן המים שנבלעו בו ע"י הכלי, וסוחט בגד חייב משום מלבן, **ומיירי** שהיתה אז החבית ריקנית, דאל"ה פריסת סודר בעצמה אסור משום חשש סחיטה, אפילו אם לא יניח כלי לח על גבה.

אבל בגד העשוי לפרוס עליו, מותר, שאינו חושש עליו לסוחטו - שהרי לכך עשוי, ואינו מקפיד עליו אם הוא שרוי במים, **ומיירי** בענין דאין בו משום חשש אהל, וע"ל בסימן שט"ו סי"ג ובמ"ב שם.

סעיף טז - אסור להדק מוכין - כל דבר רך כגון צמר גפן ומטלית וכיוצא בהן, **בפי פך שיש בו משקין, משום סחיטה** - ומיירי כשהם לחין מן המשקין שבתוך הכלי, (**ולפי"ז** לכאורה דאפילו אם אין בפי הפך כלום נמי אסור, ומש"כ השו"ע "שיש בו משקין", משום דסתמא דמילתא אז המוכין כבר נתלחלחו עי"ז, **ואה"נ** דאם הם יבשין עדיין, מותר, כן נראה לי).

ואפי' הם עשויין לכך נמי אסור, משום דבהידוק המוכין בתוך פי הפך, בא לידי סחיטה שהיא תולדת ליבון, **ואפי'** להסוברים דבשאר משקין חוץ ממים אין בו משום מלבן, מ"מ אסור, שיוצא המשקה הבלוע בו ונופל לתוך הפך, והוי בכלל דישה כמו סוחט זיתים וענבים.

ואף שאינו מתכוין לזה, מ"מ פס"ר הוא, [מרדכי, **ואף** דבגמ' איתא "דלמא אתי לידי סחיטה", אפשר דכונת המרדכי דהוא קרוב לפסיק רישא, וכן מורה לשון השו"ע, **א"נ** דכונת הגמ', דחיישינן שמא יהדק היטב בענין שידא בו פס"ר, דמצוי הדבר, ולכן אסרו להדק במוכין לח כלל].

סעיף יז - ספוג - הוא כמין צמר נעשה לחוף הים, **או** כפי' הערוך וכדלקמיה, ובטבעו ששואב המים והמשקין לתוכו, **אין מקנחין בו** - את הטבלא ואת הקערה, **אא"כ יש בו בית אחיזה, גזירה שמא יסחוט** - כתב בביאור הגר"א שט"ס הוא, וצ"ל "משום סחיטה", דהא אמרינן בגמ' דפס"ר הוא, משום דא"א שלא יסחוט כשאוחזו באצבעותיו בלי עור בית אחיזה.

(**ואם הוא ספוג יבש**, עיין בא"ר ובספר תו"ש שמצדדין להחמיר, משום דלא פלוג, **וברש"י** לכאורה לא משמע כן, וצ"ע לדינא).

אא"כ יש בו בית אחיזה - רש"י והרמב"ם פירשו, דכשיש לו עור בית אחיזה שיאחזנו בו, אפשר לקנח בלי סחיטה, **אבל** הראב"ד כתב, דאעפ"כ א"א לו לקנח בלי סחיטה, אלא דמ"מ שרי, דכיון שיש לו בית אחיזה, הו"ל כצלוחית מלאה מים שמריק ממנה מים, (כלומר שאינה דרך סחיטה - ערוה"ש).

סעיף יח – (ביאור הענין בקצרה, כי ידוע דעת ר"ת וסייעתו דיש ב' עניני סחיטה, היינו סחיטה ממים איסורו משום ליבון ולא משום דש, כי המים הולכים לאיבוד ולא דמי לדש, **ובשאר** משקין הוא ההיפוך, משום ליבון אין בם דאין מלבנים בם, אלא איסורא הוא משום דש, דומיא דסוחט זיתים וענבים, **אך** דוקא כשצריך

למשקין הנסחט, דומיא דדישה, וע"כ הכא בענין זה דהחבית הוא של יין, איסורו הוא רק משום דש, וממילא כשהמשקה הנסחט הולך לאיבוד, אין זה בכלל דישה, וזה הוא דעת הרבה מהראשונים, הרשב"א וריב"ש והרב המגיד, אך דעת הר"י ועוד כמה ראשונים בסייעתו, דמ"מ אסור מדרבנן, וכ"ז היה שייך אם היה מכוין לסחוט, אבל באמת אין מכוין לסחוט, והוא רק פס"ר, ולא ניחא ליה בההיא סחיטה כי הולך לאיבוד, מן התורה בודאי אינו חייב בכל עניני שבת בפסיק רישא דלא ניחא ליה, ונחלק הערוך עם יתר הפוסקים לענין איסור דרבנן, דלהערוך שרי לגמרי בפ"ר דלא ניחא ליה, ולשארי פוסקים אסור), ‹אפי' בדש מדרבנן, דהמשקה אזיל לאיבוד – פמ"ג›.

חבית שפקקו בפקק של פשתן לסתום נקב שבדפנה שמוציאין בו היין - היינו שכורכין סביבות הברזא חתיכת בגד או נעורת של פשתן, ופוקקים בה הנקב שבדופן החבית, **יש מי שמתיר** - להסיר אותה בשבת או להחזירה, **אע"פ שא"א שלא יסחוט** - שע"י סתימת הברזא בהנקב או הסרתו, נסחט משקה הבלוע בהנעורת, **והוא שלא יהא תחתיו כלי** - דממילא היין הנסחט הולך לאיבוד, כיון שהנקב בדופן החבית בצדה, **דכיון שאינו נהנה בסחיטה זו, הוי פסיק רישא (פי' איסור נמשך בהכרח מדבר מה, כמו המות הנמשך בהכרח מהתזת הראש) דלא ניחא ליה, ומותר** – (הנה בעניננו לא ניחא ליה כלל בהסחיטה, ואדרבה היה רוצה שלא יסחט, כי הולך לאיבוד, אבל באמת אפילו רק היכא שאין נהנה כלל בהפעולה שנעשה על ידו, ואין לו שום נ"מ בזה, נקרא ג"כ פ"ר דלא ניחא ליה, כיון דהוא אין מכוין להפעולה).

אבל אם היה תחתיו כלי שנוטף בה טיפת הנטיפה, וכן אם היה הפקיקה בסתימת הנקב שלמעלה, שהיין הנסחט יורד לתוך החבית, **בכל** זה הוא איסור דאורייתא להדק או להסיר הפקיקה, גם לשיטה זה, [דהוא פ"ר דניחא ליה, דקימ"ל דחייב מן התורה].

וחלקו עליו, ואמרו דאע"ג דלא ניחא ליה, כיון דפסיק רישא הוא, אסור - מדרבנן, אבל חיובא ליכא בפסיק רישא דלא ניחא ליה לכו"ע, **וכ"ז** הוא לענין שבת דבעינן שיהא מלאכת מחשבת, **אבל** לענין שארי איסורי תורה, דעת הרא"ש דפ"ר דלא ניחא ליה לכו"ע אסור, ואיסורו הוא מן התורה.

והעולם נוהגים היתר בדבר - היינו שמפריזין על המדה יותר מדעה הראשונה, ומקילין אפילו ביש כלי תחתיה, **ויש ללמד עליהם זכות, דכיון שהברזא ארוכה חוץ לנעורת ואין יד מגעת לנעורת, מותר, מידי דהוי אספוג (פירש הערוך, ספוג הוא על ראש דג אחד גדול שבים, ובשעה שמריס ראשו להסתכל בעולם יורד אותו הספוג על עיניו ואינו רואה כלום, ולולי זה לא היתה ספינה נצולת מפניו) שיש לו בית אחיזה; ולפי שאין טענה זו חזקה, ויש לגמגם בה** - דשאני בית אחיזה של ספוג דמהני, דאין שם אלא קינוח בעלמא, משא"כ כאן שמהדקין הברזא בחוזק תוך הנקב, יש שם ודאי סחיטה, **טוב להנהיגם שלא יהא כלי תחת החבית בשעה שפוקקים הנקב** - וילך הנסחט לאיבוד, ויסמוך על דעה הראשונה דהכא, **ומ"מ** צריך שיהיה ג"כ ברזא ארוכה, שיהיה תרתי לטיבותא, עכ"ל הט"ז, וכ"כ הא"ר ומאמ"ר, (דהנה מדברי השו"ע נראה דמסכים ליתר הפוסקים, דפ"ר דלא ניחא ליה הוא אסור מדרבנן, ומ"מ סיים בסוף הסעיף טוב להנהיגם וכו', והניחם על דעתם להקל בענין זה, משום דהברזא ארוכה, כ"כ הט"ז, ‹דאיכא ג' צדדי להתיר: א', דעת המגיד משנה והעומדים בשטתו, דאפי' איסור דרבנן ליכא [משום דש כשהמשקה הולך לאיבוד], **גם** להר"ן [דס"ל דמ"מ אסור מדרבנן] יש סברא שניה, לסמוך על הערוך והוי פס"ר דלא ניחא ליה, **ועוד** סברא שלישית, דיש לסמוך על הראב"ד, [כשהברזא ארוכה], והוי כספוג שיש לו בית אחיזה דאפילו סוחט שרי, דהוי כמריק מכלי – מחה"ש›. **והמ"א כתב, משום דבעניננו הלא יש עוד קולא, מה שהמשקה הולך לאיבוד ולא דמי לדש), [וממשמע** דאפי' בלא ברזא ארוכה הניחם על מנהגם, מ"מ למעשה קשה לסמוך ע"ז].

(וע"ל סי' ש"א עוד מדיני סחיטה).

ודע, דכל הסעיף הזה הוא בחבית של יין, כמו שהזכיר השו"ע בראש הסעיף, וה"ה שאר משקין, אבל לא במים, **וטעם** הדבר, דבכל משקין חוץ ממים, דעת כמה ראשונים דאין בהם משום ליבון, ואיסור סחיטתו הוא

רק משום מפרק, כמו סוחט זיתים וענבים, ולכן בעינן מן התורה לכו"ע שיהא צריך למשקין היוצאין דומיא דמפרק, ורק מדרבנן ס"ל לדעה אחרונה דאסור, וכמו שכתבתי בביאור הלכה, **אבל** בחבית של מים, איסור סחיטתו הוא משום ליבון הפקיקה, דסוחט הוא תולדה דמלבן, ואסור בכל גווני, **ודעת** הט"ז, דיין לבן דומה למים לענין כבוס, ולדבריו השו"ע לא איירי כאן כי אם ביין אדום שאינו מלבן, ואיסורו הוא רק משום מפרק, ולכך בעינן שיהא ניחא ליה במאי דנפק בסחיטתו.

(**ודע**, שכל דברי הסעיף הזה הוא רק להפוסקים דשאר משקים אין מלבנים, אבל להפוסקים דאין חילוק בין מים לשאר משקין, **ובפרט** יין, דסברת הר"ן דדומה למים לענין כביסה, יהיה מן התורה אסור סתימת המסוכריא משום איסור ליבון, שמתלבנת המסוכריא עי"ז, **ואין** חילוק בין אם המשקה הנסחט הולך לאיבוד או לא, **ואין** שייך זה הענין כלל לפ"ר דלא ניחא ליה, דזה הוא רק אם נאמר דחיובו משום דישה).

אם נשפך שכר ושאר משקה על המפה שעל השלחן, והוא רוצה לגרור אותם בכף או בסכין כדי לנקות המפה, יזהר שלא יגררם בכח, כדי שלא יבוא לידי סחיטה, ורק יסיר את המשקה הצף מלמעלה, **ואם** המשקים צבועים, יזהר שלא יצטבע שאר מקומות המפה ע"י גרירתו, כבסעיף כ'.

וכ"ש אם נשפך מים על המפה, בודאי יזהר מאד בזה, דסחיטת מים הוא תולדה דמלבן, ט"ז, (**וכונתו** כשגוררו בכח, דאז בודאי בא לידי סחיטת המפה דהוא תולדה דמכבס, ויש בזה איסור תורה משום ליבון המפה, **ובפמ"ג** מסתפק בכונת הט"ז, דאפשר דס"ל דבמים אף שאין בכח אסור לגרור, דבעת הגרירה שרוצה לשפכו לארץ, נתלחלח במפה המקום שהיה יבש מתחלה, ושרייתו הוא כיבוסו, ומ"מ נראה דבעת הצורך אין להחמיר שלא בכח, דדעת רוב הפוסקים, דבגד שאין בו לכלוך לא אמרינן שרייתו הוא כיבוסו, וגם שאין מתכוין לכבס).

הסוחט שער או עור, פטור אבל אסור, ולכן הטובל בשבת יזהר שלא יסחוט שערו לנגבם.

סעיף יט - ליתן כרכום בתבשיל מותר, ואין לחוש לו משום צובע, דאין צביעה באוכלין

- וכן מותר ליתן יין אדום בתוך יין לבן, ואע"פ שמתאדם, **ואפילו** אם מכוין לכתחלה לעשות מראה בהמאכל או בהמשקה, (ולא להשביח טעמו), ג"כ מסתברא דאין להחמיר, כן נראה מהפמ"ג, **ולפי** מש"כ בנ"א נכון למנוע מזה, (וז"ל: די"ל דנתינת הכרכום אינו משום הצבע, אלא כדי שיתן בו טעם, רק דהצבע ממילא בא, וכיון דאין אוכל בר צביעה, לא מחמרינן, אבל במה שדרכו בכך, חוששני מחטאת).

ומ"מ אין רשאי לעשות מראה ביי"ש ודבש שיקנו ממנו, פמ"ג, ע"ש טעמו, (כיון שאצל המוכר אין צביעה זו אלא כדי שיהיה נאה ויוכל למכרו, ולא סתם לייפותו בעלמא), **וגם** בלא"ה הוא עובדא דחול, **וכ"ש** שלא להשים סממנים בצלוחית מים להעמיד בחלון נגד השמש, ויש בזה חשש חיוב חטאת.

סעיף כ- יש מי שאומר שהאוכל תותים או שאר פירות הצובעים, צריך ליזהר שלא יגע בידיו צבועות בבגדיו או במפה, משום צובע

- היינו להפוסקים לעיל בסי"ח, דפ"ר דלא ניחא אסור, **ואע"ג** דמקלקל הוא, מ"מ איסורא מיהו איכא.

ובבגד אדום כ"ש דאסור לקנחו, דמתקן הוא, **ויש** מקילין בכל זה כיון שהוא דרך לכלוך, ויש לסמוך עליהם היכא דא"א לו ליזהר בזה.

ואע"ג דצובע פניו וידיו, ליכא למיחש, דאין צביעה אלא בדבר שדרכו לצבוע, **ולא** דמי לסימן ש"ג סכ"ה, דאיתא שם דאשה לא תעביר סרק על פניה מפני שצובעת, אשה שאני שדרכה בכך להתיפות.

אבל אם צובע פתו במשקה הפירות, לית לן בה, דאין צביעה באוכלין.

הצובע חוט שארכו ד' טפחים, או דבר שאפשר לטוות ממנו חוט כזה, חייב, **ודוקא** צבע המתקיים, אבל צבע שאינו מתקיים כלל, כגון שהעביר סרק או ששר על גבי ברזל או נחשת וצבעו, פטור, שהרי אתה מעבירו לשעתו ואינו צובע כלום, [**אבל** איסור יש בו].

העושה עין צבע, כגון שנתן קנקנתום לתוך מי עפצא, שנעשה הכל שחור, או שנתן איסטיס לתוך מי כרכום, שנעשה הכל ירוק, חייב - רמב"ם, **והראב"ד** סובר שאינו חייב משום צובע אלא כשצובע בהצבע דבר אחר, שע"י זה נגמר מלאכת הצבע, אבל צביעת מים שהוא עין הצבע לא, **ונתינת** דיו וסממנים לתוך המים אסור משום לש, עכ"ל בקיצור.

§ סימן שכא – דיני תולש טוחן, ודיני תיקוני מאכל, מעבד ולש בשבת §

סעיף א- חבילי פיאה אזוב וקורנית (פירוש מין עשב) - צריך לומר "מיני עשבים הם", וראוים להסקה, וראוים למאכל בהמה, לפיכך הכל הולך אחר מחשבתו.

הכניסן לעצים - ליבשן, **אין מסתפקין מהם** - דמקצה דעתו מינייהו, והו"ל מוקצה, **הכניסן למאכל בהמה, קוטם ואוכל ביד** - דקצת ראוים ג"כ למאכל אדם, **אבל לא בכלי** - כדרך חול.

ואם הכניסן סתמא, נעשה כמי שהכניסן למאכל בהמה.

ומולל - היינו מפרך השרביטין לאכול הזרע שבתוכן, **בראשי אצבעותיו** - לא בכל היד כדרך שהוא עושה בחול.

סעיף ב- אין עושין מי מלח - וה"ה אם נותן יין וחומץ ושאר משקין במלח, **הרבה ביחד לתת לתוך הכבשים** - ירק שכובשין אותו כדי להתקיים, **משום דדמי לעיבוד** - שכיון שנותן מי המלח כדי להתקיים, דמי לעיבוד העור שהמלח מקיימו, **ואע"ג** דקי"ל אין עיבוד באוכלין מדאורייתא, מ"מ מדרבנן מיהו אסור.

וכתב בספר תו"ש, דוקא אם כונתו לתת לתוך הכבשים, אבל אם אין כונתו לזה, והיינו שדעתו לחלקם לתוך התבשילין, אפילו הרבה מותר, **אבל** א"ר אוסר, וכן משמע במאירי, שכתב דרק במעט התירו, מפני שניכר שאין עושה רק לצורך שעה, **משא"כ** בהרבה, יסברו שעושה לצורך חול.

ואם נותן שמן להמים קודם שנותן המלח לתוכו, או בהמלח קודם שנותן המים לתוכו, יש מקילין בזה, משום שהשמן מחליש את כח המלח מלהיות עז, ואין עליו שם מי מלח. **ואם** נותן שמן לתוך מי המלח לבסוף להטעים, אסור, משום דבשעה שהוא נותן מים ומלח יחד, הוא נראה כמעבד.

אבל יכול לעשות ממנו מעט לתת לתוך התבשיל - או לטבול בהן פתו, וכן מותר לשפוך על נתחי עוף ודג צלוי. **ובין** אם הוא עושה לצורך סעודה זו, או לצורך אחרת, **אבל** אסור לעשות לצורך חול.

ואם נתן לתוכו שני שלישי מלח, אסור לעשות ממנו אפילו מעט - מפני שנראה כעושה מורייס לכבוש בו דגים, שכן דרך לעשות מורייס.

כתב א"ר בשם מהר"ש, שמותר להוסיף חומץ במורייס אחר שכבר נתיבשה.

סעיף ג- אסור למלוח חתיכות צנון ד' או ה' ביחד, מפני שנראה ככובש כבשים, והכובש אסור מפני שהוא כמבשל - אע"ג דבודאי אין בו חיוב, שאינו תולדת האור, מ"מ אסור מדרבנן, זה הטעם הוא מרמב"ם.

וה"ה כל דבר שצריך מליחה, כגון בצלים ושומים ואוגערקעס חיין, ובהדיא כתב הרמב"ם צנון וכיוצא בו, **ומ"מ** נראה דדבר שאין דרכו לכבוש, שרי.

ורש"י נתן טעם, שע"י המלח מתקשים, והוי תיקון, ודמי למעבד. **‹והמחבר** תפס בס"ב כפירש"י, וכאן כפי' הרמב"ם, ולא ידענא למה – תוס' שבת›.

ד' או ה' ביחד - דכשכל חתיכה מונחת לבדה, אין בזה משום כובש כבשים, וגם לא מיחזי כמעבד, **אבל** כשמולחם ביחד, אפילו דעתו לאכלם תיכף, ולא להשהותם במלחם עד שיצא מרירותם מהזיעה כדרכם, ג"כ אסור.

אלא מטבל כל אחת לבדה, ואוכלה - תיכף, ולאו דוקא תיכף ממש, אלא שעה מועטת, שיזיע קצת לא הרבה.

ומנהגנו שחותכין בשבת צנון דק דק ונותנין אותו בקערה, ומולחין אותו, ושופכין עליו חומץ, ואוכלין אותו, ולכאורה הא דמיא זה להרבה חתיכות דאסור מדינא, אפילו אם אוכל מיד, ואין היתר אלא דרך טיבול כל אחת בפני עצמה, **ונראה** דכיון דאין מניחין אותו כלל להזיע, אלא שופכין שם החומץ וגם מינים אחרים, לא דמי לעיבוד, **וכ"ש** אם שופכין שם שמן תיכף, שהשמן מחליש כח המלח.

ואם משהה אותם במלחם עד שיזיעו כדרכם, אפילו מולח או מטבל חתיכת צנון חדא, אסור מדינא, כן העלה הט"ז, וכן בא"ר כתב, דלמלוח צנון אסור אפי'

חתיכה אחת, **ובמ"א** בשם הב"ח כתב ג"כ, דנהוג עלמא שלא למלחן כלל, (להשהותן כלל במלח, דיש אוסרים אפילו שעה מועטת אפילו חתיכה אחת לבדה - הגר"ז), אלא מטבל כל אחד במלח ואוכל. **ובקצת** מקומות עושין ירק שקורין שלאטי"ן, ומולחין הירק בפני עצמו תחלה, ומשהין אותו כך, ומסננין המים שיוצאין ממנו, ואח"כ מערבין אותו עם שמן זית וחומץ, וזה איסור גמור, ודמי טפי לעיבוד, כיון שהוא ממתין עד שיקבל המלח היטב.

וכתב הט"ז, דמטעם השו"ע יש ללמוד, דאסור לשפוך יין ושאר משקים לכלי שיש בו חומץ, כדי שגם זה יהיה חומץ, דדומה לכובש כבשים, דהא מתכוין שאותו המעט ששופך שם, יהיה נכבש ויעשה חומץ, **וביד** אהרן כתב, דאסור משום דמחזי כעובדא דחול, **ואם** עושה זאת כדי להחליש כח החומץ בלבד, פשוט דשרי לכו"ע.

וליתן אוגערקעס חיין בתוך הכבושים שיתחמץ, ג"כ פשוט דאסור לכו"ע.

אבל ביצים, מותר למלחן - מפני שאין דרך לעשות מהן כבשים, וגם אין המלח מועיל להם כ"כ.

סעיף ד - יש מי שכתב שמותר לטבול כמה חתיכות צנון אחת אחת לבדה - דבזה אין נראה ככובש כבשים, **ולהניחם יחד לפניו** - והיינו שיהיו מוכנים לפניו לאכול, **אבל** יזהר שלא יהיו נוגעות זו בזו, **כדי לאכלם מיד זו אחר זו** - היינו שלא ישהה אותם זמן ארוך, אפילו באותה סעודה עצמה, כגון מתחלת הסעודה עד סופה, כדי שיזיעו הרבה, שזה דומה לעיבוד, **אבל** אם הן משתהין שעה מועטת, ומזיעין קצת, אין בכך כלום.

וכ"ז לדעת השו"ע, אבל המנהג שלא להשהות כלל במלח, אלא מטבל ואוכל במלח.

סעיף ה - אסור למלוח בשר מבושל או ביצה מבושלת, להניחה - דהא דמתירין לעיל בביצה למלחה, היינו לצורך אותה סעודה, **אבל** למלוח הבשר וביצה כדי להניח לאחר זמן, דמי לעיבוד וכבישה.

והנה דעת המ"א וט"ז, דאפילו דעתו לאכול ביומו, אם הוא לצורך סעודה אחרת, יש ליזהר בזה, והיינו כשהסעודה אחרת נמשך זמן רב אחר סעודה ראשונה, **אבל** הא"ר מצדד, דאין לאסור רק אם בדעתו להניח לאחר שבת, (שבאופן זה מצוי שמולח הרבה, **ואסור משום מעבד**), וכן משמע מהגר"א, **ובפרט** אם העת חם, והוא עושה כן כדי שלא יסריח, בודאי יש להקל לצורך סעודה אחרת, דגם הט"ז מתיר בזה.

בשר או דג חי, אסור למולחו בשבת כדי שלא יסריח, ואפילו במקום הפסד אסור, **ואפילו** רוצה למלחו כדי לאכלו אחר מליחתו חי, אסור, דאע"ג דאין עיבוד באוכלין מדאורייתא, מ"מ אסור, דמתחזי כעיבוד, שהמלח מכשיר האוכל ומתקנו.

אבל מותר להדיח הבשר כדי לאכלו אח"כ חי, ואין זה מקרי תיקון, שאין התיקון בגוף הבשר, אלא שמדיחו משום דם בעין שעליו.

ומ"מ נראה, דאסור להדיח הבשר שלא נמלח, כשחל יום ג' להיות בשבת, וכדי שלא יאסר אח"כ לבישול, **כיון** שאין רוצה לאכול היום, וגם אין דרך לאכול חי, ניכר שעושה לצורך חול, (ולא דמי לירקות [בסי"א], דאפשר דאכיל מינייהו ביומיה - מ"א), **ואפילו** ע"י א"י אסור להדיח, שאין כאן הפסד כ"כ אם לא ידיחנו, שיוכל לאכול צלי, כ"כ המג"א, **ומיירי** ביחיד בביתו, אבל בקצב המוכר לאחרים, בודאי יש הפסד בזה, ויכול לעשות ע"י א"י, **וכן** באווזות פטומות, שיפסיד השומן אם יצלם, גם להמ"א מותר ע"י א"י, אפי' יחיד בביתו, **ואפי'** בבשר בהמה, הסכימו הרבה אחרונים, דיש להקל להדיח ע"י א"י, ודלא כמ"א, **ועיין** בא"ר ובתשובת נודע ביהודה שכתבו, דאם אי אפשר ע"י א"י, מותר גם ע"י ישראל, (דאינו אלא חומרא בעלמא, וראיה מסי"א הנ"ל), **אך** אם מונח הבשר בכלי, טוב שירחוץ ידיו עליו, עד שיהיה שרוי הבשר במים.

סעיף ו - אין למלוח ביחד הרבה פולים ועדשים שנתבשלו בקליפתן - דהמליחה מועילה להם, והוי ככבישה ועיבוד.

סעיף ז - מותר לדוך פלפלין אפילו הרבה יחד - ודוקא מה שצריך לו לאותה שבת, **והוא שידוכם בקתא של סכין ובקערה** - וה"ה דדך בקתא ע"ג שלחן, או בשולי כלי ע"ג שלחן, דהוי תרי שינויי, **אבל** לא ידוך בקתא של סכינא במכתשת, אף דשינה במה שדך בקתא של סכינא, מ"מ במכתשת מיחזי כעובדא דחול, **ולא** בבוכנא המיוחדת לכתישה, אפי' ע"ג שלחן או בתוך הקערה.

ואם הוא שוחק פלפלין ושאר תבלין במכתשת כדרכו, ואפי' גרגר אחד, יש בו איסור דאורייתא משום טוחן, [דחצי שיעור אסור מן התורה].

כתבו האחרונים, דדוקא בקתא דסכינא הוא דהתירו לדוך הפלפלין, **אבל** לחתוך אותם בסכין דק דק אסור, וה"ה לכל תבלין, וכמו בירק בסי"ב, [**ולפי"ז** אפשר להקל בסכין בשכונתו לאכול לאלתר, כמו ירק, **ובא"ר** נשאר בזה בצ"ע]. ‹די"ל דכל שאין אוכל כי אם למתק אוכלא כמו פלפלין, חייב משום טוחן אף ליתן מיד בתבשיל – פמ"ג›.

כתב הט"ז, אין לשום הפלפלין תוך הבגד, ולכתוש בסכין עליו, דהוא מוליד ריחא, [דאמרינן פ"ר אסור אפי' בדרבנן]. **אמנם** בסי' תקי"א משמע דחזר מזה והסכים למהרש"ל, דשרי משום דאינו מכוין לזה, [דיש לחלק בין איסור דרבנן להך דהכא, **ובפרט** היכי דלא ניחא ליה כלל, דאז אפשר לצרף לזה דעת הערוך, דמקיל בפ"ר דלא ניחא ליה אפי' באיסור דאורייתא – סי' תרנח ס"ב].

סעיף ח - אין כותתין מלח במדוך של עץ - וכ"ש במדוך של אבן, דהוא מיוחד יותר לדיכה, **ואפי'** דעתו ליתן לאלתר המלח לתבשיל, ג"כ אסור בשניהם, כיון דהם מיוחדים לדיכה.

אבל מרסק הוא ביד של סכין ובעץ הפרור ואינו חושש - וירסק בקערה או ע"ג שלחן, אבל לא במדוך ומכתשת, וכנ"ל גבי פלפלין.

וכ"ש דמותר לפרר המלח והפלפלין בידיו, **אבל** לחתכו דק דק בחורפא דסכינא, אסור.

הגה: ודוקא מלח הגס, אבל מלח שהיה דק מתחלה ונתבשל ונעשה פתיתין, מותר לחתכו בסכין כמו שחותך הפת - היינו אפי' דק דק כמו לענין חתיכת הפת, ומשום דאין טוחן אחר טוחן, **ומ"מ** במכתשת, אף מלח זה אסור לכתוש.

וכתב הפמ"ג, דצוקע"ר ג"כ דינו כמו מלח זה.

סעיף ט - מותר לחתוך בשר מבושל או צלי, דק דק בסכין - דאין טחינה אלא בגידולי קרקע, **ואפי'** להפוסקים דסבירא להו דבהמה נמי מקרי גידולי קרקע, לפי שהיא ניזונת מן הקרקע, **מ"מ** אין לאסור בזה, דבלא"ה יש פוסקים דס"ל דאין שייך טחינה באוכלין, וע"כ מותר לחתוך, אפי' דעתו להניחו לאחר זמן.

ואפילו מי שאינו יכול ללעסו מחמת שהוא קשה, וע"י חתיכתו מתקנו לאכילה, ג"כ שרי לחותכו, דאזלינן בתר רובא דעלמא.

הגה: אבל אסור לחתוך דק דק בשר חי לפני העופות - (רק בשר חי כשר, דמפני חשיבותו אינו עומד לחיות ולכלבים, כי אם לעופות, ולהם אינו ראוי כי אם כשמחתכן דק דק, **אבל** בשר נבלה רובו עומד לאכילת כלבים, ולהם אין צריך דק דק, ואזלינן בתר רובא, ולא שייך טחינה – סי' שכ"ד ס"ז), **דהואיל ואינן יכולין לאכלו בלא חיתוך, קמשוי לה אוכל** - דאיכא למימר, דטעם הפוסקים דס"ל דאין טחינה באוכלין, היינו משום דאין צריך טחינה, דאי בעי אכיל ליה כמות שהוא שלם, **משא"כ** בזה דאין יכולין לאכלו כלל בלי חיתוך, החיתוך משוי ליה אוכל, ושייך בו טחינה, **ומיירי** בחותך ומניח שיאכלו העופות לאחר שעה, **אבל** בחותך לפניהם שיאכלו מיד, לד"ה שרי, וכדלקמיה בסי"ב בהג"ה.

(**ואם** יכולין לאכלו על פי הדחק בלי חתוך, צ"ע קצת).

אבל אסור וכו' - ויש מקילין בזה, [ט"ז והגר"א], ‹טעמם, משום שאין טחינה בדבר שאינו גידולי קרקע, גם כשאינו ראוי לאכילה – מ"ב המבואר›.

(וע"ל סי' שכ"ד ס"ז) - והיינו דשם מבואר, דשווי אוכלא שרי בשבת, ומיירי בשאין חותך דק דק.

סעיף י - אסור לגרור הגבינה בשבת במורג חרוץ בעל פיפיות שקורין ראליי"ו - בל"א רי"ב אייזי"ן, דכיון שהכלי מיוחד לכך, הרי זה דרך חול, ודמי לשחיקת תבלין במכתשת, וה"ה בכלי אחר המיוחד לכך, **וא"כ** אפי' לאכול מיד אסור.

אבל מותר לחתכו בסכין דק דק, וכמו לעיל בס"ט לענין בשר, דגם זה אינו גידולי קרקע, **ואפי'** קשה מאד שרי, כיון דיכולין ללעסה בקושי, ושם אוכל עליה.

וה"ה דמותר לחתכו בקרדום או במגירה, שאף שהם כלים שמלאכתם לאיסור, מותר לטלטלם לצורך גופם, כמו שנתבאר בסימן ש"ח.

דבר שאינו חפץ לאכלו ולטועמו, ולא להאכילו לתינוק, אסור ללעסו בשיניו כדי לשחקו, משום טחינה, **דאע"ג** דמשנה, מ"מ מדרבנן אסור, **דדוקא** לגבי מילה התירו כעין זה לקמן בשל"א ס"ז.

סעיף יא - מותר להשקות את התלוש - היינו ירקות תלושין, **כדי שלא יכמוש** - והטעם, כיון דהם ראויות לאכילה ביומן מותר להשקותן, **משא"כ** בדבר שאינו ראוי לאכילה, אסור לטרוח בשבילם, [אפי' אם הם ראויות לטלטל].

ולהשקות את המחובר יש בו איסור תורה, **וכלי** חרס עם עשבי בושם בבית, ג"כ אסור להשקותן בשבת.

סעיף יב - המחתך הירק - תלוש, **דק דק, חייב משום טוחן** - ומדסתם, משמע דאפי' בירקות שראוי לאכלן חיין, ג"כ ס"ל דיש טחינה באוכלין.

(**אבל בחתיכות גדולות קצת, אין דרך הטחינה בכך, אבל לענין איסור יש ליזהר מאד בזה, דכבר כתב בספר יראים, דשיעור דקותן לא נודע לנו, וכן משמע בב"י, דהצריך לענין היתר אישלאנד"א, שיעשה חתיכות גדולות במקצת, וגם יהיה סמוך לסעודה**).

הגה: וכ"כ דאסור לחתוך גרוגרות וחרובים לפני זקנים - שאין יכולין ללעסו אם לא יחתכנו דק דק, **ולא** אזלינן בתר רובא דעלמא כדלעיל בס"ט לענין בשר צלי, **דכיון** שהוא גידולי קרקע חמור יותר, דעיקר טחינה בגידולי קרקע הוא.

(**עיין במ"א שכתב, דמשמע דלפני מי שיכול ללעסו כך שרי, ולענ"ד אין דבריו מוכרחין, דנקט לפני זקנים משום אורחא דמילתא, שהם אינם יכולין לאכול אם לא יחתכום דק דק, אבל לעולם בדבר שהוא משום גדולי קרקע, שייך בו טחינה בכל גווני**).

(**ודע דאפילו לדעת המ"א, שמתיר לחתוך לפני מי שיכול ללעסו כך, היינו דוקא בגרוגרות וחרובין שאין לו צורך לחתוך, אבל מה שחותכין ירק דק דק שקורין מזרי"ע וכדומה, בעינן דוקא באותה סעודה גם לדידיה**).

ודוקא פירות וכדומה לזה אסור, אבל מותר לפרר לחם לפני התרנגולים, דהואיל וכבר נטחן אין לחוש, דאין טוחן אחר טוחן - היינו אפי' להכין להם שיאכלו לאחר זמן, (**ואפי'** בסכין מותר, אם לא בכלי המיוחדת לכתישה, כגון לכתוש מצה במכתשת, אסור כמו גבינה על רי"ב אייזי"ן, וכ' בס' תוס' ירושלים, דאפי' ליתן מים עם הלחם ג"כ שרי, ובלבד שלא יגבלם עם המים).

וכ"ז לא מיירי אלא בחותך ומניח, אבל אם לאכלו מיד, הכל שרי, מידי דהוי אבורר לאכול מיד דשרי, כדלעיל סי' שי"ט - הטעם, דלא שייך שם טחינה כשמחתך בסכין אלא בטוחן להניח, **אבל** כדי לאכול מיד ודאי דשרי, שהרי לא אסרו על האדם לאכול מאכלו בחתיכות גדולות או קטנות, א"כ הוי דרך אכילתו בכך.

ולפי"ז לפרר תפוחי אדמה וירקות לפני התרנגולים דק דק, כמו שנוהגין לפני בהמה ועופות גדולות, אסור, אא"כ נזהר שיהיה דבר זה סמוך לאכילתם ממש. **וה"ה** אם מכין הירק דק דק לפני התרנגולין שיאכלו מיד, ג"כ שרי, הואיל ומזונותן עליך, **וה"ה** דא' יכול לחתוך לצורך אחרים והם יאכלו מיד, וכדאמרינן לעיל אצל בורר.

ועכ"פ אסור לעשות עד יציאת בהכ"נ, דבעינן סמוך לסעודה ממש, כמ"ש לענין בורר, **והחותכים** הבצלים והצנון דק דק שעה או שתים קודם הסעודה, קרוב הדבר לומר שחייב חטאת, והבצלים אסורים באכילה, **וגם** דאז אסור משום בורר.

וההיתר שזכר בהג"ה, היינו כשחותכו בסכין, אבל כשחותכו בכלי המיוחד לכך, נראה דאסור בכל גוונא כשחותכו דק דק, דגם בבורר גופא, אם בכלי המיוחד לברירה בכל גוונא חייב, **ולפי"ז** מסתברא, דיש ליזהר במה שנוהגין לחתוך בצלים דק דק עם דג מלוח וכיוצא, שלא יחתכם בכלי שקורין האק מעסער, דאפשר דחשיב ככלי המיוחד, רק בסכין בעלמא, **וגם** בלא"ה אסור משום עובדא דחול.

(**ולכאורה הלא בבורר לא התירו כי אם ביד ולא בכלי, דאז חשיב בורר בכל גווני, וא"כ היה לנו לאסור בענייננו כשמחתך בכלי, כי אם במפרר ביד, והטעם כתב הפמ"ג, דכמו בבורר דרך אכילה הוא כשבורר בידו לאכול לאלתר, ה"נ בענייננו דרך אכילה הוא אפילו כשמחתך בסכין לאכול לאלתר, דדרך אכילה הוא בסכין**).

ויש מפקפקין על היתר זה, ומטעם זה כתבו כמה אחרונים ג"כ, דנכון להתנהג כמו שכתב הב"י, שאף מי שמכוין לאכול מיד, ג"כ יזהר לחתוך לחתיכות גדולות קצת, **ובפרט** לפני בהמה בודאי יש ליזהר בזה, וכדלקמן בסי' שכ"ד ס"ז, דאין לטרוח בדבר שראוי לאכול בלא זה, **ומ"מ** הנוהגין לחתוך הבצלים והצנון דק דק, ‹כדי לאכול מיד›, אין למחות בידם דיש להם על מי שיסמוכו.

המפרר חתיכת עץ שנרקב ועושה ממנו פולוור, וכן המפרר צרור עפר, חייב משום טוחן, **וכן** הנוסר עצים ליהנות בנסורת שלהן, או השף לשון של מתכת, שקורין פיילי"ן בל"א, חייב משישוף בכל שהוא.

והמחתך עצים דק [להבעיר האש], ועושה אותן קטנים, אם דקדק מהן כדי לבשל כגרוגרת מביצה, חייב, [**ואם** הוא מקפיד על המדה, חייב גם משום מחתך], **וכן** אם הוא חותך לחתיכות גדולות, והוא מקפיד על המדה לחתכה בכוונה בזה המקום, כדרך שנוהגין חוטבי עצים, חייב משום מלאכת מחתך.

סעיף יג- אסור לרדות חלות דבש מהכוורת, (פי' הקן שהדבורים עושים בו הדבש), מפני שדומה לתולש - אפי' לא ירצה לברור הדבש מן השעוה, דזהו בכלל מפרק, אלא יקח החלות עצמם מן הכורת, **כי** מקום גידול הדבש הוא בכורת, וחשבוהו חכמים כמחובר.

הגה: ודוקא אם דבוקין בכוורת, אבל אם נתלשו מבעוד יום - שהחלות נתלשו ממקום חבורן בכורת, ומונחין כך בתוכה, ולא שייך תו עליהן שם מחובר, ע"כ יכול לרדותן מהכורת, כדי לאכול הדבש הדבוק על גבם מסביב.

אבל מ"מ אסור לרסקן ולהוציא הדבש מן השעוה, דזהו בכלל מפרק, דדמי למוציא התבואה מקשיה, **ואפילו** יצא הדבש מעצמו, אסור עד לערב, גזירה שמא ירסק בידים.

או שנתרסקו מבעוד יום והדבש זב בכוורת - היינו שריסקן להחלות, (ריסוק יפה דוקא, שאינו מחוסר דיכה), ועדיין הם מחוברים בהכורת, אלא שהדבש זב מהם בשבת ע"י ריסוקן, **מותר לרדותו בשבת** - דמותר ליקח זה הדבש הצף, דתו אין שייך להכורת, **אבל** אסור לרדות החלות גופא, כיון שעדיין מחוברים הם בכורת.

(**ודע**, דאם יודע שהדבש הזה צף מבע"י, אפילו לא ריסקן להחלות כלל, מותר ליקח אותו הדבש).

סעיף יד - קודם שנבוא לבאר דברי השו"ע, נבאר קצת ענין לישה, לישה היא אחת מל"ט אבות מלאכות, **ואיננו** דוקא ע"י מים, דה"ה בדבש ושומן אווז, וכל מיני משקה שנילוש ונדבק על ידם.

בענין לישה, תניא בברייתא בגמרא, דאם אחד נותן קמח ואחד נותן מים, האחרון חייב דברי רבי, ור' יוסי ב"ר יהודה אומר אינו חייב עד שיגבל, ופסקו רוב הפוסקים כר"י ב"ר יהודה, **אך** דעת בעל התרומות וסייעתו לפסוק כרבי, דע"י נתינת מים נקרא גיבול, (וזו היא דעת הי"א הנזכר בסט"ז, ונ"ל ברור, דאפי' לדעת בעה"ת הזה, דנתינת מים נקרא גיבול, ונתן בו מים מע"ש, מ"מ אם גבל אח"כ בשבת חייב, ולא אמרינן דזה מקרי לישה אחר לישה).

וכ"ז בקמח או עפר וטיט וחול הדק, דהוא בר גיבול, וכל כיוצא בהן, **אבל** בדבר דהוא לאו בר גיבול, כגון אפר וחול הגס, דעת הרמב"ם וסייעתו, דאף אם גבלו פטור מחטאת, ורק איסורא איכא, **ודעת** הרבה ראשונים להיפך, דבדבר דלאו בר גיבול, אף לר' יוסי ב"ר יהודה לא בעי גיבול, ומשנתן בו מים חייב, דזהו גיבולו, (**ובציור** זה, ע"כ ליכא למיחייביה תו עוד משום לש, כשמערב האפר בהמים, לכו"ע).

אין מגבלין (פי' נתינת מים בקמח נקרא גיבול) - האי לישנא לאו דוקא, *דהמחבר איירי פה בלישה גמורה, שנותן המים ומגבל, **קמח קלי הרבה, שמא יבא ללוש קמח שאינו קלי; ומותר לגבל את הקלי מעט מעט** - ולא הרבה, בין אם עושה בלילה רכה או קשה, [לשיטת הרמב"ם, (דליכא היתר זה בקמח קלי, רק בשתיתא), **אבל** לשארי פוסקים, גם בקמח קלי מותר כשבלילתו רכה, אפי' הרבה], (דס"ל שזהו שתיתא).

ושיעורא דמעט מעט לא ביארו הפוסקים, ונראה דאפי' יש בו כשיעור גרוגרת.

כ"ז הסעיף הוא לשון הרמב"ם, וס"ל דקמח קלי לאו בר גיבול הוא, ודבר דלאו בר גיבול אינו חייב אף כשגבלו, **ואינו** אסור אלא מדרבנן, שמא יבא ללוש קמח שאינו קלי, ובזה אפי' מעט מעט אסור, **ולפיכך** התירו ע"י שינוי דמעט מעט.

ואפי' לשאר פוסקים דס"ל דקמח קלי בר גיבול הוא, וחייב מן התורה כשגבלו, מ"מ גם הם מודו דע"י שינוי דמעט מעט, שרי בקמח קלי, (**וטעם** ההיתר נ"ל, משום דע"י מה שמיבשין הקליות בתנור, ועושין אותן שיהיו ראוין לאכילה, הוא חשיב כמו דבר שנאפה ונתבשל, ולכך אף דע"י נתינת מים שנותנין בתוכו אח"כ הוא מתגבל, אין זה חשיב כמו מלאכת לישה, אלא כמו תיקון אוכל בעלמא, דדרך אכילתו בכך, והוא חשיב כמו רוטב שנותנין

בתבשיל, ואין זה מלאכה דאורייתא, ולכך הותר מעט מעט, דחשיב קצת שינוי, **א"נ** דכוונת הגמרא מעט מעט, הוא ג"כ דוקא בעת האכילה, ומשום דדרך אכילה בכך).

*[**ובנתינת** מים לבד נראה דמותר להרמב"ם בקמח קלי, וכמו במורסן דמתיר הרמב"ם {והובא לקמן בסי' שכ"ד ס"ג} בנתינת מים, משום דמורסן לאו בר גיבול הוא, **ואף** לשארי פוסקים דס"ל דקמח קלי בר גיבול הוא, ויש על גיבול איסור תורה, נראה ג"כ דלא גזרו על נתינת מים לבד אטו גיבול, דלא גרע קמח קלי שהוא להאכיל לאדם ממורסן שהוא להאכיל לשוורים, «ע"ש בבה"ל». **אח"כ** מצאתי שכ"כ בנ"א, שאיזה תלמיד טועה הגיה כן בשו"ע].

ודע, דלהי"א המובא לקמן בסט"ז, גם בענין זה אסור לגבל אפי' מעט מעט, «באופן של בלילה עבה», אא"כ נתן על הקמח מים מבעוד יום.

אבל תבואה שלא הביאה שליש, שקלו אותה ואח"כ טחנו אותה טחינה גסה, שהרי היא כחול, והיא הנקראת שתיתא, מותר לגבל ממנה בחומץ וכיוצא בו הרבה בבת אחת; והוא שיהיה רך - דלא שייך למיגזר דלא ליתי למיחלף בלישת קמח שאינו קלי, דאינו בכלל קמח, לפיכך התירו בזה ברכה, אפילו הרבה. **אבל קשה אסור, מפני שנראה כלש** - ר"ל הרבה, אבל מעט מעט מותר אפי' בקשה, וכמו לעיל בקמח קלי.

(ואפי' בכך) צריך לשנות, כיצד, נותן את השתיתא ואח"כ נותן את החומץ - «בגמ' משמע דברכה סגי בשינוי שנותן קמח תחילה, וא"צ שינוי בגיבול, אבל בתה"ד כ' די"ל שצריך שינוי גם בגיבול - חזו"א. וכן מבואר ברמ"א לקמן סעיף ט"ז».

וכ"ז אם עושה הרבה, אבל אם עושה מעט מעט, מותר אפי' בעבה ובלי שינוי, לדעה זו, [בין אם הטחינה גסה או דקה, דלא חמירא מקמח קלי דמותר אפי' בעבה אם עושה מעט], **דלהי"א** בסט"ז, אסור בעבה בכל גווני, [גם בקמח קלי].

עיין בט"ז שכתב, דאסור לערב בשבת של פסח קמח שעושין מטחינת מצה אפויה, ליתן ביין או במי דבש, **אף** דדמי לשתיתא, שהוא טחינה גסה, ושם מותר ברכה, **היינו** ע"י שינוי, אבל בקמח זה אין ידוע מה נותן תחלה בחול, כדי לידע מה הוא השינוי, ע"כ אסור אם עושה הרבה, **ובא"ר** כתב, דאם אין ידוע, יעשה שינוי דמפרש בגמ', שיתן המאכל תחלה ואח"כ המשקה, **וטוב** להחמיר שלא לערב בכף, רק מנענע הכלי עד שיתערב, «כ"כ תרה"ד».

כתב המ"א, דאסור להשתין על טיט משום גיבול, [**אולי** אף בטיט קשה, כי נימוח לבסוף], **וכונתו**, אפי' לרוב הפוסקים דס"ל, דבדבר שהוא בר גיבול אינו חייב עד שיגבל, מ"מ איסורא מיהו איכא, **וה"ה** בעפר תיחוח ובחול, **ואף** דהוא אין מכוין ללישה, מ"מ פ"ר הוא. **וכלי** שרוקק בו, או רוחץ בו פיו בשבת, ותחתיו יש חול הדק או גס, יש לעיין אם הוא אסור או מותר, דאולי הוי פסיק רישא דלא ניחא ליה, **ומצאתי** בספר בית מאיר, דמתיר מטעם פסיק רישא דלא ניחא במקום הצורך, אפי' להשתין על טיט, [דהוא פסיק רישא דלא ניחא לה באיסור דרבנן], **ונראה** דיש לסמוך ע"ז במקום שהטיט אינו שלו, דאז בודאי לא ניחא ליה בלישתה.

כתב הח"א, כשמכסה מי רגלים בחול ואפר, וכשיתן מעט יהיה מתערב במי רגלים, והוי כמו לישה, [**ובזה** לא שייך פסיק רישא דלא ניחא, דבאמת ניחא ליה שיבלע המי רגלים בתוך האפר וחול, כדי שלא יהא מינכר], **ומנתינת** מים חייב להרבה פוסקים, [דבאפר וחול הגס, הלא הרבה ראשונים ס"ל דחייב מנתינת מים, ואפי' בחול הדק, ג"כ דעת בעה"ת לחיוב מנתינת המים], **ולכן** יתן הרבה אפר וחול, ואז לא ניכר כלל הלישה.

סעיף טו - חרדל שלשו מע"ש, למחר יכול לערבו - במים או ביין, **ואפי'** אם לא נתערב מים בהחרדל קודם השבת, ונילוש החרדל רק מתמצית לחותה, אפ"ה שרי עכשיו לערב בה המשקה, **הן ביד הן בכלי, ונותן לתוכו דבש, ולא יטרוף לערבו בכך** - צ"ל "בכח", **אלא מערבו מעט מעט** - דע"י הנתינה לא חשיב לישה לדעה זו עד שיגבלה, ואין גיבול בזה, משום דדרך הגיבול בחרדל וכן בשחלים ושום, הוא ע"י טריפה, דהיינו שמערב בכח, וכאן הוא מערב בנחת, וזהו שסיים: מערב מעט מעט.

(**ובאמת צע"ג בזה, האיך התירו חז"ל עצם הגיבול והוא איסור דאורייתא, ע"י השינוי המועט הזה, דהיינו שאינו טורף בכח, ושיטת הרמב"ם הוא, דמיירי שהחרדל נילוש מבע"י, וכן במה שאמר שחלים ששחקן, מיירי ג"כ**

שנילוש מבע"י, ומה שממחו עתה בשבת, אין עושה מעשה לישה כלל, דהא כבר נילוש, ואין מיפה בהמיחוי להלישה, אלא ע"י המיחוי שממחהו להחרדל, עושה את החרדל רכה מאד שיהא ראוי לשתיה, ואין דבר זה מקרי לישה, אלא כשהוא טורף יפה בכף יש בזה איסורא, דדמי ללישה).

סעיף טז - שחלים (פי' שחלים בערבי: תכה לשה"ר, ובלע"ז קריסין), שדכן מערב שבת, למחר נותן יין וחומץ, ולא יטרוף - ג"כ ר"ל בכח, **אלא מערב** - והטעם הכל כנ"ל, וכן לענין שום.

וכן שום שדכו מע"ש, למחר נותן פול וגריסין - וברמב"ם איתא: נותן לתוך פול וגריסין, **ולא יטרוף, אלא מערב** - וברמב"ם כתוב: שום שריסקו וכו' ולא ישחוק, **ומיירי** במחוסר דיכה, **או** שאוסר שחיקתו מפני תערובות הגריסין.

הגה: וי"א דלא יערב בכף, אלא ביד - או שינענע הכלי עצמו, (תרה"ד), **וקאי** גם על סט"ו, **ודוקא** כשנותן המשקה בשבת, אבל אם נתן המשקה מע"ש, מותר לערב בכף מעט מעט, אף לדעה זו, (הגם דהנתינה של המשקין לאו כלום היא, מ"מ בהכרח שילוש מעט – ערוה"ש).

וי"א דהא דשרי לערב משקה בחרדל, דוקא שנתנו מבעוד יום, אבל בשבת אסור לתת משקה בחרדל או בשום הכתושים, משום לש - קאי גם על שחלים ושום, וקמח קלי הנזכר לעיל בסי"ד, **והטעם**, דס"ל דנתינת המשקה גופא, זהו בכלל גיבול, ומשו"ה דוקא כשנותנו מבעוד יום, ומפני שעי"ז הוי כבר כמגובל, ע"כ מותר לגבל בשבת, **אך** שיעשה בשינוי, דהיינו בקלי שיגבל מעט מעט, ובאלו הדברים שלא יטרוף בכח, או שיערב ביד לדעת ההג"ה.

ואם נתן קצת משקה מע"ש, מותר להוסיף בשבת לכו"ע, אבל במעט טיפין לא, דלא חשיב כמגובל עי"ז.

ודוקא בלילה עבה, אבל בלילה רכה לא שייך בזה לישה, **ומ"מ** צריך שיעשה השינוי המבואר בהג"ה, דהיינו שיתן האוכל תחלה, ואח"כ המשקה.

(**ובדיעבד** אין לאסור, כי הרבה פוסקים מקילין כסברא הראשונה, **ואם** עשה לישה גמורה בשבת בלי שינוי, אסור אפילו דיעבד).

הגה: ואם נותן האוכל תחלה ואח"כ החומץ או היין, ומערבו באצבעו, שרי, דהוי שינוי כמו בשתיתא דלעיל - וכתבו האחרונים, דההג"ה מיירי דוקא בבלילה רכה, ולזה סיים כמו בשתיתא, דשם התירו דוקא ברכה, **ובכל** זה אין חילוק בין לאותה סעודה או לסעודה אחרת.

וכן נוהגין להתיר ע"י שינוי - היינו בחרדל ושום, וה"ה בשאר מיני טיבול, כשעושין אותן דק דק ומערבין אותן ביחד, **ומקום שדרכו לעשות כך בחול, יתן בשבת החומץ תחלה ואח"כ האוכל** - וע"כ אם שכח לשפוך חומץ בע"ש לתוך הקרי"ן, צריך שיעשה בשבת בלילה רכה, ונותן החומץ ואח"כ הקרי"ן, שלא כדרך שעושין בחול, ויאחוז בכלי עצמו וינענע אותו.

כשחל פסח בשבת, ושכח מבעוד יום ליתן המשקה לתוך החרוסת, לדעה קמייתא מותר ליתן המשקה בשבת, ולא יטרוף בכף, אלא באצבע, **ולדעת** הי"א, גם זה אסור, אם לא שיעשה אותה ג"כ רכה.

ובירק הנקרא שלאטי"ן אין לדקדק בכל זה, כיון שאין חותכין אותו דק דק.

ומה שחותכין צנון וקשואין, שקורין אוגערקע"ס, דק דק, ושופכין חומץ או שאר דבר לח לתוכן, ומערבין אותן ביחד, צריכין ליזהר שלא לערב בכף בכח, או ינענע בכלי עצמו, **וטוב** להחמיר ג"כ שיתן החומץ ואח"כ המאכל, [**ואף** דהוא עבה, ובעבה מחמיר הי"א מפני נתינת המשקה, **כתב** הט"ז, דבצנון מפני שא"א לעשות מע"ש, סמכינן אדעה קמייתא דס"ל דלא אמרינן נתינת המשקה זהו גיבולו].

אסור לטרוף ביצים בקערה, מפני מראית העין, שנראה כמי שרוצה לבשלם בקדרה, **ואם** היו טרופות מע"ש, אפשר דיש להקל ליתנם לתוך בארש"ט בכלי שני לגוון, **ואם** היה הבארש"ט מחומץ הרבה, יש להחמיר גם בזה משום בשול, (די"ל דמבשל בכ"ש, כבסי' ס"ט ביו"ד – פמ"ג).

סעיף יז - מותר לעשות יינומלין, שהוא יין ישן דבש ופלפלין, מפני שהוא לשתיה - היינו לערבן ולאכלן כמות שהן, אבל לטרוף אותן יפה ולסננן, אסור, שזה טורח יותר, ואומנות גדולה ותיקון גדול הוא זה, וכמו לעיל בחרדל בסט"ו דאסור לטרוף, (אפי' בחרדל הנילוש כבר – מ"א, ע"ש בבה"ל דכן הוא אליבא דהרמב"ם).

מחבר רמ"א משנה ברורה

ואין עושין אלונתית, שהוא יין ישן ומים צלולים ושמן אפרסמון, שהוא לרפואה - (ר"ל שאינו מאכל בריאים, שהוא עשוי רק לצנן לאדם מחום בית המרחץ), וכל דבר שהוא משום רפואה אסרו חז"ל לעשות, גזירה משום שחיקת סממנים, **ולכן** אפי' היה עשוי מע"ש, אסור לשתותו.

כתב מהרי"ל, אסור לתת קידה לתוך חומץ לעשות טיבול, וכן לעשות ביצים קשים עם פיטרזיל"ן בחומץ אסור, דדמי להילמי, הוא מי מלח המבואר לעיל בס"ב, **והמ"א** משיג עליו ומצדד להקל בזה, **וכ"ז** במרובה, אבל במעט שרי אפי' למהרי"ל, וכמבואר לעיל בס"ב.

סעיף יח - אין שורין את החלתית לא בפושרין ולא בצוננין, שדרך לשרותו לרפואה - ששותין מי השריה ליוקרא דלבא, (בגמרא איתא הטעם, שלא יעשה כדרך שהוא עושה בחול, ונ"מ דאפילו אם הוא מתכוין בשרייתו לשתיה בעלמא, אסור מטעם זה).

אבל נותנו לתוך החומץ ומטבל בו פתו – (ואין כאן היכר שהוא לרפואה, שכל השנה אדם נוהג בטבול, ומשמע מזה דאפי' הוא מתכוין לרפואה, ג"כ שרי).

היה שרוי מאתמול, מותר לשתותו בשבת - דזהו מאכל קצת בריאים, ולא מנכר מילתא שהוא לרפואה, **ואם** הוא במקום שאין מנהג בריאים כלל בזה, משמע מהרמב"ם דאסור.

ואם שתה ממנו יום חמישי ויום ששי, וצריך לשתות גם בשבת, מותר, שכך הוא דרך רפואתו לשתותו שבעה - צ"ל "שלשה" **ימים זה אחר זה; הילכך מותר לשרותו בצונן וליתן בחמה, מפני שהוא סכנה אם לא ישתה ממנו** - ואי ליכא חמה, אפי' באור שרי מפני הסכנה.

סעיף יט - שום ובוסר ומלילות שריסקן מערב שבת, אם מחוסרים דיכה, אסור לגמור דיכתן בשבת; ואם אין מחוסרים אלא שחיקה, מותר לגמור בשבת - דג' דברים יש בדברים הנידוכין להוציא מהן שמנן: ריסוק ודיכה ושחיקה, ושחיקה הוא יותר מדיכה, **ולכך** קאמר, דאם נידוכו היטב מבעוד יום, ואינו מחוסר אלא שחיקה, כנגמר מלאכתו מבעוד יום דמי, ומותר לשחקו בשבת, (אפילו בידים).

לפיכך מותר לגמור שחיקת הריפות בעץ פרור בקדירה בשבת - הריפות הם מעשה דייסא, שכבר דכו אותם במדוכה, ונתבשלו כל צרכן, ואין מחוסר אלא שחיקה מעט, **ומ"מ** יש ליזהר שלא לטרוף בכח, ‹כמ"ש סעיף ט"ז – מ"א›. **אחר שמורידין אותה מעל האש** - ובעודה על האש, י"א דיש בזה משום מגיס, דהוי כמבשל.

שעוה וזפת וכיוצא בהן מדברים המתמרחין, הממרח ומחליק פניהם יש בזה משום מלאכת ממחק.

הגה: ומותר להחליק האוכל בשבת, ולא הוי בזה משום ממחק, הואיל ואפשר לאכלו בלא זה - ע"כ לאו מידי קעביד, **הא** אם אי אפשר לאכול בלא זה, אסור, דכמו דיש עיבוד באוכלין מדרבנן, ה"ה דיש בהם ממחק מדרבנן, **ואפשר** דאפי' לאותה סעודה ‹אסור›.

ומ"מ המחמיר במאכל של תפוחים וכדומה שדרכו בכך, תע"ב – (וה"ה בתפוחי אדמה וכדו', שדרך הוא ליפות ולהחליק המאכל ע"י המירוח, ומחזי כממרח, **אבל** אפשר בשאר דבר מאכל אין לו להחמיר כלל).

ולמרח תפוחים מבושלים על הלחם, וה"ה שומן וחמאה, בודאי שרי, (וכן מותר למרח התפוחים מבושלות שבתוך הפשטיד"א, **כיון שאינו עושה אלא כדי לשימם במקום שאין שם, שאין כונתו בהמירוח לעצם המירוח,** רק למלא במקום הריקן, **ואף** דהוא פסיק רישא, **והגם** דאף במלתא דרבנן אסור, **הכא** כיון דבלא"ה יש להקל, מטעם דאפשר לאכול בלא זה, אין לו להחמיר כלל).

(**הא** דמדאורייתא אין ממחק באוכלין, היינו אם ממרח האוכל בעצמו, **אבל** אם סותם בו פי נקב החבית, וממרחו מלמעלה, שייך בו שם ממחק).

אסור לקלוף שומים ובצלים כשקולף להניח - משום בורר, וה"ה תפוחים ואגוזים ושקדים [וריב"ן ומעהרי"ן] וכיוצ"ב, [**וצ"ע**, דקליפות התפוחים רוב העולם אוכלים אותו כך בלא דחק, וא"כ אף להניח י"ל דשרי].

אבל לאכול לאלתר, שרי, (וע"ל סי' שי"ט) - דבבורר מקילינן לעיל, כשבורר אוכל מן הפסולת, והוא סמוך לסעודה, (וקשה, דמי שקולף תפוחים ושומים ובצלים,

נוטל הפסולת ומניח האוכל, **ונראה** דכיון דא"א בענין אחר, ודרך אכילתו בכך, לא מקרי פסולת מתוך אוכל, שאינו אלא לאכול התוך, וכל שהוא לאלתר שרי, **אבל** להניח אסור, דלא עדיף מאוכל מתוך פסולת). ‹וע"ל סי' שי"ט ס"ד, דהביא הבה"ל סברא אחרת בשם הישיש, ולדבריו שם, גם כשאפשר להסיר האוכל מתוך הפסולת, כמו בעצמות הדג, ג"כ מותר, כיון שמחובר לאוכל, **אמנם** מלשונו שם מוכח שאין דעתו להקל בזה לכתחילה, ולא כתב כן אלא דרך לימוד זכות על העולם שנהגו להקל בעצמות הדגים – מ"ב המבואר›.

ואם פותח פלוימי"ן וזורק הגרעינים הקשים להניח לאחר זמן, הוי בורר, ובתפוחים כה"ג י"ל ג"כ דאסור, **אבל** מיד לפה שרי ליתן, ואפשר אף לאותה סעודה שרי, [**דאי** אפשר בענין אחר, ולא הוי כבורר פסולת מאוכל].

§ סימן שכב – דין נולד בשבת §

סעיף א- ביצה שנולדה בשבת, אסורה אפי' לטלטלה - דכיון דלא חזי לאכילה, והיינו לגומעה חיה, כמוקצה דמיא, [**ואסורה** בטלטול אפי' כשצריך לגופה, כגון לכסות בה את הכלי].

[**ופמ"ג** מסופק, היכא שהתרנגולת עומדת לאכילה, ‹דבתרנגולת העומדת לגדל ולדות, אסורה הביצה משום מוקצה, דהיינו נולד, וכר' יהודה דאית ליה מוקצה›, **או** למ"ד מוקצה בשבת שרי, ורוצה ליתן הביצה לעו"ג, ‹דיש לו צורך›, דאפשר דלא אסור בטלטול].

והאי דאסורה באכילה, משום גזירה שבת דמיקלע אחר יו"ט, שאז ביצה הנולדה בה אסורה מדאורייתא באכילה, **דכל** ביצה דמתילדא האידנא מאתמול גמרה לה, ונמצא כשנאכלנה, דיו"ט הכינה לשבת, וזה אסור, מדכתיב: והיה ביום הששי והכינו את אשר יביאו, וסתם ששי חול הוא, להורות לנו דדוקא בחול צריך להכין לסעודת שבת, וכן ליו"ט דגם הוא איקרי שבת, **אבל** ביו"ט אסור להכין לסעודת שבת, [ובזה לא מועיל עירוב תבשילין, דלא אתי דרבנן ועקר דאורייתא], ‹**דכל** דבר אפוי ומבושל לא שייך ביה הכנה, שאינו מחוסר רק תקון בעלמא, דמעיקרא הוה חזי ליה, רק גבי ביצה שהוא דבר חדש שלא היתה בעולם ולא היתה ראויה כלל מעיקרא – תוס'›, **וכ"ש** דבשבת אסור להכין לסעודת יו"ט, וע"כ כשנולדה הביצה ביו"ט שחל יום א', ג"כ אסור מן התורה לאכלה, דבודאי נגמרה במעי התרנגולת מאתמול, ונמצא דשבת הכינה ליו"ט כשנאכלנה, **ואע"ג** דהכנה בידי שמים היא ולא בידי אדם, גם זה בכלל הכנה ואסור, **וע"כ** גזרו רבנן בכל שבת ויו"ט כשנולדה, שאסור. [**והא** דלא אסור כשנולדה ביום א' של חול מהאי טעמא, דסעודת חול לא חשיבא כלל, ולא בעיא הכנה מבע"י כמו דאשכחן בשבת, וע"כ לא שייך לומר שהשבת הכין לה].

ואפי' נתערבה באלף, כולן אסורות - דהוי דבר שיש לו מתירין, וקי"ל דדשיל"מ אפי' באלף לא בטיל, **והטעם**, דעד שעתה יאכלנה ויטלטלנה בחשש איסור, יותר טוב שימתין עד שתחשך, ויהיה כולם בהיתר.

וכן אם הוא ספק אם נולדה בשבת או מקודם, ג"כ אסור מטעם זה, אף דבכל דוכתא קי"ל דספיקא דרבנן להקל, **אך** אם השכים קודם עמוד השחר, ומצא הביצה מונחת בהקינה של תרנגולת, מותרת לטלטלה ולאכלה, דרובן אינן יולדות בלילה, ותלינן דמאתמול שהיה יום חול נולדה, [**משא"כ** אם אתמול היה יו"ט].

ויכול לכוף עליה כלי שלא תשבר, ובלבד שלא יגע בה - היינו בהכלי, וכ"ש בנגיעה בידיו, והטעם, דע"י שהיא עגולה היא מתנענעת ממקומה.

סעיף ב- שבת שלאחר יום טוב, או לפניו, נולדה בזה אסורה בזה - דאם נאכלנה הוי כמכין מיום אחד לחבירו ואסור, וכנ"ל, **וממילא** כיון דלא חזיא לאכילה אסור ג"כ בטלטול.

(**והיינו ביום א' הסמוך לשבת, אבל ביום ב' שרי, וכן אם יו"ט ביום ה' וי"ו, ונולדה ביום ה', מותר בשבת, ואינו אסור כי אם כשנולדה ביום הסמוך לשבת, לבד אם הם ב' יו"ט של ר"ה, דאז חשובין שניהם כיומא אריכתא**).

סעיף ג- פירות שנשרו מן האילן בשבת, אסורים בו ביום - משום שמא יעלה ויתלוש, **וגם** משום מוקצה, דכיון דאיתקצאי מדעתיה בין השמשות, דהיה אז מחובר, איתקצאי לכולי יומא.

ואפילו אם ספק שמא נשרו בשבת, ג"כ אסור, וה"ה זרעים וירקות הנמצאים בגינות, אסור לאכלן, ואף לטלטלן, שמא נשרו היום.

ועיין בפסחים נ"ו, דאפילו אם כונתו למצוה, להפקיר אותן לעניים שיאכלו אותן בשני בצורת, ג"כ אסור, **דאף** שהותר להן להאכיל את העניים דמאי, מ"מ לא הותר להן לעבור על שבות דשבת ויו"ט.

ולערב מותרים מיד - וא"צ להמתין בכדי שיעשה, כיון שלא נעשה בהם מלאכה לא גזרו בזה.

ואפילו אם יודע שנשרו בע"ש, אינו מותר רק ללקט אחד אחד ולאכלו, **אבל** לאסוף כמה פירות ביחד, יש בזה איסור גמור, דכל דבר המקבץ במקום גידולו דומה למעמר, וקרוב דיש בזה חיוב חטאת.

סעיף ד - אוכלי בהמה - ר"ל דבר שראוי לאכילה לבהמה, **אין בהם משום תיקון כלי** - ומשמע בגמ' דאפי' אין עומד בשבילם, כגון עצים רכים שראוי להם לאכילה, ג"כ לא מתקריא עליהם שם כלי.

ומותר אף בטלטול, דדבר הראוי לאכילה מוכן הוא לכל הצורך.

לפיכך מותר לקטום, אפילו בסכין, קש או תבן ולחצוץ בו שיניו - ואפילו הוא מקפיד על המדה, אין בזה שום חשש איסור מחמת מחתך, כיון דדבר אוכל הוא.

ויש שסוברין, דדוקא כגון זה, שעושה ממנו כלי בתחלה, לא שייך תיקון כלי, **אבל** אם מתקן כלי העשוי כבר בדבר אוכל, כגון שיש נקב בכלי, ונוטל חתיכת לפת וחותכו לפי מדת הנקב, שייך בזה תקון כלי, **ועיין** בנשמת אדם, דלדידיה יש בזה חיוב חטאת.

אבל קיסם שאינו אוכל בהמה, אפילו ליטלו כדי לחצוץ בו שיניו, אסור - ר"ל אפילו נטילה סתם בלי קטימה, אסור משום מוקצה כשאר עצים, **וכ"ש** אם ירצה לקטמו כדי לחצות בו שיניו, דאסור משום שבות, דהוא כעין תיקון כלי.

ואף דיש בזה משום כבוד הבריות, שפעמים שנראה הבשר שבין השינים לחוץ, וגנאי הוא לו, אעפ"כ אסור, דהיה לו להכין קיסם מאתמול במקום הסעודה, **ולפי"ז** אם הזמינו חבירו לסעודה בשבת, ולא היה אפשר לו להכין שום דבר מאתמול לחצות בו שיניו, מותר לו לטלטל קיסם לחצות בו שניו, אם אין לו דבר אחר, [**עיין** בפמ"ג שמצדד, דה"ה דמותר לקטום הקיסם ביד כדי לחצות בו שיניו, אם א"א לו לחצות בו בלא זה, דהוא רק שבות], **אך** במקום שאין נחשב לו זה לגנאי, אסור.

ודוקא אם יקטמנו ביד, דאז פטור מחטאת, משום דהיא מלאכה כלאחר יד, ואסור משום שבות, כמו שכתבנו, **אבל** אם יקטמנו בכלי כדי לחצות בו שניו, או לפתוח בו הדלת, אז היא מלאכה גמורה, שמשוהו כלי עי"ז, וחייב.

סעיף ה - מותר לטלטל עצי בשמים להריח בהם - דלא מקצה דעתיה מאלו העצים מעיקרא, **ולהניף בהם לחולה** - ה"ה לבריא, אלא אורחא דמלתא נקט.

ומוללו להריח בו - צ"ל "וקוטמו ומוללו", מלילה היינו, שמוללו בין אצבעותיו כדי להוציא ריחו, וקטימה נמי משום זה, שמקום הקטימה הוא לח וריחו נודף.

אחד קשים ואחד רכים - היינו אפילו קשים שאינם ראוים כלל למאכל בהמה, אפ"ה מותר לקטמם ולפשח בהם כל מה שירצה, בין שפושח עץ גדול או קטן, [**ואפי'** כדי ליתן לחבירו, מצדד הפמ"ג להתיר].

והסכימו הרבה אחרונים, דהא דמותר לקטום בקשים, היינו דוקא ביד, אבל לא בכלי, אף דהוא קוטם רק כדי להריח, ואינו מכוין כלל לעשותה כלי, **ולכך** אסור לקטום ההדס בסכין, גזירה דלמא אתי לקטום לחצוץ בו שניו, ובזה חייב, (**ואם מקפיד על המדה, כגון שקוטם איזה שיעור ממנו ליתן לחבירו, אסור גם ביד**).

ואפילו ביד, אינו מותר לקטום בקשין רק להריח, אבל לחצוץ בו שניו אסור לכו"ע.

ודוקא בכל זה, שהוא רק להוסיף ריח ע"י המלילה והקטימה, **אבל** אסור להוליד ריח, כגון להניח בשמים בבגד וכדומה כדי שיהיה הבגד מריח, אסור, [**וכן** ליתן שפינגרא"ד באוכלין מוליד ריח].

המחתך עור או כל דבר שאדם מחתך, ומקפיד על מדתו, בין עץ או מתכת, או אפילו נוצות של עוף, כיון שמקפיד על מדת ארכו ורחבו, וחותך בכונה, חייב.

אבל החותך דרך הפסד, או בלא כונה למדתו, אלא כמתעסק או כמשחק, פטור.

ומה יפה הועילו לנו הנביאים וחכמינו ז"ל, במה שאסרו לנו המקח וממכר בשבת, שפעמים שיכול לבוא לידי חיוב חטאת, כגון שמוכר איזה סחורה, ומחתך ממנו לפי מדתו הצריך לו, דחייב משום מחתך.

אם מלאכת מחתך הוא דוקא בכלי או אפילו ביד, תלוי בכל דבר לפי ענינו, דדבר שדרכו לחתכו דוקא בכלי, אין חייב כי אם בכלי, **ודבר** שדרכו להפרידו ביד, (כמו שמצוי לענין איזה סחורה שדרך להפרידו לשנים ע"י קריעה ביד), חייב ג"כ אפילו ביד, **ומסתברא** דאיסור דרבנן יש בכל גווני.

החותך קיסם בסכין לחצות בו שניו, חייב בזה משום תקון כלי, לדעת הרא"ש, ולהרמב"ם משום מחתך, ואפשר דחייב לדידיה שנים.

אין מלאכת מחתך שייך באוכלין.

סעיף ו - המחלק לבני ביתו מנות בשבת, יכול להטיל גורל, לומר: למי שיצא גורל פלוני יהיה חלק פלוני שלו; והוא שיהיו החלקים שוים, ואינו עושה אלא כדי להשוותם שלא להטיל קנאה ביניהם - דבזה אין שייך שום איסור של שחיקת קוביא, כיון שאין משתכר ע"י הגורל.

אבל עם אחרים אסור, כיון שמקפידין זה על זה יבואו לידי מדה ומשקל - דכיון דרוצים להטיל גורל, חזינן שמקפידין, היינו שלא למחול לחבירו אף על דבר מועט.

ולחלק בלי גורל שרי, דמסתמא אמרינן שאין מקפידין, (דאי ידעינן בבני חבורה שמקפידין זה על זה, אפילו לחלק בלי גורל אסור, דחיישינן שיבואו להזכיר שם מדה ומשקל ומנין, וזה אסור כמ"ש סי' שכ"ג, וגם עצם השתתפות באנשים כאלו אין כדאי לכתחלה, דמתוך שהם רגילים לשאול תדיר א' מחבירו, ודאי יבואו לשאול גם בשבת ויו"ט, ומתוך הקפדתן אלו על אלו, יבואו לידי מדה ומשקל, וממילא סתם שאלה ביו"ט אחד מחבירו, אף באופן המותר בשאר בני אדם, באלו בני החבורה המקפידים אין נכון בודאי, דיבואו לידי שם מדה ומשקל).

ואפילו אם הם שכנים, ולא בני חבורה אחת, דדרך סתם שכנים להקפיד אלו על אלו, מ"מ לא אסרו רבנן לחלק בלי גורל, (מתוך שאין דבר זה מצוי אצלם תמיד, לא חששו רבנן שיבא לידי איסור).

אבל ליתן מנה גדולה כנגד מנה קטנה ולהטיל גורל עליהם - היינו דמי שיזכה בגורל יטול הגדולה, ומי שיתחייב יטול הקטנה, **אפילו בבני ביתו**

ובחול, אסור משום קוביא - הוא מה שמשחקין בעצים, והוא אבק גזל מדבריהם, שאין דעתו להקנותו בקנין גמור, ולהכי אסור אף בחול, **ואף** דבעה"ב עם בני ביתו לא שייך גזל כלל, שהרי הכל שלו, מ"מ אסור, דלמא אתי לסרוכי בקוביא עם אחרים, ובאחרים בודאי אסור בחול, **וכ"ש** בשבת, דקוביא דמי למקח וממכר.

וי"א דעם בניו ובני ביתו מותר להטיל גורל אפי' על מנה גדולה כנגד מנה קטנה, מפני שאין מקפידים - שהרי הוא נותן להם הכל משלו, ולא שייך חשש דמדה ומשקל, וגם קוביא אין כאן. **ואם** בניו חולקים משל עצמם, אסור מנה גדולה נגד מנה קטנה, פמ"ג, [**ומותר** להשוות החלקים, **ואולי** הוי הסברא, דכיון שהם אחים, אף שמפיסין, מ"מ אמרינן שאין מקפידים].

הגה: ואסור להטיל גורל בשבת אפילו ע"י א"י -

(ואפי' בדבר שאין בו משום מדה ומשקל, [ודלא כהמחבר], גזירה שמא יכתוב - לבוש. **הקשה** מלבושי יו"ט, א"כ בבניו נמי ליגזור, ונראה ליישב, דבבניו שהכל שלו ואין מקפידין, לא אתא למיכתב - א"ר. **עיין** במ"א, דאפי' אם הוא דבר מצוה, ולא הוי מצי למעבד מאתמול, ג"כ אסור בשבת, **וביו"ט** משמע ממ"א דשרי באופן זה, [ממה שהתירו להטיל חלשים על הקדשים שנשחטו ביו"ט, **וגם** זה לא אבין, דדלמא רק על אכילת בשר קדשים שהיא מצות עשה גמורה התירו, אבל לא לשאר דבר מצוה, ותדע, דהא מנות דיו"ט שהוא ג"כ דבר מצוה לאוכלם, ואפ"ה אסור, וע"כ דקדשים שאני, וצ"ע, **ועכ"פ** בשבת ודאי אין להקל בזה וכדעת המג"א, ואף שהשגנו על ראיתו, מ"מ דינו אמת, וצ"ע].

והיינו אם הוא לחלק איזה דבר, ואסור אפילו במקום דאתי לאינצויי, **אבל** להטיל גורל מי יאמר קדיש, או מי שיעלה לתורה, שרי, דהא היו מפיסין בשבת במקדש, מי שוחט מי זורק, **ומשמע** שאינו מותר רק להטיל גורל מתוך הספר כנהוג, **אבל** להטיל גורל ע"י פתקאות, שנכתבו מע"ש שם כל אחד עליו, ומטילין בקלפי, ומוציאין פתקא מי שיעלה לס"ת, אסור, (דעדיין יש לחשוש שהוא בכלל הגזירה דשמא יכתוב, עיין בשבות יעקב).

(**מפיס אדם עם אורחיו, וכן האורחים מפיסין זה עם זה, מי שיטול חלקו תחלה, אבל לא שיטול חלקו וחלק חבירו, והטעם, כיון דאין שום נ"מ בממון, רק מי שיטול תחלה, הוא רק כמי שמטיל מי שיעלה לקדיש**).

§ סימן שכג - דיני השאלה וקנין צרכי שבת, והדחת הכלים ותיקוע וטבילתו בשבת §

סעיף א - מותר לומר לחבירו: מלא לי כלי זה - אף דמקח וממכר אסור בשבת ויו"ט, ואחד המוכר בפה או במסירה ומשיכה, וכן מדידה שאינה של מצוה ג"כ אסור, **אפ"ה** מותר לומר בלשון זה, שאינו אומר בלשון מכירה "מכור לי", ואינו מזכיר שם מדה, רק "כלי זה" סתם.

אפילו הוא מיוחד למדה - פי' שרגיל למדוד ולמכור בו, **והני מילי כשנוטל הלוקח מדה של מוכר ומוליכו לביתו** - שאין זה דרך מקח וממכר, וגם לא מחזי כעובדין דחול, שאף המשקה חבירו בדרך מתנה, דרכו ג"כ לפעמים להשקות בכלי המיוחד למדה.

וא"צ לומר אם מביא הלוקח מתוך ביתו, ואומר לו: מלא לי כלי זה; אבל למדוד בכלי המיוחד למדה ולשפוך לתוך כליו של לוקח, אסור - מפני שזהו דרך מקח וממכר של חול.

(ומינקת שקורין ליוע"ר, המיוחד למדה, ומחזיק קווארט, מותר לומר: מלא לי כלי זה, ושופך לכלי של לוקח), ‹כי אי אפשר ליקח המינקת להוליך לבית הלוקח, ולא נראה כמזכיר סכום המדה בפירוש – פמ"ג›.

הגה: ויש מקילין לומר, דכל שאינו מכוין למדה לגמרי, שממעט או מוסיף מעט, שרי - היינו דעי"ז אין איסור על המוכר למדוד בכלי מדה שלו ולשפוך לתוך כליו של לוקח, **וכן המנהג פשוט למדוד בכלי המיוחד למדה ולשפוך לכליו של לוקח** - ואין בזה משום גזל, שידוע לבעליו שהכל רגילים בכך, וכן נהגו להטיל טבעת במדה, וזה ההיתר למוכר, מ"א, [**כונתו**, אבל מה שהמנהג שהלוקח מזכיר שם מדה, אין די בהיתר זה, **ולזה** סיים הרמ"א: ועוד יתבאר וכו', היינו אף מה שמקילין להזכיר שם מדה].

ועוד יתבאר לך בסמוך טעם המקילין - היינו שמצא סמך, שלפעמים מותר להזכיר אף שם מדה.

דין הלואת שבת דינו כמו ביו"ט, וע"ל סי' תקכ"ה, ולעיל סי' ש"ז סעיף י"א.

סעיף ב - מותר לומר לחבירו: מלא לי כלי זה, ולמחר נמדוד אותו - היינו אף שהמדידה אסור בשבת ויו"ט, מ"מ מותר להזכירו, **וע"ל** סימן ש"ז ס"ח, דאסור לומר: דבר פלוני אעשה למחר, מה שאסור לעשות היום, **ואולי** משום שהוא לצורך שבת התירו.

(אבל לא יאמר: תן לי מדה פלוני) - או חציה או רביעית, כיון שמזכיר שם מדה, **אבל** מותר לומר: מלא לי כלי זה עד השנתות.

ואפילו אין קונה ממנו כלל, אלא שואל ממנו, ואומר: השאילני מדה פלונית, ג"כ אסור משום מדידה, דהוי כעובדין דחול.

סעיף ג - מותר לומר לחברו: תן לי ביצים ואגוזים במנין - היינו שאומר לו י' או כ', שכן דרך בעה"ב להיות מונה בתוך ביתו לידע כמה הוא נוטל, שלא יטול אלא כפי הצורך, הלכך לא מוכח דמשום דמים הוא דמדכר ליה, אלא להודיע כמה צריך.

סעיף ד - מותר לומר לחנוני: תן לי ד' ביצים וה' רמונים - דוקא חנוני ישראל, אבל אינו יהודי אסור ליקח ממנו ביצים, שמא נולדו היום ומוקצה הוא, **וכן** ברמונים שמא נלקטו היום מן המחובר.

(היינו הך דס"ג, ואפשר דלרבותא נקט חנוני, אף דכונתו בודאי למכירה, אפ"ה שרי כיון שלא הזכיר בפירוש).

ובלבד שלא יזכיר לו שם דמים - כגון שאומר: תן לי בעד כך וכך פשוטים, **וכ"ש** כשמזכיר לו סכום דמים, דהיינו שעושה עמו חשבון הכולל גם ממה שנתחייב לו מכבר.

ולא סכום מדה - עיין בביאור הגר"א שכתב דט"ס הוא, וצ"ל "ולא שם מדה", דהיינו שמזכיר לו: תן לי מדה פלונית, **וכ"ש** סכום מדה, דהיינו שעושה עמו חשבון הכולל מכמה מדות שלקח ממנו מכבר.

ולא סכום מנין, לומר: הרי שיש לך בידי חמשים אגוזים, תן לי חמשים אחרים, והרי יש לך בידי מאה - דבאופן זה הוא דרך מקח וממכר, אבל מנין בעלמא כבר מבואר מקודם דשרי.

הגה: וכן בסכום דמים, אינו אסור אלא בכה"ג שאומר: תן לי בכך וכך דמים ויהיה לך בידי כך וכך, אבל בלאו הכי שרי - הוא פליג על המחבר דס"ל דסתם שם דמים אסור למדכר, והוא ס"ל דכמו במנין דוקא סכום מנין אסור, ומנין בעלמא שרי למדכר, כן הדין לענין דמים, **והו"ל** למימר "ויש אומרים", אלא שכן דרכו לפעמים, (והלשון אינו מדויק כ"כ, והכונה, דמה שכתב בדברי המחבר "שם דמים", היינו דוקא "סכום דמים", אבל דמים בעלמא שרי).

וכן בסכום מדה, דוקא בכה"ג אסור, אבל בלאו הכי שרי - ר"ל דוקא סכום מדה, שעושה עמו חשבון הכולל גם ממדותיו שנתחייב לו מכבר, **אבל** שם מדה בעלמא, ס"ל להגה"ה דמותר למדכר, דהא שהזכיר מדה הוא רק לסימנא בעלמא, להודיע לו כמה הוא צריך, ולא שימדדו דוקא.

והא דאסר בגמרא להזכיר שם מדה, היינו בדבר שאין העולם רגילים למדוד אותו במדה, שאז אין אומרים דלסימנא בעלמא נקטיה, **והמחבר** לעיל דלא חילק בזה, ס"ל דבכל גוונא אסור גם בזה.

וזה הקולא הוא רק ללוקח, שאינו עובר איסור במה שמזכיר שם מדה, **והיתר** למוכר שיהיה מותר למדדו וליתנו בכליו של לוקח, מבואר לעיל בס"א, שיוסיף או ימעט מעט.

ואע"ג דאסור להזכיר דמים כלל, היינו בדבר שאין מקחו ידוע - חוזר אתחילת הג"ה, וקאמר דהא דקימ"ל דאסור להזכיר דמים כלל, הוא בדבר שאין מקחו ידוע, והיינו שאין לדבר ההוא קצבה ופסיקת דמים, **שאז** לא נוכל לומר שמה שהזכיר לו "בפשוט", הוא רק להודיע לו כמה הוא צריך, ולא לפסוק לו דמים בעד המקח, שהרי אינו יודע כמה יתן לו בעד שיעור זה הדמים.

אבל בדבר שידוע רק שאומר לו כמה צריך, שרי - דאמרינן דלסימנא בעלמא נקטיה, להודיעו כמה הוא צריך, ונמצא שלא הוזכר כאן מכירה בדמים, אלא נתינה בעלמא כמה יתן, **אם לא שמזכיר לו סכום.**

ואע"ג שיש מחמירין בדבר זה, כבר פשט המנהג במדינות אלו להקל, וכסברא הנזכרת.

והנה יש כמה אחרונים שסוברין, שיש ליזהר מדינא שלא להזכיר שם דמים וכ"ש שם מדה בכל גוונא, וכדעת המחבר, **ומ"מ** אין למחות ביד הנוהג להקל, דיש לו על מי לסמוך, אבל ראוי ונכון מאד להחמיר בדבר, שלא להזכיר שם מדה או דמים, **ובפרט** שיכול לעשות בהיתר, שיכול לומר: מלא לי כלי זה ולמחר נמדוד אותו, **ובדבר** ששייך בו מנין, יוכל לומר דרך מנין: תן לי כך וכך, ולא יזכיר שם דמים כלל, ולא יבואו לחשבון עד למחר.

מה שנוהגין שכותבין מע"ש: פלוני הניח כך וכך מעות, ופלוני כך וכך, ולמחר בשבת כשנותן היין, לוקח המוכר מחט ועושה נקבים בנייר כמנין היין שלוקח, **אסור** לעשות כן, דהא אסור להסתכל באותו כתב שכתב בו סכום המעות, דהוי שטרי הדיוטות, **גם** עשיית הנקבים בנייר ג"כ אין נכון לכתחלה, (דאפי' רשימה בעלמא אסור לעשות לסימן, וכ"כ הרמב"ם: הרושם רשמים בכותל חייב, וא"כ כ"ש דאסור לעשות נקב לסימן - מ"א, [**ועיין** במש"ב בסי' ש"מ בבה"ל בס"ה, דאף לדעת הרמב"ם פטור על רשימה בעלמא], (**אמנם** באמת הקורע נייר חייב משום קורע, ובאין קורע כדי שתי תפירות, עכ"פ מדרבנן אסור - פמ"ג), **וה"ה** דאסור לכתוב בפתקאות מע"ש סכום מעות, ולמחר בשבת כשלוקח היין, מניח המוכר את הפתקא במקום ששם האיש כתוב אצלו מכבר, דאסור לקרות בפתקאות הללו, **ולכן** נהגו ליתן גרעין או שאר דבר על שם האיש לסימן, (שם האיש לבדו מותר לקרות, דלא מקרי שטרי הדיוטות אלא שטר שכתוב בו איזהו עסק - מ"א), **וגבאי** צדקה אפשר דמותרין בפתקאות ליתן על שם האיש לזכרון, משום דהוי חפצי שמים, **ומ"מ** טוב להחמיר היכא דאפשר בגרעין וכיוצא בזה, וכן נהגו הקדמונים.

סעיף ה - המביא כדי יין ממקום למקום, לא יביאם בסל ובקופה - ליתן ג' וד' כדים בתוך קופה לישאם, **כדרך חול** - משום דנראה כמעשה דחול לשאת משאות.

אלא יביאם לפניו - בידו, **או על כתפו** - אחד או שנים, דמוכח דלצורך שבת הוא, **וכיוצא בזה, שישנה מדרך חול, אפי' אין בשינוי קלות במשא** - בטור איתא בזה"ל: "וכן כל כיוצא בזה ישנה מדרך חול" וכו', וזה הלשון מתוקן יותר.

ואם אי אפשר לו לשנות, כגון שזימן אורחים הרבה וצריך למהר להביא לפניהם, מותר.

וי"א דלמעט בהילוך עדיף, ויותר טוב להביאם בסל ובקופה בפעם אחת, מלהביאם כל אחת ואחת בפני עצמה - עיין סימן תק"י ס"ח בהג"ה, דפסק כהי"א אלו.

וכל זה במקום שאין רואין, אבל כשנושא אותם דרך מבוי המעורבת, דשכיחי בה רבים ואוושא מלתא טובא, ויאמרו דלצורך חול הוא מביאם, לכו"ע למעט במשא עדיף.

סעיף ו - מדיחים כלים לצורך היום, כגון שנשאר לו עדיין סעודה לאכול - היינו אפי' בליל שבת מותר להדיח לצורך מחר, או לצורך סעודה שלישית. **ואם** יודע שלא יצטרך עוד לאלו הכלים, אסור להדיחן משום טורח, **רק** הכא איירינן בסתמא.

אפי' י' כוסות וא"צ אלא לא', רשאי להדיח כולן, דהואיל וראוי לו כל אחד, הותרו כולן, וה"ה שמציעין י' מטות.

אבל לאחר סעודה שלישית אין מדיחין - ואם יודע שיצטרך להן, כגון שרוצה לאכול עוד פעם אחת, אפי' לאחר סעודה ג' ג"כ מותר, **רק** הכא איירינן בסתמא.

וכלי שתיה מדיחין כל היום, שכל היום ראוי לשתיה - ואם ברור לו שלא ישתה עוד, שוב אסור להדיח הכוס.

סעיף ז - מותר להטביל כלי חדש - הנקח מן הא"י, **הטעון טבילה** - אפילו היה לו הכלי קודם שבת ויו"ט.

והמחבר סתם ולא הזכיר באיזה כלי מיירי, ומשמע דאפילו כלי מתכת, דהרבה פוסקים ס"ל דטבילתה הוא מן התורה, וגם המחבר סתם כן ביו"ד, ג"כ מותר להטביל, (**ולענ"ד אפשר דס"ל דבזה לא שייך מתקן, כיון דאף אם ישתמש בכלי בלי טבילה, ג"כ אין המאכל נאסר בדיעבד לכו"ע**).

ויש אוסרים - היינו אפי' בכלי זכוכית, ואפי' הוא לצורך שבת, מפני שנראה כמתקן הכלי ע"י הטבילה, דמתחלה היה אסור להשתמש בה, ולכך אסור מדרבנן.

ואפילו הגיע לו הכלי בשבת, שנתן לו הא"י במתנה, אסור, [**ולענין** יו"ט, משמע בפמ"ג דמסכים להקל, ‹דמכשירי אוכל נפש שא"א מערב יו"ט מותר ביו"ט›, **והשאגת** ארי' אוסר, ע"ש, ואינו מוכרח לדינא].

וירא שמים יצא את כולם, ויתן הכלי לא"י במתנה ויחזור וישאלנו ממנו, וא"צ טבילה - ומ"מ לאחר השבת צריך להטבילו, כיון דלבסוף יהיה נשקע הכלי תחת ידו, הוא כשלו, **ומ"מ** יטבילנו בלי ברכה, או יטביל כלי אחר עמו ויברך על שניהם.

ואע"ג דאסור ליתן מתנה בשבת, הכא שרי משום צורך שבת.

משמע דמצד הדין מסכים לדעה הראשונה, **ועיין** בד"מ שכתב, דמדינא יש לפסוק כדעת היש אוסרים, וכן פסק בתשו' שאגת אריה, **ומ"מ** אם עבר וטבל, אפשר דמותר להשתמש בו, כיון דיש מתירין אפילו לכתחלה, ‹**אולם** בסימן שי"ח ס"א לא נסתפק בזה, וכתב שמותר›, [**וה"ה** בכל כעין זה לענין מבשל בשבת, בכל דבר דאיכא פלוגתא דרבוותא, אין לאסור בדיעבד].

ואם יש לו ספק על הכלי אם היא צריכה טבילה, נ"ל דיש לסמוך על דעה הראשונה ולהטבילה לכתחלה, כשא"א לו לעשות בנקל העצות המבוארות בשו"ע.

הגה: ואם הוא כלי שראוי למלאות בו מים, ימלאנו מים מן המקוה ועלתה לו טבילה - ואינו מברך, דאז אינו מוכח שעושה לשם טבילה, **ופשוט** דזה דוקא אם אין לו כלי אחר לצורך שבת, דאל"ה אסור, מפני שמפסיד הברכה בידים, [**דלא** עדיף ממה דקימ"ל דערום אסור לתרום מפני שאסור לברך]. ‹**ונדה הטובלת בשבת מברכת**›.

סעיף ח - כוס ששתה בו א"י - יין, **מותר להדיחו לדברי הכל** - אף שבלא הדחה אסור להשתמש בו, אפ"ה לא מקרי מתקן עי"ז, **דהא** גוף הכלי היתר הוא והיין אוסרו, וכשמסירו אינו מתקנו, אלא כמסיר ממנו דבר המאוס.

ואם יודע שלא ישתמש בו היום, אסור להדיחו וכנ"ל, **ואפ"ה** מותר לטלטל הכוס אף בלא הדחה, ואפילו יש בכוס פרורי פת ששרה בו הא"י בהיין, אפ"ה מותר לטלטל להכוס, ולא הוי בסיס לדבר אסור, דהפירורים בטלים לגבי הכוס.

סימן שכג – דיני השאלה וקנין צרכי שבת, והדחת הכלים ותיקונן וטבילתן בשבת

כתב בתרומת הדשן, דאין לבטל איסור בשבת, דאין לך תיקון גדול מזה, **ואף** דביו"ד בהג"ה ס"ל, דאף בחול אין לבטל שום איסור להוסיף עליו עד ששים, אפילו אם הוא איסור דרבנן, **מ"מ** נפקא מיניה לענין יבש ביבש שנתערב חד בתרי, דבחול יכול להוסיף עליו עד ששים כדי לבשלו אח"כ, כדאיתא ביו"ד, ובשבת ויו"ט אסור משום דמקרי מתקן, **והיכא** דמקלי קלי איסורא שרי.

ומותר לשער ששים, אפילו נתערב בע"ש ולא נודע לו עד שבת, **ודוקא** לשער בדעת ובמראה עיניו, הא למדוד לא, **אע"ג** דמדידה דמצוה שרי, הכא נראה כמתקן בעושה מעשה בידים.

כתב המג"א, דיבש ביבש שנתערב חד בתרי, מותר להשליך אחד מהן להתיר האחרים, דכיון דאינו אלא חומרא בעלמא, דמדינא כל שאין נאכל לאדם אחד שרי, ע"כ לא הוי זה כמתקן.

סכין טריפה, אם רוצה לחתוך בו לחם וכדומה בצונן, דבעי הדחה, דמשמע שפשוף היטב לא הדחה בעלמא, **אין** לעשות זה בשבת, דהוי כמתקן.

סעיף ט - מותר לשפשף הכלים בכל דבר - ואע"פ שאפשר דגריר והוי ממחק, מ"מ הוי דבר שאין מתכוין ושרי.

ואפילו בנתר וחול, כשייחד להם מקום מבעוד יום שאינו מוקצה, (וכ"ש דמותר לשפשף במורסן), **ונראה** דדוקא כשהיה החול (והמורסן) מגובל במים מע"ש, או שלוקח עתה החול בלי תערובות מים, או להיפך כשנותן הרבה מים שלא יתדבק כלל החול אחד לחבירו, דאל"ה יש בזה משום חשש לישה לכמה פוסקים, **ועיין** לקמן בסוף סימן שכ"ו, דיוכל ליקח החול בידים רטובות.

חוץ מכלי כסף בגרתקן, שהוא שמרי יין כשנתייבשו ונתקשו, מפני שהוא ממחק לכלי כסף שהוא רך - והוי פסיק רישיה, **ושאר** כלים אפילו בגרתקן נמי שרי.

מפני שהוא ממחק - וע"כ אסור להשחיז הסכין בשבת, אף שלא בריחיים רק בעץ וכדומה, דדומה לממחק.

ומהרי"ל היה אוסר לשטוף את הזכוכית בשבולת שועל להצהירו, וצריך טעם למה, **ואפשר** דס"ל דדוקא להדיח הכלים שיהיו נקיים שרי, אבל לא להצהירו, [**ולפי"ז** להצהיר הסכינים ג"כ אסור], ודוחק, [**וי"א** דמהרי"ל איירי שלא לצורך היום, ואפי' בהדחה בעלמא אסור].

סעיף י - אין חופפין כלים במלח, לפי שהמלח נמחה כשחופף בחזקה - והוא דומה לריסוק השלג והברד המבואר בסי' ש"כ, ע"ש הטעם במ"ב.

וע"כ כתבו הפוסקים, דדוקא לחוף בהמלח אסור, אבל מותר ליתן המלח להמים שמדיח בהם כלים, **ואע"ג** דנמחה ממילא, כמו שם דמותר ליתן השלג לתוך המים אע"פ שנמחה ממילא, ואינו חושש, [**רק** שיזהר שלא יהיה אסור מחמת מי מלח הנזכר בסי' שכ"א].

§ סימן שכד – דיני הכנת מאכל לבהמה בשבת §

סעיף א - אין כוברין התבן בכברה, שיפול המוץ לארץ - מפני שהוא כמרקד, [רמב"ם, **ומשמע** דהוא רק שבות, ואולי דס"ל דאין דרך ריקוד בתבן].

תבן הוא מה שמחתכין הקש במוריגין, ועושין כל זנב השבולת תבן, **ומוץ** הוא מזקן השבולת העליון, ואינו ראוי למאכל בהמה, וכוברין אותו כדי שיפול המוץ, **ואשמועינן** דאפילו זה אסור בשבת, וכ"ש דאין לרקד התבואה מפסולת שלהן, דזה הוא מרקד ממש, וחייב.

ולא יניחנו במקום גבוה כדי שירד המוץ; אבל נוטל בכברה ונותן לתוך האבוס, אע"פ שהמוץ נופל מאליו - דרך נקבי הכברה, **מותר, כיון שאינו מכוין.**

סעיף ב - לא ימדוד אדם שעורים לתת לפני בהמתו - היינו בכלי המדה, מפני שנראה כאלו הוא מודד למכור, **אלא משער באומד דעתו** - היינו ליקח בכלי אחר, ולשער קב או קביים.

סעיף ג - אין גובלין מורסן לבהמה או לתרנגולים - אף דאינו בר גיבול, מ"מ גזרו רבנן שמא יבוא לגבל קמח, דחייב משום לש - רמב"ם, **ודעת** הרבה ראשונים, דאף במורסן חייב משום לש, (דס"ל להיפך, דבדבר דאינו בר גיבול, תיכף משנתן בו

מים חייב, וע"כ באפר או חול הגס חייב תיכף משנתן בו מים, אך מורסן מקרי לדידהו בר גיבול, ולכך פטור בעת נתינת המים, וחייב כשגיבלו, כמו קמח, וכ"ז במורסן, אבל במוץ פשוט דאינו בר גיבול לכו"ע, ולדעת אלו ראשונים יש חיוב חטאת כשנותן בו מים בשבת).

ואין חילוק בין אם מגבל הרבה או מעט מעט, (דלא הותר מעט מעט אלא בקלי, **והטעם**, דלא התירו זה אלא במאכל אדם, ולא לטרוח בשביל מאכל בהמה, **א"נ** דמורסן לבהמה מתאכלי אפילו אם אינו מגבל כל צרכו, היינו רק ע"י שינוי דהעברת שתי וערב, לכך לא רצו להקל בזה ע"י התירא דעל יד על יד).

אבל נותנים בו מים, ומעביר בו תרווד או מקל שתי וערב, כיון שאינו ממרס בידו, ולא מסבב התרווד או המקל, מותר - אבל אם ממרס או מסבב בהתרווד, נראה כלש.

(עיין בב"י וב"ח שמצדדין לומר, דאפילו מעביר כמה פעמים שתי וערב שפיר דמי, כיון שאינו ממרס בידו, ולא מסבב בהמקל).

ומנערו מכלי אל כלי כדי שיתערב.

(**והא** דהתיר במורסן לכתחילה, אף דיש איסור מדרבנן בנתינת מים אפי' לר' יוסי ב"ר יהודה, שמא יבוא לגבל, **דעת הרמב"ם**, משום דאפי' כי גבלו לית בה איסור דאורייתא, ולכך לא גזרו על נתינת המים, ‹ולפי שארי פוסקים דסברי דיש איסור דאורייתא במורסן›, **י"א** דטעם ההיתר הוא משום שצריך להאכיל לבהמה ולעוף, ולכך לא גזרו רבנן).

ואם מותר ליתן מים לתוך הקמח באופן זה, ט"ז כתב דזה תליא, דלהרמב"ם אסור, ולשארי פוסקים מותר, (כשהוא צריך להאכיל לעופות), **וכל** זה לדעה קמייתא זו, אבל לדעת הי"א שהובא בסוף הסעיף, דס"ל דאפי' לתוך המורסן אסור ליתן מים, משום דנתינת המים זהו גיבולו, כ"ש לתוך הקמח דהוא בכלל גיבול.

ומותר לערב המורסן בדרך זה בכלי א', ומחלק אותו בכלים הרבה, ונותן לפני כל בהמה ובהמה; ומערב בכלי א' אפי' כור ואפי' כורים - והוא ששיעור זה צריך לו לחלק לפניהם באותו יום השבת, דאל"ה אסור לטרוח טרחא דלא צריכא.

ויש אוסרים ליתן מים על גבי מורסן בשבת, ולא אמרו שמוליך בו שתי וערב אלא כשהיו המים נתונים עליו מבעוד יום - הוא דעת בעל התרומות וסייעתו, דפוסקין כרבי דס"ל דבנתינת מים לחוד חייב משום גבול, בקמח ובמורסן ובאפר ובכל דבר, **וע"כ** צריך שיתן עליו המים מבעוד יום, ואפ"ה אסור לגבל למחר להדיא, אם לא בהולכת שתי וערב, [**והוא** איסור דאורייתא אפי' לשיטה זו].

(וע"ל סי' שכ"א סט"ז, גבי שום וחרדל כילד נוהגין) - ר"ל דשם נתבאר, דנוהגין להחמיר כסברת בעל התרומה.

וכתב הח"א, דבשעת הדחק יש להתיר ע"י א"י, שהא"י יתן המים בשבת, ויגבל ע"י שינוי הנ"ל, **ואם** המים היו רותחין, אסור אפי' ע"י א"י לערות מכלי ראשון, משום מבשל, **אלא** יערה הא"י מתחלה המים לכלי שני, ואח"כ ישפוך המים על המורסן.

ודע, דמורסן הנזכר בשו"ע, הוא קליפת התבואה הנשארת בנפה כשמנפין את הקמח, **ולענין** מוץ הנושרת בעת הדישה, לא נזכר פה בשו"ע, ובודאי יש ליזהר שלא ליתן המים בעצמו בשבת, דלהרבה גדולי הראשונים חייב בזה משום לש.

סעיף ד - קשין של שבלים שקושרים בשנים או בג' מקומות, מותר להתירן כדי שתאכל מהן הבהמה – (וגי' הרי"ף, דבג' מקומות אין להתיר).

הגה: וי"א דלא שרי להתיר רק בקשר שאינו של קיימא - כו"ע ס"ל הכי, ומפני שלא מצא דין זה מפורש רק במקום אחד, כתב "יש מי שאומר", **וי"א** דהרמב"ם חולק ע"ז, **ומ"מ** לדינא אין להקל, דדעת רש"י והרמ"ך ג"כ דיש קושר ומתיר אף באוכלי בהמה, **ובח"א** כתב, דגם הרמב"ם מודה דבקש ותבן יש קושר ומתיר.

(**ואם** הוא אגוד כאגודות של ירק, לא הוי קשר ש"ק).

אבל אסור לשפשף בהם בידים, כדרך שעושים באוכלי בהמה כדי שיהיו נוחים לאכלם, דשוויי אוכל בדבר שאינו אוכל, מותר לעשותו אוכל - משום צערא דבהמה, **אבל מיטרח באוכלא**

(ביאור הלכה) [שער הציון] ‹הוספה›

בדבר שהוא ראוי לאכילה, לא טרחינן ביה להכשירו ולתקנו יותר.

סעיף ה - עצים שקצצן מן האילן, ויש מאכילים אותם לבהמה בעודם לחים, מתירין ומפספסין (לשון פספוס) בהם להאכילם, שאינם ראויים בלא שפשוף - והוי בכלל שווי אוכלא דמותר.

(עיין בשלטי גבורים שכתב, דבעודם לחים אז סתמייהו עומדים לאכילת בהמה, דאל"ה הם מוקצים ואסור בטלטול, **ולפי**"מ שפירש"י אין תירוצו עולה יפה כ"כ, ועיין בב"י דמשמע, דאף שראויין לאכילת בהמה מ"מ בעינן הזמנה דוקא מבע"י, **אמנם** מצאתי בחי' הרשב"א, דזה דוקא בדלא בעי להו למאכל בהמה, אלא לצורך מקומן או לישב עליהן).

סעיף ו - מחתכין דלועין לפני בהמה - ודוקא כשהם קשים, שאינם ראויים לאכול בלא חיתוך, **אבל** כשהם רכים, הוי בכלל מטרח באוכלים, ואסור.

ואפילו קשים לא יחתכם דק דק משום טוחן, **ואיסור** טחינה לא שייך רק אם דעתו להאכילם לאחר זמן, **אבל** מה שדעתו להאכיל הדלועים והירקות וכה"ג לפני הבהמה והעופות בפעם אחד, זה לא נחשב טחינה, [**והיכא** דאסור משום מטרח באוכלא, אסור אף אם דעתו להאכיל לאלתר].

והוא שנתלשו מאתמול - דאילו נתלשו היום, אסור אפילו לטלטלן לכו"ע משום מוקצה, [**היינו אפי'** לר"ש, דמדלא לקטינהו מאתמל, אקצינהו ודחינהו בידים, **ואפי'** אם לקטן א"י בשבת לא פלוג].

סעיף ז - מחתכין נבילה לפני הכלבים אפילו נתנבלה היום, בין שהיתה מסוכנת, בין שהיתה בריאה - וא"ר והגר"א מסתפקין בבריאה, [בלא היה חולה קצת מבע"י], דלא היתה דעתו כלל מבע"י שתמות ויאכיל ממנה לכלבים, דיהיה אסור בטלטול לכו"ע משום מוקצה.

והני מילי בנבילה הקשה שאי אפשר להם לאכלה בלא חתיכה - ואפילו אם איננה קשה לגמרי, שראוי להם לאכילה ע"י הדחק, ג"כ בכלל שווי אוכלא הוא ושרי. **וה"ה** כשהיא רכה, אך שהכלבים הם קטנים, דכל נבלה קשה להם.

אבל אם היתה ראויה להם בלא חתיכה, לא, דמיטרח במה שהוא ראוי לא טרחינן.

(וע"ל סי' שכ"א, אם מותר לחתכו דק דק לפני עופות) - דאע"ג דעופות אין יכולין לאכול כי אם כשחותך דק דק, מ"מ אסור משום חשש טחינה, **וזה** קאי דוקא על בשר חי כשר, (דמפני חשיבותו אינו עומד לחיות ולכלבים, כי אם לעופות, ולהם אינו ראוי כי אם כשמחתכן דק דק), **אבל** לא על בשר נבלה, דזה מותר אפילו דק דק, (דרובו עומד לאכילת כלבים, ולהם אין צריך דק דק, ואזלינן בתר רובא, ולא שייך טחינה).

ודוקא כשחותך להאכיל לאחר זמן, אבל כל מה שדעתו להאכיל בפעם אחד שרי.

סעיף ח - אין חותכין שחת (פי' ירק של תבואה שנקצר טרם נתבשלה התבואה) וחרובין לפני הבהמה, בין דקה בין גסה - אפילו חתיכות גדולות דלית בהו משום טחינה, **משום דבלא חיתוך נמי חזי לאכילה** - ומוכח מזה דמיירי ברכין, **אבל** בחרובין קשין שאינם ראויים בלתי חיתוך, מותר, דבכלל שווי אוכלא הוא, **וכ"ז** בחתיכות גדולות קצת, אבל דקות אסור משום חשש טחינה, אם מחתך להאכילם לאחר זמן.

סעיף ט - אין אובסין את הגמל, דהיינו שמאכילה בידו כל כך עד שמרחיבין בני מעיה כאבוס - כ"ז משום טרחא יתירה, [**ומרמב"ם** איתא הטעם, דגזרו שלא יאכיל כדרך שמאכיל בחול, שמא יבוא לידי כתישת קטניות או לישת קמח].

(מרש"י משמע דגם זה מיירי שתוחב בגרונו למקום שאינו יכול להחזיר, **אבל** מרמב"ם משמע, דכיון שמאכילו הרבה כמאכל שלשה ימים, אפילו לא תחב בגרונו כלל ג"כ אסור).

ולא דורסין, דהיינו שדורס לו מאכל בגרונו למקום שאינו יכול להחזירו, אבל

מלעיטין; אין מאמירים את העגלים, אבל מלעיטין; איזו המראה, למקום שאינה יכולה להחזיר - שתוחב לה לפנים מבית הבליעה.

הלעטה, למקום שהיא יכולה להחזיר – (בחידושי מאירי משמע קצת, דדוקא ביד ולא בכלי), **ומשמע** בגמרא, דכל שאינו מרביץ את הבהמה, אין יכול לתחוב כ"כ בעומק, ומקום שיכול להחזיר הוא.

הגה: ודין תרנגולים ואווזים כדין עגלים - ואווזות שמפטמים אותם, והורגלו בחול לאכול ע"י המראה, ואין אוכלין בענין אחר, מותר לומר לעו"ג להמרותן משום צער בע"ח, **אך** לא ימרה אותן כי אם פעם אחד ביום, אף שרגילין לאכול שני פעמים ביום, **ומשמע** דאי ליכא א"י, שרי ההמראה אף ע"י ישראל משום צער בע"ח, וטוב לעשות ע"י קטן - מ"א, **אבל** כמה אחרונים אוסרין להמרות ע"י ישראל.

(**ובספר שיורי ברכה כתב בשם אחד מהגדולים**, דהלואי לא ילעיטו לעולם, שעוברים על כמה איסורים וכו', וידוע שלפעמים הוושט נקוב ולאו אדעתייהו, ואוי למורים כשאינם משגיחים ע"ז).

סעיף י - מותר ליתן מאכל בפיהם של תרנגולים - היינו למקום שיכולים להחזיר, **והוא** הדין עצמו שזכר רמ"א מקודם, וקצת פלא על רמ"א, ואפשר כדי שלא נטעה בכונת המחבר.

והיינו דוקא אם הוא זהיר אז שלא לטלטלה, דכל בע"ח הם מוקצים.

סעיף יא - אין נותנין מים ולא מזונות לפני דבורים, ולא לפני יוני שובך ויוני עליה - אפילו הם שלו, מ"מ אין מזונותיהן עליו, דשכיחי להו בדברא, וטרחא שלא לצורך היא.

ולא לפני חזיר - דאין מזונותיו עליו, לפי שאסור לגדלו, וכדאיתא בחו"מ, **ואם** נפלו לו בפרעון חובו, שמותר להשהותן עד שימצא למכרן בשויין, מקרי מזונתן עליך, ומותר ליתן להם מזונות.

אבל נותנין לפני אווזין ותרנגולים ויוני בייתות – (שמגדלות אותן בבית, וכ"ז מיירי כשהם שלו, כן מוכח מא"ר, **ולענ"ד** אין זה ברור, דכיון שהם של ישראל, ואינם אוכלין מהפקר, כי היכי דמותר לבעליהן להכין להם מזונות, הכי נמי מותר לאדם אחר).

וכן לפני כלב, שמזונותיו עליך - ואפילו כלב שאינו מגדלו בביתו מותר, דמצוה קצת גם כן ליתן לו מזונות, כמו שאחז"ל, שחס הקב"ה עליו לפי שמזונותיו מועטין, ומשהה אכילתו במעיו שלא יתעכל ג' ימים.

ולפני כלב רע אסור, כמו לפני חזיר דאסור, משום דאסור לגדל חזירים וכלב רע.

יש נוהגין ליתן חטים לפני עופות בשבת שירה, ואינו נכון, שהרי אין מזונותן עליך.

סעיף יב - מותר להאכיל תולעת המשי – (והיינו שנותן לפניהם עשבים לאכול, ומפזר לפניהם עלי התותים וזולתם, וע"כ דהפזור משוי להו אוכלא, דאל"ה היה הפזור אסור), **לפי** שמזונותיהן עליך, שאין לו מה שיאכל כי אם מה שנותן לו האדם, ודמי לאווזין ותרנגולין, **ובטלטול** הם אסורין כשאר בע"ח.

(**ולגרוף** מתחתיהם שיורי העלים היבשים, אפילו הם מאוסים שאינם ראוים לשאר בע"ח, **אם** תולעת המשי אינם אוכלים ביום ההוא עד שיגרפו שיורי העלים מתחתם, ואז הם מסתכנים בסבתם, גורפין אותן כלאחר יד שלא כדרך גריפתן בחול).

סעיף יג - מעמיד אדם בהמתו על גבי עשבים מחוברים - דאיתא במכילתא: "למען ינוח", יכול לא יניחנו תולש ועוקר, כתיב "למען ינוח", ואין זה נוח אלא צער, **ולא חיישינן שמא יתלוש מהם** - דאיסורו חמיר וזהיר ביה.

אבל לא על גבי מוקצה, מפני שאיסורו קל וחיישינן שמא יתן לה ממנו בידים; ודוקא להעמידה על גביו ממש, אבל לעמוד בפניה בענין שלא תוכל להטות אלא דרך שם, מותר - כיון שאין קרוב לה כ"כ, ליכא למיחש.

סעיף יד - נוטלים מאכל מלפני חמור ונותנים לפני שור - שאין השור קץ במאכל הנשאר מן החמור, שאין מטיל ריר.

אבל אין נוטלים מלפני שור ליתן לפני חמור, מפני שנמאס ברירי השור, ואינו ראוי עוד לחמור - רק ע"י הדחק, ומטרח בחנם, **ודוקא** לחמור שאינו מינו הוא קץ במאכלו מפני הריר, **אבל** לפני שור אחר שהוא מינו, אינו קץ מפני הריר, ומותר לכו"ע.

הגה: ויש מחמירין ג"כ בשאר מיני בהמות ליקח מלפני אחת וליתן לפני אחרת שאינה מינה - דשמא ימצא ריר בהאוכל ויקוץ בו, ויהיה הטרחא בחנם.

וכתבו האחרונים, דאין למחות ביד הנוהגין היתר, דיש להם על מי לסמוך, **אם** לא במינים הידועים שמאכלם נמאס ברירין היוצאין מפיהם, וקץ בהם המין האחר שהוא נותן לפניו.

סעיף טו - אסור לגרוף האבוס לפני שור של פטם - שגורפין אותו שלא יתערב העפרורית שבאבוס בתבן ובשעורים שנותנין לפניו, ויקוץ במאכלו, **אפי' אבוס של כלי, גזירה אטו של קרקע דאתי לאשווי גומות** - היינו דשם רגילות הוא שמכוין לאשויי, כדי שלא יפלו השעורים בהגומות, ולכן גזרינן גריפה אפילו באבוס שבכלי, **אבל** מותר לגרוף תיבה בשבת מן הפסולת הנמצא בה, דלא שייך לגזור, [והו"ל טלטול מן הצד ע"י דבר אחר לצורך היתר - סי' שלז ס"ב].

ואסור גם כן לסלק התבן מלפניו לצדדין - דכשהוא רב, רוצה לסלקו כדי שלא ידרסנו השור ברעי, **ואסור** משום דבודאי יש בו מה שנמאס כבר במדרס רגליו, ולא חזי לטלטול.

§ סימן שכה - א"י שעשה מלאכה בעד ישראל §

סעיף א - מותר לזמן א"י בשבת - אף דביו"ט אסור לזמן א"י לאכול עמו, גזירה שמא ירבה לבשל בשבילו, **בשבת** דאין לחוש לזה שרי, [**ואין** לאסור, מפני שיטלטל הישראל הכוס שיש בו פירורי פת ששרה א"י ביין דנאסר בשתייתו, **דלא** נעשה בסיס, דהפירורין בטלי להכוס].

ומותר ליתן מזונות לפניו בחצר לאכלן, ואם נטלן ויצא אין נזקקין לו.

לאכלן - אפילו אם אינו מפרש לו שיאכל, ג"כ שרי, דמסתמא יאכל שם, **אלא** בא לאפוקי אם אין רשות בידו לאכלן שם, או שהוא הרבה שא"א לאכלן שם, אסור ליתנם לפניו, דהוי כאלו נותנו ע"מ להוציא, ויש בו משום מראית העין, שיאמרו שמוציא בשביל ישראל ובשליחותו.

ואף דאסור לטרוח בשבת בשביל מי שאין מזונותן עליו, אינו יהודי חשיב מזונותן עליו לענין שמותר לטרוח בשבילו, משום דמפרנסין עניי א"י עם עניי ישראל מפני דרכי שלום, [**ולאו** דוקא עניים, דה"ה כל א"י מפני דרכי שלום, **ולענין** בישול ביו"ט דהוא מלאכה דאורייתא, חשיב אין מזונותן עליך, דאסור להרבות בשבילו].

כתבו הפוסקים, דדוקא ליתן לפניו והוא יקחם בעצמו שרי, אבל ליתן לידו אסור, דשמא יוציא לר"ה, ונמצא למפרע דהישראל עשה העקירה מרה"י דאסור, **ודעת** הא"ר, דמותר ליתן לו אף בידו כשהוא בחצר כיון שאין נותן לו ע"מ להוציאו, דכיון דהא"י עומד בפנים, (דהוא וידו ברשות אחת), כשיוציא לחוץ חשוב עושה בעצמו העקירה, **ויש** להקל בזה כדבריו.

ואם הישראל אינו מוסר לידו, אלא הא"י לוקח מיד הישראל, לכו"ע מותר, כשלוקח ע"מ לאכול בחצר, דאף כשיוציא, הלא לא עשה ישראל העקירה כלל.

ודווקא שהא"י בחצר, אבל אם עומד בחוץ ופשט ידו לפנים, שידוע הוא שיוציאנו - ובזה אפילו לא יתנם הישראל לידו, אלא יקבלם מיד הישראל, דאין עושה הישראל שום עקירה, אפ"ה אסור, דכיון שידוע שיוציאנו, יאמרו דבשליחותו מוציא, **וכ"ש** למסור לידו דאסור משום העקירה.

או ליתן לו שאר חפצים שדרך להוציאן, אסור אפילו אם עומד בפנים - ואפילו לא יתנם לידו, אלא יניח לפניו בחצר, כיון שידוע שיוציא אסור, דיאמרו דבשליחותו מוציא.

אפילו אם החפצים של א"י, שהרואה אינו יודע שהחפצים של א"י - בטור איתא: "או אפילו" וכו', ופירשו [המ"א ותו"ש וש"א] דאדלעיל קאי, דהא"י

עומד בחוץ ופושט ידו לפנים, דבזה אפילו אם החפצים של א"י יש מראית עין, שיאמרו דשל ישראל הם שמוסר לידו, **אבל** כשעומד בחצר מותר לתת לפניו, [**דבידו** אסור משום עקירה, וא"ר מקיל גם בזה, **ומ"מ** נכון להחמיר בזה כיון שנותן ע"מ להוציא, **ובפרט** להמאמ"ר ונה"ש אסור בכל גווני כדבסמוך], **דלא** גזרינן כולי האי בחפצים של א"י, ואמרינן דהרואה אותו שמוציא אח"כ, ידע שהחפצים של א"י הם.

[**ומאמ"ר** ונהר שלום כתבו, דהעיקר דאף כשעומד בחצר אסור ליתן לו חפציו].

הגה: ואפי' בייחד לו מקום מבעוד יום, יש להחמיר - היינו אם היה החפץ ממושכן אצל ישראל, אף שייחד לו מקום על החפץ שיבוא ויטלנו כל זמן שירצה, אפ"ה אסור להניחו שיטלנו בשבת, דחפץ הממושכן אצל ישראל הוי כשלו, [**מ"א**, וכדעתו, דבחצר אין איסור שיקבל חפציו, והא דאסור בזה, הוא דמשכון חשיב כמו שלו]. **ומה** שייחד לו מקום לא מהני, דשכירות לא קניא, ועדיין ברשות הישראל הוא, ואיכא משום מראית עין.

סעיף ב - היכא דאיכא משום דרכי שלום - כגון א"י שחלה, ושלח אחר מאכל ישראל, [**דבלא** חלה, אף דמפרנסין משום דרכי שלום, הלא יכול לבא לבית הישראל, והישראל יכול להשיב כי אינו רשאי ליתן מביתו בשבת, **אבל** חלה שאני, דהא יודעים דבשביל חולה ישראל מחללין שבת לפעמים].

או בא"י אלם - כשמבקש חפציו, ואף שאין חשש סכנה בדבר, [**דאם** היה חשש סכנה, פשיטא דשרי אף ברה"ר].

מותר לתת לו, או לשלוח לו ע"י א"י, וכ"ה לצורך מצוה, כגון להוציא חמץ מביתו בפסח - כגון ערב פסח שחל בשבת.

ואף דאסור ליתן לא"י אם יודע שיוציא החפצים מביתו לר"ה בשבת, אף שלא בשליחות ישראל, וכ"ש כשהוא בשליחותו, **מ"מ** התירו בכל אלו, משום דלדידן להרבה פוסקים אין לנו ר"ה דאורייתא, ואינו אלא שבות דשבות, והתירו במקום מצוה, או מפני דרכי שלום וכה"ג, [**ואף** דהרבה פוסקים ס"ל דגם לדידן אית לן רה"ר, לענין שבות ע"י א"י סמכינן בזה על המקילין], **ומ"מ** צריך ליזהר בכל אלו שלא למסור ליד א"י, דיעשה הישראל עקירה, דהא אפשר לבקש להא"י שיקחנה בעצמו, **ואפילו** אם הא"י מבקש שיתנו לתוך כליו, יש ליזהר שיעמידנו בבית, ואחר שישפוך הישראל לתוכו יקחנו.

סעיף ג - מותר להחליף משכון בשבת אם הוא מלבוש, ויוציאנו דרך מלבוש, כי אין זה משא ומתן - ודוקא דרך מלבוש, דאל"ה אסור כשאר חפצים של ישראל, כיון שממושכנין אצלו, דיאמרו דהישראל צוה להוציאו, **מיהו** אם הא"י אלם ואינו רוצה לקחת בדרך מלבוש, מותר בכל גווני וכנ"ל.

וגם בישראל מותר בענין זה, אם הישראל צריך ללבשו. הגה: וטוב שהא"י יקח המשכון עצמו ויניח אחר במקומו, ולא יגע בו הישראל - בשום אחד מהמשכונות, לא בהישן ולא בהחדש, **שלא יהא נראה כנושא ונותן** - מיהו בישראל כה"ג יש להקל שיגע בו, דבישראל לא מחזי כמשא ומתן אלא כמשאילו.

ואם בא הא"י ליטול משכונו ואין הישראל מאמין לו, אין ישראל אחר רשאי לערב עבורו, דאסור משום "ממצוא חפצך".

כתב באגודה, ה"ה אם הא"י מניח המעות ונוטל המשכון, נמי שרי, ובלבד שלא יחשב הישראל עמו, ולא יגע בם - מ"א ותו"ש, **ובא"ר** משמע דהוא סובר, דכשמניח מעות מחזי כמשא ומתן, ולדידיה אין להקל בזה כי אם כשהא"י אלם, **ומ"מ** נראה דאם יוכל להגיע לו מזה הפסד, כגון שאין משכון שוה הכסף וכדומה, יש לסמוך על המ"א ותו"ש.

וע"ל סי' ש"ז בסופו, מדין א"י המביא בשבת איזה דבר, אם מותר לקבלו.

סעיף ד - פת שאפה א"י לעצמו בשבת – (האי "לעצמו" לאו דוקא, דאם הָיִינוּ יודעין שהוא לעצמו, אפילו בחול אסור לישראל לאכול ממנו, דהו"ל פת של בעה"ב ואסור לכו"ע, אם לא בשעת הדחק, שאין מצוי פת אחר כלל, אלא מיירי בפת שעושה למכור, והיא עיר שרובה א"י, דאדעתא דרובה קעביד, ומה שכתב "לעצמו", היינו שלא אפה בשביל ישראל).

יש אוסרים - שמא היתה ביה"ש קמח או עיסה שאינו ראוי לכוס, ואיתקצאי לביה"ש, **ואפי'** אם נאמר דהיו אז חטים דראוי לכוס, מ"מ אין ראוים לאכול באותו ענין שנעשו לבסוף, לאחר שנעשה בו איסורא דאורייתא שנעשה לחם, והו"ל נולד, **ויש** שאוסרין מטעם אחר, שמא יאמר לא"י לבשל, ואע"ג דא"י שהדליק נר לעצמו לא גזרינן, במידי דאכילה דלהוט ביותר גזרינן טפי.

ויש מתירים - דלא מחלקי בין מידי דבר אכילה ללאו בר אכילה, כיון שמ"מ עשהו בשביל עצמו, **ולענין** מוקצה ס"ל, כיון שהיה יכולת ביד הא"י לגמרו, אין ע"ז שם מוקצה ונולד.

ובשעת הדחק - כגון שדר בכפר יחידי, שא"א לשאול פת מחבירו, **או לצורך מצוה, כגון סעודת ברית מילה, או לצורך ברכת 'המוציא'** - 'איני יודע פירושו, דבשבת חייב לאכול כזית פת אף שיש לו דברים אחרים, וא"כ מה ברכת המוציא שייך כאן, ואפשר משום דבעי לחם משנה בליל שבת ושחרית כתב כן, דחשיב נמי שעת הדחק – פמ"ג.

יש לסמוך על המתירים - ומ"מ יזהר שלא לקרוא אותו לביתו לפרוע לו דמיו, דהוי מקח וממכר.

(**לכאורה נראה, דאם יש ספק שמא נאפה קצת מבע"י, היינו כדי קרימת פנים, יש להקל, הואיל ויש מתירין בכל ענין**).

הגה: אבל אסור ליתן לו מעות מערב שבת, שיתן לו הפת בשבת, דאז אדעתא דישראל קא עביד - דזה אסור לד"ה ואפילו לצורך מצוה.

כתב ב"י בשם או"ז, שלדברי הכל אם בישל או אפה עבד ישראל בשבת, אפילו לצורך עצמו, ואפילו בשבת ראשונה ובפעם ראשונה, שאין העבד יודע אם אדונו יאכל מזה אם לאו, **אפ"ה** אסור, מפני שהוא מכירו ומרגילו לשבת אחרת.

סעיף ה - א"י שצד דגים או ליקט פירות לעצמו, אסורים לישראל - בין באכילה בין בטלטול.

שצד דגים - ובזה כו"ע מודו דאסור, משום דהוא ודאי מוקצה, שנצודו בשבת, ולא היו מזומנים מאתמול, וכ"ש האוסרין גם בפת בס"ד, **ולאו** דוקא שצדן א"י, דה"ה אם נצודו מאליהן בשבת בהמצודה שפרסו מע"ש.

או ליקט פירות - ג"כ משום מוקצה, דמחוברין היו ביה"ש, [**ואפי'** באותן פירות המוכנים לתלוש, והיה דעת הא"י עליהם מע"ש, דאין אסורים משום מוקצה, אפ"ה אסורים], דגזרינן בזה שמא יעלה ויתלוש, כמו שגזרו על פירות הנושרין בשבת, כדלעיל בסי' שכ"ב {משום דאדם להוט אחריהן, וגם בקל הוא לתולשן}, וה"ה כאן שנתלשו ע"י א"י, דלא גריעי, דשניהן נתלשו שלא ע"י ישראל.

ואפי' ספק אם לקטן או צדן היום, אסורים בו ביום - דספק מוכן אסור, **ואפילו** המתירין לקמן בס"ז בספק לענין מו"ש, בזה מודי וכדלקמיה, **ודוקא** בספק הוא דאסור, דתלינן דבו ביום נצודו ונתלשו, **אבל** אם ניכר דנתלשו מע"ש, כגון פירות שנכמשו, וכן בדגים בכה"ג, שרי.

אבל לערב מותרים מיד, אפי' אם ודאי לקטן וצדן היום - דדוקא כשעשה המלאכה בשביל ישראל, הוא דגזרו לאסור בערב עד כדי שיעשו, **אבל** כשעשה לעצמו לא שייך למגזר.

סעיף ו - אם ליקט וצד בשביל ישראל - וה"ה בכל המלאכות דאורייתא שעשה הא"י בשביל ישראל, ואפילו עשה מעצמו בלא צווי הישראל, **או בשביל ישראל וא"י** - כגון שהיה מחצה ישראל ומחצה א"י, או בידוע שגם לישראל צד וליקט, אף דהרוב היו א"י, **צריך להמתין לערב בכדי שיעשו** - דהיינו שיעור שילך הא"י במו"ש למקום שלקט, וילקוט שם אחרים, ויחזור לכאן, **ואם** אינו ידוע מהיכן הביאו, שיעורן בכדי שיביא מחוץ לתחום, **ואם** בתחלה בשבת הביאן על סוס, משערינן ג"כ דרך רכיבה.

והיינו אפילו ישראל אחר שלא נלקט בשבילו, כיון דעשה מלאכה דאורייתא בשביל ישראל, אסור לכל ליהנות עד מו"ש בכדי שיעשו, **ובשבת** גופא בטלטול נמי אסור.

והטעם דאסרו לכל עד בכדי שיעשו, שלא יהנו ממלאכה הנעשית בשביל ישראל בשבת, **וגם** דגזרו, דכשיהיה מותר מיד במו"ש, יאמרו לא"י בשבת להכין, שיהיה מזומן על מו"ש מיד.

סעיף ז - ספק אם ליקטן בשביל ישראל - כגון שהא"י אמר לישראל ליתן לו פירות בשבת,

והלך לבית הא"י ונתן לו פירות, דספק אם לקט אלו בשבילו, או חשב ללקוט אחרים בשבילו, ואלו לקט לעצמו מתחלה, **אבל** א"י שהביא דורון לישראל, לא הוי ספק, דאמרינן דודאי בשבילו לקטן, **וכן** אם הביא פת חמה לישראל, אמרינן דודאי בשבילו אפה.

או שידוע שליקטן בשביל ישראל, ואין ידוע אם נלקטו היום אם לאו - גם זה לאו בהביא דורון מיירי, דבהביא דורון או הביא למכור, חשבינן כודאי תלשן בשבת, דמסתמא הביא מן המשובחין.

אסורים בו ביום, ולערב בכדי שיעשו - והטעם דאסרו מספק, אף שהוא מלתא דרבנן דספיקא לקולא, משום דהוא דבר שיש לו מתירין, שאפשר להמתין עד מו"ש, **ואם** היו שני הספיקות יחד, אם תלשן בשבת, וגם אם תלשן בשביל הישראל, **בשבת** גופא אסור, דהא אפילו ודאי לא בשביל ישראל לקטן, אסור בשבת משום ספק מוכן, **אבל** במו"ש יש להתיר בזה מיד משום ס"ס.

ויש אומרים דלערב מותר מיד - דס"ל דלא אסרו רבנן בזה מספיקא, [**דאף** דבעלמא דבר שיש לו מתירין אסור, ס"ל דבזה דעיקר האיסור הוא משום גזירה, לא גזרו רבנן בספיקא אף דיש לו מתירין], **ומ"מ** בשבת גופא דאיסורו משום מוקצה, מודו דאין להתיר, אפילו היכא דרק ספק אם נלקטו בשבת, דבספק מוכן החמירו יותר משאר ספיקות דרבנן, [**אבל** בשאר ספיקות דאין בהם ספק מוקצה, לדידהו גם בשבת גופא מותר].

ולדינא כתב הא"ר, דיש לסמוך על הי"א הזה, דאין להחמיר למו"ש, [**דאף** דלדידהו שוה שבת ומו"ש וכנ"ל, מ"מ אנן מקלינן טפי במו"ש, **אבל** בשבת יש להחמיר בכל הספיקות, וכסתימת המחבר בס"ט, אפי' בספק תחומין], **אבל** בח"א כתב, דאין להקל רק לצורך מצוה, (וה"ה במקום הדחק, **ומ"מ** די לנו אם נקיל בזה בספק גמור, וכגון שניכר קצת בהפירות עצמן שנלקטו מאתמול, **אבל** בסתם פירות, דלדעת הר"ן ורבינו יונה הוא כודאי, אפשר דאין להקל, דהלא המחבר משמע דפסק בלא"ה כדעה הראשונה, דאוסרת אף בספק גמור).

סעיף ח - דבר שאין בו חשש צידה ומחובר, אלא שהובא מחוץ לתחום - כגון דברים אחרים שאין שייך בהם צידה ולקיטה, או אפילו בהני, אלא שניכרין שלא נצודו ונלקטו בשבת, **אם הביאו הא"י לעצמו, מותר אפילו בו ביום** - היינו אף באכילה, ואפי' להאוסרין בס"ד בכל המלאכות של אכילה שעשה הא"י בשביל עצמו, באיסור תחומין שרי, **ואף** בתחומין די"ב מיל וכדלקמיה.

ואם הביאו בשביל ישראל, מותר לטלטל אפילו מי שהובא בשבילו - ואף דבאכילה אסורין לאותו ישראל, כיון שלישראל אחר מותרין, אין עליהם שם מוקצה.

אבל לאכול, אסור בו ביום למי שהובא בשבילו - ה"ה לבני ביתו דאסור, וה"ה לאורחים שהיו מזומנים אצלו בשבת.

ואם הביא למכור בעיר שרובה ישראל, אסור לכל, דבשביל כולם הביא, **ובעיר** שרובה א"י מותר.

ואם הביאו בשביל ב' בני אדם, ב' דברים, אסורין להחליף כדי להתיר באכילה, **דאם** יהיו מותרין, יבואו לומר לא"י לכתחלה להביא להם.

ולמכור לאחר שלא הובא בשבילו, מותר, והיינו באופן ההיתר, **ובלבד** שלא ירויח, למכור ביוקר ממה שלקח.

אם הובא בספינה למעלה מיו"ד, שרי, דאין תחומין למעלה מיו"ד, **והיינו** שלא היה ביבשה בבין השמשות, **וגם** לא היה למטה מעשרה פעם אחד, **דאם** היה למטה פעם אחד, ויצא משם חוץ לתחום, אף שהיה אח"כ כל הדרך למעלה מעשרה, **וכ"ש** אם היה ביבשה ביה"ש, אסור לטלטל חוץ לד' אמות.

ולערב בכדי שיעשו - הכל לפי הענין שנעשה מלאכה בשבת, דאם הביא הא"י דרך רכיבה על הסוס, צריך לשער ג"כ באופן זה, **ואם** הביא ממקום רחוק הרבה ושהה ג' ימים, א"צ להמתין רק יום א' כנגד הזמן שהלך בשבת, **והיינו** בידוע מאיזה מקום הביא, אבל כשאין ידוע, משערינן לעולם כמו שהביאן חוץ לתחום.

(**וכתב המ"א**, נ"ל דאין צריך להמתין אלא מה שדרך לרכב ביום, כי בלילה מן הסתם לא רכב, **ועיין** בא"ר שכתב ע"ז: וצ"ע, **ובתו"ש** כתב דאין דבריו מוכרחין, והכל לפי הזמן).

הגה: וי"א דאין הלילה עולה מן החשבון, רק צריך להמתין ביום ראשון בכדי שיעשו - לפי שאין

(ביאור הלכה) [שער הציון] «הוספה»

רגילות להביא בלילה ממקום רחוק, וא"כ אכתי נהנה הישראל במה שהביאו ביום, וע"כ צריך להמתין שיעור ההבאה למחר ביום, **ודוקא** בזה שהובאו ממקום רחוק דהוא חוץ לתחום ס"ל כן, משום דאין דרך להביאו בלילה משם, **אבל** לעיל כשהיא תוך התחום, אלא שלקטו או צדו בשבת, גם לדעה זו סגי להמתין בכדי שיעשו בלילה.

וכתב המ"א, דהיש"ש פסק כסברא ראשונה להקל, וכן מסתבר דאין להחמיר בזה, דהא להי"א השני מתירין לגמרי, **וכ"ש** לצורך אורחים או שאר דבר מצוה בודאי יש להקל, [**ושלא** לצורך אורחים, דעת הגר"ז להחמיר].

אבל אם היה בו גם איסור דאורייתא, שלקט ממחובר חוץ לתחום, יש להחמיר, [**דבזה** א"א לצרף דעת הי"א השני, כיון שיש בו איסור דאורייתא וגם חוץ לתחום], **מ"מ** לדבר מצוה, [או בשעת הדחק], יש להקל בכל גווני [כהיש"ש].

ולאחרים, מותר בו ביום - דבתחומין דרבנן לא אסרו לאחרים, רק למי שהובאו בשבילו, וכן בשאר איסור דרבנן, **ואפילו** בתחומין די"ב מיל להסוברין דהיא דאורייתא, כיון שאינו מפורש בקרא לא החמירו בו, [**בר"ן** כתב הטעם בשם הרמב"ן, משום דתחומין אין שוה לכל, דמה שלזה הוא חוץ לתחומו, לזה הוא תוך תחומו, וע"ב לא אסרו לאחרים].

וי"א דלמי שהובא בשבילו מותר לערב מיד - דס"ל דבאיסורי דרבנן א"צ להחמיר בכדי שיעשו אף למי שהובא בשבילו, **ולדינא** יש להחמיר כסברא ראשונה, וכ"ש בתחומין די"ב מיל.

והא דשרי לישראל לטלטל, אפי' כשהביאו הא"י לעצמו, דוקא בתוך ד' אמות - דכל דבר שיצא חוץ לתחום, אסור לטלטל חוץ לד"א, אף שמותר באכילה במקומם, **או בתוך העיר אם היא מוקפת חומה** - דנחשב כל העיר כד"א, וה"ה כשנתקן בצורת הפתח, דחשיב נמי כל העיר כד"א, וכ"ש בית וחצר, דנחשב כל ההיקף כד"א, **והוא שתהא מוקפת לדירה, דהיינו שישבה ולבסוף הוקפה** - דאם אינה מוקפת לדירה, או שהניח הא"י בשדה, אין להחפץ רק ד"א, **ואם** טלטל אותו אחד אמה או שתים, שוב אין רשאי אחר לטלטלו רק עד תשלום ד"א.

וסתם עיירות מוקפות לדירה; וסתם מבצרים אינם מוקפים לדירה. (וע"ל סימן ת"א)

- היינו דשם כתב לכאורה היפך זה, וי"א דכוונתו לסי' תרפ"ח ס"א, דשם כתב הרמ"א: אבל מסתמא הוקפה ולבסוף ישבה, **אבל** הט"ז כבר יישב שם דלא סתרי אהדדי.

סעיף ט - אם הוא ספק אם הובא מחוץ לתחום, אסור - ואף דספיקא דרבנן לקולא, אסור בזה משום דהוי דבר שיש לו מתירין, דאפשר להמתין עד ערב.

וזה דלא כדעת המתירין המובא בב"י, והוא דעת הי"א שבסעיף ז', וסתם בזה כדעת הגאונים דאוסרין בספק, וכן סתם בסעיף ט"ז, **והנה** אף דלדעתם אף במו"ש אסור בזה בכדי שיעשה, **מ"מ** הסכימו האחרונים, דלענין מו"ש אין להחמיר בזה, דהא אפילו בודאי חוץ לתחום יש אומרים דא"צ להמתין בכדי שיעשה, וכנ"ל בס"ח, ע"כ בספק עכ"פ יש לסמוך על המתירין.

ודוקא בא"י שאינו שרוי עמו בעיר, אבל א"י השרוי עמו בעיר, ופירות המצויים בעיר, אין לחוש מספק - שהפירות האלו הביאן חוץ לתחום, דאדרבא דאמרינן כאן נמצאו כאן היו.

ואפי' אם יש לא"י שני בתים, ואחד מהם בתוך התחום, תולין להקל ומותר לאכול אפי' למי שהובא בשבילו - ואף דבזה יש לספק שהביא מהבית שיש לו חוץ לתחום, **מ"מ** תלינן להקל, דעד כאן לא אסרינן מספק אלא בא"י שאין לו דירה כלל בתוך התחום, אבל בזה שיש לו בית בתוך התחום, אמרינן כאן נמצאו כאן היו.

(יש לומר, דאף אם היו שני בתים מחוץ לעיר, מותר, דכאן נמצאו עדיף מסתם קרוב דאזלינן ביה בתר רובא).

סעיף י - א"י שמילא מים לבהמתו מבור שהוא רשות היחיד, לרשות הרבים, מותר לישראל להשקות מהם בהמתו; והוא שאין הא"י מכירו, דליכא למיחש שמא ירבה בשבילו - דבמכירו, אף שהא"י עשה לעצמו אסור, דגזרו שמא ירבה הא"י לדלות בשבילו, **ואפילו** דלה שלא בפני

ישראל אסור, **ואף** עכ"פ בעינן שידע הא"י שהישראל צריך לאותה המלאכה, דאז נוכל לומר שיכוין להרבות בשבילו במכירו.

(**במשנה איתא:** משקה אחריו ישראל, ופירש"י הא דנקט "אחריו", דניכר דמילא הא"י לצורך עצמו, **ונראה** פשוט דרש"י איירי בסתמא, דלא ידעינן כונתו, ומזה יש היכר שעשה לכתחלה לצורך עצמו ושרי, **אבל** אי ידעינן שעשה לצורך עצמו, מותר לישראל תיכף ליהנות מזה).

(עיין במ"א שמסיק, דה"ה חרש שוטה וקטן שמלאו מים, אין מותר רק כשמלאו לצורך עצמן, **אבל** לצורך ישראל אסור, ובעינן למו"ש בכדי שיעשו כמו בא"י, **אך** זה נראה דעדיף מא"י, דאפילו במכירו מותר, דלא חיישינן בהו שמא ירבה בשבילו).

ואם מילא לצורך בהמת ישראל, אסור בכל מיני תשמיש - דלא מבעיא לשתיה דעיקרו עומד לכך, בודאי אסור, אלא אפילו שאר תשמישין נמי אסור להשתמש בם.

אפילו ישראל אחר - דכיון דאתעביד בהו מלאכה דאורייתא בשביל ישראל, אסור לכל ישראל, **ואפילו** לערב במו"ש יהיה אסור, עד בכדי שיהיה שהות לדלות חדשים.

ואם מילא מבור רה"י לכרמלית - דאינו אלא מלאכה דרבנן, **מותר לאחר שלא מילא בשבילו** - וכנ"ל בס"ח.

הגה: ויש מקילין ואומרים דאף אם הוצא דרך רשות הרבים לצורך ישראל, מותר לאדם לשתות מהם, הואיל ואפשר לילך שם ולשתות - אף דהא"י הביא דרך ר"ה באיסור, לא חשיב נהנה ממלאכת הא"י בשבת, כיון דאותה ההנאה היה יכול ליהנות בלא חילול שבת, דאפשר לו לירד לתוך הבור ולשתות בהיתר, **דדוקא** בבהמתו אסור, דא"א לה לשתות מתוך הבור, **ובבהמה** נמי אם הביא מים מנהר שאפשר לה לשתות משם גופא, או שהביא מבור העומד ברה"י שהיה אפשר להכניסה שם ולהשקותה בלא חילול שבת, ג"כ יהיה מותר.

אבל אם בפעם הזה הביא הא"י מים לבהמתו מבור שהוא רה"י העומד בר"ה, דאלו המים א"א להשקותה בהיתר, אף שיש שם גם נהר שהיה אפשר להשקותה משם, אסור, דעכ"פ מים אלו הביא ממקום שא"א לה לשתות בהיתר.

ואם אין הישראל יכול לילך שם מפני סכנת דרכים, אסור גם לדעה זו, **ופשוט** דה"ה להדיח כלים בהמים, או לעשות בם שאר תשמישין, שלא היה אפשר לעשות שם בתוך הבור, דינו כבהמתו ואסור גם לדעה זו.

ולענין דינא, העיקר כדעה ראשונה דהוא דעת כל הראשונים, וכן משמע מהגר"א ותו"ש, **ורק** לצורך גדול או לצורך שבת יש לסמוך ע"ז להקל, [**עכ"פ** בר"ה דילן, דהוא ככרמלית להרבה פוסקים]. **ובמו"ש** יש להתיר מיד בכל גווני.

ויש מתירין אף לכתחלה - האחרונים נדחקו מאד בטעם הדבר, דהא אף היש מקילין דבסמוך, לא מצינו שהקילו רק לענין דיעבד, אבל לא לכתחלה להתיר אמירה לא"י אפילו בכרמלית, וכ"ש בר"ה, **והגר"א** כתב דהוא דעת ראבי"ה, המובא בב"י בסימן ש"ז.

וכן נהגו היתר לומר אף לכתחלה לא"י להביא שכר, או שאר דברים - היינו דבר שהוא צורך שבת קצת, **דרך כרמלית או בלא עירוב** - ובד"מ משמע, דנהגו להקל אף בר"ה דילן.

ואע"פ שיש להחמיר - דמטעם שבות דשבות אין מתירין לכתחלה, רק בצורך גדול או לדבר מצוה גמורה, כגון שהוא צריך המשקה לקידוש, או להביא התבשיל החם שהוכן לסעודות שבת, **מ"מ אין למחות ביד המקילין בדבר לצורך שבת, ובשעת הדחק** - היינו או בשעת הדחק, **דהא יש להקל באמירה לא"י לצורך, כמו שנתבאר סי' ש"ז, וכל שכן בכהאי גוונא** – ‹שאותה ההנאה היה יכול ליהנות בלא חילול שבת›.

כתבו האחרונים, דמ"מ אין להקל אלא בשכר וכיו"ב, מהדברים הצריכים בשבת, שא"א להיות בלעדם אלא בדוחק קצת, **אבל** דברים שא"צ כ"כ, כגון פירות וכיו"ב, אין להקל, ואפילו אם הוא רוצה להתענג בהם

לכבוד שבת, **ולא** יפה עושין המשלחין ע"י א"י מגדנות לאורח ולחתן חוץ לעירוב.

ועכ"פ לא יתן מעות לא"י ע"ז, **וגם** לא יתן לו הכלי לידו, ולא יקבלם מידו בעת הבאתו, כדי שלא יעשה הישראל העקירה וההנחה.

סעיף יא - ליקט א"י עשבים לצורך בהמתו, אם אינו מכירו, מאכיל אחריו ישראל, שעומד בפניה בענין שלא תוכל לנטות אלא דרך שם - דמוקצה מותר בהנאה, **דאילו להעמידה עליהן אסור, דחיישינן שמא יטול בידו ויאכילנה, והם מוקצים.**

ולדעת היש מקילין הנ"ל, אף כשלקטן לצורך בהמת ישראל מותר, כיון שיכולה לאכול במחובר, **אם** לא שהיה בעבר הנהר שאינה יכולה לאכול משם, או שהיו העשבים מועטין שאין דרך להאכיל במחובר, [וה"ה אם ירא להוליכה שם שלא יגנבוה], **אבל** שארי פוסקים לא חלקו בזה, והעיקר כמותם וכנ"ל, **אך** אם הוא שעת הדחק שאין לישראל עשבים, כתב הח"א דיכול לסמוך על דעת היש מקילין הנ"ל, ולומר לא"י שיאכילנה לבהמתו, [וה"ה שיעמוד בפניה שלא תלך אנה ואנה ותלך לעשבים], אפילו אם לקטן לצורך ישראל, **וכן** במילא הא"י מים מן הנהר, במקום שיכולה הבהמה בעצמה לילך ולשתות, ואין לו מים אחרים ליתן לה, אע"ג שמלאן א"י בשביל ישראל, מותר.

אבל לומר לא"י ללקט עשבים, בכל ענין אסור, דהוי מלאכה דאורייתא, וכן לומר לא"י למלאות מים מן הבור שהוא רה"י לר"ה, בכל ענין אסור, **אך** אם סביב הבור הוא כרמלית, מתיר הח"א ע"י א"י, משום צער בעלי חיים, [**ומסתברא** דברה"ר שלנו ג"כ יש לדונו ככרמלית במקום הדחק לענין אמירה לעכו"ם], **ודוקא** פעם אחד ביום ולא יותר, וע"י ישראל לעולם אסור.

[**עוד** כתב הח"א, דאם אין לבהמה שום דבר לאכול, לא שבולת שועל או שאר תבואה, אין למחות באלו שאומרים לא"י לקצור עשבים, דמוטב שיהיו שוגגין, ועוד משום צער בעלי חיים, **אבל** אם אפשר להשיג שבולת שועל, אע"פ שצריך לפזר הרבה דמים, ואפי' שצריך הא"י להביאן דרך רה"ר שלנו, אסור לומר לקצור עשבים דהוא שבות גמור, אבל להביאן אינו אלא שבות דשבות, **וכ"ש** דאסור היכי שיכול להוליך הבהמה ע"ג עשבים המחוברין, **ואמנם** בין לומר לא"י למלאות מים, וכ"ש לקצור עשבים, אסור יותר ממה שצריך לאכול פעם אחת ביום בלבד, וע"י ישראל לעולם אסור].

אבל אם מכירו, אסור - היינו רק עד הערב, וא"צ להמתין בכדי שיעשו.

מדסתם המחבר משמע, דאף אם שלא בפני הישראל ליקט, אסור אם מכירו, וכן פסקו כמה אחרונים, **ועכ"פ** בעינן שידע הא"י בשעת מלאכתו שצריך לזה הישראל המכירו, דאז שייך למגזר שיכוון להרבות בשבילו, [**אך** דעת המ"א ביותר מזה, דאפי' אם בפניו ליקט, אינו אסור כי אם ביודע שצריך לו], **ויש** פוסקין המחמירין שסוברין, דאפילו אם כבר עשה הא"י ולא ידע אז שהישראל צריך, אסור אם מכירו, דאף דאין בזה חשש שירבה בשבילו בשבת זו, גזרינן דבמה שיהנה ממלאכתו ירגילו להרבות בשבילו לשבת אחרת, **ולעת** הצורך יש להקל בזה.

וכן בכל דבר דאיכא למיחש שמא ירבה בשבילו; אבל בדבר דליכא למיחש שמא ירבה בשבילו, כגון שהדליק נר לעצמו, או עשה כבש לירד בו, שבנר אחד ובכבש אחד יספיק לכל, אפי' מכירו מותר - דאף להסוברין לאסור משום שבת אחרת, לא חיישינן בזה שיעשה בשביל ישראל עצמו לשבת אחרת, **דדוקא** בדבר שיעשה לעצמו, חיישינן שמא ירבה בשביל ישראל, אבל לא שיעשה בשביל ישראל לבדו.

סעיף יב - אע"פ שאינו מכירו, אם אומר בפירוש שלצורך ישראל הוא עושה - אסור, ואפילו אם השתמש מתחלה בעצמו ג"כ.

או אפילו אם אינו אומר כן, אם מעשיו מוכיחים שלצורך ישראל עושה, כגון שהדליק נר בבית שישראל בו והלך לו הא"י - דלא נשתמש בו מאומה, **אסור** - ומשמע דאם לא היה הא"י הולך, היה מותר לישראל להשתמש תיכף משהדליק הנר, אף קודם שהשתמש בו הא"י, משום

דתלינן דמסתמא הדליק אדעתא שישתמש בו אח"כ, **ועיין** בבה"ל בס"י.

סעיף יג - אם ליקט א"י והאכיל לבהמת ישראל, אין צריך למחות בידו לפי שעה - מללקט ולהאכיל לבהמתו, כיון שאינו עושה זה בצווי ישראל אלא מעצמו, ואמרינן דלאו להנאת ישראל מכוין, אלא אדעתא דנפשיה עושה כדי להרויח, ולכן א"צ למחות בו, **משא"כ** בסי"א, שהישראל בעצמו מאכיל, אסור כיון שנהנה בידים, **וה"ה** כשהא"י מאכיל בצוויו ג"כ אסור, אף שליקט מעצמו מתחילה, [כיון דבאמת הליקוט היה בשביל ישראל].

אבל אם רגיל בכך, צריך למחות - דהוא רק הערמה בעלמא, ואסור.

סעיף יד - עשה א"י בשבת ארון או קבר לעצמו, מותר לישראל ליקבר בו; ואם עשאו בשביל ישראל, לא יקבר בו עולמית - ואע"ג דבכל מלאכות שנעשה בשביל ישראל אינו אסור רק בכדי שיעשה, הכא דהוא מילתא דפרהסיא, וכדלקמיה, החמירו בו חכמים טפי, **וה"ה** בכל מילי דפרהסיא שנעשה בשביל ישראל, אסור לו עולמית, [**אך** בקצץ בכל גווני שרי מדינא, אלא שנכון להחמיר] - מ"א בשם הרמב"ם, **אבל** מדברי הט"ז בשם הר"ן משמע, דדוקא הכא החמירו חכמים לאסור עולמית, משום שגנאי הוא לישראל שיקבר בקבר מפורסם שנתחלל בו שבת בשבילו, **אבל** בשאר מלאכות בכל גווני אינו אסור רק בכדי שיעשה, **וכדברי** הר"ן מצאתי עוד בכמה ראשונים, וע"כ אין להחמיר בעת הצורך.

ודוקא שהקבר בפרהסיא, והארון על גביו, שהכל יודעים שנעשה לפלוני ישראל; אבל אם הוא בצנעה, מותר ליקבר בו לערב בכדי שיעשו.

ואפילו כשהוא בפרהסיא, אינו אסור אלא לאותו ישראל שנעשה בשבילו, אבל לישראל אחר מותר; והוא שימתין בכדי שיעשו - ואע"ג דלאחר לא שייך למגזר, שמא יאמר לא"י בשבת לעשות כדי שיהיה מוכן למו"ש, **מ"מ** לא חילקו בדבר שנעשית בו מלאכה גמורה בשביל ישראל.

ודע, דבכל המלאכות שנעשית בשביל ישראל, דאמרינן דצריך להמתין בכדי שיעשו, אפילו אם אמר לו לא"י שיעשה עבורו, אף דעבד איסורא בזה, אפ"ה אין צריך להמתין במו"ש רק עד כדי שיעשו, משום שלא יהנה ממלאכת שבת, ולא יותר.

סעיף טו - א"י שהביא בשבת חלילין, (פי' כלי נגון חלולים שקולם מעורר הבכי), לספוד בהם ישראל, לא יספוד בהם לא הוא ולא אחרים עד שימתין לערב בכדי שיבואו ממקום קרוב - דהיינו מחוץ לתחום, ומיירי שהביאן מחוץ לתחום, וגם היה דרך ר"ה, שנעשה איסור תורה, **דאם** לא היה דרך ר"ה, היה מותר לאחרים לערב מיד, **ואם** הביאן דרך סרטיא גדולה שהוא מפורסם, אסור לו עולמית.

ואם ידע בודאי שממקום פלוני הביאם בשבת, ימתין לערב כדי שיבואו מאותו מקום - בין להחמיר, וכגון שהוא הרבה יותר מתחום, **ובין** להקל, כגון שהוא בתוך התחום, ומחמת שהביאן דרך ר"ה, לכך צריך להמתין עד כדי שיביאו מאותו מקום, שלא יהנה ממלאכת שבת, **ואח"כ מותרים בין לו ובין לאחרים.**

ואפילו הוא דבר המצוי במקום קרוב, כיון שבא עתה מרחוק, צריך להמתין בכדי שיבוא ממקום שבא.

והני מילי כשהביאם דרך רשות הרבים, אבל אם לא הביאם אלא דרך כרמלית, כיון שלא נעשה בהם איסור תורה, א"צ להמתין כדי שיבואו, אלא מותרים לערב מיד - קאי אתוך התחום, לכך מותר כשהביאן דרך כרמלית אפילו לו לערב מיד, **דאם** היה מחוץ לתחום, אפילו דרך כרמלית היה אסור לו בכדי שיביאו, ולאחרים מיד, **ואף** דעל כרמלית יש ג"כ איסור דרבנן כמו על תחומין, מ"מ הקילו בו משום שאינו מתהנה כ"כ בהבאת הא"י מתוך התחום, [**אבל** מביאור הגר"א משמע שסובר כהט"ז, דלו אסור אף בכרמלית בכדי שיביאו].

סעיף טז - ספק אם הובאו מחוץ לתחום או מתוך התחום, חוששין שמא מחוץ לתחום הובאו - וע"כ צריך ג"כ להמתין בערב כדי שיביאו מחוץ לתחום, [**ואף** דבספק מחוץ לתחום בעלמא שלא במת, כתבנו לעיל בס"ט, דלמו"ש מותר מיד, **הכא** במת חמיר טפי]. **וגם** כאן שייכי הני תנאים שנזכרו בס"ט.

§ סימן שכו – דיני רחיצה בשבת §

סעיף א- אסור לרחוץ כל גופו - וה"ה רוב גופו, דרובו ככולו, **אפי' כל אבר ואבר לבד** - וכ"ש אם רוחץ כדרך הרחיצה כל הגוף ביחד.

אפילו במים שהוחמו מערב שבת, בין אם הם בכלי בין אם הם בקרקע - גזירה שמא יבואו עי"ז להחם בשבת.

במקום שנוהגין להחם המקוה, צריך ליזהר שיהיה רק פושרין, דאל"כ אסור לטבול בו, ח"א, [**ועיין** מה שכתבנו לקמן בס"ד במ"ב ובשעה"צ שם, וצ"ע קצת, (דמוכח משם דשייך איסור רחיצה אף בפושרין), **ומ"מ** יש לסמוך בעת הדחק על הקרבן נתנאל, (שכתב, שטבילת מי מקוה בחמין אינו בכלל גזרת מרחצאות).

(**ומצטער**, אע"פ שאינו חולי כל הגוף, י"ל דמותר לרחוץ – חידושי רע"א).

ואפילו לשפוך המים על גופו ולהשתטף, אסור - אפי' ממים שהוחמו מע"ש, ואפי' הם בקרקע.

אבל מותר לרחוץ בהם - היינו בחמין שהוחמו מע"ש, **פניו ידיו ורגליו. הגה: או שאר איברים, כל שאינו רוחץ כל גופו** - אבל בחמין שהוחמו בשבת אסור, אפילו ידיו לבד.

ואשה שלובשת לבנים בשבת ויו"ט, מותרת לרחוץ במקומות המטונפים בחמין שהוחמו מע"ש ויו"ט, **רק** שתזהר לרחוץ בידים ולא בבגד, כדי שלא תבא לידי סחיטה, **ויש** נשים נוהגות שאין לובשות לבנים בשבת ויו"ט, ובמקום שאין מנהג ידוע יש להתיר.

והני מילי בחמי האור, אבל בחמי טבריא מותר לרחוץ אפילו כל גופו יחד - וה"ה שארי מעינות חמין לא גזרו עליהן איסור רחיצה, **ובמקום** שאין דרך לרחוץ בהם אלא לרפואה, אסור לרחוץ בהן בשבת. **ואין צריך לומר בצוננין** - ועיין לקמן במ"ב, שנהגו שלא לרחוץ בנהר.

והא דשרי בחמי טבריא, דוקא בקרקע, אבל בכלי לא, דאתי לאיחלופי בחמי האור.

סעיף ב- יש אומרים דהא דשרי בחמי טבריא, דוקא כשאין המקום מקורה, אבל אם המקום מקורה אסור, משום דאתי לידי זיעה ואסור - דמשום שהוא מקורה נפיש הבלא, ואתי לידי זיעה ע"י הרחיצה, וזיעה אסור כדלקמן בסי"ב.

וי"א דמותר להזיע בחמי טבריא - דלא אסרו זיעה אלא במקום שהרחיצה אסורה, ולכן מותר הרחיצה אפילו במקום מקורה, **ויש** לסמוך על דעה זו.

סעיף ג- אמת המים שהיא חמה, אסור להמשיך לתוכה אפילו מערב שבת סילון (פירוש, צינור מרזב וסילון, דבר אחד הם) של צונן, ופי הסילון יוצא חוץ לאמה, ומימיו נשפכים לעוקא (פירוש גומא) שבקרקע - היינו שממשיך את הצונן דרך סילון המוקף מכל צד, כדי שיתחממו מחום אמת המים, ואין מתערב מימיו עם החמין, **ואסור** משום דהוי כמטמין בדבר המוסיף הבל, דאסור אפילו מבעוד יום, וכמ"ש בסי' רנ"ז ס"א.

אבל אם פי הסילון נכנס לתוך האמה, ומתערב הצונן עם החמין יחד, שרי אף ברחיצה, אם המשיכו מע"ש.

ואם המשיכו, אסורים, אפילו המים שנכנסו לה מערב שבת, ברחיצה ובשתיה, כאילו הוחמו בשבת - ר"ל ואפילו לרחוץ בהן ידיו אסור, **ומיירי** שסתם פי הסילון שהונח מבע"י, ונתמלא בצוננים, ונשאר מונח מוטמן עד יום השבת, שאז פותחין פי מוצאו שישפכו מימיו להעוקא שבקרקע, **והם** לא הוחמו בשבת אלא מבע"י, רק שהיו מוטמנים בשבת, אפ"ה אסורים, ככל הטמנה במוסיף הבל, שאסור אף בדיעבד.

(**ואם** לא היה סתום מוצאו ומובאו, **אינו אסור** מה שבאין דרך הסילון מע"ש, דכבר הלכו ונשפכו להעוקא

קודם שבת, ומה שבאים לתוכה בשבת יש להסתפק, דאחרי דהמים שבאו להסילון תיכף בעת הנחתו, כבר הלכו ונשפכו להעוקא קודם השבת, ומה שבאין לו אח"כ בשבת, אפשר דאין שייך עליהם שם הטמנה, דהרי הוא לא הטמינם, דממילא באין מעצמן להסילון).

ואם הביא סילון של מים מערב יו"ט, *ביו"ט כחמין שהוחמו ביו"ט ואסורין ברחיצה - היינו כל גופו, אבל ידיו מותר, **ומותרין בשתיה.**

*(**תיבת** "ביו"ט" לא ידעתי ביאורו, ולא בא למעט בזה המים שנכנסו לה מעיו"ט, דלא אסור כמו בשבת, דהא בב"י כתוב בהדיא, דאסור אפי' המים שנכנסו לה מעיו"ט, וצ"ע).

סעיף ד - לא ישתטף אדם בצונן כל גופו ויתחמם כנגד המדורה, מפני שמפשיר מים שעליו, ונמצא כרוחץ כל גופו בחמין - זהו מלשון הרמב"ם, ור"ל שאין לאסור מפני חמום המים גופא, דהפשר אינו בכלל בישול, (**וע"כ** איירי שאינו מקרב ידו כ"כ, עד שיוכל להתחמם היטב כדי שיעור שהיס"ב), **רק** מפני חשש רחיצה, **וס"ל** דכיון שאין זה רחיצה גמורה, עשאוהו רק כחמין שהוחמו מע"ש, דאין אסור אלא כל גופו, כמ"ש בס"א, [**אבל** ברחיצה גמורה, אף לדעת הרמב"ם, אסור אפי' פניו ידיו ורגליו לבד, כהי"א דלקמן, אף שלא היה רק הפשר מים בשבת, אף שעל הפשר אין איסור].

[**ומפשטות** לשון הגר"א משמע, דטעם הרמב"ם משום דלא היה על הפשר שם איסור, לכך ס"ל דהוא כחמין שהוחמו בע"ש, דגם שם לא היה על עצם החימום איסור, ולא גזרו רק על כל גופו, **ולפי"ז** במים שהופשרו בשבת, היינו שלא היה יסל"ב, אין איסור לדעת הרמב"ם רק רחיצת כל גופו].

אבל מותר להשתטף בצונן אחר שנתחמם אצל האש - שאין המים מתחממין כ"כ.

סעיף ה - י"א שצריך ליזהר שלא לחמם ידיו אצל האש אחר נטילה, אם לא ינגבם תחלה יפה - ס"ל דדינו שוה כרוחץ בחמין שהוחמו בשבת, דאסור אפילו לרחוץ בהן פניו ידיו ורגליו, **ואף** דסתם חמין שהוחמו בשבת הוחמו המים באיסור, והכא בענינינו הלא לא היה על המים שם חימום, רק שם הפשר בעלמא, **אין** לחלק בזה, דאפילו מים שרק הופשרו בשבת, ואין היד סולדת בהן, ג"כ אסור לרחוץ בהן אפילו אבר אחד.

(עיין במ"א דדעתו, דאפילו להחזיק ידיו במקום שלא יוכלו המים להתחמם כ"כ עד שיהיה היד סולדת בהן, ג"כ אסור לדעה זו, **דאלו** במקום שהיד סולדת בהן, אף לדעה ראשונה אסור).

(**ואצל** כותל התנור, אם הוא חם מאד, ג"כ נראה שיש ליזהר).

סעיף ו - אסור ליתן ע"ג בטנו כלי שיש בו מים חמין, ואפילו בחול מפני הסכנה, שפעמים שהם רותחים - וכ"ש דאסור בשבת, שמא ישפכו עליו, ונמצא כרוחץ בשבת, כ"כ רש"י והר"ן, [**ומיירי** אף בחמין שהוחמו מעט בשבת, היינו שאין היסל"ב, ואסור אף אבר אחד וכנ"ל], **ולפי"ז** אם החמין בכלי סגור, שקוריןווארם פלאש, שרי, **אבל** לפירוש התוס', דהטעם משום דמינכר שהוא לרפואה, וגזירה משום שחיקת סמנים, גם בזה אסור, **ולצורך** גדול יש להקל.

מפני הסכנה וכו' – (עיין בפמ"ג דמשמע, דאפילו הם עתה פושרים בעלמא שאין היד סולדת בהם, ג"כ אסור, **ולא** ידענא מנ"ל, דמסתברא דאסרינן הכא רק כשהיד סולדת בהן, אבל לא בפושרים גמורים).

(אבל מותר לכחס בגד וליתנו על בטנו) - וה"ה להחם כלי בשבת, דמותר אף לפירוש התוספות הנ"ל, דלא מינכר כ"כ שהוא לרפואה.

סעיף ז - הרוחץ בנהר, צריך שינגב גופו יפה כשעולה מהנהר, מפני שלא ישארו המים עליו ויטלטלם ד' אמות בכרמלית - ר"ל תיכף כשעולה סמוך לנהר ינגב נפשיה, ולא ילך כלל בהמים שעליו, דלמא ישכח וילך בהם ד"א, **לפי שהעולה מן הרחיצה יש רבוי מים על גופו** - וא"כ משמע מזה, דמלבושיו שפושטן קודם שיורד לנהר, צריך שיניחם סמוך לנהר, ועכ"פ המטפחת שמטפח גופו בו, כדי שלא ילך בהמים שעליו.

ועיין בפמ"ג, דה"ה בנהר גופא, כשעולה ממקום עמוק וחצי גופו הוא חוץ למים, צריך ליזהר שלא ילך כך ד"א, שהנהר הוא כרמלית, ונמצא שנושא ד"א בכרמלית, **ולפי"ז** כשיורד לטבול בנהר, ובתחלתו המים נמוכין סמוך לקרקע, צריך ליזהר שלא ילך ד"א רחוק משפתו, שבחזרתו ישא המים עליו ד"א.

כתבו הפוסקים, דנהגו שלא לרחוץ כלל בנהר או במקוה, דמצוי לבוא לידי סחיטות שער, ועוד כמה טעמים, **מיהו** ידיו ורגליו מותר לרחוץ בנהר, כשמנגב קודם שילך ד"א.

אבל ההולך ברשות הרבים ומטר סוחף על ראשו ועל לבושו, לא הקפידו בו - ר"ל לפי שהם מועטים, ואין מצוי בהם שיעור הוצאת המים שיתחייב בהן, לא גזרו בזה שהוא שלא כדרך הוצאה, **ועיין** בביאור הגר"א, דלפירוש התוספות משמע, דאפילו ריבוי המים נבלע בלבושו, ג"כ מותר לילך בהן, **ועיין** בט"ז הטעם, (דא"א להמנע ממנו, דהאדם הולך ברה"ר, ופתאום בא מטר עליו, לא גזרו ביה רבנן).

סעיף ח - אדם מותר לטבול מטומאתו בשבת - אע"ג דכלי אסור להטבילו ולטהרו מטומאתו בשבת ויו"ט, מפני שנראה כמתקן הכלי עי"ז, אדם שאני מפני שהוא נראה כמצנן עצמו במים, **ואפילו** אם העת קר וגם המים סרוחים שאין דרך לרחוץ בהם, מ"מ לפעמים כשאדם בא מן הדרך ומלוכלך בטיט וצואה, הדרך לרחוץ אף באלו, **וע"כ** מותר אפי' היה יכול לטבול קודם השבת.

ונוהגות הנשים שאינן טובלות שלא בזמנן בשבת, וכתבו הפוסקים דיפה נהגו, משום דכיון דסוף סוף המנהג בזמננו לאסור בשבת לרחוץ כל הגוף אפילו בצונן, א"כ ניכר דהוא משום טבילה ומחזי כמתקן.

וכתבו האחרונים, דמ"מ נראה דמותר לטבול לקריו, כיון דנתבטל התקנה, ומותר בתורה ובתפלה אפי' קודם טבילה, א"כ לא מחזי כמתקן ע"י הטבילה, **ויש** מחמירין וסוברין דאין לחלק בין טבילת קרי לשאר טומאות, **ומי** שנוהג להקל אין למחות בידו, כי רוב האחרונים סותמין להקל בזה, **ועכ"פ** בנטמא בשבת ויו"ט גופא נראה בודאי דאין להחמיר, וכן נתפשט המנהג להתיר, **אך** יזהר מאד שלא יבוא לידי סחיטה דהוא איסור גמור.

(**ודע עוד**, **דאם הוא טהור גמור, ורוצה לטבול בשבת בשחרית משום תוספת קדושה, אין בזה משום חשש מתקן מצד הדין, אך לפי מה שכתב מהרי"ל, דיפה נוהגות הנשים שאינן טובלות שלא בזמנן משום חשש סחיטה, נראה דגם טבילה כזו יש למנוע, ודי לנו במה שאנו מקילין לטבול בשבת היכא דהוא צריך לטבילה**).

סעיף ט - מותר לרחוץ פניו ידיו ורגליו - והיינו אפי' יש לו זקן, וה"ה שער ראשו, **אך** שלא יסחטם אחר רחיצתו, **בדברים שאינם משירים שער** - ר"ל שאינם ודאי משירים, אף דלפעמים הם ג"כ משירים, **מעורבים עם דברים המשירים** - כיון דהוא אינו מתכוין לזה, אלא לצחצח עצמו בלבד, וקי"ל כר"ש דדבר שאין מתכוין מותר.

ובלבד שלא יהיה הרוב מדבר המשיר - הטעם, דאז פסיק רישא הוא, ואסור משום גוזז אף שאינו מתכוין, לכו"ע.

(**ונראה** דבמינים שאינו יודע את טבעם, ואולי הם משירים, בודאי יש לאסור מלרחוץ בהם).

(והנה הרמב"ם משמע דבנתר וחול ס"ל דאסור, **ומפירוש הר"ח משמע, דאף בנתר וחול מותר לחוף את השער, וכן בהג' אשר"י כתב, דמדינא מותר אף בנתר וחול**, ומ"מ לבסוף כתב דקשה הוא להתיר, **וצ"ע למעשה**).

סעיף י - מותר לרחוץ ידיו במורסן - וה"ה פניו אף שיש לו זקן, דמורסן הוא דבר שאין משיר שער, ומותר לשפשף בהן. **ורק** צריך ליזהר שלא יערב מתחלה המורסן במים, משום לישה, אלא יקחם בידיו הרטובות ממים, (**והיינו אפי' אם הם טופח ע"מ להטפיח**), **ואף** דגם בזה מתגבל קצת מורסן במים הטפוחות שעל ידיו, אין לחוש, **הגה: דגיבול כלאחר יד שרי** - ואע"פ שיש להחמיר שלא לגבל אפילו ע"י שינוי בשבת, אא"כ נתן המים מע"ש, **מ"מ** כאן שאינו נותן המים ממש על המורסן, אלא שלוקחו בידים הרטובות, מותר לד"ה.

ולאסור לרחוץ ידיו במלח - הטעם, דע"י רחיצתו נימוח המלח, ונולד דבר חדש, ודמי למלאכה, **אבל** לרחוץ ידיו במי מלח שרי לכו"ע.

וכ"ש בבורית שקורין זיי"ף בל"א, או בשאר חלב, שנימוח על ידיו והוי נולד - ודמי לריסוק שלג וברד שאסור ג"כ מטעם זה.

ועיין במ"א שכתב בשם שלטי גבורים, שיש מתירין בזה, דס"ל דמה שאסרו חז"ל לרסק שלג וברד, הוא משום גזירת סחיטת פירות העומדין למשקין, שאף השלג וברד למימיהם הם עומדים, **וא"כ** בורית ושאר חלב שאינם עומדים למשקין, מותר לכתחלה.

ועיין בספר תפארת ישראל שכתב, דבבורית שלנו שהיא רכה, לכו"ע אסור משום ממחק, וכעין מה דאיתא לענין שעוה, **וכן** מצאתי בספר דברי מנחם בשם המעשה רוקח, דהוא ממרח וממחק, והוא אב מלאכה ופסיק רישא וכו', והוא פשוט ויש להזהיר העם ע"ז מאד, עכ"ל, **ולבד** כ"ז משמע ברש"י, דבורית משיר השער, וכ"כ הר"ן, וכן הוא מנהג כל ישראל להחמיר בזה.

(**עיין בהגר"א, שדעתו כדעת הרבה מגדולי הפוסקים, דאף בחול אסור, דסיכה כשתיה, ועכ"פ מדרבנן אסור, ודלא כר"ת וסייעתו שהתירו בזה לגמרי, מיהו מנהג העולם לרחוץ בבורית שלנו הנעשים מחלב, ורק איזה מדקדקים זהירין בזה, ואם מצוי להשיג בורית שנעשים שלא מחלב, בודאי נכון לחוש לדעת המחמירין בזה**).

סעיף יא - מרחץ שסתמו נקביו מע"ש - אותן נקבים שהמרחץ מתחמם על ידיהן, שהאור ניסקת מבחוץ מתחתיו, **למוצאי שבת רוחץ בו מיד** - שהרי לא נתחמם בשבת, **ואם** ספק אם היה פקוק נקביו, עיין לעיל בסימן שכ"ה ס"ז.

אבל אם לא סתמו נקביו, אע"פ שמאליו הוחם בשבת, צריך להמתין לערב בכדי שיעשו, לפי שאסור לעשות כן, גזירה שמא יחתה בגחלים - וכיון שאסרו חז"ל לעשות כן, לפיכך צריך להמתין למוצאי שבת בכדי שיעשו, כדי שלא יעשה כן בפעם אחרת, שלא יסתום נקביו ויבוא לידי חיתוי.

ואותן בתי חורף, [שיש שני חדרים זה על זה, ויש נקבים בתקרה התחתונה, כדי שכשיסיקנו התנור למטה ויתחמם החדר התחתון, יכנס החום דרך הנקבים לחדר העליון], ועל הנקבים יש קערות ברזל, או סתימת אבן, נוהגין בו היתר לפותחן בשבת, ‹ואף דע"י שהחום עולה דרך הנקבים למעלה הו"ל כאלו הוסק בשבת וכנ"ל, וא"כ היה צריך להיות אסור לפתוח הנקבים – מחה"ש›, [**שאינו** דומה למרחץ, ששם הוחם המים וכל אשר במרחץ מן האש הניסוק מתחתיו, משא"כ הכא שרק חום בעלמא נכנס מן החדר ההוא, ודמי למי שפותח חדר החם לחדר הצונן].

סעיף יב - אסור ליכנס למרחץ אפילו להזיע - מפני עוברי עבירה, שהיו רוחצין בחמין שהוחמו מבע"י, ואמרו מזיעין אנחנו, לפיכך אסרו גם הזיעה. **ואם** אינו מתכוין להזיע, מותר לדעה זו, אפילו אם המרחץ קטן דנפיש הבליה, שבודאי יזיע.

(וי"א דאפילו לעבור במרחץ במקום שיכול להזיע, אסור) - היינו שהמרחץ קטן דנפיש הבליה ומזיע, אסור אע"פ שאינו מכוין לכך.

ולדעה זו, העולין מבית הטבילה ולובשין בגדיהן במרחץ בשבת, צריכין ליזהר שלא לשהות הרבה, כדי שלא יבואו לידי זיעה, ובלילה שהמרחץ חם מאד א"א ליזהר בזה, **ולענין** טבילת נשים, צ"ל שסמכו בעת הצורך על דעה ראשונה.

סעיף יג - עיר שישראל וא"י דרים בה, ויש בה מרחץ רוחצת בשבת, אם רוב א"י, מותר לרחוץ בה במו"ש מיד - אין תלוי ברוב דיורי העיר, אלא באנשים הרגילין לרחוץ במרחץ זה בעת הזו של מוצאי שבת, דמסתמא אדעתן מחמם את המרחץ.

ואם רוב ישראל, או אפילו מחצה על מחצה, אסור למו"ש עד כדי שיוחם - ר"ל כדי שיוחמו חמין, [משנה, ומשמע דלא בעינן שיוחם המרחץ בשלימות].

ואפי' המקילין לעיל בסימן שכ"ה ס"ז, לענין ספק אם נעשה המלאכה בשביל ישראל או בשביל א"י, **הכא** אסור, דכיון דהם מחצה על מחצה, בשביל שניהם נעשה.

[**ואם** יש שם שר שיש לו עבדים הרבה, ואפשר שחממוהו משחשיבה, יש לתלות להקל, לפי דעת המקילין הנ"ל].

ונראה דלרבותא נקט ‹מרחץ רוחצת בשבת›, דאף שבשבת גופא מסתמא רוחצין בו א"י, כיון שבמו"ש רוחצין בו רוב ישראל, כי חממוהו בסוף יום השבת, אדעתא דישראל מחממי.

§ סימן שכז – דיני סיכה בשבת §

סעיף א - החושש במתניו, לא יסוך שמן וחומץ - הטעם, דאין דרך לסוך בשתיהן יחד אלא לרפואה, וכל מילי דהוא לרפואה אסרו רבנן גזירה משום שחיקת סממנים, דאסור מן התורה משום טוחן.

ודע דבגירסתנו במשנה, וכן בר"ח ורי"ף ורמב"ם איתא, "יין וחומץ", והיינו אפילו באחד מהן.

אבל סך הוא שמן לבדו - דגם דרך הבריאים לסוך אותו, ולא מינכר שהוא לרפואה, וכן על גבי מכה מותר לסוך בשמן מטעם זה.

אבל לא בשמן ורד, משום דמוכחא מלתא דלרפואה קא עביד - שדמיו יקרין, ואין אדם סך אותו אלא לרפואה, וכל מילי דרפואה אסור, **ואפילו** ע"י א"י אסור אם מתחזק והולך כבריא.

ואם הוא מקום שמצוי בו שמן ורד, ודרך בני אדם לסוכו אפי' בלא רפואה, מותר. הגה: ובמקום שאין נוהגין לסוך בשמן כי אם לרפואה, בכל שמן אסור - ומשו"ה אסור לסוך בשמן במדינותינו הראש שיש בו חטטין, וכן אם יש לו נפח בכל מקום שהוא, אסור לסוך בשמן במדינותינו, **ובחלב** ושומן אסור בכל מקום, משום דניתך ונימס והוי נולד, וכדלעיל בסימן שכ"ו ס"י בהג"ה.

סעיף ב - סכין וממשמשין להנאתו - היינו שסכין בשמן וממשמשין ביד על כל הגוף להנאה, **ע"י שינוי** - מכפי הרגיל בחול, **דהיינו שסך וממשמש ביחד** - שאין דרכו בחול לסוך ולמשמש ביחד.

ולא ימשמש בכח - דהוא עובדין דחול, **אלא ברפיון ידים** - ולהרמב"ם מותר בכח, כל שאינו מכוין להביא עצמו עי"ז לידי זיעה.

סעיף ג - אין מגרדין בכלי העשוי לכך - דהוא כעובדין דחול, **אבל** יכול לגרד בידיו על הבשר, אך שיזהר שלא יעשה חבורה.

אמרינן בגמרא, דאם היה לו כלי המיוחד לשבת, שרי, **וכתב** המ"א, דמזה נהגו הבתולות להיות להם כלי משער חזיר המיוחד לשבת, דתו לא מחזי כעובדין דחול, **וגם** בזה אינו מותר כי אם לתקן בו מעט את השערות להשכיבם, אבל לסרוק בו אסור אף בזה, שא"א שלא יתלוש שער.

אלא אם כן היו ידיו או רגליו מטונפות בטיט וצואה - דתו לא מחזי ע"י הגירוד כעובדא דחול.

סעיף ד - עיבוד העור הוא אחד מאבות מלאכות, ועיבוד הוא אם מולח את העור, או שמעבדו בשאר דברים שדרך לעבדו, **וכן** אם דורס העור ברגלו עד שיתקשה, או שמרככו בידו, ומושכו ומשוה אותו כדרך שהרצענין עושין, חייב, דהוא תולדת מעבד, **וכן** אם מרכך העור בשמן, ג"כ מענין עיבוד הוא וחייב.

ולכן צריך ליזהר מטעם זה שלא למשוח מנעל חדש בשמן, ובח"א כתב דחיובא נמי יש בזה, **ויש** אוסרין גם במנעל ישן, **ובפרט** בזמן הזה דנפישי עמי הארץ, ויבואו להקל גם בחדשים, בודאי יש להחמיר בכל גווני - ח"א.

וכ"ש אם כונתו במשיחת השמן, כדי שיהיה המנעל שחור, נראה דיש לאסור לכו"ע משום חשש צביעה.

ודע, דלענין חיוב חטאת בעיבוד, וכן לענין הפשטת העור, דהוא ג"כ מלאכה דאורייתא, הוא אם יש בו שיעור כדי לעשות קמיע, **ולענין** איסורא אפילו בכל שהוא.

המפרק דוכסוסטוס מעל הקלף, הרי זה תולדת מפשיט, דוכסוסטוס הוא חלק העור של צד הבשר, וקלף הוא החלק של צד השער.

לא יסוך רגלו בשמן והוא בתוך המנעל או הסנדל (החדשים) - דבישנים תו אין בו משום חשש עיבוד, «כנ"ל», **מפני שהעור מתרכך ודמי לעיבוד** - דמשום איסור עיבוד אסרו ג"כ לאדם שיסבב ע"י פעולתו שיתרכך העור.

אבל סך רגלו ומניחו במנעל, וסך כל גופו ומתעגל ע"ג העור - כיון דבעת הסיכה לא נגע השמן בהעור.

והוא שלא יהא בשמן הנישוף מגופו שיעור כדי לעבדו - דאם יש בהשמן שיעור כדי לעבדו, אסור אף דאינו מכוין לזה.

אפילו יש בו כדי לצחצחו מותר, והוא שלא יכוין אפילו לצחצחו - דאי מכוין כדי לצחצח העור ע"י השמן, אסור, גזירה אטו היכא שמתכוין לעבדו, **וכ"ש** היכא שמושח המנעל בשמן, אפילו אם השמן מועט, ומכוין רק כדי לצחצחו, דאסור.

ולצחצח המנעלים ע"י המרוח שחור, שקורין וויקסין, כתב בספר תפארת ישראל, דאם עשה אפילו ע"י א"י, אסור עד לערב בכדי שיעשו, [**ומשמע** שם דטעמו, משום שיש בזה משום ממרח].

§ סימן שכח – דין חולה בשבת §

סעיף א - מי שיש לו מיחוש בעלמא, והוא מתחזק והולך כבריא, אסור לעשות לו שום רפואה - היינו אפילו דברים שאין בהם משום מלאכה ג"כ אסור, וכדלעיל בסימן שכ"ז ס"א, ולקמן בסעיף ל"ו, וכה"ג.

ואפי' ע"י א"י - היינו אפילו דברים שהוא רק משום שבות, ג"כ אסור על ידו, כיון שהוא רק מיחוש בעלמא, **גזירה משום שחיקת סמנים.**

ואם כאיב ליה טובא, וחלה כל גופו עי"ז, או שנפל למשכב, אף שאין בו סכנה, מותר לעשות בשבילו רפואה שאין בה מלאכה, וכההיא דסימן שכ"ז ס"א, וכה"ג, **וע"י** א"י מותר לעשות אפילו מלאכה גמורה.

סעיף ב - מי שיש לו חולי של סכנה, מצוה לחלל עליו את השבת; והזריז הרי זה משובח - משום דכתיב: וחי בהם ולא שימות בהם, **ובעינן** שתהא הרפואה ידועה לאנשים, או ע"פ מומחה.

והשואל, הרי זה שופך דמים - אותו האיש שהוא מתחסד, וירא לחלל שבת בחולה כזה כי אם ע"י מורה, הרי הוא שופך דמים, שבעוד שהוא הולך לשאול, יחלש החולה יותר, ויוכל להסתכן, והרי הכתוב אומר: לא תעמוד וגו'.

ובירושלמי איתא: הנשאל הרי זה מגונה, פי' משום שהת"ח במקומו היה לו לדרוש בפרקא לכל, כדי שידעו כל העם ולא יצטרכו לשאלו.

ואם החולה בעצמו מתיירא שיעברו עליו את השבת, כופין אותו, ומדברים על לבו שהוא חסידות של שטות.

סעיף ג - כל מכה של חלל, דהיינו מהשינים ולפנים, ושינים עצמם בכלל - וכ"ש אם חלה מקום מושב השיניים, דהיינו החניכים, בודאי הם בכלל מכה שבתוך חלל הגוף, **מחללין עליה את השבת** - דהיינו היכי דכאיב ליה ‹השינים› טובא, וחלה כל גופו עי"ז, אף שלא נפל למשכב, [ולא בעינן שיהא מכה], **לאפוקי** חששא בעלמא בשיניו, איננו בכלל זה, וכדלקמן בסל"ב.

וכ"ש מחלת צפידנא, שמתחלת בפה ומסיימת בבני מעיים, וסימנה: כשנותן כלום לתוך פיו סביבות השיניים, יוצאין מבין השיניים דם, דמחללין עליה השבת, **והפרש** יש בינייהו, דבצפידנא אפילו החולה והרופא אומרים א"צ לחילול, אמרינן דאין בקיאין בזה, כי מקובל ביד חז"ל שסכנה היא, **ובשאר** כאב השיניים דחשיב כמכה של חלל, בסתם מחללין, וכשאומר הרופא או החולה שא"צ, אין מחללין.

ודוקא שנתקלקל אחד מהאברים הפנימים מחמת מכה או בועה וכיוצא בזה - קאי ארישא אמכה שבחלל הגוף, **אבל מיחושים אין נקראים מכה** – (והיכי דכאיב ליה טובא מבפנים בחלל הגוף, צ"ע, ומ"מ אפשר לומר, דאם כאיב ליה טובא באחד מאברים הפנימיים, ומסופק לו שמא נתקלקל שם באיזה דבר, ואין שם רופא בעיר לשאול, דמותר לחלל שבת וליסע אחר רופא).

הגה: מיהו מי שחושש בשיניו ומלטער עליו להוליאו - דכאיב ליה טובא, ומצטער כ"כ עד שחלה כל גופו עי"ז, אף שאינו נופל למשכב, (מ"א), **אומר לא"י להוליאו** - ואע"ג דהוא פותח פיו וממציא

את שינו להוציאו, קי"ל דמסייע אין בו ממש, **וט"ז** דעתו להחמיר, אבל הרבה אחרונים דעתם כהשו"ע.

אבל לא ע"י ישראל לכו"ע, דהוצאת שן הוא מלאכה דאורייתא, דהא חובל לרפואה, מ"א, (ובזה חייב אפי' למ"ד מקלקל בחבורה פטור, דזה מתקן הוא).

(והגר"ז מצדד דאפשר שיהא מותר ע"י א"י אף בלא חלה כל גופו עי"ז, ולענ"ד ג"כ יש לעיין במה שכתב המ"א, דהא הוא אינו מכוין רק להוציא השן, והדם ממילא קאתי, ואף דהוי פס"ר, הא הוי עכ"פ פס"ר דלא איכפית ליה, ואין איסורו אלא מדרבנן, והנה למ"ד מקלקל בחבורה חייב, חייב בזה, אבל למ"ד פטור, אמאי חייב בזה, **ואף** דע"י ישראל בודאי יש ליזהר בזה, עכ"פ ע"י אינו יהודי אפשר דיש להקל, אף באינו חולה כל גופו).

ואף דמתחלה מבואר דחולי השיניים מקרי של חלל, מ"מ אינו מותר ההוצאה ע"י ישראל, **דהוצאת** השן אינה רפואה ידועה, ואדרבה לפעמים יש חשש סכנתא עי"ז, **והא** דמתיר מקודם לחלל עליהן השבת, היינו לרפאות המחלה ע"י סמים, שלא יהיה צריך להוציאן.

סעיף ד - מכה של חלל אינה צריכה אומד - אם הוא מסוכן לשעתו או לא, **שאפילו אין שם בקיאים, וחולה אינו אומר כלום, עושים לו כל שרגילים לעשות לו בחול** - ממאכלים ורפואות, **ומשמע** אע"פ שאין בו סכנה במניעת הדבר ההוא, כיון שהחולי יש בו סכנה, ויש בהדבר צורך קצת, ורגילין לעשות לו בחול, עושין גם בשבת, **וכמה** פוסקים ס"ל, שאפילו במקום שצריך חילול, אין מחללין ע"י ישראל אלא בדבר שיש לחוש בו שאם לא יעשהו לו יכבד עליו חליו, (או במניעתו יחלש ויכבד חליו), ויוכל להסתכן, (או אם ע"י פעולת החילול הזה יתחזקו אבריו, ג"כ אין למנוע דבר זה מאתו, כיון שהוא חולה שיש בו סכנה), **אבל** כל שברור שאין במניעת אותו דבר חשש סכנה, אע"פ שמ"מ צריך הוא לו, ורגילין לעשות לו, אין עושין אותו בשבת אלא ע"י א"י, כדין צרכי חולה שאין בו סכנה, **וע"כ** בודאי מהנכון להחמיר באיסור של תורה.

אבל כשיודעים ומכירים באותו חולי שממתין ואין צריך חילול - ר"ל שמכירים בבירור שלא יתגבר החולי יותר ע"י שנמתין עד הלילה במו"ש, **וכ"ש** כשהרופא או החולה אומרים שא"צ, **אסור לחלל עליו, אע"פ שהיא מכה של חלל.**

(והיכי דגונח מלבו שהוא מסוכן, והרופאים אמרו שרפואתו היא שישתה חלב רותח בכל יום, אסור לחלל שבת באיסור דאורייתא בשביל זה, **דנהי** דמסוכן הוא אם לא ישתה לעולם, אמנם עכ"פ אינו מסוכן בשביל פעם אחת).

סעיף ה - מכה שאינה של חלל, נשאלין בבקי ובחולה; ואין מחללין עליו שבת עד שיאמר אחד מהם שהוא צריך לחילול, או שיעשה אצל אחד מהם סכנת נפשות - צ"ל "ספק סכנת נפשות", דאפילו אומרים רק שמא יכבד עליו החולי ויסתכן, נמי שרי, וזהו שסיים הרמ"א: **(וע"ל סימן תרי"ח)** - דכן מבואר שם לענין אכילת יוה"כ, וה"ה כאן.

סעיף ו - מכה שעל גב היד וגב הרגל, וכן מי שבלע עלוקה, וכן מי שנשכו כלב שוטה, או אחד מזוחלי עפר הממיתים, אפי' ספק אם ממית אם לאו, הרי הם כמכה של חלל.

סעיף ז - מחללין שבת על כל מכה שנעשית מחמת ברזל - אפילו אינה בחלל הגוף, ואפילו שלא על גב היד והרגל.

(עיין תבואות שור שמסתפק, אי מיירי בהכאה בכח, או אפילו חיתוך בנחת נמי הוי מסוכן).

ועל שחין הבא בפי הטבעת, ועל סימטא, והוא הנקרא פלונקר"ו בלע"ז, ועל מי שיש בו קדחת חם ביותר - הוא הנקרא בל"א טיפו"ס וכדומה, **או עם סימור** - מלשון "תסמר שערת בשרי", והוא הנקרא שוידערי"ן בל"א, שבא הקרירות והחמימות בפעם אחת, **לאפוקי** קדחת המצוי, שבא מתחלה הקרירות ואח"כ החמימות, אין זה בכלל חולה שיש בו סכנה, **ומ"מ** ע"י א"י מותר לחלל עליו שבת.

סעיף ח - מי שאחזו דם, מקיזין אותו אפילו הולך על רגליו, ואפי' ביום הראשון -

אפילו ע"י ישראל, דסכנתא הוא, **ואם** אחזו דם במקצת, ומנכר שהוא רק מיחוש בעלמא, אסור.

סעיף ט - החושש בעיניו או בעינו, ויש בו ציר, או שהיו שותתות ממנו דמעות מחמת הכאב, או שהיה שותת דם, או שהיה בו רירא - בגמרא משמע דה"ה קידחא, **ותחלת אוכלא, (פי' תחלת חולי)** - וכן באמצע המחלה, **מחללין עליו את השבת** - ואע"ג דמשום סכנת אבר אין מחללין באיסור דאורייתא לכו"ע, עין שאני, דשורייקי דעינא בליבא תליא, ואיכא סכנת נפש.

אבל בסוף חולי שכבר תש מחלתו, ליכא סכנתא ע"י סימנים הללו, **וכ"ש** כשרוצה לעשות רפואה כדי להגביר אור עיניו, דבודאי אין מחללין משום זה.

סעיף י - כל חולי שהרופאים אומרים - אפילו א"י, כיון שרופא אומן הוא, **שהוא סכנה, אע"פ שהוא על הבשר מבחוץ, מחללין עליו את השבת.**

וכתב הרדב"ז: אם החולה אומר צריך אני לתרופה פלונית, והרופא אומר א"צ, שומעין לחולה, **אם** לא שרופא אומר שאותה תרופה תזיקהו, אזי שומעין לרופא, (**ולענ"ד אין הדברים אמורים, אלא כשאומר מרגיש אני חולשא באבר פלוני, ע"כ יעשו לי תרופה פלונית שמועלת לחולי אבר זה, ובזה ודאי שומעין לו, ד"לב יודע מרת נפשו" שייכא בכל מילי, ואפילו רופא אומר שא"צ שום תרופה אין שומעין לו, אבל אם המחלה ידועה, והחולה אומר שתרופה זו מועלת למחלה זו, והרופא אומר שאינו מועיל, בזה אין סברא לשמוע לחולה לחלל שבת בחנם, אם לא דאיכא חשש שמא תטרף דעתו עליו, אם יראה שאינם עושים כדבריו, ומ"מ אפשר לומר, דהיכי דאומר החולה, דידוע לו שטבע גופו להתרפאות ממחלה זו כשנוטל רפואה זו, אפשר דשומעין לו, דגם בזה שייכות קצת לומר ד"אדם בקי בגופו יותר ממאה רופאים"**).

ואם רופא אחד אומר: צריך, ורופא אחד אומר: אינו צריך, מחללין - דספק נפשות להקל, (והסכימו כמה אחרונים, דהיינו דוקא אם שניהם שוים, אבל אם אחד מהם מופלג בחכמה, שומעין לדבריו בין להקל בין להחמיר, דכיון דבמנינם שוים הם, אזלינן בתר רוב חכמה).

ויש מי שאומר שאין צריך מומחה, דכל בני אדם חשובים מומחין קצת - היינו אפילו למכה שאינה של חלל, **וספק נפשות להקל.**

(והנה מרמב"ם ומר"ן משמע דלא ס"ל כן, אך משום דהוא סכנת נפשות, חשש המחבר לדעה זו, כמו שסיים בעצמו, וע"כ נראה דאם אפשר לעשות ע"י א"י, יעשה ע"י א"י, דבלא"ה יש דעות דאף אם רופא מומחה צוה לחלל, והוא יכול לעשות ע"י א"י, דיעשה ע"י א"י).

ומ"מ דוקא כשיאמר שמכיר באותו חולי, **וגם** אינו נאמן להכחיש המומחה אפילו להקל.

הגה: וי"א דוקא ישראלים - דכיון שהוא מצווה על שבת, ואומר לחללו, ודאי סומך על המחאתו, **אבל סתם א"י שאינן רופאין, לא מחזקינן אותם כבקיאים** - וכן עיקר.

מי שרוצים לאנסו שיעבור עבירה גדולה, אין מחללין עליו השבת כדי להצילו - דאין אומרים לו לאדם: חטא בשביל שיזכה חברך, **אך** אם הכפיה היה באחד מג' עבירות, ע"ג וג"ע וש"ד, והוא משער שהנאנס ימסור עצמו למיתה בשביל זה, אפשר דצריך לחלל כדי שלא יבוא לזה, **(עיין לעיל סי' ש"ו).**

סעיף יא - חולה שיש בו סכנה, שאמדוהו ביום שבת שצריך לעשות לו רפואה ידועה שיש בה מלאכת חילול שבת שמונה ימים, אין אומרים: נמתין עד הלילה ונמצא שלא לחלל עליו אלא שבת אחת, אלא יעשו מיד אע"פ שמחללין עליו שתי שבתות - ואין סתירה מזה להא דסוף ס"ד, דהתם הלא מיירי שיודע ומכיר שע"י המתנתו עד הערב לא יגיע שום ריעותא להחולה, משא"כ הכא.

ולכבות הנר בשביל שיישן, ע"ל סימן רע"ח.

סעיף יב - כשמחללין שבת על חולה שיש בו סכנה, משתדלין שלא לעשות ע"י א"י וקטנים ונשים - הטעם כתב הרא"ש, משום דזימנין דליתנייהו, ואתי ג"כ לאהדורי בתרייהו, ומתוך כך יבוא לידי סכנה, וטעם זה שייך גבי קטנים וא"י, **ואצל** נשים איכא טעם אחר, שמא יאמרו שלא ניתן שבת לדחות אף בפקוח נפש, ולכך מוסרין אותה להם, ויתעצלו בדבר, ומתוך כך יבוא לידי סכנה, **או** שמא יקילו הנשים בדבר, ויבואו לחלל שבת במקום אחר.

אלא ע"י ישראלים גדולים ובני דעת - וכשיש שם במעמד זה חכמים, מצוה לכתחלה לעשות חלול זה על ידיהם.

וכל סעיף זה מיירי שכולם עומדים באותו מעמד, אבל אי ליכא שם אנשים ויש נשים שם, בודאי אין להם להמתין, והם זריזות ונשכרות.

הגה: וי"א דאם אפשר לעשות בלא דיחוי ובלא איסור ע"י שינוי, עושה ע"י שינוי - דכל כמה דנוכל לעשות בהיתר, לא שבקי התירא ונעשה באיסור, **ונראה** דה"ה אם ע"י השינוי מתאחר הדבר מעט, רק דאין החולי בהול, נמי מתאחרים מעט כדי לעשות ע"י שינוי, דאינו אלא איסור דרבנן.

ואם אפשר לעשות ע"י א"י בלא איחור כלל, עושין ע"י א"י - וה"ה ע"י קטנים, **וכן נוהגים; אבל במקום דיש לחוש שיתעצל הא"י, אין לעשות ע"י א"י** - והט"ז כתב דלאו מנהג ותיקין הוא, דאף שיכול לעשות ע"י א"י, מ"מ הישראל יזרז בדבר יותר, ולכן אם יש אפילו ספק הצלה, ויש סכנה בבירור, כל הזריז הרי זה משובח.

סעיף יג - כל הזריז לחלל שבת בדבר שיש בו סכנה, הרי זה משובח, אפילו אם מתקן עמו דבר אחר, כגון שפירש מצודה להעלות תינוק שנפל לנהר, וצד עמו דגים, וכן כל כיוצא בזה - כגון נפל תינוק לבור, עוקר חוליא ומעלהו, אע"פ שהוא מתקן בה מדרגה בשעת עקירתו, ננעל הדלת בפני התינוק, שובר הדלת ומוציאו, אע"פ שהוא מפצל אותם כמין עצים שראוים למלאכה, שנעשים כמין נסרים או קסמין להדלקה, אפ"ה מותר השבירה, שמא יבעת התינוק וימות, **ולא** אמרינן שאפשר לקרקש להתינוק באגוזים מבחוץ עד שיביאו המפתח.

ואפילו אם היה צריך להחוליא ולהנסרים והקסמין, ג"כ שרי, כיון שאינו מכוין לזה, [**ובעיקר** דבר זה יש דעות בין הראשונים, כי הנה בחי' רעק"א הביא בשם הר"ן להקל בזה, אף שמכוין לזה, **אך** לכל הדעות מיירי שאינו מרבה בפעולה בשביל זה].

סעיף יד - היה חולה שיש בו סכנה וצריך בשר, שוחטים לו, ואין אומרים: נאכילנו נבילה - הרבה טעמים נאמרו ע"ז, **י"א** משום דשבת הותרה אצל פיקוח נפש, ולכן שוחטין לו כדרך ששוחטין ביו"ט, **ואפילו** איסור דרבנן אין מאכילין אותו במקום שאפשר לו לשחוט, מטעם זה, **אבל** הרבה ראשונים כתבו דשבת רק דחויה היא, אלא הטעם הוא דשמא יהיה קץ באכילת נבילה ולא יאכל ויסתכן, **ובב"י** הביא עוד טעם בשם הר"ן, דבנבילה עובר על כל כזית ממנה, וחמיר מאיסור לאו דשבת, **ולפי"ז** בודאי מוטב לעבור ולהושיט לו איסור דרבנן, משנחלל שבת באיסור סקילה.

והנה אם החולה אומר שאין קץ באכילת נבילה, ויש נבילה מזומן לפניו, אם מותר לשחוט עבורו, עיין באחרונים, **ועכ"פ** לענין קטן, בודאי נראה דטוב יותר להאכילו בשר נבילה, ולא ישחוט אדם עבורו בשבת.

כתב בהגמ"ר, אם צריך להרתיח יין עבור חולה, ימלא ישראל ויחם הא"י, ומוטב שיתנסך היין משיתחלל שבת, **והטעם**, עיין בד"מ שכתב, כיון שאיסור סתם יינם אינו אלא מדרבנן, וגם איסורו קל, ואין החולה קץ בו, לא דמי לנבילה, ולכך מוטב שיחם הא"י אם הוא מזומן לפניו, שלא ישהא עי"ז, וכנ"ל בסי"ב בהג"ה, **ותו** דקי"ל ביו"ד, דא"י המוליך כלי פתוח וישראל משמרו שלא יתנסך, שרי, א"כ אפשר לחממו ע"י א"י בלי נסוך, **ומ"מ** המיקל בחולה שיש בו סכנה להחם בעצמו, אין למחות בידו, דיש לו על מי לסמוך.

אבל אם היה החולה צריך לאכילה לאלתר, והנבילה מוכנת מיד, והשחיטה מתאחרת לו, מאכילין אותו הנבילה.

סעיף טו - אמדוהו (פי' התבוננו במחלתו ושיערו) הרופאים שצריך גרוגרת אחת, ורצו עשרה והביאו לו כל אחד גרוגרת - מרשות הרבים, או תלשו בשבת, ומיירי דכל אחד חשב שהוא יקדים לחבירו, (ומיירי בחולי בהול, דאל"כ מסתברא שאסור להרבות בגברי), **כולם פטורים, ויש להם שכר טוב מאת ה', אפילו הבריא בראשונה** - פי' שהביאו לו בזה אחר זה, וכבר אכל ממה שהביא לו הראשון והבריא, אפ"ה כולם פטורים מחטאת, משום דכל אחד חשב שהוא יקדים, **ולא** לבד שפטורים, אלא יש להם גם שכר טוב עבור מחשבתם הטובה.

(**וראיתי** בא"ר שהביא בשם תשו' הרמ"א, דאפי' שנים יכולים לעשות מלאכה אחת כמו בחול, **ונראה** דמיירי שע"י שנים אפשר שתהא נגמרת המלאכה מהר, אבל בלא"ה אסור).

סעיף טז - אמדוהו לשתי גרוגרות, ולא מצאו אלא שתי גרוגרות בשני עוקצין, וג' בעוקץ אחד, כורתים העוקץ שיש בו ג' - דבזה ממעט החילול, שאינו קוצר אלא פעם אחת.

ואם היו ב' בעוקץ אחד וג' בעוקץ אחד, לא יכרתו אלא העוקץ שיש בו שנים - דריבוי בשיעורא שלא לצורך אסור, **ומכאן** נראה פשוט, דה"ה לענין שאר מלאכות, כגון בישול וכדומה, אפילו אם הוא בקדרה אחת, אסור לבשל ולעשות בשארי מלאכות, רק מה שצריך עכשיו בצמצום.

הגה: ואם הדבר בהול, אין מדקדקין בכך, שלא יבא לידי דיחוי ועיכוב.

סעיף יז - חולה שנפל מחמת חליו למשכב, ואין בו סכנה, הגה: או שיש לו מיחוש שמצטער וחלה ממנו כל גופו, שאז אע"פ שהולך, כנפל למשכב דמי, אומרים לא"י לעשות לו רפואה - אפילו במלאכה דאורייתא, וה"ה שאר צרכיו, כגון לאפות ולבשל וכיוצא באלו, אם צריך לכך.

ודוקא כשצריך להרפואה בשבת עצמו, הא כשאין צריך לה בשבת, ימתין עד מוצאי שבת, **אבל** כשיש סכנה, אסור להמתין.

אבל אין מחללין עליו את השבת באיסור דאורייתא, אפילו יש בו סכנת אבר - דלא הותר לישראל לעבור על איסור דאורייתא, כל זמן שאין נוגע לפ"נ ממש.

עיין לעיל בס"ו וס"ט, דיש אברים שנוגע לפ"נ, **וה"ה** כיוצא בזה בשאר האברים, אם הרופא אומר שאם לא ירפאו האבר יוכל לבוא לפק"נ, הרי הוא כשאר חולי שיש בו סכנה.

ולחלל עליו ישראל באיסור דרבנן בידים, יש מתירים אפילו אין בו סכנת אבר - היינו כל השבותים, [אפי' דבר שהוא נסמך למלאכה דאורייתא], ואפילו בלא שינוי, **ומטעם** דס"ל דבמקום חולי לא גזרו, ואדלעיל בריש הסעיף קאי, שהוא חולה שנפל למשכב, או שמצטער הרבה וחלה מזה כל גופו.

אבל אם בכל גופו אינו חולה כלל, רק שהוא חולה באחד מאבריו, וגם באותו האבר אין סכנה, לכו"ע לא שרי לחלל כי אם ע"י א"י, **וגם** דוקא בדבר שהוא משום שבות בעלמא, דאז ע"י א"י נעשה שבות דשבות, ושרי במקצת חולה.

ואם יש בו סכנה, אפילו רק לאבר אחד, לכל הדעות לבד מדעה אחרונה, מותר לישראל לחלל עליו בכל השבותים לרפואתו, ואפילו אינו חולה כלל בכל הגוף.

כתב בח"א, כל דבר שמותר לעשות ע"י ישראל בחולי שאין בו סכנה, אפילו יכול לעשות ע"י א"י, מותר.

ויש אומרים שאם יש בו סכנת אבר, עושין, ואם אין בו סכנת אבר, אין עושין - אף דהוא חולה הכולל כל הגוף, ס"ל דאסור לעשות ע"י ישראל, **ולדעה** זו השניה אפילו בשינוי אסור לעשות בעצמו, **אם** לא היכי דא"א לעשות ע"י א"י, מודו לדעה השלישית, דמותר ע"י ישראל בשינוי.

ויש אומרים שאם אין בו סכנת אבר, עושין בשינוי - היינו האיסור דרבנן, וא"צ לחפש אחר א"י, **ואם יש בו סכנת אבר עושין בלא שינוי.**

הלכות שבת
סימן שכח – דין חולה בשבת

וי"א אפי' יש בו סכנת אבר, אין עושין לו דבר שהוא נסמך למלאכה דאורייתא - כגון לכחול עין, בסוף החולי שאין בו סכנה, שהוא ככותב, **ודברים שאין בהם סמך מלאכה** - כגון הני שמבוארין בסעיף מ"ג, **עושין אפילו אין בו סכנת אבר.**

ודברי הסברא השלישית נראין - היינו שמותר לעשות אפי' כל השבותים, ורק ע"י שינוי, אם הוא חולי כל הגוף ואין בו סכנת אבר, {**ואם** א"א בשינוי מותר בלא שינוי - מ"ב לקמן סל"ב, שונה הלכות}, **ואם** יש בו סכנת אבר, אין צריך שינוי כלל, **וכן** פסק הט"ז ומג"א, וכ"כ הגר"א שדעה זו עיקר שהיא דעת רוב הפוסקים.

הגה: מותר לומר לא"י לעשות תבשיל לקטן שאין לו מה לאכול, דסתם צרכי קטן כחולה שאין בו סכנה דמי - ואם אין התינוק רוצה לאכול כי אם ע"י אמו, מותר לאם להאכילו, אפילו חלבו א"י ובשלו, אע"ג דמטלטלת מוקצה, **ועיין** בפמ"ג דמצדד קצת דבעי שינוי.

כתב בח"א, צריך ליזהר שלא ליתן המאכל בעצמו לקדרה, דאחד נותן מים ואחד שופת את הקדרה, הראשון פטור אבל אסור.

וכל שאסור לעשות ע"י ישראל, אפי' ע"י החולה בעצמו אסור; אבל כשעושה לו הא"י, מותר לחולה לסייעו קצת, דמסייע אין בו ממש - לאו דוקא חולה, וה"ה אחר, אלא דאורחא דמלתא נקט, **ומשמע** דאפילו במלאכה דאורייתא מסייע אין בו ממש.

והיינו היכא שבלא"ה נמי מתעבדא, אלא שמסייע מעט, כגון א"י שכוחל את העין, וישראל סוגר ופותח את העין שיכנס בו הכחול, **אבל** אם אינו יכול לעשות בלתי ישראל, אסור.

סעיף יח - הקיז דם ונצטנן, עושים לו מדורה אפי' בתקופת תמוז - משום דסכנה הוא בסתמא, ואפי' ע"י ישראל שרי, **וה"ה** לשאר חולי שיש בו סכנה, אם קר לו, עושין מדורה להתחמם, דסתם חולה מסוכן הוא אצל צינה, **ואם** אפשר ע"י א"י, יעשה ע"י א"י.

סעיף יט - חולה שאין בו סכנה, מותר בבישולי אינם יהודים - ואע"ג דשאר איסורי דרבנן, אסור לחולה שאב"ס לאכול ולשתות, כדאיתא ביו"ד, **שאני** בישול א"י, שאין איסורו מחמת עצמו, **וגם** החולה מברך עליו, דבהתירא קאכיל, **ומה** שנשאר למו"ש אסור אפילו לחולה עצמו, כיון שאפשר לבשל לו אז ע"י ישראל, **והכלים** של בישולי א"י צריכים הכשר, **ואפילו** כלי חרס, כיון דעיקר איסורו אינו אלא מדרבנן, דיו אם מגעילו ג"פ, **ובדיעבד** אם בישל בו בלי הגעלה, ויש רוב בתבשיל, מותר, **ויש** מקילין דאין צריכין הכשר כלל, ‹בבישול עכו"ם›, והסומך עליהן לענין כלים שבישלו בהן לחולה בשבת, לא הפסיד, [**דבלא"ה** הרמ"א סתם שם כהרא"ה, דאף לבריא מותר, דאין ע"ז שם בישול א"י, וכן דעת הנקה"כ, **ונהי** דלמעשה אין להקל, וכמ"ש התו"ש בשם כמה אחרונים, דסבירא לן כהט"ז, עכ"פ לענין כלים יש לסמוך עלייהו].

סעיף כ - אין נותנין יין לתוך העין - דכל מילי דהוא לרפואה, גזרו רבנן משום שחיקת סממנים, **וליתנו על גביו, אם פותח וסוגר העין** - כדי שיכנס לתוכו, דאז מוכחא מלתא דלרפואה עושה, **אסור; ואם אינו פותח וסוגר, מותר** - דאמרינן לרחיצה בעלמא הוא דעביד, **והאידנא** שאין דרך לרחוץ ביין, אסור.

ורוק תפל - כל שלא טעם כלום משניעור, שהוא חזק, **אפילו על גביו אסור, דמוכחא מלתא דלרפואה עביד** - דאי לרחיצה מאוס הוא.

ואם רוחץ פיו במים, ואח"כ מעבירו על עיניו, שרי, אף שמעורב בו רוק, דאמרינן לרחיצה עביד.

ואם לא יכול לפתוח עיניו, יכול ללחלחן ברוק תפל, דאין זה רפואה.

סעיף כא- שורה אדם קילורין בערב שבת ונותן על גב העין, שאינו נראה אלא כרוחץ - ודוקא בקילור צלול שאז נראה כרוחץ, אבל בעבה אסור, שמא ימרח, **והוא דלא עמיץ ופתח.**

ולא חיישינן משום שחיקת סממנים, דכיון שלא התירו לו לשרותן אלא מע"ש איכא היכרא - ר"ל דהוא היודע דלרפואה קעביד, אעפ"כ לדידיה איכא הכירא מדמצריך לשרותו מע"ש, **וצ"ל** דהא דלא

חששו בס"כ משום הוא עצמו, שאני התם, דכיון שדרך לרחוץ ביין לתענוג בעלמא, לכך ליכא משום חשש כלל, **אבל** הכא שאין עושים כן אלא לרפואה, צריך הכירא.

סעיף כב - מעבירין גלדי המכה, וסכין אותה בשמן - דבזמנם היה דרך הבריאים בסיכה בשמן, ולא מוכחא מילתא דלרפואה עביד, **ועיין** במ"ש הרמ"א בסי' שכ"ז ס"א בהג"ה, לענין מדינותינו, ‹דבמקום שאין נוהגין לסוך בשמן כי אם לרפואה, אסור›.

אבל לא בחלב, מפני שהוא נימוח - וה"ה אם השמן היה קרוש דדמי לחלב.

ואפי' בגמר מכה דליכא אלא צערא - "דליכא צערא אלא תענוג בעלמא", כצ"ל, **שרי** - ר"ל אף דבבהמה אסור משום תענוג בעלמא, אפ"ה באדם שרי.

ומסתברא דבגמר מכה גם במדינותינו שרי בשמן.

אבל אין נותנין עליה שמן וחמין מעורבים יחד - דבזה מוכח מלתא שהוא לרפואה, **וחמין** לבד, משמע ממ"א דשרי, כמו שמן לבד.

ולא על גבי מוך ליתנו עליה - ואפי' חמין לחוד, דלא מנכר שהוא לרפואה, ג"כ אסור משום סחיטה, **אבל** בשמן לחוד לא גזרינן, דאין דרך כבוס בשמן.

וה"ה אם המוך היה נתון מקודם על המכה, ג"כ אסור ליתן עליה חמין ושמן, או חמין לחוד.

אבל נותן הוא חוץ למכה, ושותת ויורד לתוכה - דלא מוכחא מילתא דלרפואה, **ולפי"ז** אף במדינותינו שאין דרך לסוך בשמן, ג"כ שרי בזה.

סעיף כג - נותנין ספוג וחתיכות בגדים יבשים וחדשים, שאינן לרפואה אלא כדי שלא יסרטו הבגדים את המכה - עיין בט"ז שכתב, דהאי "וחדשים" לא קאי אספוג, דהתם אפילו בישנים שרי, שאינם מרפאים, ודלא כדעת הטור, וכ"כ בא"ר, **ועיין** בסימן ש"א סכ"ב, שהעתיק שם המחבר לשון הטור, דספוג מרפא, **ואולי** כונת המחבר שם רק אספוג לח, [אבל הוא דחוק], וצ"ע.

אבל לא ישנים, שהם מרפאים; והני מילי ישנים שלא נתנו מעולם על המכה, אבל אם היו כבר על המכה, אפילו ישנים שרי, דשוב אינם מרפאים.

סעיף כד - נותנים עלה על גב מכה בשבת, שאינו אלא כמשמרה; חוץ מעלי גפנים שהם לרפואה - וה"ה שאר עלים הידועים שהם מרפאים.

(ואין נותנין גמי על המכה, שהוא מרפא) - עיין בא"ר דמצדד, דאין חילוק בגמי בין לח ליבש, **וברש"י** משמע דגמי יבש מוקצה נמי הוי, **אך** נוכל לומר דהכא מיירי שהכינו לכך מבע"י, ואפ"ה אסור.

סעיף כה - רטייה – (היא חתיכה של בגד שפושטין עליו המשיחה לתת אותה על המכה), **שנפלה מעל גבי המכה על גבי קרקע, לא יחזירנה** - שמא ימרח על גבה להחליק הגומות שיש בה, ומירוח רטיה מלאכה דאורייתא היא, משום שהוא בכלל ממחק, **אבל** משום שחיקת סממנים ליכא למיגזר, כיון דהיו מאתמול עלויה.

נפלה על גבי כלי, יחזירנה - דכהוחלקה הרטיה ממקומה דמי, דבודאי מותר להחזירה על מקומה.

וכשמחזירה לא יאגדנה בשבת בקשר של קיימא, אלא בעניבה, [**וה"ה** אם אגודו עשוי להתיר בכל יום].

וכ"ז כשנפלה הרטיה מעצמה, אבל אם הסירה במתכוין, אסור להחזירה, **ויש** חולקים ומתירים בזה, **ואפשר** דכשהסירה ע"מ לתקן, יש לסמוך עלייהו להקל.

וע"י אינו יהודי מותר להניחה אפי' בתחלה - ומיירי כשהיה קצת חולה ע"י המכה, דאי היה רק מיחוש בעלמא, אפילו ע"י א"י אסור.

הגה: ומותר לומר לאינו יהודי לעשות רטייה על מכה או חבורה - ר"ל אע"ג דעשיית רטיה הוא מלאכה דאורייתא של ממחק, אפ"ה מותר ע"י א"י, **אבל** זה אינו מותר כי אם כשחלה כל גופו ע"י המכה, וכדלעיל בסי"ז בהג"ה, או שיש בו סכנת אבר, **דאי** רק מקצת חולה, אינו מותר לעשות מלאכה דאורייתא ע"י א"י.

ואסור ליתן עליה אפר מקלה, דמרפא, כי אם ע"י אינו יהודי - אף דהוא רק איסור דרבנן, מ"מ

ע"י ישראל עצמו אסור בלא שינוי, אפי' אם חלה כל גופו, כיון שהוא חולה שאב"ס, [ר"ל שאין בו אפי' סכנת אבר].

סעיף כו - מגלה קצת רטייה ומקנח פי המכה, וחוזר ומגלה קצתה השניה ומקנחה, ורטייה עצמה לא יקנח מפני שהוא ממרח – (מלשון זה משמע, דאינו מסירה לגמרי, דאי יסירנה לא יהא רשאי אח"כ להחזירה, וזהו סייעתא לדעת המחמירים דלעיל, **ואולי** איירינן בזה, כשאין לו חפץ להניח עליו הרטיה, אם לא על גבי קרקע, ויהיה אסור אח"כ להחזיר, לכך מגלה מקצת הרטיה ומקנח, ודוחק).

סעיף כז - מכה שנתרפאה, נותנין עליה רטייה, שאינה אלא כמשמרה - ולא חיישינן שיבוא לידי שחיקת סממנין ומירוח, שאינו בהול כ"כ אחר שנתרפאה.

סעיף כח - המפיס שחין בשבת - היינו שמבקע אותה, **כדי להרחיב פי המכה, כדרך שהרופאים עושים, שהם מתכוונים ברפואה להרחיב פי המכה, הרי זה חייב משום מכה בפטיש, שזו היא מלאכת הרופא** – (לכאורה היינו בכלי, דביד אין דרכה בכך. **ומ"מ** אין בו משום גוזז משום תלישת העור, **דאפשר** דמיירי דלא חיסר מהעור, רק שקלף העור לצד מעלה, **וי"א** משום דהוא כצפורן שפירשה רובא, דתו לא יניק מהגוף).

ואם הפיסה כדי להוציא ממנה הליחה שבה - ואינו חושש אם תחזיר ותסתום מיד, **הרי זה מותר** – (ממה דלעיל עוסק בכלי, יהיה משמע דההיתר הוא ג"כ בכלי, **אבל** ממ"א משמע, דמשום צערא לא הוי שרינן שבות כדרכו, ומה שאנו מתירין, הוא רק ביד).

ואע"ג דממילא נעשה פתח, מלאכה שאין צריך לגופה היא, והוי דרבנן, ובמקום צער לא גזרו, **ואפילו** למ"ד דמשאצ"ל חייב, ג"כ יש לומר דכשעושה רק להוציא הליחה, אינה גמר מלאכה, וא"א לבוא לידי חיוב מכה בפטיש.

ואפילו אם יש דם ג"כ שמה עם הליחה, מותר, דאותו הדם והליחה שכנוס שם אין בו משום חבורה, **ורק** יזהר שלא ידחוק המכה להוציא דם מחדש, וטוב לעשות ע"י א"י. **ואסור** לחוך שחין, שע"י החיכוך מוציא דם שנבלע בבשר.

מותר ליטול הקוץ במחט, ובלבד שיזהר שלא יוציא דם, דעביד חבורה, ואף דהוא מקלקל, מ"מ אסור הוא לכו"ע, **ואף** דיש משום צער, כיון דאפשר להוציא הקוץ בלי הוצאת דם, אין לעבור איסורא בכדי, [**והיכא** דא"א להוציאו בלי חבלה, כגון שנתחב בעומקו, מותר].

ואותן שיש להן נקב בזרוע שקורין אפטור"א, אם נסתם הנקב קצת, צ"ע אם מותר ליתן בתוכו קטניות שיהיה פתוח, דהכא ודאי כונתו שישאר פתוח, או דילמא כיון שהיה פתוח כבר שרי, **וה"ה** בנקב שבמכה שכבר נפתח ונסתם קצת, ג"כ צ"ע בכה"ג אם מותר לפתוח עוד בשבת, **ומלשון** השו"ע משמע, דאפילו יש בו נקב ובא להרחיבו, אסור.

ורטיה מותר ליתן על האפטור"א, כמ"ש סכ"ז, **ובספר** ראב"ן משמע, דאסור ליתן עליה רטיה, (משום החשש שימרח את המשחה שעל הרטיה – מ"ב המבואר).

ומותר לקנחה ולהוציא ליחה שבתוכה, **ואם** יודע שמוציא דם [המובלע בו] כשמקנחה [היטב ודוחק הבשר], לא יקנחה בשבת, דפסיק רישא הוא, [**ואינו** מותר משום משאצ"ל במקום צער, דהכא אין כ"כ צער אם לא יקנח, או דיכול לעשות הקינוח בלי הוצאת דם, **ואם** ע"י קינוחו לא יצא כי אם הדם הכנוס בו, שרי], **אבל** מותר להחליף חתיכת בגד אחר על המקום ההוא, (אף אם יודע שמוציא דם – מ"ב המבואר), שאם לא יחליף יסריח, וגדול כבוד הבריות, וגם יש לו צער מזה.

סעיף כט - מי שנגפה ידו או רגלו - שנכשלה ולקתה, **ומיירי** שלא היה ע"י ברזל, וגם שלא נגפו היד והרגל על גבן, דא"כ כבר מבואר לעיל, דהוא בכלל מכה שיש בה סכנה, ומחללין עליהן את השבת, **צומתה ביין כדי להעמיד הדם; אבל לא בחומץ, מפני שהוא חזק ויש בו משום רפואה** - וכ"ש ביין שרף.

ואם הוא מעונג - שעור בשרו רך, וכל דבר שהוא חזק קצת קשה לבשרו, וצומת ומרפא, **אף היין לו כמו החומץ ואסור.**

סעיף ל' - מי שנשמט פרק ידו או רגלו ממקומו - דהיינו שיצא העצם מפרק שלו, **לא ישפשפנה הרבה בצונן, שזהו רפואתו, אלא רוחץ כדרכו ואם נתרפא נתרפא** – ‹כל המ"ב הובא מסעיף מ"ז, **המ"א** ס"ל, דכיון דאסור לשפשף כשיצא העצם מפרק שלו, כ"ש דאסור להחזירו, ‹ודלא כדפסק המחבר בסמ"ז, **ומ"מ** ע"י א"י נראה שאין להחמיר.

ובספר שלחן עצי שטים חולק על המ"א, וכתב דכל שיצא ממקומו לגמרי, שקורין אוי"ש גילענק"ט, חשיב סכנת אבר כמו נשבר אם לא יחזירנו מיד, ושרי להחזיר אפילו ע"י ישראל, וכבסעיף י"ז, **והאי** דהכא איירי לדעתו, בשלא נשמט לגמרי ממקומו.

ונראה דגם לדעת המ"א, אם הרופא אומר שנפרק בחזקה, ויוכל לבוא לידי סכנת אבר, שמותר למשוך ולהחזירו למקומו, כדרך שעושה בחול.

סעיף לא - צפורן שפרשה, וציצין, שהן כמין רצועות דקות שפרשו מעור האצבע סביב הצפורן, אם פרשו רובן - בציפורן היינו רוב ציפורן, **ובציצין** כתב הפמ"ג, איני יודע רוב זה מאין מתחיל, **ואפשר** דהיינו כל שדרך בני אדם לקלוף שם, אם נקלף הרוב ממנו, **כלפי מעלה, ומצערות אותו, להסירן ביד מותר** - דכיון שפירשו רובן, קרובין לינתק וכתלושין דמיא, הלכך במקום צערא לא גזרו רבנן, כשהוא מסירו ע"י שינוי, דהיינו בידו, **וצריך** ליזהר שלא יוציא דם, **בכלי, פטור אבל אסור.**

לא פרשו רובן, ביד, פטור אבל אסור - ה"ה דאפילו לא פרשו כלל, פטור ביד, דאין דרך לתלוש ביד, ונקטיה לאשמועינן דאפילו בזה אסור.

בכלי, חייב חטאת - דהוא תולדה דגוזז.

ופירש"י כלפי מעלה: כלפי ראשי אצבעותיו; ור"ת פי' דהיינו כלפי הגוף; וצריך לחוש לשני הפרושים - ולכן אפילו פירשו רובן אסור ליטלן אפילו ביד.

סעיף לב - החושש בשיניו, לא יגמע בהם חומץ ויפלוט - דמוכח מלתא שהוא לרפואה, **ואפילו** לשהות ואח"כ יבלע, אסור.

אבל מגמע ובולע, או מטבל בו כדרכו.

וה"ה יין שרף ג"כ דינו כמו חומץ, **אך** במקום צער גדול אפשר לסמוך ביי"ש, דמותר לשהותו בפיו ולבלוע אחר כך.

וה"ה דאסור ליתן על השן נעגעלי"ך, או שפיריטו"ס, וסובין חמין, דכ"ז מוכח שהוא לרפואה, **אם** לא דכאיב ליה טובא שמצטער כל גופו, וכדלעיל בסי"ז, ח"א, **וע"ש** לעיל דע"י ישראל מותר דוקא ע"י שינוי, **אך** הח"א מסיק שם, דאם א"א בשינוי, מותר שלא בשינוי. ‹**וצ"ע** דהא אפי' דאורייתא אפשר לעשות, כדמבואר בס"ג.

ואסור לומר לא"י לעשות לו איזה דבר לרפואה, ואפילו דבר שהוא רק משום שבות, כיון שהוא רק מיחוש בעלמא, **אך** אם יש לו צער גדול מחמת הכאב, ובעבור זה נחלש כל גופו, מותר לעשות על ידו אפילו מלאכה דאורייתא. ‹**צ"ע**, דלעיל ס"ג כתב דמחללין אפי' ע"י ישראל›.

החושש בגרונו, לא יערענו בשמן - פי' שישהה השמן בפיו, ואפילו אם יבלע לבסוף, דמוכחא מילתא דלרפואה עביד, וכ"ש אם יפלטנו, **ויש** מתירין כשבולעו לבסוף.

ואפי' אם נותן השמן לתוך אניגרון {הוא מי סלקא} אסור.

אבל בולע הוא שמן ואם נתרפא נתרפא - ויש אוסרין בזה, **ומסיק** המ"א דתלוי הכל לפי המקום והזמן, דאם אין דרך הבריאים לבלוע שם שמן באותו מקום, אסור.

סעיף לג - גונח - מכאב לבו, שרפואתו לינק חלב רותח מהבהמה (בכל יום), **מותר לינק חלב מהבהמה, דבמקום צערא לא גזרו רבנן,** ואף דעיקר חליבת הבהמה הוא מדאורייתא, משום מפרק דהוא תולדה דדש, **מ"מ** בזה שהוא ע"י יניקה דהוא רק כלאחר יד, לא הוי רק איסור מדרבנן, והתירו בזה, **ואף** דקי"ל דבכל חולי שאין בו סכנה אומר לא"י ועושה, הכא שאני דרפואה שלו הוא לינק בעצמו.

(ואע"פ שהוא מסוכן, אסור לחלל שבת באיסור דאורייתא, דנהי דמסוכן הוא אם לא ישתה לעולם, אמנם עכ"פ אינו מסוכן בשביל פעם אחת – מסעיף ד').

וי"א שאם אין לו אלא צער של רעב, אסור לינק מהבהמה בשבת - דבשבת דוקא משום צער חולי התירו, אבל לא בזה, דהוא עכ"פ מפרק כלאחר יד.

אבל ביו"ט מותר, אם אין לו א"י לחלוב על ידו, **ואם** יש לו מאכל לחלוב בו, אסור לינק בפיו גם ביו"ט, אלא יחלוב לתוך המאכל.

האי לשון "י"א" אין מדוקדק, דמשמע דלסברא ראשונה מותר בשבת אפילו משום צער רעב, **ובאמת** לא הזכירו דבר זה כלל, ואפשר דלדידהו אפילו ביו"ט אסור בזה, **אלא** דין בפני עצמו הוא, דיש פוסקים שמחלקים בין שבת ליו"ט לענין צער רעב.

וכתב הב"ח וא"ר, דהלכה כהיש אומרים.

סעיף לד - לא תקל אשה חלב מדדיה לתוך הכוס או לתוך הקדירה ותניק את בנה - משום מפרק. (עיין בפמ"ג, דלחלב מאדם לתוך כלי, יש בו איסור דאורייתא משום מפרק, ואסור בשביל חולה שאין בו סכנה, אם לא ע"י א"י, ולינק בפה מאשה משום רפואה, משמע בתו"ש דיש בזה איסור דאורייתא, דלא דמי ליונק מהבהמה, דבאשה אין דרך לחלוב כי אם לינק, ולדידי צ"ע בזה).

סעיף לה - מותר לאשה לקלח מהחלב - לתוך פי התינוק, **כדי שיאחוז התינוק הדד ויניק** - [ועיין בתו"ש דס"ל דהוא מלאכה הצריכה לגופא, א"כ צריך טעמא על מה התירו בזה, דהא אינו חשיב מפרק כלאחר יד, **ואולי** משום דהוא בכלל סכנה אם לא יניק, ועם כל זה צ"ע].

הגה: אבל אסור להתיז מחלבה על מי שנשפך בו רוח רעה, דלית בו סכנה - וצערא יתירא נמי ליכא שם, הא לא"ה שרי, דמלאכה שא"צ לגופה היא.

סעיף לו - אין לועסין מצטיכי, (עיין סי' ר"יו סעיף י"ג פירושו) - הוא מין שרף היוצא מן האילן שיש בו ריח טוב, **ולא שפין בו השינים לרפואה** - בתוספתא איתא: ולא שפין בסם, **ואם משום ריח הפה, מותר** - דמפני ריח לא מקרי רפואה.

סעיף לז - כל אוכלים ומשקים שהם מאכל בריאים, מותר לאכלן ולשתותן, אע"פ שהם קשים לקצת בריאים - צ"ל "לקצת דברים", וכלומר אע"פ שהדבר הזה מזיק קצת לשאר אברים שבגוף, **ומוכחא מלתא דלרפואה עביד, אפילו הכי שרי** - כגון הטחול, שיפה לשיניים וקשה לבני מעיים, וכה"ג, וא"כ מוכחא מילתא שעושה כן לרפואה לשיניים, דאל"ה לא היה אוכל כיון שהוא מזיק למעיים, אפ"ה שרי, דמ"מ אוכל הוא.

וכל שאינו מאכל ומשקה בריאים, אסור לאכלו ולשתותו לרפואה - ומפני זה אסור לשתות משקה המשלשלין, כגון לענה וכיוצא בו, **אם** לא שמצטער וחלה כל גופו עי"ז, או שנפל למשכב, אפילו הוא חולי שאין בו סכנה, שרי, וכדלקמיה בהג"ה.

ודוקא מי שיש לו מיחוש בעלמא, והוא מתחזק והולך כבריא - והיכא דיש לו שום מיחוש, אפילו הוא אוכל ושותה לרעבון ולצמאון, אסור - א"ר, **והטעם**, דכיון דהוא חולה וזה הוא רפואתו, יאמרו שלרפואה עושה זה, (**לענ"ד** דין זה תלוי בפלוגתת ראשונים, וצ"ע למעשה).

אבל אם אין לו שום מיחוש, מותר - דהיינו שאוכל ושותה לרעבונו ולצמאונו, **אבל** אם הוא עושה לרפואה, דהיינו כדי לחזק מזגו, כתב המ"א דאפילו בבריא גמור אסור.

הגה: וכן אם נפל למשכב, שרי - פי' לאכול ולשתות דברים שאין מדרך הבריאים לאכול, **ומסתימת** דברי הרמ"א משמע, שא"צ אפילו שיהיה א"י מושיט לו, אלא מותר לו ליקח בעצמו, **ואע"ג** דפסקינן לעיל סעיף י"ז, כדעה ג', דשבות שיש בו מעשה אסור ע"י ישראל, ואינו מותר כי אם ע"י שינוי, **צ"ל** דשאני התם שמיירי במלאכות דרבנן, או בדברים שמחזי כעין מלאכה, **אבל** הכא דאין בזה משום סרך מלאכה, דהא לבריא מותר, [כל זמן שאינו מתכוין בפירוש לרפואה], ורק למי שיש לו

מיחוש גזרו משום שחיקת סממנים, בחולה גמור לא גזרו, (דעה זה אינו מוסכם לכמה ראשונים, דאוסרים אא"כ היה בו סכנה, ומ"מ לא נוכל למחות ביד המקילין, אחרי שבשו"ע סתם כוותייהו, ומלתא דרבנן הוא).

סעיף לח - מותר לאכול שרפים מתוקים, ולגמוע ביצה חיה, כדי להנעים הקול - דלאו לרפואה הוא, דלגזור בזה משום שחיקת סממנים.

סעיף לט - אין עושין אפיקטויזין (פי' הערוך, אפיק טפי זון, כלומר להוציא עודף המזון), דהיינו גרמת קיא - דהיינו כדי שיהא רעב, ויחזור אח"כ לאכול הרבה, **אפי' בחול, משום הפסד אוכלים; ואם מצטער מרוב מאכל, בחול מותר אפילו בסם; ובשבת, אסור בסם** - דדמי לרפואה, וגזירה משום שחיקת סממנים, **ומותר ביד.**

סעיף מ - החושש במעיו, מותר ליתן עליהם כוס שעירו ממנו חמין - דהיינו שכופהו על הטבור למי שחש במעיו, ואוחז הכוס את הבשר, ומושך אליו את המעים ומושיבן במקומן.

אע"פ שעדיין יש בו הבל - הוא מלשון הטור, וכוונתו, דלא נימא כמו דאסרו לרחוץ בחמין, כמו כן כל חמים אסור לגופו, לפיכך אשמעינן דמותר, **וכעין** דאיתא בברייתא שבת: מיחם אדם אלונתית ומניח על בני מעיו בשבת, והעתיקו הטור והרמ"א לעיל בסי' שכ"ו, [**או** אפשר דהרבותא הוא, דלא נימא דההבל הוא כמו ענין רפואה, ונגזר משום שחיקת סממנים].

וה"ה שמותר ליתן בגדים חמים למי שחש בבטנו ובמעיו, או חרסים או לבנים חמים.

סעיף מא - מי שנשתכר, שרפואתו לסוך כפות ידיו ורגליו בשמן (ומלח) - מעורבין יחד, **מותר לסוכם בשבת** - דמה שמפקח שכרותו ממנו אין זה רפואה.

מותר לשאוף טאבא"ק בנחיריו, בין שעושה כן לפי שעלול במיחוש הראש, ובין להפיג השכרות, **דכיון** שנתפשט שאיפת הטאבא"ק לגדולים ולקטנים משום תענוג, או משום ריח, לא מוכחא מילתא דעביד לרפואה.

סעיף מב - אין מתעמלין, היינו שדורס על הגוף בכח, כדי שייגע ויזיע - ר"ל שפושטין ומקפלין זרועותיהן לפניהן ולאחריהן, ומתחממין ומזיעין, והיא בכלל רפואה.

ואפילו הגיע לכלל חולה שאין בו סכנה, אין עושין דבר זה כי אם ע"י שינוי, **וכ"ש** אם הוא רק בריא שחושש, [דאפי' ע"י שינוי אין עושין].

ואין להקשות, כיון שאין כאן שייכות שחיקת סממנים, היה לנו להתיר כמו בסעיף שאחר זה, **י"ל** דכיון שלפעמים מביאין הזיעה על החולה ג"כ ע"י סממנים, חיישינן שיעשה רפואה האחרת, **משא"כ** בסעיף שאחר זה, שאין שייכות רפואה לאותן הדברים ע"י שחיקת סממנים כלל, לא גזרינן.

והשפשוף שעושין ליגיעי כח, כדי להשיב כחן ולבטל מהם עייפותן, לפי מה שכתב המ"א, דאפילו בריא גמור, אם עושה שום רפואה כדי לחזק מזגו אסור, גם בזה אין להקל, [**וטעם** הדבר, דלהשיב כחן פעמים עושין דבר זה גם ע"י סממנים, לכך יש להחמיר גם בזה].

ואסור לדחוק כריסו של תינוק כדי להוציא הרעי - שמא יבוא להשקות לו סממנים המשלשלים.

סעיף מג - מותר לכפות כוס חם על הטבור ולהעלותו - כתב הח"א, דהוא החולי שקוראין הייב מוטער, הוא הנזכר לעיל בסעיף מ', וחזר ושנאו כאן, שהוא מלשון הרמב"ם שכלל הכל בטעם אחד.

ולהעלות אזנים - גידי האזנים פעמים שיורדין למטה ומתפרקין האזנים, **בין ביד בין בכלי; ולהעלות אונקלי, דהיינו תנוך שכנגד הלב שנכפף לצד פנים** - ומעכב את הנשימה.

שכל אחד מאלו אין עושים בסמנים כדי שנחוש לשחיקה, ויש לו צער מהם - דאל"ה היה אסור עכ"פ משום עובדא דחול.

סעיף מד - רוחצין במי גרר, ובמי חמתן, ובמי טבריא, ובמים היפים שבים הגדול - אף שכונתו לרפואה, כיון שרוחצין בו בריאים, מותר, **אך** בזמן שאין דרך לרחוץ בחמי טבריה אלא לרפואה, אסור בשבת, אם שוהא.

אע"פ שהם מלוחים - פי' ומועילים מפני זה קצת לרפאות, **שכן דרך לרחוץ בהם, וליכא הוכחה דלרפואה קא עביד** - ודע, דאפילו יש לו חטטין בראשו, ג"כ מותר.

אבל לא במים הרעים שבים הגדול, ובמי משרה - ששורין שם פשתן, וה"ה בימה של סדום, **שהם מאוסין ואין דרך לרחוץ בהם אלא לרפואה.**

ודוקא ששוהה בהם, אבל אם אינו שוהה בהם, מותר, שאינו נראה אלא כמיקר - ואע"פ שהן עכורין, אמרינן לא מצא מים יפים ולעולם להקר קעביד, ואפילו יש לו חטטין בראשו נמי מותר, **אבל** כששוהה, מוכחא מילתא דלרפואה קעביד, שהרי המים עכורין וסרוחין, ואינו עומד שם בשביל הנאה.

איתא ברמב"ם: אין רוחצין במים שמשלשלים, היינו מים שמצננים את הגוף ובא לידי שלשול, ולא בטיט שטובעין בו וכו', מפני שכל אלו צער הם, וכתיב: וקראת לשבת עונג, עכ"ל, **וא"כ** אסור לשתות משקה המשלשל, דאין לך צער גדול מזה, ואפילו אם אינו מכוין לרפואה אלא מפני איזה טעם, **דאם** היה מכוין לרפואה, בלא"ה אסור, אם לא כשהוא בא לכלל חולה שאין בו סכנה, דאז מותר.

(עיין בא"ר שכתב לענין חמי טבריה, דבמקומות שאין דרך לרחוץ בהן אלא לרפואה, אפילו אם אין מכוין לרפואה, אסור אם שוהא, עכ"ל, ולפי"ז נראה דכ"ש במי משרה אסור בודאי באשתהי, אפי' אינו מכוין לרפואה, ואולי הא"ר מיירי כשיש לו מיחוש, ולהכי אסור אפילו באינו מכוין, {ועיין לעיל בסעיף ל"ז, דדבר זה תלוי במחלוקת ראשונים, וצ"ע למעשה}, אבל בבריא צריך שיהא מכוין לרפואה, דהיינו לחזק מזגו. ולפי הרמב"ם הנ"ל, אפילו אינו מתכוין לרפואה, אפי' בבריא אסור, וצ"ע בכל זה).

סעיף מה - לוחשים על נחשים ועקרבים בשביל שלא יזיקו, ואין בכך משום צידה - אע"ג דע"י הלחש אינו יכול לזוז ממקומו עד שנוכל לתפסו, מ"מ מותר, דאין זה צידה טבעית.

וצ"ל דהכא מיירי דליכא אלא חששא רחוקה, כגון דאינו רודף אחריו כלל וכדומה, **דאי** עושה כדי שלא ישכנו, אפילו לצוד להדיא מותר.

סעיף מו - נותנין כלי על גבי העין להקר - פי' מי שחש בעינו, נותנים כלי מתכות על העין כדי לקרר, **וה"ה** שמקיפין בטבעת או בכלי את העין, כדי שלא יתפשט הנפח, וה"ה דמותר לדחוק בסכין חבורה כדי שלא תתפשט, [**ונראה** דהטעם הוא, משום דאין דרך לעשות דברים אלו בסממנים, ולכך אין לגזור משום שחיקת סממנים] **והוא שיהא כלי הניטל בשבת.**

סעיף מז - עצם שיצא ממקומו, מחזירין אותו - המ"א חולק ע"ז, וס"ל דדוקא עצם הנשבר מותר להחזירו, **אבל** העצם הנשמט ממקומו אסור להחזירו, דאפילו לשפשף הרבה בצונן אסרו, כדאיתא בסעיף ל', וכ"ש חזרה, והעתיקוהו כמה אחרונים, **ומ"מ** ע"י א"י נראה שאין להחמיר.

ובספר שלחן עצי שטים חולק על המ"א, וכתב דכל שיצא ממקומו לגמרי שקורין אוי"ש גילענק"ט, חשיב סכנת אבר כמו נשבר אם לא יחזירנו מיד, ושרי להחזיר אפילו ע"י ישראל, וכבסעיף י"ז, **והאי** דלעיל סעיף ל' איירי לדעתו, בשלא נשמט לגמרי ממקומו.

ונראה דגם לדעת המ"א, אם הרופא אומר שנפרק בחזקה, ויוכל לבוא לידי סכנת אבר, שמותר להחזירו למקומו כדרך שעושה בחול.

סעיף מח - אסור להניח בגד על מכה שיוצא ממנו דם, מפני שהדם יצבע אותו - ואע"ג דמקלקל הוא ופטור, מ"מ אסור לכתחלה, **ובבגד** אדום פשיטא דאסור, **ובמקום** הדחק יש להקל, דהוא דרך לכלוך.

ואסור להוציא דם מהמכה - הוא ענין בפני עצמו, דהיינו שאסור לדחוק בידיו על המכה כדי להוציא דם, **או** כשכורך איזה דבר על המכה, אפילו

בדבר דלית ביה משום צביעה, אסור להדקה כדי שיצא דם, **דהוא** חובל והוי אב מלאכה.

ויש שסוברין דה"ה אם מניח על המכה דבר שמושך ליחה ודם, כגון צו"ק זאל"ב וכיו"ב, ג"כ הוי מלאכה דאורייתא כיון שנתכוין לזה, **ועכ"פ** איסור בודאי יש.

המדבק שרץ עלוקה, שקורין פיאווקע"ס או אייגלי"ן, שתמצוץ דם, מצדד המ"א דיש חיוב בזה, **וע"כ** אסור בכ"ז לכו"ע לעשות ע"י ישראל לחולה שאין בו סכנה, אלא ע"י א"י.

המוצץ דם בפיו מן החבורה חייב, ולכן אסור למצוץ דם שבין השיניים.

לכך יש לרחוץ המכה במים או ביין תחלה להעביר דם שבמכה - אתחילת הסעיף קאי, (על ענין של צביעה).

וי"א שכורך קורי עכביש על המכה, ומכסה בהם כל הדם וכל החבורה, ואח"כ כורך עליו סמרטוט - בב"י מפקפק בזה משום דמרפא, ולהכי כתב זה רק בשם יש אומרים, **אבל** בא"ר בשם מלבושי יו"ט וכן בתו"ש מצדד להקל.

סעיף מט - אסור לשום פתילה - העשויה מחלב או בורית או מנייר ושארי דברים, **בפי הטבעת, כדרך שנוהגים לעשות למי שהוא עצור** - וטעם איסורן, משום דאיידי דממשמש שם כמה פעמים להכניס ולהוציא, קרוב לודאי שישיר השער שם, וכמו בצרור לעיל בסימן שי"ב, (ויש לעיין מ"ט אסור גבי פתילה, הא אינו מכוין להשרת נימין, דאם אמרו בגמרא גבי צרור דאסור, ומשום דהוי פסיק רישא להשרת נימין, נימא אנן מדנפשין גם גבי פתילה כן, צרור שאני דקשה הוא, משא"כ בפתילה דהוא דבר רך, ועדיין צ"ע).

אלא אם כן ישים אותה בשינוי, שיאחזנה בשתי אצבעותיו, ויניחנה בנחת - ולא יבוא ע"ז לידי השרת נימין.

וכ"ש דאסור לשום קריסטי"ר אף שהוכנה מאתמול, ובזה אסור אפילו ע"י שינוי, גזירה משום שחיקת סממנים, **אם** לא בחולה אף שאין בו סכנה, וכמ"ש בסעיף י"ז, דאז מותר ע"י שינוי, **ויזהר** שלא יבוא לידי מלאכה דאורייתא, גם לא יערב מים ושמן כדרך שעושין, אלא ישפוך הכל לתוך הכלי, **וטוב** לעשות הכל ע"י א"י אם אפשר.

כתב הח"א, דכ"ז אם היה הפתילה עשויה מע"ש, אבל לעשות בשבת הפתילה הנ"ל, ואפילו הוא עושה אותה מנייר, שכורך אותו ומקשה אותו, יש בו איסור דאורייתא משום מכה בפטיש, **אם** לא לחולה שיש בו סכנה, **אבל** מה שעושין מחתיכת לפת מותר, כיון שהוא מאכל בהמה אין בו משום תיקון כלי.

§ סימן שכט – על מי מחללין שבת §

סעיף א - כל פקוח נפש דוחה שבת, והזריז הרי זה משובח; אפי' נפלה דליקה בחצר אחרת, ויירא שתעבור לחצר זו ויבא לידי סכנה - כגון דאיכא שם חולים או קטנים שאינם יכולים לברוח, **מכבין כדי שלא תעבור** - וה"ה דשרי להפסיק בכלים של מתכות, או בכלי חרס מלאים מים, אפי' צריך להביא הכלים דרך ר"ה, דאיכא הרבה איסורים.

כתב המ"א, אם יכול להציל את החולה וקטן לישא אותם דרך ר"ה, אעפ"כ מוטב לכבות, דלא הוי כי אם מלאכה שאצ"ל, דפטור עלה, **משא"כ** לעבור דרך ר"ה, דהרבה פוסקים סוברים דגם בזמנינו יש לנו ר"ה, **והח"א** כתב, דלדעתו מוטב לעבור דרך ר"ה משיכבה.

סעיף ב - אין הולכים בפקוח נפש אחר הרוב - לא מבעיא אם באותה חצר שהיו בה ט' א"י וחד ישראל נפל מפולת, דבודאי מפקחין, דכל קבוע כמחצה על מחצה דמי, ואין כאן רוב א"י, אלא אפילו היו ט' וכו', **אפילו היו ט' עכו"ם וישראל א' בחצר, ופירש א' מהם לחצר אחרת ונפל עליו שם מפולת, מפקחין, כיון שנשאר קביעות הראשון במקומו, חשבינן ליה כמחצה על מחצה** - וספק נפשות להקל, **ולאו** דוקא פירש אחד, אלא אפילו פירשו רובא, כיון שנשאר קביעות הראשון.

ואע"ג דבעלמא אמרו כל דפריש מרובא פריש, אפילו היכא דהקביעות נשאר במקומו, גבי פיקוח נפש

אקילא רחמנא, דכתיב: וחי בהם, ולא שימות בהם, משמע שלא יוכל לבוא בשום ענין לידי מיתת ישראל, [**אך** קצת קשה, א״כ אפי׳ פירש כולהו נמי].

(**והריטב״א** כתב, דלא אמרינן הכי רק היכי דזה שפירש היה דעתו לחזור לחבורה, **אבל אם** לא היה דעתו לחזור, אמרינן ביה כל דפריש מרובא פריש, **ולא** ראיתי זה בשאר פוסקים).

עיין באבן העזר, דתינוק שנמצא בעיר שרובה עו״ג, אין מחללין עליו את השבת, כיון דבכל יום ויום פורשים כולם ממקום קביעותם, אזלינן אחר הרוב, **ורמ״א** בהג״ה פליג שם, וס״ל דמפקחין עליו את הגל, דבני העיר חשיבי כקביעי, ודמיא לדינא דהכא, **ודעת** הגר״א שם לפסוק כהרמ״א, **ואם** נמצא בדרך ורוב העוברים עו״ג, לכו״ע אזלינן בתר רובא.

אבל אם נעקרו כולם - פי׳ שנעקרו להתפזר כל אחד לדרכו ובטלה קביעותם, **ובשעת עקירתן פירש אחד מהם לחצר אחרת ונפל עליו, אין מפקחין עליו; שכיון שנעקר קביעות הראשון ממקומו, אמרינן: כל דפריש מרובא פריש** - אבל אם יצאו תכופים יחד זה אחר זה, כיון דעדיין הם בחבורה אחת, נקרא קבוע ודינו כדמעיקרא.

(הנה המחבר סתם בזה כהרי״ף והרמב״ם והרא״ש, **ושיטת** רש״י בזה הוא, דכל זה היינו דוקא אם אותן האנשים לא הלכו כולם לאותו חצר השני, **אבל אם** הלכו דרך חצר השני, אע״פ שלא נתחברו ביחד דלהוי דומה כקביעי, אלא הלך כל אחד לדרכו, ונפל מפולת על אחד מהן, מפקחין, דמשום חומרא דנפשות דיינינן להו כקביעי, **ואפי׳** עברו דרך החצר בזה אחר זה, ובאותו שנפל המפולת כבר עברו רובם או ט׳, ולא נשאר אלא א׳, נמי מפקחין, דכיון דפעם אחת היו באותו חצר, דיינינן להו כקביעי ממש, דאפי׳ לא נשאר אלא א׳ לא בטל הקביעות, **ואפשר** דגם הרמב״ם וסייעתו לא פליגי על כל זה).

סעיף ג - מי שנפלה עליו מפולת, ספק חי ספק מת, ספק הוא שם ספק אינו שם, אפי׳ את״ל שהוא שם, ספק עכו״ם ספק ישראל, מפקחין עליו, אע״פ שיש בו כמה ספיקות - הלשון מגומגם, דהוי ליה לחשוב בתחלה ספק ישנו, ואח״כ ספק חי, וכן איתא במשנה.

ספק הוא שם - ומיירי שהיה שם בעת המפולת, ואינו ידוע אם הספיק לצאת מתוך ההפכה, **ונראה** דה״ה אפילו לא ראינו אותו מתחלה להדיא, רק בבית זה מצוין בני אדם בעת הזאת, נמי מחללין ומפקחין את הגל.

ישראל בעל עבירות לתיאבון, כל זמן שאין כופר בתורה, נראה דמחללין עליו שבת כדי להצילו, **אבל** אם הוא להכעיס, אסור להצילו אף בחול, וכ״ש דאסור לחלל עליו שבת בפיקוח הגל או בשאר רפואה, **וה״ה** לכל הני דאיתא ביו״ד סימן קנ״ח ס״א וב׳.

הבא במחתרת בענין שמותר להרגו, ובעת חתירתו נפל עליו גל, אין מפקחין אותו, דגברא קטילא הוא.

סעיף ד - אפי׳ מצאוהו מרוצץ, שאינו יכול לחיות אלא לפי שעה, מפקחין –

(ואע״ג דלא שייך הכא הטעם ״חלל שבת אחת כדי שישמור שבתות הרבה״, דכל זה הוא לטעמא בעלמא, אבל לדינא לא תלוי כלל במצות, דאין הטעם דדחינן מצוה אחת בשביל הרבה מצות, אלא דחינן כל המצות בשביל חיים של ישראל, וכדיליף מ״וחי בהם״, כדכתב הרמב״ם: שאין משפטי התורה נקמה בעולם, אלא רחמים וחסד ושלום בעולם).

(**ולפי״ז** ברור דאפילו קטן מרוצץ נמי מחללין, אעפ״י דלא ישמור שבתות, גם לא יתודה ולא יבוא לכלל גדול, אעפ״כ מחללין, **וכן** ה״ה חרש ושוטה, אע״ג דאינן בני מצות, מ״מ מחללין עליהם, דהא דלא מקיימי מצוה הוא משום אונסייהו, **דהא** אפילו נהרגין עליהם, דגם הם בכלל ״איש כי יכה כל נפש״, ״כל דהוא נפש״, כמו קטן, וגם הם בכלל ״לא תעמוד על דם רעך״, כשאר ישראל, ובפירוש אמרה תורה ״לא תקלל חרש״, ומלקין עליהן, ומלקות נמי ממיני מיתה הם).

(וה״ה גוסס נמי מחללין עליו בפקוח הגל, או אם רופא אומר שסממנים אלו יועילו לו להאריך רגעי חייו, דהא מרוצץ נמי גוסס הוא, וגרע מגוסס, דליכא בזה אפילו מיעוטי דמיעוט, אעפ״כ משום חיי שעה מחללין עליו, וכמו כן גוסס).

(וראיתי בפמ"ג שכתב, דמי שהיה חייב מיתת ב"ד ונפל עליו הגל, דמפקחין עליו, דהלא אין ממיתין אותו בשבת, וחיי שעה יש עכ"פ, ולענ"ד לא נהירא כלל, דהתורה חסה על חיי שעה, היינו למי שחסה על חיים שלו, לאפוקי בזה דגברא קטילא הוא מחמת רשעתו, ולא עדיף מרועי בהמה דקה, דקי"ל דאין מעלין אותו מן הבור).

ובודקים עד חוטמו; אם לא הרגישו בחוטמו חיות, אז ודאי מת - דכתיב: כל אשר נשמת רוח חיים באפיו, משמע דהרוח חיים תלוי באפיו.

לא שנא פגעו בראשו תחלה, לא שנא פגעו ברגליו תחלה - דלא נימא דכיון שאין אנו מרגישין חיות בלבו, בודאי מת ולא יפקח הגל יותר, קמ"ל דגם בזה צריך לבדוק עד חוטמו.

סעיף ה - מצא עליונים מתים, לא יאמר: כבר מתו תחתונים, אלא מפקח עליהם, שמא עדיין הם חיים.

סעיף ו - עכו"ם שצרו על עיירות ישראל, אם באו על עסק ממון, אין מחללין עליהם את השבת - דבשביל הפסד ממון לא הותר איסור שבת.

באו על עסקי נפשות, ואפי' סתם, יוצאים עליהם בכלי זיין ומחללין עליהם את השבת - דספק נפשות להקל.

ובעיר הסמוכה לספר - שמבדלת בין גבול שישראל דרים בה לגבול העו"ג, וחיישינן שאם ילכדוה, משם תהא הארץ נוחה ליכבש לפניהם, **אפילו לא באו אלא על עסקי תבן וקש, מחללין עליהם את השבת.**

הגה: ואפילו לא באו עדיין, אלא רוצים לבא - ר"ל כשהקול יוצא שרוצים לבוא, אעפ"י שלא באו עדיין, מותר ללבוש כלי זיין לשמור, ולעשות קול בעיר כדי שלא יבואו, דאין מדקדקין בפק"נ, **ודין** זה ארישא נמי קאי.

סעיף ז - יש מי שאומר, שבזמן הזה אפי' באו על עסקי ממון מחללין, שאם לא יניחנו ישראל לשלול ולבוז ממונו, יהרגנו, והוי עסקי נפשות - והני מילי כשבאו על רבים, דבודאי יש לחוש שיעמוד אחד נגדם, ולא ירצה ליתן להם ממונו ויהרגוהו, ולכן הוי כמו שבאו על עסקי נפשות, **אבל** כשבאו על יחיד, יניח ליקח ממונו ולא יחלל את השבת.

(ומ"מ הכל לפי הענין) - היינו לפי מה שמשער כעסן ופחזותן.

ודע, דהיום כשבאו מהאומות שחוץ לגבולינו לשלול שלל ולבוז בז, בודאי מחויבים אנו לצאת בכלי זיין אפילו על עסקי ממון, וכדינא דמלכותא, **וכן** מבואר ברוקח ואגודה, דהיכא דאיכא חשש שמא יכעסו יושבי הארץ עלינו, מחללין.

סעיף ח - הרואה ספינה שיש בה ישראל המטורפת בים, וכן נהר שוטף, (וכן) יחיד הנרדף מפני עובד כוכבים - וה"ה מישראל, כשהוא משער שיבוא לידי סכנה, דהא ניתן להצילו בנפשו, **מצוה על כל אדם לחלל עליהם שבת כדי להצילם.**

וכן כשאדם נרדף מפני נחש או דוב, ג"כ מצוה להצילו, ואפילו בעשיית כמה מלאכות בשבת.

ומ"מ אם יש סכנה להמציל אינו מחויב, דחייו קודם לחיי חבירו, ואפילו ספק סכנה נמי, עדיף ספיקו דידיה מודאי דחברו, **אולם** צריך לשקול הדברים היטב אם יש בו ספק סכנה, ולא לדקדק ביותר, כאותה שאמרו: המדקדק עצמו בכך, בא לידי כך.

(וע"ל סוף סימן ש"ו, מי שרוצים לאנסו אם מחללין עליו שבת).

סעיף ט - כל היוצאים להציל, חוזרים בכלי זיינם למקומם - כדי שלא להכשילם לעתיד לבוא, שלא ירצו להציל עוד.

§ סימן של - דיני יולדת בשבת §

סעיף א - יולדת היא כחולה שיש בו סכנה, ומחללין עליה השבת לכל מה שצריכה - ולכן מן הראוי לאשה שהגיעה לחודש טי"ת, להזמין בכל ע"ש כל הדברים הנצרכים לה, דשמא יזדמן לידתה בשבת, ולא תצטרך לחלל שבת.

קוראין לה חכמה ממקום למקום - ואפילו מחוץ לתחום, [ואפי' חוץ לג' פרסאות].

ומילדין (אותה), ומדליקין לה נר - אם הוא לילה, ואע"פ שחברותיה יודעות לעשות לה כל הדברים הנצרכים לה, אפע"כ קים להו לחכמים דלא מיתבא דעתא דיולדת כששרויה בחשך, **וכתבו** בתוספות ישנים, דמשו"ה אפילו אינה אומרת כלום, וגם החכמה אינה אומרת כלום, נמי מדליקין. (**מהרמב"ם משמע**, דבסתם חולה שיש בו סכנה, או ביולדת משעת פתיחת הקבר, בודאי מדליקין לה את הנר ולא צריכינן לשום פרט, **אבל** קודם פתיחת הקבר ואף שצועקת בחבליה, **אם** אומרת שצריכה נר, מדליקין לה).

ואע"פ דהדלקת הנר עיקרה אינה לרפואה, אפע"כ מחללין, דקים להו לרבנן דיתובי דעתא דיולדת, הוא מילתא דמסתכנא בה בלא"ה. (**והכא א"צ מומחה** כמו שצריך לחולה ביוה"כ, דיותר יכולה היולדת להסתכן ע"י פחד שתתפחד, שמא אין עושין יפה מה שהיא צריכה, ממה שיסתכן החולה ברעב).

אפי' היא סומא - אע"פ שבזה לא שייך טעמא הנ"ל, דבלא"ה שרויה בחושך, אפע"כ מיתבא דעתה בנר דלוק, דקאמרה: אי צריכנא מידי חזיא חברותיה ועבדי לי.

ומ"מ בכל מה שיכולין לשנות משנין - וכ"ז בדליכא עיכוב לחולה, **אבל** אם אינו נעשה בזריזות בשינוי כמו בלא שינוי, מצוה לעשות בלא שינוי למהר הדבר בכל כחו.

ואפילו למ"ד בסימן שכ"ח סי"ב, דגבי פקוח נפש לא בעיא שינוי, הכא שאני, מפני שכאב היולדת דבר טבעי הוא, ואין אחת מאלף מתה מחמת לידה, לפיכך החמירו בה לשנות.

כגון אם צריכים להביא לה כלי - עם שמן וכה"ג, **מביאו לה חברתה תלוי בשערה** - שלא כדרך המוציאין, דאינו כי אם שבות בעלמא, **וכן כל כיוצא בזה.**

וזה עדיף מאם תסוך השמן בשערה, ותביא אצלה ותסחוט את השער, דהתם איכא עוד איסורא דסחיטה, **דאע"פ** דאין סחיטה בשער לחיוב, מ"מ בודאי אסור משום שבות, **ומיהו** אם מספקת לה ממה שתביא השמן בידה, זה יותר עדיף מכל הני דלעיל.

סעיף ב - כותית - (וה"ה ישמעאלית), **אין מילדין אותה בשבת, אפי' בדבר שאין בו חילול שבת** - ואפילו בשכר, דבחול מילדין משום איבה, הכא אסור, משום דיכולה להשתמט ולומר: דאין מחללין שבת כי אם לההוא דמנטר שבתא, **וכתב** המג"א, ובמקום דאיכא למיחש לאיבה גם בכה"ג, שרי אם אין בה חלול.

ודע, דהרופאים בזמנינו, אפי' היותר כשרים, אינם נזהרים בזה כלל, דמעשים בכל שבת שנוסעים כמה פרסאות לרפאות עובדי כוכבים ומזלות, וכותבין ושוחקין סממנים בעצמן, ואין להם על מה שיסמוכו, **דאפילו** אם נימא דמותר לחלל שבת באיסור דרבנן משום איבה בין העו"ג, אף דגם זה אינו ברור, איסור דאורייתא בודאי אסור לכו"ע, ומחללי שבת גמורים הם במזיד, השם ישמרנו.

(**גר תושב מילדין אותו, מפני שאנו מצווין להחיותו**, ודוקא בדברים שאינם חילול, **ואפשר דאפילו באיסור** דרבנן דחינן, דבכגון זה דמצווין אנו להחיותו לא גזרו. **ולענין קראים, בדבר שיש בו חילול שבת, לכו"ע אין** מחללין ואפילו בשכר, **ואפילו אם החילול הוא ג"כ איסור** דרבנן, מצדד הפמ"ג להחמיר).

סעיף ג - נקראת יולדת לחלל עליה שבת, משתשב על המשבר, או משעה שהדם שותת ויורד, או משעה שחברותיה נושאות אותה בזרועותיה שאין בה כח להלוך, כיון שנראה אחד מאלו מחללין עליה את השבת -

ודוקא לענין הדברים אשר אפשר לעשותן בלי איחור ועיכוב, להכי צריך להמתין עד שנראה אחד מג' סימנים האלה, **אבל** לענין קריאת חכמה ממקום רחוק וכדומה, שאם נמתין עד שיעורים האלה תתאחר החכמה לבוא, על כן משעה שמרגשת קצת אפילו בספק מותר בקריאתה, ואפילו היא רחוקה ג' פרסאות, [ואפי' אינה יכולה לילך, מותר לישא אותה].

סעיף ד - כל שלשה ימים הראשונים, ‹אפילו אמרה אינה צריכה, מחללין עליה את השבת› - ולא חשבינן מעת לעת, כמש"כ לגבי יוה"כ, וע"כ אם הולידה ביום ד' קודם בין השמשות, שוב אסור לחלל עליה שבת, אם לא אמרה צריכה אני, כ"כ המ"א, **ומגמגם** הגר"א מאד, וכתב דמהרא"ש משמע שסובר דהוא מעל"ע, **ונמצא** לפי"ז דבין לענין מלאכת שבת ובין לענין יוה"כ, עד ג' מעל"ע חשבינן לה למסוכנת, ומותר אפילו לא אמרה צריכה אני, ומג' עד ז' מעל"ע, כשאמרה צריכה אני, **ונראה** דלענין יוה"כ בודאי יש לצדד להקל, דספק נפשות הוא, ואפי' לענין שבת ג"כ, אם לא נזדמן לו אז עו"ג לעשות על ידו, שרי ע"י ישראל.

שלשה ימים הראשונים - מגמר לידה, כ"כ לחם משנה, (**אכן בפירוש המשניות להרמב"ם מבואר להדיא, דמשעת פתיחת הקבר מנינן, ולפי"ז, אה"נ אם נמשך ישיבתה על המשבר יום א', לא מחללינן עליה כי אם ב' ימים אחרי הלידה, ואעפ"כ אם נמשך קרוב לג' ימים ולא ילדה, אינו בכלל זה, דבאמת כוונת הש"ס על לידה כאורחא דרובא דנשי, אבל כשתקשה הרבה בלידתה, נעשית חולה בשאר אברי גופה, וזה ידוע דכל אלו השיעורים הנאמרים בגמרא, לא נאמרו כי אם בדלית לה מחלה אחרת מלבד שהיא יולדת, דאל"כ לא שייכי כלל הני שיעורי, ולמעשה צ"ע בכל זה**).

אפילו אמרה אינה צריכה - והם דברים שחברותיה אומרות שדבר זה עושים לחיה, וכל חיה צריכה לכך, ואין כאן רופא או מילדת חכמה לראות אם החיה הזאת צריכה לכך, **מחללין עליה את השבת** - דכיון דכל היולדות צריכות לכך, אע"פ שאין אנו יודעין על זו, ואפשר דיכולה להמתין עד ערב, מחללין מספיקא, **ואין** שומעין לה, דדילמא חולשת הדעת נקטא לה, שממאסת כל האוכלין, או שאינה מרגישה לשעתה.

ויולדת תוך ג' שאוכלת מאכל בני אדם, ואומרת שאינה צריכה שיבשלו עבורה בשבת, כמסוכנת אנו חושבין אותה, מפני שאבריה מתפרקין ומרוסקת היא, אלא שאינה מרגשת לשעתה, ואם תאכל צונן או שאר דברים שאין המסוכנת אוכל אותם, יביאוה לידי סכנה, ולפיכך כל שאין לה דברים המחזיקים ומאכלים הבריאים, מחללים עליה את השבת, **ומ"מ** היכי דאיכא חכמה או רופא, ואומרים ג"כ שאינה צריכה, שומעין להם, שהרבה חיות שאין עושין להם חמין בכל יום, **וכתב** המג"א, שעכשיו נוהגות היולדות שאוכלות חמין של אתמול בשבת, **ומ"מ** נראה דהכל לפי החולה.

משלשה ועד ז', אמרה אינה צריכה, אין מחללין - לפי שאינה בחזקת מסוכנת לאותן הדברים שרגילות חברותיה לעשות לה, **ועוד** שיכולה להמתין, לפיכך סומכין עליה כשאומרת אינה צריכה.

וכ"ז כשאמרה בפירוש, אבל בסתמא מחללין, דמ"מ איכא חשש סכנה.

ואם אומר רופא או חכמה שצריכה, פשיטא דמחללין, אפילו החיה אומרת אינה צריכה, **אבל** אם שאר חברותיה אומרות שצריכה, אין שומעין להם להכחיש את החיה, [**אין** דין זה ברור כ"כ].

ואם החיה אומרת צריכה, אפילו מאה רופאים אומרים אינה צריכה, שומעין לה, ד"לב יודע מרת נפשו".

מכאן ואילך אפילו אמרה: צריכה אני, אין מחללין עליה - כיון שאנו יודעים שאין לה חולי אחר, ואף היא אינה אומרת כן, הכל בקיאים דמשום לידה אין לה סכנה לחמים ולשאר צרכי היולדת, ופשיטא דיכולה להמתין עד הערב, [**ואם** רופא מומחא אומר שנתחדש לה חולי, י"ל דמחללין].

אלא הרי היא עד שלשים יום כחולה שאין בו סכנה - שאומר לעו"ג ועושה.

סעיף ה - היושבת על המשבר ומתה, מביאין סכין בשבת אפי' דרך רשות הרבים, וקורעים בטנה - דבלא הבאת סכין אין רבותא, דליכא חלול שבת כלל בקריעת בטן מתה, דמחתך בשר בעלמא הוא, וליכא משום חבורה, **ומוציאין הולד,**

שמא ימצא חי - ואשמועינן שאפילו ספק פיקוח נפש זה, שלא היה עדיין בחזקת חי לעולם, אפ"ה דוחה שבת.

הגה: ומה שאין נוהגין עכשיו כן אפי' בחול, משום דאין בקיאין להכיר במיתת האם בקרוב כל כך שאפשר לולד לחיות - דשמא רק נתעלפה, ואם יחתכוה ימיתוה, וצריכין אנו להמתין, ואדהכי מיית הולד.

סעיף ו - עושין מדורה ליולדת כל שלשים יום, ואפילו בתקופת תמוז - אם יש לה צער צנה, דס"ל דיש סכנה לחיה כל ל' בצנה, ולפיכך אם א"א ע"י עו"ג, עושין ע"י ישראל, וה"ה בזמנינו להחם התנור.

ולשאר חולה, ע"י עו"ג מותר אפילו לאין סכנה אם צריך למדורה, **וליש** סכנה, אם אומר שצריך, מותר אפילו ע"י ישראל, בשא"א בעו"ג.

ודעת הרבה גדולי הראשונים, דחיה אחר ז', דינה לענין מדורה ג"כ כשאר חולה שאין בו סכנה, (**וקשה מאד** להקל לעשות מדורה ע"י ישראל עד ל', וצ"ע למעשה).

(ואם מותרים אחרים להתחמם כנגד המדורה, ע"ל סי' רע"ו).

סעיף ז - הולד שנולד, עושין לו כל צרכיו, ומרחיצין אותו, ומולחין אותו - כדי שיתקשה הבשר - רש"י, ומשמע מזה דהמליחה תהיה במלח, **ובפירוש** המשנה להרמב"ם כתוב: ונותנין עליו אבק ההדס והדומה לו.

אינו לפי הסדר המבואר בש"ס, ומפיק מקרא, ושם איתא דחותכין הטבור ואח"כ רוחצין אותו.

וטומנין השליא כדי שיחם הולד - ולא בקרקע, דמשום זה לכו"ע לא מחללינן שבתא, **אלא** כך היה מנהגם כשחל בשבת, עשירות טומנין אותה בספלים של שמן, או בספוגין של צמר, ועניות במוכין או בתבן, ובחול אלו ואלו טומנין אותה בארץ, והיה זה מדרך סגולה אצלם.

וחותכים את הטבור - אחר שקושרין אותו, **ועיין** במג"א (בשם התוס'), שחתיכת הטבור בעלמא אינו כי אם שבות, **וי"א** דיש בזה איסורא דאורייתא, ורק הכא מותר, (**דאם לא יחתכנו איכא סכנתא**).

ודע, דממה שהביא המ"א בשם התוס', מוכח דאין עושין מלאכה דאורייתא בשביל דברים אלו, דאין במניעתם סכנה אלא צערא בעלמא, **וא"כ** לפי"ז אם אין לו סכין לחתוך הטבור, וצריך להביאו דרך ר"ה, אסור להביאו, אלא יקשרנו לעת עתה, **וה"ה** בשארי דברים המוזכרים כאן, (כגון להחם חמין כדי לרחוץ, או כדי לשחק הסמנין הצריכין לו למליחה, או גבי מלפפים לחתך בגד לעשות חותלות), **ובבה"ל** הבאתי דעת ראשונים דמותר לחלל במלאכה דאורייתא בשביל זה, (מפני שסכנה הוא לו אם לא יעשו לו כל אלה), **ועכ"פ** להביאו ע"י עו"ג, או להחם חמין על ידו לרחוץ הולד, בודאי מותר.

והני מילי בנולד לט' או לז', אבל נולד לח' - דודאי לא חיי, **או ספק בן ז' או בן ח', אין מחללין עליו** - דכיון דמספקא לן אם היה בן קיימא מעולם, לא מחללינן, **ולא** דמי להא דיושבת על המשבר בסעיף ה', דהתם מיירי דכלו לו חדשיו.

אלא אם כן גמרו שערו וצפרניו - קאי גם אבן ח', והטעם, דאמרינן שהוא בן שבעה ואשתהוי הוא דאשתהי, **ובבאור** הגר"א נשאר בדין השו"ע בצ"ע, ודעתו דלענין חלול שבת לא סמכינן אגמרו לחוד, כי אם דוקא כששהה ג"כ שלשים יום, **ורק** לענין טלטול התינוק, [או לענין מילה], נוכל לסמוך אסימנא דגמרו לחוד.

(**והבה"ג** לענין ספק בן חי"ת, כתב בהדיא: ולענין אחולי שבתא מחללינן מספיקא, דקאמרינן כל ספק נפשות להקל. והבה"ג מבואר, שגם בעוברין, ואפי' קודם מ' יום, דמיא בעלמא הוא, אעפ"כ מחללים, והריטב"א פסק כדעת הבה"ג).

סעיף ח - נולד לח', או ספק בן ז' או בן ח', שלא גמרו שערו וצפרניו, אסור לטלטלו - והאחרונים הסכימו, דדוקא כשידוע שהוא בן ח', כגון שבעל ופירש, אבל מספק מטלטלין כל תינוק.

אבל אמו שוחה עליו ומניקתו מפני צער החלב שמצערה; וכן היא בעצמה יכולה להוציא בידה החלב המצער אותה - על הארץ, דאין זה כדרך מפרק, כיון שהולך לאיבוד, **ועוד** דהוי מלאכה שאצ"ל דפטור, ומשום צערא לא גזרו, כמו מפיס מורסא.

סעיף ט - מיישרין - בידים, **אברי הולד שנתפרקו מחמת צער הלידה** - כתב המ"א, ודוקא ביום הלידה, אבל אח"כ אסור, **אבל** באמת מהרבה פוסקים משמע דאין חילוק בזה, ואפילו לאחר חודש או ב' חדשים מותר, **ועיין** בבאור הגר"א שכתב, שכן ג"כ דעת השו"ע להקל בזה כמותם, **וע"כ** אין להחמיר בזה.

ומ"מ אם נתפרקה חוליא של שדרה ממקומה, לכו"ע אסור ליישב בידו חוליות של שדרה אחת על חברתה, דמחזי כבונה, **אם** לא ביום הלידה, דאז יש לצדד להקל אף בזה.

סעיף י - מותר לכרכו בבגדיו שלא יתעקמו איבריו - וברא"ש משמע, דאפילו לכרכו כדי לישר אבריו [שכבר נתעקמו], ג"כ שרי לעולם, **והטעם** בגמרא, משום דאורחיה תמיד בהכי, ולא הוי כמתקן, **ומשמע** דאם היה תינוק שאין כורכין אותו בחול, ונתעקמו אבריו, אסור לכרכו בשבת.

(**כתב הב"ח**, דבחומרי שדרה שנתפרק, אפי' אין מישבין בידים ממש, אלא ע"י ליפוף בגדים, נמי אסור, **ובמאירי משמע**, דבליפוף בגדים בכל גוונא שרי).

סעיף יא - אם נפלה ערלת גרון הולד, מותר לשום אצבע לתוך פיו ולסלק הערלה למקומה, אע"פ שפעמים שמקיא - ולא גזרינן בזה משום רפואה, דאורחיה דתינוק ליפול ערלת לשונו, ולא מחזי כרפואה.

§ סימן שלא – דיני מילה בשבת §

סעיף א - עושים כל צרכי מילה בשבת - דכתיב: וביום השמיני ימול, "ביום" ואפילו בשבת.

מוהלין ופורעין ומוצצין - אע"ג דע"י המציצה הדם ניתק מחיבורו, והויא ליה חובל, אעפ"כ מוצצין, משום דסכנה לולד כשלא ימוץ הדם.

(**עיין בתשו' בנין ציון**, דהמציצה דוקא בפה, **ולא ע"י** דבר אחר שהמציאו הרופאים החדשים, **ובתשובת יד אליעזר** מתיר למצוץ בספוג, דבדוקה דיותר טוב ממציצה בפה, **ואפילו בשבת יש להתיר בספוג**).

ונותנין עליו כמון - היה דרכם לתת מין בשמים שחוק לרפואה, **וה"ה** לתת אספלנית {תחבושת} על המילה.

סעיף ב - כל זמן שלא סילק ידו מן המילה, חוזר אפילו על ציצין שאינם מעכבין - היינו רצועות של בשר שנשארו, בין מהערלה ובין מעור שפורע, **דאף** דגמר לחתוך הערלה, ובדיעבד יצא ידי מצות מילה אפילו בלא אלו הציצין, **מ"מ** כל זמן שלא סילק ידו מן המילה מקרי כלכתחלה, וכולה חדא מלתא היא, דנתנה שבת לדחות אצלה.

ועיין בחידושי הר"ן שכתב, דאפילו כבר סילק ידו מן החתוך והתחיל לפרוע, מקרי עדיין לא סילק ידו מן המילה, דמילה ופריעה חדא מילתא היא, **אך** כשהוא עוסק במציצה, מסתפק אם מותר בשבת לחזור לציצין שאינם מעכבין, דדלמא המציצה מקרי רק רפואה ולא צורך מילה.

ולפי"ז פשוט דאפילו אם הפורע הוא אחר, כל זמן שהוא עוסק במצותה, מותר לו לראשון לחזור ולגמור את הציצין שאינם מעכבין, דלא משגחינן במה שהוא סילק ידו, כיון דעדיין לא נגמרה מצות מילה.

סילק ידו, אינו חוזר אלא על ציצין המעכבין - ג"כ בין במילה ובין בפריעה, וכנ"ל.

ואלו הם המעכבין, בשר החופה אפי' רוב גובהה של עטרה במקום אחד - וכ"ש רוב הקיפה של העטרה, אע"פ שאינה רוב גובהה, **ועיין** ביו"ד באחרונים שנתבאר מה נקרא עטרה.

סעיף ג - בן ח', אם גמרו שערו וצפרניו, מלין אותו בשבת - דאף דבן חי"ת בעלמא לאו בר קיימא הוא, בזה שגמרו, אמרינן האי בר שבעה הוא, ואשתהויי אשתהי הולד בבטן אמו.

ואם לא גמרו, אפי' אם הוא ספק בן ז' ספק בן ח', אין מלין אותו בשבת - וה"ה ספק בן חי"ת ספק בן טי"ת, **והטעם** בכל זה, דלא מחללינן שבת מספיקא. **ואין צריך לומר בן ח' ודאי.**

ואם הוא בן שבע ודאי - היינו שבעל אותה ופירש עד שהוכר עוברה, **אפי' לא גמרו שערו וצפרניו, מלין אותו** - אבל לא סמכינן לומר דמסתמא נתעברה אחר ליל טבילה, או משעה שפסקה לראות דם, דאין זה הוכחה ברורה.

(ועיין ביו"ד סי' רס"ו) - דשם מבואר דעת רמ"א, דספק בן חי"ת או בן זיי"ן אפילו לא נגמר שערו וצפרניו, מלין בשבת ממ"נ, דאי בר מילה הוא שפיר מהיל, ואי לא, מחתך בבשר בעלמא הוא, ואין בזה משום חבורה כיון דהוי נפל, **והנה** בב"ח וט"ז דעתם לפסוק כהשו"ע, **אבל** בא"ר הביא בשם ספר לחם משנה, שהמנהג למול ספיקות, וגם במאירי כתב שכן דעת כל הגאונים, וכ"כ הרדב"ז, **ונהרא** נהרא ופשטיה.

סעיף ד - מילה שלא בזמנה אינה דוחה שבת - דכי כתיב "וביום", אשמיני קאי.

סעיף ה - אנדרוגינוס - הוא ילד שיש לו זכרות כזכר ונקבות כנקבה.

ונולד בין השמשות - בין ביה"ש דע"ש ובין ביה"ש דמו"ש, בשניהם אין מילתן דוחה שבת, ונדחה ליום א'. **ומה** הוא ביה"ש, י"א דקרוב לרבע שעה זמנית קודם ליציאת ג' כוכבים בינונים הוי ספק לילה, **ורביע** שעה יוצא מכלל ספק, ואם נולד אז בשבת, מונין אותו לשבת הבאה, **אבל** כמה פוסקים מחמירין בזה, וס"ל דמעת שנתכסה החמה מעינינו, עד יציאת ג' כוכבים בינונים, הוא הכל בכלל ביה"ש, וכ"כ הברכי יוסף דנתפשט כן המנהג בכל ערי א"י.

ואפילו אם ספק לו אם נולד קודם ביה"ש או בזמן ביה"ש, ג"כ פסק הרדב"ז להחמיר דנדחה ליום א', והביאוהו האחרונים, (**וכתב** הפמ"ג דלא הוי ס"ס, ספק יום ספק ביה"ש, וביה"ש גופא הוי ספק, **דאפשר** משום דאוקי אחזקת מעוברת, **אבל** לא אלימא אותה חזקה כ"כ לענין דחיית שבת, **ונ"מ** לענין אם נולד ולד בשבת, ואין אנו יודעין אם ביום ע"ש או בלילה, ואין לנו ממי לשאול, כגון שמתה אשתו וכה"ג, לא אמרינן דמסתמא השתא הוא דילדה, ואפי' בחול יש לעיין, **ועוד** אפשר לומר, משום דשם ספק חד הוא).

(**אם** לאלתר כשהוציא הולד ראשו חוץ לפרוזדור, **יצא** אחד מבית היולדת לחוץ לראות אם הוא לילה, **אפי'** אם הוא רואה ג' כוכבים בינונים, **שמא השתא הוא דיצא, וכהרף** עין מקודם לא היו רק שנים, ולא הוי רק ביה"ש, **דהלכה** כר' יוסי דס"ל דשני כוכבים הוי בין השמשות, **וכהרף** עין אח"כ יוצאין ג' כוכבים).

(**ואפי'** אם רואה לאלתר כוכבים קטנים, **אין** ברור כ"כ לסמוך דמקודם בשעת הלידה היו בינונים, **דדלמא** הם בינונים, ומקודם היו גדולים הנראים ביום, **אם** לא שיש הרבה כוכבים קטנים, **אז** בודאי יש לסמוך ע"ז).

(**ורק** אם בעת הלידה ממש רואה שיש ג' כוכבים, **כגון** שהחלון פתוח בבית ויושב אצל החלון, **וכששמע** שהילד הוציא ראשו הביט תיכף דרך החלון וראה ג' כוכבים בינונים, **אז** בודאי יש לסמוך ע"ז).

(**אם** הוציא ראשו חוץ לפרוזדור ונשתהה קצת עד שנולד כולו, **ואח"כ** כשנולד כולו ראו שלשה כוכבים בינונים, **אם** לפי השיהוי נראה להם שהיה יום בהוצאת הראש, **אין** להם אלא מה שעיניהם רואות, **ויהא** נמול לשמונה, **אפילו** אם יארע בשבת, **היינו** אם נולד במו"ש, **ואם** אינן יכולין לידע, **יש** להחמיר ולומר דשמא היה אז בין השמשות).

ונולד כשהוא מהול - פי' שאפילו בלא קישוי נראה מהול, **אבל** כשאין נראה מהול רק כשיתקשה, מילתו דוחה שבת.

ויוצא דופן - שנתקשה אמה בלידתה, והוציאוהו לאורך הבטן ע"י סם.

וכותית שילדה ואח"כ נתגיירה, ומי שיש לו שתי ערלות - פירוש שני גידין, **וי"א** שיש בו שתי עורות זה ע"ג זה.

אין מילתן דוחה שבת - וטעם כל אלה הוא משום ספק, כגון גבי אנדרוגינוס הוא משום דאינו זכר ודאי, **וכמו** כן נולד בין השמשות, שמא הוא שלא בזמנה, **ונולד** כשהוא מהול, אפשר דליכא כאן ערלה כבושה והוא מהול ממש, **וכן** מי שיש לו ב' ערלות, דהיינו שני גידים, הוא נמי משום דאין אנו יודעין איזה ערלה עיקרית, **ולסברא** ב' דמיירי בשתי עורות זה ע"ג זה, נמי טעמא

דאין אנו יודעין כוונת התורה בזה, **חוץ** מיוצא דופן, ואינו יהודי שילדה, התם הטעם משום דאין טמאים בטומאת לידה, ולכמה תנאי בעינן כסדר האמור בפרשת תזריע, דאשה כשהיא טמאה לידה בנה נמול לשמונה.

סעיף ו - מכשירי מילה שאפשר לעשותם מערב שבת, אינם דוחים את השבת; לפיכך אם לא הביא איזמל למילה מערב שבת, לא יביאנו בשבת, אפי' במקום שאין בו אלא איסור דרבנן, שהעמידו חכמים דבריהם במקום כרת.

(עיין בשו"ת חתם סופר, שכתב אודות תיקון צפורן של מוהל בשבת, שיש בזה איסור דאורייתא וחייב חטאת, כיון שעושה כלי, ולא דמי לנטילת צפרני הנדה לטבילה, **ואף** אם אין מוהל אחר רק אחד, וצפרנו נסדק, אפ"ה אסור לתקן).

ולומר לא"י לעשותם, אם הוא דבר שאם עשהו ישראל אין בו איסור אלא מדרבנן, אומר לאינו יהודי ועושהו - דהוי שבות דשבות במקום מצוה ושרי, **ומ"מ** אסור להביא התינוק לבהכ"נ דרך חצר שאינה מעורבת, אפילו ע"י א"י, דהא יכולין למולו בביתו, והרבה פעמים מלין בבית כשיש צינה.

וכשצריך להוציא התינוק מביתו לחצר שאינה מעורבת, אל האיזמל המונח שם, מותר ע"י א"י כיון דליכא ר"ה, **ומ"מ** טוב יותר להביא האיזמל ע"י א"י לתינוק, דאם יביא התינוק אל האיזמל, יהיה צריך אחר המילה להתיר עוד הפעם שבות דשבות, להחזיר התינוק אצל האם, **משא"כ** כשיביא האיזמל אל התינוק, יניחנו שם עד אחר השבת.

ואם הוא דבר שאסור לישראל לעשותו מן התורה, לא יאמר לאינו יהודי לעשותו - דגם אמירה לא"י בדבר שאסור מן התורה הוי כשאר שבות, והעמידו חכמים דבריהם.

(ועיין לעיל סי' ש"ז) - ס"ה בהג"ה, דשם הביא רמ"א, דיש מקילין אפילו במלאכה דאורייתא לומר לא"י במקום מצוה, (היינו כגון אם נתקלקל הסכין וצריך לתקנו), **ואף** דרוב פוסקים חולקים על סברא זו, והעיקר כדבריהם, מ"מ לענין מילה המיקל וסומך על דבריהם לא הפסיד אם א"א בענין אחר, **ומכ"ש** לענין הוצאה והכנסה, דלהרבה פוסקים אין לנו בזה"ז ר"ה, [כן משמע ממ"א].

(**ועיין** בתשובת כתב סופר, דהיינו **דוקא** בדליכא מוהל אחר, אבל אם איכא מוהל אחר שיש לו סכין מתוקן, הגם שאין רצונו להשאילו, אין להתיר, **ואפילו** בדליכא מוהל אחר, רוב הפוסקים ס"ל דאסור ע"י א"י, מ"מ כבר הורה המ"א, **אבל** בתנאי שהיה מאתמול הסכין מתוקן, אבל אם פשע ולא הכין מאתמול, גם המ"א בעצמו אינו מתיר לתקן הסכין ע"י א"י, **ולענין** להעביר דרך ר"ה, שרי אפילו בר"ה דאורייתא כשלא פשע, **ולהביא** דרך כרמלית דרבנן, אפילו הוא פושע שלא הביא מאתמול למקום הראוי, שרי ע"י א"י לכו"ע).

סעיף ז - לא היה לו כמון שחוק מע"ש, לא ישחקנו, אלא לועס בשיניו - דמכשירי מילה אינם דוחים את השבת, **וע"כ** אם א"א לו ללועסו בשיניו, ועדיין הוא קודם המילה, תדחה המילה, **ולאו** דוקא שחיקה שהיא מלאכה, אלא אפילו להביא כמון דרך מבוי שאין משותף, נמי אסור.

ולא יאמר: אמול אותו, ולכשיצטרך אח"כ לסממנין משום סכנה אשחוק, דהא פקו"נ דוחה את השבת, **דכיון** דעכשיו יודע שא"א לו בלא סממנין אחר המילה, מוטב תדחה המילה ולא יביא עצמו לידי חלול שבת, כיון שהיה אפשר להכין מאתמול.

ואם נתוודע לו לאחר המילה שאין לו כמון, בודאי מותר להביא אף דרך ר"ה ולשחוק, [**וה"ה** אם עבר ומלו, אף דעביד איסורא בזה, אפ"ה מותר עתה לחלל, דמ"מ עתה פקוח נפש הוא להתינוק].

ומ"מ אם אפשר לו לשנות בכל זה, מבלי שיגיע מזה היזק לחולה, צריך לשנות, [**והגר"א** מצדד כהב"ח, דלאחר המילה לא צריך שינוי, וצ"ע למעשה].

אם לא עירב מאתמול יין ושמן ליתן עליה - כך היו רגילין, והיא רפואה, שמערבין וטורפין בקערה יין ושמן, כדרך שטורפין ביצה בקערה, **לא יערבם היום, אלא יתן כל א' לבדו** - פי' דאסור לערבם בקערה, אלא נותנים זה בפני עצמו על מקום המכה, וזה בפני עצמו על מקום המכה, **ועוד** יש לפרש, דתרווייהו

בקערה, אלא דנותנים זה בפני עצמו, ולא יערבם בידים, אלא אם יתערבו יתערבו, (**אמנם** ע"י שינוי לכו"ע שרי).

כתב ב"י, דלשאר חולים נמי אסור לערב, **וע"י** שינוי לכו"ע שרי.

סעיף ח - אין עושין לה חלוק - כעין כיס דחוק שעושים, ומכסים ראש הגיד עד העטרה, וקושר שם שלא יחזור העור לכסות הגיד, (**ולפי"ז** אינו בכלל סכנה בחסרון החלוק, רק שיצטרך עי"ז למולו פעם שנית מדרבנן, **אבל** מרשב"א ושארי ראשונים משמע, דהוא בכלל סכנה, ונ"מ מזה לאחר המילה, אם מותר להביאו דרך ר"ה כשאין לו עצה אחרת).

אלא כורך עליה סמרטוט; ואם אין לו - ואפי' נודע זה קודם המילה, אין דוחין המילה מפני זה, (אלא) **כורך על אצבעו דרך מלבוש, לשנות מדרך הוצאה בחול, ומביא דרך חצר אחרת אפי' לא נשתתפו יחד** - אבל דרך ר"ה אסור, כיון שאינו דרך מלבוש ממש, **ודרך** כרמלית, מצדד הא"ר להתיר.

סעיף ט - בזמן חכמי הגמרא אם לא היו רוחצים את הולד לפני המילה ולאחר המילה וביום שלישי למילה במים חמין היה מסוכן; לפיכך נזקקו לכתוב משפטו כשחל להיות בשבת; והאידנא לא נהגו ברחיצה כלל - דנשתנו הטבעים, **ודינו לרחוץ בשבת אם רצו, כדין רחיצת כל אדם.**

הגה: ובמדינות אלו נוהגים לרחצו לפני המילה בחמין שהוחמו מאתמול, ולאחר המילה במוצאי שבת - כלומר דבמקומותינו אף כי אין הולד מסוכן כ"כ כמו בימיהם, אכן עכ"פ צורך גדול יש בדבר, לפיכך על רחיצה שקודם המילה, הניחו על דינא דגמרא, שמותר לרחצו בחמין שהוחמו מאתמול, [דלצוות לא"י להחם היום, אף בזמן הגמרא אסור]. **ולאחר** המילה, אין קפידא אם ימתינו עד מו"ש, (**שכיון** שרחצוהו מקודם, שוב אינו נצרך כלל עד הלילה, ואסור לרחוץ כל גופו - ערוה"ש).

ויזהר שלא ישרה סדין במים, דשרייתו היא כיבוסו, **וע"י** א"י אפשר שיש להקל, **וגם** יזהר מסחיטת הסדין.

ואם נשפך החמין, יכול לומר לא"י להביא מים שהוחמו בשביל א"י, **אבל** לא יאמר לא"י להחם לכתחלה.

וכן אם היה יום ג' למילתו בשבת, ורואים שיש צורך לרחצו, מכינים חמין מבע"י ורוחצים אותו בשבת - משמע דאם לא הכינו, אסור להחם ע"י א"י, דאין מחזיקין אותו בסתמא לחולה, רק למצטער קצת, **אך** אם הרופא אומר שצריך, בודאי אין להחמיר בזה.

תינוק שהיה חולה ונתרפא, אוסר התשב"ץ למולו ביום ה', דשמא יצטרכו לחלל שבת עליו ביום ג' למילתו, **אבל** הש"ך ביו"ד והמ"א מתירין, וכן הסכים הא"ר להתיר, ואין מחמיצין את המצוה.

וכל זה מן הסתם, אבל אם רואים שיש לחוש לסכנה אם לא ירחצו אותו אחר המילה, בודאי מותר לרחצו ולחלל עליו שבת - והיינו אפילו להחם בעצמו, **מידי דהוי אשאר חולה שיש בו סכנה.**

סעיף י - אדם שלא מל מעולם, לא ימול בשבת - דחיישינן שמא יקלקל, ונמצא מחלל שבת שלא במקום מצוה, **וה"ה** אם לא פרע מעולם, אסור לפרוע בשבת ג"כ מטעם זה.

ולענין יו"ט, אם הוא יו"ט שני של גליות, בודאי יש להקל, **וביו"ט** ראשון, יש דעות בין האחרונים, (עיין ברעק"א דמצדד דביו"ט מותר מדין 'מתוך'), **אך** אם הוא יודע בעצמו שיכול למול, ואין מוהל אחר, בודאי אין להחמיר.

מוהל שבא ואמר שכבר מל פעם אחת בחול, נאמן וא"צ להביא ראיה.

כתב הג"ה ביו"ד, שטוב להחמיר לכתחלה שלא ימולו שני מוהלין מילה אחת בשבת, שזה ימול וזה יפרע, אלא המל הוא עצמו יפרע, **אבל** הרבה אחרונים כתבו שיש להקל בזה, וכן המנהג בכל מדינת פולין, תמיד הם שני מוהלים, זה חותך וזה פורע, בין בחול ובין בשבת.

ובחכמת אדם כתב, דעכ"פ לא יכבד ג' בני אדם, אלא הפורע יהיה המוצץ, **אבל** בישועות יעקב דחה זה, וכתב דהמציצה יכול להיות באחר, דהוא ענין בפני עצמו.

אבל אם מל כבר פעם אחת, מותר למול בשבת - ואפילו איכא אחר דמל זמנין טובא, **אפילו אם**

הוא אבי הבן - לאפוקי ממאן דס"ל, דאב בעצמו לא ימול בשבת היכא דאיכא אחרינא, משום דלגבי דידיה הוי פסיק רישא דניחא ליה, שהרי הוא מתקן את בנו, **קמ"ל** דלא אמרינן הכי, דגם לגבי אחרינא פסיק רישא דניחא ליה הוא, שהרי הוא רוצה למולו ולזה קאתי, ואפ"ה התירה התורה.

הגה: ועיין עוד דיני מילה בטור יורה דעה סימן רס"ו.

§ סימן שלב - שלא לילד הבהמה בשבת

סעיף א - אין מילדין את הבהמה בשבת - פירוש למשוך הולד מן הרחם, דאיכא טרחא יתירא, **ועיין** באחרונים שהסכימו, דאף לסעדה, היינו שאוחז הולד שלא יפול לארץ, ונותן לו דד לתוך פיו, אסור בשבת, **וכן** כל צרכי לידה המבואר בסי' תקכ"ג.

(**ואם היא מבכרת, ויש לחוש שמא תמות הבהמה,** מסתפק הפמ"ג, **וע"י א"י** בודאי יש להקל).

סעיף ב - אין מפרכסין לבהמה גלדי מכה - פי' להסיר את הגלד, **ולא סכין אותה** - את המכה, **בשמן.**

וה"מ בגמר מכה, דליכא אלא משום תענוג - שנתרפאה המכה, וע"כ אין לטרוח בשביל בהמה כדי לענגה, **אבל בתחלת מכה דאיכא צערא, שרי.**

סעיף ג - אם אכלה כרשינין הרבה ומצטערת, יכול להריצה בחצר כדי שתייגע ותתרפא - דאע"ג דזהו רפואה, וברפואה לאדם גזרו משום שחיקת סממנים, **ברפואת** בהמתו אין אדם בהול כ"כ שיבוא לשחוק סממנים, **וה"ה** אם היא קרובה למיתה מחמת זה, דאז בודאי בהול, אפ"ה מותר, דאי לא שרית ליה אתי לידי שחיקת סממנים ושאר מלאכה דאורייתא.

אבל אסור לעשות בשבילה שום מלאכה דאורייתא או דרבנן, אפילו היא מתה, **וע"י** א"י מותר לעשות כשהבהמה חולה, [משום צער בעלי חיים].

סעיף ד - אם אחזה דם, יכול להעמידה במים כדי שתצטנן; ואם הוא ספק שאם לא יקיזו לה דם תמות, מותר לומר לא"י להקיזה - דמתוך שאדם בהול על ממונו, אי לא שרית ליה אתי למעבד בעצמו איסורא דאורייתא.

ועיין בח"א שכתב, דאפילו אם היא רק חולה בעלמא, ג"כ מותר ע"י א"י כדי לרפאותה, משום צער בע"ח, **אבל** להקיז לסוס כדי שיאכל יותר, בודאי אסור.

§ סימן שלג - שלא לפנות אוצר בשבת

סעיף א - אוצר של תבואה או של כדי יין, אע"פ שמותר להסתפק ממנו - למאכלו ולמאכל בהמתו, שאינו מוקצה, דקי"ל כר"ש דלית ליה מוקצה אלא בגרוגרות וצמוקים שהניח ליבשן, משום דדחינהו בידים, ולא חזיין עד שיתייבשו.

אסור להתחיל בו לפנותו - היינו אפילו פחות מד' וה' קופות, משום טרחא, או משום עובדין דחול.

אבל מותר לעשות שביל ברגליו לכאן ולכאן דרך הליכתו ויציאתו, דזה לא הוי בכלל פינוי.

ומשמע דאם התחיל מע"ש, שרי לפנותו בשבת פחות מד' וה' קופות, אף לדבר הרשות.

אלא לדבר מצוה, כגון שפינהו להכנסת אורחים או לקבוע בו בית המדרש - ואפילו בענין שיש בו טורח יותר, כגון להגביהם ולשלשלם בחלונות שבכותל, או להורידם בסולמות, או לטלטלם מגג לגג.

וכיצד מפנהו, אם היה האוצר גדול, מפנה ממנו חמשה קופות - ולא יותר משום טרחא, **(בכל קופה שלש סאים).**

לא היה בו אלא חמשה קופות, מפנה מהם ארבעה קופות; אבל כולו לא יפנה, שמא

יבא להשוות גומות - היינו שמא יראה גומות בקרקעות האוצר ויבוא להשוותם, **ואפילו** אין שם אלא ג' או ד' קופות אסור.

(**במרוצף** תלוי בפלוגתא לקמן בסימן של"ז סעיף ב' ובהג"ה שם).

הגה: וכל שבות שהתירו משום צורך מצוה, מותר ג"כ לצורך אורחים - שבעה"ב המזמנם עושה מצוה, וכמו שאחז"ל: דגדולה הכנסת אורחים יותר מהקבלת פני השכינה.

(**לא** כל שבות התירו לצורך מצוה, דהא שבות דשבות דוקא י"א התירו למצוה, הא שבות לחוד ודאי לא, **אלא** דוקא כי האי גוונא עובדין דחול וכדומה).

ולא מקרי אורחים, אלא שנתארחו אצלו בביתו, או שזימן אורחים שנתארחו אצל אחרים; אבל כשזימן חבירו לסעוד אצלו, לא מקרי אורחים, ואינו סעודת מצוה רק סעודת רשות - ומ"מ אם מזמין חבירו שיבוא לכבוד האורח, אז גם הוא נחשב כאורח לענין דשרי לפנות בשבילו.

ואם הסעודה בעצמה היא סעודת מצוה, ודאי פשיטא דשרי לפנות לפי חשבון כולם.

סעיף ב- כשמפנה אלו ארבעה או חמשה קופות, לא יחלקם בקופות קטנות להוליכם בהרבה פעמים כדי להקל המשאוי, מפני שמרבה בהילוך ואוושא מלתא טפי.

סעיף ג- אלו ד' או ה' קופות שמפנה, היינו לאורח א', ואם באו לו הרבה, מפנה כשיעור הזה לכל אורח ואורח; ובלבד שלא יפנה א' לכולם, דאיכא טרחא יתירה, אלא כל א' יפנה לעצמו, או אחר יפנה בעדו.

הגה: חביות של יין שהובאו על עגלה, אסור להורידן בשבת - אפילו הובאו בע"ש, {**דאם** לא כן, בלא"ה אסורין משום שמא בא מחוץ לתחום}, **ודעתו** מבע"י בפירוש לשתות מהם, אפ"ה אסור להורידן משום עובדא דחול, או טרחא יתירא, **אלא** ימשוך שם ממנו כשהוא עומד על העגלה.

ואם אי אפשר בענין אחר, והוא צריך לשתות ממנו, שרי לפורקן, דמפני כבוד השבת הוא בכלל דבר מצוה.

ואם הוא מקום פסידא, אם מותר בזה אמירה לא"י, עיין בסי' ש"ז ס"ה, ובסימן של"ד, **ואם** הא"י מעצמו פורקן בשבת, א"צ למחות בידו.

אם לא לכבוד אורחים או לצורך מצוה, דהוי כמפנה האוצר - ואפ"ה אם הוא יותר מט"ו סאין אסור, כמ"ש בס"א לענין אוצר. **ט"ו** סאין הוא אם החבית אמה על אמה ברום אמה וג' אצבעות.

§ סימן שלד – דיני דליקה בשבת §

סעיף א- נפלה דליקה בשבת, אם הוא בלילה קודם סעודה, יכול להציל כדי מזון שלש סעודות - עיין לקמן בסי"א, דלהציל מבית לחצר שלו, י"א דיכול להוציא כל מה שירצה.

(עיין בפמ"ג דמסתפק, דאפשר דיכול הבעה"ב להציל מזון ג' סעודות עבור כל אחד ואחד מבני ביתו, וכן בדין, דלא גרע ממה שמותר להציל כדי להאכיל לבהמה).

הראוי לאדם לאדם, והראוי לבהמה לבהמה –

(משום דאסור לאכול קודם שיתן מאכל לבהמתו, ולכך מציל גם לבהמה מזון ג' סעודות).

ובשחרית, מזון שתי סעודות - הב"ח כתב, דאם הוא לאחר חצות, אפילו אם עדיין לא אכל, אין מציל כי אם מזון סעודה אחת, **ובפמ"ג** מפקפק בזה.

ובמנחה, מזון סעודה אחת

(**ופשוט** דשרי להציל לחם משנה לכל סעודה, ומשקים לצורך כל היום, דכל היום ראוי לשתיה, **אך** יין אינו שרי רק לצורך ג' סעודות).

ודוקא בני הבית שהדליקה בו לא יצילו יותר, משום דאיכא למיחש שמתוך שטרודים בהצלה ישכחו השבת ויכבו - והנה כאן אסרינן להציל כדי שלא יכבה, וגבי מת מתירין להצילו כדי שלא

יכבה, **כתבו** התוספות, דבמת אדם בהול עליו טפי, ולכך הוצרכו להתיר כדי שלא יכבה במזיד, **אבל** כאן דאין אדם בהול כ"כ, ואפילו אם לא נתיר לו לא יבוא לכבות במזיד, **ואם** נתיר לו, חיישינן שמא מתוך טרדתו ישכח ויכבה את הדליקה.

אבל בתים הקרובים ויראים שתגיע להם הדליקה, יכולים להציל כל מה שירצו - שאינם בהולים כ"כ, **וכתב** הח"א, ואפשר דלפי"ז גם אחרים חוץ מבעה"ב ואשתו ובניו מהבית שהדליקה בו שהם בהולים, אבל אנשים אחרים שאינם בהולים כ"כ, מותר להם להציל בשבילו, **ואפילו** מעות, דאין בו אלא איסור מוקצה, והיינו כדעת היש מתירין שהובא בסמוך, **אבל** אסור לטלטל בשבילו לכרמלית, [**ומה** דאיתא לקמן בס"ט, דאומר לאחרים בואו והצילו לכם, כל אחד מזון ג' סעודות דוקא, **היינו** משום דבעת הצלה הם מצילין כל אחד לעצמן, ולכך שייך גם בהם הטעם שהוא בהול להציל, **משא"כ** כשמצילין לבעה"ב].

וי"א דלפי מה שמבואר לקמן, דבזה"ז שאנו שרויין בין הא"י ויש חשש סכנת נפשות, דמותר לכבות, ממילא מותרין אפילו באותו בית שהדליקה שם להציל אוכלין כמה שירצו, וה"ה דברים המוקצים, וכמו שהדין בבית השכנים, כיון דאין לגזור שמתוך שיהיה בהול יבוא לכבות, דהרי בזה"ז מותר לכבות, **ואין** זה מוכרח, דאפשר שמתוך בהילתו יבוא לידי שאר מלאכות, להוצאה בר"ה וכדומה, **ומ"מ** אין למחות ביד המקילין, דלדעת הט"ז משמע ג"כ דבהצלת מעות מותר, אם אין עובר עי"ז איסור דאורייתא.

סעיף ב - יש מתירים לטלטל מעות ודברים המוקצים כדי להצילם מפני הדליקה, או מאנסים הבאים לגזלם, דבמקום פסידא אין לחוש לאיסור מוקצה - טעמם, דלמדו מהא דהתירו למי שהחשיך בדרך להוליך כיסו פחות מד"א, כדי שלא יעשה איסור חמור ממנו ויוליך אותם להדיא, **ה"ה** נמי בכאן, התירו איסור טלטול מוקצה כדי שלא יבוא לכבות הדליקה, **וגם** גבי אנסים התירו כדי שלא יבוא להוציא אותם לר"ה להדיא.

היינו דוקא בבית אחר שאינם בהולים, ולא בבית הדליקה, [**ודלא** כהט"ז דרוצה לצדד, דלדעה זו שהוא דעת בה"ת, בכל גווני שרי במעות שהוא דבר חשוב, דחיישינן דאי לא שרית ליה לטלטל ולהצניע, אתי לכבויי, **ומ"מ** בודאי אין למחות ביד המקילין כמותו].

וכ"ז דוקא מפני הדליקה או הליסטים שבהול הרבה, **אבל** אם ירדו גשמים על סחורה המוקצה, ודאי אסור לטלטל ע"י ישראל.

ואיתא בספר מהרי"ל בשם מהר"ש, והביאו בא"ר, דבשעת הזעם שמתיראין שהאנסים יבואו ויחטפו את אשר לו, מותר לישראל לטלטל מעותיו ואפילו מחוץ לעירוב, **ועיין** בט"ז ובמ"א ופמ"ג, דאין מותר כי אם כשנושאן שלא כדרך הוצאה, דהיינו בין בגדו לבשרו וכה"ג.

ויש אוסרים - וטעם האוסרים, דס"ל דדוקא במי שהחשיך בדרך הוא שהתירו לו, כדי שלא יעשה איסורא רבה, **אבל** באנסים ליכא למיחש למידי, דלהוצאה ליכא למיחש, שודאי לא יוציאנה בפני האנסים, שמתיירא להראות להם, **וגם** גבי דליקה ליכא למיחש לשמא יכבה, כיון שהדליקה עדיין בבית אחרים, ואינו בהול עליהם טובא, כמ"ש ס"א.

ועיין בב"ח שהכריע כהמתירין, משום דאיכא למיחש כיון דאין אדם מעמיד עצמו על ממונו, אי לא נתיר לו, יחשוב בעצמו: בין כך ובין כך אני עושה איסור, ואתי להטמינם בקרקע ע"י חפירה, ויעשה איסור דאורייתא.

ואפילו לומר לאינו יהודי לטלטל סחורה הנפסדת מחמת גשמים, יש מי שאוסר - הוא דעת הרשב"א, **ועיין** בסימן ש"ז ס"ה, דסתם שם המחבר כדעה הראשונה ששנאה בסתמא כדעת הרמב"ם, דאיסור שבות מותר ע"י א"י במקום שהוא צריך לדבר צורך הרבה, **והמ"א** מסיק, דוקא במקום שיש הפסד גדול.

(וע"ל סי' ש"ז סעיף י"ט) - היינו דשם סתם המחבר בדעה הראשונה, דמותר לומר: כל המציל אינו מפסיד, אע"פ שממילא מבין הא"י, {**והיינו** אפילו אם יצטרך לזה לעשות מלאכה דאורייתא - שם במ"ב}.

סעיף ג - הציל פת נקיה, לא יציל פת הדראה, (פי' פת שניטל הדרה, דהיינו פת סובין) - דאין כאן שייכות ערמה, לומר: פת הדראה ניחא לי.

אבל איפכא שרי - מפני שיכול לומר: מחמת בהילותי שכחתי ולקחתי פת הדראה, אבל באמת אני רוצה לאכול פת נקיה, **ואפילו** לכתחלה יכול להציל פת הדראה ואח"כ נקיה.

וה"ה בשר ודגים או שאר שני מינים, אפי' אם הציל כבר מין אחד, יכול לומר: במין השני אני חפץ.

ואפילו הציל הוא פת הרבה, רשאים בני ביתו ג"כ להציל כל אחד מזון ג' סעודות, אף שיכולים לאכול משלו, דלכל חד התירו להציל ג' סעודות, דאפילו יש לו מה יאכל רשאי להציל, **וכן** אפי' מתענה בשבת תענית חלום, רשאי להציל, דלא חלקו חז"ל.

סעיף ד - מצילין מיוה"כ לשבת - דהא ביום השבת לא יוכל להכין.

ואע"ג דלא מקלע לדידן יוה"כ ושבת סמוכים להדדי, כתב השו"ע זה הסעיף לאשמועינן, דאם יוה"כ חל ביום ה', ויודע שלא ימצא לקנות על השבת ביום וי"ו, מצילין.

אבל לא משבת ליוה"כ - וכגון שחל יוה"כ באחד בשבת, דהא לא אכיל עד לאורתא במוצאי יוה"כ, ולאורתא ליטרח וליתי, **ויו"ט** - דהא יוכל להכין ביו"ט גופא, **ולא לשבת הבאה.**

אבל מיוה"כ למוצאי יוה"כ מצילין מזון סעודה אחת - מפני הסכנה, שיתענו עוד כשלא יזדמן להם מה לאכול, **ומ"מ** בשבת לא רצו להתיר מהאי טעמא למוצאי יוה"כ, דחמירא.

סעיף ה - מצילין לחולה לזקן ולרעבתן, כבינוני - דלא חלקו חכמים בשיעור ג' סעודות, בין להקל בין להחמיר.

סעיף ו - הא דאין מצילין אלא מזון ג' סעודות, היינו דוקא בשני כלים, אבל בכלי א' מצילין אפי' יש בו מאה סעודות; ואפי' פירש טליתו וקיפל והביא לתוכו, וחזר וקיפל והביא לתוכו, מותר, כיון שמוציא הכל בפעם אחת - ואפילו אם היה המזון בכמה כלים, ומערה אותן לתוך הטלית, שרי, **אבל** להניח הרבה כלים מלאים תוך הטלית ולהוציאם בבת אחת, אסור, כיון שהם כלים מחולקים.

סעיף ז - מותר להציל כלי תשמישו הצריכים לו לאותו היום, כגון כוסות וקיתוניות - וה"ה שאר כלים הצריכים לו לצורך סעודותיו, כגון כפות וסכינים וכדומה, (**וכלי** שתיה יכול להציל לצורך כל היום).

סעיף ח - ולובש כל מה שיכול ללבוש, ומוציא ופושט, וחוזר ולובש ומוציא ופושט - והא דלא שרינן באוכלין ומשקין לחזור ולהוציא, משום דהתם חיישינן שמא ישכח שבת ויכבה, **אבל** הכא כיון שלא התירו אלא דרך לבישה, רמי אנפשיה ומדכר, **ואה"נ** דלהוציא מלבושים בידו, אין מותר כי אם מה שצריך לו לאותו יום, כאוכלין ומשקין.

ויש מי שאומר שאינו לובש ומוציא אלא פעם אחת בלבד - והלכה כדעה קמייתא.

סעיף ט - ואומר לאחרים: בואו והצילו לכם כל אחד מזון שלש סעודות - אבל אין יכול לבקשם שיצילו בשבילו, דלא הותר לו כי אם ג' סעודותיו הצריכים לו לשבת, **וכתב** בח"א, דאפשר דמעצמם יכולים להציל בשבילו אפילו יותר מג' סעודות, **והא** דלא התיר בשו"ע להם כי אם ג' סעודות, היינו דוקא כשהם מצילין בשביל עצמם, [דבזה חשובין כבעה"ב גופא דבהול, וחיישינן שיבא לכבות, משא"כ בזה].

ויכולים ללבוש כל מה שיוכלו ללבוש - ובזה יכול לומר: בואו והצילו עמי, דהיינו בשבילי, דבמזונות משום דלא חזי ליה כי אם ג' סעודות, לכך הוכרח לומר: הצילו לכם, משא"כ בלבושין דקחזי ליה לכולי יומא, **ופשוט** דגם הם יכולים לפשוט ולחזור וללבוש ולהוציא כמותו.

ואם רוצים, זוכים בו מן ההפקר כיון שאמר: הצילו לכם - אמזון קאי, דבלבושין יכול לומר: בואו והצילו עמי.

אבל אי לא אמר: הצילו לכם, לא הוי הפקר, שהיה יכול לומר: אני הייתי ממציא לי אנשים ישראלים שהיו מצילים לעצמם ומחזירים לי, **גם** שהייתי יכול להציל ע"י

א"י, כמ"ש סכ"ו, (והנה זה פשוט, דאם לא אמר כלל "הצילו לכם" לא הוי הפקר ממילא, דמצוי להציל ע"י א"י, או ע"י ישראלים שמצילים ומחזירים לבעליהם, **אבל** אם אמר "בואו והצילו", ולא אמר "לכם", אמאי אינם יכולים לזכות בו, דבודאי לא היה דעתו שיצילו בשבילו והוא יתן להם שכר טרחא, דזה אסור הוא כיון שכבר הציל מזון ג' סעודות, אע"כ דיצילו בשביל עצמם קאמר, ואולי י"ל דכל זמן שאינו אומר "לכם", אף דאינם יכולים לזכות לעצמם, מ"מ אינם נעשים שלוחים עבורו).

ואם אינם רוצים לזכות - מפני שיודעים שלא מרצונו הפקירו, **אלא רוצים להחזירו לקבל שכר על הצלתם, הרשות בידם, ולא הוי שכר שבת** - דמעיקרא לאו אדעתא דשכר פעולה נחתי, ומהפקירא קזכו.

אם החזירו לו ואח"כ מבקשים שכר, בחול בודאי צריך לשלם לו, **אבל** בשבת יש סברא לומר דהוא שכר שבת, אחרי שכבר החזיר לו מעצמו, שוב לא יכול לומר: מהפקירא קזכינא לעצמי, וכשנוטל, שכר שבת הוא נוטל, עיין במ"א, **ועיין** בא"ר שמפקפק עליו.

והנה על מש"כ השו"ע דזוכה מן ההפקר, כתב המ"א: עיין בחו"מ סימן רנ"ט וסי' שס"ח, דדינא דמלכותא דלא מהני יאוש, **ואפשר** דהכא שאני כיון שאמר: הצילו לכם.

איתא בגמרא דחסיד לא יטול שכר, דיש לו לוותר משלו בכל דבר שיש בו נדנוד עבירה.

סעיף י - כל הצלה שאמרנו אינה אלא לחצר אחרת המעורבת, אבל לא לשאינה מעורבת - היינו בין הצלה דמזון ג' סעודות וכלי תשמישיו, ובין הצלה דמלבושים, **ואע"ג** דפסק לעיל סי' ש"א סל"ו, דמותר לצאת בשני מלבושים זה על גב זה, משום דדרך מלבוש הוא, **הכא** כיון דבהצלה קעסיק, חיישינן טפי דמינשי שהוא שבת, ויבוא לכבות.

הגה: ויש מקילין אף לשאינה מעורבת - אמלבושין קיימי, ולא ס"ל האי סברא דנחמיר במלבושים בזה טפי מבעלמא, ולהכי מקילין, **אבל** לענין מזון ג"ס או כלי תשמישין, גם הם ס"ל דדוקא למעורבת שרי, **והמלבושין** שמתירין, דוקא כשהוא לובש אותם דרך מלבוש, אבל כשהוא נושא אותם בידו, לא עדיפי משאר כלים.

וה"ה דאפילו לר"ה שרי, כיון שנושאם כדרך מלבוש, [**ובמ"א** משמע דלא פסיקא ליה לענין ר"ה, **ובר"ה** שלנו בודאי יש להקל].

והנה הב"ח פסק כדעה הראשונה, **אבל** כל האחרונים פסקו כדעה זו.

סעיף יא - י"א דכל הצלה שאמרנו היא לחצר ומבוי הסמוכים לרה"ר, וגם אינם מקורים, דדמי לרה"ר; ומשו"ה אין מתירין להציל אלא מזון שלש סעודות וכלים הצריכים; אבל לבית אחר שעירב עמו, יכול להוציא כל מה שירצה - ר"ל דכיון שהוא מקורה, (או אם אינו מציל אלא למקום שאינו סמוך לרה"ר - עולת שבת), **אינו** דומה כלל לר"ה, ולית בזה גזירה שמא יוציא לר"ה, **ואע"ג** דבגמרא נזכר הטעם, דשמא מתוך טרדת הצלה יבוא לכבות, ס"ל לדעה ראשונה, דמ"מ לא גזרינן בזה רק היכא דאיכא חשש הוצאה ג"כ.

ואף לחצר לא אמרו אלא לחצר חבירו, אבל לחצר שלו שאינה צריכה עירוב - ר"ל שאין בה דיורין, **יכול להוציא כל מה שירצה** - ודמי כבית אחד שנפל בה דליקה, שמותר להוציא מחדר לחדר לכו"ע ולא גזרו בזה.

ויש אומרים שאין חילוק - ס"ל כיון דהטעם שמא ישכח ויבוא לכבות, מה לי חצר ומה לי בית, ומה לי אם החצר הוא של רבים או חצר שלו.

ולמעשה כיון שהוא מלתא דרבנן, אפשר שיש לסמוך להקל.

סעיף יב - כל כתבי הקדש - היינו תנ"ך וגמרא וכל הספרים, **מצילין האידנא מפני הדליקה, וקורין בהם, אפי' כתובים בכל לשון** - והא דנקט בלשון "האידנא", משום דרצה לסיים: אפילו כתובים בכל לשון וכו', **וביאור** הדבר, דהנה מצד הדין, תורה שבכתב אין כותבין אלא כתב אשורית, הוא הכתב של ס"ת, ובלשה"ק; ותורה שבע"פ, היינו הש"ס וכל הספרים, אסור לכתוב, אלא קורין אותם בע"פ, **ואם** שינה, הן תורה שבכתב שכתבו שלא כדין בכתבו או בלשונו, או אם כתב שבע"פ, אין קורין בהם, וגם אין

מצילין אותם בשבת מפני הדליקה, דאסור לטלטלם כלל, (והם מתאבדים מאליהם עם האזכרות שבהם, שאינם כתובות בכתב אשורית ולשה"ק – הגר"ז), **אבל** האידנא דבציר ליבא כי נתמעט הדעת והזכרון, הותר לכתוב תורה שבע"פ כדי שלא ישתכחו, וגם בכל כתב ולשון, **וגם** תורה שבכתב בכל לשון ובכל כתב, כדי שיבינו כל העם את דברי התורה, כי אין הכל בקיאין בלשון הקודש, וסמכו כל זה על מה דכתיב: עת לעשות לה' הפרו תורתך, **ולכן** קורין בהן, ומצילין אותן מפני הדליקה בשבת.

וספרים שלנו שכתובים בלשונם של כותים ונמצא אצלם, יש להסתפק אם טעונים גניזה, דהא לא שרי לכתוב בלשון אחר ובכתב אחר אלא משום "עת לעשות לה'", ולהם מי התיר.

ואפי' כתובים בסם ובסיקרא (פי' מיני צבעונים) ובכל דבר - קאי אכתובים בכל לשון, אבל אם היו כתובים התנ"ך בלשה"ק, לא הותר לקרות בהן אם היו כתובים שלא בדיו, **דמדינא** צריך לכתוב תנ"ך בלשון הקודש ובדיו, ונהי דהותר שאר לשון משום "עת לעשות לה'" כנ"ל, אבל לשנות מדיו לא הותר, דקל להשיג דיו, (**ועיין** בא"ר מובא בשעה"צ סי"ג דפליג ע"ז), **וכ"ז** הוא רק לענין לקרות בהם, אבל לענין הצלה מפני הדליקה, וכן לענין גניזה, הוא אפי' אם כתובין בסם וסיקרא, (מפני האזכרות שבהם הכתובים בלשון הקודש – הגר"ז).

וכן מטבע ברכות שטבעו חכמים, מצילין אותם מן הדליקה ומכל מקום התורפה, (פירוש מקום מגולה והפקר) - שכ"ז הותר לכתוב בזמנינו, ולברך ולהתפלל בם, משום "עת לעשות לה'", וע"כ ממילא צריך להצילם מן הדליקה, וגם טעונים גניזה בחול, שלא יהיו מונחים במקום הפקר.

וכן תרגום שכתבו עברי, כגון "יגר שהדותא", ו"כדנא תימרון להון" - ור"ל שהשלים באלו התיבות החשבון של פ"ה אותיות וכדלקמיה, **דעל** אלו התיבות בלבד א"צ להצילם מן הדליקה, אפילו לא העתיקם לעברי.

ועברי שכתבו תרגום, או בלשון אחר – (מ"א מצדד דה"ה אם היה כתוב ג"כ בכתב אחר שרי), **שאותו העם בקיאים בו** - אבל אם העם אינם מבינים אותו הלשון, אסור לכתבו ולהצילו, דלא הותר רק משום "עת לעשות לה'".

ודעת הר"ן בשם הראב"ד, דלא הותר לכתוב שאר לשון ולקרות בו כתבי הקודש [דוקא בתנ"ך] כי אם כשאינו בקי בלשון הקודש.

(**ואפילו** מי שבקי בלשה"ק ג"כ צריך להצילו מפני הדליקה, דהא ניתן לקרות בו באותו מקום למי שאינו בקי בלשה"ק).

וכן ספר תורה שיש בו ללקט פ"ה אותיות מתוך תיבות שלמות - ר"ל שנמחק כל הספר, ונשאר רק תיבה אחת שלמה כאן ותיבה כאן, עד שבין כולם יש פ"ה אותיות, שעל ידי שיעור זה יש עדיין עליה קצת קדושת ס"ת, משום שכן נמצא בפרשת "ויהי בנסוע", **ולאפוקי** אם אינם נמצאים תיבות שלמות, רק אותיות מפוזרות, לא מהני אף שיש פ"ה אותיות, **וכ"ז** הוא רק לענין הצלה מדליקה, אבל לענין גניזה פשיטא דבעינן, [דלא גרע ממקק דטעון גניזה], **או שיש בו אזכרה, מצילין אותה.**

תורה שבכתב קודמת להציל לתורה שבע"פ, **ואפילו** תורה שבע"פ מושאלים או מושכרים לו, ואם לא יציל לתורה שבע"פ יצטרך לשלם לבעליהם, אפ"ה תורה שבכתב קודם, **והצלת** המת קודם לספרים.

סעיף יג - יש מי שאומר דמגלת אסתר, הואיל ואין בה אזכרות - מפני שניתנה לכתוב בדתי פרס ומדי, לפיכך לא כתבו בה אזכרות, **אם אינה כתובה כמשפטה אשורית על העור ובדיו, אין בה קדושה להצילה מפני הדליקה.**

ובמג"א מסיק דכל זה הוא רק בזמן התלמוד, דאז היה אסור להצילה אא"כ כתובה כהלכתה, כיון שלא ניתן לכתוב וללמוד בה, **אבל** האידנא כיון דמשום "עת לעשות לה'" ניתן ללמוד בה, אפי' כתובה בנייר ובכל לשון, ממילא מצילין אותה מפני הדליקה ג"כ, כמו כל כתבי הקודש, **ורק** לענין אם כתבה בלשון הקודש ושלא בדיו, כי אם בסם וסיקרא, יש נ"מ, דבכל כתבי הקודש אפי' אם היו כתובין בסם וסיקרא, דאין קורין בהן, משום דבקל יכול לקנות דיו כמו סם וסיקרא, ולא שייך בזה משום "עת לעשות", אפ"ה מצילין אותן מפני הדליקה מפני האזכרות

שבהן, **משא"כ** במגילה דלית בה אזכרות, אם כתבה בסם וסיקרא, אין קורין בה ואין מצילין אותה מפני הדליקה.

[**אבל** אם כתבה בשאר לשון, אז בין במגילה ובין שאר כתבי הקודש ניתן לקרות בה, ומצילין אותה מפני הדליקה ג"כ, דהואיל שכתובה בלשון אחר, אין קפידא לענין דיו - פמ"ג בביאור דברי מג"א, **ונ"ל** דהיכי דנכתבת או נדפסת על נייר, מסתברא דבזה גם המ"א מודה דקורין בה בכל גווני, הואיל דבלא"ה מקילינן משום "עת לעשות", והוא מיירי רק היכי דנכתבת על קלף].

[**ודע** דהא"ר פליג אעיקר דינא דהמג"א, וס"ל דהאידנא שהתירו משום "עת לעשות", אין נ"מ בין כתיבה בדיו או בסם וסיקרא, ואף לענין מגילה, ובכל גווני ניתן ללמוד בה, ומצילין אותה מן הדליקה].

וכ"ז בכ"ד ספרי קודש, אבל שאר ספרים פשיטא דנכתבים בסם ובסיקרא, בין היכא שכתובים בלשה"ק, ובין כשכתובים בכל לשון.

סעיף יד - הקמיעין שיש בהם פסוקים, אין מצילים אותם מפני הדליקה - טעם דעה הראשונה, דבקמיעין אין שייך בהם טעם ד"עת לעשות לה'" וכו', דאין בזה תורה ללמוד או להתפלל, ע"כ אסור לכתוב אותם.

מיירי בחולה שאין בו סכנה, ובחולה שיש בו סכנה, מציל הקמיע שלו ויוציאה עליו דרך מלבוש.

ויש אומרים שמצילים - ס"ל כיון דאיתיהיב רשות למכתב ברכות, יש נמי רשות למכתב קמיעין.

והלכה כדעה הראשונה, ומ"מ כשיש בהן אזכרות, יש לומר דמצילין.

[**ודע**, דבכל מקום ששנינו דאין מצילין, היינו אף לחצר מעורבת אין מצילין].

סעיף טו - מצילים תיק הספר עם הספר, ותיק התפילין עם התפילין, אע"פ שיש בתוכן מעות; והוא הדין לשאר כתבי הקודש - ולא הצריכוהו לנערם ממנה, דילמא אדהכי והכי נפלה הדליקה על הספר גופא, **ואפילו** לדעה ראשונה דבס"ב, דמתיר להציל מעות לחוד מפני הדליקה, ג"כ ניחא הכא, דקמ"ל דמותר להציל המעות אגב הספר ואפילו לחצר שאינה מעורבת.

סעיף טז - אם הניח תפילין בארנקי (פירוש כיס) מלא מעות, יכול להצילו מפני הדליקה או מפני הגנבים והגזלנים למקום שיכול להציל התפילין - היינו אפילו לחצר שאינה מעורבת.

ויש מי שאומר דהיינו דוקא כשהניחם שם מערב שבת - היינו לענין שיהיה יכול להציל לחצר שאינה מעורבת, **אבל** להציל לרה"י, מבואר לקמיה בסי"ז, דיש מתירין אפי' ע"י ככר ותינוק, כשמניח עליו בשעת הדליקה.

הנה בט"ז ומ"א כתבו דליכא בזה פלוגתא, דלכו"ע אסור לכתחלה להניח תפלין אצל מעות בשעת הדליקה כדי להציל המעות, ‹ואינו מועיל›, **אבל** אם הניח בשבת תפלין אצל מעות, ‹שלא לשם הצלה›, ואח"כ נפלה דליקה, פשיטא דשרי להצילו לכו"ע, וא"צ לנער המעות, ‹ובע"ש מותר אפי' להניח לכתחילה לשם הצלה, עיין בערוה"ש›, **ובביאור** הגר"א הכריע, דהעיקר כהמחבר, דלדעה ראשונה גם לכתחלה מותר להניח תפלין אצל מעות בשעת הדליקה, [**ומשמע** שם דמצדד כן להלכה].

סעיף יז - יש מתירים להציל דסקיא מלאה מעות, על ידי ככר או תינוק, מן הדליקה או מן הגנבים והגזלנים - והיינו שיכול ליתן אפילו לכתחלה בשבת להציל על ידם, אפילו המעות חשוב מהחפץ שמניח אצלו, ולא אמרינן בזה דיהיה בטל לגבי המעות, **ואע"ג** דבעלמא אסור לטלטל דבר המוקצה ע"י דבר היתר המונח עליו, דלא אמרו ככר או תינוק אלא לענין טלטול המת בלבד, הכא משום פסידת הדליקה הקילו בכל זה, **ועיין** ס"ב, דיש מתירין אפילו בלא ככר כלל.

ודוקא לרה"י, אבל לא לחצר שאינה מעורבת.

(מצילין הספרים אפי' לחצר שאינה מעורבת), ולמבוי (פי' מקום שנכנסים ממנו לחצרות) שלא נשתתפו בו, ובלבד שיהיו בו שלשה מחיצות ולחי - אבל בלא לחי הו"ל ככרמלית, ולא הותר אפילו בשביל ספרים.

(ביאור הלכה) [שער הציון] ‹הוספה›

[ועיין בתו"ש שכתב, דלהפוסקים דס"ל דבזה"ז ליכא רה"ר, מותר להי"א הנ"ל בש"ג סי"ח, **אך** במבוי מפולש, נראה שאין להקל בענייננו, שהוא דרך הוצאה גמורה, אפי' בשביל ספרים].

סעיף יח - כתבו משם גאון, שמותר לומר לאינו יהודי להציל ספרים מן הדליקה אפי' דרך רשות הרבים - דשבות דאמירה לא"י שרי מפני בזיון כתבי הקודש, ואף גמרות ושארי ספרים הוי בכלל זה.

סעיף יט - כל מה שמותר להציל מפני הדליקה, מותר להציל ממים ומשאר דברים המאבדים.

סעיף כ - הגליונים שלמעלה ושלמטה, ושבין פרשה לפרשה, ושבין דף לדף, ושבתחלת הספר ושבסוף הספר - שנחתכו מן הספר, (בזה מסתפקו להש"ס אי נחתכו אם ניצולים או לא, ולא אפשטא, ולכן מספיקא אין מצילים – מחה"ש), **או** שנמחק הספר ולא נשתייר בו פ"ה אותיות, דשוב אזל ליה קדושתיה של הקלף שתחתיו, וגם של הגליונים שסביביו, **אין מצילין אותם** - [דאילו מהקלף שתחת הכתב פשיטא ליה להגמ', דכיון שמתחילה לא נתקדש אלא ע"י הכתב, בטל ליה הכתב אזל ליה קדושתיה, אלא דאפי' מהגליון בטלה הקדושה].

וכתב מהר"ם, שהיה תקנה בחרם שלא לקצץ גליון ספר, אפילו כדי לכתוב עליו.

ובמשאת בנימין האריך על הגליונים של הספרים, שהקושרין הספרים חותכין אותן ומשליכין, והטעם, כיון דנהגו כך הו"ל כאלו התנו עליהם מתחלה, וא"כ אין מצילין אותן, (ר"ל דבהו אין ספק, אלא ודאי אין מצילים, דודאי לא קדשו – מחה"ש), **ובאגודה:** המחתך בספרים, בחדשים מותר בישנים אסור, והטעם, דבחדשים כהתנו מתחלה דמי, והזמנה ג"כ לאו מלתא היא, **אבל** בשכבר למדו מהם, אף הגליונים נתקדשו בקדושת הספרים.

סעיף כא - האפיקורסים, דהיינו האדוקים בעבודת כוכבים, וכן מומרים לעבודת כוכבים, שכתבו להם כתבי הקודש, אין מצילים אותם; ואף בחול שורפן עם האזכרות שבהן - אפילו כתב אשורית על הקלף ובדיו, שכיון שהם אדוקים, בודאי כתבו אותן לשם ע"ג.

ומכאן יש להזהיר על אותן מטבעות של זהב וכסף, שטבעו אותן האדוקין לשם ע"ג, שאסורים לתלותם על הס"ת, וגם אין להחזיק אותם ברשותו, אלא יתיכם מיד, כדי שלא יהיה שום זכרון למעשיהם, **והרב** מו"ה יהודא מילר נסתפק אי מותר להתיכן, שמא אינם מינים לע"ג, **ובתשובת** חות יאיר מתיר להתיך המטבעות של שם בן ד' שנעשים במדינות שווידן, מטעם כי נטבעו להוציאם, והו"ל כאלו נכתבו בפירוש לשם חול.

מה שנוהגין באיזה קהלות, כשמברכין חולה וגובין מעות מכל אחד, ומניחין הכלי עם המעות לתוך ארון הקודש, לא יפה עושין, **ובלא"ה** אסור להשים לתוך ארון הקודש דבר של חול, ע"כ יש למנוע המנהג.

סעיף כב - תיבה שאחז בה האור, יכול לפרוס עור של גדי - לח, **מצדה האחר שלא תשרף** - ועיין בסימן ש"ח סכ"ה לענין מוקצה, **אך** לפי המבואר לעיל בס"ב בדעה ראשונה, דטלטול מוקצה מותר במקום פסידא, אתי שפיר בפשיטות.

ועושים מחיצה בכל הכלים להפסיק בין הדליקה, אפי' כלי חרס חדשים מלאים מים, שודאי יתבקעו כשתגיע להם הדליקה – (שאין להם כח לקבל האור מפני שחדשים הם, ומשמע בגמרא, דאפילו אם מכוין לזה ג"כ שרי, כיון דהוא אינו אלא גרמא).

דגרם כיבוי מותר, הגה: במקום פסידא – (לאו דוקא כיבוי דהוא מלאכה שאינה צריכה לגופה, דאפילו בכל מלאכות הדין כן).

סעיף כג - טלית שאחז בה האור, פושטה - שלא תהיה מקופלת, שלא יאחוז ע"ז האור בכולה, **ומתכסה בה, ואינו חושש אם תכבה.**

ויש מי שאומר שצריך שלא יתכוין לכך - הוא מדברי הטור, ועיין בט"ז שביאר, דר"ל שלא יתכוין

בפעולתו לכבות מה שהודלק כבר, אלא שלא תדלק יותר, **ואם** אירע שעי"ז נכבה האור לגמרי, אינו חושש, כיון שהוא לא נתכוין לזה, **ולדינא** משמע מדברי האחרונים דתפסינן, דגם בנתכוין לזה מותר, [**ולהב"ח** והמ"א משמע, דגם להטור שרי באופן זה], **אלא** שיזהר שלא ירוץ ויקפוץ וינענע עצמו אנה ואנה כדי שיכבה, או שינענע את הטלית כדי שיכבה, דכל זה הלא עושה מעשה כיבוי ממש, ולאו גרם כיבוי הוא, ולא יעשה כן בישראל, אלא מתכסה בהטלית כדרכה.

וכן ס"ת שאחז בה האור, פושטה וקורא בה, ואם כבתה כבתה, **ומותר** לקרוא לא"י ויכבה אותה, כדלעיל בסי"ח ולקמן בסכ"ו.

הגה: מותר לכפות קערה על הנר שלא תאחוז בקורה (וע"ל סי' רע"ז ס"ה) - בסימן רע"ז ביארנו דין זה היטב במ"ב.

סעיף כד - יש אומרים שאין יכול ליתן עליו משקין כדי שיכבה כשיגיע להם - דדוקא להפסיק בכלים מלאים מים שרי בסכ"ב, שאין המים בעין, **אבל** הכא שהמים בעין, הוא מקרב להכיבוי עי"ז, ואסור [מדרבנן].

ויש אומרים שמותר לעשות כן בשאר משקים - סבירא להו דזה לא חמיר מגרם כיבוי בעלמא דשרי, **חוץ מן המים, משום כיבוס** - דקיי"ל שריית הבגד זהו כיבוסו.

ויש מתירים אפילו במים - ס"ל דלא שייך זה אלא במקום שיש טינוף או דם, אבל לא בטלית נקי. **ודברי סברא שנית נראים** - ‹שמותר חוץ מן המים›.

סעיף כה - א"י שבא לכבות, אין צריך למחות בידו - דא"י אדעתא דנפשיה קעביד, ואפילו יודע שנוח לו לישראל, הוא להנאת עצמו מתכוין, שיודע שלא יפסיד, **אבל** כשהדליק בשביל ישראל, שגוף הישראל נהנה ממנו, לא אמרינן אדעתיה דנפשיה קעביד, ואסור להשתמש לאורה.

ואפילו הוא עבדו המושכר לו לזמן, ג"כ אמרינן אדעתיה דנפשיה קעביד.

אבל אסור לרזוז שיכבה, אף דבא מתחלה מעצמו לזה.

אבל קטן שבא לכבות, צריך למחות בידו - אפי' קטן שלא הגיע לחינוך, דקטן אין לו שקול הדעת לעשות אדעתיה דנפשיה, ועושה לדעת אביו, שיודע שכיבוי זה נוח לאביו, ועושה בשבילו, ואסור, דמצווה על שביתתו. ‹**וחייב** להפרישו בזה שהוא כשלוחו, אע"ג דקטן אוכל נבילות אין מצוין להפרישו, {וה"ה בחילול שבת כשעושה לדעת עצמו, עיין בסי' שמ"ג} – לבוש›.

ועיין במ"א שכתב, דאפילו למ"ד מלאכה שאינה צריכה לגופה דרבנן, ג"כ צריך למחות בידו.

ואפי' אם בא לכבות דליקה שבבית אחרים, ג"כ צריך למחות בידו, כיון שעושה בשביל גדול, [**בדליקת** אביו, מחויב אביו מן התורה למחות בידו כיון שהוא עושה לדעתו, כדי שלא יעבר אמה דכתיב: לא תעשה וגו' ובנך ובתך, **ובדליקת** אחרים, מחוייב האחר עכ"פ מדרבנן למחות בידו].

סעיף כו - יכול לומר בפני א"י - ואפי' הוא שכירו המושכר לו לזמן, **כל המכבה אינו מפסיד; או אם אינו מזומן כאן, יכול לקרותו שיבא, אע"פ שודאי יכבה כשיבא** - כיון שאינו אומר לו: כבה, **ועיין** ביו"ד דמשמע, דלומר בלשון נוכח: אם תכבה לא תפסיד, ג"כ אינו רשאי, דזהו ג"כ כאומר לו: כבה, אלא בלשון "כל המכבה", דלעלמא קאמר, **והש"ג** מצדד להקל בזה לענין דליקה, ועיין מש"כ בסי' ש"ז סי"ט.

והתירו לומר זה, משום דמתוך שאדם בהול על ממונו, אי לא שרית ליה אפילו בלשון זה, אתי לכבויי בעצמו, וכן לענין שאר היזק אתי לתקן בעצמו, **אבל** לענין שאר כל מלאכות של שבת, אסור לומר: כל העושה מלאכה זו אינו מפסיד, כדי שישמעו א"י ויבואו.

אבל אסור לומר לא"י לכבות לכו"ע, [**היינו** אפי' למ"ד משאצ"ל דרבנן, וקימ"ל בסי' ש"ז, דשבות דרבנן מותר ע"י א"י במקום הפסד גדול], דכיון שאדם בהול על ממונו, חיישינן דאי שרית ליה אתי לכבויי הוא בעצמו, **זולת** בכתבי הקודש, מותר לומר לא"י לכבות, מפני בזיון כתבי הקדש.

מת וספרים, ויש סיפוק ‹נ"א: ואין סיפוק› להציל שניהם, מת קודם. **בריא** ומסוכן, בריא קודם.

וכן כל כיוצא בזה בהיזק הבא פתאום, כגון אם נתרועעה חבית של יין, יכול לקרוא אינו יהודי אע"פ שודאי יתקננה כשיבא.

(ביאור הלכה) [שער הציון] ‹הוספה›

וה"ה דמותר לומר לו כשיבוא: כל המתקן אינו מפסיד.

בב"י כתב דמש"כ "הבא פתאום" אורחא דמלתא נקט, דאי היה נודע לו מבע"י היה מתקנו קודם, **אבל** ה"ה אם נודע לו ונשתהא עד שבת, ג"כ מותר לומר בלשון זה, **אך** האחרונים לא העתיקו את דבריו, ומשמע דלא פשיטא להו דבר זה.

הגה: וכל הדינים הנזכרים בדיני הדליקה הני מילי בימיהם, אבל בזמן שאנו שרויין בין עובדי כוכבים, והיה חשש סכנת נפשות - שכשהדליקה מתגברת אז הם חוטפים ושוללים, וכשאדם מעמיד עצמו על ממונו יבואו להרוג אותו, **כתבו הראשונים והאחרונים ז"ל, שמותר לכבות דליקה בשבת משום דיש בה סכנת נפשות, והזריז הרי זה משובח** - ומצוה להודיע זאת ברבים דמותר לכבות.

ומ"מ הכל לפי הענין, דאם היו בטוחים ודאי שלא יהיה להם סכנה בדבר, אסור לכבות; אבל בחשש סכנת ספק, מותר לכבות אפילו הדליקה בביתו של א"י, וכן נוהגין - ומזה יצא ההיתר לכבות הדליקה בכל מקום, כיון דאפשר אם לא יכבנה אל יחסר מהיות שם בעיר זקן או חולה שאין יכול לברוח, ותבוא הדליקה עליו.

ודוקא לכבות הדליקה דהוי מלאכה שאינה צריכה לגופה - פי' ואיכא למ"ד אינו חייב עליה, **ויש סכנה אם לא יכבה; אבל אסור לחלל שבת כדי להציל [ממון]** - ובאמת לענין כיבוי, בכְּדי נקט מלאכה שאצ"ל, דאפילו אי הוי כיבוי מלאכה הצריכה לגופה ג"כ מותר, כיון דכתב שיש סכנה אם לא יכבה, **אלא** נקטיה משום סיפא, לאשמועינן דלענין הצלת ממון, אסור לחלל שבת אפי' במלאכה שאצ"ל, דאפי' באיסור דרבנן אסור לחלל שבת בשביל הצלת ממון, **אך** אם הוא בעל חוב, וספק שיתפסוהו א"י, יש לצדד בזה.

ואם עבר וחילל, צריך להתענות ארבעים יום שני וחמישי - ויכול לדחותם לימי החורף, **ולא ישתה יין ולא יאכל בשר** - היינו בלילה שאחר התענית.

והיינו אם עבר וחילל בדברים אחרים, אבל בכיבוי, [אם היה איזה חשש סכנה], א"צ תשובה, שלא ימנעו מלכבות.

וכ"ז הוא בין שעבר על איסור דאורייתא או על איסור דרבנן, ואפילו בתחומין דרבנן, **וכן** על טלטול נר דלוק כדי להציל ממון, מצדד ג"כ בספר דגול מרבבה שצריך להתענות, **אך** שנראה להקל בזה בתענית ג' ימים בה"ב, **ואולי** גם בתחומין שהחמיר להתענות ארבעים יום, מיירי שלא היה כ"כ מורא והפסד רב.

ומיירי כשעבר בשוגג, ואפילו כשעבר במזיד, היה מחמת שחפר גומא להטמין מעות מפני האנסים וכיו"ב, **אבל** העובר בשאט נפש למלאות תאותו, צריך כפרה יותר ויותר, כי הוא חייב סקילה או עכ"פ כרת, ולכן צריך תשובה שלמה.

ויתן במקום חטאת י"ח פשיטים לצדקה - הוא כחשבון כ"ז מעות (והוא לערך חמשה זהובים), כי כל פשיט הוא גדול וחצי פולניש, וכל גדול הוא מעה, **וטעם** לשיעור זה שכתבו הפוסקים, הוא מפני שזה היה פחות שבכבשים או שבעזים באותו העת, ולכך צריך ליתן שיעור זה לצדקה, שהרי כשהיה בהמ"ק קיים היה חייב להביא חטאת מאלו המינים אם עשה מלאכה דאורייתא, ולא יהא חוטא נשכר.

ויזהר שלא יאמר שנותן זה עבור חטאת, רק שיאמר שבמקום חטאת נותן זה לצדקה.

וכתבו הספרים, שמהנכון שיאמר פרשת חטאת, ויבין אופן הקרבתה, וכבר אחז"ל: כל העוסק בתורת חטאת כאלו הקריב חטאת.

ואם ירצה לפדות התענית, יתן בעד כל יום שנים עשר פשיטים לצדקה - שהוא ח"י מעות, וזהו שיעור הפחות אם אפשר לו, והעשיר יתן יותר, הכל לפי עשרו, שהרי טעם הפדיון, ששקול צער הממון כנגד צער התענית, **ועיין בטור יו"ד מהלכות נדה סי' קפ"ה.**

מי שחילל שבת משום פקוח נפש, א"צ לכפרה כלל, **ומה** שנהגו נשים המדליקות הנר בשביל יולדת בשבת להתענות אח"כ, הוא הוללות וסכלות.

סעיף כז - גחלת המונחת במקום שרבים ניזוקים בה, יכול לכבותה, בין אם היא של מתכת, בין אם היא של עץ - דכיבוי שחייב מן התורה הוא דוקא כשמכבה לעשות פחמין, **אבל** סתם כיבוי הוי מלאכה שאינה צריכה לגופה, והוא רק איסור דרבנן, ובמקום הזיקא דרבים שיוכלו להנזק בגופן לא גזרו, **אבל** במקום הזיקא דממונא אסור, כמ"ש סעיף כ"ו. **ומיירי** שאין לו עצה איך לטלטלה ממקום זה לפנותה למקום אחר שאין רבים מצויים בה, דאל"ה בודאי יותר טוב שיפנה אותה ולא יכבנה.

והרמב"ם אוסר בשל עץ - ס"ל דחייב במלאכה שאצ"ל, ולכך אסור בשל עץ, **אבל** בשל מתכת ליכא איסור כיבוי מן התורה לכו"ע, דאינו שורף, **ואין** בזה משום מצרף, היינו שמחזק את הכלי ע"י המים צוננים ששופך עליה, כיון שאין מכוין לזה.

והלכה כדעה ראשונה.

§ סימן שלה – דין חבית שנשברה §

סעיף א - חבית שנשברה, מצילין ממנה מזון שלש סעודות - והיינו קודם אכילת ערבית, **והיכי** דהיין מצוי ודרך לשתותו בכל היום, ומכש"כ שאר משקין שאינו ביוקר כ"כ ושותין כל היום, יכול להציל טפי, שאין קבע לשתיה.

ואין חילוק בין שנשברה ולא נשפך עדיין לגמרי על הארץ, ובין שנשפך כבר על הארץ - ב"י, **שבכל** זה חששו חכמים שאם נבוא להתיר להציל בכלים הרבה יותר מג' סעודות, מתוך שהוא בהול לחזר אחר כלים הרבה, יביאם ג"כ דרך ר"ה, או שיבוא לתקן החבית שנשברה.

ויש שסוברין דכשנשפך מהחבית לגמרי על הארץ, אז לא שייך שהוא בהול להציל, כיון שכבר נעשה - תרומת הדשן, **ואפשר** שיש להקל כן בזמנינו שאין מצוי אצלנו ר"ה. **וע"ש** בתרומת הדשן שאינו מתיר כי אם לשאוב ולשפוך כל מה דבעי כל אחד לתוך כוסות קטנות, דכה"ג לאו עובדא דחול, שאין דרך כן בחול, וכשמשנה מעובדא דחול לא חיישינן שיבוא לידי מלאכה דאורייתא.

אפי' בכלים הרבה, דאלו בכלי אחד אפי' מחזיק מאה סעודות מציל.

ואומר לאחרים: בואו והצילו לכם - היינו ג"כ מזון ג' סעודות.

ובלבד שלא יספוג, דהיינו שלא ישים הספוג במקום היין לחזור ולהטיפו, גזירה שמא יסחוט; ואפילו אם יש לו בית אחיזה, דליכא חשש סחיטה, אסור, שלא יעשה כדרך שהוא עושה בחול; ולא יטפח בשמן להכניס ידו ולקנחה בשפת הכלי - היינו ג"כ מטעם זה.

הגה: וי"א דוקא חבית שנשברה שבהול, ואם יציל חיישינן שיתקננו; אבל אם נסדק ועביד טיף טיף, שאינו בהול כל כך, מותר להציל בכלים לקלוט ולצרף - דין זה ‹לקלוט ולצרף› שייך לקמן אסעיף ב', כשנשברה בראש הגג, ונקטיה הכא, דבא לאשמועינן דיכול להציל בכלים, והיינו אפי' בכלים הרבה.

וי"א דכל זה לא מיירי אלא להציל מחצר לחצר - היינו אפי' לחצר אחר שעירב עמו, ומשום דכיון שאינו מקורה, דמיא קצת לר"ה, וגזרו שאם נתיר בכלים הרבה, מתוך שהוא בהול ישכח שהוא שבת ויביאם דרך רשות הרבים, **אבל לבית אחר שעירב עמו, מצילין בכל ענין, כמו שנתבאר לעיל גבי דליקה.**

הט"ז מפקפק בזה, דגם גבי דליקה אין דין זה מוסכם, והא"ר מיישבו, **אך** לענין להוציא לחצר שלו שאינה צריכה לעירוב כלל, גם הט"ז מצדד דיש להקל להציל בכל ענין.

סעיף ב - אם נשברה חבית בראש גגו, מביא כלי ומניח תחתיה - וכיון שהוא כלי אחד, אפי' מחזיק מאה סעודות מציל.

ובלבד שלא יביא כלי אחר ויקלוט, לקבל מן הקילוח באויר לאחר שירד מן הגג, ולא יביא כלי אחר ויצרף אותו לראש הגג - דמתוך

שהוא מחזר אחר עוד כלים, חיישינן שישכח שהוא שבת ויביאם ג"כ דרך ר"ה.

וכ"ז מיירי ביותר מג"ס, אבל בג"ס יכול להציל אפי' בכלים הרבה, ואפי' לקלוט ולצרף, **ובאמת** ביותר מג"ס אסור להציל בכלי אחר אף בלי קליטה וצירוף, וכנ"ל בס"א, אלא דאורחא דמלתא נקט, דכן דרך להציל בקילוט וצירוף, כ"כ בספר תו"ש, **ובספר** פמ"ג מצדד להחמיר בקליטה וצירוף אפי' עד ג' סעודות, **דאף** דקי"ל לעיל בס"א דעד ג' סעודות יכול להציל אפי' בכלים הרבה, היינו כשהם מונחים על הארץ, **אבל** ע"י קליטה וצירוף אסור בכל גווני כל שהוא יותר מכלי אחד.

ואם מציל בכלי אחד, מציל אפי' קולט או מצרף - ומותר אפי' ביותר מג"ס, דכיון דלא התירו כי אם בחד כלי, זכור הוא שהוא שבת, פמ"ג.

סעיף ג - נזדמנו לו אורחים, מביא כלי אחר וקולט כלי אחר ויצרף; ולא יקלוט ויצרף ואח"כ יזמין האורחים, ולא יערים לזמן אורחים שאין צריכים לאכול - עיין במ"א שכתב, דלדעת הרמב"ם מותר להערים בזה לכתחלה.

הגה: ומיהו אם עבר ועשה, שקלט ואח"כ זימן אורחים, מותר - משמע דאם לא זימן אף דיעבד אסור, והיינו רק עד מו"ש מיד, **ואם** היה בשוגג, ששגג בדין או ששכח שהוא שבת, מותר ליהנות מזה אף בשבת אפי' לו, וכ"ש לאחרים.

סעיף ד - אם יזוב תירוש מגיגית של ענבים שעדיין לא נדרכו - דאי נדרכו, לא היה המשקה שדולף בכלל משקין שזבו, **שנמצא אותו הדלף אינו ראוי, שהרי המשקין שזבו אסורים, ואינו רשאי לשום כלי תחתיו מפני שמבטלו מהיכנו** - ומיירי שהגיגית לא נסדק לגמרי, אלא עביד טיף טיף, שעדיין אינו בהול, וכדלעיל בהג"ה, ולכך אי לא משום בטול כלי מהיכנו היה מותר להשים כלי תחתיו להציל, **דאי** נשברה לגמרי, אפי' אם היה מותר לבטל כלי מהיכנו, ג"כ היה אסור להשים כלי תחתיו, דבהול, [**ואפי'** כדי שיעור ג' סעודות (ואפי' בכלי אחד - מחה"ש), ג"כ היה אסור להציל, דהלא אינו ראוי ליהנות מהם בשבת].

כיצד יעשה, יניח שם מטתו או שלחנו, ואז יהיה אותו הדלף לפניו גרף של רעי, ויכול להניח שם כלי לקבל הדלף כדי שלא יעשה שם טיט - ואע"ג דבסוף סי' של"ח כתב, דאסור לכתחלה ליתן כלי תחת דלף, דאין עושין גרף של רעי לכתחלה, הכא שרי משום פסידא, כמ"ש סי' ש"ח סל"ז.

עיין בד"מ שהסכים לעשות עוד עצה אחרת, דהיינו שיתן הכלי עם מים תחת הדלף, כדי שיתבטל היין במים ראשון ראשון, **וכתב** המ"א, שאפי' נתרבה האיסור לבסוף, שהן יותר מהמים, לית לן בה, דיש לסמוך על המקילין ביו"ד סימן קל"ד.

וכשיתמלא הכלי לא יזרקנו בכלי אחר, שלא יבטלנו מהיכנו, אלא מריקו בתוך הגיגית שזבו המשקין ממנה, שהיא מבוטלת מהיכנה ע"י משקין שבה משום משקין שזבו.

(עיין במ"א שסובר, דאם יש לו כלי אחר, יותר טוב שיביאנו ויניחנו ע"ג הכלי שעמד כבר ונתמלא, ולקבל בו את הדלף שדולף, משיטלטל המוקצה בידים להוריקו, דאיסור טלטול מוקצה בידים חמיר מבטול כלי מהיכנו, **ועיין** בא"ר ובפמ"ג שמפקפקין בזה, **ובחידושי** רע"א מצדד כהמ"א).

סעיף ה - נתפזרו לו פירות בחצר, אחד הנה ואחד הנה, מלקט מעט מעט ואוכל, ולא יתן לתוך הסל ולא לתוך הקופה -דזה הוי כעובדא דחול, כשמקבצן ונותנן לתוך הסל.

(**לפי** מה שהביא בב"י בשם התוספות והרא"ש, האי "ואוכל" לאו דוקא הוא, דה"ה דמותר ליתנם לתוך חיקו וכסותו, ולא אסור אלא לתוך סל וקופה, דזה מחזי כעובדא דחול), **ועיין** בבאור הגר"א, דהאי "ואוכל" בדוקא הוא, וע"כ אפי' לתוך חיקו וכסותו ג"כ אסור ליתנם, והאי דמסיים "לתוך סל וקופה", אורחא דמילתא נקט, (**ואפשר** שהב"י ג"כ חזר מדבריו, מדהעתיק בשו"ע תיבת "ואוכל").

ואם נפלו במקום אחד, נותן אפילו לתוך הסל - דכשנפלו במקום אחד לא הוי כעובדא דחול.

אלא אם כן נפלו לתוך צרורות ועפרורית שבחצר, שאז מלקט אחד אחד ואוכל, ולא יתן לתוך הסל ולא לתוך הקופה - דכשמלקטן מתוך צרורות ועפרוריות, מחזי תמיד כעובדא דחול כשנותנן בסל, ואסור, **והיינו** אפי' אם בדעתו לאכול לאלתר, דאל"ה אסור משום בורר, וכדלעיל בסימן שי"ט, (ולתוך חיקו וכסותו, אם ירצה ללקטם כדי לאכול לאלתר, מסתברא שיהא מותר לפי דברי ב"י, **אבל** לפי דברי הגר"א אין להקל בכל גווני).

(ועיין לעיל סימן שי"ט).

§ סימן שלו – אם מותר לילך ע"ג העשבים וכן באילן §

סעיף א - אין עולים באילן, בין לח בין יבש - ואפילו אם כבר נתייבש לגמרי, שאין בו שום לחלוחית כלל, וגם נשרו עליו וענפיו ופירותיו, דלא שייך בו אח"כ שום חשש תלישה, אפ"ה אסור בכל גווני, משום סייג וגדר, **ויש** מקילין בזה בימות החמה, שמנכר לכל שהוא יבש.

ואין נתלים בו - וה"ה דאין נשענין ונסמכין בו, **ואין משתמשין במחובר לקרקע כלל** - כגון להניח חפץ על אילן, או להוריד איזה דבר מאילן, או לקשור בו בהמה וכיוצא בזה, **גזרה שמא יעלה ויתלוש** - עלים או ענפים או פירות, ויתכוין לתלשם, ואתי לידי חיוב חטאת.

ודוקא בגבוה מן הארץ ג"ט וכדלקמן.

עלה באילן בשבת בשוגג, מותר לירד - אע"ג דבירידה זו משתמש באילן, אעפ"כ אין לאסור עליו, דגם בישיבתו משתמש הוא.

במזיד, אסור לירד - עד מו"ש, דקנסינן ליה.

ואם עלה מבעוד יום, בכל גווני מותר לירד משחשכה - פי' בין עלה על דעת לירד קודם חשכה, וחשכה לו קודם שהספיק לירד, בין עלה על דעת לישב שם בשבת, **ואע"ג** דאסור לעלות אפילו מע"ש אדעתא דליתב שם, דהא עכ"פ משתמש באילן בישיבתו, **אפ"ה** לא קנסוהו, דבשעת עליתו עלה בהיתר.

וי"א דהני מילי כשהיה דעתו לירד מבעוד יום, אבל אם לא היה דעתו לירד מבעוד יום, לא ירד משחשכה, כיון שהיה דעתו לישב שם באיסור - ולענין הלכה קי"ל כסברא הראשונה.

הגה: ודוקא אדם שעלה שם - דגם בישיבתו על האילן עושה איסור, **אבל אם הניח שם חפץ מבעוד יום, אסור ליטלו משם בשבת** - שאין איסור בהיות כלים מונחים מעצמם על דבר המחובר בשבת, ובנטילתו משתמש הוא בהאילן.

והטעם דאסרו ליטול בשבת מהאילן, (דנטילה לא מקרי משתמש במחובר – מ"א), משום דבקל יבוא עי"ז להשען עליו או על אחד מענפיו, [**ומעל** גב בהמה אין איסור ליטול].

ואסור להניח בע"ש על האילן כלים המותרים לו להשתמש בשבת, דמתוך שהוא משתמש בהם, אתי להורידם מן האילן בשבת.

וכל זה באילן וכיוצא בו - פי' קנים או קונדסים שהם קשים, **אבל קנים הרכים כירק, מותר להשתמש בהם אעפ"י שמחוברים בקרקע, דאין איסור להשתמש בירק** - דבכלל עשבים הם, ובעשבים לא גזרו כמבואר בס"ג, **וכתבו** הפוסקים, דאעפ"כ אסור להשתמש בקלחי כרוב ודלעת, ואע"ג דגבי ירק לא גזרו חכמים, שאני הכא שהם קשים, **ועוד** דלבסוף מתקשים ונעשים כעץ.

והרבה פוסקים סוברים, שהקנים העשויין להתקשות, אפילו בְּרַכּוּתָן הרי הם כאילן ואסור, **ולא** הותר אלא הקנים הגדלים באגם, שאינן מתקשין לעולם, **ואפילו** הם גדולים יותר מג' טפחים.

ודע, דהט"ז חולק על הרמ"א והעלה לאיסור בקנים ובירק, וכן הב"ח מחמיר בזה, **אבל** בספר א"ר השיג ע"ז, והביא מכמה ראשונים דפסקו כהרמ"א, **אלא** דכתב דוקא אם הקנה הוא רך כירק, אבל אם הוא קשה, אע"פ שאינו קשה כאילן, אסור להשתמש עליו וליטול ממנו שום דבר, משום דנוח לשברו בעת שמשתמש עליו, (כמש"כ השו"ע

בסי' תט ס"ג, [**אבל** בירק מתוך שהוא רך, נכפף ונכפל בעת השימוש ואין נוח להשבר].

סעיף ב - שרשי אילן - שיוצאים מן הקרקע ונראים, כמו באילנות הזקנים, **הגבוהים מן הארץ ג' טפחים, אסור להשתמש בהם** - ואע"ג דהכא לא שייך כולי האי שמא יתלוש, אפ"ה גזרו בו חכמים.

פחות מכאן, מותר להשתמש בהם, דכקרקע חשיבי - ושרי לישב עליהן, וה"ה ענף של אילן, אם הוא סמוך לקרקע פחות מג' טפחים, וכ"ש בירק שאין גבוה ג"ט בודאי מותר, **וכן** אילן קטן ובו פירות יאגדע"ס וכדומה, אפשר דמותר כל שהוא פחות מג"ט, **וי"ל** להיפך, דכל שיש פירות בכל גווני יש לגזור שלא להשתמש עליו, שמא יתלוש, **והיינו** דקאמר "שרשי אילן", שאין בו פירות, דהאיסור הוא רק משום לא פלוג, בזה מותר פחות מג"ט, **וכן** בירק הראוי לאכילה, אפשר ג"כ דאסור ואפי' בפחות מג"ט, מטעם זה - פמ"ג, [**ומסתפק** שם עוד, דמטעם זה יש לאסור בקנה רך, דהחשש הוא שמא יקטום וישבר, <כהשו"ע בסי' תט ס"ג, וכנ"ל בס"א – פמ"ג>, אפי' בפחות מג"ט], <והיינו כשאינו רך לגמרי כירק ע"ש>.

ואם באים מלמעלה ויורדים למטה, במקום שגבוהים שלשה אסורים; ובמקום שאין גבוהים שלשה מותרים - אע"ג שראש זה הנכפף הוא גדל ובא ממקום האסור, דהיינו מגבוה ג"ט, דלאחר שהוגבהו שלשה חזרו ונכפפו, וכשהיה שם מתחלה היה אסור להשתמש בו, אעפ"כ כשגדל יותר ונכפף למטה הותר במקום הנמוך, דכקרקע חשיבי, **ולפי"ז** כ"ש שמותר להשתמש בעיקרו של אילן בפחות מג"ט לארץ, אע"פ שהאילן גבוה מאד, שהרי מקום זה לא נאסר מעולם.

היו גבוהים שלשה וחלל תחתיהם - ר"ל שענפים יוצאים בצדו של האילן למטה, ומהם עד הקרקע יש גובה ג"ט, (**אפי'** אם החלל בעצמו לא היה גובה שלשה טפחים כי אם בצירוף הענפים, כיון שלמעלה במקום שהוא יושב על הענף או משמש עליו יש גובה ג"ט), **אע"פ שמצד אחד אין חלל תחתיהם והרי הן שוים לארץ** - וכגון שהקרקע היה גבוה מצד א', ובאותו צד אין ממנה עד למעלה מן הענף שיעור גובה ג"ט, **אסור לישב אפי' על צד השוה לארץ.**

ודוקא מצד אחד, דבטל אותו צד לגבי השלשה צדדים, ששם נראין גובה ג"ט, **אבל** אם משני צדדין שוין לארץ, אותן הצדדין מותרין להשתמש עליהן.

סעיף ג - מותר לילך על גבי עשבים, בין לחים בין יבשים, כיון שאינו מתכוין לתלוש - ומשמע בגמ', שאפילו אם העשבים הם ארוכות, והוא הולך יחף, שהעשבים רגילים להיות נדבקין בקשרי אצבעותיו, אפ"ה מותר, דלאו פסיק רישיה הוא שיתלש, ולכן אפי' אם יתלש ג"כ אין איסור עליו, שהוא אינו מכוין לזה, **ומ"מ** אם לאחר הליכתו מצא שנדבקו עשבים ברגליו בין אצבעותיו, או על מנעליו, יזהר שלא יסלקם בידיו, דאסורים בטלטול משום מוקצה, דביה"ש היו מחוברים.

והיכי דעשבים הם גדולים, יזהר שלא ירוץ עליהן, דהוי פסיק רישא שיתלש בודאי, **ואפשר** דאפילו לילך עליהן במהרה ג"כ צריך ליזהר.

אבל האוכלים בגנות, אסורים ליטול ידיהם על העשבים, שמשקים אותם, אע"פ שאינם מכוונים, פסיק רישיה הוא - דאי אפשר שלא יועיל לגדלם, והמשקה את הזרעים חייב משום זורע, דמועיל להצמיח, **וגם** משום חורש, שמרפיא הקרקע ע"י הלחלוח, [**ולפי"ז** יש ליזהר גם בקרקע שאינו זרועה, אם רק עומדת לחרישה].

ואם אוכל בגינה שאינה שלו, ולא של אדם האוהבו, יש מתירין, דס"ל כיון דפ"ר דלא ניחא ליה הוא, שרי אף לכתחלה, **והרבה** פוסקים אוסרין גם בפ"ר דלא ניחא ליה לכתחלה, וכמבואר בסוף סימן ש"כ, ע"ש.

אבל מותר להטיל בהם מי רגלים - לפי שעזים הם, ושורפים את הזרעים ומונעים אותם מלהצמיח, **או שאר משקין שאינם מצמיחין** - דהיינו כגון יין, לפי שהוא עז וחזק ושורף ג"כ הזרעים, וכן שאר משקה שהוא כעין זה, (**וקשה**, דהמשקה מים חייב משום חורש ג"כ, ואמאי כתב דביין מותר וה"ה בשאר משקים שאינם מצמיחין, נהי דאינו מועיל להזרעים, עכ"פ מרפה הקרקע ע"י הלחלוחית, ויתחייב משום חורש, **וצ"ע**, **ודע** דבספר תפארת ישראל כתב, דבחכמת אקאנאמיע אמרו, שמי רגלים הם טובים מאד

לזבל הקרקע, א"כ מזבל תולדת חורש הוא, עכ"ל, **ולא** נהגו העולם ליזהר בזה כלל).

וכתב המג"א, דלכתחלה ראוי ליזהר אף במשקים, [**ומ"מ** בצירוף לזה ג"כ שהיה בגינת חבירו, נראה שאין להחמיר], **ועיין** בא"ר שכ', דביין שהוא חזק אין ליזהר כלל.

כתב הפמ"ג, דמי דבש ושכר יש בהן מים, ובודאי מצמיחין.

הגה: ולכן טוב להחמיר שלא לאכול בגנות, אם ישתמש שם עם מים, דבקושי יש ליזהר שלא יפלו שם מים - כתב הט"ז, דבגינה שיש בה יותר משבעים אמה, דהוי כרמלית ולא מהני בה שום היקף, בלא"ה צריך ליזהר, דהא אסור בה טלטול ד"א, עכ"ל, **ולפי"ז** אפילו בגינת חבירו יש ליזהר.

סעיף ד - יש ליזהר מלהשליך זרעים במקום ירידת גשמים - ר"ל שהמקום ההוא לח מפני הגשמים שרגיל לירד שם, **וה"ה** שאר מקומות לחין כה"ג, **שסופן להצמיח** - שיצמחו מחמת הריכוך, כדרך כל תבואה כשנותנים אותה במים, **או** אפשר דבזמן מרובה ישתרש בקרקע.

ואם ישליך לתרנגולים, לא ישליך אלא כשיעור שיאכלו בו ביום או ליומים - דבזמן מועט כזה לא יצמחו, וכ"ש דלא ישרשו בקרקע, **משא"כ** לג' ימים ויותר, יצמחו הזרעים ויתחייב למפרע משום זורע, גם לחד דעה ביו"ד כל שיעור השרשה ‹לקלוט אף בקרקע› אינו אלא ג' ימים.

ודע דמיירי דהשליך את הזרעים בפעם אחת, דאל"ה אסור להכין לימי החול.

ואם הוא במקום דריסת רגלי אדם, מותר, שאין סופו לצמוח.

סעיף ה - עשבים שעלו על אוזן הכלי מלחות הכלי - כמו שמצוי בדלי ששואבין בו תמיד, שגדלין בו כמין פטריות, **חשובים כמחוברים לקרקע, והתולשן חייב.**

וה"ה התולש כישות מהיזמי והיגי, פי' קוצים, אע"פ שגם הכישות אינה מחוברת לקרקע, אפ"ה חייב משום עוקר דבר מגידולו, דהוא תולדת קוצר.

ולא דמי לעציץ שאינו נקוב, דהתולש ממנו פטור משום דאינו מחובר בקרקע עולם, **דשאני** התם דאין דרך זריעה שם, משא"כ הכא דעיקר גידולן כן.

סעיף ו - עשבים שתחבן בעפר מבעוד יום כדי שיהיו לחים - כגון עשבים שהם נויים למראה ולהריח, וממלאין כד עפר לח ותוחבין אותו לתוכו, **וה"ה** אם תוחבן בקרקע, כיון שאינו מכוין שישתרשו שם, **מותר לאחוז בעלים ולהוציאן** - אם רוצה להריח בהם, ולא מצרכינן ליה לנעוץ ולשלוף בע"ש ולחזור ולנעוץ, עד כדי להרחיב מקום מושבה בעפר, עד שלא יזיז העפר בשליפתו בשבת, **דאפילו** יזיז העפר לית לן בה, שהרי אינו מטלטל העפר בידיו, אלא ע"י העשבים, ואינו אלא טלטול מן הצד דשרי.

וה"ה להחזירן אח"כ למקומן, אם לא נסתם הנקב משהוציאן.

והוא שלא השרישו - כגון קודם ג' ימים, דאז בודאי לא השרישו, **דאם** השרישו, פשיטא שאסור להוציאם, שהרי הוא עוקר דבר מגידולו.

וגם צריך שאינו רוצה בהשרשתן; אבל אם נתכוין לזריעה, אסור - דכיון שהם תחובין וטמונים בקרקע כשאר זרעים, וגם מתכוין לזורעם, גזרו בהו רבנן דלא ליתי לאחלופי לתלוש לאחר השרשה.

סעיף ז - אסור לתלוש אפי' מעציץ שאינו נקוב - וה"ה שאסור להשקות הזרעים שבתוך העציץ, **ואפי'** אם העציץ הוא מונח בעליה, ג"כ יש איסור בכל זה.

אבל מעציץ נקוב חיובא נמי יש בזה, לפי שיונק מן הקרקע ע"י הנקב, שמריח לחלוחית הקרקע דרך שם, **ואפילו** אם היה הנקב קטן כ"כ שהוא בכדי שיצא ממנו שרש קטן, שהוא פחות מכזית, **ואפילו** אם היה הנקב בדופן העציץ, כיון שהוא כנגד מה שטמון מן הגזע בעפר, [ולאפוקי אם הנקב בדופנו למעלה מהגזע], **וכ"ש** אם הוא בשוליו נגד השרש.

(ודע דבחו"מ מובא מחלוקת, די"א דבעציץ עץ אפי' אינה נקובה כנקובה דמיא, משום דעץ מתלחלח ויונק מהקרקע, ולא בעינן נקובה רק גבי כלי חרס, וי"א דאדרבה בחרס לא בעינן נקובה, משום דדמיא לעפר, משא"כ בעץ).

סעיף ח - עציץ (פי' חלי כד שזורעים בו עשבים) אפילו אינו נקוב, יש ליזהר מליטלו מעל גבי קרקע ולהניחו על גבי יתדות, או איפכא, בין שהוא של עץ בין של חרס.

אפי' אינו נקוב - דגם בזה יש חשש תלישה מדרבנן מפני שמפסיק יניקתו מעט, ואיפכא משום זורע, **וכ"ש** אם העציץ הוא נקוב דצריך ליזהר בזה.

[**ואף** דבנקובה לא הוי אלא מדרבנן, כיון שאינו מפסיק דבר בין העציץ להקרקע, ואפ"ה סתם המחבר להחמיר גם בעציץ שאינו נקוב, ולא הוי גזירה לגזירה, **משום** דיש דעות בין הראשונים להחמיר בעץ אפי' באינו נקוב דכנקוב דמיא, וי"א להיפוך דבחרס צריך להחמיר, ולחומרא חשש המחבר לשני הפירושים].

ע"ג יתידות - אף שאינו מפסיק שום דבר בין העציץ להקרקע, **וכ"ש** אם מעמידו ע"ג עצים או ע"ג בגדים, דיש בזה איסורא, **ואם** הוא עושה כן בעציץ נקוב, יש בזה תלישה ונטיעה מן התורה.

וע"כ יש ליזהר מאד בכלי עם עשבי בושם שרגיל להיות בבית, שלא ליטלו מן הקרקע ולהניחו ע"ג השלחן, או להיפך, [**ואף** לענין טלטול מפקפק קצת בפמ"ג]. (והספק הוא מפני העפר שבו שמוקצה הוא – פסקי תשובות).

(ומ"מ נראה דכד של תבואה שעומד ע"ג קרקע, אפילו אם הוא נקוב, מותר להגביהו ולהניחו ע"ג השלחן, שהרי לא נתכוין בהעמדתו שם לשם זריעה, וגם לא התחילו כלל לצמוח, אך כ"ז אם מונחים שם רק זה יום או יומים, דודאי לא התחילו הגרעינים לצמוח, אבל אם מונחים שם כמה ימים, דקרוב לומר שיש בשולי הכד איזה גרעינים שהתחילו לצמוח ע"י הנקב שבכד שהריח מן הקרקע, ויש להם יניקה מן הקרקע, וכשיגביה הכד מן הארץ מפסיק לחיותייהו, ואע"ג דאין מכוין לזה, פסיק רישא הוא, וכן לענין להגביה הכד מן השלחן ולהעמידו ע"ג קרקע, אין נכון רק אם דעתו שיעמוד שם יום או יומים, אבל אם יעמוד שם כמה ימים, והמקום ההוא הוא מקום לח, {דאל"ה אין חוששין שיצמח לבסוף}, נראה דאסור, דלבסוף בודאי יצמחו הגרעינים וימשכו חיותייהו מן הקרקע, ונחשב בעמידתו כזורע).

הגה: יחור של אילן שנפסק מערב שבת מן האילן – (היינו שאינו יכול לחיות עוד הענף, אע"ג שעדיין מחובר הוא בקליפתו), **וכן פירות, מותר לתלוש הפירות ממנו בשבת** – (ומ"מ יש ליזהר בזה, דאין העולם בקיאין בכך, ואין להתיר כי אם כשנפרד לגמרי מהאילן).

סעיף ט - צנור המקלח מים מן הגג, שעלו בו קשים ועשבים - תלושין, **שסותמים ומעכבים קילוחו, ומימיו יוצאים ומתפשטים בגג ודולפים לבית, ממעכן ברגלו** - פי' דורסן ומשפילן ברגליו, **וכתב** המאירי, דלהסירם הנה והנה אסור אפילו ברגלו, **בצנעה** – (עיין בב"י שכתב, דאפשר דאפילו בפרהסיא שרי, אלא דלכתחלה כל היכי דמצי למעבד בצינעא טפי מעלי, ועיין בא"ר שנשאר בצ"ע בזה, ונ"ל שגם שארי הראשונים לא ס"ל כן).

דכיון דמתקן ע"י שינוי הוא, שאינו עושה אלא ברגליו, במקום פסידא לא גזרו רבנן.

סעיף י - הדס מחובר, מותר להריח בו - דלא שייך למגזר שמא יקוץ, כיון שאינו רוצה רק להריח, וזה יכול הוא לעשות אף במחובר, **ויש** מחמירין בזה, **וכתב** בא"ר דהעיקר כפסק השו"ע.

ולענין לטלטלו בידו, דינו כמו לעיל לענין קנים הרכים בסעיף א'.

אבל אתרוג ותפוח וכל דבר הראוי לאכילה, אסור להריח בו במחובר, שמא יקוץ אותו לאכלו - וכי תימא הא נמי יכול לנשכו בפיו מן המחובר, אין לך תלישה גדולה מזו, [**ומ"מ** חיובא לית בהו, בין אם הוא תולש ברגלו או בפיו, **אבל** איסור יש אפי' אם תלש בניצוצות הניתזין מרגליו, שהם כחו לבד].

ולכן יש למחות ביד הטועים והולכים לגנות בשבת ויו"ט, וקוטפים פירות מן המחובר ואוכלים, **ומלבד**

איסור תלישה, אסורים ג"כ אח"כ באכילה לכל בשבת, **וראוי** למנות אנשים להשגיח ע"ז עד שישתקע הדבר.

סעיף יא - השורה חטים ושעורים וכיוצא בהם במים, הרי זה תולדת זורע וחייב בכל שהוא - אפילו גרגיר אחד, דמה זורע מכוין לאצמוחי פירי, אף זה כן, דשורה כדי שיתרככו ויצמיחו, כדרך ששורין איזה תבואות קודם הזריעה.

וכתב בח"א, דה"ה השורה תבואה לעשות מהן מאלצין לשכר חייב, דידוע דכונתו להצמיח.

וכתב עוד, דתיכף משנתן למים חייב, אע"ג דלא יצמיחו אלא לאחר כמה ימים.

ואעפ"כ מותר לשרות תבואה לבהמתו, דאין כונתו להצמיח, אלא לרכך הזרעונים, **וגם** לא יבוא לידי צמיחה, דקודם שיצמיחו יאכלום הבהמות.

ודע, דכ"ז בזרעונים שאין נבללים במים, אבל בזרעונים שמתערבים ונתלים זה בזה במים, כמו כרשינין וכיו"ב, שמתרככין ונימוחים שם, והמים מתעבים בסיבתם, ונעשים כמים שעיסה או קמח בלולים בתוכה, אסור לשרותן לבהמתו משום לש.

צמוקין ושאר פירות יבשים מותר לשרות בשבת, **ומ"מ** בכובש כבשים אסור.

הגה: ומותר להעמיד ענפי אילנות במים בשבת - שקוצצין בימות החמה לשמוח בהן בבית, **ור"ל** שהוכנו מאתמול לכך, אבל סתם ענפי אילן הוי מוקצה.

ובלבד שלא יהיו בהם פרחים ושושנים שהם נפתחים מלחלוחית המים.

ועיין לקמן סימן תרנ"ד - דשם מבואר דאינו מותר בשבת כי אם להחזיר במים שעמדו בו מכבר בע"ש, ולא להוסיף עוד מים צוננים, וכ"ש שלא להחליף המים לגמרי, **ולפי"ז** הא דכתב מקודם, דמותר להעמידן, היינו להחזירן בשבת לתוכן, אפילו אם כבר ניטלו מהן, **אבל** לא להעמידן לכתחלה.

ויש אחרונים שסוברין, דמדסתם הרמ"א, משמע דאפי' לכתחלה מותר להעמידם בכד שיש בו מים מזומנים מע"ש, **ולא** אמרו אלא להוסיף עתה מים, משום טרחא יתירה, [**ואפשר** דיש לסמוך ע"ז אם שכח להעמידן מבע"י, כיון שאין בהם פרחים, ולית בזה חשש דאורייתא].

ודע, דביש בהן פרחים שנפתחים מחמת המים, אסור לכו"ע אף להחזיר במים שעמדו בהם מכבר.

סעיף יב - תאנים שיבשו באיביהן - פי' בחיבורן בענף, **וכן אילן שיבשו פירותיו בו** - שיעור הלשון כן הוא: וכן ה"ה כל אילן שיבשו וכו', ולאו דוקא תאנה, **ובנשמת** אדם כתב שט"ס הוא, וצ"ל "וכן אילן שיבש ובו פירות", ולפי"ז מעיקרא אשמעינן דהאילן לח ורק הפירות נתיבשו, ואח"כ אשמעינן דאפילו האילן עצמו יבש, אפ"ה חשיב כמחובר, **התולש מהם בשבת חייב.**

(דע דיש פלוגתא בין הפוסקים, יש אומרים דאפילו יבשו הפירות הן ועוקציהן, וכן ה"ה יבש האילן אפילו לגמרי, דהיינו שאין גזעו מחליף, אפ"ה חייב, כיון דעכ"פ האילן מחובר, וכן ה"ה הפירות נמי מחוברים באילן, והרבה פוסקים ס"ל, דלא מחייב רק ביבשו הפירות ועוקציהן עדיין לח, ובזה אפשר דחייב אפילו יתלוש מעט מן גוף הפרי היבש, או יבש האילן ועדיין גזעו מחליף, אבל אם יבשו לגמרי, פטור על הפירות ועל האילן, דכתלושין דמיא).

אע"פ שהם כעקורים לענין טומאה - פירוש טומאת אוכלין, דלא מקבלי טומאה במחובר, וזה חשוב כתלוש.

כתב המג"א, דבעשבים יבשים מודו דכתלושין דמי, והתולש מהם פטור, **אבל** איסור דרבנן יש אפילו בעשבים, (**דבטומן לפת וצנון תחת הקרקע, כשנתכוין לזריעה, אע"פ שלא השרישו, אסור עכ"פ מדרבנן להוציאן, משום דמחזי כתולש, וה"נ לא עדיפא מהתם).**

(**ומ"מ פשוט, דאם הוא ארעא דידיה, והוא שדה דלאו אגם, שמתיפה הקרקע עי"ז, חייב משום חורש, אפילו על תלישת עשבים כל שהוא, ואע"ג דלא מיכוין ליפות, פסיק רישא הוא, והמ"א איירי בארעא דלאו דידיה, או באגם שאינו צריך ליפות).**

בצלים שדרכן להשתרש בעליה שיש בו עפר, ונשתרשו שם, וגם רוצה בהשרשתן, התולש חייב, אע"ג שכל הבצל מגולה, ואין דרך גידולן בכך, **אבל** אם נפלה עליהן מפולת, ונתכסו האמהות של הבצלים והעלין

מגולין כדרך גידולן, ונשתרשו שם, אפילו אינו רוצה בהשרשתן חייב, כמו שאם היו נטועין בשדה.

סעיף יג- אסור להשתמש בצדדי האילן - דבר התחוב או קשור באילן, מקרי צדדי האילן, **אבל** דופני האילן עצמו לא מקרי צדדין, אלא גוף האילן הוא, **אבל בצדי צדדין מותר** - הוא דבר הנשען בדבר התחוב באילן.

לפיכך אסור לסמוך הסולם לצדי האילן, דכי סליק ביה משתמש בצדדין - אין הלשון מדוקדק, ושיעור הדברים, דאין לסמוך סולם לצדי האילן, פי' לדופנו, מע"ש, לעלות עליו בשבת, דכי סליק ביה וכו', **ולסמוך** הסולם בשבת בודאי אסור, אפי' אינו סומכו באילן גופא, רק על היתד התקוע בו, דזהו גופא משתמש בצדדי אילן מקרי.

אבל אם יש יתד תקועה בצדי האילן, מותר לסמוך סולם עליו - היינו דמותר לסמוך סולם מע"ש, לעלות עליו בשבת, **דהוה לה יתד צדדין, וסולם צדי צדדין** - ויזהר שלא יניח רגלו על היתד, אלא על שלבי הסולם, כדי שלא יהא משתמש בצדדין.

ואם נעץ בו יתד ותולה בו כלכלה, היתד נקרא צדדין, והכלכלה כצדי צדדין - לפיכך מותר להניח בה פירות וליטול ממנה, **אבל** הכלכלה עצמה אסור ליטלה או לתלות ביתד, וכנ"ל גבי סולם.

ואם הכלכלה תלוי באילן עצמו, אסור ליטול חפץ ממנה וכן ליתן לתוכה, דקמשתמש בצדדין.

ואם פי הכלכלה צר, דכשנוטל חפץ מן הכלכלה מניד האילן, אסור בכל ענין, מפני שעי"ז משתמש באילן.

ולהשען באילן, אם האדם בריא, מותר, ותש כח, אסור, **והטעם**, דאדם בריא אינו סומך עליו אלא מעט, ולא מקרי משתמש במחובר, **אבל** תש כחו צריך לסמוך בכל כחו עליו, ומקרי משתמש במחובר, ואסור, **והני** מילי כשאינו מנידו, אבל כשמנידו, אפילו בבריא אסור, דזה גופא שמוש הוא.

הגה: ומותר ליגע באילן, ובלבד שלא ינידנו. בור עמוק אפי' מאה אמות, מותר לירד ולעלות, ומטפס ויורד ומטפס ועולה, ולא חיישינן שמא יעקור קרקע בירידתו ועלייתו.

§ סימן שלז – דין כבוד הבית ודבר שאינו מתכוין §

סעיף א- אקדים לסימן זה הקדמה קצרה, והיא: חורש הוא אחד מל"ט אבות מלאכות, וכיון שכונת החורש לרפויי ארעא, דאז טוב לזריעה, וגם כוונתו להשוות הגומות וליפותו, כדי שיהיה המקום שוה, **ולכן** החופר בשדה או שעשה חריץ, או שהיה שם תל קטן והשפילו, או שהיה שם מקום נמוך והשוה אותו, וכן כל המשוה גומות במקום הראוי לזריעה, חייב משום חורש, וכן כל מה שעושה ליפות הקרקע הוא תולדת חורש, וחייב בכל שהוא, **ואם** היה זה בבית, חייב משום בונה, שמתקן הבנין עי"ז.

דבר שאין מתכוין, מותר - זה לשון הרמב"ם: דברים המותרים לעשותן בשבת, ובשעת עשייתן אפשר שתיעשה בגללן מלאכה אחרת, ואפשר שלא תיעשה, אם לא נתכוון לאותה מלאכה מותר, וכן כוונת המחבר, **והוא שלא יהא פסיק רישיה** - פירוש, שבודאי תיעשה המלאכה האחרת.

הלכך גורר אדם מטה כסא וספסל - פי' כיון דדבר שאינו מתכוין מותר, הלכך גורר, דאע"ג דבגרירתו מצוי שיעשו חריצים בקרקע, ואיכא בזה משום חשש חופר, דהוא תולדה דחורש, אפ"ה לאו פסיק רישא הוא, אפילו בקרקע שאינה מרוצפת, דאפשר שפיר שלא תחרוץ בקרקע.

[**וחופר** גמור לית בזה, דאינו חופר כדרכו במרא וחצינא, אלא כלאחר יד, ובפרט כשגורר בבית ולא בשדה, דמקלקל הוא ע"י החריצים, ומדרבנן הוא דאסור, **ומ"מ** דע, דהא דקי"ל דבר שאינו מתכוין מותר, הוא אפי' במקום דבמתכוין איכא איסור דאורייתא.]

בין גדולים - דמיטרח ליה לישאם על כתפו, **בין קטנים** - דיכול ליקחם על כתפו, אפ"ה מותר לו לגררם על הארץ, **ובלבד שלא יתכוין לעשות חריץ.**

כתב המג"א, דגדולים ביותר אסור לגרור על הארץ, דפסיק רישא הוא, דבודאי יעשה חריץ, **ואפילו** מרוצף בקרקע של שיש אסור לגרור, דגזרינן מרוצף אטו אינו מרוצף, [**ומסתברא** דאם כל העיר מרוצף באבנים או בקרשים, יש להקל בזה, **ואפי'** אם נחמיר לקמן בכיבוד, הכא קיל טפי, דאפי' באינו מרוצף לית בזה גררא דאורייתא מכמה אנפי, אחד, דהחריץ שיעשה, הוא בזה רק חופר כלאחר יד, ועוד, דהוא מקלקל ע"י הגומות שנעשים בבית ולא מתקן, **ועל** כולם, הלא אינו מכוין לזה, והוא רק פסיק רישא דלא ניחא ליה, וגם בזה לכו"ע הוא רק איסור דרבנן, **ומבואר** לעיל בסי' שט"ז ס"ג בהג"ה, דדעת הרמ"א שם מוכח דס"ל בעלמא, דאם הוא תרי דרבנן, מותר בפסיק רישא דלא ניחא ליה].

ומותר לרבץ הבית - להזות מים על קרקע הבית כדי שלא יעלה האבק, **כיון שאינו מתכוין להשוות גומות, אלא שלא יעלה האבק** - ואע"ג דכמה פעמים מתמלאים הגומות בעפר ובאבק, לאו פסיק רישא הוא.

ואפילו בקרקע שאינה מרוצפת מותר.

סעיף ב - אסור לכבד הבית - דמזיז עפר ממקומו, [ואינו מבואר אם הכוונה משום טלטול עפר שאין מן המוכן, או משום עשיית גומא ע"י החפירה, ויראה דתרווייהו איתנהו], **גם** משוה הגומות בכיבודו, שמתמלאין הגומות שבבית מהעפר, והוי בנין, **ואע"ג** דאינו מתכוין לאשויי גומות, אפ"ה אסור דפסיק רישא הוא, [רש"י], **ויש** אומרים דחיישינן שמא מתוך טרדתו לכבד וליפות הקרקע, ישכח וישוה הגומות במתכוין. (**והאיסור בזה הוא משום שבות, ואי מכוין בזה לאשויי גומות, משמע בתוס' דיש בזה חיוב חטאת), [וגם לרש"י** אינו אלא משום שבות, וטעם הדבר אפשר, דהוא סובר כדעת הרמב"ן, (**דהוא רק בנין כלאחר יד, כל זמן שלא נעשה בידים ממש).**

אלא אם כן הקרקע מרוצף - בין באבנים ובין בקרשים.

ויש מתירין אפי' אינו מרוצף - דס"ל דגם בזה אינו ודאי שישוה גומות, ולא גרע מריבוץ דשרי בס"א, **וגם** למזיז עפר ממקומו ג"כ לא חייש, שכשאדם מכבד את הבית אינו מכבד אלא עפר תיחוח, ובזה ליכא משום חופר גומא, [**ולאיסור** מוקצה של טלטול עפר ג"כ לא חייש, דהו"ל טלטול מן הצד ע"י דבר אחר לצורך שבת].

הגה: ויש מחמירין אפי' במרוצף - בין באבנים ובין בקרשים, **וכן נוהגין ואין לשנות** - דס"ל דבאין מרוצף הוי פ"ר, וגזרינן מרוצף אטו אינו מרוצף.

(**והנה אם כל בתי העיר או עכ"פ רובם מרוצפים באבנים או בלבנים, וכ"ש אם הם מכוסים בקרשים, אפשר דמותר לכבד, דלא גזרו על רובה מפני מיעוטה, ולא על עיר זו מפני עיר אחרת, אולם יש עוד סברא אחרת בסה"ת שם, דבין הרובדים, היינו בין השורות שבין אבן לאבן, יש חשש דאשויי גומות אף במרוצפין, ולפי"ז כשבתי העיר כולם או רובם מרוצפים בקרשים, אין להחמיר במרוצפים, ובפרט אם נתכבד מע"ש, יש לצרף לזה ג"כ סברת הראב"ד המובא בב"י, דס"ל דאפילו באינו מרוצף לאו פ"ר הוא**).

מיהו ע"י עכו"ס מותר - היינו אפילו בשאינו מרוצף, דהא הוא אינו מתכוין רק לכבד הבית, **ואף** דהוא פ"ר לענין הגומות, מותר ע"י א"י, דבאמירה לא"י לא קפדינן כולי האי.

וכן ע"י בגד או מטלית או כנף אוז הקלים ואינו משוה גומות - ר"ל דכיון שהם קלים, אינו נוטל בהם רק האבק שלמעלה, ולא אתי לאשויי גומות, וע"כ מותר אפילו אינו מרוצף, **ומוכח** מזה, שאם רוצה לכבד בהם היטב את כל העפרוריות הנמצאות בארץ, שאסור.

ואפילו יש בבית קליפי אגוזים וכיוצא בהם מדברים האסורים בטלטול, אפ"ה מותר לכבד, דהו"ל לדידיה כגרף של רעי.

(**המ"א הביא בשם רש"ל, שמחמיר בכנף אווז, וסברתו, דע"י זה יכול ג"כ לבוא לאשויי גומות כמו ע"י שאר מכבדת, ובבאור הגר"א משמע עוד שמפקפק על כל ההיתר זה אפילו ע"י בגד, שכתב דמדברי רש"י משמע דאסור, ומ"מ מסתברא דבמרוצף יש להקל בכל זה, דבלא"ה הרבה פוסקים מקילין במרוצף אפילו במכבדת ממש, ואף בשאינו מרוצף מי שנוהג להקל כותיה דהרמ"א בודאי אין למחות בידו, דנוכל לצרף בזה דעת הראשונים שסוברין דכיבוד אינו פ"ר**).

כתב בספר כלכלת שבת, דה"ה במה שקורין בארש"ט הרכים, דינו ג"כ ככנף אווז, (**ובאמת עיקר ההיתר דבגד או כנף אווז ג"כ אינו היתר ברור, דכמה פוסקים פקפקו ע"ז, וע"כ נלענ"ד דאין להתיר אלא באותו שפרט הרמ"א, ומשום דהוי שינוי גדול ג"כ, שאין דרכו לכבד בזה בחול, משא"כ בבארש"ט שדרכו לכבד בזה בימות החול ג"כ, והוי זילותא דשבת, אך אם הבית היה מרוצף יש לסמוך ע"ז, דכמה ראשונים סוברין דאפילו במכבדת ממש מותר לכבד במרוצף**).

ואסור לכבד הבגדים ע"י מכבדות העשויים מקסמים, שלא יתשברו קסמיהם - היינו אפילו באופן שמצד הכיבוד בעצמם אין בהם איסור, כגון בבגד ישן שאין מקפיד עליו וכדומה, וכמבואר לעיל בסי' ש"ב ס"א בהג"ה, **ולפי"ז** ה"ה שאסור בהם לכבד את השלחן, אע"פ שכיבוד השלחן מותר מצד עצמו.

וה"ה שאסור לכבד הבית, אפילו במרוצף למאן דשרי, במכבדות העשויות מענפי אילן יבשים שאינם נכפפים, דבודאי נשברים כשמכבדין בהם, [**ולעיל** איירי רק במכבדת של תמרה, שהם נכפפים ואינם משתברין].

וטעם כ"ז, דהוי כמו סותר כלי, **ואף** שמקלקל פטור, מ"מ אסור לכתחלה, [**אף** שהוא ג"כ פ"ר דלא ניחא ליה].

(**ויש שמפקפקין בזה, דלאו פסיק רישא הוא, ומ"מ נראה שאין כדאי להקל בזה, דמחזי כעובדא דחול וכמזלזל באיסור שבת**).

(**היוצא** מכל זה, **דאם כל בתי העיר או עכ"פ רובם מרוצפים בקרשים, ובפרט אם נתכבד הבית ג"כ מע"ש, ורוצה עתה לכבד הבית בענפי תמרה הרכים, או במה שאנו קורין בארש"ט, בודאי אין להחמיר, ובענפי האילן שבזמנינו, אין ההיתר ברור כ"כ, משום חשש שבירת הקיסמים וכמש"כ הרמ"א, ומ"מ מי שמיקל בזה אין למחות בידו, דכמה אחרונים מפקפקין ע"ז וכנ"ל**).

(**מותר** לו לנפח בפיו את האבק והעפר, **ונראה דאפילו באינה מרוצפת, משום דלאו פ"ר הוא לאשויי גומות, ואפשר עוד, דאפילו לנפח בכלי באויר ג"כ שרי**).

סעיף ג - אין סכין את הקרקע - פי' דרכם היה לסוך שמן על הקרקע של בית המרחץ וכיוצא בו, ולהתגלגל עליהם.

ולא מדיחים אותו - שהיו פוקקין סילון שהמים נכנסו דרך בה לבית המרחץ, ופותחים נקב שבצד אחר, שילכו אותם המים ומנקים את הקרקע מפני הזוהמא.

וטעם כל אלה, משום דחיישינן להשוות גומות, **ואפילו** למאן דשרי כיבוד בשבת, דשאני הכא דכיון שהוא רוצה ליפות את הקרקע לסוך אותה או להדיחה, חיישינן שמא יראה גומות וישכח ויבא להשוותם במתכוין.

אפילו הוא מרוצף - דגזרינן אטו שאינו מרוצף, **והא** דהתיר בס"ב לענין כיבוד ולא גזר כן, משום דכיבוד הוא יותר דבר נחוץ מהדחה.

ודע, דהדחת רצפת הקרשים שנוהגין כהיום, יש בזה עוד איסור לעשות בשבת מלבד הדחה, דהא צריך לזה שריית אלונטית במים כידוע, ויש בזה משום כיבוס.

סעיף ד - אסור לצדד חבית על הארץ - היינו מלאה, - שהוא מצדדה עד שתעמוד בקרקע יפה ע"י הצידוד, **דכיון שהיא כבידה יבא להשוות גומות ודאי, והוי פסיק רישיה** - ר"ל דע"י הצידוד גופא נעשה הקרקע חלקה בלא גומות, **אבל** מתוס' משמע דלא הוי פ"ר, אלא דאסור מטעם שמא ישכח ויבוא להשוות גומות במתכוין, כדי שיהא נוח לו הצידוד.

וכן לא יכריע החבית וישפוך ממנה, אלא מגביה מן הארץ ושופך, שאל"כ יחפיר מן הארץ בודאי, **ואף** שמקלקל הוא, וגם מלאכה שא"צ לגופה היא, וגם חופר כלאחר יד הוא, אעפ"כ אסור מדברי סופרים.

והנה אם מותר לצדדה ע"ג קרקע מרוצפת, התו"ש כתב דמותר, אפילו לדעת השו"ע דס"ל דהוי פ"ר, לא גזרו בזה במרוצפת, **והפמ"ג** מצדד להחמיר, [**ומסתברא** דאם כל בתי העיר מרוצפין, אין להחמיר בזה].

ודע, דכל הסימן הזה לאו דוקא לענין שבת, דה"ה לענין יו"ט, ויש שנכשלין בזה.

§ סימן שלח – דברים האסורים בשבת משום השמעת קול §

סעיף א - השמעת קול בכלי שיר אסור - לאו דוקא בכלי שיר אלא אף ביד, כגון להכות כף אל כף היכא שהוא דרך שמחה ושיר, אסור, כמ"ש בסי' של"ט ס"ג, מטעם שמא יתקן כלי שיר. **ומה** דאסרו בס"ד להכות כף אל כף כשמשמר הפירות כדי להבריח עופות, אף שהוא אינו דרך שיר, **התם** הטעם, שמא יטול צרור ויזרוק לרה"ר כשירצה להבריחם.

ואם ירצה להכות כף אל כף כדי לשמח התינוק ולהשתיקו, יראה לעשות זה כלאחר יד דשרי.

ואם נותן מים בכלי מלא נקבים להטיף לתוך כלי מתכות, כדי להשמיע קול נעים ע"י הנטיפה, אסור, דזה הוי ג"כ ככלי שיר, **ולחולה** כדי להרדימו שיישן שרי, **ואם** מטיף בחוזק כדי שיקיץ את הבריא משנתו, שרי, דלא הוי ככלי שיר כיון שאין עושה בנעימה ובנחת, דקול כזה אדרבה היה מרדימו יותר, אלא עושהו בחוזק כדי שייקץ ע"י הקול, וע"כ שרי.

אבל להקיש על הדלת וכיוצא בזה כשאינו דרך שיר, מותר - אף שכונתו להשמיע קול כדי שיפתחו לו, מותר, **ואפי'** אם מקיש בכלי, כיון שאינו דרך שיר, [דלא אסר בהג"ה אלא בכלי המיוחד לכך].

(**ובבאור** הגר"א כתב, דהעיקר בזה כדעת הירושלמי שמחמיר בזה, ואינו מותר רק אם אינו מתכוין לקול כלל, **אך** העולם נוהגין להקל כדעת השו"ע, ומ"מ נראה דלהקיש על הדלת כלאחר יד מותר לכו"ע, אף שכונתו להשמיע הקול, דלא עדיף מלהכות כף אל כף, דגם שם כונתו כדי להשמיע קול, ואפ"ה מיקל השו"ע בשל"ט ס"ג).

הגה: וכן אם לא עביד מעשה שרי, ולכן אלו שקורין לחבריהם ומצפצפים בפיהם כמו צפור, מותר לעשותו בשבת - היינו אפילו אם מנעים הקול כעין שיר, שרי, דלא גזרו בזה היכי דעביד בפה.

ואסור להכות בשבת על הדלת בטבעת הקבוע בדלת, אע"פ שאינו מכוין לשיר, מ"מ הואיל והכלי מיוחד לכך, אסור - ר"ל שמיוחד להשמיע קול, חיישינן שמא יכוין לשיר, **וכ"ש** להשמיע קול בכלי שקורין קאמער טאן (מזלג קול), פשיטא דאסור, דכלי שיר הוא, וגם הוא מכוין לשיר.

(**ואולם דע,** דבפירוש המשנה להרמב"ם משמע, דמותר להקיש על הדלת אפילו בשלשלת הקבוע שם, הואיל ואינו עושה כדרך שיר).

ובברזל שהפתח ננעל ונפתח בו, נראה דמותר להקיש בו על הדלת כדי שישמעו אנשי הבית לפתוח לו, שזה הברזל מיוחד רק לפתוח בו את הדלת או לנעול.

מזה נשמע דה"ה דאסור למשוך בחוט העינבל בשבת, כדי שישמעו אנשי הבית והחצר ויפתחו לו, שזה הכלי מיוחד להשמיע קול, והוא כונתו ג"כ לזה, (ובזה גם המ"א (דלקמן) מודה שאסור, הואיל שכונתו להשמיע קול).

(והנה ראיתי בספר כלכלת שבת שכתב, דבמקום הדחק כשאינו יכול לכנוס לבית או לחצר בלא זה, יש להקל, **ואפשר** משום דנוכל לסמוך על פירוש המשנה להרמב"ם דלעיל, **ועוד** יש לומר באופן אחר, דהא דפסק רמ"א דבכלי המיוחד להשמיע קול אסור, לאו משום דהוא שבות גמור, אלא משום דמיחזי כעובדא דחול, **וא"כ** לפי מאי דמבואר בסימן של"ג, דשבות מותר לצורך מצוה, והיינו דבר שהוא רק משום עובדא דחול, {דבשבות גמור בודאי אסור לעשות בעצמו}, **וא"כ** בעניננו כשאינו יכול לכנוס לביתו בלילה לישן, אין לך צורך שבת יותר מזה, **אך** כ"ז כתבנו למצוא אופן במקום הדחק, אבל לכתחלה צריך לזרז את עצמו שלא יבוא לזה, **וגם** בדיעבד אם יכול למשוך את החוט ע"י איזה שינוי, טוב יותר שיעשה כן, **היוצא** מכל זה, דלמתוח החוט של עינבל בשבת, מבואר בכמה אחרונים בהדיא לאיסור, **אך** כשאינו יכול לכנוס לחצרו לישן בלא זה, נוכל לסמוך להקל משום כבוד שבת, **אך** למתוח חוט העינבל שעשוי בביתו כדי להשמיע למשרתת, אין להקל בזה כלל, דאפשר לו בלא"ה, ויש בזה זילותא דשבת).

ולכן אסור לשמש להכות על הדלת לקרוא לבהכ"נ ע"י הכלי המיוחד לכך, אלא מכה בידו על הדלת - ויש מקומות שלוקח השמש בשבת כלי אחר להכות בשבת. (**ולענין** אם מותר לטלטל אותו הכלי, אם מקרי כלי שמלאכתו לאיסור, עיין בפמ"ג שמסתפק בזה).

ומה שמכה השמש בבהכ"נ על השלחן, ומשמיע קול כדי להשקיט העם לחזרת הש"ץ, אין בזה איסור, אפילו אם הוא מכה באיזה דבר, כיון שאינו בכלי מיוחד לזה.

כתב הט"ז, דמזה מוכח דאסור לתלות בשבת אותן הפרוכות שיש בהן פעמונים להשמיע קול כשפותחין הארון, וכן לתלות הפעמונים על העצי חיים של הס"ת, כיון דעיקר עבידתיה לקלא, **והש"ך** חולק עליו, מטעם דהא קי"ל דלצורך מצוה שרי, כמ"ש סימן של"ט, דמותר לרקד בשמחת תורה לכבוד התורה, והכא נמי צורך מצוה הוא כדי שישמעו העם ויקומו, **ולא** דמי לקריאת בהכ"נ דאסור, דהתם אפשר בענין אחר, **ותו** דאותו הפותח הפרוכת אין מכוין להשמיע הקול כלל, כי אם ליטול הס"ת - מ"א, **ועיין** בשער אפרים, שדעתו דלכתחלה אין לעשות כן בשבת, ובמקומות שנהגו היתר בזה כדעת המ"א, אין למחות בידם.

וכן לענין אם מותר לפתוח הדלת כשיודע שיש בה עינבל, תלוי ג"כ בסברת הט"ז והמ"א הנ"ל, דלהט"ז אסור, ולהמ"א שרי, דהרי כשפותח הדלת בשבת אין מכוין להשמיע קול, **ומדברי** הגר"א מוכח דהוא סובר ג"כ כהט"ז, דכיון דהעינבל מיוחד להשמיע קול, אין נ"מ במה שהוא אינו מכוין לזה, **וגם** בא"ר מצדד דאין להקל מטעם זה לחוד, אלא גבי פרוכת דהוא מילתא דמצוה, **וע"כ** בודאי מהנכון שיסיר מע"ש העינבל מעל גבי הפתח, או שיפקקנו בצמר או במוכין שלא ישמע קולו, **אך** במקום הדחק, כגון ששכח ולא הסירו מע"ש וכל כי האי גוונא, נראה דיכול לסמוך על הסברא הנ"ל להקל, כיון שאינו מכוין להשמיע קול.

סעיף ב - יש מתירים לומר לעכו"ם לנגן בכלי שיר בחופות - דאיסור השמעת קול בכלי שיר אינו אלא איסור דרבנן, גזירה שמא יתקן כלי שיר, ואמירה לא"י ג"כ אינו אלא איסור דרבנן, והוי שבות דשבות, ובמקום מצוה היא, דאין שמחת חתן וכלה אלא בכלי שיר, ושרי. **ויש** מקומות שנהגו להחמיר בזה, אם לא שהכינום לזה מערב שבת, ‹כיון דישראל עצמו אינו אסור לנגן אלא משום גזירה – כנה"ג›, ולא יאמר לו בשבת כלום, **או** שבא מעצמו לנגן, כנה"ג.

הגה: ואפי' לומר לעכו"ם לתקן הכלי שיר, שרי משום כבוד חתן וכלה - ס"ל דשמחת חתן וכלה עדיף יותר משאר סתם דבר מצוה, וע"כ מותר האמירה אפי' בתיקון הכלי שיר דהוא מלאכה דאורייתא.

ובבאור הגר"א כתב, דדעה זו סברה כדעת המתירין לעיל ברע"ו ס"ב בכל מלאכה דאורייתא ע"י א"י לצורך מצוה, **וא"כ** לדידן דסוברין להלכה כדעת רוב הפוסקים שאוסרין, גם בזה אסור.

אבל בלא"ה, אסור - ר"ל בשאר שמחה של מצוה, כגון בסעודת מילה או בשמחת תורה, אסור אפי' לומר לא"י לנגן, **אם** לא שבאין מעצמן, או שהכינו אותם מע"ש.

ועיין בשו"ת מהרי"א, שאוסר לנגן במנים ועוגב בשעת התפלה ע"י א"י, ‹כיון שאין הניגון בשעת התפילה מצוה כלל, ועוד אפשר ששבות זה של השמעת קול בכלי שיר הוא חמור משאר שבותין, ולא התירוהו בכל מצוה›, **ועיין** בשו"ת חת"ס שהביא ראיות לאסור אף בחול לנגן בבהכ"נ בשעת התפלה, ובפרט בשבת אין שום היתר.

ומיהו בזה"ז נהגו להקל - ר"ל האמירה לנגן בשאר שמחה של מצוה, **מטעם שיתבאר בסי' שאחר זה לענין טפוח ורקוד** - פי' כיון דמדינא י"א דהוי לן למישרי לנגן בזמנינו בכלי שיר, דאין אנו בקיאין בעשייתן, וליכא למיגזר שמא יתקן, **ולכן** עכ"פ שרי האמירה לא"י לנגן.

ובלבוש משמע דאסור כי אם בשמחת חתן וכלה.

ועיין במ"א שהסכים, דעכ"פ אסור לומר לא"י לתקן הכלי שיר, ואפילו משום כבוד חתן וכלה.

‹**בכל** המדינות נוהגים איסור אפילו לומר לא"י לנגן בכלי בשבת לכבוד חתן וכלה, וק"ו לומר לו לתקן כלי שיר, **ואם** הא"י בא מעצמו לנגן בכלי א"צ למחות בידו, אבל לא לומר לו לנגן, **ואפילו** בערב שבת לא יאמר לו שיבא בשבת לנגן בכלי, **וכן** המנהג הפשוט ואין לשנות – ערוה"ש›.

סעיף ג - זוג המקשקש לשעות - ר"ל מורה השעות שקורין זייגער, שעשוי להשמיע קול להודיע השעות, **עשוי ע"י משקלות, מותר לערכו ולהכינו מבעוד יום כדי שילך ויקשקש כל השבת** - דלא חיישינן כשישמעו קולו יחשדוהו שהעריכו בשבת, דהכל יודעין שדרכו להעריכו מאתמול.

אבל בשבת, לא מיבעיא דאם עמד דאסור להכינו שילך, ואפילו רק בנענוע חוט הברזל שמתנענע, ויש בזה איסור תורה לכמה פוסקים דהוי בכלל תיקון מנא, [ועכ"פ מדרבנן בודאי אסור], **אלא** אפילו בעודו הולך

אסור ג"כ למשוך המשקלות, או בטאשי"ן אוה"ר חוט המושך הגלגלים, שלא יפסוק הלוכו, **אם** לא לצורך חולה הצריך לכך יש להתיר להעריכו בעודו הולך, אם בקושי למצוא א"י לזה, [**אף** דבח"א מסתפק דשמא אף בעת שהוא הולך יש גם כן איסור תורה, וממילא אסור בשביל חולה שאין בו סכנה, **מ"מ** אין להחמיר כל כך, ויש לסמוך בשעת הדחק כזה על המקילין, וכן עמא דבר].

וע"י א"י יש להתיר להעריכו לצורך חולה אפילו כשנפסק הילוכו, [דאפי' מלאכה דאורייתא מותר ע"י א"י לצורך חולה שאין בו סכנה, כמבואר בסי' שכ"ח סי"ז. **ולענין** שאר דבר מצוה, משמע מח"א שאין להתיר אפי' ע"י א"י, כי אם בשעה שהוא ערוך, והיינו אפי' באותן שיש להן משקלות שמשמיעין קול השעות, **וכ"ש** באותן שקורין טאשי"ן אוה"ר, **ואפשר** בדידהו יש להתיר למשוך השלשלת שלהן ע"י א"י כשהן ערוכין, אפי' שלא לשם מצוה, ‹כיון דיש מתירים בהם לגמרי, י"א שכל דבר שיש בו מחלוקת אם הוא שבות בכלל, מותר ע"י א"י – מ"ב המבואר›, **וצ"ע** למעשה].

ודע עוד, דאותן מורי שעות שקורין טאשי"ן אוה"ר, שרגיל לפעמים כשעומד ונפסק מהלוכו הוא מנענעו במקצת וחוזר להלוכו, צריך ליזהר שלא לנענעו בשבת.

סעיף ד - המשמר פירותיו וזרעיו מפני חיה ועוף, לא יספוק כף אל כף, ולא יטפח כפיו על ירכו, ולא ירקד - ברגל, להשמיע קול להבעית העופות, **להבריחם, גזירה שמא יטול צרור ויזרוק להם** - לר"ה, **ולהפוסקים** דבזה"ז ליכא ר"ה, אפשר דשרי בכ"ז, דגזירה לגזירה היא, **וכ"ש** לספק כף אל כף כלאחר יד בודאי שרי לכו"ע, ואין לחוש שמא יטול צרור, מאחר שיש לו היכר שאין מספק להדיא.

סעיף ה - אין שוחקים באגוזים, ולא בתפוחים וכיוצא בהן - שמגלגלין אותן ומכין זו את זו, כדרך שמשחקין הנערות, **משום אשווי גומות** - שיכין דרך לגלגל האגוז. **הגה: ודוקא על גבי קרקע, אבל ע"ג שלחן שרי, דליכא למגזר שם משום גומות** - וה"ה ע"ג מחצלת או בגד או טבלא, ולא גזרינן בכל זה אטו ע"ג קרקע, דגזירה לגזירה היא, **אבל** ע"ג קרקע אפילו היא מרוצפת דלא שייך אשווי גומות, ג"כ אסור, דקרקע בקרקע מיחלף, וגזרינן אטו קרקע שאינו מרוצף.

ומותר לשחוק בעצמות שקורין טשי"ך, אע"פ שמשמיעים קול, הואיל ואינו מכוונין לשיר - ונוהגין לעשותן של כסף שיהיו מיוחדין לשבת, דאל"כ מחזי כעובדא דחול, **ומהר"א** ששון חולק וס"ל, כיון שאין תועלת בידיעת חכמת השחוק ההוא, וה"ה כל מיני שחוק, אסור, ‹כמ"ש סי' ש"ז סי"ז – מ"א›, **ואף** בחול יזהר משום מושב לצים, **ועיין** בברכ"י שהביא בשם עוד כמה גדולים שהחמירו בזה.

וכל זה בשוחק דרך לחוק בעלמא, אבל בשוחק כדי להרויח, אסור, אפי' שוחק בתס ובחסר - פי' גרא"ד או או"ם גרא"ד בל"א, **דהוי כמקח וממכר; ומ"מ אין למחות בנשים וקטנים, דמוטב שיהיו שוגגין ואל יהיו מזידין. ולשחוק בכדור, ע"ל סי' ש"ח סעיף מ"ה.**

סעיף ו - אסור לשאוב מים בגלגל, גזירה שמא ימלא לגנתו וחורבתו או למשרה של פשתן - מתוך שממלאים בלא טורח. **לפיכך אם לא היה שם לא גינה, ולא חורבה, ולא בריכה לשרות בה פשתן, מותר.**

וי"א שלא אסרו אלא בגלגל גדול שמוציא מים הרבה ביחד בלא טורח, והם גלגלים הקבועים בהם דליים הרבה סביב; אבל גלגלים שלנו שאין ממלאים בהם אלא מעט, מותר, דליכא למיחש למידי - כתב א"ר דכן עיקר.

סעיף ז - מי שיש לו פירות בראש הגג, ורואה מטר שבא, אסור לשלשלם בשבת דרך ארובה שבגג - דטורח שלא לצורך שבת הוא, **הא** פירות לצורך היום שרי, שלא יטנפו בגשמים.

אבל מותר לכסותן - הנה ביש"ש החמיר בזה, והביאו המ"א, **אבל** האליה רבה ושארי אחרונים הוכיחו מהגמרא דמותר, **ואפי' לבנים שהם מוקצים** - כגון שהן סדורות ועומדות לבנין, **מותר לכסותן מפני הדלף** - אבל אסור לטלטלן ממקומן, אף שאין לו במה לכסות.

סעיף ח - מותר ליתן כלי תחת הדלף בשבת - שדולף דרך התקרה וכיוצא בזה.

ואם נתמלא, שופכו ומחזירו למקומו; והוא שיהא הדלף ראוי לרחיצה - דאין על המטר היורד שם מוקצה או נולד, ויכול לשתותו או לרחוץ ממנו, וה"ה אם הוא ראוי רק לשתיית בהמה.

אבל אם אינו ראוי, אסור, משום שאין עושין גרף של רעי לכתחלה - פי' אין עושין דבר שימאס, על סמך שיהיה מותר אח"כ להוציאו כגרף של רעי, **ואם** אפילו יתרצה שישאר כך ולא יזיזנו ממקומו, ג"כ אסור, (**דעיקר הטעם דאסור להעמידו תחת הדלף**, הוא משום שאין מבטלין כלי מהיכנו, דלא יהיה יכולת בידו להזיזו אח"כ ממקומו כיון דאית ביה מוקצה, **אלא** משום דאי הוי שרי לעשות גרף של רעי לכתחלה, לא היה קרוי כלל בטול כלי מהיכנו, כיון שמותר ליטול אח"כ ולשופכו, **אבל** כיון דקי"ל דאין עושין גרף של רעי לכתחלה, א"כ הרי הוא מוכרח להתרצות לכתחלה שיהיה מונח שם בקביעות, ומעתה הוי שפיר בטול כלי מהיכנו).

(והנה דין זה העתיק המחבר מהרמב"ם, והטור פליג ע"ז, **ועיין** בח"א שכתב, דבמקום צורך גדול יש לסמוך על הטור, דפסק שאפילו באינו ראוי מותר ליתן כלי תחתיו, **והנה** מה שאנו נוהגים ליטול בבוקר מי הנטילה תוך כלי, אף שהם בודאי אינם ראוים לרחיצה ולא לשתיית בהמה, וכן המים אחרונים שנוטלים לתוך כלי, ע"כ משום דס"ל כהטור, **ועוד** נ"ל, דזה לא מיקרי אינו ראוי, דאין עליהם שום איסור אלא מפני שרוח רעה שורה עליהן, ולא מקרי אינו ראוי רק אם הוא מעורב בטיט שיורד מן הגג, או שיש עליהם איסור עכ"פ מדרבנן, וכמו גבי טבל מדרבנן).

ואם נתן כלי תחת דלף שאינו ראוי לרחיצה, מותר לטלטלו במים המאוסים שבו - היינו אף קודם שנתמלא, **ודוקא** כשהוא נתון במקום שישיבתו קבועה שם, דמאוס עליו, והוי כגרף של רעי שהתירו לטלטלו להוציאו לאשפה מפני כבודו, אם הוא עומד במקום שישיבתו קבועה שם, וכנ"ל בסי' ש"ח סל"ד ע"ש.

§ סימן שלט – כמה דינים פרטיים הנהגים בשבת §

סעיף א - אין רוכבין על גבי בהמה. (וע"ל סי' ש"ה סי"ח מדין הליכת קרון).

סעיף ב - אין שטין על פני המים - בידיו ורגליו, שגם רגליו עקר מן קרקע המים, [דאל"ה אינו אסור], **והטעם**, שמא יעשה חבית של שייטין, והוא כלי של גומא שאורגין אותו ועושין כמין חבית ארוכה, ללמוד בו לשוט על המים.

אפילו בבריכה שבחצר - הוא מקום כנוס מים לכביסה או לשרות פשתן, **מפני שכשהמים נעקרים ויוצאים חוץ לבריכה, דמי לנהר** - כשהמים יוצאים מן הבריכה ונמשכין בחצר מכחו, שדוחה המים בידיו ורגליו בשייטתו, **והוי** בכלל גזירה שאין שטין על פני המים, שמא יעשה חבית של שייטין.

ואילו כשהבריכה עומדת בר"ה, בלא"ה אסור, שמא יתיז מים ברגליו חוץ לארבע אמות.

ואם יש לה שפה סביב - היינו כעין כותלים גבוהים מכל צד, **מותר, דכיון דאפילו נעקרו המים השפה מחזרת אותם למקומם, הוי ליה ככלי וליכא למגזר ביה שמא יעשה חבית של שייטין** - (והנה לפירש"י בגמ', מסתברא דבזה אינו מותר רק כשהבריכה בחצר, אבל לא בר"ה, שמא יתיז חוץ לד"א, **אבל** לפי' הרי"ף שהעתיק השו"ע כוותיה, לא ברירא לי).

סעיף ג - אין מטפחין להכות כף אל כף, ולא מספקין להכות כף על ירך, ולא מרקדין - בין באבלו ובחמתו לעורר הצער, ובין מחמת שמחה, **גזירה שמא יתקן כלי שיר** - לעורר האבל או השמחה, [**ובחמתו** צ"ע, דאפי' נימא דבעי לקלא כגון להשמיע צערו לרבים, הא מ"מ אינו דרך שיר ואמאי אסור].

וביום שמחת תורה מותר לרקד בשעה שאומרים קילוסים דתורה משום כבוד התורה, כיון דלית בזה אלא משום שבות, **אבל** בשאר שמחה של מצוה כגון

בנשואין, אפ"ה אסור, **וגם** לכבוד התורה אין כדאי להתיר אלא טיפוח וריקוד, ולא קשקוש בפעמונים וזגים, וכ"ש שאר כלי שיר דאסור.

(ובשו"ת שער אפרים אוסר לנגן בכלי שיר אפי' בחוה"מ).

ואפי' להכות באצבע על הקרקע, או על הלוח, או אחת כנגד אחת כדרך המשוררים - כגון אלו שמכין באמה על האגודל בנעימה, ועושין בזה תנועות עריבות, וזהו שסיים: כדרך המשוררים, **ואם** עושה זה בחזקה כדי להקיץ לחבירו משנתו, משמע ממ"א דשרי, דלאו דרך שיר הוא, **אכן** משמע דלרש"י גם בזה יש להחמיר, וכן משמע בפמ"ג. **ואין** חומרא זו אמורה אלא בזמניהם שהיו רגילין לעשות תנועה מיוחדת באצבע צרידה, שהיה משמיע קול נעים וערב כדרך שהיו רגילין המשוררים ללוות בזה שירה וזימרה, ובזה החמירו אפי' כשאינו עושה קול נעים וערב ואינו מלווה בשירה וזימרה – פסקי תשובות.

או לקשקש באגוז לתינוק, או לשחק בו בזוג כדי שישתוק, כל זה וכיוצא בו אסור, גזירה שמא יתקן כלי שיר; ולספק כלאחר יד, מותר - (משמע דבקשקוש הזוג וכיוצא בזה, שהוא יותר דרך שיר, לא מהני אף דיעשה כלאחר יד).

הגה: והא דמספקין ומרקדין האידנא ולא מחינן בהו, משום דמוטב שיהיו שוגגין וכו'. וי"א דבזמן הזה הכל שרי, דאין אנו בקיאין בעשיית כלי שיר, וליכא למגזר שמא יתקן כלי שיר, דמלתא דלא שכיח הוא, ואפשר שעל זה נהגו להקל בכל - האי "להקל בכל", קאי על טיפוח וסיפוק וריקוד, ולא על שאר דברים הנזכרים בסעיף זה, **ואפילו** בטיפוח וריקוד אין כדאי להניח המנהג שלא במקום מצוה, אלא משום "הנח להם" וכו'.

(וכל רב ומורה בעירו מחוייב למחות ולבטל הרקודין והמחולות ביו"ט, ומכ"ש בחורים בני בלי תרבות ובתולות יחד, אפילו על החתונות, אלא הבתולות יהוללו בפני עצמן והבחורים יהוללו בפני עצמן).

סעיף ד - אין דנין - היינו אפילו דיני ממונות, שמא יבוא לידי כתיבה, **וה"ה** נמי דסדור הטענות לבד לפני הדיינים ג"כ אסור, שמא יכתבו הדיינים דברי טענותיהם, **אבל** לקבול ולהציע דברים, כגון על טענות בתולים, מותר.

ותיקן רבנו גרשם מאור הגולה שלא לבטל התמיד בשבת, היינו התפלה הקבועה בצבור לביהכ"נ, **אם** לא שביטל כבר ג' פעמים בחול ולא הועיל, או בשביל טענות הקהל.

הגה: ולכן אסור לתפוס ולהכניס לבית הסוהר מי שנתחייב איזה עונש כדי שלא יברח, וכל שכן שאסור להלקותו, דהוי בכלל דין - וגם יכול לבוא לידי חבורה בשבת.

ואיתא בירושלמי, על מה דכתיב: לא תבערו אש בכל מושבותיכם וגו', מכאן לבתי דינין שלא יהו דנין בשבת, **היינו** מי שהיה מחוייב הבערה, גלתה התורה דלא יענישוהו בשבת, ומינה ילפינן דה"ה לכל עונש, **ואיתא** בספר החינוך, הטעם: שרצה הקב"ה לכבד יום זה שימצאו בו הכל מנוחה, גם החוטאים והחייבים, משל וכו', **והמחבר** מיירי מתחלה בדיני ממונות, דבזה ג"כ אסור מדרבנן.

ואם יברח, אין עלינו כלום - ואין בכלל זה, אם אחד רוצה לברוח כדי לעגן אשתו, דבזה מותר היה לחבשו, **וכן** מותר לקבל עדות מאיש מסוכן וקרוב למות, על אשה שמת בעלה, היכא דחיישינן שלא ימצא אח"כ עדות אחרת.

ולא מקדשין - גם זה מחמת גזירה שמא יכתוב, **אבל** לא מטעם דהוא כקונה קנין בשבת, דהא בקידושין לבד בלא חופה לא קנאה עדיין ליורשה ולמציאתה ולמעשה ידיה.

וכן אם אפילו היו הקידושין מבעוד יום, מבואר בהמחבר לקמיה, דאסור להכניסה לחופה בשבת, **והיינו** מטעם דע"י החופה קונה אותה לכל הדברים האלו הנ"ל, והוי כמקח וממכר דאסור בשבת.

הגה: ויש מתירין לקדש היכא דאין לו אשה ובנים - וה"ה ביש לו בנים ואין לו אשה, ג"כ מותר לדעה זו, דמצוה קעביד, כדאמרינן ביבמות מקרא "בבקר זרע את זרעך ולערב אל תנח ידך".

ולפ"ז דה"ה הכניסה לחופה שרי - אף דע"י החופה קונה אותה לכמה דברים וכנ"ל, אפ"ה כיון דלית ליה אשה ובנים ויש בזה מצות פו"ר, ס"ל דיש להקל בזה.

ומע"ג דלא קי"ל הכי - ר"ל דמעיקר הדין קי"ל כשיטת רש"י ושארי ראשונים, דקדושין ואף החופה אסור בשבת ויו"ט, **מ"מ סומכין על זה בשעת הדחק, גם כי גדול כבוד הבריות; כמו שרגילין שלפעמים שלא היו יכולים להשוות עם הנדוניא ביום ו' עד הלילה, דעושין החופה והקידושין בליל שבת, הואיל וכבר הכינו לסעודה ולנשואין** - ר"ל ויש הפסד רב עי"ז, **והוי ביוש לכלה ולחתן אם לא יכנוס אז** - ועיין בח"א שכתב, שאין להקל בכל זה רק אם נשלמו השלשה פרטים, דהיינו: אם לא קיים פו"ר עדיין, ויש הפסד רב הואיל וכבר הכינו, וגם ביוש לחתן וכלה אם לא יכנוס אז, **ועיין** מה שכתבנו לעיל, דלדעת ר"ת אף ביש לו בנים, כיון שאין לו אשה ג"כ מצוה קעביד ומותר, ואפשר דס"ל דאין סומכין עליו בזה. **ומ"מ לכתחלה יש ליזהר שלא יבא לידי כך. (ועיין בטור אבן העזר סימן ס"ג).**

ובבה"ש בודאי אין להחמיר בדיעבד, דלא גזרו על שבות בין השמשות לצורך מצוה לכו"ע, **אך** לכתחלה יש ליזהר מאד שלא לאחר כ"כ, כי כמה עבירות באין עי"ז, טלטול מוקצה של הנרות, וגם כמה נשים ההולכות לחופה מאחרות זמן הדלקת הנרות עי"ז ומדליקות בביה"ש, ויותר טוב היה שלא להדליק אז כלל, **וע"כ** מה נכון מאד למי שהיכולת בידו, שלא לעשות הנשואין כלל בע"ש, ובפרט סמוך לחשכה, כי אף אם הנשואין יהיה בזמנם, עכ"פ מסתעף מזה עוד כמה קלקולים וכנ"ל.

אם נתאחר החופה עד חשכה, ובידי השושבינין נרות, אף דקי"ל דמוקצה כל זמן שהוא בידו מוליכו למקום שירצה, **מ"מ** הכא יתן הנרות לא"י, דכל שאפשר לסלק המוקצה מידו מחוייב לסלק.

ולא חולצין - שמא יכתוב שטר חליצה לחלוצה, **ואפי'** לקבוע מקום לחליצה, {דצריך לקבוע מקום לחליצה אף במקום שיש ב"ד קבוע בכל יום, ויאמרו הג' לב' הנוספים: נלך למחר ונשב במקום פלוני כדי לחלוץ שם – כנה"ג}, אסור, שלא יהא נראה כאלו דנין בשבת, **ויכול** לקבוע בליל מו"ש שתהיה החליצה ביום א', {דבלילה שלפני יום המחרת נמי שרי לקבוע מקום – פמ"ג}, **ואם** יש צורך גדול, יכול לקבוע אפי' בביה"ש בע"ש על יום א', אם א"א בענין אחר, {דאם א"א בענין אחר יכולין לקבוע בערב על דעת כמה ימים, פמ"ג}.

ולא מיבמין - דבמה שמיבם אותה נקנית לו להיות אשתו לכל דבר כנשואה ממש, והוי כקונה קנין בשבת, [**ואפי'** אם יקדש אותה בכסף ויתייחד אתה מבעו"י, לכו"ע לא מהני זה ביבמה להיות כאשתו, דעיקר כניסת היבמה היא בביאה], **ועוד** שמא יכתוב כתובה.

ואין כונסין - היינו אפילו קידש אותה מבע"י, אסור להכניסה בשבת לחופה, דבחופה קונה אותה לכמה דברים וכנ"ל.

ולא מקדישין - שום דבר לגבוה, שיאמר: הרי זו הקדש, משום דכיון שמקדיש באמירתו החפץ להקדש, הרי מוציאו באמירה זו החפץ מרשותו לרשות גבוה, ודמי למקח וממכר, **משא"כ** לפסוק צדקה לעניים מותר, וכן כשיאמר: הרי עלי להקדש כך וכך, ג"כ מותר.

ולא מעריכין - שיאמר "ערכי עלי" או "ערך פלוני עלי", שנותן להקדש כפי שניו, דהוי כמקח וממכר.

ולא מחרימין - בהמה או שום דבר לגבוה, שיאמר: הרי דבר זה חרם, והכל מטעם הנ"ל.

ולא מפרישין תרומות ומעשרות - וה"ה חלה, **שהוא** דומה כמקדיש אותן פירות שהפריש, **ועוד** שהוא כמתקן דבר שאינו מתוקן.

ואם עבר והפריש במזיד, לא יאכל בין לו בין לאחרים עד מו"ש, מטעם קנס, **ואם** היה בשוגג, מותר אפילו לו מיד, וה"ה בחלה.

ואין פודין הבן - אפילו בכלי ששוה ה' סלעים, שדומה למקח וממכר.

ואין לומר יתן המעות לכהן בע"ש, וכשיגיע היום ל"א בשבת, שאז הוא זמן פדיה, יחול הפדיון, **לפי** שאז לא יוכל לברך, שכיון שעדיין לא חלה המצוה עליו, איך יאמר "וצונו", **ובשבת** נמי לא יוכל לברך, כיון שאז אינו עושה כלום, לכן ימתין עד אחר השבת.

ואפילו אם כלו לו בע"ש כ"ט יום וי"ב שעות ותשצ"ג חלקים משעה, {שהשעה נחלקת לתתר"ף חלקים כידוע}, שהוא החשבון של כל חודש אם יתחלק השנה לי"ב חלקים בשוה, **אפ"ה** לא יפדוהו ביום וי"ו, לפי שהחודש שבתורה הוא שלשים יום שלמים, ולכן צריך שיגיע ליום ל"א בשעת הפדיון, וכיון שיום ל"א הוא בשבת, ידחה עד אחר שבת.

ואין מגרשין - אפי' בגט שנכתב קודם שבת, שמא יבא לכתיבה, **אא"כ הוא גט שכיב מרע (דתקיף ליה עלמא)** - היינו שרוצה לגרש אשתו כדי שלא תזקק ליבום, התירו לו לגרש בשבת, כדי שלא תטרף דעתו עליו אם לא יעשו רצונו, **ומיירי** באופן דלית ביה פסול משום מוקדם, כגון שכשנכתב הגט מע"ש לא נכתב בו זמן היום, אלא כתוב בו "שבוע זו" סתם, דכשר בכה"ג.

וכולם אם נעשו שוגגין או מזידין או מוטעין, מה שעשו עשוי - אכל המבואר בסעיף זה קאי, **חוץ** מהפרשת תרומות ומעשרות, דבארנו לעיל דאם הפרישן במזיד אסור בו ביום.

שוגג הוא, כגון ששכח שהיום שבת, או שחשב שדבר זה מותר לעשות.

סעיף ה - הכונס את האלמנה, לא יבא עליה ביאה ראשונה לא בשבת ולא ביו"ט, (ועי"ל סי' ר"פ) - הטעם, דבאלמנה וכן בגרושה, כיון שהיא בעולה, עיקר הקנין לירושתה ולמעשה ידיה היא הביאה ולא החופה, ונמצא כקונה קנין בשבת.

ועיין באבן העזר דביאר שם המחבר, דאף באלמנה לא בעינן ביאה ממש, וסגי אם היתה יחוד הראוי לביאה, לקנותה עי"ז קנין גמור למהוי כנשואה לכל דבר, וכן הסכימו הרבה פוסקים, **ולפי"ז** אם כנס אותה בע"ש והיתה טהורה, והכניסה אחר החופה לחדר מבע"י, ונתיחד עמה ולא היו שם בני אדם, קנה אותה קנין גמור ומותר אח"כ לבוא עליה בשבת, **אבל** אם לא היתה טהורה מבע"י, או שלא נתיחד עמה בחדר מיוחד מבע"י, אסור לבוא עליה בשבת.

ולכן יש ליזהר מאד כשעושין חופת אלמנה בע"ש, שיעשו את החופה מבע"י גדול, כדי שיהיה ראוי ליחד עמה אחר החופה.

ודע, דהרבה אחרונים כתבו, דאפילו בבתולה יש ליזהר לכתחלה שיתיחדו אחר החופה בע"ש מבע"י, די"א דחופה שלנו מה שמעמידין אותן תחת הכלונסאות, לא מקרי עדיין חופה, והיא כמקודשת בעלמא, וא"כ כשבא עליה בלילה ביאה הראשונה הוא קונה קנין בשבת, **ואף** דבבתולה סגי אפילו ביחוד בעלמא מבע"י, ולא בעינן דוקא יחוד הראוי לביאה, **ולכן** אפילו אם היתה נדה, או שבני אדם נכנסין ויוצאין שם באותו חדר, ולא הוי יחוד הראוי לביאה, אעפ"כ הוי חופה גמורה וקונה בבתולה קנין גמור למהוי כנשואה בכל הדברים, **וצריך** ליחד להחתן אותו החדר והוי כהכניסה לביתו, **וע"כ** אם כנס את הבתולה בע"ש, והכניס אותה לחדר מבע"י, אף שהיא עדיין לא טבלה, ובני אדם נכנסין ויוצאין באותו חדר, {דבלא"ה אסורה להתיחד עמו קודם ביאה ראשונה}, **אפ"ה** קונה אותה בזה שהביאה לחדר מיוחד לו, ואח"כ כשטובלת מותר לו לבוא עליה ביאה ראשונה בשבת, וליכא איסור משום שקונה קנין בשבת, שכבר קנה אותה מבע"י, **ולפי"ז** אפילו בחופת בתולה, יש ליזהר לכתחלה כשעושין החופה בע"ש, שיעשו החופה מבע"י גדול, [**ואין** להחמיר בדיעבד].

סעיף ו - אסור לאדם להשיט במים דבר להוליכו מאצלו או להביאו אצלו - שזהו ג"כ בכלל הגזרה שלא לשוט בשבת, **ולכן קסמים שעל פני המים, אסור להפצילן לכאן ולכאן כדי לנקות המים שיהיו יפים** - וכ"ז בנהר, אבל בכלי או בבריכה שיש לה שפה, לא גזרו, כמו שנתבאר למעלה.

סעיף ז - ספינה, אם היא יושבת בקרקע הים ואינה שטה כלל, מותר ליכנס בה - אבל אם שטה, אסור ליכנס בספינה, וכן במעבר שקורין פרא"ם, מפני דנראה כשט בעצמו.

ואסור לכל אדם להערים, [היינו אפי' לת"ח, דבזמנינו אין לנו ת"ח לענין זה], ליכנס לישן בתוכה, ויודע שהא"י יוליכנה מעבר השני בשבת, ואפילו לתוך התחום, **ועיין** סימן רמ"ח בהג"ה, דאם נכנס בה מע"ש וקנה שם שביתה, שרי, דתו הוי כביתו ואינו נראה אח"כ כשט, ואפילו אם יוליכנה חוץ לתחום שרי, **ומ"מ** אסור לצאת מספינה לספינה, דרק בספינה ראשונה מהלך את כולה, כיון ששבת באויר מחיצותיה מבע"י.

ואם היא קשורה - ראשו הא' בספינה, ובשני ביבשה, **כמנהג הספינות העומדות בנמל, אע"פ שהיא שטה על פני המים, מותר ליכנס בה.**

אחד היה לו חוב גדול אצל עו"ג, ונודע שהוא חולה, אסור לו להשכיר ספינה קטנה ללכת אצלו, דלא ברי הזיקא, דשמא לא ימות או יצוה לפרוע, והיינו אפי' בתוך התחום,

ר"י הלוי, (דסד"א להתיר כמו שהותר שבות דטלטול מוקצה מפני לסטים בסי' של"ד, לכן חילק הר"י הלוי דשאני לסטים דברי הזיקא, משא"כ כאן – מחה"ש). **ומ"א** כתב, דאפילו ברי הזיקא אסור, דהא אפי' לדבר מצוה אסור, **ובח"א** כתב, דאם צריך לעבור במעבר למצוה עוברת, וא"א בענין אחר, וכן מי שיש לו חוב אצל עו"ג, והוא ברי הזיקא אם לא יעבור בשבת בספינה, אפשר שיש לסמוך ולהתיר, **אך** כשהוא חוץ לתחום, נראה שאין להקל כלל.

§ סימן שמ – כמה דינין מדברים האסורים בשבת כעין תולדות מאבות §

סעיף א- אסור ליטול שערו או צפרניו, בין ביד בין בכלי - וה"ה בשניו, **בין לעצמו בין לאחרים** - ואף דהמחבר השוה יד לכלי, הוא רק לאיסורא, דבכולן יש איסור, **אבל** לענין חיובא יש חילוק ביניהן, דביד פטור בכל גווני, שאין דרך גזיזה בכך בחול, **ובכלי** חייב בכל גווני, דהו"ל תולדה דגוזז.

(והמ"א כתב, דלמ"ד דמשאצ"ל פטור, מיירי בשצריך לשערן, **אלא** דקשה על דבריו, דלפי"ז אמאי פסק דבמלקט לבנות מתוך שחורות אפילו באחת חייב, הא מ"מ א"צ להשער גופא, דאף אם נימא דמיירי שצריך להשערה האחת שליקט, הא בעצמה בלבד לית בה שיעורא לחיוב, וכי משום דעושה תועלת היפוי בליקוט השערה האחת יושלם בזה השיעור של ב' שערות הצריך לגופן, **ונראה** דמטעם קושיא זו נייד הגר"א מדברי המ"א, וציין על הדין דמלקט שחורות וכו': סתם כדעת הרמב"ם דהלכה כר"י במלאכה שאצ"ל, וכן בתשו' ח"צ דחה המ"א בב' ידים, והנה הריב"ש כתב דמלאכת הגזיזה חשיבא מלאכה לכו"ע, אפילו אין צריך להשער, דגזיזה היתה במשכן שלא לצורך הצמר והשער, רק לצורך העור, כגון בעורות תחשים, וע"כ חייב כל שהוא לצורך גופן אע"פ שאינו צריך לשער, ומלאכה הצריכה לגופה היא).

וחייב על שתי שערות - דוקא בכלי, **ושער** אחד יש בו איסורא דאורייתא, כמו כל חצי שיעור של כל האיסורים, **וכן** הדין בכל מלאכות שבת, לא בעינן בהו שיעור לענין איסור אלא לענין חיוב חטאת.

ולענין נטילת צפרנים, כתב הא"ר דאפילו על צפורן אחד חייב.

ואשה ששכחה ליטול הצפרנים מע"ש, ואירע טבילתה בליל שבת, מסיק המ"א שתאמר לעו"ג ליטול ביד, דהוי שבות דשבות במקום מצוה, **ואם** א"א ביד, מותר על ידו אפילו בכלי, (דבזה מקרי מלאכה שאצ"ל, שאין כונה שלה להתנאות בזה, רק לצורך טבילה), **ואם** אין עו"ג, נראה שיש לסמוך בשעת הדחק על הנקור שתנקר תחת הצפורן, ובלבד שתעיין היטב שלא יהיה בו שום טינוף, (ונ"ל דבצפרני רגליה בודאי טוב יותר להתיר ע"י נקור, מלהתיר ע"י א"י, עיין בפת"ש ביו"ד סי' קצ"ח בשם מהר"ר דניאל זצ"ל), (וז"ל: אפשר אפי' יודעת שלא היה נקי א"צ טבילה אחרת, שברגלים אין דרכן של הנשים להקפיד).

ומלקט לבנות מתוך שחורות, אפי' באחת חייב - והטעם, משום דאפילו באחת מקפיד שלא יהיה נראה כזקן, לכך חשיבא מלאכה, **ובתוספתא** איתא, דה"ה במלקט שחורות מתוך לבנות.

(**כתב** הכלבו, דבזה אפילו ביד חייב, ועיין בא"ר הטעם, דדרך ללקט בחול ביד).

(יש לעיין, אם דוקא כשהיה רק שער אחת, שבזה מועיל לקוטו להתיפות, ע"כ חשיבא מלאכה, משא"כ כשנשאר עוד הרבה, **או** אפשר דמ"מ מתיפה קצת).

ודבר זה אפי' בחול אסור, משום: לא ילבש גבר שמלת אשה - שדרך הנשים להקפיד ע"ז להתנאות.

הגה: וע"ל סוף סימן ש"ג דין סריקה וחפיפה.

ועתה נבאר במקצת דין מלאכת הגזיזה; **א)** הגוזז צמר או שער בין מן הבהמה בין מן החיה, חייב, **וכמה** שיעורו לחיוב, כדי לטוות ממנו חוט שארכו קרוב לארבעה טפחים להרמב"ם, **ולרש"י** מחצית מזה.

ב) החיוב של גזיזה הוא בין כשגוזז מן החי בין כשגוזז מן המת, אפילו מן השלח שלהן, היינו עור כשנפשט מן הבהמה, **ודוקא** גוזז חיובו בכל גווני, אבל תולש מן החי פטור, דאין דרך לתלוש משום דכאיב לה, אלא לגזוז, [**ופטור** גם משום עוקר דבר מגידולו, דהוא כלאחר יד, ועכ"פ מדרבנן אסור], **אבל** התולש ביד מן המתה, דרך לתלוש כמו לגזוז וחייב, **וע"כ** אותן בני אדם המלובשין בעורות של בהמה וחיה, צריכין ליזהר שלא יתלשו מן השער שלהן בשבת, **ובספר** חסידים אוסר ליקח הכנים מן העורות.

וכל זה בבהמה וחיה, אבל בעופות דרכן להסיר הנוצות ע"י תלישה כמו בבהמה ע"י גזיזה, ולפיכך תולש כנף מן העוף, בין מחיים בין לאחר מיתה, חייב, דתלישתן זו היא גיזתן.

ג) הטוה צמר מן החי, פטור בין מן הטויה בין מן הגזיזה, [ואף מן הנפוץ], שאין דרך טויה וגזיזה בכך, [**הרמב"ם** משמע דפטור ‹מן הגזיזה› אף כשטוה בכלי, **אבל** מדברי הרא"ש משמע, דדוקא כשטוה ביד, ומשום דאין דרך לתלוש ביד].

סעיף ב- אסור לחתוך יבלת מגופו, בין ביד בין בכלי - וה"ה בשניו, **בין לו בין לאחר** - ואפילו היא יבשה דעומדת להתפרך לבסוף מעצמה, אפ"ה אסור.

וה"ה דאסור לתלוש שאר ציצין של עור שפירשו קצת מעל גבי ידו, או ממקומות אחרים.

וכ"ז לענין איסורא, אבל לענין חיובא אינו חייב אא"כ נוטלה כשהיא לחה ובכלי, דאז הוא בכלל גוזז.

(**ובדבר דאורחיה** לתלוש ביד, חייב על התלישה משום גוזז, **א"כ** כשיש איזה ציצין מדולדלין על שפתיו ולא פירשו רובן, **אפשר** דחייב חטאת התולש אותן אפילו בידו, דדרך לתלוש אותן שם ביד ולא בכלי, **ולפי"ז** אפילו כשפירשו רובן דמתירין לתלשן ביד כשמצערות אותו, הכא אסור, דיד דהכא כיון דהוא אורחיה, ככלי דמיא).

סעיף ג- המוחק דיו שעל הקלף - בזמנם היו רגילין לכתוב על הקלף, **וה"ה** כל כיוצא בזה, ואפילו על עצים יש כתיבה ומחיקה, שכן היה במשכן בקרשים כדי לזווגן.

המוחק דיו - וכ"ש אם הוא מוחק ב' אותיות שנכתבו שלא כהוגן, ע"מ לכתוב ב' אותיות אחרות במקומן, דחייב, דזהו עיקר אב מלאכה דמוחק.

או שעוה שעל הפנקס - היינו שדרכן היה לטוח דפי פנקסיהן בשעוה כדי לרשום עליו, ואם נפל איזה טשטוש שעוה על הדף, ומחק השעוה העליונה כדי שיוכל לרשום על השעוה כדרכו.

אם יש במקומו כדי לכתוב ב' אותיות, חייב - משום מוחק, והוא שכוונתו בעת המחיקה שיהא ראוי אימת שירצה לכתוב ב' אותיות, ולא בעינן שיתכוין לכתוב בשבת, **וכן** בסותר ע"מ לבנות וקורע ע"מ לתפור, [וה"ה בכל מקלקל ע"מ לתקן].

ועל פחות מכן ג"כ יש איסור, אלא דנפקא מינה לענין חיוב חטאת.

(**כתב הפמ"ג**, דכמו דאמרינן בגמרא דאם הגיה אות אחת להשלים הספר חייב, משום דשם חשיבא אפילו אות אחת, ה"ה אם מחק אות מקולקל כדי לכתוב אחרת במקומה, ובזה יושלם הספר, חייב משום מוחק, **וא"כ** לפי"ז מה שכתב המחבר, דבעינן שיהיה במקום מחיקת הדיו כדי לכתוב ב' אותיות דוקא, ע"כ מיירי דהדיו נפל שלא במקום האותיות, ולפיכך בעינן שיהיה המקום ראוי לכתוב עליו שתי אותיות, **אבל אם** נפל דיו על איזה אות ונתקלקל, ומוחק כדי לכתוב אחרת במקומה כתיקונה, חייב משום מוחק באות זה לבד).

נפל דיו או שאר דבר לח על ספר, אל ילחכנו בלשונו, ואל ירחצנו במים, מפני שמוחק, [**אף** דהוא עדיין לח, שייך ג"כ גביה מחיקה, ולא הוי כביסוי בעלמא מלמעלה].

(**הפמ"ג מצדד, דאם בהמחיקה לבד היה שום תיקון, כגון שהיה כתוב שם איזה ענין שהיה הוא חייב לחברו, או חברו לו, וכה"ג, ונצטרך עתה למחקו, חייב משום המחיקה לבד, אע"פ שלא היה ע"מ לכתוב, ודוקא** במוחק טשטוש וכדומה, בעינן שיהיה כונתו ע"מ לכתוב ב' אותיות, או כשאותו הכתב לא היה מעלה ולא מוריד, **משא"כ** בזה שהמחיקה גופא הוא תיקון).

ועיין בב"ח, דה"ה דיש ליזהר כשנופל דיו על האותיות או שנטף שעוה, שלא למחוק הטשטוש, דע"י מחיקתו מנכר האותיות, והוי כמוחק ע"מ לכתוב וחייב, **ואפילו** אם היה הטשטוש על אות אחד יש ליזהר, דיש איסור עכ"פ, והביאו הע"ש וט"ז והא"ר, **גם** במ"א משמע דהוא סובר, דבשעוה שעל ספר יש בו משום מחיקה, וה"ה בנטיפת חלב, (**וסברת** הב"ח וכל הנ"ל הוא, כיון דמכל מקום הכתב לעת עתה מטושטש ע"י השעוה, וע"י הסרתו יתגלה הכתב, הוי בכלל מוחק ע"מ לכתוב, **ואף** דגבי תפילין ס"ל, דע"י נטיפת שעוה שלמעלה לא נתבטל האותיות שתחת השעוה, שיפסל אח"כ משום שלא כסדרן, מ"מ לענין שבת, כיון דמתחלה לא היו יכולים לקרותו, ועכשיו כשמסיר השעוה מתקן האותיות שיהיו יכולים לקראו, הוא בכלל מוחק ע"מ לתקן).

ואם נמצא כן באמצע הקריאה, אף דאסור לסלק השעוה והחלב, מ"מ אין להוציא אחרת עבור זה, ויקרא אותו התיבה בעל פה, פמ"ג וכ"כ בח"א, **ובדה"ח** כתב, דאם נמצא כן בין גברא לגברא, יש להוציא אחרת אם אין האותיות נכרין.

(**ובתשו' שבות יעקב פליג ע"ז, דהסרת השעוה מהקלף אינו בכלל מוחק, כי אם בכלל ממחק, כשממרחו בידו או בצפרניו על הקלף והנייר, וע"כ כתב, דאם הוא רוצה להסיר השעוה מן הקלף בענין שלא יגע בשעוה בידו או בצפרניו, כגון שנתייבש השעוה ויכול להסירו כלאחר יד, להקפיל הגויל של הספר באותו מקום ועי"כ תפול השעוה מאליו, שרי לעשות כן, מ"מ למעשה אין להורות להקל נגד הב"ח וכל הני רבוותא הנ"ל שסוברים כמותו).**

(**ודע, דדברי השבות יעקב הוא דוקא לענין שעוה, אבל לענין דיו שנתדבק על איזה אות, גם הוא מודה דיש בזה משום מוחק, דבזה לא הוי הדיו ככיסוי מלמעלה, דהלא נתבטל האות מתחלה עי"ז, וע"י מחיקתו את הדיו נתהוה אות מחדש, אך לפי"ז יהיה חיובו משום כותב, ומהב"ח משמע קצת דחיובו הוא משום מוחק, וכן איתא בעו"ש ובא"ר, וצ"ע).**

(**ועיין בזה בחידושי רע"א, שדעתו כהשבות יעקב בעצם הדין, דאין מוחק לענין שעוה, ומ"מ הסכים לדינא ג"כ לכל הני רבוותא, דאין לסלק השעוה מעל אותיות הספר בשבת, משום מתקן מנא, דמתקן בזה את הספר).**

(**והפמ"ג מצדד לומר, דבמקום האותיות אין בו משום מוחק ולא כותב, דכתב התחתון ממילא איתא, אלא איסור טלטול בשעוה יש, ומ"מ לא מלאו לבו להורות כן למעשה, דכתב: דלגרור שעוה משני אותיות ע"י עו"ג צ"ע, ואות אחד התיר לגרור ע"י עו"ג).**

(**והנה לפי מה שברר בחי' רע"א בסי' ל"ב, דדבק דינו כמו דיו,** ‹שאסור ליתן דבק על אותיות השם, כיון שנחשב שמוחק אותם, שכן אם יסירו את הדבק תוסר האות עמו›, **לפי"ז כשנדבקו הדפין להדדי בדבק במקום האותיות, יש בזה איסור דאורייתא שלא לפרקן מהדדי לכו"ע, ואפילו אם תדחוק ותאמר דבאותיות שיקלף הדבק מהם, גם להגרע"א כמו שעוה דמי, עכ"פ להב"ח וסייעתו יש בזה איסור דאורייתא).**

אסור ליתן שעוה על הספר לסימן במקום שרוצה לעיין בה למחר, מפני חשש מירוח.

הגה: אסור לשבר עוגה שכתב עליה כמין אותיות - ויש מחמירין אפילו בציורים, **אע"פ שאינו מכוין רק לאכילה, דהוי מוחק** - ואף דאינו ע"מ לכתוב, איסורא דרבנן מיהו איכא, ואף שאינו מכוין למחוק, פ"ר הוא ואסור אף בדרבנן.

ומותר ליתנו לתינוק.

ודוקא כשכותבין על העוגות אותיות מדבר אחר, אבל כשהכתיבה היא מהעוגה עצמה, בדפוס או בידים, שרי, דאין שם כתיבה עליה, וממילא לא שייך בזה מחיקה.

וכן אם כתב האותיות בדבש המעורב במים, או שאר מי פירות, ג"כ אין להחמיר.

ועיין בספר דגול מרבבה שמצדד להקל בעיקר הדין הזה, **ויש** לסמוך עליו כשאינו שובר במקום האותיות בידו, רק בפיו דרך אכילה.

וספר שכתוב עליו בראשי חודי דפיו אותיות או תיבות, יש אוסרין לפתחו ולנעלו בשבת, דע"י הפתיחה שובר האותיות והוי כמוחק, וכן כשנועלו הוי ככותב, **אבל** דעת הרמ"א בתשובה להקל בזה, וכן דעת הרבה אחרונים, וטעמם, דכיון דעשוי לנעול ולפתוח תמיד, ליכא ביה משום מחיקה וכתיבה, והוי כדלת הנסגר ונפתח תמיד, דאין בו משום בנין וסתירה, **וכן** המנהג, **ומ"מ** נכון להחמיר כשיש לו ספר אחר, [**ולכתחילה** בודאי טוב יותר לצאת ידי הכל, שלא לעשות אותיות על חודי הדפין].

סעיף ד - יש ליזהר שלא לכתוב באצבעו במשקין על השלחן - ר"ל שטבל אצבעו באיזה משקה וכתב בו על השלחן, וה"ה על נייר וקלף וכיוצא בזה, [**רש"י** פי' כגון מי תותים שמשחירין, משמע דבמיא בעלמא לא חשיב כתב כלל אפי' מדרבנן, לבד ממי גשמים, שיש בהן חיוב חטאת ללשון אחד של רש"י, **ובתפארת** ישראל ראיתי שכתב, דבמים נמי אסור, **ולא** ידעתי מנין לו, **וחלון** זכוכית שאסרו לרשום עליה בימי הקור שאני, דמנכר הכתב יותר].

אף דחיוב חטאת ליכא, דבעינן שיכתוב דוקא בדיו, או בשאר דבר כיוצא בזה שרישומו מתקיים, **אפ"ה** מדרבנן אסור אף באינו מתקיים.

סימן שמ – כמה דינין מדברים האסורים בשבת כעין תולדות מאבות

וכתבו האחרונים, דאפילו אם כתב בהמשקין על דבר שאינו מתקיים, כגון על עלה ירקות וכיו"ב, אפ"ה מדרבנן אסור.

או באפר - ששרט באצבעו כמין אותיות באפר נגוב, וה"ה בחול, **וכן** אסור לרשום כמין אותיות על החלון זכוכית בימי הקור, שהם לחים מן הקור.

ואם רשם כמין אותיות בדברים הקרושין, כגון בדם וחלב שנקרש, משמע בתוספתא דחייב, [**ובפרישה** איתא, דבשומן הנקרש הוא רק איסורא דרבנן].

אבל מותר לרשום באויר כמין אותיות - כדי לרמז לחבירו איזה דבר, ולא אמרינן דמאמן ידיו בכתיבה עי"ז.

וה"ה דמותר לראות אומנות בשבת אע"ג שמלמדה, **ונראה** דהיינו דוקא באקראי, שנזדמן לו לראות, **וגם** זה יש לו ליזהר שלא ידבר אז מאומה עם העו"ג בזה, **אבל** לילך בשבת בכוון לבית העו"ג בשביל זה, אסור משום "ממצוא חפצך".

וה"ה אם מוליך באצבעו על דף נגוב כעין צורת אותיות, ג"כ שרי, כיון דאין רישומו ניכר כלל, ולא דמי למשקין ואפר.

ואגב נבאר פה מן הגמרא והפוסקים עיקרי דיני כותב ומוחק, בדבר שיש בו חיוב חטאת, ובדבר שהוא פטור ואסור, כי השו"ע קיצר בזה, **ונ"מ** איזה דבר הוא דאורייתא או שפטור ואסור מדרבנן, ע"י א"י במקום מצוה, דקי"ל דאיסור דאורייתא אין אותירין ע"י א"י אפי' במקום מצוה.

א) אין הכותב חייב עד שיכתוב בדבר הרושם ועומד, כגון דיו, ושחור {היינו פחם}, וסקרא {צבע אדום}, וקומוס {שרף אילן}, ומי עפצים, וקנקנתום, וכלי עופרת, וכל כיוצא בהם שהוא דבר המתקיים, (**כתב** במי טריא, ופירש"י שם בלשון א', דהוא מין פרי, ובלשון שני פי', שהוא מי גשמים, **או באבר**, והיינו במיא דאברא, או בשיחור, בקליפי אגוזים, בקליפי רמונים, והיינו שכתב במי שריתן דהם דברים שצובעין בהן, כל הני מקרי שכותב בדבר המתקיים וחייב חטאת, **דלענין** חיוב שבת לא בעינן שיכתוב במה שיתקיים הכתב לעולם, **אלא** דמקיימי קצת עד שדרכן של בני אדם לכתוב בהן דברים שאין עשויין לקיימן לעולם אלא זמן אחד, כספרי הזכרונות וכיוצא בהן, לענין שבת מלאכת מחשבת היא, ולא בעינן שיתקיים לעולם כדיו), **אבל** הכותב בדבר שאין רשומו עומד, כגון במשקין ומי פירות, פטור.

וכן אינו חייב עד שיכתוב על דבר שמתקיים הכתב עליו, כגון על עור וקלף ונייר ועץ וכיוצא בהם, (**כתב על** העלין של זית וחרוב ודלעת, **או שכתב** בדם הקרוש וחלב הקרוש, והיינו ע"י שריטה, **חייב, ודע עוד, דאם** כתב אותיות על אוכלין ג"כ חייב, **דמקרי** על דבר המתקיים), **אבל** הכותב בדיו וכיוצא בו על עלי ירקות, ועל כל דבר שאינו עומד, פטור, דאינו חייב עד שיכתוב בדבר העומד על דבר העומד.

וכן אין המוחק חייב, עד שימחוק כתב העומד מע"ג דבר העומד.

וכ"ז לענין חיוב חטאת, אבל איסור דרבנן יש, אפילו כתב בדבר שאינו עומד על דבר שאינו עומד, וכן לענין מחיקה.

ב) הכותב על בשרו בדיו חייב, מפני שהוא עור, אע"פ שחמימות בשרו מעברת הכתב לאחר זמן, הרי זה דומה לכתב שנמחק, [הוא לשון הרמב"ם, **ומשמע** מזה דאם כתב על מיני בע"ח שאין להם עור, פטור, **ואולי** טעמו של הרמב"ם, דבהני בע"ח כיון שאין להם עור, חמימות הבשר מעברת תיכף את הכתב, והוי ככותב על דבר שאינו מתקיים, וגריעא מכותב על האוכלין דחייב].

אבל המשרט על בשרו צורת כתב, פטור, שאין דרך כתיבה בכך.

הקורע על העור כתבנית כתב, חייב משום כותב, הרושם על העור כתבנית כתב, פטור, **ובתוספתא** שלנו איתא להיפך, דבקורע פטור וברושם חייב, וכבר נתחבטו בזה הראשונים.

ג) הכותב כתב על גבי כתב, דהיינו שהעביר קולמוס על אותיות הכתובים כבר וחידשם, פטור, דהא לא אהני מידי, **וה"מ** שהיה דיו ע"ג דיו או סיקרא על גבי סיקרא, **אבל** אם העביר דיו ע"ג סיקרא, חייב שתים, אחת משום כותב, שעכשיו הוא כתב הגון יותר מבראשונה, וא' משום מוחק, שמוחק בכתיבתו את ב' אותיות התחתונות, **ואם** העביר סיקרא ע"ג דיו, פטור, דמקלקל הוא.

ד) אין הכותב חייב חטאת עד שיכתוב שתי אותיות, **אבל** אם כתב אות אחת, אפילו היתה גדולה כשתים, פטור מחטאת, **ומ"מ** איסור דאורייתא איכא אפילו באות א'.

ואות אחת שאמרנו דפטור, הוא אפילו היתה סמוכה לכתב שהיה כתוב מקודם, כיון דבשבת לא כתב אלא אות אחת, **אבל** אם בזה האות השלים את הספר, חייב, דאהני מעשיו טובא, (**נראה דלאו בדוקא הוא, דה"ה אם היה חסר בהספר איזה אות באמצעו, דעי"ז איננו ספר שלם, והוא תקנו, דחייב, דעל ידו נשלם הספר, ובגמרא איתא עוד אוקימתא, כגון שנטלו לגגו של ד' ועשאו רי"ש, כגון שעי"ז הוגה הספר לגמרי, שלא היה בו עוד טעות אחר אלא זה**).

הכותב אות אחת, ונקד עליה לסימן, אע"פ שקורים ממנה עי"ז תיבה שלמה, פטור, כיצד, כגון שכתב אות מ', והכל קורין אותה "מעשר", או שכתבה במקום מנין, שהרי היא כמו שכתב "ארבעים", אפ"ה פטור.

המגיה אות אחת ועשה אותה שתים, כגון שחלק גג החי"ת ונעשה שני זייני"ן, והוא צריך לזה, חייב, וכן כל כיוצא בזה.

התכוין לכתוב חי"ת וכתב שני זייני"ן, או שהתכוין לכתוב מ' ועלה בידו כ' ו', ע"י שדילג הקולמוס ולא נמשך האות כראוי, וכל כיוצא בזה, הרי זה פטור, שהרי לא נתכוין אלא לאות אחת.

ה) שתי אותיות שאמרנו לחיוב, הוא אפילו אם לא נעשה תיבה עי"ז, כגון אל"ף גימ"ל, וכיוצא בזה.

ואפילו אם היו שתיהן שוות משם אחד, כגון "תת" "גג" "חח" "דד" וכדומה, ג"כ חייב, (**העתקנו לשון הרמב"ם, כגון שנעשה עי"ז איזה תיבה, ואם היו שוות וגם לא נעשה תיבה עי"ז, כגון אל"ף אל"ף, בי"ת בי"ת וכדומה, מלשון הרמב"ם משמע דפטור, אבל דעת רש"י ורי"ו והרע"ב, דאפילו על אל"ף ואל"ף חייב, וכן משמע מדעת הרי"ף והרא"ש**).

ואפי' אם היה דעתו מתחלה לכתוב יותר, כגון "תתנו" או "גגות", וכתב רק שתי אותיות אלו מהן, אעפ"כ חייב.

לפי מה שנפסק דאין הזיונין של אותיות שעטנ"ז ג"ץ מעכב, **א"כ** אם כותב שתי אותיות בלי זיונין, אפילו בס"ת תפילין ומזוזות, ג"כ חייב, וכ"ש בכתב בעלמא דמקרי כתב וחייב, וכן נוהגין בגיטין שכותבין בלי זיונין, אלמא דהוי כתב גמור אפי' בלי זיונין, **גם** דמלאכת כתיבה הוא מדאורייתא בכל כתב ובכל לשון.

וכתב הרמב"ם, דאפילו משני סימניות חייב, והיינו כגון שעשה הסימנים המורים על המספר.

ו) שתי אותיות שאמרנו לחיוב, הוא אפילו אם כתבן בשני דפי פנקס והן נהגין זה עם זה, דהיינו שכתבן בשפתיהן שיוכל לקרותן כאחת, [רש"י, **וס"ל** דאם כתבן באמצע פטור, הואיל דמחוסר מעשה קציצה לקרבן, **ומהרמב"ם** משמע דחייב בכל גווני].

ואפילו אם כתבן בשני כותלי זוית מבפנים, חייב, הואיל שהיו זו כנגד זו ויכול לקרותן כאחת. (**ובענין נהגין זה עם זה יש להסתפק, אם כתב אות אחת, ואח"כ כתב אות אחרת למעלה על גבה, אם זה מקרי שתי אותיות, אחרי דאין נהגין זה עם זה**).

ואפילו לקח גויל וכיוצא בזה, וכתב על שפתו אות אחת במדינה זו, והלך באותו היום וכתב אות שניה במדינה אחרת ובמגילה אחרת על שפתה, חייב, שבזמן שמקרבן נהגין זה עם זה, ואין מחוסר מעשה לקריבתן.

אבל אם כתב אות אחת בארץ ואות אחת בקורה, או שכתב על ב' כותלי הבית והיו רחוקין זה מזה, או על שני דפי פנקס באופן שאין נהגין זה עם זה, [היינו באמצע שחסר קציצה לקרבן], פטור, [**והרמב"ם** מחייב בזה בכל גווני].

ז) הכותב בשמאל, או לאחר ידו, דהיינו בגב ידו, שאחז הקולמוס באצבעותיו והפך ידו וכתב, ברגלו, בפיו, ובמרפקו, דהיינו באצילי ידיו, פטור, מפני שאין דרך כתיבה בכך, **ומ"מ** איסורא יש אפי' ברגלו וכה"ג.

איטר שכתב בימינו, שהיא לו כשמאל כל אדם, פטור, **ואם** כתב בשמאלו חייב, **והשולט** בשתי ידיו בשוה, וכתב בין בימינו בין בשמאלו, חייב.

קטן אוחז בקולמוס וגדול אוחז בידו וכותב, חייב, שהוא העיקר במלאכה והקטן לאו כלום עביד, **גדול** אוחז בקולמוס וקטן אוחז בידו וכותב, פטור, דבזה הגדול לא עביד כלום, **ואם** האוחז בקולמוס נתכוין לסייעו, תליא החיוב בהאוחז בקולמוס.

סימן שמ – כמה דינין מדברים האסורים בשבת כעין תולדות מאבות

הכותב ע"מ לקלקל העור, חייב, שאין חיובו על מקום הכתב אלא על הכתב, **אבל** המוחק על מנת לקלקל פטור.

ח) הרושם רשמים וצורות בכותל בשׁשׁר וכיוצא בהן, כדרך שהציירים רושמים, הרי זה תולדת כותב וחייב משום כותב, וכן המוחק את הרשום כדי לתקן, הרי זה תולדת מוחק וחייב. (**לשון הרמב"ם, ומקורו הוא מירושלמי: הצר צורה, הראשון חייב משום כותב, והשני חייב משום צובע, וביאורו: שראשון רשם את הצורה באבר וכה"ג, והשני העביר הצבע עליו, ולכך הראשון חייב רק משום כותב, עבור הרושם תמונה שעשה, והשני שהעביר הצבע במקום הרשום, אינו רק צובע בעלמא, ומירושלמי הזה מבואר דאף בצורה אחת חייב**).

ואם עושה צורה בכלי צורה, היינו שהכלי עומד לכך לנאותה, אפי' עושה מקצתה, חייב משום מכה בפטיש, שהיא גמר מלאכתה של הכלי, (**שעשה הצורה בבת אחת, ולכך לא שייך בזה כותב, דענין אחר הוא, והא דלא מחייב הרמב"ם בכלי משום צובע, אפשר דלא מיירי כשצר בצבע, אלא שחקק צורה בכלי כדרך שעושין בכלי כסף**).

אסור לחבר אותיות של כסף לפרוכת וכיוצא בו, דהוא כעין כותב, וכן אסור להסיר ממנו, דהוא כעין מוחק.

ועתה נבאר קצת מעניני מחיקה ושרטוט: המוחק כתב ע"מ לכתוב במקום המחק שתי אותיות, חייב, ואפילו אות אחת, אם היא גדולה ויש במקומה כדי לכתוב שתים, חייב.

והמוחק ע"מ לתקן, אפי' שלא ע"מ לכתוב, כגון שהיו אותיות יתירות בתורה ומחקן, ג"כ חייב.

כתב הח"א, דכל המלאכות חוץ מכותב, חייב בין בימינו בין בשמאלו, **אך** ברגלו בפיו ומרפקו, משמע שם דפטור ואסור.

המשרטט נייר וקלף וכיוצא בו, כדי לכתוב שתי אותיות תחת אותו שרטוט, חייב, **וכן** כשרוצה לחתוך עור או שאר דברים, ומשרטטו תחלה כדי שיכוין חתוכו, גם זה הוא בכלל משרטט.

וה"ה חרשי עצים, שמעבירין חוט של סקרא ע"ג הקורה כדי שינסור בשוה, או הגבלים שעושין כן באבנים כדי שיפצל האבן בשוה, כ"ז הוא בכלל משרטט, **ואחד** המשרטט בצבע או בלא צבע, הרי זה חייב.

סעיף ה - מותר לרשום בצפורן על הספר, כמו שרושמין לסימן, שאין זה דבר המתקיים - ודוקא רשימה כעין קו בעלמא, לזכרון שיש בזה איזה ט"ס, ומשום דלא חשיב כתב כלל בלא"ה, **אבל** לעשות כמין אות, ודאי אסור אפילו באות אחת.

ודוקא בקלף הקשה, דבזמנם היו כותבין על הקלף, **אבל** על הנייר אסור, דמתקיים הוא.

ודוקא בצפורן, אבל אם רושם באיזה כלי שעושה רשימה עמוקה יותר, אף על קלף ועץ אסור, דמנכר היטב ומתקיים.

מותר לרשום - ויש מחמירין, (**דהנה האמת הוא כמו שמצדד הא"ר לומר, דהטור ס"ל שאין הלכה כר' יוסי, וא"כ רושם שריטות בעלמא אינו בכלל כותב כלל, ואסור רק מדרבנן, ולכך בדבר שאין מתקיים מותר לגמרי, אכן הד"מ הביא בשם האור זרוע לאיסור, דחשש לדעת ר' יוסי דרושם חייב כמו כותב, וא"כ בדבר שאינו מתקיים אסור מדרבנן, וכתב בכנה"ג, דראוי לירא שמים להחמיר בזה, וכן פסק הב"ח דלא כהטור והמחבר, וכתב דאסור לרשום בצפורן אף רושם אחד, והביאו המ"א**).

(**עיין בפמ"ג שכתב: ומ"מ כשעושה בצפורן רושם על טעות בספר, יראה דאסור, דמגיה מתקן בכך, וחוששני לחטאת, ודוקא לרשום לזכרון וכדומה י"ל דשרי, עכ"ל, ואולי כוונת הפמ"ג, כשמוחק האות ע"י רשימת צפרנו, ודוחק**).

סעיף ו - חוט של תפירה שנפתח, אסור למתחו, משום תופר - היינו שנתפרדו שתי חתיכות הבגד זו מזו במקצת, וחוטי התפירות נמשכין, ורוצה למתוח ראש החוט כדי להדק ולחבר.

והעושה כן חייב חטאת, והוא שעשה הקשר לבסוף, אפי' אינו של קיימא, **אבל** בלא קשר כלל פטור, [**ועיין** בא"ר דמצדד דמ"מ אסור מדרבנן, **והפמ"ג** מצדד דלפעמים חייב אף בלא קשר, כגון שיש עוד תפירות מלבד אלו שנתפרדו, ולכך חייב אף במתח שתי תפירות, דמתחברות עם אלו], **ואם** יתפרדו ג' תפירות ומתחן, חייב אף בלא קשר.

ואגב נבאר קצת דין תופר: התופר שתי תפירות חייב, והוא שקשר ראשי החוט מכאן ומכאן כדי שלא תשמוט, ואפי' לא היה של קיימא, **ואם** היה של קיימא, חייב גם משום קושר.

וכ"ז לענין חיובא, אבל לענין איסורא, יש אומרים דאסור ואפי' לא עשה קשר כלל, **וע"כ** אותן האנשים שתוחבין הקרייז עם הבגד במחט בשתי תכיפות, לאו שפיר עבדי.

ואם עשה ג' תפירות, חייב אף בלא קשר, שהרי מתקיימת התפירה.

סעיף ז - אותם שמהדקים הבגדים סביב זרועותיהם על ידי החוט שמותחין אותו ומתהדק - דרכן היה ליתן חוט בתוך הבית יד שעל זרועו, דכשרוצה להדקו היה מותח החוט ומתהדק היטב, **אסור למתחו אלא אם כן יהיו הנקבים רחבים קצת, ומתוקנים בתפירה בעיגול** - סביב הנקב, דאז אינו דומה כלל לתופר, דהוי כמאן דמכניס קרסים בלולאות, כיון דמתוקן לזה בתמידות למתחו ולהדקו כשלובשו, וכן לרפותו כשרוצה לפשטו.

ואפי' החוט תחוב במחט נקובה, שהוא תלוי שם בתמידות כדי להכניסו על ידו בהנקבים, שרי, ואין בו משום טלטול, כיון שהמחט תלוי בפתיל והפתיל בבגד, ואין נפרד ממנו לעולם.

ואם אין מהדקו יפה, ונמלך לפעמים להניחו כך לעולם, ולפשטו כשהוא מהודק, אסור להדקו בשבת, (דנמצא עשה תפירה של קיימא, ובתפירה של קיימא אין מועיל מה שהנקבים רחבים ומתוקנים בתפירה ובעיגול – הגר"ז).

סעיף ח - מוכין שנפלו מן הכסת, מותר להחזירם - לאותו הכסת, דכיון דכבר היו שם, אין בזה משום תיקון מנא, **אך** שיזהר שלא יתפור.

כל דבר רך קרוי מוכין, כגון צמר גפן וגרירת בגדים בלויים וכה"ג, וה"ה נוצות.

אבל אסור ליתנם בתחלה בכסת - דהשתא עביד ליה מנא, ויש בזה חיובא דאורייתא, [לרש"י, **ולהרמב"ם** הוא רק משום גזירה שמא יתפור].

סעיף ט - אסור לקבץ מלח ממשרפות המלח - שיש מקומות שממשיך לתוכן מים מן הים, והחמה שורפתן והן נעשין מלח, **שדומה למעמר** - דמלאכת מעמר הוא לאסוף השבולין, וגם הוא כעין זה, ולכך אסור מדרבנן, **אבל** עימור גופא ליכא, דאין עימור אלא בגידולי קרקע.

ודוקא במקום המשרפות, ששם הוא מקום גידולו של המלח, דומיא דשבלין שבשדה, **אבל** אם נתפזר במקום אחר, מותר לקבצן למקום אחד.

וכן אסור לקבץ כל דבר ממקום גידולו - היינו פירות וירקות ועצים ועשבים וכל דבר הגדל מן הקרקע, **ובזה** חיובא נמי איכא כשמקבצן במקום גידולן, דזהו מלאכת מעמר גופא, **והאי** דנקט המחבר בלשון "אסור", להורות לנו דשלא במקום גידולן, כגון שנתפזרו פירות בבית, אפילו איסורא נמי ליכא, כשמקבצן יחד.

ושומרי גנות ופרדסים צריכין ליזהר מאד בזה, אפי' בפירות שנשרו מבעוד יום, שלא לאספן בשבת, אפילו מעט, כי יש בזה חיוב חטאת, דשיעור עימור הוא שיעור קטן מאד, **וכמו** שכתב הרמב"ם: המעמר אוכלין, אם לאכילה, שיעורו כגרוגרת, ואם לבהמה, שיעורו כמלא פי הגדי, ואם להסקה, שיעורו כדי לבשל ביצה.

סעיף י - המקבץ דבילה ועשה ממנה עיגול, או שנקב תאנים והכניס החבל בהם עד שנתקבצו גוף אחד, הרי זה תולדת מעמר וחייב, וכן כל כיוצא בזה - שדרכן של אותן הפירות לחברן באופן זה, **ועיין** בנשמת אדם שמצדד, דאף כשעושה כן בבית חייב משום מעמר, דבאופן כזה עשוי לעשות גם בבית כבשדה.

סעיף יא - אע"פ שנותנים שומשמין ואגוזים לדבש, לא יחבצם בידו - ר"ל שמהדק בידו האגוזים, ועי"ז מפריד הדבש מבחוץ, דהוי בורר. **ועיין** לעיל סי' שי"ט בסופו, שבררנו דבר זה.

סעיף יב - הנותן זרע פשתן או שומשמין וכיוצא בהם במים, חייב משום לש, מפני שמתערבים ונתלים זה בזה.

סעיף יג - אין שוברים החרס ואין קורעין הנייר - כדי להניח עליהם ‹דבר מה - שם בפמ"ג, וכה"ג› **מפני שהוא כמתקן כלי** - ומיירי בשאין מקפיד על המדה, דאל"ה יש בו גם משום מחתך, [**דגם** בקורע ביד יש בו משום מחתך, ועיין במש"כ בסי' שכ"ב בבה"ל].

ואם קורע נייר לקרעים כדי לקנח את עצמו בהן, או לשאר איזה תשמיש, חייב משום קורע, שהוא קורע ע"מ לתקן, **והמחבר** שלא הזכיר כאן הטעם משום קורע, (דלא שייך שֵם קורע ע"מ לתקן כי אם כשקורע איזה דבר באמצע, והוא צריך לתיקון שניהם, **משא"כ** כשקורע איזה דבר מהבגד מן הצד, וכונתו לתקן בזה את הבגד שהיה ארוך, או מקולקל בשפתו, והחתיכה הנקרעת לא יתוקן בזה כלל, לא שייך בזה שם קורע ע"מ לתקן כי אם שם אחר, דהיינו מתקן מנא, שהוא מתקן בזה את הבגד, **ולכך** בעניננו שהוא קורע איזה חתיכת נייר מדף שלם כדי להשתמש בו איזה דבר מה, ובדף שנקרע ממנו הנייר הזה אינו מתקנו כלל, **ואפשר** דמקלקלו ג"כ, אין זה בכלל קורע ע"מ לתקן, **ולפי"ז** אם קורע הנייר לכמה קרעים, וצריך לכל אחד להשתמש בו, הוא חייב, דהוא קורע ע"מ לתקן, **אבל** לשיטת רש"י, דס"ל דכל דבר שהתיקון מנכר תיכף בעת הקריעה גופא, לא שייך בזה שם קורע כלל, כיון דעושה כלי בקריעתו, א"כ הכא נמי דמשוי ליה מנא בקריעתו, לא שייך בזה שם קורע כלל).

ולקרוע אגרת המחותם, אפילו אם יזהר שלא ישבור אותיות החתימה, רק יקרע הנייר שסביבה, ג"כ אסור לכו"ע, **ואפילו** לומר לא"י יש ליזהר אם לא לצורך גדול, (**ואבאר** קצת: דהח"צ התיר ע"י א"י, ונראה דהוא סובר דהוא מלשאצ"ל, דהא אין מתקן בגוף הנייר מידי, דלהנייר הוא מקלקל גמור, והתיקון הוא מצד אחר, **ובאמת** לא ברירא סברתו, דידוע דעיקר תיקון אגרת, שעומד לקרותו, ותיקונו הוא שיוכל לקראו, וא"כ כשקורעו כדי לקרותו הוי מלאכה הצ"ל, **אכן** היכא דסגורה האגרת בתוך נייר אחר כנהוג, בודאי הקורע הנייר העליון הוא בכלל מקלקל, ופטור אפילו לר"י, וע"כ מותר ע"י א"י במקום צורך, דהוי שבות דשבות, **אולם** לפי שיטת רש"י, היכא דהוא סותר ע"מ לבנות שלא במקומו, דהוא מקלקל במקום זה ומתקן במקום אחר, חייב לר"י, א"כ ה"נ בזה בכל גווני הוא מלאכה דאורייתא לר"י, דהוא בכלל קורע ע"מ לתקן, ‹והרמב"ם פוסק כוותיה›, **ואפילו** ע"י עו"ג יש ליזהר), **ובאגודה** כתוב, שיאמר לא"י: איני יכול לקרותו כל זמן שאין פתוח, ואם יבין הא"י מעצמו ויפתחנו, לית לן בה, (**ומ"מ** נראה דלצורך גדול יש להקל לפתחו ע"י עו"ג, **ובפרט** אם האגרת מונחת בתוך נייר אחר, ולכתחילה טוב יותר לעשות כמש"כ בשם האגודה).

סעיף יד - המדבק ניירות או עורות בקולן של סופרים וכיוצא בו, הרי זה תולדת תופר וחייב – (כי תופר ענינו הוא, דלוקח שני דברים אחדים ומחבר אותם לא', וכן הוא ע"י דיבוק, ונ"ל דה"ה כשמדבק עץ לעץ ע"י דבק כנהוג, ג"כ שם תופר עליו).

ומסתברא דשעורו ג"כ כמו בתופר, דהיינו שעור ב' תפירות לחיוב.

וכן המפרק ניירות דבוקים או עורות דבוקים, ולא נתכוין לקלקל בלבד - אלא בשביל איזה תועלת, **הרי זה תולדת קורע וחייב** - אף שלא נתכוין בזה כדי לדבקם עוד ביותר, מ"מ חייב משום קורע, דלא בעינן בקורע דוקא ע"מ לתפור, אלא בשביל איזה תיקון, כדי שלא יהיה מקלקל, (**ולא** מיבעיא לדעת התוס', דקורע על מת דידיה דאיכא תיקון דמצוה, מקרי מלאכה הצריכה לגופה, כיון שהוא צריך לה, א"כ ה"נ בכל קורע ע"מ לתקן, **ואף** לרש"י וסייעתו, דס"ל דקורע אפילו על מת דידיה דפטור משום משאצ"ל, **היינו** דס"ל דצורך מצוה לא חשיב תיקון כ"כ, שיקרא משום זה מלאכה הצריכה לגופה, **אבל** בכל עניני תיקון שהוא צריך להן בעצמותן, כמו במפרק ניירות שצריך שיהא הנייר דק, לכו"ע הוא בכלל מלאכה הצריכה לגופה, כמו בקורע ע"מ לתפור).

וכ"ש בקורע בבגד במקום התפירה לאיזה תועלת דחייב.

ואם מכוין לקלקל בלבד, פטור ואסור לכתחלה, ככל מקלקלין דשבת.

(**אך** זה יש לעיין, לענין מפרק דחיובו הוא משום קורע, ואף דלא היה ע"מ לתפור, משום דכיון דדעתו לאיזה דבר צורך ולא לקלקל, חשיב כע"מ לתפור, או בקורע בחמתו, אם שייך בזה ג"כ השעור כדי לתפור ב' תפירות, **או** דילמא כי אמרינן בקורע שעור זה, הני מילי היכא

דחיובו הוא משום שכונתו היה כדי לתפור, ע"כ אמרינן דבפחות משעור זה לא חשיב, **משא"כ** היכא דחיובו הוא משום שכונתו הוא בשביל איזה תיקון אחר, כגון בענינגו שצריך שיהיה הנייר והעור חלוק, או בקורע בחמתו שהוא כדי ליישב את דעתו, או בכל קורע שהוא ע"מ לתקן, כל שיש בו התיקון שהוא מכוין בו, חייב, ולא תליא בשעור זה, וצ"ע).

ודוקא בזה שדיבוק זה נעשה לקיום, אבל היכא שנדבקו הדפין להדדי ע"י שעוה, או בשעת הקשירה, מותר לפתחן, כמש"כ סימן שי"ד ס"י, כיון דלא נעשה לקיום, כ"ש הכא דנעשה ממילא בלא מתכוין, לפיכך אינו דומה כלל לתופר, ואין בו משום קורע, **ואם** נדבקו במקום האותיות, אסור לפרקן.

ולקרוע מחדש דפין של הספרים שלא נחתכו מבעוד יום, יש בהן חיובא, ואפי' ע"י א"י אסור, (**דמלאכה** כזו הוא נכלל בשם מכה בפטיש, דידוע דדרכן של האוגדי ספרים לעיין ולחתוך לבסוף כל הדפין המחוברין זה לזה).

מי שנסתבכו בגדיו בקוצים, מפרישן בצנעה ובנחת שלא יקרע, ואם נקרע נקרע, **וכן** מותר ללבוש בגדים חדשים, ואם נקרע נקרע, שאינו מתכוין לקריעה, **ופוצעין** אגוזים במטלית, היינו שמכה על המטלית כדי לשברם, ואינו חושש שמא תקרע.

§ סימן שמא – היתר נדרים בשבת §

סעיף א - מתירים נדרים בשבת אם הם לצורך השבת - אבל שלא לצורך שבת, אפילו לא היה לו פנאי להתיר קודם, אין מתירין, משום דהלא יכול להתיר אחר שבת, ולמה לן לאטרוחי בשבת בכדי, [**וביו"ד** כתב הטעם, משום "ממצוא חפצך"].

כגון שנדר שלא לאכול או שלא לשתות - פי' היום, [דאם לגמרי, אין חל הנדר כלל, דנדר שוא הוא], **ולאו** דוקא אם נדר לגמרי מאכילה ושתיה, דה"ה אם נדר מאכילת בשר ושתית יין, ג"כ מתירין, דדבר זה הוא מצוה בשבת, [**ומסתברא** דה"ה שאר דברים שדרך לענג בהם בשבת, **ועיין** בפמ"ג דמסתפק, אם נדר מאכילת איזה מין פירות או משקה], **וה"ה** אם נדר שלא ללבוש מלבוש הצריך היום, ג"כ שרי, **ועיין** ביו"ד, דמשמע דה"ה אם נדר שלא לישן בשבת ג"כ הכי, דמתירין לו, דזהו ג"כ מתענוגי שבת הוא אם רגיל בכך. **וה"ה** אם הוא לצורך מצוה, ג"כ מתירין אע"פ שאינו לצורך שבת.

אע"פ שהיה לו פנאי להתירם קודם השבת – (ומסתברא דלכתחלה יפירם בע"ש, אך דבדיעבד אין קונסין אותו בשביל זה).

אבל הבעל יכול להפר נדרי אשתו אפי' שאינם לצורך השבת - וה"ה אב לבתו נערה, **מפני שאם לא יפר לה היום לא יוכל עוד להפירם** - שאין יכול להפר אלא ביום שמעו דוקא, וכדכתיב: ביום שמעו, **ואפילו** שמע בשבת סמוך לחשיכה קודם יציאת השבת, מותר להפר, דזמן הפרתה לא הוי מעת לעת, אלא אותו היום בלבד, **דהיינו** אם שמע בלילה, יש לו זמן להפר לה כל הלילה וכל היום בשבת, **ואם** שמע ביום אפילו סמוך לחשיכה, אין לו היתר להפר לה אלא קודם הלילה.

איתא ביו"ד, דכשמפר בשבת לא יאמר לה: מופר ליכי, כמו שאומר בחול, אלא מפר ומבטל הנדר בלבו, ואומר לה: טלי ואכלי טלי ושתי.

ופשוט דאם הבעל אינו יודע עדיין מנדרי אשתו, והוא שלא לצורך שבת, יותר טוב שלא להודיע לו עד אחר השבת, כדי שלא יצטרך להפר בשבת ביום השמיעה.

וה"ה אם נדרה לזמן והזמן כלה בשבת, אין רשאי להפר היכא שהדבר אינו לצורך שבת, כיון דלמחר שריא, למה יעשה דבר שלא לצורך היום, **ודמיא** לשאלת נדרים, שאסור להתיר היכא שהדבר אינו לצורך שבת.

סעיף ב - מי שנשבע לעשות מלאכה פלונית עד זמן פלוני, ולא נזדמן לו לעשותה עד יום האחרון של אותו זמן, ואותו יום בא בשבת - ואותה המלאכה הוא דבר שאסור לעשות ביום השבת, **ויש לו פתחים להתיר נדרו, נשאלין אפי' בשבת** - שאם לא יתירו לו היום את שבועתו, יעבור על "לא יחל דברו".

וה"ה דאפילו אם אין לו פתח, אלא חרטה מעיקרו לחוד, ג"כ מתירין לו כדי שלא יעבור על נדרו, **אך** באמת הלא יכול לעשות מחרטה גופא פתח, דשואלין לו: אילו היה יודע שיתחרט לבסוף על נדרו או שבועתו, האם היה מקבל על עצמו לכתחלה דבר הזה בנדר ושבועה, וכשמשיב: לאו, מתירין לו.

(**אבל** אם אפשר לעשות מע"ש, צריך לעשות מע"ש, כדי שלא יצטרך להתיר לו בשבת, **ומ"מ** נ"ל דבדיעבד מתירין לו בכל גווני, ואף שלא היה לו לעשות כן, ודומיא דרישא דמתירין לו אע"פ שהיה לו פנאי להתיר מע"ש, **ולא נקט**: ולא נזדמן וכו', רק משום דלכתחלה אם נזדמן לו מקודם, אסור לו להתרשל לעשות ולסמוך על סמך שיתיר למחר).

סעיף ג - נהגו להתיר חרמי הקהל בשבת אע"פ שאינם לצורך השבת - לפי שאין דרך להיות כנופיא אלא בשבת, ואם לא יתירוהו לו, לא יתאספו ביום אחר, ונמצא שלא יהיה לו היתר לעולם, והוי כנדרי אשתו דשרי. **(וע"ל ס"ס ס"ו).**

§ סימן שמב - בהש"מ מותר לעשות דברים שאסרו חז"ל משום גזירה §

סעיף א - כל הדברים שהם אסורים מדברי סופרים, לא גזרו עליהם בין השמשות, (וע"ל סי' רס"א וס"ס ס"ז), והוא שיהא שם דבר מצוה או דוחק.

לישנא ד"כל" לאו דוקא, דיש דברים שאיסורן מדברי סופרים, וגזרו עליהן ביה"ש אף לצורך מצוה, כגון המבואר לקמן בסימן ת"ט ס"ג בשו"ע, **וכן** להעביר פחות מד' אמות, והטעם, משום דהם קרובים לבוא לידי מלאכה גמורה דאורייתא, גזרו בהם טפי, **וכן** הרבה פוסקים סוברים, דאין מערבין עירובי תחומין ביה"ש, אף שהוא לצורך מצוה, **וכן** מלאכה שאינו צריך לגופה, חמור משאר איסור דרבנן, ואסור בכל גווני ביה"ש, אף אם נימא דעצם איסורו הוא דרבנן, **וכ"ש** דלהרמב"ם הוא דאורייתא.

וכל סעיף זה לא מיירי כשקבל עליו שבת, אבל אם קבל עליו שבת, כגון ע"י "מזמור שיר ליום השבת", או "לכה דודי" בזמנינו, אפי' הוא מבע"י, **ואפי'** אם רק הצבור קבלו עליו, שאז חל עליו שבת בע"כ, אסור לו לעשות כל שבות בעצמו, אפי' לדבר מצוה, **אם** לא ע"י עו"ג.

ועיין במ"א שנסתפק בבין השמשות של מוצאי שבת, דאפשר דהשו"ע מיירי רק בע"ש, ושאני אפוקי יומא מעיולי יומא, דמספיקא לא פקעה קדושה, **ובח"א** כתב להחמיר, **והבית** מאיר הכריע, דמדינא אין חילוק, ואף במו"ש ביה"ש מותר שבות לצורך מצוה, **ומ"מ** למעשה כתב דיש להחמיר במו"ש, משום דאין אנו בקיאין בזמן ביה"ש מתי מתחיל הזמן שאיננו ודאי יום, (וע"כ נראה דבמו"ש יש להחמיר עד סמוך לצה"כ, שאז הוא ביהש"מ דר' יוסי, זמן מועט מאד מאד).

כיצד, מותר לו ביהש"מ לעלות באילן, או לשוט על פני המים, להביא לולב או שופר - «לצורך יו"ט שחל ביום א', עיין לעיל סי' ש"ז ס"ה», **וכן מוריד מהאילן או מוציא מהכרמלית עירוב שעשה** - ר"ל והוא התכוין לקנות שביתה ברה"ר או ברה"י הסמוך אצל הכרמלית, **וחשיב** צורך מצוה, אף שא"צ לזה עתה כ"כ בשבת, משום דמתחלה אין מערבין עירובי תחומין אלא לדבר מצוה, ואם יהיה אסור ביה"ש, שהוא זמן חלות עירוב, להורידו ולהביאו אצלו, או להוציא מהכרמלית להביאו אצלו, לא יחול עירובו, והלכך צורך מצוה היא.

וכן אם היה טרוד ונחפז לדבר שהוא משום שבות, מותר בין השמשות - בא לפרש בזה האי "או דוחק" שכתב לעיל, דהיינו אם היה טרוד ונחפז לזה, דאז מן הסתם נצרך לו צורך הרבה, ושעת הדחק הוא, ולכן התירו לו, [**ומהאחרונים** משמע דטעם ההיתר הוא, מפני שאם לא יתירו לו נמצא שהוא מצטער בשבת], **ועיין** בבאור הגר"א שמשמע מיניה, שטרוד ונחפז, היינו כשהוא שעת הדחק גדול, כגון שרוצה לערב מפני שהוא טרוד ונחפז לברוח מפני כותי, בזה שוה הענין לדבר מצוה, והתירו שבות ביהש"מ, דהיינו אפילו כשהעירוב מונח על האילן או בכרמלית, [**ומ"מ** פשוט, דגם הוא מודה למש"כ בסי' רס"א במ"ב ס"ק ט"ז בשם רש"ל, דלא גזרו על שבות ביה"ש במקום הפ"מ, ואפשר דה"ה במקום צורך

גדול, **וכמה** אחרונים העתיקו את דברי מהרש"ל לדינא, דבמקום הפ"מ או צורך גדול לא גזרו בביה"ש על שבות].

(**דבר שהוא צורך שבת, אף שאפשר לו בלעדם, ורק שיתוסף לו עונג, חשיב צורך מצוה, וממילא מותר כאן בדבר שבות בין השמשות).**

(**עיין בפמ"ג שנתקשה, מ"ט מותר כל זמן בין השמשות בע"ש, למה לא יהיה אסור בו מעט משום תוספת שצריך להוסיף מחול על הקודש, למ"ד דהוא מדאורייתא, ואולי דבאמת לא כל ביה"ש התירו, אלא מעט הסמוך ללילה אסור משום תוספת).**

ומטעם זה מותר לומר ביה"ש לעכו"ם להדליק לו נר בשבת - האי "בשבת", ר"ל שידליק תיכף ביה"ש לצורך שבת, **אבל** אם מבקשו שידליק אח"כ בשבת גופא, זה אסור אפי' אם בקשו מבע"י, [**דאין** חילוק באמירה לא"י, בין אם אומר לו בשבת, או קודם שבת שיעשה בשבת, **ומה** שהוא דבר מצוה, המחבר לא ס"ל לחלק בזה].

ולאו דוקא לצורך סעודה מתיר המחבר, דה"ה אם מבקשו שידליק בחדר שישן שם, ג"כ יש להקל, [כן מצדד הפמ"ג, משום דהוא טרוד ומצטער מזה, **ובאמת** נראה שיש להתיר אף אם אינו טרוד מזה, כיון שהוא מתענג בזה בשבת, הוי צורך מצוה].

§ סימן שמג – דיני קטן בשבת §

סעיף א- קטן אוכל נבלות, אין ב"ד מצווין להפרישו - וה"ה כל שאר אסורים, [אפי' טומאת כהנים], **וכן** חלול שבת אם עושה לדעת עצמו, אבל אם עושה בשביל גדול, צריך למחות בידו.

אבל אביו מצווה לגעור בו ולהפרישו - דאפי' לחנך בניו ובנותיו במצות הוטל עליו, כדכתיב: חנוך לנער על פי דרכו, וכ"ש להפרישם מאיסור דמוטל על האב, **ויש** מאחרונים שסוברין, דמצות חינוך מוטל גם על האם.

(מאיסור דאורייתא) - באמת אפילו מאיסורא דרבנן חייב להפריש, כמו דצריך לחנכו במצות דרבנן, **אלא** נ"מ, דבאיסור דרבנן אם לא הפרישו האב, אין ב"ד מוחין בידו, אבל באיסור דאורייתא ב"ד מוחין ביד האב להפרישו, **והגר"א** פי', דלהכי נקט מאיסור דאורייתא, דמאיסור דרבנן פעמים שא"צ להפרישו, ואף ליתן לו לכתחלה מותר, דהיינו בשצריך לכך, וכגון רחיצה וסיכה ביוה"כ. **וצ"ע** דהמחבר להלן משמע דסותם שלא כשיטה זו של הרשב"א והר"ן, וכמ"ש הבה"ל לקמן, עיין דמשק אליעזר.

ופשוט דאם שמע לבנו ובתו הקטנים שהם מדברים לשה"ר, מצוה לגעור בהם ולהפרישם מזה, וכן ממחלוקות ושקר וקללות, **ובעו"ה** כמה נכשלין בזה, שהם מניחין לבניהם לדבר לשה"ר ורכילות ולקלל, ונעשה מורגל בזה כל כך, עד שאפילו כשנתגדל ושומע שיש בזה איסור גדול, קשה לו לפרוש מהרגלו שהורגל בזה שנים רבות, והיה הדבר אצלו בחזקת היתר.

ושיעור החינוך במצות עשה, הוא בכל תינוק לפי חריפותו וידיעתו, בכל דבר לפי ענינו, כגון היודע מענין שבת, חייב להרגילו לשמוע קידוש והבדלה, היודע להתעטף כהלכה, חייב בציצית, וכן כל כיו"ב, בין במ"ע של תורה, בין בשל ד"ס, **אבל** החינוך בלא תעשה, בין של תורה בין של דבריהם, הוא בכל תינוק שהוא בר הבנה, שמבין כשאומרים לו שזה אסור לעשות או לאכול, **אבל** תינוק שאינו בר הבנה כלל, אין אביו מצווה למנעו בע"כ מלאכול מאכלות אסורות, או מלחלל שבת, אפי' באיסור של תורה, כיון שאינו מבין כלל הענין מה שמונעו ומפרישו, **וכן** אם הוא כהן, א"צ להוציאו מבית שהטומאה בתוכו, אלא א"כ הוא בר הבנה, אזי מצוה על אביו להוציאו, כדי להפרישו מן האיסור מחמת מצות חינוך.

ולהאכילו בידים, אסור - לכל אדם, ואפילו התינוק אינו בר הבנה כלל, **ודבר** זה הוא אסור מן התורה, וילפינן לה מדכתיב בשרצים: לא תאכלום, וקרא יתירא הוא, וקבלו חז"ל דר"ל לא תאכילום לקטנים, **וכן** בדם כתיב: כל נפש מכם לא תאכל דם, וקבלו חז"ל דר"ל לא תאכיל לקטנים, **וכן** בטומאת כהנים כתיב: אמור ואמרת, ואחז"ל: אמור לגדולים שיאמרו לקטנים, **והנה** משלש מצות אלו אנו למדין לכל התורה כולה, דכל איסורי תורה אסור להאכילם, או לצוותם שיעברו, **ולכן** אסור ליתן לתינוק דבר מאכל של איסור אפילו לשחוק בו, שמא יאכלנו, דהוי כמאכילו בידים.

וכן אם הוא כהן, אסור להכניסו בבית שטומאה בתוכו, **ומ"מ** אשת כהן מעוברת שקרבו ימיה ללדת, מותרת

ליכנס לכתחלה באהל המת, דאף שנראה לנו שודאי תלד שם ולד, ושמא יהיה זכר ויטמא שם, **אפ"ה** מותר, דס"ס הוא, שמא יהיה נקבה, ושמא יהיה נפל.

ולומר לא"י שיתן דבר איסור לתינוק, ג"כ אסור, וכמו בכל איסורין, דאמירה לעו"ג אסור, **וכ"ש** לומר לתינוק בעצמו שיאכל, דאסור.

ואם התינוק צריך לכך, כגון שהוא קצת חולה, מותר לומר לעו"ג להאכיל אותם, אפילו בדבר שהוא אסור מן התורה, ‹שצרכי קטן דינן כחולה שאין בו סכנה, שהתירו בו אמירה לעכו"ם אפילו באיסורי תורה – הגר"ז›, **וכן** נוהגים בפסח, שמצוים לעו"ג לישא התינוק אל ביתו ולהשקותו חמץ, **ואם** התינוק חולה וא"א לשאת אותו חוץ לבית, יבקש מעו"ג שיתן להתינוק חמץ, והעו"ג מביא החמץ ומעמידו בבית, דהו"ל חמצו של עו"ג בבית ישראל, דאינו עובר עליו בבל יראה, **ואז** אפילו הולך העו"ג לפעמים, יכול לצוות לקטן ליתן לזה לשתות, ‹דאיסור ספייה דנפקא לן מלהזהיר גדולים על הקטנים, לא שייך כלל גבי קטן – אחיעזר›, **אבל** הוא לא יגע בו, שמא יאכל ממנו, **אך** בכל זה יזהר, שלא יקדים לו דינר, דעי"ז יהיה קנוי לו החמץ. **וכן** אם הוא צריך לשתות סתם יינם, שהמים היזק לו, יצוה להעו"ג ליתן לו.

אפי' דברים שאסורים מדברי סופרים – (ודעת הרשב"א והר"ן, דאם התינוק צריך לכך, מותר אפי' לספות לו בידים דבר שהוא אסור מדרבנן, **אך** המחבר סתם לדינא כדעת החולקים עליהם, ואוסרים בכל גווני).

(**וכתב** בתשובת רבינו עקיבא איגר, על דבר טלטול הספרים לבהכ"נ במקום שאין עירוב ע"י תינוק, אי יש לסמוך בזה על הרשב"א, דאיסור דרבנן ספינן ליה בידים, **והשיב** דזה אינו, דהא הר"ן כתב להדיא, דאף להרשב"א ספינן ליה רק לצרכו, ולא לצרכנו, ואדרבה מחינן בידים, ויש תקנה ליתן להתינוק חומש וסידור שישא לבהכ"נ לצורך עצמו להתפלל ולשמוע קריאת התורה, וממילא יצטרף הגדול עמו להתפלל יחד).

וכן אסור להרגילו בחילול שבת ומועד, ואפי' בדברים שהם משום שבות - כגון שיאמר לו: הבא לי מפתח, ואפילו דרך כרמלית.

הגה: וי"א דכל זה בקטן דלא הגיע לחינוך, אבל הגיע לחינוך, צריכים להפרישו - ס"ל דכיון דהגיע לחינוך, מוטל על כל אדם להפרישו מאיסורא, כמו על אביו, **והא** דקי"ל דאין מצווין להפרישו, בשלא הגיע לחינוך, **ועיין** בח"א שדעתו, דלענין איסורא דאורייתא יש להחמיר כדעה זו, **וע"כ** אם העו"ג רוצה להאכיל לקטן ישראל שהגיע לחינוך דבר שאסור מדאורייתא, מוטל גם על אחרים למחות בידו, **אבל** בדבר שאיסורו מדרבנן, אין מוטל רק על האב, [**ובאמת** מוטל עליו להפרישו מאיסורא, אפילו במלתא דרבנן, משהוא בר הבנה].

וי"א דלא שייך חינוך לבית דין, אלא לאב בלבד - לאו דעה חדשה היא, אלא דעת המחבר לעיל.

וקטן שהכה את אביו, או עבר שאר עבירות בקטנותו, אע"פ שא"צ תשובה כשיגדל, מ"מ טוב לו שיקבל על עצמו איזה דבר לתשובה ולכפרה, אע"פ שעבר קודם שנעשה בר עונשין.

קטן שגנב או שהזיק, ראוי לב"ד להכותו שלא ירגיל בה, וכן חבלה וביוש וכל דברים שבין אדם לחבירו, ב"ד מצווין להפרישו שלא יארע תקלה על ידו, **אבל** אין צריך לשלם אם אין הגנבה בעין, **וכ"ז** מדינא, אבל לפנים משורת הדין, בין שחבל בו בגופו או שהזיק לו בממנו, צריך לשלם לו, [**אפי'** ההיזק היה רק בענין גרמי בעלמא].

§ סימן שדמ – דין ההולך במדבר בשבת §

סעיף א- ההולך במדבר ואינו יודע מתי הוא שבת, מונה שבעה ימים מיום שנתן אל לבו שכחתו - רצה לומר מיום שנפל בלבו הספק מתי הוא שבת, ואותו היום גופא הוא יום א' למנין ששת ימי החול.

וה"ה אם נשבה בין העו"ג, ונשכח יום שבת ממנו, **אך** לפעמים בזה יכול לברר מחשבונותם, באיזה יום חל שבת שלנו.

ומקדש השביעי בקידוש והבדלה - דהיינו שעושה קידוש על הפת והיין כדין, ותקנו

חכמים זה לזכרון, שלא תשתכח תורת שבת ממנו, [ובזה מתרץ האיך התירו לו לברך ברכת קידוש, והלא עכ"פ מידי ספיקא לא נפקא].

ואם אין לו, יקדש ע"י התפלה, דהא התפלה הוא מתפלל של שבת ביום זה, ויוצא בזה מדאורייתא אפילו אם היום הוא באמת שבת, **וגם** יבדיל בתפלה, שאומר "אתה חוננתנו", ויוצא בזה על פי הדחק מצות הבדלה.

ואם יש לו ממה להתפרנס - דהיינו מכספו שיש לו, או שיוכל למכור איזה חפץ, או שיוכל להשיג בהקפה מבני השיירא עד שיגיע למקום ישוב, או במתנה מאצלם, [**ופשוט** דכל טצדקי דאית ליה שלא יצטרך לחלל שבתות, וכן לעבור שאר עבירות, מחוייב לעשות], **אסור לו לעשות מלאכה כלל** - אפילו בכל ששת הימים, דהא כל יום הוא ספק שבת, **ואע"ג** דרוב הימים הוא ימי חול, זה מקרי קבוע, דהא יום שבת מנכר לכל הוא.

היינו אפילו אין לו כי אם לחם בעלמא, שוב אסור לעשות מלאכה אצל בני השיירא להשתכר בשביל תבשיל, דהלא אין כאן פקוח נפש.

עד שיכלה מה שיש לו, ואז יעשה מלאכה בכל יום, אפילו ביום שמקדש בו, כדי פרנסתו מצומצמת - אֲבָל יום נמי קאי, שאינו רשאי להשתכר ממלאכה יותר, **ואפילו** ביום הששי שלו, כדי להכין על יום השביעי שלו שלא יצטרך לעשות בו מלאכה, ג"כ אסור, דשמא היום הוא יום שבת ולמחר יהיה יום חול, ואיך יחלל בדבר שאינו נוגע לפקו"נ, **אבל** כדי פרנסה מותר, שנוגע לפקו"נ, שאם לא יעשה מלאכה ימות במדבר ברעב.

ובדיעבד אם הרויח ביום אחד יותר מכדי פרנסתו, אסור לו למחר לעשות מלאכה עד שיכלה מה שיש לו.

(**כתב** בתוספת שבת, דאם יכול להתענות יום אחד בלי סכנה, אסור לו לעשות מלאכה באותו יום, דאין כאן פקו"נ, ועיין בספר בגדי ישע שחולק עליו, וסובר דאין צריך לסגף עצמו בתענית, כדי שיוכל למהר לצאת מן המדבר).

(**לכאורה** למה לא הרשוהו שירויח ביום אחד או בשני ימים הרבה יותר מכדי פרנסתו, כדי שיוכל לשבות אח"כ ד' וה' ימים ממלאכה, שעי"ז קרוב שיקיים מצות שבת כדין תורה, **משא"כ** עתה שהוא עושה בכל יום ויום, בודאי יתחלל שבת במלאכה דאורייתא, י"ל דעתה כשהוא עושה כדי פרנסתו, אין זה מקרי חילול שבת, דנוגע לו בכל יום לפקוח נפש, וע"כ זה עדיף יותר, משיעשה יום או יומים יותר מפרנסתו, ויחלל שבת בספק ברצונו).

(**ונוכל** ללמוד מזה לענין איש הצבא, שהוצרך לו מטעם הממשלה הרוממה לעשות איזו מלאכה דאורייתא, ויוכל לעשות זה בעש"ק, ובודאי מחוייב לעשות כן כדי שלא יצטרך למחר לחלל שבת, **אך** שלא היה לו פנאי בכל היום עד ביה"ש, שמוטב לו לעשות המלאכה למחר, אף שאז הוא יום שבת בודאי, שאז הוא מוכרח לזה, ואין עליו איסור, משא"כ עתה הוא מחלל שבת ברצונו בספק, ויש לדחות, דבעניננו הוא שני ימים, משא"כ הכא דהוא יום אחד, מה נ"מ בין תחלת המעל"ע של שבת לאמצע המעל"ע, מוטב יותר שיקדים, דאפשר שינצל עי"ז מחילול שבת, וצ"ע).

(**וה"ה** אם שכח באיזה חודש עומד, או מנין הימים של חודש, בניסן סיון תשרי, ויצוייר זה בימים שאין הלבנה נראית וכדומה, דזה ג"כ א"א לידע ולהכיר הימים טובים, ואינו יודע מתי חל המועדות, **צריך** לנהוג מספק בקדושה, עד שידע שיצאו הימים טובים).

ומותר לילך בו בכל יום - אפי' כמה פרסאות, שאם ישאר במדבר לעולם, יחלל שבת וימות בארץ גזרה, **אפי' ביום שמקדש בו** - כדי למהר לצאת מן המדבר, **אבל** שארי איסורים, אפי' אינו רק שבות דרבנן, אסור לעשות ביום השביעי שלו - מ"א, **ובא"ר** מיקל בשבות אפי' ביום הז' שלו, כיון דהוא רק ספיקא דרבנן.

(**ולענין** תפלין, נלענ"ד דחייב להניח בו, דהא רוב הימים הם ימי חול, וצריך למיזל בתר רובא, ומה שעושה קידוש הוא רק לזכרון בעלמא, ומה שאסור במלאכה בכל יום, אפשר משום דעשאוהו רבנן כקבוע, **ואפילו** אם נאמר דיום זה של שבת הוא בכלל קבוע גמור מדאורייתא, והוי כמחצה על מחצה, מ"מ מידי ספיקא דאורייתא לא נפקא, **ואפילו** לדעת המ"א, דס"ל דיום שביעי אסור אצלו אפילו בעניני שבותין, כמו ביו"ט שני, זהו רק לחומרא אבל לא להקל, **ועוד** יש סברא לחייבו, דהלא פטור דשבת הוא מפני שהם עצמם אות,

וא"כ זה שעושה בו מלאכה לפרנסתו, אין בו היכר, **אך** מ"מ לא ברירא סברא זו כל כך, **אך** מפני טעם הראשון יש לחייבו, **ואך** בעת התפלה של שבת לא יניח התפלין, כדי שלא יהיה תרתי דסתרי).

סעיף ב - היה יודע מנין יום שיצא בו, כגון שיודע שהיום יום רביעי או יום חמישי ליציאתו, אבל אינו יודע באיזה יום יצא - וע"כ אסור לעשות תיכף מלאכה, דשמא יצא ביום ג' וד', והיום יום שבת, וכן ביום ששי ושביעי, דשמא יצא ביום א' וב', **מותר לעשות מלאכה כל מה שירצה ביום שמיני ליציאתו** - וכן בלילו, **שביום כזה יצא מביתו, דבודאי לא יצא בשבת; וכן ביום ט"ו וביום כ"ב, וכן לעולם** - אבל ביום ט' אסור, דהגם דאין דרך לצאת מביתו בע"ש, דילמא מיקלע ליה שיירא ונפק בע"ש, וא"כ יום ט' ליציאתו הוא שבת.

וכתבו האחרונים, דאם יכול לעשות מלאכה באותו יום שיספיק לו להתפרנס מזה כל השבוע, אסור לעשות מלאכה כל השבוע.

והנה עד סימן זה בירנו בעז"ה במ"ב כל האבות מלאכות ותולדותיהם, וגם השבותין שגדרו חז"ל להיות סייג וגדר להתורה, הנזכרים בשו"ע, לבד ממלאכת הוצאה שיבואר אי"ה בסימן הבא.

[**וארא**ה קצת באיזה מקום נזכרו, ויש הרבה יותר ממה שזכרתים כאן, אך קצרה ידי כעת להעתיקם.

א) החורש בסימן של"ז. **ב)** הזורע **ג)** הקוצר בסימן של"ו. **ד)** המעמר בסימן ש"מ. **ה)** הדש בסימן ש"כ. **ו)** הזורה בסימן שי"ט. **ז)** הבורר גם כן בסימן זה. **ח)** הטוחן בסימן שכ"א. **ט)** המרקד בסימן שכ"ד. **י)** הלש בסימן שכ"א ושכ"ד. **יא)** האופה וכן מבשל בסימן שי"ח ובסימן רנ"ג ורנ"ד ורנ"ז ורנ"ח ורנ"ט. **יב)** הגוזז בסימן ש"מ ובסימן שכ"ח סעיף ל"א. **יג)** המלבן בסימן ש"ב. **יד)** הצובע בסוף סימן ש"כ. **טו) טז)** הקושר והמתיר בסימן שי"ז. **יז) יח)** התופר והקורע בסימן ש"מ. **יט)** הצד בסימן שט"ז. **כ)** השוחט גם זה שם בסעיף ח' ט' י'. **כא)** המפשיט בסימן שכ"ז. **כב)** המולח והמעבד בסימן שכ"א ובסימן שכ"ז. **כג)** המשרטט העתקתי בסימן ש"מ. **כד)** הממחק בסימן שכ"ח סעיף כ"ו ובסימן ש"ב סעיף ח' ועוד בכמה מקומות. **כה)** המחתך בסימן שכ"ב. **כו) כז)** הכותב והמוחק בסימן ש"מ. **כח) כט)** הבונה והסותר בסימן שי"ג שי"ד שט"ו. **ל) לא)** המכבה והמבעיר בסימן רנ"ה ובסימן של"ד. **לב)** המכה בפטיש בסימן שכ"ח ובסימן ש"מ ועוד בכמה מקומות. **לג)** המוציא מרשות לרשות יבאר אם ירצה ה' מסימן שמ"ה והלאה. **ויתר** הששה אבות מלאכות בארתי אותם מעט פה בסוף סימן זה].

ולא נשאר לנו כי אם להעתיק פה עוד איזה אבות מלאכות שלא נזכרו פה בשו"ע, דהיינו: המנפץ, והטוה, והמיסך, והעושה שתי בתי נירין, והאורג שני חוטין, והפוצע שני חוטין, ונבארם אחת אחת.

א) הסורק צמר או פשתן, או שאר דברים, כמו שסורקין הפשתן והצמר, או כמו שנופצין הצמר לעשות הלבדין, **והמנפץ** הגידין, דהיינו שחובט במקל על הגידין, עד שעושה אותן כחוטין לטוות אותן, כמו שהסופרין עושין, כ"ז קרוי מנפץ וחייב, **אבל** המנפץ גבעולי פשתן וקנבוס, חייב משום דש, שהרי מוציא הפשתן והקנבוס מן הגבעולין.

ב) הטוה אורך ד' טפחים מכל דבר הנטוה, חייב, אחד הטוה את הצמר, או פשתן או נוצה, או שערות או גידין, וכן כל כיוצא בזה, **ולאו** דוקא בכלי, כמו שקורין שפי"ן רעדי"ל, אלא אפילו אם טוה בידים, שכך הדרך לטוות, כמו שטוין הנשים בידים על שפינדי"ל, ומקרא מלא הוא "בידיה טוו", **והלוקח** חוטין ושוזר אותם, שקורין אייגגידריי"ט, ג"כ חייב משום טווה, **וכן** העושה הלבדין, דהיינו מה שקורין קאפעלושי"ן, או פילשצי"ן, הרי זה תולדת טוה וחייב.

ג) העושה שתי בתי נירין חייב, העושה נפה או כברה, או סל או סבכה, או שארג מטה בחבלים, וה"ה בקש ובכל דבר, הרי זה תולדת עושה נירין, ומשיעשה שני בתים, «כמו שיתבאר», חייב, **ופירש"י** דהנך «נפה וכברה» לאו נירין ממש, אלא שמשרשר ומרכיב חוט אחד בשתי מלמטה ואחד מלמעלה, ומעמיד השתי בהן כתיקונו.

ד) דרך האורגין שמותחין החוטין תחלה באורך היריעה וברחבה, ושנים אוחזין זה מכאן וזה מכאן, ואחד שובט בשבט על החוטין, ומתקן אותם זה בצד זה, עד שתעשה כולה שתי או ערב, ומתיחת החוטין כדרך האורגין נקרא מיסך, וכשכופלין אותה ומתחיל להכניס השתי בערב, נקרא אורג.

(ביאור הלכה) [שער הציון] «הוספה»

ה) המיסך חייב, והשובט על החוטין עד שיתפרקו ויתקנם, הרי זה תולדת מיסך, והמדקדק את החוטין ומפרידן בעת האריגה, הרי זה תולדת אורג.

ו) אחד האורג בבגד או בקנים, או שעושין חלונות מחתיכת עץ, כמו שעושין לסכך עליו, או בשערות או בכל דבר, חייב, **והקולע** נימין ושערות וכל דבר, הרי זה תולדת אורג וחייב, **והני** מילי בתלוש, אבל הקולע שערות ראש במחובר, אינו כאורג, דאין דרך אריגה במחובר בראש, וגם אין סופה להתקיים, **אבל** עכ"פ איסור יש בזה, לקלוע או להתיר קליעתו.

ז) הפוצע שני חוטין, לרמב"ם שמוציא השתי מן הערב או להיפוך, **ולראב"ד** שחתך שני חוטין אחר האריגה מן המסכת, חייב, **וצריכין** רופאי ישראל ליזהר, כשצריכין חוטין מפורדין שקורין קנייטי"ן ליתן על המכה, ולוקחין חתיכת בגד פשתן ומפרידין החוטין, והוי מלאכה דאורייתא.

תם ונשלם חלק ג' מספר משנה ברורה

§ סימן שמה – דין ארבע רשויות בשבת §

סעיף א - אקדים לזה הקדמה קצרה, והוא: הנה הוצאה מרשות לרשות הוי מכלל שאר מלאכות שאסרה התורה לעשות ביום השבת, והוא ככל גופי תורה שנמסרו למשה מסיני, **והביאו** חכמינו ע"ז ראיה ג"כ מקרא, דכתיב: ויצו משה ויעבירו קול במחנה, איש ואשה אל יעשו עוד מלאכה לתרומת הקודש, ויכלא העם מהביא, אלמא דהבאה לכל אחד מרשותו שהוא רה"י, לרשותו של משה שהיה ר"ה, מפני שהיו רבים מצויין שם, הוא בכלל מלאכה - רמב"ם, **וה"ה** דאסור להכניס מר"ה לרה"י.

ויש עוד רשות שלישי ששמו כרמלית, שהוא אינו בכלל ר"ה וגם איננו רה"י, שאין לו מחיצות כדין רשות היחיד, וכמבואר בסי"ד, ומן התורה מותר להכניס ולהוציא ממנו לרה"י ולר"ה, **אבל** חכמים אסרוהו, כדי שלא יבוא להתיר ע"ז מרה"י לר"ה, שאין הכל בקיאים בדיני מחיצות.

ויש עוד רשות רביעי שנקרא מקום פטור, וכדלקמן בסוף הסימן, ומותר להכניס ולהוציא ממנו לכתחלה לרה"י ולר"ה, וכמבואר הכל בסימן שמ"ו.

ארבע רשויות לשבת: רשות היחיד ורשות הרבים, כרמלית, (פי' רך מל, לא לח ולא יבש אלא בינוני - פי' "כרמל" הכתוב בתורה, היינו שנמלל ביד, ואינו לח ולא יבש לגמרי, אלא כשמוללין אותו ביד הוא מתרכך לגמרי, **הכא נמי לא רשות היחיד לפי שאין לו מחיצות, ולא רשות הרבים שאינו דומה לדגלי מדבר, דלאו להלוכא דרבים עבידא, רש"י), ומקום פטור.**

סעיף ב - איזהו רה"י, מקום המוקף מחיצות גבוהות עשרה טפחים - בסימן שס"ג יתבאר כמה מחיצות צריך שיהא שם, ועוד כמה פרטים בענין זה.

ויש בו ד' טפחים על ד' טפחים או יותר - הנה מסי"ט מוכח, דבעינן שיהא בין המחיצות חלל ד' על ד', כי עובי המחיצות אין מצטרפות לזה, וזהו דעת רוב הפוסקים, **ויש** מן הראשונים שכתבו, דגם עובי המחיצות מצטרף לשיעור הזה, **ובא"ר** הביא בשם הרשב"א לחלק בענין זה, דמחיצות עבות שראוי להניח מלמעלה דף על גביהם ולהשתמש שם, מצטרף העובי עם החלל לשיעור זה, כיון שראוי להשתמש שם, ואם לאו אין מצטרף, **ועיין** באחרונים שהסכימו, דכ"ז לענין שיהא נקרא שם רה"י על עובי המחיצה מלמעלה, **אבל** לענין חלל שבתוך המחיצות, לכו"ע לא נקרא רה"י כל זמן שאין בחללו ד' על ד'.

וכן חריץ עמוק עשרה ורחב ארבעה על ארבעה; וכן תל גבוה עשרה ורחב ארבעה על ארבעה - וה"ה עמוד גבוה עשרה טפחים ורחב ד' על ד', **וכל** זה אפילו הם עומדים בר"ה, וכדלקמיה בס"י.

אבל אם התל או המחיצות הם פחותים מעשרה טפחים, אף שהם רחבים הרבה, לאו רה"י הוא. **וא"צ** שיהיה התל זקוף בגובה, אלא אפילו הוא משופע, אם מתלקט עשרה טפחים בגובה מתוך שיפוע ד' אמות, הוי כאלו זקוף כולו, והרי הוא רה"י במקום גבהו.

הגה: י"א דבעינן באלו ארבעה על ארבעה כן ואלכסונן, וכמו שיתבאר לקמן סי' שמ"ט - ר"ל כמו שם לענין מעביר ד' אמות בר"ה, אין חייב לכו"ע עד שיעביר שיעור ד' אמות עם אלכסון, שעולה ביחד ה' אמות וג' חומשי אמה, **כן** בעניננו לענין רה"י, אין נקרא רה"י עד שיהיה שיעור רוחב ד' טפחים עם אלכסונן, ועולה יחד ה' טפחים וג' חומשי טפח, [על ה' טפחים וג' חומשי טפח, ובעיגול סגי].

והנה הלבוש השמיט היש אומרים זה מחיבורו, ועיין בא"ר שכתב, שיפה עשה שהשמיטו, כי היא רק דעת יחידאה, וכל הראשונים חולקים ע"ז, **וס"ל** דאם הוא רק ד' על ד' מרובע, חשוב רה"י, ולא דמי לדלקמן סימן שמ"ט לענין העברת ד' אמות בר"ה, וכן הגר"א דחה הי"א הזה מהלכה, וכתב ג"כ דלא דמי לדלקמן סימן שמ"ט.

סעיף ג - כתלים המקיפים רשות היחיד - ר"ל שע"י הכתלים נעשה החלל שבפנים רה"י, **על גביהם רשות היחיד אפילו אינם רחבים ד'**

- ר"ל שעובי הכתלים אין רוחב עובין ד"ט כשיעור רה"י, אפ"ה יש שם רה"י גם על עובין מלמעלה, **והטעם**, דכיון שהם עושין על ידי היקף שלהם את החלל שבתוכן רה"י, ק"ו שהם עצמן יהיו רה"י, [**ומיירי** שהחלל שבתוכן היה רוחב ד' על ד' לבד המחיצות, דאם אינו רחב רק בצירוף המחיצות, תלוי על מחלוקת הפוסקים המובא לעיל].

סעיף ד - חורים שבכתלי רשות היחיד שכלפי רשות היחיד, הם רשות היחיד - ר"ל אפילו אם פונים גם לר"ה, כיון שהחור הוא מעבר לעבר ונכנס גם כלפי רה"י, דינם כרה"י, **וע"כ** אסור להוציא איזה דבר שמונח על החור לר"ה או לכרמלית הסמוך לו, ואם מכניס מר"ה לתוכו חייב, **והנה** דעת התוספות, דלית חיובא אא"כ היה החור ד' על ד' טפחים, **אבל** דעת הרשב"א והמאירי, דבחורי רה"י א"צ שיהיה רחב ד', דיש להם דין רה"י עצמה בכל גוונא.

מסתימת המחבר משמע, דאפילו אם החורים הם למטה מעשרה טפחים, כיון שמפולשים כלפי פנים, דינם כרה"י, **וכן** משמע מלשון רמ"א, שכתב דאם אינם עוברים כלפי פנים, נידונין לפי גבהן ורחבן, משמע דאם החורין עוברין כלפי פנים, אין אנו מסתכלין על גבהן ורחבן, ולעולם כרה"י חשיבי, וכ"כ המ"א ותו"ש, **ובא"ר** כתב, דדבר זה פלוגתא היא בין הראשונים, דיש מן הראשונים [תוס'] דס"ל, דכיון שהוא למטה מעשרה אין בני רה"י משתמשין בם, מפני שכיון שהוא נמוך בני ר"ה משתמשין שם, וע"כ דינם כחורי ר"ה המבואר לקמן בסי"ג, וכן הוא ג"כ דעת הגר"א בביאורו.

הגה: ואם הם כלפי חוץ ואינם עוברים כלפי פנים, נדונים לפי גבהן ורחבן, כמו שיתבאר סי' זה סעיף י"ג - היינו אם הם גבוהים י"ד טפחים ורחב ד', הוי רה"י, ואם אינם גבוהים י"ט, אז אם הם רחב ד' הוי כרמלית, ואם לאו הוי מקום פטור, **ואף** דמבואר דינא דרמ"א בהדיא בסי"ג, נקטיה הכא כדי לבאר, דאפילו חורי ר"ה, כשמפולשין לרה"י דינם כחורי רה"י.

סעיף ה - אויר רה"י הוא רה"י עד לרקיע - ואפילו נעץ קנה ברה"י שגבוה ק' אמות, אף שאין בו רחב ד', אם זרק מר"ה ונח על גביו, חייב.

סעיף ו - אפי' כלי, כגון תיבה או מגדל או כוורת - נקט שני מיני כלים, מרובעים או עגולים, **אם יש לרבע בו ארבעה על ארבעה** - וע"כ בכוורת שהיא עגולה, לא הוי רה"י עד שתהיה חללה מחזקת ה' טפחים וג' חומשי טפח, דאז יש בחללה לרבע ד' על ד', [**ולדעה** דס"ל דגם עובי המחיצה מצטרפין לשיעור ד' טפחים, די שיהיו בצירוף המחיצות ה' טפחים וג' חומשי טפח].

והוא גבוה עשרה, הוי רשות היחיד - ואפי' היא עומדת בר"ה, **והוי** רה"י בין תוך חללה, ובין גב הכלי מלמעלה, וכנ"ל בס"ג, [**וה"ה** דאוירו עולה עד לרקיע כמו שאר רה"י].

וכלי שאין גבוה עשרה העומד בר"ה, אין לו דין כרמלית, דאין כרמלית בכלים, אלא הוי כמו ר"ה, דבטל לגבי רשות שהוא עומד בו, **ולפי"ז** אם עומד הכלי בכרמלית, דין כרמלית עליו, מצד רשות שהוא עומד בו.

[**ודע** דבמאירי איתא בהדיא, דגם מקום פטור לא שייך בכלים, וע"כ אפי' אם אינו רחב ד' והוא עומד בר"ה, בטל לגבי ר"ה].

וכלי המחובר לקרקע, מקרי כרמלית, אפילו הוא בר"ה, [**והטעם**, דכיון שהוא מחובר לקרקע אין שם כלי עליה, והוי כתל פחות מי' בר"ה, **ופשוט** דממילא בעינן שיהיה עכ"פ רחב ד', דאל"ה הוי מקום פטור אפי' גבוה י'].

סעיף ז - איזהו רה"ר, רחובות ושווקים הרחבים ט"ז אמה - דילפינן מדגלי מדבר, שמקום הילוך העגלות היה מחזיק ט"ז אמה, וע"כ אם היה פחות מזה השיעור, אינו ר"ה מן התורה, אלא כרמלית.

ודרכים שעוברין מעיר לעיר, הוי ג"כ ר"ה, משום דשכיחי בם רבים, [וגם הוא בדוקא אם הם רחבים ט"ז אמה].

ואינם מקורים - דדגלי מדבר לא היו מקורים.

ואין להם חומה, ואפי' יש להם חומה, אם הם מפולשים משער לשער - פי' שהשערים מכוונים זה כנגד זה, ויש לאותו דרך המכוון משער לשער כל דין ר"ה, ‹מ"א, **נראה** פשוט דגם כל הרחוב והשוק יש עליו דין רה"ר, **אף** שהוא מתרחב הרבה מכנגד הפילוש, דאפילו קרן זוית הסמוכה לר"ה היה

ר"ה, אי לאו משום דלא ניחא תשמישתא, וכ"ש בזה, דכל עיקר מקום קיבוץ הרבים הוא במקום שנתרחב, ומש"כ המ"א "דיש לאותו דרך כל דין רה"ר", נראה דכונתו, דבעינן שיהא רוחב הדרך ט"ז אמה, וגם שלא יהיה מקורה, כדי שיהיה חל עליה שם ר"ה, וממילא חל על שאר מקום השוק, אף שאינו מכוון נגד הפילוש וכנ"ל, דאל"ה אין חל שם רה"ר על כל השוק).

(ואין דלתותיו נעולות בלילה), הוי רשות הרבים - מלשון זה משמע, דאם לא היו נעולות ממש, אע"פ שראויות לנעול, לא נתבטל עי"ז שם ר"ה, **והוא** כדעה ראשונה המובא לקמן בסי' שס"ד ס"ב, **ואם** דלת אחת ננעלת בלילה, עיין לקמן בסימן שס"ד במ"ב.

ויש אומרים שכל שאין ששים רבוא עוברים בו בכל יום, אינו רשות הרבים - סבירא להו, דגם לזה בעינן דומיא דדגלי מדבר, שהיו ששים רבוא, **ואף** שהיה שם עוד ערב רב ונשים וטף, לא חשבינן אלא מה שנמצא בכתוב בפירוש, (**וטעם הדעה הראשונה**, שאין לנו ללמוד מדגלי מדבר אלא לענין ר"ה ממש, שלא תהא מקורה, ושיהיה בה שש עשרה אמה, ושתהא מפולשת, אבל לא למנין הדורסים בה).

בכל יום - חפשתי בכל הראשונים העומדים בשיטה זו, ולא נזכר בדבריהם תנאי זה, רק שיהיו מצויין שם ששים רבוא.

(**וי"א** שגם להסוברים שצריך ס' רבוא, ג"כ א"צ שיהיו מצויין שם תדיר כאחד, רק שהוא דרך מעבר לס' רבוא, **ואפשר שאף** שאר דרכים שפתוחים לדרך זו, ג"כ הוי רה"ר), (תמצית הבה"ל כמו שהעתיקו השונה הלכות).

ולענין הלכה, מדעת המחבר דכתב דעה זו רק בשם י"א, משמע דלהלכה לא ס"ל כן, **ומ"מ** אין בנו כח למחות ביד הסומכין על דעה זו, דדעה זו ג"כ לא דעת יחידאה היא, וכן צדדו כמה אחרונים, **וכל** בעל נפש יחמיר לעצמו, (דבזמנינו יש ג"כ ר"ה מן התורה, וממילא אין לסמוך על עירוב של צוה"פ, דבעינן דוקא דלתות, **אך** במקום שיש עוד צד להקל, יש לסמוך על הסברא אחרונה).

סעיף ח - מבואות הרחבים ט"ז אמה ומתקצרים בקצתן, ואין בהם ט"ז אמה, י"א שאם ארכן לאורך רה"ר, הרי הם רה"ר - ט"ס וצ"ל: "מבואות הרחבים ט"ז אמה ומתקצרים בקצתן, או שאין בהן ט"ז אמה, וארכן לאורך ר"ה, י"א שהם ר"ה".

וביאור הדברים הוא, דמתחלה כתב לענין מבוי שמתקצר במקצתו, ואח"כ הוסיף עוד, דאפילו אם אין בכל משך המבוי ט"ז אמה, מ"מ כיון שאורכו לאורך ר"ה, ומפולש לו (משני צדדים לר"ה), ורבים בוקעים בו, הרי הוא כחלק ממנו.

ומדלא פירש המחבר שיעורא, משמע דאפילו אם המבוי קצר הרבה, ואין מחזיק אפילו י"ג אמה, ג"כ הוי ר"ה לדעה זו, [**דאפי'** אם הוא רק רחב עשר אמה, ג"כ רה"ר הוא, כיון שארכו לאורך רה"ר].

סעיף ט - מבואות הרחבים י"ג אמות ושליש, ושני ראשיהם מפולשים לרשות הרבים שהוא רחב ט"ז, י"א שהוא רה"ר - ס"ל דבשיעור זה ג"כ ניחא תשמישתא לרבים קצת, ומהני כשב' ראשיה מפולשין לר"ה, שיתחשב גם מקום זה לר"ה, דכיון דר"ה גמורה יש בשני ראשיה, ובוקעין בה רבים ומהלכין מר"ה לר"ה דרך המבוי, נמצא דהוי תשמיש דרבים גם בזו המבוי, וחשוב כר"ה עצמה.

והא דמבואר לקמן בסימן שס"ד, דמבוי המפולש בשני ראשיה לר"ה, אין דינו כר"ה, **מיירי** כשאין רחב י"ג אמה, או דמיירי כשהמבוי מפולש משני צדדין לרוחב ר"ה, דאין רבים בוקעין בו, דמי שרוצה לכנוס מר"ה למבוי הוא צריך לעקם דרכו, **וכאן** מיירי כשהמבוי הולך לאורך ר"ה, והולכין דרך מבוי זו להדיא לר"ה האחר שכנגדו, ולכן יש שם ר"ה גם על המבוי.

(**ולפי מש"כ** בס"ז במ"ב, דדרכים העוברים מעיר לעיר הוי ר"ה, א"כ ה"ה אם המבוי כלה לאורכו לשער העיר מזה ומזה, הוי ג"כ ר"ה, דאף שהמבוי בעצמו אין בו שיעור ר"ה, כיון שכלה לארכו להדרכים שיש עליהם שם ר"ה, ובוקעין רבים דרך המבוי מזה לזה, הוי ר"ה).

(דע, דעיקר סעיף זה נכלל בהא דלעיל בס"ח, וחלקו המחבר, משום דס"ח הוא לשון המ"מ בשם הרשב"א, וסעיף זה הוא לשון הרא"ש בשם ר"י, **ובאמת** פליגי אהדדי, דלדיעה ראשונה הוי ר"ה אפילו בפחות מי"ג, ולדעה זו דהרא"ש, משמע דדוקא בי"ג, וכ"כ

הגר"א דחולקים אהדדי, ולפלא קצת על המחבר, שלא כתבם בסעיף אחד ובלשון פלוגתא).

(וכתבו בלשון וי"א, משום דלדעת רש"י והרמב"ם אפשר דאף בכה"ג לא הוי ר"ה, וכ"ש בההיא דס"ח, ומ"מ האי י"א לאו דעת יחידאה היא, דהרא"ש ועוד כמה ראשונים העתיקוהו).

סעיף י - כל דבר שהוא ברשות הרבים, אם אינו גבוה (שלשה) טפחים, אפי' הם קוצים או צואה שאין רבים דורסין עליהם, חשובים כקרקע והוי רשות הרבים - דכל פחות מג' קי"ל דאינה חולקת רשות לעצמה, ובטל לגבי רה"ר.

ואם הוא גבוה שלשה, ומשלשה עד תשעה, ולא תשעה בכלל, אם הוא רחב ארבע על ארבע, הוי כרמלית - דאם הוא גבוה שלשה אז אין רבים יכולין לדרוס עליו מצד גובהו, נפקא מכלל ר"ה, ולכלל רה"י לא בא עד גובה עשרה טפחים, ונתנו עליה חכמים שם כרמלית, שהוא רשות לעצמו, ואסור להוציא ממנו לרה"י ולר"ה.

ואם אינו רחב ארבע על ארבע, הוי מקום פטור - ואפילו אם ארכה יותר מד' טפחים, לא מצרפינן זה לרחבה, דלא נחשבת רשות לעצמו אא"כ יש בו ד' טפחים באורך וד' ברוחב.

ואם הוא גבוה ט' טפחים מצומצמים ורבים מכתפים עליו, הוי רה"ר - דבשיעור זה דרך בני אדם בר"ה לכתף עליו, דאינו לא גבוה ולא נמוך, **אבל** בפחות מט' שאינו ראוי לכתף עליו, לא מהני לשוייה ר"ה אפילו אם רבים מכתפין עליו.

ודוקא ט' טפחים מצוצמים, אבל יותר מט' לא הוי ר"ה, אפי' רחב ד' על ד'.

ורבים מכתפים - אבל כשאין מכתפין עליו, אע"ג דראוי לכתף עליו, לא הוי ר"ה, ואפילו רחב ארבעה.

אפילו אינו רחב ארבעה - ואע"ג דבעלמא לא הוי מקום חשוב בפחות מארבעה, כאן דדרך רבים לכתף עליו, אף בפחות מד' משוי ליה ר"ה.

ויש מי שאומר דהוא הדין לגבוה מט' ועד עשרה ורבים מכתפים עליו, הוי רשות הרבים אפי' אינו רחב ארבעה - הוא דעת הטור, דס"ל דהא דאמרינן בגמרא עמוד ט', הוא בא רק לאפוקי פחות מט' לא הוי ר"ה, אבל יותר מט' אין ה"נ דהויא ר"ה, כשרבים מכתפין עליו.

ולדינא נקטינן כסברא ראשונה, דהרבה פוסקים חולקין על זה.

ומי' ולמעלה, אם הוא רחב ארבעה - היינו ד' על ד', **הוי רה"י; ואם לאו, הוי מקום פטור, אפי' אם יש בו מקום כדי לחוק להשלימו לארבעה** - היינו כגון שהיה העמוד סמוך לכותל ממש, אפ"ה לא אמרינן חוקקין להשלים, וממילא הוי מקום פטור, ומותר להוציא ממנו לרה"י ולר"ה.

סעיף יא - גומא ברשות הרבים, אם אינה עמוקה שלש, הוי רשות הרבים - אע"ג דרחבה כמה טפחים.

משלש עד עשרה, אם רחבה ארבעה, הוי כרמלית; ואם לאו, הוי מקום פטור - ואפילו היו רבים משתמשין בו בגומא ההיא, [היינו אפילו עמוקה הגומא ט'], תשמיש ע"י הדחק הוא ולא שמיה תשמיש.

ואם היא עמוקה עשרה, הוי רה"י - ואפילו מלאה מים או שאר דברים שאדם מסתכל בהם ורואה מה שבתוך המחיצות, **אבל** אם מלאה פירות, לא הוי רה"י, כיון דאין המחיצות נכרות, ואפילו דעתו לפנותן, ופטור הזורק לתוכו מר"ה, [**ודוקא** מלאה, אבל אם מונח שם מאתמול מעט פירות, לא נתבטל הבור משיעורו עי"ז], **ומ"מ** איסורא יש בזה, כיון דהפירות הוא דבר שיכול ליטלו משם בשבת, לא נתבטל לגמרי הבור משמו.

ולרשב"א, דוקא פירות טבלים או שאר דבר שאסור לטלטל, מבטל המחיצות, [**אבל** שארי פירות, אפי' בטלו בפירוש לא מהני, דבטלה דעתו אצל כל אדם].

והוא שתהא רחבה ארבעה - ואם לאו הוי מקום פטור, ואפילו עמוקה כ' אמה.

(ביאור הלכה) [שער הציון] <הוספה>

סעיף יב - רשות הרבים אינה תופסת אלא עד עשרה - וע"כ הזורק בר"ה דבילה שמינה ונדבק בכותל, למטה מעשרה חייב, למעלה מעשרה פטור, [**ומ"מ** נראה דלכתחילה יש איסורא בזה בכל גווני, דדלמא יפול על הארץ].

אבל למעלה מעשרה הוי מקום פטור - ר"ל דאפילו שם כרמלית אין חל על האויר שלמעלה מעשרה, [**ונ"מ** לאם הולך באויר רה"ר על הקורה התקוע מכותל לכותל, והחפציו בידו], **אמנם** אם נעץ קנה בר"ה ובראשו כלי שגבוה יו"ד טפחים ורחב ד', אע"ג שתחתיה ר"ה, מ"מ הכלי הוא רה"י.

סעיף יג - חורים שבכתלים כלפי רשות הרבים - ר"ל דאינם עוברים כלפי פנים, דאם עוברים כלפי פנים דינם כחורי רה"י, וכמ"ש בס"ד.

אם הם גבוהים למעלה משלשה, אינם כרשות הרבים, אלא נדונים לפי מדותיהם - דלמטה משלשה, אפילו הם רחבים ד' על ד', נחשבים כקרקע ר"ה, וכנ"ל בריש ס"י.

סעיף יד - איזה הוא כרמלית, מקום שאין הלוך לרבים, כגון ים - וה"ה נהר, ואע"ג דמיא לא מבטלי מחיצתא, כמו שכתבנו בסי"א, **י"ל** דכל חריץ שאינו משופע כדי שיתלקט גבוה י"ט מתוך ד"א, לא הוי רה"י, ומצוי הוא שאצל שפתו אינו עמוק כ"כ תיכף - כ"כ המ"א.

ובמאירי נזכר הטעם, משום דהמחיצות רחוקות זו מזו מאוד, אינן מצטרפות לעשות מה שביניהן רה"י, ולפי"ז אפילו אם אצל שפתו הוא עמוק, ג"כ אינו רה"י מן התורה מטעם זה, {**ונהר**, אע"ג דשתי מחיצות אינם רחוקות זו מזו, כיון דאידך השנים הם רחוקות זו מזו כמה פרסאות, אינם מצטרפות לאלו השנים}, **ואפילו** לפי דברי המ"א, מדרבנן כרמלית הוי בכל ענין.

(**ועיין** מ"א שהביא בשם רא"ם, דאם יש בתוך הים גומא עמוקה יו"ד טפחים, הוי רה"י מן התורה, **ואין** דבר זה ברור כלל, **וסיים** המ"א, דמ"מ מדרבנן יש ע"ז דין כרמלית, כקרפף שלא הוקף לדירה, **ועיין** בפמ"ג, דבענינו אפילו הוא פחות משתי סאה נמי הוי כרמלית).

ואם היה רקק מים בר"ה ור"ה מהלכת בו, אם אינה עמוקה י' טפחים, אע"פ שאינה רחבה ד' טפחים, ועי"ז רוב מדלגין עליה ואין מהלכין בתוכה, אעפ"כ הוי ר"ה, {**וה"ה** אם היה דף מונח על הרקק, ובני אדם עוברים עליה, הוי ר"ה}, **וברש"י** דף ק' משמע קצת, דלא הוי ר"ה אלא א"כ הרבה בני אדם עוברים בתוכה. **ואם** הרקק עמוקה י' ורחבה ד"ט, הוי כרמלית כמו ים - רמב"ם, **ועיין** בפמ"ג דמסתפק לומר, דרק לחומרא הוי ככרמלית, שלא להוציא מתוכה לרה"י, אבל מן התורה רה"י הוא, [**ובמאירי** משמע דמן התורה לא הוי רה"י, משום דבאגם אין המחיצות נכרות].

ובקעה - מקום שדות שאין מוקף מחיצות, **ואצטוונית (פירוש אצטווני"ת, מקום שלפני החנויות שיושבים שם הסוחרים).**

ואצטבא (אצטבא הוא מקום שמניחין עליו פרקמטיא) שלפני העמודים ברה"ר - עמודים הם העומדים בר"ה, ותולין בהם התגרים פרקמטיא, ואצלם היו האצטבאות, **והיא רחבה ארבעה, וגבוה משלשה ועד עשרה** - דבאינה רחבה ארבעה, היא מקום פטור, ואם אינה גבוה שלשה, היא ר"ה, ואם גבוה עשרה, היא רה"י, וכנ"ל בס"י, **וה"ה** לענין אצטוונית.

[**וברשב"א** מסתפק, דאולי באיצטבא שלפני העמודים, אפי' באינה גבוה שלשה ג"כ לא הוי ר"ה, דלא ניחא תשמישתא שם מפני העמודים].

ומיירי בשאין רבים מכתפין עליה, דאל"ה בתשעה, וכן מט' עד עשרה לדעת הי"א הנ"ל בס"י, הוי ר"ה.

והנה מדברי המחבר שלא זכר דין דבין העמודים, משמע דס"ל דבין העמודים עצמן נידון כרשות הרבים, כדעת הרמב"ם, **אבל** רוב הפוסקים פסקו, דגם בין העמודים, אע"ג דזימנין דדרסי רבים, כיון שאין ההילוך נוח כ"כ, שהיו העמודים הרבה בארך ורוחב זה שלא כנגד זה, ככרמלית דמיא.

וקרן זוית הסמוכה לרשות הרבים, (כגון מבואות שיש לכן שלש מחיצות ואין לכם לחי או קורה ברביעית) - דאי היה לחי, היה רה"י גמור מן

התורה לענין זריקה, שהזורק מר"ה לתוכה חייב, וגם שהיה מותר לטלטל בתוכה ככל רה"י, דקי"ל לחי משום מחיצה, **ואפילו** אי הוי שם רק קורה, דהוי רק משום הכירא, עכ"פ לכו"ע רה"י הוא לענין טלטול, לטלטל בתוכה כמו בשאר רה"י, **וכ"ז** הוא רק לדעת הרמב"ם, אבל לשארי פוסקים, ע"י ג' מחיצות נעשה רה"י גמור מן התורה, והזורק מר"ה לתוכה חייב, אלא לענין טלטול אסור מדרבנן ככרמלית.

ויש עוד פירוש ברש"י בקרן זוית הסמוכה לרה"ר, כגון שהכניס הבית לתוכו, והניח מקרקעו לר"ה, **א"נ** בית שפניו עומד באלכסון, שזוית אחד סמוכה לר"ה, והשנית משוכה מר"ה לפנים, וזוית הבולטת מעכבת את הרבים מלכנס להדיא בתוך כניסה של זוית אחרת.

ורשות הרבים שהיא מקורה - דאינו דומה לדגלי מדבר, שלא היה מקורה מלמעלה. **ותל שיש בו ארבע על ארבע** - דאל"ה הוי מקום פטור, כדלקמיה בסי"ט, **ואינו גבוה עשרה** - ואם היה בצמצום ט', עיין לעיל בס"י. **וכן חריץ שהוא ארבעה על ארבעה ואינו עמוק עשרה.**

סעיף טו - בית שאין תוכו עשרה וקרויו משלימו לעשרה, ויש בו ארבע על ארבע - היינו בחללו, דאי אין בחללו ד' על ד', תו אין על תוכו שם כרמלית, [**דלענין** חלל לכו"ע בעינן שיהא בו שיעור ד' על ד' לבד המחיצות, **ולענין** גגו דלהוי רה"י, פשוט דמצטרף בזה לכו"ע אף עובי המחיצות], **תוכו כרמלית** - כיון דמבפנים אין המחיצות גבוהות יו"ד, [רש"י, **ובר"ח** ור"ן איתא, כיון דלא חזי לדירה ע"י המחיצה, כמי שאין לו מחיצה דמיא].

(**לכאורה פירושו, דאם הוציא מזה לר"ה אינו חייב, אבל** באמת מסתפקנא, אולי מן התורה רה"י הוא, אלא דרבנן גזרו דליהוי כרמלית לחומרא, שלא יטלטלו בו אלא בד"א אפילו רחב הרבה, ומה דכתב המחבר תוכו כרמלית, היינו דאסור להוציא דרך ארובת הגג למעלה על הגג, או לרה"י שהיה סמוך לו).

ועל גבו רשות היחיד - כיון דגבוה שם עשרה, **ואם חוקק בו ארבע על ארבע** - בקרקע הבית בעומק להשלים שיהא גובה עשרה, **אפי' באמצע רחוק מן הכתלים** - ר"ל אפילו רחוק יותר משלשה טפחים, דליכא למימר דהוא כלבוד, **נעשה כולו רשות היחיד** - והטעם, דגבי שבת עיקר הקפידא שיהא הרשות שבתוכה משתמרת ע"י המחיצות המקיפים אותה, **וכיון** שהכתלים מבחוץ גבוהים עשרה טפחים, ובתוך הגומא נמי יש גובה יו"ד טפחים עד הקורה, **מקרי** הגומא רה"י גמורה, ושאר צדדי החקק שסביב הגומא מקרי חורי רה"י, דכרה"י דמו, כדלעיל בס"ד - רא"ש.

ומדבריו משמע, דאם לא היו הכתלים גבוהים יו"ד טפחים מבחוץ, אז לא הוי רה"י, [אפי' על גגו], אא"כ הגומא סמוכה תוך ג' טפחים לכותל, דאמרינן לבוד, והרי היא כגובה יו"ד טפחים - מ"א, **ובא"ר** מסתפק בזה, [ודעתו, דלהר"ן מצטרף גובה הכתלים שמבחוץ עם החקיקה שבתוך הגומא לשיעור י' בכל גווני].

סעיף טז - גג הבולט על מחיצות הבית, בענין שאין מחיצות הבית ניכרות לעומד על הגג - כעין גג שלנו, **הוי כרמלית, ואפי' הוא גבוה ורחב הרבה** - הטעם, דמה שנעשה הגג רה"י, היינו משום דאמרינן גוד אסיק מחיצות התחתונות למעלה, ונמצא הבית מוקף למעלה מארבעה צדדין, **וזה** לא שייך אלא היכא שהמחיצות נכרות לעומד על הגג, **משא"כ** כשהגג מכסה על המחיצות, לא שייך גוד אסיק, וממילא כיון דאין לו מחיצות אינו רה"י, ואסור לטלטל עליו כי אם בתוך ד"א כשאר כרמלית.

והא דאיתא לקמן בסי"ח, דאין כרמלית תופס רק עד עשרה, ולמעלה מזה הוי מקום פטור, היינו דוקא היכא שהכרמלית מתחלת ממקום הנמוך, מן הקרקע, אז אמרינן שאינו תופס אוירה רק עד עשרה טפחים, **אבל** כאן דשם כרמלית עלה מחמת שאין לה מחיצות כשאר רה"י, חל עלה שם כרמלית אף שגבוה יותר מיו"ד מן הארץ, **מיהו** זה פשיטא, דעל הגג גופא אינו תופס שם כרמלית על אוירו רק עד עשרה טפחים, כדין בקעה.

ועיין בא"ר שמפקפק על פסק השו"ע, וכן הגר"א בביאורו הביא מכמה ראשונים דפליגי על דין זה, וסברי דבכל גווני אין שייך שם כרמלית למעלה מעשרה,

וכן לענין זיזין המבואר לקמיה, ג"כ דעתם דבכל גווני אין עליהם שם כרמלית, כיון שהוא למעלה מיו"ד, **והסכים** לדינא עמהם.

(**הנה המ"א הביא דעת התוספות, דדוקא בשבולט הגג לחוץ כשיעור ד' טפחים, דאז יש על אותו השטח שם כרמלית, וממילא אסור בטלטול כל הגג, משום דנפרץ במלואו למקום האסור, אבל בפחות מד' טפחים, מותר על הבליטה, וכ"ש בכל הגג, אבל מסתימת הפוסקים משמע, דאפילו בולט הגג משהו לחוץ לכתלים, אסור כל הגג בטלטול, משום דכיון שלמעלה על הגג אין המחיצות ניכרות, אינו רה"י, אכן במ"ב הבאתי דעת הגר"א וא"ר, דמתירין בכל גווני, א"כ עכ"פ באין הבליטה רוחב ד"ט, בודאי יש לסמוך להקל בטלטול**).

ואם חלון פתוח לו - לגג, **מן הבית** - דאפשר להשתמש על הגג דרך שם, **הוי כרה"י** - דנחשב כל הגג כחורי רה"י.

(**ברא"ש איתא, כשהחלון מחזיק ד' על ד', וכ"כ השו"ע בסימן שע"ד**).

וכן זיזין הבולטים מן הכותל, ויש בהם ד' על ד', הוי כרמלית - ר"ל אף שהם גבוהים למעלה מיו"ד, כיון שאין עליהם מחיצות סביבם, דין כרמלית עליהם, ואסור להניח מר"ה וכן מרה"י עליהם, **אלא אם כן חלון הבית פתוח להם** - דאז נחשבים הזיזים כחורי רשות היחיד.

סעיף יז - חורי כרמלית אינם ככרמלית - היינו חורים שכלפי כרמלית, כגון בית הסמוך לבקעה, ויש בכותלה חורין הפתוחים לבקעה, **ומיירי** שאינם עוברים מעבר לעבר, דאל"ה הוי חורי רה"י, וכדלעיל בס"ד ע"ש במ"ב.

אלא הם נדונים לפי גבהם ורחבם - היינו דאם רחבים ד' על ד', וגבהן משלשה טפחים ועד עשרה, הוי כרמלית, **ואם** לא (הוי ד' על ד'), הוי מקום פטור, ואפילו הן גבוהין מן הארץ למעלה מעשרה, **וכ"ז** כשגבהן שלשה, אבל בפחות משלשה, אף שאין בו ד' על ד', יש להם דין כרמלית, דחשובין כקרקע הסמוך להן, וכדלעיל בסי"ג לגבי חורי ר"ה.

(**ואפילו למה שפסק בהג"ה בסי"ח, דאין מקום פטור בכרמלית, משום דמצא מין את מינו, יש לחלק, דשם המקום פטור הוא באמצע הכרמלית, והכרמלית מקיפו בכל צד, משא"כ הכא**. (ונראה דדוקא כאן בחור קאמר – שונה הלכות. עיין בבה"ל סי' שמ"ו ס"א).

סעיף יח - גדר כרמלית - ר"ל כלל דין כרמלית, **שלא יהא פחות מארבעה על ארבעה, ואינה תופסת אלא עד עשרה** - דאקילו בה מקולי ר"ה ומקולי רה"י, מקולי ר"ה, דאינה תופסת אלא עד עשרה טפחים, וכדלעיל בסי"ב, ולא הוי כרה"י דעולה עד לרקיע, כדלעיל בס"ה, **ומקולי** רה"י, דלא יהא פחות מד"ט על ד' טפחים, וכדלעיל בס"ב, דאם העמוד מחזיק פחות מזה, הוי מקום פטור, וכדלקמיה בסי"ט.

ולמעלה מעשרה הוי מקום פטור - ר"ל שאם העמוד היה רחב ד' על ד', ופחות מעשרה בגובה, שיש עליו דין כרמלית, וקלט מן האויר שעליו למעלה מעשרה, מותר להוציא לר"ה או לרה"י, דהרי קלט ממקום פטור, **וכן** אם נעץ קנה בראש העמוד, ועי"ז נעשה גבוה למעלה מעשרה, הוי נמי מקום פטור, ומותר ליקח מר"ה ומרה"י ולהניח עליו, [**ולא** הוי כרה"י, דקימ"ל דאם נעץ קנה ע"ג עמוד גבוה י', יש עליה דין רה"י עד לרקיע, דהכא אקילו בה רבנן].

וימים ונחלים ממיא משחינן - ר"ל שאין מודדין העשרה טפחים מקרקעית הים, אלא משפת המים ולמעלה.

הלכך הנוטל מהם מעל פני המים, עד עשרה באויר, הוי כרמלית - ואסור לטלטלן שם ד' אמות, וכן להוציאן משם לרה"י ולר"ה, **למעלה מעשרה באויר, הוי מקום פטור** - ר"ל שאם רוצה לטלטל המים שנטל מעל פני המים, ולהוליכו ד"א באויר למעלה מיו"ד, מותר, דהרי הוא מוליך במקום פטור.

הגה: בור העומד בכרמלית - ר"ל וגם רחב פחות מד' על ד', **אפי' עמוק מאה אמה, הוי כרמלית, אא"כ הוא רחב ארבעה על ארבעה** - דאז הוי רה"י, **דאין מקום פטור בכרמלית, כמו שנתבאר בסמוך** - והטעם, משום דהוא בטל לגבי הכרמלית שהוא עומד

בו, וכדלקמיה בהג"ה בדעה הראשונה, **דאלו** היה עומד בר"ה, היה נחשב מקום פטור כשאין בו ד' על ד', וכלקמיה בסי"ט.

והא דקי"ל דגדר כרמלית, שלא יהא פחות מד' על ד', ע"כ איירי לדעת הג"ה זו, היכא דהעמוד עומד בר"ה, **דאלו** היה עומד בכרמלית, אפילו הוא פחות מד' על ד' ג"כ שם כרמלית עליה, דמצא מין את מינו ובטל לגביה.

אפילו עמוק מאה אמה - [וכ"ז לענין עמקות, אבל לענין גובה, כגון עמוד שהוא יותר מי' טפחים, ורוחב פחות מד' על ד', שעומד בכרמלית, אפי' לדעה ראשונה שלקמיה בהג"ה, ג"ב אינה תופסת אלא עד י', **דלא** שייך שם לומר מצא מין את מינו ולבטולי לגביה, דגם הכרמלית גופא אינו תופס אוירו אלא עד י', וכ"ב בספר תוס' שבת].

סעיף יט - מקום פטור, הוא מקום שאין בו ד' על ד' - טפחים רוחב, אפילו הוא ארוך אלף אמה, דמרובע ד' טפחים על ד' טפחים בעינן.

וגבוה משלשה - דפחות משלשה בטל לגבי קרקע, וכדלעיל בס"י, **ולמעלה עד לרקיע.**

או חריץ שאין בו ד' על ד' ועמוק יותר משלשה - ט"ס צ"ל: "ועמוק שלשה ויותר".

וכן המחיצות הגבוהות משלשה ולמעלה, ואין ביניהם ארבעה על ארבעה - מלשון זה משמע, דאין עובי המחיצות מצטרף לד', וע"ל בס"ב מש"כ שם.

הגה: וכל זה דוקא בעומד ברשות הרבים - פי' כל הציורים המבוארים בסעיף זה, דבאין בו ד' על ד' הוי מקום פטור, דוקא בעומד בר"ה.

אבל בכרמלית - אע"ג דלא הוי ד', **אמרינן: מצא מין את מינו וניעור, ודינו ככרמלית** - היינו המקום פטור מצא את הכרמלית שהיא מינו, שהוא ג"כ מקום פטור מן התורה, וניער ונתחזק ע"י מינו להצטרף עמו ולהיות כמוהו.

ובעמוד או במחיצות הנ"ל, לא הוי ככרמלית אלא עד יו"ד טפחים, אבל בחריץ, אפילו עמוק ק' אמה, וכנ"ל בהג"ה בסי"ח.

ויש חולקים ואומרים דאין חילוק בין רשות הרבים לכרמלית - ועיין באחרונים שמצדדין להורות כדעה הראשונה, (ונראה דהוא מטעם דהרמ"א בסי"ח בהג"ה סתם כן, **ועיין** בסי' שנ"ה בהג"ה, משמע דלא פסיקא ליה להרמ"א דבר זה, **ולבד** זה מצאתי בעוד ראשונים, דאף בכרמלית יש מקום פטור, וע"כ במקום הדחק אפשר דיש להקל).

אבל אם עומד ברשות היחיד, לכו"ע דינו כרה"י - שכל דבר שהוא בתוך רה"י, הוא רה"י, בין גבוה בין נמוך, בין רחב בין קצר.

§ סימן שמו – דיני ערובין מן התורה §

סעיף א - מן התורה אין חייב אלא במוציא ומכניס וזורק ומושיט, מרה"י לרשות הרבים, או מרשות הרבים לרשות היחיד - מושיט, היינו שגופו עומד ברשות אחד, ומושיט בידו החפץ לרשות אחר, **ועיין** בסי' שמ"ז במ"ב, לענין מושיט מרה"י לרה"י דרך ר"ה.

וחכמים אסרו מכרמלית לרשות היחיד או לרשות הרבים, או מהם לכרמלית - דהוא דמיא קצת לר"ה, שאין מחיצות, ומ"מ אינו ר"ה, דלאו להילוכא דרבים עבידא, ולכן גזרו עליו חכמים, שלא להוציא ולהכניס ממנו בין לר"ה ובין לרה"י, כדי שלא יבאו להתיר אף מרה"י לר"ה.

אבל מקום פטור, מותר להוציא ולהכניס - וה"ה להושיט ולזרוק, **ממנו לרשות היחיד ולרשות הרבים, ומהם לתוכו.**

אבל העומד ברה"י ומוציא או מכניס - ר"ל שהיה עומד, והלך והוציא או הכניס, **או מושיט וזורק** - או שנשאר עומד, אלא שהושיט או זרק, **לרה"ר דרך מקום פטור או איפכא, חייב** - דכיון שעשה עקירה ברה"י והנחה בר"ה, או איפכא, לא איכפת לן מה

שהעביר בינתים דרך מקום פטור, **ודוקא** שלא עמד במקום פטור, אבל עמד מעט שם, ואח"כ חזר והוציא לרשות האחר, פטור, כיון שעשה הנחה במקום פטור, **ומ"מ** איסורא דרבנן איכא אף בזה, דגזרינן דילמא אתי לאקולי ולאפוקי להדיא מרה"י לר"ה, **וה"ה** דאסור להוציא מטעם זה מרה"י למקום פטור דרך ר"ה, אף אם יזהר שלא לעמוד בר"ה.

וכן לא יעמוד אדם על מקום פטור, ויקח חפץ מיד מי שעומד ברה"ר, ויתננו למי שעומד ברשות היחיד, או איפכא - וה"ה ליקח מקרקע רה"י וליתן לקרקע ר"ה.

האי "וכן" לאו דוקא, דחיובא ליכא בזה, דכיון שהוא בעצמו עומד ונייח במקום פטור, מיד שהגיע החפץ נגדו, נעשה כמו שהניח שם מעט, [**אכן** הראב"ד בשם הר"ח משמע דדוקא בשנח שם מעט, אבל בשלא נח כלל חייב], **ונקט** "וכן" משום איסורא, משום דעכ"פ נעשה על ידו הוצאה מרה"י לר"ה, ואתי לאקולי להוציא מרה"י לר"ה להדיא.

ולהחליף דרך מקום פטור ברשויות דרבנן - ר"ל שעומד על מקום פטור, ונוטל מיד מי שעומד ברה"י, ונותן ליד העומד בכרמלית, או איפכא, [**וגם** בזה אפי' לא נח כלל בשעה שהגיע נגדו, נעשה כמי שנח ומותר לדעת המתירין, **ולדעת** הראב"ד בשם הר"ח הנ"ל, גם בזה בעינן דוקא שנח מעט בשעה שהגיע אצלו, דאל"ה הוי כמי שעקר מרה"י והניח בכרמלית, ואסור], **וה"ה** אם נוטל חפץ מרה"י ומניחו במקום פטור, וחוזר ונוטל ממקום פטור ומניחו בכרמלית, [**דאם** לא הניחו, רק שהעבירו דרך מקום פטור, אסור אפי' לדעת המתירין].

יש אוסרים - ס"ל דאין לחלק בין רשויות דאורייתא לרשויות דרבנן לענין זה, [**ואסור** אפי' אם נח בינתים, כמו אם העביר מרשות היחיד לרה"ר דרך מקום פטור ונח בינתים].

ויש מתירים - ס"ל דדוקא ברשויות דאורייתא גזרינן, משא"כ ברשויות דרבנן, דהוי גזירה לגזירה, [**דאפי'** אם יבוא עי"ז להוציא להדיא מרה"י לכרמלית, ג"כ ליכא איסורא דאורייתא]. **(ע"ל סימן שע"ב סעיף ו').**

(דע, דלפי המבואר בסוף הסימן, דמקום פטור העומד אצל כרמלית, אמרינן דמצא מין את מינו ודינו ככרמלית, והוא כדעה ראשונה הנזכר בהג"ה סוף סימן שמ"ה ע"ש, יהיה צריך לפרש המקום פטור דכאן, שהוא גבוה עשרה ואין רחב ארבעה, דאז לכו"ע לא נוכל לחשבו לכרמלית, אף דהוא בסמוך לו, דאין כרמלית תופס למעלה מעשרה, **דאי** בפחות מיו"ד, אף דאינו רחב ארבעה, יש לו דין כרמלית לדעה ראשונה הנ"ל).

סעיף ב - מן התורה אין חייב אלא במעביר ד' אמות ברשות הרבים - היינו ע"י עקירה והנחה, **ואיסור** דרבנן איכא ע"י עקירה או הנחה לבד, וכדלקמן בסימן שמ"ז.

וחכמים אסרו להעביר ד' אמות בכרמלית - דהוא דומיא דר"ה וכנ"ל.

וים ובקעה, תרי גווני כרמלית נינהו, ומותר לטלטל מזו לזו תוך ד' אמות - ר"ל דאעפ"כ מותר לטלטל מזו לזו, ולא גזרו משום רשויות.

סעיף ג - קרפף (פי' מקום שמוקף מחיצות בלא קרוי כמו חצר), יותר מבית סאתים - ושיעור בית סאתים מבואר לקמן בסימן שנ"ח, שהוא ע' אמה וד' טפחים על ע' אמה וד' טפחים בריבוע, (וע"ש במ"ב שכתב: ומעט יותר כשיעור אצבע בערך), **שלא הוקף לדירה** - כגון שהיה דעתו לנטוע או לזרוע וכה"ג, וכמבואר לקמן בסי' שנ"ח, **אסרו חכמים לטלטל בו אלא תוך ארבע אמות** - שכיון שהוא גדול כ"כ, אתי למיחלף בר"ה, ועשאוהו חכמים ככרמלית.

ומותר להוציא ממנו לכרמלית אחר, כגון בקעה העוברת לפניו - אף דמן התורה הוא רה"י לכל דבר כיון שיש לו מחיצות, והזורק מתוכו לר"ה חייב, ומרה"י לכרמלית הלא אסור להוציא וכנ"ל, **מ"מ** כאן התירו, שאם נאסור זה, יסברו שהוא רה"י גמור, ואין שם כרמלית עליו כלל, ויבואו לטלטל בכולו כשאר רה"י, ומתוך זה יבואו שאר אנשים לטלטל גם בר"ה, כי דומה זה קצת לר"ה כיון שהוא גדול ולא הוקף לדירה, **וע"כ** נתנו עליו חכמים דין שאר כרמלית לענין זה, שמותר להוציא ממנו לכרמלית אחר, כגון בקעה וכיוצ"ב.

(דע דמשמע מתוספות, דה"ה דמותר להוציא ממקום שיש ג' מחיצות, אע"ג דמה"ת הוי רה"י גמורה, לכרמלית, כיון שעכ"פ מדרבנן עשאוהו כרמלית, וכמו לענין קרפף, **אח"כ** מצאתי שכ"כ בספר בית מאיר מסברא, ולפלא שלא הביא לזה ראיה מתוספות הנ"ל).

(והנה בסוגיא שם מבואר, דאפי' הקרפף רוחב כור או כוריים, נמי הוי רה"י גמור מדאורייתא, ודע דדעת התוס', דלאו דוקא כור או כוריים, אלא אפי' באלף כוריים נמי רה"י, **והא** דמתמה שם הש"ס בכגון זה: בבל נמי מקיף ליה פרת, וכו"ע נמי מקיף ליה אוקינוס, דמשמע מזה דבמחיצות רחוקות הרבה לא מקרי מוקף, תירצו בתוספות, משום דהמחיצות נעשות שלא בידי אדם, לא חשיבא מחיצא כולי האי, ואפילו רבנן מודו דאתו רבים ומבטלי מחיצתא, **ודעת** הריטב"א בשם הרמב"ן אינו כן, ולדידיה מחיצות רחוקות כהני אין סברא דליהוי כמוקף מחיצות, **וכתב** בשם הרמב"ן, דכל שאין המחיצה נראית לעומדין באמצע, ואין נכרת להם, לא מקרי מחיצה מן התורה, **ועיין** ברשב"א שצידד ג"כ כדברי הריטב"א, אלא דאסקא בצ"ע, דא"כ כמה שיעורא, וכפי הנראה לא ניחא ליה להחליט כשיעורא דרמב"ן, **אכן** כאשר נעיין בדברי הרמב"ן עצמו, נראה לכאורה דרך אחרת בשיטתו, דהרמב"ן לא כתב שם דבריו אלא במחיצות העומדים מאליהם, כהרים ובקעות, וע"ז כתב, דכל היכי שהם רחוקים טובא עד כדי שאינו מוצא את עצמו בתוך מחיצות, לא מקרי מחיצות, ושפיר י"ל דס"ל, דאפי' אלף כורים ‹נמי רה"י›, ומטעם דשם המחיצות נעשין בידי אדם אע"ג דמיחסרי דיורין, וכשיטת התוס', **אלא** דבזה פליג אהתוס', דלדידהו דוקא בהיתה דרך הרבים באמצע, ומשום דאתו רבים ומבטלי למחיצתא הנעשה מאליה, ולדידיה אפי' לא היה עוברת דרך הרבים באמצע, **ובפרט** לפי מה שכתב שם הרמב"ן עוד תירוץ שני וז"ל: וא"נ היכי שאין המחיצה מעכבת וממעטת על הרבים כלום, אין בה תורת מחיצה, עכ"ל, בודאי י"ל דלענין קרפף מודה הרמב"ן לתוס', דאפי' רחב הרבה מאוד שאין המחיצה נראית לעומדים באמצע, הוי רה"י מה"ת, כיון שעכ"פ מעכב את הרבים מלעבור שם מחמת המחיצות המוקפות).

הגה: ולכן מותר ליקח מפתח מכרמלית שלפני גינה לפתוח ולנעול - היינו אף להכניס הדלת של הגינה עם המפתח לפנים, **ולהחזיר המפתח אליו** - דאע"פ שהגינה הוא רה"י מן התורה, שמוקפת מחיצות, כיון דרבנן עשאוהו ככרמלית, לא אסרו הטלטול ממנו לבקעה שלפניה, והטעם כנ"ל.

ובלבד שלא יהא ביניהם אסקופה שהיא רשות היחיד - ר"ל בפתח הגינה לא תהא אסקופה שקורין שוועל גבוה, **כגון שהיא גבוה עשרה ורחבה ארבעה** - שיש עליה שם רה"י, דאז אסור להכניס המפתח או להוציא, דהא מטלטל מכרמלית לרה"י, ומרה"י לכרמלית.

דאם אינה גבוה עשרה, איסקופה גופא כרמלית היא, וכמו בקעה דמיא, **וכן** אם לא היה רחבה ד', מקום פטור הוא, ובודאי מותר לעמוד עליה לפתוח ולסגור.

או שיש לה שני מחיצות מן הצדדין שהם רחבים ארבע - דבפחות מזה אפילו ד' מחיצות גמורות לא הוי רה"י, **ומשקוף עליה רחבה ארבע** - והיא השלישית, דאמרינן פי תקרה יורד וסותם, **דאז הוי רשות היחיד אע"פ שאינה גבוה עשרה** - ר"ל האיסקופה, וה"ה כשאינה גבוה ג', או שאין בה איסקופה כלל, דהרה"י נעשה ע"י המחיצות.

(והקשה המ"א, דהא בסוף סימן שס"א פסק, דבעינן דוקא שיהיו שתי המחיצות דבוקות זו בזו, ובזו כנגד זו לא אמרינן פי תקרה יורד וסותם, ואין לומר דהפתח נחשב למחיצה, א"כ במחיצה אחת מן הצד סגי, ועי"ש מה שתירץ, **ובא"ר** תירץ, דהכא כיון שאין מפולש לר"ה, דמצד אחד הדלת שבגינה, די אף בשתי מחיצות זו כנגד זו, **והגר"א** בביאורו כתב, דע"פ אמת די במחיצה אחת מן הצד, והדלת ג"כ נחשב למחיצה, נמצא דהוי כשתי מחיצות דבוקות, וכ"כ התו"ש, דרמ"א נקט רק אורחא דמלתא, אבל לדינא נעשה רה"י ע"י מחיצה אחת, **ולדבריהם** יהיה רה"י גמורה של ד' מחיצות, דלשתי מחיצות האחרות נאמר פי תקרה יורד וסותם ע"י המשקוף שלמעלה).

(**ובפתח** מבוי, אפילו אין מקורה כולה רק החצי החיצונה מקורה, ‹ואף דיש ג"ט אויר בין הקורה ובין פתח המבוי›, **אמרינן** פי תקרה יורד וסותם, כיון שיש מקום ד'

משפת הקורה עד הדלת, שם מבוי עליה ומצטרף עם המבוי, והקורה מתירתו, (דכיון דהמקום עם האויר רחב ד"ט שהוא שיעור מקום חשוב, נותנים לו דין מבוי ומצטרף עם המבוי – מחה"ש, וזהו אם הוה דלת המבוי נעול, ואם הפתח פתוח, אפי' אין מקום ד' הוי כלפנים – מ"א, וצ"ע).

מיהו אסור להכניס מאסקופה לרה"י או איפכא - אינו קאי אדלעיל, שהאיסקופה עומדת לפני הגינה, (דהא גינה דין כרמלית יש לה), אלא באיסקופת הבית שעומדת תחת המשקוף, (וה"ק "מיהו", כלומר אע"ג דאמרינן כשהאסקופה הנזכרת היא אצל גינה, אסור להכניס ולהוציא ממנה לגינה, לפי שהיא רה"י, וקמטלטל ממנה לכרמלית, ויחוייב מזה, שאם איסקופה זו עומדת אצל רה"י גמור, שרי להכניס ולהוציא ממנה לתוכו, **אעפ"כ** יש לאסור משום דחיישינן וכו'), **ואשמועינן** דאפילו אם המשקוף שעליה רחבה ד"ט, ששם רה"י עליה וכנ"ל, אפ"ה יש להחמיר שלא להכניס מאותו מקום לבית, או איפכא, **דחיישינן שמא לא יהיה התקרה ארבע** - ויבוא ג"כ לעשות כן, **ולז אם אין האסקופה גבוה שלש, יש לה הדין שלפניה** - אם הוא ר"ה, זה המקום בטל לגביה ונעשה ג"כ ר"ה, ואם כרמלית, כרמלית, (**ובביאור הגר"א הוכיח**, דבזה אינו נעשה ר"ה, כיון דיש לו מחיצות, ורק היכא דפתוח לכרמלית אמרינן מצא מין את מינו, וכמו שכתב רמ"א אחר זה לענין גבוה שלשה).

ואפילו אם גבוה שלש - ר"ל וא"כ הוי אותו המקום מקום פטור, דמסתמא כיון שאין המשקוף שעל האיסקופה רחב ד"ט, הוי ג"כ המזוזות שמן הצדדין וגם האיסקופה גופא ג"כ אין רחב ד"ט, וממילא הוי מקום פטור, וממקום פטור הלא קי"ל דמותר לטלטל לרה"י ולר"ה, מ"מ **מאחר שכל רשויות שלנו הם כרמלית** - לדעת כמה פוסקים, ואיסקופה זו סמוכה לו, **אמרינן מצא מין את מינו וניעור, כמו שנתבאר סי' שס"ה.**

ואין חילוק בכל זה, בין פתח הבית פתוח או נעול, לעולם אסור להכניס מהאיסקופה לפנים.

וה"ה דאסור להוציא מאסקופה לר"ה, אפילו אם אינו רחב ד"ט, דשמא יזדמן שיהיה המשקוף ד"ט, ואז הלא הוא רה"י גמורה.

והנה לפי המבואר בהגה זו, יש לזהר באותן המקומות שאסור הטלטול מחמת שאין שם עירוב, ופתח ביהכ"נ הוא לצד הרחוב, ואין שם חדר לפני הפתח, והעכו"ם מביא המפתח, **שלא** יקח השמש המפתח מידו, עד שיהיה עם העכו"ם יחד תחת משקוף שעל הפתח, דשמא יש שם בתקרה ד"ט והוי רה"י, ומטלטל מכרמלית שלפני ביהכ"נ לתוך רה"י, ע"כ יקח המפתח מיד העכו"ם תחת המשקוף, ואח"כ יפתח המנעול, **ולא** יפתח הדלת עד שיסיר המפתח, ואח"כ יפתח, דשמא אין בתקרה שחוץ לדלת ד"ט, נמצא ששם הוא כרמלית, והוא מכניס מכרמלית לרה"י, ע"כ יסיר תחלה המפתח ויתנהו לעכו"ם, או יטמינהו בתחתית האיסקופה, או למעלה לפני שקיפת הדלת, **וראוי** לקהל שיעשו לפני הפתח איזה חדר שהוא רה"י, ויביא העכו"ם המפתח לשם, דאל"ה קשה לצמצם שיעמדו שניהם במקום קצר כזה.

וכן צריך ליזהר שלא יטלטל מן הבית ולחוץ כשהוא פתוח לכרמלית, רק עד שיעור שהדלת שוקף שם, ותו לא, דשמא אין בחלק החיצון של האיסקופה שמחוץ לדלת ד"ט, והוי כרמלית, ומטלטל מרה"י לכרמלית.

וכן אם התקרה רחבה הרבה, ואין לה מחילות מן הצדדים - כעין שמצוי בגגין שלפני החנויות, שמוציאין הקורות לחוץ, ומחפין עליהם בנסרים, **דינה כרשות שלפניה** - וע"כ אסור להכניס ממנה לפנים, כיון שאין לה מחיצות, **ולענין** להוציא לחוץ, אם היה בצדה כרמלית, מותר, **ואם** היה רשות הרבים בצדה, אסור להוציא, דכיון שמקורה יש עליה דין כרמלית, וכנ"ל בסימן שמ"ה סי"ד.

וכן בגגין שלנו הבולטין לפני הבתים, דינם כרשות שלפניהם – (כתב הגר"א, דבגגין שלנו שהם משופעים, אפילו יש מחיצות מן הצדדים, ג"כ לא מהני שיהא מותר להכניס משם לפנים, ואפילו אם המחיצות רחבות ד', דאין אומרים פי תקרה יורד וסותם כיון שמשופע, וא"כ אין כאן אלא ג' מחיצות, דהוי כרמלית).

כתב הט"ז, בכאן מבואר הספק שמסתפקין בו הרבה אנשים, בענין הבית שיש לפניו לצד הרחוב גג בולט לרחוב, שקורין בל"א פי"ר ליב"ן, מה דינם אם יוכל לטלטל לשם מן הבית, **והרבה** טועים לומר תקרה

הבולט לרחוב יורד וסותם, והוי כאלו בנוי עד למטה בארץ, **ומכאן** משמע להדיא דדרך שתחת הגג כרשות שלפניהם, ע"ש, וכ"כ כל האחרונים.

ומה תיקונם, שאם יש לבליטת הגג עמודים לצד הרחוב, [וה"ה אם העמיד קנים], יעמיד מכוון כנגדם גם קנים לצד הבתים, ויהיה להגג שעליהם דין צורת הפתח, ונמצא שיש צורת הפתח מכל הג' צדדים, (**ואם אין** התקרה שבולט משופע, אין צריך לשלשה צדדין צוה"פ, וסגי לשני צדדין, ובשלישית יהיה ניתר ע"י פי תקרה).

ואם הם של בתים רבים שעומדים זה אצל זה, א"צ לעשות לכל בית ובית, אלא יעשה תיקון זה בשני בתים שעומדים בסוף מקצה מזה ומקצה מזה, [**ולכאורה** נראה דבזה יש להזהר, שלא יהיה בין בית לבית ג' טפחים], **אך** צריכין לערוב עירובי חצירות, ואז מותר להכניס ולהוציא מן הבתים לתחת הגגין, וכן להיפך.

(**ואף** לדעת הרמב"ם יש להקל בזה, דעד עשר אמות אין להחמיר בפרוץ מרובה על העומד, א"כ אותן צורות הפתח שמן הצדדים, בודאי כמחיצות גמורות הם, שאין רחבים כ"כ, וא"כ יש ג' מחיצות שלימות, ולא נשאר כי אם אותו הצד שלצד הרחוב, ובצד אחד לכו"ע מהני צורת הפתח בכל גווני).

ובכל גוונא אסור להוציא ולהכניס מן רה"ר תחת הגגין, וכן להיפך, **והיינו** כשהיה רחב הבליטה ד' טפחים, דאז יש על שטח שתחתיה שם כרמלית, [**דאפי'** אם לא עשה תיקון, עכ"פ הוא כרמלית מחמת שהוא מקורה].

§ סימן שמז – על איזה הוצאה חייב מן התורה §

סעיף א - מן התורה אינו חייב אלא כשעוקר חפץ מרשות היחיד והניחו ברשות הרבים, או איפכא - שזה נקרא מלאכה שלמה, שעקר החפץ מרשות זה והניח ברשות אחר.

דע, דשם עקירה לאו דוקא כשעוקר החפץ מע"ג קרקע ממש, אלא אפי' אם היה החפץ מונח בבגדיו שלבוש בהן מע"ש, ונטלו משם ופשט ידו לחוץ והניחו בר"ה, ג"כ חייב, **דמה** שהיה מונח מתחלה בכיסו, חשוב כמונח ע"ג קרקע, דבגדים שהוא לבוש בהן בטלין לגבי גופו, והנחת הגוף כהנחת חפץ דמיא, וממילא כשנטלו משם חשוב עקירה, **וכן** כשהיה החפץ מונח בידו ברה"י מע"ש, ופשט ידו לחוץ והניחו שם, ג"כ חייב, **דמה** שהיה מונח מתחלה בידו חשיב כמונח ע"ג קרקע, דידו וגופו דבר אחד הוא, **וכן** בכל זה לענין הנחה, וכמו שיבואר לקמיה.

אבל פשט ידו לפנים, וחפץ בידו, ונטלו חבירו העומד בפנים - ר"ל שלא נתן המכניס לתוך ידו, אלא הוא לקח ממנו, דנמצא שעשה הראשון רק עקירה לבד, וההנחה עשה השני, **ואפילו** לא הניחו ע"ג קרקע, אלא השאירו בידו, הנחה חשיבא, [**דכיון** שידו אצל גופו ברשות אחד, הוי הנחת ידו כהנחת כל הגוף, והנחת הגוף כהנחת חפץ].

או שפשט ידו לחוץ וחפץ בידו, ונטלו חבירו העומד בחוץ, שזה עקר וזה הניח, שניהם פטורים - דאם אינו עושה אלא חצי מלאכה, או שנעשית המלאכה שלמה ע"י שנים, שזה עוקר וזה מניח, פטורים, **שכן** דרשו רז"ל מקראי בפ"ק דשבת, מדכתיב גבי חיוב חטאת: מעם הארץ בעשותה, העושה את כולה חייב חטאת, ולא העושה את מקצתה, יחיד ועשה אותה חייב, שנים ועשו אותה פטורים.

(**ואם** היתה ידו למטה משלשה, הוי כאלו הניחה בארץ, וחייב לדעת הרמב"ם והמאור, **וי"א** דכיון שגופו ברה"י, ידו בתר גופו גריר, ולא חשיבא הנחה כל זמן שלא הניח החפץ בארץ).

אבל אסור לעשות כן מדרבנן - שמא יבוא כל אחד ואחד לעשות מלאכה שלמה, **וה"ה** אם עשה אדם אחד רק עקירה או הנחה לבד, ג"כ אסור מדרבנן.

ואם פשט ידו לפנים וחפץ בידו, והניחו לתוך יד חבירו העומד בפנים, ‹חייב› - ואע"ג דקי"ל, דבין עקירה ובין הנחה צריך שיהיה מקום שהוא ד' על ד' טפחים, ידו של אדם חשובה כד' על ד', **או שפשט ידו לפנים, ונטל חפץ מתוך יד חבירו העומד בפנים והוציאו לחוץ** - ואפילו אם לא הניחו בארץ, הואיל והוא בידו הרי הוא כמונח בארץ וכנ"ל.

שנמצא שהעומד בחוץ לבדו עקר והניח, הוא חייב, וחבירו פטור אבל אסור - לא משום איסור שבת, אלא שמכשיל את חבירו וגורם לו להוציא חפץ או להכניסו, ויש בזה איסור תורה משום "לפני עור", **ואם** הוא מונח באופן שאם אפילו לא היה בידו היה יכול ליטלו, דלא קעבר א"לפני עור", **מ"מ** איסור דרבנן איכא, דאפילו קטן אוכל נבילות ב"ד מצווין להפרישו, כ"ש גדול שלא יסייע לו - [הרא"ש]. ‹**ובודאי** כונת הרא"ש למיספי בידים, דאל"כ הא קיי"ל קטן אוכל נבילות אין בי"ד מצווין להפרישו, [דלא מצינו שיסבור הרא"ש כשיטת תוס', הובא בהרמ"א לעיל סי' שמ"ג, דבהגיע הקטן לחינוך ב"ד מצווין להפרישו]. **ומבואר** מדבריו, דלאו דלא תאכילום איכא גם היכא שיכול ליקח בעצמו, וגם בגדול דליכא לאו דלא תאכילום, עכ"פ אסור משום מסייע לעבירה – אחיעזר ח"ג סי' פ"א›.

[**ולכאורה** לפי מה דאיתא בברכות, הרואה לחבירו שהוא לבוש כלאים, דצריך לפשוט אפי' בשוק, ומשמע שם בגמרא דלאו תקנתא דרבנן בעלמא, דהדלא מחוייב למחות בידו מן התורה כדי להפרישו מאיסור, ואמאי הכא הוי רק איסור דרבנן, **ונראה** ליישב, דהיכא אמרינן לענין כלאים דמחוייב למנעו, היכא שיש בידו למנעו ע"י פשיטה וכה"ג, אבל באין בידו למנעו, לית בזה חיוב מן התורה, **והכא** מיירי דאינו יכול למנעו מליטול, וקמ"ל הרא"ש, דאפ"ה איסור דרבנן יש, היכא שהוא לוקח מידו, שהוא בכלל מסייע ידי עוברי עבירה].

ואסור להשאיל לאדם כלי מלאכה, אם הוא חשוד לעשות בהם מלאכה בשבת, **אם** לא שיש לתלות שיעשה בה מלאכת היתר, **ודוקא** בדבר המצוי, אבל אם המלאכת היתר אין מצוי לעשות, אין תולין בה, אם לא מפני דרכי שלום - מ"א.

ולמומר לעבודת כוכבים אסור להושיט ג"כ דבר איסור, כמו לשאר ישראל, מ"א. **עוד** כתב, דלעכו"ם ליכא איסור לסייע במידי דאסור לו כמו אבר מן החי, לרוב הפוסקים, אם לא דקאי בענין שאינו יכול ליטלו, דשם שייך "לפני עור", **אבל** אם יש לו אבר מן החי משלו, או שיכול לקנות במקום אחר, ליכא איסורא, **ובביאור** הגר"א משמע דס"ל להלכה, דאפילו היכא דיכול לקנות במקום אחר, ג"כ אסור, וכן פסק בפתחי תשובה שם בשם שו"ת אמונת שמואל, וכן מצדד בברכי יוסף שם.

דרך ארץ לומר לאדם שעוסק במלאכה: תצלח מלאכתך, ואפילו לעו"ג, **אבל** מי שעוסק במלאכת איסור, אסור לומר לו כך.

ואפי' אם העומד בחוץ הוא א"י, אסור, מפני שהוא כנותנו על מנת להוציא.

והוא הדין להוציא ידו לחוץ, והניחו ביד חבירו העומד בחוץ, או שנטל מיד חבירו העומד בחוץ, והכניס בפנים, שהעומד בפנים חייב שהוא עקר והניח - ואם יד חבירו למעלה מיו"ד, פטור, דמקום פטור הוא, **ויש** חולקין, ‹דכיון דקיי"ל המעביר חפץ דרך עליו חייב, כי היכי דלא בעינן בשעת העברה שיהיה החפץ תוך י', ה"ה בשעת עקירה והנחה – מרכבת המשנה›.

והעומד בחוץ פטור אבל אסור - ואפילו אם העומד בפנים היה נכרי, ג"כ העומד בחוץ יש איסור עליו, שיאמרו שהוא נותן לו ע"מ להכניס.

הזורק, ונעקר חבירו ממקומו וקבלו, שניהן פטורין, הראשון משום דלא אתעביד הנחה מכחו, שהשני חטפו באמצע הליכתו, והשני, משום דלא עשה רק הנחה, **ואם** רץ הוא עצמו וקבלו, הרי זה ספק אם חייב, אף דעשה גם ההנחה בעצמו, אפשר שאין ההנחה גמורה עד שינוח במקום שהיה לנוח בשעת עקירה.

הזורק מר"ה לר"ה ורה"י באמצע, או מרה"י לרה"י ור"ה באמצע, פטור, **ואם** הלך החפץ שתי אמות בר"ה זה, ושתי אמות בר"ה שמעבר השני, הרי זה חייב, שהרשויות מצטרפות.

המושיט מרה"י לרה"י דרך ר"ה בדיוטא אחד, ר"ל ששני רה"י עומדים בצד אחד לאורך ר"ה, ור"ה מפסיק בין שני רשות היחיד, אפילו למעלה מיו"ד שהוא מקום פטור, חייב, **בשני** דיוטות, דהיינו ששני רה"י עומדים זה כנגד זה, פטור, והיינו אפילו למטה מיו"ד, ע"ש בגמרא הטעם.

פשט ידו לפנים ונטל מים מעל גומא והוציאו לחוץ, חייב, שהמים כגוף אחד הן, ומונחים על הארץ, וכשלוקח מהן מעט, כמו שעוקר מן הקרקע, **אבל** אם נטל פירות או שמן מע"ג המים, פטור, שמה שהיו מונחין ע"ג המים לא הוי הנחה, וממילא כשעקרן מעל המים לא מקרי עקירה.

§ סימן שמח – דין המושיט מרשות לרשות §

סעיף א- היה עומד ברשות היחיד, והוציא ידו מלאה פירות לרשות הרבים בתוך עשרה, בשוגג, מותר להחזירה לאותו חצר - אף דעבד איסורא, שעשה עקירה ברה"י כדי להוציא לר"ה, אפ"ה לא קנסוהו רבנן, כיון דבשוגג עשה.

ואסור להושיטה לחצר אחר – (ואפילו אם אותו החצר הוא שלו, או שעירבו יחד), **כדי** שלא יתקיים מחשבתו שחשב לפנותו מחצירו, (**ועיין** באחרונים, דלאו דוקא הושטה דיש בזה לפעמים איסור דאורייתא, כגון בדיוטא א', דה"נ זריקה אסור).

ואפילו נתכוין מתחלה להוציאה לר"ה, ג"כ אסור להושיטה לחצר אחרת, דעכ"פ נתקיים מחשבתו שחשב לפנותו מחצירו, וחיישינן דלמא זמנא אחריתא שדי להו לר"ה, **וי"א** דדוקא כשהיתה כונתו מתחלה לפנותו לאותו חצר, אז אסור דנתקיים מחשבתו לגמרי, **אבל** אם כונתו להוציאה לר"ה, מותר לפנות לחצר.

וכ"ז כשאותו החצר לא היה בדיוטא אחת, היינו בשורה אחת, עם זה החצר, אלא זה כנגד זה, **אבל** אם היה בדיוטא אחת, והר"ה נמשכת גם בין החצרות, הלא יש בזה איסור דאורייתא להושיט מזו לזו, ואפילו הם למעלה מעשרה, וכמש"כ לעיל בסוף סימן שמ"ז.

ואם במזיד, אסור אפילו להחזירה לאותו חצר - דקנסוהו רבנן משום דעבד איסורא, אלא יאחז בידו עד שחשיכה.

ודוקא בתוך עשרה, דלמעלה מעשרה בר"ה הוא מקום פטור, כדלעיל בסימן שמ"ה סי"ב, ואפילו אם הוציא במזיד, מותר להחזירה, [**ולענין** להוציא לחצר אחרת, איתא בא"ר בשם הרשב"א לאיסור, **והפמ"ג** כתב להקל, **וצ"ע** למה, דהא במושיט קימ"ל, דאפי' למעלה מעשרה בדיוטא אחת חייב, ובזה כנגד זה פטור אבל אסור, **ואולי** דכוונתו בזורק, **אבל** מדברי הרשב"א, דכתב הטעם כדי שלא תעשה מחשבתו, מוכח דאסור בכל גווני].

(**והנה בתוס'** כתבו, דאפי' לכתחלה מותר להוציא למעלה מי', **אבל** הרשב"א דחה דבריהם, ומסיק דלכתחלה אסור, דלמא אתי לאפוקי למטה מי', וכ"כ בשם רבו לאיסור, וכ"כ המאירי, ועיין בפמ"ג שמצדד ג"כ בשם רש"י להחמיר בזה, ולפלא שלא הביא דברי הרשב"א).

ויש אומרים דהני מילי כשהוציאה מבעוד יום - אז קנסוהו רבנן על שהשהה את ידו במזיד באויר ר"ה עד שתחשך, **אבל אם הוציאה משחשיכה, מותר להחזירה** - ר"ל לאותו חצר, **שמא ישליכה מידו ויבא לידי חיוב חטאת** - האי לישנא לאו דוקא, דהא במזיד מיירי, אלא ר"ל שמא ישכח וישליך מידו, ויבוא לידי מלאכה שיש בה חיוב חטאת להעושים בשגגה, [**אבל** בזה לית בה חיוב חטאת, דהא בעינן שיהיה תחלתו וסופו שגגה, והכא עשה תחלתו במזיד], **משא"כ** כשהוציאה מבע"י, אפי' אם ישליך לבסוף, לא יהיה רק איסורא בעלמא, דהא לא עשה עקירה בשבת.

ועיין בא"ר שמצדד להקל כהי"א, שכן דעת הרבה ראשונים, [וכ"כ בח"א, **ומסיים** דאם הוא סמוך לחשיכה במו"ש, במזיד קנסינן ליה].

(**ויש** לעיין לדעה הראשונה, **אם הוציאה מבע"י במזיד**, אם קנסינן ליה שלא יחזירנה, דלכאורה מסתבר לומר, דלא קנסו כי אם כשהוציאה במזיד משחשיכה, דעבד איסורא בתחלת פעולתו, **אמנם** בר"ן כתב, דאין חילוק בין מבע"י למשחשכה, וכן מוכח מהרשב"א, וכן משמע קצת מהגר"א, והטעם נראה, דסברתן דבתחלת הסוגיא איירי רק לענין שוגג, אבל במזיד אף מבע"י אסור, **ובמאירי** מצאתי שדעתו כמו שכתבנו, וז"ל: דאם הוציאה מבע"י אף במזיד מותר להחזירו אצלו, אין מזיד שמבע"י חמור משגגת שבת, עכ"ל, ור"ל הואיל דלפי המסקנא מיקל הגמרא בשוגג אף משחשכה, ראוי שנקיל מבע"י אף במזיד).

במה דברים אמורים כשהוציאה לרשות הרבים, אבל אם הוציאה לכרמלית - שאינו אלא שבות דרבנן אפילו אם היה משליך אותם שם להדיא, **בכל גוונא** - פי' בין בשוגג בין במזיד, **מותר להחזירה** - דלא אסרו, דהוי כעין גזירה לגזירה, **ודוקא** לאותו חצר מותר להחזיר, אבל לא לחצר אחרת.

והגר"א בביאורו מסיק לאיסור בכרמלית כמו ברשות הרבים. **והגם** דמותר לעמוד בכרמלית ולשתות מרשות היחיד [סימן ש"נ סעיף א'], דהוי גזירה לגזירה, **לא** דמי כל הגזירות להדדי, וכאן גזרינן גזירה לגזירה – דמשק אליעזר.

המפנה חפצים מזוית לזוית, ונמלך עליהן והוציאן, פטור מחטאת, שלא היתה עקירה משעה ראשונה לכך, ונמצא דלא עשה אלא הנחה, ולית ביה רק איסורא בעלמא.

היה קנה בידו והגביה קצה האחד, וקצה השני מונח בארץ, וחזר והגביה הקצה השני, אפילו כל היום כולו, פטור, כיון שלא עקר כל הקנה מהארץ, [**אבל** אסור מדרבנן]. **ואם** משך החפץ וגררו על הארץ מתחלת ד' לסוף ד', חייב, שהמגלגל עוקר הוא.

§ סימן שמט – דין ארבע אמות ברשות הרבים §

סעיף א - כל אדם יש לו ארבע אמות ברשות הרבים שיכול לטלטל בהם - הטעם דכתיב: שבו איש תחתיו, והכונה, ישיבת כל איש ביום השבת יהיה כשיעור תחתיו, דהיינו כשיעור אורך כל גופו, **ושיערו** חז"ל דאורך האדם שהוא שיעור תחתיו, הוי ג' אמות, ועוד אמה כדי לפשוט ידיו ורגליו, ובשיעור זה יכול אדם לטלטל חפצים מכאן לכאן.

ארבע אמות מצומצמות - מ"א, והיינו שימדוד אותן בצמצום. **ועיין** בס"ב, דד' אמות שאמרו, הן ואלכסונן.

ומודדים לו באמה שלו - דהיינו אם האיש הזה הוא ארוך ביותר, מודדין לו הד' אמות בזרוע שלו, ונמצא שד' אמות שלו יהיו גדולין מד' אמות של שאר בני אדם.

[**ועיין** בפמ"ג שכתב, דזהו רק כשאינו מעביר בבת אחת, אבל כשמעביר בבת אחת, נחשב תמיד השיעור ד' אמות של אדם בינוני, אפי' לאדם שהוא ארוך, **ולענ"ד** צ"ע בדבר].

ואם אמתו קטנה - ר"ל שגופו בינוני כשאר כל אדם, וזרוע שלו קצרה משאר בני אדם, ואם ימדדו ד' אמותיו בזרוע שלו, יהיו קצרות לפי צורך גופו, והתורה אמרה: שבו איש תחתיו, **נותנים לו ארבע אמות בינוניות של כל אדם, שכל אחת מהן ששה טפחים** - [ומשמע דאם היה ננס גם בגופו, בדידיה משערינן הד' אמותיו, אף דפחותים משאר בני אדם].

(וע"ל סי' שצ"ו) - ר"ל דשם בהג"ה מבואר לענין יוצא חוץ לתחום, דהארבע אמות מודדין מרווחות, **אכן** בכאן לענין טלטול ד"א בר"ה, יש להחמיר דוקא מצומצמות וכנ"ל.

סעיף ב - ארבע אמות שאמרו - כלומר דשיעור ד' אמות הוא, **הן ואלכסונן** - שאינו חייב אלא אם טלטל כשיעור שעולה האלכסון של ד"א, **שנמצא שהם חמשה אמות ושלשה חומשים** - ולא מיבעיא אם טלטל לאלכסון העולם, דאינו חייב בפחות משיעור אלכסון של ד"א, **אלא** אפילו אם טלטל בריבוע העולם, ממזרח למערב או מצפון לדרום, נמי אינו חייב בפחות מכשיעור אלכסון.

ויש מי שאומר, שמארבע אמות עד חמשה ושלשה חומשים, פטור אבל אסור - וכן הסכימו האחרונים, **ובפחות** מד"א, גם לדעה זו מותר לכתחלה, וכנ"ל בס"א.

זו היא דעת הרמב"ם, ועיין בביאור הגר"א שכתב, דגם הרמב"ם מודה, דהיכא שבירר לו ד"א לטלטל בהם, ורוצה לטלטל באלכסונן של הד"א, מותר לטלטל בהם, אף שעולה עד ה' אמות וג' חומשין, **ולא** קפליג על דעה ראשונה רק ברוצה לטלטל במישור ולא באלכסון, או שלא ייחד לו מתחלה הד"א לטלטל בהם, דלדידיה אין לו בכל זה היתר הטלטול רק עד ד"א בלא אלכסון.

(המעיין בלשון הרמב"ם, משמע דד"א בשוה מותר לכתחלה, וצ"ע בטעמו, אי גזר שלא באלכסון אטו אלכסון, גם בד"א היה לנו לאסור).

ודע, דמה דקי"ל דאם העביר חפץ בר"ה ד"א הן ואלכסונן חייב, דוקא כשהיה שיעור זה בין מקום עקירת החפץ להנחתו, דהיינו שהניח החפץ מחוץ לשיעור זה, **אבל** אם היה מקום הנחת החפץ בתוך שיעור זה, ואפילו רק מקצתו של החפץ, פטור, דהרי לא העביר החפץ ד"א הן ואלכסונן בשלימות, כן מוכח מרמב"ם.

סעיף ג - מותר לו לאדם לעקור חפץ מרשות הרבים, וליתנו לחבירו שאצלו בתוך ארבע אמותיו, וחבירו לחבירו שאצלו, אף על פי שהחפץ הולך כמה מילין ברשות הרבים - דאע"ג דלקמן ס"ה איתא, דאדם אחד אסור להוליך חפץ פחות פחות מד"א, דשמא יעבירנו ד"א בבת אחת, **הכא** כיון שהוא ע"י הרבה בני אדם, שכל אחד אינו מוליך כי אם פחות מד"א, אף דע"י כולם נתטלטל החפץ שטח רב, לית לן בה.

(מלשון זה משמע, דדוקא ע"י הרבה בני אדם שכל אחד מוליך פחות מד"א, **ובפמ"ג** משמע דס"ל, דאפילו ע"י שני בני אדם נמי שרי, דהיינו שאחד מוליך מתחלה פחות מד"א, ונותנו לחבירו שיוליך גם הוא פחות מד"א, ואח"כ לוקחו ממנו ומוליך עוד פחות מד"א, ונותנו לחברו, וחוזר עוד חלילה, **אבל** אינו יודע מנין לו, שאפשר דכיון שזה האדם מוליך כמה פעמים פחות מד"א, הרי הוא בכלל גזירת חז"ל שאסרו להוליך פחות פחות מד"א, אם לא למי שהחשיך לו בדרך המבואר בסי' רס"ו).

ובלבד שלא יוציאנו חוץ מתחום שלו - פירוש, לא יוציא את החפץ שיש לו בעלים מתחום שלו, ממקום שקנה שביתה, דהיינו במקום שבעליו קנו שביתה שם, **וא"כ** "מאה מילין" ‹לשון הטור› לאו דוקא קאמר, **או** דמיירי בחפצי הפקר שאין להם בעלים, וקי"ל דלא קנו שביתה, ולכן יכול להוליכן כמה דבעי, **וכתבו** האחרונים, דבעי שלא יתכוין שום אדם לזכות בהן בהגבהתן, דאי נתכוין לזכות בהן, הרי הוא רק כרגלי הזוכה.

ויש מי שאוסר - ולדעה זו, אף במקום שהתירו לטלטל פחות מד"א, כגון מי שהחשיך לו בדרך המוזכר בסי' רס"ו ס"ז, או במוצא תפילין המוזכר בסימן ש"א סמ"ב, **ע"י** כמה אנשים אסור, דגרע משום דאיכא זילותא דשבת.

(ועיין לעיל סי' ש"א סעיף מ"ב) - ר"ל דשם סתם המחבר כדעה הראשונה להקל, **ומ"מ** לדבר הרשות טוב לחוש לדעת האוסרים.

ודע, דמה שהתיר המחבר ההולכה ע"י הרבה בני אדם, אינו מועיל כי אם לענין ההולכה בר"ה או בכרמלית, אבל לא להוציא מרה"י לכרמלית, **וע"כ** לא יפה עושין איזה קהלות בשבת, שנותנים ס"ת לבהכ"נ, והולכין דרך הרחוב שהיא עכ"פ כרמלית, ע"י הושטה מאחד לחבירו בפחות מד"א, ועושין איסור במה שמוציאין מן הבית לרחוב, דלזה לא מהני הושטה, [**ועיין** באבן העוזר שכתב תקנה להקל ע"י זה עוקר וזה מניח, דהיינו שהעומד בפנים מושיט הספר לחוץ, והשני יטול מידו, דהראשון עושה רק עקירה לבד, **ולאפוקי** שלא יתן לתוך ידו, דא"כ היה עושה גם הנחה, **אבל** בבית מאיר חולק עליו, ואוסר גם באופן זה].

ועיין בט"ז שדעתו, דאף ע"י עכו"ם אסור להוציאה מן הבית, (דהוי מצוה הבאה בעברה, **וקשיא**, דהא הוי שבות דשבות לצורך מצוה, **ונראה** דהט"ז אזיל לשיטתו, דס"ל דלא התירו ע"י עכו"ם רק להביא דרך חצר שלא עירבו, אבל לא דרך כרמלית, דאתי לאחלופי בר"ה, **אבל** לפי מה שכתב א"ר בשם כמה פוסקים, דמותר אף בכרמלית, ממילא מותר אף בזה).

סעיף ד - היו שנים, מקצת אמותיו של זה בתוך אמותיו של זה, כגון שיש ביניהם ו' אמות, מביאין ואוכלין באמצע - היינו שאחד יש לו דבר מאכל, ומונח אצלו בתחלת ד' אמותיו, וכן השני יש לו דבר מאכל, ומונח אצלו ג"כ בתחלת ד' אמותיו, וביניהם יש הפסק שש אמות, נמצא דשתי אמות השניות של כל אחד ואחד מובלעים זה בתוך זה, לכן מותרים שניהם להביא האוכל בתוך השתי אמות האמצעיות, שהם עדיין בתוך ד' אמות של כל אחד ואחד, **ובלבד שלא יוציא כל אחד מתוך שלו לתוך של חבירו.**

היו שלשה, והאמצעי מובלע ביניהם, כגון שבין שנים החיצונים שמנה אמות, האמצעי מותר עם כל אחד מהחיצונים במה שארבע אמותיו מובלעים בתוך שלו - שהוא עומד באמצע השמונה, ואצלו מונח דבר מאכל, ונמצא שארבע אמותיו מובלעין בתוך שניהם, שאם ירצה יכול לטלטל שנים מצד זה ושנים מצד זה, וזהו שכתב: האמצעי מותר עם כל אחד מהחיצונים, [**וה"ה** שיכול לטלטל לצד אחד כל הד"א, אלא דאז לא יוכל שוב לטלטל לצד השני כלל, וכשרוצה לאכול עם שניהם,

בע"כ עליו לטלטל רק מקצת עם זה ומקצת עם זה]. **ושנים החיצונים אסורים זה עם זה.**

סעיף ה - אסור להוליך חפץ פחות פחות מד' אמות - דחיישינן שמא יבוא להוליך ארבע אמות בבת אחת, דזמנין דלאו אדעתיה ואתי לידי איסור דאורייתא, **ודוקא** כשמוליך כמה פעמים פחות מד"א, אבל פעם אחת פחות מד"א מותר, וכמש"כ בריש הסימן.

ויש פעמים שהתירו פחות פחות מד"א, עיין לעיל בסימן רס"ו ס"ז, וסימן ש"א סמ"ב, וסימן ש"ח סי"ח, עי"ש.

ומקרי פחות מד' אמות ע"י שעמד לפוש בינתים, דהוי כמו שמניח החפץ לארץ, [דהנחת גופו הוי כהנחת חפץ]. **אבל** אם עמד תוך ד"א לתקן משאוי, הוי כמהלך כל הד"א בבת אחת, וחיובא נמי יש בזה, [**ולענ"ד** נראה ברור, דלכו"ע מן התורה מקרי עמידה אפי' אם לא עמד לפוש בהדיא, ורק בשביל איזה סיבה שמנעו לילך, כיון שלא עמד לתקן דרך משאו, דרק אז חשוב כמהלך, **ומה** שאמר בגמרא "עמד לפוש", הוא לאו דוקא, רק לאפוקי שלא עמד לתקן].

ואפי' בין השמשות - אף דלענין פחות מד"א הוא ספיקא דרבנן, והקילו בכגון זה בסי' שמ"ב, **כיון** דהוא קרוב לבוא עי"ז לידי מלאכה דאורייתא, גזרו בהם טפי, (**וה"ה** דאין להתיר ביה"ש זה עוקר וזה מניח, דג"כ שבות חמור הוא, שקרוב לבוא לידי מלאכה דאורייתא).

ואפי' בכרמלית - הטעם, דאם נקיל בזה, קרוב הדבר שיוליך ד"א בבת אחת - ט"ז, **ובביאור** הגר"א כתב הטעם, (דלא אמרו דלא גזרינן גזירה לגזירה, אלא דוקא דבר שאינו אסור אלא משום גזירה, אבל) **דבר שאסרו** בר"ה משום שבות, ה"ה שאסור בכרמלית, (**ודלמא** הגם דגם כאן יסודו משום גזירה, אבל עכ"פ כיון שדומה למלאכה, אסרו משום שבות). (**ואפשר דמקרי כרמלית בפחות פחות מד"א שבות דשבות, ושרי לצורך מצוה, וצ"ע**).

ואם הוא ביה"ש ג"כ, דהוי תרתי לטיבותא, דעת הט"ז וא"ר להקל בזה, **אך** לפי המבואר לעיל בסי' שמ"ב, דלא התירו שבות ביה"ש כי אם לצורך מצוה, או במקום הדחק, אפשר דהכא נמי אין להקל אלא בכגון זה.

§ סימן שנ – דין המוציא ראשו ורובו מרשות לרשות §

סעיף א - עומד אדם ברה"י ומוציא ידו לרה"ר, ומטלטל שם חפצים שאינם צריכים לו במקום שהוא עומד - ואפילו הם כלים נאים, **שנוטלן מכאן ומניחן כאן, ובלבד שלא יעבירם ד' אמות** - פי' אע"פ שהוא עומד ברה"י, רק שבידו מוליך חפץ ד"א ממקום שהוא מונח עד סוף ד"א בר"ה, **ואם** העביר חייב, ואפי' אם הגביהו למעלה מי' טפחים, כיון שלבסוף הניחו על הארץ. [**ואפי'** בכרמלית אסור ד"א].

ולא חיישינן שמא יביאם אליו, כיון שאינם צריכים לו במקום שהוא עומד שם; הילכך מותר לעמוד ברשות הרבים ליטול מפתח ברשות היחיד ולפתוח שם - היינו שהמפתח מונח שם מכבר, ונוטלו משם ופותח הדלת, ולא חיישינן שיוציאנו אצלו, דלמה יוציאו, כיון שא"צ לו מבחוץ כלל.

ומיירי באופן שע"י נטילת המפתח ממקומו אינו עובר על איסור הוצאה, כגון שיש גאנאק מבחוץ לבית, והגאנאק עשוי במחיצות כדין רה"י, **או** שהמפתח תחוב שם במנעול הקבוע בדלת, **ועיין** לעיל בסימן שמ"ו ס"ג בהג"ה מה שכתבנו במ"ב.

וכן מרשות היחיד לרשות הרבים - ר"ל שעומד ברה"י, ונוטל מפתח המונח בר"ה, ופותח שם החנות, **והנה** יש בזה חלוקי דינים, ואין כאן מקומו להאריך בזה, וכבר ביארנו לעיל בשמ"ו ס"ג בהג"ה במ"ב.

אבל לא יעמוד ברשות היחיד ויוציא ראשו לרשות הרבים וישתה שם, או איפכא, אלא אם כן יכניס ראשו ורובו למקום שהוא שותה, דכיון שהוא צריך לאלו המים, חיישינן שמא יביאם אליו - ובין שהמים נתונים בכלים נאים, או אינם נאים, וכן כל כיו"ב באוכלין ומלבושין, לפי שהן חפצים הצריכין לו במקומו.

אבל מותר לעמוד ברשות היחיד או ברשות הרבים ולשתות בכרמלית, או איפכא -

דבר"ה גופא הוא רק מטעם גזירה שמא יביאנו אצלו, ולא גזרינן גזירה לגזירה.

ויש מפרשים דחפצים הצריכים לו, היינו כלים נאים שהוא צריך להם, אבל אם הם כלים שאינם נאים, מותר לשתות מהם, אף ע"פ שלא הוציא ראשו ורובו אלא שהושיט צוארו לבד; ושאר טלטולים חוץ משתיה, אפילו כלים נאים מותר לטלטל, שלא גזרו אלא בכלים נאים ובשותה בהם, שהוא מקרבן לפיו.

והעיקר כסברא ראשונה.

סעיף ב - לא יעמוד אדם ברשות הרבים וישתין או ירוק ברשות היחיד - דמה שמוציא השתן או הרוק מגופו, זה מקרי עקירה, **ואם** השתין או רק חייב חטאת, דמחשבתו שהוא צריך לזה, משוי ליה מקום, והוי כאלו עקר ממקום שהוא ד"ט.

(**וה"ה אם זרק בפי הכבשן כדי לשרף, או בפי הכלב לאכלו, מחשבתו משוי ליה מקום ד' טפחים, וחייב, אבל זרק על המקלות או על שום דבר, אפילו במתכוין שיפול על המקום ההוא, לא נחשב עי"ז למקום ד"ט).**

או בכרמלית - דכיון דמרשות לרשות הוא איסור דאורייתא, ממילא בכרמלית נמי אסור עכ"פ מדרבנן, **או איפכא.**

וה"ה אם השתין או רק בר"ה או בכרמלית ברחוק ד"א.

(**וה"ה אם עמד ברה"י ומשתין, ומתגלגלין ויורדין לר"ה, וכן כשמשתין בר"ה, ומתגלגלין ויורדין לרה"י, ג"כ אסור, אמנם אם מתגלגלין לכרמלית מותר, שלא גזרו כחו בכרמלית).**

אפילו אם הוציא פיו ואמתו לחוץ - דלא אזלינן בתר מקום יציאת השתן, אלא בתר מקום שהשתן נעקר ממנו, והוא הגוף העומד ברשות אחר, **ובפיו** נמי שדינן ליה בתר הגוף שעומד ברשות אחר, והוי כאלו הוציא מרשות לרשות.

והנה מלשון השו"ע משמע דבכרמלית נמי אסור, אפילו כשהוציא פיו ואמתו לחוץ, **אמנם** בביאור הגר"א כתב, דכיון דזה הדין דאסרינן מרשות לרשות ברשויות דאורייתא, הוא רק מטעם ספיקא, דאסיק הגמרא בתיקו, **יש** לנו להקל בזה בכרמלית דהוא ספיקא דרבנן, וכעין שפסק השו"ע בכעין זה לעיל בסימן ש"ג סכ"ג.

סעיף ג - רוקו שנתלש בפיו ומוכן לזרקו, יש מי שאומר שלא ילך ד' אמות ברשות הרבים עד שירוק - וה"ה שלא ילך אז מרשות לרשות עד שירוק, **והטעם** בכל זה, כיון דלמשדייה קאי, משאוי הוא. **אע"ג** דהמחבר כתב יש מי שאומר, אין לזוז מזה, שכן דעת כמה ראשונים.

עיין בא"ר שכתב, דדוקא כשכבר נתהפך הרוק בפיו ועומד לצאת, (**ואפשר שזהו ג"כ כונת הטוש"ע במש"כ "ומוכן לזרקו"**), [**ובכיחו**, היינו ליחה היוצאת מן הגוף מאדם שאינו בריא, אע"ג דלא נתהפך, נמי אסור].

(**מסתפקנא אם מדאורייתא הוא, או מדרבנן, שהם אמרו שהוא דומיא דנושא משא בשבת, ונ"מ לענין שנגזור דבר זה גם בכרמלית, ומ"מ לדינא יש לעיין בדבר, דכיון דיש חולקין וסוברין דאף בר"ה מותר, עיין בב"י, יש לסמוך אשיטתם לענין כרמלית, וכן מצדד הגר"ז, ומ"מ נראה דאין להקל בזה רק בדבר שהוא לכו"ע כרמלית, כגון בקעה וקרפף, אבל לא בר"ה שלנו, דלכמה פוסקים הוא ר"ה דאורייתא).**

§ סימן שנא – דין המושיט ידו לצנור ברשות הרבים לשתות §

סעיף א - לא יעמוד אדם ברשות הרבים ויחבר ידו - וה"ה פיו או כלי, **למזחילה, שהוא צנור ארוך מונח לאורך הגג, בתוך ג' טפחים סמוך לגג, ולקבל המים ממנה, שכיון שהוא בתוך ג' סמוך לגג** - פי' המזחילה, ואמרינן לבוד, **חשוב כגג** - שם גג ע"ז, **ואסור** - והוי כמוציא מן הגג לר"ה, ואפילו אין המזחילה רחבה ד' טפחים, **בין אם הוא למעלה מעשרה או למטה מעשרה** - וכ"ש לקלוט מים מע"ג הכותל דאסור.

(**ועיין בב"י שהביא בשם הרמב"ם, דמ"מ לית בזה רק איסורא ולא חיובא, דהא אין המים נחו שם,**

סימן שנא – דין המושיט ידו לצנור ברשות הרבים לשתות

דנזחלין והולכין, ולרש"י יש בזה איסורא דאורייתא, ועיין בבגדי ישע שמפקפק בזה, ודעתו דגם לרש"י לית חיוב חטאת בזה).

אבל מותר לקלוט מן האויר - את המים היורדין מן המזחילה או מן הגג, דאויר שלמעלה מי' מקום פטור הוא, ואם הוא למטה מי' הוי ר"ה, וידו הלא ג"כ בר"ה היא.

אפילו אם ידו תוך ג' למזחילה - דלא אמרינן בזה לבוד, וגם דלא הוי עקירה ממקום ד' על ד', (ועיין בט"ז שהביא דעת רבינו יהונתן, דאסור בזה, והסומך על הטוש"ע בזה בודאי לא הפסיד).

היתה מזחילה בולטת ג' מן הגג, וכן סתם צנור שבולט ג' - מזחילה נקרא, הצינור המונח לאורך הגג, וצינור נקרא, כשהוא עומד בצד אחד מן הגג, וסתמו בולט להלן הרבה, כדי שלא יפלו המים על הכותל, **יכול לחבר ידו אליהם ולקבל המים** - דכיון שבולט ג', תו לא חשיב כגג.

וכגון שאין בהן ד' על ד', והן למטה מעשרה - דחשיב מקום פטור, **אבל אם יש בהן ד' על ד'** - דהוי ככרמלית, **או אפילו אין בהם ד' על ד', והן למעלה מעשרה, אסור** - דגזרינן שמא יהיה בהן רחב ד' על ד', והוי רה"י ואסור.

(ולכאורה קשה לדברי השו"ע, אמאי לא גזרינן בכל מקום, בעמוד שאין בו ד' על ד' העומד בר"ה, לאסור הטלטול ממנו לר"ה, משום גזירה דיש בו ד' על ד', ואפשר לומר, דבזה חיישינן טפי, משום דלמטה אין בו מחיצות, ויבואו להקל בזה).

§ סימן שנב – הקורא בספר ונתגלגל מרשות לרשות §

סעיף א- הקורא בספר - כל ספרים שלהם עשויים בגליון כס"ת שלנו, **על האסקופה, ונתגלגל ראש האחד מהספר מידו** - ר"ל ונח על הארץ, דאם מסולק מן הארץ אפילו מעט, לא דמי כלל לנפילה, וליכא למיגזר משום נפילה, [עולת שבת], (ואפי' במקום דליכא בזיון מותר – שם), **ונשאר ראש השני בידו, גוללו אצלו, אפילו נתגלגל חוץ לד' אמות** - ג"כ מותר לגלול הספר אצלו, ולא חיישינן דלמא אתי לאקולי לאתויי הד' אמות אפילו היכא דנפל כולו מידו, דאיכא איסורא דאורייתא.

אפילו ברשות הרבים והאסקופה ברשות היחיד - צ"ל "רשות היחיד", היינו אפילו היתה רה"י, כגון שהיא גבוה עשרה טפחים ורוחב ד"ט, ולפניה הולכת ר"ה, **והו"א** דנגזר שלא להקל בזה לגלול הספר אצלו, משום דלמא נפל מידו כולו, ואתי ג"כ לאתויי אצלו, ושם איכא חיוב חטאת בזה, קמ"ל דלא גזרינן בזה, **משום בזיון כתבי הקדש התירו** - דמדאורייתא אם זרק דבר לר"ה וראש השני בידו, מותר להביאו אצלו, דאין כאן הנחה, כיון שראש השני בידו, ויכול להביאו אצלו, וא"כ במה שמושכו ומגביהו מן הארץ לא נחשב עקירה, **אלא** דרבנן גזרו שלא יבואו להקל אפילו היכא דנפל לגמרי, דשם איכא חיוב חטאת, **והכא** משום בזיון התירו.

ואף דמבואר בס"ב, היכא דעומד בראש הגג ולפניה הולך ר"ה, ונתגלגל ראש אחד מן הספר מידו על הארץ, דאסור לגול אצלו משום גזירה זו, **הכא** מיירי באסקופה שרבים דורסים עליה, כמבואר בהג"ה, ואיכא בזיון טפי לכתבי הקודש, לכך הקילו.

ודוקא היכא דצד אחד אוגדו בידו, הא אם נפל גם ראש השני לארץ, אפי' היכא דנפל לכרמלית, ג"כ אסור לאתויי אצלו, ולא התירו בזה משום בזיון כתבי הקודש.

הגה: דרבים דרסי על האסקופה - ואיכא בזיון טפי, (ויש מקילין אפי' באסקופה שאין רבים דורסין עליו, אם הוא כרמלית ועומדת בין רה"ר לרה"י, ולא נתגלגל הספר חוץ לד"א ברה"ר, מיהו י"א, דדוקא באסקופה ארוכה, דלא שייך לגזור שמא יביאם להדיא מרה"ר לרה"י בלי הנחה באמצע, דאדהכי והכי יזכור, או דאין רה"י מצד אחד, אבל בלא"ה אסור, ויש שאין מחלקים בזה).

ודוקא כתבי הקדש, אבל בשאר דברים אסור - היינו נמי אפילו כשראשו אחד נשאר בידו, אסור להביאו אצלו.

אפילו לא נפלו אלא לכרמלית - והטעם, דגם בזה גזרינן שמא יפול לגמרי על הארץ, ואפ"ה יביאנו אצלו, **ודע** שיש כמה אחרונים שמקילין בזה, **מ"מ** נראה דבר"ה שלנו אין להקל, דכמה פוסקים סוברין דגם אצלנו יש ר"ה דאורייתא, וכדלעיל בסימן שמ"ה ס"ז.

סעיף ב - היה קורא בו על הגג - מיירי בגג שהוא רה"י היה לפניו ר"ה, **ונתגלגל ראשו האחד מידו, עד שלא הגיע לעשרה טפחים התחתונים הקרובים לארץ, גוללו אצלו** - דכל שלא הגיע לעשרה טפחים התחתונים, הוי האויר מקום פטור, וע"כ גללו אצלו.

ואפילו אם היה כותל הבית משופע ונח עליו, או שהיה נח שם ע"ג זיז, בין שהיה הזיז רחב ארבע, ובין שלא היה ארבע.

ובכל זה מותר לכו"ע, אפילו בשאר דברים שאינם כתבי הקודש, כגון שהיה בידו סדין ונתגלגל ראש האחד מידו, דלמעלה מי"ט אין שום חשש משום ר"ה.

הגיע לעשרה טפחים התחתונים, אם הכותל משופע בענין שנח עליו, אסור לגוללו אצלו - ר"ל דאז הוי כמונח ראש אחד על הארץ, וע"כ אם נקיל בזה, יש חשש שמא יפול כולו מידו שם, ויבוא ג"כ לאתויי מר"ה לרה"י.

ודוקא כשרבים מכתפים עליו, הא לאו הכי הוי כרמלית, וכיון דאגודו בידו, שרי להביאו אצלו בכתבי הקודש לכו"ע, (מ"א בשם התוספות, **ועיין** בחי' הרשב"א שהביא בשם הרמב"ן, שחלק על התוספות, ודעתו דאפילו בשאין רבים מכתפין עליו מקרי הנחה בר"ה).

(**ואם** נח ע"ג זיז שאין רחב ד', הוי מקום פטור, ומותר להביאו אצלו).

וכדי שלא יעמוד בבזיון, הופכה על הכתב.

ואם אינו משופע, כל זמן שלא הגיע לארץ גוללו אצלו - ואפילו יש רק כמלא מחט בינו ובין הארץ, כיון שלא נח ממש על הארץ ותלוי באויר, לא מיקרי הנחה, וגוללו אצלו, [**דאם** מונח ע"ג זיז כל שהוא, לכו"ע מקרי הנחה, ולא בעינן בזה מקום ד'].

ובביאור הגר"א חולק ע"ז, דכל שהגיע תוך ג' סמוך לארץ, חשוב כמונח על הארץ.

ודוקא בכתבי הקודש מקילינן, אבל בשאר דברים, כל שהגיע לאויר העשרה טפחים שהוא אויר ר"ה, אף שלא נח, אסור להביאו אצלו, דגזרינן שמא יפול כולו לארץ, ויבוא ג"כ לאתויי אצלו, **ויש** מקילין בזה, ‹ולעיל במ"ב בס"א סתם כן וכהעולת שבת, וכאן השעה"צ לא ציינו, ואפשר דיש חילוק בין כתבי הקודש בדליכא בזיון, ושאר דברים›, **וכל** זה באויר ר"ה, אבל אם נפל לאויר כרמלית, מותר לכו"ע להביאו אצלו, כיון שאוגדו עדיין בידו.

§ סימן שנג - דיני זיזין ברשות הרבים §

סעיף א - שני בתים בשני צדי רה"ר והם של אדם אחד, או של שנים ועירבו - דבלא ערבו, הלא אסור לטלטל מרשות לרשות, אפילו בלא הפסק רשות הרבים בינתים כלל.

(**כתב** המ"א: צ"ע, הא אין יכולין לערב יחד אא"כ יש פתח ביניהם שיכולין לטלטל יחד בלי זריקה, **ובקרבן** נתנאל וכן במאמ"ר תירצו בפשיטות, דמיירי כשהיה כמין גשר בחד צד מבית זה לבית זה, שיכולין לטלטל מזה לזה).

אם שניהם שוים, מותר לזרוק מזה לזה - ר"ל דכיון שהם שוים, אין צריך לאמן ידיו לזריקה שלא יפול החפץ למטה, **ודוקא** למעלה מי', דהוי מרה"י לרשות היחיד דרך מקום פטור, **אבל** למטה מי' אסור.

ואם אחד גבוה מחבירו, אסור לזרוק מזה לזה - דכיון שגבוה מחבירו צריך לצמצם ידו בזריקה, וחיישינן שמא לא יכוין כ"כ ויפול לארץ, ואתי לאתויי.

אלא א"כ הם כלי חרס וכיוצא בהם שאם יפלו ישברו. במה דברים אמורים, ברשות הרבים עוברת ביניהם, אבל אם היתה כרמלית עוברת ביניהם, מותר בכל גוונא - היינו אפילו אחד גבוה מחבירו, **אבל** פשוט דדוקא בשערבו.

דכיון דאיסור כרמלית אינה אלא מדרבנן, לא גזרינן שמא יפול, דהוי גזירה לגזירה, (**ואם** הוא למטה מעשרה לענין כרמלית, עיין בסוף סימן שמ"ט במ"ב ובבה"ל, דשייך ג"כ לעניננו).

(ביאור הלכה) [שער הציון] ‹הוספה›

סעיף ב - זיז, דהיינו דף הבולט מן הכותל לרה"ר למעלה מעשרה, ויש בו ד' על ד', וחלון הבית פתוח לו, משתמשין עליו - נקט לר"ה לרבותא, דאפילו לר"ה מותר, דאין ר"ה תופס למעלה מעשרה, **וכ"ש** אם הוא בולט לרשות כרמלית דשרי, **ועיין** בס"ג, דיש חילוק בין ר"ה לכרמלית, לענין ליתן עליו כלים שאין נשברים בנפילתן.

לפי מה שפסק המחבר בס"ג, דבכלים שאינם נשברים אסור, שמא יפולו ואתי לאתויי מר"ה, וע"כ הכא מיירי בכלים שישברו ע"י נפילתן, **וא"כ** אפילו אין בהזיז ד' על ד', שמצוי שיפלו ממנו, ג"כ מותר להשתמש עליו, **ויש** לומר בדוחק, דנקט ד' על ד' משום דמסיים: והחלון פתוח לו, ובאין בהזיז ד' על ד', א"צ שיהיה החלון פתוח לו, דהוא מקום פטור, ובכל גווני מותר להשתמש עליו.

(עיין בביאור הגר"א, דכ"כ הטור לפי שיטתו בסי' שמ"ה סט"ז, אבל לפי דעת הרמב"ם, אפילו אין הזיז נגד החלון, כיון שהוא למעלה מעשרה טפחים, איננו בכלל כרמלית, [אפי' ביש בו ד' על ד'], אלא בכלל מקום פטור, וממילא מותר להניח עליה מר"ה ג"כ).

ולא מבעי [לפי שיטת הרמב"ם] אם היה החלון פתוח לו בסמוך להזיז בתוך ג' טפחים, בודאי מותר להשתמש על הזיז מתוך החלון, ליתן עליו ולטול ממנו, דהוא בכלל חורי רה"י וכרה"י דמי, **אלא** אפילו אם היה החלון מופלג ממנו הרבה, אעפ"כ מותר להשתמש על הזיז, דכל שהוא למעלה מי', חשבינן ליה כמקום פטור.

ומשמע מסתימת המחבר, דאם היה הזיז למטה מי', אפי' אם היה חלון הבית פתוח לו בסמוך לו בתוך ג', אפ"ה אסור להשתמש על הזיז, **והטעם**, דכיון שהוא בתוך עשרה, נוח גם לבני רה"ר להשתמש על הזיז, ולא הוי בכלל חורי רה"י, כי אם בכלל כרמלית, ואסור להשתמש עליו ליתן עליו וליטול ממנו, בין מר"ה ובין מתוך החלון.

אם היו שני זיזים זה למטה מזה, והם של שני אנשים, אע"פ ששניהם למעלה מעשרה, אם יש בזיז העליון שלפני החלון רוחב ד' על ד', אסור להשתמש עליו, מפני שהוא רשות בפני עצמו, והזיז שתחתיו רשות אחרת, ואוסרין זה על זה - ר"ל בין העליון ובין התחתון, **והלבוש** מיקל בתחתון, (וז"ל: דרשות היחיד עולה עד לרקיע, ואוסר התחתון על העליון דהא לא עירבו, אבל העליון אינו אוסר על התחתון, שאין רשות הזיז העליון יורד למטה).

כתב המ"א בשם המגיד משנה, דאפילו אין בתחתון ד', ג"כ אוסרין אלו על אלו, (וז"ל המחה"ש: כיון דהעליון הוא ד' וחל על העליון שם רשות, אוסר על התחתון, ולכן גם התחתון אף שאינו רחב ד' ולא חל עליו שם רשות, מ"מ אוסר על העליון שחל עליו שם רשות, וה"ה איפכא כשהתחתון רחב ד' ולא העליון מה"ט), **ובלבוש** מיקל בזה, וכתב בא"ר שכן הוא ג"כ בעבודת הקודש.

ודוקא בכלים ששבתו בתוך הבית, אבל אם שבתו בהש"מ על גבי הזיז, מותר לטלטל מזיז לחברו. **ודוקא** של שני אנשים, אבל אם היו של איש א' שרי, כיון שהם של רשות א', **ואם** ערבו יחד, אפילו של שני אנשים שרי.

ואם אין בעליון ד' וגם אין בתחתון ד', משתמש בשניהם ובכל הכותל עד י"ט התחתונים.

היה בתחתון ארבעה ובעליון אין בו ארבעה, אינו משתמש בעליון אלא כנגד חלונו בלבד - שהוא כזוית החלון והרחבתו, **אבל בשאר הזיז שבשני צדדי החלון, אסור להשתמש, מפני זה שתחתיו שחלק רשות לעצמו** - וממילא אסור להשתמש גם בזיז התחתון, שאוסרים זה על זה וכנ"ל, **ולדעת** הלבוש הנ"ל, הכא בודאי מותר בתחתון.

ובעליון אין בו ד' - (נ"ל דר"ל שאין בו ד' מצד עצמו, אבל בצירוף החלון יש בו ד', ולכך אסור בשני צדדי החלון, כשאר זיז שיש בו ד', ומה דמותר כנגד חלונו, משום דהוי כחורי חלון, (אבל כשהוא רחב ד' בלא צירוף החלון, שהוא רשות לעצמו, אין הוא בטל לחלון, ונאסר ע"י התחתון אף כנגד חלונו - מ"ב המבואר), **דאי אין בו ד'** אף ע"י צירוף החלון, מותר להשתמש בכל הכותל). (וזה דלא כמ"ש לעיל במ"ב וכפי שהסביר המחה"ש, אלא כהלבוש).

סעיף ג - כל זיז היוצא על אויר רה"ר שמותר להשתמש עליו, כשהוא משתמש בו אין נותנין עליו ואין נוטלים ממנו אלא כלי חרס וזכוכית וכיוצא בהם, שאם יפלו לרה"ר ישברו; אבל שאר כלים אסורים, שמא יפלו לרה"ר ויביאם - היינו בין שהזיז רחב ד' או לא.

הגה: ודוקא זיז וכיוצא בו – (דסתמו אינו רחב, והמשתמש אינו עומד שם עם הכלי, ולכן לא חלקו חכמים, שאפילו אם היה הזיז רחב ג"כ אסור), **אבל אם הוא דבר רחב כגג, שהמשתמש עומד שם עם הכלי, מותר להשתמש בכל הכלים** – (ובגג ג"כ לא חילקו, שאפילו אם היה רוחב רק ד' טפחים, ג"כ מותר להשתמש עליו בכל מיני כלים).

ואם היה זיז אחד לבדו יוצא על אויר כרמלית, כל שהוא גבוה י' לעולם מותר - דשם אין אויר כרמלית תופס, ולכן מותר להשתמש עליו דרך החלון, **אבל** למטה מעשרה הוי כמוציא מרשות היחיד לכרמלית, **בין רחב בין קצר, ואפילו כלים שאין משתברין, שלא גזרו בכרמלית** – (גם ביוצא לאויר ר"ה מותר בין רחב ובין קצר, ועיקר החידוש הוא דהכא מותר אפילו בכלים שאינם משתברין).

§ סימן שנד – דיני בור ואשפה ברשות הרבים §

סעיף א - בור ברשות הרבים וחוליא סביבו - היינו קרקע סביבות הבור, נותן סביבותיו להקיף כמין חומה, **אם עומד** - היינו הבור עצמה, **בתוך ד' טפחים לרשות היחיד, מותר למלאות ממנו מרשות היחיד** - פי' מאותו צד שהוא סמוך לרה"י, בין שהוא עומד בין הכותל לבור, ומוציא המים מהבור ומניחו ברה"י שאצלו, **ובין** שהוא עומד בבית ומשלשל הדלי לבור דרך חלון הבית, וחוזר ומכניסו לבית, **והטעם** בכל זה, דמוציא מרה"י לרה"י דרך מקום פטור, דכיון שהוא הפסק פחות מד"ט בין הבור להכותל, לא דרסי בה רבים כלל, וע"כ הוי מקום פטור.

[**דאם** הבור עצמה רחוק ד"ט מן הכותל, אך שהחוליא ממעט השיעור, לפעמים יהיה אסור, כגון אם החוליא אינה גבוה ג"ט מן הארץ, דבטל לגבי קרקע והוי רה"ר].

אפילו אין החוליא גבוה עשרה - ר"ל כי אם בצירוף הבור, אפ"ה הוי רה"י, דבור וחוליתו מצטרפין לעשרה, **וה"ה** אם לא היה חוליא כלל, והיה הבור בעצמו עמוק י' טפחים.

ואם הוא רחוק ד' מרה"י - דהשתא אותו מקום לאו מקום פטור הוא, אלא ר"ה, **אין ממלא ממנו** - אפילו דרך חלון, דקמטלטל מרה"י לרה"י דרך אויר ר"ה, ואע"ג שאגודו בידו, אסור.

אלא אם כן תהא החוליא גבוה עשרה - דאז ממילא הדלי ששואב בו הולך למעלה מעשרה, ששם מקום פטור, וא"כ ממלא מרה"י לרה"י דרך מקום פטור, **ודוקא** כשהחלון ג"כ גבוה יו"ד טפחים מן הקרקע, דלא ראה הדלי כלל אויר ר"ה.

(ואם הבור והחלון עומדים בדיוטא א', היינו בשורה א', אסור להוריד הדלי מחלון לבור, דהוי הושטה דאסור מרה"י לרה"י דרך ר"ה, אפי' למעלה מי' – מ"א, **וצ"ע**, דהא בירושלמי פרק הזורק איתא, דמושיט לא הוי כי אם ע"י שנים, כעין שהיה במשכן אצל הלוים, שהיו מושיטין הקרשים מזו לזו, **אבל לא באחד שהושיט מרה"י לרה"י** דרך ר"ה, והובא דבר זה בתוס', **ואולי** דכונת הירושלמי הוא רק לענין חיובא, **אבל איסורא איכא גם בא' שהושיט**).

והעומד בר"ה, ומשלשל דלי בחבל לתוך הבור עמוק י' ורחב ד', וממלא מים ומוציא לר"ה, חייב, **ואף** דעל הדלי אין לחייבו, משום שלא הוציא החבל מתחת ידו כשהורידו לבור, עכ"פ משום המים יש לחייבו, דהא עקר המים מרה"י לר"ה, **ואפילו** אם סביב הבור לא היה ר"ה רק כרמלית, ג"כ יש ליזהר מזה, דעכ"פ איסורא איכא.

ודלי התלוי בעץ ארוך, כמו שעושין לבארות שלנו לשאוב בו, והוא תלוי בתוך הבאר, או אפי' למעלה מן הבאר נגד אוירו, אף שהמים היה בדלי מבעו"י, שלא עקר אותם בשבת מן הבאר, אפ"ה יש ליזהר שלא להוציאו משם להורידו על הארץ שסביב הבאר, דהא עכ"פ עשה הנחה בשבת, [ומדרבנן אסור על עקירה או הנחה לבד], **ואפילו** לאוחזו באויר סביב הבאר, ג"כ מסתפק הפמ"ג אם מותר, ‹לעשות הוצאה והנחה לבד בלא עקירה והנחה – שונה הלכות›.

סעיף ב - אשפה ברשות הרבים שגובה עשרה ורחבה ארבעה, אם היא של רבים - דרבים משליכין שם שופכיהן וזבליהן, **מותר לזרוק לה מרשות היחיד הקרוב לה** - דאם לא היתה גבוה י', שם כרמלית עליה, ואסור לזרוק עליה מרה"י.

(באמת אפילו לא היתה רחבה ד', ג"כ מותר, דמקום פטור הוא, ונ"ל דנקט, משום דמשנה קאמרה אשפה שגבוה יו"ד טפחים, ואם לא מיירי ברחבה ד', אפילו לא היתה היתה גבוה י"ט, ג"כ מותר, דמקום פטור הוא).

ואפילו אם האשפה מופלגת מן הכותל ד' טפחים, ויש על ההפסק שביניהם שם ר"ה, אפ"ה מותר לזרוק על האשפה מחלון שבבית, ורק שיהיה החלון גבוה עשרה מן הארץ, כדי שתהיה הזריקה מרה"י לרה"י דרך מקום פטור, **ומה** שכתב המחבר "הקרוב לה", בא לאפוקי אם האשפה רחוק מרה"י, שלא יזרוק על האשפה, שעלול ליפול בר"ה.

ואין צריך עירוב, כיון שאין בה דיורין.

הגה: ולא חיישינן שמא יתגלגל מן האשפה לרשות הרבים ואתי לאתויי, דאין דרך לזרוק לאשפה אלא דברים מאוסים - כלומר שאין צריך להם, ולא אתי לאתויי אח"כ אפילו אם יפול.

ואם היא של יחיד, אסור, משום דיחיד עשוי לפנות אשפה שלו, ויבואו לשפוך שם כדרכן - שהיו רגילין שם מקודם, **ונמצאו שופכים ברשות הרבים** - משא"כ באשפה של רבים, לא ממלכי מעשותה אשפה, ולעולם תהיה גבוה עשרה טפחים, שהרי כל היום משליכין כולם שופכיהן וזבליהן שם, ולא תחסר גבהה.

§ סימן שנה – דיני גזוזטרא ובית הכסא §

סעיף א- גזוזטרא (פירוש דף או בנין בולט מתוך הכתלים חוצה) שהיא למעלה מן המים, וחלון פתוח לה מן הבית - פי' דף היוצא מן כותל הבית שהיה סמוך לים או לנהר, והיה הדף למעלה מן המים, ויש שם נקב באמצעיתו, וחלון הבית פתוח לו.

אין ממלאין ממנו - להכניסו לבית, דקא מטלטל מן המים שהם כרמלית לרה"י, **וכן** להניחו ע"ג הגזוזטרא ג"כ אסור, דהגזוזטרא נחשב רה"י, כיון שהחלון פתוח לו, וכדלעיל בסימן שמ"ה סט"ז, (**וע"כ מן הבית מותר להוציא ולהניח ע"ג הגזוזטרא בכל גווני**), [**עיין** בפמ"ג, דזה דוקא אם הגזוזטרא סמוך לחלון הבית תוך ג' טפחים, הלא"ה הוי הגזוזטרא כרמלית].

(**ואם לא היה חלון פתוח לה, נחשב הגזוזטרא לכרמלית, וע"כ אף שהוא גבוה עשרה טפחים מן המים, אסור להוציא מן הבית עליה, אבל מן הים מותר להביא עליה, דמכרמלית לכרמלית קמטלטל, ועיין בסימן שמ"ה במ"ב שם, שהבאנו דעת כמה פוסקים דסוברין, דהיכא שהזיז הוא למעלה מעשרה, נחשב למקום פטור כשאין חלון פתוח לה, וא"כ בענינו מותר לטלטל גם מן הבית ע"ג גזוזטרא אם הוא למעלה מעשרה**).

אלא אם כן עשה לה מחיצה כל סביבה - דהשתא הוי כל שכנגדה עד למטה רה"י, **ואף** שהמחיצה תלויה ואינה מגעת למים, קל הוא שהקילו במים, ואמרינן גוד אחית מחיצתא.

או יעשה המחיצה סביב הנקב שדולים דרך שם, והוא שיהא בו ארבעה על ארבעה - ר"ל שאין צריך לעשות דוקא סביב כל רוחב הגזוזטרא, אלא סגי כשיעשה המחיצות סביב הנקב שהוא רחב ד' על ד"ט, דכל מחיצה העשויה לפחות מחלל ד' אינה מחיצה.

ואין חילוק בין אם יעשנה למטה מחוברת לה - אע"פ שרחוק עוד הרבה מן המים, **וכ"ש** אם עושה המחיצה של עשרה טפחים למטה אצל המים דמהני, דאמרינן גוד אסיק מחיצתא עד נגד הגזוזטרא.

בין אם יעשנה על גבה - דגם בזה אמרינן גוד אחית מחיצתא, **ויש** מן הראשונים שחולקין בזה, וס"ל דדוקא כשעושה המחיצות למטה מן הגזוזטרא, אז אמרינן גוד אחית מחיצתא, **אבל** לא כשעושה ע"ג הגזוזטרא, **ולכתחלה** בודאי נכון ליזהר בזה.

וכיון שעשה מחיצה, מותרין גם לשפוך ממנה - היינו דרך הנקב על הנהר והים, דאף שהשופכין ילכו חוץ למחיצת הגזוזטרא, אפ"ה שרי, **ואפילו** אם הוא סמוך לרקק שהוא ר"ה, כמבואר בסימן שמ"ה, מ"מ כיון שאין כונתו להוציאן לר"ה, שרי, (**כן כתבו המ"א וש"א בשם התוספות, מיהו בחידושי הרשב"א מוכח, דלא שרי לשפוך כי אם כשאין בצדו ר"ה, הא בסמוך לר"ה אסור**).

(ודע עוד, דלענין לשפוך על דופני הבית, תלוי נמי בפלוגתא ולהיפך, דלדעת הרשב"א שם מותר, אם המי שופכין ירדו מדופן הבית לנהר ולים, דכחו בכרמלית לא גזרו, וכמו בספינה לקמן בסוף הסעיף, **ולדעת** התוספות אסור, דכיון דהכא מכוין שירדו למטה לנהר או לים, גזרינן אטו שיזדמן לפעמים שישפוך על דופני הבית הסמוך לר"ה, וגבי ספינה שאני, שאין מצוי שתהלך סמוך לר"ה, ומלשון הרמב"ם משמע ג"כ דשרי, וכך סתם המחבר בסוף ס"ג, והרמ"א בסי' שנ"ז הביא דעת האוסרין).

וכן ההולך בספינה אינו יכול למלאות - דהמים כרמלית הם והספינה רה"י, **אא"כ יעשה לה דף ארבעה על ארבעה** - טפחים, **ועושה בו נקב וממלא דרך שם, ואינו צריך לעשות לו מחיצות, אלא אמרינן כוף הצדדים וגוד אחית מחיצתא, שהקילו בספינה מפני שאינו יכול לעשות שם מה שיעשה בבית** - פי' שבגזוזטרא הנזכר מקודם, צריך דוקא מחיצות עשרה טפחים, והקולא, דאמרינן גוד אחית מחיצתא עד מיא, **אבל** בספינה מקילינן עוד, דא"צ מחיצות כלל, אלא אמרינן כוף הצדדים כאילו היה שם מחיצות, ואח"כ אמרינן גוד אחית עד מיא.

(**ובספר** אליה רבה הכריע לעיקר בשם כמה פוסקים, דגם בזה צריך לעשות מחיצות, ומ"מ נראה דהנוהג כדעת השו"ע אין למחות בידו).

והני מילי כשהוא בתוך י"ט - ר"ל שגובה דופן הספינה הבולט מעל המים היה פחות מעשרה טפחים, **אבל** עומק הספינה בפנימה היה גובה יו"ד טפחים, דהויא רה"י, וע"כ צריך לעשות מבחוץ דף של ארבעה על ארבעה כמ"ש, **דאם** אין עמוק י' טפחים גם בפנימה של הספינה, הלא הוי כרמלית, ומותר לטלטל מתוכה לים, ומים לתוכה, בלי שום תקון.

אבל אם דופני הספינה גבוהים עשרה מעל המים - ונמצא כשהוא ממלא, ע"כ צריך להגביה קצת המים למעלה מדופני הספינה, שהיא יותר מי', דהוי מקום פטור, וא"כ הוא מטלטל מכרמלית לרה"י דרך מקום פטור, **מוציא זיז כל שהוא** - חוץ לספינה, **ועושה בו נקב וממלא דרך שם, שהרי דרך אויר מקום פטור הוא ממלא** - וע"כ הקילו חכמים, **וסגי בהיכר זיז** - משום היכר בעלמא.

והאחרונים הסכימו, דבזיז א"צ לעשות נקב, כיון שאינו אלא להיכר בעלמא, ויכול למלאות אפילו שלא במקום הזיז, (**וכ"ש אם יש לו דף ד' על ד' שעשהו למלאות דרך בו, אין לך היכר גדול מזה, לענין שיהיה יכול למלאות מן הים אפילו שלא על ידו**).

(**ואפילו** למאן דאוסר בסימן שמ"ו סוף ס"א, **הכא** כיון דאיכא זיז כל שהוא הוי היכר ושרי – מ"א, **ובביאור** הגר"א חולק, ודעתו דזה קאי רק להמתירין שם, וכן הגאון רע"א הקשה על המ"א).

(**ואף** דלעיל גבי גזוזטרא, שהוא ג"כ למעלה מי' טפחים, מצרכינן דוקא מחיצות גבוה יו"ד, ולא מקילינן לומר דרך אויר מקום פטור הוא ממלא, **הכא** בספינה הקילו, ושם אמרינן גזירה אטו גזוזטרא שאין גבוה י"ט).

ומימיו יכול לשפוך על דופני הספינה והם יורדים לים - ר"ל דאין מחויב לשפוך שופכיו, דהיינו מי רחיצות כוסות וקערות וכה"ג, בתוך הדף של ארבע על ארבע שעשהו למלאות המים דרך בו, אלא יכול לשפוך על דופני וכו', **ובזה** אין חילוק בין אם דופן הספינה גבוה י' טפחים מעל המים או לא, **דכיון דלא זרק להו להדיא לים אלא מכחו הם באים, כחו בכרמלית לא גזרו** - ואפילו לא היה לו דף מיוחד של ארבע על ארבע, וגם לא עשה זיז כלל, אפ"ה שרי לשפוך שופכיו על דופן הספינה ממש, כיון דאין כאן אלא כחו, **וה"ה** דיכול להניח עצמות וקליפין על ראש הדופן בעביו, והם נופלין לים, [**וה"ה** להשתין ולעשות צרכיו על דופן הספינה].

ודוקא על דופן, דאם שופך קצת רחוק מן הדופן, הוי זורק מרה"י לכרמלית ממש, **אבל** זהו דוקא בשאין הדופן גבוה י' מעל המים, דאם יש בו גבוה י', ואינו רוצה לשפוך על הדופן, כגון שהם סרוחים והריח יכנס לתוך הספינה, ורוצה לשפוך מרחוק לכותל, שרי, **אך** בלבד שיעשה עכ"פ זיז להיכר.

הגה: ועיין לקמן סוף סימן שנ"ז - דשם כתב, דלא בכל כרמלית כחו מותר, ע"ש.

שני ספינות זו אצל זו, אסור לטלטל מזו לזו אלא א"כ קשורות זו בזו - דכשאינן קשורות, אע"פ שהן סמוכות זו לזו, מ"מ עשויות להתרחק זו מזו, ונמצא כרמלית מפסקת ביניהן, וחיישינן דילמא נפיל ואתי לאתויי מכרמלית לרה"י, (**אע"ג** דבסי' שנג ס"א, גבי ב' בתים, לא גזרינן דילמא אתי לאוויי, הכא בספינות דלא קביעי איכא למיגזר טפי דילמא נפיל – תוס' שבת דף ק"א: ד"ה פשיטא).

(**ותמוה** מאד, דאי חיישינן דלמא נפל, אין חילוק בין למעלה מי' ובין למטה, **וע"כ** מדשרינן [להלן] למעלה מי', לא חיישינן דלמא נפל, ומ"מ למטה מי' אסור, משום דקמטלטל מרה"י לכרמלית, ואף שאין עושה הנחה בכרמלית, אסור – חזו"א), **ומטעם** זה, אפי' שתי הספינות הם של אדם אחד, ג"כ אסור, **ויש** מתירין אם הם של אדם אחד, דלא חיישינן דילמא נפיל וכו', ורק בשהם של שני בני אדם אסורין כשאינן קשורות זו בזו, דכיון שעשויין לנוד ולהתרחק זו מזו, לא מהני עירוב שיערבו ביניהן. (**דלא** מהני עירוב כל שרשות כרמלית מפסיק, אבל של אדם א' י"ל דשרי אפי' מפורדות, דלא גזרו בכרמלית כלל אף מושיט – פמ"ג).

איתא בגמרא, דקשורות חשוב אפילו ע"י חוט, ובלבד שיהא חוט חזק שיוכל להעמידן שלא יתפרדו זו מזו, **וצריך** שלא יהא ביניהם ד' טפחים, [כדי שלא יהא כרמלית מפסיק ביניהם].

(**איתא בגמ'**, **דאם נפסקו נאסרו**, **ופי'** **בתוס'**, **דהאי נפסקו** היינו גם בשבת, **ולא אמרינן בזה הואיל והותרה** הותרה, ע"ש הטעם, **אך הרא"ש הביא**, **דדוקא כשנפסקו** בחול, **ונראה שאין להקל אחרי שהרבה מחמירין. חזרו** ונתקשרו, בין שוגגין בין מזידין, חזרו להיתירן הראשון).

או אא"כ הם גבוהים מן המים י' - דאז מותר אפילו אינם קשורות, משום דקמטלטל מרה"י לרה"י דרך אויר מקום פטור, **ואע"ג** דמושיט אסור בדיוטא אחת אפילו למעלה מי', **הכא** איירי בשתי דיוטות זה כנגד זה, דאפילו למטה מי' הוא רק איסור דרבנן, ולמעלה שרי לגמרי להושיט, (**ולעיל** סי' שמ"ח בשעה"צ, בלמעלה מי' ברה"ר, כתב דאסור מדרבנן), **או** דאיירי בזורק, [**ובמ"א** תירץ, משום דכאן בספינה למטה הוא רק כרמלית, ולכך לא גזרו כלל למעלה, **והא"ר** השיג עליו].

וצריכים לערב ביחד אם הם של שני בני אדם - קאי גם על ההיתר דגבוהים עשרה, אף כשאינם קשורות, (ושייך לערב כיון דלא מפסיק כי אם אויר מקום פטור – פמ"ג, **ובספר** בית מאיר חולק ע"ז, ודעתו דכשאינם קשורות, מכיון שעומדים להתפרד, אף אם הם גבוהים עשרה, אם הם של שני בני אדם אסורים בטלטול מזה לזה, ואין עירוב מועיל בהם.

(**כתב המ"א**, **דלמ"ד דשרי להחליף דרך מקום פטור** **ברשויות דרבנן, מותר בכאן למעלה מיו"ד אפילו** **לא עירבו, ולמעשה אין לסמוך ע"ז, חדא דרבים** **מאחרונים סברי, דאין מותר אף לדעה זו אלא בשנח** **באמצע, והכא הלא איירי בלא נח, ועוד בספר נהר שלום** **מפקפק על העיקר סברא לגמרי, וסובר דאינו תלוי כלל** **זה בזה, דהיכא דהאיסור הוא משום חסרון עירוב, אין** **נ"מ כלל מה שמפסיק באמצע מקום פטור, דלא עדיף זה** **מאלו הוי שתי רשויות סמוכות זו לזו לגמרי**).

סעיף ב- בית הכסא שעל פני המים - היינו שסמוך לים או לנהר, **מותר על ידי מחיצה תלויה** - שגבוה עשרה טפחים אף שאינה מגעת למים וכנ"ל. **ובלבד שתהא עשויה להתיר** - לפנות שם בשבת, כגון שיעשנה למטה סביב לצד המים, **אבל העשויה לצניעות בית הכסא בלבד** - דמה שנעשית למעלה, לצניעות עבידא, **לא מהני.**

ואם עשה דף או קנה פחות מג' - היינו שהם פחות מג' סמוך לנקב, דהוי לבוד, והוי חורי רה"י, **שתפול הצואה עליו קודם שתפול למים, אין צריך מחיצות** - דהוא כרה"י לרה"י, ואע"ג שנופל משם אח"כ למטה דהוא כרמלית, **דהוה ליה כחו בכרמלית ושרי.**

וה"ה אם בית הכסא עשוי כך שהצואה נופלת על צדי הכותל, ואח"כ מתגלגלת ונופלת למטה בכרמלית.

ואם נשבר הדף בשבת - ר"ל שנשבר בשבת גופא שא"א לתקנו, **מותר** - לפנות שם לאותו שבת, **משום דגדול כבוד הבריות.**

סעיף ג- אם בה"כ בולט חוץ לחומת העיר, וצואה נופלת בחפירה שסביב העיר, שיש בה יותר מבית סאתים שהוא כרמלית -

שאף שהחפירה עמוקה י"ט, כיון שהיא מחזקת יותר מבית סאתים ולא הוקפה לדירה, דין כרמלית עליה, נמצא מוציא מרה"י לכרמלית.

אינו מותר על ידי מחיצה תלויה, שלא התירו אותה אלא במים - אלא בעינן שהמחיצות יגיעו עד הקרקע. **אבל על ידי דף** - או קנה, או שהצואה נופל על צידי הכותל, ואח"כ מתגלגל ונופל בחפירה וכנ"ל, **שרי, דכחו שרי בכל כרמלית.**

הגה: וי"א דאם בית הכסא למעלה מעשרה - מקרקעית החפירה, **שרי בכל ענין** - והטעם, דאויר למעלה מי' בכרמלית מקום פטור הוא, **דהא מוציא מרשות היחיד לכרמלית דרך מקום פטור.**

(וע"ל סי' שמ"ו - סוף ס"א, **דיש חולקים)** - דיש אוסרים להוציא מרה"י לכרמלית אפי' דרך מקום פטור.

ועיין בביאור הגר"א שמאריך בזה, ודעתו דאף אי נימא דברשויות דרבנן דרך מקום פטור מותר, **היינו** דוקא בדנח באמצע על המקום פטור, אבל לא בדלא נח, והכא הלא לא נח באמצע, **וכעין** זה מפקפק הב"מ ג"כ על הי"א הראשון, וכן בספר מאמ"ר, ודעתו ג"כ כהגר"א.

וי"א דאם היה שם גומא מצעוד יום, שרי בכל ענין - ומיירי שמפנה ממש על הצואה, **דהא הגומא הוא מקום פטור** - דהא מסתמא אינה רחבה ד', **דלא דרסי בה רבים** - ואף דבעלמא קיי"ל דפחות מג"ט גובה בטל לגבי רשות שהוא עומד בו, והצואה מסתמא אינה גבוה ג"ט, **שאני** הכא, דצואה שבבה"כ בודאי לא דרסי לה רבים, וע"כ אינה בטל לרשות שבצדה, והוי מקום פטור, **ואע"פ** שנופלת אח"כ מן הצד שהוא כרמלית, שרי.

ועיין לעיל סי' שמ"ה, דיש חולקין וסבירא להו דאין מקום פטור בכרמלית.

ולפי מה שנתבאר לעיל סי' שמ"ה, דאין מקום פטור ברה"י לכו"ע, בה"כ העומד בין ב' בתים, אסור לפנות שם - כאן מתחיל הרמ"א לבאר דין אחר, אודות בהכ"ס שהיה שייך מקום החפירה שתחתיה לשני אנשים, ולא עירבו ביניהם, **וקאמר** דכאן לא שייך ההיתר שכתב מתחלה, דהצואה הוי מקום פטור, כיון דהרשויות בעצמן רה"י הם, אין מקום פטור ברה"י.

ומיירי שמקום מושב בהכ"ס היה שייך לכל אחד לבדו, כי היה מחיצה מפסקת ביניהם, אלא שהחפירה שתחתיה היה שייך לשניהם, ולכך אסור, דמוציא מרשותו לקרקע שותפים, **דאם** גם מקום מושב שייך להשותפים, אין כאן הוצאה מרשות לרשות, ומותר.

אם לא עירבו יחד, ולא עשו לו תקון מבע"י כמו שנתבאר סעיף ב' - היינו תיקון דדף או קנה, **דאז שרי, דלא הוי אלא כמו חצר שאינה מעורבת, כדלקמן סי' שע"ז** - ס"ג בהג"ה, דשם מבואר דבחצר שאינה מעורבת לכו"ע מותר כחו. **אבל** תיקון דמחיצה תלויה אינו מועיל הכא, עד שיורדת עד למטה.

וע"ל סי' שע"ו ס"ד – (ר"ל דשם מבואר נמי בשו"ע לאסור, ‹דאין מקום פטור ברה"י›, **ולאפוקי** מדעת הר"י מקינון שהובא שם בב"י, שמתיר בזה, **אמנם** בספר בית מאיר מסיק להלכה כדעת הר"י מקינון, **אם** ידוע לו שהוא גבוה ג' ואינו רחב ארבעה טפחים), ‹דנהי דהזורק על כל דבר שברה"י אף שאינו רחב ד', חייב, מדעומד באויר חצר שהוא רה"י שעולה עד לרקיע, **מ"מ** איסור זה של שליטות שתי רשויות שהחכמים חידשוהו, לא חידשוהו אלא על מקום ד' שתופס רשות דאורייתא לעצמו, לא בעמוד שאינו רחב ד', **דכמו** שאינו תופס בר"ה להיות רה"י, ככה אין תופס שם ב' רשויות, ונקרא מקום פטור לענין זה – בית מאיר›.

וכל זה דוקא לכתחלה, אבל בדיעבד ששכחו ולא עירבו - או שלא היה לו באפשר לעשות תיקון הנזכר, **מותר, דגדול כבוד הבריות** - שהתירו חכמים במקום שאין בו איסור דאורייתא.

הולכי ספינות נהגו לעשות צרכיהן מן המשוטה לים, דהואיל והמשוטה אינו גבוה עשרה, אע"פ שרחבה ארבעה, אינה אלא כרמלית, ומוציא מכרמלית לכרמלית - אבל מן הספינה לים, בלא תיקון הנזכר בס"ב, לא, דהא מוציא מן רה"י לים שהוא כרמלית, **ואם** א"א ליה מפני איזה סבה אא"כ יעשה צרכיו בספינה, מותר, דגדול כבוד הבריות.

סעיף ד - מים שאין עמוקים י' טפחים, אין להם דין מים להתיר לשפוך בהם במחיצה תלויה - קאי על ס"א ובי"ת, **וה"ה** דאין להם דין מים למלאות ע"י מחיצה תלויה, **והטעם**, דכיון שאין בהם י"ט, כיבשה דמיא.

ועיין בב"ח ומ"א שחולקין ע"ז, וס"ל דאין לחלק בזה, אם לא שרבים מהלכין שם ע"י הדחק, דאז לכו"ע כקרקע דמיא, **ועיין** בביאור הגר"א שיישב דעת השו"ע, וכתב דדבר זה תלוי בשיטת הראשונים, **ומ"מ** אף לדידיה נוכל לסמוך על דעת הפוסקים המקילין בזה.

הגה: וכל שכן אם יבשו המים, אע"פ שהיו שם עמוקים עשרה.

סעיף ה - אבאר בקצרה, והוא: דבית ועליה על גבה העומדת אצל הנהר, ויש להם לכל אחת גזוזטרא הבולטת לדלות על ידה מים מן הנהר, אם היו עושים כל אחד מחיצות סביבה כדין המבואר בס"א, היו שתיהן מותרות בשבת כל אחד לדלות בשלו, אפי' אם לא ערבו יחד, **ואם** תקנו שתיהן בשותפות רק גזוזטרא אחת כדין, בין לעליונה בין לתחתונה, נחשבין כשני אנשים הדרין בחצר אחת, ואסורין שניהם לדלות דרך הגזוזטרא ההיא, כיון שרשות שניהם שולטת עליה, אם לא שעירבו ביניהן, **בד"א** ששתי הגזוזטראות העומדים זה ע"ג זה אינם רחוקים זה מזה במשך הכותל ד' טפחים, שנוח תַּשְׁמִישְׁתֵּיה, **אבל** אם היו רחוקים ד' טפחים, א"כ כשרוצה בעל התחתון להשתמש בגזוזטרא העליונה, צריך לזרוק דלי שלו באויר להלאה דרך ד' טפחים, ותשמיש מופלג כזה אין חשיב לאסור על חבירו, אף כשלא עירבו ביניהן.

היו שתי גזוזטראות זו למעלה מזו, משוכה זו מכנגד זו מעט - ר"ל אפילו משוכה, וכ"ש אם עומדת זו כנגד זו בשוה.

ואינה רחוקה מכנגדה ארבעה טפחים - דברחוקה מכנגדה במשך רוחב הכותל ד"ט, שוב לא אסרי אהדדי, שאינה יכולה להשתמש אלא ע"י זריקת הדלי באויר מרחוק, ואינו חשוב תשמיש לאסור.

בין אם עומדת תוך עשרה זו לזו, בין יש ביניהם יותר מגובה עשרה אמות - דאגובה לא קפדינן, אע"פ דהוכרח ע"ז להשתמש בדלי ע"י זריקה למעלה, והיא תשמיש קשה, כיון שאינו משתמש דרך אויר ברוחב, חשיבא תַּשְׁמִישְׁתֵּיה לאסור.

עשו לעליונה מחיצה בשותפות משל שניהם, ולא עשו לתחתונה כלל, שתיהן אסורות בה עד שיערבו, וכ"ש אם עשו שתיהן לתחתונה - שתשמיש זה נוח יותר לעליונה, שהוא דרך ירידה, **ששתיהן אסורות עד שיערבו.**

אבל כל אחת מהן שעשתה לבדה בשלה, אין האחרת אוסרת עליה - היינו אפילו רגילה להשתמש בשל חברתה בחול, אעפ"כ אינה אוסרת עליה, שבעצם הלא הרשות אין שייך לה, **אם** לא שהתנו ביניהן בפירוש שכל אחד ישתמש בשל חבירו, אז צריכין עירוב.

אפי' לא עשתה האחרת בשלה - וכ"ש אם כל אחד עשתה לעצמה, דמותרת כל אחת להשתמש בגזוזטרא שלה בלי עירוב.

אך י"א דכל זה דוקא בשמשוכות הגזוזטרות זו מזו, ואין צריכין לשמש אחת בחברתה, **אבל** אם העליונה מכוונת ממש נגד התחתונה, וכשהיא צריכה לדלות מים, יורד הדלי שלה דרך נקב גזוזטרא התחתונה, ואין ביניהן אויר של עשרה טפחים בגובה, שתיהן אסורות למלאות.

וכן אם עשו בשתיהן בשותפות משל שניהם, אין אחת אוסרת על חברתה - ר"ל דאף דאמרינן לעיל, דאם תקנו לאחת בשותפות, שתיהן אסורות למלאות שם כשלא עירבו, **הוא** דוקא אם תקנו רק אחת, ובשניה לא עשו מחיצה כלל, **אבל** אם עשו תיקון בשתיהן בשותפות, מותרים כל אחת בשלה, **משום** דאמרינן דכל אחת סלקה נפשה מחברתה, כיון שעשתה לה תיקון בפני עצמה, ומה שעשתה בשותפות, איזה טעם היה להם בדבר, [**ועיין** בא"ר, דיש ראשונים שחולקין על דין דשו"ע].

וכ"ש אם עשו רק בא' בשותפות, והשניה עשתה מחיצה להגזוזטרא שלה לבדה, בודאי מותר כל אחת למלאות בלי עירוב, דבהא בודאי סילקה נפשה מחברתה.

§ סימן שנו - דין אמת המים העוברת בחצר §

סעיף א - אמת המים - (וה"ה נהר), **העוברת בחצר, עמוקה עשרה ורחבה ארבעה, אין ממלאין ממנה בשבת** - דבשיעור זה נעשו המים רשות לעצמן, ושם כרמלית עליהם כשאר ימים ונהרות, ולפיכך כשעוברין דרך חצירו אסור למלאות מהן בשבת, **אבל** אם אין עמוקין עשרה, או שאינם רחבים ד', מותר למלאות מהן בלי שום תיקון, דבטל הוא לגבי רה"י.

ודוקא כשהיא עוברת, דהיינו שנכנסת לחצר מן צד האחד, ויוצאת משם מן צד האחר, בנקבים שיש תחת הכתלים, **אבל** אם יש לו בריכת מים בחצירו ואינה נמשכת מבחוץ, א"צ שום תיקון, אפי' רחבה ועמוקה הרבה, דכל מה שבתוך המחיצות בכלל רה"י הוא.

(**דע, דלפי המבואר בפוסקים, לאו דוקא שעוברת פה** מעולם, דה"ה בשנפרץ מאיזה נהר שטף מים, ועוברת דרך החצר משני הצדדים כמו אמת המים, ג"כ דינא הכי, ומ"מ אפשר דאם הוא משער שיתעכב המים רק משך יום או יומים, לא גזרו ע"ז שיהיה כרמלית, וצ"ע).

(**אבל בחצר מותר לטלטל, אף אם לא עשו שום תיקון**, ולא אמרינן שיהיה אסור משום שפרוץ במלואו לכרמלית, משום דאמרינן דדופני האמת המים שהם עמוקים עשרה, נעשו מחיצה להפסיק בינה ולחצר, **ולענין** לטלטל בחצר, אפילו אם היה נפרץ כותלי החצר כנגד האמת מים משני הצדדין ביתר מעשרה, גם כן שרי לטלטל בחצר, שהרי החצר מוקף מארבעה רוחותיו, דהיינו ג' כותלי החצר, ודופן הרביעי הוא מאמת המים גופא, **עוד כתב המ"א**, דהא דאמרינן שדופני האמת המים נחשב לדופן להתיר הטלטול בחצר, הוא אפילו במשופע, **אכן דוקא אם מתלקט עשרה טפחים מתוך ד' אמות, אבל** אם משופע ביותר, שמתלקט עשרה מתוך חמש אמות, לא הוי כמחיצה, וממילא אסור לטלטל בחצר).

אלא אם כן עשו לה מחיצה גבוה עשרה בכניסתה וביציאתה - ר"ל במקום כניסת המים לחצר, ובמקום יציאת המים מן החצר, והכל בפנים על פני רוחב אמת המים.

ויהיה טפח ממנה משוקע במים - לחלוק בין המים שבחוץ שהם כרמלית, למים שבפנים.

דכיון שמבדילין משאר המים שחוץ לחצר, המים שבתוך החצר בטלין לגביה, דבעלמא הלא קיי"ל דכל מה שבתוך המחיצות רה"י הוא, ורק בזה כשמחוברין עם המים שמבחוץ אמרינן דאינם בטילים ונעשו רשות לעצמן, משא"כ כשמבדילן, שם רה"י עליהם, **ומחיצת** החצר גופא, אף אם שקוע הרבה במים, אינו מועיל בזה, דבעינן שיהא נראה שנעשה בשביל המים.

ואם היתה המחיצה כולה יורדת בתוך המים, צריך שיהיה טפח ממנה יוצא למעלה מן המים - כדי שיהיה ניכרת קצת המחיצה המפסיקתן.

ואם התחיל לעשות המחיצה אצל השפה מכל צד, ולא חיבר אותה באמצע - פירוש שבצד הכניסה ובצד היציאה עשה מחיצה לרחב האמה, אלא שלא עשה מחיצה בצד הכניסה כולה בחתיכה אחת, אלא בשתי חתיכות, דבאמצע המחיצה הניח מקום פנוי, וכן במחיצה של צד היציאה, **כדי שיהיו המים נכנסים ויוצאים דרך שם, אם אין ביניהם ג' טפחים, שרי, דאמרינן לבוד** - ומטעם זה אפילו הניח הרבה חללים ביניהם, כגון שעשה המחיצה מקנים, ובין כל אחד ואחד היה פחות מג', שרי, **יש ביניהם ג' טפחים, אסור.**

הגה: ואם הנקבים שהמים נכנס ויוצא בהם אינם רחבים ג', אפי' מחיצה אינו צריך - דכל מה שפחות משלשה אמרינן לבוד, **ונראה** דבזה אפילו אם מצד השני הוא רחב שלשה, אעפ"כ א"צ תיקון, כיון דמצד אחד הוא כסתום לגמרי, וכעין לשון ים העוברת בתוך החצר המבואר לקמיה.

סעיף ב - חצר שנפרצה ולשון ים עובר על הפרצה, אם אינו במילואו, ואין בפרצה יותר מי', מותר למלאות ממנו ולהכניס לבית - אע"פ שהיא עמוקה י' ורחבה ד', **ואינו** דומה לאמת המים המבואר בס"א, דבכאן כיון שנכנס לשון הים

בחצר ואינו יוצא ממנה לצד אחר, הוא כבור שבחצר, ומחיצות החצר מתירות אותה, דכיון שלא נפרץ יותר מי', הוא בכלל פתח, דהוי כאלו המחיצות קיימין, **משא"כ** באמת המים שנכנסת ויוצאת תחת כותלי החצר משני הצדדים, חולקת רשות לעצמה והוי כרמלית.

נפרצה במילואה - היינו כל כותל החצר שלצד המים, **או שיש בפרצה יותר מי', אם נשאר במקום שנפרץ גידודים גבוהים י'** - דבזה נחשב כאלו המחיצות עדיין קיימות, **והמים מכסים אותו, מותר למלאות ממנו בחצר** - דפעמים שהמים שוקעים והמחיצה ניכרת, ולכן אף כשאין המים שוקעים, התירו חכמים, **אבל אסור להכניסן לבית** - דבית שהוא רחוק מן המחיצה, לעולם אין המחיצה נראית, אפילו כשהמים שוקעים.

אלא אם כן עשו מחיצה גבוה עשרה על המים - ורחבה של המחיצה א"צ על פני כל הפרצה, ורק שיסתום השטח עד שלא ישאר אלא עשר אמות פרוץ, דהוא שיעור פתח.

לא נשאר גידודים - ר"ל גבוהים עשרה, **אסור אפילו למלאות בחצר** - וה"ה דאסור לטלטל בחצר, כיון שהוא פרוץ יותר מעשר למקום האסור.

בד"א כשאין לשון הים עמוק י', אבל אם הלשון עמוק י', שהמים שטפו קרקעית החצר ונעשה גומא עמוקה י' טפחים, דופני הגומא גופא נחשב למחיצה בין המים ובין החצר, ומותר לטלטל בחצר, [**ואין** לחוש שמא יעלה הים שרטון ויתבטל המחיצה, דמיירי שהוא רחוק הרבה משפת הים], **אבל** אסור למלאות ממנה, כיון שאין מחיצה על גבה בינו לבין המים שבחוץ.

§ סימן שנז – דיני חצר פחות מארבע אמות וביב §

סעיף א- כלל הדברים הנאמרים בסימן זה הוא כך: לפי ששיערו חז"ל, שכל אדם הוא צריך להשתמש בכל יום סאתים מים, לרחוץ בהם פניו ידיו ורגליו ושאר ענינים הצריכים לו, וכבר נודע דבשבת אסור לשפוך מרה"י לרשות הרבים או לכרמלית, ודרך כל אדם לשפוך שופכין שלו לחצירו הסמוך לביתו שהוא רשותו, והוא ג"כ רה"י, ומוציא מרה"י לרה"י, **ושיערו** חז"ל דסאתים מים נבלעים בקרקע של ד"א על ד"א, ואינם מטנפים הקרקע של החצר, וכיון שכן אין מקפיד עליהם שיצאו לחוץ דוקא, ואז אפילו אם יצאו אח"כ לחוץ לא היתה מחשבתו לכך, ובשבת בעינן מלאכת מחשבת, ולא הוי כאלו מוציא מרה"י לר"ה.

אבל אם הוא פחות מד"א על ד"א, דאז הסאתים מים מרובים ואינם נבלעים בקרקע, ונעשה החצר רפש וטיט, ודעתו קצה בזה בימות החמה, שדרך כל אדם להקפיד על חצרו שיהיה נקי, ולכך ניחא ליה שיזובו משם לחוץ, ואם יצאו לחוץ נתקיים מחשבתו, ויש לגזור שמא ישפוך להדיא מרה"י לר"ה, **ולכן** צריך לעשות לחצר גומא שהיא מחזקת סאתים, ואז כשישפוך לתוך החצר אינו מקפיד עליהם שיצאו לחוץ, כיון שאפשר להם לירד ולנוח בגומא ולא יתטנף חצרו, וע"כ אפילו אם יצאו לחוץ לא הוי כמוציא מרה"י לר"ה.

חצר שפחותה מד' אמות על ד' אמות שהיא סמוכה לרשות הרבים - לאפוקי כשהיא סמוכה לכרמלית, וכדלקמיה בסוף הסעיף, **אין שופכין לתוכה מים בשבת בימות החמה** - שאדם מקפיד על לכלוך חצרו, ומסתמא ניחא ליה שיצא לחוץ, **שכיון שאין בה ד' אמות, אין סאתים מים שאדם עשוי להשתמש בכל יום ראוי ליבלע בה, והוי כאילו שופך לרשות הרבים** – (ומיירי שהמים שנשפכין בתוך החצר יורדין תחת כותל החצר לר"ה, **אבל** אם מבונה תחתית החצר בטוב, והמים לא יזוב שם, בודאי שרי).

לכך צריך לעשות גומא שתהא חללה מחזקת סאתים. הגה: וכל גומא שהיא חצי אמה על חצי אמה ברום שלשה חומשי אמה, מחזקת סאתים - וה"ה שיכול לשנותה בעמקה וברחבה, ורק שיהיה חללה מחזקת סאתים. (**וצריך** שיהיה החלל מחזק סאתים קודם שיגיעו המים להנקב שעל שפתה, שבו יוצא הקילוח לר"ה, **שאם** הנקב סמוך לקרקע של הגומא, א"כ תיכף ששופך לתוכה מעט מים יצא לחוץ על ידו, **מיהו** בירושלמי לא משמע כן לכאורה).

בין אם יעשנה בפנים בחצר או בחוץ - היינו בצד החצר, **אלא שאם יעשנה בחוץ, צריך לכסותה בנסרים, כדי שתהא מקום פטור, ויפלו המים מידו למקום פטור** - דע"י הכיסוי מסתלק אותו המקום מתשמיש הרבים, **והנה** בגוונא שצייר בהג"ה, בלא הכיסוי הוא ג"כ מקום פטור, דהוא פחות מארבע על ארבע, **אלא** פן יעלה אותו קרקעית העוקה רפש וטיט, ויהיה פחות מן ג' טפחים בגובה, ותבטל לגבי ר"ה.

וגם צריך לכסותה כדי שלא יהא תקלה לרבים.

(בב"י בשם הריטב"א איתא, דחלל הגומא נחשב כרה"י, דכיון דפי הגומא הוא בתוך החצר, הוי הגומא בכלל חורי רה"י, **ועיין** במאמ"ר ובבית מאיר שפקפקו בזה. **ומשו"ע** משמע דאף כשהוא עושה פי הגומא בחוץ, כל שסמכה לחצר ואין ביניהם ר"ה, הוי הגומא ששופך בה מקום פטור – פמ"ג, ולענ"ד לא נהירא דבריו כלל, דאף לדעת השו"ע בעינן שיעשה פי הגומא מבפנים, וגם עיקר דינו לא ידענא, אי שרי לשפוך מים מבחוץ לתוך הגומא, (אי פי הגומא בחוץ, סמוך לחצר ואין ביניהם רה"ר), אחרי שעיקר חלל הגומא מכוסה בנסרים, ולמעלה הוא ר"ה, **אטו** אם יש סדק בכיסוי הגומא לשפוך המים בתוכה, יתבטל ממקום זה מלמעלה שם ר"ה, ולכאורה אדרבה, אם הגומא מגולה, יש עליה שם מקום פטור כשאינה רחב ד' על ד', או שם כרמלית כשאינה גבוה י', אבל כשמכוסה בנסרים מאי מהני).

וכיון שיעשה גומא, יכול לשפוך בה כל מה שירצה – (היינו שמותר לשפוך בחצר, ואע"ג דאפשר שיצא המים מתחת כותל החצר לר"ה, לא איכפת לן, וכ"ש אם ישפוך בגומא עצמה).

ואפי' נתמלאה מע"ש, שופך לתוכה, דכיון דמדאורייתא לית איסורא כי אם בשופך להדיא לר"ה, רק שתקנו חכמים גומא זכר לשבת, שלא ישכח וישליכם להדיא לר"ה, וכיון דאיכא הכירא ע"י עשיית הגומא, שרי, **ומהאי** טעמא נמי התירו לשפוך כל מה שירצה, אף שהגומא מחזקת רק סאתים, ובודאי יצאו הנותרים לחוץ, וניחא ליה בזה כדי שלא יתטנף חצרו, אפ"ה שרי, דמ"מ זכור הוא ע"י עשיית הגומא, ולא גזרו ביה.

ואם אינה מחזקת סאתים, לא ישפוך בה כלל - דגזרינן דילמא אתי לשפוך סאתים, דהוא שיעור תשמיש אדם ליום.

ואם יש בחצר ד' על ד', אפי' הוא אריך וקטין - כגון שהוא ארוך ח' אמות ורוחב ב', (מותר לשפוך בה כל מה שירצה), דמ"מ יש כאן שיעור לבלוע סאתים.

או בימות הגשמים בחצר כל שהוא, מותר לשפוך בה כל מה שירצה - ר"ל אפילו בלא עשיית גומא כלל, שאין אדם מקפיד על לכלוך חצרו, ואינו מתכוין שיצאו לחוץ, **ואי** משם אנשים אחרים שיראו צנור מקלח, ואתי למישרי גם בימות החמה, **אמרינן** שיתלו יותר שמי גשמים הן, ואפילו שלא בשעת הגשמים, מתמצים הם מן הגשמים שהיו בהן מקודם.

וחצר ואכסדרה (פי' בית שיש לו ג' דפנות, ודופן ד' שמעמידין בו דלת אינה מגופפת כל עיקר, אלא ברחבו של בית כלו, ופעמים שעושים לה אמה אחת פצים מכאן ואמה אחת פצים מכאן. כך פי' הערוך; ופצים הוא מעט כותל ישר ושוה), שאין באחד מהם לבד ד' אמות, מצטרפין לד' אמות להתיר לשפוך בהם.

הגה: והוא הדין ב' דיוטאות שלפני ב' עליות - היינו שתי זיזין רחבין נגד פתחי העליות, ורוחב כל זיז שתי אמות באורך ארבע אמות נגד העליה, **ועליהם מעזיבה שראוי המים לבלוע בהם** - על הזיזין יש מעזיבה רכה שראוי לבלוע בה המים הנשפכין עליהן, **אם הם סמוכות זו לזו** - ר"ל בתוך ד' טפחים, (דאל"ה אין תשמישן נוחין מזו לזו, ושמא כשיצא אל הדיוטא הא' לשפוך שופכיו ויראה שמתקלקל בכאן, לא יעבור אל האחרת לשפוך לה מפני הטורח, וישפכם לר"ה – ב"י), **מצטרפות** - כאלו היו במקום אחד, וא"כ הוי ד"א על ד' אמות, ומותר לשפוך עליהן, ומשם יורדים לר"ה להדיא.

בד"א, בחצר הסמוכה לרה"ר, אבל אם היא סמוכה לכרמלית, אפי' היא קטנה הרבה, אינה צריכה גומא אפילו בימות החמה - דאפי' כשהיא סמוכה לר"ה, אינו אסור רק משום גזירה, דילמא

אתי לזרוק להדיא לר"ה, **ובכרמלית** לא שייך זה, דאפילו כי יזרוק להדיא ג"כ ליכא איסורא דאורייתא, **ועיין** לקמן סוף סימן זה, דיש חולקין. **(וע"ל סי' שע"ז).**

סעיף ב - ביב - הוא חריץ העשוי לקלח שופכין שבחצר לר"ה, **שמכוסה ד' אמות במשך** - צ"ל: "במשך ארבע אמות" **ברשות הרבים** - ור"ל שארבע אמות הראשונות הסמוכות להחצר הוא מכוסה, (וה"ה אפילו אם בר"ה אינו מכוסה, אלא שבחצר שיעור אורך הביב עם החצר הוא ד' על ד').

ויש בו ארבע על ארבע - וה"ה אם הוא רחב רק שתי אמות, ויש בארכו ח' אמות, דבשיעור זה יש שיעור לבלוע סאתים מים שאדם עשוי להסתפק בכל יום, **מותר לשפוך אפי' על פי הביב אפי' בימות החמה, אע"פ שהמים יוצאים מיד מידו לחוץ** - כיון דהוא אינו מכוין דוקא שיצאו לחוץ, וע"כ אפילו כשיצאו לחוץ שרי, וכנ"ל בריש הסימן, בחצר שהוא מחזיק ד"א על ד"א.

(ומסתברא שמותר אפי' אם החצר פחות מד"א, ומותר אפילו לשפוך תוך החצר, כיון שיכול המים לירד משם לתוך הביב, ודומיא דמקילינן לעיל לשפוך בחצר כשיש עוקה, ואפילו העוקה היא מבחוץ).

ובלבד שלא יהא סילון של עץ, שאין המים ראוים לבלוע - דאם הביב של עץ, הוי כמכוין בהדיא שיצא לחוץ, ואפי' מחזיק מאה אמה אסור, **אבל אם עשוי כעין רצפה של אבנים, מבליעים ושרי** - מיירי שמרוצף באבנים חלקים קטנים, כמו שמרוצף רחובות וחצרות, שיש הרבה עפר בין אבן לאבן לבלוע.

ולהרמב"ם, אפי' היה אורך הביב או הצנור - צנור מקרי מה שמניחין על הגג, וע"י יורד הקילוח לר"ה, **מאה אמה** - ר"ל שאורך הביב בחצר הוא מאה אמה, ובשיעור זה בודאי יבלע המים בקרקע, **לא ישפוך על פיו בימות החמה** - מפני שהמים יוצאין מכחו לר"ה, **אלא שופך חוץ לביב והם יורדים לביב.**

(ולשיטה זו, לעיל בס"א לענין גומא, אין מותר לשפוך תוך החצר כשאין עושה גומא אלא כשמחזקת החצר ד"א על ד"א מרובע, ולא כדעת המחבר לעיל בס"א, **דמתיר אריך וקטין**). (**דלא** שרו ליה משום שיעור מקום בליעת המים, אלא דכשיש ד' על ד', בשיעור כזה ראוי לזלף להרביץ עפר שלא יעלה אבק בימות החמה, ואף שיוצאין לחוץ לא נתקיימה מחשבתו, **אבל** כל שאין ברוחב ג"כ ד', אין החצר ראוי להשתמש בו דרך כבוד לזולפו ולרבצו ולכבדו, ונמצא אין דעתו אלא שיצאו לחוץ, וכי נפקא הא מתקיימת מחשבתו, **ובביב** ס"ל, דכיון ששופך ע"פ הביב מגלי דעתיה דשפיך ולא לזלוף, ואיכא למגזר משום זריקה ברה"ר, ומיהו כי שופך על הגג עצמו או בחצר שלא על פי הביב, דאין יורדין מכחו לרה"ר, לא גזרו, אבל כששופך ע"פ הביב שהמים אינם מתקבצים אלא נזחלים ויוצאים, ומכחו יוצאים, איכא למגזר, אע"ג דיש כאן שיעור לבלוע – תוס' יו"ט).

ונקטינן להקל כסברא ראשונה.

סעיף ג - בד"א, כשהמים יוצאים לרשות הרבים, אבל אם היו יוצאים לכרמלית, מותר לשפוך על פי הביב אפילו בימות החמה - זהו סיום דברי הרמב"ם, **וגם** לדידן נ"מ בזה, דהיינו אם הביב היה של עץ שאינו עשוי ליבלע בו המים, ובודאי יצאו לחוץ בר"ה, דזה אסור אפי' לדעה ראשונה, אבל כשהיא סמוכה לכרמלית מותר אפי' בשל עץ, **והטעם** בכ"ז, כיון דאינו שופך בהדיא לכרמלית, רק שהוא בא מכחו, ס"ל דכחו בכרמלית לא גזרו.

הגה: וי"א דאין חילוק בין כרמלית לרשות הרבים - אף דאנן נקטינן לדינא, דאפי' כשהמים יוצאים לר"ה מותר בביב, וכמש"כ, **מ"מ** נ"מ מי"א הזה לענין סילון של עץ, וכמ"ש, **או** כשהביב אין מכוסה ד"א בהכרמלית, דלהשו"ע מותר, ולהי"א אסור, **וגם** נ"מ לענין חצר קטנה שאין בה ד"א על ד"א, דסתם המחבר לעיל בסוף ס"א, דבסמוכה לכרמלית מותר, ולהי"א הזה אסור.

ודוקא כרמלית שהיא תוך העיר, דמיחלף ברה"ר עצמה, אפי' בזה"ז דלית לן רה"ר - ר"ל לדעת הסוברים דבעינן דוקא ס' רבוא בוקעין בו, וזה אינו מצוי, **מ"מ** גזרינן אטו עיר גדולה שיזדמן שיהיה ס' רבוא.

אבל כרמלית שהיא מחוץ לעיר, או חצר שאינה מעורבת, שרי - ר"ל דהחצר שבו הביב, או חצר קטנה שאין בו ד' על ד', סמוך לחצר שאינה מעורבת, וכששופך המים ירד לאותה חצר, שרי לכו"ע, כיון דלא

זריק להדיא אלא כחו, לא גזרו בזה, ושרי לשפוך אפילו על פי הביב. **ועיר המוקפת חומה ולא עירבו בה, כחצר שאינה מעורבת דמי** - כיון דבאמת יש לה מחיצות, אלא שמחוסרת עירוב.

ואם הצנור למעלה מעשרה, שעוברים המים דרך מקום פטור לכרמלית - ר"ל שצנור המקלח מים בכרמלית הוא למעלה מעשרה, וא"כ עובר המים דרך מקום פטור, **יש להקל** - מותר לשפוך אפילו במתכוין שירדו המים לכרמלית, **והיינו** אפילו לדעת המחמירים לעיל בסימן שמ"ו סוף ס"א דרך מקום פטור, **הכא** דלא זריק להו ממש אלא כחו, יש להקל. **וכן עיקר** - עיין בפמ"ג שמצדד, דאכל הג"ה קאי, ואף אראש דבריו.

§ סימן שנח – דין איזה מקומות נקראים מוקפים לדירה §

סעיף א - כל היקף שלא הוקף לדירה - דירת אדם ותשמישיו, **כגון גנות ופרדסים** - שמקיפים אותם רק לשמור את הפירות והזרעים שבתוכם, **וה"ה** קרפף, שהוא היקף גדול חוץ לעיר להכניס שם עצים לאוצר.

ובורגנים - סוכת שומרים שבשדות, **שאינם עשוים אלא לשמור בתוכן** - ר"ל אע"ג דסוכה זו נעשית לישיבת השומר, מ"מ כיון שאין דירתם שם מחמת עצמן, אלא לשמור האויר שלפניהן, אין זו דירה חשובה מחמת עצמה, והרי זו כהיקף של גנות ופרדסים, **ואפי'** היא מקורה בגג, נמי לא מיחשבה דירה, ועיין ביאור הלכה בסימן שס"ב (ס"א) מש"כ בזה.

אסרו חכמים לטלטל בתוכה יותר מד' אמות, אם הוא יותר מסאתים - דאע"ג דמן התורה כל המוקף מחיצות גבוהות עשרה, אע"פ שהיא רחבה כמה כורים, הוא רה"י גמור, ומותר לטלטל בכולו, **מ"מ** חכמים אסרו בהיקף גדול יותר מבית סאתים שלא הוקף לדירה, שהוא דומה קצת לר"ה ולכרמלית, שלא לטלטל בה ביותר מד"א כמו בר"ה ובכרמלית.

אבל אם הוא סאתים, שהוא שיעור ע' אמה וד"ט על ע' אמה וד"ט, מותר לטלטל בכולו - וסמכו חכמים בשיעור זה אשיעורא של חצר המשכן, שהיה בית סאתים בכולו, והיו מטלטלים בו.

דבית סאה הוא נ' על נ', דהיינו בין כולו אלפים וחמש מאות אמה באמה רוחב, ובית סאתים הוא ה' אלפים אמה באמה רוחב, **וכשתעשה** מזה שדה מרובעת, הוא בערך שיעור ע' אמה וד' טפחים אורך, על ע' אמה וד' טפחים רוחב, **ומעט** יותר כשיעור אצבע בערך, ולא חשו להזכירו מפני שהוא מועט, ואעפ"כ יכול לחשבו בחשבון, וכל שליכא יותר על ע' אמה וד' טפחים ואותו משהו, מותר לטלטל, **ועיין** בקיצור ש"ע שכתב, דלפי אמות שלנו שהם גדולים, הוא נ"ג על נ"ג.

בין שהוא מרובע, בין שהוא עגול, או אריך וקטין - כגון שהיה ארוך ק' ורוחב נ', שהוא עולה כמרובה של ע' וד"ט, **והכלל** בזה, דכל דליכא יותר מה' אלפים בתשבורת, לית לן בה, בין שהמקום עגול או מרובע או שאר צורות, וכדלקמיה.

ובלבד שלא יהא ארכו יותר משנים ברחבו אמה אחת - אבל בפחות מאמה לא גזרו.

דהיינו שלא יהא עכ"פ ארכו יותר ממאה אמה, דכל שהוא שטח גדול אף באורך לחוד, מיחלפי בר"ה וכרמלית, **ובמאה** אמה לא רצו לגזור, מפני שמצינו בחצר המשכן שארכו מאה ורחבו חמשים.

וכ"ז בדוקא אם היה עכ"פ בית סאתים בין כולה, אבל אם בין כולה ליכא בית סאתים, לא קפדינן בזה, ואפילו היה ארכו הרבה יותר ממאה אמה, נמי מותר לטלטל בכולה, כל שמוקף מחיצות.

ואם הוקף לדירה, אפי' יש בו כמה מילין, מותר לטלטל בכולו – (ודיר וסהר מקרי מוקף לדירה, כיון שיוצא ונכנס שם תדיר לעיין על הזבל ולחלוב ולגזוז אותם, כמקום דירתו דמי, **אבל** מה שהבהמה דרה לא מהני לעשותו מוקף לדירה עי"ז, **וי"א** שגם דירה קבועה של בהמה שמה דירה לענין זה, **וצ"ע למעשה**).

הגה: ועיין לקמן סי' ת"א, דין סתם עיירות אי מוקפות לדירה - פי' היכא שיש חומה סביב לעיר, ומבואר שם, דמן הסתם אמרינן דהוקף לדירה,

דאין דרך להקיף אלא אחר שבנו הבתים מתחלה, והוי בנוי ולבסוף הוקף, דמהני וכדלקמן.

וי"א דסתם קרפיפות שלנו - פי' ופתח הבית פתוחה להם, **מקרי מוקפות לדירה, דרגילים לפתוח פתח תחלה ואח"כ להקיף** - כוונת הרמ"א, במקום שאין אדם זוכר אם הקרפיפות נבנו קודם הבתים, או לאחר הבתים ולשם תשמיש דירה, ובזה כתב, דרוב קרפיפות שלנו הוקפו אחר בנין הבתים לתשמישי הבתים, **ודבר** פשוט הוא, דלאו כללא הוא בכל מקום ובכל זמן, ויש לראות בזה בזמננו לפי מנהג המקומות.

וי"א עוד, דכל קרפף שהוא סמוך לביתו, מקרי הוקף לדירה, כי דעתיה עליה - וכל שהוא סמוך לעיר [בתוך ע' אמה], מיקרי סמוך לביתו לדיעה זו, **ופשוט** דאף לדעה זו, דוקא בשבנה הבית ואח"כ הקיף, וקמ"ל דאע"ג דלא פתח ליה, אפ"ה כיון שהיא סמוכה לעיר הרבה, דעתיה עילויה להשתמש בה תדיר, ומסתמא הוקפה לדירה.

ויש חולקין בזה - ולדעה זו אפי' בסמוכה ממש לביתו, כל שלא פתח ולבסוף הוקף, לא מהני, **והסכימו** האחרונים להלכה כדעה זו, [ושיטת י"א דחויה היא].

סעיף ב - ומה נקרא מוקף לדירה, זה שבנה בו בית דירה, או שפתח לו פתח מביתו, ואח"כ הקיפו - קאי גם אבנה בו בית דרישא, **וכלומר** דבין שבנה בית באותו מקום, ואח"כ הקיפו לאותו מקום, ונמצא הבית באמצעיתא, **ובין** שבנה בית אצל אותו מקום, ופתח לו פתח ואח"כ הקיפו, דבכ"ז נחשב מוקף לשם דירה, דלשם תשמיש דירה הקיפו.

אבל היכא דהקיפו מתחלה ואח"כ בנה בו בית, או אפי' בנה מתחלה ואח"כ הקיף אחורי הבית, אלא דלא היה פתח בבית לצאת משם למקום המוקף, מיקרי הקיף שלא לשם-דירה, דמוכח דלא עשאו לתשמיש תדיר לבית.

(**ואם** מתחילה הקיף הקרפף מג' רוחותיו, וברוח רביעית העמיד בית ופתח בו פתח, מצדד בפמ"ג דמהני, **והטעם**, דכיון שקודם שהעמיד שם מחיצת הבית היה רוח זה פרוץ יותר מעשרה, וממילא לא נחשב ההיקף לכלום, ונמצא עתה כשסתם רוח זה בכותל הבית, נחשב עתה היקף לדירה).

ודע, דאם חשב בפירוש בשעה שהקיף למקום הזה, שיבנה בו בית אח"כ, והקרפף הזה יהא כמו חצר, **או** בית שבנה מתחלה, ואח"כ הקיף בסוף הבית, וחשב בשעת ההיקף שיפתח אח"כ פתח בבית לאותו צד, כדי שיכול להשתמש בהיקף לצרכי הבית, **אפשר** שיש להקל, ולומר דמיקרי מוקף לדירה, שהרי הקיף אותו לשם דירה.

(עיין בפמ"ג שמסתפק לומר, דאפשר דה"ה חלון, **ובאמת** זהו דבר חדש, ובש"ס לא נזכר רק פתח, ויש לומר דדוקא פתח ומשום דמנכרא מילתא שחשב להשתמש במקום שלפני הפתח, משא"כ חלונות שעיקרן לאור עשויות, וגם א"א להשתמש דרך החלונות בקבע, לא מקרי עי"ז היקף לשם דירה, ושפיר עביד הפמ"ג דנשאר בזה בצ"ע, ומ"מ אף אם נימא דמהני, דוקא בשמשתמש עכ"פ דרך אותו חלונות לקרפף, אבל אם אינם עשויין רק להביט על ידן לקרפף, בודאי לא מהני).

ואם היה מוקף שלא לשם דירה, ורוצה להקיפו לדירה - "לשם דירה", כצ"ל, וכן הוא במחבר שבעולת שבת, וכן הוא בטור, **והכוונה**, שרוצה להשתמש עתה בהיקף הזה בקביעות, אלא שאינו מועיל, דבעינן שיהיו המחיצות עשויות לשם זה.

א"צ לפרוץ כולו, אלא יפרוץ בו פרצה ביותר מעשר - ואם היה מכבר פרוץ עשרה, דיו דיפרוץ מעט יותר וסגי, **ואינו** צריך לפרוץ כל גובה הכותל עד למטה, אלא כל שלא נשאר בגובה י' טפחים סגי, דהפחות מי' טפחים בגובה לא מיקרי מחיצה.

ונמצא בית פתוח בו בלא היקף - דכיון דנפרץ כ"כ נתבטלו כל המחיצות, ואפי' זה שהוא עומד עדיין, הרי הוא כאלו נסתר, **ויחזור ויגדור הפרצה כולה** - לשם כוונת דירה, **וה"ה** אם עושה צורת הפתח, דשוב אינו פרצה, **או אמה היתירה על עשר אמות** - ואם לא פרץ אמה רק מעט, צריך לגדור אותו מעט וסגי, **והעשר אמות פתח הן, והרי הוא פתוח ולבסוף הוקף.**

ואם פרץ אמה, וגדרה, וחזר ופרץ אמה אצל מה שגדר, וחזר ועשה כן עד שהשלימו לעשרה - צ"ל "ליותר מעשרה", **מותר** - ולא אמרינן

כיון דלא פרץ עשרה בבת אחת, ולא גדר בבת אחת, לא הוי היקף לשם דירה, **אלא** כיון דהשתא מיהא הוי החידוש של היקף ביותר מעשר, חשיב היקף לשם דירה.

הגה: ואם קשה עליו לפרוץ הכותל, י"א דיכול להניח עפר אצל הכותל משני צדדיה, עד שיתמעט הכותל מגובה עשר - כדי שיתבטל המחיצה, שהרי יש דריסת הרגל מקרקע הקרפף לחוץ לקרפף, והוי כפרוץ במקום הזה, וא"כ יכול עתה לבנות שם בית דירה, או לפתוח שם פתח מדירתו, אם לא היה שם פתוח לקרפף מכבר, ואח"כ כשיפנה העפר, דמי כמו הקיף אחר שפתח מתחלה.

ומיירי כשהכותל הוא פחות מעשרים טפחים בגובה, דבכותל עשרים או יותר לא מהני האי תקנה, וכמו שיתבאר לקמיה.

ורוחב העפר רחב מארבע - צ"ל "רחב ארבע", והטעם, דבפחות מד' אינו ראוי לעמוד עליו ולהתעכב, **באורך עשר אמות באורך הכותל** - צ"ל "באורך יותר מעשר", דאז לא יחשב פתח אלא פרצה וכנ"ל.

ואם אין בגובה העפר עשר, א"כ הוי כאילו פרץ את הכותל, שלא נשאר שם גבוה י' למעלה מן העפר, דהוי כקרקעית הקרפף - ר"ל דכל תקנה זו אינו אלא בשכל גובה הכותל הוא פחות מכ' טפחים, דאז יכול לעשות תל משני צדדיו בגובה פחות מעשרה טפחים, דבשיעור כזה אפשר עוד לדרוס ולהלוך עליו, **ומעתה** צריך לחשוב גובה הכותל רק מתל ולמעלה, דהתל חשיב כקרקעית הקרפף, וכיון שלא נשאר בכותל מסוף התל ולמעלה עשרה טפחים, הו"ל כותל כפרוץ משני צדדיו, שהרי אין בו עשרה לא מבחוץ ולא מבפנים, [**משא"כ** אם הוי כ', ממ"נ לא מהני, דאם בתל יהיה פחות מי"ט, א"כ הו"ל הכותל מתל ולמעלה יותר מי"ט, ולא מיבטיל משום התל שתחתיה, **ואי** המחיצה פחות מי"ט, א"כ התל הוא י' ויותר, ושוב לא מיבטל מחיצת הכותל, דהא א"א לחשוב מראש התל, שהרי אין דריסת הרגל שם, ומקרקע הקרפף הרי יש הרבה יותר, ומצטרף ביחד].

[**ולא** נוכל לחשוב הוקפה לדירה מחמת גובה העפר, אפי' אם יעשנה לשם דירה, דאם יקרבנה סמוך להכותל בתוך ג"ט, א"כ נתבטל הוא לגבי הכותל הישן, ונחשב רק ככותל אחד, וכדלקמן בס"ו, **ואפי'** אם ירחיק העפר מן הכותל ג"ט, ג"כ לא יועיל בזה מאומה, דהא יצטרך לבסוף לפנותו, וא"כ יחזור האיסור למקומו, דהא הכותל לא הוקפה לדירה, וכדלקמן בסי"ד, **משא"כ** אם גובה העפר שלמטה הוא פחות מי"ט, דיש עליה דריסת הרגל, הוא מבטל עי"ז לכותל הישן, וכשמפנה העפר אח"כ, נעשה עתה ממילא הכותל הישן בשם מחיצה שהוקפה לדירה].

ואף אם חוזר ולוקח משם אח"כ העפר, הואיל ובטלו שם שבת אחת - הלשון "אם" מגומגם, שהרי בע"כ צריך ליטלו כדי שיוחזרו המחיצות למקומם, דאל"כ אסור לטלטל בה ואפילו בפחות מבית סאתים, **ועיין** בא"ר בשם מלבושי יו"ט שכתב, שצ"ל "ואף שחוזר וכו'", **ור"ל** ואף שחוזר ולוקח העפר כדי שיתגלו המחיצות מחדש לשם דירה, מ"מ לא אמרינן משום זה שהעפר לא נתבטל מעולם כלל, משום שדעתו היה לחזור ולפנותם, כיון דעכ"פ ביטלם לשבת אחת, והיינו בפיו, [**ואם** לא ביטל בפירוש רק סתמא, צ"ע].

ויש חולקים, דעפר לא הוי בטול - פי' באופן כזה שדעתו לפנותו, **אא"כ אין עתיד לפנותו לעולם (תה"ד)** - וצריך לבטלו בפירוש לעולם.

ועיין באחרונים, שדעתם להורות כסברא קמא להקל, **והגר"א** חולק על עיקר דין זה, (**דכששופך עפר סביבות הכותל בפחות מי"ט, לא ממעט לכותל, ולא אמרינן דמקום מדרס הוא לבני אדם, וכקרקעית הקרפף דמי, דכיון שהעפר גבוה מג"ט, לא ניחא תשמישיה שם, ולא מבטליה לכותל, אלא דמי כמו שהכותל נתעבה ונתרחב במקום הזה, ואולי דסברת תה"ד, דהיכא שמטיל עפר בכיון כדי לבטל המחיצה, עדיף טפי**).

(**עוד הקשה, לפי המבואר בסי"ד, דאם בנה מחיצה חדשה לשם דירה באורך יותר מעשרה ונפלה, חזר הדבר לאיסורו, אף שנשאר מחיצה הישנה, ומשום דלא הוקפה לדירה, ודמי ממש לנידון דידן ששופך עליה עפר, ומ"מ לא אמרינן כשתלקח המחיצה חדשה תחשב הראשונה כאלו נבנתה מחדש לשם דירה, וכמו כן הכא, אף אם ניקח העפר מ"מ הכותל לא הוקף מעולם לשם דירה, ונראה לענ"ד, דסברת התה"ד דלא דמי להא דסי"ד, דהכא כיון ששפך עליה עפר נתבטלה לגמרי, שהרי עתה דריסת רגלי בני אדם במקום הזה, ואח"כ כשמפנה העפר הרי**

הוא ממש בונה אותה ולשם דירה, **משא"כ** בההיא דסי"ד, דמחיצה הראשונה עומדת תמיד, אלא דבשעה שעשה מחיצה באורך יותר מעשרה, דמי כאלו ביטל מחיצה הישנה שבכל אורך הזה, ולפי זה אם נפלה המחיצה, מאין יבוא ההיתר במחיצה הישנה, הלא לא עבד בה ולא חידש בה שום דבר, ולא היתה לשם דירה מעולם, זהו הנלענ"ד סברת התה"ד, וכל הפוסקים שהעתיקוהו להלכה).

ולפי המבואר בס"ו יש עצה שלא יצטרך לפרוץ הכותל, דהיינו שיעשה מחיצה שהיא גבוה י"ט, באורך יותר מי' אמות, ורחוקה ממנה ג"ט, **אך** כ"ז אינו מועיל ג"כ רק בעת שעומדת המחיצה, אבל לא לאחר שנפלה, דיחזור לאיסורו, דהא הכותל הראשון לא הוקפה לדירה.

סעיף ג - תל גבוה עשרה - טפחים, ואפילו אינו זקוף בגובה הרבה, אלא כל שמתלקט העשרה טפחים מתוך ד"א, הוי מחיצה גמורה, **דינו כקרפף** - דעד סאתים מותר לטלטל בכולו, דכאלו מוקף מחיצות דמי, וביותר מסאתים אסור לטלטל, דהוא מחיצה הנעשית מאליה, ולא הוקף לשם דירה.

סעיף ד - קרפף יותר מסאתים שנטע בו אילנות למעט אוירו - שלא יהיה שטחו יותר מסאתים, ויהא מותר לטלטל בו, **לא הוי מיעוט** - שדרך לעשות כן בקרפיפות, ליהנות בהן ולישב תחתיהן בצל, וא"א למעט ולהכשיר אלא בדברים שאין דרך הקרפיפות בכך.

(אפילו יש בכן גבוה עשרה ורחב ארבעה) - דחולקין בכל מקום רשות לעצמן ונעשו רה"י, אפ"ה אינו ממעט, כיון שהוא מתשמישי הקרפף.

והוא הדין לחופר בו בור - של מים, ואפי' עמוק י"ט ורוחב ד', ואע"ג דמקום חללו אינו מקום הילוך, מ"מ נמדד בשיעור סאתים, דהוא נמי מתשמישי קרפף הוא כאילנות, [דבור של מים מצטרך ליה לשתיה כשׁשוהה שם או מטייל, **ומסתבר** דבבור ריק או חריץ, נמי אינו ממעט אם הוא לצורך הקרפף להטמין שם חפציו וכדו'], **וכן** אם עשה בור בגינה, ג"כ אינו ממעט, דתשמיש הגינה הוא להשקותו, **ודבר** אחר שאינו צורך הגינה, ממעטו, **ופשוט** דדבר המיטלטל אינו ממעט לעולם.

סעיף ה - בנה בו עמוד - בין באמצע בין סמוך לכותלי הקרפף, **ונתמעט בכך, אם הוא רחב ג' טפחים** - וגבוה עשרה, **הוי מיעוט** - אבל בפחות מעשרה ורוחב ג' לא חשיב, והוי כמי שאינו.

סעיף ו - בנה מחיצה באורך עשר - "יותר מעשר" כצ"ל, ומיירי דגובהה היה ג"כ עשר, **לפני מחיצה הראשונה** - לפנים בקרפף, **לבטלה שתהיה כמו שאינה** - והוי כאילו נפרץ במחיצה הישנה כל אורך הזה, שמתבטל כל המחיצות בשביל פרצה זו, כדלעיל בסעיף ב', **ויהיה מוקף לדירה על ידי השניה** - ומיירי שפתח לו פתח קודם שבנה מחיצה החדשה.

אם הרחיקה מהראשונה שלשה טפחים, מותר - דהו"ל היקף חדש לשם דירה, **אבל** אם קירב הכותל החדש בתוך ג' להכותל הישן, לא מהני, דתו לא נחשב ככותל חדש, אלא כמו שמוסיף בבנין על כותל הראשון לשם דירה, דלא מהני.

וכ"ז בשלא נתמעט הקרפף משיעור יותר מבית סאתים ע"י כותל החדש, אבל אם נתמעט הקרפף משיעורו, בודאי מותר, אפילו קירב בתוך ג"ט, שהרי אפילו בטח טיט על הכותל מהני, כמבואר בס"ז, [**מיהו** כ"ז בנתמעט ע"י עצם הכותל, אבל אם ע"י כותל בעצמו לא נתמעט משיעור, רק בצירוף החלל שיש בין כותל חדש לכותל הישן, לא מהני, **אע"ג** דאמרינן לבוד, והוי כמו שמילא החלל, אעפ"כ לא מצרפינן לבטל שיעורא דיותר מסאתים, שהרי מ"מ יש אויר יותר מבית סאתים].

(**וצ"ל דמיירי עכ"פ בשלא היה מרוחק כותל החדש** מכותל הישן יותר מעשר אמה, דאל"כ הא גם עכשיו אם יפרץ באמת במקום הזה בכותל הישן, **יאסר** כל הקרפף, שהרי הוא פתוח לעלמא, והכותל החדש לא יכול לסתום, שהרי אינו מכותל לכותל, ובמקומו אינו סותם שהרי אפשר לכנס מצדדיו, ושם הוא פרוץ ביותר מעשר, **אלא** דמיירי בשלא היה מרוחק ביותר מעשר, **ובזה אם אפילו באמת יפרוץ בכותל הישן, ג"כ לא יאסר** הקרפף, שהרי כותל החדש סותם בפני הבאים מן החוץ, **ואף** שאפשר לכנס בקרפף מן הצדדים במקום שכלה כותל החדש, מ"מ מאחר ששם אינו פרוץ ביותר מעשר, הוי ליה כפתחים שאינו אוסר).

(ודע דהריטב"א חולק ע"ז, דמשמע שם דעתו דבעינן שיהיה משוך כותל החדש נגד כל הכותל הישן, וסברתו, דאין זה דמיון לפרץ אמה, שהרי מ"מ פרץ בכותל הישן, וחִדֵּשָׁה בשיעור כותל הגון, דהיינו יותר מי', אבל בזה שהכותל הישן במקומו עומד, איך תבטל בשביל שבנה בתוך הקרפף איזה אמות כותל, וגם עתה אחר הבנין לא נשתנה הקרפף בכלום, לא בכתליו ולא בפנים, שהרי גם עתה נמשך מקום הזה שבין כותל הישן לכותל החדש עם שאר הקרפף, ומשתמש שם כמו בתחלה, ע"כ מפרש שהעמיד מחיצה לכל אורך הכותל, וזה בודאי מהני, שהרי כותל הישן לא מהני השתא ולא מידי, ומ"מ המיקל כדעת השו"ע לא הפסיד).

סעיף ז - טח טיט על מחיצות הראשונות למעט אוירו - שלא יהיה שטחו יותר מבית סאתים, ויהא מותר לטלטל בו, **ונתמעט, אם הטיט עבה שאם תנטל מחיצה הראשונה ראויה לעמוד בפני עצמה, הוי מיעוט** - ואפילו לא טח אלא באחד מכתלי הקרפף, ואפילו במקצתו, סגי, **ומ"מ** נראה שתהיה עכ"פ גובה הטיח עשרה מקרקע ולמעלה, ורחבה ג', ואי לא"ה לא חשיב, וכההיא דעמוד בס"ה.

ואם לאו, לא הוי מיעוט - דכמי שאינה דמיא, **ויש** חולקים ע"ז, דכל שיכולה לעמוד עם הכותל, ממעט, **ויש** להקל לעת הצורך.

(ועיין בגאון יעקב שכתב, דאם בשעת עשית הכותל טח בטיט, מותר, ואפילו באינו יכול לעמוד בפני עצמו, דדמיא לכותל עב).

וכ"ז אם נתמעט השיעור עי"ז מבפנים, אבל אם לא נתמעט השיעור, בודאי אסור, ואפילו כיון בטיח הזה לשם דירה, אף שעשהו עב כ"כ שיכול לעמוד בפני עצמו, דהוי כמחיצה ע"ג מחיצה, כמבואר בס"ו.

סעיף ח - בנה מחיצות על הראשונה להקיפו על ידם לדירה, אינו מועיל - דלא מהני ליה לקרפף ולא מידי, שהרי בלא זה מוקף כבר.

ואם נבלעו התחתונות - שהיה העפר רך ותחוח, ונחבט הכותל עד שלא נשאר בה עשרה טפחים בגובה, **ונשארו העליונות מאליהם, ניתר על ידם** - שהרי נעשו לשם דירה מתחילתן, אלא שלא יכלו להתיר עד עתה שהיו שלא לצורך, אבל עתה שבלא הם ליכא י' בגובה מחיצה הישנה, שפיר מהני ליה לקרפף.

אבל תל יותר מסאתים ועשה מחיצות, אפי' על שפתו - ר"ל דלא מיבעיא אם הרחיק משפת התל ג' טפחים, דבודאי מועיל, וכמבואר בס"ו, **לדירה** - לדור ולהשתמש על התל, **מועיל, שהרי דר באויר מחיצות שעשה עתה** - ואע"ג דבלא מחיצות אלו הרי יש בגובה התל עשרה ויותר, והרי הוא מוקף מאליו, **אעפ"כ** שרי, דכיון דאינו דר למטה בעמק אלא על התל בגובה למעלה, הרי אדרבה מהני ליה רק מחיצות עליונות, ותחתונות לא מהני ליה ולא מידי, וכדמסיים שהרי דר וכו'.

ולא בעינן שיעשה כמה מחיצות, אלא כיון שבנה מחיצה אחת לשם דירה, סגי, ושארי שלש מחיצות נחשב ע"י התל גופא, שהוא גבוה י"ט, וכדלעיל בס"ג, **ואפי'** אותה מחיצה לא בעינן שיעשנה על פני כל רוחב התל, אלא כיון שעשאה באורך עשר ומעט יותר, לשם דירה, סגי, וכדלעיל בס"ו, [**ולהפוסקים** שהבאנו שם בבה"ל דבעינן כותל שלם, גם הכא הוא כן, וכ"כ בריטב"א להדיא].

סעיף ט - קרפף יותר מסאתים שהוקף לדירה, ונטע רובו אילנות - ה"ה כולו, **אפילו אינם נטועים שורות שורות** - אלא מעורבין, **אינם מבטלים הדירה** - דעבידי אינשי לנטוע אילנות בחצירות כדי להסתופף בצלן.

אבל אם נזרע רובו, הזרעים מבטלים הדירה - דבזרעונים לא דיירי אנשי, והוי ליה גינה, ואסור לטלטל אף בשאינו נזרע, דבטל לה לגבי רובו, וכזרע כולו דמיא.

אפי' אין בהם אלא סאתים - ר"ל בשטח מקום הזריעה, ובית סאתים אינו צריך להיקף דירה, אפ"ה אסור, דכיון דמיעוט בטיל לגבי רוב, הרי הוא כאילו כולו נזרע, ובכולו הא איכא יותר מבית סאתים.

וה"ה אם נזרע פחות מסאתים, כיון שהם הרוב, וביחד עם המיעוט יש יותר מבית סאתים.

(**ואם** הקרקף רק בית סאתים, אפילו נזרע כולו, מותר לטלטל בכולו בכלים שבתו בתוכן, דאף שהזרעים מבטלי שם דירה, הרי בשטח שהוא רק בית סאתים לא בעינן כלל שיהא מוקף לדירה, ומסתברא דאפילו אם לא הוקף כלל לשם דירה, ג"כ מותר, אף שהזרעים בתוך הקרקף, וכ"ז לענין כלים ששבתו בתוכן, אבל כלי הבית להקרקף, או מקרקף לבית, אסור, דכיון דנתבטל ממנו שם דירה ע"י הזרעים, קרקף ובית שתי רשויות הן, ואפילו הוא פחות מבית סאתים ג"כ דינא הכי). (כשיטת המחבר לקמן בס"י, והמ"ב שם מביא דיש חולקים ע"ז.

נזרע מיעוטו - נראה דה"ה מחצה על מחצה, **אם אין בו אלא סאתים** - ר"ל במקום הזרוע, **מותר** - דאין כח במיעוט לבטל הרוב שהוקף לדירה, והמיעוט עצמו ג"כ מותר, דלו יהא דלגבי דידיה נתבטל המחיצות שהוקפו לדירה, ג"כ לאו מידי הוא, דהא בית סאתים לא צריך היקף לדירה.

יותר מסאתים, אסור - לטלטל בכולו, דהמיעוט אסור, כיון שיש בו יותר מבית סאתים אינו ניתר בלא היקף לדירה, וזרעים מבטלים מחיצה של דירה, **ורוב** הקרקף ג"כ נאסר, מפני שהוא פתוח ופרוץ לזרעים שהוא מקום אסור.

(**לא** נתבאר בפוסקים, אם הזרעים מבטלין לגמרי המחיצות של דירה, וא"כ אפילו בסוף הקיץ שכבר הוציאו הזרעים, מ"מ אסור לטלטל, שהרי הזרעים ביטלו את ההיקף שהיה לשם דירה, וא"כ אם ירצה לטלטל, צריך לפרוץ בכותל יותר מי' אמות, ולחזור ולגדור לשם דירה, וכמבואר בס"ב, **או** אפשר דהזרעים אינם מבטלים את ההיקף של דירה, אלא דההיקף של דירה אינו מועיל כל זמן שיש בו זרעים, משום דאין אדם דר בזרעים, ותיכף שנסתלקו הזרעים, חזר הקרקף להתירו שהוקף מתחלה לדירה, וממה דקיי"ל בנבלעו התחתונות והעליונות קיימות דמהני, אף דבעת שנעשו לא הועילו כלל, מ"מ לבסוף כשנסתלקו התחתונות מועילות העליונות, וא"כ ה"ה הכא, אף דבעת הזרעים לא הועילו המחיצות, כשנסתלקו מהני, **אבל** באמת אין ראיה, דהתם לא ביטלו מעולם התחתונות להעליונות, אלא דבעת שהיו התחתונות היו העליונות ללא הועיל, וע"כ כשנסתלקו התחתונות נשארו העליונות שהוקפו לדירה על מדרגתן, משא"כ כאן אפשר שהזרעים מבטלי להדירה, ומלשון הרשב"א שכתב שהזרעים מבטלין את המחיצות, משמע דלעולם אסור, דדמי כמאן דהוקף שלא לשם דירה, וכ"כ בלשון הזה בעל המאור לענין מים הרי הם כזרעים אם אין ראויין להשתמש, עי"ש, וכן משמע מלשון פיר"ח, שכתב בא זרעים ודחה את ההקפה שהקיפו לשם דירה, ומכל אלה משמע דבזריעתו נתבטל הקפתו לדירה לגמרי, וממילא אפילו ירצה בחורף להשתמש בו תשמישי דירה דרך פתח הבית הפתוח לתוכה, ג"כ לא מהני, עד שיבנה מחדש לשם דירה, ואפילו אם יסכים בדעתו שלא לזרוע עוד לעולם, ג"כ לא מהני במחשבתו לבד, ובעינן שיפרוץ בה כשיעור המבואר בס"ב, **ונראה** דאפילו בחצר נמי הדין כן, דכיון שזרע בטיל ליה מחיצות שלו, והוי כקרפף בעלמא, **ואף** דבחצר מספקא ליה להרא"ש ואפילו במקום הזרוע, מ"מ רוב פוסקים חולקין ע"ז, ומ"מ בחצר פחות מב"ס, אפשר דיש לצדד להתיר אחר שנסתלקו הזרעים, עיין ברא"ש דמסתפק אם אמרינן כלל לענין פחות מב"ס דזרעים מבטלי ליה, ונהי דמצדד לבסוף להחמיר בזה, מ"מ בזה שגם נטלו הזרעים, וגם הוא חצר ולא קרפף, מסתברא דהמיקל בזה אין למחות בידו).

(עיין בתשו' דבר שמואל, שמצדד להקל בעיר מוקפת חומה, ששם אין זרעים שבתוך העיר מבטלי להיקף דירה של חומה, ומיירי במקום שהבתים נבנים מתחלה ואח"כ הקיפו בחומה, דהוי הוקף לדירה, והח"צ העתיק דבריו, ואף שמתחלה גמגם בדבריו, אעפ"כ לבסוף הסכים עמו בשעת הדחק שאי אפשר בשום אופן לתקן שלא יכשלו רבים, ואחריו החזיק בנו הגאון יעב"ץ במור"ק, **ונראה** דמיירי שאין מקום הזרוע גדור במחיצות, אלא פרוץ לחומת עיר, דאל"ה בודאי לא מהני היקף של חומה, כיון שאין החומה מחיצה של מקום הזרוע, אלא יש מחיצות אחרות, והזרעים משוים לאותם מחיצות כמחיצות שלא נעשו לשם דירה, בודאי אסור, **ובפרט** שעיקר קולא דהיקף חומה אינו דבר ברור כלל, שעיקר סמיכתם הוא אשיטת הרא"ש והמרדכי, דאפשר גבי חצר לא נתבטלו כלל המחיצות משום זרעים, ואף שבטור החמיר בדבר, היינו לחומרא בעלמא, וסוברים דהיקף של חומה עדיף טפי, **אכן** לפי מה שהבאנו שפשטות דברי כמה ראשונים שאין שום חילוק בין קרפף לחצר, דקרפף שהוקף לדירה נמי חצר גמור הוא, ואעפ"כ זרעים מבטלי

למחיצות דידיה, וה"ה חצר ממש, **ולפי"ז** מנ"ל להקל בחומה ממש, **וגם** בספר מאמר מרדכי ובספר שיורי ברכה אין דעתם נוחה להקל אף בהיקף של חומה, **לכן** עכ"פ אין להקל יותר ממה שכתבנו למעלה).

סעיף י - מי שיש לו גינה בחצירו, אם הוא רוב החצר, אפי' אין בה אלא בית סאתים - ר"ל בכל החצר, וה"ה פחות, **לא יטלטל ממנו ומן החצר לבית** - דבחצר בעצמו בודאי מותר לטלטל בכולו, אפי' במקום הזרעים, דאף שזרעים מבטל מחיצות של דירה, בזה שאין בה אלא סאתים הרי לא בעינן היקף לדירה, **אבל** כיון דנתבטל היקף של דירה, הרי כל החצר כקרפף דעלמא, שאסור לטלטל ממנו לבית, וכן מן הבית לתוכה, ואפילו בקרפף פחות מבית סאתים, (כשיטת המחבר לקמן בסמוך, והמ"ב שם מביא דיש חולקים ע"ז, ואפילו הן של אדם אחד.

ואם הוא יותר מסאתים - ר"ל כל החצר, **לא יטלטל בה ובחצר אלא בד' אמות** - כדין כרמלית, כיון דבין כולה יש יותר מבית סאתים, ורוב הזרעים ביטל שם דירה מחצר, וכנ"ל בס"ט.

אף שכבר נתבאר כ"ז בסעיף הקודם לענין קרפף, מ"מ חזר המחבר ושנה דין זה לענין חצר, לאשמועינן דכשם שזרעים מבטלי מחיצות של קרפף שהוקפו לדירה, כמו כן מבטלי מחיצות של חצר, **ולא** אמרינן דחצר חשיבא טפי ולא מתבטל בשביל זרעים, **ועוד** הוסיף לבאר בסעיף זה לענין טלטול מן החצר לבית, וכמו שנתבאר.

ואם היא מיעוט החצר, מה שיש בה יותר מסאתים - ר"ל אם יש במקום הזרוע יותר מסאתים, **אוסר כל החצר** - אף דחצר רוב לגבי גינה, ולא נבטל ממנו שם דירה ע"י הזרעים, **אבל** עכ"פ נבטל היקף דירה לגבי זרעים עצמם, ואסור לטלטל שם כיון שהם יותר מבית סאתים, ומשום זה אסור גם בשאר החצר, דנפרץ הוא למקום הזרעים שהוא מקום אסור.

ואם יש בה סאתים או פחות, אסור להוציא ממנה לבית - דבמקום הזרעים גופא מותר לטלטל, וכמ"ש בס"ט, **אלא** דעכ"פ אסור להוציא ממנה לבית, כדין קרפף שאין מוקף לדירה, שאין מטלטלים ממנו לבית.

ומשמע מזה, דעכ"פ מחלק החצר שרי לטלטל לבית, אף כשיש שיעור בית סאתים, כדין כל חצר שמוציאין ממנו לבית, **ויש** אוסרים בזה להוציא אף מחצר לבית, דאע"ג דבחצר וגינה מותר לטלטל, מ"מ לענין כלי הבית מקרי גינה מקום האסור, שהרי אסור להוציא ממנה לבית, וממילא נאסר גם החצר לענין זה, משום שהוא פרוץ ופתוח לגינה, **והיכי** שהזרעים פחות מן בית סאתים, בודאי אין להחמיר לטלטל מן החצר לבית, **ויש** מקילין בכגון זה לטלטל אף מן חלק הגינה גופא לבית, וה"ה מן הבית לגינה, **ויש** לסמוך ע"ז במקום הדחק.

וכל המוזכר בכאן הוא בשאין מחיצה בין החצר למקום הזרעים, ואם יש מחיצה, אין חלק אחד שייך לחבירו כלל, **וא"כ** חלק החצר דינו כחצר, ומותר לטלטל בכולו, וממנו לבית, **ומקום** הנזרע הוא נידון לעצמו, ואם חלק הנזרע הוא יותר מבית סאתים, דינו ככרמלית, ואסור לטלטל אף בתוכו, וכ"ש להוציא ממנו לחצר או להיפך, דחצר דינו כרה"י גמור, **ואם** הוא רק ב"ס או פחות, מותר לטלטל בכולו, וכן ממנו לחצר ומחצר לו, חוץ כלים ששבתו בבית אסור להוציא מן החצר לגינה, **ע"כ** ראוי שלא לאכול או לשתות בגינה בשבת, דא"א ליזהר בזה, וכ"ש באם הוא יותר מב"ס, דאסור בטלטול יותר מד"א.

סעיף יא- קרפף יותר מבית סאתים שהוקף לדירה, ונכנסו בו מים - ומיירי שהמים קוו וקיימי בתוך הקרפף, [דאם היו נכנסים מצד זה ויוצאין מצד אחר, חולקין רשות לעצמן, והוי בכלל כרמלית ואסור למלאות מהם], **אם ראוים לשתיה** - ר"ל לשתית אדם, **ויש** מקילין אף בשראוים לכביסה וכדומה, [**ונראה** דיש להקל, דהא הוא רק ספיקא דרבנן], **אין מבטלין הדירה** - דאין לך דירה מעולה מזו.

אפי' אם המקום שנתפשטו שם יותר מסאתים - ולא אמרינן דבור גדול כהאי אין דרך לעשות, דשפיר מצוי דאדם עושה בריכה גדולה של מים לתשמישו.

ומבואר בטור, דלאו דוקא יותר מסאתים, אלא אפילו נתמלא כל החצר נמי שרי, [**ודעת** הראב"ד אינו כן, אלא דוקא רובו ולא כולו, וטעמו נראה, משום דאין דרך להפוך את כל החצר למקוה מים].

ואפילו הם עמוקים הרבה.

(ביאור הלכה) [שער הציון] ‹הוספה›

ואם אינם ראוים לשתיה - ולאידך סברא דלעיל, דוקא בשאינם ראוים לא לשתיה ולא לכביסה, כגון שהיו עכורים מאד, **דינם כזרעים** - משמע מלשון זה, דהוא ממש כזרעים, ולכן אם נתפשטו ברובו, כולו אסור אפילו אין בהם סאתים, **ואם** במיעוטו, אם יש בהם יותר מב"ס, כולו אסור, וכדלעיל בזרעים.

וכתבו האחרונים, דכ"ז דוקא כשאין עמוק י"ט בשפתו, וגם אין מתלקט י"ט בתוך הילוך ד"א, דאם עמוק י"ט בשפתו, או עכ"פ מתלקט י' בתוך הילוך ד"א, כותלי המים עצמן נעשו מחיצה בין מקום המים לשאר החצר, ואין אסור אלא מקום המים עצמו.

(אכן הריטב"א לא ס"ל כן, שכתב דאם היה החצר סמוך לעומק של עשרה בתוך ג' טפחים, נמי שרי, דהוי כלבוד, והרי החצר כמוקף מחיצה, עכ"ל, וצ"ל דס"ל להריטב"א, דלא אמרינן מתלקט י' מתוך ד"א רק גבי תל, או חריץ שהולך בעומק ובלא מים, דמנכרא מחיצתא טפי, משא"כ כשממולא במים כענינינו, ולא דמי לבור מלא מים דאיתא בגמרא דהוי רה"י גמור, דשם מנכר טפי לפי שהולך העמק בשוה, ודוחק, וצ"ע למעשה).

והוא שיהא בעמקם עשרה טפחים - דפחות מי"ט הו"ל כטיט ורפש בעלמא, שאין חולקין רשות לעצמן, [**ומיירי** דעד שלא הגיע הגומא לעומק עשרה, היה מתחילה מדרון המתלקט י' מתוך ה' אמות, ואין זה רה"י, וא"כ החצר פרוץ למקום הזה שהוא אסור, וכיון דלבסוף יהיה המדרון בעומקו י"ט, גם תחילת המדרון אינו בכלל רפש וטיט].

(אכן יש באמת כמה ראשונים שחולקין ע"ז, וס"ל דאפילו פחות מי"ט נמי אסור, וראוי להחמיר שלא במקום הדחק, ודע, דמסתברא דאפילו לסברת הני ראשונים, מ"מ מודו בפחות מג' דאינו אסור, דכארעא סמיכתא היא, וגם אינו קשה להשתמש שם בתשמישין של חצר).

סעיף יב - קרפף בית שלשה סאין, וקירה ממנו בית סאה, מותר - שפי תקרה יורד וסותם, והוי כאלו מחיצה מפסקת בין הסאה המקורה לבית סאתים שאינה מקורה, ונמצא שאין שם אלא בית סאתים.

אפילו אם הקירוי משופע - כעין גגין שלנו, שפיה באלכסון, וקמ"ל שגם בפי תקרה כזו יורד וסותם, **ואף** דלקמן בסימן שס"א ס"ב סתם המחבר, דהיכא דפי התקרה בשיפוע לא אמרינן פי התקרה יורד וסותם, **חילקו** האחרונים, דשאני הכא דמן התורה רה"י גמור הוא לכו"ע, שהרי מוקף ד' מחיצות, אלא שחכמים גזרו בקרפף יותר מבית סאתים, ולהכי הקילו בפי תקרה אף שפיה בשיפוע, **משא"כ** התם דנפרץ מחיצה, לא אמרינן יורד וסותם אלא א"כ פיה שוה.

סעיף יג - קרפף בית סאתים מצומצם - ולא היה מוקף לדירה, **וחצר, שנפרצו במילואם זה לזה, הקרפף אסור, מפני שמקום המחיצה מייתרו, ונעשה יותר על סאתים** - דאויר החצר אינו עושהו יותר על בית סאתים, משום שהוא אויר המותר, רק מקום שהיה המחיצה, שאינו בכלל החצר, נצטרף עתה עם הקרפף ועושהו יותר על בית סאתים.

שנפרצו במילואם זה לזה - הלשון מגומגם, דבאמת אם שניהם נפרצו במילואם, גם החצר אסור, שהרי הוא פתוח ופרוץ לקרפף שנאסר, **אלא** מיירי שהיה החצר רחב מהקרפף, ונשארו גפופים מהצדדין, וע"כ החצר מותר, דלא נפרץ במילואו להקרפף, **וגם** מיירי שפרצת החצר לא היה יותר מי' אמות, דביותר מי', אפילו נשארו גפופין שניהם אסורין, דשוב לא מיקרי פתח אלא פרצה.

[**ואם** הקרפף היה רחב מהחצר, ונשארו גפופין בהקרפף, שניהם מותרין, שהרי החצר פתוח למקום המותר, **אך** כ"ז אם פרצת החצר לא היה יותר מעשרה, (אבל אם היא יותר מעשר אמות, הרי הם פרוצים זה לזה, ודינם כמבואר בסעיפים ט' י', שתלוי אם הקרפף הוא רוב המקום או החצר וכו', וכן לענין להכניס לבית, ע"ש – מ"ב המבואר).

[**ומשמע** דאף בשהיה כותל אחד לקרפף ולחצר, ג"כ מייתרו לקרפף כשנפרצה, ולא אמרינן דכותל חצר כשהיה קיים היה רה"י גמור, כדקיי"ל בכל מקום דכותלי רה"י הוי רה"י, וא"כ אויר מותר הוא, **זה** אינו, דכ"ז כשהוא קיים, אבל כשניטל שפיר מצטרף המקום לקרפף, שהרי הקרפף גופא שהוא בית סאתים מצומצם בחללו, ג"כ מותר לטלטל על כתליו, אע"פ שעודפים על בית סאתים, ומ"מ כשנפל מצטרף לאיסור, וכמו כן היכא שהכותל משותף גם לחצר].

ומיירי שכותלי הקרפף נכנסין בתוך חלל החצר מבפנים, או שהיו כותלי החצר שבצד זה ובצד זה יתירים על רוחב הקרפף ד' אמות, **ואם** לאו, אין זה נקרא נפרץ במילואו, [דחשבינן אותן הגיפופין גם להקרפף, **דאף** שמבפנים אינו ניכר, הלא ניכר מבחוץ, וכדקיי"ל דכל שנראה מבחוץ ושוה מבפנים נידון משום לחי, וה"ה הכא].

(**צע"ג**, שהרי סתם כתלים של חצר וקרפף אינו עב אמה, וא"כ לפי פסק הרא"ש, דכל שאינו יתר על ב"ס אמה לא מקרי יתר על בית סאתים, א"כ אמאי אמרינן הכא דמייתרו, וכן פסק המחבר לעיל בס"א כהרא"ש, לענין ארכו יתר על רחבו, ומקורו מרי"ו ומהרא"ש, ובאמת מוכח מסוגיא זו, ומכל המפרשים ראשונים שסתמו בזה, דלא צריך אמה, וצ"ע).

סעיף יד - קרפף יותר מבית סאתים שלא הוקף לדירה, ופתח בו פתח - הלשון מגומגם קצת, ובמקור הדברים מבואר ביותר, שהסמיך ג' כתלים בסוף כותל ביתו, וכותל ביתו היה הכותל הרביעי, ובו עשה פתח, **וזהו** שכתב המחבר: ופתח בו פתח, אלא שלא פתח הפתח רק אחר ההקפה של הכתלים, דלא מהני, כמבואר לעיל.

ועשה מחיצה לפניו - בפנים, והרחיק לכל הפחות מכותל הבית ג' טפחים, כדלעיל בסעיף ו', דהשתא הוי ההקפה לאחר הפתיחה, **ומבואר** במקור הדברים עוד, דגם במחיצה החדשה עשה פתח, כדי שיכול לילך ולהשתמש בפנים הקרפף, וכן הוא גם כונת המחבר.

יותר מעשרה - וכשיטת המחבר בסעיף ו', דמהני בשיעור זה, ועיי"ש מה שכתבנו בביאור הלכה.

והותר ע"י מחיצה זו, שעל ידה בטלה מחיצה ראשונה שלא היתה לשם דירה, ואח"כ נפלה מחיצה אחרונה - וה"ה אם הפילה בידים, כדי לסמוך על המחיצה הראשונה, **חוזר לאיסורו** - ולא אמרינן כיון שהקרפף הותר פעם א', אינו חוזר לאיסורו.

(**וכתב** בתו"ש, דוקא בכגון זה שהמחיצות ‹הנשארות› לא נעשו לשם דירה, אבל היכי שבנה בה בית דירה ואח"כ הקיפו, דמהני, ונפל הבית, **לא נאסר הקרפף, ושפיר** מקרי עדיין מוקף לדירה, **ולפי"ז נראה**, דה"ה היכי שלא היה בה בית דירה, אלא פתח לו פתח ואח"כ הקיפו, דג"כ סגי, ונסתם הפתח, דלא יצא הקרפף מהתירו, **אלא דעיקר** סברא דבעל תו"ש לא ברירא לי, וכי אם הקיפו לדירה מאי הוי, הלא מ"מ עכשיו אינו ראוי לתשמיש הבית, מי עדיף מנתמלא קרפף שהוקף לדירה מים שאינם ראוים לתשמיש, אע"ג דהמחיצות קיימות והוקפו לדירה, אע"פ כן אסור, ואפשר דה"ה בנידון דידן, **ואפילו אם נחליט** כדברי בעל תו"ש, היינו בשנפל הבית או נסתם הפתח מאליו, הא בהפילו להבית בכונה, או סתם הפתח בידים, ומטעם דאין לו צורך להשתמש, בודאי בטיל הקרפף משם דירה, אע"פ שהמחיצות קיימות, וכמו בקרפף שנזרע שנתבטל המחיצות, וכמו בס"ו שבבנין מחיצה חדשה מיבטל מחיצה הישנה אע"ג דעומדת עדיין, משום שאין דעתו להשתמש בה, וה"נ בענינינו, וצ"ע).

כתבו הפוסקים, דאם אחד מצדי הקרפף הוא כותל של בית, והיה פתח ולבסוף הוקף, ונפל הכותל, אע"ג דנשארו כותלי גוואי שבבית, והם סותמים הקרפף, אעפ"כ נאסר הקרפף, שהרי מחיצות הפנימיות לחדרים הפנימים נעשו, ולא ליעשות כותל לקרפף, ולא דמי למחיצות חיצוניות, שלזה ולזה נעשו. ‹**ביאור** הדברים: אם הקיף ג' כותלי הקרפף אחר שהעמיד כותלי הבית עם פתח פתוח לקרפף, ואח"כ נפל הכותל החוצץ, עדיין הקרפף בהתירו קיים, דכיון דהוקפו לדירה, לא איכפת לן בנפילת הכותל. **ואם** העמיד ג' כותלי קרפף, ואח"כ העמיד ג' כותלי הבית, ואח"כ העמיד הכותל החוצץ בין הבית לקרפף, ונפל אח"כ הכותל החוצץ, עדיין הקרפף בהתירו קיים, כיון דהקרפף הותר קודם שהעמיד הכותל החוצץ ע"י ג' כותלי הבית, שבשעה שהעמידן סתמו את פרצת הקרפף שהיה פרוץ ברוח רביעית. **וע"כ** דין זה מיירי, כשהעמיד ג' כותלי הקרפף, ואח"כ הכותל החוצץ עם פתח, ואח"כ העמיד ג' כותלי הבית, וכיון שהקרפף הותר בתחילה בהאי כותל החוצץ, כשנפל אין כאן מחיצה לדירה – חזו"א›.

§ סימן שנט – דין רחבה שאחורי הבתים §

סעיף א - דרכן היה להניח שטח מקום פנוי לפני הבתים ואחורי הבתים, אותו שלפני הבתים קרוי חצר, ואותו שלאחורי הבתים קרוי בשם רחבה, והיה דרכן להקיפן במחיצות, **והנה** אותו חלק הקרוי

בשם חצר, בודאי הוקפה לדירה, שדרך לעשות שם כל תשמישי הבית, וע"כ אפילו אם הוא יתר מבית סאתים, ואפי' י' כורין, מותר לטלטל בכולו, **ואף** מהבית לתוכו, דרשות אחד הוא, אם הוא דחד גברא, או של שנים וערבו יחד, **אכן** רחבה מסתמא לא הוקפה לדירה, שאין דרכן להשתמש שם תשמישי הבית כ"כ, וע"כ דינו כקרפף לענין יתר מבית סאתים. **קרפף** הוא מה שעושין רחוק מהעיר, מקום מוקף מחיצות להניח שם עצים וכה"ג.

רחבה שאחורי הבתים יתירה על בית סאתים ולא הוקפה לדירה - היינו שהקיף השטח הפנוי הזה בג' מחיצות, והסמיך אותם לכותל ביתו, ולא פתח בהכותל פתח להרחבה קודם שהקיפה, **אין מטלטלין בה אלא בד' אמות** - כדין שאר קרפף שלא הוקף לדירה, וכ"ש שאסור לטלטל ממנה לבית, **אבל** אם אין בהקיפה רק סאתים, אין לה דין קרפף, ומותר לטלטל ממנה אפילו לבית, לפי שאינה רשות מחולקת מן הבית לגמרי כמו קרפף, אע"פ שלא הוקף לדירה.

ואם פתח לה פתח מביתו ואח"כ הקיפה, אפי' אם יש גורן בינה לבית, הוי היקף לדירה - ר"ל אפי' אם היה גורן אחורי ביתו קודם שהוקף השלש מחיצות, אין אומרים שבשביל הגורן נפתח פתח בכותל הבית, ואין כאן פתח לרחבה, **אלא** סתמא נפתח לרחבה, והרי היא מוקף לדירה, ומותר לטלטל בכולה ואפילו ממנה לביתו.

הגה: ומה שאין אנו נזהרין לטלטל בחצירות שאחורי הבתים - היינו רחבה דלעיל, **משום דבזמן הזה סתמן מוקפין לדירה, כמו שנתבאר לעיל גבי קרפף** - (ריש סימן שנ"ח).

(דע, דד' שמות יש בענין זה: כרמלית, קרפף, רחבה, חצר. כרמלית דבר תורה, הוא הבקעה שאין הילוך לרבים, כרמלית דרבנן, הוא קרפף יותר מבית סאתים שלא הוקף לדירה, דמן הדין רה"י גמור הוא, ומדרבנן הוי כרמלית, ומ"מ מטלטלין מזה לזה בפחות ד"א, אבל מקרפף זה לחצר אסור. ושם קרפף כולל בין אם הוא יתר מסאתים או בית סאתים, הוקפה לדירה או לא הוקפה לדירה).

(חצר שלפני הבתים הוא בודאי הוקפה לדירה, וע"כ אף כמה כורין רה"י גמור הוא אף מדרבנן).

(קרפף שהוא רק בית סאתים מצומצם ולא הוקף לדירה, אף שקרפף מקרי, מ"מ מותר לטלטל בכולו, ואף לחצר מותר, אבל לבית אסור, וכן לכרמלית או לקרפף יתר מב"ס ג"כ אסור, אפילו אם הוא דחד גברא).

(קרפף יותר מב"ס שהוקפה לדירה, ואפילו אם הוא מחזיק כמה כורין, **או** שהוא פחות מב"ס ולא הוקפה לדירה, אפי' לבית מותר לטלטל, דהוא חשיב כחצר שהוקפה לדירה, (**מש"כ** פחות מב"ס, הוא דלא כסתימת המחבר בסי' רנ"ח ס"י. ומש"כ כן אליבא דכו"ע, תמה בזה בחזו"א – שונה הלכות. ועיין בסי' שע"ב ס"א בבה"ל, **וכ"ש** רחבה שהוקפה לדירה, בודאי דינא הכי. **רחבה** שהיא כב"ס מצומצם אף שלא הוקפה לדירה, מ"מ מותר לטלטל אף ממנה לבית).

§ סימן שס – דין היקף מחיצות לשבת §

סעיף א- יחיד ששבת בבקעה והקיף מחיצות גרועות, כגון שתי בלא ערב - היינו כגון שנעץ קנים בקרקע פחות פחות מג"ט זה אצל זה, [**ולמעוטי** אם העמידם בסמוך זה אצל זה, אף דהוא שתי לבד, נחשב מחיצה מעולה, וכן לענין ערב כה"ג, **ועיין** בפמ"ג שמצדד, דבמחיצה של שתי, ועשה קנה אחד למעלה לחבר הקנים, הוי מחיצה מעולה, ומותר אפי' יותר מבית סאתים], **ומ"מ** מיירי שתקועים בארץ בחוזק שלא ינידם הרוח, דאל"ה לא נחשב למחיצה כלל, **או ערב בלא שתי** - כגון שהקיף כמה חבלים זה למעלה מזה, ואין בין חבל לחבל ג"ט, **עד סאתים** - ועד בכלל, **מותר לטלטל בכולו; מסאתים ואילך** - ר"ל שההיקף היה מחזיק יותר מב"ס, **אין מטלטלין בו אלא בארבע** - שהחמירו רבנן ואסרו לטלטל בו כמו בשאר כרמלית, אפילו הוא צריך לתשמישיו, **ומ"מ** לא נחשב ככרמלית גמור, שיהא מותר להוציא ממנו לכרמלית אחר, דבאמת רה"י גמור הוא ע"י לבוד, אלא שהחמירו בו חז"ל לכתחלה משום דהוי מחיצה גרועה.

ועיין בספר גאון יעקב שהביא משם הרשב"א והריטב"א, דה"ה בעומד מרובה על הפרוץ, ג"כ מחיצה גרועה

מקרי כמו בשתי בלא ערב, **אבל** שארי פוסקים לא הזכירו דבר זה, וכן בירושלמי לא משמע הכי.

(עיין בתו"ש שמצדד לומר, דאם היו ג' מחיצות מעולות, דמן התורה הוי רה"י גמור, אפילו אם המחיצה הרביעית הוא שתי או ערב לבד, נמי סגי בהכי, ושרי לטלטל, אפי' מחזקת יותר מבית סאתים).

ששבת בבקעה - וה"ה דאפי' במקום ישוב ג"כ מותר עד סאתים, ונקט בקעה לאשמועינן, דאפילו בבקעה שאין מצוי לו ממה לעשות מחיצות מעולות, אפ"ה החמירו רבנן, ואסרו אם הוא מחזיק יותר מסאתים.

ובמחיצות גמורות מותר לטלטל בכולה, אפי' היה מחזיק יותר מב"ס הרבה, דהוקפו לדירה, שהרי הקיפם לדור בהם בשבת, ואפילו הוא רק על שבת אחת.

וכן הדין אם הם שנים - ר"ל דגם בזה אין נותנים לשניהם ביחד רק עד בית סאתים.

ואם הם שלשה ישראלים, חשובים כשיירא, ומותר לטלטל בכולו אפילו הוא גדול הרבה; ובלבד שלא יקיפו יותר מכדי צרכם, שלא ישאר בית סאתים פנוי שאין צריכים לו לתשמיש; אבל אם נשאר בית סאתים פנוי, אין מטלטלין בכל המוקף אלא בד' אמות - דחשבינן לכל המחיצה כאילו אינה.

בד"א כשהקיפו יותר על שש סאין - דשש סאין הוא לג' אנשים לכל אחד בית סאתים, והם הקיפו יותר כגון שבע, ולא הוצרכו אלא לחמש, ונשאר סאתים פנוי, וע"כ אסור.

אבל אם לא הקיפו יותר על שש סאין, אע"פ שיש סאתים פנוי, כיון שהם שלשה, מותר - כיון דשש הוא השיעור לג' אנשים לכל אחד בית סאתים, לא מחמרינן אפילו נשאר בית סאתים פנוי.

ועיין בט"ז וא"ר וכ"כ בספר גאון יעקב, שכל הראשונים חולקין ע"ז, ודעתם דאף בפחות משש, כל שיש סאתים פנוי אסור.

הגה: אינו יהודי אינו מצטרף לשיירא. וי"א דה"ה קטן אינו מצטרף.

סעיף ב - היו שלשה והקיפו כל צרכם, ומת א' בשבת, מותרים בכל השבת - ר"ל דוקא לאותה שבת, **כיון שנכנס השבת בהיתר** - אבל לשבת אחרת אסור.

היו שנים והקיפו יותר מסאתים, ונתוספו עליהם בשבת, אסורים - ר"ל לאותה שבת, **כיון שנכנס שבת באיסור** - הואיל ובתחלת כניסת השבת לא היו אלא שנים, אבל לשבת אחרת מותר.

סעיף ג - היו ג' והקיפו כל אחד לעצמו זה בצד זה - במחיצה גרועה, שתי בלא ערב, או ערב בלא שתי, **ועירבו יחד, אם החיצונים רחבים והאמצעי קצר, שנמצא האמצעי פרוץ במילואו לחיצונים, והחיצונים שיש להם גיפופים עודפים עליו מכל צד, נותנים להם כל צרכם באמצעי אפילו הוא גדול הרבה** - יותר מבית סאתים, **שאנו רואים כאילו כולם דרים בתוכו, והרי יש שלשה ביחד** - שהרי אין מחיצה לחצוץ בינו לבינם, כיון שנפרץ להם במילואו.

ואף בחיצונים נותנים להם כל צרכם, דכיון שנעשו שיירא באמצע, הוה ליה אינך כחצר לאמצעי.

ויש אומרים שהחיצונים אינם מותרים אלא עד סאתים - שהרי הם אינם רשות אחד זה עם זה, מפני גיפופיהם המפסיקים ביניהם להאמצעי, **ואם אחד מהם יותר מסאתים, גם האמצעי אסור, שהרי הוא פרוץ במילואו** - אבל החיצון השני שכנגדו שרי, שהרי אינו פרוץ במלואו להאמצעי.

והלכה כדעה קמייתא, **ומ"מ** לכתחלה אין כדאי להקל.

ואם החיצונים פרוצים במילואם לאמצעי, והאמצעי מגופף, ויחיד בכל אחד, אין נותנין לכל א' אלא בית סאתים - דהחיצונים אינם יכולים להצטרף עם האמצעי, דנחשוב כאלו כולם דרים בו, שהרי יש בו גיפופין המפסיקין ואינו פרוץ

במילואו להם, **ואף** שהוא יכול להצטרף עם כל אחד מהחיצונים, מטעם שהם פרוצים לו במילואו, ונחשב כאלו הוא דר ברשותם וכנ"ל, **מ"מ** אין בכל אחד מהם אלא שנים, (וזה הדין הוא לכו"ע).

ואם א' מהחיצונים יותר מבית סאתים, הוא לבדו אסור - ולא האמצעי, שהרי הוא מגופף ואינו פרוץ לו, וכ"ש החיצון השני שהוא רחוק ממנו.

ואם האמצעי יותר מבית סאתים, גם החיצונים אסורים, שהרי הם פרוצים למקום האסור להם.

אבל אם א' בכל א' מהחיצונים, ושנים באמצעי, או שנים בכל א' מהחיצונים וא' באמצעי, נותנין לשני החיצונים כל צרכם, דחשיבי כל מה שבאמצעי כאילו הוא בחיצונים - ר"ל עם כל אחד מהחיצונים.

אבל האמצעי אין נותנים לו רק בית סאתים, **וכל** זה הוא רק לדעת הי"א, אבל לדעה הראשונה, כשם שהחיצונים נעשים שם חצר לאמצעי, כן בעניננו נעשה האמצעי כחצר לחיצונות, ושרי גם בו כל צרכו.

בד"א, כשאינם פתוחים זה לזה יותר מעשרה, דא"כ הו"ל פרצה, וגם המגופפים אסורים - קאי אהא דאיתא לעיל, כשהאמצעי מגופף, והיה בחיצון יותר מסאתים, דהוא נאסר והמגופף מותר, **וע"ז** קאמר דאם היה הפרצה יותר מעשר, נתבטל שם המחיצה מהמגופף, וממילא גם המגופף אסור, [**וה"ה** דגם החיצון ממילא אסור, שהרי הוא פרוץ במלואו להאמצעי].

(והנה המ"א מפקפק בכל זה, דאפשר דגם לקולא נאמר, כיון שהוא פרוץ ביותר מעשרה, נתבטל המחיצה לגמרי, והוי כאלו כולו דרין ביחד, ומותר כל צרכו, **אמנם** בתו"ש חולק עליו, ע"ש).

וכל זה - קאי אהא דכתב לעיל, אבל אם אחד בכל אחד מהחיצונים ושנים באמצעי וכו', נותנים לשני החיצונים כל צרכם, **כשכותלי קטנה נכנסין לגדולה, וכשכותלי קטנה מופלגים ג' טפחים מכותלי אורך הגדולה** - ר"ל שיש בין קצה כותלי הקטנה עד כותלי הגדולה ג"ט. **או** אפי' כשאין נכנסין כותלי הקטנה, אלא שהיו כותלי הגדולה שבצד זה ובצד זה יתירים על רוחב הקטנה ד' אמות – מ"ב סי' שנח סי"ג.

דאז אוסרת הגדולה על הקטנה (עיין לקמן סימן שע"ד סעיף ג') - תיבות אלו ("דאז אוסרת") עד תיבות "סעיף ג", מוקף בתוך השו"ע של עולת שבת, ונכון הוא, **ומ"מ** בדוחק יש ליישב גם בלי היקף, ור"ל כמו דקי"ל לקמן בסימן שע"ד ס"ג, לענין חצר קטנה שנפרצה לגדולה, דאימתי הגדולה אוסרת על הקטנה, רק באופן זה, כן הוא הדין בעניננו.

דאל"כ הוה ליה נראה מבחוץ ושוה מבפנים - היינו דכשעומד בתוך הגדולה, נראה שנשארו קצת כותל בסוף הקטנה, ואף דכשעומד בתוך הקטנה אין הגיפופים נראים, מ"מ הוי כאלו יש גיפופים גם להקטנה, **ואי** אין בין כותלי הגדולה לבין כותלי הקטנה רק פחות מג"ט, אז אמרינן לבוד, והרי הוא כסתום עד קצה כותלי הקטנה, וא"כ הרי גיפופים נראים מבחוץ, ומהני אף לקטנה, **ונידון משום לחי** - לחי אין שייך לעניננו, אלא דר"ל, דכמו לענין לחי קיי"ל דאף דשוה מבפנים, כיון שנראה מבחוץ נידון משום לחי, כן לעניננו, אף דהעומד בתוך הקטנה נראה כפרוץ במילואו, מ"מ להעומד בתוך הגדולה נראה הגיפופין, חשבינן אותם גם להקטנה, **וכולם חשובין מגופפין, וכאילו אין א' מהם נפרץ לחבירו, ואין נותנין להם באחד מהם אלא בית סאתים.**

§ סימן שסא – דין גג הסמוך לרה"ר §

סעיף א- גג הסמוך לרשות הרבים בתוך י' טפחים, ולמעלה מעשרה לחצר - דהיינו שלצד ר"ה אינו גבוה י"ט, ולצד החצר הוא גבוה י"ט,

הואיל ורבים משתמשים בו - שמניחין כובעים וכלים קטנים על הגג, **הרי זה כרשות הרבים** - לאו כר"ה ממש, דא"ה לא היה מהני סולם, אלא ר"ל כעין

ר"ה, [דע"י שגבוה י"ט מצד החצר, לית עלה שם ר"ה אף שרבים מכתפים עליו].

ואסור לבעל הגג להשתמש בו מחצרו - אבל בגג מותר לטלטל בכולו, **עד שיעשה לו סולם קבוע מחצרו. איזהו סולם קבוע, כל שקבעו שם בין לחול בין לשבת** - היינו שעומד שם הסולם תמיד, אבל אם לפעמים מסלק ליה, הרי הוא כמאן דליתא.

ואילו לא היה גבוה י"ט אף לצד החצר, לא היה מהני סולם כלל, דהוי ר"ה גמור כשרבים מכתפים עליו, [**ולדעת** הי"א בסי' שמ"ה ס"י, לאו דוקא תשעה מצומצמין, אלא ה"ה עד עשרה, והמחבר סתם כן הכא, דהא כתב "הרי זה כר"ה"], וכשאין מכתפים עליו, הוי עכ"פ כרמלית, **אבל** השתא כיון דמצד החצר הוא גבוה י"ט, יש על הגג תורת רה"י, ומותר להשתמש עליו כשיש לו סולם קבוע לעלות בו מחצרו לגגו, דבזה גלי דעתו דמסלק לגגו מן בני ר"ה, ואין שייך רק לו.

ואם מצד ר"ה גבוה י"ט, א"צ סולם, [**ועיין** בתו"ש ופמ"ג שכתבו, דאפי' אם רק לצד רה"ר לחוד גבוה י"ט, ג"כ א"צ סולם].

ואם הגג נמוך פחות מעשרה טפחים מכל צד, ובתוכו עמוק י"ט, כגון שחקק הקרקע בתוכו והשלימו לי"ט, דעת המ"א דא"צ סולם, דאין שם כרמלית עליו כלל, דהוא רה"י גמור, **ורבים** מאחרונים חולקין עליו, ודעתם דמדרבנן שם כרמלית על גבו מלמעלה, כיון שהוא נמוך מי"ט מכל צד, וצריך סולם להתירו, **ובפרט** כשרבים מכתפין עליו, אפשר דהוא ר"ה גמור עי"ז, ואפילו סולם לא מהני להתירו.

סעיף ב - חצר שנפרצה במילואה, או ביותר מי', לרשות הרבים

– (כלומר דאם נפרץ במלואה, אפילו פחות מעשר, או שנפרץ יותר מעשר, ונשאר מקצת הכותל, **והטעם**, דפחות מעשר או עשר אמות שם פתח עליו ורה"י הוא, אבל יותר מעשר דאין דרך עולם לעשות פתח רחב יותר מעשר אמות, פרצה הוא ואסור לטלטל לשם מן הבית, וגם משם לר"ה אסור, דשם כרמלית עליו, **והנה** כאן מפרש המחבר דין חצר, דמסתמא אינו מקורה מלמעלה, ולא שייך לומר פי תקרה יורד וסותם, ובסיפא מפרש דין בית המקורה, דאיכא למימר בו פי תקרה יורד וסותם, וכמו שיבאר לקמיה).

מקום המחיצה נידון כצדי רשות הרבים - צידי ר"ה בעלמא נקרא, כשמעמידין אבנים גדולות או שנועצין יתדות סמוך לכותל שלא יזיקוהו קרונות, וההוא אויר שביניהם נקרא צידי ר"ה, ודינו ככרמלית ואסור לטלטל מתוכו לר"ה, **וקמ"ל** דאף בעניננו, אף דליכא שום הפסק בין החצר לר"ה, ועיילי ביה רבים להדיא ודרסי ליה, אפ"ה אין דינו רק כצידי ר"ה ושם כרמלית עליה, ואסור לטלטל ממקום זה לחוץ שהוא ר"ה, **ואם** כרמלית סמוך לחצר, מותר, דמכרמלית לכרמלית קמטלטל, **ובר"ה** שלנו יש להחמיר, [דהא לכמה פוסקים ר"ה שלנו ג"כ ר"ה הוא מן התורה].

שהוא כרמלית (כמו) שהוא החצר - ר"ל כמו שהחצר גופא שם כרמלית עליה, מחמת שהוא פרוץ ברוח רביעית, כן הוא ג"כ מקום המחיצה, **ונמצינו** למידין מלשון זה שני דברים: אחד, דבחצר זה אסור לטלטל כי אם בתוך ד"א, **שנית**, דממקום המחיצה לתוך החצר מותר לטלטל בתוך ד"א, דתרוייהו שם כרמלית עלה, וכדלעיל בסימן שמ"ו ס"ב וג'.

ואם נפרץ בקרן זוית, אפי' בפחות מעשר אסור - ר"ל שהפרצה אכלה בשתי הכתלים של החצר בסופן זה אצל זה, דלא נוכל לכנות הפרצה ההיא בשם פתח, דפתחא בקרן זוית לא עבדי אינשי, **ודוקא** לענין פרצה אמרינן כן, אבל אם עשה צוה"פ, וכ"ש אם עשה שתי מזוזות ומשקוף ממש, בודאי שם פתח עליה ושרי.

ומסתברא דאם היה הפרצה פחות מאמה, אין להחמיר, **אכן** בעה"ק להרשב"א מצאתי, דמשלשה טפחים ועד ארבעה צריכה שני לחיים, **ואם** היה ארבעה, אין לה הכשר עד שימעטנה מארבע וכו'.

ומשמע בגמרא, דאם הפרצה נעשה בשאר מקומות של הכתלים, אפילו היו בשתי כתלים, כל שאין בכל פרצה יותר מעשר אמות, שרי, **וע"ש** בתוספות, דדוקא אם היה העומד מרובה על הפרוץ, הא לא"ה אסור כשהפרצה הוא בשתי כתלים, וכ"כ הרשב"א בעבודת הקודש, [**והטעם**, דכיון דפרוץ מרובה על העומד, נתבטל העומד לגביה, וא"כ לא נשאר בחצר אלא שני כתלים, ואין שם רה"י עליה].

וכן בית שנפרץ בקרן זוית, אפי' בפחות מי', ונפרץ גם הקירוי עד שנשאר באלכסון, אסור - כלומר דלא תימא שאני בית, דאע"פ דאין להתיר מחמת פתח מפני שהוא בקרן זוית, מ"מ איכא משום פי תקרה שעל גבו יורד וסותם, **קמ"ל** דפעמים ליכא משום פי תקרה, דבזה שאין הקירוי שוה, לא אמרינן פי תקרה יורד וסותם, [**והטעם**, דע"י פי תקרה נעשה למטה החלל כפתח בעלמא, ופתחא לא הוי בקרן זוית]. (**אבל אם הקירוי** לא נפרץ, ועודף על מקום הפרצה, אמרינן דיורד וסותם עד למטה בארץ).

אבל פרצה שאינה בקרן זוית, אמרינן בה: פי תקרה יורד וסותם אפילו ביותר מי' - ואפילו אם היה זה ג"כ במלוא כל הכותל, שלא נשארו גיפופין כלל, **והנה** בדברי המחבר לא נתבאר, אם דוקא בדופן אחד כשהוא פרוץ אמרינן פי תקרה יורד וסותם, או אפילו בשתי דפנות, משום דלא פסיקא ליה דבר זה כדמשמע בב"י, **אכן** הרמ"א בהגהתו העתיק לדינא דברי הטור, דסתם כשיטת הפוסקים דס"ל, דאפילו פרוץ שתי מחיצות אמרינן פי תקרה יורד וסותם, וכדלקמיה.

והוא שלא יהא פי תקרה משופע דליכא פה - ר"ל דלא אמרינן דיורד וסותם רק כשהתקרה חלק, אבל לא כשהוא משופע כעין גגין שלנו שעומדים בשיפוע, אם לא היה תקרה תחתיה.

הגה: וי"א דבעינן ג"כ ברוחב הקירוי ד' טפחים - ר"ל דאז אמרינן פי תקרה יורד וסותם, **ולא** דמי לקורת מבוי בעלמא דסגי בטפח, דקורת מבוי אינו אלא להכירא בעלמא, **אבל** כל היכי דבעינן מחיצה, אז צריך שיהא בה דוקא ד' טפחים, ואז אמרינן פי תקרה יורד וסותם, **וכן** הלכה. (ואין לזוז מדברי הרמ"א).

(**ולדעת** בעלי שיטה זו, אפי' היה בשלשה רוחות מחיצות גמורות, ג"כ אין אומרים על מחיצה רביעית פי תקרה יורד וסותם, **אא"כ** היה רוחב הקירוי ד' טפחים).

(**ודע עוד**, דעת הרמב"ם דפי תקרה לא מהני רק שיהא מותר לטלטל בתוכו, אבל לא נעשה רה"י גמור עי"ז, והזורק מר"ה לתוכה פטור, **והראב"ד** פליג ע"ז, וכן הוא ג"כ דעת התוספות והרא"ש, דפי תקרה יורד וסותם הוא מדאורייתא).

ואמרינן פי תקרה יורד וסותם אפי' בב' מחיצות, אם יש כאן ב' מחיצות שלימות דבוקות זו בזו - פי' והמחיצות הנסתרים נשאר עליהם הקירוי שלא נסתר עמהם, **אבל זו כנגד זו, לא** - דאז הלא נראה מפולש, ואין פי תקרה מועיל לזה.

(**ואולי** דדעת הרמ"א רק להכניס דעה זו בתוך הי"א, אבל לא להחליט כדבריו).

§ סימן שסב – איזה מחיצה קרויה מחיצה לטלטל §

סעיף א - כל מחיצה שלא נעשית לדור בתוכה, אלא לצניעות - כגון מחיצה שעושין לנוח שם לשעה חוצב אבנים והבנאים, ושאוכלין ועומדים שם לשעה בהצנע, דאין זה מחיצת דירה אלא מחיצת הצניעות, **או לשמור מה שיתנו בתוכה** - שעשויה להניח שם פירות וכלים וכיוצא בהן, **או לישב בה כדי לשמור השדות** - (עיין בב"ח, והובא בא"ר ותו"ש, שמצדד דאם השומר יושב בה יום ולילה, ואינו הולך ללון בביתו, הוא בכלל דירת אדם), **היא מחיצה לטלטל מה שבתוכה** - ר"ל שע"י היקף המחיצה מותר לטלטל בכל תוך שטח המחיצה, אם אינה יותר מב"ס,

אבל אינה מחיצה לעשות מה שבתוכה מוקף לדירה, אם הוא יותר מב' סאתים.

(והנה לפי"ז לכאורה בנין שעושין להכניס שם תבואה או שארי סחורות, שקורין מאגאזי"ן, אם הוא יתר מבית סאתים, דינו כקרפף, כיון שאין עשוי רק לשמור ולא לדור בו, והוא דומה לרחבה שאחורי הבתים שעשוי להכניס שם עצים לאוצר, ואפ"ה אמרינן דבעינן ברחבה שיהיה הבית פתוח לשם, וגם שיהיה הפתח קודם ההיקף, אבל בלא"ה לא, **אך** יש לדון בזה, דאולי כיון שהוא מקורה הוא עדיף מרחבה, **אמנם** ברש"י איתא בהדיא, דבאינו עשוי לדירה, אפילו מקורה לא מהני, **והמעיין** ברמב"ם, משמע דאינו מפרש כפירש"י, ולדידיה שפיר

י"ל דבמקורה אין עליו שם קרפף בכל גווני, וגם די"ל דבנין חשוב כמו מאגאזי"ן שאני אפילו לפירש"י, דאין שייך בו שם קרפף כלל, ועכ"פ נראה פשוט, דאם בבנין הנ"ל משתמש שם גם יותר צרכי ביתו, הוא בכלל דירת אדם בכל גווני).

הילכך - כונתו על מה שסיים לבסוף: אבל יותר מבית סאתים לא וכו', **אילן שענפיו יורדים למטה, אם אינם גבוהים שלשה מן הארץ** - דהוי כלבוד לארץ, **ועיקרן במקום שמחוברין לאילן הוא גבוה עשרה** - וה"ה אם אין גבוהין עשרה טפחים במקום שמחוברין לאילן, אלא שבאמצע גבוהין י"ט, שעשויה כקשת, **אך** בין כך ובין כך צריך להיות ג"כ רחב ד"ט במקום שגבוהין י"ט, דאם הוא רחב ד"ט רק במקום נמוך מזה, הו"ל כרמלית, **חשוב מחיצה ומותר לטלטל בכולו** - היינו אפילו במקום שאין גבוה י"ט, דהו"ל חורי רה"י וכרה"י דמי.

והוא שימלא האויר שבין הענפים בעצים או בקש, ויקשור הענפים שלא ינידם הרוח - היינו דע"י המילוי מתחזק המחיצה שלא תתנדנד על ידי הרוח, ואפ"ה בעינן ג"כ קשירת הענפים בארץ בשביל זה, **שכל מחיצה שאינה יכולה לעמוד ברוח מצויה, אינה מחיצה** – (אפילו עושה אותה בביתו שאין שם רוח).

ודוקא עד בית סאתים – (ובזה מותר אפי' לא נטעו מתחלה לכך, דמחיצה העשויה מאליו הוי מחיצה), **אבל יותר מבית סאתים** - כגון שהיה ענפיו ארוכין מאוד, או שהיו הרבה אילנות סמוכין זה לזה, **לא, אפי' נטעו לכך** - להסתופף בצלו, **כיון שאינו עשוי לדור בתוכו, אלא להסתופף בצלו לשמור השדות** - ואם מילא הקש לשם דירה ממש, אפילו לא נטע האילן לכך, אם רוב הדופן מן הקש, הוי מוקף לדירה.

סעיף ב - תל שגבוה חמשה - טפחים מן הארץ, **והשלימו לעשרה, שעשה עליו** - היינו על שפת התל, **מחיצה גבוה חמשה, חשובה מחיצה לטלטל** - דתוך המחיצות מחשב כרה"י גמור, שיהא מותר לטלטל בתוכה, שמצטרף גובה התל להמחיצה להשלים הי' טפחים, **ולכל דבר** - היינו גם לענין הפסק שני חצירות, כמבואר לקמן סי' שע"ב ס"ו.

וה"ה חריץ שעמוק ה' טפחים, ועשה על שפת החריץ מחיצה גובה חמשה, מצטרפין להחשב מחיצה של עשרה טפחים.

(**ואם** הרחיק משפתו ג"ט, וכ"ש ד' טפחים ויותר, יש לעיין, דלכאורה לא מהני, ודוגמא מה דאיתא בסימן שנ"ח ס"ז, דאם הרחיק מחיצה חדשה מהישנה ג"ט תו אינה מצטרפת עמה, ושם הוא להקל, וממילא כאן יהיה דבר זה להחמיר, **או** דילמא דנחשוב כאלו היה תל עשוי באופן זה, שעושה מתחלה חמשה, ואח"כ מתרחק ג"ט ויותר ועולה עוד חמשה טפחים, דמסתברא דמצטרף כל שהוא מתלקט עשרה טפחים מתוך ד"א, **ומתוך** דברי הגר"א לעיל בסימן שנ"ח ס"ב בהג"ה בקושיתו שם על תה"ד משמע דמצטרף, ואפשר דתה"ד מחלק בכך).

(**יש להסתפק**, אם התל אין צריך שיהיה הה' טפחים דוקא בזקיפה, וכמו דאמרינן בעלמא, דאם מתלקט עשרה טפחים מתוך ד"א חייב, אפשר דה"ה הכא, אם מתלקט הה' טפחים מתוך שני אמות, מצטרף להמחיצה שלמעלה, **או** דילמא כל זמן שאין התל מתעלה בגובהו עשרה טפחים, עדיין ניחא תשמישתיה קצת להילוך, ואינו יכול להצטרף להמחיצה, וכאן מיירי שהתל היה בזקיפה).

(**עוד יש להסתפק**, אם התל היה פחות מג"ט, ועם המחיצה יהיה עשרה טפחים, אם נעשה עי"ז רה"י, דאולי כיון דפחות מג"ט בטל לגבי ר"ה, ונמצא דעשה מחיצה רק של שמונה טפחים על ר"ה).

סעיף ג - מחיצה העומדת מאליה, דהיינו שלא נעשית לשם מחיצה, כשרה - ואפילו לא סמכו עליה מע"ש.

מחיצה שנעשית בשבת, כשרה - ואפילו לא נעשית ג"כ לשם מחיצה, **והני מילי שנעשית בשבת בשוגג** - היינו שלא ידע שהיום שבת, או שהיה שגגת מלאכה, **אבל במזיד, הויא מחיצה להחמיר, לחייב הזורק מרשות הרבים לתוכה, אבל לא להתיר לטלטל בתוכה** - משום קנס, ואסור גם לכל

אדם לטלטל ע"י זו המחיצה באותו שבת, [**ועיין** בפמ"ג שמסתפק, אם גם לעושה המחיצה מותר לשבת הבאה, או לדידיה אסור לעולם, וכנ"ל בסי' שי"ח, **אכן** לדעת הגר"א דפסק כהתוס', בודאי גם לו מותר לשבת הבאה].

ואם צוה ראובן לשמעון לעשות מחיצה כדי לטלטל בה, או שידע ששמעון עושה בשבילו, והיה ניחא ליה שתעשה כדי שיוכל לטלטל בה, **משמע** מלשון הרמב"ם דשוב אסור לראובן לטלטל בה, אף ששמעון עשאה בשגגה, דלדידיה נחשב כמזיד.

וה"מ שלא היה שם מחיצה תחלה - וה"ה כשהיתה ונסתרה קודם שבת, **אבל היתה שם והסירה** - לרבותא נקט, וכ"ש כשהוסרה ממילא, **וחזרה ונעשית, אפי' במזיד, חזרה להתירה הראשון.**

כגון שנים או שלשה שהקיפו במחצלאות סביבותיהם ברה"ר - ר"ל בחול, ותקנו אותם באופן שלא ינידם הרוח, ועי"ז נעשה שם רה"י, **והבדילו גם ביניהם במחצלאות ועירבו יחד** - דאף שהמחצלת מפסיק ביניהם, אפ"ה כיון שיכולין להשתמש זה עם זה דרך המחצלת, דינו כאלו יש כותל ופתח או חלון ביניהם, שהרשות בידן לערב יחד, **מותרים לטלטל מזה לזה; נגללו המחצלאות** - שסביבותיהן ונתבטלו המחיצות, **נאסרו; חזרו ונתפרסו, אפי' במזיד, חזרו להיתרן הראשון.**

היה יכול לצייר בפשיטות, באיש אחד שהיה לו מחיצה גמורה, שעל ידה היה המקום רה"י, והסירה בשבת וחזרה ועשאה, **אלא** בא לאשמועינן בשנים ושלשה אנשים, דאפילו העירוב שביניהן לא נתבטל, ומותרין לטלטל מזה לזה כשחזרו ונפרסו המחצלאות.

ודעת רוב הפוסקים, דבמחיצה שנעשה על ידה בשבת רה"י, לא אמרינן דחזר להתירו הראשון כשנעשה במזיד, **רק** אם בלא"ה היה אותו המקום רה"י, שהיה מוקף מחיצות, ועשה מחיצה באמצע שעל ידה נתחלקו הדיורין, וערבו כל א' בפני עצמה, וכשנפלה אותה מחיצה נאסרו לטלטל, מפני שאוסרין זה על זה, אז אם חזר ועשאה אפילו במזיד, אף דבעשיתו עבר על איסור תורה, מ"מ חזר להתירו הראשון, כיון שבלא"ה הוא ג"כ רה"י, ואינה באה רק לחלק הדיורין, **וגם** בזה דוקא כשכבר היתה שם המחיצה אלא שנפלה, אבל אם לא היתה שם מחיצה ועשאה בשבת, אף שהוא רק לחלק דיורין, אסור.

סעיף ד - ספינה, מותר לטלטל בכולה, אפילו היא יותר מבית סאתים, דחשיבה מוקפת לדירה. (וע"ל סי' שס"ו - סעיף ב' בהג"ה, **וסוף סי' שפ"ב).**

כפאה לדור תחתיה, הוי רה"י אף עליה - דאמרינן גוד אסיק מחיצתא, ואפילו היא יותר מבית סאתים ג"כ מותר לטלטל שם, דכיון דלמטה מוקף לדירה, חשבינן כאלו למעלה ג"כ מוקף לדירה.

כפאה לזופתה, אין מטלטלין בה אלא בד' אמות אם הוא יותר מסאתים - דבזה שכפאה לזופתה ביטל מחיצותיה מתורת דירה, ולכן אף תחתיה אין מטלטלין בה אלא בד"א, כיון שהיא יותר מב"ס, וכ"ש למעלה.

סעיף ה - בכל עושים מחיצה, בכלים ובאוכפות - אף שהם עתידים לינטל אחר השבת.

בין של ערב לבד כגון של חבלים - המתוחים על יתדות התקועות בארץ, **או של שתי לבד, כגון קנים נעוצים בארץ; ומותרים עד סאתים** - ולא יותר, אפי' אם הקיף לדור ולהשתמש שם, כיון שהיא מחיצה גרועה, שתי בלא ערב וערב בלא שתי, (**וקאי** "עד סאתים" רק אשתי וערב, ולא על מה שכתב "בכל עושים מחיצה").

אפי' ליחיד בישוב - ר"ל אף שבישוב יכול להשיג ממה לעשות מחיצה טובה, אפ"ה מקילינן בה עד בית סאתים, וכ"ש כשהוא בבקעה.

ובלבד שלא יהא בין חבל לחבירו ובין קנה לחבירו ג"ט - ולא אמרינן בזה שפרוץ מרובה על העומד, דלבוד כסתום דמיא.

ולפי"ז יכול לעשות מחיצה של עשרה טפחים בארבעה חבלים, ואם בשלשה חבלים מחזיק עוביין יותר מטפח, יכול לעשות מחיצה ע"י ג' חבלים, כגון שמניח חבל התחתון בפחות מג' סמוך לארץ, וכן ממנו לחבל השני, וכן ממנו להשלישי, ובצירוף עוביין יהיה י"ט.

ואפי' בבעלי חיים, ובלבד שיהו כפותים - היינו שהוא כופתה מבע"י ומניחה, ואז מותר לטלטל ע"ז בשבת, **והטעם** דבעינן כפיתה: אחד, שלא יברחו, **וגם** דאל"ה יהיה הפסק בין חלל שבין רגלי הבהמה להארץ, אבל כשהיא כפותה, שוכבת בגופה על הקרקע, **ומיירי** שיש עשרה טפחים בגובה אף כשהיא שוכבת.

ואפי' באנשים שעומדים זה אצל זה בפחות מג', ואפי' כשהם מהלכים חשובים מחיצה, וביניהם רה"י - וכגון שהיו מוקפים מארבעה רוחות, ומחיצה גמורה היא ומועלת אפילו בר"ה, ועיין לקמן ס"ז בהג"ה, **וה"ה** דמחיצה כזו הוי הפסק לענין לדבר דברי תורה נגד מקום שאינו נקי, [**ופשוט** דבזה מועיל אפי' ידעו שהעמידם לשם מחיצה].

(**הקשה הב"ח, הא סתם אדם רחבו אמה, וא"כ אפילו יש ביניהם הרבה יותר מג"ט, ג"כ יהיה שרי, משום דעומד מרובה על הפרוץ, ותירץ המ"א, דלפיכך בעינן שיהיה פחות משלשה, משום רגליו דהם כקנים דעלמא, ומסתמא אין הרגלים דבוקים זה בזה, ובפרט כשהם מהלכים דיש בין רגל לרגל כשיעור חצי אמה, ובתו"ש כתב דהדין עם המ"א כשהוא מהלך, אבל לא כשהוא עומד, ולענ"ד קשה אפילו אם הוא מהלך, הלא השיעור ג' טפחים שיש ביניהם הוא רק בסוף הרגל ולא למעלה מזה, דהא הריוח שביניהם מתקצר והולך למעלה, וא"כ אף שלמטה יש חלל בין רגל לרגל ג"ט, הלא כשנמדד קצת למעלה מזה בתוך ג"ט בגובה, לא יהיה ג"ט חלל רחב בין רגל לרגל, ונימא לבוד, וצ"ע**).

והוא שלא ידעו שהועמדו לשם מחיצה; ואפילו אחד מהם יודע, אסור - אף דבמחיצה כזו אין בה משום בנין בשבת, מ"מ אסור כשידעו, כדי שלא יבואו לזלזל באיסור שבת, **ואפילו** בדיעבד אסור, ודינו כמחיצה הנעשית במזיד בס"ג, [**ואם** העמידם מע"ש, עיין בפמ"ג בשם עו"ש שמסתפק בזה, **ונראה** דבשעת הדחק יש להקל].

ואפי' אם לא הודיעם שעושה מחיצה עתה, אם קרוב הדבר שידעו, כגון שעשה מהם מחיצה פעם אחת, לא יעשה מהם מחיצה עוד - ואפילו בשבת אחרת, דמאחר שקרוב שירגישו, הו"ל כמעמיד מתחלה לדעת, **ולא** דמי לסעיף ו', דהתם מתחלה לא היה לו לחוש שידע.

ואם אדם אחר רשאי לעשות מהם מחיצה, הוי ספק, דשמא ירגישו בזה - מ"א בשם הבית יוסף, **ובא"ר** מיקל בזה.

ואפילו בפעם הראשון, אם לא היה לו אנשים כדי צרכו, והעמידן במקום אחד, ואח"כ אמר להם שילכו, והוא הולך ביניהם, אסור, שקרוב הדבר שירגישו, **ומה** דאמרינן דגם כשהם מהלכין מותר, הוא כשמהלכין מעצמן, או שיש סיעה גדולה של אנשים שהולכין, ואין ניכר מה שהוא הולך ביניהם.

[**בגמ'** מיירי בעובדא דרבא, כד הוי אתי מפירקיה, והיו מהלכין אחריו סיעה גדולה של בני אדם, ואיכא למימר שדוקא בכה"ג שלא שכיח שיתפרדו, **אבל** באנשים מועטים מסתברא שאין לסמוך ע"ז, דלמא יתפרדו בתוך כך עד שיהיה ביניהם פרוץ מרובה על העומד, אחרי דבעינן שלא ידעו שהועמדו לשם מחיצה, **ואמנם** כבר כתב בשו"ע גופא בס"ז בהג"ה, שאין לסמוך ע"ז אלא מדוחק, **ומסתפקנא** אם בר"ה יש לסמוך אפי' מדוחק, כשהם אנשים מועטים].

סעיף ו - אם באו מתחלה שלא לדעת, אע"פ שאחר כך הרגישו, אין לחוש.

סעיף ז - יש מי שאומר שלא יעמיד אותם אדם שהוא רוצה להשתמש במחיצה זו, אלא יעמיד אותם אחר שלא לדעתו - שכשם שצריך שלא ידעו האנשים שמעמידים אותם למחיצה, כך צריך שלא ידע האיש שמעמידים בשבילו בשעה שמעמידים אותם, **אבל** לאחר שכבר הועמדו, לכו"ע לא איכפת כלל במה שידע, וכדלעיל בס"ו.

והרשב"א חולק ע"ז, ודעתו שגם הוא בעצמו מותר להעמידם, ואין קפידא רק על האנשים בעצמן שעומדין למחיצה, שלא ידעו שהועמדו לזה, **ועיין** בא"ר שכתב שכן הוא ג"כ משמעות שארי פוסקים, וכן עיקר.

הגה: ואין לעשות מחיצה של בני אדם רק בשעת הצורך ובשעת הדחק; ואם שכח דבר אחד ברשות הרבים, יותר עדיף להוליך שם תינוקות

שיביאו הדבר בלא מחילה, מלעשות מחילה של בני אדם ושיביאנו גדול - והוא שאין התינוק יודע שחפץ זה הוא של אביו, ולהנאת עצמו הוא מתכוין בהבאתו אותו, שסבור שמצא חפץ בר"ה, **אבל** אם יודע שחפץ זה הוא של אביו, הרי הוא מתכוין מן הסתם בהבאתו בשביל אביו, וצריך כל אדם למחות בתינוק זה שלא יביאנו, וכ"ש שלא יוליכנו שמה כדי שיביאנו, (וכדמבואר בסי' של"ד סכ"ה – כף החיים), **וה"ה** אם החפץ הוא של אדם אחר, והתינוק יודעו ומכירו ויביאנו אליו.

וכ"ז באחרים, אבל אביו מצווה לחנכו ולגעור בו ולהפרישו כשרואהו מחלל שבת, אפי' להנאת עצמו, ואפילו באיסורי דברי סופרים, **וכ"ש** שלא יוליכנו שמה כדי שיביאנו, אפילו אין החפץ שלו.

סעיף ח - פרוץ מרובה על העומד, אסור - אפי' שתי מחיצות שלמות, וגם הדופן שבה הלחי או הצוה"פ עשויה כדין, ובמחיצה השלישית היה הפרוץ מרובה, נחשב אותה המחיצה כמאן דליתיה, ואפילו כנגד העומד נחשב כפרוץ, ונמצא שאין לו בסך הכל כי אם ג' מחיצות. (**ואין נ"מ בין אם היה תחלת עשיית המחיצה באופן זה, או שנתקלקל אח"כ**).

(**וכל האיסור דפרוץ מרובה על העומד הוא בהג' מחיצות, דבדופן רביעית נתבאר לקמן, בין בחצר ובין במבוי, דאף בפרוץ כולו, ורק שעשה תיקון כל שהוא, סגי, עי"ש כל אחד כדינו**).

אבל כשעומד מרובה (או פרוץ כעומד), מותר. **וי"א** שאפי' העומד אינו מרובה מצד אחד רק משני הצדדים, מצטרפים אהדדי ומתבטל הפרוץ לגביה. [**מה** שכתבתי בשם י"א, משום דדעת הרשב"א והריא"ז, דעומד משתי רוחות לא נקרא עומד מרובה על הפרוץ, **ודע** עוד, דאף לדעת האו"ז דמשתי רוחות הוי עומד לבטל הפרוץ, דוקא שהיה עומד גמור, אבל אם היה עומד רק ע"י לבוד, לא מצטרפי לבטל הפרוץ, **אבל** מדברי התוס' וריטב"א מוכח, דאין חילוק בזה בין עומד גמור ובין עומד שע"י לבוד, **מ"מ** להלכה אין להקל בזה, דלדעת הרשב"א וריא"ז בלא"ה בעומד מרובה על הפרוץ משתי רוחות לא חשוב עומד מרובה, וכנ"ל].

ואפילו אם העומד גופא שבשני הצדדים אינו במילואו, אלא יש בכל אחד ג"כ פרצה, אלא שהעומד רבה עליו, נחשב עי"ז כאלו כולו עומד, [וכדלקמן סימן שסג סעיף ל"ד], ומתבטל הפרוץ שבאמצע, **כגון** שהיה שטח הרוח רוחב חמשה עשר אמה, ונשאר בקצה הכותל אמה, ונפרץ אמה, ונשאר עומד שני אמות, ואצלו פרצה גדולה של שבעה אמות, ואצלו עומד שני אמות, ועוד פרצה אמה, ועוד פס אמה בקצה השני של הכותל, נחשב זה כאלו עומד מרובה על הפרוץ.

(**ועיין** בחזו"א סי' ס"ח סק"ג דחולק ע"ז, ומוכיח מסי' שס"ג סל"ד להיפך, דאין להתיר ע"י עומד מרובה אלא באופן שכשנצטרף את כל העומד שברוח זו יהיה מרובה על הפרוץ, וע"ש בסי' שס"ג).

אלא אם כן כל פרצה מהם פחותה מג' טפחים - דהוי לבוד וכעומד דמי, וע"כ אפילו אם בלא זה היה שם פרצה גדולה, כגון שמחזיק שטח אותו הרוח י"א אמה, והיה שם פרצה של חמשה אמות במקום אחד, ובששה אמות הנותרים היה בכולן פרצות קטנות של פחות פחות מג"ט, חשבינן אותן הפרצות כאלו הן סתומות, ונמצא שהעומד מרובה.

ואף דבפרוץ כעומד מבואר בס"ט, דעד עשר אמות נחשב לפתח, בפרוץ מרובה, אפילו ע"י פרצות של ג"ט ג"כ אסור, משום דהעומד מתבטל לגביה.

סעיף ט - פרוץ כעומד, מותר - דלא צריך שיהא העומד מרובה על הפרוץ, אפילו אם שוין הם ג"כ מותר, כיון שאין הפרוץ מרובה, **ואפילו** כנגד הפרוץ מותר לטלטל, דיש ע"ז דין מחיצה שלמה. (**ודע**, **דהא דקי"ל פרוץ כעומד מותר, הוא אפי' כל הארבע מחיצות עשויות כן**).

בין בשתי - שעומד ע"ג קרקע בגובה, ויש חללים רחבים בתוך המחיצה, עד שהפרוץ הוא שוה לעומד, [**וה"ה** אם היה הפרוץ במקום אחד, שחצי הכותל נפרץ].

בין בערב - דע, דכל מחיצה צריך שלא יהיה בתחתיתו חלל ג"ט, דאם היה בו חלל ג"ט, אפילו למעלה עשה השבעה טפחים בלא שום חלל, דנמצא שהעומד מרובה על הפרוץ, או שהיה למעלה עשרה טפחים שלמים, ג"כ לא מהני, דהו"ל מחיצה שהגדיים בוקעין תחתיה.

וכן אם המחיצה היה למטה גובה ששה טפחים, והרחיק שלשה טפחים שלמים, [דאל"ה הוי לבוד], והעמיד

למעלה עוד פס והשלימו לעשרה טפחים, ג"כ לא מהני, אף שהעומד מרובה על הפרוץ, דאתי אויר של חלל ג"ט שתחת הפס, ואויר שלמעלה מן הפס עד לרקיע, ומבטלי ליה להפס שבאמצע.

וכן אם עשה למטה בתחתיתו שלשה טפחים, וכן למעלה ג"ט, ובאמצע נשאר רוחב ד"ט חלל, אף שבסך הכל יש עומד של ששה טפחים, ומרובה הוא על החלל שבינתים, לא הוי מחיצה, דאתי אוירא דלמעלה והאויר ד"ט שבאמצע, ומבטלי ליה להג"ט, [**וכ"ש** להרשב"א והריא"ז בלא"ה לא מהני, דהוי עומד משתי רוחות, ולדעתם לא הוי עומד].

אבל אם עשה למעלה ארבעה טפחים, ובתחתיתו ג"ט, ובאמצע נשאר ג"ט חלל, בזה לא אמרינן דהאוירין מבטלי ליה להארבעה טפחים עומד שלמעלה, שאחרי שהוא מרובה על האויר שתחתיו, אין יכול האויר לבטלו, דאדרבה האויר בטיל לגביה, וכאלו סתום כולו דמיא.

והנה בזה הציור שציירנו, העומד מרובה על הפרוץ, ופרוץ כעומד לא משכחת לה בערב, (**דאם היה פרוץ כעומד, וכגון שעשה למעלה פס של שלש ומחצה טפחים, והחלל נמי שלש ומחצה טפחים, {ולמטה פס של ג"ט, דבלא"ה אין מחיצה כלל}, לא נוכל להתיר בזה מחמת פרוץ כעומד, דכיון שיש אויר למעלה מהפס העליון עד לרקיע, אמרינן אתי אוירא דהאי גיסא ודהאי גיסא ומבטלי ליה להפס, ודוקא בעומד מרובה על הפרוץ, כגון שהיה הפס ארבעה, ובאמצע שלש, אז לא אמרינן אתי אוירא ומבטלי ליה, אבל לא כשהפרוץ שוה לעומד),** **והנה** לשון זה של המחבר הוא נובע מלשון הטור, ונראה דהטור לאו דוקא נקט "פרוץ כעומד" לענין ערב, ומשום שתי נקטיה, ותדע, דבפסקי הרא"ש לא כתב שם רק דעומד מרובה על הפרוץ מתיר בערב.

ובלבד שלא יהא במקום א' פרוץ יותר מעשר - דעי"ז נחשב כל הכותל כאלו אינו, ואפילו העומד מרובה על הפרוץ, **אבל עד עשר אמות** - ועד בכלל, **מותר, מפני שהיא כפתח.**

סעיף י - אם עשה צורת פתח, אפי' לפרצה יתירה מעשר, מותר - דשוב אין נחשב המקום ההוא לפרצה, ואפילו כשכל הארבעה רוחות היה בהן פרצות כאלו.

ואפי' לא נעץ אלא ארבע קונדיסין בארבע רוחות ועשה צורת פתח על גביהן, מותר - לטלטל בתוכן, דכדפנות שיש בהן פתחים חשיבי.

והני מילי בחצר ומבוי שיש בהם דיורין - ר"ל שנפלו כותליה, ועשה שם קונדסין בצורת פתחים, ומפני שיש בהם דיורין, דרך להיות שם פתחים הרבה, לכך התירו.

אבל בבקעה לא מהני בשכל הרוחות על ידי צורת פתח - לאפוקי אם היה ההיקף כתיקונו, אלא שיש בה פרצות יותר מעשר, מהני צורת הפתח אפילו בבקעה בארבעה רוחותיה, אפילו אם היה הפרוץ מרובה על העומד.

לא מהני בשכל הרוחות כו' - (**ודוקא ביותר מעשר לא מהני, אבל בעשר מהני אף בבקעה**).

(**ודע עוד, דאם עשה ד' קונדסין בר"ה בצוה"פ, בודאי לא מהני אף בי', דהא אין מערבין ר"ה כי אם בדלתות**).

(**הפמ"ג נסתפק בצוה"פ של ד' קונדסין, אי הוי מחיצה דבר תורה ולחייב הזורק בו מר"ה, או דצוה"פ מהני רק להתיר כרמלית, או פרצה יותר מעשר, דמן התורה הוי מחיצה, משו"ה מהני צוה"פ, ודע, דכ"ז דוקא בארבע קונדיסין, שאין מחיצה ביניהן רק קנה מלמעלה על גביהן, אבל אם יש שתי מחיצות שלימות בשתי רוחות, ובשאר שתי הרוחות, או אפילו באחת, עשה כמין צורת הפתח, משמע דלכו"ע נעשה רה"י עי"ז**).

ולהרמב"ם אין צורת הפתח מועיל לפרצה יותר מעשר, אא"כ עומד מרובה על הפרוץ, (ואז מהני אפי' בבקעה בכל הרוחות) – (דהיכא דאיכא עכ"פ תרתי לריעותא, דהיינו יותר מעשר, וגם פרוץ מרובה על העומד, ס"ל להרמב"ם דלא מהני), **אבל** בעשר מועיל, אפי' פרוץ מרובה על העומד, ואפי' בבקעה, ואפי' כל הד' רוחות ע"י צוה"פ.

ופעמים מועיל אפילו בפרצה יותר מעשר, כגון ברוח שלישי של מבוי מהני צורת הפתח, ואפילו לדופן כולו כשהוא מפולש, כיון ששתי דפנות שלימות.

ונכון לחוש לדברי הרמב"ם, שגם דעת הסמ"ג והסמ"ק הוא כן.

(ביאור הלכה) [שער הציון] ‹הוספה›

סעיף יא - מהו צורת פתח, קנה מכאן וקנה מכאן, וקנה על גביהן – (ואפילו כל שהוא סגי), וה"ה ע"י חבלים.

ואפילו קנה אחד גבוה מחבירו הרבה, והקנה העליון מונח בשיפוע, [פמ"ג, **ובחידושי** רעק"א מסתפק אם מונח הרבה בשיפוע, **ואם** ראש האחד מונח ע"ג קנה הגבוה, וראש השני תלוי באויר, מחובר לכותל, והקנה הנמוך מכוון תחתיו, בודאי מהני].

אפי' אינו נוגע בהן אלא שיש ביניהם כמה אמות - דאמרינן גוד אסיק, והקנים עולים עד החבל, וכגון שהחבל קשור למעלה לאיזה דבר.

ובלבד שיהא גובה הקנים שמכאן ומכאן י"ט, ויהיו מכוונים כנגד קנה העליון - ר"ל ששני הקנים יהיו מכוונים ממש נגד הקנה העליון, ולא מרוחק ממנו אפי' כל שהוא, ואפי' אם קנה אחד לא היה מכוון כנגדו אלא רחוק כל שהוא, פסול, **והטעם**, דאפילו אם נימא גוד אסיק, הלא יהיה הקנה העליון מן הצד, ולא מהני וכדלקמיה, **ואם** שני הקנים שלמטה אינם מכוונים זה כנגד זה, צריך לצמצם שקנה עליון שעל גבן יהיה ג"כ באלכסון, מכוון נגד שני הקנים שתחתיו.

ואם חיבר הקנה העליון לשני הקנים או לא' מהן מן הצד - פי' שלא נתן העליון על שני הקנים העומדים, אלא חברו להם מן הצד, **לא מהני** - לפי שאינו דומה לפתח, שהמשקוף ניתן על שתי המזוזות.

ואם העמיד קנה אחר תחת איזה מקום שהיה מן הצד, כשר, **ומ"מ** יש לשלוף קנה הפסול מפני הרואים.

ודע, דמה שמקיל הט"ז אפילו עשאו מן הצד, אם עשאו בגובה הקנה בשוה עם הקנה ממש, שאין הקנה העומד בולט למעלה מן החבל, **כל** האחרונים חולקין עליו, וס"ל דבעינן שיהיה החבל ע"ג הקנים ממש.

ואם הקנה שלמעלה תחוב בין קנה לקנה, שנחקק קצת בקנים כעין שעושין האומנים, והקנים עודפין למעלה על גב הקנה שמונח ביניהם, מסתפק הפמ"ג, ומצדד בזה להחמיר, **אבל** אם אין הקנים עודפין למעלה, אלא שחקק רק מעט באמצעיתן להניח החבל בתוכו, שיהא מונח בטוב ולא ישתלשל למטה, שפיר דמי, דמיקרי זה על גבו.

וכן אם נועץ מסמר בראש הקנה, וקושר בו החבל, שפיר דמי, דהא מונח מלמעלה נגד הקנה.

ואם כרך החוט סביב הקנה מן הצד, עד שבכריכתו העלהו על ראשי הקנים, ג"כ כשר.

אם יכול לסמוך על הטעליגראף במקום צוה"פ, עיין בתשובת מאמר מרדכי, ובתשובת שואל ומשיב, ובתשובת בית שלמה.

וצריך שיהיו הקנים שבצדדים חזקים לקבל דלת כל שהוא, אפילו של קש או של קנים; אבל קנה שעל גבן סגי בכל שהוא, ואפילו גמי מהני - ומ"מ אותו גמי צריך שלא ינטל ע"י רוח, **וכתב** בספר מחצית השקל, דמ"מ קיל קנה שעל גבן מקנה שבצדדים, דאותן שבצדדים צריך ליזהר שלא ינידם הרוח, כיון דהם משום מחיצה, ומחיצה שהרוח מנידה לא מיקרי מחיצה, **אבל** הקנה שעל גבן, נהי דצריך ליזהר שלא ינטל ע"י הרוח, אבל אי הרוח ינידו אין בכך כלום, דעיקר המחיצה תלוי בשני הקנים העומדים מן הצד, **ויש** מאחרונים שמחמירין בזה, ולדידהו בשעושין העירוב ע"י חבל, צריך למתחו בחזקה, כדי שלא ינידו הרוח. [**ואם** החבל שנותנין ע"ג הקנים נכפף למטה בעיגול, יש לזהר לתקנו].

סעיף יב - כיפה (פי' שער העשוי ככיפה, רש"י), אם יש ברגליה, דהיינו קודם שהתחיל להתעגל, י' טפחים, מותרת משום צורת פתח - ר"ל דלא מצרפינן מקום העיגול לגובה יו"ד טפחים, שצריך להיות צורת הפתח.

§ סימן שסג – דיני מבוי ולחי §

סעיף א - מקום שיש לו ג' מחיצות - היינו כגון מבוי שפתוח לרוח רביעית, או חצר שנפרץ אחד מכתליו, ובין שפתוח לכרמלית או לר"ה, **אסרו חכמים לטלטל בו** - שיעור ד' אמות, וטעם

שאסרוהו, דכיון שרוח רביעית פתוח לגמרי, דומה קצת לר"ה, ואי נתיר בזה יבואו לטלטל גם בר"ה.

עד שיעשה שום תיקון ברביעית - היינו כמבואר לקמן בסעיף ב' וג', לכל אחד כדינו.

(ולענין אי מקרי רה"י מן התורה לחייב הזורק מתוכו לר"ה, יש פלוגתא בזה בין הראשונים, דלדעת הרמב"ם, לא מקרי רה"י מן התורה אלא בארבע מחיצות, או עכ"פ בג' מחיצות שלימות, ולחי בכותל ד' דחשיב כמחיצה, וכן מוכח דעת ר"ח, **אכן** לדעת רוב הפוסקים, בשלשה מחיצות, או בשתי מחיצות ולחי, רה"י גמור הוא מן התורה, **ודע**, דאין נ"מ לדעה זו אם שתי המחיצות היו כמין גם, או שתי המחיצות היו זו כנגד זו, דגם בזה מקרי רה"י מן התורה, כיון שיש לו עוד לחי, **אכן** אם ר"ה מהלכת בין המחיצות, לכו"ע לא מהני בזה הלחי לשויה רה"י, כיון דרבים בוקעין בין המחיצות, **ודע עוד**, דיש קצת מן הראשונים דעושין הכרעה בין השיטות, ומובא בט"ז, דהיכא שפתוח המבוי או החצר הזה לר"ה, כיון דזמנין דחקי ביה רבים ועיילי לגויה, אין עליהם מן התורה שם רה"י).

סעיף ב - חצר שנפרץ - ר"ל למקום האסור לה, **במילואו** - כלומר כל הכותל, **עד עשר אמות** - ועד בכלל, **ניתר בפס רחב ד' טפחים, שיעמידנו מצד א' במקום הפרוץ; ואם ירצה לתקנו בשני צדי הפרצה, די בשני פסין של שני משהויין** – (אף שהוא ממש כמו לחי, קראו בשם פס, אגב דאמר ברישא פס רחב ד"ט).

ואף דבעלמא קי"ל, דאם נפרץ הכותל עשר אמות נחשב הפרצה כפתח, הכא שכל הכותל נחסר, לא נוכל לחשוב זה המקום לפתח.

והוא הדין לנשתייר מהם כותל רביעי בנוי כשיעור ארבעה טפחים במקום אחד - היינו בראש הכותל, [דאל"ה אתי אוירא דהאי גיסא ודהאי גיסא ומבטל ליה].

או אם נשתייר מהשני צדדים טפח מכאן וטפח מכאן - לאו דוקא טפח, אלא די בשני משהויין, וכנ"ל במעמיד פסין לכתחלה, וכמש"כ בב"י, (ואע"ג דבד"מ כתב, דבנשתייר גרע ממעמיד פסין לכתחלה, וכמו שכתבו התוספות, מ"מ לדינא נראה כמו שכתב בב"י, **אך** לכתחלה דעת הח"א, דנכון להחמיר בדבר כהשו"ע, אם לא בשעת הדחק).

וכל זה בגובה עשרה טפחים - וא"צ שיהיה שוה בגובה לשאר הכתלים, מיהו בפחות מי"ט אין עליו שם מחיצה כלל.

ואפילו אין בפרצה ד' טפחים, כיון שהוא במילואו צריך תיקון - האי במילואו לאו דוקא, דאפילו אם נשתייר מהכותל ב' או ג' טפחים, כל שהוא מיעוט לגבי הפרוץ, צריך תיקון, **אלא** אתי לאפוקי היכי דהעומד מרובה, דבזה קי"ל דרובו ככולו, והוי כסתום, ואע"פ שאינו מחזיק ד' טפחים, כל שהוא משהו יותר מהפרוץ סגי. ‹**ואמאי** לא די בעומד כפרוץ, וכדלעיל סי' שס"ב ס"ט, וצ"ע›.

(**כתב המ"א**, דאפשר דמיירי שהחצר רחב באמצע, ובקצהו הוא קצר, שאין בכל מילואו שם רוחב ד' טפחים, **אבל** אם כל החצר פחות מד"ט, א"צ תיקון, עכ"ל, ולענ"ד דבריו נכונים לדינא בזה, דכל שאין בו ד', מקום פטור הוא וא"צ כלום).

עד שיהא בה פחות מג' - פי' שיתקן הפרצה במקצת ולא ישתייר אלא פחות מג', דאז הוי כלבוד, **וכ"ש** אם הפרצה לא היה אלא פחות מג', דא"צ שום תקון מטעם זה, [**ובב"ז** אפי' הפרוץ מרובה על העומד, דבכלל גדול הוא, דלבוד כסתום דמיא].

ואם יש בפרצה יותר מעשר אמות, אפילו אינה במילואו, צריך לתקנה בצורת פתח - האי לישנא ‹"אפי' אינה במילואו"› לאו דוקא, דאפילו העומד מרובה על הפרוץ ג"כ אסור, דכאלו נפרץ כל הכותל דמי. **וצוה"פ** מהני אפילו כשהיא במילואה, [וכ"ש בשלא היה רק פרוץ מרובה על העומד, **ואפי'** לדעת הרמב"ם המובא בסי' שס"ב ס"י, ג"כ מהני, דדוקא כשהיה פרוץ כזה מארבע רוחות, אבל ברוח אחת או בשתים מהני].

סעיף ג - מבוי שיש לו ג' מחיצות ופרוץ בצד רביעי, התירו בלחי, (פי' תרגום הקרש האחד, לוחא חדא) - ואף דבחצר בעינן דוקא פס רחב ד' טפחים, הכא הקילו חכמים, **והטעם**, שכל

שהוא עשוי יותר לדירה ולתשמישי הצנע, צריך מחיצות יותר גמורות, **ולפיכך** החצרות שדרכן של בעלי בתים להשתמש בהן יותר בתשמישי הצנע ולאכול, צריכות מחיצותיהן להיות יותר גמורות, שיהיה שם רה"י עליהן, מהמבואות שאין משתמשין בהן בתשמישי הצנע, ולפיכך די במבוי בלחי.

ועיין לקמן סכ"ו, שזהו דוקא כשאין רחב פתחו יותר מעשר אמות, ועוד פרטים, עי"ש.

שעביו ורחבו כל שהוא - אפילו פחות מאצבע, **שיעמידנו בפתח המבוי, ויהיה גבהו י"ט** - מרווחים ולא מצומצמים, ועשרה טפחים מהני אפילו למבוי שגבוה עשרים אמה.

ומכל דבר שיעשנו כשר, אפילו מבעלי חיים, ובלבד שיקשרנו שם בחבלים לכותלי המבוי ביתדות שיוצאים מן הכתלים בענין שאינו יכול לרבוץ, כדי שלא יתמעט גבהו מי"ט. (ואפילו קשר שם אדם נמי הוי לחי) - ומיירי שלא הודיעו שהעמידו לשם לחי, א"כ בודאי ילך לו, שלא יעמוד שם כל היום, לכן בענין דוקא קשר, **ויש** מחמירין אפילו בהודיעו, שמא ישכח וילך משם, [**ולפי"ז** דמיירי בהודיעו, ע"כ מיירי שקשר מע"ש, דאסור לעשות מחיצה בשבת].

סעיף ד - אם יש קצת כותל ברוח רביעי, עולה משום לחי - אף דלא נעשה לשם לחי, קי"ל דלחי העומד מאליו ג"כ כשר, וכדלקמן בסי"א.

ובלבד שיהא בו רוחב טפח – (המחבר אזיל לשיטתו, דפסק לעיל גם לענין חצר, דבנשתייר מן הפרצה בעינן שיהא דוקא פס של טפח מכאן ומכאן, וחמיר הדבר יותר מאם עשה פסין לכתחלה דסגי במשהו, **ולפי"ז** לפי מה שהכרענו לעיל לדינא מכמה ראשונים, דלא חמיר נשתייר מאם עשה לכתחלה, וסגי במשהו, ה"ה בענינינו לענין מבוי, עולה לשם לחי אפילו נשאר רק משהו מן הכותל, **ובלבד** שראו דבר זה מע"ש, והוי בסתמא כאלו סמכו ע"ז).

סעיף ה - לחי דאי נשיב ביה זיקא לא מצי קאי, לא חשיב לחי - וה"ה כשעושין צוה"פ, דלא עדיף ממחיצה שאינה יכולה לעמוד ברוח מצויה שאינה מחיצה, ואפילו אין הרוח מפילו לארץ אלא מנידו.

ונ"ל דאם הלחי למטה אינו מתנענע, כגון שקבוע במסמר או שקשור היטב להכותל, ומחמת זה אינו מתנענע עד משך גבוה עשרה טפחים, ורק למעלה הוא מתנענע ע"י הרוח מפני רוב גובהו, כשר, דדל מה שלמעלה, נשאר ג"כ שיעור לחי.

[**ולכאורה** נראה, דבצוה"פ אפי' הלחיים שקבועין בשני הצדדים אינן מתנענעים עד משך גבוה עשרה טפחים, כגון שקבועין במסמרים אצל הכותל, או שקשורים היטב, ורק בגובה למעלה הם מתנענעין עם הקנה שעל גביהן, ג"כ לא מהני, דנתבטל מהם שם צוה"פ, ורק שיש להם שם לחיים בלבד, **אמנם** לפי מה שהסכים בספר מחצה"ש, שבקנה שעל גביהן אין להקפיד אם הוא מתנענע, ורק שלא ינטל לגמרי ע"י הרוח, **גם** בזה יש להכשיר אם עשרה טפחים התחתונים אין מתנענע, ומה שהלחיים מתנענעים למעלה, דל להן כאילו אינו, ג"כ מתכשר ע"י הקנה שלמעלה, דמהני אפי' רחוק כמה אמות גובה מהקנים שבצדדים].

[**אמנם** מה שיש להסתפק בזה, אם הקנה שלמעלה קצר מרוחב המבוי, כגון שרוחב המבוי הוא י"ב אמה, והקנה הוא רק עשרה אמה, והקנים שבצדדים עומדים בשפוע קצת, ומתקשר הקנה הקצר על גביהן, בזה יש לכאורה להסתפק אם הקנים שבצדדים מתנענעים אם מהני, **דהכא** אם תאמר דל החלק שלמעלה בהקנים כאילו אינו, לא תהני תו הקנה שעל גביהן, **או** אולי כיון דעיקר המחיצה שהוא יו"ד טפחים התחתונים, עומדים בחוזק ואינם מתנענעים, לא איכפית לן אם העודף של המחיצה מתנענע, ונגרר העודף בתר עיקר המחיצה, וצ"ע].

סעיף ו - צריך שלא יהא הלחי רחוק מן הכותל ג' טפחים - י"א שהטעם, משום דאתי אוירא דהאי גיסא ודהאי גיסא ומבטלין ליה, **ולפי"ז** אם הלחי היה רחב יותר מג"ט, כשר, אף שהלחי היה רחוק ג"ט מן הכותל, דהא הוי עומד מרובה על הפרוץ שבצדו, ובכגון זה לא אמרינן אתי אוירא ומבטל ליה, **ויש** אומרים דבכל גווני צריך להיות הלחי בתוך ג"ט לכותל, [**והטעם**, משום דהו"ל מחיצה שהגדיים בוקעין בו, וע"כ

פסול בכל גווני, **ואף** דבעלמא גבי עומד מרובה על הפרוץ לא משגחינן במה שהגדיים בוקעין בו, ע"כ דהכא גבי תיקון לחי שאני], **ויש** להחמיר.

והיכי שקובע צוה"פ למבוי, דעת הרבה מהפוסקים שא"צ לדקדק שיהא בתוך ג"ט לכותל, דצוה"פ מחיצה גמורה היא, **ויש** פוסקים דס"ל, דאין חילוק בין צוה"פ ללחי לענין זה, [**ובספר** מקור חיים מסכים לפסול דוקא כששני הקנים רחוקים מכותל, אבל לא כשאחד רחוק מכותל], **ובשעת** הדחק יש לסמוך להקל.

ואם יש ד"ט בין צוה"פ להכותל, דעת הח"א דצריך להעמיד לחי אצל הכותל, **ולדידי** צ"ע גם בזה, (**דטעמו, דהוי כאלו נפרצה בראשה, והנה הוא אזיל לשיטתו דפסק כהמ"א, דאם נפרצה פרצה בראשה בד"ט, צריך לחי אצל הפרצה, אבל לפי מה שהכריעו הרבה אחרונים לדינא דלא כהמ"א, אלא דלצד ראשו א"צ שום תיקון, וכההיא דסעיף ל"ד, וניתר בעומד מרובה על הפרוץ, ה"ה הכא בענינינו**), **ולכתחלה** בודאי נכון לחוש להחמיר, אפילו ברחוק ג' טפחים מן הכותל.

סעיף ז - לחי, אפילו שברים ושברי שברים - ר"ל מדובקים, **כשרים בו** - ובלבד שיוכל לעמוד ברוח מצויה, ולאפוקי קורה, דבעינן דוקא שתהיה חזקה כדי לקבל אריח, וכדלקמן בסי"ז.

וה"ה אבנים היוצאים מן הכותל, ומובדלים זו מזו פחות מג"ט, הוי לחי ממש, והוא שיהא בין כולן גבוה עשרה טפחים, [**ועיין** בתו"ש שמצדד לומר, דזהו דוקא לענין לחי, אבל לא מהני לחיים כאלו לענין צוה"פ].

הגה: ולכן עושין לחי מסיד טחוי בכותל - דלא גרע משברי שברים דמותר בלחי, **וה"ה** לענין צוה"פ דבעינן שיעשה לחיים מכאן ומכאן, אם ירא שיפילם הרוח, מותר לעשותן ע"י סיד מחוי בכותל מכאן ומכאן, והקנה שלמעלה יהיה מכוון על גביהן, [**ואף** דבצוה"פ בעינן שתהא בריא שיוכל להעמיד בה דלת של קשין, י"ל דע"י הכותל שהסיד טחוי ומחוי בה, חשבינן לה בריאה], **ומ"מ** בעינן שיהיה בו ממשות קצת עכ"פ כחוט, אבל מראה סיד לבד, או רושם בנתר שקורין קריי"ד, או שאר צבע, לא מהני.

ובלבד שיזהר שלא יתמחה - היינו ע"י כלבים וחזירים שרגילים להתחכך בכתלים, ומוחקין מן הכתלים את מיחוי הסיד הסמוך לארץ, ואז לא מהני שוב לא ללחי ולא לצוה"פ, **יותר משלש לארץ** - האי לישנא לאו דוקא, דאפילו נמחה רק שלש בצמצום, ג"כ בטל ממנו שם לחי, וכדלקמיה בסעיף יו"ד.

סעיף ח - לחי שעשאו מעצי אשירה, כשר - הטעם, משום דכיון דלחי א"צ שיעור, דבכל שהוא סגי, וכדלעיל בס"ג, אפי' מעצי אשרה מהני, אע"ג דעצי אשרה עומד לשריפה, וכמאן דשרוף דמי, ומכתת כתות שיעוריה, מ"מ הא לא בעי שיעור, **ואע"ג** דהא מ"מ בעי עכ"פ שיעור בגובהו י' טפחים, כיון דיכול לעשותו קו דק מאוד של כל שהוא, לא החמירו חכמים בשיעור זוטא כי האי, [**ולפי"ז** אם עשה שתי מחיצות ולחי, דקימ"ל בעלמא דלחי משום מחיצה, והוי כג' מחיצות, ומדאורייתא רה"י הוי לרוב פוסקים עי"ז, אם עשה הלחי הזה מעצי אשירה, לא יהיה רה"י, דרק לענין תיקון דופן רביעי שהוא מדרבנן שייך טעם זה, **ואולי** דכתותי מכתת שיעוריה לא הוי אלא מדרבנן ולחומרא].

ועוד תירצו בזה, דבלחי אפילו היה נשרף העץ לאפר, והיה מגבל לאפר ומדבק לכותל, ג"כ חשיב לחי, ובלבד שלא יהא ניטל ברוח, ולכן אין נפסל מחמת שעומד לשריפה, [**ולפי** טעם זה, אם עושה צוה"פ, דבעינן קנה מכאן וקנה מכאן וקנה על גביהן, אע"ג דסגי בכולן במשהו, מ"מ אם עשה הקנה שעל גביהן מעצי אשירה, לא מהני].

בגמרא איתא, דעושין לחי אשרה, ומשמע אפילו לכתחלה, **ואין** להקשות, נהי דבלחי כיון דאין צריך שיעור, לא שייך בזה כתותי מיכתת שיעוריה, מ"מ הא אסור בהנאה, **י"ל** כיון דהלחי אינו אלא לצורך מחיצה, ובה גופא לא משתמש במידי, לא חשיב הנאה מה שנהנה על ידה היתר טלטול.

סעיף ט - בין שנראית בליטת הלחי לעומדים בתוך המבוי, ואינה נראית לעומדים בחוץ - כגון שהעמיד הלחי רחבו לצד ארכו של מבוי, ולא משך קצה רחבו קימעא כלפי חוץ, אלא השוה חודו החיצון לעובי כותל המבוי, ודומה כמי שמוסיף על עובי הכותל, ואינו נראה מבחוץ כלחי, אבל חודו הפנימי נראה לעומדים שם בפנים.

בין שנראית לעומדים בחוץ, נגד חלל המבוי - כגון שנתן כל הלחי לחוץ המבוי, וחודו הפנימי עומד אצל עובי הכותל, אבל לא העמידו בשוה לשפת עובי הכותל של צד תוך המבוי, דא"כ לא היה נראה כלחי אלא כמוסיף על הכותל, אף להעומדים בר"ה ‹נגד חלל המבוי, ואינו כשר אא"כ נראה לעומדים בחוץ נגד חלל המבוי בסמוך לו - הגר"ז›, אלא הרחיקו מזוית עובי הכותל של צד פנים, והעמידו לשפת עובי של צד אחורי המבוי, דע"ז ניכר להעומדים בחוץ בר"ה נגד חלל המבוי שהוא לחי, **ואינה נראית לעומדים בפנים** - ר"ל לאותן העומדים תוך המבוי אין הלחי נראית, שאין עשויה בפנים, **כשר.**

סעיף י - הרחיקו מהכותל שלש, ‹פסול› - אע"ג דכבר שנאו בס"ו, חזר ושנאו לאשמועינן שהוא לעיכובא, **או שהגביהו מהארץ שלש, פסול** - היינו אף דאית בלחי י' טפחים, והטעם, דלא עדיפא ממחיצה שנטולה ג' טפחים מן הארץ, דפסולה משום דהוי מחיצה שהגדיים בוקעין תחתיה, דלא שמה מחיצה.

ואם הגביהו פחות משלש, אע"פ שאין בו אלא שבע ומשהו, כשר - מטעם לבוד, והוי כמלא זה המקום הפנוי.

סעיף יא - אפילו לא עשאו לשם לחי, אלא שנזדמן לו שם מאליו, כשר - כגון שיצא בליטה מכותל המבוי בראשו, בשיעור משך גבוה י' טפחים, או שהועמד שם לאיזה ענין, **ואפי'** לא קבעו הוא בעצמו, אלא מעולם הוא שם, [כגון שגדל שם אילן], ג"כ כשר, דלחי משום מחיצה, ומחיצה העומדת מאליה כשרה.

ובלבד שיסמכו עליו מערב שבת, אבל לא סמכו עליו מערב שבת, כגון שהיה שם לחי אחר ונפל בשבת, ובאים עכשיו לסמוך על זה, לא - דהו"ל כאלו אמר: ע"ז אני סומך ולא ע"ז, והו"ל האי כאלו אדחי מתורת לחי, [**ואפי'** עשאו בעצמו, כיון שלא קבעו לשם לחי, לא מהני].

(אבל אם היה שם לחי אחר מע"ש, כאלו סמכו עליו דמי) - ר"ל אע"פ שלא סמכו עליו בפירוש, **אכן** אם בפירוש לא סמכו עליו, כגון שלא טלטלו בשבת שעברה ע"י לחי זו, ולא היה שם לחי אחר, אינו מועיל לשבת הבאה, עד שיסמכו עליו מע"ש בפירוש.

(ודוקא בלחי, אבל במחיצה גמורה מבואר בפוסקים, דמהני אפילו לא סמכו עליו מע"ש, ועיין בפמ"ג שמסתפק איך הדין לענין צוה"פ, אם בשבת שעברה לא רצו אנשי העיר לטלטל ע"י, אם מותר לסמוך ע"ז בשבת הבאה, כשלא חשבו מע"ש לסמוך עליו).

(ודע, דאפילו בלחי, אם עשאו מתחלה לשם לחי, אפילו לא סמכו עליו מע"ש, ג"כ מהני, וכ"ש דבצוה"פ יש להקל בזה).

סעיף יב - לחי העומד מאליו, אפי' סמכו עליו מערב שבת, אם המבוי רחב יותר משמונה אמות, אם הלחי בולט לתוכו ד' אמות, אינו נידון משום לחי, וצריך לחי אחר להתירו - שיעור דבריו כך הוא, דהא דכתב בסי"א, דלחי העומד מאליו וסמכו עליו מהני, דוקא אם הלחי אינו בולט לרחבו של מבוי ד"א, **אבל** אם הוא בולט ויוצא מכותל הבית לרחבו של מבוי ד"א, אז נפק ליה מתורת לחי, משום שיש בו שיעור הכשר של אורך מבוי, שהוא בד"א, וכדלקמיה בסכ"ו, ושם כותל מבוי עליה, וליכא הכירא כלל דהוא לחי, וצריך לחי אחר לפתח המבוי להתירו, **אם** לא שהמבוי אינו מחזיק רחבו רק ח' אמות, דאז מותר בלא לחי אחר, דהוי עומד כפרוץ, וחשיב המבוי כסתום מכל הצדדין.

ויעמידנו ברוח שכנגדו, ואם ירצה להעמידו אצלו, יעשנו מעט עב או דק יותר מהבליטה, כדי שיהא ניכר שהוא לשם לחי.

הגה: ואם העמידו לשם לחי, דאית ליה קלא שתקנו לחי למבוי זה, אפי' רחב ארבע אמות - וה"ה יותר מזה, **הוי לחי** - והטעם, דמשום דריבה בפתח המבוי בסתימתו, לא גרע מלחי דעלמא.

סעיף יג - לחי המושך עם דפנו של מבוי - לאורך המבוי, **שהעמיד חודו כנגד עובי הכותל, דשוה מבפנים ונראה מבחוץ, שאין חודו של לחי מכסה כל עובי הדופן** - אלא קצר

ממנו, ונמשך להלאה לצד אחורי המבוי, וכמו לעיל בס"ט, **פחות מד' אמות נידון משום לחי, ומשתמש עם חודו הפנימי** - ר"ל שמותר ע"י הלחי להשתמש בכל המבוי עד חודו הפנימי של הלחי ולא יותר, **דאף** דקי"ל בסימן שס"ה ס"ד, דבין הלחיים מותר להשתמש, הכא שאני, דהא הצד השני קצר מזה, שאין דופן כנגד הלחי.

ד' אמות, נידון משום מבוי - דכיון דהוא ד"א, שהוא בעלמא שיעור אורך מבוי, יוצא מתורת לחי ונחשב לכותל מבוי, **ואסור להשתמש בכל המבוי, שהרי אין כאן לחי** - וזה אסור אפילו הועמד לשם לחי, ואינו דומה להנ"ל בסי"ב, דמתירין שם כשהעמידו לשם לחי, **דהתם** הלא העמיד הבליטה לרוחב המבוי, ונסתם עי"ז פתיחתה, וע"כ לא גרע מלחי משהו, **משא"כ** הכא דהעמידו לארכו, ומחזי כמוסיף עוד על הכותל.

וכן מבוי שעשה לאורך המבוי לפנים לחיים קטנים הרבה רצופים בפחות מג"ט זה אצל זה במשך ארבע אמות, אינו ניתר המבוי בזה, **דכיון** שהם בפחות מג"ט זה מזה, חשובים כולם כלחי אחד שמחזיק ד' אמות ברחבו, ויוצא מתורת לחי ונחשב ככותל, ואין לחי למבוי זה, **ומ"מ** אם הלחי הראשון שעומד בקצה המבוי אינו עומד בשוה עם קצה המבוי, אלא נמשך קצת מן המבוי ולפנים, נידון משום לחי, כיון שנראה מבחוץ, ‹וכן איפכא – מ"א›.

סעיף יד - עוד יש הכשר אחר למבוי הפרוץ ברוח רביעית, בקורה - שעי"ז יהיה היכר שלא יבואו להחליף ולטלטל בר"ה גמורה, וגם שלא יבואו לטלטל ממנו ולחוץ, **שיניחנה על ראש המבוי** - ר"ל בקצה המבוי, ואם העמידו באמצע המבוי, עיין לקמן בסל"ב.

וצריך שיניחנה על כותלי המבוי, אבל אם נעץ ב' יתדות אצל המבוי בחוץ - היינו שתחב שני יתדות בשני הכתלים מזה ומזה לצד ר"ה, **אפי' בסמוך לו, והניחם עליהם** - היינו שהיתדות היו קצרות מאוד, וממילא כשהניח הקורה עליהם, היה סמוך להכתלים בלא שום הפסק בינתים, **פסול** - והטעם, דקורה ע"ג כתלים בעינן, שאין נראית שבא להכשיר המבוי אלא כשהוא תוך חללו של מבוי, שאין דרך שום תקרה ושום קורה לתתה אלא ע"ג הכתלים ולא מבחוץ.

(**בא** רק לאפוקי שלא יניחנה מבחוץ, אבל ה"ה דאפילו **בחלל שפיר דמי**).

ודוקא קורה, אבל לחי לא בעינן תוך חללו של מבוי, אלא אפילו חוץ לחלל המבוי, וכעין ההיא דסי"ג הנ"ל, **וטעמא** דמלתא, דלחי אפילו עומד בחוץ ניכר שבא להכשיר המבוי, משא"כ בקורה וכנ"ל.

ואם נעץ ב' יתדות בקרקע סמוך לכותלי המבוי מזה ומזה מבחוץ, והניח הקורה עליהן, כשר מטעם לחי, עו"ש וא"ר, [**ואיני** יודע אמאי לא כתבו דהא אית בזה נמי צוה"פ].

סעיף טו - וצריך שיניחנה כדי להתיר המבוי, אבל אם לא נעשית לשם כך - כאותו שנותנין קורה מכותל לכותל לחזק הכתלים, וכל כה"ג, **אפילו סמכו עליה מערב שבת, פסולה** - ואף דבלחי קי"ל בסי"ב, דאם סמכו עליו מע"ש מהני, אפילו בעומד מאליו, **שאני** התם דלחי משום מחיצה, ומחיצה העומדת מאליה ג"כ הוי מחיצה, **אבל** קורה משום היכר, וכשלא הונחה לשם כך, לא הוי היכר.

ועיין בפמ"ג שמצדד, דאפילו היה הקורה רחבה ד' טפחים, ג"כ לא מהני, (והנה לפי מה שהעתקנו לקמן בסכ"ו בבה"ל בשם הרשב"א, דבקורה ד"ט והיתה ראויה לקבל מעזיבה, כשירה אפילו למעלה מעשרים אמה, ולא משום הכירא, אלא משום דפי תקרה יורד וסותם, **אפשר** דבזה אפילו עמד מאיליו ג"כ מותר, וצ"ע).

סעיף טז - קורה זו שאמרנו, צריכה שיעור, ולפיכך אם עשאה מעצי אשירה - שעבדה ישראל, שאין לה ביטול, **או** אפילו של עכו"ם, וקצצה ישראל, {דאי קצצה עכו"ם, הלא נתבטלה ממילא}, [וה"ה כשנפל מעצמו], ונטלה לזכות בה, דעי"ז נעשה עכו"ם של ישראל דאין לה ביטול, ולפיכך **פסולה, דכיון דלשריפה קיימא כתותי מכתת שיעורה.**

אבל אם לא נטל הישראל לזכות בה, הו"ל עכו"ם של נכרי דיש לה ביטול, וכיון דיש לה ביטול לא אמרינן ביה כתותי מכתת, אפילו קודם שנתבטל.

[**ויש** דעות בזה בין האחרונים, דלדעת המ"א אפי' נטלה בגזילה, כיון דאחריות עליו, מקרי שלו לענין זה דאינו יכול שוב עכו"ם לבטלה, **ולדעת** הט"ז, דוקא שנכרי נתן לו במתנה אחר קציצה והוי שלו, אז לא יוכל עכו"ם לבטלה, **אבל** אם נטלה בגזילה, כיון דעדיין לא קנאה, יוכל עכו"ם לבטלה, וממילא אפי' לא ביטלה עדיין, לא אמרינן כתותי מכתת, וכשר הקורה, **ולכו"ע** אם נתן לו העכו"ם את הקורה בשאלה אחר שנקצצה ע"י ישראל, הו"ל בכלל עכו"ם של עכו"ם, ומהני ליה ביטול, וממילא הקורה כשר].

וה"ה לכל דבר שצריך שיעור, כגון מה שנזכר לעיל בס"ב, פס של ד"ט בצד א', או טפח מכאן וטפח מכאן.

(עיין בחידושי רע"א שכתב, **דאם היה קורה רחב ד', כיון דא"צ להיות חזקה כדי לקבל אריח, מהני אפילו מעצי אשירה, ולפי מה שכתב הפמ"ג, דקנה שע"ג צוה"פ לא מהני מעצי אשירה, כיון שאינו יכול להתקיים באויר אחר שיעשה אפר, א"כ בודאי גם בזה לא מהני**).

סעיף יז - שיעור הקורה, רחבה טפח - ואף שצריכה שיעור לקבל עליה אריח, שהוא רחב טפח ומחצה, יוכל לחבר כרביע טפח ממנו בטיט בכאן, ורביע טפח ממנו בכאן.

ועביה כל שהוא, רק שתהא חזקה כדי לקבל אריח, שהיא חצי לבנה של ג"ט - ר"ל «שתהא חזקה כדי לקבל» אריחים, שכל אחד מהם מחזקת בארכו ג' טפחים וברחבו טפח ומחצה, שוכבים עליה בכל ארכה כשיעור רוחב פתח אותו המבוי, **ומ"מ** אם היה רוחב פתח המבוי עשר אמות, א"צ שתהא ראויה לקבל אריחים לכל ארכה ממש, אלא דיה אם תקבל אריחים באורך ט' אמות ושני משהויין, שהן י"ח אריחים לאורכן, **לפי** שקורת ט' אמות ושתי משהויין מתרת במבוי של רוחב עשר אמות מדין לבוד, דהיינו שלא תגיע פחות מג' טפחים לכותל זה ופחות מג"ט לכותל זה.

והטעם שצריכה לקבלת אריחים, שאל"כ לא יהיה בה היכר כ"כ, שסבורים בני ר"ה שלפי שעה הניחו שם, **אבל** כשהיא בריאה וחזקה לקבל בנין כזה, ניכר לכל שלקביעות בנין הונחה לשם, (כ"כ רש"י במשנה י"ג ע"ב, ורבינו יהונתן, **אמנם ברש"י דף ג' פירש הטעם, כדי שלא תהיה קורה הניטלת ברוח, וכן משמע בפיר"ח**).

(עיין ב"י שמצדד לומר, **דאם עשה של קשים וקנים, אפילו היתה חזקה לקבל אריח, פסול משום דלא פלוג, אכן בריטב"א מוכח בהדיא, דבאופן זה כשר, והובאו דבריו בביאור הגר"א**).

ואם היא רחבה ד"ט, א"צ להיות חזקה לקבל אריח – (יש לעיין, אם היה דק כ"כ שניטלת ברוח אי מהני, דלפי פרש"י בדף ג', ע"כ דברחבה ד' דחשיב אין חוששין לזה, **אבל** לפרש"י דף י"ג ורבינו יהונתן, י"ל דאף שברחבה ד' א"צ בריאה כדי לקבל אריח, עכ"פ צריכה שלא יהיה דק כ"כ שתהיה ניטלת ברוח, וצ"ע).

סעיף יח - מעמידים, דהיינו אם היא נסמכת על יתדות היוצאים מן הכותל, שאין ברחבן טפח - דאל"ה היו המעמידין בעצמן תורת קורה עליהם, וא"כ אפי' יש בהן ג"ט יש להתיר – דמשק אליעזר, **ולא בארכן שלש** - כדי שתהיה הקורה לבוד להכותל, **יש אומרים שצריך שיהיו חזקים לקבלה ולקבל חצי לבנה. וי"א שא"צ שיהיו חזקים אלא כדי לקבלה בלבד** - דהא אין נותנין אריח עליה, ובקורה הוא דבעינן קביעות כי היכי דתהוי הכירא מעליא, אבל מעמידיה לא תלי הכירא בדידהו.

ולכתחלה נכון להחמיר כדעה הראשונה.

סעיף יט - אם היתה הקורה עגולה, צריך שיהיה בהקיפה ג' טפחים, שאז יש ברחבה טפח - ואף דהשתא כשהיא עגולה, אינה יכולה לקבל עליה אריח, אפ"ה כשרה, דחשבינן אותה כאלו היתה מתחלקת לשנים.

סעיף כ - היתה עקומה, ועקמימותה נוטה חוץ למבוי, או למעלה מכ', או למטה מעשרה - דכל אלו דברים שפוסלים בקורה, **רואין כל שאלו ינטל העקמימות ואין בין זה לזה שלשה, כשרה** - והטעם דאמרינן לבוד.

ואם לאו, פסולה - היינו דוקא באופן זה, שקצת קורה העקומה הוא חוץ לשיעור הכשר מבוי, **אבל** אם היא כולה בתוך המבוי כדין, אפילו אם העיקום הוא

הרבה יותר מג' טפחים, כשרה, דאמרינן רואין כאלו היתה פשוטה, כן מוכח מסתימות לשון הרמב"ם, וכן משארי הראשונים, **אמנם** בספר גאון יעקב וכן בחידושי אבן העוזר מפקפקין בזה.

סעיף כא - היתה יוצאה מכותל זה ואינה נוגעת בכותל זה, כגון שסמכה על עמודים, ‹אם אין ביניהם ג' כשרה› - ואפילו מרוחקת משני הכתלים כה"ג, כגון שנעץ עץ באמצע המבוי והניח קורה עליה, אמרינן לבוד משני רוחות, [**אבל** אם העלה את הקורה ע"ג עמודים משני הצדדים, הו"ל צוה"פ, ודעת הרבה פוסקים דמהני אפי' הרחיק מכותל יותר מג"ט].

וכן שתי קורות א' יוצאה מכותל זה וא' יוצאה מכותל זה, ופגעו זו בזו באמצע המבוי, אם אין ביניהם שלשה, כשרה; יש ביניהם שלשה, פסולה - אלא יביא קורה אחרת, או יראה למלא הריוח ההוא בחתיכת קורה.

סעיף כב - הניח שתי קורות זו בצד זו, ולא בזו לקבל אריח ולא בזו לקבל אריח, אם יש בשתיהן כדי לקבל אריח לרחבו, דהיינו טפח - ר"ל שיהיו שניהן רחבין ביחד טפח, **ואין בין זו לזו שלשה טפחים** - חשבינן להו כאלו סמוכות זו לזו מטעם לבוד, **אינו צריך להביא קורה אחרת; ואם לאו, צריך להביא קורה אחרת.**

ויש אומרים שצריך שיהיו קרובות זו לזו בתוך טפח - ס"ל דלא שייך כאן להתיר משום לבוד, דהא בעינן שיהיה הקורה ראויה לקבל אריח לרחבה, וכשהן פרודות הרבה, אין יכולת לקבל אריח עליהן, **דהא** האריח לרחבו היא מחזקת טפח ומחצה, וצריך שיהיה עכ"פ נסמך ממנו כרבע טפח על קורה זו וכרבע על השניה, וא"כ לא ישאר פירוד ביניהן אלא כשיעור טפח ולא יותר, [**וא"כ** הא דכתב בשו"ע "תוך טפח", לאו דוקא, אי נמי משום דא"א לצמצם].

(**ואפילו אם הם ביחד ד' טפחים**, כגון שכל קורה מחזיק ג' רבעי טפח, ובינתים האויר שביניהם יש שני טפחים וחצי, ג"כ לא מהני לדעת הי"א, **ואף** דשם בסי"ז פסק, דברחבה ד' אין צריכה להיות חזקה כדי לקבל אריח, דוקא חזקה לא בעינן, אבל ראוי להניח עליהן בעינן, וגם בלא"ה י"ל, דעד כאן לא שרינן רחבה ד' טפחים אעפ"י שאינה בריאה, אלא ברחבה ממש, דאז הוי היכר מעליא אע"פ שאינה בריאה, אבל לא בזה דרק ע"י צירוף האויר נעשה ד"ט).

(**מפשטות** דברי השו"ע משמע, דאפילו לדעה זו בעינן ג"כ ששתי הקורות ביחד יהיה בין שניהן שיעור טפח, כמו לדעה ראשונה, **ובעבוה"ק** איתא, דאין צריכין שיהא בשתי הקורות בעצמן שיעור טפח, משום דאויר שביניהן מצטרף לזה).

(**ודע**, דאף שהמחבר כתב על דעה שניה בשם י"א, לאו דעת יחידאה היא, שכן הוא דעת התוספות ורבינו יהונתן והרשב"א והריטב"א, ורש"י והגה"מ מחמירין יותר, דאפילו בתוך טפח לא מהני, ודוקא כשנוגעות).

סעיף כג - היתה אחת למעלה ואחת למטה, רואים את העליונה כאלו היא למטה, ואת התחתונה כאלו היא למעלה - ר"ל "או את התחתונה" כו', **כאן** בא להוסיף רבותא על סעיף הקודם, דאפילו אם לא היו שתי הקורות שאין בכל אחת לקבל אריח עומדות בשוה, אלא אחת גבוהה מחברתה עד ג' טפחים, ג"כ כשירה, דאמרינן רואין וכו'.

ובלבד שלא תהא העליונה למעלה מעשרים ולא תחתונה למטה מעשרה - דאם היא למעלה מעשרים, אז אפילו התחתונה סמוכה לה בתוך ג' טפחים, לא אמרינן כאלו היא למטה מעשרים, כיון דעתה עומדת במקום פסול, **וכן** אם התחתונה למטה מיו"ד, והעליונה סמוכה לה בתוך ג' טפחים, לא אמרינן רואין את התחתונה כאלו היתה עומדת בשוה עם העליונה, כיון דעכשיו אין בה הכשר קורה.

ולא יהיה ביניהם ג' טפחים, לא בגובה, ולא במשך, כשרואין אותם שירדה זו ועלתה זו בכוונה - ר"ל מכוונת, **עד שיעשו זו בצד זו** - והיינו דאפילו אם נחשוב שכבר ירדה זו למטה קצת, והתחתונה עלתה למעלה קצת, עד שנעשו זו כנגד זו בשוה, לא יהיו אז מרוחקין רק פחות מג' טפחים, דאז שייך לומר לבוד, וכנ"ל בסעיף הקודם בדעה ראשונה.

ויש פוסלים - משום דס"ל דלא אמרינן רואין את העליונה וכו', **ואע"ג** דלקמן בהל' סוכה בסימן תרל"א, פסק המחבר בפשיטות בס"ה, דאם הסיכוך הוא מבולבל ואחד למעלה ואחד למטה, דאם אין ביניהם ג"ט דאמרינן לבוד, **שאני** הכא דבעינן שיהו ראויין לקבל אריח, ובאחד למעלה ואחד למטה אין ראויין לקבל אריח, והיינו דאפילו אם גבוהות טפח אחד מחבירו, ג"כ לא מהני, **ואפילו** אם עומדות בשוה ממש, ס"ל להדעה זו כדעה שניה הנ"ל, דבעינן דוקא שיהא סמוכות א' לחבירו לא יותר מטפח, **וכתב** בא"ר דיש להחמיר כדעה זו.

סעיף כד - פירס על הקורה מחצלת - שרצה ליפות כח ההיתר, וגם קשרה לכותל שלא תנידה הרוח, כדי שיהיה עליה שם מחיצה ג"כ, **ואינה נוגעת עד הקרקע, אם גבוהה מהארץ ג"ט, פסולה, שהרי כיסה הקורה ואינה נראית** - א"כ לית כאן היכר, **ובטלה מהיות קורה; ומחיצה גם כן אינה, כיון שגבוה מהארץ שלשה** - ואפילו אם המחצלת בעצמה גבוהה עשרה.

אבל אם הניח קורה רחבה - ר"ל שהיא רחבה עשרה טפחים, והו"א כיון שהיא רחבה כ"כ, שם מחיצה עליה ולא שם קורה, ומחיצה כשרה אינה, דהא גבוה מן הארץ הרבה, וכמו במחצלת, קמ"ל דכשרה, דמפני גדלותה לא נתבטל מינה שם קורה, **ומחצלת** שאני, דכיסה את הקורה ואינה ניכרת.

ונמשכת קצת למטה מי', כשרה - כמה אחרונים נתקשו בדבריו, דמשמע מלשונו דבא לאשמעינן, דאפילו קצת מהקורה הרחבה נכנס בתוך עשרה טפחים התחתונים של המבוי, ג"כ כשר, דאמרינן רואין את המקצת הזה כאלו אינו, והקורה עומדת רק למעלה מעשרה, כדין הכשר קורה המבואר בסכ"ו, **אבל** באמה זה אינו, דאם היה נכנס קצת מרוחב הקורה בתוך האויר של יו"ד התחתונים, פסולה, דבעינן שיהא החלל של המבוי עד הקורה עשרה טפחים דוקא.

סעיף כה - נעץ שתי יתדות עקומות על שני כותלי המבוי, ועקמימותם נוטה לתוך המבוי, ונתן הקורה עליהם - ר"ל דהיו עומדות היתדות על שני הצדדים בשיפוע, וראשיהם בולטות למעלה מגובה הכתלים, ויש כאן שני ריעותות, אחת, דאינה מונחת הקורה על הכותל ממש, ורק באויר מלמעלה על היתדות, שנית, דהקורה קצרה מאורך השטח שבין שני הכתלים.

ואין ביתדות טפח, שהוא שיעור קורה, להיות נחשבים כקורה - דאי הוי היתדות רחב טפח, לא איכפת לן במה שהקורה עצמה קצרה, דהלא היתדות עצמן נחשבין כקורה.

אם אינם גבוהים מכותלי המבוי שלשה, ואין בנטייתן שלשה, כשרה, שאנו רואים כאלו הם על כתלי המבוי, וכאלו הקורה נוגעת במבוי - דבמה שאין גבוהים היתדות מכותלי המבוי ג' טפחים, אמרינן חבוט רמי, והיינו כאלו הקורה נחבט ונשפל אצל הכתלים, **ואף** שעדיין קצר היא, כיון שאין בנטייתן של היתדות שלשה, וא"כ הקורה אינה רחוקה ג' טפחים מהכתלים, אמרינן לבוד.

(ודוקא דנוטה לתוך המבוי, דאי נוטה לצד החוץ, מה יועיל במה דנאמר חבוט רמי, הלא הקורה יהיה מבחוץ למבוי, ופסול, וכנ"ל בסי"ד).

ואם יש בגובהן או בנטייתן שלשה, פסולה - דבשיעור שלשה לא אמרינן חבוט בקורה ולא לבוד, [ואע"ג דבקורה טפח אמרינן בעלמא חבוט רמי אפי' גבוה כמה, שאני הכא דבעינן קורה ע"ג מבוי, וביותר משלשה לא הוי היכר].

סעיף כו - הא דמבוי ניתר בלחי או קורה, דוקא כשאינו נמוך פחות מי"ט מרווחים - ר"ל שאם הקרקע שבמבוי אינו נמוך מבפנים נגד הכתלים שיעור י"ט, נחשב כאלו אין למבוי מחיצות, דאין מחיצה פחותה מעשרה, [ואפי' אם חוץ למבוי סביב המבוי, המחיצות של המבוי גבוהין עשרה טפחים, אך תוך המבוי דהיינו קרקעו של המבוי גבוה יותר מרה"ר, ועי"ז אין תוך המחיצה גבוה עשרה].

מרווחים - ובסיפא מצומצמות, דאזלינן לחומרא בכל מקום לענין זה, ושיעור מרווחים יותר על מצומצמות, הוא חצי אצבע לאמה, [וממנה תחלק

לטפחים], (**ואף** דהוא מלתא דרבנן, והיה לנו למיזל בספיקו לקולא, מ"מ לא מקרי ספק, דהוי מחמת חסרון ידיעה, **אך אם** נצטרף לזה עוד ספק, **אפשר** דיש להקל).

ולא יהא רחבו יותר מעשר אמות - [היינו בפתחו של המבוי, דלענין תוך המבוי אין נ"מ בזה], דאם הוא יותר מעשר, אין עליו שם פתח, ולא מהני לזה לחי וקורה, **מצומצמות** - ר"ל שמודדין לכל אמה את הששה טפחים מצומצמות.

ושיהא ארכו ד' אמות מרווחות או יותר - דבפחות משיעור זה לא חשובה כמבוי אלא כחצר, **ומודדין** טפחיו מרווחים, וא"כ יתוסף על ד"א שני אצבעות וכנ"ל.

אבל אם חסר א' מכל אלו, אין לו תקנה אלא בצורת פתח - היינו דאפילו היה נמוך פחות מעשרה טפחים, ג"כ מהני צוה"פ, וכן ברחב מעשר אמות, או שלא היה ארכו ד"א, **אבל** הרבה אחרונים הסכימו לדינא, דאם היה חלל המבוי נמוך פחות מעשרה טפחים, לא מהני צורת הפתח, דאפילו מחיצה לא מהני כל שאינו גבוה יו"ד, וכ"ש צוה"פ בעלמא, **אכן** אם חלל המבוי היה גבוה עשרה טפחים, ורק במקום פתח המבוי היה נמוך מעשרה, בזה מהני צוה"פ, והוא שהיה עשוי כדין, דהיינו שהיו הקנים גבוהין יו"ד טפחים.

ודע עוד, דאם לא היה ארכו ד"א, דעת כמה פוסקים דדינו כחצר, וע"כ ניתר ג"כ בפס ארבעה מצד אחד, או שני פסין של משהויין משני הצדדין, וכן סתם המחבר בעצמו לקמן בסל"ב, והמחבר שכתב "אלא בצוה"פ" לאו דוקא נקט, [**ובנמוך** פחות מי"ט, בודאי לא מהני אפי' פס ד', (וכן ברחבו יותר מעשר), דאפי' בחצר לא מהני תיקון זה].

ואם היה בגובה חללו יותר מעשרים אמה מצומצמות, אינו ניתר בקורה - דקורה משום היכר, ולמעלה מעשרים אין היכר, דלא שלטא ביה עינא.

(**והיינו** אפילו רחבה ארבעה, **ואם** רחבה ארבעה ובריאה לקבל מעזיבה, מותרת, ולא משום היכר, **אלא** שפי התקרה יורד וסותם, **כל** שאין פתח המבוי יותר מעשר,

עוד נראה, שאם היתה רחבה שבעה, אע"פ שאינה בריאה, כשרה, שכל שרחבה שבעה העין שולטת).

אבל אם גובה חללה של המבוי עד הקורה אינו אלא עשרים מצומצמות, אע"פ שהקורה היא למעלה מעשרים, כשרה.

אבל ניתר הוא בלחי - שהוא סמוך לקרקע, וסגי בגובה י"ט, א"כ מה מזיק מה שהוא גבוה הרבה, (**ובספר** בית מאיר מפקפק מאוד על דין זה, ודעתו כשטחיות לישנא דהרמב"ם והטור, דכשם שקורה לא מהני לזה, ה"ה דלחי לא מהני, ע"ש טעמו).

(**וכ"ש** דניתר בצוה"פ, ואפילו אם היה אותו הפתח גם רחב יותר מי', דלחי לא מהני לזה, צוה"פ מהני).

ואם רוצה להכשירו בקורה, צריך שיעשה בה ציור וכיור, (פי' ציור אחד בכותל מן הסיד, או על שמי קורה), שעל ידי כך מסתכלים בה.

ואם היה גבוה יותר מעשרים, ובנה בנין תחת הקורה למעטו מעשרים, די בבנין רחב טפח כרוחב הקורה - דשיעורו טפח וכנ"ל בסי"ז, וה"ה עפר כשיעור זה, **וצריך** ליזהר כשנדרס ברגלים שלא יתמעט מכשיעור ברחבו, וה"ה לענין גובהו, שלא יתמעט ויהיה יותר מכ'.

והטעם דמהני רוחב טפח, דהא קיי"ל מותר להשתמש תחת הקורה, והעומד על אותו מקום יוכל לראות את הקורה, דהא על אותו המקום אינו גבוה יותר מעשרים, ואית ביה משום הכירא.

וה"ה דיכול להשפיל את הקורה גופא, ולהניחה בתוך חלל המבוי על יתדות היוצאים מן הכתלים למטה מעשרים.

אבל אם אינו גבוה י' וחוקק בו להשלימו לי', צריך לחוק ד' אמות לתוך המבוי - ואם חקק בפחות מזה, צריך דוקא פס ד', או שני פסין שני משהויין, כדין חצר וכנ"ל, **על פני כל רחבו** - דאם ישאר הפסק בין החקיקה ובין הכתלים, לא יוכלו הכתלים להצטרף להן, וכאין כתלים להמבוי דמי, **אכן** אם ההפסק בין החקיקה ובין הכתלים הוא רק פחות מג' טפחים, י"ל דמהני.

והא דלעיל סגי בטפח, שאני הכא דבפחות מעשרה טפחים לא מקרי דופן כלל, וצריך לשויה דופן, ולכך צריך דוקא כשיעור משך המבוי, דהוא ד"א וכנ"ל בריש הסעיף, **אבל** התם מקרי דופן אלא שהוא גבוה יותר מכ' אמות, ולהכי סגי בטפח כשיעור רוחב הקורה.

אין מבוי ניתר בלחי או קורה עד שיהיו פתוחים לתוכו שני חצרות, ולכל חצר שני בתים – (וכל בית אין פחות מד"א, בין אם היו מצד אחד, או חצר מצד זה וחצר אחר בצד שכנגדו, וה"ה אם היו שני החצרות בדופן האמצעי הסתום, שהוא נגד דופן הפתוח שכנגדו, ושתי הדפנות שמצדדים היו כתלים לבד בלא בתים וחצרות).

הטעם בזה, משום דהא דהתירו במבוי בלחי וקורה, מחמת דיש בו ריבוי דיורין, ואין משתמשין בו בהצנע כ"כ, לפיכך סגי בתיקון כזה, **משא"כ** בחצר שאין מצוי בו דיורין כ"כ, משתמשין בו בהצנע טפי, לכך צריך הכשר טפי, שני פסין או פס ד"ט, **ולכך** ה"נ במבוי שאין בו שני חצרות פתוחין, דיוריהן מועטין, ועושין בו תשמישי הצנע, ולכן לא סגי בלחי וקורה.

ואפי' כל החצרות פתוחות זו לזו, ויש חולקים בזה - דכיון דיכולין לערב יחד דרך הפתחים, נחשבו כחצר אחת, וה"ה בבתים הפתוחים זה לזה, **וכתבו** האחרונים, דכיון שהוא מלתא דרבנן נקטינן לקולא.

ושלא יהא בכל פתח מאלו פחות מד"ט.

ושיהיו דיורים אוכלים בכל בית, שמקום הפת גורם; ואפי' היה הבית הא' לאב והב' לבן, אע"פ שהבן מקבל פרס משלחן אביו, ואוכל בביתו, הרי הם נידונים כשנים - לאפוקי אם דרך אכילתו בבית האב, [אף שהוא לן בביתו, דאכילה גורם ולא מקום לינה].

ואפילו צדו אחד א"י ואחד ישראל, מהני.

עוד צריך שיהא ארכו יותר על רחבו - אפילו משהו, שכן דרך המבוי להיות, **וארכו** מקרי דרך כניסתו למבוי, ומה שאינו דרך כניסתו מקרי רוחב, **דאם** ארכו כרחבו הו"ל כחצר, וכדלקמיה.

ואם חסר א' מאלו - קאי על כל מה שמבואר כאן, מן "אין מבוי ניתר" וכו', וכן הדין לענין כשלא היה אורך המבוי ד"א, **אינו ניתר אלא בפס ד', או שני פסין שני משהויין** - דדינו כחצר, **או צורת פתח** - וזה מהני אפילו ברחב מעשר, וכדלעיל בס"ב.

הגה: וי"א דנוהגין האידנא לתקן כל המבואות בצורת הפתח - בין סתום מצד אחד, בין מפולש משני הצדדין, בין רחב עד עשר אמות, בין יותר מעשר אמות, **דכל המבואות שלנו יש להם דין חצרות** - היינו משום דבמבואותינו אין בתים וחצרות פתוחות לתוכו, ולכן אין ניתר בלחי וקורה כדין היתר מבוי, [**ואף** דבחצר היכא שארכו יותר על רחבו, קימ"ל בסעיף שאחר זה, דניתר בלחי וקורה אף שאין חצירות פתוחות לתוכו, **זהו** דוקא בחצר שאינו קרוב לרה"ר כי הוא פתוח למבוי, משא"כ במבוי שהוא קרוב לרה"ר או לכרמלית, חמיר טפי].

ואף דבחצר סגי בשני לחיים משני הצדדים בלא צוה"פ, **מ"מ** משום דלפעמים המבוי מפולש משני צדדין, ואז בודאי צריך להחמיר בו שיצטריך צוה"פ, אף באין בתים וחצרות פתוחות לתוכו, מחמת שבראשה פתוח לר"ה או לכרמלית, (עיין במ"ב סי' שס"ד סוף ס"א, וצ"ע), **או** שלפעמים רחב יותר מעשר, דבזה אפי' בחצר צריך מדינא צוה"פ, וכנ"ל בס"ב, לכן הנהיגו תמיד לעשות צוה"פ.

והנה לצד השני של מבוי, אם אין רחב יותר מעשר אמות, יש דעות בין האחרונים, דדעת הרבה מהם, דשם סגי עכ"פ בשני לחיים משני הצדדים, ולא בעי צוה"פ, **וטעמם**, דממ"נ: אם דינו כמבוי מפולש, הלא גם בו קי"ל לקמן בסימן שס"ד, דא"צ צוה"פ רק מצד אחד, ובצד השני סגי בלחי אחד או קורה, ואם דינו כחצר וכנ"ל, הלא עכ"פ די בשני לחיים, **ויש** מאחרונים שמצדדין, דמצד המנהג יש לעשות בכל צד צוה"פ, **ובודאי** צריך לכתחלה ליזהר בזה, אך במקום הדחק שנפסק החבל שע"ג הלחיים בשבת, או כל כה"ג, נראה דיש לסמוך עליהם להקל, היכא שאין רחב יותר מעשר אמות, אף דהוא פרוץ במילואו.

והנה במבואות שלנו הנ"ל, שאין בתים וחצרות פתוחות לתוכו, אם הוא מבוי עקום, יש דעות בין האחרונים אם צריך לעשות תיקון בעקמימותו, כדין המבואר לקמן

בסי' שס"ד ס"ג, **דיש** לומר כיון דמעיקר הדין יש לו דין חצר, אין צריך שום תיקון שם, ודי במה שעושה התיקון בשני ראשיו, **ויש** מחמירין בזה, **והמנהג** להקל, [ובפרט דהרבה ראשונים סברי במבוי עקום גופא, שא"צ שום תיקון בעקמימות].

ודע עוד, דהא דמבואר דבעיירות שלנו צריך צוה"פ, היינו בעיירות שאינן מוקפות חומה, או שמוקפין חומה והחומה נפרצה לר"ה או לכרמלית ביותר מעשר אמות, **אבל** כשמוקף חומה והחומה לא נפרצה, רק שצריך לתקן ולחלק בין מקום שהיהודים דרים שם ובין מקום שהעו"ג דרים שם, כדי שלא יאסרו על היהודים לטלטל, אין צריך לעשות שם צוה"פ, רק די בפס רחב ד' טפחים, או שני פסין של שני משהויין, כשנפרץ שם במלואו, ואינו רחב שם יותר מעשר אמות במקום שרוצה לעשות התיקון, {אף שהמבוי באמצע רחב יותר מעשר אמות}, כי העיר הזו יש לה דין חצר לגמרי, **וכשלא** עשה שום תיקון בין יהודי לעו"ג, ג"כ הדין כאן כמו בחצר, דמותר לטלטל בכלים ששבתו בתוכו, אבל לא לבית, ולא מבית לחצר.

והמנהג הפשוט במדינות אלו לתקן על ידי חבל הקשור לרחבו של מבוי, ודין חבל זו אינו קורה שהרי אין רחבו טפח, ולא מהני אלא מטעם צו"פ, דמהני למעלה אפי' בגמי כדלעיל ס"ס שס"ב, ועל כן יש ליזהר להעמיד תחת החבל שני קנים - על הארץ, אבל כותלי המבוי אין נחשבין במקום הקנים, **ואם** איכא עמוד בכותל בולט, נידון משום קנה, אם סמך עליו מע"ש, דלא גרע מלחי בסי"א.

וה"ה כשיוצאים מהכותל חיפופים פחות פחות מג"ט, עד פחות מג"ט סמוך לארץ, יש לסמוך עליהם מע"ש לשם קנים של צוה"פ, ובלבד שיהיו מגולים למעלה תחת החבל, **ויש** מחמירין בחיפופים כאלה, שאינם עשויים דרך מזוזת הפתח, ולא חשיב פתח.

אם מעמיד הקנים בתוך הבית, או בתוך גדר המוקף מד' רוחותיו, לאו כלום הוא, ואפילו אם קנה אחד העמיד שם, ג"כ לא מהני.

גבוהים י' מכוונים תחת החבל - וכיון שהקנים שלמטה גבוהין עשרה טפחים, א"צ עוד קנים למעלה לקשור החבל בהן, אלא יכול לקשור החבל נגדן אפילו בגג למעלה מזה ומזה, וכדקי"ל לעיל בסוף סימן שס"ב, דהקנה של מעלה א"צ ליגע בקנים שלמטה.

גם הא דמבואר לעיל בס"ס שס"ב, דאין לקשור הקנה של מעלה או החבל מן הצד של הקנים, רק למעלה על גביהן, **הכא** כשקושר החבל למעלה על הגג באיזה קנה, לא שייך לדקדק באופן הקשירה, אם ע"ג או מצדו, כל שהקנים שלמטה מכוונים תחת החבל כשר, [**ומ"מ** זהו רק דוקא היכא דא"א בענין אחר, דאל"ה טוב למנוע מזה מפני הרואים], **ואם** משהו יוצא מן הצד, פסול.

אם יש גג שמפסיק בין גובה החבל להקנים שלמטה, לא הוי צוה"פ בזה, כיון שהגג מפסיק בין החבל להקנים, ואין עושין צוה"פ בענין זה, **אלא** צריך שיפתח נקב גדול בגג למעלה נגד הקנים, בענין שיהיו הקנים מכוונים תחת החבל בלי הפסק, [**ובתו"ש** מפקפק על דין זה].

ולא מהני אפי' במבוי מפולש בתורת צורת פתח - ר"ל ומהני אפילו ביותר מעשר אמות, **או אפי' בחצר ובכל מקום שצורת הפתח מהני, (וכמו שנתבאר לעיל ס"ס שס"ב).**

סעיף כז - חצר שארכו יותר על רחבו, דינו כמבוי וניתר בלחי או קורה - אפילו ארכו משהו יותר, וארכו מקרי דרך כניסתו, ואינו נידון משום חצר אלא אם ארכו ורחבו שוה, או שרחבה יתר על ארכה.

הגה: אע"פ שאין חצרות ובתים פתוחין לתוכו, הואיל ואינו קרוב לרשות הרבים, אלא פתוח למבוי והמבוי פתוח לרה"ר.

סעיף כח - מבוי שאין ברחבו ג"ט, אינו צריך שום תיקון, שהוא כסתום - וכתבו המפרשים, דאם אין בפתחו רוחב ג' א"צ תיקון, אע"פ שבתוכו רחב הרבה.

וי"א דכל שאין בו ד"ט אין צריך שום תיקון - דס"ל דבעינן דוקא רוחב ד', וג"כ מיירי שהיה רוחב ד' בכל הכתלים, אבל היכי שמתקצר סמוך לפתחו, א"צ תיקון אפי' תוכו רחב הרבה.

והנה מהמחבר משמע דס"ל לעיקר כדעה ראשונה, דהיכי שרחב ג' צריך תיקון, **ועיין** בד"מ שחולק, ודעתו דנוכל להקל בזה כדעה אחרונה, עי"ש, **ולענ"ד** נראה, דאף אם נחמיר כדעה ראשונה, דהיכא שרחב ג' צריך תיקון, היינו דוקא היכא שמבפנים היה עכ"פ רחב ד', אלא שמתקצר בפתחו כנ"ל, **אבל** היכי שבכולו אינו רחב ד', בודאי יש להקל, [דהוי מקום פטור, ולכו"ע א"צ תיקון].

סעיף כט - מבוי שצדו אחד כלה לים, וצדו אחר כלה לאשפה של רבים, אין צריך כלום - ר"ל שהיה להמבוי שני צדדים מבתים וחצרות, ושני ראשיה שממזרח וממערב, אחד היה כלה לים, ואחד היה כלה לאשפה שגבוה יו"ד טפחים מן הקרקע, (**וה"ה אם היה להמבוי רק צד אחד, שלצד דרום שהיה בנוי בבתים וחצרות, וצד מזרח ומערב היה ים ואשפה, וצד צפון היה מתוקן בלחי וקורה נגד ר"ה, נמי מותר לדעה ראשונה, ודע עוד, דבין לדעה ראשונה ובין לדעה שניה המחמרת, אין נ"מ בין אם היה המבוי פתוח לכרמלית או לר"ה**).

וע"כ אינו צריך כלום, שגם הים נחשב למחיצה, שעמוק י"ט בשפתו, והמים אינם מבטלין המחיצה, [**וה"ה** כשהוא מתלקט י"ט מתוך ד"א בשפתו], **אבל** אם שפת הים והנהר משופע והולך, אם כשהולך השיפוע ד' אמות עדיין אינו גבוה יו"ד טפחים, אינה מחיצה, דכקרקע שוה דמי, [מ"א, **ומשמע** מדבריו, דאם אין מתלקט יו"ד מתוך ד' אצל שפתו, אף שאח"כ בתוך המים המדרון גדול מאד, ונתלקט שם יו"ד בתוך ד"א, אפ"ה אין נחשב למחיצה שיהא עי"ז מותר לטלטל במבוי, אף שמדרון זה אינו רחוק יו"ד אמות מן השפה, **והטעם**, אף דאפשר דמן התורה רה"י הוא, אפ"ה כיון דמדרבנן כל שטח המים כרמלית הוא, לא נוכל לחשבו לאותו מקום למחיצה להתיר הטלטול במבוי].

וכתב המ"א, דהכא מיירי במקום שאין הספינות עוברות שם לנמל, דאל"ה אתו רבים ומבטלי מחיצתא, **אבל** כמה אחרונים פליגי ע"ז, וס"ל דאפילו כשהספינות עוברות שם, לא נתבטל עי"ז שם מחיצה משפת הים, **אכן** כשראש אחד מן המבוי כלה לנהר, ויש גשר עליו שמהלכין בו רבים לעבר השני, משמע מכמה אחרונים דע"י הגשר מתבטל המחיצה, וצריך לעשות צורת הפתח במקום הגשר, [**הנה** מתו"ש וכן מפמ"ג משמע, דוקא כשהגשר רחב יותר מעשר אמות, דאז חשיב כפרצה, אבל פחות מזה א"צ שום תיקון, דהו"ל כפתח, **אבל** מדברי הנו"ב משמע דס"ל, דאפי' הגשר רחב רק ארבע טפחים, ג"כ צריך תיקון במקום הזה, וכן דעת החז"א].

שאשפה של רבים אינה עשויה להתפנות - שהרי כל היום משליכין שופכיהן וזבליהן שם, ולא תחסר גובהה, **אבל** אשפה דיחיד, אע"ג דהשתא גבוה עשרה טפחים, למחר ינקנה ויחסר גבהותה, ואם נתיר עתה לטלטל, יטלטל גם אח"כ כשיחסר גבהותה.

ואין חוששין - ר"ל שגם אין חוששין, **שמא יעלה הים שירטון, (פי' יובש, כעין אי, שנדחו המים ממנו, שנעשה ראוי לזריעה)** - ויתקלקל המחיצה שלצד הים, ונמצא שאין למבוי מחיצה רביעית.

הגה: ויש חולקים וסוברים דחיישינן שמא יעלה הים שירטון, ואין כאן מחילה - שכן דרך הים, שמעלה חול ואבנים אצל שפתו, ומתקצר ונעשה קרקע ברוחב פרסה, ובטלי המחיצות, ומטלטלי נמי במבואות כדמעיקרא, **וע"כ** צריך תיקון כשאר מבוי הפרוץ ברוח רביעית, בצורת הפתח או בלחי או בקורה, **וכ"ז** כשאין מדרון אלא במקום המים בלבד, אבל אם יש על שפתו מדרון המתלקט י"ט מתוך ד"א, הרי זה נחשב למחיצה בכל ענין, **והסכימו** האחרונים להחמיר כדעה זו.

ודוקא בימים, אבל בנהרות לא חיישינן שיעלה שירטון, ונחשב שפת הנהר למחיצה כשיש בגובהו יו"ד טפחים, **אכן** הנהרות שדרכן להתייבש בקיץ, וכשמתייבשין אין במדרון שלהם גבוה יו"ד טפחים מתוך ד"א, יש לאסור בלא תיקון אפי' כשלא נתייבש, דחיישינן שיתייבש ולאו אדעתיה, **ועכ"פ** בעינן שיהא הנהר סמוך ממש לראש המבוי, אבל אם הוא רחוק מהבתים יותר מעשר אמות, צריך תיקון, דאותו מקום הוי פרוץ.

ואם נקרשין בימות הגשמים, בטלה אז המחיצה ואסור לטלטל, **ויש** מאחרונים שסוברין, דלא נתבטל המחיצה ע"י הקרישה, **ואם** שפת הנהר גבוה ומתלקט עשרה טפחים מתוך ארבע אמות עד מקום הקרישה, בודאי יש להקל.

(ודע, דכל זה אם הנהר אינו מקיף להעיר מכל הצדדין, אז נחשבת למחיצה כנגדה להתיר הטלטול בעיר, דבמקומות הפרוצים יתקן בצוה"פ, **אבל** כשהיא מקפת העיר מכל הצדדין, א"כ הרי נעשה היקף זה קודם שנתיישבה העיר, והוי כרקפף יותר מבית סאתים שלא הוקף לדירה, דאסור לטלטל בו אפילו אם אח"כ נתיישבו בו, וכדלעיל סי' שנח, {**אם לא** שהמשיכו ההיקף להעיר מסביב אחר שנתיישבו בה, **ואפילו** אם מתחלה היה ג"כ מוקף, ורק במקום אחד לא היה בעומקו עשרה טפחים בשטח מעט יותר מעשר אמות, דזה הוי כפרצה, והם השלימו גם באותו מקום עד שלא נשאר בו שיעור פרצה הנ"ל, חשיב כאלו היה כל ההיקף אח"כ}, **ואפי'** אם יעשה עתה מחיצה ע"ג ההיקף זה, ג"כ לא מהני, כדאיתא בס"ח שם, ‹צע"ג, דהא שם איתא, דעשה מחיצה ע"ג שפת התל, מועיל - חזו"א סי' פ"ח ס"ק ל"ד›, **אם לא** שיסתום במקום אחד ברוחב יותר מעשר אמות, ואח"כ יחזור ויפתח).

עיר שמוקף סביבה חריץ שעמוק עשרה טפחים ורחבה ארבעה טפחים, הוי כמוקף חומה סביבה, וא"צ שום תיקון, [**וה"ה** אם מתלקט י"ט מתוך ד"א בשיפוע, ובקרקעיתה אחר שכלה הי"ט צריך שיהיה שם החריץ רוחב ארבע]. **ואם** יש גשר ע"ג החריץ שהולכין דרך שם למבואות העיר, נתבאר למעלה שצריך לעשות שם תיקון.

סעיף ל' - מבוי שצדו א' ארוך וא' קצר, אפי' אין צד הארוך עודף על הקצר ד' אמות - וה"ה אפילו פחות מזה, **אינו מניח הקורה אלא כנגד הקצר** - דוקא, ולא באלכסון, (**אמנם** מירושלמי איתא, דאם היה העודף פחות מג' אמות, אפילו היה שם האלכסון יותר מעשר, מותר, וע"כ הטעם, דכיון דחלל המבוי גופא אינו מחזיק יותר מעשר אמות, לא קפדינן על האלכסון המועט שניתוסף ע"י העודף שעד ג' אמות, וחשבינן ליה כאלו עומדת בשוה, **אמנם** מסתימת הרמב"ם משמע, דבכל גווני אינו מניח אלא כנגד הקצר, **ומ"מ** נ"ל ברור, דעכ"פ אין להחמיר אלא בנראה לעין כל שצד אחד ארוך מחבירו, אבל באם אין נראה להדיא לעין, רק ע"י מדידה אנו יודעים שצד אחד ארוך, לא קפדינן בזה, דע"ז לא שייך הטעם שבני ר"ה יבואו לטעות).

והטעם, דקורה משום היכר עשויה, כדי דלא ליתי למיחלף בר"ה, ובאלכסון לא הוי היכר, והיינו דאם יניחו באלכסון וישתמש בצד הארוך נגד הארוך שאין דופן כנגדו, הרואה זה יאמר שמותר להשתמש בר"ה, לפי שאין אותו עודף דומה שיהא מן המבוי, **וזהו** הטעם דהתיר אח"כ בשו"ע להניח הקורה בתוך המבוי באלכסון, ששם לא יבואו עי"ז לטעות להתיר להשתמש ברשות הרבים.

(**כתב במחה"ש**, ‹מה דאינו מניח אלא כנגד הקצר›, היינו משום דאפילו אם יניחנו באלכסון, **אעפ"כ לא** יהיה רשאי לטלטל אפילו במקום הארוך, **אלא** כנגד הקצר, אבל אם ירצה להניח באלכסון ושלא לטלטל אלא כנגד הקצר, רשאי וכו', **ועיין** בפמ"ג שחולק עליו, וסובר דמלישנא דגמרא משמע, דאם יניח כנגד הארוך לא מהני כלל, עי"ש טעמו, ומסתבר כוותיה).

אבל אם ירצה יעשה שם צורת פתח באלכסון - וישתמש בקצר כנגד קצר, ובארוך כנגד הארוך, **והטעם**, דצו"פ הוי כמו מחיצה גמורה, ומחיצה גמורה בודאי מהני אפילו באלכסון, **ואפילו** היה רחב פתח המבוי יותר מעשר אמות, ג"כ מותר ע"י צוה"פ, כדלעיל בריש סכ"ו.

כתב בחידושי הרשב"א, דצוה"פ מהני אפילו היה צד אחד עודף על חבירו ד' אמות ויותר, דהוא כמו מחיצה גמורה.

אבל אם יעמיד לחי אחד אצל הארוך, ולחי אחד אצל הקצר, אינן מועילים להשתמש באלכסון, ואפילו לא היה האלכסון יותר מעשר אמות, שאף שהלחי אינו משום היכר בלבד, אלא משום מחיצה, מ"מ לחי שבצד הארוך אינו מועיל להתיר להשתמש אצלו, הואיל ואין שם מחיצה כנגדו, **ואינו** מותר להשתמש אלא נגד הלחי שעומד בצד הקצר, שהוא מתיר רק נכחו ביושר, [**ואם** עשה שני הלחיים בתוך המבוי, בזה עדיף מקורה, ששם אינו מותר רק באלכסון, אבל בזה הלחי החיצון מתיר כנגדו בשוה].

אמנם זהו דוקא במבוי שמותר בלחי אחד, אבל בחצר שצריך שני פסין, או במבואות שלנו שיש להן דין חצרות, אפילו עד מקום הקצר ג"כ אינו מותר להשתמש, אחרי שלא נוכל לצרף אליו הלחי האחר, שאינו עומד

נגדו, **וע"כ** צריך ליזהר במקום שמעמיד שני לחיים, שיעמידם בשוה זה נגד זה ולא באלכסון, (**ואפילו אם** נחמיר דאלכסון קטן מקרי ג"כ אלכסון, היינו דוקא אם נראה לעין כל שהוא אלכסון, אבל לא החמירו בהם כ"כ שיהיו מכוונים ע"י מדידה), **ובצורת** הפתח מהני אפילו באלכסון וכנ"ל.

ותוך המבוי יכול להניח הקורה באלכסון, ומשתמש בקצר כנגד הקצר ובארוך כנגד הארוך - עיין בט"ז שמצדד, דדוקא אם באלכסון אינו יותר מעשר אמות, דאל"ה אסור, [**אכן** בשלחן עצי שטים העתיק להיתר]. (**ולפי** מה שהבאנו לעיל דברי הירושלמי, מוכח מניה עכ"פ, דאם העמיד הקורה באלכסון, באופן שצד אחד משוך מחבירו רק פחות מג' אמות, אז אפילו עולה אלכסונו ברוחב המבוי יותר מעשר אמות, מותר, כיון שחלל המבוי אינו מחזיק רק עשר אמות).

סעיף לא - העמיד לחי באמצע המבוי, אם יש חצר מהלחי ולחוץ, ועשו גם החיצונים לחי לראש המבוי, אוסרים אלו על אלו עד שיערבו יחד - ר"ל שישתתפו יחד, וטעם הדבר, דהנה דרך המבואות לאחר שתקנום בלחי או קורה, להשתתף כל הדרים במבוי יחד, דכשלא ישתתפו יהיו אסורים להוציא מהחצרות למבוי, **וכיון** שההרגל כן הוא, שוב אסורים בני מבוי ליחלק לחצאין ולעשות כל אחד שיתוף בפני עצמו, דאסרי הני אהני, משום דהוי כמבוי ששכח אחד מן החצרות ולא נשתתפה בו, דאסרה אכולה.

[**עיין** בפמ"ג שכתב, דנ"ל דאף אם עשו כן מתחילה, שלא הורגלו כלל בזה לערב יחד, ג"כ אסור, הואיל ורוב המבואות דרכן לערב יחד, **עוד** כתב, דכ"ז אפי' אין לחיצונים דריסת הרגל על הפנימים, כיון שיש להם לחי בראש המבוי, אסרי אהדדי].

[**אבל** אם משתתפים יחד, מהני, אף שהעמידו לחי באמצע, דלא גריע משתי חצירות ופתח ביניהם, דיכולין להשתתף יחד].

ואם אין שם חצר, או שיש חצר ולא עשו החיצונים לחי לראש המבוי, שמן הלחי ולפנים, מותרים - דכיון שלא עשו לחי ואין יכולין לטלטל במבוי, אם כן אינם ראוים להשתתף יחד, לכן אין בכחן לאסור על הפנימית, ואפילו יש להם דריסת הרגל עליהם.

ממנו ולחוץ, אסורים - דחשבינן כאלו המבוי הותחל מן הלחי ולפנים.

אבל אם עשו באמצע שני פסים - של משהויין, משהו מכאן ומשהו מכאן, **או פס ארבעה, אם אינו רחב יותר מעשרה; או שעשו צורת פתח אם הוא רחב יותר מי'; אפי' אם יש חצר מהתיקון ולחוץ, ועשו גם החיצונים תיקון לראש המבוי, כל אחד יכול לערב ויהיה מותר בחלקו** - ואפילו חצר יכולין לחלק בכה"ג, דבזה מתחלקים הרשויות מהדדי, והוי כאלו מחיצה ביניהם, ואין יכולין לאסור אלו על אלו, **ודוקא** כשאין להם דריסת הרגל זה על זה, כגון שיש להם פתח אחר, אבל בלא"ה אפילו דלת לא מהני.

עיר המוקפת חומה וננעלו הפתחים בלילה, ופתח אחד אין ננעל, ומ"מ הוי כלחי ע"י פתח ההוא, אין מערבין אותה לחצאין, **אבל** אם נפרץ פרצה, בטל הכשרה של העיר, ויכולין לערב חציה ולהניח חציה.

סעיף לב - זה שהכשרנו להעמיד לחי באמצע המבוי, הוא הדין להעמיד קורה באמצע המבוי.

וכל זה ביש באותו חצי מבוי המוכשר תורת מבוי, שלא יהא ארכו פחות מד' אמות, ושיהא ארכו יתר על רחבו, ושיהיו בתים וחצרות פתוחים לתוכו; הא לאו הכי, צריך פס משהו מכאן ופס משהו מכאן, או פס ד' בצד אחד - האי "וכל זה" קאי אמה שהכשרנו בהעמיד לחי באמצע המבוי, כשלא עשו לחי בראש המבוי, **וקאמר** דהוא דוקא שבחצי המבוי זה לבד ג"כ יש עליו שם מבוי, דיש לו כל התנאים הצריך לזה, הא לא"ה יש לו דין חצר, וצריך פס משהו וכו', **ולא** קאי השו"ע באם עשו גם לחי בחוץ וערבו יחד, דע"ז לא צריך שבאותו חצי המבוי יהיו לו כל הפרטים, דמצטרף כל המבוי ביחד לזה.

סעיף לג - מבוי שהוא רחב כ' אמות - ומיירי שאינו רוצה לעשות צוה"פ בפתח המבוי, דזה מהני אפילו רוחב המבוי כמה, כדלעיל בסוף סכ"ו, **עושה לה פס רחב ד' אמות ומעמידו באמצע** - היינו לארכו של מבוי, ובפחות מד"א לא מהני, אע"פ שכל צד הוא פחות מיו"ד, דאתי אוירא דהאי גיסא ודהאי גיסא ומבטל ליה, **משא"כ** כשעושהו רחב ד"א כשיעור משך כותל מבוי, וכנ"ל בסכ"ו, אין אויר שמכאן ומכאן יכול לבטלו, שאין אויר יכול לבטל כותל מבוי.

וחשוב כל צד מצדי הפס כמבוי בפני עצמו, כיון שאורך הפס ד"א - וצריך ג"כ שלא יהיה הפס נמוך מעשרה טפחים, וכדין כותל של מבוי, וכנ"ל בסכ"ו.

ויתן קורה בראשו - היינו שיגיע מכותל אחד של מבוי עד הכותל שכנגדו, כדי להתיר שני הצדדים, **וה"ה** שיכול לתקנן ע"י לחיים, לחי מכאן ולחי מכאן, או לחי באחד וקורה באחד, היינו שראש אחד על כותל המבוי, וראשו השני על הפס, כשאר מבואות.

וצריך ליזהר שתהא הקורה מונחת על הפס, או תוך ג"ט - דהוי כלבוד, לאפוקי אם הפס נמוך, אף שהקורה מגעת מכותל זה עד הכותל שכנגדו, לא מהני, **דהרי** ע"י הפס נחשב כשני מבואות, דהוא חשוב ככותל, וא"כ כל מבוי אין הקורה שלו מונח רק על כותל אחד.

וצריך שיהא בכל מבוי משני אלו שהפס מפסיק ביניהם, בתים וחצרות פתוחים לתוכו, וכל תנאי [מבוי] - המבואר לעיל בסכ"ו, דאל"ה דינו כחצר ואין קורה מועיל בו, אלא שני לחיים של משהו בשני צדיו, כמבואר לעיל בס"ב, [**ואף** דהכא הרי המבוי של כ' אמה, ואפי' אם תאמר דדינו כחצר, הרי יותר מעשר אין ניתר בלחיים, **שאני** הכא דהרי נתחלק לשתים ע"י הפס].

ומה שמן הפס עד כותל האמצעי של מבוי, יש לו דין מבוי עקום, שהרי אלו שני המבואות מתעקמים ובאמצע פתוחים בשני ראשיהם לרשות הרבים - צ"ל "מתעקמים באמצע, ופתוחים" כו', **ור"ל** חוץ תיקון הקורה שעושה בפתח המבוי, צריך לעשות עוד תקון בסוף אורך הפס, כדין מבוי עקום המבואר בסימן שס"ד סוף ס"ג, **ואפי'** אין שם עשר אמות מן סוף אורך הפס עד כותל האמצעי.

וע"כ צריך לעשות צוה"פ בסוף אורך הפס עד כותל האמצעי כנגדו, ודמי כמו שהיה עושה פס לאורך כל המבוי, [**וכל** שכן דאם רוצה יכול לעשות באלכסון מסוף הפס עד זוית כותל האמצעי, אכן אז יצטרך לעשות שני צוה"פ].

הגה: וי"א דאין לו דין מבוי עקום, אא"כ יש מן הפס עד כותל האמצעי יותר מעשר אמות - דאע"ג דמבואר לקמן בסימן שס"ד, במבוי עקום שעשוי כמין חי"ת, אפילו אין מפתיחת עקמימותו עד כותל האמצעי עשר אמות, נמי צריך שם תיקון, **שאני** התם דהוא עקום ממש, **אבל** הכא יש לומר שע"י הפס נעשים כשני מבואות שמחולקים לגמרי עד סופם, **ואף** דאין הפס מגיע עד כותל האמצעי, מ"מ כיון דאין מן סוף הפס עד כותל שכנגדו יותר מיו"ד אמות, נחשב כפתח, ודמי כשני מבואות שמחולקים לגמרי, אלא שיש פתח מאחד לחבירו, **משא"כ** ביותר מעשר אמות, א"א לומר דהוי כפתח, וע"כ דינו כמבוי עקום.

ולדינא הסכימו האחרונים, דהעיקר כסברא הראשונה, (**אכן** לפי מה שמבואר לקמן בשס"ד ס"ג בשם תשובת רע"א, דאין לדחות לגמרי דעת הרשב"א במבוי העקום כמין חי"ת, דס"ל דאין צריך לעשות תיקון כלל בעקמימותן, **אפשר** דבענינננו יש לסמוך לגמרי על דעת הרשב"א, ועכ"פ שלא להחמיר יותר מדעת הי"א הזה).

סעיף לד - עוד אפשר לעשות תיקון אחר למבוי שהוא רחב כ' אמות, שירחיק ב' אמות מהכותל ויעשה פס רחב שלש אמות - דנעשה עי"ז עומד מרובה על הפרוץ שבצדו, ונחשב כסתום, **ואע"ג** דבעלמא קי"ל דפרוץ כעומד נמי שרי, כמבואר בשס"ב ס"ט, **שאני** הכא דהוא פרוץ גם מצד השני, ובכגון זה דשוין אמרינן: אתי אוירא דהאי גיסא ודהאי גיסא ומבטל ליה, **ויעשה כן גם בצד השני, וישאר פתח רחב עשר אמות.**

ומ"מ צריך לחי או קורה להתיר המבוי, דלא עדיף משאר מבואות דעלמא, [**ולהכי** לא מהני האי פס ללחי, משום דהוא מופלג מן הכותל ג' טפחים], **ונותן** הקורה רק על שטח העשר אמות, וכן כשעושה הלחי יעמידו בראש העשר אמות, דמן הפסין ולהלן עד הכתלים ניתרין בלא"ה משום עומד מרובה על הפרוץ.

«**והחזו"א** סי' ס"ח סק"ג מוכיח מזה, דאין להתיר ע"י עומד מרובה, אלא באופן שכשנצטרף את כל העומד שבדופן יהיה מרובה על כל הפרוץ שבדופן, **דאל"כ** אמאי צריך הכא ללחי או קורה, לישתרי בפרוץ כעומד, וכדמבואר לעיל סי"ב ובמ"ב שם, **ודלא** כהמ"ב לעיל סי' שסב ס"ח, ע"ש.

או ירחיק אמה ויעשה פס אמה ומחצה, וירחיק אמה ויעשה פס אמה ומחצה, וכן יעשה בצד השני; או ירחיק שתי אמות ושני טפחים ויעשה פס שתי אמות וד' טפחים, וכן יעשה בצד השני, וכן כל כיוצא בזה - דהיינו שירחיק ארבע אמות מהכותל, ויעשה פס של שש אמות. **ובלבד שהפס יהא יתר על האויר שבינו לכותל, דאם לא כן אתי אוירא דהאי גיסא ודהאי גיסא ומבטל ליה.**

וצריך ליזהר דלא לשבוק פתחא רבא ועייל בזוטא, שאם עשה כן בטל תיקון המבוי - ר"ל שעי"ז יתבטל תורת פתח מן הגדול, ובטל הלחי או הקורה המתוקן בו, ונמצא מבוי זה בלא תיקון.

אבל מן הסתם אין חוששין שמא ילכו בקטן ויניחו הגדול, שחזקה אין אדם מניח פתח גדול ונכנס בקטן.

אלא אם כן עשה צורת פתח לזוטא - עיין בחידושי רע"א שמתמה, מאי מהני במה דעושה צוה"פ לזוטא, אחרי שנתבטל תורת פתח מן הגדול, **והנכון** כמו שכתב בספר תפארת שמואל, שט"ס הוא וצ"ל "לרבא", והשתא אתי שפיר, דאחרי שנעשה צוה"פ, לא נתבטל שם פתח ממנו אף אם לא ילכו בו.

סעיף לה - פס זה שאמרנו שעושה כן למעט רוחב המבוי, א"צ שיהא פס א' שלם, אלא בקנה קנה פחות מג' סגי, דפחות מג' כשלם דמי - ר"ל וע"כ אין שייך לומר בזה: אתי אוירא דהאי גיסא ודהאי גיסא ומבטל ליה.

סעיף לו - מבוי ששוה מתוכו, ומדרון (פי' מקום משופע) לרשות הרבים - שהיה קרקע המבוי גבוה מקרקע ר"ה, והוצרך לשפע אצל פתחו לצד ר"ה.

או ששוה לרשות הרבים ומדרון לתוכו - שהיה ר"ה גבוה מקרקע המבוי, וכניסת המבוי נמי מן הפתח ולפנים גבוה כקרקע ר"ה ברוחב אמה או חצי אמה, ואח"כ הוא נעשה מדרון לצד דופן האמצעי.

אם הולך ומתלקט מעט מעט עד שמגביה י' מתוך ד' אמות - ר"ל שאם השיפוע ארכה ד' אמות, אז כבר הוגבה הקרקע למעלה עשרה טפחים, **הרי הוא כאלו זקוף כולו וא"צ שום תיקון**, דאותו גובה שבצד הפתח הו"ל מחיצה, אע"פ שהוא משפע והולך, וזהו שמסיים רמ"א "ובזה התל" וכו', **(ובזה, התל הוי כמחילה).**

אבל אם מתלקט י' מתוך ה' אמות, כמאן דליתא דמיא, וכשאר קרקע דמיא, דניחא תשמישתיה להילוך.

ואם כל העיר מוקפת תל, ואח"כ בנו בה בתים, אסור, דלא הוי מוקף לדירה, וכמש"כ סימן שנ"ח ס"ב, **וע"ש** ס"ח דאפילו בנה מחיצות גבוה יו"ד על התל לא מהני, **ואם** התל היה פחות מיו"ד טפחים, והשלים עד יו"ד טפחים, מהני, דזה ההיקף הוי מוקף לדירה, דנעשה אחר שנבנה העיר, **וע"כ** יכול לתקן אפילו אם היה התל סביב העיר כולו, דהיינו שיפחות מהתל בשטח יותר מעשר אמות ברוחב, עד שלא יהיה בגובה עשרה טפחים, דבזה חשוב כפרצה, ואח"כ ישלים זה השיעור, ובזה מהני, וכדלעיל בסימן שנ"ח ס"ב ע"ש.

ואם יש סביב העיר חריץ עמוק יו"ד טפחים ורוחב ד' טפחים, דהוי כמחיצה, ונסתם החריץ ע"י עפר וצרורות, אם אין הסתימה עולה ביותר מעשר אמות, הרי הוא כפתח ואינו אוסר, **אבל** אם הוא יותר מעשר אמות, הרי הוא כפרצה.

§ סימן שסד – דין מבוי המפולש ועשוי כגדל §

סעיף א- מבוי המפולש בשני ראשיו לרה"ר - ומיירי שאותו המבוי לא היה ברחבו שיעור ר"ה, (דהיינו פחות מט"ז אמה, ומה דמהני בצד השני לחי, מיירי שעושה לחי רחב עד שיתמעט ביותר מעשר אמה), **או צד אחד לרה"ר וצדו השני לכרמלית, הגה: או שני ראשיו פתוחין לכרמלית.**

צריך צורת הפתח מכאן ולחי או קורה מכאן - והטעם, דע"י צורת הפתח נעשה כסתום במחיצה מההוא צד, והוי כמבוי סתום מג' צדדין, וסגי בצד השני בלחי או קורה.

אבל אם צדו א' פתוח לרשות הרבים וצדו השני לחצר שאינה מעורבת, אין צריך אלא לחי או קורה בשני ראשיו - וא"צ צורת הפתח, אלא לחי או קורה כדי לחלק בין דיורי החצר למבוי, שלא יאסרו אלו על אלו, דכיון דהחצר יש לו מחיצות, הרי אין המבוי מפולש, (**עיין** במאמ"ר שכתב, דמתשובת הר"ן המובא בב"י משמע שחולק על דין זה).

ויש מחמירין, דדוקא לחי לצד החצר בעינן ולא קורה.

(ומ"מ כשהוא מפולש מצד אחד לקרפף יותר מבית סאתים שלא הוקף לדירה, דינו כפחות לכרמלית).

וכ"ז כשהחצר אינה רגילה במבוי זה, כגון שיש לה פתח למבוי אחר, **אבל** אם היא רגילה בו מכבר, אפילו צורת הפתח ודלתות אינן מועילות להתיר שם, אם לא נשתתפה מבוי זה עם שאר החצרות הפתוחות לו, **ואם** נשתתפה בו א"צ לערב כלל, כמ"ש בסימן שפ"ז.

(**עיין** בט"ז שכתב, דבמעורבת א"צ שום תיקון לצד החצר, {והיינו אפילו בלא נשתתפו עם בני המבוי, דבנשתתפו אפילו כשהחצר אינה מעורבת א"צ אפילו ללחי}, **ובביאור** הגר"א הוכיח להיפך, דדוקא כשאינה מעורבת, שאינם יכולים לטלטל בפני עצמם מחמת חסרון העירוב, אינם יכולים לאסור על בני המבוי כשעשו לחי, **אבל** אם היא מעורבת, דמותרין לטלטל בפני עצמם, אוסרים אלו על אלו עד שישתתפו יחד עם בני המבוי, או יעשו תיקון חצר כדין, דהיינו שני פסין משני הצדדין, או פס אחד רוחב ד', וכן מצדד ג"כ בפמ"ג).

הגה: וכל זה שיש לו תנאים המבוארים לעיל סי' שס"ג סכ"ו בדין מבוי, אבל אם אינו רק כחצר, צריך תקון חצר משני צדדיו - ר"ל כשאין להמבוי תנאין המבוארים לעיל, ממילא דינו רק כחצר, וע"כ אפילו אם היה מפולש משני צדדין לר"ה, ורבים נכנסין דרך אותו החצר לר"ה, אין צריך רק תיקון חצר משני צדדין, דהיינו מכל צד שני פסין, או פס רוחב ד'.

סעיף ב- רשות הרבים עצמה - דהיינו רחובות ושווקים הרחבים ט"ז אמה, ומפולשים משער לשער, וכדלעיל בסימן שמ"ה ס"ז, ועי"ש בס"ח וט"ת, דיש עוד מיני ר"ה.

אינה ניתרת אלא בדלתות - מכאן ומכאן, **אבל** צורת הפתח לא מהני, אפילו אם יעשהו משני צדדיו, **והוא שננעלות בלילה** - שעי"ז נתבטל ממנה שם ר"ה, ונעשית כחצר של רבים, שאינה דומה לדגלי מדבר שהיה פתוח כל שעה.

ויש פוסקים דס"ל דסגי בדלת מצד אחד כשננעלת בלילה, דאין זה ר"ה כיון שמונע רבים מלעבור משער לשער, וסגי מצד השני בלחי או קורה, וכמו בעלמא היכא שיש ג' מחיצות שלימות, [**וטעם** סברא ראשונה, דס"ל דוקא היכא דהוו מחיצות גמורות, אבל היכא דמחיצה שלישית הוא ע"י דלת, שפתוחה כל היום וננעלת רק בלילה, רביעית נמי צריך דלת].

(**ואם** לא היו נעולות, וכ"ש צוה"פ לבד, חייב חטאת לדעה זו, דאתו רבים ומבטלי מחיצתא, והוא דעת הרי"ף והרא"ש והסמ"ג).

ויש אומרים אע"פ שאינן ננעלות – (ואפי' לא היו דלתות כלל כי אם צוה"פ, ג"כ אין חייב חטאת, דלא אתו רבים ומבטלי מחיצתא, ואעפ"כ מדרבנן צריך דלת – הרמב"ם), **אבל צריך שיהיו ראויות לינעל, שאם היו משוקעות בעפר, מפנה אותן ומתקנן שיהיו ראויות לינעל.**

מדהעתיק המחבר דעה ראשונה בסתמא, ודעה השניה בשם י"א, משמע דדעתו כדעה הראשונה.

והנה מדברי השו"ע מוכח, דאין מערבין ר"ה כי אם בדלתות, ובעיירות שלנו שמנהג העולם לתקן ע"י צורת הפתח, אף שרחובותיה רחבין הרבה ומפולשין משער לשער, וגם פעמים רבות הולך דרך המלך תוך העיר, ומדינא הוי ר"ה גמור עי"ז, וכדלעיל בסימן שמ"ה, **וע"כ** דסומכין על הי"א שבסימן שמ"ה, דר"ה לא הוי אא"כ ששים רבוא בוקעין בו, וזה אין מצוי, **אמנם** באמת הרבה ראשונים חולקין על הי"א הנ"ל, כמו שכתבנו שם בסימן שמ"ה, (וא"כ קשה לסמוך ע"ז באיסור סקילה, **והנכון** דסומכין על שיטת הרמב"ם, דפסק כר"א דלא אתו רבים ומבטלי מחיצתא, ולדידיה בודאי מן התורה סגי בצוה"פ, **ולא** נשאר לנו כי אם איסור דרבנן דיש גם לר"א בלא דלתות, ובזה אפשר דיש לסמוך אדעה דאין ר"ה אלא בששים ריבוא, ולא הוי אלא כרמלית, ולהכי סגי בצורת הפתח, ומ"מ לאו דרך כבושה היא, דרוב הפוסקים העתיקו כר' יוחנן, דבלא דלתות נעולות יש חיוב חטאת, וגם קולא זו דאין ר"ה בלא ששים ריבוא, הרבה ראשונים פליגי עלה), **וע"כ** אף דאין למחות לאחרים הנוהגין להקל ע"י צורת הפתח, שכן נהגו מעולם ע"פ דעת הפוסקים המקילין בזה, **מ"מ** כל בעל נפש יחמיר לעצמו, שלא לטלטל ע"י צורת הפתח לבד, (כי יש בזה גררא דחיוב חטאת).

ואחר שעשה לה תיקון דלתות, חשובה כולה כחצר אחד, ואין מבואותיה צריכין תיקון.

סעיף ג - מבוי עקום כמין דל"ת - והיה פתוח משני ראשיו לר"ה או לכרמלית, **דינו כאלו היה מפולש בעקמימות** - אחרי שעוברין מצד זה לצד זה לר"ה, **וצריך צורת פתח בעקמימותו** - דהפילוש שהוא מפולש לחבירו, דומה כאלו מפולש לר"ה ולכרמלית אותו מקום, וע"כ צריך לעשות שם בעקמימות צוה"פ, (ומהני אפילו היה שם באותו מקום רחב יותר מעשר אמות), **ובשני ראשיו, לכל א' לחי או קורה** - (וע"כ מיירי בשלא היה שם המבוי רחב יותר מעשר אמות, דברחב יותר מעשר בודאי צריך שם ג"כ צוה"פ).

או צורת פתח בכל א' משני ראשיו, ולחי או קורה בעקמימות - ואין להקשות מאי גריעה זה מאלו היה מפולש משני צדדיו ביושר, דהיה די בצוה"פ מצד אחד, ולחי או קורה בקצה השני, **די"ל** דכיון דהפילוש שבאמצע נראה משני הצדדים, צריך לסתמו שלא יראה לא מצד זה ולא מצד זה.

(הנה בדין זה יש באמת פלוגתא דרבוותא, במה שאמר בגמרא מבוי עקום דינו כמפולש, דדעת רש"י ועוד הרבה ראשונים, דצריך תקון בעקמימותו, הן שיעשה בעקמימות צוה"פ, ובשני צדדיו לחי או קורה, או בצדדיו צוה"פ, ובאמצעיתו לחי או קורה, **ודעת** הר"י והרשב"א, דא"צ תיקון בעקמימותו, ודינו כשאר מבוי מפולש, דעושה צוה"פ בראשו אחד, ולחי או קורה בקצה השני, ובעקמימותו א"צ כלום, וכתב בב"י דלהלכה נקטינן כמו שסתם הטור כדעת רש"י, לפי שהסכימו אליו התוספות והרא"ש, **ועיין** בתשובת ר"ע איגר, דדעת הר"י והרשב"א ג"כ לאו דעת יחידאה היא, דהרבה גדולים חקרי לב עומדים בשיטתם, **וע"כ** נלענ"ד דבשעת הדחק שאין יכול לעשות תיקון בעקמימות, יכול לסמוך על שיטת הר"י).

(וזהו אפי' במבוי שבזמן הש"ס, ובפרט לענין מבוי שלנו, שיש לו דין חצר מפני שאין בתים וחצרות פתוחות לתוכו, כמבואר לעיל בסימן שס"ג סכ"ו בהג"ה, בודאי יש לסמוך להקל כדעת האחרונים המקילין, דא"צ לעשות תיקון בעקמימותו, **אלא** בשני צדדין צוה"פ וכנ"ל בהג"ה שם, וזה מהני אפילו היה רחב המבוי יותר מעשר אמות, משום דאפילו במבוי גמור שהוא עקום דעת כמה ראשונים דא"צ תיקון בעקמימות, **וגם** מעיקר הדין אפילו לדעת רש"י נראה שהתיקון ההוא אינו אלא מדרבנן).

(ומה דמסיים (המחבר) דיכול לעשות צוה"פ בשני ראשיו, ובעקמימותו לחי או קורה, מיירי שלא היה רחב יותר מעשרה בעקמימותו, דבזה צריך לעשות צוה"פ, וזהו רק לתשובת הרא"ש, **ולדעת** הר"מ שהובא במרדכי ובב"י, אפילו היה בעקמימות יותר מעשרה, די ג"כ בלחי או קורה, **ונראה** דיכול לסמוך להקל כדעת הר"מ, דבלא"ה דעת הרבה ראשונים דסברי, דמבוי עקום דינו כמפולש לגמרי, וא"צ שום תיקון בעקמימותו כנ"ל, ובמפולש ביושר, בודאי דינו הוא דא"צ להסתכל על אמצעית המבוי, אף דרחב יותר מעשרה, וא"צ רק

לעשות לחי וקורה בסוף המבוי, כיון דשם אינו רחב יותר מעשרה, וכ"ש בענינינו דעשה בשני ראשיו צוה"פ).

(ולענין שיתופי מבואות, צריכין שניהם לעשות יחד דוקא, ואין יכולין להתחלק זה מזה, ורק באופן הראשון שעושין צוה"פ באמצע, אז יכולין להתחלק ולערב אלו לעצמן ואלו לעצמן).

ואם עשוי כמין חי"ת, צריך צורת פתח בשני עקמימותיו, ולחי או קורה בשני ראשיו - דחשבינן לכל עקמימות כאלו הוא מפולש, אחרי שבם עוברין מצד זה לצד זה לר"ה.

וה"ה שיכול לעשות שני צורות הפתח בשני ראשיו, ושני לחיים בשני עקמימות.

(עיין בב"י שכתב, שדעת הרשב"א בזה, דדינו כמבוי סתום מצד א', וא"צ כי אם לחי או קורה בשני ראשיו, ולהלכה כתב דנקטינן כרש"י, ועיין בתשו' רעק"א הנ"ל, דתמה על הב"י במה שהתפלא על דברי הרשב"א, וע"ש עוד שהרבה להוכיח, דהרבה עומדים בשיטת הרשב"א בזה, וע"ש דמוכח מדבריו, דכשיצטרף עוד איזה סניף, יש לסמוך על הני רבוותא להקל, ולפי"ז במבואות שלנו שיש להם דין חצרות כנ"ל, או במקום הדחק שא"א לעשות תיקון בעקמימות, יכול לסמוך להקל כהני רבוותא, ולעשות רק שני לחיים בכל אחד מקצותיו, כדין חצר שנפרצה במלואה, ומ"מ מצד המנהג צריך לעשות שם צוה"פ בכל אחד מקצותיו, משום דלפעמים יקרה שיהיה שם רוחב יותר מי' אמות, וכנ"ל בסי' שס"ג סכ"ו בהג"ה).

סעיף ד - מבואות הפתוחים אלו לאלו, ואין העקום של אחד מהם נוטה לרשות הרבים, כיון שפתיחת המבוי החיצון לרה"ר, הרי אותו מבוי שפתוח אליו בעקמימותו חשיב כפתוח לרה"ר, וכן מבוי הפתוח לאותו מבוי, וכן כולם - ר"ל אף דדין מבוי עקום הוא בשני מבואות שראשיהן פתוחות לר"ה דוקא, וכאן יש הרבה מבואות קטנים שנכנסות אלו באלו ואלו באלו, ואין בהם פילוש לר"ה, **אפ"ה** כיון שקצה מבוי האחרון פתוח לר"ה, וכן תחלת מבוי הראשון, חשובות כולם כמפולשין, וצריך תיקון בכל עקמומית של כל אחד מהן.

סעיף ה - מבוי העשוי כנדל - הוא שרץ שיש לו רגלים הרבה משני צדדיו, ואינם מכוונים זה כנגד זה, **דהיינו מבוי גדול שהרבה מבואות קטנים פתוחים לו** - זה שלא כנגד זה, **וראשי השניים** - צ"ל "וראשם השניה", **פתוחים לרשות הרבים** - והיינו שכל אחד ואחד מהמבואות הקטנות שראשו אחד פתוח למבוי הגדול, ראשו השניה פתוח לר"ה, וה"ה לכרמלית, **אפילו אין פתחי הקטנים שמכאן ומכאן מכוונים זה כנגד זה, עושה לכל א' במקום פתיחתו למבוי גדול צורת פתח** - היינו בכל מבואות הקטנות שמצד זה, וכן מצד השני, **ובראשו השני הפתוח לרשות הרבים, לחי או קורה** - וה"ה אם ליכא מבואות קטנות אלא מצד אחד של מבוי הגדול, ג"כ צריך תיקון זה.

ואזיל לטעמיה, שפסק לעיל דמבוי עקום צריך תיקון במקום עקמימותו, **והכא** כל אחת מהמבואות הקטנות בכלל מבוי עקום הוא, שנכנס ממנה למבוי הגדול, וממנו יוצא לר"ה.

מלשון המחבר משמע, דגם במכוונים הפתחים של מבואות הקטנות זה כנגד זה, ג"כ צריך תיקון במקום פתיחתן למבוי הגדול, **ואין** לחשבן כמבוי א' ארוך מפולש ביושר, דהא מ"מ כל אחד כמבוי עקום הוא עם הגדול.

ובמבוי הגדול, אם הוא מפולש, עושה צורת פתח מצד א', ומצדו השני לחי או קורה; ואם הוא סתום, עושה לחי או קורה בראשו.

§ סימן שסה – דין מבוי שנפרץ §

סעיף א - מבוי שנפרץ בו פרצה מצדו כלפי ראשו - פי' המבוי היה מתוקן בלחי או בקורה, ונפרץ אחד מהכתלים שבצד ארכו כלפי ראשו, סמוך ללחי או לקורה, (לכרמלית או לר"ה).

אם נשאר עומד בראשו פס רחב ארבעה טפחים, מותר - שעדיין נשאר שיעור חשוב במבוי, לכן לא בטיל הפתח הגדול, [**היינו** דאף אי שבקי בני מבוי פתחא קמא ואזלי דרך פתח זה, אפ"ה לא בטיל

תורת פתח מן המבוי, ולא בטל קורה ולחי דידיה, דעדיין נשתייר שיעור אורך הכשר מבוי, **ואע"ג** דבעלמא שיעור אורך מבוי לא פחות מד"א, היינו אם נעשה מבוי בתחלה, אבל כאן שכבר היה מבוי אלא שנסתר, די בארבעה טפחים שנשאר ממנו.

(**עיין** במ"א שכתב, דאם לא נשאר עומד ד"ט, ורוצה להעמידו, אינו מועיל פס ד"ט, דזה הוי כמו תחלת מבוי, ובעינן דוקא פס של ד"א, והנה סתם כדעת התוס' ודלא כרש"י, משום דכן מורה לשון הרמב"ם והטור, שכתבו "אם נשתייר", ומ"מ לא ברירא כולי האי, דהאור זרוע וכן הרשב"א וכן רבינו ירוחם, העתיקו לדינא להדיא כרש"י, ומלשון הרמב"ם והטור שכתבו לשון ד"נשתייר", אין ראיה שכונתם לזה בדיוקא, **ותדע**, דהא בב"י העתיק לשון רש"י, ובשו"ע כתב "אם נשתייר").

והוא שלא תהא הפרצה יותר על י' - אמות, דעד שיעור זה הוא בכלל פתח, יתר מכאן חשוב פרצה, וצריך לסתום או לעשות צוה"פ במקום הזה.

ואם לא נשאר פס ד', אסור - דאע"ג דבפחות מיו"ד אמות מקרי פתח, הכא חיישינן דלמא שבקי בני המבוי פתח המבוי, וילכו בפתח זו לקצר דרכם, ובטל ליה תיקון דלחי או קורה, שהם צריכין להיות בפתח המבוי, והוא אין שם פתח מבוי עליו, [**אבל** אי לא היה שבקי בני מבוי את דרכם, לא היה נאסר, אף דלא נשאר שיעור חשוב בסוף הכותל, דבעינן תרתי לגריעותא].

(**ודע**, דמוכח מסוגית הגמרא ומפוסקים, דאסור בזה אפילו נשאר גידודי המעכב ההילוך, מ"מ חיישינן לזה, משום דממעטי בהלוכא על ידי פתח זה).

אלא אם כן היתה הפרצה פחות מג' טפחים - דחשוב כסתום.

(**ומבואר** בחידושי הרשב"א והריטב"א, שבמקום הפרצה אין מועיל התיקון דלחי וקורה, שלא ניתקן תיקון זה לפרצה, **ואם** מועיל צוה"פ, נראה לכאורה דתלוי לפי הגירסא בשו"ע סי' שס"ג סל"ד בסופו, דלפי מה שכתבנו שם בשם תפארת שמואל, ד"רבא" גרסינן, אינו מועיל מה שעושה צוה"פ במקום הפרצה, דדלמא שבקי וכו', **ואפשר** דכיון שעשה צוה"פ נחשב כסתום, והוי כאלו היה פס ד' בראשו).

(**ולענין** אם מועיל כשעושה צוה"פ בפתח המבוי, תלוי בפלוגתא, לפי הגירסא שם "רבא", מועיל, **אכן** לפי מה שהוכיח הבית מאיר מהריטב"א, בכל גווני אסור, א"כ דין זה תלוי בפלוגתת ראשונים, וצ"ע למעשה).

סעיף ב - נפרץ מצדו שלא כלפי ראשו, שיעורו בעשר - היינו דלא נפרץ סמוך לראשו, אלא בפנים ממנו, **וא"כ** קשה, דהיינו דינא דס"א, דנשתייר פס ד' טפחים, ולמה להמחבר למיהדר ולמיתני, **ותירצו** האחרונים, דסעיף זה אינו אלא פרטו ופירושו של הדין הראשון, דכל שנשאר פס ד' בראשו, הוי נפרץ שלא כלפי ראשו, **ומשום** סיפא נקטיה, והוי כאלו אמר בס"ב, דהא דאמרינן בס"א דאם נשאר פס ד' מותר עד יו"ד אמות, היינו אפילו לא נשתייר מן הכותל וכו'.

אפי' לא נשתייר מן הכותל ביסוד כלום - ר"ל ואין עיכוב לעבור דרך אותו מקום, אפ"ה לא גזרינן משום דלמא שבקי פתחא רבא ועיילי דרך אותו מקום ובטל פתח הגדול.

והוא דלא בקעי בה רבים - פי' שהיה מקום מטונף או מקולקל בטיט, ואין דרך רבים לעבור באותה מחיצה, **וכ"ש** אם נשתיירו מן הכותל ביסוד ג' או ד' טפחים גובה על פני כל הפרצה, דזה בודאי מעכב הילוך בני אדם, (והוא מפירש"י).

(**ועיין** בפמ"ג שר"ל, דלדעת הלבוש, אפילו אין שם רפש וטיט, כל שאין דרך רבים לעבור שם, מקרי לא בקעי רבים, **ואפשר** דגם דעת רש"י כן הוא, אך שרש"י כלל בזה אפילו היכא שהפרצה הוא נגד מקום שרבים הולכים שם, אך כעת העיכוב הוא מחמת רפש וטיט).

(אבל אי בקעי בה רבים) - דשוב אינו נקרא פתח רק דרך הרבים, [**ובאיזה** אחרונים ראיתי הטעם, דאז הוי בכלל מבוי מפולש], **(אפילו לא נפרץ רק ד"ט, צריך לתקנו שם)** - היינו שימעטנו מד' טפחים, או שיעשה שם צוה"פ.

(**עיין** פמ"ג שמצדד, דאפילו פתוח לכרמלית, י"ל דמבטל לפתח וצריך תיקון שם, ויראה דבתקון לחי או קורה שם סגי, עכ"ל, **ובשו"ע** הגר"ז כתב, שדינו כמבוי מפולש שצריך צוה"פ מצד אחד, ולחי או קורה מצד השני, **וידוע** שצוה"פ מצד אחד ובצד השני לחי וקורה במבוי מפולש,

הוא אפילו כשמפולש לבקעה. **והנה** לפי דבריו, **אם עשו** בצד שפתח המבוי בו צוה"פ, סגי במקום הפרצה בלחי וקורה, וכן ראיתי בכמה אחרונים שמצדדים כן, **ודעת** האבן העוזר, דכיון שיש בצד פתח המבוי צורת הפתח, שוב א"צ במקום הפרצה אפילו לחי וקורה, **אכן** בבית מאיר כפי מה שהעתיק בשם הריטב"א משמע, דלעולם צריך במקום הפרצה צוה"פ דוקא, וצ"ע למעשה).

וה"ה כשנפרץ בראשו ממש, כגון שהמבוי סתום משלשה רוחות וקצת מרוח רביעית, ותיקון המבוי היה ע"י לחי, או קורה שהיה מונח ממקום הסתימה עד הכותל שכנגדו, ונעשה פרצה במקום הסתימה, שרי עד עשר אמות, כל שעומד הנשאר מרובה על הפרוץ, [**ואפי'** אצל הכותל מבוי ממש, ואף דמצדו כלפי ראשו מחמרינן דוקא בשנשאר פס ד"ט סמוך לכותל, **הכא** קיל טפי, דבני מבוי בודאי לא ישבקו פתח הגדול וילכו בפתח זה, דחזקה אין אדם מניח פתח גדול וילך בפתח קטן].

וי"א דהכא שיש פרצה ברוח רביעית, בעינן שיהיה מונח הקורה דוקא על כותלי המבוי מקצה אל הקצה, **אבל** רוב האחרונים הסכימו, דמה שמונח על מקום העומד הנשאר, כאלו היה מונח על כותל המבוי, דגם זה שייך להמבוי, ומה שיש פרצה בינתיים נתבטל לגבי העומד, **וה"ה** אם עושה שם לחי, די, וא"צ לחי סמוך לבית, (היינו כותל המבוי, עיין יד אפרים).

והנה בס"ג מבואר, דלענין חצר תמיד שיעור פרצתו בעשרה, אפילו בקעי בה רבים, **ומסתפק** המ"א, דלפי מה דמבואר בסימן שס"ג סכ"ו בהג"ה, דמבואות שלנו דין חצרות יש להם, אפשר דגם לענין זה דין חצרות יש להם, **וה"ה** בעיר המוקפת חומה, ונפרץ בחומתה פרצה בד' טפחים, ובקעי בה רבים, אם גם לענין זה יש לה דין חצר, **וסיים** דיש להחמיר, **ועיין** בספר בית מאיר שהאריך בזה, וסיים דמדינא נוהג כל אלו הדינים במבואות שלנו.

סעיף ג - מפני שסעיף זה יש בו הרבה פרטים, לכן אקדים הקדמה קצרה, והוא: ידוע מסימן שס"ד דמבוי המפולש לר"ה חמור משאינו מפולש, דצריך בו צורת הפתח מצד אחד, **ויבואר** בסעיף זה, אם מפסיק חצר בין קצה המבוי לר"ה, ונפרץ החצר משני צדדיו כעשר אמות, ונשארו גיפופין מכאן ומכאן, דנמצא העומד במבוי רואה ר"ה כנגדו, דלא היה לחצר דופן אחר כי אם דופן המבוי הנכנס בתוכו, מהו דינו של המבוי וחצר, אם מותר לטלטל בם, אולי נידון המבוי מחמת זה כמפולש לר"ה, **ויבואר** בו שיש חילוק אם פרצת החצר שלצד ר"ה מכוון כנגד פרצת החצר שלצד המבוי, אז נידון כמפולש, ואי לא לא, **וגם** הלא אנשי החצר יכולין לאסור עליו אם לא ערבו יחד, **ואיך** הדין לענין חצר, הלא פרוץ לר"ה.

מבוי שנפרץ במילואו לחצר - לאפוקי כשנשארו בו גיפופין, נידון כלחי, ואין יכול החצר לאסור עליו אף כשלא ערבו יחד.

ונפרץ החצר מצד השני לרשות הרבים, אם לא עירבו בני חצר עם בני המבוי, חצר מותר - נקט לא ערבו לרבותא, דאפי' בזה דבמבוי אסור לטלטל וכדלקמיה, אפי' הכי בחצר מותר, דהפרצות שיש בכתליו לצד המבוי ולצד ר"ה, כיון שאין בהם יותר מעשר אמות, הוו כפתחים, ובני המבוי ג"כ אין יכולים לאסור עליו, כיון שאין להמבוי דריסת הרגל על החצר.

אפי' נפרץ נגד פרצת המבוי - ור"ל אף דלגבי מבוי איתא לקמיה, דאם היה פרצתה מכוונת נגד פרצת החצר, חשבינן ליה כמפולש לר"ה, ואסור בכל גווני, מ"מ לענין חצר לא מחמרינן בזה.

ואפי' בקעי בה רבים - אע"ג דלעיל במבוי פוסל בקעי רבים, כאן לענין חצר לא משגחינן בבקעי רבים.

ובלבד שלא יהא יותר מעשר - ר"ל בין הפרצה שלצד ר"ה, ובין הפרצה שלצד המבוי, דאז חשיבי כפתחים, **אבל** אם היה הפרצה יותר מעשר אמות, חשוב פרצה גמורה, והרי נפרץ למקום האסור לה, ואינו ניתר אלא בצורת הפתח, [**ואסור** אפי' אין פרצתו נגד פרצת המבוי, וגם לא בקעי רבים דרך החצר, ובכ"ז אין חילוק בין אם הפרצה בחצר יותר מעשר היה בצד המבוי או בצד רה"ר, **אכן** לענין עירוב יש חילוק, דאם היה הפרצה יותר מעשר בצד רה"ר, לא מהני אפי' אם עירבו בני החצר עם בני המבוי יחד, **ואם** היה הפרצה יותר מי' לצד המבוי, אז מהני כשעירבו יחד לטלטל בחצר].

ומבוי אסור, אפי' אינו כנגד פרצת החצר - ר"ל אפילו אם הפרצה שלצד ר"ה לא היה מכוון נגד פרצת החצר שכנגדו, וא"כ אין אנו יכולים לאסור

לטלטל במבוי משום מפולש לר"ה, **אפילו** הכי אסור מטעם חסרון העירוב, וכמו שמפרש והולך, **דכיון שלא עירבו עם המבוי, אוסרת עליו** - ואסור אפילו לא בקעי רבים מר"ה למבוי דרך החצר.

וכגון שנכנסו כתלי המבוי בחצר, בענין שאין הגיפופין שנשארו בחצר נראין למי שעומד במבוי - והיינו שקצה כותלי אורך המבוי נכנסין להלן בתוך החצר, ועי"ז נראו גיפופי החצר מכאן ומכאן שהם רק כותלי החצר, משו"ה לא נוכל לצרף הגיפופין להמבוי, (**עיין במ"א, שלשון "למי שעומד במבוי", אינו מדוקדק**).

(ומיירי שמופלגין כותלי המבוי מכותלי החצר ג"ט, **אבל** בפחות מג' טפחים אמרינן לבוד, והרי הוא כאלו לא נכנסו מבפנים, **ועיין בפמ"ג**, דשיעור כניסת המבוי לתוך החצר, לכל היותר די בג' טפחים). ובסי' שע"ד ס"ג, הביא במ"ב בשם רש"י, דצריך שתים ושלש אמות).

אבל אם נראים, עולים לו משום לחי ומותר - דאם לא נכנסו לפנים, חשבינן הגיפופים גם להמבוי, ונחשבין כלחיים מכאן ומכאן, ושוב אין החצר יכול לאסור עליו, (**וקאי א"אינו כנגד פרצת החצר" שכתב למעלה, דאל"ה הרי הוא בכלל מפולש, ומה תהני ליה לחי, וכן מוכח בגמרא במסקנא**).

(ואפי' אם רגילים בני החצר לעבור דרך שם, כיון דיש להם לבני החצר דרך אחר לר"ה, **כופין על מדת סדום, שלא תעבור דרך המבוי**).

ואם עירבו בני החצר עם בני המבוי, והפרצה שבמבוי לחצר אינו מצד החצר - אלא באמצע החצר, דאלו היה כן שכותל המבוי שוה באורך כותל החצר, אפילו מצד אחד, נראה כמבוי ארוך ומושך עד ר"ה שכנגדו, ומפולש ואסור.

ופרצת החצר מצד השני אינן מכוונות כנגד פרצת המבוי, והחצר של רבים, גם המבוי מותר.

אבל אם לא עירבו; או אפילו עירבו, ופרצת החצר למבוי מצדו; או אפילו באמצע החצר, ופרצת החצר מצד השני כנגדה - דעי"ז נידון המבוי כמפולש ונמשך עד ר"ה שכנגדו.

או אפילו אינה כנגדה, והחצר הוא של יחיד, אסור - דשמא ימלך ויבנה בתים ברוחב החצר העודף על המבוי, והו"ל מבוי נפרץ מצדו של חצר ואסור וכנ"ל.

ואם נפרץ לרחבה פחותה מסאתים, או יותר על סאתים והוקף לדירה, דינו כאילו נפרץ לחצר.

אבל אם יתירה על סאתים ולא הוקפה לדירה, הוי כאילו נפרץ לכרמלית וצריך תיקון - וע"כ אפילו אם אין נכנסין כותלי המבוי בפנים בתוך הרחבה, והגיפופין נראין מבחוץ, אפ"ה אסור לטלטל בתוך המבוי, **דהשתא** לרחבה גופא לא מהני הגיפופין להיות מותר לטלטל בה, דהא כרמלית היא, איך יועיל זה להמבוי.

מבוי שפתוח רוח רביעית שלו לצד הנהר, אם שפת הנהר שאצל הבתים הוא עמוק יו"ד טפחים, או עכ"פ הוא משופע כ"כ שבתוך שיפוע ד"א עולה לשיעור יו"ד טפחים, א"כ נחשב המדרון הזה למחיצה, וא"צ שום תיקון, דמיא לא מבטלי מחיצתא, **אבל** אם מצד העיר אין משופע כ"כ, אע"פ שמצד השני של הנהר הוא עמוק עשרה, אם הוא רחב יותר מעשר אמות בין הבתים למקום הזה, פשיטא דאסור, שהרי יש פרצה המפסקת בין המחיצה להבתים, **ואפילו** בפחות משיעור זה אפשר ג"כ שיש לאסור, שלא יעלה על דעתם שההיתר הוא מפני השפה שמעבר הנהר שמתלקט יו"ד טפחים מתוך ד"א, ויבואו להתיר אף במפולש לגמרי בלי שום תיקון, **ועיין** בבה"ל שביארנו, שבמקום הצורך יש להקל בזה.

סעיף ד - מותר להשתמש תחת הקורה וכנגד הלחי - ר"ל בין שתיקון המבוי בקורה או בלחי, מותר להשתמש כנגדם, **מיהו** יש פוסקים דסוברים, דוקא כשזה המקום שכנגד הלחי לא היה בו כשיעור ד' טפחים על ד' טפחים, דאז בטל לגבי פנים ומותר להשתמש תחתיו, וכן להכניס משם לפנים, [**אבל** להוציאו לחוץ, משמע מכמה ראשונים דאסור, דמן התורה רה"י במקום הזה, דהא הוא תוך המבוי, והמבוי יש לו ג'

מחיצות דהוא רה"י דאורייתא], **אבל** כשיש בזה השטח ד' על ד' וכ"ש יותר, נחשב זה המקום ככרמלית, לענין שאסור לטלטל בו רק תוך ד' אמות, וכן להוציא ממנו לר"ה או להכניס לרה"י אסור, **ויש** פוסקים שאין מחלקים בזה, וסוברים דאפילו יש בו ד' על ד' ג"כ בטל לגבי פנים.

והני מילי בפתוח לרשות הרבים – (ואז מותר אפילו יש דלת להמבוי, והדלת לפנים מן הלחי והוא נעול, ואין נ"מ בין יש שם איסקופא גבוה ג', או אין שם איסקופא כלל).

אבל בפתוח לכרמלית, אסור בין תחת הקורה ובין כנגד הלחי, מפני שמצטרף לכרמלית שאצלו, שמצא מין את מינו וניעור - אע"ג דבעלמא כרמלית קיל מרה"ר, מ"מ לענין זה אמרינן מצא מין את מינו וניעור, **פי'** דכרמלית שבין לחיים, אף אם לא היה בו שיעור כרמלית מתחלה שלא היה ד' על ד' טפחים, מצא מין את מינו שחוצה לו, וניעור משנתו ונתחזק להצטרף לכרמלית שבצדו, ושם כרמלית עליו, ואסור להשתמש תחתיו, וגם להכניסו לפנים, **משא"כ** בפתוח לר"ה שהוא אין מינו כלל, אין מצטרף עמו ובטל לגבי פנים.

(ומ"מ לענין להוציאו לחוץ אפשר דאסור, **דמן** התורה רה"י הוא, **אכן** לפי מה שמבואר לעיל בסימן שמ"ו ס"ג, (שם בבה"ל הביא שיטת תוס', דמותר להוציא ממקום שיש ג' מחיצות לכרמלית), **לכאורה מותר, ויש לעיין**).

ובספר א"ר מצדד להקל להשתמש תחת הקורה אפילו פתוח לכרמלית, וכן פסק בספר אבן העוזר, **ובפרט** אם הקורה רחבה ד' טפחים ובריאה לקבל מעזיבה, בודאי מותר אפילו פתוח לכרמלית, דפי תקרה יורד וסותם וחשיבא מחיצה, (וכן מוכח מרש"י ותוס' והרא"ש).

סעיף ה - אע"פ שמותר להשתמש תחת הקורה, לא ישב אדם בראש המבוי וחפץ בידו, שמא יתגלגל החפץ מידו לרשות הרבים ויביאנו אליו, כיון שאין היכר בינו לרשות הרבים - ר"ל דדוקא על צד המקרה וההזדמן מותר לטלטל שם חפציו לעת הצורך, אבל לא ישב שם בקביעות וחפץ בידו וכו'.

ואפילו אם המבוי פתוח לכרמלית, דהוא רק חששא במלתא דרבנן, ג"כ אסור, דשכיחא לאיתשולי.

וה"ה שלא ישב אצל הלחי, **ואפשר** דכשיש בו צוה"פ שרי, דמקרי הכירא, **ומיהו** בצוה"פ שלנו שגבוה מאוד, בודאי אסור, דלית הכירא.

אבל על פתח החצר מותר, בין פתוח לרה"ר בין פתוח לכרמלית, שיש בו היכרא.

סעיף ו - נשים היושבות על פתח המבוי וכדיהן בידן, אין ממחין בידן, דכיון דמידי דרבנן הוא, מוטב שיהיו שוגגות ולא מזידות - ואפילו במידי דאורייתא, אי ידעינן שלא ישמעו לנו, אין לומר להם, **אם** לא דבר שמפורש בקרא בהדיא.

סעיף ז - מבוי שנטלו קורותיו או לחייו בשבת - ר"ל לחי או קורה שלו, דאין במבוי אלא קורה אחד ולחי אחד, **וה"ה** כשניטל צוה"פ, לפי מנהגנו שאנו עושין צוה"פ, **אף על פי שהותר למקצת שבת, אסור משם ואילך** - לטלטל אלא בתוך ד"א, וכן אסור להוציא מבית לשם, **ולא** אמרינן כאן: שבת הואיל והותרה הותרה, הואיל וליתנהו למחיצות.

בין פתוח לרשות הרבים בין פתוח לכרמלית. ויש מי שאומר דהני מילי בעיר שאינה מוקפת חומה, אבל בעיר מוקפת חומה, מותר. הגה: ויש לסמוך על זה ולהתיר - דהרי ע"י החומה הויא כל העיר רה"י גמור, ותיקון המבוי לא היה אלא כדי לסלק דיורי הנכרים מעליהן, ולכן אף שנסתר תיקון המבוי בשבת, מותר, **דהוי** כשתי חצירות שלא עירבו יחד, ונפל כותל המפסיק ביניהן, דאמרינן: שבת הואיל והותרה הותרה, משום דמחיצות החיצונות קיימות, וה"נ בכהאי גוונא.

(**ואם** חל יו"ט א' ביום וי"ו, ונפסק בו העירוב, לא אמרינן הואיל והותר ליו"ט הותר לשבת, דיו"ט ושבת שתי קדושות הן).

וכתב הט"ז, דוקא ישבה ולבסוף הוקפה כסתם עיירות שלנו, דאז הוי רה"י, **אבל** אם הוקפה ולבסוף ישבה, דיש עליה דין כרמלית מדרבנן, ועשו תיקון במבוי להתיר הטלטול, ונפל התיקון, אסור, דהרי מיחסרא מחיצתא ופתוח לכרמלית.

וכל זה שהיה ראוי לעמוד כל השבת, אבל אם היה עומד לסתור מע"ש - כגון במקומות שמצויים נכרים שמקלקלים אותם בליל שבת, וקרוב לודאי הוא שיקלקלוהו, **אסור לאחר שנסתר.**

ואם ספק אם נסתר מע"ש או לא - א"אין עומד לסתור" קאי, **אזלינן לקולא** - דמוקמינן ליה אחזקתיה, והשתא הוא דנשבר.

סעיף ח - מבוי שנשתתפו בו - ר"ל שעשו רק שיתופי מבואות, ולא עשו עירובי חצרות כל אחד בפני עצמו בחצרו, ואעפ"כ מהני, דסומכין על שיתוף במקום עירוב, **ונשברה הקורה, אותו חצר שהעירוב מונח בו וחצרות הפתוחות לו** - ר"ל שיש פתח או חלון שיכולין לטלטל ולהביא מזו לזו שלא דרך המבוי, **מותרות; אבל חצרות שאין פתוחות לאותו חצר, אסורות** - ר"ל אפילו העומדות בצד חצר זו, כיון שאין להם פתח או חלון לאותו חצר, אסורות, דליתא לעירוב גבייהו, ולא מצי לאתויי להעירוב דרך המבוי כיון שנשברה הקורה.

ודוקא כשנשבר תיקון המבוי בחול, אבל נשבר בשבת, שרי לטלטל בכל החצרות, כיון שהעירוב היה קיים בין השמשות, **ואפילו** מחצר לחצר שרי, בין דרך פתחים שביניהם בין דרך חורין, דכיון שהותר במקצת שבת הותר לכל השבת, **ורק** דרך המבוי אסור לטלטל.

דע, דאותן חצרות האסורות לטלטל, אפילו בבית אחד אסור מחדר לחדר, אם בכל חדר דר אדם אחד בפני עצמו, ואין לחבירו תפיסת יד בהן, **וצריך** להזהיר ע"ז במקומות שאין להם תיקון מבואות בעיר, דאף בבית אחד לא יטלטלו שני שכנים הדרים בשני חדרים, **אם** לא שעשו עירובי חצרות ביניהם.

וכן צריך להזהיר במקומות שיש שם לחי או קורה או צוה"פ, ונשבר התיקון באותו מבוי של ביהכ"נ שמונח שם העירוב וכה"ג, **אם** נשבר בחול, שלא יטלטלו שוב בכל המבואות, אפילו יש להם תיקון בפני עצמם, **אא"כ** הוא בענין שיכולין להביא העירוב אצלן מביהכ"נ.

ודע עוד, דבמקום שאין עושין תיקון מבואות בעיר, צריך ליזהר שלא יעשו עירובי חצרות, ‹דהוי ברכה לבטלה – מחזה"ש›, אא"כ יש עכ"פ באותו חצר שני בתים, או בחצר הסמוכה להם בענין שיכולין להביא העירוב אצלם דרך פתח או חלון בשבת, **וכן** ה"ה שני בתים זה נגד זה ופירהויז ביניהם, או שני חדרים הפתוחים לבית אחד.

וכתבו האחרונים, דבאופן זה שלא עשו תיקון למבואות, לא יניחו העירוב בביהכ"נ כנהוג, רק באחד הבתים, **ואם** לא עשו כן, אסור לטלטל אפילו בחצר בהכ"נ על סמך העירוב שמונח בבית הכנסת, [**והטעם**, דהא באמת קימ"ל דעירובי חצירות צ"ל דוקא בבית דירה, ומה שאנו מניחים בביהכ"נ, כתב רמ"א לקמן, משום דעירובי חצירות שלנו הוא במקום שיתופי מבואות, ושיתוף א"צ דוקא בבית דירה, **וא"כ** בזה שלא תיקנו המבואות, אין עליו שם שיתוף רק שם עירובי חצירות בעלמא, וצריך דוקא בית דירה].

§ סימן שסו – דין עירוב לחצר שהרבה בני אדם דרים בו §

סעיף א - חצר שהרבה בתים פתוחים לתוכו - של אנשים מיוחדים, **אסרו חכמים לטלטל מבתיהם לחצר** - וה"ה מבית לבית בתוך החצר [אפי' הן סמוכין ממש זה לזה ורק פתח ביניהם], **או** בתוך המבוי, אף שהמבוי מתוקן בלחי וקורה.

(וזה עוקר וזה מניח בלא ערבו, צ"ע).

וטעם בכל זה, דגזרו שלא להוציא מרשותו לרשות חבירו, [וחצר ג"כ יש בו השתתפות של חבירו], כדי דלא ליתי לאפוקי מרה"י לר"ה, **ובחצר** גופא מותר לטלטל בכולו, ואפילו מחצר לחצר נמי מותר, [היינו כלים ששבתו בחצר], דלא גזרו בזה רבנן.

עד שיערבו, דהיינו שגובים פת מכל בית ובית ונותנים אותו בא' מבתי החצרות, שע"י כך אנו רואים כאילו כולם דרים באותו הבית - דעיקר דירתו של אדם במקום שפתו שם, **וכאילו כל החצר מיוחד לאותו בית** - ‹לשון הטור›.

וכמו שהסביר הרמב"ם, וז"ל: שיתערבו במאכל אחד שמניחין אותו מע"ש, כלומר שכולנו מעורבין ואוכל אחד לכולנו, ואין כל אחד ממנו חולק רשות מחבירו, אלא כשם שיד כולנו שוה במקום זה שנשאר לכולנו, כך יד כולנו שוה בכל מקום שאחז כל אחד לעצמו, והרי כולנו רשות אחד, (קצת באופן אחר מאיך שכתב הטור), **ובמעשה** הזה לא יבואו לטעות ולדמות שמותר להוציא ולהכניס מרה"י לר"ה, עכ"ל.

סעיף ב - יושבי אוהלים או סוכות - כגון שוכני מדבריות וכדומה, **או מחנה** - מקום חנייה של אנשי חיילות על פני השדה, שקורין בלשוננו לאגע"ר, **שהקיפוהו מחיצה** - ר"ל שהיה מחיצה גבוה עשרה טפחים מקפת סביב האוהלים והסוכות, **אין מטלטלין מאהל לאהל** - וה"ה מאוהל לחצר, דהיינו לאותו שטח שהוא בתוך המחיצה, **עד שיערבו כולם** - ומאותו טעם שכתבנו לעיל בס"א.

אבל שיירא - אורחת אנשים ההולכות דרך מדבר, **שהקיפוה מחיצה** - ויש להם בתוך ההיקף אוהלים לכל אחד בפני עצמו, **א"צ לערב, לפי שכולם מעורבים, ואין אותם אוהלים קבועים להם** - פי' דכיון שאין אותם אוהלים קבועים להם לדירה, רק דרך ארעי בשעה שעומדים לפוש מעמידים אוהלים, לא מיקרי חילוק דירות, וכמו שכולם מעורבים בבית א' דמי.

(**עיין** בהרב המגיד, ומשמע ממנו דחלוקא דמחנה משיירא הוא בזה, דבמחנה מיירי שחונים ימים רבים, ובשיירא מיירי שאין חונים רק ליום אחד, דהיינו מפני השבת, והעתיקו כן איזה מפרשים, **אבל** אין זה הכרח במשמעות דברי הרמב"ם, ובאמת מנא ליה זה, **ואדרבה** הסברא נותנת דה"ה אם השיירא חונה איזה ימים, כמו שמצוי בהולכי במדבר, שמפני איזה סיבה צריך להמתין איזה ימים, דג"כ א"צ לערב, דבזה שייכא ג"כ סברת הרמב"ם, דאין אותן אוהלים קבועים להם, **ואמינא** עוד, דאפשר דגם במחנה שחונים ימים, אם רק מחזיקים בדרך, הרי הם כשיירא, ובהו ג"כ שייכא סברא דאין אותם אוהלים קבועים להם כעת, ולא עמדו רק לפוש או מסיבה אחרת).

(**ולענ"ד** שמחוורתא דמלתא כמו שפירשנו במ"ב, דמחנה פי' מה שאנו קורין בלשון אשכנז לאגער, **ולא** מיירי כלל בחיל שהולך ממקום למקום, רק מיירי שחונין במקום, אלא שאינן חונין בבתים רק על פני השדה, כמו שידוע שהחיילות של מלך חונין בקיץ על פני השדה, רק שמעמידין כמו אוהלים, **ואשמעינן** דגם אהלים של ארעי כאלו ג"כ בכלל בתים המה, ושייכא בהו גזירת הוצאה מרשות לרשות, וכ"ז בכעין מה שציירתי דעכ"פ חונים בקביעות, אבל לא בהולכים בדרך, בזה ליכא לחלק כלל בין מחנה לשיירא, ובין יום א' לב' ימים, אלא כל שאינם קובעים את עצמם לזמן מרובה, בודאי לא גזרו בזה).

(**וכ"ז** בשעת שלום, אבל בשעה שהיו ישראל יוצאין למלחמה, אפילו מלחמת הרשות, פטורין מעירובי חצירות, ואפילו בחזרתן מן המלחמה).

(**ואפשר** היה לחלק ולומר, דע"כ לא קאמר הרמב"ם בשיירא דפטור, אלא בדוקא כשהקיפו כל השיירא מבחוץ במחיצה אחת, אלא שמבפנים הקימו לכל אחד אוהלים, ובזה כתב הרמב"ם דפטורין מע"ח, משום דכיון שהקיפו כל השיירא במחיצה אחת, הרי הם מעורבין, ולא משגחינן במה שנתחלקו בפנים באוהלים, משום דאין אותם אוהלים קבועים, ודמי כמי שאין אהלים כלל, והם שוכנים בחצר או בקרפף אחד, דמותר לטלטל בכולו, **משא"כ** בהא דש"ס ס"ג, דמיירי שהקיפו כל אחד לעצמו מחיצה מיוחדת, א"כ ליכא למימר דהויא כמעורבים, דהלא אדרבה נתחלקו כל אחד לעצמו, אלא שיש פתח מזה לזה, וא"כ לא עדיף משני בתים שפתוחים זה לזה, שצריכין עירוב).

(**ודע**, דעיקר דינא דשיירא אינו ברור, ורוב הפוסקים הראשונים חולקים ע"ז).

ועיין בביאור הגר"א שהביא בשם מפרשים שחולקים ע"ז, ודעתם דאוהלים שבשיירא צריכים עירוב, ושבמחנה פטורים מעירוב, **אך** שיירא לא מיקרי רק כשהוא פחות מעשרה, ומי' ולמעלה נכללים בשם מחנה.

הגה: בתים שבספינה - ששייכים לאנשים מיוחדים, **צריכים עירוב** - דלא גרע מיושבי אוהלים וכו' שצריכין ע"ח, שאף כאן הבתים קבועים להם לכל משך נסיעתם על הים, **ועי"ז** יהיה מותר לטלטל מבית לבית, ומבתים לספינה, ובלא עירוב אסור בכל זה, **מע"פ שיש לספינה מחילות** - של י' טפחים, ודינה כרשות היחיד.

ועיין במ"א וא"ר, דדוקא כשיש בה איזה בתים השייכים לישראלים, אבל אם אין בספינה רק בית אחד, ושארי אנשים שוכנים בספינה עצמה, א"צ עירוב כלל, ומותר להוציא מן הבית לספינה, (**ובאמת** לכאורה מנ"ל זה, דכיון דסוף סוף שוכנים הרבה אנשים בספינה, ושייכא למיגזר שלא יוציא מביתו לספינה, אטו הוצאה מרה"י לר"ה, כמו בדרים בבתים, **ואפשר** דהטעם הוא, דאין לגזור בספינה יותר מבחצר, ובחצר הלא ידוע דלא מקרי חצר רק כשיש לו עכ"פ ב' בתים פתוחים לתוכו, וע"כ לא גזרינן גם בספינה רק באופן זה).

אבל בספינה עצמה מותר לטלטל בכולה כמו בחצר, **וכן** אותם ספינות שאין להם בתים, אלא שרויים בספינה, הרי הם כשרויים בחצר אחת, שמותרים לטלטל בכולה בלי עירוב.

ואם אין לספינה מחילות - של עשרה טפחים, ומודדין מקרקעיתה, ואע"פ שיש איזה טפחים במים, **אסור לטלטל בספינה רק בארבע אמות** - דהויא כרמלית, **ובאופן** זה מותר לטלטל מן הים לתוכה, ומתוכה לתוך הים, דמותר לטלטל מכרמלית לכרמלית, **ועיין לקמן סוף סי' שפ"ב, וסי' ת"ה סעיף ז'.**

כתב מ"א, דאם יש בתים בספינה, והספינה עצמה אין לה מחיצות של י"ט, אסור להוציא מן הבתים לספינה, דמרה"י לכרמלית קמפיק.

(**כתב מג"א, אמרינן בגמ' שם לענין ביצייתא דמישן, לפי פי' רש"י שם, שהוא ספינות קטנות הרחבות מלמעלה, וקצרות מלמטה עד כחודו של סכין, דאפ"ה הוי רה"י אם יש להם מחיצות של עשרה טפחים, דאמרינן גוד אחית מחיצתא, ובתוספות פירשו על ביצייתא דמישן, שהוא ספינה שיש לה דפנות, וקרקעות העשויות נסרים, וחלל בין הנסרים והמים נכנסין בה, ויושבין כמו במים, אפ"ה הוי רה"י, אפילו יש בין נסר לנסר רוחב ג"ט, שאנו רואין כאלו דופני הספינה עקומין ומסבבין כל הספינה, ונמצאו הנסרים מחוברין, עי"ש, ונראה ששניהם נכונים לדינא).**

סעיף ג - הבית שמניחים בו העירוב א"צ ליתן פת - שהרי אין העירוב אלא שיחשוב כאלו כולן דרין שם, והרי הוא דר שם, [**ואפי'** אין לו פת בביתו כלל, זולת מה שהביאו השכנים לעירוב].

וא"צ שיהיה בעירוב שוה פרוטה - לאפוקי ממ"ד בגמ' עירוב משום קנין, שבעה"ב מקנה להם ביתו עבור הפת, ולפי"ז היה צריך שיהא בפת עכ"פ שוה פרוטה דליחשב ממון, קמ"ל דלאו משום קנין הוא, אלא שיתוף דירה בעלמא הוא, **ומזה** הטעם ג"כ צריך ליתן דוקא פת, ולא סגי בדבר אחר כגון כלי וכיו"ב שאינו מאכל, דעיקר דירת אדם הוא במקום פתו, כ"ז מתבאר בש"ס.

ואין מניחים אותו בחצר, אלא בבית שראוי לדירה, לאפוקי בית שער אכסדרה, ומרפסת - מקום גבוה בחצר, ובו מדרגות עולים בהם לעליות, וזה המקום גבוה מוקף בבנין ודרין בו.

דאע"ג שעשויין כעין בתים, מ"מ הואיל והן דריסת הרגל לכל בני החצר, לא חשיבי דירה.

(**המחבר סתם בזה, ולא חילק בין בית שער דיחיד לרבים, אכן כמה פוסקים חולקים ע"ז, ודעתם, דלענין הנחת העירוב מניחין בבית שער דיחיד, וכגירסא דילן בש"ס, אכן בביאור הגר"א משמע, דדעת המחבר ג"כ הכי, דשם בית שער אינו רק בבית שער דרבים, אבל דיחיד אינו בכלל בית שער, וכתב שגם דעת הרי"ף ג"כ הכי).**

וצריך שיהא בו ד' אמות על ד' אמות - דאז הוא ראוי לדירה, **ואם** הוא רחב יותר מד' אלא שהוא קצר בארכו, ויש בו לרבע ד' על ד', יש דיעות בין הפוסקים אי מקרי דירה, לפיכך מן הנכון להניח לכתחלה בבית אחר יותר גדול.

(**וכתב** בתוספות שבת, ואם החדר קטן הוא בתוך חדר גדול, אז אפילו אין בו ד' על ד' מניחין בו עירוב, דסליק היקף הקטן והוי כאלו מונח בחדר הגדול, וכעין ההיא דריש סי' שפ"ו לענין שיתוף מבואות, **ולדעתי** האי דינא אינו מוכרח, דע"כ לא כתב רש"י התם דסלק היקף וכו', אלא משום דסברא הוא, דלא גרעיה למילתא בשביל שעשה מחיצות, משום דבאויר החצר עוד גרע, **משא"כ** הכא דבעינן בית שראוי לדירה, בודאי גרעיה, דלולי הדפנות היה מונח במקום ראוי לדירה, ועכשיו הכניסו בתוך מחיצות שאי אפשר לדור בהם, **וצ"ע** למעשה).

(**וכתב** עוד התו"ש, וה"ה אם הקטן נפרץ במלואו לגדול, דאז הוי כאלו היא קרן זוית של הגדול, וכאלו היא מונח בתוך הגדול).

ואפילו הוא של קטן - פי' שהבית שמניחים בו העירוב הוא של קטן, וקמ"ל דלא תימא דצריך להקנות להם ביתו, וקטן לאו בר אקנויי הוא, **קמ"ל** דלא משום קנין היא, אלא משום דירה, וע"כ מותר להניח אפילו בבית קטן.

ואם רגילים ליתנו תמיד בבית ידוע, אין להם לשנותו וליתנו בבית אחר - ואפילו מת הבעה"ב, [וצ"ע], **ואפילו** יש להם קצת טעם בדבר, **אם** לא דיש להם טעמא רבא, דאז מותרין לשנותו.

ואפילו השני נותן מעות לבני החצר להניח בביתו, **ואפילו** הוא ת"ח והראשון ע"ה.

אם בתחלת הנתינה התנו לשנות, מותר לשנות, **ויש** מאחרונים שמפקפקין בזה.

ואם רגילים - ולאפוקי אם לא הורגלו עדיין לזה הבית, אין להקפיד אם משנין לבית אחר.

מפני דרכי שלום - ענין דרכי שלום בכאן הוא משום חשד - גמרא, ופירש"י הואיל והורגל העירוב בתוך אותו הבית, אם באת לשנות את מקומו, הנכנסין לאותו הבית ולא יראו שם העירוב, יחשדו לבני החצר שמטלטלין בלי עירוב, [ועי"ז יבא לידי מחלוקת], **ובתוספות** פירשו, דחשדא הוא שיחשדו לבעה"ב זה שגונב פת מן העירוב, ולכך הוציאו אותו ממנו לבית אחר, ומתוך כך יבוא לידי מחלוקת עמהם.

ולפירש"י בודאי יש להחמיר אפילו מכר בית לאחר, שלא לשנות מקום העירוב, **אכן** לפירוש התוספות אפשר לומר, דעל הלוקח לא יבוא לידי חשד ע"י הוצאת העירוב מביתו, אחרי שמעולם לא היה העירוב בידו, [**ובהגר"ז** מוכח, דאף להתוס' איכא משום חשדא].

והנה כ"ז בעירוב שדרכו להניח אותו בבית בחנם וכל כיו"ב, אבל דבר שצריכין ליתן מעות לזה, יכולין לשנותו ליתן לאחר, ואפילו אם להשני צריך ליתן ג"כ מעות, [**דכה"ג** ליכא חשדא, דיאמרו שעד עתה היו רוצים להנות לבעה"ב זה, ועתה רוצים להנות לעוד איש אחר].

ובכל גוונא, אם עברו ונתנו בבית אחר, אין מחוייבין להוציא משם, **ומיהו** אם הנותן רוצה לחזור וליתנו במקום שהיה רגיל מתחלה, הרשות בידו, **ומ"מ** צ"ע למעשה, [דאולי אם הורגל בבית השני, אין רשות להוציא ממנו, דתו איכא חשדא עליו, **ואם** לא הורגל, צריך להוציא, דעל השני לא יהיה חשדא אם יוציאו ממנו, כיון שלא הורגל בו, משא"כ על הראשון שכבר הורגל בו איכא חשדא כשלא יחזירו לו העירוב].

ואפילו קטן יכול לגבות העירוב ולקבצו - והכל מטעם הנ"ל, שאינו משום קנין שיהא צריך בר דעת להקנות, ואע"פ שאין במעשה קטן כלום, מ"מ העירוב נעשה ממילא כשהונח בבית, **ומ"מ** ע"י עכו"ם אסור לקבצו לכתחלה, דחשוד לגנוב ולהחליף טוב ברע.

הגה: והמנהג בזמן הזה להניח העירוב בבית הכנסת, וכן נהגו הקדמונים - ר"ל אע"פ שבהכ"נ אינו ראוי לדירה מפני קדושתו, שהרי הדירה הוא מקום האכילה, ואסור לאכול בביהכ"נ אם לא הלומדים שם, **ונראה לי הטעם** - לקיים המנהג, **דעירובין שלנו יש להם דין שיתוף** - דהיינו שכל החצרות והבתים שבמבוי משתתפין יחד בעירוב זה, **ואין צריך להניח בבית דירה** - דשיתופי מבואות א"צ להניחו כלל בבית דירה, רק שיהא במקום המשתמר לבד. **ועיין לקמן סימן שפ"ו ושפ"ז.**

(והקשה הב"ח, כיון דבעירוב זה מערבין כל הבתים של דירה, דהוי עירוב ושיתוף ביחד, ודאי דצריך להניחו בבית דירה ולא בבהכ"נ וכו', **והגר"א** מכוין ליישב זה, דהבתים ניתרין מטעם מיגו דמהני עירוב זה שמניחין בבהכ"נ להתיר החצרות שבמבוי, מהני נמי להתיר הבתים שבחצר, וכעין זה איתא בגמרא, וכ"כ הפמ"ג ג"כ).

ולפי"ז שאין בהכ"נ נחשב לבית דירה, חשבינן ליה רק כחצר השותפין, ומותר לטלטל ממנה לחצר אחרת בלי ע"ח, דכל החצרות רשות אחת, [**ואפי'** דרך המבוי מותר, אם הוא רק מתוקן כדין בלחי וקורה, אף שלא נשתתפו בו, **דלא** נאסר להוציא מחצר למבוי רק כלים ששבתו בבית, ולא ששבתו בחצר, **וכ"ש** דמותר להוציא מביהכ"נ לחצירו גופא, אף שיש בית דירה אחת שם בחצר, דביהכ"נ לא נחשב רק כחצר, ולבית דירה אחת לא מצרכינן ע"ח בידוע].

סעיף ד - צריך ליתן כל העירוב בכלי א', ואם חלקו ונתנו בשני כלים, אינו עירוב - שהרי עירוב שמו, שיהיו מעורבים יחד, ואם מניחו בשני

כלים, נראה שהם מופלגים ומחולקים זה מזה, **ונראה** לכאורה דדוקא אם כל אחד נותן חלק בעירוב, אבל אם אחד מזכה בעד כולם, יכול ליתנו בשני כלים, **אכן** מדלא הזכירו הפוסקים דבר זה, משמע דס"ל דלא פלוג רבנן במלתייהו, וצ"ע.

(**לכאורה כלי לאו דוקא, ה"ה דאם מניחין כל העירובין שגבו במקום אחד, ג"כ שפיר דמי, ולא אתי אלא לאפוקי בשני כלים, דזה מורה על חלוקה, וצ"ע, וכן להיפך, אם נתנו בשני מקומות בלי כלי כלל, אף שהיה בבית אחד, ג"כ לא מהני**).

אא"כ נתמלא הא', ואז מותר - ר"ל שבזה לא היה החילוק לשני כלים ברצונו, **אכן** אם ידע מתחלה שהכלי לא יכיל בתוכו את כל העירוב, והיה לו כלי אחר גדול מכלי זה שתוכל להכיל כל העירוב, יש מאחרונים שמחמירין, דהוי כחולק לכתחלה את העירוב לשנים.

והוא שיהיו שני הכלים בבית א' - דעכ"פ היו שניהם ברשות אחת, אבל לא בשני בתים, **ואפילו** אם אחד מזכה בהעירוב משלו בשביל כולם, ג"כ יש ליזהר בזה, **וע"כ** העירוב שמניחין בביהכ"נ בעד כל העיר, יש ליזהר שלא להניחו רק בבית הכנסת אחת, ויבחרו לזה הביהכ"נ היותר גדולה שבעיר.

סעיף ה - צריך שלא יקפיד שום א' מהם על עירובו אם יאכלנו חבירו, ואם מקפיד אינו עירוב - ג"כ מטעם דעירוב שמו, שיהיו מעורבין ומרוצין בו, שלא ימחה אחד בחבירו, ויהיה שותפותן נוחה ועריבה.

וה"ה כשאחד מזכה לכולם, צריך ג"כ להתרצות כשיבואו מבני החבורה לאכול ממנו שלא להקפיד עליהם.

(**וע"כ** אם בא אחד לאכול את העירוב ואינו מניחו, בטל העירוב, והיינו דוקא כשבא בע"ש, או בעת שחל קניית העירוב, דהיינו ביה"ש, **אבל** אם בא בשבת ולא רצה ליתן לו, אינו בטל העירוב בשביל זה, כיון שכבר חייל העירוב, כן משמע בב"י).

לכך צריך ליזהר שלא לערב בדבר שתיקן לצורך השבת - שהרי אם יבקש חבירו ממנו לא יתן לו, **ואמנם** אם פועל בעצמו בפירוש, שאם ירצה אחד מבני העיר ששייכים להעירוב לאכול ממנו שלא יקפיד עליו, מסתברא דמותר לערב בו.

סעיף ו - אין מערבין בפרוסה, אפי' היא גדולה הרבה - משום איבה, שיבואו לידי מחלוקת, שיאמר: אני נותן שלימה ואתה פרוסה, **ואפילו** ירצו כולם ליתן פרוסה, חיישינן שיחזור הדבר לקלקולו, **ועיין** בפמ"ג דמסתפק לומר, דאפשר דאפילו בדיעבד לא מהני העירוב כשעשאו בפרוסה, **ואם** עשאו מתחלה בשלימה, ואח"כ לשבת אחרת נפחתה, ונשתייר ממנה מעט, עיין לקמן בסימן שס"ח ס"ד ע"ש.

(**ר"ל עירובי חצרות, אבל שיתופי מבואות כיון דמערבין בכל מיני אוכלין ומשקין, לא תקנו חז"ל בזה דדוקא בשלמין, כן מוכח מהרמב"ם, ולכאורה לפי מה שכתב הרמ"א בסוף ס"ג לענין בית דירה, דכהיום שאנו עושין ע"ח ושיתופי מבואות ביחד, אמרינן מיגו דמהני לשיתוף מהני נמי לע"ח, אפשר דהכא נמי נימא כן, אבל מדלא הזכיר הרמ"א גם בזה לחלק בזה, משמע דאף כהיום אין מערבין בפרוסה, ואולי אפשר לומר דס"ל להרמ"א כשארי הראשונים, דאפילו שיתופי מבואות אין מערבין בפרוסה כשמערב בפת**).

אבל בשלימה, אפי' קטנה מאד מערבין, ובלבד שיהא בהם כל כך שיהא בהם כשיעור - (היינו המבואר לקמן סימן שס"ח).

ומיהו אם ניטל ממנו כדי חלת נחתום, שהוא א' ממ"ח, מערבין בה - פי' אפילו אינו שלם שרי, **אפי' לא היתה טבולה לחלה** - שהשכנים סוברים שניטל חלה מן הפת.

ואם נפרסה - ר"ל שנפרס מן הככר מעט, **וחיברה בקיסם, שהכניס הקצה הא' בתוך הפת והקצה השני בתוך הפרוסה, אם אינו ניכר שנפרסה, מערבין בה** - הטעם, אע"ג דבאמת אינה שלמה, מ"מ כיון דאינו ניכר, לא יבוא לידי מחלוקת.

הגה: ויש שפירשו הא דאין מערבין רק בפת שלם, היינו שכל העירוב ביחד יהיה פת שלם - ר"ל דבזה ג"כ מקיים מה שתקנו חז"ל לע"ח שיהיה בפת שלם

דוקא, **אבל** גם הם מודים דיכול כל אחד ליתן פת שלם, **ואפילו** אם הככר של זה גדול משל חבירו, ג"כ מותר, **וכן** מודים ג"כ לדעה ראשונה דאין מערבין בפרוסה, אפילו אם יתנו כולם פרוסות שוות.

ולכן נהגו לקבץ מכל בית ובית מעט קמח - וה"ה כשנותנים מעות לקנות בהם קמח, **ועושין חלה אחת שלימה ומערבין בה, וכן המנהג פשוט בכל מדינות אלו** - ואפילו אם לא נתנו איזה בעלי בתים, ג"כ אין קפידא בדבר, וכדמסיים לבסוף, דכל אחד נותן קמחו לעירוב בשביל כולם.

(**אף** דלכאורה לא שייך כאן משום איבה, כיון שאין לוקחין מכל אחד כי אם קמח, וליתכשר אף בפרוסה, **צ"ל** כיון דעכ"פ כל אחד נותן חלק בעירוב, וחל עלייהו התקנתא שאין מערבין בפרוסה, **משא"כ** בס"ז, שאחד נותן משלו ומזכה לכולם, לא שייך גביה האי תקנתא כלל).

וצריך ליזהר שיהא בחלה השיעור המפורש לקמן סימן שס"ח סעיף ג' - אשמועינן דאף שמצטרפין יחד להביא פת שלמה למצות עירוב, וס"ד דזה חשוב טפי ולא בעי שיעור, קמ"ל.

ואע"פ שנשתייר מן הקמח ולא נעשה מכולו חלה - ר"ל וא"כ יש בני אדם שאין להם חלק בפת העירוב, וא"כ יאסרו אלו על אלו, **אפ"ה הוי עירוב, דלא גרע מאילו אחד מזכה לכולם, ואדעתא דהכי נתנו קמחם מתחלה, כן נראה לי** - ר"ל אף הכא כשנותן כל אחד מבעלי בתים מעט קמח להשמש, בשביל כולם נתן, **ואע"פ** שהנותן עירוב בעד חבירו צריך לזכות לו ע"י אחר, כמו שיתבאר לקמיה בס"ט, **מ"מ** כאן כשנותן כל אחד קמחו להשמש לערב בו, אנו חושבין כאלו נותנים לו שיזכה בו בשביל כולם, **ואין** השמש צריך לזכות להם ע"י אחר או ע"י עצמו בפירוש.

ויש מי שאומר, שאם לא זיכה השמש להם ע"י אחר או ע"י עצמו בפירוש, אינו עירוב, [**ומש"כ** הרמ"א "ואדעתא דהכי" וכו', ר"ל אע"ג דאין מזכין שלא בידיעת בעל הפת], **ונכון** לחוש לדבריו לכתחלה, ובפרט אם השמש עשהו מקמח שלו, בודאי צריך לזכות להקהל ע"י אחר, **וכן** נוהגין, שהשמש נותן העירוב להרב בערב פסח שיזכה בו בשביל כל הקהל.

ואם חשכה ליל יו"ט ראשון ולא זיכה, אין לזכות אלא על תנאי, דהיינו שיאמר: אם היום חול, אני מזכהו לכל העיר, ואם קודש אין בדברי כלום, וכן יאמר למחר בליל יו"ט שני, [**דהיינו** שיאמר: אם היום קודש, הרי כבר זכיתי אתמול לכל בני העיר, ואם היום חול, אני מזכה היום], **וכ"ז** אם היו"ט היה סמוך לשבת, דאם יש ימי חול בינתיים, ימתין מלזכות עד ערב שבת, **ואם** שכח גם בע"ש מלזכות עד שחשכה, סומכין על הפוסקים הנ"ל, דס"ל דמותר לטלטל אף בלי זיכוי, כיון שכבר נגבה בשביל כולם.

סעיף ז - אם אחד מזכה לכולם, יכול לערב בפרוסה - דלא שייך כאן כלל משום איבה.

סעיף ח - מערבין בפת אורז ועדשים, אבל לא בפת דוחן - שדרך העולם לאפות פת אורז ועדשים ולאכלו, (וה"ה בפת טאטארק"י ופת טערקעס"י ווי"ץ), משא"כ בדוחן, **ועיין** לעיל סימן ר"ח במ"ב, מה הוא אורז ודוחן.

סעיף ט - אם אחד מבני החצר רוצה ליתן פת בשביל כולם, שפיר דמי - אפילו שלא בפניהם, **ובלבד שיזכנו להם על ידי אחר** - דהיינו שיאמר לו לאחר: קבל פת זה וזכה בה לכל בני החצר, והוא יחשוב בהגבהתו בשביל כולם, **ואף** שהם לא עשאוהו שליח לזה, זכין לאדם שלא בפניו, והוי כשלוחם, **דעל** ידי עצמו אינו יכול לזכות להם, שכל זמן שהוא בידו לא יצא מרשותו.

וכשזוכה בו צריך להגביהו מן הקרקע טפח - ואפילו לדעת האומרים בחו"מ, דהגבהה אינו קונה בפחות מג"ט, הכא בעירוב שהוא מדרבנן הקילו, וסגי בהגבהה טפח.

כתב הט"ז, דה"ה אם הניחו להעירוב על ידו התלויה באויר, צריך שיגביה ידו טפח, (**ובאמת** אין דין זה פשוט בכל גווני, **דאם היה העירוב כולו מונח בידו, א"צ להגביה כלל, דידו קונה בלי טעם הגבהה, כמבואר בתוספות וכ"כ הנתיבות, אם לא דבולט הדבר מן ידו לצדדים, דאז אינו קונה מטעם אויר ידו, רק מטעם**

הגבהה מכחו, ובזה צריך להגביה טפח, וכמו שכתב שם בנתיבות).

(ועיין בב"י ובהרה"מ שהביאו, דלפי' הרמב"ם והגאונים, אפילו במקום דלא שייך זכיה והקנאה, כגון במקום שהעירוב משל כולם, צריך להעמיד הכלי שהעירוב מונח בתוכו במקום גבוה מן הקרקע טפח, כדי שתהא מובדלת ומפורשת מן שארי כלים שבחצר, וטוב לכתחלה לחוש לדבריהם).

וצריך לזכות לכל בני החצר או המבוי, ולכל מי שיתוסף מיום זה ואילך - דאל"כ לפעמים שיתוספו עליהם דיורים, ויאסרו עליהם עד שיוסיפו עליהם, **אבל** כשמכוין עליהם מתחלה ל"ל בה, דהא שיעור שתי סעודות מהני אפי' לאלף, וכדלקמן בסי' שס"ח.

וי"א שאע"פ שלא יזכה בפירוש למתוספים עליהם, לב ב"ד מתנה עליהם - הלשון מקוצר, דמעיקר הדין בודאי אינו כן, אלא דבזמנינו יש לסמוך ע"ז, מאחר דאנו נוהגין להניח עירוב על כל השנה, מסתמא אנו מכוונין גם על אנשים שמתוספים במשך השנה, וכן הוא הלשון באמת בב"י, וכן כונת המחבר בכאן.

ואם נתוספו דיורין לאחר שנתמעט העירוב מן השיעור, צריך להוסיף מחמתן - דשמא לא אמרו חכמים דשיורו בכל שהוא, אלא באותן שהיו בתחלת הנחת העירוב, וזכו אז, **אבל** אלו שלא היו בתחלת הנחתו, לא זכו אז, ורק הם זוכין בשעה שיתוספו, וכיון דבשעה זו כבר נפחת משיעורו, א"כ א"א להם לזכות, [הרשב"א והריטב"א, ולא כתבו זאת לסברא ודאית, רק נסתפקו בזה, והמחבר החמיר מספיקא], **ומטעם** זה לא מהני אף אם יתנה בפירוש "ולכל מי שיתוספו", ואין שום עצה, רק שצריך לשמור שיהיה בו תמיד שיעור שתי סעודות.

סעיף י - כשמזכה להם ע"י אחר, לא יזכה על ידי בנו ובתו הקטנים, אפי' אם אינם סמוכים על שלחנו - מפני שידן כידו, וא"כ לא יצא הדבר מרשותו, **ולא ע"י עבדו ושפחתו הכנענים** - ג"כ מפני שיד עבד כיד רבו, ולא יצא מרשותו עדיין.

אבל מזכה הוא ע"י בנו ובתו הגדולים, אפי' סמוכים על שלחנו - ואע"ג דבאופן זה מציאתן לאביהן, כמבואר בחו"מ, **זה** אינו אלא משום איבה, שלא ימנע מהן מזונות אם תהיה מציאתן לעצמן, **אבל** בנידון דידן שהאב רוצה לזכות על ידם לאחרים, שפיר זוכים, דכיון דגדולים הם יש להם יד בפני עצמם.

וע"י עבדו ושפחתו העברים, אפי' הם קטנים - ואע"ג שאין קטן זוכה לאחרים בכל מקום, הכא בעירוב שהוא מדרבנן בעלמא הקילו בעבדו ושפחתו, **ומ"מ** לא רצו להקל אלא בעבדו ושפחתו, אבל לא בבניו הקטנים וכדלעיל, משום דידן ממש כידו.

(וה"ה אם יש לאדם מלמד או סופר או יתום אוכל על שולחנו, (מזכה על ידו), **ואפילו אוכל בחנם**).

וע"י אשתו, אף על פי שהוא מעלה לה מזונות - דכשנותן לה אחר מתנה ע"מ שאין לבעלה רשות בה, מהני, הרי דיש לה יד לזכות לעצמה, ה"ה דיכול לזכות על ידה לאחרים.

ואפילו אין לה בית בחצר - נקט האי לישנא לאפוקי ממ"ד בגמרא, דדוקא היכא דיש לה לעצמה בית בחצרה שאוכלת שם, אז אמרינן מיגו דמהני הזכיה בעירוב בשביל ביתה, מהני נמי לזכות לאחרים בעירוב בשביל בתיהם.

ויש אומרים שאינו מזכה ע"י בנו ובתו הסמוכים על שלחנו, אפילו הם גדולים - סבירא להו דדמיא עירוב לענין מציאה, דכל היכא דס"ל לענין מציאה דאין לו יד בפני עצמו, ושייך לאביהן, או באשה שמוצאת מציאה ושייך לבעלה, ה"ה לענין עירוב אין להם יד בפני עצמם, ועדיין לא יצא מרשותו.

בתו - ר"ל לאחר שבגרה, דיוצאת לכל דבר לרשותה, אפ"ה כיון שסמוכה על שולחנו ומציאתה לאביה, גם לענין עירוב אין לה יד לעצמה.

ולא ע"י בתו, אפילו אינה סמוכה על שלחנו, כל זמן שלא בגרה - דאז שייך מציאתה לאביה.

ולא ע"י אשתו שמעלה לה מזונות - דאז מציאתה לבעלה, **או שאמר לה: צאי מעשה ידיך במזונותיך** - ומיירי במספקת מעשה ידיה למזונות, דאי אין מספקת למזונות, אין מציאתה לבעלה.

ואפילו יש לה בית בחצר - ר"ל ואוכלת שם המזונות שנותן לה בעלה, וס"ד דמיגו דזכיא לעצמה בעירוב זה בשביל ביתה, תזכה בעירוב גם לאחרים, קמ"ל דלא, **והטעם**, דבאמת לעצמה אין צריכה עירוב כלל, דנמשכת אחר בעלה, כדלקמן בסימן ש"ע ס"ו, וליכא מיגו.

אבל מזכה ע"י בנו שאינו סמוך על שלחנו, אפילו הוא קטן - כיון דלענין מציאה יש לו יד לזכות לעצמו כשאינו סמוך על שולחן אביו.

וע"י בתו שבגרה ואינה סמוכה על שלחנו - ר"ל דוקא באופן זה, ולא כדעה הראשונה דס"ל, דכשבגרה אפילו בסמוכה מזכה על ידה.

וע"י אשתו שאינו מעלה לה מזונות, אפילו אין לה בית בחצר - דהיכא שאין מעלה לה מזונות, אז מציאתה לעצמה ולא לבעלה.

ולכתחלה טוב לחוש לדברי שניהם היכא דאפשר. הגה: ובדיעבד סומכין על דברי המיקל בערוב - ר"ל בין קטן ואין סמוך על שולחנו, או גדול אף שסמוך, וכן בע"י אשתו אע"פ שמעלה לה מזונות.

וכן גדול שיש לו אשה, אע"פ שסמוך על שלחן אביו, מזכין על ידו, ואפילו לכתחלה - שעושה הכל על דעת עצמו ולא על דעת אביו.

ואינו צריך להודיע לאותם שזיכה להם קודם השבת, אלא אם מודיעם בשבת מותר לטלטל - דזכין לאדם שלא בפניו.

סעיף יא - בני חבורה שהיו מסובין לאכול וקדש עליהם היום, הפת שעל השלחן סומכין עליה משום עירוב - אשמועינן בזה שני דברים, אחד, אע"ג שלא הניחו לכתחילה לשם עירוב, **גם**, דאפילו אותו הפת לא היה מתחלה של כולם כי אם של בעה"ב לבד, שזימנן לסעוד משלו, ולא הקנה להן אותו פת בפירוש, **אפ"ה** כיון שזימנן לאכול עמו ויכולין לאכול לדעתם, הרי הוא כאלו נשתתפו בו עמו, ויש להם בו זכות, וע"כ אם הוא קיים עד לאחר בין השמשות, סומכין עליו משום עירוב.

לכאורה בעינן שיהיה אז עדיין אצלם פת אחד שלם, וכנ"ל בס"ו, **או** אפשר כיון דלא הביאו פתם, אלא בעה"ב זימנן לסעוד משלו, דינו דומה להא דס"ז, וכן משמע בתו"ש, **אבל** באמת יש לחלק ביניהם, וצ"ע.

והוא שמסובין בבית שהוא מקום הראוי להניח שם עירוב, אבל בחצר לא - דחצר לאו בר דירה הוא.

ומשום שיתופי מבואות יכולין לסמוך אף כשמונח באחד מן החצרות.

(וה"ה אם יש להם פת בשותפות באחד מן הבתים, סומכין עליו משום עירוב) - דין זה הוא "זו ואצ"ל זו", **ובתו"ש** כתב דקמ"ל דסומכין עליו בחזקת שהוא קיים, אע"פ שאין יודעין בעצמן, משום דמוקמינן ליה אחזקתיה.

סעיף יב - אפוטרופוס של קטן, יכול לערב בעדו - אפילו משל הקטן שלא מדעתו, מפני שהוא לו כבן בית שיכול לערב משל בעה"ב שלא מדעתו, כמו שיתבאר בסימן שס"ז.

סעיף יג - מצוה לחזור אחר עירובי חצרות - כדי שלא יבואו לטלטל באיסור.

סעיף יד - מברך: על מצות עירוב - ואפילו אדם אחר שאינו דר באותה העיר, ורוצה לשבות שם בשבת, יכול לברך ברכה זו, דהא אילו לא עירבו היה גם הוא אסור לטלטל, וא"כ גם הוא שייך להעירוב, (**ואפילו** לא יהיה שם רק ביו"ט ולא בשבת שאחריו, מהני ליה העירוב לענין דברים שאין בהם צורך כלל).

(**ולפי"ז** אם אין דעתו לישאר שם לא לשבת ולא ליו"ט, אין יכול לברך, ולא דמי למאי דקי"ל בעלמא, דהעושה מצוה לאחר, כגון שקובע מזוזה וכה"ג, דיכול לברך, **שם** עביד מעשה, משא"כ בזה שהוא רק ברכה בעלמא, שהעירוב כבר נתקבץ ע"י אחר, **אכן** לפי מנהגנו לכתחלה, דלאחר שקיבץ השמש העירוב מכל הבתים, נותן להרב לזכות לכולם ולברך, וכן ראוי לעשות, **יכול** לעשות זה גופא גם ע"י אחר שאינו מבני העיר, דהזיכוי שזוכה לאחרים חשוב כמעשה).

(ביאור הלכה) [שער הציון] ‹הוספה›

(ובמקום שנהגו לעשות בשביל כל הקהל בערב פסח, ואחד רוצה לעשות לעצמו בכל ערב שבת, כמו שכתבו כמה אחרונים דלכתחלה טוב לנהוג כן, אין כדאי שיברך עליו, וגם נכון שעירובו יתן ג"כ לאחר לזכות בשביל כל העיר, דאם ירצה באמת לחלוק עצמו מן העיר, יש מקום לומר שיאסרו אלו על אלו).

אם מניח עירובי תבשילין ועירובי חצירות בזמן אחד, מברך ברכה אחת על שתיהן, דהיינו "על מצות עירובין", ואומר הנוסח "בהדין עירובא" על כל אחד ואחד כפי נוסחו, **ובח"א** כתב, שיאמר: על מצות עירובי תבשילין ועירובי חצרות, ואומר: בדין יהא שרא לן לאפויי וכו' ולטלטל מבית לחצר וכו'.

סעיף טו - אימתי מברך, בשעה שמקבץ אותו מבני החצר - מפני שכל המצות מברך עליהם עובר לעשייתן.

הב"י והב"ח כתבו, דצריך לברך בשעה שמתחיל לקבץ, ולא כשנגמר הקיבוץ, דאז כבר נגמר המצוה, **והאחרונים** הסכימו דיוכל לכתחלה לברך אחר שכבר נגמר הקיבוץ, **והטעם**, משום דס"ל דאחר שנתקבץ צריך לכתחלה לזכות לכל בני העיר, ומקרי עדיין עובר לעשייתן כשהוא קודם הזיכוי.

ולפי מה שכתב הרמ"א לעיל בס"ו, דהמנהג לקבץ קמח מבתי העיר, אין לברך בשעת קיבוץ, דהוי עובר דעובר כל זמן שלא נאפה הפת.

או בשעה שמזכה להם - פי' שמערב משלו ונותן לאחרים, ואומר לו שאחר שיברך יגביהנו, כדי שיזכה בשביל אנשי העיר.

ומ"מ בדיעבד אפילו כבר זיכה ג"כ יוכל לברך, דעיקר קניית עירוב חל בעת כניסת השבת, ומקרי בכל גווני עובר לעשייתן, **ובפרט** אם לא הונח העירוב עדיין במקומו, בודאי שייך לברך, דלא נגמר עדיין המצוה.

(**ואפילו** לכתחלה יש לעיין, דאולי יותר עדיף לברך אחר הזיכוי, דבשלמא היכא שמקבץ העירוב מאחרים, שייך לברך אפילו בשעה שמתחיל לקבץ, שכבר הותחל מעשה העירוב ע"י הקיבוץ שגבה השמש מאיזה אנשים, **משא"כ** היכא שרוצה לערב משלו בשביל כולם, קודם הזיכוי עדיין אין על הפת שם עירוב כלל, דעדיין לא יצא מרשותו כלל, וכמו שמונח עדיין בסלו דמיא, ועיקר שם עירוב נעשה ע"י הזיכוי, שנעשו כולם שותפים בו ע"י הזיכוי שמזכה להם ע"י אחר, וכשמברך קודם הזיכוי לכאורה הוי בכלל קודם דקודם, דחסר עדיין מעשה שלימה של הזיכוי, שבלא זה חסר על הפת עיקר מעשה העירוב, וכמו שלא יוכל לברך על תפילין קודם שהונח הפרשיות בתוך הבתים, **ואפשר** דכונת הב"י והב"ח, היינו כשמסר הפת להאחר לשם עירוב, וקודם שמגביה לזכות בשביל כולם מברך בעה"ב הנותן הפת, וזה י"ל דלא הוי בכלל קודם דקודם, כיון שכבר מסר לאחר לשם עירוב, שם עירוב חייל עליה אף שלא זיכה עדיין לשום אדם אחר, ודומיא היכא שהתחיל השמש לקבץ אפי' מאדם א', דיוכל לברך על מצות עירוב, ומ"מ מסימן תקכ"ז מוכח בהדיא דאפילו אחר הזיכוי יוכל לברך לכתחלה, וכן הוא דעת הפרישה ומו"ק כאן וכנ"ל, דיכול לברך אף אחר הזיכוי וקודם הנחה, **וע"כ** הנוהג כן בודאי אין למחות בידו, **ונראה** עוד, דאפילו מי שנוהג לברך הברכה קודם הזיכוי, הנוסח של "בהדין עירובא" טוב שיאמר אחר הזיכוי).

ואומר: בהדין עירובא יהא שרא לן לאפוקי ולעיולי מן הבתים לחצר, ומן החצר לבתים, ומבית לבית לכל הבתים שבחצר - ולא הזכיר מבוי, משום דכאן איירי שלא ניתקן המבואות בעירובין כדין, וכל חצר מתקן ע"ח רק להתיר הטלטול בחצר, **אבל** במקום שניתקן המבואות, המנהג שעושין ע"ח ושיתופי מבואות כחדא, כמבואר בסימן שפ"ז, וע"כ צריך להוסיף בו שריותא דמבוי, **וזה** נוסחו: בהדין עירובא יהא שרא לנא לאפוקי ולעיולי מן הבתים לחצר, ומחצר לבתים, ומבית לבית, *ומחצר לחצר, ומגג לגג, ומבתים וחצרות למבוי, וממבוי לכל הבתים והחצרות שבעיר הזו, לנו ולכל הדרים בעיר הזאת, ולכל מי שיתוסף בה, **ואם** מערב לכל שבתות השנה, יסיים: לכל שבתות השנה ולכל ימים טובים.

*[**אע"ג** דכל החצירות רשות אחת הן, ומותר לטלטל מזה לזה אף בלי עירוב, **מ"מ** נ"מ דע"י עירוב הותר לטלטל אף כלים ששבתו בתוך הבית].

ואם גבו העירוב ולא ברכו עליו, אין הברכה מעכבת, ומותרים לטלטל - וה"ה אפילו אם הנוסח "בהדין עירובא" ג"כ לא אמרו עליו, כיון שמשותפין בעירוב סגי בזה.

§ סימן שסז – אם אשה יכולה לערב §

סעיף א - אשתו של אדם מערבת לו - משלו, **שלא מדעתו, אפי' אם מיחה בה שלא לערב, ואפי' אין רגיל לערב עמהם** - מפני שאשתו כגופו, והקילו אפי' כשמיחה בה, משום שחששו חז"ל שמא יתכוין להקניט את הדרים לאסור עליהם.

וה"מ כשאוסר עליהם - החצר אם לא יערב עמהם, **כגון שאין הבית פתוח אלא לאותו חצר.**

אבל אם הוא פתוח לשתי חצרות, באחת רגיל לצאת ולבא תדיר שאוסר עליהם, ובאחת אינו רגיל לצאת ולבא: ברגיל שאוסר, מערבת שלא לדעתו, אפי' אינו רגיל לערב; ובשאינו רגיל לצאת ולבא נמי, אע"פ שאינו אוסר, אם רגיל לערב עמהם, מערבת שלא לדעתו - היינו אפילו כשמיחה בה, והטעם משום דרכי שלום, כיון שעד עתה היה דרכו ליתן חלק בעירוב, לכן חל העירוב בכל גווני, ומותר אח"כ לטלטל כלים ששבתו בביתו לחצר זה.

אבל אם אינו אוסר וגם אינו רגיל לערב עמהם, אינה מערבת שלא לדעתו.

וכל זמן שלא מיחה בה בפירוש, אפי' אם אינו רגיל לערב עמהם ואינו אוסר, מערבת שלא בידיעתו, דמסתמא ניחא ליה.

אבל אינה יכולה לזכות משלו לאחרים שלא בידיעתו - פי' שאין הבעל יודע מזה, והיינו אפילו לבני חצר שאוסר עליהם ורגיל לערב עמהם, **וממזונותיה** יכולה לזכות, שהיא שלה.

ואם אין הבעל והאשה בעיר, יכולים בני הבית לערב שלא בידיעתו, אם אין הבית פתוח אלא לחצר אחת - דזכות הוא לו, ובודאי לא יקפיד עליהם, **ואם** ידעו ממנו שאינו רוצה, אע"פ שלא מיחה בם בפירוש, אין יכולים לערב.

אבל אם הוא פתוח לשתי חצרות, אין יכולים לערב עליו שלא בידיעתו, כי איננו זכות לו ודאי, כי שמא לא יחפוץ לערב עם חצר זו אלא עם זו, אם לא כדמסיים המחבר.

ואפילו אם היה פתוח לשתי חצרות, אם הוא רגיל לערב לאחת מהם, מערבין עליו - דמסתמא גם עתה דעתו לזה, [**ופשוט** דה"ה ברגיל לצאת ולבוא דרך מבוי אחד, הרי אוסר על בני אותו מבוי אם לא יערב, א"כ הוי כחצר אחת], **אבל אם אינו רגיל לא.**

אבל בני החצר אין יכולים ליקח פתו מביתו לערב שלא מדעת אחד מבני הבית - ר"ל שלא בידיעת אחד מבני הבית, **אפילו רגיל עמהם ואוסר עליהם** - דאי היה בידיעת אחד מבני בית, היה מותר כל זמן שלא שמעו מבעה"ב שאינו רוצה בעירוב.

ועיין בבה"ל שהבאנו בשם כמה אחרונים, שפוסקין דבני החצר יכולין ליקח פתו שלא בידיעתו, כל זמן שאין יודעין שהוא מוחה בדבר, ואפילו שלא בידיעת בני ביתו, (**דבאמת דין זה תמוה מאוד, דמ"ש בני החצר מבני הבית, אם התירו בבני הבית שלא בידיעתו, היכי שאינו פתוח אלא לחצר אחד או ברגיל להשתתף, ומטעם דזכות הוא לו ובודאי ניחא ליה, כמו כן יש לנו להתיר באופנים אלו גם בבני החצר, דבודאי מתרצה לזה**).

(**ובאמת היה נראה מפני גודל הקושיא, דאין כונת הטור והמחבר כלל לחדש דבני החצר גריעי מבני ביתו, דאין שום מקור לזה כלל, ומש"כ "אבל בני החצר" וכו', לא קאי אדסמיך ליה בדינא דבני ביתו, אלא אריש הסימן קאי, אדינא דאשתו מערבת אפילו בע"כ, ו"שלא מדעתו" דקאמר גבי בני החצר היינו בע"כ דבע"ב, ועיקר דינא אתי לאשמועינן, דבע"כ של בע"ב לגמרי אין שום פנים להתיר לאנשים דעלמא, וכן הוא דברי הרא"ש שממנו נובע כל סימן זה, עי"ש, שכתב דהא דבני החצר נכנסין ונוטלין בע"כ, היינו ג"כ שיהיה עכ"פ דעת אשתו, אבל בעל כרחו של כולם, אין שום סברא לערב, עי"ש, ואם נימא כן ניחא, שדברי הטור הם ממש כדברי הרא"ש, אלא דלפי"ז אינו מיושב היטב מה שמסיים הטור והמחבר, שלא מדעת אחד מבני הבית, דמשמע מזה דמדעת אחד מבני הבית מותר אפילו בע"כ של בעה"ב, ולכאורה לא אשכחן להרא"ש דמתיר אלא מדעת אשתו, ולא מדעת שאר בני הבית, וצ"ע**).

(ביאור הלכה) [שער הציון] ‹הוספה›

(ולדינא יש דעות בזה בין האחרונים, אם בני החצר יכולין ליקח פת לערב שלא מידיעת בעה"ב, אם הבית פתוח לחצר אחד, ועיין בבה"ל לקמיה שצדדנו, דהיכא דהיה רגיל להשתתף עד כה עמהן, יש לסמוך עלייהו להקל ליקח שלא בידיעתו).

וי"א דאין אשתו מערבת אלא שלא בידיעתו, אבל אם אומר שאינו רוצה לערב עמהם, לא - אפילו אם אין הבית פתוח אלא לחצר אחד, שאוסר עליהם ע"י מניעתו את העירוב, **ואפילו** אם אמר כן לאחר שעירבה, נתבטל עירובה למפרע.

ואם הוא רגיל לערב עמהם ועכשיו אינו רוצה, בני חצר נכנסים לתוך ביתו ונוטלים ממנו בעל כרחו - וה"ה אשתו, **ומיירי** שע"י מניעתו את העירוב אוסר עליהם.

ואם אינו רגיל, אינם יכולים ליטול ממנו בע"כ, אבל היו כופין אותו בבית דין לערב עמהם - ר"ל אע"פ שהן בעצמן אין יכולין לעשות דינא לנפשייהו, ב"ד היו כופין אותו שיערב עמהן, כדי שלא יאסור עליהן, **ודין** זה דבית דין כופין הוא לכו"ע אף לדעה ראשונה.

או היו בית דין יורדין לנכסיו - ועושין שיתוף.

(הי"א הוא דעת הרמב"ם, והמחבר הביאה רק בשם יש אומרים, משמע דס"ל לעיקר כדעה קמייתא, **ואפשר** שיש להחמיר כשיטה זו, שלא לערב בע"כ של בעה"ב אפילו מדעת אשתו, היכי שאינו רגיל להשתתף עמהם, מיהו בא"ר ראיתי שכתב, שכדעה קמא יש לפסוק לקולא, וצ"ע, **איברא** אפילו אם לא נרצה לפסוק כדעה זו להחמיר היכי שהבעל מוחה, עכ"פ יש לסמוך לפסוק כמותם להקל, לענין היכי שהוא רגיל לערב עמהם, דבני החצר נכנסין ונוטלין ממנו בע"כ ולא בעינן דעת אשתו כלל, **אלא** דנראה דלפי שיטת הרמב"ם וסייעתו, אין בני החצר נוטלין בע"כ היכי שרגיל, אלא בדוקא היכי שאוסר עליהם, וכמו שכתבנו במ"ב, וכן משמע בפי' ר"ח, **היוצא** מכל זה, דמדינא מסתברא דהיכי שרגיל ואוסר, בני החצר נוטלין אפילו בע"כ, ולא בעינן דעת אשתו כלל, **ועכ"פ** שלא בידיעתו, בודאי יש לסמוך להקל, דהא הרבה אחרונים מקילין, אפילו לדעת הטור וכמו שכתבנו לעיל).

הגה: מי שאינו רגיל לערב, ועירב עם בני החצר, וחזר מעירובו - היינו שאמר: חוזרני בי מן העירוב, ואיני רוצה לערב ולהשתתף עוד עמכם, **צריך לחזור ולזכות** - דבטל עירובו ושיתופו הקודם, אף שעדיין הפת מונח במקומו, **וע"כ** אם ירצה להיות עוד שותף עמהם, צריך להשתתף מחדש.

(הלשון מגומגם קצת, דהא מיירי שהפת מונח במקומו, וא"כ מאי יחזור ויזכה, דאין סברא לומר שצריך ליקח הפת ממקומו ולחזור וליתן בשותפות, דמי גרע חזרתו מאם היה לזה שותף ביין שסומך עלים משום עירוב, והכא נמי אמאי אינו יכול לסמוך עליה, **ונראה** דאין הכונה שצריך לזכות וליתן מחדש, אלא שצריך לומר בפיו שחוזר ומשתתף עמהם, **ומזכה** לכולם שיהיה להם חלק בפתו, **ומשום** דאמרינן המקפיד על עירובו אינו עירוב, ואין לך מקפיד יותר ממנו שחזר בו, וע"כ צריך לומר שאינו מקפיד על פתו, ומזכה לכולם שיהיה להם).

אבל אם רגיל לערב, הוי עירוב בע"כ - ר"ל שאינו יכול לחזור ולבטל עירובו, וכדלעיל, דהיכא שהוא רגיל לערב עמהם, באים בני החצר ונוטלין ממנו בע"כ, וכ"ש הכא שהפת כבר מונח בידם, **ואף** לדעה הראשונה דס"ל, דבלא דעת אשתו אין בני החצר יכולין ליקח ממנו בע"כ, הכא קילא, מפני שהפת כבר מונח תחת ידם.

[**וה"ה** היכא דאוסר עליהם אפי' אינו רגיל, וכ"ז הוא לדעת הרא"ש, דמעלת אוסר שוה כמו מעלת רגיל, **אבל** לדעת הרמב"ם, דלדידיה אין בני החצר יכולין ליטול ממנו בע"כ, אפי' היכא דרגיל לערב עמהם, כי אם כשהוא אוסר עליהם, ממילא הכא בעינן תרתי, רגיל ואוסר].

§ סימן שסח – אם אחר שעירבו נתקלקל העירוב §

סעיף א- עירבו ואח"כ נתקלקל העירוב, ובא א' מבני החצר לחזור ולתקנו - זה מיירי בשבת ראשון, ונתקלקל קודם שנכנס השבת, דאלו נתקלקל אחר שכבר נכנס השבת, א"צ שום תיקון לשבת זו, אפילו כבר כלה ונאבד לגמרי, **ולענין** שבת שניה, אף דאם כבר כלה לגמרי צריך לערב מחדש, הלא

עכ"פ בנשתייר אפילו כל שהוא א"צ שום תיקון, כיון דהיה שיעור עירוב בבין השמשות של שבת ראשונה, כמ"ש בס"ד, ומה זה דקאמר בסוף הסעיף "ואם לא כלה וכו' אע"פ שמערב משלהם" וכו', **אלא** ודאי כדכתבנו, דנתקלקל קודם שנכנס השבת ראשונה.

אם בא לערב ממין הראשון, אפי' כלה, א"צ להודיע - לשאלם אם יתרצו לזה, דמוקמינן אחזקתיה, דודאי יתרצו כולם ממין זה כמו שנתרצו מתחלה, [**ואפילו** אם היה בית פתוח לשתי חצירות ג"כ א"צ לשאלו, דמסתמא מתרצה שיניחו העירוב בשבילו למקום שהיה שייך בתחילה]. **ואפי' מערב עליהם משלהם.**

ואם בא לערב ממין אחר - כגון שהיה מתחלה פת חטים, ועכשיו רוצה לערב מפת שעורים, **אם כלה הראשון, צריך להודיע להם** - לשאלם, **אם מערב משלהם** - דכיון שכבר כלה המין הראשון, הו"ל כמערב לכתחלה, **וכתב** במאמר מרדכי, דדוקא בבית הפתוח לשתי חצרות, דלא ידעינן בהי ניחא ליה, **אבל** בפתוח לחצר אחד, זכות הוא לו וא"צ דעתו, וכ"כ שארי אחרונים.

ואם משלו, א"צ להודיעם כלל - לפי שבודאי יתרצו שיערב עליהם בכל המינים שירצה, כיון שהם אינם נותנים כלום, וכבר נתרצו לערב יחד.

ואם לא כלה הראשון אלא נתמעט - משיעור המפורש לקמן בס"ג, ומיירי שנתמעט קודם שנכנס השבת כמש"כ לעיל, **אע"פ שמערב משלהם א"צ להודיעם** - דבודאי יתרצו להשלים העירוב.

סעיף ב - אקדים הקדמה קצרה, והוא: קי"ל דמערבין עירובי חצרות שלא מדעת, דזכות הוא וזכין לאדם שלא בפניו, **ומ"מ** אם יש בחצר בית הפתוח לשתי חצרות, אין מערבין בשבילו שלא בידיעתו, דשמא אינו חפץ כלל לערב בחצר זו עם אנשים אלו, אלא בחצר אחרת, **וקאמר** המחבר דזה הדין שייך ג"כ בניתוספו דיורין בחצר, שלא היו בעת הנחת העירוב.

נתוספו דיורים בחצר, אם הבית פתוח לשתי חצרות, צריך להודיעם, מפני שאולי

אינם רוצים לערב עם אלו - דהוספה זו ג"כ כתחלת עירוב הוא, וצריך לעשות עירוב דוקא בידיעתם, אבל שלא בידיעתם לא, **ואפילו** אם מערב עתה משלו, **ויש** מקילין שיכול לערב משלו בכל גווני.

ודע עוד, דהא דקי"ל דמערבין ע"ח שלא לדעת, ג"כ יש דיעות בין הפוסקים, יש פוסקים דסברי דדוקא אם מערב משלו, **ויש** פוסקים דסברי דיוכל לערב אפילו משלהם בלא דעתם, דמסתמא מתרצים לזה, **ועיין** במש"כ לעיל בסימן שס"ז בביאור הלכה.

סעיף ג - כמה הוא שיעור העירוב בתחלתו, בזמן שהם שמונה עשרה או פחות, שיעורו כגרוגרות לכל אחד; ואם הם יותר משמונה עשרה, אפי' הם אלף או יותר, שיעורו מזון שתי סעודות, שהם שמונה עשרה גרוגרות - ר"ל דשיעור שמנה עשר גרוגרות הוא שיעור היותר גדול, שהוא שיעור שתי סעודות, ובשיעור הזה די אפילו לאלף, **ומה** שכתב: שיעורו שתי סעודות, ר"ל שיעורו ג"כ שתי סעודות.

שהם כששה ביצים - היינו בקליפתן, **וי"א שהם כשמנה ביצים** - ולכתחלה נכון לנהוג כן, **ובדיעבד** די כששה ביצים.

סעיף ד - נתמעט משיעורו אחר שנכנס שבת ראשונה, ונשתייר בו אפי' כל שהוא, כשר אף לשאר שבתות - דלא צריכא שיעור אלא בתחלה, **ובין** בע"ח ובין בשיתופי מבואות.

ואלו לשבת זה כשר אפילו לא נשתייר כלל, כיון שהיה העירוב קיים בין השמשות, **ואלו** נתמעט קודם שקידש עליו היום דשבת ראשונה, הו"ל כתחלת עירוב, אף שכבר הניחו לשם עירוב, וכדלעיל בריש הסימן.

ואף שקי"ל לעיל בסימן שס"ו ס"ו, שאין מערבין בפרוסה, **היינו** כשהיתה פרוסה בשעה שהניחה לשם עירוב, משא"כ הכא שנפרסה אח"כ לית לן בה, [**דכל** הטעם הוא רק משום איבה, ולא שייכא זה לאחר הנחה], **ומ"מ** יש מחמירין בשנפרסה קודם בין השמשות, כיון שיש שהות עדיין להניח ככר אחר שלם, [דנשבר לא עדיף מנתמעט].

ועיין במ"א שכתב, דדינא דנשתייר כשר, הוא רק בזמן הש"ס, שהיו עושין עירובי חצרות ושיתופי מבואות כל אחד בפני עצמו, (אז העירוב רק שלא לשכח התינוקות, לכן כשר בכל שהוא – שם), משא"כ לדידן דנהגינן לעשות שיתוף ועירוב ביחד, וכמבואר בסימן שפ"ז, (א"כ השיתוף הוא מצד הדין), פסול לשבת שניה אם אין בו שיעור עירוב, (דאין להקל בשיורי יותר מבתחלה – מחה"ש), ועיין בבה"ל שיש חולקין בזה, ולכתחלה בודאי צריך ליזהר להוסיף עד כשיעור, (ונראה דיש להקל בזה בשעת הדחק, ולכתחלה בודאי נכון ליזהר בזה, והט"ז כתב עוד טעם שלא לסמוך לכתחלה על עירוב שנתמעט, דשמא יתוספו אח"כ דיורין באותה עיר, ואז בודאי צריך להוסיף בשבילם, כמ"ש סי' שס"ו ס"ט).

סעיף ה - אם נתעפש פת העירוב ונפסל מלאכול - היינו כשנתעפש כולו, וה"ה כשהתליע בתולעים קטנים שקורין מילבין, **הרי הוא כמו שכלה לגמרי, וצריך לערב מחדש** - ואם ראה דבר זה בשבת, ואינו ידוע לו מתי נתעפש, אם קודם שבת או בשבת, **תלינן** לקולא, ואמרינן דמקרוב נתעפש, ובין השמשות היה ראוי לאכול, [אם לא דמינכרא מילתא שנתקלקל קודם שבת].

הגה: ולכן נהגו לעשות העירוב חלת מלה שאינה ממהרת להתעפש, ועוד דיכולים לשמרה בימי הפסח ויכולים לשמור העירוב כל השנה; וזה טוב יותר מלערב כל שבת ושבת, שלא ישכחו מלערב; מיהו אם רוצים לערב כל ע"ש ולאכול העירוב כל שבת - משום דהואיל ואיתעביד ביה מצוה חדא, יתעבד ביה מצוה אחריתא, **הרשות בידם. ועיין לקמן סימן שצ"ד.**

והאחרונים כתבו, דיותר טוב לערב כל ע"ש, כי רוב פעמים מצה של עירוב מתקלקלת ומתעפשת מאורך הזמן, וגם מצוי ליפול בו תולעים שקורין מילבין מאורך הזמן, ואינה ראויה לאכילה, והרי היא כמו שכלתה לגמרי וכנ"ל, **והרוצה** לעשות עצהיו"ט, יערב משלו בכל ע"ש, ויזכהו לכל הקהל ע"י אחר, ובזה אין חשש אם יתקלקל העירוב שבבהכ"נ, **ולא** יברך על שלו, כיון שיש עירוב בבהכ"נ ושמא הוא כשר, והברכות אין מעכבות.

§ סימן שסט – באיזה אופן מקנין העירוב §

סעיף א - הנותן מעות לנחתום ואמר לו: אם יבואו בני החצר לקנות ממך ככר לעירוב, זכה לי בעירוב, שיהא לי חלק עמהם בשביל מעה זו, אינו עירוב, אפילו עירב החנוני (לכל האחרים) - ר"ל ע"י זיכוי, שזיכה להן ע"י אחרים, כדלעיל בסימן שס"ו ס"ט, **וזכה גם לזה עמהם** - ר"ל בכלל כל בני החצר, ולא פרט שמו בהדיא, **והטעם**, דמסתמא לא כוון ליתן לו במתנת חנם כמו לאחרים, אלא בשביל מעות שנתן לו, ומעות אינן קונות, נמצא שאין לו חלק בעירוב, (וצ"ע לדינא).

אבל אם אמר ליה: ערב לי, קנה עירוב - גם בכאן מיירי שזיכה לו הנחתום בכלל עם אחרים, וכמו למעלה, **והטעם** דהכא מהני, משום דכיון דאמר: ערב לי, הרי עשאו שליח לערב לו באופן שיועיל, והוי כאלו אמר לו בהדיא שיזכה לו במתנת חנם כמו לאחרים.

ואפילו אם אמר: זכה לי, אם נתן לו כלי בתורת קנין שיקנה לו בו, קנה עירוב - דדוקא מעות אינן קונות עד שימשוך החפץ, אבל אם מקנה לו כלי, הוי חליפין, וכיון שזכה זה בכלי, זכה זה בפת ששייך להעירוב, כמ"ש בהרבה מקומות.

וכן אם זיכה לו הנחתום ע"י אחר - ר"ל שפרט שמו בהדיא, ולא בסתמא עם אחרים, וע"כ אף דמעות אינן קונות, מ"מ הרי יש לו חלק בעירוב מטעם דזכין לו לאדם שלא בפניו, **ובזה** מיושב דלא יסתור למה שכתב בראש הסעיף, דזיכוי לא מהני.

ויש מאחרונים שחולקין ע"ז, וס"ל דכיון דנתן מעות, אפשר דלא ניחא ליה לקבל בתורת מתנה, ובמעות הלא אינו קונה.

או שקנה במעה שנתן לו לחם מן השוק, קנה עירוב - דנעשה בזה כשלוחו, וקנה זה את הלחם, ונמצא שיש לו חלק בעירוב.

ואם נתן לו מעה לבעה"ב וא"ל: זכה לי בעירוב, קנה עירוב - גם בכאן מיירי שמזכה לו בעה"ב בכלל עם אחרים במתנה, **והטעם** דמהני הכא, לפי שאין דרך בעה"ב למכור משלו, ולדעת שיקנה לו במעותיו אמר לו, וכאלו אמר לו: ערב לי, שעשאו שליח דמיא, **וע"כ** אפי' אם לקח מכברו וזיכה לו עם כל אנשי החצר, ג"כ מהני.

§ סימן שע – דיני שיתוף בעירוב §

סעיף א - הדר בבית שער אכסדרה ומרפסת שבחצר, אינו אוסר על בני החצר, שאינם חשובים דירה.

בית שער - לא שנא בית שער של רבים, ולא שנא של יחיד, ואע"פ שיש לו להבית שער ארבע מחיצות וגם הוא מקורה, אפ"ה כיון שעוברים דרך שם, אינו חשוב דירה, ואינו אוסר אם לא נתן חלק בעירוב.

וה"ה סוכות החג בחג, ג"כ לא חשיבה דירה לאסור, [**ורעק"א** נשאר בדין זה בצ"ע, **ויושבי** סוכות דקביעי שם תדיר, שהן שוכני מדברות, חייבים בעירוב]. **בית** שאין בו ד"א על ד"א אינו אוסר, דלא חשיבא דירה.

אבל הדר בבית התבן, בבית העצים, בבית הבקר, ובבית האוצרות, אוסר - עד שיתן חלקו בעירוב, דחשובים דירה, ואע"פ שעשוים מקנים וכיו"ב, **ומבואר** לקמן בס"ה, דאם אוכל שם, אע"פ שאינו ישן ושוכב שם, מקרי דירה, דמקום פיתא גורם.

(**ומיירי** שבית התבן ובית העצים שייך לו, **ואי** מיירי שהיה שאול או שכור מאחר, בעינן עכ"פ שלא יהא לבעה"ב שם עצים וכדומה, דבר שאין ניטל בשבת, **דאל"ה** הרי יש לבעה"ב תפיסת יד, ואינו אוסר כמבואר בס"ב).

סעיף ב - בעל הבית שיש לו הרבה בתים בחצר, והשאילן או השכירן לאחרים, ויש לו בכל אחד מהם דברים שאינם ניטלים בשבת מחמת כבדן - אף שאין נעשה מוקצה ע"י הכובד, מ"מ כיון שיש טורח לפנותן, אין דרך ליטלן בשבת, **או מחמת איסור, שהם דברים שאסור לטלטלם אפילו לצורך מקומן** - דאם היה מותר לטלטלן לצורך גופן ומקומן, אפשר שיצטרך בעה"ב להשתמש בהם בשבת, או להוציאן מביתו מחמת איזה סיבה, ולא ישאר לו שם תפיסת יד, **אין הדרים בהם אוסרים עליו, לפי שנעשו כולם כאורחים אצלו** - כיון שלא סילק עצמו מבתים אלו מכל וכל, **ולפיכך גם הם מותרים להוציא מבתיהם לחצר אע"פ שלא נתנו עירוב.**

והשאילן כו' - ודוקא כשהשאילן לזמן מרובה, אבל אם השאילן לפי שעה, אין אוסר עליו בכל ענין, (ולפי שעה היינו שלשים יום, אבל יותר הוי זמן מרובה).

ויש לו בכל אחד מהם דברים כו' - ומיירי כשיש לו רשות להניח שם, ואפילו אין לו רשות להניח בכל הבית רק בפינה אחת, **אבל** אם אין לו רשות לזה כלל, רק שהניח לשם בדרך מקרה, ואין מקפידין עליו בזה, לא נעשו עי"ז כאורחים אצלו, ואוסרין עליו.

ודוקא כשמונח שם חפציו, אבל כל זמן שאין מונח שם, אף שיש לו רשות להניח שם, לא מהני.

ואם אין הבתים שלו, לא קנויות ולא שכורות, אע"פ שיש לו בהם דברים שאסור לטלטלם, אוסרים זה על זה - ר"ל דדינא דלעיל מיירי שהבתים שלו בעצם, או שהוא שכור או שהוא שאול אצלו, והוא השכירן או השאילן לאחר, דבזה אמרינן דהוא נעשה כאורח אצלו, **אבל** אם אין הבית שייך לו כלל, אלא שניהם הם שכנים בחצר, וכל אחד יש לו בית בפני עצמו, ואחד יש לו רשות בבית חבירו להניח שם חפציו, והניח שם, **לא** נעשה הוא כבעה"ב עליו והשכנגדו כאורח אצלו.

הגה: וי"א דכל זה כשאין דיורים בחצר אלא הם, אבל כשיש דיורים אחרים ומוליכים עירובן אצלן, צריכין כל אחד לערב - ר"ל אימתי מועיל תפיסת יד שיש לבעה"ב, בזמן שאין עמהם דיורין אחרים בחצר, אלא הוא ואותן האנשים שהשאיל ושהשכיר להן, **או** אפילו יש עוד דיורים בחצר, אלא שאותן דיורין מביאין עירובן ומניחין אותו בבית בעה"ב

זה, או באחד מבתים השאולין שיש לבעה"ב תפיסת יד בהן, **ואז** א"צ כלל ליתן לעירוב פת, לפי שכל בתים אלו הם כבית אחת, ובית שהעירוב מונח בו א"צ ליתן פת, **אבל** כשיש עוד דיורין אחרים בחצר, ומניחים העירוב שלא בבית בע"ב זה, אלא בבתי שארי דיורין, דבזה הלא הבעה"ב בלא"ה צריך ליתן חלק בעירוב, לא מהני בזה תפיסת יד לפטור השוכרים מליתן חלק בעירוב, **דמיגו** דשארי דיורים אסרי אבעה"ב, הנך שדרים בביתו נמי אסרי עליו, עד שיתנו חלק בעירוב.

אחד ששכר בית מן העכו"ס, והשכיר אחד מן הבירה לחבירו - היינו חדר אחד מן הבירה, **אס מתחלה לא שכרה אדעתא דהכי** - ר"ל בשעה ששכר מן העכו"ם, לא כיון לשכור בעדו ובעד חבירו, **הוה ליה כאילו כל הבירה שלו והשכיר אחד מן הבתים לחבירו; אבל אס שכרה מתחלה אדעתא דהכי** - ר"ל דמתחלת שכירות כוון לשכור גם בעד חבירו, ונתרצה אתו לדור יחדו, אשתכח דהאי שוכר מן העכו"ם שליחותו דחבריה קעביד, ושניהם שוין בבית זה, **הוה ליה שני בתים, ולא מהני אע"פ שיש לאחד תפיסת יד בבית חבירו** - וכנ"ל בדברי המחבר.

סעיף ג - חמש חבורות ששבתו בטרקלין - ר"ל שדירתם בטרקלין, **וחלקוהו במחיצות, אם עוברים כולם זה על זה, שאין פתח פתוח לחצר אלא החיצון, וכולם עוברין דרך עליו, אין צריכים ליתן בעירוב אלא שנים הפנימיים, וכל האחרים חשובים כבית שער להם** - דאף דהשני הוא ג"כ בית שער לראשון, שהראשון עובר דרך עליו, **מ"מ** לא מקרי בית שער לפטרו מן העירוב, דבית שער דיחיד, דהיינו שרק יחיד עובר דרך עליו, לא מקרי בית שער, כדלקמן בס"ז, ‹וע"ש שמיישב הסתירה מתחילת הסי'›, וע"כ כל אחד ואחד מהן חייב בעירוב, [אם מוליכין עירובן למקום אחר, ‹דאל"כ א"צ רק שהא' יתן פת בהשני›, **ואין** חילוק בין יש עמהן עוד דיורין בחצר או לא, דהן בעצמן נחשבין כשנים ואוסרין זה על זה], ‹דלא איירי כאן במחיצות גרועות›.

ומיירי באופן שהמחיצות שביניהן מגיעות לתקרה, **ואי** אין המחיצות מגיעות לתקרה, נחשבין שנים כבית אחד, ואין צריכין ליתן רק עירוב אחד בין שניהן, אם יש עמהן עוד דיורין בחצר, [**ומשמע** בא"ר ובמאמ"ר, דהשאר א"צ ליתן כלל בעירוב, דגם בזה נחשבין כבית שער, **אכן** דעת החמד משה, דבזה שאין מחיצות של כל התרקלין מגיעין לתקרה, הוי כמאן דליתא למחיצה כלל, וממילא שרוין כולן בחדר גדול אחד, ואין שייך עלייהו שם בית שער כלל, וא"כ החיוב של עירוב אחד שצריך ליתן, חל על כולן].

ואם היה לכל א' פתח פתוח לחצר - ר"ל שאינם עוברים זה על זה, רק שיש לכל אחד מחדרו פתח פתוח לחצר, **הגה: או שאין עוברים זה על זה, רק כל אחד יש לו פתח פתוח לבית שער שלפניהם, והבית שער פתוח לחצר** - ר"ל דהמחבר צייר "אינם עוברים", בגווני שהיה לכל אחד מחדרו פתח לחצר, **והרמ"א** מוסיף, דאפילו כל הפתחים לא היו פתוחים לחצר, אלא שהיו פתוחים כל אחד בפני עצמו להבית שער שהיה נגד כל החדרים, ובבית שער היה פתח אחד שממנו יוצאים לחצר, **אם המחיצות מגיעות לתקרה בתוך שלושה טפחים** - דהוי לבוד וכסתום עד למעלה דמי, **דהוי כל א' חדר בפני עצמו, אפילו הן של יריעות** - אכן באופן שקשורות היטב מלמטה שלא ינידם הרוח, וכדלעיל בסי' שס"ב ס"א, [ומיירי שפרוסות תמיד], ‹עיין לקמן ס"ד›, **אם בני החצר נותנים העירוב בא' משאר בתי החצר, צריך כל אחת ואחת מחבורות שבטרקלין ליתן עירוב** - דכיון דאסרו הנך דיורין שבחצר אם לא עירבו, אסרי נמי הנך שבטרקלין, כיון שהמחיצות שבהן מחולקות, אף שהן מחיצות גרועות.

‹**ודוקא** כשנעשו החבורות קבועות פה, דהיינו יותר משלשים יום, דפחות מזה הם בכלל אורחים ובטילי לגבי בעה"ב הקבועים, **וא"צ** ליתן חלק בעירוב, וכדלקמן בסוף הסימן›.

ואשמעינן ‹הרמ"א בציורו›, דלא תימא כיון שכולם יוצאים לחצר דרך פתח אחד, דהיינו פתח של בית שער, מקרי מחוברים כולם, וכעוברים זה על זה דמי, **קמ"ל** דלא משגחינן בזה, כיון שאינם עוברים זה על זה.

ולפי"ז בבתים שלנו שדרים כמה שכנים בבית, וכל אחד בחדרים מיוחדים, אע"פ שעוברים לחוץ דרך הבית שלפניהם שהוא להם כבית שער, **מ"מ** חייבים כולם בעירוב, ולפיכך אם נתקלקל העירוב של עיר, אסורים לטלטל כל אחד מחדרו לחדר חבירו, [**ועיין** לקמן בבה"ל, דאם אותו הבית החיצון הוא מקום אפיה ובישול לכולן, אפשר דבית כזה מחברן יחד], **אם** לא שיש לבעה"ב תפיסת יד בחדריהם, כגון דברים שאינם ניטלין וכו', שאז נחשב כאלו כל הבית והחדרים שלו, והם רק כאורחים אצלו, וא"צ לעירוב.

ולענין טלטול מחדר לבית, עיין לקמן בסעיף ז"ן, (**ועיין** במ"א מה שכתב, דמחדר לבית אסור אם הם ‹של› שנים, ור"ל אפילו אם אין להחדר פתח אחר לצאת בו כי אם דרך הבית, ומשום דבית שער דיחיד לא שמיה בית שער וכדלקמן בס"ז, ומוכח מדבריו, דכשם שחכמים אסרו לטלטל מבית לחצר בלי עירוב, כמו כן אסרו להוציא מבית לבית, **אכן** יש מאיזה אחרונים שגמגמו בזה מחמת לשון הרמב"ם, דמשמע מיניה דעיקר הגזירה מבית לחצר כדי דלא ליתי לאיחלופי מרה"י לרה"ר, **אך** כבר כתב התוי"ט דגם הוא מודה לאיסור, ורק דתחלת הגזירה היתה במבית לחצר, ואח"כ אסרו אף מבית לבית, **ואף** דבשושנים לדוד האריך בזה לחלוק על התוי"ט, מ"מ לדינא העיקר כמ"א ושארי אחרונים שהסכימו לאיסור, **וכן** מבואר בהרשב"א, דלדידיה עיקר הגזירה היתה מבית לבית, ואח"כ הוסיפו דאפילו מבית לחצר אסור, וא"כ עכ"פ מבית לבית לא גריעא, ולמה נשוה מחלוקת בינו ובין הרמב"ם).

אבל אם נתנו העירוב בזה הטרקלין, אין צריכין ליתן עירוב כלל, שכולם דרים בבית זה, ובית שמניחים בו העירוב אין צריך ליתן עירוב - היינו אף שהעירוב מונח בחדר אחד, דמי כמאן שהעירוב היה מונח אצל כולם, דהתקרה מחברן לבית אחד, כיון שתחתיו הם מחיצות גרועות, ומיירי במחיצות עראי כעין מחיצות של יריעות, **דאלו** חלקוהו במחיצות גמורות, כגון של נסרים וכדומה, בוודאי אין נ"מ בין עירוב בא אצלן וכו', ובין יש דיורין אחרים בחצר או אין דיורין, דבכולהו צריכין ליתן חלק בעירוב, וכדמסיים המחבר בסוף: אם היו דיורין בעליות ממש וכו', [**ונראה** דיוכל לערב בברכה].

וכן אם אין דיורין אחרים בחצר, אינם צריכים עירוב.

חלקוהו במחיצות שאין נוגעות לתקרה - אפי' הם מחיצות קבועות של נסרים ואבנים, ואפילו גבוהות יותר מעשרה, **(אפילו) אם בני החצר נותנים עירובן בא' משאר בתי החצר, די בעירוב א' לכל החמש חבורות** - דכבית אחד דמי.

הגה: אם מקלתן עשו מחילות - המגיעות לתקרה, **ומקלתן לא עשו, אותן שעשו, הם מחולקים; ואותן שלא עשו, הם כמשותפין** - פי' ואז כולם נותנין עירוב א'.

ואם היו דיורין בעליות ממש, אפילו נתנו בני החצר העירוב בטרקלין, צריכה כל חבורה וחבורה לתת עירוב - ואפי' כשאין דיורין אחרים בחצר, צריכין לעשות עירובי חצרות, (מלבד אותה חבורה שאצלה מניחין העירוב א"צ לתת חלק בעירוב), **וכבר** כתבנו דה"ה כשנתחלקו החבורות ע"י מחיצות קבועות, כגון של נסרים וכדומה, כיון שהם מגיעות לתקרה.

אבל מי שיש לו מלמד או סופר בביתו, וכן תלמידים הלומדים בפני הרב, ודרים בביתו כל א' בחדרו, אפילו יש לכל א' פתח פתוח לחצר, ואוכל וישן בחדרו - והו"א דיכול לאסור על בני החצר כשלא עירבו, **אינם אוסרים** - על אנשי החצר ולא זה על זה.

הטעם, כיון שכולם משתמשין בשל בעה"ב באפיה ובישול ובכל דבר, חשיבי כולהו כאלו אוכלים וישנים במקום אחד, **ואע"פ** שיש להם פתח לצד חצר, נקראים על שם בעה"ב, **ועוד** דאין משאיל להם רשותו לאסור עליו.

וכ"ז בשהיה שאול להם, אבל אם היה מקום החדרים קנוי או מושכר להם, **או** אפי' בשאול רק שמשתמשין

כל אחד בפני עצמו בחדרו, אוסרין, **דדוקא** בצירוף שני הטעמים ביחד מקילינן, **וכ"ז** בשלא היה לבעה"ב אצלם תפיסת יד, דאל"ה מותר בכל גווני, וכנ"ל בס"ב.

(**ונראה** דעד כאן לא הצריכו תרתי, אלא במקום דמשאיל לו לזמן, דלא מצי לסלוקינהו בכל שעה, ולהכי אי לאו טעם הראשון דאופין ומבשלין במקום אחד, בודאי יכול לאסור, וכמו דמבואר במחבר בס"ב, **אבל** היכי דמצי לסלוקינהו בכל שעה, כגון שלא השאילו לזמן מיוחד, לא יכול לאסור עליו אפילו אופה ומבשל בפני עצמו, **וכן** מצאתי בחידושי הרשב"א ובעבוה"ק להדיא, דדוקא היכי דמשאילו לזמן מרובה, אבל לזמן מועט הו"ל כאורח ואינו אוסר, ומובן לפי"ז, דה"ה וכ"ש היכי דמצי לסלקו בכל עת, דלא עדיף מזמן מועט, **ודע** דדעת הגר"ז, דתלוי רק במצי לסלוקינהו, והיכי דלא מצי לסלוקינהו, משמע מיניה דצריך עירוב אפילו אופין ומבשלין ביחד, והוא ממש כשיטת הרשב"א והריטב"א, וכן משמע קצת בביאור הגר"א, והמחבר סתם בזה).

(**ודע עוד**, דאף דמסקינן דע"י אפיה ובישול יחד בלחודא לא מהני להתיר, מ"מ היכי שגם כולם עוברים דרך הבית לחצר או לר"ה, ואין לכל אחד פתח מיוחד לצאת בו, חשיבי כולם כבית אחד, כן מוכח בב"י, **ואף** דב"י גופיה הביא בשם הסמ"ק, והעתיקו גם הרמ"א בהג"ה ראשונה, דמה שכולם יוצאים דרך בית שער אחד לא מהני לחברם, הואיל שכל חדר יש לו פתח בפני עצמו, מ"מ הכא שהבית שעוברין דרך בו הוא ג"כ מקום אפיה ובישול לכולם, חשוב כבית אחד, ועדיין צ"ע).

סעיף ד - אנשי חצר שהיו כולם אוכלים על שלחן אחד - אע"פ שכל אחד אוכל משלו, **אע"פ שכל אחד יש לו בית בפני עצמו** - ללינה ולשאר תשמישין וכדלקמיה, **אינם צריכים עירוב, מפני שהם כאנשי בית אחד.**

ואם הוצרכו לעשות עירוב עם אנשי חצר אחרת, עירוב אחד (לכולן), ופת אחד בלבד מוליכין לאותו מקום שמערבין עמו - ואיזה מהם שירצה יכול ליתן הפת, וא"צ לזכות, דשליחותא דכולהו קעביד.

ואם היה עירוב בא אצלם, אינם צריכים לתת עירוב, כדין בית שמניחים בו עירוב, שכל אלו הבתים כבית אחת הם חשובים.

הגה: וכן אם הרבה בעלי בתים אוכלים בחדר אחד, כל אחד על שלחנו, אע"פ שכל אחד ישן בחדר בפני עצמו, עירוב אחד לכולם - הרמ"א הוסיף, דלאו דוקא על שולחן אחד, דה"ה על שולחנות מיוחדות, הואיל שהם בבית אחת.

הואיל ואין מחילה מפסקת בין מקום אכילתן, הוי כחמשה ששבתו בטרקלין וכו' - וע"כ אפילו היתה שם מחיצה, אלא שאין מגיע לתקרה, או לסמוך לה בתוך ג"ט, הוי כאלו אינה.

ואע"פ שפורסין לפעמים וילון לפניהם לצניעות, לא מיקרי מחילה, הואיל ולא הוי שם בקביעות - דאין פורסין אותה אלא כשעושה דבר צניעות, [**ולעיל** דקאמר "אפי' הן של יריעות", מיירי שפרוסות תמיד].

סעיף ה - מי שאוכל במקום אחד וישן במקום אחר - ר"ל בחצר אחר, **מקום אכילתו הוא העיקר ושם הוא אוסר.**

(**ורועים** הלנים בשדה, אע"פ שאוכלין בעיר, אינם אוסרין, דאנן סהדי דאלו היו ממטי ליה לאכול במקום לינתו, הוי ניחא ליה טפי, ששם הוא מקום שמירתו, **וכתב** בפמ"ג, דה"ה בתלמידים שאוכלים בבית בע"ב, ולנים בבית רבם, דאזלינן בתר לינה מהאי טעמא).

הילכך האחין שאוכלים בבית אביהם וישנים בבתיהם, אינם אוסרים - פי' לא במקום השינה כשלא עירבו עם שאר אנשי החצר, **ולא** במקום האכילה, שהם נגררים אחר אביהן ויוצאים בעירובו.

ואם נותן להם פרס ואוכלים בבתיהם - פי' שהם מקבלים הוצאה מבית אביהן, ואין חילוק בין כשמקבלים לחם או מעות, **אוסרים** - על אחרים, וה"ה זה על זה, כשלא עירבו, **ואפילו** הם דרים בחצר אחת עם אביהם, הואיל ואינם אוכלים על שולחנו ממש.

והני מילי כשנותנים בני שאר החצר עירובן במקום אחר - פי' אימתי אמרינן שקבלת פרס אינו מועיל, כשחוץ מן האחין ואביהן היו עוד דיורין בחצר, והוזקקו לעירוב, והניחו אותו אצל אחד מהדיורין, **דאז** אמרינן כשם ששארי דיורין אסרי זה על זה אם לא היו מערבין, אינהו נמי אסרי אהדדי.

אבל אם היו בני שאר החצר נותנים העירוב בא' מבתים אלו - או אצל אב או אצל אחד מהאחין, ‹אינם צריכים לערב›, דאמרינן הואיל דהוא פטור מליתן חלק בעירוב, משום בית שמניחין בו עירוב, גם שאר אחיו נמי פטורין, הואיל שמקבלין עכ"פ פרס מאביהן, האב מחברן ומצרפן להיות כאיש אחד, **או שאין עמהם דיורים בחצר, אינם צריכים לערב** - דהם בעצמן אין מזקיקין לעירוב, ומטעם הנ"ל.

[**ודע**, דמלשון רש"י משמע, דדוקא כשהעירוב בא לבית אביהן, ומטעם שהם כולם נמשכין אחר בית זה, **ולפי"ז** אינו מועיל כשהניחו באחד משאר בתי האחין].

(**בשו"ע** אינו מבואר, אי איירי בדוקא כשהאחין ואביהן היו שרוין בחצר אחד, דאז נטפלין לגביה, **או** אפילו כשהאחים שרוין בחצר אחרת נמי דינא הכי, **ובריטב"א** מסתפק בזה, וכתב דמלשון רש"י משמע, דדוקא כשהם שרוים בחצר אחת, **אכן** ברבינו ירוחם משמע, דאפילו בחצר אחרת, וצ"ע).

סעיף ו - מי שיש לו חמשה נשים וחמשה עבדים - וה"ה משרתים, **מקבלים ממנו פרס, וכל אחד אוכל בביתו, וכן תלמיד המקבל פרס מרבו ואוכל בביתו, אינם אוסרים זה על זה, אם אין עמהם דיורין בחצר, או אם העירוב בא אצלם** - דהם נמי נמשכין אחר בעליהן ואדוניהן, וכמו אצל אחין בס"ה, **ודוקא** בכל אלו מועיל פרס, לפי שהן נמשכין אחריהן, אבל באדם דעלמא המקבל פרס מחבירו, אין מועיל כלל.

סעיף ז - עשרה בתים זה לפנים מזה, וכולם עוברים מזה לזה ויוצאים דרך החיצון לחצר, שנים הפנימיים לבד צריכים ליתן בעירוב - שהם לבדם תורת בית עליהם, ואוסרים לטלטל בחצר, וכן לטלטל מזה לזה, וכן מהם לבתים שלפניהם, **ואע"ג** דהשני הוי בית שער לפנימי שעובר דרך עליו, לא מתבטל מתורת בית ע"ז, כיון דהוי רק בית שער ליחיד.

[**ואע"ג** דכתבנו לעיל בריש הסימן לענין חצר, דבית שער דיחיד ג"כ בכלל בית שער הוא, **התם** דהוא בית שער דחצר דלא עביד לדירה, אבל הכא עביד לדירה, **ועיין** בפמ"ג דמסתפק, בבית שער הסמוכה לבית מבחוץ, אולי הוי בכלל בית שער דחצר, וכן משמע בערו"ש].

והשאר פטורים, שחשובים כולם כבית שער - שכל אחד מהם הוא בית שער לכל הפנימיים ממנו, ואינו חשיב דירה כיון שרבים עוברים עליו, [**ומשום** זה מותרים הפנימיים לטלטל בכל החיצוניים, דהם ניתרים ע"י עירובן של הפנימיים, **אכן** אם לא נתנו הפנימיים עירובין, אפשר דכשם שאסורין לטלטל בחצר, כך אסורין באלו הבתים החיצוניים, דאע"פ שאינם אוסרין, אסורין, **ותליא** בפלוגתת רש"י ותוס'].

ולפי"ז בבית שיש בתוכו שני חדרים, ומושכרים לשני בני אדם, ובבית שלפני החדרים דר בו בעה"ב בעצמו, ועוברים דרך עליו, **הם** בעצמם חייבים ליתן בעירוב, ובעה"ב בעצמו פטור, שהוא כבית שער להם.

סעיף ח - המתארח בחצר - אפילו היה הדירה בשכירות, **אפילו נתארח בבית בפני עצמו** - שאוכל וישן שם, **אם לא נתארח דרך קבע, אלא לל' יום או פחות, אינו אוסר על בני החצר, והוא והם מותרים, בין בביתו בין בביתם.**

י"א שאפילו רגיל לבוא שם כמה פעמים להתארח, **ויש** מי שמחמיר בזה, וכמו לענין עכו"ם בסי' שפ"ד ס"א, [**ונראה** דיש להקל בזה].

ונקט "בפני עצמו", דאם היה ביחד עם בעה"ב, אפילו בקבע אינו אוסר כשלא עירב.

הגה: ואפי' אם האורחים רבים ובעה"ב אחד - נמי בטלים לגבי בעה"ב ונעשים כאנשי ביתו.

וביותר משלשים, אפילו אם היה רק בשאלה לבד, תו מקרי קבע ויצא מכלל אורח ואוסר, [**ודוקא** בלא יכול לסלוקי בכל שעה שירצה, וכמ"ש למעלה], **ומסתברא** דאם קבע עצמו לכתחלה יותר משלשים, אוסר מיד.

(ובב"י גופא יש בזה סתירה, דבתחלה כתב יותר מל', ואח"כ כתב דדוקא פחות מל' יום חשוב אורח, אבל ל' מקרי קבע, וכבר העיר בזה הא"ר, וכן בד"מ כתב דבל' מקרי קבוע, וכן הוא הלשון בלבוש ובמג"א, ובאמת לא מצינו בשום מקום שיעורא דיותר מל', ואדרבא בכל מקום אמרינן דבשלשים מיקרי תושב, וצ"ע לדינא).

כתב הט"ז, דביותר מל' דאסרינן, דוקא במתארח במקום שאין קהל, אבל במקום שיש קהל ועושין ע"ח בע"פ כדרכנו, אז פטור גם בזה, כי לב ב"ד מתנה על כל הדיורים שיתוספו, וכמו שמבואר בסי' שס"ו ס"ט עי"ש, **ומ"מ** טוב במקום שיש ירידים שרגילין לבוא אורחין ולהשתהות שם יותר מל' יום, שיתנו הקהל בפירוש בשעה שעושין העירוב, דהוא לכל מי שיתוסף בעיר הזאת.

ודוקא בדאיכא בעל הבית א' קבוע, דאז האורחים בטלים לגביה – (עיין בתה"ד, ומוכח שם דאפי' האורחים מתארחים בבתים שאינם שייכים להאי בעה"ב קבוע שיש שם, אלא לאדם אחר שאינו דר שם, בין נכרי או ישראל, אפ"ה אמרינן דהאורחים נטפלין לגבי בעה"ב שדר בחצר בקביעות, ואינו אוסר עליו, וכ"כ הגר"ז).

אבל אורחים ביחד - ר"ל שלא היו שם רק אורחים בחצר, ומיירי בשיש לכל אחד חדר מיוחד לאכילה, כמ"ש ס"ג, **אוסרים זה על זה מיד** - היינו אפילו אם שבתו רק שבת אחת, דכיון דליכא כאן קבוע שיהיו נטפלים לגביה, הוו כשאר בעלי בתים.

(דין זה הוציא הרמ"א בד"מ מסוגיא דף ס"ה ע"ב, ולפי"ז משמע דאף בלא שכירות, אלא בתורת אורח בלבד, ומצי לסלוקי, אפ"ה אוסרים זה על זה, **אכן** בנשמת אדם לא כתב כן, וצ"ע עליו מסוגיא זו, **ועיין** בביאור הגר"א שכתב מקור לדין זה מסימן שס"ו ס"ב, מדין ספינה ואוהלים, ולפי"ז אפשר לקיים דינו דנשמת אדם).

ומיירי בשאותו חצר היה חצר יחידי, אבל כשנתארחו בעיר, ויש שם עוד חצרות של ישראל, והעיר עשויה בתיקון מבואות כדין, בטילי הני אורחים לגבי שאר בעלי בתים קבועים שבעיר, דעיר שעשויה בתיקון מבואות כדין, היא חשובה כולה כחצר אחת וכנ"ל, [**אבל** בעיר שלא ניתקנה, לא אמרינן דבטילי לגבייהו, אחרי שחצרות העיר אינם שייכם זה לזה, דהלא אסורים לטלטל בעיר, א"כ מאי עדיף זה מחצר יחידי].

ואם הוא במקום עכו"ם, צריכים לשכור גם רשותו, [**ולא** אמרינן שיהיו נטפלין לעכו"ם הדר באותו חצר, ויחשבו כאורחין, **אך** אם הם מתאכסנים בפונדק של עכו"ם, כתב היד אפרים דבזה בודאי נטפלים להעכו"ם, וא"צ לשכור ממנו רשות, וגם אין אוסרין זה על זה, **ובפמ"ג** כתב, דגם בזה אוסרים זה על זה, וצריכים לשכור הרשות, וטעמו, דלענין עכו"ם לא אמרינן דהאורחים בטילין לגביה, **וכן** מוכח בתשו' רמ"א, וראיית היד אפרים יש לדחות].

ועי"ל ס"ס שנ"א. (וא"י המתארח, ע"ל סי' שפ"ד).

§ סימן שעא - כשאחד מבני חצר נפרד משם או מת §

סעיף א - אחד מבני חצר שהניח ביתו והלך ושבת בחצר אחרת, אפילו היתה סמוכה לחצרו, אם הסיח מלבו ואין דעתו לחזור לביתו בשבת, הרי זה אינו אוסר עליהם - והטעם, דדירה בלא בעלים לא שמה דירה, ואינה אוסרת בחצר אף שלא נתנה חלק בעירוב.

ומיירי שהלך עם כל בני ביתו משם, ומבעוד יום, **ויש** מקילין [מ"א] אפילו כשהלך בשבת, אם לא חזר בו ביום, [דבחזר בשבת גם להמ"א אסור], (**ונראה פשוט** דאין להקל כשהלך בשבת, אם לא בשעת הדחק אפשר דיש לסמוך על דעת המ"א, כשהסיח דעתו בהדיא).

(ואף דבסוגיא שם איתא דוקא בתו, אבל בנו לא, וכ"ש אחר, הסוגיא מיירי בסתמא, דאמרינן כשהלך לשבות אצל בתו מסיח דעתו מדירתו, ואצל בנו אינו מסיח, שמא תתקוטט עמו כלתו, **אבל** אם הסיח דעתו בהדיא מדירתו לאותו שבת, כגון ששאלוהו ואמר שאין דעתו לחזור לדירתו לשבת זו, אינו אוסר אפילו הלך לשבות אצל בנו, וה"ה אחר, **ואם** לא הסיח דעתו, כגון ששמעו ממנו שדעתו לחזור בשבת, אפילו בשהלך אצל בתו אוסר, דחשבינן ליה כאלו הוא בביתו).

בד"א בישראל; אבל בעכו"ם, אפי' הלך לשבות בעיר אחרת, אוסר עליהם - אפילו עירבו

ביניהם, **עד שישכרו ממנו מקומו, אם הוא קרוב מהלך יום אחד, שהרי אפשר שיבא בשבת; אבל אם רחוק יותר, אינו אוסר** - ואע"ג דברחוק נמי איכא למיחש שהלך בחול עד סמוך לכאן, ויבוא בשבת, **מ"מ** לא חיישינן להכי.

וי"א שגם א"י, אם הלך לשבות בחצר אחרת, אינו אוסר. וכן נראה עיקר - כמו בישראל שהלך לשבות במקום אחר, והסיח לבו מדירתו, שחשבינן כאלו אינו דר שם באותו שבת, [**דבאמת** דירת עכו"ם אינה חשובה דירה, אלא משום גזירה שמא ילמוד ממעשיו, ולא גזרו אלא כשהוא בביתו, ולא כשהוא בשבת בעיר אחרת].

ועיין בה"ל שביארנו בשם כמה פוסקים, דאין להקל כי אם בעיר אחרת, ולא בחצר אחרת.

ועיין בט"ז שכתב, דאם העכו"ם רגיל לחזור לביתו באותו יום, אסור לכו"ע, **וכאן** מיירי דהלך לדעת לשבות שם כל היום.

(ואם בא הא"י בשבת, ע"ל סי' שפ"ג).

סעיף ב - ישראל בן חצר זו שהלך לשבות בחצר אחרת, ואין דעתו לחזור בשבת, ואח"כ נמלך בשבת וחזר, אינו אוסר - דכיון דבעת שהלך לא היה דעתו לחזור בשבת, א"כ כבר הסיח דירתו מלב, והו"ל שבת שהותרה, ושוב לא תאסר.

(**עיין בב"י שהביא דעות המחמירין בזה, אך הוא נטה להקל, והגר"א בביאורו משמע דדעתו לפסוק כדעת המחמירים, וע"כ יש להחמיר אם לא בשעת הדחק**).

אבל גבי עכו"ם קי"ל, דאם בא בשבת אוסר, דלא שייך גבי עכו"ם לומר שכבר הסיח דעתו, שזה אינו אלא בישראל, שבמקום ששובת בכניסת שבת שהוא לו יום מנוחה, מסתמא דעתו אז שלא לעקור, ומה שבא אח"כ, רוח אחרת היתה לו, **משא"כ** גבי עכו"ם כשבא, הוכיח סופו על תחלתו, ואמרינן שכבר בביה"ש היה דעתו לבוא, **ואף** אם יאמר שהסיח דעתו מתחלה, לא מפיו אנו חיין.

[**מיהו** אם אנו יודעים בעצמנו שהעכו"ם הסיח דעתו מלחזור בשבת לביתו, ואח"כ אירע שחזר, יש מקום לומר דאז דינו כישראל, ואמרינן כיון שהותר, **אמנם** בתו"ש מצדד לומר, דלא חילקו חז"ל בזה, כיון דברוב הפעמים אין אנו יכולים לסמוך עליו, **ונראה** דכן יש לדון למעשה, דבישראל גופא ג"כ יש הרבה ראשונים דסברי להחמיר לאסור כשחזר, וכנ"ל, עכ"פ בעכו"ם בוודאי אין להקל].

סעיף ג - אחד מן השוק שהיה לו בית בחצר ומת - ומיירי בשלא עירב על הבית שיש לו בחצר, **וה"ה** אם היה דר בחצר ולא עירב, אלא דנקט אחד מן השוק, דסתמא דמלתא כן הוא, דכשהוא דר בשוק אינו מערב על הבית שיש לו בחצר, **והניח רשותו לאחד מבני החצר, אם מת מבעוד יום, אין הזוכה אוסר** - בין שנכנס לדור בה או לא, **שהעירוב שמערב על ביתו מתיר גם מה שירש** - אפילו אם עירב על ביתו קודם שמת מורישו, שהעיקר קניית העירוב בין השמשות, ואז כבר היה הבית שלו.

ואם מת משחשיכה, אוסר - אפילו אם לא בא היורש לדור באותו בית, מ"מ מקרי דירה בבעלים, כיון שהוא דר באותה חצר. (**הקשה הב"ח אמאי לא נימא כיון שהותר ביה"ש, שלא היה לו אז בעלים, הותר לכל השבת, ודומיא ההיא דס"ב, ומחמת קושיא זו הכריח הגר"א דלא כס"ב ע"ש. אכן לפי מה שכתב המ"א בס"ד** <ע"ש בבה"ל> **מתורץ קושית הב"ח, וכ"כ המחה"ש**), <וכתב רעק"א: והוא דוחק, דהא הוכרח להסיח דעתו כיון שהיה מורשו קיים, ולא יגרע מהסיח ע"י שהלך לו>.

אף על פי שעירב הזוכה עמהם - על ביתו שיש לו בחצר זו, **אינו מועיל למה שירש אח"כ בשבת** - כיון דבעת ביה"ש שהוא אז זמן קניית העירוב, לא היה הבית שלו, אין חל העירוב על בית זה.

סעיף ד - אחד מן החצר שמת בשבת, אם עירב - ר"ל ולא הניח בני ביתו בבית, וא"כ כיון שמת בטל העירוב, [דאם הניח בני ביתו לא בטל העירוב כלל], **אפילו ירשו אחד מבני השוק** - ובא לדור שם בשבת, והוא הלא לא הניח עירוב מבע"י, **אינו אוסר** - על בני החצר, דכיון שהותר ביהש"מ בעירוב המוריש, הותר לכל השבת.

(**דע, דלפי מה שכתב המ"א** <בס"ו>, **ע"כ מיירי הכא שבעת כניסת השבת לא היה עדיין גוסס, דאל"ה לא חל העירוב כלל, כיון שאינו ראוי להתקיים כל השבת, אמנם**

בספר עצי אלמוגים חולק על דברי המ"א, ולפי"ז מיירי הכא השו"ע בכל גווני).

ואם לא עירב, אם ירשו א' מן השוק, כל זמן שאינו בא לדור עמהם, אינו אוסר - אף דנאסר בתחלת השבת מחמת המוריש שלא עירב עם בני החצר, מ"מ כשמת ונשאר הבית בלא דיורין, לא חשיבא לאסור.

גם זה מיירי שאין לו בני בית שם, [**דאם** יש לו בני בית שם, אפי' אם לא בא היורש לדור בשבת, ג"כ אסור, דהרי יש לדירה בעלים, **ומש"כ** המחבר "לדור עמהם", הוי לאו דוקא].

(והנה המחבר סתם כדעת הרא"ש והתוספות, אבל אין דין זה ברור, דהרשב"א חולק ע"ז, וס"ל דכיון שנאסר למקצת שבת, נאסר לכל השבת, ועיין בביאור הגר"א שהעיר ג"כ בזה, ומשמע דדעתו נוטה לדעת הרשב"א, וע"כ למעשה צ"ע).

בא לדור בשבת בבית מורישו, אוסר - כיון דיש עתה בעלים לדירה, אוסר על בני החצר עד שיבטל רשותו, וכדלקמן בסי' ש"פ.

וה"ה אם היה המוריש אחד מן השוק, תלוי ג"כ בעירב ולא עירב, **אלא** סתמא דמלתא כשהוא דר בשוק אינו מערב על הבית שיש לו בחצר, להכי נקט המחבר "אחד מן החצר שמת" וכו'.

ואם ירשו אחד מבני החצר, אם עירב היורש והיה דר עם המוריש בבית א', אינו אוסר אע"פ שלא עירב המוריש - שבני ביתו של אדם מערבין לו שלא מדעתו.

ואם לא היה דר עם המוריש, אלא בבית אחר שבחצר, אוסר, אע"פ שעירב היורש - לאותו בית שדר בו, **כיון שלא עירב המוריש** - ואף דגם עתה לא בא לדור בבית שירש, **מ"מ** כיון דיש לו בית באותו חצר שדר בו, וראוי לו להשתמש גם באותו בית שירש, חשבינן כאלו נכנס לדור בו, והוי דירה בבעלים.

ואם מבע"י מת, וירשו א' מן השוק, ה"ז אוסר, והוא שבא היורש בבית מורישו בשבת - לדור בה, והו"ל דירה בבעלים, והוא הלא לא עירב.

ואלו אם ירשו אחד מבני החצר, חל העירוב שמניח בשביל ביתו שדר בו, גם על בית זה, [**אפי'** הניח העירוב קודם שמת המוריש, כיון דבעת קניית העירוב דהיינו ביהש"מ, כבר מת, והוי זה הבית שלו].

כאן לא חילק בין עירב ללא עירב, דאפילו עירב, כיון שמת מבע"י בטל עירובו והוי כלא עירב.

(הקשו האחרונים, הא כיון דמתחלת שבת היה דירה בלא בעלים, ולא היה אוסר דירה על בני החצר, אמאי לא נימא כיון שהותרה הותרה, וכההיא דסעיף ב', וי"ל דדוקא בס"ב שהיה כאן והלך לו מבע"י, אמרינן שהסיח מלבו לחזור בו ביום, ולכן אמרינן ביה אף שאירע שחזר ובא, כיון שהותרה הותרה, משא"כ בזה לא אמרינן כלל שהיורש הסיח דעתו בעת תחלת כניסת השבת שלא לבוא כלל בשבת לדור בבית, ממ"א וחידושי רע"א).

סעיף ה - ישראל וגר שהיו דרים בחצר, ומת הגר מבעוד יום - מיירי כשעירבו ביחד, ולכך אינו אוסר אלא כשמת הגר מבע"י, שבטל העירוב שלו, **והחזיק ישראל אחר בנכסיו** - דאלו החזיק אותו ישראל הדר שם, בכל גווני מותר, דהרי הוא נשאר יחיד בחצרו, **וה"ה** כשלא החזיק אדם כלל בחצר זה בשבת זו, דמותר, דהרי אין לה בעלים.

אפילו לא החזיק עד שחשיכה - ר"ל ונכנס ג"כ לדור בה, **אוסר** - ור"ל אע"פ שבכניסת השבת כל זמן שלא נכנס ישראל זה בביתו של גר, היתה דירה בלא בעלים ולא היתה אוסרת, **אפ"ה** אין אומרים בה שבת כיון שהותרה הותרה, הואיל והיתה ראויה להחזיק בה מבעוד יום, והיה ההיתר תלוי ועומד, שלא היה ברור שתהא מותרת כל השבת.

עד שיבטל רשותו כשאר יורש - ר"ל דחשבינן הזוכה בנכסי הגר כיורש בנכסי אביו, דמהני כשמבטל רשות, כדאיתא בסימן שפ"א ס"ו, [**ר"ל** אע"ג דאי בעי האי זוכה לערובי מבע"י לא היה יכול לערב, דאז היה הגר עדיין חי, אפ"ה מהני ביה ביטול כמו ביורש].

מת משחשיכה, אין המחזיק אוסר, שבהיתר הראשון עומד - ר"ל כיון שבכניסת השבת היה

מותר מחמת עירובו של גר, אף דכשמת בטל עירובו, אמרינן כיון שהותרה הותרה.

סעיף ו - אחד מבני החצר שהיה גוסס, אף על פי שאינו יכול לחיות בו ביום, אוסר עד שיזכו לו בפת ויערבו עליו - דסד"א דנחשב כאלו מת, והו"ל דירה בלא בעלים, קמ"ל דכל זמן שהוא חי הרי הוא כחי לכל דבריו.

כתב מ"א, דאם מת בשבת אוסר, כיון שאין העירוב ראוי להתקיים כל השבת, דרוב גוססין למיתה, עכ"ל, **והנה** אם היה דר עמו אחד באותו בית, פשיטא דאינו מתבטל העירוב, **ואם** ירשו אחד מן השוק ואינו בא לדור שם בשבת, ונשאר הבית בלא בעלים לאותו שבת, ג"כ פשיטא דמותר, כדלעיל בריש סעיף ד', **אך** המ"א מיירי שירשו אחד מן השוק, ובא לדור שם בשבת, או שירשו אחד מבני החצר שדר בבית אחר, [ובזה אפי' אינו דר עמו באותו בית, ג"כ מיחשב דירה בבעלים], **והטעם** בכ"ז, דהעירוב שהונח בעד הגוסס הרי לא היה ראוי להתקיים כל השבת, דהרי חזינן שמת בשבת, ולא שייך בזה לומר הואיל והותר הותר, [**דאף** שיש גוסס שנמשך עד ג' ימים, כיון דהכא חזינן שמת באותו יום, אגלאי מילתא למפרע שהיה מין גסיסה שימות באותו יום].

ולפי"ז לכאורה אף אם אחד עירב באותו ע"ש בעד כל החצר, וממילא גם הגוסס בכלל, ואח"כ מת הגוסס באותה שבת, **ג"כ** חלק העירוב שנתנו בעד זה הגוסס מתבטל, [היינו כשבא אחד מן השוק לדור בבית, או שהיה יורשו אחד מבני החצר], **אכן** אם העירוב הונח בשבת העבר, וא"כ חל העירוב פעם אחת, אף שבשבת זו כשנעשה גוסס היה עומד להתבטל, אעפ"כ שייך בזה לומר כיון שהותרה הותרה.

(**ועיין בספר עצי אלמוגים שמפקפק מאד על עיקר דין זה, וכתב דמדסתמו הטוש"ע לעיל בריש ס"ד, דאם מת בשבת, אפילו אם ירשו אחד מבני השוק ולא עירב, אינו אוסר, ולא התנו דדוקא כשלא היה גוסס, אלמא דלא ס"ל כן, ועוד הביא קצת ראיה דהתוס' לא ס"ל כן, ע"ש שהאריך בזה, ודעתו להלכה להקל בזה, ובשעת הדחק נראה דיש לסמוך ע"ז**).

וכן קטן אוסר - עד שיערבו עליו, **אע"פ שאינו יכול לאכול כזית. אבל האורח אינו אוסר, כמו שנתבאר בסי' ש"ע.**

§ סימן שעב – דיני שותפי הדירות לערוב §

סעיף א - גגין - היינו על הגג שאין עוד קירוי למעלה, דאלו על התקרה שהוא תחת הגג, בכלל עלית הבית הוא, וכבית דמיא, **וגגין** שלהן חלקין היו וראויין להשתמש עליהן, **ומיירי** כשלא היו בולטות חוץ למחיצת הבית, **ואם** היו בולטות, ע"ל בסי' שמ"ה סט"ז, **וחצרות, וקרפיפות, כולן רשות א' הם לכלים ששבתו בתוכן** - היינו שהיו מונחים שם מבעוד יום, ולאפוקי כששבתו בתוך הבית.

שמותר לטלטלם מזה לזה - דכל אלו אין תשמישן מיוחד ותדיר, לפיכך אין בהם חילוק רשות, ומותר לטלטל מאחד לחבירו בלי עירובי חצרות, **וכ"ש** שמותר לטלטל בגגין או בחצרות גופא מאחד לחבירו, **וכן** מותר לטלטל בכל החצר או בכל הגג, אף שלא עירבו הדיורין יחד, **ולא** הצריכו חכמים עירובי חצירות אלא משום שיהיה מותר להוציא לתוכה כלי הבית ששבתו בבית מבעוד יום, וכן מחצר לבית.

(**בגמ' איתא, דגם מבוי רשות אחד עמהן, והמחבר נקט לשון המשנה, וסמך עצמו על מש"כ בסוף דבריו**).

אפי' הם של בעלים הרבה ולא עירבו יחד - היינו החצרות בהדי הדדי, או הגגין והחצרות, **דאלו** בחצר גופא, יותר רבותא הוא כשעירבו בהדדי, כמו שמסיים לבסוף.

מותר לטלטל מחצר לחצר אחרת, או לגג - של חבירו, **או לראש כותל שביניהם** - שבין שתי חצרות, ומבואר היטב לקמן בס"ו.

ומגג לגג אחר הסמוך לו, אפי' גבוה ממנו הרבה - ולא אמרינן שעי"ז יתחלק לשתי רשויות, **ומהגג לקרפף שאינו יותר מסאתים** - וה"ה מחצר

(ביאור הלכה) [שער הציון] ‹הוספה›

לקרפף, **דאלו** אם היה יותר מסאתים, בכלל כרמלית הוא כיון שלא הוקף לדירה, ואסור להוציא מרה"י אליו, וכמבואר לעיל בסימן שנ"ח.

או שהוקף לדירה אפי' הוא יותר מסאתים, או למבוי שמתוקן בלחי או קורה, אפי' לא עירבו בו - ר"ל שלא נשתתפו החצרות יחד, **ור"ל** שמותר להוציא לו מחצרות וגגין וקרפיפות, כלים ששבתו בתוכן, **והטעם**, דגם מבוי אין תשמישו מיוחד ותדיר, לפיכך הוא רשות אחד עמהן, **ולא** הצריכו שיתופי מבואות אלא לכלים ששבתו בתוך הבית, שיהיה מותר להוציא למבוי.

ואע"פ שעירבו בני חצר לעצמן, דשכיחי מאני דבתים בחצר, מותר לטלטל כלים ששבתו בחצר זו לחצר אחרת - וה"ה לגג וקרפף וכנ"ל, **ולא חיישינן שמא יטלטל גם כלים ששבתו בבית לחצר אחרת, או לגג וקרפף** - דהוי גזירה לגזירה.

ור"ל ולא מיבעי אם לא עירבו בני חצר לעצמן, דאז אין מצוי בחצר כלי הבית כלל, דהלא אסור להוציאן שם, בודאי מותר לטלטל מחצר לחצר כלים ששבתו בתוכן, דהא לא שייך למיגזר אטו כלי הבית.

מזה מבואר, דכלים ששבתו בבית, אף שבאו בהיתר לחצר זה מפני שעירבו בה, אעפ"כ אסור להוליכן לחצר אחרת שלא עירבו עמהן, **וה"ה** אם הוציא מבתי החצר להחצר שלא עירבו בה, והוציאן שם דרך היתר, כגון דרך מלבוש ופשטן שם, ג"כ אסור לחזור ולהוציא משם לחצר אחרת, (**ועיין בבית מאיר שמצדד, דזהו דוקא אם בתחלת קדושת היום לא היה הבגד עליו, אלא שלבשו אח"כ, אבל אם היה לבוש בו בביתו בתחלת קדושת השבת, לא נחשב בכלל כלים ששבתו בבית, דכיון שהיה לבוש בהם, בטלים לגבי גופו**).

אכן אינו מבואר בהדיא מה דין כלים אלו בטלטול חצר זה עצמו, אם מותר, (דגזירת חכמים לא היה אלא בהוצאה מרשות לרשות, כגון מבית לחצר שאינה מעורבת, או מחצר לחצר אחרת בכלים ששבתו בבית, **אבל** על חצר עצמו **לא** היה גזירת חז"ל כלל, ומותר לטלטל בכולו אף הכלים ששבתו בבית, כשכבר מונחים שם), **או** לא, (דכיון שאינה מעורבת, ורשות כל בני החצר שולטין עליה, עשאוה כעין ר"ה, ואסור לטלטל אף בחצר זה גופא יותר מד"א), **ועיין** בבה"ל שביארנו, שיש בזה מחלוקת הפוסקים, **ועכ"פ** אם הביא משקין ע"י נכרי לבית אחר שלא עירב עמה, כיון שבית רשות יחיד הוא, מותר לישראל לטלטל המשקין אח"כ בכל הבית לכו"ע, [**וה"ה** כשנכנס לבית אחר שלא עירב עמה, ופשט שם בגדיו ששבתו בתוך ביתו, מותר לטלטלו בכל אותו הבית].

(**המ"א** העתיק מפרש"י, דאסור להוציא מבית לקרפף שלא הוקף לדירה ואינה מחזקת יותר מסאתים, אפילו הם של אדם אחד, וכן הוא ג"כ דעת התוס', **והעיקר** דיש בזה פלוגתא בין הראשונים, דעת הרמב"ם וכן הסמ"ג והרא"ה והריטב"א, להקל היכא דשניהם של אדם אחד, או שעירבו ביניהם, **ודעת** רש"י והתוס' והרשב"א והרא"ש, לאסור, וכן סתם הטור והשו"ע לעיל בסימן שנ"ח סעיף יו"ד, **וכתב** בבית מאיר, דלכתחילה בודאי יש להחמיר בזה כפסק השו"ע, ובשעת הדחק נראה דיש לסמוך ולהקל).

סעיף ב - קרפף יתר על סאתים שלא הוקף לדירה, הוי כרמלית, ואסור לטלטל ממנו לקרפף אחר - ר"ל קרפף שהוא כמוהו, שמחזיק יותר מב"ס ולא הוקף לדירה, **להכניס ולהוציא מזה לזה, כי אם שתי אמות בזה ושתי אמות בזה** - דמכרמלית לכרמלית מותר, וכדלעיל בסימן שמ"ו ס"ג.

וה"ה דבתוכו אסור לטלטל רק בתוך ד"א, כמבואר לעיל בסי' שמ"ו ס"ג.

דאלו אם (הקרפף האחר) אינו מחזיק רק בית סאתים, או שהוא מחזיק יותר מב"ס והוקף לדירה, רה"י גמור הוא, ואסור להכניס ולהוציא אליו כלל מקרפף זה, שהוא כרמלית.

וכ"ז בכלים ששבתו בתוכן, דאלו כלים ששבתו בתוך הבית, והובאו לקרפף ע"י עכו"ם וכה"ג, אסור להוציאן לקרפף אחר, [**היינו** כשהקרפף הוא של אדם אחר, דאילו אם הכל שייך לאדם אחד, בודאי שרי לדעת הרמב"ם וסייעתו, **ואפי'** לדעת רש"י, אפשר דכיון שכבר הוא מונח בקרפף, מותר לטלטל בתוך ד"א לקרפף אחר, **ולא** אסור לרש"י כי אם מחצר לקרפף].

סעיף ג - שתי חצרות שרוצות לערב יחד, להתיר אף כלים ששבתו בבתים, אין צריכות עירוב אחר, אלא העירוב שעשו כבר יוליכנו א' מבני החצר בשביל כולם, ויתננו בא' מבתי חצר שניה - דכיון שכבר עירבו יחד, הרי הם כאיש אחד.

ואם ירצה יוליך שם אפי' פת משלו, וכולם מותרים - משום דשליחותייהו קעביד, כיון שכבר עירבו ביחד.

הגה: והוא שעירבו בני חצירו עמו תחלה - דאל"כ הא בעת שהוליך פת שלו עדיין לא היה מעורב עמהם, ואף שאח"כ עירבו יחד, לא חל העירוב למפרע, **מיהו** נראה, דאם אחר שעירבו בני חצירו חזר וסמך בהדיא על אותו פת שהוליך קודם לעירובן, ודאי מהני, דהא קניית העירוב הוא בין השמשות, ודי בזה, **דלא** גרע מבני חבורה שסמכו על הפת שעל השולחן, ואע"פ שאין עושים כלום, **וה"ה** הכא נמי מהני אף בפת שלו, דכיון שעירבו כבר, הוי עתה שליח דכולהו, כשחזר וסמך בהדיא על אותו פת בשביל כולם.

או שאין צריכים לערב, כמו שנתבאר סימן ש"ע - סעיף ד' וה', דהתם נמי אמרינן דכולהו כחד חשיבי, ואחד מוליך הפת משלו וכולם מותרים.

והוא שעירבו בני החצר השניה לעצמה - מקודם, [דאין עירוב למפרע], דאל"ה אינו מועיל מה שמוליכין העירוב אצלם, דלא עדיפי מבני החצר גופא, שאסורים לטלטל בחצרן, [**ונ"ל** דאם הוליכו עירובן לשם, אסורים הם לטלטל גם בחצירן, כי עירובן מונח בחצר אחרת שאסורה להן].

ואין בני חצר השניה צריכים פת אחר – (דבית שמניחין בו עירוב או שיתוף, אינם צריכים לתת פת לעירוב), **אלא העירוב שעשו כבר מתירן** - דעל ידו נתערבו בני חצר זו יחד, וע"י הבאת הפת מחצר שאצלה, נעשו מעורבין שתי החצרות יחד, ומותרין גם הם לטלטל כלים ששבתו בבתיהם לחצר שאצלן, **וכתב** בפרישה, דצריכין להניח שתי העירובין ביחד.

סעיף ד - אין שתי חצרות יכולות לערב יחד - ר"ל לענין שיהא מותר לטלטל אפילו כלי הבית מזה לזה וכנ"ל, **אא"כ יהא פתח ביניהם, או חלון שיש בו ד' טפחים על ד' טפחים** - ואפילו הפתח והחלון ארוך הרבה, צריך שיהיה גם ברחבו ד', דלא חשיב פתחא בפחות מד', דלא חזי להכניס ולהוציא בו כיון שהוא צר, וכמאן דליתא דמיא.

(**עיין בח"א דמשמע דהוא סובר, דבפתח ג"כ די שיעור קטן כזה, אכן מפירוש ר"ח משמע, דבפתח לא מהני שיעור זה, דכיון דעשוי למיעל ולמיפק בגויה תמיד, צריך שיהיה מלא קומתו, ונראה שצריך לחוש לדברי ר"ח בזה, ומ"מ נראה דגם לפיר"ח יהיה די בחלל הפתח שיש בו י' טפחים, דבשיעור זה מקרי פתח לענין מזוזה, ומה שאמרו שם "מלא קומתו", אפשר דכונתם ג"כ לשיעור זה).**

ואם החלון עגול, אם יש בו כדי לרבע בו ארבעה טפחים על ארבעה טפחים, הרי הוא כמרובע, [**ושיעור** היקף עיגולו, הוא ששה עשר טפחים וארבע חומשי טפח, דבבשיעור זה יש השיעור של ד"ט על ד"ט מרובעים, **ואף** דבאמת לפי מה שכתבו התוס', דמה שאמרו בגמ': כל אמתא בריבוע אמתא ותרי חומשי באלכסונא, אין החשבון מצומצם כ"כ, אלא יש מעט יותר, ונמצא לפי"ז צריך העיגול להיות יותר, **ובפרט** לפי מה שכתב הרמב"ם, דמה שאמרו: כל שיש ברחבו טפח יש בהיקפו ג"ט, הוא ג"כ שלא בדקדוק, אלא יש מעט יותר, ונמצא לפי"ז יתרבה עוד יותר, **אלא** האמת נלענ"ד דאין לדקדק בזה יותר, דסמכו חכמים על אלו השיעורים על הענינים שבתורה, מפני שקשה לצמצם העודף, ואולי היה מקובל להם מסיני שיש לסמוך על השיעורים האלו אף בשיעורי תורה, **ואיך** שיהיה, במלתא דרבנן בודאי יש לסמוך על השיעורים אלו, וכמעט כן משמע מן הרמב"ם].

וכ"ז מיירי כשלא נשתתפו החצרות יחד במבוי, אבל אם נשתתפו החצרות יחד במבוי, נעשו הכל כחצר אחד, ומותרים לטלטל מזה לזה אפילו לא היה רק חור קטן ביניהם.

ויהיה קצתו בתוך י"ט הנמוכה לארץ - דאם כל החלון או הפתח למעלה מי"ט, אינו מועיל כלום, כיון שיש תחתיו מחיצה גמורה החולקת בין החצרות, וא"א להם לערב יחד.

(ביאור הלכה) [שער הציון] ‹הוספה›

ואם החלון עגול, אינו מספיק במה שיהיה קצה העיגול למטה בתוך עשרה, **אלא** צריך לצמצם שמקום שמתחיל החלון להיות ד' טפחים, יהיה קצתו בתוך עשרה טפחים לארץ.

ואז אם רצו מערבין יחד - ואז מותר לטלטל אפי' דרך פתחים קטנים או חור שביניהם, או ע"י גב הכותל למעלה, דשניהם כאחד חשיבי.

ואם רצו מערבין כל א' לעצמו. (ועיין לקמן סי' שפ"ו סעיף ג', ישראלים הדרים בב' וג' מקומות, כילד יערבו).

סעיף ה - חלון שבין שני בתים, אפילו הוא למעלה מעשרה, אם רצו מערבין יחד

- לפי שהבית כיון שהוא מקורה, הרי הוא כמלא, והרי זה כאלו אין החלון גבוה י' טפחים, כיון שהבית כולו ממולא.

ומיירי שלא עירבו בהחצר אשר הבתים פתוחים לו, דאי עירבו כל הבתים אשר בחצר, רשות אחד הוא ממילא, ואפילו דרך חלון שאין בו שיעור פתח, או דרך חורים, נמי יכולים לטלטל.

וה"ה לארובה שבין בית לעלייה, שאפילו הוא למעלה מי', אם רצו מערבין יחד - דדינה כדין חלון, **ואפילו אין שם סולם לעלות בו** - ג"כ יכולין להתאחד הבית והעליה ע"י עירוב.

הגה: ומכל מקום בעינן שיהא רחבו ארבעה על ארבעה - אחלון וארובה קאי, **ואם** יש לו דרך על התחתון מלבד הארובה, אז אף שאין בארובה ד' על ד', מערב דרך הפתח, ויכול לטלטל אף דרך חור.

ואם עשו סריגה - שקורין גראטע"ס בל"א, **לפני החלון, בטל ליה מתורת חלון** - והטעם, שצריך שיהא החלל ד"ט במקום אחד, ואין הנקבים מצטרפין לזה, **וה"ה** לענין ארובה.

סעיף ו - בית שבין שתי חצרות, והוא פתוח לשניהם ועירב עם שתיהם, אבל החצרות לא עירבו זה עם זה, אין לטלטל כלים ששבתו בבתים מחצר לחצר ע"י בית זה שביניהם - ר"ל אע"ג דכלים ששבתו בבית אמצעי מותר לטלטל לשתי החצרות [אפי' לבתים], וכן מהבתים שבשתי החצרות אליו, **מ"מ** מהבתים שבחצר זה לחצר זה ע"י בית האמצעי אסור, דהא החצרות לא עירבו בהדדי, [**ונ"ל** דאפי' אם לא הוליכן להדיא לחצר השני, רק שמתחילה הניחן בזה הבית, ואח"כ הוציאן לחצר השני, ג"כ אסור, דהא מ"מ הם כלים ששבתו מתחלה בבית שבחצר אחר, **ודמי** להא דפסקינן לעיל, דכלים ששבתו בבית אסור להוציאן לחצר אחרת, אף דמתחילה הוציאו לחצרו והניחן שם, דהיה דרך היתר].

ודוקא שהעירובין שעשו לא היה מונח בבית האמצעי, כי אם בשארי בתים שבחצרות, **אבל** אם הניחו שתי העירובין בבית האמצעי, נעשו עי"ז משותפין הכל יחד, ומותר לטלטל גם מחצר זה לחצר זה.

היה בין שתי חצרות כותל גבוה י"ט, ‹אין יכולים לערב יחד› - ובזה אין נ"מ אם הכותל רחב ד' או לא, דאפילו מחיצה דקה מפסקת בין החצרות, כיון שגבוה עשרה.

דפחות מי"ט לא חשיב הפסק, והוי כחצר אחד, ומערבין אחד ואין מערבין שנים.

או שהיה קרקעה של א' מהחצרות גבוה מחברו ה' טפחים, ועשו עליו מחיצה חמשה להשלימו לעשרה - דקי"ל דהמחיצה מצטרף להתל להשלימן לעשרה, **אין יכולים לערב יחד** - וה"ה כשגבוה מחבירו עשרה בלא מחיצה.

ואם היה הכותל גבוה לשניהם עשרה, והיו בראשו פירות, בני שתי החצרות יכולים להורידם לחצרות - כדקי"ל בראש הסימן, דגגין וחצרות רשות אחת הן, וראש זה הכותל לא עדיף מגג, **ודוקא** לחצרות, אבל לא לבתים אם הוא רחב ארבע.

וכן להעלות עליו מפירות ששבתו בחצרות, ולהורידם ממנו לחצר אחרת, בין שהכותל רחב ד' או אינו רחב ד' - בין שערבו כל א' בפני עצמו, או לא ערבו כלל, דכל החצרות רשות א' הן, וכנ"ל בס"א.

אבל פירות ששבתו בבית, אם הכותל רחב ד' - פי' ארבע טפחים, **אסור להעלות לו** - והטעם, דכיון דהוא רחב ארבע הוא מקום חשוב בפני עצמו, ואינו בטל לגבי שני החצרות, ולפיכך אסור להעלות עליו מן הבתים, [רש"י, **עיין** שם בתוס' דעיקר הטעם הוא, כיון דהכותל שייך לשניהם, וכל אחד עירב לעצמו, כל אחד אוסר על חבירו], **ולא להוריד ממנו** - מן הכותל לבתים, (פי' אף פירות ששבתו על ראש הכותל למעלה אסור, ולחצרות מותר).

ואם אינו רחב ד', מותר - דבפחות מד' מקום פטור הוא, ומותר להעלות מן הבתים עליו, ולהוריד ממנו לבתים.

(ובלבד שלא יחליפו, כדלעיל סי' שמ"ו ס"א) - היינו להעלות מן הבתים על הכותל, ולחזור ולהורידם לחצר השני, **משום** דלמא אתי לאפוקי להדיא מן הבתים לחצר השני בלא הנחה בינתים, **ועיין** לעיל בסימן שמ"ו סוף סעיף א', דהמחבר הביא שם שתי דעות בזה, ומלשון הרמ"א כאן משמע דחשש להחמיר.

ואם היה הכותל גבוה לאחת מהחצרות עשרה, ולשניה אינו גבוה עשרה, כגון שקרקעו של א' גבוה משל חבירו, מי שאינו גבוה לו עשרה מותר להשתמש בו אף בכלים ששבתו בבית - ‹אף ברחב ד' וכדלקמן›, דלדידיה נחשב ראש הכותל כקרקע החצר, כיון שאינו גבוה י"ט, וניחא ליה להשתמש שם.

ומיירי כשעירבה לעצמה, דאם לא עירבה, אסור מבית לחצר, וכ"ש למחיצה, [**אבל** מחצר למחיצה מותרין שניהן להשתמש].

והשני אסור להשתמש בו אף בכלים ששבתו בחצר - דהואיל שחבירו מותר מבית למחיצה, דהוי ליה כחצרו, אם ישמש גם השני על המחיצה, ויהיה רשות שניהם שולטת במחיצה זו, ממילא יאסר הראשון להוציא מבית למחיצה, כיון שעירבו כל אחד ואחד לעצמו, **וע"כ** אי אפשר שיהיו שניהם יכולים להשתמש עליו, ונותנין הרשות להשתמש לזה שהתשמיש ניחא לו ביותר, ולהראשון מפני שהכותל נמוך אצלו ניחא ליה ביותר, **ובספר** אבן העוזר בשם הרשב"א מקיל לשני להשתמש בו בכלים ששבתו בחצר.

והוא שיהא הכותל רחב ד', אבל אם אינו רחב ד', מותר לשתיהן להשתמש בו אף מן הבתים - דהוי מקום פטור, **אפילו עירבה כל אחת לעצמה** – (לכאורה דוקא בעירבו, דבלא עירבו כלל, אסור לשתיהן להוציא מן הבתים לחצר, וי"ל דהכי קאמר, מותר לשתיהם להשתמש בו אף מן הבתים, וכ"ש מן החצרות, וע"ז קאי מה שמסיים המחבר: אפילו עירבו וכו', דבלא עירבו, כ"ש דמותר לשתיהן להעלות מן החצרות על הכותל).

סעיף ז - נפרץ הכותל עד עשר אמות - ועד בכלל, **הרי הוא כפתח** - וע"כ אם רצו מערבין שנים, ואם רצו מערבין יחד, וכנ"ל בסעיף ד'.

והוא שלא יהא נפרץ במילואו - דאם נפרץ במלואה, אפילו פחות מעשר אמות, צריכות לערב יחד דוקא.

וע"כ בעינן שישתייר מכל צד משהו, או מצד אחד פס ד"ט רוחב בגובה עשרה, דבלא"ה הרי הוא כמו שנפרץ במלואו.

ואם נפרץ ביותר מעשר - פי' ואז אפילו נשאר מן הכותל מכאן ומכאן כפלי כפלים ממה שנפל, הכל חשוב כנפול, ואין זה פתח אלא פרצה, (ואפילו נשארו מן הכותל גידודים סמוך לארץ, כל שאינם גבוהים עשרה טפחים לא חשיבי), **חשוב כחצר אחת, וצריכים לערב יחד** - דאם עירבו כל אחד לעצמו, אוסרים זה על זה, **אכן** אם עשו צורת הפתח במקום הפרצה, חשוב כפתח, ואם רצו מערבין שנים.

(וכל שכן אם אין ביניהם מחילה גבוהה י', דצריכין לערב יחד) - וה"ה אם כל המחיצה גבוה י"ט, אלא שיש בתוכה מקום רחב יותר מעשר אמות שאין בגובהן י"ט, הרי הוא חשוב כפרצה גמורה, וצריכות לערב יחד דוקא.

סעיף ח - כותל שבין ב' חצרות, גבוה עשרה לשניהם - ר"ל משני הצדדין, **והעמיד**

אצל הכותל סולם רחב ד', וכן כנגדו בחצר השניה; אפי' אין הסולמות זה כנגד זה, אם אין ביניהם ג' - דחשיבי זה כנגד זה, **חשיבי כפתח** - ואם רצו מערבין יחד, שהרי יכולין לעלות ולירד מחצר זה לחצר זה דרך הסולמות, **ומיירי** שהסולמות מגיעין לראש הכותל, או עכ"פ בפחות מג"ט סמוך לראשן, וכדלקמיה.

היו מופלגים זה מכנגד זה שלשה - טפחים, וה"ה אפילו אם היה מופלג טובא, **אם הכותל רחב ד', עדיין חשובים כפתח** - דכיון שהוא רחב ד' טפחים בעוביו, נוח להשתמש עליו, ויכול להוליך מסולם לסולם דרך הכותל. **ואם אינו רחב ד', לא חשיבי כפתח.**

באיזה סולם אמרו, כשיש בו ארבע שליבות - דסולם כזה מסתמא הוא כבד, ואינו נוטלן משם בשבת מחמת כבדו, [אע"פ שעתיד ליטלו אחר השבת], וע"כ הוא חשוב כפתח.

אבל פחות מכאן לא - דכיון שנוח ליטלו משם בשבת, הוי כמי שאינו, **ופשוט** דאם הוא קבוע במסמרים לכותל, אפי' אין בו ד' שליבות חשוב כפתח.

אא"כ זרועותיו ושליבותיו כבדות - יותר מכפי הרגיל, ואינו נוח ליטלו משם, **שאז כובדו קובעו.**

ואם אין הכותל גבוה אלא עשרה, וזוקף סולם גבוה שבעה ומשהו, במשך ד' - אסולם קאי, שיחזיק משך רחבו ד"ט וכנ"ל בריש הסעיף, ומשום דזהו שיעור פתח, **והעמודים** של הסולם שתקועין השליבות בהן, ג"כ מצטרפין לשיעור זה, **ועובי** השליבות אין בהן שיעור, (**וא"צ שיהא בולט ד' תוך החצר, שיהיו שליבותיו רחבות ד"ט, ושיהא בו ד' על ד', דכל שמגיע לראש הכותל, או פחות מג"ט סמוך לראשו, א"צ ד' על ד'**).

[**שיעור** דצריך לגובה הסולם, הוא עד שליבה העליונה, ואף שהעמודים גבוהים יותר למעלה, אין מועילים להשלים השיעור].

אצל הכותל - אדלעיל קאי, ור"ל שזוקף אצל הכותל בשוה, ושיחזיק במשך אורך הכותל רחב ד"ט.

מתירו בין להשתמש עליו - מכלי הבית, כשלא עשה אלא סולם מצד אחד, **בין לערב יחד** - כשהעמידו סולם משני הצדדין, **כיון שלא נשאר שלשה עד ראש כותל** - ואמרינן לבוד, **ואם** הכותל גבוה יותר מי' טפחים, לא סגי בז' ומשהו, אלא בכדי שיהיה הסולם מגיע בתוך ג"ט סמוך לראש הכותל.

וכתב במאמר מרדכי, דשיעור זה של שבעה ומשהו, הוא דוקא כשעומד בזקיפה, **אבל** אם מעמידו באלכסון, צריך שיחזיק יותר לפי ערך האלכסון, והעיקר שיהיה ראש הסולם בתוך ג"ט סמוך לראש הכותל.

ובא השו"ע להוסיף כאן, דאף בסולם זקוף שקשה לעלות עליו אל ראש הכותל, סגי, (**ובזה ג"כ מיירי שהיה בו ד' שליבות, או שזרועותיו ושליבותיו כבדות, וכנ"ל**).

עקר חוליא מראש הכותל למעטו מגובה עשרה, אם יש בה משך ארבע - ר"ל המקום שנתמעט מגובה י"ט יש בו ארבעה טפחים במשך הכותל, **מהני בין לעשותו כפתח לערב יחד, בין לענין שיכול להשתמש בכל הכותל.**

לכאורה אם לא עירבו יחד אלא כל אחד בפני עצמו, הלא אוסרין זה ע"ז להשתמש על ראש הכותל מכלי הבית, **וי"ל** לצדדין קתני, דמה שכתב לערב יחד, מיירי שנתמעט כן כל עובי הכותל ונעשה כפתח לשניהם, **ומה** שכתב שיכול להשתמש בכל הכותל, מיירי שלא נתמעט בכל עביו, אלא בצד אחד במשך ד"ט, ונעשה לזה תשמישו בנחת למי שנתמעט מצדו, שנוח לו לעלות במקום המיעוט, וממנו יעלה על ראש כל הכותל, ולהשני תשמישו בקשה, **ועיין** בבית מאיר שכתב, דאינו מותר אף למי שתשמישו בנחת, אא"כ יש במקום שנפחת מעוביו ד"ט על ד"ט, (אבל אם אין בו דע"ד, אסור להשתמש בכל הכותל בכלי הבית, רק כנגד המקום שנתמעט מותר, ששם הוא תשמישו בנחת – שונה הלכות), ע"ש טעמו.

ואם אין בו ארבע, אינו חשוב כפתח לערב יחד, וכן אינו מועיל להשתמש בכל הכותל - בכלי הבית, ומיירי שהכותל היה רחב ד"ט, דבפחות מזה מותר בכל גווני להשתמש בכל הכותל, וכדלעיל בסוף ס"ו.

שאינו משתמש אלא כנגד המקום שנתמעט - ששם הוא תשמישו בנחת, שעומד בקרקע ומשתמש, אבל אינו נוח לעלות דרך עליו לראש הכותל, הואיל ואין בו ד' במשכו, [**לבוש** כתב טעם היתר

להשתמש כנגד המקום שנתמעט, משום דכיון דלא גבוה י"ט ואינה רוחב ד', לאו רשותא היא, **ולטעם** זה מותר נגד המיעוט אפי' כשנתמעט מגובה עשרה טפחים משני הצדדים, כשאינו רחב במשכו ד' טפחים, **ומשו"ע** הגר"ז לכאורה לא משמע כן, וצ"ע].

סעיף ט - בנה אצטבא למטה אצל הכותל למעטו מגובה עשרה - דוקא בנה, אבל אם לא נתחבר להקרקע מע"ש, לא מהני, דהוי דבר הניטל בשבת ואינו ממעט, [**ואפשר** דאם היתה גסה וכבדה, שאין דרך לטלטלה, מהני כמו בסולם שבבבל, דאמרינן בגמ' שכבדו קובעו].

אם יש בה ד' אורך במשך הכותל ובולטת ד' - דהיינו שהיא ד"ט על ד"ט, **ולענין** גובה משמע דאפי' כל שהוא סגי, כמו בסמוך ס"י, כל שנתמעט עי"ז הכותל מי"ט ממנה ולמעלה, **מועיל להשתמש בכל הכותל** - להעלות עליה מכלי הבית, שהרי נוח לעלות דרך עליה על ראש הכותל, הואיל ואין ממנה לראשו גבוה עשרה.

וכ"ז כשלא עשה איצטבא רק אחד בצדו, אבל אם גם השני עשה כן מצד השני, נעשה הכותל לשניהם תשמישו בנחת, ושוב חוזרין ואוסרין זה על זה להשתמש בכותל.

אבל אינו חשוב כפתח לערב יחד - היינו אפילו עשה כן גם מצד השני, **עד שיגיע לראש הכותל** - וה"ה אם היה נמוך מזה פחות מג"ט, ג"כ דינא הכי, וכנ"ל בס"ח לענין סולם.

(**ובאמת** רוב הפוסקים סתמו בזה להקל, דכונת הגמרא הוא אפילו לענין לערב יחד, **וע"כ** בשעת הדחק יש לסמוך להקל בזה).

ואם אין בה ד' על ד', אינו מועיל אפילו להשתמש כנגדו - וכ"ש דבכל הכותל אסור, **והטעם**, לפי שאין נוח לעמוד עליה ולהשתמש, וכמאן דליתא דמיא, **ואינו** דומה להנ"ל בס"ח, דמותר עכ"פ כנגד אותו המקום שנתמעט, **דהתם** עומד ע"ג קרקע ומשמש, משא"כ הכא שצר לעמוד על מקום קצר כזה.

סעיף י - כפה ספל שיש בו ד' על ד' וגבוה כל שהוא - סמוך לכותל או בתוך ג"ט, וכן למעלה לענין איצטבא, **ומיעט בו גבהו מעשרה, מותר להשתמש כנגד המיעוט** - הכל דינו כמו למעלה לענין איצטבא, **וע"כ** הסכימו האחרונים, דמה שכתב "כנגד המיעוט", טעות סופר הוא, וצ"ל "אפילו שלא כנגד המיעוט".

ובלבד שיחברנו בטיט - חבור יפה לארץ שא"א לשמטו עד שיחפור בדקר, שאז א"א ליטלו משם בשבת, ואע"פ שעתיד ליטלו אחר השבת, מותר, **אבל** אם הטיט מונח כך על אוגניו הכפויים לארץ, מותר ליטלו להספל בשבת, ואע"פ שניזוז ממילא הטיט, דהוי טלטול מן הצד ולא שמיה טלטול, **וכל** דבר הניטל בשבת אינו ממעט.

סעיף יא - בנה אצטבא על אצטבא - סמוך לכותל, זו למעלה מזו, ויש אויר ביניהם, **אם יש בתחתונה ד' על ד'** - דאז היא עצמה מתרת להשתמש על הכותל, ואע"פ שאין למעלה ממנה כלום, וכדלעיל בס"ט.

ודע, דבעינן שיהא התחתונה עכ"פ בתוך ג' טפחים סמוך לארץ, דאל"ה הוי בכלל מיעוט באויר ולא שמיה מיעוט.

או אם אין בה ד' על ד', ויש בעליונה ד' על ד', ואין בין זו לזו ג"ט - דר"ל דאז מצרפינן לה גם האיצטבא התחתונה דהוי כלבוד, וכאיצטבא אחת דמיא המתחלת מן הארץ, קצרה מלמטה ורחבה מלמעלה, **מהני להתיר להשתמש עליו** - על הכותל, שהרי אין הכותל למעלה מהאיצטבאות גבוה י"ט, **ומיירי** שעשה האיצטבאות רק מצד אחד, וכמש"כ לעיל בס"ט.

אבל אם היו רחוקין זה מזה ג"ט, אין העליונה לבד מתרת, אף שרחבה ד' על ד', דהא עומדת באויר, **והתחתונה** הסמוכה לארץ אין יכולה להתיר, דהא לית בה ד' על ד'.

(**ולפלא** שלא הביאו האחרונים שיטת הרשב"א, דסובר דאם העליונה לבד רחב ד' על ד', ג"כ מהני, אף שגבוה מן הארץ, **וכן** נראה ג"כ דעת הרמב"ם, אח"כ מצאתי בפי' ר"ח שסובר ג"כ הכי, וכן הראב"ד מוכח ג"כ דסובר הכי, וצ"ע למעשה).

[ופשוט דאם יש בתחתונה לבד רחב ד' על ד', או שיש ג"ט בין התחתונה להעליונה, בעינן שיהא מן התחתונה עד ראש הכותל פחות מי"ט, **ואם** ע"י צירוף התחתונה עם העליונה, א"צ אלא שיהא פחות מי"ט עד ראש הכותל מן האיצטבא העליונה ולמעלה].

אבל לא מהני למהוי פתח לערב יחד - ר"ל אפילו אם ירצה לעשות איצטבאות מצד השני ג"כ, (ועיין בבה"ל סוף ס"ט).

סעיף יב - זיז היוצא מן הכותל - בתוך עשרה טפחים סמוך לארץ, **ויש בה ד' על ד', והניח עליו סולם כל שהוא** - ר"ל שראשו העליון של הסולם סמוך על הזיז.

ור"ל שהוא סולם צר שאין מחזיק ד"ט בעובי השליבות, ולא רחב ד"ט במשך הכותל.

מועיל להתיר לו תשמיש הכותל - כיון שראוי לעלות עליו להזיז, הוי האי סולם דרגא לזיז, ומצטרף עם הזיז, דהוי כדבר אחד.

(**עיין במ"ב ס"ח מש"כ בשם הבית מאיר**, **דאינו מותר בכל הכותל אף למי שתשמישו בנחת, אא"כ יש במקום שנפחת מעוביו ד' על ד', וה"ה בענינינו**), **דלא יהא מותר בכל הכותל אא"כ הזיז הוא ד' על ד'.**

אבל לעשותו פתח לערב יחד אינו מועיל, אא"כ הזיז הוא בפחות מג"ט לראש הכותל, והשני עשה ג"כ כזה מעבר השני.

והוא שלא תהא שליבה התחתונה גבוהה מן הארץ שלשה - דאם רחוקה ג"ט מן הארץ הוי מיעוט באויר, **ולא יהא בין שליבה לשליבה שלשה** - שאז נעשה הזיז עם כל השליבות הכל אחד, וכאלו איצטבא אחת שיש בה ד' על ד' מלמעלה, שמועלת אע"פ שקצרה מלמטה, וכנ"ל בסי"א.

והוא שיניח הסולם על גב הזיז, אבל סומכו אצלו לא - ר"ל שיסמוך ראש העליון של הסולם בזיז, ולא שיסמוך הסולם לכותל אצל הזיז בצדו, אפילו אם הוא תוך ג' להזיז, דא"כ לא הוי הך סולם דרגא לזיז.

וכל זמן שאין גבוה הכותל עשרים טפחים, די בזיז אחד שמניחו באמצע, שהרי אין גבוה עשרה עד הזיז, ולא גבוה עשרה ממנו עד ראש הכותל; ואם הוא גבוה עשרים, צריך שני זיזין, א' בתוך עשרה התחתונים, וא' למעלה ממנו בתוך י' העליונים - ושיהיו בפחות מי"ט לתחתון, וגם צריך לזה שני סולמות, אחד מן הארץ עד זיז התחתון, ואחד מן התחתון עד העליון.

שאם היה הזיז גבוה עשרה, לא סגי ליה בסולם כל שהוא - ר"ל שאם יגביה זיז התחתון גבוה עשרה מן הארץ, וכן אם הזיז העליון ירחיקנו עשרה טפחים מהזיז התחתון, לא סגי ליה בסולם כל שהוא, אלא שיהיה במשכו ד' טפחים, [**ובזה** די להשתמש כאילו מגיע לראש הכותל, אף שאין בעובי שליבותיו רחב ד"ט].

והוא שלא יהיו הזיזין זה כנגד זה - אלא יהיו משוכים זה מזה, **שראוי להטיל סולם מזה לזה** - כדי שיהיה ראוי להעמיד סולם על זיז התחתון, ולסמכו בשפוע על זיז העליון.

סעיף יג - העמיד שני סולמות זה בצד זה, ולא היה בשניהם משך ד', והרחיקם זה מזה כדי שיהא בשניהם ארבעה, ומילא האויר שביניהם בקש - שעשאן כעין שליבות, **אינו מועיל לא להתירו להשתמש עליו, ולא לערב יחד, שמקום מעמד הרגלים הוא באמצע הסולם, ואין ראוי לעלות בקש.**

ואם העמיד הסולם באמצע והקש מן הצד - ובזה נשלם השיעור משך רוחב ד"ט להסולם, **מהני בין להתירו להשתמש עליו, בין לערב יחד** - לפי שכף הרגל עולה בסולם, והקש שמן הצד ראוי להחזיק בו בידיו ולעלות.

בין לערב יחד - אם מגיע לפחות מג"ט לראש הכותל, ועשה כן גם בחצר השנית, **וכן** בכל הסימן היכא שנזכר לערב יחד, מיירי שעשה כן גם בחצר השנית.

סעיף יד - אין הסולם רחב ד', וחקק אצלו בכותל להשלימו לד' - כגון שזקף הסולם ביושר, וחקק מכאן ומכאן בכותל שהיה עב, ועשה כמין שליבות להשלים השיעור של רוחב ד"ט, **די לו שיחוק בגובה עשרה** - שזהו שיעור גובה פתח, **ואע"פ** שהכותל גבוה הרבה, ושם אין הסולם רחב ד"ט, אין בכך כלום, שהרי יכול לעלות לראש הכותל בסולם אע"פ שאין ברחבו ד', דהסולם בעצמו צריך שיעלה עד ראש הכותל, עכ"פ פחות מג"ט, וכנ"ל בס"ח.

[**וכ"ש** אם יש לו סולם שמלמטה עד עשרה טפחים הוא רוחב ד"ט, והולך ומתקצר בראשו, דמהני].

ואם לא העמיד סולם כלל, אלא חקק בכותל כמין שליבות של סולם לעלות בו, צריך שיחוק בכל גובה הכותל - ברוחב ד' בכל גובה הכותל, דבזה אין נוח כ"כ לעלות כמו בשליבי סולם, **ואמנם** אם נשאר מן הגובה רק פחות מג"ט שלא חקקו, מסתברא ג"כ דמהני.

ומועיל בין להתיר תשמיש בין לערב יחד - זה קאי גם ארישא.

סעיף טו - היה אילן בצד הכותל, ועשהו סולם לכותל, אם רצו מערבין אחד - שאין איסור לעלות על סתם אילן בשבת אלא מדברי סופרים, ובבין השמשות שהוא שעת קניית העירוב, לא גזרו על שבות של דבריהם.

אבל אם עשה אשרה סולם לכותל, אין מערבין א', מפני שאסור לעלות עליה מן התורה, שהרי אסורה בהנאה.

והרא"ש ז"ל כתב בהיפך, דאילן אינו מועיל - דכיון שאסור לעלות בו בשבת, והאיסור בא מכח שבת, ואיך יתיר דבר לשבת, דהו"ל כשני סותרין.

ואשרה מועלת - הואיל ולית בה משום איסור שבת, אע"ג שיש בה איסור אחר שהוא איסור עו"ג, לא חיישינן לזה, דמ"מ פתחא הוא ואריה דרביע עלה.

והוא שתהא יבשה - שאין בו פירות ועלין וענפים, דאז לא חיישינן שמא יתלוש, ומותר לעלות עליו בשבת מדינא אי לאו משום איסור אשרה, **ועיין** לעיל סי' של"ו, דיש ליזהר שלא לעלות אפי' באילן יבש, **התם** רק משום סייג וגדר, שלא יבואו להקל בשאר אילנות.

ועיין בא"ר שמצדד להלכה כסברא הראשונה, שהיא דעת הרבה פוסקים.

סעיף טז - חריץ שבין שתי חצרות - פי' שלא היה ביניהן שום מחיצה המפסקת, רק חריץ בעלמא, **עמוק עשרה ורחב ארבעה** - טפחים, דפחות מכאן נוח לפסען משפתו אל שפתו, ולא חשוב הפסק, **ומיירי** שהיה כל שטח החריץ רוחב ד"ט, וכדמוכח בסי"ז, [דאם היה החריץ פחות מרוחב ד"ט במשך אורך ד"ט, נחשב אותו המקום כפתח, ויכולין להתערב יחד].

אין יכולין לערב יחד - שכשם שמחיצה שגבוה עשרה מפסקת בין הרשויות, כן חריץ שהוא עמוק שיעור זה ג"כ מחלק הרשויות, [ונחשב למחיצה גמורה, **אבל** אם אינו עמוק י', או שאינו רחב ד"ט, אינו נחשב למחיצה כלל, ומערבין אחד ואין מערבין שתים].

(וה"ה אם היה חריץ כזה מפסיק בחצר אחד על פני כל ארכו, ויש בו דיורין מכאן ומכאן, דנעשה עי"ז כשני חצרות, ופשוט הוא).

ומיירי שהחריץ הולך בכל אורך החצרות מקצה אל קצה, דאם נחסר ד' טפחים, נחשב אותו מקום כפתח, וכדלקמיה בסי"ז.

אפילו מלא תבן וקש - שראוי למאכל בהמה, **כל זמן שלא בטלו** - בפירוש, ואמר: לא שקילנא מהכא, (ר"ל אפילו ידוע לנו שאין עתיד לפנותו מפני שאין צריך לו), **וי"א** שאפילו לא אמר בפיו, רק שהסכים בלבו לזה, ג"כ ממילא מתבטל.

ואם היה תבן וקש סרוח שאין ראוי למאכל בהמה, דינו כעפר, ואפילו סתמא נמי מבוטל.

(**ובכרים** וכסתות אפילו ביטלו לא מהני, דבטלה דעתו אצל כל אדם).

ואם היה מלא עפר וצרורות, אפילו סתמא שלא בטלו, צריכים לערב יחד - דעפר וצרורות בחריץ מסתמא מבוטלין הן.

והיינו כשהיה מלא כל אורך החריץ, או עכ"פ ביותר מעשר אמות, דאל"ה הוי כפתח, ואם רצו מערבין שנים, **ודע**, דמה שכתב "מלא עפר" הוא לאו דוקא, דאם מיעט עומקו מעשרה, ג"כ דינא הכי.

(וע"ל סי' שנ"ח ס"ב) - בהג"ה, דשם הביא ב' דיעות, אם ביטלו לשבת אחת ודעתו לפנותו אח"כ, אם חשיב בטול, **די"א** דכיון דדעתו שלא ישאר שם לעולם, לא חשיב בטול, וגרע מסתמא, ואין יכולין לערב יחד, **ולדינא** נראה, דכיון שהוא דברי סופרים יש לסמוך להקל, אם רצו מערבין יחד, ואם רצו מערבין שנים.

הגה: י"א דאם מלאם בפירות, סתמא בטלו להו, דדרכן לעשותן שם אוצר - לאיזה זמן, ולא להסתפק ממנו, **ועיין** במ"א שמפקפק על דין זה, וכן בביאור הגר"א הסכים לדבריו, דדוקא בפירות טבלים, שהוא דבר שאין ניטל בשבת, ולכן סתמא מבוטל, **הא** שאר פירות שמותר להסתפק מהם, סתמא אינו מבוטל.

סעיף יז - נתן עליו נסר כמין גשר משפת החריץ אל שפתו, אם הוא רחב ארבע, חשוב כפתח ומערבין אחד, ואם רצו מערבין שנים - דאף שהחריץ ארוך הרבה מאד, מ"מ הרי יכול לעבור דרך אותו הנסר מחצרו לחבירו, כמו דרך פתח, והוא מחברן לאחד כשירצו, **אבל** אם הוא פחות מד"ט, כמאן דליתא דמיא, ומערבין שנים דוקא.

ודע, דלא חשבינן אותו כפתח אלא מד"ט רוחב עד עשר אמות, אבל ביותר מזה חשוב כפרצה, **וע"כ** אם סתם החריץ בנסרים עד יותר מעשרה אמות בארכו, **או** שנתן נסר אחד לאורך החריץ ביותר מעשר אמות, [אפי' הוא מחזיק רק כל שהוא ברחבו], ומיעט שם החריץ מרוחב ארבעה טפחים, חשוב כפרצה ביותר מעשר אמות, ומערבין אחד ולא שנים.

הגה: וה"ה אם מלאו ברוחב ארבעה בדבר המבטלו שם.

ואם נתן הנסר לאורך החריץ במשך ארבעה - ר"ל אפילו אין הנסר מחזיק לארכו רק ארבעה טפחים, די, דבעלמא שיעור פתח הוא בד"ט, **אפי' אין בו אלא כל שהוא** - שהיה הנסר קצר מאוד ברחבו, ויעמידנו ע"ג יתדות, **חשוב כפתח, שהרי מיעטו מארבעה** - ואם רצו מערבין יחד.

סעיף יח - אם החריץ עמוק לאחד עשרה, ולשני אינו עמוק עשרה, או שהוא שוה לשניהם, דינו ככותל - המבואר כל פרטיו בס"ו, שמערבין שנים ואין מערבין אחד, **וכן** לענין אם היה מונח פירות בחריץ שהוא עמוק י' ורחב ד' טפחים, שאין יכולין להוציא משם לבית, ולא מבית לתוכו, **אך** אם לאחד עמוק י' ולשני אינו עמוק עשרה, כגון שקרקעו של אחד היה נמוך מחבירו, נותנין לזה להשתמש בו שלו ניחא תשמישתיה ביותר, והכל כנ"ל, עי"ש.

סעיף יט - גדיש של תבן שבין שתי חצרות - והיו לכל א' דירין בפני עצמו, והיו פרוצין זה לזה ביותר מי' אמות, והתבן הזה סותם מקום הפרצה, **אם הוא גבוה עשרה, כל א' מערב לעצמו** - דגם זה נחשב למחיצה, אף שלא כוון בהנחתו לשם מחיצה.

נתמעט בחול מעשרה - היינו מגובה עשרה, ובמשך יותר מעשר אמות, **צריכים לערב ביחד** - אבל בפחות מעשר אם רצו מערבין שנים.

ודוקא בחול, אבל נתמעט בשבת, כיון שהותרה בתחילת כניסת השבת הותרה.

ובעוד שלא נתמעט, אסור לשום א' מהם ליתן מן התבן לתוך קופתו בשבת להאכילה לבהמתו - דחיישינן דלמא שקיל טובא וממעט ליה מי"ט, וקאתי לטלטל בחצר, **ואע"ג** דבשבת זו מותר מדינא, דהואיל והותרה הותרה, חיישינן שמא יבוא לטלטל גם בשבת הבאה, [**ויש** מאחרונים שכתבו, משום דאף דבדיעבד מותר, מ"מ לכתחילה אסור לגרום למעט], **וי"א** דהטעם הוא, משום דהאי תבן מוקצה הוא מאתמול למחיצה זו, ואסור לטלטלו, [**ולפי** טעם זה, מש"כ השו"ע "ובעוד שלא נתמעט וכו'", לאו דוקא, דאפי' אם נתמעט בשבת, ג"כ אסור משום מוקצה].

ואפילו להעמידה שם כדי שתאכל אסור - דילמא שקיל בידו ונותן לה, **אבל יכול לעמוד בפניה כדי שלא יהא לה דרך לנטות**

אלא לשם - והתם לא חיישינן לדלמא נתמעט מעשרה, דבהמה קלי קלי אכלה.

ולהרא"ש, אפילו בחול אסור ליתן ממנו לקופתו, וכן להעמיד הבהמה בידים - שמא יפחת מעשרה בע"ש סמוך לבין השמשות, ולא ירגיש בדבר, ויטלטלו בשבת באיסור, [**ולענ"ד** דאפי' להרא"ש י"ל, דלא החמירו כל ימי החול כי אם בע"ש], **ודוקא** בנוטל מעט מעט חיישינן לזה, אבל לא במסלק כולו בבת אחת, **והעיקר** כסברא ראשונה.

(עיין בא"ר ותו"ש שכתבו, שלשון "אפי' בחול" מגומגם, דלהרא"ש דוקא בחול, אבל בשבת אין לנו לחוש שמא יתמעט, דאפילו נתמעט שרי מטעם שהותר מעיקרא, **ובמאמ"ר** כתב, דלשון "אפילו" הוא רק לאפוקי מדעה ראשונה, דס"ל דבחול שרי).

במה דברים אמורים בגדיש שבין ב' חצרות, אבל גדיש שבין שני בתים - ששני הבתים פרוצים ביותר מעשר אמות למקום הגדיש, והוא סותם הפרצה, והבתים שייכים כל אחד לחצר אחרת, מפני שפתוחים כל אחד לחצר אחרת, ולא עירבו שני החצירות ביחד, **ולכן** כשיתמעט הגדיש מגובה עשרה טפחים, שני הבתים אסורין בטלטול, כיון שלא עירבו החצירות יחד, והן פרוצין זה לזה ביותר מעשר אמות, **וה"ה** בבית אחד גדול שנחלק לשנים ע"י מחיצת התבן שבאמצע, ויש לכל אחד פתח לחצר אחרת, ולא עירבו החצירות יחד, דכשנסתלק התבן אוסרין זה על זה, [**וריטב"א** מפרש דברי הגמ', בבית אחת מפסקת בין שתי חצירות, ומלאה תבן, ולא היה להבית מחיצות כי אם תקרה, ורק התבן מפסיק בין שתי הרשויות].

מותר להאכיל לבהמתו ממנו בידים - דמיירי כשיש תקרה להגדיש, או שהתבן מונח ומפסיק באמצע הבית כנ"ל, **דאז** אין לחוש שמא יתמעט מעשרה ולא ירגיש, דכיון דאיכא תקרה, כי מפחית מיו"ד מנכרא מלתא, **ואפילו** אם לא היתה המחיצה מגעת לתקרה, אלא בסמוך לה פחות מג"ט, אמרינן לבוד, [**דברחוקה** ג"ט מתקרה, אף שגבוה י', אין מתירין במחיצה גרוע כזו, **ולפי'** הריטב"א הנ"ל צ"ע, דהלא רק לענין חילוק דיורין מצינו שצריך שתהא מגעת לתקרה, ולא לחילוק שני חצירות, דהא תבן בלא תקרה ג"כ די, כנ"ל בשו"ע, וצ"ע].

§ סימן שעג – דין שתי גזוזטראות בשתי עליות §

סעיף א- שתי גזוזטראות, (פי' נסרים בולטים משפת תקרת העליה לרה"ר, רש"י), **הבולטות משני עליות זו כנגד זו** - ר"ל שזה בולט מדרום לצפון, וזה מצפון לדרום, **ונתן ביניהם נסר רחב ארבעה** - ובעינן שיקבע הנסר במסמרים, שלא יוכל ליטלו בשבת, **הרי הוא כפתח ומערבין יחד** - פי' ועי"ז מותר לטלטל בשתי החצרות מזה לזה אם ירצו לערב יחד, דכיון שיש נסר ביניהם רחב ארבע, הרי יכול בקל לילך מפתח העליה זו להעליה שכנגדו, ומצטרפים.

וכתב הפמ"ג, דוקא כמו שצייר המחבר, שהיו הגזוזטראות בולטות מן העליות שיש בהן דיורין, וקי"ל לעיל בסי' שע"ב ס"ה, דשני בתים יכולין לערב דרך פתח שביניהם אפי' הוא למעלה מי"ט, **והא** אפי' בלא זה, דע"כ יש סולמות שע"י משתמש בהעליות והגזוזטראות, אא"כ אינם קבועות כדלעיל שע"ג ס"ח, וצ"ע), **אבל** אם היו כה"ג בולטות משתי חצרות, לא מהני, כיון שהוא למעלה מי"ט, וכנ"ל שם.

ואם רצו, כל א' מערבת לעצמה - ובאופן זה יהיה מותר לכל אחד לטלטל מכלי ביתו בשטח גזוזטרא השייך לו, **אמנם** על השטח שכנגד הנסר, וגם על הנסר גופא, מסתברא דאסור, שהרי כל אחד פרוץ למקום חבירו, ואוסרין זה על זה. (**ובחזו"א** תמה ע"ז, דלדבריו דשטח הגזוזטרא שכנגד הנסר אסור, א"כ כל הגזוזטרא תאסר, שכולה פרוצה במלואה למקום זה, אלא ודאי אין אסור אלא על הנסר – שונה הלכות).

ודוקא כשאין הנסר מחזיק רק מארבעה טפחים עד עשר אמות, אבל אם הוא מרוצף בנסרים יותר מעשר אמות, מערבין אחד ולא שנים. **ודע**, דמה שצריכין לערב יחד, הוא רק להועיל שיהיו יכולין כל אחד לטלטל על הגזוזטרא, וכן לחצר חבירו, כלים ששבתו בבית, **אבל** מ"מ אפילו לא עירוב יחד, יכולים כל אחד לערב לעצמו החצר עם בתיו ועלייה שלו.

הגה: ואם אין המרחק שביניהם ארבעה - היינו שאין בין גזוזטרא לגזוזטרא הפסק אויר רק

פחות מד"ט, וא"כ יוכל לפסוע בקל מזה לזה, **אפילו בלא נסר נמי דינא הכי** - כמו בנסר, שיכולין לערב יחד כשירצו, ואם רצו מערבין שנים, [**ובאופן** זה לא יהיו יכולים לטלטל מחצר לחצר כלים ששבתו בבית, **וגם** על סמיכת הגזוזטרא גופא, לא יהיו יכולין לטלטל כלים ששבתו בבית, דהוא רשות שניהם, **דאילו** כלים ששבתו בגזוזטרא גופא, בודאי מותר לטלטל אפי' בלא עירוב כלל, דלא עדיף מגגות שכולן רשות אחת, משום שאין מיוחד לתשמיש תדיר כמו בית].

ודוקא שסמיכת הגזוזטראות זו לזו לא היה באורך כל הכותל, דאלו אם היה סמיכתן באורך כל הכותל, או שהיה נמשך הסמיכה זו לזו ביותר מעשר אמות, אז מערבין אחד ולא שנים.

אבל אם היו זו שלא כנגד זו, שאחת משוכה למזרח - ר"ל משוכה ממקום חברתה לצד מזרח, **וא' למערב, אינם יכולים לערב יחד** - שכשיתנו הנסר מזו לזו, יבא מקרן זוית של זו לזו, ופתחא בקרן זוית לא עבדי אינשי, **וגם** לפי שאין הגשר ישר אלא באלכסון עומד, מתירא אדם לעבור בו, (ר"ל ואפילו מאמצעית של זו לאמצעית של זו באלכסון, לא מהני - חזו"א).

וכן אם היתה אחת גבוהה מחברתה, לא חשיב פתח; והני מילי כשמרוחקות זו מזו ג"ט, אבל אם הם תוך ג' זו לזו, בין בריחוק בין בגובה, חשיב שפיר כפתח - פי' דהוי כאלו הנסר מונח בשוה.

ודע, דמה שאמרו "בין בריחוק בין בגובה", היינו שמרוחק זה מזה יותר מד' טפחים באויר שבין זו לזו, אלא שזו גבוה מזו בפחות מג' טפחים, אז אמרינן דהוי כאלו הם שניהם זו כנגד זו, ונותן נסר מזו לזו, כיון שהמרחק שביניהם יותר מד' טפחים, **וה"ה** נמי כשמרוחק זו מזו בפחות מג' טפחים בריחוק, שזו לצד מזרח וזו לצד מערב ואינם זה כנגד זה ממש, רק שמרוחק פחות מג"ט, אמרינן לבוד, והוי כאלו הם זו כנגד זו, ואז אף שעדיין יש אויר רחוק בין זו לזו יותר מד"ט, מותר ע"י נסר שנותן בין זו לזו.

§ סימן שעד – נסתם בשבת פתח או חלון במקום שערב בו §

סעיף א - עירבו דרך חלון או פתח שביניהם, ונסתם בשבת - כגון שנפלה מפולת כנגדו, **מותרים להשתמש דרך גובה הכותל וחוריו** - מזו לזו בשבת זו, [דלשבת אחרת בודאי אסור], **ואע"ג** דעכשיו שנסתם אין ראויין להתערב יחד, דהלא אין בחורין שיעור חלון, אפ"ה לא נתבטל העירוב על שבת זו, דכיון שהותר בתחלת השבת הותר לכל השבת, **וכ"ש** כל אחת לעצמה דמותרת, אף אותה שאין העירוב מונחת בתוכה.

(**אבל אם נסתם מבעוד יום, אפילו חזר ונפתח בשבת, אסורין**, לפי שעדיין לא קנו עירוב מעולם, שקניית העירוב הוא ביה"ש, וכאן לא היה עירוב ביה"ש כיון שהפתח סתום, **ואפילו** אם עירבו כבר לפני שבת שעברה לשבת אחת, ואותו עירוב נשאר עדיין קיים, אין יכולין לסמוך עליו בשבת זו אחר שנפתח הפתח, הואיל וכבר נתבטל מבעוד יום כשנסתם, ואינו חוזר וניעור משתחשך, **ועירב** לשנה שאני), (עיין לקמן בסמוך).

ואפי' אם עירב לשנה ונסתם הפתח בחול ונפתח בשבת, (ואפילו סתמה במזיד) - היינו בכונה, **חזר העירוב להיתרו** - ר"ל לא מיבעי אם נפתח קודם השבת, בודאי הוי עירוב, דהא בעת כניסת השבת היו כבר פתוחין מזו לזו, **אלא** אפילו אם נפתח בשבת גופא, מ"מ כיון שבעת הנחת העירוב שהניח לכמה שבתות או לשנה, היה פתח מזו לזו וחל העירוב, **לכן** אף שבשבת אחרת, (ואפילו בסוף השנה), היה סתום מתחלת השבת, ולא היה אז העירוב מועיל לכלום, מ"מ לא נתבטל, ומיד שנפתח חזר העירוב להתירו הראשון.

(**ונראה** דה"ה כשנתבטל הע"ח ע"י סיבה אחרת, כגון שנתקלקל הצוה"פ שבמבוי, וממילא עי"ז נתבטל הע"ח שבמבוי זו, אם חזר ונתקן הצוה"פ בשבת ע"י עכו"ם וכדומה, אף שביה"ש היה פרוץ עדיין, מ"מ כשחזר ונתקן בשבת חוזר הע"ח למקומו, כיון שהע"ח נעשה מתחלה לכל השנה, **ואף** דיש לחלק קצת, דאפשר בנפרץ המחיצות גרע טפי, ולא יועיל בזה מה שעירב

לכל השנה, מ"מ בשעת הדחק יש להקל גם בזה, וכן ראיתי בנשמת אדם שמיקל בזה).

(אכן מה שמצדד שם להקל אף כשעירב לשבת א', ונודע שמבעוד יום נתקלקל הצוה"פ, וחזר ונתקן הצוה"פ בשבת ע"י עכו"ם, דהעירובי חצרות לא חל כלל עוד בבין השמשות, ומטעם דכיון שבאותו המקום רגילין לעשות צוה"פ תמיד, א"כ עומד להתקן, ולכן כשמתקנים אותו אח"כ בשבת חל העירובי חצרות למפרע, **לא נהירין** דבריו כלל, דלא היקל השו"ע אלא כשעירבו לשנה, ומשום דהעירוב כבר חל בשבת ראשונה, ולכן מהני אף כשנסתם אח"כ, ולא כשעירב לשבת אחת, דעדיין לא חל העירוב כלל פעם אחת בבין השמשות, **ובפרט** דעיקר הדין אינו ברור, א"כ הבו דלא להוסיף עלה).

ואפילו סתמה במזיד - ודע, דמ"א וכמה אחרונים צידדו לאסור בזה כשחזר ונפתח בשבת, דכיון שסתם הפתח שבין שתי החצרות במזיד, הוי כביטל העירוב בידים, דהרי גלי דעתיה שאינו חפץ בעירוב, וא"כ כיון שביה"ש שהוא זמן חלות העירוב היה עדיין סתום, לא מהני כשנפתח אח"כ בשבת גופא, **ואין** להקל כשסתמו במזיד אלא כשנפתח קודם השבת, דאז אמרינן אף שנתבטל מעיקרא, כיון שחזר ונפתח הרי עכ"פ הם שותפין בפת של עירוב, וביה"ש שהוא זמן קניית העירוב הרי יש פתח ביניהם שראוי לערב, **ועיין** בבה"ל שביארנו, שכן ראוי לנהוג למעשה, (כיון דמעיקר הדין אפילו נפתח בשבת בשוגג ג"כ אין הדין ברור להקל, ורק אחרי שהרא"ש והטור והמחבר והאחרונים שאחרי השו"ע העתיקו דין זה, בודאי אין לדחותו מהלכה, ומ"מ לענין סתמו במזיד, בודאי אין להקל בזה), **אכן** אם בעת שסתמו היה בדעתו רק לפי שעה, ואח"כ לחזור ולפתחו, מסתברא דמותר אף כשחזר ונפתח בשבת.

ולהרמב"ם אין מותר לטלטל אלא כל אחת לעצמה, אבל מזו לזו לא - קאי אריש הסעיף, היכא שנסתם הפתח בשבת, דלדעה הראשונה מותר להשתמש מזו לזו דרך חורין, **ולדידיה** אינו מותר אלא כל חצר לעצמה, והרבותא הוא, דאפילו אותה חצר שאין העירוב מונח בתוכה מותרת, **ומ"מ** אם חזר ונפתח, לכו"ע מותר לטלטל מזו לזו כמו מתחלה.

ולענין הלכה, העיקר כסברא הראשונה, כ"כ האחרונים.

סעיף ב - היה כותל בין שתי חצרות ועירבה כל אחת לעצמה, ונפרץ הכותל בשבת – (היינו במילואו או ביותר מעשר אמות), **מותרים לטלטל כל השבת כל אחד בחצרו** - דאף דכל חצר נפרץ עתה לרשות אחרת שאין משותפין יחד, והוי נפרץ למקום האסור לו, מ"מ כיון שבין השמשות היה מותר, הותר לכל השבת.

אפי' כלי הבית - דאלו כלי החצר, מותר לטלטל אף מחצר לחצר גם כשנפרץ, דכל החצרות רשות אחת, וכדלעיל בריש סי' שע"ב.

אבל חצר שנפרצה בשבת לרה"ר או לכרמלית, אסור - בזה לא אמרינן כיון שהותרה הותרה כמו דאמרינן מעיקרא, דשם לא נפרץ אלא לחצר שהוא רה"י כמוהו, ואין ביניהם אלא שזה הוא של יחיד זה, וזה הוא של אחר, **אבל** זה שנפרץ לרשות אחרת ממש, לא אמרינן ביה הואיל והותרה הותרה.

(עיין בב"י שכתב, דהיינו שאסור לטלטל בתוך החצר יותר מד"א, אבל בתוך ד"א מותר אפילו לטלטל ממנו לכרמלית, דהוא נמי ככרמלית דמיא, **ובמ"א** מסתפק בזה, **דאפשר** דאעפ"כ שם חצר עליו, **והנה** בתו"ש הביא ראיה מתוספות דמותר, וכן הביא בחידושי רע"א, **ובספר** נהר שלום הביא דבעבוה"ק איתא בהדיא לאיסור, וכן בתו"ש הוכיח מרש"י לאיסור, **וע"כ** נראה שאין להקל).

סעיף ג - חצר קטנה שנפרצה קודם שבת במילואה לגדולה - ר"ל שהיו סמוכין זה לזה, וכותל מפסיק ביניהן, ונפרץ כל הכותל הזה.

דאלו נפרצה בשבת, אמרינן כיון שהותרה הותרה.

ואין בפרצה יותר מי' אמות - דאלו יותר מעשרה, לא שייך לומר דקטנה היא כפתחה של גדולה, דפתחא יותר מעשר אמות לא עבדי אינשי.

גדולה מותרת להוציא כלים ששבתו בבית לחצרה - ואין הקטנה אוסרת עליה, דהא הגדולה יש לה גיפופין, ומקום פרצת הכותל של הקטנה הרי היא כפתחה.

דאלו כלים ששבתו בחצר, מותר לכתחלה להוציא אף לחצר אחרת, אפילו כשלא עירבו יחד.

(ביאור הלכה) [שער הציון] «הוספה»

אם עירבה לעצמה - אבל אם לא עירבה, אף היא אסורה.

וקטנה אסורה להוציא כלים ששבתו בבית לחצרה - דהרי כותל שלה נפרצה במילואה לגדולה, שהיא מקום האסור לה, **אא"כ עירבו יחד.**

(**הכלל:** מלואה נקרא היכא דלית ליה פס ד' בחצר, או פס משהו מכאן ומכאן, או טפח לדעה אחת, נקרא מלואה, ואסור אם נפרץ למקום האסור, **ואם** נפרץ לחצר, צריך עירוב אחד לשניהם, **ואם** הפרצה יותר מעשר אמות, הוי פרצה ג"כ ואסור).

והיינו כשנכנסין כותלי קטנה לגדולה - ר"ל אימתי הקטנה אסורה, בשכותליה נכנסין ובולטין לתוך הגדולה בשתים וג' אמות, [רש"י]. (ובסי' שס"ג ס"ג, הביא הבה"ל בשם הפמ"ג, דלכל היותר די בג' טפחים).

וכשכותלי קטנה מופלגים ג"ט מכותלי אורך הגדולה - דהיינו מקום כניסת מחיצות הקטנה מופלגות מכותלי אורך הגדולה שבצדה, **והא** דבעינן ג"ט, דאל"ה אמרינן לבוד לאורך הגדולה, והוי כאלו לא היה מופלג כלל, (**ולאו** דוקא "כותלי", דאף כותל אחד סגי – הגר"א, ור"ל דאף אם היה רק כותל אחד מופלג ג"ט, והשני היה פחות מזה, ג"כ אסור, דמה מהני שנאמר לבוד מצד אחד, הרי בעינן דוקא פס משהו מכאן ומכאן, או פס רחב ד' טפחים מצד אחד).

דאם לא כן היתה קטנה ניתרת ע"י נראה מבחוץ ושוה מבפנים - ר"ל דאם לא היו נכנסין ובולטין כותלי קטנה לתוך הגדולה, היתה גם קטנה מותרת, דאע"ג דשוה מבפנים, שהעומד בתוכה רואה כל כותלי אורכה שוין, שאין שם מכותל רחבה לפאותיה כלום, והוי הפרצה בכל מלואה, **הרי** מבחוץ בתוך הגדולה נראין לה שיורי כותל מכאן ומכאן, והיינו אותו עודף שהגדולה עודפת על הקטנה וניתרת בהם, תשתרי גם הקטנה, **משא"כ** כשבולטין כותלי קטנה לתוך הגדולה, ניכר שאותן שיורי כותל של הגדולה העומדין מאחורי פרצת הקטנה, אין שייך לה.

סעיף ד - גג קטן שנפרץ קודם שבת במילואו לגג גדול - לאו דוקא (שנפרץ), והכונה שהיה פתוח לגג הסמוך לו, דבגג לא איירי בשהיה מתחלה מחיצה, ונקט לשון נפרץ איידי דסעיף ג'.

היינו שכל גג הקטן היה מכוון נגד גג הגדול הסמוך לו, **ומיירי** נמי שלא עירבו בעליהם יחד, **וגם** שאין גג הקטן מחזיק יותר מעשר אמות, וכנ"ל בס"ג.

קודם שבת - דאי בשבת אמרינן כיון שהותרה הותרה וכנ"ל.

(קטן) אסור להעלות עליו כלים ששבתו בבית - דהרי נפרץ לרשות חבירו האסור לו, **דאלו** כלים ששבתו על הגג, מותר לטלטלם אפילו לגג חבירו בלי עירוב כלל.

וגדול מותר - להוציא כלי הבית על גגו, דגג הקטן לגביה נחשב כפתח בעלמא, כיון שאין בו יותר מעשר אמות, **אבל** אם שני הגגין שוין, אוסרין זה על זה אפילו אם אינם יותר מעשר אמות, דהרי נפרצו במילואן זה לזה.

(**והא** דלא מישתרי גג קטן בגיפופי גג גדול משום נראה מבחוץ ושוה מבפנים, וכדלעיל בס"ג, דהלא לענין גג גדול אמרינן גוד אסיק מחיצתא, והוי כאלו יש לו גיפופים, וא"כ ליהני דבר זה גם לגבי קטן, י"ל דכי אמרינן גוד אסיק, לגבי גג הגדול עצמו, אבל לא להתיר הגג קטן בגיפופי גדול).

והוא שיהיו מחיצות הבית ניכרות למי שעומד על הגג, אבל אם אינם ניכרות, כגון שהגג בולט עליהם, הוי כרמלית - שכל גגות שלהן חלקין היו ולא משופעין, וכשאין בולט הגג מן הכתלים ולחוץ, נראין מחיצות הבית לעומדין על שפת הגג כשמסתכלין תחת רגליהם, ואז אמרינן גוד אסיק מחיצתא, וכאלו מוקף מחיצות למעלה סביב הגג, **אבל** כשהגג בולט מן הכתלים ולחוץ, אין מחיצות הבית נראין, ואין אומרין גוד אסיק מחיצתא, והוי כרמלית, **ואסור** לטלטל בכל אחד, שאין לו שום מחיצות, אפילו כלים ששבתו על הגג, כי אם בתוך ד' אמות.

ודוקא כשבולט ד' טפחים, אבל אם אין בולט ארבעה טפחים, הוי כמחיצות ניכרות, **ועיין** במה שכתבנו לעיל בסי' שמ"ה סעיף ט"ו בביאור הלכה.

אא"כ פתוח לו מהבית חלון ארבע על ארבע - דמשתמשין בו, ונחשב כל הגג כחורי רה"י, **ומ"מ** לא מהני זה אלא להתיר להשתמש על גגו בכלים ששבתו בתוכו, דיש עליו ע"ז שם רה"י, **אבל** להעלות עליו כלים ששבתו בבית, אסור כל זמן שלא עירבו יחד, [דכיון דאין המחיצות ניכרות ולא שייך בזה לומר גוד אסיק, אף שהוא רה"י מצד החלון, מ"מ הרי אין גיפופין להגדולה].

§ סימן שעה – מה הם הדברים השרויים בחצר שאינם אוסרים §

סעיף א - מרפסת שהוא דרך לעליות הפתוחים לה, ועומדת בחצר ועולים לה בסולם, ובני העליות יורדים ממנה לחצר ועוברים לרשות הרבים, אינם אוסרים על בני החצר - כשלא עירבו יחד, אלא בני העליות לעצמן ובני החצר לעצמן, **ולא** הוי כחצר אחד שעירבו בני חציה לעצמן ובני חציה לעצמן, דאסרי אהדדי, אלא הוי כשתי חצרות, **דסולם תורת פתח עליו, והוי כשתי חצרות ופתח ביניהם, שאם רצו מערבים יחד, ואם רצו כל אחד מערב לעצמו.**

ומותר לטלטל אפי' כלי הבית לחצר, וכן כלי עליה למרפסת, אבל כלי הבית למרפסת, או כלי עליה לחצר, אסור, כיון שלא עירבו יחד, [**דאילו** כלי החצר למרפסת, מותר לטלטל אפי' לא עירבו כלל לא זה ולא זה, דגגין חצירות ומרפסת רשות אחת הן].

ומיירי כשהמרפסת גבוה י"ט מן החצר, דאי לא היה גבוה י"ט, הוי ליה עם החצר כחצר אחת.

ובלבד שיערבו כל בני מרפסת לעצמן, כדי שתהא רגל המותרת במקומה - ר"ל דאם לא עירבו בפני עצמן, והיא אסורה במקומה, אוסרת ג"כ על החצר לטלטל בתוכה מכלי הבית, **דמרפסת** כיון שאין לו דרך אחר לר"ה כי אם ע"י חצר, הו"ל כחצר זה לפנים מזה שאין לו דרך אחר כי אם ע"י חצר החיצונה, דקיי"ל לקמן בסי' שע"ח, דאם בני חצר הפנימי לא עירבו לעצמן, דהו"ל רגל האסורה במקומה, אוסרין על החיצונה.

סעיף ב - הכלל בזה: דכל שלאחד תשמישו בנחת, היינו בקל, ולהשני בקשה, לא מקרי רק רשות לאותו שתשמישו בנחת, ואין השני יכול לאסור עליו, **אבל** אם שניהם שוים, הן שהוא לשניהם בקל להשתמש על אותו מקום, הן בקשה, שייך לשניהם, וממילא אוסרים זה ע"ז להוציא לאותו מקום מכלי הבית, כיון שלא עירבו יחד.

ואיזה מקרי בנחת ואיזה בקשה, מתבאר בגמרא, דכל שצריך לתשמישו זריקה, דהיינו שהתל או העמוד גבוה ממנו עשרה טפחים, וצריך לזרוק שם, **או** שצריך שלשול, דהיינו שהמקום ההוא נמוך ממנו י"ט, וכשרוצה להשתמש עליו צריך לשלשל ולהורידו לשם, כל זה מקרי קשה, **ואם** הוא פחות מי"ט, הן בזריקה והן בשלשול, מקרי בנחת, **ולפעמים** מקרי קשה אפילו אם הוא פחות מי"ט, כגון שאותו עמוד או התל מופלג בריחוק מקום ממנו ד"ט, וצריך לזרוק באויר.

אם לא עירבו יחד, ויש בחצר תל או עמוד שהוא משותף בין שניהם - דאם הוא של אחד מהם, הרי הוא ברשותא דחד, ואינם אוסרים עליו בכל גווני, [אפי' אם לו בקשה ולהשני בנחת].

אם אינם גבוהים י"ט - מן הארץ, וגם מן המרפסת שלמעלה מהם אין נמוך ממנה עשרה טפחים, דאז נוח לשניהם להשתמש שם, **הרי אלו נחשבים בין החצר ובין המרפסת, ושניהם אסורים להוציא שם כלים שבבתים** - דאם היה נמוך מן המרפסת עשרה טפחים, אז היו נותנים אותו לבני החצר, דלהם תשמישו בנחת, ולבני המרפסת {היינו אנשי העליה שבתיהם נפתחים להמרפסת, ואיסקופת פתחיהם שוה לה} בקשה.

ודוקא כשהיה התל והעמוד סמוך להמרפסת בתוך ד"ט, דאם היו רחוקים ממנו ד"ט, א"כ תשמיש המרפסת עליו בקשה, והחצר בנחת, ונותנים אותו לבני החצר.

(מיירי שהוא רחב ד' על ד', דאל"ה הוי מקום פטור, ובטל להכא ולהכא, וכדלעיל בסימן שע"ב ס"ו).

ואם הם גבוהים מקרקעית החצר י"ט, (ובתוך עשרה למרפסת), והם בתוך ד' טפחים למרפסת, בני מרפסת מותרים, לפי שתשמישו (להם) בנחת מלבני החצר - שהם לה בתוך י"ט, וגם אינם מופלגים ממנה, **דאם** היה מרוחק עשרה גם ממרפסת, היה לשניהם בקשה, ויד שניהן שוין בו לאסור זה על זה.

ואם היו רחוקים מהמרפסת ד"ט או יותר, אע"פ שגבוהים עשרה (מן החצר, ובתוך עשרה למרפסת) - ר"ל וא"כ היה שייך למרפסת, וכמו שכתב מתחלה, **הרי אלו בכלל החצר והמרפסת; לפי ששניהם אפשר להשתמש בהן על ידי זריקה, לפיכך שניהם אסורים להוציא שם כלים ששבתו בבתים עד שיערבו** - דכיון שמופלגין מבני מרפסת ד"ט, וכשרוצים להשתמש שם הוא רק ע"י זריקה, מקרי תשמישו ג"כ בקשה, זה מחמת גובהו וזה מחמת רחקו.

ואם היו נמוכים עשרה טפחים גם מהמרפסת, יש דעות בפוסקים: **יש** אומרים דכיון שלבעל המרפסת יש שתי ריעותות, שנמוכים מעשרה וגם מופלגים ד"ט, א"כ תשמיש של אנשי החצר נוח יותר שם, ונותנין אותו להם, **ויש** אומרים דכיון שלהחצר נמי גבוה י"ט, מקרי לשניהם תשמישו בקשה, ואוסרין זה ע"ז.

בור שבחצר של בני המרפסת ובני החצר בשותפות, ומקיפתו חוליא גבוה י' טפחים, וסמוכה למרפסת בתוך ד"ט, אוסרין זה על זה כשלא עירבו יחד, למלאות מים בדלי ששבת בבית או בעליות, וכן להכניס המים לבתיהם, [**היינו** אפילו בכלים ששבתו בחצר, שבהם מותר לדלות מהבור אף ששייך לשניהם, אבל אסור להכניס המים לבית], **ואין** נותנין אותו לבני מרפסת, הואיל וגם להם תשמישו בקשה ע"י שלשול י' טפחים לבור, [**ואע"ג** דלבני החצר א"א להשתמש כי אם בתרתי ריעותות, לזרוק הדלי בגובה על החוליא, ולשלשלו לבור, ולבני המרפסת בשלשול לבד, **מ"מ** מקרי תשמיש שניהם בקשה].

ואפילו אם הבור מלא מים עד גובה החוליא שסמוכה למרפסת, אסור משום גזירה שמא יחסרו המים בשבת [עד נמוך י"ט מן המרפסת], וישתמשו בו כבתחלה, **אבל** אם היה הבור מלא בדבר שאין ניטל בשבת, הרי הוא כעמוד או תל גבוה י' מחצר, ותוך עשרה למרפסת, שנותנין אותו לבני מרפסת להשתמש על גבה, כשאינו מופלג מכנגדה ד"ט, וכנ"ל.

סעיף ג - היתה מצבה ארבעה טפחים - בגובה שלה, [מ"א, אבן לפי דעת הב"י שהיא גבוה י"ט, ע"כ מש"כ הכא ד"ט, היינו רק ברוחב], **לפני המרפסת, אין המרפסת אוסרת על בני החצר, שהרי נחלקה מהם** - ר"ל אפילו התל ועמוד הסמוכה לה בתוך ד"ט, וגבוה י"ט, שכיון שעשו הפסק לפני המרפסת, גילו דעתם שסילקו עצמם מן החצר.

סעיף ד - זיזים היוצאים מהכתלים - גם זה הסעיף מיירי שבני החצר ובני העליה עירבו כל אחד לעצמן, ושהזיזים היו שייכין לבני החצר והעליה בשותפות, **וגם** מיירי שהזיזין היו רחבים ד"ט, דאל"ה הוי מקום פטור, ובטיל להכא ולהכא.

כל שהוא למטה מעשרה טפחים, הרי זה נחשב מהחצר, ובני החצר משתמשין בו; וכל שהוא בתוך י"ט העליונים הסמוכים לעליה, אנשי עליה משתמשין בו.

והנשאר בין י' התחתונים עד תחלת י' העליונים מן הזיזין היוצאים, שניהם אסורים בו - [דהוה תשמישו קשה לשניהם בשוה], **ואין משתמשין בהם בכלים ששבתו בבתים אלא אם כן עירבו** - מיירי בשהיו יותר מעשרים טפחים מן העליה לקרקע החצר, **וה"ה** כשהיה פחות מעשרים טפחים, והזיז עומד באמצע, ואין ממנו עשרה טפחים לא לזה ולא לזה, [דהוה תשמישו בנחת לשניהם].

§ סימן שעו – בור ובאר שבין שתי חצרות §

סעיף א - בור שבין שתי חצרות, ואין ביניהם פתח או חלון שיוכלו לערב - ר"ל שבכותל המפסיק בין החצרות העומד ע"ג הבור אין פתח וחלון, **או שיש ביניהם ולא עירבו, אין ממלאים ממנו בשבת** - (ואפילו אין מימיו עמוקין י' טפחים), שהרי כל אחד ממלא מרשות חבירו.

אלא אם כן עשו מחיצה עשרה למעלה מן המים - כדי להפסיק בין הרשויות, ויהא כל אחד דולה מרשותו, **ומחיצת** הכותל אין מועיל לזה כלל, דבעינן דוקא שתהא עשויה לשם כך, ובתוך אוגן הבור.

וצריך שיהיה טפח מן המחיצה יורד בתוך המים - כדי שיהיה ניכר הפסק המחיצה המחלקת בתוך המים, וכ"ש אם מֶחֱצִיתָהּ למטה ומֶחֱצִיתָהּ למעלה, **ואע"פ** שאינה מגעת המחיצה עד קרקע הבור, קל הוא שהקילו במים להתיר במחיצה כזו, דבעינן רק שלא יכנס הדלי בהדיא לחלק חבירו.

ואם היתה המחיצה כולה - היינו של העשרה טפחים, **בתוך המים** - וה"ה אפילו אם היתה ארוכה יותר ומגעת עד קרקע הבור, **צריך שיהיה טפח יוצא ממנה למעלה מן המים, כדי שתהיה ניכרת רשות זה מרשות זה** - ובזה הטפח לבד סגי, שלא ילך הדלי לרשות חבירו.

וכן אם עשו על פי הבור קורה רחבה ד"ט - ר"ל שהניחו לכתחלה מלמעלה על שפת הבור כדי להתיר המים, **אבל** כשלא נעשה כדי להתיר, לא.

(ודע, דלשון השו"ע שכתוב "אם עשו על פי הבור", הוא מועתק מלשון הרמב"ם, **ובעבודת** הקודש ראיתי שכתב "אם הקורה בתוך אוגן הבור", וכן ג"כ דעת רבינו ירוחם, **וצ"ע** למעשה).

זה ממלא מצד הקורה, וזה ממלא מצד האחר - וטעמא, לפי שאנו רואים כאלו קורה זו נמשכת ויורדת עד המים, וחולקת כל רשות לעצמו, **וכאן** אין לחוש לומר שזה דולה מרשות חבירו, לפי ששיערו חכמים שאין דלי מהלך יותר מד"ט, וא"כ לא יחצוב מים מצד הבור שהוא ברשות חבירו, **ואף** שחוצב מתחת הקורה, ושם רשות שניהם שולטות, קל הוא שהקילו חכמים במים, וא"צ אלא שלא יהא ניכר להדיא שחוצב מרשות חבירו.

(וה"ה אם היה המחיצה רחב בעוביה ארבעה טפחים, ג"כ דינה כפי תקרה, וא"כ די אם הורידה בתוך הבור, (ואפי' אינה מגעת עד המים), **ונמדד היו"ד טפחים משפת פי הבור ולמטה**), (ודלא כקורה דלא בעי' י' טפחים וכנ"ל, דלא שייך פי תקרה במחיצה, אלא בתקרה – חזו"א).

הגה: ודוקא אם בא למלאות בכלים של בית, אבל בכלים של חצר לא בעינן שום תיקון, דהא מותרות רשות אחת הן, כדלעיל סי' שע"ב - ועכ"פ אסור להכניס המים לבית אם לא עשו שום תיקון, דהא לא עירבו שתי החצרות ביחד.

סעיף ב - באר שבאמצע השביל בין שני כותלי חצרות - היינו שיש כמין מבוי קטן מפסיק בין שתי החצרות, והוא שייך לשתי החצרות, ובור באמצע, ומשלשל הדלי לתוכו דרך חלון שבכותל החצרות, **אע"פ שהיא מופלגת מכותל זה ד"ט ומכותל זה ד"ט, שניהם ממלאים ממנה** - מלשון זה משמע, דכ"ש כשהיא מופלגת פחות מד"ט, והטעם, דתשמיש שהוא דרך חלון, ס"ל לדעה זו דתמיד מיקרי דרך אויר, בין כשהוא מופלג ד"ט ובין פחות מד"ט, **ומה** שכתב בלשון כ"ש, דלא מיבעי אם הוא פחות מד"ט, דתשמישו בנחת לחצר הסמוך, ס"ל לדעה זו דבודאי אין חבירו אוסר עליו אף שלא עירבו יחד, **אלא** אפילו אם הוא מופלג ד"ט ממנו, דגם לחצר הסמוך אינו בנחת, אפ"ה אין חבירו אוסר עליו, כיון דאין תשמישן אלא דרך אויר.

ואינם צריכים זיזים על גבן - בא לאפוקי ממ"ד בגמרא, דבעינן דוקא שיוציא כל אחד זיז כל שהוא מכותלו עד לבור להכירא, שלא יבוא לטלטל בעלמא מרשות לרשות, **שאין אדם אוסר על חבירו דרך אויר.**

הגה: ודוקא כשאין החלונות פתוחות לשביל רק בחלונות - דאז הוי תשמיש מילוי הדלי מן הבאר רק דרך אויר, **אבל** כשיש פתחים מהחצרות לשביל, א"כ אותו השביל רשות שניהם שולטות בו תמיד בתשמיש גמור, וע"כ אסור להשתמש בו אפילו דרך חלונות, [בין כשהוא מופלג מן הכותל ד"ט או פחות מד"ט], דהוי השביל כחצר שאינה מעורבת, ואסור כל זמן שלא עירבו ביחד, ואפילו הוצאת זיזין לא מהני.

וי"א דאם אינן מופלגים ארבעה, אוסרים אפילו בככה"ג - דעה זו ס"ל להיפוך מדעה קמייתא, דאין להתיר רק דוקא כשהבור מופלג מן כותלי החצרות ד"ט, דאז מקרי התשמיש דרך אויר, **אבל** כשהוא פחות מד"ט לשניהם, לא מקרי דרך אויר, אלא חשיב התשמיש לשניהם בנחת, ואוסרין זה ע"ז, אפילו אם אין פתחים להחצרות, ותשמישן הוא רק דרך חלונות שבכותל, **ופסקו** האחרונים כדעה זו.

סעיף ג - שתי חצרות וביניהם ג' חורבות - שאין בהם דירין, ופרוצות זו לזו ביותר מעשר אמות, ויש לכל אחת מהחצירות חלונות פתוחות להחורבות שאצלם, שעל ידיהם הם משתמשין בהם ע"י זריקה, והאמצעית עומדת בשוה בין שתי החורבות.

כל א' מותר באותה שאצלו להשתמש בה דרך חלונות על ידי זריקה - הואיל ואין לו בה תשמיש גמור בחול, שאין לו פתח פתוח לה אלא חלון, אין פרצת המחיצה שפרוצות זו לזו אוסרת, ומותר להשתמש בכולה, וחבירו אינו יכול לאסור עליו, [**שאילו** היה פתח פתוח לה, היו דנין אותן החורבות כחצרות, והיו אוסרין זה על זה כשלא עירבו יחד], **ואע"פ** שגם חבירו משתמש בה בחול ע"י זריקה, שזורק דרך אויר שלו בפרצה עד תוך חורבה זו, **מ"מ** כיון שלחבירו אין לו בה תשמיש כי אם ע"י זריקה באויר מרחוק, אינו יכול לאסור עליו.

אבל בשל חבירו אינו יכול להשתמש בה בשבת ע"י זריקה באויר, מפני שהוא אוסר עליו, דהיא שייכה לו יותר, שיש לו בה גם תשמיש נח שלא ע"י אויר, כגון בשלשול למטה סמוך לחלונו.

והאמצעית מותרת לשניהם - כיון שהיא רחוקה משניהן, ואין לשניהן בה תשמיש כי אם ע"י זריקה באויר דרך החורבות הסמוכות לה, אינם אוסרים זה על זה.

(**דעת רש"י, דדוקא כשאין להחורבות בעלים אחרים, אלא בעלי החצרות שותפין בהן, דאי היו להם בעלים אחרים, אע"ג דקי"ל בית התבן לפי שאין בית דירה אין אסור, היינו שאינה אוסרת על אחרים, אבל בתוכה מיהא אסור לטלטל, וממילא היה אסור לזרוק לתוכן, אבל בתוס' הביאו בשם ר"י שחולק על רש"י, וס"ל דאפי' יש להן בעלים ג"כ מותר, לפי שאינה בית דירה, ולפלא על השו"ע שלא הביא דעתו בזה, ואפשר מדסתם ולא חילק משמע ג"כ דבכל גווני שרי, ובלבוש** פסק בהדיא דמותר אפי' ביש להן בעלים, וכן פסק הגר"ז).

ואם היו שלשתן סמוכות לבתים, שהיתה האמצעית כנגד השתים, כשלשה ראשי קנקן - ר"ל שהיתה משוכה כנגד אורך שני החורבות, ומגעת שתי ראשיה לשני החצרות, [**וה"ה** כשסמוכה להן בפחות מד"ט], **כל א' מותר בחורבה שאצלו, והשלישית הקרובה לשתי החצירות, אסורה לשתיהן** - לפי שיש לשתיהן תשמיש נוח סמוך לחלון ע"י שלשול, ואוסרים זה על זה, ‹**צע"ג** לדעה קמייתא לעיל ס"ב, דאינן אוסרים אף בסמוכין תוך ד', מאי שנא מהכא – חזו"א›, ‹**צ"ל** דבחורבה רגילין להשתמש בו טפי, ולכך אסור בפחות מד' טפחים, משא"כ בס"ב שאין שם שום תשמיש רק מילוי מים, קיל טפי – תוס' שבת›, **ואע"ג** דשתים הסמוכות פרוצות לאמצעי האוסר, לא אחמור רבנן במקום שאין לו תשמיש גמור, שיהא אסור משום פרוץ.

סעיף ד - בית הכסא שבין שני בתים ולא עירבו יחד, רשות שניהם שולטת בו ואסורים - ע"ל סי' שנ"ה ס"ג בהג"ה במ"ב, דמיירי שמקום מושב ביהכ"ס היה מיוחד לכל אחד לבדו, ורק מקום החפירה שלמטה שהצואה נופלת שם היה של שניהם, ולכן אסור, דמוציא מרשותו לרשות השותפין שלא עירב עמו, **אבל** אם גם מקום המושב היה שייך לשניהם, מותר.

(וע"ל סי' שנ"ה) - דשם מבואר בהג"ה בס"ג פרטי הדינים, **וגם** דאם שכח ולא עירב, בדיעבד מותר לפנות, דגדול כבוד הבריות.

§ סימן שעז – דין שתי עליות זו כנגד זו הפתוחות לחצר §

סעיף א- שתי עליות הפתוחות לחצר זו כנגד זו, ואחת עשתה גומא בחצר - סמוך לה נגד עליתה, **כדי לשפוך בחצר שאין בה ד' אמות, מימיה** - דבחצר כזה אסור לשפוך מים כשאין בה גומא לזה, וכנ"ל בסי' שנ"ז ס"א, **וביש** בהחצר ד"א, עיין בסוף הסעיף בהג"ה ובמה שכתבנו שם, **והשניה לא עשתה, אם עירבו יחד, שתיהם מותרות לשפוך מימיהן** - אפילו תוך הגומא להדיא, [**ואין** לחוש שע"י שפיכת שניהם יתרבו המים ולא יספיק להם גומא אחת].

ואם לא עירבו יחד, והאחת עירבה לעצמה - אותה שעשתה הגומא, עם כל שכניה הדרים אצלה בעליתה, **ומיירי** בשיש מרפסת לפני כל עליה ועליה, ונכנסין הכל להמרפסת דרך פתח העליה, וממנה יורדין לחצר, [**דאי** לא היה מרפסת כלל לפני העליות, אפי' אם שתיהן לא עירבו כלל, ג"כ מותר אותה שעשתה העוקה לפניה], **והשניה לא עירבה כלל, זו שלא עירבה אסורה** - אפילו אם עשתה ג"כ גומא, וכ"ש לפי מה דאיירי המחבר, בשלא עשתה גומא, [**ובאמת** קשה מאד לפי"ז לשון השו"ע, למה צייר השו"ע שהשניה לא עשתה גומא, אפי' עשתה אסור, כיון דלא עירבה, **ובביאור** הגר"א כתב דט"ס בדברי הטוש"ע, וצ"ל "והאחת עשתה עוקה לעצמה והשניה לא עשתה, זו שלא עשתה אסורה", **ובט"ז** כתב שיש איזה בבא חסר בדברי הטור, **וע"כ** נלע"ד ששניהם אמת, וכצ"ל: "ואם לא עירבו יחד, והאחת עשתה עוקה לעצמה והשניה לא עשתה", {ובאופן זה איירי בששתיהן עירבו} ‹לעצמן, אבל לא יחד›, "או שהאחת עירבה לעצמה והשניה לא עירבה", {וזה מיירי בששתיהן עשו גומות}, "זו שעירבה מותרת, וזו שלא עירבה אסורה", {וכן לענין עוקה, תלוי במי שעשה העוקה}].

ולא מיבעי שאסורה להוציא הכלי עם השופכין דרך החצר עד גומתה, או להוציא להמרפסת, דהא לא עירבה, **אלא** אפילו לשפוך בביתה שילך המים מעצמו למרפסת ומשם ירד למטה, ג"כ אסור, **דחיישינן** שמא יחוס על קלקול ביתו שלא יטנף מפני השופכין, ויטלטל הכלי עם השופכין להמרפסת להדיא, והלא היא משותפת לכל דיירי העליה ולא עירבו ביניהם.

ושעירבה מותרת - ובלבד שעשתה גומא וכנ"ל, אבל בלא גומא אסורה לשפוך בביתה או למרפסת שירדו המים לחצר, דבודאי ירדו מהחצר לר"ה, וכנ"ל בסימן שנ"ז, **ואפילו** אם חברתה עשתה גומא, והמים ירדו מהחצר לאותה גומא, ג"כ אסור, **דחיישינן** שיחוש לקלקול החצר, שלא יטנף מהשופכין דרך הליכתן לגומא, כיון שהגומא רחוקה ממנה, ויוציא כלי הבית עם השופכין לחצר כדי לשפוך להדיא לגומא, והם הלא לא עירבו יחד.

ובלבד שלא תשפוך להדיא בגומא, אלא תשפוך בעליה והם יורדים לגומא - דהא החצר משותף לשניהם, והם לא עירבו ביחד.

הגה: דכהו בחלר שאינה מעורבת, שרי - ר"ל אע"ג דהחצר שהגומא ביה שייך לשניהם, והמים יורדים שם בגומא מכחו.

וה"ה אם החלר יותר מד' אמות – (לאו דוקא, דה"ה אפילו ד"א, וכנ"ל בסימן שנ"ז), **דשתיהם מותרים בכה"ג** - היינו לשפוך גם על המרפסת ושירד לחצר, ומיירי בשעירבו כל אחד לעצמו, **ולא** חיישינן שיוציא הכלי עם המים לחצר לשפוך בתוך הגומא שעשה חבירו, דכיון שיש בהחצר שיעור ד"א, בשיעור שהוא רחב כזה ראוי שיבלע המים במקומו ולא יתקלקל החצר, **ואין לריכים לגומא** - ר"ל וע"כ אפי' אם אחד עשה גומא לצד עליתו, לא חיישינן שהשני יוליך הכלי עם השופכין לשם.

(**והוא** הדין בימות הגשמים שאין צריכין לעוקא, וכנ"ל בסימן שנ"ז, אפילו בפחותה מד' אמות יהיה הדין דשניהם מותרים).

(ביאור הלכה) [שער הציון] ‹הוספה›

§ סימן שעח – דין חצרות הפתוחות זו לזו §

סעיף א- שלש חצירות פתוחות זו לזו - דאל"ה לא היו יכולין לערב יחד, **ופתוחות לרשות הרבים** - וה"ה כשפתוחות למבוי, **ועירבה כל אחת מהחיצונות עם האמצעית, והחיצונות לא עירבו יחד, החיצונות אסורות זו עם זו, והאמצעית מותרת עם כל אחת מהן, והן מותרות עמה.**

וכתבו האחרונים, דה"ה אם החיצונה לבד פתוחה לר"ה או למבוי, ואמצעית יש לה דריסת הרגל עם הפנימית השניה שלפנים הימנה, **נמי** דינא הכי, דכל אחת שריא עם האמצעית, אפילו החיצונה הפתוחה לר"ה, ואין הפנימית יכולה לאסור עליה, דרגל המותרת במקומה אינה אוסרת שלא במקומה, כדלקמיה ס"ב.

במה דברים אמורים, כשנתנה אמצעית עירובה בזו ועירובה בזו - דאז דיורי האמצעית בחיצונה, ואין דיורי חיצונה באמצעית למהוי כולהו כי חדא.

או שנתנו החיצונות עירובן באמצעית בשני בתים - ואפילו מלאוהו לכלי אחת ואייתר, ונתנו אח"כ לכלי אחר, דבכה"ג היה מהני אם היו נותנים אותו בבית אחד, כמ"ש סימן שס"ו ס"ד, **אבל** אם נתנו בשני בתים, לא משתרי החיצונות זו בזו, כיון דלא מיחברי אהדדי.

אבל אם נתנו שתי החיצונות עירובן באמצעית בבית אחד - והיינו בכלי אחד או דמליא למנא ואייתר, **שלשתן מותרות זו עם זו** - דהוי כאלו כולן דרין באמצעית, והוי כאלו עירבו יחד.

סעיף ב- שתי חצירות זו לפנים מזו, ופנימית פתוחה לחיצונה והחיצונה למבוי - ובכל אחת יש בעלי בתים האוסרין זה על זה, **ויש לפנימית דריסת רגל על החיצונה, אם עירבה פנימית לעצמה** - היינו עם בעלי בתים שבתוכה, **ולא החיצונה, או שעירבה כל אחת לעצמה, ושכח א' מהחיצונה ולא עירב, פנימית מותרת** - שהרי יכולה לסגור פתחה, ואין יכולין לעכב עליה בני החיצונה, **והחיצונה אסורה** - שהאחד שלא נתן חלק בעירוב אוסר על השאר, אם לא שיבטל את חלקו להם.

עירבה חיצונה ולא פנימית, או שעירבה כל אחת לעצמה ושכח א' מהפנימית ולא עירב, שתיהן אסורות - דקי"ל רגל האסורה במקומה, אוסרת שלא במקומה כשיש לו דריסת רגל שם, **אם** לא שיבטל את רשותו לבני הפנימית, וגם רשות דריסת הרגל שיש לו בחיצונה לבני חיצונה, [**דאם** יבטל רק רשותו לבני הפנימית, רק פנימית מותרת ולא החיצונה, דכיון דהוא בעצמו אחר הביטול ג"כ אסור להוציא מביתו לחצר, כמבואר בסי' שפ"א, א"כ הוי רגל האסורה במקומה, ואוסר שלא במקומו בדריסת רגלו].

עירבה כל אחת לעצמה, כל אחת מותרת בחצרה - ר"ל שאין הפנימי אוסר על בני החיצונה, אף שיש לו דריסת הרגל עליו, דרגל המותרת במקומה אינה אוסרת שלא במקומה.

סעיף ג- עירבו ביחד ונתנו עירובן בחיצונה, ושכח א' בין מן הפנימית בין מן החיצונה ולא עירב, שתיהן אסורות - שאם השוכח הוא אחד מן הפנימית, בודאי אוסר על החיצונה, כיון שאוסר במקומו, **ואפילו** אם השוכח מן החיצונה, אז החיצונה ודאי אסורה, וגם הפנימית אסורה אף שאין לחיצונה דריסת הרגל עליה, דכיון שעירבו יחד הרי היא כמו שדרה בחיצונה ואוסרת עליה, **ולא** מהני בזה שיסתלקו מבני החיצונה ותסגור פתחה, דהא ליתה לעירובה גבה, ועיקר העירוב משום דירה, דהוי כאלו דר במקום העירוב.

עד שיבטל רשותו - ר"ל לשתי החצירות, וכמבואר בסי' שפ"א.

ואם נתנו עירובן בפנימית, ושכח אחד מן הפנימית ולא עירב, שתיהן אסורות -

דכחדא חשיבא, אם לא שיבטל רשותו לשני החצרות, **אבל** אם יבטל רק לבני הפנימי לא מהני, אפילו אם ירצו להסתלק מהחיצונה ולסגור פתחה, [אחרי שהעוות בא מהם].

אבל אם שכח א' מן החיצונה ולא עירב, פנימית מותרת - דיכולה היא להסתלק מהחיצונה, דאחדא לדשא ומשתמשת, דהא עירובה אצלה, **ואע"ג** דמתחלה נשתתפו יחד, יכולה לחזור בה ולומר לה: לתקוני שיתפתיך ולא לעוותי, כי לא היה בדעתי שיעוות אחד מבני חצרך ולא יתן חלק בעירוב.

סעיף ד - אם יחיד דר בפנימית ויחיד בחיצונה, או שנים בחיצונה ועירבו - היינו אותם השנים לבד, אבל לא עם הפנימית, **אין היחיד שבפנימית אוסר על החיצונה** - ר"ל אף שלא עירבו יחד, דרגל המותרת במקומה אינה אוסרת שלא במקומה.

ואשמועינן בציור של שנים בחיצונה, דלא תימא דגזרינן משום שיסברו שיש שנים בפנימית כמו בחיצונה, ונבוא להתיר גם בזה, והתם בודאי אסור מדינא, דהוי רגל האסורה במקומה.

הגה: וה"ה רבים שהם כיחיד ואינן צריכין לערב, כדרך שנתבאר לעיל סימן ש"ע - היינו שהיו בפנימית האב עם בניו שמקבלים ממנו פרס, וכל כיוצא בהם, ע"ש בסי' ש"ע.

סעיף ה - שלשה חצירות זו לפנים מזו ויחיד בכל אחת, אע"פ שרבים דורסים בחיצונה, אינם אוסרים, שכל אחת מותרת במקומה; ואם היו שנים בפנימית ולא עירבו, הרי הם אוסרים על היחידים שבאמצעית ושבחיצונה. זה הכלל: רגל האסורה במקומה, אוסרת שלא במקומה; ורגל המותרת, אינה אוסרת שלא במקומה.

§ סימן שעט – דיני חצרות ובתים ביניהם §

סעיף א - ב' חצרות וג' בתים ביניהם פתוחים זה לזה - והם ג"כ פתוחים לחצרות שאצלן, **ורוצים לערב יחד, חצר זה בא דרך בית שאצלו ונותן עירובו בבית שבאמצע, וכן עושה השניה, ומותרים בשלשתן** - ר"ל שהם מותרים לטלטל באותן הבתים והבתים בהן, אע"פ שלא נתנו חלק בעירוב, **וקמ"ל** דאע"ג דבעלמא אם בית אחד אינו נותן חלק בעירוב, הוא בעצמו אסור לטלטל, וגם אוסר על בני החצר, אפ"ה מותרים הכל לטלטל, **שכל בית שאצל החצר חשוב לו כבית שער, וא"צ ליתן פת** - אחרי שבני החצר מוליכין עירובן דרך עליה לאמצעית, [**ואפי'** אם כל ימות החול אין להם רשות לעבור דרך הבתים, אפ"ה כיון שהניחו את העירוב בבית האמצעי, ע"כ נתרצו הבתים שמשני הצדדין לעבור דרך עליהן בשבת כשירצו לאכול העירוב], **והאמצעי הוא בית שמניחין בו עירוב וא"צ ליתן פת** - כמבואר בסימן שס"ו ס"ג.

ויש שכתבו דה"ה אם נתנו שניהם העירוב באחד מבתים הסמוכים לחצרות, [דאותן שני בתים פטורים מפני שהם בית שער לאותו בית, והבית שמונח בו העירוב פטור ג"כ כמ"ש בשו"ע], **או** אם נתנו באחד משאר בתים שבשתי החצרות, אלו השלשה בתים אין צריכין ליתן עירוב, דנעשו כולם בית שער לאותה חצר, כיון שעוברים דרך עליהם להניח העירוב בה.

סעיף ב - שתי חצרות ושני בתים ביניהם, ולא עירבו יחד אלא כל אחת לעצמה, ובא בן חצר זה דרך בית שאצלו והניח עירובו בבית שאצל השני, וכן עשה השני שגם הוא הניח עירובו בבית הסמוך לחצר האחרת, לא קנו עירוב; שכל א' הניח עירוב בבית שער של חצר אחרת.

§ סימן שפ – דיני בטול רשות §

סעיף א - א' מבני החצר ששכח ולא עירב עם האחרים, אוסר עליהם - לטלטל מבתיהם לחצר, **ונקט** ששכח, לאשמועינן דאפי' בכה"ג אוסר כשלא ביטל, **אבל** ה"ה דאפילו כשהזיד ולא עירב מהני ביטול.

מה תקנתם, יבטל להם רשותו, שיאמר: רשותי מבוטלת לכם או קנויה לכם, ואין צריך לקנות בקנין סודר - דהוא רק סילוק רשותא בעלמא, שמסלק עצמו מרשותו כדי שלא יאסור עליהם, ומה"ט מותר לבטל אף משתחשך.

ויכול לבטל אף משתחשך – (ואע"ג דנאסר למקצת שבת, מ"מ מהני ביטול, דלענין ביטול רשות לא משגחינן במה דנאסר בתחלת שבת).

ואם דר עם ד' או ה', צריך לבטל לכל א' וא', שיאמר: רשותי מבוטלת לך ולך - ולא אמרינן דכשביטל רשותו לאחד מהם, דעתו לבטל לכל בני החצר כדי שלא יאסור עליהם, ומה שאמר לאחד מהם, במקום כולם אמר לו.

ואם לא ביטל לכולם, אף למי שביטל אסור, [דכיון שאין חבירו יכול לטלטל, עירובו כמאן דליתא, דעירוב שמו, ובעינן שיהיו מעורבין כל החלקים ביחד].

(**ואע"ג דהאי דבטיל ליה עירב עם חבירו, כי עירב מאתמול אדעתא דהאי חולקא לא עירב, ולפי"ז אם היה הבטול מבע"י קודם שעירב, דכי עירב אדעתא דהאי חולקא נמי עירב, מהני הבטול שביטל לו לבד – רש"י, ודע דלדברי הרא"ש, אפילו היה הביטול שביטל לו לאחר שעירב, כיון שהוא קודם ביה"ש, חל העירוב גם על החלק שביטלו לו**).

וי"א שדי שיאמר: רשותי מבוטלת לכלכם - משמע דלדעה ראשונה לא מהני כשאמר "לכולכם", והטעם כתב הט"ז, משום דבעלמא רובו ככולו, וע"כ אי אמר "לכולכם" אפשר דכונתו רק על הרוב מהם, **ומה** שכתב המחבר בריש הסעיף "רשותי מבוטלת לכם", התם מיירי שהיו רק שנים.

ולדינא מסיק הא"ר, דהעיקר כהי"א דמהני גם כשאמר "לכולכם", **וכ"ז** כשעומד נגד כולם ואמר להם לשון זה, [אבל כשהוא אומר "לכם" והיו יותר משנים, משמע דלא מהני אף לדעה זו].

אם ביטל רשותו סתם, לא ביטל אלא רשותו שיש לו בחצר - וכ"ש אם אמר: רשות חצרי מבוטלת לכם, דאין הבית בכלל, **הילכך הם מותרים להוציא מבתיהם לחצר, וגם הוא, שהוא אורח בעלמא** - ואורח אינו אוסר על בני החצר, וגם הם אינם אוסרים עליו, (**עיין פרישה שכתב, דהוא מותר להוציא מביתם אפילו קודם שהחזיקו**), (שמבתיהם מסתמא מוציא כלים שלהם, ולא נראה כחוזר מביטולו – דרישה).

אבל אסורין להוציא מביתו לחצר - שהרי לא ביטל להם רשות ביתו, **וגם הוא** - אסור להוציא מביתו לחצר, שאין לומר על ביתו שהוא כאורח בו, שהרי לא ביטל להם.

וי"א שצריך לנעול ביתו, כדי שלא יבא להוציא באיסור, ולא יפתחנו אלא כשרוצה לצאת ולבא, וינעלנו מיד אחר צאתו ובואו - ר"ל כשלא ביטל רשות ביתו, דכשביטל, מותר לכתחלה להוציא מביתו הוא והם, כמ"ש בס"ב.

ובמקום הדחק יש לסמוך להקל שאין צריך נעילת בית.

סעיף ב - אם ביטל להם גם רשות ביתו, מותרין בין הוא בין הם להוציא לחצר, בין מביתו בין מבתיהם - היינו לאחר שהחזיקו אנשי החצר את רשותו, שהוציאו מבתיהם להחצר, **דקודם** שהחזיקו, אם יוציא מביתו לחצר, אז חוזר מביטולו, (דמביתו מסתמא מוציא כליו, ונראה כחוזר מביטולו, דרישה), וממילא אוסר עליהם והן עליו, כדלקמן בסימן שפ"א ס"א, **וכן** יזהר שלא יכניס מחצר לביתו קודם שיכניסו הם מהחצר לביתו, כדלקמן בשפ"א.

וטעם ההיתר, דכיון שביטל גם רשות ביתו, נעשה אורח גמור אצלם, כיון שלא נשאר לו רשות שלא ביטל.

סעיף ג - אם אינו רוצה לבטל להם רשותו אלא להשכירו, יש אומרים שמועיל

כמו ביטול; וי"א שאינו מועיל - ס"ל דלא תקנו שכירות אלא בעכו"ם אבל לא בישראל, **ועיין** באחרונים שחתרו למצוא טעם לזה, **והמ"א** מצדד, דבחול לכו"ע יכול להשכיר, דלא גרע מביטול, אלא דבשבת אסור לשכור, דהוי כמקח וממכר, [**דבשלמא** גבי עו"ג אין דירתן דירה, אלא שאסור משום גזירה, לא מקרי קנין, אבל בישראל אסור לשכור].

ולענין הלכה, הא"ר פוסק דאין שכירות מועלת בישראל כלל, **אבל** שארי אחרונים מקילין בזה לענין ימי החול כהמ"א, [**ובפמ"ג** מצדד לומר, דלהמ"א מועיל בדיעבד שכירות אפי' בשבת].

סעיף ד - אם בני החצר שעירבו מבטלים רשותם לאחד שלא עירב, הוא מותר להוציא מביתו לחצר - דכיון שביטלו לו רשותם, נעשה חצירם וביתו רשות אחת.

ולא מבתיהם, (אם לא שביטלו בפירוש גם רשות ביתם) - דמסתמא כשבטלו לו רשותן לא ביטלו אלא חצרן לבד.

והם אסורים אף מבית לחצר - "אף מביתו לחצר" - כצ"ל, ור"ל לא מיבעיא דמביתם שלא ביטלו אסורים להוציא לחצר, שהוא רשות אחרת, **אלא** אפילו מביתו של זה שביטלו לו, שהוא רשות אחת עם החצר, ג"כ אסור, וכדמסיים, **ולא אמרינן שיהיו כאורחים, שאין רבים נעשים אורחים אצל יחיד** - ר"ל בכגון זה, שבאמת החצר והבתים שייך להם, אלא כדי שיהא מותר לטלטל נסתלקו מרשותם, [**דאילו** בעלמא באורחים ממש, אין נ"מ בין רבים ליחיד, ובכל גווני אינם אוסרים על בעה"ב], **וא"כ** כשחוזרין ומוציאין לתוכה הרי זה כאלו חוזרים בהם ורוצים לזכות בה.

ואפי' ביטלו לו רשות ביתם, ג"כ אסורים להוציא, בין מביתם ובין מביתו לחצר.

וכתב המ"א, דאפילו קדם היחיד והחזיק, נמי לא מהני לענין רבים שלא יוכלו לחזור ולזכות, ואסורין בכל גווני, (**ומצאתי** בחידושי הרשב"א להדיא כהמ"א, **אכן** מסיים הרשב"א, דמסתברא שאע"פ שהם אסורין להוציא בכל גווני, מ"מ אין יכולין לאסור עליו ע"י הוצאתן, אם קדם הוא והחזיק).

וכתב המ"א, דלא אמרינן זה אלא כשהם מוציאים מבית לחצר, אבל כשהם מכניסים מחצר לבית, אין זה נקרא השתמשות בחצר, ולא הוי כרוצים לזכות בחצר, **אבל** בא"ר כתב בשם הרבה פוסקים, שגם להכניס מחצר לבית אסור, וכ"כ באבן עוזר. (עיין לקמן ריש סימן שפ"א).

וה"ה אם היו שנים לבד, וביטל א' מהם לחבירו, המבטל אסור אף בשל חבירו, וחבירו מותר אף בשל עצמו - כתבו האחרונים דלא גרסינן "אף", דמשמע מזה דכ"ש בשל חבירו, **וזה** אינו, דהא המחבר מיירי שלא ביטל אלא רשות חצרו ולא ביתו, וא"כ אסור להוציא מבית חבירו לחצר, וכן הוא בשו"ע ישנים.

וכן רבים שלא עירבו, שנתנו רשותם לרבים שעירבו; לפי שהיחיד נעשה אורח אצל הרבים, ורבים אינם נעשים אורחים אפילו אצל הרבים, ולא היחיד אצל היחיד.

(**ועיין** באבן עוזר שחולק על פסק זה, ודעתו דדוקא רבים אצל יחיד לא הוי אורח, וכ"כ בפרישה דמדברי הטור והתוס' לא משמע כן, וכן מבואר בריטב"א, דיחיד אצל יחיד נעשה אורח, **וע"כ** נראה דבשעת הדחק יש לסמוך על זה).

(**ודע** עוד, דאם רבים דרים בבית אחד, לפי דעת החמד משה נקראים רבים, ולהיפך אם אחד דר בכמה בתים, מקרי יחיד, דלא משגחינן בבתים כלל, **אכן** מדברי שו"ע הגר"ז מוכח, דאם רבים דרים בבית אחד, כיחיד דמיא, והויין בכלל אורחים לגבי רבים, וצ"ע).

שכחו שנים ולא עירבו, יכולים לבטל רשותם, שיבטל כל אחד מהם רשותו לכל בני החצר - ר"ל דכמו ביחיד שלא עירב מהני ביטול, כן ה"ה ביותר, [**ודע**, דהביטול של שנים מהני רק לאותם שביטלו להם, אבל להמבטלים עצמם ליכא תקנתא, דהא כיון שהם שנים, בכלל רבים נינהו אפי' נגד מאה].

בין אם מבטלין לרבים שעירבו, ובלבד שכל אחד מהם יבטל לכל א', בין אם מבטלין

לא' שלא עירב - פירוש, שלא היו בחצר כי אם ג' אנשים, ושום אחד מהן לא עירב, ולהכי כשביטלו אותם השנים רשותם להשלישי, נמצא שחצר של יחיד הוא וא"צ עירוב, **ומבואר** בב"י, דאפילו לא ביטלו השנים בבת אחת, אלא בזה אחר זה, ג"כ מהני, [**דאף** דבשעה שביטל הראשון עדיין לא הותר, משום רשות של השני שלא נתבטל עדיין, **מ"מ** לאחר שביטל השני גם רשותו, מועיל למפרע גם ביטולו של ראשון].

אבל אין מבטלין לשנים שלא עירבו, בין אם מבטלין רבים ועירבו, בין אם הוא יחיד שלא עירב, שהרי אף לאחר שיבטלו להם הם שנים, ואחד אוסר על חבירו.

ואפילו אמר לא': אני מבטל לך על מנת שתחזור ותבטל לחבירך, אינו מועיל - ר"ל דלא מיבעי אם לא פירש שיחזור ויבטל לחבירו, אלא שביטל סתם לראשון, והראשון מעצמו חזר וביטל חלק של עצמו וגם חלק שקיבל, דלא מהני, **דחלק** דידיה יכול לבטל ולא חלק דאקני ליה חבריה, דכיון דבעידנא דבטיל ליה רשותיה לא הוי ליה שריותא בחצר, משום דאסרי אהדדי, אשתכח דבטול לא אהני מידי, ולא קני ליה, ולהכי לא מצי לאקנויי האי בטול לחבריה, **אלא** אפילו אמר לו לכתחלה: אני מבטל לך ע"מ שתחזור ותבטל לחברך, לא אמרינן דשליח שויה, והוי כאלו הוא בעצמו מבטל להאחרון, **אלא** דכיון דלראשון לא מהני האי בטול, לא קני ליה שיוכל לחזור ולהקנות לאחרון, [**כתב** בפמ"ג, דאפי' אמר לו לשון זה מע"ש, ג"כ לא מהני].

ומסתברא דאם אותו שביטל לראשון חזר וביטל בעצמו לשני, שפיר מהני, שהרי עכשיו כל החלקים שלו, שהרי הראשון ביטל לו מעיקרא חלק של עצמו, [**ומשום** שהיה הביטול שלא בבת אחת לא מגרע, וכמש"כ במ"ב בשם הב"י, דביטול שלא בבת אחת ג"כ מהני].

§ סימן שפא – דיני המבטל רשותו ועבר והוציא §

סעיף א- המבטל רשותו, והוציא אח"כ מביתו לחצר - פי' שעבר והוציא, [**דלא** מבעי אם לא ביטל רשות ביתו אלא חצירו, דאסור, שהרי מוציא מרשות לרשות, **אלא** אפי' אם ביטל גם רשות ביתו, ג"כ אסור להוציא, שהרי ע"י הוצאתו חוזר מביטולו, ויש איסור למפרע]. **בשוגג אינו אוסר, במזיד אוסר** - על בני החצר לטלטל, **שהרי חוזר מביטולו שביטל** - שנראה כחוזר ומחזיק ברשות שביטל.

ומ"מ אם חוזר אח"כ ומבטל מחדש, מהני, [**וכ"ז** אם לא היה ההוצאה בפרהסיא, דא"כ הרי הוא כעכו"ם, ושוב אינו יכול לבטל].

כתב המג"א, דלא אמרינן שהוא כחוזר ומחזיק, אלא ע"י הוצאה מבית לחצר, אבל אם מכניס מחצר לבית, לא נראה כרוצה לחזור מביטולו ולהחזיק בחצר, **וכבר** כתבנו לעיל סי' ש"פ, שכמה פוסקים חולקים ע"ז, וס"ל דאין חילוק בין הוצאה להכנסה, **וכמו** דלא מחלקינן בין הוצאה להכנסה לענין החזיק, וכמו שמסיים המחבר, [**ומה** שהוכיח המ"א מס"ד, כתב במאמ"ר ובעצי אלמוגים לחלק, דדוקא במוציא מרשות שביטל ומכניס לרשות חבירו, אין בטלטול כזה הוראה שחוזר ומחזיק במה שביטל, דהא אדרבה מסתלק מרשותו, **משא"כ** הכא כשמוציא מן החצר ומכניסו לביתו, אחרי שמכניס ברשותו ולצרכו, שפיר מיחזי כחוזר ומחזיק גם בזה, אע"פ שמוציאו מרשות שביטל, כיון שמשתמש משם לרשותו לצרכו כבראשונה].

(**עיין ביד אפרים שמבואר בו, דאף אם הוציא בע"ש, נמי כחוזר מביטולו דמי, ויאסור עליהם כשיתקדש היום, ואין הדבר מוכרח, דאפשר לומר, דאף שהביטול יכול להיות מבעוד יום, מ"מ לענין חוזר מביטולו לא שייך אלא כשמוציא בשבת, ולא כשמוציא בחול, שהרי לא מוכחא מילתא שחוזר מביטולו, דביטולו לא היה רק ליום השבת**).

ואם החזיקו בו כבר - קודם שחזר והוציא כליו, **שהוציאו מבתיהם לחצר או שהכניסו מחצר לבתיהם, אינו יכול לחזור מביטולו** - דבכל מקום חזקה מועילה בקניה, ואע"ג שאין זו חזקה גמורה, אפ"ה הקילו חכמים בה דמהני כשאר חזקות, (ובזה **מודו** כו"ע דשוה הכנסה להוצאה), **ולדעה** זו מהני חזקה אף אם החזיק בערב שבת אחר הביטול.

ולרש"י אין חזקה מועלת אלא אם כן החזיקו משחשיכה - דמבעוד יום לא מוכחא מילתא,

שהרי גם בלא ביטול יכולין להוציא ולהכניס, **ועיין** בביאור הלכה שיש להחמיר כדעה זו.

(ודע דלרש"י הדבר פשוט, דלא מקרי חזקה אלא בהכנסה והוצאה, שהוא דבר האסור בלא בטול, **אבל** לדעת הטור דמהני חזקה אף מבע"י, אפשר דלדידיה מהני חזקה ע"י השתמשות בחצר גופא, אף שלא הוציא והכניס, וכמו בחזקות דעלמא, ומ"מ אינו מוכרח ועיין).

סעיף ב - יש ביטול רשות מחצר לחצר - כמו שיש ביטול רשות מבית לבית בחצר אחד, **לא שנא שתי חצרות ופתח ביניהן, ועירבה כל אחת לעצמה** - דאי לא עירבו אין מבטלין, כמו שנתבאר בסי' ש"פ, דלשנים אין מבטלין, לפי שכל אחד אוסר על חבירו.

ולא שנא עירבו יחד - מיירי בששכח אחד מהם ולא עירב, דיכול לבטל רשותו לבני חצר שלו, וגם לבני האחרת.

יכולה כל א' לבטל רשותה לחברתה, להיותה מותרת להשתמש בה, ולא היא - קאי ארישא, מהיכא שעירבה כל אחת לעצמה, דהמבטלים רשותם שוב אסורים להוציא מבתיהם לחצר, **והיכא** ששכח אחד ולא עירב וביטל רשותו לכולם, הוא לבדו אסור, וכולם מותרים.

[**ובס'** מאמ"ר מגיה שצ"ל בשו"ע "ולא עירבו יחד", ולא איירי כלל בהיכא שעירבו שתי החצירות יחד, ובזה יבואר דברי השו"ע כפשטיה, וכן הוא בטור ובלבוש, וכן מצאתי הגירסא בשו"ע הראשון שהודפס בחיי המחבר].

לא שנא שתי חצרות זו לפנים מזו ולא עירבו אלא החיצונה לבדה, שפנימית אוסרת על החיצונה - דהוי הפנימית רגל האסורה במקומה, ואוסרת שלא במקומה, **ואם** גם החיצונה לא עירבו לא אפשר בביטול, דאין מבטלין רשות לשנים.

יכולה לבטל לה רשותה, שלא תשתמש ולא תעבור עליה אלא בשעה שצריכה לצאת - דאין דריסת הרגל אוסר אלא עם עשיית תשמיש, **ותהיה החיצונה מותרת.**

או אם עירבו יחד - שנעשו כחצר אחד ע"י העירוב, **ונתנו עירובן בחיצונה, ושכח א' מהפנימית ולא עירב** - ואפילו אם ירצו בני הפנימי להסתלק עצמן מן החיצונה, ג"כ לא מהני בבטול לבני הפנימי לבד, דא"א להסתלק מהם, שהרי העירוב מונח אצלם, **יכול לבטל רשותו, דהיינו שיבטל רשותו לכל א' מבני הפנימית, וגם לכל א' מבני החיצונה, ויהיה הוא לבדו אסור** - היינו להוציא מבית לחצר, וכדלעיל בסימן ש"פ, **וכולם מותרים.**

ולאו דוקא בשנתנו עירובן בחיצונה, דה"ה דאם נתנו עירובן בפנימית, ג"כ צריך הפנימי לבטל רשותו לשתי החצרות, **ולא** סגי בשיבטל לפנימית לבד, ויהא הוא אורח לגבייהו, ולא יאסור עליהן, ואח"כ יסלקו הם עצמן לגמרי מלהשתמש בחצר החיצונה, **דכיון** שהעוות בא מהם, שהרי אחד מבני חצרם שכח לערב, אי אפשר להם להסתלק מבני החיצונה, אחרי שנתחברו מתחלה יחד ע"י עירוב אחד.

(וה"ה אם שכח אחד מבני החיצונה, בציור שנתנו עירובן בחיצונה, ג"כ בעינן שיבטל לשתי החצרות, ולא סגי בשיבטל לבני החיצונה לבד, ובני הפנימית יסתלקו מהם {כיון שאין העוות בא מהם}, אחרי שהעירוב מונח בחיצונה, **ואם** העירוב מונח בפנימית, יכולין בני הפנימי להסתלק מהם אף שלא ביטל רשותו להם, כמבואר בסי' שע"ח).

סעיף ג - יש ביטול רשות בחורבה, שאם היו שני בתים וחורבה ביניהם שהיא של שניהם, ושכחו ולא עירבו, יכול אחד לבטל רשותו לחבירו, ולהיותו מותר בה - ולא אמרינן שלא הקילו חכמים בביטול רשות אלא בחצר שלפני הבתים, שבה הוא עיקר תשמיש.

סעיף ד - יש ביטול רשות מבית לבית - כמו שמועיל הביטול מחצר לחצר, **שאם היו שני בתים ופתח ביניהם ולא עירבו, אחד מבטל רשות לחבירו.**

ואפילו המבטל מותר להוציא מביתו לבית חבירו - שהרי הכל של חברו כיון שביטל לו,

ואפילו קודם שהחזיק חבירו בביתו יכול הוא להוציא ממנו לבית חברו, **ואפילו** היו המבטלין רבים, ג"כ מותרין להוציא מביתם לבית חבירן, **ואינו** דומה להמבטל רשות חצרו, שאין לו להוציא מביתו לחצר אפי' ביטל גם רשות ביתו, עד שיחזיקו הם תחלה, **ואפילו** אם החזיקו, אינו מועיל אלא ביחיד שביטל לרבים, אבל לא ביחיד ליחיד וכנ"ל בסימן ש"פ, וכ"ש ברבים ליחיד, **דהתם** כיון שהיה לו חלק בחצר אלא שביטל להם, א"כ כשמוציא מביתו לחצר, נראה כחוזר מבטולו ומחזיק בחלקו שבחצר, **משא"כ** כשמוציא לבית חבירו שלא היה בו חלק מעולם, לא שייך לומר שעי"ז מחזיק ברשות חבירו, **וגם** לענין ביתו גופא לא שייך לומר שחוזר וזוכה בו במה שמוציא ממנו כליו לבית חבירו, דאדרבה הרי מסתלק ממנו.

אבל אינו יכול להוציא מבית חבירו לביתו, שאז היה חוזר ומחזיק ברשות שביטל - ואע"ג דלעיל בסימן ש"פ ס"א מבואר, דאם ביטל רשות חצרו לחבריו, דמותר לו להוציא מביתם לחצר, ולא אמרינן שחוזר וזוכה בחצרו בהוצאתו, **התם** מיירי ביחיד לגבי רבים, וחשיב רק כאורח לגבייהו, אבל הכא מיירי ביחיד לגבי יחיד, ויחיד לגבי יחיד לא הוי אורח, וכנ"ל בס"ד, ולהכי חוזר וזוכה במה שביטל מתחלה, **ולפי"ז** אפילו אם החזיק זה שביטלו לו, ג"כ אסור למבטל להוציא מבית חבירו לביתו.

(**ובאמת** אף שבדברי התוס' משמע קצת שהמעשה היה ברבים שביטלו ליחיד, וכן בריטב"א מוכח שעכ"פ היה יחיד נגד יחיד, מ"מ לא נזכר שם שום משמעות דטעם סברא זו שאוסרת להוציא מבית חבירו, הוא מטעם דיחיד נגד יחיד לא מיקרי אורח, וכן המחבר סתם ולא הזכיר טעם זה, **ויותר** נראה בדבריהם, דאפי' היה המבטל יחיד וביטל לרבים, ג"כ אסור לו להוציא מרשותם לרשותו, ואע"ג דבעלמא כשביטל חצירו מותר לו להוציא מבית חבירו לחצר, **שאני** הכא דמיירי שלאחר ביטולו הוציא כליו והכניס לבית חבירו, ואח"כ מוציאם ומכניסם שוב לרשותו כמקדם, נראה כמי שרוצה לחזור ולזכות בביתו שביטל, ובכגון זה לא אמרינן דהוי ליה כאורח, ולהכי אם קדם והחזיק, מותר לו אף להוציא מבית חבירו).

וכן אם יש לו חדר פתוח לביתו, וביטל רשות ביתו, אסור להוציא מהחדר לביתו - וה"ה מבית לחדרו, מפני שהוא כמוציא מרשות לרשות, **ועיין** באחרונים שהעלו, דאפילו אם ביטל גם רשות חדרו בהדיא, אסור להוציא מאחד לחבירו, (כיון שביטל שני החדרים, ומכניס לתוך רשות שביטל - דרישה), דבזה הוא חוזר ומחזיק ברשותו, וכנ"ל לענין מבית חבירו לביתו. (**וכתב** החזו"א, כיון דאינו משתמש בתועלת הביטול, דאם בטל הביטול אכתי ב' חדרים רשות אחת, אין לאסור עליו).

הגה: וי"א דאין לבטל מבית לבית אא"כ ישאיר לעצמו חדר אחד שלא ביטל - לפי שיש לחוש שלא תשתכח תורת עירוב מבתים אלו הפתוחים זה לזה, שכולם יבטלו בעליהם לאחד, וגם הם יהיו מותרים להוציא כל אחד מביתו לבית חבירו, הואיל ואינו נראה כחוזר ומחזיק ברשותו בהוצאה זו, **משא"כ** כששאיר חדר אחד שאסור להוציא ממנו לבית, ואם היה עירוב היה מותר, נמצא משתכר הוא בעירוב, ושוב אין לחוש שיבטלו הכל ותשתכח תורת עירוב. (**יש** לדקדק הא גם אם יבטל החדרים, מ"מ ישתכר, דהרי הוא אסור לו להוציא ולהכניס מהחדרים לביתו ומביתו לחדרים, וכנ"ל – דרישה).

ואז מותר להכניס אפילו מבית חבירו לביתו - עיין במ"א שתמה ע"ז, דהא ע"כ מיירי ביחיד לגבי יחיד, דאי ביחיד לגבי רבים שעירבו, א"כ תו לא שייך לומר שישתכח תורת עירוב כיון שעירבו, **אלא** דמיירי ביחיד לגבי יחיד, וא"כ האיך שרי להכניס מבית חבירו לביתו, כיון דיחיד לגבי יחיד לא מקרי אורח, והוי כאלו חוזר ומחזיק בביתו, ואפי' החזיק חבירו לא מהני, **ועיין** בחמד משה שתירץ, דדין זה דרמ"א מיירי ביחיד לגבי רבים, אלא שאותן רבים היו דרים בבית א' ולא היו צריכין לעירוב, וזה ג"כ מקרי רבים, וזה היחיד מקרי אורח לגבייהו, ולכן מותר לו להכניס מביתם לביתו ואפילו קודם שהחזיקו.

(**ולפי** דבריהם לא פליגי כלל דעה זו אדעה ראשונה באם מותר להכניס, דבמחבר מיירי ברבים נגד יחיד, והרמ"א מיירי ביחיד נגד רבים, **ובאמת** כ"ז שנצרכנו לדחוק כ"כ ולהוציא הדברים מפשוטן, הוא רק משום שיטת השו"ע, שפסק בסי' ש"פ דאף יחיד נגד יחיד נמי מיקרי רבים נגד יחיד, דלא נעשה אורח, **אכן** כבר כתבנו שם בשם האבן עוזר והפרישה, דיחיד נגד יחיד מיקרי אורח, **ולפי"ז** אתי דברי רמ"א כפשוטו, ולפלוגי אתי אדברי המחבר שאוסר להכניס, ודעתו דיש להתיר אף הכנסה, דהוי כאורח, דיחיד לגבי יחיד מיקרי אורח, **ואף**

מחבר   רמ"א   משנה ברורה

שבדברי התוס' משמע, שביטלו כל השכונות לאותו בית, וא"כ הוי רבים לנגד יחיד, דלכו"ע לא הוי אורח, כתב הפרישה דבמקום דהרבים אינם משותפים ברשות אחת כמו בחצר, רק כל אחד דר בפני עצמו, לא מיקרי רבים, וכל אחד הוא יחיד בפני עצמו ומיקרי אורח, ובדברי המחבר צריך לפרש כמו שפרשנו לעיל, ולא מטעם דיחיד נגד יחיד לא מיקרי אורח, ‹מדסתם ולא הזכיר טעם זה וכנ"ל›, **אלא** דהמ"א הוזקק לכל הדוחקים כדי לקיים שיטת השו"ע לעיל סי' ש"פ, **וכן** מצאתי להגר"א שכתב, דדעה זו ד"אז מותר" שמובא בהג"ה, פליג אדעת המחבר).

וטוב להחמיר לכתחלה.

סעיף ה - שני בתים בשני צדי רשות הרבים והקיפום עכו"ם מחיצה בשבת, בענין שיש ביניהם כמו חצר ששני בתים פתוחים לו, והרי הם אוסרים זה על זה, אינם יכולים לבטל כל א' לחבירו - כדי שיוכל חבירו להשתמש, והטעם, דכיון שלא היו יכולים לערב יחד מבע"י, אמרינן כיון שנאסר למקצת השבת נאסר לכל השבת, ולא מהני בטול.

סעיף ו - יורש מבטל רשות, שאם לא עירב מורישו ומת בשבת, והיורש בא לדור בחצר ואוסר, יכול לבטל רשותו - אף דאי בעי לערובי מאתמול לא מצי מערב, אפ"ה מהני ביטולו, משום דיורש כרעיה דאבוה הוא.

והיורש בא לדור - אבל אם לא היה בא לדור, אינו אוסר על בני החצר, דדירה בלא בעלים לא שמה דירה, וכנ"ל בסימן שע"א ס"ד.

סעיף ז - מבטלין וחוזרין ומבטלין; כלומר, שמבטלים רשותם בני חצר זו לבני חצר אחרת, או לאחד מבני חצר, עד שיוציאו מה שירצו, וחוזרין ומבטלים לאותם שביטלו להם, עד שיוציאו גם הם מה שירצו - אבל אם לא היו חוזרין ומבטלין להם, לא היו מותרים המבטלים להוציא, אפי' ביטלו גם רשות בתיהם, הואיל והם רבים ואינם נעשים אורחים, כמש"כ בסימן ש"פ.

§ סימן שפב – אם דירת אינו יהודי מעכבת בערובין §

סעיף א - הדר עם העכו"ם בחצר, אינו אוסר עליו - דמעיקר הדין דירת עכו"ם אינה חשובה דירה, אלא דחכמים גזרו דליאסר עליו כדי שלא ידור עמו וילמוד ממעשיו, **ולא** גזרו אלא בדבר דשכיח, דהיינו במקום שדרים כמה ישראלים, אבל לא בחד בית, דלא שכיח שידור בין העכו"ם, דהיו חשודין אשפיכת דמים.

עד שיהיו שני ישראלים דרים בשני בתים - אבל בחד בית, אפילו יש כמה אנשים ואוכלים כל אחד בפני עצמו, כחד חשיבי, [**ועיין** בפמ"ג שמסתפק אם דוקא בב' בתים, או ה"ה בשני חדרים כיון שאוסרין זה ע"ז, **אכן** לדעת מג"א פשוט דב' חדרים חשיבי כשני בתים, וכן משמע מהגר"א].

ואוסרים זה על זה - לאפוקי במקום שאינם אוסרים זה על זה, כגון אב ובניו שמקבלים פרס מאתו, שאינם צריכים לערוב אפילו הם דרים כל אחד בבית בפני עצמו, כדמבואר בסי' ש"ע, בזה אין עכו"ם אוסר עליהם, וא"צ לשכור רשותו, [דכבית יחיד חשיבי - ב"י, **ועיין** בדמשק אליעזר שהקשה על דין זה, דמנ"ל לאקולי בזה, וברמב"ם ובשאר פוסקים לא נזכר רק בסומכין על שלחן א', ולא בשאוכלים בב' בתים, דלא מחשבי לגמרי כבית אחד, **וראיה**, דאם מוליכין עירובן למקום אחר, באופן זה הלא צריכין לערוב כל א' בפני עצמו, **וצ"ע**].

אז העכו"ם אוסר עליהם - שלא יועיל עירובן שמערבין ביניהם, עד שישכרו רשות העכו"ם, (**פשוט** הוא דאינו אוסר עליהם רק להוציא מבתיהם ומביתו של עכו"ם לחצר או למבוי, **אבל** בחצר גופא או במבוי, כלים ששבתו בתוכם בודאי מותר לטלטל, וכמו בישראל בלי עכו"ם, **ולא** מצינו שעכו"ם בא להחמיר, ואדרבה מן הדין לא היה לו לעכו"ם לאסור כלל, אלא דבמקום דיש ב' ישראלים השוו חכמים דירת עכו"ם לדירת ישראל).

ואינו מועיל שיבטל העכו"ם רשותו - כמו בישראל שלא עירב עם בני החצר, שמבטל רשותו כדי להתיר שאר בני החצר לטלטל, כדמבואר בסי' ש"פ, **והטעם** דלא מהני, משום דרצו חכמים לארחוקי דירת

ישראל מן העכו"ם, ולהכי החמירו דאין לו תקנה עד שישכור ממנו, ומאחר שהעכו"ם אינו רוצה להשכיר בנקל, יתרחק הישראל מלדור עמו, כדי שלא יאסור עליו הטלטול, (וה"ה דאינו מועיל אם בטלו הישראלים רשותם להעכו"ם). **אלא צריך שישכירו ממנו** – (ואז יעשה העכו"ם כאלו הוא אורח עמהן).

(ברבינו יהונתן מבואר, דאפילו מתנה אינו מועיל רק שכירות, והעתיקו בח"א, ונראה פשוט דמיירי במתנה רעועה, כענין דאיירינן בשכירות, אבל אי נתן לו במתנה גמורה בכתיבה גמורה בערכאות, פשוט דמועיל, והא דלא הצריכו חכמים מתנה, משום דלא רצו להחמיר כ"כ, דהנכרי לא ירצה לתת בשום אופן מתנה גמורה).

ולענין אם מהני שאלה, תלוי בשתי הדעות המבואר בסי"ב, ולדעה ראשונה שם לא מהני.

(השו"ע לא ביאר אם השכירות מהעכו"ם צריך להיות קודם הע"ח דוקא, או שפיר דמי אף אח"כ, ולכתחלה לכו"ע צריך לעשות השכירות מתחלה ואח"כ העירוב, ואם ירצה לעשות העירוב מתחלה, אסור לברך עליו, פן לא ירצה העכו"ם להשכיר, אכן בדיעבד מסתברא דהוי עירוב אף שעשה השכירות אח"כ, כיון שבזמן ביה"ש זמן חלות העירוב כבר נעשה השכירות).

הגה: ישראל שהשכיר או השאיל ביתו לעכו"ס, אינו אוסר עליו, דלא השכיר או השאיל לו ביתו כדי שיאסור עליו - ובס' עבודת הקודש להרשב"א כתב עוד טעם לדין זה, שאין דרכו של ישראל להשכיר או להשאיל לעכו"ם בית בחצר שהוא שרוי בתוכה, ולא גזרו חכמים בדבר שאינו מצוי.

ועיין בביאור הגר"א שדעתו, דדוקא בשהתנה המשכיר או המשאיל שיכול לסלקו בכל שעה שירצה, **ובהיכא** דלא יכול לסלקיה, בודאי אוסר עליו, [**ועיין** בב"מ שהביא מדברי הרמב"ם בחבורו ובפי' המשנה שפליג אדין דרמ"א, ומסיים בצריך עיון לדינא, **ועל** כן לדינא נראה דצדקו דברי הגר"א, שלא חלק כלל בין ישראל לכותי, רק בין יכול לסלקו לאין יכול לסלקו, וביכול לסלקו גם להרמב"ם יש להקל, כמובן].

(**ופשוט** דלאו דוקא עליו אינו אוסר, אלא גם על אחרים הדרים שם אינו אוסר, דאם לא כן מאי הועילו באמרם אינו אוסר עליו, כיון שאוסר על אחריני בטלטול, ממילא גם הוא אסור, שהאחרים אוסרים עליו, ולפי"ז באם אין בע"ב דר שם בעצמו כלל, רק השכיר את חצירו לישראלים אחרים, וגם לנכרי, אפשר דבזה לא שייך טעם הרמ"א דלא השכיר אדעתא וכו', ושפיר יש לומר דאוסר הנכרי עליהם, וכ"כ בס' חמד משה, וכן מצאתי בברכי יוסף שמצדד כן, ובח"א כתב, דגם באינו דר בעצמו בחצר, ג"כ אמרינן דלא השכיר לו אדעת דליאסר על ישראלים הדרים עם הנכרי, ולענ"ד נראה עיקר כחמד משה וברכי יוסף, מאחר שעיקר דינא דרמ"א צ"ע, וכמו שנתקשו כל האחרונים, וכמו שכתבנו גם אנו בשע"צ ובביאור הלכה לקמן סי' שפ"ד, ודי לנו להקל בשרוי בעצמו בחצר).

אבל אם הבית של א"י, ושכרו ישראל ממנו, ועכו"ס דר בבית עמו - ר"ל הנכרי המשכיר. **ומיירי** שיש לו להעכו"ם חדר מיוחד, דאם יש לו רשות לישראל להשתמש בכל הבית, לא גרע משכירו ולקיטו של העכו"ם, ולא יצטרך לשכור רשותו, **אין שכירות הבית מועיל לענין שכירות העירוב** - פי' דלא נימא דשכירות הצריך לענין היתר טלטול נכלל בשכירות הבית, משום דאומדנא דמוכח הוא שלא שכר ממנו הבית אדעתא שיהיה אסור לטלטל בשבת, ולא יצטרך תו לשכור הרשות מהעכו"ם, **קמ"ל** דלא אמרינן הכי רק במשכיר ולא בשוכר, ולהכי צריך לשכור ממנו רשותו.

ישראל שהשאיל או השכיר בית לחבירו (במקום שדרים א"י) - ר"ל שישראל יש לו ב' בתים בחצר שא"י דר בה, והוא דר בבית אחד, והשניה השכיר לישראל אחר, **אע"פ שיש לו תפיסה בבית** - דהיינו שהשאיר בו כלים שאינם נטלים בשבת, ומחמת זה אין צריכין לערב ביניהם, כמו שנתבאר בסי' ש"ע, **לא מהני וצריכים לשכור מא"י** - וקמ"ל דאפ"ה אינם חשובים כחד, וצריכים לשכור מא"י, דתפיסת יד לא עדיף מאם ערבו ביניהם, שאינו מועיל כל זמן שלא שכרו מן הא"י.

(ועיין בגר"א שתמה על דין זה, דמ"מ הלא סוף סוף אין אוסרים זע"ז ע"י תפיסת יד בלי שום עירוב, וכללא הוא, דכל שאין אוסרים זע"ז לא הצריכו חכמים לשכור מהעכו"ם, וכן תמה בס' מאמ"ר ובעצי אלמוגים, ונשארו בצ"ע, ועיין בדמשק אליעזר שיישב קצת דברי הרמ"א).

סעיף ב - אם בטלו הישראלים רשותם לאחד מהם כדי שיחשב כיחידי אצל הא"י - שיהיה עכ"פ הוא מותר לטלטל, והם יהיו אסורין, וכמו שנתבאר לעיל סי' ש"פ, **אינו מועיל** - דא"כ בטלת תורת עירוב מאותו מבוי, שהרי לא יצטרכו לשכור כלל, ויוכלו תמיד לבטל, וישכח תורת עירוב, [**וא"ת** שיערבו אע"פ שאינו מועיל, יאמרו עירוב מועיל במקום עכו"ם].

סעיף ג - אם אין לעכו"ם דריסת רגל על הישראלים, אינו אוסר; כגון, שתי חצרות הפתוחות זו לזו - בחלון או בפתח, **ואין להם דריסת רגל זה על זה** - דהיינו שאינם זו לפנים מזו, אלא זו בצד זו ופתחיהם למבוי, **ובחצר א' דר עכו"ם, ובחצר א' דרים ב' ישראלים או יותר, מכניסין ומוציאין מחצר זו לחצר זו בשבת** - ר"ל כלים ששבתו בבתיהם, **ומיירי** שהישראלים ערבו ביניהם, דבלא זה הלא אסורים להוציא מבתיהם לחצר, **דרך חלון שביניהם** - אפילו אם הוא למטה מעשרה טפחים, וה"ה אם היה פתח ביניהם מוציאין דרך הפתח, (וכ"ש דרך חלון שהוא למעלה מעשרה, או דרך הכותל מלמעלה, דלא ניחא תשמישתיה, ולא גזרו בזה אפי' לשיטת החולקים על השו"ע), **וא"צ לשכור מהא"י** - והטעם, דלא הצריכו חכמים לשכור אלא היכי שדרים בחצר אחד, או בשתי חצרות והיו זו לפנים מזו, שהעכו"ם עובר דרך החיצונה שהישראלים דרים שם, דהוי ג"כ כבחצר אחד, וכמבואר לקמן בסי"ז, **משא"כ** בשתי חצרות שאין להם שייכות בהדי הדדי, אף שמוציא ומכניס לפעמים דרך חלונו או פתחו שיש לו בצדו, לית לן בה, [**דלא** אזלינן בתר הטעם דשמא ילמוד ממעשיהם בשלימות, דהרי בבית אחד אפי' יש בו כמה ישראלים, דשייך בזה שמא ילמוד ממעשיו, לא הצריכו שכירות מן הנכרי].

(**אפילו** אם חצר העכו"ם מפסיק בין שתי חצרות של ישראל, אם הישראלים רוצים לטלטל מאחד לחבירו דרך חצר עכו"ם, מותרים ע"י עירוב שיעשו ביניהם, אף שחצר העכו"ם מפסיק באמצע, דכיון שאינו אוסר עליהם, דירתו כמי שאינו).

ולהוציא מחצרם לחצר עכו"ם דרך המבוי, כשהוא מתוקן בלחי וקורה כדין, תלוי בזה, אם לא היה במבוי זה רק חצר אחד של ישראל, מותר, ואם היו שתי חצרות של ישראל, אסור, שהרי העכו"ם אוסר עליהם את המבוי עד שישכרו ממנו, וכדמבואר לקמן סי' שצ"א ס"א, [**ולשון** השו"ע לפי"ז מגומגם קצת, שכתב "דרך חלון שביניהם", ואתי לאפוקי דרך המבוי, והרי המחבר צייר דינו בשתי חצירות אחד של עכו"ם ואחד של ישראל, ובזה אפי' למבוי שרי, דאין עכו"ם אוסר על חצר אחד של ישראל, אפי' יש בו כמה בתים של ישראל].

(**והב"י** מביא משם המרדכי, דאינו מותר ‹מחצר לחצר› רק בשפתח של כל חצר יוצאת למבוי אחר, דאינם אוסרים זה ע"ז במבוי, **אבל** אם פתחיהם יוצאות למבוי אחת, שאוסרים זה על זה במבוי עד שישכרו רשותו, וכגון דאיכא שתי חצרות של ישראל, בזה אסורים לטלטל מחצר לחצר בכל גווני, אפילו דרך כותל למעלה, עכ"ד, **ואינו מפורש בשו"ע** להיפך אף שהמחבר לא חילק בזה, **אכן** מדברי הגר"א מוכח, דבשו"ע מיירי במקום שאוסרין זה ע"ז במבוי, ואפ"ה התיר המחבר להוציא דרך חלון או פתח, **ומ"מ** לדינא נראה דיש להחמיר בכגון זה, עכ"פ להוציא דרך חלון שהוא למטה מעשרה, ומכ"ש דרך פתח, מאחר שהב"ח והחכ"צ נוטים לדעת המרדכי בזה אפילו בחלון שהוא למעלה מי').

סעיף ד - השוכר מן העכו"ם סתם, מועיל, וא"צ לפרש לו שהוא להתיר הטלטול, וא"צ לכתוב שום כתיבה על השכירות - דדי בשכירות חלושה, ולא בעינן שכירות בריאה.

סעיף ה - שוכרין מעכו"ם אפילו בפחות משוה פרוטה - הטעם, דלגבי עכו"ם חשיב ממון, דבן נח נהרג אפי' בפחות משוה פרוטה, **אבל** מישראל אם ירצה לשכור ממנו רשותו, לא מהני בפחות משוה פרוטה, אפילו לדעת המקילין בסימן ש"פ ס"ג.

ומותר לשכור ממנו בשבת - שאינו שכירות ודאית, אלא כביטול רשות והיכר בעלמא, **ומבואר** בפוסקים, דנותן לו דבר מאכל או כל דבר המותר לטלטל, ואומר: זה עבור שכר חצרך, [**וכתב** א"ר בשם ראב"ן, דה"ה אם אינו נותן לו השכירות בשבת, אלא שמבטיח לו ליתן לאחר שבת ג"כ מהני, והעתיקו הח"א, **מ"מ** לדינא צ"ע, דלא נזכר זה בשום פוסק, ובמאי קנה], **אבל** מעות אסור

(ביאור הלכה) [שער הציון] ‹הוספה›

לטלטל, **ועיין** סימן שפ"ג, דהעירוב נתבטל, וצריכין לבטל רשותם לגבי אחד, עי"ש, **(וע"ל סימן שפ"ג)**.

סעיף ו - כל זמן שאין העכו"ם חוזר בו, מועיל השכירות - מיירי ששכרו ממנו בסתם ולא פירש שום זמן, **דאי** שכרו לזמן ידוע, כשעבר הזמן צריך לשכור שנית בכל ענין, כמבואר בסעיף שאח"ז, **וקודם** שעבר הזמן אינו יכול לחזור בשום ענין, **ואפילו לזמן מרובה** - כיון שלא פירש זמן בשכירות, מהני כל זמן שאינו חוזר העכו"ם בפירוש.

אבל אם רוצה הנכרי, יכול לחזור בו מיד אחר שבת הראשונה ואוסר עליו, דכיון שלא השכיר לו אלא בסתם, יכול לומר לו: לא כוונתי אלא על שבת אחת, [**דקודם** שבת הראשונה א"א לחזור בשום ענין, ואפי' אם ירצה להחזיר לו דמיו, שהרי השכיר לישראל וקנה, כ"כ הב"ח, וא"ר ג"כ הסכים לדעתו, **ודעת** המ"א, דקודם שבת ראשונה אם עדיין לא החזיק הישראל בהחצר, יכול העכו"ם לחזור אם החזיר לו הדמים, **ומ"מ** נראה דהסומך על הב"ח וא"ר לא הפסיד].

ואינו יכול לחזור משכירתו עד שיחזור הדמים - ר"ל דמה שאמרנו דאחר שבת הראשונה יכול העכו"ם לחזור, היינו דוקא כשמחזיר הדמים, **דאל"כ** יכול הישראל לומר לו: אנכי כונתי לשכור ממך על כמה שבתות, ועל דעת כן נתתי לך דמי השכירות, ובכגון זה הקילו חכמים במקום עכו"ם שאינו יכול לאסור עליו, **והרבה** חולקים ע"ז, ולדבריהם יכול העכו"ם לחזור אחר שבת ראשונה אפילו בלא חזרת דמים, דכיון דלא פירש לכמה שבתות, יכול לומר: לא כוונתי אלא על שבת אחת.

סעיף ז - אם שכרו מהא"י לזמן ידוע, לכשיכלה הזמן צריך לחזור ולשכור שנית - אפילו אם אין העכו"ם חוזר בו, דמאיליו נתבטל שכירות הראשונה, **ופשוט** דאפילו אם יאמר לו העכו"ם שהוא מתרצה גם על להבא, ג"כ לא מהני עד שישכור ממנו.

כתב הט"ז, אם שכר מעכו"ם ומת והניח יורש, אין מועיל מה ששכרו מן המוריש, דאז נתבטל כח השכירות, דהא אפילו בחייו מצי למיהדר ביה וכו', עכ"ל, **וזהו** לשיטתו לעיל שכתב בס"ו, דאפילו בתוך זמן יכול לחזור, **אבל** לפי מה שהסכימו האחרונים שם, דבתוך הזמן אינו יכול לחזור בשום ענין, א"כ אפילו מת לא נתבטל השכירות, ואפילו היורש עומד ומוחה, וכ"כ הא"ר ועוד הרבה אחרונים, **מיהו** בשכר ממנו סתם ומת, מסתברא דנתבטל ממילא השכירות, וכדברי הט"ז, **ואפילו** אם היורש יאמר שמתרצה במה שעשה אביו, מסתברא דלא מהני עד שיחזור וישכור ממנו, [**ומ"מ** גם זה אינו ברור לפי דברי רמ"א בס"ו, דכל זמן שאינו מחזיר הדמים אינו יכול לחזור, א"כ אפשר אפי' במת, כל זמן שלא בא הדמים בחזרה להישראל עדיין השכירות במקומו עומד].

וצריך לחזור ולערב, דאין עירוב ראשון חוזר וניעור - דמכיון שנתבטל השכירות, ממילא נתבטל העירוב, דאין עירוב מועיל במקום עכו"ם, ולא אמרינן אח"כ דכששכרו מהעכו"ם יהא העירוב הראשון חוזר וניעור.

סעיף ח - אם שכרו מהעכו"ם לזמן ידוע, ובתוך הזמן השכיר העכו"ם דירתו לאחר, די בשכירות הראשון - וה"ה אם מכר לאחר, והטעם, דשכירות ליומא נמי ממכר הוא, ואין יכול למכור הזכות שנתן כבר לאחר, **ויש** מחמירין במכר, [**ולכתחילה** בודאי נכון בזה להחמיר לשכור מהלוקח].

מלשון "לזמן ידוע" משמע, דאם שכר ממנו סתם והשכירו לאחר, צריך לשכור מהשוכר השני, [**ומ"מ** אין זה ברור כ"כ, דאפשר דכיון דאנן נקטינן דאפי' בסתמא צריך להחזיר הדמים מקודם, ובלא חזרת הדמים אין יכול לחזור, אפשר דאין בכחו להשכיר, **ומ"מ** לדינא נראה דיש להחמיר בזה, דהרי הרבה אחרונים חולקין וסוברין דבסתמא יכול לחזור אפי' בלא חזרת דמים].

סעיף ט - חמשה הדרים בחצר, אחד שוכר מהעכו"ם בשביל כולם - היינו שא"צ כל אחד ואחד לשכור ממנו, אלא כיון ששכר אחד מהן ממילא הותרו כולן.

(מלשון "בשביל כולן" משמע לכאורה, דדוקא כשעירבו מתחלה ביחד, אז אמרינן דנעשה ממילא אח"כ שליח בשביל כולן, וכן משמע קצת מרש"י, **אכן** באמת זה אינו כמבואר ברמב"ם וסמ"ג ועבוה"ק, דמתחלה שוכר ואח"כ מערב, ואף שאחד הוא השוכר, מהני לכולם, והיינו מטעם דעכ"פ כבר נשכר רשות העכו"ם

לישראל אחד, ולכן יכולין אח"כ להתערב יחד, ואדרבה לכתחלה אין לעשות העירוב קודם השכירות, כמו שכתבנו בבה"ל בריש הסימן).

סעיף י - אם שכרו ממנו בעל כרחו, אינו מועיל - פי' אין יכולין ליתן שכירותו לרשותו להניחו לפניו על השלחן, ולומר לו: הרי לך שכירותך בעד רשותך, שיהא לנו רשות לטלטל בחצרך לשנה כמו מלפנים, [**דאם** היה מקבל דמי השכירות בידו, הו"ל רצון, דתלוהו וזבין, כיון דקבל דמי, זביניה זביני כידוע].

אף ע"פ שהיה רגיל להשכיר מקודם - ואע"ג דלגבי עירוב איכא מ"ד בסוף סימן שס"ז, דבעירוב אם רגיל לערב ואינו רוצה עכשיו, באין ונוטלין ממנו בע"כ, **הכא** שאני, דאין מדמין עכו"ם לישראל לענין כפיה בדבר מצוה, [הט"ז, **ובתו"ש** ובעצי אלמוגים כתבו, דבלא"ה א"א שיועיל בע"כ בזה, דכל עיקר תקנת השכירות היה כדי שלא ידור עמו, ומשום דעכו"ם לא מוגר, ואם מהני בע"כ, מה הועילו חכמים בתקנתן].

סעיף יא - אבל מאשתו - וה"ה מאחד מבני ביתו, **או משכירו ולקיטו** - פי' שכיר לעבודת כל השנה, לקיטו לימות הקציר, [וה"ה שאר משרתיו], **שוכרים אע"פ שהוא מוחה** - כיון דמעיקר הדין אין דירתו אוסרת, אלא כדי שלא ילמוד ממעשיו, הקילו בה להיות אפילו שכירו נחשב לענין זה כבעה"ב. (**ועיין** בעצי אלמוגים שכתב, דבעינן דוקא שיהיה לו לשכירו ולקיטו רשות להשתמש בביתו או בחצרו, הא לא"ה לא).

וכתב הגר"א בביאורו, דזהו רק לדעה הראשונה שבסימן שס"ז, אבל לדעת י"א שם, גם באשתו אינו יכול לשכור ממנה אם הבעל מוחה בה בפירוש שלא תשכיר, [והגמרא מיירי בשלא מיחה עכ"פ בהדיא].

(ושכירו של ולקיטו של בעה"ב, הוא כשכיר בעל הבית עצמו) - והיינו כשיש לו להשכיר רשות לקחת שכיר, שיהיה לו רשות להשתמש בכל הבית, דאז הו"ל שכירו ג"כ כאלו היה שכיר של בעה"ב.

סעיף יב - אם אינו רוצה להשכיר, יתקרב לו א' מבני החצר - ה"ה אפי' שלא מבני החצר, ואורחא דמלתא נקט, **עד שישאיל לו רשותו שיהא לו רשות להניח בו שום דבר** - וקונה אותו המקום במה שהניח בו שום חפץ בע"ש, **ולדעת** הרבה פוסקים מהני אע"פ שסילקו אח"כ משם, כיון שכבר קנה אותו המקום להניח בו כשירצה, (**ואע"פ** שלא הניח כלום, ומ"מ צריך שיקנה הקרקע באי' מהדרכים שקרקע נקנה בהם – מג"א), **דהוה ליה כשכירו ולקיטו** - כיון שיש לו שיתוף עמו ברשותו, **ומשכיר שלא מדעת העכו"ם** - אבל בלא שכירות לא יועיל, דלא עדיף הישראל העומד במקומו ממנו, **ולא** דמי לחמשה שרוים בחצר המבואר בס"ט, דשכירות אחד מהן די לכולם, שאני התם שאותו האחד עכ"פ שכר מהעכו"ם, **משא"כ** הכא שהיה רק בשאלה ממנו, אינו מועיל, דלא התירו חכמים בעכו"ם רק בשכירות, **ולא** מהני בכאן שאלתו רק שיהיה עומד במקומו להשכיר כשכירו ולקיטו וכאחד מבני ביתו.

[**וגם** צריך לערב אם הוא מבני חצר, ואם אינו מבני חצר סגי בשכירות].

וי"א שאינו צריך להשכיר - ס"ל לדעה זו, דלאו דוקא שכירות מתיר בעכו"ם, ה"ה שאלה, וממילא שאילתו מועיל בעד כולם, כמו בההיא דס"ט לענין שכירות, **אלא נותן עירובו ודיו** - לכאורה משמע דלא צריך לערוב אלא כשהוא מבני החצר, וכמו שמיירי המחבר, (**והא** אם אינו מבני החצר, איך יועיל שאלתו בעד בני החצר, וצ"ע), **אבל** בחי' הרשב"א משמע, דאפילו אינו דר בחצר הצריכוהו חכמים ליתן חלק בעירוב, משום האי בית של עכו"ם, דחשבינן ליה כאלו דר שם.

ולכתחלה נכון לחוש לסברא הראשונה.

סעיף יג - אם ייחד לו מקום בבית שמשאיל לו, כיון שאינו כשלוחו בכל הבית, לא מהני – (בב"י מבואר, דהיינו דוקא כשמנעו בפירוש מלהשתמש בכל הבית, **אבל** כל זמן שלא מנעו בהדיא, **אע"ג** שהרשה לו להניח כליו בזוית אחת, אמרינן שדעתו של עכו"ם היה להרשותו ג"כ בשאר מקומות, **והב"ח** חולק עליו בזה, והסכימו עמו הא"ר והט"ז).

והאחרונים הסכימו לדינא, דהא דלא מהני יחוד מקום, היינו דוקא כשאין לו רשות להשתמש באותו מקום שייחד לו כלל, וגם אינו יכול לסלקו, ואח"כ תו לא הוי כשלוחו כיון שאין לו שייכות עמו, **אבל** כשיש לו

רשות להשתמש במקום שייחד לו, או שיש לו רשות לסלק את הישראל, א"כ עדיין יש לו שייכות עם הישראל והוי כשלוחו.

סעיף יד - שכרו משכירו ולקיטו לזמן, אע"פ שסילקו תוך הזמן מהיות שכירו ולקיטו - וה"ה כשמת השכיר ולקיט, **מותרים עד תום הזמן** - הטעם, דחשבינן אותו השכירות כאלו שכרו מהבעה"ב, כיון שנחשב כאלו עשה ברשותו.

אבל אם שכרו ממנו סתם, כיון שסילקו נתבטל השכירות - דהרי בסתמא יכול לחזור אחר שבת ראשונה מתי שירצה, וכמש"כ בס"ו, ולהכי אין כח בשכירות כזה רק כל זמן שהוא שכיר ולא אח"כ, [**ואפי'** לפי מה שפירשנו שם בס"ו בדברי הרמ"א, דאפי' בסתמא א"א לחזור אא"כ יחזיר הדמים, אפשר בזה גם הרמ"א מודה, **דלא** שייך הסברא שכתבנו שם אלא כל זמן שהשכיר בתקפו, אבל לא דנימא דלא נתרצה ליתן לו הדמים אא"כ יהיה השכירות קיים אפי' אחר סילוקו או אחר מיתתו, **וגם** בלא"ה הרבה חולקין על הרמ"א שם].

הגה: וה"ה אם שכרו מגזבר המלך, ונסתלק לגמרי מן המלך - ולכך יש ליזהר לכתחלה שלא לשכור סתמא משר העיר או ממשרתיו, רק על זמן, דלפעמים נסתלק ובטל השכירות, **ושיעור** הזמן הסכימו הרבה אחרונים, דיוכל לשכור על זמן ארוך ורב, [**ואפי'** אם שכרו עד עולם ג"כ מהני, ומקרי תמיד תוך הזמן, וע"כ אפי' מת לא בטל השכירות], **אך** לכתחלה טוב שלא לשכור רק עד עשרים שנה.

וגזבר המלך דמהני, הוא אפילו אם נוטל השכר לעצמו, דמסתמא אין המלך מקפיד על דבר זה, **ובא"ר** מיקל בזה גם בשכיר ולקיט.

וכתבו האחרונים, דלאו דוקא גזבר, אלא ה"ה כל עבד מעבדיו הקטנים, דלא גרע משכירו ולקיטו.

אבל אם לא סלקו רק מן הגזברות, ועדיין אוכל פרס המלך, עדיין מקרי שכירו ולקיטו ויוכל לשכור ממנו, ולכן גם שכירות הראשון עדיין קיים - הטעם, דעדיין הוא בכלל ממוני המלך ומשרתיו, כיון שמקבל פרס מבית המלך.

(הנה לפי המבואר בכאן, דאף שנסתלק הגזבר ונתמנה אחר על מקומו, דבודאי אין לו עכשיו שום שלטון על העיירות, אפ"ה כיון שמקבל עדיין פרס מהמלך, חשיב כעבדי המלך ויכולין לשכור הרשות ממנו, הרי שאין אנו מקפידים אם יש לזה ששוכרים ממנו רשות על העיר, ורק כיון שלהמלך בעצמו יש לו רשות עליהם, וזהו מעבדיו, יכולין לשכור ממנו, **וא"כ** צ"ע מזה על הח"א (שכתב, דאין לשכור הרשות מפקידי החיל, מפני שאין להם רשות על העיר, ורק משרי הפאליצייא, עי"ש, **ולפי** המבואר כאן אין קפידא בזה, דהלא עכ"פ פקידי החיל עבדי המלך הם ומקבלי פרס, ואדרבה עדיפא מגזבר שנסתלק שאין לו שום שירות עתה ורק שמקבל פרס, ולמה לא ישכרו מהם, **בכ"ז** נראה לענ"ד שאין לדחות דברי הח"א, דממשמעות הפוסקים, דענין שכירו ולקיטו שיכולין לשכור ממנו, הוא מפני שיש לו רשות להשתמש בבית ובחצר אדונו, **וא"כ** פקידי החיל אשר באמת אין להם שום רשות על בתי העיר בלא שרי הפאליצייא, אין להם דין שכירו ולקיטו כלל, **ולפי"ז** דין ההגה כאן בגזבר שנסתלק צ"ע למעשה, דהא אין לו שום רשות על העיר, וגם אין לו שירות מהמלך, **ואולי** י"ל, דכיון שעדיין מקבל פרס, שירותו הראשונה עוד לא נתבטלה התמנותו, ודוחק, מיהו כ"ז לענין לשכור ממנו לכתחלה, אבל לענין שיתבטל מה שהשכיר בשעה שהיה גזבר, אף שלא השכיר לזמן רק בסתמא, בזה מסתבר כפסק הרמ"א, די"ל דאע"פ שסילקו המלך מהיות גזבר, מ"מ אינו רוצה לבטל מעשים שעשה מכבר, וראיה שעדיין נותן לו פרס).

סעיף טו - אם ישראל ועכו"ם דרים בבית אחד, צריך לשכור מהעכו"ם ולערב עם הישראל. הגה: אם יש לכל אחד דירה בפני עצמו - פי' ואין שום אחד מהם רשאי להשתמש בחדר המיוחד לחבירו, **ודמי** להא שכתב המחבר לעיל סי"ג, דייחד לו מקום לא הוי כשכירו ולקיטו, ואינו יכול להשכיר עבור בעה"ב.

וה"ה שני (עכו"ם) הדרים בכה"ג בבית אחד - ר"ל שדרים בחדרים מיוחדים לכל א', **צריך לשכור (משניהם)** - הא אי דרים בשותפות בכל הבית, או אפי' מחולקים בכל הבית רק בחדר אחד יש רשות

לשניהם להשתמש בו, אין צריך לשכור רק מאחד מהם, וכדלעיל בסי"ג.

והרבה פוסקים חולקים אדברי רמ"א, ולדידהו אפי' משתמשים ביחד בכל החדרים, לא מיקרי ישראל שכיר ולקיט, וצריך לשכור מן העכו"ם דוקא, וכן בסיפא בשני עכו"ם נמי, צריך לשכור משניהם דוקא, **והטעם**, דלא תקנו חכמים דיהיה ידו כיד בעה"ב אלא בשכיר ולקיט, דנגרר אחריו, אבל לא בשותפים שכח כל אחד מהם שוה בבית, ואין כל אחד טפל לחבירו.

(**ונראה** דאין להחמיר בזה כי אם לענין בעל כרחו, דקי"ל דמשכירו ולקיטו שוכרין אפי' בע"כ, דבזה כיון שכח שניהם שוין, לא שייך לומר דהוי אצלו כשכירו ולקיטו, **משא"כ** במשכיר שלא בידיעתו, בזה מסתברא לומר להיפוך, כיון דכח שניהן שוה, מסתמא מתרצה במה שחבירו עושה, דשותפין לא קפדי אהדדי בדבר מועט כזה, דסגי אפי' אם משכירו רק להניח חפץ אחד, ובפרט אם השכירות יפול לכיס השותפין).

סעיף טז - אם יש לעכו"ם ה' שכירים או לקיטים ישראלים דרים בביתו - בחדרים מיוחדים לכל אחד בפני עצמו, **אין דירתם חשובה דירה שיאסרו זה על זה** - וה"ה שאין אוסרין על בני החצר, דאין צריכין להשתתף בעירוב.

דאע"ג דאחשבינהו רבנן לדירתם, ונעשים כבעלים על ידן להשכיר הרשות ואפילו שלא מדעת עכו"ם, **לא** אמרו אלא להקל, אבל לא שיהיה דירתן חשובה דירה שיאסרו זה על זה כשלא עירבו, **דבאמת** אין דירתן מיוחדת להם, שהרי העכו"ם יש לו רשות בהן ויכול לסלקם משם, [ואפי' אופין ומבשלין כל אחד בפני עצמו], (והיינו דוקא כה"ג דמצי לסלוקינהו, הא אם שכרו שני ישראלים דירה מעכו"ם, פשיטא שאוסרים זה על זה, וגם צריך לשכור רשות מעכו"ם שדר בחצר).

(**דשכירות** - ט"ס הוא, וצ"ל "ושכירו" **של עכו"ם אינו אוסר אם שכרו מבעל הבית**) - ור"ל דאם שכרו בני החצר הרשות מן העכו"ם, אין צריך לשכור מן השכיר והלקיט, בין אם הוא ישראל או עכו"ם, **וה"ה** אם שכרו הרשות מאחד מן השכירים, די וא"צ לשכור מכולם.

ומלתא דפשיטא הוא, אלא דלפי מה דקי"ל דאחשבינהו לדירתן, ששוכרין מהן הרשות וכנ"ל, הו"א דהוי כשני עכו"ם שדרין בבית שצריך לשכור מכל אחד וכנ"ל, קמ"ל דלקולא אמרינן ולא לחומרא.

סעיף יז - שתי חצירות זו לפנים מזו - ודריסת רגלם של הפנימים דרך חצר החיצונה, **ישראל וא"י בפנימית, וישראל בחיצונה, או שישראל וא"י בחיצונה, וישראל בפנימית, ואפילו א"י בפנימית ושני ישראלים בחיצונה** – (פשוט דהני ב' ישראלים דיירי בב' בתים, אבל אי הוו דיירי בבית אחד, כחד חשיבי, וכדכתבינן כמה פעמים בסימן זה), **אוסר** - על חצר החיצונה עד שישכור הרשות מהנכרי, **וטעם** כל אלה, דחשבינן כאלו כולם דרים בחצר החיצונה, כיון שדריסת רגלם עליו ומצויים שם, וגזרו בזה משום שמא ילמדו ממעשיו.

ומ"מ ישראל הדר בפנימית מותר לטלטל בחצירו מביתו לחצר, שאין העכו"ם אוסר על ישראל יחידי, **ואין** החצר החיצונה אוסר עליו, שהרי אין לו עליו דריסת הרגל, ואינם מצויים שלשתם בחצר הפנימי, ולא גזרו בזה חכמים.

[**ולענין** עירוב, באופן הראשון והשני אין צריך לערב יחד החצר החיצונה עם הפנימי, דפנימי הוי רגל המותרת במקומה ואינה אוסרת על החיצונה, **אבל** באופן ג', כשהיה עכו"ם בפנימית ושני ישראלים בחיצונה, בזה צריכים לשכור מן העכו"ם וגם לערב ביניהם].

ויש מי שאומר שאפילו א"י בפנימית וישראל א' בחיצונה, אוסר - דאע"ג דבכל מקום ישראל אחד עם עכו"ם אינו אסור, אפי' אם דרים בחצר א', ס"ל דהכא גרע טפי, דבחצר שהוא לפנים מחצר לאו כו"ע ידעי מי ומי דר בו, ויחשבו כי דרים בו גם ישראל מלבד עכו"ם, וכי חזו דמטלטלי בחיצון, אתו למימר דשרי בלי שכירות במקום עכו"ם, [**ואפשר** להסביר עוד קצת טעם לסברא זו, דעיקר הטעם דלא גזרו ביחיד הדר עם העכו"ם, אע"ג דאיכא למיחש דילמוד ממעשיו, משום דהוא מילתא דלא שכיחא, דמסתפי לדור עמו ביחידי כדאיתא בש"ס, **ובזה** שדרים כל אחד בחצר בפני עצמו ואין לו עליו רק

דריסת הרגל, לא מסתפי כולי האי, ולהכי גזר בזה שמא ילמוד ממעשיו, כיון שעכ"פ עובר תמיד דרך חצירו].

ומכל מקום להלכה לא נקטינן כן, כי הרבה אחרונים דחו זה מהלכה.

סעיף יח - עכו"ם שהשכיר ביתו לחבירו עכו"ם, אם נשאר לו שום תפיסה בבית, שיש לו רשות להניח שם שום כלים - ר"ל אע"פ שלא הניח שם, **יכולים לשכור ממנו** - והטעם, דלא גרע משכירו ולקיטו של נכרי המבואר בסי"א, דלפי שיש לו רשות להשתמש בבית שוכרים ממנו, האי משכיר נמי דיש לו רשות להשתמש בבית, שוכרין ממנו.

ואם לא נשאר לו שום תפיסה, אם יכול המשכיר לסלק השוכר תוך זמנו - כגון שהתנה עמו שרשות בידו לסלקו כל זמן שירצה, **יכולים לשכור ממנו** - אפילו לא סילקו עדיין, שהרי שייר לו עדיין זכות בחצרו, **ומ"מ** פשוט דמכ"ש דיכולין לשכור מהשוכר, דכל הבית שלו עכשיו, **וכתב** הב"י, דאפי' השוכר מצוי בביתו, אם רצה לשכור מהמשכיר, שוכר.

ואם לאו, אינו מועיל אא"כ ישכרו מהשוכר.

הגה: וכ"ה איש אחר שיש לו תפיסה בבית, יכולין לשכור ממנו, דלא גרע משכירו ולקיטו - פי' דלא תימא דוקא במשכיר מהני זה, משום ששייר לו זכות בחצר, **קמ"ל** דגם באיש אחר מהני, כיון שיש לו עכ"פ רשות להשתמש שם.

וגם בזה די בשיש לו רשות להניח, אפילו אם עדיין לא הניח, וכמבואר לעיל בסי"ב, ומ"מ צריך שיקנה הקרקע בא' מהדרכים שקרקע נקנה בהם – מג"א שם.

סעיף יט - חצר שישראל - אחד, **ועכו"ם דרים בה, ובית א' של ישראל** - שני, **אצל ביתו של זה, ואינו פתוח לחצר** - אלא לחצר אחרת או למבוי, **דאלו** היה פתוח לחצר זה, א"כ הרי יש כאן ב' ישראלים במקום עכו"ם, והדין פשוט דצריכין לשכור הרשות ואח"כ לערוב ביניהם, **רק** הכא דבית א' אינו שייך לכאן, שהרי פתחו לצד אחר, וא"כ לא נשאר כאן רק ישראל א' במקום עכו"ם, ואינו צריך שום תיקון לטלטל בחצר.

וחלונות ביניהם, אינו יכול לערב עמו דרך החלון שביניהם כדי להוציא כליו דרך בית שכנו הפתוח לחצר - ואע"ג דמשום ישראל זה שמטלטל ג"כ דרך ביתו של ישראל, מסתברא דלא מיקרי שנים במקום עכו"ם לאסור, דלא שייך זה רק כששניהם מטלטלים דרך פתחם לחצר, **אפ"ה** גזרו בזה מטעם אחר, דאם יהא מותר ישראל פלוני לטלטל דרך ביתו של זה לחצר, יסמוך הישראל ע"ז וידור עם עכו"ם, דלא מסתפי משום שהוא יחיד, שהרי עוד ישראל אחר מצוי כאן, וילמוד ממעשיו של עכו"ם.

(**משמע דדוקא לענין לטלטל בחצר לא מהני עירובו, הא לענין לטלטל מביתו לבית חבירו שפיר מהני, וכן בדין, שהרי כל החשש הוא שמא יסמוך הישראל ע"ז וידור במקום עכו"ם, ולא שייך זה רק אם יהא מותר לטלטל בחצר, ויהיה מצוי בחצר, משא"כ אם לא יהא שרי לטלטולי רק בבית, גם השתא מסתפי ישראל לדור, שהרי בחצר הוא יחיד תמיד במקום עכו"ם, וכן פסק הרשב"א בעבוה"ק להדיא, וכן משמע מרש"י, אבל מריטב"א מוכח דבכל גווני גזור, ואפי' לביתו של חבירו אסור לטלטל דרך חלונו, וכן כתב במאמר מרדכי מסברא דנפשיה, וצ"ע לדינא**).

(**בעבוה"ק** מבואר להדיא, דעכ"פ אם ישכרו שניהם הרשות מן העכו"ם ויערבו ביניהם, שרי לטלטולי בכל גווני, בין מבית לבית בין מבית לחצר, דעכ"פ לא החמירו בזה יותר מבאם שני ישראלים דרים עם עכו"ם, דלא הצריכו אלא שכירות, ולא החמירו שלא יועיל אפילו שכירות כדי שלא ידור במקום עכו"ם, **אבל** מדברי התוספות לחד תירוצא מוכח, דהשתא דגזרו שלא לעשות סיוע ליחיד הדר במקום עכו"ם, אפילו בשכירות נמי אסור, וכ"כ הריטב"א שם בחד תירוצא, **אכן** בספר גאון יעקב הסכים מסברא להתיר בשכירות).

אבל אם פתח פתוח ביניהם, מותר - דאפי' בלא עירוב לא מסתפי ישראל לדור כאן יחידי, שהרי הישראל מצוי תדיר כאן דרך פתחו, ולהכי לא גזרו בזה שלא יהני עירובו.

ויש מי שאומר דאף אם פתח פתוח ביניהם, אסור - ויש להחמיר כדעה זו.

סעיף כ - חצר שישראל וא"י שרוים בה - ר"ל ופתחיהן של בתי ישראלים פתוחים לחצר, **והיו חלונות פתוחות מבית ישראל זה לבית ישראל זה, ועשו עירוב דרך חלונות** - ר"ל ע"י חלונות שיש ביניהם חל העירוב שעשו, וכ"ש אם יש פתחים ביניהם, **אף ע"פ שהם מותרים להוציא מבית לבית דרך חלונות, הרי הם אסורים להוציא מבית לבית דרך פתחים** - ר"ל דרך אויר החצר, דאלו דרך פתח שיש בין בית לבית, מותר ע"י עירוב שעשו לכו"ע, **מפני הא"י, עד שישכיר** - דסד"א כיון שעירבו יחד דרך חלונות או פתחים שיש ביניהם, יחשבו כבעה"ב אחד הדר בחצר של עכו"ם, ואין אוסר עליו להוציא מבית לבית אפילו דרך אויר החצר, קמ"ל.

הגה: ספינה שיש בה ישראלים רבים - ר"ל שיש ב' ישראלים או יותר, **ויש להם בתים מיוחדים** - שלכל אחד מהם חדר מיוחד לאכילה, דאם היו אוכלין במקום אחד, אפי' כמה וכמה כחד חשיב, ואינו אסור, **צריכים לערב ולשכור רשות מן העכו"ם בעל הספינה** - וכמו בכל מקום שיש בתים מיוחדים וחצר משותפת לכולם, שצריכין לערוב ולשכור, **או להבליעו בשכר הספינה** - ר"ל דאפילו לא שכרו ממנו אח"כ, אלא בשעה ששכרו מקומם פירשו לו, שבשכירות זה שוכרים ממנו גם כן רשותו, מהני, ודמי שכירות המקום עולים גם לשכירות הרשות. **וע"ל סי' שס"ו ס"ב.**

ומבואר בב"י, דלא מהני במה ששוכרים מבעל הספינה, אלא אם שוכרין ממנו קודם שחילק המקומות לכל אחד מן העכו"ם, דעדיין רשות הספינה שייך לו לבד, ויכולת בידו להשכיר, **אבל** לאחר שחילק המקומות לשאר שוכרים, לא מהני במה שישכרו ממנו, אלא צריכים לשכור מכל עכו"ם ועכו"ם, **אם** לא שיש לו רשות לבעל הספינה להניח כליו בכל מקום, דאז די במה ששוכרין ממנו בלבד.

(**ומשמע בעבוה"ק, דאם המחיצות אינן קבועות, אפשר דלא מיקרי מחיצות, וכדרים בחד בית דמי, שאינם צריכין לערוב, ופשוט דהיכי שיש כתלים בנוים לעולם, דליכא להסתפק כלל להתיר**).

(**ואפי'** אם אין הישראלים נוסעים בספינה למשך יותר מל' יום, גם כן צריכין לערוב ולשכור, וליכא לפוטרם מטעם דאינם אלא אורחים, וכההיא דסוף סימן ש"ע, **דלא** אמרינן כן בשכולם אורחים, וכמו בספינה דכל אנשיה אורחים, וכמו שכתב שם הרמ"א בהג"ה, **ואף** דאיכא העכו"ם בעל הספינה ג"כ עמהם, אעפ"כ אין נטפלים לו, **אכן** אם בעל הספינה ישראל, נטפלים לו ואינם אלא כאורחים עד ל').

§ סימן שפג – כשאין הא"י בבית אינו מעכב §

סעיף א - אינו יהודי הדר עם שני ישראלים - בחצר אחד, **ואין העכו"ם בביתו** - שהלך קודם השבת הוא וכל בני ביתו לעיר אחרת, **אינו אוסר, (ע"ל סימן שע"א)** - ר"ל דשם נתבאר לדעה ראשונה «הרמב"ם», דדוקא כשהלך למקום רחוק יותר מיום אחד, שא"א לו לבוא בשבת, **ולדעה** שניה «הרא"ש» אפילו בתוך מהלך יום אינו אוסר. **ויערבו ויהיו מותרים.**

בא הא"י בשבת, אוסר - ולא אמרינן דכיון שהותר תחלת השבת הותר לכל השבת, **ואפילו** אם הלך למקום רחוק יותר ממהלך יום, כיון שבא אח"כ בשבת, אגלאי מלתא למפרע דיצא משם בחול, ובכניסת השבת היה בתוך מהלך יום, והיה עומד לבוא בשבת, **ולכך** לא שייך לומר הואיל והותר תחלת השבת הותר, דהא ביה"ש היה עומד להיות נאסר אח"כ, [לשון הרא"ש, **וכ"ש** לדעת הרמב"ם דסבר, דבעינן דוקא שיהיה ביה"ש כדי מהלך יותר מיום אחד, א"כ הכא כיון דאיגלאי מלתא שהיה תוך מהלך יום, א"כ ההיתר היה מתחילה עיקר בטעות].

והעירוב בטל - ר"ל כמו שכתב אח"כ, דאפילו אם ישכרו מן העכו"ם לא יהיו יכולים לטלטל, כל זמן שלא יבטלו הרשות אחד לחבירו, משום דהעירוב נתבטל תיכף בבוא העכו"ם לביתו.

[**ואינו** דומה לשתי חצירות שעירבו פעם אחת לשנה ע"י פתח שביניהם, ונסתם הפתח בחול, ונפתח בשבת, דפסק לעיל בסי' שע"ד שהעירוב חוזר וניעור, **דשאני** התם שבשעה שעירבו החצירות לשנה, לא היה הפתח

סימן שפג - כשאין הא"י בבית אינו מעכב

שביניהם עומד אז לסתום בשנה זו ולהתבטל עירובו, וא"כ תחילת העירוב בהכשר לכל ימי השנה, ולכך אמרינן דחוזר העירוב לקדמותו, **משא"כ** כאן שכיון שבא העכו"ם בשבת, א"כ מתחילה כשנעשה העירוב לא היה עומד להתקיים כל השבת, שכשיבא העכו"ם יתבטל].

ומיהו יכולים לשכור ממנו בשבת - ואין זה דומה למקח וממכר, משום דאין זה אלא משום היכר להתיר טלטול.

ואח"כ יבטל הא' לחבירו, ויהיה היחיד מותר - ר"ל האיש שביטלו לו הרשות, **משא"כ** המבטל בודאי אסור, אם לא שחזר השני וביטל להראשון, דאז מותר, כנ"ל בסוף סי' שפ"א.

וכ"ש אם מת העכו"ם בשבת - ר"ל שעירבו מבע"י ולא היה העכו"ם כאן, ובא בשבת ומת בו ביום, **שיבטל א' לחבירו ויהיה היחיד מותר** - דודאי מהני מק"ו, דכיון דגם היכא דצריך שכירות וביטול מהני אפילו בשבת, וכ"ש ביטול לחודא.

[**ולא** דמי למת ישראל בשבת, ואותו ישראל לא נתן חלק לעירוב בני החצר, ואעפ"כ עירובן קיים, אף דבשעה שהיה חי לא היה עירובן מועיל לכלום, ואפ"ה מכיון שמת מועיל, **שאני** התם דחזו כולהו לעירובי מאתמול, אלא ששכח, לפיכך עכשיו שמת נתבטל רשותו ומועיל עירובן, **משא"כ** בעכו"ם, דאפי' אם היה בביתו מאתמול, לא היה ראוי להתערב עמהן עד שישכרו ממנו].

וה"ה אם לא עירבו כלל מבע"י, מפני העכו"ם שהוא אוסר עליהן, ומת בשבת, (או השכיר אח"כ), דמבטל אחד לחבירו ושרי.

וכ"ז כשלא שכרו מן העכו"ם, אבל אם שכרו ממנו מבע"י וגם עירבו, ומת העכו"ם בשבת, אף שיש לו יורשים, לא נתבטל העירוב, אף שעדיין לא שכרו מן היורש, דכיון שהותר לתחילת השבת הותר לכל השבת.

§ סימן שפד - אינו יהודי אכסנאי אם מעכב §

סעיף א - אינו יהודי הנכנס לשם אכסנאות - ר"ל שלא נכנס לשם לקבוע שם דירתו, אלא לפי שעה להתאכסן שם, **אם נכנס שלא ברשות אינו אוסר לעולם** - לאו דוקא שלא ברשות, אלא ר"ל שלא נכנס ברשות, [**שהרי** אפי' בנכנס סתמא, כל זמן שלא שאל או שכר ממנו מקום שלא יכול לסלקו בכל שעה, אינו אוסר].

כתב מג"א, דעכו"ם שיש לו חוב על הבית, ונכנס שלא ברשות בעד חובו, מיקרי ברשות ואוסר, [**היינו** דאם נכנס לדור בקביעות בעד חובו, אוסר מיד, דאין עליו שם אכסנאי, **ואם** להתאכסן בעד חובו, תלוי בזמן ל' יום], **ויש** מקילין בזה.

ואם נכנס ברשות - ר"ל שהשאילו או השכירו חדר מיוחד להתאכסן שם, **אם הוא רגיל לבא** - היינו שרגיל לבוא תמיד להתאכסן שם, ועי"ז חשוב כקבוע, **אוסר מיד** - וצריך לשכור ממנו הרשות.

ואם אינו רגיל, אינו אוסר עד לאחר שלשים יום - דעד זמן זה חשוב כאורח ואינו אוסר, (**וכמו** גבי אכסנאי ישראל לעיל בסוף סימן ש"ע, **ומיירי** הכא ג"כ כמו התם, ששאל או ששכר ממנו המקום להתאכסן, **דאם** נתארח אצלו בעלמא מבלי שאלה או שכירות, בודאי אינו אוסר לעולם, מדיכול לסלוקי בכל עת ובכל שעה).

(**והקשו** האחרונים, דהא לעיל בריש סי' שפ"ב מבואר בהג"ה, דישראל שהשכיר או השאיל ביתו לעכו"ם, אינו אוסר עליו, דלא השאיל לו אדעת דליאסר, הרי דמקילינן גבי עכו"ם אף שהיה בשאלה או בשכירות גמורה, וכ"ש הכא גבי אכסנאות בעלמא, **ותירץ** בעל חמד משה, דמיירי הכא שאין בעה"ב בביתו, דלא שייך לומר שלא השאיל לו אדעתא דליאסר, **והגר"ז** תירץ, דלא מקילינן גבי עכו"ם אלא בשהיה השאלה או השכירות לזמן מרובה, דאין סברא שיאסור עליו זמן רב חצירו בשביל העכו"ם, **משא"כ** הכא דאינו אלא אכסנאי לחודש ימים או מעט יותר, בזה לא מקילינן כלל גבי עכו"ם טפי מבאורח ישראל, **אבל** דעת הגר"א בסי' שפ"ב, דלא מקילינן כלל בנכרי טפי מבישראל, והא דמקילינן בסי' שפ"ב, לאו משום דשוכר עכו"ם הוא, דאפילו אם היה שוכר ישראל נמי לא היה אוסר, דמיירי התם בשהיה לו רשות למשכיר או למשאיל לסלוקיה בכל עת שירצה, ובאופן כזה גם גבי שוכר ישראל אינו יכול לאסור, דהו"ל כאורח בעלמא לפי שעה, **עוד** אפשר לתרץ ע"פ מה שכתב הא"ר, דדינא דסי' שפ"ב הוא דוקא בצירוף

טעם השני המוזכר בעבוה"ק, משום דהוי דבר שאינו מצוי שישראל ישכיר וישאיל ביתו לעכו"ם, ולא גזרו חכמים בזה, **והא** דלא מקילינן בענינינו לענין אכסנאי עכו"ם, משום דכאן לא שייך כולי האי הטעם השני, דהא בודאי מצוי הוא שעכו"ם יתאכסן בבית ישראל, ובשביל הטעם הראשון בלבד, דלא השאיל לו אדעתא דליאסר, לא מקילינן, **ולפי"ז** האי דינא דסימן שפ"ב מיירי אפילו בלא יכול לסלוקי, **ומ"מ** לדינא צ"ע אם יש להקל בלא יכול לסלוקי, מאחר שמדברי הרמב"ם מוכח דלא ס"ל האי דינא, וכמו שהבאנו בסי' שפ"ב ס"א בשער הציון בשם ספר בית מאיר).

סעיף ב - אנשי חיל המלך שנכנסו בבתי היהודים, בין בחזקה בין ברצון, אם יש לבעלי בתים באותן מקומות שנכנסו העכו"ם כלים שאסור לטלטלם בשבת, אינם אוסרים עליהם - דתו הו"ל האי עכו"ם אצלו רק כאורח לפי שעה, **אבל** אם אין לו תפיסת יד, אוסר אם שהה יותר מלמ"ד יום, אם אינו רגיל וכנ"ל, (**ודוקא** בלא יכול לסלוקי, אבל ביכול לסלוקי, בכל גווני אינו אוסר).

(**הקשו** המפרשים מסי' שפ"ב סי"ח, דמבואר שם דכל שיש לו רשות להניח שום כלי ג"כ סגי, ולא רק כלים שאסור לטלטל, **וכתב** א"ר דהתם שאני, דעי"ז הוי כשכירו ולקיטו, משא"כ הכא דהוא הבעה"ב, ולשווייה לעכו"ם כאורח בעינן דוקא שיהיו שם כלים שאסורים לטלטל, וכדלעיל בסי' ש"ע ס"ב, וכן הסכים בח"א, וגם הגר"ז העתיק כהשו"ע, **אך** מהמ"א משמע דהוא מצדד להקל בזה, וכן הבין הח"א את דבריו, אכן לפי"ז היה לו להמ"א לחלוק על השו"ע ולא לכתוב סתם, מ"מ אף אם המג"א לא כוון להקל בזה, יש להסתפק למעשה, מאחר שהמאמ"ר כתב להקל בזה, וכן בפמ"ג נשאר בזה בצ"ע, **וא"כ** אפשר דיש להקל בשעת הדחק).

הקשו המפרשים, דהא בסעיף א' מבואר, דשלא ברשות אינו אוסר כלל, **ותירצו** דמיירי שמתאכסנים ע"פ דינא דמלכותא, כמו שנהוג כשאנשי חיילים באים לעיר, הפקידים קובעים מקומות בעד החיל בבתי העיר, ובזה אפי' לא נתרצה הבעה"ב נמי אוסר, דהפקיד יש לו רשות על זה מן המלכות, וכנכנס ברשות דמי, [**אם** לא ששר העיר שקנו ממנו הרשות יש לו רשות להוציא האנשי חיל מן ביתו, דאז אינם אוסרים לכו"ע]. **ואם** משנה הפקיד מחוק שנתן המלך, והוא עושה בחזקה, הרי הוא כשאר עכו"ם ואינו אוסר.

ובספר משכנות יעקב חולק לגמרי על פסק המחבר, ודעתו, דלגבי אנשי חיל, תמיד ברשות בעלים קיימא ושמן עליו, ובכל גווני אינו אוסר.

§ סימן שפה – דין צדוקי ומומר בעירוב §

סעיף א - צדוקי - על שם צדוק וביתוס, והם הנוטים לאפיקורסות ואינם מאמינים בתורה שבע"פ, אעפ"כ לענין זה **הרי הוא כישראל ומבטל רשות** - ואע"פ שבודאי מחלל שבת בפרהסיא עכ"פ באיסור דרבנן, ואיתא בס"ג דאף בזה הרי הוא כעכו"ם, **צדוקי** שאני, שמוחזק כך מימי אבותיו ומנהג אבותיו בידו, כ"כ ב"י, **ודעת** כמה פוסקים, שאף צדוקי כשמחלל שבת בפרהסיא דינו כעכו"ם, [**דכל** עיקר הטעם דגזרו בעכו"ם, כדי שלא ילמוד ממעשיו, א"כ גם בצדוקי שייך זה כיון דעב"פ מתנהג בעכו"ם, ומה עדיפא לן משום מנהג אבותיו בידו]. **ונ"מ** בכל זה לענין קראים שבזמנינו, שבודאי מחללים שבת בפרהסיא עכ"פ במילי דרבנן, אין יכולים לבטל רשות עד שישכור מהם.

אבל עירוב אינו מועיל כיון שאינו מודה בעירוב - ר"ל אף אם נתן חלק בעירוב אינו מועיל, ואוסר עליהן עד שיבטל רשותו להן, **ולאו** דוקא מכת הצדוקים וכה"ג שאינם מודים בתורה שבע"פ, ה"ה אם רק אינו מודה במצות עירוב, אינו יכול ליתן חלק בעירוב.

סעיף ב - כותי הרי הוא כשאר עכו"ם, ואין לו תקנה אלא בשכירות.

סעיף ג - ישראל מומר לעבודת אלילים - אפילו בצינעה, **או לחלל שבתות בפרהסיא** - דעון זה חמור כמו עובד עכו"ם, שנעשה בזה מומר לכל התורה, **ודוקא** בשרגיל בעון זה, אבל אם חילל שבת בחד זימנא בפרהסיא, לא מיקרי מומר, **וי"א** דאפילו

בחד זימנא מקרי מומר. **ופרהסיא** מקרי כשחילל בפני עשרה מישראל, או שידע שיתפרסם ביניהם.

(והיינו כשעושה זה בפריקת עול, אבל אם הוא מוטעה בדבר, שחשב שמותר לו לעשות כן, מסתברא שאין זה בכלל מומר).

ודע, דכל זה כשהוא עובר לתיאבון, אבל להכעיס, אפילו בשאר עבירות, ואפילו שלא בפרהסיא, דינו כעכו"ם.

אפילו אינו מחללו אלא באיסור דרבנן – (ומסתפקנא אם ה"ה איסור מוקצה, או כיון דהוא רק טלטול בעלמא לא נעשה מומר ע"י זה, אח"כ מצאתי בתפארת ישראל שהחמיר ג"כ במוקצה, וצ"ע), **הרי הוא כעכו"ם** - ר"ל לענין זה שאינו מועיל שוב ביטול רשות, אלא דוקא שכירות, **ולענין** שארי דברים, יש מן האחרונים שסוברין שאינו חשוב כמומר ע"י חילול שבת באיסור דרבנן.

ואם אינו מחלל אלא בצינעה, אפילו מחללו באיסור דאורייתא, הרי הוא כישראל ומבטל רשות - ואם מתבייש לעשות זה בפני אדם גדול, אף שעושה דבר זה בפני כמה אנשים, גם זה לצנעה יחשב.

סעיף ד - ישראל שהמיר והיו לו בתים בשכונת ישראל שעירבו לכל השנה, אם אין לו פתח אחר כלל, הוא אוסר בכל שבת שחל לאחר שהמיר - ר"ל ולא אמרינן דכיון שהותר לאיזה שבתות שחלו קודם שהמיר, הותר לכל השנה, דכל שבת ושבת מילתא בפני עצמה היא, וכיון שהמיר בטל חלקו בעירוב, ואוסר עליהן לשבתות אחרות עד שישכרו ממנו.

ואם המיר ביום השבת גופא, מותר על אותו השבת, דכיון שהותר מקצת שבת הותר לכל השבת.

אבל אם יש לו פתח אחר לשכונת העכו"ם, אפילו הוא פתח קטן שלא היה רגיל בו מתחלה - ועכ"פ בעינן שיהיה בו ד"ט על ד"ט, דבפחות מזה לא חשיב פתח, וכדלעיל בסימן שע"ב, **דוחין אותו אצל פתח הפתוח לשכונת העכו"ם** - דכופין אותו על מדת סדום כדי שלא יאסור עליהן, וכדלקמן בסימן שפ"ו סוף ס"ט לגבי ישראל, **וגם** דבודאי כיון שנתנכר ורגיל עם העכו"ם, ניחא ליה בההוא פתחא טפי.

ואם מתחלה לא היה לו פתח, ופתחו אחר שהמיר, עיין לעיל סימן שפ"ג. (דהעירוב הא' בטל ואין חוזר וניעור כי פתח בשבת – פמ"ג).

§ סימן שפו – דיני שיתוף בעירוב §

סעיף א - אסרו חכמים לטלטל מן החצירות למבוי - מפני שהמבוי חשיב רשות משותפת, כנגד החצרות שאינם מיוחדים רק לאנשי אותו החצר, וגזרו אטו מר"ה לרה"י.

והתירוהו ע"י שיתוף - שכשם שעירובי חצרות מערב כל בתי החצר יחד, כך שיתופי מבואות משתף כל חצרי המבוי יחד, ונעשים כחצר אחד.

שגובין פת או דבר אחר ממיני מאכל מכל חצר וחצר, ונותנים אותו בא' מן החצירות, ואנו רואים כאילו פתוח כל המבוי לאותו חצר - ואף דלענין עירובי חצרות בעינן דוקא פת, כדלעיל בסי' שס"ו, **שאני** התם דעירוב משום דירה הוא, לערב דירתן לעשותן אחת, ודירתו של אדם אינו נמשך אלא אחר פתו, **משא"כ** שיתופי מבואות דאינו אלא לשתף רשות החצרות שבמבוי, לא רשות הבתים, וחצר לאו בית דירה הוא, הלכך סגי בכל דבר מאכל, **ומזה** הטעם נמי סגי כשנותנים אותו באויר החצר.

(**ואותו** חצר שמניחין בו השיתוף א"צ ליתן חלק בזה, וכמו הבית שמניחין בו העירוב לענין עירובי חצירות, לעיל בסימן שס"ו ס"ג).

ומפני שאינו אלא לשתף החצרות, יכולים ליתנו באויר החצר, או בבית שאין בו ארבע על ארבע - דאפילו אם נימא כיון דלא חשיב בית, הקיפו וקירויו כמו שאינו, עכ"פ לא גרע מאויר שבחצר, **וא"צ ליתנו בבית, רק שיהיה במקום המשתמר** - וחצר מקרי מקום המשתמר, **הילכך אין נותנים**

אותו באויר המבוי. (וע"ל סי' שס"ו) - ס"ג, לענין עירובי חצרות, דשם בעינן דוקא שיניחנו בבית דירה.

(מלשון זה משמע, דיכול ליתן שיתוף בבית, וכן מוכח מהרמב"ם, וכן הוא ג"כ דעת רש"י והרשב"א והראב"ד, וכן משמע דעת הרא"ש, **ודלא** כדעת התוס', שמצדדין דשיתוף הוא דוקא בחצר ולא בבית).

סעיף ב - ישראלים שדרים בג' מקומות חלוקים - ר"ל בשלשה מבואות שרחוקין זה מזה, ומפסיק ביניהם מקום האסור בטלטול, מפני שדרים שם עכו"ם, ולא שכרו מהם רשותם, [**וה"ה** אם מבואות שבאמצע אין מתוקן בלחי וצוה"פ כדין] **ודלתות כל אחד מהמקומות נעולים בלילה, והשמש גובה קמח מכולם, אינו מועיל להם להשתתף** - יחד, אלא צריכין לערב בכל מקום ומקום בפני עצמו, **ששיתוף מבוי צריך שיהיה מונח בחצר שבמבוי** - ר"ל באותו מבוי שנשתתפו בו, כדי שכל אחד ואחד יוכל להביא העירוב אצלו, **ואלו שנבדלים זה מזה ורחוקים** - הרי אסורין לטלטל העירוב ולהביאו אצלן, **אין שיתופן אחד, ואין מבואיהן כאחד**.

ולפי זה הא דכתב המחבר, ודלתות וכו' נעולין בלילה, לאו דוקא, דאפי' בפתוחין נמי, כיון שמפסיק ביניהם מקום האסור שאין יכולין להביאו אצלו וכנ"ל, בודאי לא מהני שיתופן, **ודין** זה מועתק מתשו' הרשב"א, ואפשר דעובדא הוי התם כן בנעולין.

ובספר בית מאיר יישב הדברים כפשוטן, דאפי' באין מפסיק ביניהם מקום האסור בטלטול, כגון ששכרו הרשויות מן העכו"ם שדר באמצע, ותיקנו המבואות כדין, **אעפ"כ** אם הם רחוקין זה מזה ודלתותיהן נעולות בלילה, אין יכולין להשתתף יחד, **דהשיתוף** הוא כדי לחברן ביחד, וכאן שהוא בריחוק מקום וגם הדלתות נעולות, אין יכולין להתחבר ביחד, ולא מיקרי שיתוף, **ומסיים** שם בספר בית מאיר, דמסתברא דכל זה הוא דוקא אם אין להם רשות לפתוח הדלתות בלילה, מטעם המלכות וכדומה, [**ואפי'** באופן זה מפקפק ג"כ על הרשב"א] **אבל** אם הרשות בידם לפתוח בכל שעה שירצו, אין מתקלקל השיתוף ע"י הנעילה.

הגה: ואם עירבו במקום אחד - ר"ל שנשתתפו, **אין האחרים שלא עירבו אוסרים עליהם, הואיל ואין להם דריסת הרגל זה ע"ז** - פי' אע"ג שיש להם רשות לעבור דרך שם, מ"מ הואיל שיש להם דרך אחר לצאת, כופין אותן לעבור דרך שם, כמ"ש סי' שצ"ב ס"ו.

וקאי על דברי המחבר שהיו הישראלים במקומות חלוקים, **אך** זה לא מיירי לגמרי בגווני הנ"ל, בשהיו הדלתות נעולות, או אפי' בצורת הפתח ביניהם, **דאם** כן על ידי זה בודאי נתחלק רשותם, ואפי' היה להם דריסת הרגל עליהם, ג"כ אין יכולין לאסור עליהם, כדלקמן בסי' שצ"ב ס"ו, **אלא** מיירי שלא תיקנו המבואות רק בלחי וקורה.

כי אין כל העיר חשובה כמבוי אחד אע"פ שיושבין בהיקף חומה אחת - דאילו במבוי אחד, כשרוצים קצת מן הדיורין להשתתף בפני עצמם, צריכין להתחלק מן השאר בצוה"פ, או עכ"פ בשני פסין, כמ"ש בסי' שס"ג סעיף ל"א.

וצ"ע, דהא קיימ"ל בסי' שס"ג סכ"ו, דהיכי דמוקפת חומה נחשבת כחצר של רבים, וצריך כל מבוי להתחלק בצוה"פ, או עכ"פ בשני פסין, ולא סגי בלחי וקורה, [**ולא** נוכל לומר דמיירי בשעשו שני פסין בסוף כל מבוי, **דא"כ** מהו זה שסיים: אין כל העיר חשובה כמבוי אחד, אפי' במבוי אחד ג"כ מהני שני פסין, **וגם** אפי' היה להם דריסת הרגל עליהן, ג"כ אין יכולין לאסור עליהן].

סעיף ג - ככל משפטי עירובי חצירות - המבואר בסי' שס"ו, **ושיעורו** - מבואר בסי' שס"ח ס"ג, **ושאשתו מערבת בשבילו** - בסימן שס"ז, **ושמערבין שלא לדעתו אם אין הבית פתוח אלא לחצר א'** - ג"כ שם, **ושקטן יכול לגבותו** - בסי' שס"ו ס"ג, **ושיכול א' לזכות לכולם** - שם ס"ט, **(ושאם היו שותפין א"ל לערב)** - שם סי"א בהג"ה, **כך דיני שתוף.**

הגה: ואפילו היה משותף עם שכיניו בסחורה, לזה ביין ולזה בשמן, אין צריך להשתתף; והוא שיהיה בכלי אחד - ר"ל סחורה של כל השלשה

שותפין, **אע"פ** שהן שני מיני משקה, אפ"ה כיון שהם בכלי א' נקרא שיתוף, אע"פ שלא הונחו שם לשם שיתוף.

אבל בשני כלים, אפילו אם היה שותפות כולם במין אחד, יין או שמן וכה"ג, ג"כ לא מהני, **ואף** דלעיל בסימן שס"ו ס"ד מבואר, דלפעמים מותר אפילו בשני כלים עי"ש, **התם** שאני שנשתתפו מעיקרא לשם שיתוף מבואות, אבל הכא דלאו לשם שיתוף הונח שם, אלא לסחורה, בכלי אחד אין בשני כלים לא.

ודע, דהרמ"א נמשך בזה אחר דעת הטור, אבל רוב הפוסקים חולקים על זה, ודעתם, דביין ושמן שהם שני מינים שאין ראויין להתערב יחד, אפילו כשהיו מעורבין בכלי אחד, ג"כ אין סומכין עליהן לענין שיתוף.

(**וכן מצאתי לבעל גאון יעקב שהסכים לדעת החולקים, וכתב שם עוד, דמסתברא דלאו דוקא יין ושמן דלא, אלא אפילו מין אחד דלא מתערבי אהדדי, כגון בהיה שותף לזה בפת ולזה בפת, ג"כ לא מצטרפי להפטר משיתופי מבואות, (אם לא שהיו כולם שותפין בככר), ולא כתבו הפוסקים דבמין אחד אין צריכין לערב, אלא בכגון משקין דמערבי ביחד, ולא באוכלין שאינם מתערבים, ואע"ג דכשמשתתפים באוכלים בודאי מהני, ואפילו בכמה מיני אוכלין וכמבואר בס"ד, היינו היכי שהם מניחים לשם שיתוף, אבל הכא דלא נתכוונו לזה אלא שנשתתפו לשם סחורה בעלמא, לא מהני אלא בכגון מיני משקין שמתערבין בהדדי, ואפי' לדעת הטור דיין ושמן ג"כ מהני בכלי אחד, שאני התם דאע"ג דשני מינים הם עכ"פ מתערבי, וכרבי יוחנן בן נורי דאמר שניהם חיבורים זה לזה, ואם נגע טבול יום ביין פסל השמן, ולא כן ביבש שאין מתערב כלל, הגע עצמך, אם הם בחד מנא ונגע טבול יום בהאי אוכלא, לא פסיל אידך, אלמא דחד כלי לא משוה להו חיבור, ע"כ תוכן דבריו**).

סעיף ד - משתתפין בכל מיני מאכל, ואפילו ד' וה' מיני מאכל מצטרפין למזון שתי סעודות - שהוא שיעור הראוי אף לאלף בני אדם, וכמו שכתוב למעלה בסימן שס"ח ס"ג.

סעיף ה - בכל מיני מאכל משתתפין, חוץ מגודגדניות שהוקשו לזרע - ר"ל שהוקשו הקלחים כעץ, שכבר צמח בהם זרע, וקשים לאכילה, **ותבלין** - דלאו בני אכילה נינהו, **ופולין יבשים** - שאין נאכלין כמות שהן חיין, אלא לאחר בישולן, ובעינן שיהא ראוי לאוכלו עכשיו.

ולא בעלי בצלים שלא גדלו אורך זרת - שקשים הם לאכילה, שבעוד שהן כ"כ קטנים מזיק לאדם ארס שבהן, **אבל** אם כבר גדלו העלין שיעור זרת, הרי הם כבצלין עצמן ומערבין בהם, כשיש בהם שיעור ללפת בהם מזון ב' סעודות.

ולא בכמהין ופטריות - אפילו מבושלים, והטעם, שאין אדם רגיל לסמוך עליהן לא מחמת סעודה ולא מחמת לפתן, ואינן באין אלא באקראי, **ובביאור** הגר"א חולק ע"ז, ודעתו דמערבין בכמהין ופטריות מבושלין.

ולא בכפניות - הם תמרים רעים שלא בשלו כל צרכן.

ולא בעדשים, ולא בחטים ושעורים - היינו כשהם חיים דלאו בני אכילה נינהו, **וה"ה** אורז ודוחן וקטניות יבשין, שאין ראויין לאכול כמות שהן חיין, דאין מערבין בהן. **כתב** הרשב"א דבקליות מערבין בהן.

ולא בירק שהוא בשיל ולא בשיל - שקשין הן לאכילה, אבל בשיל לגמרי או חי לגמרי מערבין בהן, **ודוקא** ירקות שדרכן לאכול חיין, **וכתב** המ"א, דלפת דידן הוא בכלל הזה.

[**ועיין** בפמ"ג שמצדד, דכשהוא חי בעינן שיהא בו שיעור ב' סעודות, וכשהוא מבושל כדי שיהא בו ללפת שיעור ב' סעודות, **ולא** אבין, הלא ברמב"ם ושו"ע מבואר, דשיעור ליטרא לירק הוא בין לחי בין למבושל].

ולא במים לבדו, ולא במלח לבדו - דלאו מידי דמזון הוא, **אבל אם עירבם יחד משתתפין בהם** - שראוי ללפת בו הפת, וממילא שיעורן שיהיה בהן כדי ללפת בו פת מזון ב' סעודות, וכדלקמיה בס"ו, [**ובגאון** יעקב רצה לצדד, דאם הניח מים ומלח אפי' כל א' בפני עצמו לשם עירוב, ג"כ מהני, הואיל דיכול לערבן ביחד, **אבל** לא משמע כן בירושלמי ורמב"ם וסמ"ג ורשב"א].

וי"א דדוקא כשנתן לתוכן שמן - ומיירי שבשמן לבדו ליכא שיעור הראוי לעירוב, אלא בתערובות המים ומלח, ואפ"ה אגב השמן חשיב הכל אוכל להשלים לשיעור.

ולדינא נקטינן כדעה ראשונה.

וי"א שמערבין בתבלין - מפני שראוי לתבל בו את האוכל, חשיב הוא לערב בו, **ושיעורו** כחצי רביעית, ושיעור חצי רביעית, הוא שני לויט ושלשה רבעי לויט.

(דעה זו הוא דעת הרמב"ם, והנראה דלהרמב"ם יהיה מותר לערב גם בחטין ושעורין חיין, דגבי שתופי מבואות ס"ל דהקילו בו, כמו דהקילו בו שא"צ דוקא בפת, ולא בעינן שיהא ראוי תיכף לאכילה, אלא כל שהוא מיני מאכל, וה"ה תבלין שגם הוא מיוחד לתבל בו מאכלין ונאכל עמו, כמאכל חשוב, **אמנם** המחבר לא ס"ל כן, מדסתם בחיטין ושעורין ולא הביא בזה שום דיעה, אלמא דס"ל דבזה לכו"ע אין מערבין, וצ"ע).

ואפשר דבשעת הדחק יש לסמוך איש אומרים הזה, **ומ"מ** יש ליזהר מלערב בפלפלין, כ"כ הח"א, **אכן** בתשו' חתם סופר דעתו, דפלפלין הוא בכלל שאר תבלין.

סעיף ו - כל דבר שרגילים ללפת בו את הפת, שיעורו ללפת בו פת הנאכל לשתי סעודות - וסגי בזה, ולא בעינן שיהיה כולהו סעודתא מההוא מינא.

וכל שאין מלפתין בו הפת, שיעורו כדי לאכול ממנו ב' סעודות.

ובשר חי לא הוי ליפתן - דאין רגילין ללפת בו את הפת, **וצריך כדי שיאכל ממנו ב' סעודות** - (ועיין ברשב"א ובריטב"א שתמהו ע"ז, דהא בשר חי לאו בר אכילה הוא, **ותירצו** דאיירי בבשר מלוח הרבה עד שאינו נאכל מחמת מלחו, וע"י המליחה נתרכך ונעשה ראוי לאכילה קצת, **ועוד** תירץ הריטב"א, דאין כונת הש"ס על חי ממש, כי אם על בשר שהוא מבושל קצת ואינו מבושל כל צרכו, וזה ראוי לאכילה מקרי).

אבל צלי הוי ליפתן, ושיעורו ללפת בו ב' סעודות - ואפי' יש מקומות שאוכלין אותו בלא פת, בטלה דעתן אצל כל אדם - מ"א, [**ומשמע** מדבריו, דאפי' לדידהו גופייהו סגי בשיעור דכדי ללפת, **אמנם** מצאתי בגאון יעקב, דעב"פ לאותו מקום בעצמם צריך שיעור כדי שיאכל הימנו ב"ס], **וכן** בשר מבושל דינו כצלי.

חומץ הוי ליפתן - ושיעורו כדי לטבל בו ירק מזון שתי סעודות הנאכל בלא פת, **ונתבאר** בפוסקים דשיעורו ברביעית.

וכן יין מבושל - מלשון זה משמע דשיעורו כדי ללפת בו פת של שתי סעודות, **וי"א** דדי בכדי שיביא ממנו לקינוח שתי סעודות, **אבל** רוב הפוסקים אין סוברין כן.

אבל יין חי לא הוי ליפתן - דאין דרך ללפת בו, הלכך בעינן דוקא שיעור שתיית שתי סעודות, **ושיעורו שתי רביעיות, וכן שיעור שאר משקים.**

סעיף ז - משתתפין בשני ביצים, אפילו חיים - דזימנין דסועדין בהן על פי הדחק.

בשני רמונים, בחמשה אפרסקים - דאלו דברים רגילין לבוא לקינוח סעודה, ושיעור זה די לקינוח שתי סעודות מפני חשיבותם, **ובגמ'** איתא עוד, דמערבין בעשרה אגוזים או באתרוג אחד, מהאי טעמא דחשיבי.

[**ולענין** מבושלין לא נתבאר, ופשוט דהשיעור הוא כפי שהוא הדרך לאכול או ללפת בו].

בליטרא ירק בין חי בין מבושל - דבפחות מזה לא חשיבי, ועיין לעיל בס"ה.

בפולים לחים - שדרכן לאכול חיין, [ולא יבשין], **כמלא היד** - שזה שיעור ללפת בו שתי סעודות.

בתפוחי יער מלא הקב - דבציר מהכי לא חשיבי, לפי שאין דרך לאכלן אלא ע"י הדחק, **והרבה** פוסקים חולקים ע"ז, ודעתם דבכל תפוחים דינא הכי דבקב.

עוד איתא בגמ', דגם תמרים וגרוגרות השיעור הוא כמלא הקב, **ושמן** שיעורו ברביעית, **ודבילה** שיעורו מנה.

[**ושיעור** שמן לעירוב, משמע מסוגיא דף כ"ט, דשיעורו כדי רביעית, **אכן** התוס' כתבו להדיא מזון שתי סעודות, וכוונתם מסתמא כדי לאכול בהם מזון ב' סעודות, דבפני עצמן אין ראויין לאכילה, **ולא** נתבאר אי שיעורא דרביעית שיעורא אחרינא נינהו, או חדא הוא].

(**וכל** אלו השיעורין הנאמרין בסימן זה, די אפילו לאלף אנשים, בין השיעורין הנאמרין לענין אוכלין, ובין הנאמרין לענין משקין).

(ביאור הלכה) [שער הציון] <הוספה>

סעיף ח - משתתפין אפילו באוכל שאינו ראוי לו, אם ראוי לשום אדם - ה"ה לענין עירובי תחומין, **וכן** כל אלו הסעיפים הקודמים שייך גם בעירובי תחומין, ולא בעירובי חצרות דאינו אלא בפת.

כגון לנזיר ביין, ולישראל בתרומה - הואיל וחזי לכהן, **ועכשיו** שכולנו טמאי מתים, אין תרומה טהורה ראויה לשום אדם, ואין לערב בה, **ומ"מ** בחלה נראה דמערבין ומשתתפין, [דמן הדין חלת חו"ל ראויה לכהן שטבל לקריו].

ולענין מי שנוהג שלא לאכול חדש אי מותר לערב ולהשתתף בו, תלוי בזה, אם הוא נוהג רק מצד חומרא, מותר לערב ולהשתתף בו, **ואם** הוא נזהר בזה מחמת דעת הפוסקים שסוברים שהוא אסור מן הדין גם בחו"ל, אסור לו לערב ולהשתתף בו.

וכן (הנודר) מאוכל זה, או נשבע שלא יאכלנו, משתתף בו - הואיל וחזי לאחריני.

וי"א דהיינו דוקא כשנדר או נשבע שלא יאכלנו, אבל אם נדר או נשבע שלא יהנה ממנו, אין משתתפין לו בה - דאע"ג דחזי לאחריני, מ"מ הרי הוא נהנה ע"י תיקון זה, והרי הוא אסר על עצמו הנאתו, **ודוקא** שיתוף או עירובי חצרות שמערבין לדבר הרשות, **אבל** עירובי תחומין שאין מערבין אלא לדבר מצוה, מותר, דמצות לאו ליהנות ניתנו, ולא מחשב הנאה.

והנה מלשון המחבר משמע, דלדעה הראשונה אפי' כשאמר "שלא אהנה" ג"כ מותר לערב ולהשתתף, **אבל** כמה אחרונים כתבו, דאף לדעה ראשונה אסור בנדר או נשבע בפירוש שלא יהנה.

(ואם אמר קונם הנאתו או אכילתו עלי, לכו"ע אין משתתף בו) - הטעם, דאע"ג דבסתם נדר מאכילה מותר להשתתף, היינו בשלא הזכיר לשון קונם, **אבל** באומר לשון קונם, אפילו הזכיר בפירוש אכילה, ג"כ אין משתתפין בה, דקונם הוא לשון קרבן, ואי שרית בזה אתי למשרי גם בשל הקדש גמור, ובהקדשות לכו"ע אין מערבין ומשתתפין, מפני שהוא אסור לכל העולם.

(והנה כמה אחרונים גמגמו על דבריו, והגר"א בביאורו מחק תיבת "לכו"ע", ואנו נדחקנו כדי ליישב דבריו לפי פשוטן וכפי פי' הדרישה והעו"ש והא"ר, **אבל** לענין דינא לפי הסכמת אחרונים אינו כן, ואין חילוק בין קונם לסתם נדר, אלא לפי דברי התוספות שכתבו דגזרינן אטו הקדש, אפילו בלא קונם נמי גזרינן, כיון דנדר הוא איסור חפצא דמי להקדש, **ולדעה** הראשונה המבואר בהמחבר, דס"ל דלא גזרינן אטו הקדש, אפילו אמר "קונם אכילתו עלי" ג"כ מותר להשתתף בו, **וא"כ** מה שכתב רמ"א "לכו"ע" אינו מדויק כלל, ובאמת גם הרשב"א והריטב"א נטו משיטת התוס', והסכימו לפירש"י דלא גזרינן אטו הקדש, וא"כ אם אמר "קונם אכילתו" הוא מותר).

סעיף ט - אמר על ככר: היום חול - פי' בע"ש לא יתקדש עדיין, רק **ולמחר קודש או קונם** – (הוא לשון הטור, ולפי שיטת התוספות דנדר הוי כהקדש דאין משתתפין בו וכנ"ל, וכ"כ הגר"א).

משתתפין לו בה, שבין השמשות עדיין לא נתקדשה ודאי - דמספיקא לא נחתא לה קדושה, **וראויה היתה מבעוד יום** - וע"כ יכול להשתתף בככר זה, שעיקר חלות השיתוף הוא בין השמשות, ועדיין היה אז באותו הזמן הככר חול.

אבל אם אמר: היום קונם ולמחר חול, אין משתתפין לו בה, שאינה ראויה עד שתחשך - ר"ל לילה גמורה, דמספיקא לא פקעה קדושה, וא"כ בבין השמשות היה עדיין קודש, ואין מערבין בהקדשות.

היום קונם ולמחר חול – (עיין ברש"י שכתב, דהיינו שיהיה מחולל על המעות שיש לי בביתי, וכונתו, דאל"ה לא נפקע קדושתו בכדי, **אבל** הרשב"א והריטב"א כתבו דאין צורך בזה, דקדושת דמים פקעה בכדי).

חצר הפתוח לשני מבואות, ושיתף עם כל א' מהם, מותר עם כל א' מהם לטלטל ממנו לחצר ומחצר לתוכו, ואסור לטלטל כלים ששבתו במבוי זה - כלומר בבתים שבמבוי, דאילו בעת כניסת היום שבתו במבוי עצמה, שרי, **למבוי האחר דרך החצר** - שהרי המבואות לא שיתפו יחד, **ולפיכך** אם נתנו שני המבואות שיתופן בחצר זו בכלי אחד, הו"ל כולן כאחד, ומותר לטלטל ממבוי זה למבוי זה, כמ"ש ר"ס שע"ח ע"ש.

ואם לא שיתף עם שום א' מהם, אם הוא רגיל עם שניהם לצאת ולבא בחול דרך עליהם, אוסר על שניהם - כדקי"ל דאם חצר אחד לא נשתתף במבוי, אוסר על כל המבוי. **ואם הוא רגיל עם הא', ועם השני אינו רגיל, אותו שרגיל אוסר, ושאינו רגיל אינו אוסר.**

ואם שיתף עם אותו שאינו רגיל, הותר הרגיל לעצמו אם שיתפו ביניהם - ואין זה אוסר, דכיון דשיתף עם השני, סילק עצמו מזה שהיה רגיל בו. **וכן אם היה רגיל עם שניהם ושיתף עם א' מהם, מותר השני, שהרי סילק עצמו ממנו** - דין זה הוא בכ"ש מדין הקודם.

ואם המבוי שרגיל בו שיתפו ביניהם, ואותו שאינו רגיל לא שיתפו, והוא לא שיתף לא עם זה ולא עם זה, דוחים אותו אצל שאינו רגיל, ויסתלק מאותו שרגיל - שלא יעבור עליו בשבת, **כדי שיהא מותר; כיון שהוא אינו מפסיד בדבר שהרי לא שיתף עמהם, ויש ריוח לאחרים שע"י זה יהיו מותרים, כופין אותו על מדת סדום** - שיעבור בשבת דרך מבוי שלא נשתתף אע"פ שאינה רגילה בו, **ואצ"ל** אם הוא רגיל בשניהם, שכופין אותו שלא לעבור בשבת על השני שנשתתף, ולאסור עליו.

§ סימן שפז – שותפין במבוי צריכין לערב בחצירות §

סעיף א - המשתתפין במבוי - ולא מיירי בפת, אלא בשאר מיני אוכלין ומשקין, **צריכים לערב בחצירות** - היינו החצרות עם הבתים, [ועי"ז מותר לטלטל גם מחצר לחצר כלים ששבתו בבית, דשיתוף המבוי מחבר כל החצירות יחד], **כדי שלא ישכחו התינוקות תורת עירוב** - ר"ל דמדינא לא היו צריכין לערב בחצרות הפתוחות למבוי כלל, שהרי מעורבין ומשותפין כבר ממילא ע"י שיתוף שבמבוי, אלא כדי וכו', **שהרי אין התינוקות מכירים מה נעשה במבוי** - ויאמרו: אבותינו לא עירבו. ‹**וא"ת** ותיפוק ליה בלא תשתכח כו', היאך נסמוך על שתוף מבואות שלא בפת במקום עירובי חצירות שאינו אלא בפת, **הא** מלתא לא קשיא, דמגו דחזי למלתיה בשתוף, סמכינן עליה בחצר – תוס' יו"ט›.

לפיכך אם נשתתפו במבוי בפת, סומכין עליו ואין צריכין לערב בחצרות, שהרי התינוקות מכירים בפת - מתוך שהפת היא חיי האדם, לפיכך מכירים בו כשמשתתפים בו, וא"צ לערב בחצירות כל אחת לעצמה, [**וכ"ש** שא"צ לערב החצירות יחד, דלזה ודאי מהני שיתוף].

ומיירי שהניחו הפת בבית שבחצר, והיה פת שלמה ולא פרוסה, ואי לא"ה לא מהני, [**דהאיך** יועיל במקום עירוב, הלא בעירוב קימ"ל דצריך להניחו דוקא בבית שבחצר, וגם שלמה צריך לכו"ע בע"ח, רשב"א וריטב"א. **ועי"ל** סי' שס"ו ס"ג מש"כ בבה"ל, ‹וז"ל: והקשה הב"ח, כיון דבעירוב זה מערבין כל הבתים של דירה, דהוי עירוב ושיתוף ביחד, ודאי דצריך להניחו בבית דירה ולא בבהכ"נ וכו', **והגר"א** מכוין ליישב זה, דהבתים ניתרין מטעם מיגו דמהני עירוב זה שמניחין בבהכ"נ להתיר החצרות שבמבוי, מהני נמי להתיר הבתים שבחצר, ע"כ, וע"ש בס"ו בבה"ל בנוגע שלימה›.

‹**כתב הרמב"ם: מבוי שעירבו כל חצרות שבו כל חצר וחצר בפני עצמה, ואח"כ נשתתפו כולן במבוי, שכח אחד מבני החצר ולא עירב עם בני חצרו, לא הפסיד כלום, שהרי כולם נשתתפו,** ר"ל **ביין או בשאר מיני אוכלין שאינו פת, ועל השתוף סומכין, ולא הצריכו לערב בחצרות עם השיתוף אלא שלא לשכח לתינוקות תורת עירוב, והרי עירבו בחצרות. אבל אם שכח אחד מבני המבוי ולא נשתתף, אסורים במבוי,** {לדידיה שפוסק דהיכא דעירבו בני החצר אסור לטלטל במבוי כי אם בתוך ד"א, וכדלקמן בסימן שפ"ח, אסור לטלטל אף כלים ששבתו במבוי, ולשאר פוסקים דוקא כלים ששבתו בבית}, **ומותרין כל בני החצר לטלטל בחצרן, שהמבוי לחצרות כחצר לבתים. נשתתפו במבוי ושכחו כולן לערב בחצרות, אם אין מקפידין על פרוסתן,** {ר"ל אם שואל אחד מחבירו פרוסה פת נותן לו, הוי כעין שותפין בפת, דאי הוי בעי מניה פת הוי יהיב ליה}, **סומכין על השיתוף**

בשבת ראשונה בלבד, ואין מתירין להן דבר זה אלא מדוחק, עכ"ל הרמב"ם, והעתיקוהו האחרונים).

וי"א שאם לא עירבה כל חצר לעצמה, אין סומכין על השיתוף - ששיתוף המבוי אינו מועיל אלא לחבר כל החצרות עם המבוי יחד, אבל לא לחבר הבתים עם החצרות, שיהא מותר עי"ז להוציא מן הבית לחצר.

(הב"ח ושארי אחרונים דחו לי"א זה, דס"ל דלכו"ע סומכין על השיתוף של פת אפילו אם לא עירב החצר לעצמו, אח"כ מצאתי דעה זו בריטב"א בהדיא).

אבל כשכל חצר עירבה לעצמה, ואח"כ נשתתפו במבוי, ולא עירבו דרך פתחים שביניהם, מותרים להשתמש בחצירות שבמבוי דרך פתחים שביניהם, שסומכים על שיתוף במקום עירוב - היינו להוציא מחצר לחצר כלים ששבתו בבית, **והטעם**, דכשם שהשיתוף מחבר לכל החצרות שיהיה מותר לטלטל מהן למבוי, כן מחברן שיהיה מותר לטלטל מזה לזה.

ואם עירבו דרך פתחים שביניהם ולא נשתתפו במבוי, מותרות להשתמש החצרות במבוי, שסומכים על עירוב שעירבו החצרות דרך פתחים במקום שיתוף – (נראה דמיירי שבכל חצר עירב ג"כ עם הבתים שלו, דאל"ה בודאי אינו יכול להוציא כלי הבית לחצר אחרת, דאף שכל חצרות עירבו יחד, הלא לא עדיפי מאם היה חצר אחת, וכשלא עירבו עם הבתים שבתוכה אסור, ולענין כלי החצר גופא, אפילו לא עירב כלל, הלא קי"ל דכל חצרות רשות אחת הן).

(זו היא דעת הטור, והרמב"ם לא הזכיר מזה מידי, ומ"מ אפשר דגם הוא מודה לזה, כמו שמצדד בב"י, ועיין בגאון יעקב שדעתו, דלהרמב"ם לא מהני עירוב במקום שיתוף בשום פנים).

הגה: ויש אומרים דסומכין אשיתוף במקום עירוב אפילו לא נשתתפו אלא ביין - דאע"ג דע"ח לא מהני בעלמא כי אם בפת, הכא מיגו דמהני לענין שיתוף, דמהני אפילו בשאר אוכלין ומשקין, מהני נמי לענין ע"ח.

וכן סומכין אעירוב במקום שיתוף - (היינו כשעירבו מחצר לחצר דרך פתחים שביניהם, אז הוא דסומכים על עירוב – שם במאמ"ר, **כבר** נזכר זה בדברי המחבר מקודם, ואגב גררא חזר וכתבו, מאמר מרדכי.

ולעיל סי' שס"ו ס"ו בהג"ה כתבתי, דאנו נוהגין לכתחלה שלא לעשות רק שיתוף א' בקמח; ונ"ל הטעם, כי עירוב שלנו שכל א' מבני החצר נותן לשיתוף, הוי כעירוב ושיתוף ביחד, ולכתחלה אין לעשות יותר - אע"ג די"ל דטעם המנהג הוא, משום דמקמח אופין פת, ופת הלא קי"ל דשיתוף מועיל במקום עירוב, י"ל דרצה ליישב המנהג אף לי"א שבדברי המחבר, דהיכא שלא עירב כל חצר לעצמה, לכו"ע אין סומכין על השיתוף במקום עירוב, ואנן נהגינן דאין עושין רק שיתוף לבד. **והא שהצריכו שיתוף ועירוב, היינו בזמן הגמרא שבני החצר לא נתנו לשיתוף, רק החצר עירבו ביחד וא' מבני החצר נותן לשיתוף; אבל בכה"ג כו"ע אין עושין רק שיתוף א', ואי עביד יותר ובירך עליו הוי ברכה לבטלה.**

הקשה הלבוש: א', מי יאמר שבזמן הגמ' לא נתנו כל בני החצר לשיתוף רק אחד מבני החצר, **ועוד**, לו יהי שאחד מבני החצר נתן לשיתוף, מה בכך, הרי הוא מזכהו לכולם והוי כאלו כולם נתנו, עי"ש, **אך** העיקר שהעולם סומכין על דעה הראשונה, שאפילו לא עירב כל חצר לעצמה, אם נשתתפו בפת סומכין עליו, וא"צ לערב בחצרות כלל, **ויותר** טוב לומר בפירוש בשעת הנחת העירוב, שמניחו גם לשם שיתוף, (צ"ל עירוב, דבשיתוף עסקינן – חזו"א), ובזה יוצא לכו"ע, כמ"ש הריטב"א בהדיא.

§ סימן שפח – דין אם לא עירבו החצירות יחד וגם לא נשתתפו במבוי §

סעיף א- אם לא עירבו החצרות יחד, וגם לא נשתתפו במבוי - ר"ל אף אם לא עירבו וכו', דאם עירבו הרי הוא ג"כ כעין שיתוף מבוי, וכבסימן הקודם, **מותר לטלטל בכל המבוי כלים ששבתו בתוכו** - וה"ה דמותר להוציא מחצר למבוי כלים ששבתו בתוכו, וכן מן המבוי לחצר, וכדלעיל

בסימן שע"ב ס"א, **דלא** תקנו חכמים שיתופי מבואות אלא להתיר להוציא למבוי כלים ששבתו בבית, אבל לענין חצרות ומבואות עצמן לא תקנו, ורשות אחד הוא דמותר לטלטל מזה לזה, **וכן** שוין הם גם בזה, דכמו דמותר לטלטל בכל החצר כלים ששבתו בתוכו אף אם לא עירבו עם הבתים, כן מותר לטלטל בכל המבוי אף אם לא נשתתפו בני החצרות עם המבוי, **ופשוט** דכ"ז מיירי שהיה המבוי עצמו מתוקן בלחי וקורה כדין.

בין עירבו חצרות עם הבתים - דמצויין כלי הבית בחצר, ושייך למגזר דלמא אתי לאפוקי כלי הבית למבוי, אפ"ה שרי, **בין לא עירבו.**

ולהרב רבינו משה בר מיימון, דוקא כשלא עירבו חצרות עם הבתים, אבל עם עירבו חצרות עם הבתים, אין מטלטלין במבוי אלא בד' אמות - ‹דקי"ל דאין מבוי ניתר בלחי וקורה עד שיהיו בתים וחצירות פתוחין לתוכו, וכיון שעירבו, נעשה חצירות כבתים, ואם כן ליכא חצירות במבוי – מגן אברהם›.

ולהלכה נקטינן כדעה הראשונה, **ואפילו** להרמב"ם, דוקא כשהמבוי מתוקן בלחי וקורה, **אבל** אם הוא מתוקן בצורת הפתח, גם לדידיה מותר בכולו.

§ סימן שפט – אינו יהודי שיש חלון לו פתוח לבקעה או לקרפף §

סעיף א - א"י הדר במבוי, ויש לו חלון אחורי ביתו פתוח לבקעה או לקרפף - וכ"ש אם הוא פתח גמור, **אפי' אין בו אלא ד"ט על ד"ט, אינו אוסר על בני מבוי, אפי' מכניס ומוציא גמלים וקרונות דרך המבוי כל היום** - דרך הפתח הפתוח למבוי, **שחפץ יותר באותו שפתוח לו מאחוריו לבדו שיש לו אויר, והוי פתחו למבוי כמו שאינו רגיל, שאינו אוסר** - ר"ל כמו חצר הפתוח לשני מבואות, ובפתח א' אינו רגיל לצאת ולבוא דרך בו למבוי, אינו אוסר על אותו המבוי, וכדלעיל בסי' שפ"ו ס"ט.

(נ"ל שלא התירו אפי' בשיש לו קרפף, אלא בקרפף דומיא דבקעה, שהוא פתוח למקום אחר, דאלו בשאין לו פתח אלא כלפי ביתו, האיך יסתלק מן המבוי, והרי אינו יכול לצאת לשוק ולעשות צרכיו חוץ לביתו אלא דרך מבוי – ריטב"א, ולפלא שלא הביאוהו האחרונים).

והוא שיש בבקעה או בקרפף יותר מסאתים, אבל אם אין בו אלא סאתים, קטן הוא ולא ניחא ליה ביה - ובאופן זה אפי' היה פתח גדול פתוח להן, גם כן אינו מתבטל עי"ז הפתח שבמבוי, ואוסר על בני המבוי, **והוא** שרגיל יותר בהפתח שהוא לצד המבוי.

(לכאורה בגמרא וכן ברמב"ם לא נזכר הנפקא מינה בין יתר מבית סאתים לבית סאתים רק לענין קרפף, נוכל לומר דלענין בקעה שפתוח לכל צד, אפילו בקעה קטנה שאין בו כי אם בית סאתים ג"כ ניחא ליה ביה טפי מן הפתח שפתוח למבוי, משום דנפיש אוירה טפי, ועיין).

וישראל שיש לו פתח למבוי ופתח מאחוריו לקרפף, ושכח ולא עירב, אם הקרפף יותר מסאתים, אוסר, לפי שאינו ראוי לו - שהוא כרמלית ואין מטלטלין בו אלא בתוך ד"א, משא"כ במבוי שמותר לטלטל בכולו, **ואינו מסתלק מן המבוי** - אבל אם הוא רק בית סאתים או פחות, כיון דמותר לטלטל בתוכו, ניחא ליה ביה טפי, [אף שאסור להוציא מהבית להקרפף], **ואע"ג** דלגבי עכו"ם חשיב בית סאתים זוטרא, לגבי ישראל נפיש, דהא בשבת ליכא הוצאת משאוות יתירין וסגי בהכי, ונפיש אוירא ממבוי.

ואם הוקף לדירה, אפילו יותר מסאתים אינו אוסר כיון שראוי לו. ויש מי שאומר דאדרבה, אם הוקף לדירה אפילו בית סאתים אוסר, שכיון שהוקף לדירה אין בו אויר, ואינו חפץ בו להסתלק בשבילו מן המבוי - הוא דעת התוספות לבד, דס"ל דמוקף לדירה גרע טפי, כיון דאין בו אויר כ"כ, **והא** דנקט אפילו ב"ס, אע"ג דלדידהו ב"ס גרע טפי שאין בו אויר כ"כ, **מ"מ** נקט הכי הואיל דכשלא הוקף לדירה ב"ס עדיף טפי מן יותר מב"ס, ולכך קאמר דכשהוקף לדירה אוסר אפילו ב"ס, וה"ה יותר מסאתים.

(והלכה כדעה הראשונה, שכן הוא דעת רש"י והרמב"ם והרה"מ, ולפיכך הכי נקטינן – ב"י).

§ סימן שצ – מבוי שצדו אחד א"י וצדו אחד ישראל §

סעיף א - מבוי שצדו א' אינו יהודי, וצדו א' ישראל - ומיירי שאין כאן אלא חצר אחד של ישראל הפתוח למבוי, **ובית של ישראל אחר** - ר"ל חצר, **אצלו פתוח לרשות הרבים ולא למבוי** - דאלו היה גם חצר השני פתוח למבוי, א"כ הרי יש כאן שתי חצרות של ישראלים, וצריכים לשכור המבוי מן העכו"ם ולשתף בינם, **וחלון בינו לבין ישראל הדר במבוי, אינו יכול לערב דרך החלון שביניהם** - ר"ל שיערבו על סמך שיש חלון פתוח ביניהם, **להוציא כליו למבוי דרך בית ישראל שכנו הפתוח למבוי** - ואע"ג דאין כאן אלא חד ישראל שחצירו פתוח למבוי, מ"מ אסרו חכמים לזה לטלטל דרך חצירו של חבירו אפילו ע"י עירוב, כדי שלא יסמוך האי ישראל עליו, שיוצא ונכנס תדיר ע"י עירובו, וישאר לדור כאן יחידי במקום עכו"ם וילמוד ממעשיו.

אבל אם פתח ביניהם, מותר - דבלאו הערוב ג"כ לא מסתפי האי ישראל לדור כאן, דכיון שיש פתח גמור, מצוי בכל עת ובכל שעה שיכנס האי ישראל חבירו, ולהכי לא גזרו, **וכ"ז** כשהמבוי מתוקן כדין בלחי וקורה או בצוה"פ.

ויש מי שאוסר אף בפתח פתוח ביניהם - ועיין לעיל בסימן שפ"ב סי"ט במ"ב מש"כ שם, ושייך ג"כ לכאן, וכן מש"כ שם בבה"ל, כי הוא ענין אחד, רק דשם כתב המחבר דין זה לענין חצר, וכאן כתבו לענין מבוי.

סעיף ב - מבוי שצדו א' אינו יהודי, וצדו א' ישראלים - וחצריהם פתוחין למבוי, **והיו חלונות פתוחות מחצר לחצר של ישראל, ועירבו כולם דרך חלונות, אע"פ שנעשו כאנשי בית א', ומותרים להוציא ולהכניס דרך חלונות** - וכ"ש אם היו פתחים ביניהם דמהני העירוב, **הרי אלו אסורים להשתמש במבוי דרך פתחים** - הפתוחים למבוי, [אבל דרך הפתחים שפתוחים מחצר לחצר בלא דרך המבוי, מותר אפי' בלא שכירות], **עד שישכרו מן הא"י** - דאין עירוב מועיל לעשותם כיחיד במקום עכו"ם, כדאיתא לעיל סי' שפ"ב ס"כ.

§ סימן שצא – דין ביטול רשות לאותן ששכחו לערב §

סעיף א - ככל משפטי ביטול למי ששכח ולא עירב בחצרו - המבואר בסי' ש"פ ושפ"א, **כן הוא במבוי, שאם שכחה חצר אחת ולא נשתתפה, מבטלת רשותה לשאר בני המבוי** – (ומ"מ היא עצמה אסורה להוציא מחצרה למבוי, **והיכא** דביטלה להן גם רשות ביתן וחצרן, משמע מהגר"ז דגם הם מותרין להוציא למבוי, משום דכיון דעירבו ביחד, כולן כדרים בבית אחד דמי, והוי כאורח לגבי שארי חצרות שבמבוי, **אכן** לפי דעת בעל חמד משה אינו כן, דמ"מ רבים הם, ורבים לא הוי כאורחים, **אך** דעת בעל אבן העוזר, דאפילו רבים לגבי רבים חשיבי כאורחים, **וצ"ע** למעשה).

או הם לה, אע"פ שהם רבים - א"הם לה" קאי, ור"ל וקי"ל בסימן ש"פ דאין מבטלין רשות לשני אנשים שלא עירבו, מפני שהם אוסרים זה ע"ז, **וא"כ** לכאורה גם הכא הרי יש רבים בחצר ולא נשתתפו במבוי, איך יכולין לבטל להם, קמ"ל, **שבני החצר גבי מבוי חשובים כיחיד בחצר** - כיון דעכ"פ עשו ע"ח יחד, כיחיד חשיבי.

ופשוט דהבטול לא יועיל רק לזה החצר שביטלו לגביה, דהוא יהיה מותר להוציא מחצרו למבוי, **אבל** שארי חצרות אסורין להוציא מחצרן למבוי, וכעין מה שכתב לעיל בסימן ש"פ ס"ד, **ואפילו** ביטלו לו גם רשות ביתם וחצרם, ג"כ נראה דלא מהני להוציא מחצרן למבוי, דרבים לגבי יחיד לא נעשו כאורחים, **ואפילו** אם נאמר לענין זה דבני חצר חשיבי כרבים, הא מבואר שם דרבים לגבי רבים ג"כ לא נעשו כאורחים.

(עיין סימן שפ"ז, דכשעירבו החצרות דרך פתחים שביניהם, אינם צריכים בטול כלל, דסומכין על עירוב במקום שיתוף, וכ"כ הטור).

וככל משפטי ישראל בחצר עם העכו"ם - ור"ל שמבואר בריש סי' שפ"ב, דאין הנכרי אוסר עד שיהיו שני בתי ישראלים בחצר, **כן הוא במבוי, או בעיר** - היינו המוקפת חומה, דאינה צריכה עוד תיקון וכדלקמיה, **דאי** לא היה מוקף חומה, בכלל כרמלית היא כל זמן שאינה מתוקנת בלחי וקורה, **שאין אסור לטלטל במבוי** - שהוא מתוקן בלחי וקורה, **או בעיר המוקפת חומה, עד שיהיו שתי חצרות של בתי ישראל בעיר** - שאז אוסרים זה ע"ז להוציא כלי הבית למבוי כל זמן שלא נשתתפו ביחד, ובזה העכו"ם ג"כ אוסר עליהם, שלא יועיל שיתופן עד שישכרו ממנו רשותו במבוי, **אבל חצר א' לא, אפילו אם הרבה בתים של ישראל פתוחים לתוכה** - דלגבי מבוי כל בני החצר חשובים כחדא, וכנ"ל.

שאין אסור לטלטל במבוי וכו' - [היינו כלים ששבתו בבית, דאלו כלים ששבתו בחצר, לא חמירא מישראל, שאין אוסר בזה מחצר למבוי אם לא עירב ולא נשתתפו במבוי, **וכן** כלים ששבתו במבוי גופא, ג"כ מותר לטלטל בכל המבוי, ואין העכו"ם יכול לאסור, דלא חמירא מישראל].

והוא שתהא העיר מוקפת חומה לדירה - דאל"כ בלא"ה אסור אם היא יותר מבית סאתים, דהוא בכלל קרפף המבואר לעיל בסימן שנ"ח.

וסתם עיירות הן מוקפות לדירה, וסתם מבצרים אינם מוקפים לדירה - דסתם עיירות בונים בתים תחלה ואח"כ מקיפין חומה סביבם לצורך הבתים, ומקרי עי"ז מוקף לדירה, **משא"כ** מבצרים שאנו קורין שלא"ס, שנעשה להשמר מפני האויב, הוא מוקף תחלה בחומה, ואח"כ בונים בתים בתוכו.

וכשיש ב' חצרות של בתי ישראל בעיר, צריכים לשכור מכל חצר וחצר של אינו יהודי, ואין מספיק במה שישכור משר העיר - אף שהבתים שלו, ומסרן לאנשי העיר ע"מ שישלמו לו מס מן הבתים כנהוג, **והטעם**, שהרי לא יכול לסלקן כל זמן שמשלמין לו המס, **ואפילו** אם הוא ממונה ג"כ על משפטיהם, כיון שאין לו רשות לענין בתי העיר.

ונראה דאפילו אם כל חצר של בתי ישראלים היה במבוי אחר, לא נחשב כיחיד במקום עכו"ם, דכיון שהעיר מוקפת חומה סביבה, נחשבים כל המבואות כמבוי אחד, ואוסרים הישראלים זה ע"ז, **אם** לא שהיו מקומות חלוקין זה מזה בצוה"פ או בשני פסין.

הגה: ויש אומרים דדוקא לענין להוציא ולהכניס לרשות העכו"ם, אבל לטלטל במבוי - להוציא מבתי ישראל ולהכניס להם, **יכול לשכור מן השר, שהרי דרך המבוי הוא של השר, ויכול לסלק כל העכו"ם משם** - ר"ל שמסתמא יש לו רשות להשר על הדרך לשנותה ולתת לבע"ב דרך מצד אחר, ויכול להשכיר להם.

וכן הסכימו האחרונים להלכה.

במה דברים אמורים בשר שאין הבתים שלו – (הלשון אינו מדוקדק, דאפילו בבתים שלו, כל שהשכירן או מסרן למס ואינו יכול לסלקן, ולא שייר לו רשות להניח שם כליו, לא מהני במה ששוכרין ממנו, **אלא** דנראה דלהכי נקט המחבר דינו "בשר שאין" וכו', משום אורחא דמילתא, דעל פי רוב בשר שהבתים שלו, דרכו להניח כליו בבתי אנשי העיר ואין מוחה בידו, וכיון שכן המנהג, הוי כמו ששייר לו כח ורשות בחצר, ולהכי נקט ב"י דינו באין הבתים שלו, **אבל** היכי דידעינן שלא שייר לו זכות, כגון במקום שאין המנהג להניח שם כליו, בודאי אפילו בבתים שלו אין יכולים לשכור ממנו).

וגם אין לו רשות להשתמש בבתי בני העיר כלל אפילו בשעת מלחמה - אלא מתנהג הדבר על פי יועצי המדינה.

אבל במקום שכל צרכי העיר אינם נעשים אלא על פי השר או הממונה שלו, ודאי ששכירות מהשר ההוא או משכירו ולקיטו, מהני - היינו אפילו לענין להוציא ולהכניס לבתי העכו"ם, **שהרי יש לו רשות להושיב אנשיו וכלי מלחמתו בבתי בני העיר בשעת מלחמה שלא מדעתם** - ולפי"ז מותר לשכור מהממונה של מלך, שהרי יש רשות להמלך להושיב אנשיו וכלי מלחמתו בבתי בני העיר שלא

מדעתם מדינא דמלכותא, **וא"כ** כל עבד מעבדיו הקטנים הוי כשכירו ולקיטו, שהרי הממונה הוא במקום המלך, **ונ"ל** דוקא מהממונה ע"ז, כמו זה שקורין פאליציי"א, שידוע שכל דבר המלכות נעשה על ידו, ואפילו מהמשרתים שלהם, שהרי יש להם רשות ליקח משרתים שעל ידיהם נתקיים כל צווי המלך, **אבל** מאנשי חיילותיו אפילו הראש שלהם, לא מהני במקום שהוא אין ממונה ע"ז, ח"א.

(**עיין** בחכם צבי שנתקשה בזה, דמאי מהני במה שיש לו רשות להניח כלים בשעת מלחמה, הרי עתה על כל פנים אינו שעת מלחמה, וממילא אין לו עתה שום רשות, ואם כן איך יכולין לשכור ממנו, **ומצדד** דמיירי בשר שהיכולת בידו לעורר מדנים ומלחמה בכל שעה שירצה עם שכניו, ואין בני המדינה מעכבין עליו, ולהכי יפה כחו להשכיר, **ולאפוקי** אם אין בידו בלבד בלי רשות אנשי העיר לערוך מלחמה, בודאי אין כחו יפה שלא בשעת מלחמה להשכיר רשותן).

(**ואם** על ידי הכרח נוהג כך ואינו מחוק המלכים, אינו מועיל).

סעיף ב - ישראלים הדרים בחצר יחידי בעיר של עכו"ם שהיא מוקפת חומה - דעי"ז אינה צריכה עוד שום תיקון, **וה"ה** אם אינה מוקפת חומה, ועשויה בתיקון מבואות כדין.

ואף שכמה ישראלים דרים בחצר, מ"מ מותרים היו להוציא מהחצר למבואות של עיר, דלענין שיתופי מבואות כל בני החצר כחדא חשיבי היכא שעירבו וכנ"ל.

ועברו יהודים אחרים דרך שם בשבת ונתאכסנו בחצר אחרת, אינם אוסרים עליהם, דאורח אינו אוסר - ור"ל דאף דקי"ל, שאם שני ישראלים דרים בעיר ויש שם גם עכו"ם הדר בעיר, אינו מועיל שום תיקון לטלטל כל זמן שלא שכרו ממנו רשותו, **הכא** דאינם אלא אורחים, בטילי לגבי ישראל הקבוע באותו העיר, וא"כ אין כאן אלא ישראל אחד.

וה"ה ששייך דין זה אם מתאכסן באותו חצר שישראל דר שם, וגם עכו"ם דר שם, ולענין לטלטולי באותו חצר עצמה, דמותרים שניהם אף בלי עירוב, ובלי שכירות רשות מן העכו"ם, מהאי טעמא.

ומותרים לטלטל בכל העיר - ר"ל דגם האורחים בעצמן מותרין לטלטל בכל העיר. **(וע"ל סוף סימן ש"ע).**

ודעת מ"א, דאף דאורחים אינם אוסרים על בעה"ב הקבוע שם, אבל בעה"ב אוסר על האורחים שלא להוציא מבתיהם להעיר, **ואנן** נקטינן כדעת השו"ע שגם הם מותרים, וכמש"כ לעיל בסי' ש"ע בשם אחרונים.

וכ"ש שמותרים לטלטל בחצר שמתאכסנים, ואינם אוסרים זה ע"ז, וג"כ מהאי טעמא, דנטפלים לגבי בעה"ב הקבוע, **ונראה** דדוקא כשהעיר מוקפת חומה, או שעשויה בתיקון עירובין כדין, דחשיבי כולהו כחצר אחת, **דאל"ה** לא בטילי לגבי ישראל שדר בחצר אחרת, ואוסרים זה ע"ז לטלטל בחצרם. [**וה"ה** אם היה העיר מוקפת חומה, ובאותה העיר היו דרים שני ישראלים, ולא שכרו הרשות מן העכו"ם הדרים בעיר, דג"כ האורחים אוסרים זה ע"ז לטלטל בחצר הנכרי שמתאכסנים, **ולא** שייך לומר דבטילי לגבי ישראלים הדרים בעיר, דלא שייכים אהדדי, מאחר שגם הם אסורים לטלטל בעיר].

ודע, דהא דאמרינן דאורח אינו אוסר, יש אומרים דדוקא בשאינו רגיל להתאכסן שם, **אבל** אם רגיל להתאכסן שם, כמו שמצוי בירידין שרגילין לבוא שם תמיד, חשוב כקביעות ואוסר מיד כשבא שמה, וכמו לענין עכו"ם בסי' שפ"ד, **ויש** מקילין גם בזה כל זמן שיש עליו שם אורח, דהיינו עד שלשים יום.

§ סימן שצב - דיני ערובין לעיר §

סעיף א - עיר שהיתה קנין יחיד, אפילו נעשית של רבים - פי' שבנאה יחיד לעצמו והשכירה לרבים, **או** שבנאה להושיב בה דיורין, ומשייר לעצמו דרכים ופלטיות וסרטיות כדרך שהמלכים עושין, **ויש** אומרים שאפילו מכרה לרבים, כל זמן שלא נשתקע שם בעלים הראשונים ממנו, [רשב"א, **ודעת** הרמב"ן וכן הכריע הריטב"א, דאם מכרה לרבים, אחרי שכבר יצא מרשותו לגמרי, וחייבין עליה משום רה"ר, מקרי עיר של רבים].

ואפילו יש לה שני פתחים שהעם נכנסין בזו ויוצאין בזו.

משתתפים כולם שיתוף א' - בדוקא, [וכדלקמן בס"ד, ע"ש], דכיון שהיתה מתחלה קנין יחיד, כחצר אחד דמיא, שצריכין כל בני החצר להתערב יחד, **ויטלטלו בכל המדינה** - ר"ל אחרי שהוכשרו מבואותיה כהלכתן, [כל אחד לפי מה שהוא, אם אין עליו שם רה"ר, די בלחי וצוה"פ, ואם ר"ה, צריך דלתות].

וכן אם היתה של רבים ויש לה פתח אחד, משתתפים כולם שיתוף א' - דכל טעם שצריך שיור בעיר של רבים, שלא ישתתפו כולם ביחד ויהיו יכולים לטלטל בכולה וכדלקמיה, הוא כדי שלא ישתכח תורת ר"ה, **והא** כיון שאין לה אלא פתח אחד, ומצד השני היא סתומה, לא דמיא לר"ה ודינה כחצר.

אבל אם היתה של רבים, ויש לה שני פתחים שהעם נכנסים בזה ויוצאים בזה, אפילו נעשית של יחיד - שמכרוה לו, **אין מערבין את כולה** - גזירה שמא תחזור ותיעשה ר"ה ויקילו ג"כ, [**ואפשר** דגם הפוסקים דס"ל בענין עיר של יחיד ונעשית של רבים, דאם מכר היחיד לרבים תו לא חיישינן ליה כלל, ונקרא רק של רבים, **הכא** אפי' אם מכרוה ליחיד, כל זמן שלא נשתקע שמם מעליה, חיישינן שמא תחזור לשל רבים, ואתי אז לאקולי ג"כ].

אלא מניחין ממנה מקום א', אפי' חצר אחת ובית לתוכה – (מלשון השו"ע משמע, דדוקא חצר שיש בה בית, אבל בית לחוד לא מהני, וכן משמע מלשון רש"י בסוגיין, **ובא"ר** ופרישה הביאו מטור, דבית א' בלבד ג"כ סגי, **אכן** בריטב"א כתב בהדיא כדעת השו"ע, דבית לחוד לא מהני), **ומשתתפין השאר.**

ויהיו אלו המשתתפין כולם מותרים בכל העיר חוץ מאותו מקום ששיירו; ויהיו אותם הנשארים מותרים במקומם בשיתוף שעושים לעצמם, ואם היו הנשארים רבים - "אם היו הנשארים רבים" - כצ"ל, דאם השיור רק לאחד, א"צ שיתוף, **אסורים לטלטל בשאר כל העיר** - "ואסורים לטלטל" בוי"ו - כצ"ל.

ודבר זה משום היכר הוא, כדי שידעו שהעירוב התיר להם לטלטל בעיר זה שרבים בוקעים בה, שהרי המקום שנשאר ולא נשתתף עמהם אין מטלטלים בו, אלא אלו לעצמן ואלו לעצמן - אבל אם לא היו צריכין לשייר, היה העירוב משתכח, והיתה משתכחת תורת ר"ה, ע"י שרואין שמטלטלין בעיר כזו הדומה לר"ה.

ובתי העכו"ם אי הוי שיור לענין זה, יש דיעות בין הפוסקים, וטוב להחמיר.

ואם רצו לערב - היינו לשתף, **מבוי מבוי בפני עצמו, כל שכן דמהני, דאין שיור גדול מזה.**

הגה: וצריך שיעשו ביניהם שני פסין של שני משכויין אם הוא רחב עשר אמות, וביתר מי' צריך צורת פתח - דאל"ה הוי פרוץ למקום האסור לו, [היינו שבני המבוי אסורין לטלטל במקום ששיירו].

וכתבו האחרונים, דהאי הג"ה לא קאי אדינא דסמוך ליה "דאם רצה לערב מבוי מבוי בפני עצמו", דבזה בודאי סגי בלחי וקורה שבסוף המבוי שלא לאסור אמבואות אחרות, כיון דהוא עיר של רבים ולא הורגלו ביחד מעולם, **אלא** קאי אדלעיל, ששייר במבוי גופא בית וחצר אחת, וע"ז מגיה הרמ"א, שצריך שם באמצע המבוי במקום ששייר לעשות ב' פסין וכו', **וה"ה** אם עושה מצבה על אותו המקום לחלק, וכעין מה שמבואר בס"ד, **ולא** סגי שם בלחי וקורה, כיון דהורגלו שם ביחד באותו המבוי.

והעולם אין נוהגין ליזהר בזה, (ומערבין את כולה), אפילו בעיר של רבים, ואפשר דס"ל כרש"י, דאין נקרא רבים פחות מס' רבוא, [**ובא"ר** כתב: וכבר נתבאר דלא קי"ל כרש"י, לכן נ"ל דברוב מקומות יש בתי עכו"ם דהוי שיור].

(**עיין במ"א שהעתיק ספיקא דמהריב"ל, בעיר שהיא של רבים ודלתותיהם נעולות בלילה, אפשר שעי"ז יש** לה דין של עיר יחיד, וכמה אחרונים הכריעו, דאפילו הדלתות נעולות בלילה, ג"כ דין של עיר רבים עליה, לענין דאין מערבין את כולה).

סעיף ב - עיר של רבים שיש לו פתח א', וסולם במקום אחר - בצד שכנגדו, שעולים ויורדים בו חוץ לחומה, והוי אמינא דחשיב כפתח,

(ביאור הלכה) [שער הציון] «הוספה»

מערבין את כולה ואינה צריכה שיור, שאין הסולם שבחומה חשוב כפתח - ועיין לעיל סי' שע"ב ס"ה, דלקולא נחשב כפתח.

ואפילו העמיד הרבה סולמות זה בצד זה עד רוחב עשרה - ט"ס הוא, וצ"ל "עד יותר מעשר", **לא חשיב כפתח** - והיינו דאפילו באופן זה לא מבטלין המחיצה להיות כפרוץ המקום ההוא, **וה"ה** דאפי' הסולמות לכל רוחב הכותל.

ואם יש לה שני פתחים ויש אשפה לפני אחד מהם - שסותם מקום הפתח ואין רבים עוברים שם, [ומ"מ מסתברא לכאורה דאיירי באשפה דגבוה י"ט, וצ"ע], **כאילו אין שם אלא פתח א'** - ודוקא אשפה של רבים שאין מצויה להנטל, אבל אשפה של יחיד לא, **ואם** פנו את האשפה, חזר הפתח למקומו.

סעיף ג - הבתים שמניחים אותם שיור, אע"פ שאינם פתוחים לעיר, אלא אחוריהם לעיר ופניהם לחוץ - והוי אמינא כיון דאי בעי לשתף אותן עם אנשי העיר ג"כ לא מצי, א"כ אינן בכלל אנשי העיר, ולא מהני שיורא דידהו, **ואפילו הוא (רק בית אחד, אפי') בית הבקר או בית התבן שאינם צריכים לערב** - ואע"פ דבסי' ש"ע פסק דצריכים לערוב, היינו כשאוכל שם ג"כ, כמו שכתב ב"י שם, **עושים אותם שיור ומערבין את השאר.**

סעיף ד - עיר שנשתתפו כל יושביה חוץ ממבוי א', הרי זה אוסר על כולם - מיירי בעיר שהיתה מתחלה קנין של יחיד, כדמסיים, **דבעיר** של רבים הלא מבואר לעיל בס"א, דאפי' בית א' מקרי שיור, כ"ש מבוי, ‹ואין החלק המשוייר אוסר על השאר›. **והנה** בס"א כתב, דעושין שיתוף א' ואין צריכין לשייר, **וכאן** אשמועינן דדוקא שיתוף א', וע"י התחלקות אוסר אחד על חבירו.

ואם בנו מצבה על פתח המבוי, אינו אוסר עליהם - דבזה מגלה שמסלק עצמו מן העיר, **והסכימו** הרבה אחרונים, דדי כשהיא גבוה ד"ט, **ועיין** בא"ז שכתב, דבעינן ג"כ שיהיה רחב ד"ט, [**ובא"ר** כתב בשם עבוה"ק, דדי בשגבוה ג"ט ורחבה ד"ט. **ואם** החלל רחב יותר מי' אמות, בעינן שהמחיצה יהיה גבוה י"ט, או צוה"פ - פמ"ג, **ומדברי** הגר"א לקמן בס"ו בהג"ה לפי גירסתו, מוכח דס"ל דבזה נמי מהני גבוה ד"ט].

לפיכך עיר שהיתה קנין יחיד, אפילו נעשית של רבים, אין מערבין אותה לחצאין - והטעם, כיון דמתחלה היתה קנין יחיד, והורגלו ע"ז להיות ביחד, הוו כחצר אחת ואסרי אהדדי. **ומדסתם** המחבר, משמע דס"ל דאף אם מערב לרחבו נמי אסור, ודלא כמ"ש בהג"ה סוף ס"ו.

אלא או כולה, או מבוי מבוי - ‹ולא חצי מבוי›, ר"ל ‹ה"לפיכך"›, הואיל שאמרנו שההתחלקות אוסר, צריך ליזהר ג"כ שלא לחלק שיתוף המבוי לחצאין, **ובונה כל מבוי ומבוי מצבה על פתחו אם רצה לחלוק רשותו מהם, כדי שלא יאסור על שאר המבואות** - וה"ה דיכול לחלק ע"י שיעמיד צוה"פ בסוף כל מבוי ומבוי, וכדבסמוך ס"ו.

וכתבו האחרונים, דחילוק המבוי לחצאין עוד יותר חמור מהתחלקות של מבואות אחד מחבירו, דבזה אפי' יעמיד מצבה באמצע המבוי כדי לחלק אחד מחבירו לא מהני, אחרי שהוא מקום דריסת הרבים, אא"כ יעשו מחיצה גבוה י"ט, ואפילו לא היה חלל המבוי רחב יותר מעשר אמות, [**ודוקא** כשרה"ר עוברת בתוכה, דאז לא מהני מצבה או ב' פסין, ‹או אפי' צורת הפתח›, מ"א, **וטעמו** בזה, כדי שלא יסתור זה מס"ו, דמבואר דמהני זה לערב לחצאין. ‹**וכתב** בפמ"ג, דלפי המג"א אינו מוכח דהמחבר בס"ו חולק על הרמ"א שם›. **ועיין** מש"כ בבה"ל על הא דס"ו], ‹דאיירי לחלק כל מבוי בפני עצמו, ולפי"ז אין צריך לתירוץ המ"א, והמחבר והרמ"א שם חולקים›.

סעיף ה - בד"א שאין מערבין אותה לחצאין, בעיר מוקפת חומה גבוה י"ט, ויש לה דלתות - נקט דלתות משום דאיירי בנעשית של רבים שהיא ר"ה, ואינה מותרת בלי דלתות, כדלעיל בסימן שס"ד ס"ב, **וה"ה** בשאינה ר"ה מן הדין, כגון שאין רחובותיה רחבות ט"ז אמות, או שאינו מפולש משער לשער וכה"ג, וניתרת בצוה"פ, **הואיל** שמכשיר כולה ע"י מחיצות כאלו, אין לחלק שיתופה לחצאין.

אבל אם לא היתה העיר כולה מוכשרת במחיצות, ובאו להכשיר חציה ולערבה - ר"ל שיכשיר חציה ע"י תיקוני המחיצות, ויערבה ע"י שיתוף, והשאר יניח בלי תיקון כלל, **הרשות בידם.**

סעיף ו - זה שאמרנו שאין מערבין אותה לחצאין, היינו לומר שאין לחי וקורה מועיל לסלקם זה מזה, אבל בפס ארבעה או בשני פסין שני משהויין, נחלקים אלו מאלו ומערבין לחצאין - (היינו לרוחב המבוי), ‹כפי שיטת המ"א לעיל, ובאופן שאין רה"ר עוברת בתוכה, והוא כעין דין הרמ"א בחלוקת רה"ר›. **ועיין** בבה"ל שביארנו, דזה קאי על מי שרוצה לחצות העיר, לחלק שיתוף כל מבוי בפני עצמו, **אבל** לא קאי על מי שרוצה לחלק שיתוף המבוי גופא לחצאין, דזהו הדין הנזכר בהג"ה בשם י"א, ‹דדין חלוקת מבוי באמצעו שוה לדין חלוקת רה"ר›, ‹ולהמחבר זה בכל אופן אסור, אם לא שיעשה מחיצה גבוה עשרה טפחים›.

ואם הוא רחב מי' אמות, עושה צורת פתח. הגה: או יעשה מחילה גבוה י' לפתח מבואו - (לפי מה שביארנו דקאי על סוף מבוי, כבר כתבנו בשם אחרונים בס"ד, מצבה די בד"ט, ועיין בביאור הגר"א שגם דעתו כן, וכתב דט"ס בדברי רמ"א, וצ"ל "ד' טפחים", ‹והוא תמוה, דודאי פרצה יתר מי' לרשות חבירו אוסר - חזו"א›, **אכן** דעת התו"ש ופמ"ג, דהכא כיון שהוא רחב יותר מעשר חמירא, וצריך דוקא גבוה י"ט).

י"א הא דעיר של יחיד אסור לחלק היינו לארכה, מאחר דשניהם צריכים לילך לרה"ר שבתוכה - פי' דרך עיירות להיות מפולש פתח שלהן לארכה, ור"ה עוברת מפתח לפתח, הלכך אין בני עבר הלז רשאין לעשות שיתוף לבדן, ובני עבר הלז לבדן, משום דהני והני דרסי בהך ר"ה ויוצאין ונכנסין דרך פתחים לכאן ולכאן, ור"ה זו מחברתן שכולן מעורבין בה, ואסרי אהדדי.

אבל לרחבה, ואלו יוצאים בשער זה ואלו יוצאים בשער זה, ואין להם דריסת הרגל זה על זה, מערבין לחצאין ועושין תקון ביניהם - היינו במקום שמתחלקין השיתופין, זה לכאן וזה לכאן, כדי שלא יהא כל א' נפרץ במילואו למקום האסור לו, **ובקצה** המבוי א"צ תיקון כלל, דהא מיירי בשיש לה דלתות, וכדלעיל בס"ה.

כמו שנתבאר לעיל סי' שס"ג, דעד עשרה מהני לחי או קורה, וביתר מעשרה צורת הפתח - עיין מ"א שהשיג ע"ז, דבחילוק המבוי במקום השיתופין, בעינן דוקא פס ד"ט או שני פסין של שני משהויין משני הצדדים, אפי' אם אותו המקום אינו רחב יותר מעשרה, [**והטעם**, דאע"ג דבעלמא בקצה המבוי לענין תיקון די בלחי, כל שאין המבוי רחב יותר מי', **הכא** באמצע המבוי כשהן מחלקין, דיינינן להו כאלו מתחלקין בחצר אחד מחבירו, דבעינן לזה דוקא פס ד' או שני פסין של שני משהויין].

סעיף ז - עיר של רבים ונתמעטה, ועמדה על חמשים דיורים - ‹עד פחות מנ' דיורים, לבוש›, **א"צ שיור** - והא דאיתא לעיל, דאפי' נעשית של יחיד צריכה שיור, היינו דוקא כשנשאר בה עכ"פ חמשים דיורין, אבל פחות מזה בודאי כבר נשתקע שם רבים ממנה.

סעיף ח - המזכה בשיתוף לכל בני העיר, אם עירבו כולם עירוב א', א"צ להודיעם, שזכות הוא להם - לאפוקי כשעירבו לחצאין, שגילו דעתם שאין רוצין להיות משותפין.

ודין מי ששכח ולא נשתתף עם בני העיר, או מי שהלך לשבות בעיר אחרת, או עכו"ם שהיה עמהם בעיר, דין הכל כדינם בחצר ומבוי.

§ סימן שצג - דין עירוב ביו"ט שחל בע"ש ודין ביהש"מ לערב §

סעיף א - אין מערבין עירובי חצירות ושיתופי מבואות ביו"ט שחל להיות בע"ש - בין שחל שני הימים יום ה' וי"ו, או וי"ו ושבת, מפני שנראה כמתקן ביו"ט לצורך מחר, אלא יניח מעיו"ט, **ואם** שכח ועירב, יש להסתפק אם מהני.

[ולא אמרינן דיניח מספיקא בע"ש, דלמא אתמל היה קודש, או שלמחר ביום השבת יהיה יו"ט, והיום הוא חול, ודומיא דמקילינן להניח בביה"ש משום ספיקא].

ואם שכח ולא עירב מערב יום טוב - פי' ביו"ט דעלמא ולא בע"ש, ‹ט"ז, אפשר דיו"ט שחל בע"ש

סימן שצג – דין עירוב ביו"ט שחל בע"ש ודין ביהש"מ לערב

משמע יום א' של י"ט, וע"ז כתב מעיו"ט, היינו שחל יו"ט ה' ו', וכמ"ש המחבר, ועדיין צ"ע – פמ"ג, **וחלו שני ימים טובים ביום החמישי ויום ששי, יערב ביו"ט על תנאי** - ובלא ברכה, **שיאמר: אם היום חול יהא זה עירוב** - לצורך שבת, **ואם היום קודש אין בדברי כלום; ולמחר יאמר: אם היום קודש הרי עירבתי מאתמול, ואם היום חול יהא זה עירוב** - על אותו הפת, **שאם** יאמר על פת אחר, יצטרך לשמור גם הפת הראשון שיהיה קיים עד שחשכה ליל שבת, דשמא יום אתמול היה חול וחל עירובו, וצריך שיתקיים עד כניסת שבת.

[**ובפמ"ג** מצדד, דה"ה דיוכל להניח ביום ה' גם בשביל יו"ט שני, ויהני זה שיהיה מותר לטלטל כלים מחצר לחצר אף שלא לצורך היום כלל ביום שני, **ויאמר:** אם היום חול אני מניח בשביל מחר ובשביל שבת, ואם היום קודש אין בדברי כלום, **ולמחר** ביום ו' יאמר, אם אתמל היה קודש, אני מניח היום לצורך שבת].

והני מילי בשני יו"ט של גליות - דמן התורה קדוש רק יום אחד, והשני משום ספיקא, **אבל בשני יו"ט של ר"ה, לא, דכיומא אריכתא דמיא.**

(ועיין לקמן סי' תקכ"ח) - דשם מבואר, דאיסור הנחת עירובי חצירות ביו"ט שחל להיות בע"ש, הוא אפילו אם הניח עירובי תבשילין.

סעיף ב - אחד עירובי חצרות, ואחד שיתופי מבואות, מערבין אותם בין השמשות, ואפילו אם כבר קבל עליו תוספת שבת - ר"ל שכבר קבל עליו קודם שנעשה בין השמשות, דאיכא תרתי לריעותא, אפ"ה שרי.

ויש אוסרים אם קבל עליו תוספת שבת - ולדידהו אסור מפני הקבלה אפילו עדיין לא הגיע זמן בין השמשות, **וטעמם**, דכיון שקבל עליו בפירוש, חמור דבר זה יותר מזמן בין השמשות דאתיא ממילא.

מביאור הגר"א משמע שמצדד לדינא כדעה זו.

סעיף ג - עירב לשנים - היינו ששנים עשוהו שליח לערב בשבילן, **לאחד מבעוד יום ונאכל העירוב בין השמשות, ולא' עירב בין השמשות, שניהם קנו עירוב; שלאותו שנאכל עירובו בין השמשות, אנו חושבים אותו לילה** - וכבר חל העירוב, **ולאותו שהניח עירובו בין השמשות, חושבים אותו יום** - והניח בזמנו, **ואף** שהאיש הזה נעשה שליח בעד שניהם, וסותרין אלו לאלו, **מ"מ** כיון דעירובי חצרות מלתא דרבנן היא, תלינן לקולא לכל אחד ואחד, משום דספיקא דרבנן לקולא.

אבל אם עירב עליו בין השמשות ונאכל עירובו בין השמשות, אסור - דכולי האי לא מקילינן, לחלק הזמן בין השמשות גופא לאיש אחד, דהיינו לענין הנחה לשוייה כיום, ולענין אכילה לשוייה כלילה.

(**אמרינן** בשבת דף ל"ד, דכד שלים בין השמשות דר' יהודה מתחיל בין השמשות דר' יוסי, **ולפי"ז** אם הניח העירוב בזמן בין השמשות דר' יהודה, ונאכל בזמן ביה"ש דר' יוסי, קנה ממ"נ, דלר' יהודה הרי נאכל בלילה, ולר' יוסי הרי הונח ביום).

§ סימן שצד – ספק עירוב מה דינו §

סעיף א - ספק עירוב, כגון ספק אם היה קיים בין השמשות אם לאו, מותר - ר"ל שנאכל או נשרף העירוב, ואינו יודע אם היה זה קודם שהתחיל הבין השמשות, או שהיה קיים בזמן ביה"ש, [**דאלו** היה יודע שרגע אחת היה העירוב קיים אחר שכבר התחיל זמן ביה"ש, אז אפי' יודע בודאי שתיכף נשרף, ג"כ כשר, כדלעיל סי' שצ"ג].

והוא שהיה לו חזקת כשרות, כגון שהניחו שם ואירע בו ספק; אבל אם לא היה לו חזקת כשרות, כגון ספק אם הונח שם אם לאו, לא - ואף דפסק לעיל בסימן שצ"ג ובסימן רס"א, דמערבין ע"ח בין השמשות, דאין לו חזקת כשרות, **ע"כ** צ"ל דספק אם הונח כלל גרע טפי, **ולכן** אם הניח לשיתופי מבואות בשר של ספק טרפה, [דע"ח הוא דוקא בפת], אינו עירוב,

דזה הוי כספק אם הונח, **וגם** דבעינן סעודה הראויה מבעוד יום.

(**ודע**, דדין זה לאו דין ברור הוא, דרבים מהראשונים פליגי עליה, דסוברים דמימרא זו דר' יוסי, הוא דוקא לענין ערובי תחומין, אבל לא לענין עירובי חצרות, דבזה אפילו ספק טהורה ספק טמאה כשר, וממילא ה"ה בספק הונח או לא).

סעיף ב - צריך שיהא העירוב ביהש"מ במקום שראוי ליטלו, הלכך אם נפל עליו גל, ואינו יכול ליטלו בלא מרא וחצינא, אסור - אבל אם אין צריך למרא וחצינא, אלא לטלטל מוקצה, לא גזרו עליו ביה"ש, כמ"ש סימן רס"א.

הגה: והעירוב א"צ להיות קיים רק בין השמשות, ויוכל לאכלו כשודאי חשיכה – (ואף דלעיל בסימן שצ"ג ס"ג פסק, דאם נאכל בין השמשות ג"כ עירובו עירוב, התם הוא לענין דיעבד, אבל לכתחלה אין כדאי להכניס עצמו אפילו בספק דרבנן, **והאי** דמקילינן בס"ב שם להניחו לכתחלה ביה"ש, איירי נמי כגון שנתאחר ולא הניחו מקודם, ודיינינן ליה לענין עירובי חצרות {דקיל מעירובי תחומין} כדיעבד, **אבל** לכתחלה בודאי מצוה להניחו קודם ביה"ש).

ויש לבצוע עליו בשחרית בשבת - הטעם, הואיל ואיתעביד ביה חדא מצוה, נעשה בו מצוה אחרת, **ואף** דיוכל לאכלו גם בערבית כנ"ל, מ"מ טוב יותר לבצוע עליו בשחרית, משום דפעמים מקדים לאכול בערבית קודם חשיכה.

ודוקא במקום שנוהגים לערב כל ערב שבת, אבל עדיף טפי לערב על כל השנה בפעם אחת, כדלעיל סי' שס"ח - שמא ישכחו פעם אחת מלערב, **ובאופן** זה כשנאכל עירובו בשבת, אינו מותר רק לאותה שבת, אבל לא לשבת הבאה.

סעיף ג - נתנו במגדל - של בנין, או אפילו במטלטל, כמו תיבה גדולה המחזקת מ' סאה, שיש בסתירתה משום סתירת אהל דאורייתא, כמבואר בסי' שי"ד, **ונעל בפניו ואבד המפתח קודם שחשכה** - פי' קודם זמן ביה"ש, דבתחלת ביה"ש כבר היה אבוד ממנו, [דאלו בביה"ש גופא, מבואר בסי' שצ"ג דאם נאכל הוי עירוב].

ודוקא שנאבד ממקום שהניחו, ואינו יודע היכן הוא, אבל אם הוא מונח במקומו, אלא שהוא שכח באיזה מקום הניחו, הוי עירוב, דעביד הוא דמדכר.

אם אי אפשר להוציא העירוב אא"כ יעשה מלאכה גמורה בין השמשות - כגון שצריך לסתור המגדול או הדלת, שיש בו משום סתירת אהל, **הרי זה כמי שאבד, ואינו עירוב, שהרי אי אפשר לאכלו** - [ואם היה המנעול קשור בחבל, מוכח בגמרא דאין בו איסור דאורייתא בפסיקתו, והוי עירוב].

(כן הוא לשון הרמב"ם, והשמיט סוגיא דעירובין דף ל"ד, דאוסר אף במגדל של לבנים סדורות בלא טיח טיט, דאין בו אלא שבות, דמפרש דאתיא הסוגיא שם דלא כרבי, דלרבי דכל דבר שהוא משום שבות לא גזרו ביה"ש, אינו אסור אלא במגדול של בנין, או של עץ שיש בו מ' סאה וכנ"ל, שיש בו מלאכה גמורה בסתירתו, **אלא** דצ"ע, איזה מלאכה גמורה שייך אף בבנין גמור, דהא מן התורה אין חייב אלא בסותר ע"מ לבנות, ושלא ע"מ לבנות אינו אלא מקלקל, **ואפשר** דחשיב זה סותר ע"מ לתקן, דצריך להסתירה משום העירוב שמונח בתוכו, **או** משום דהוא שבות הקרוב, דהא עכ"פ סותר הוא בנין גמור, ולכן גזרו בו, וכמו בהניח עירובו בקנה, או בשבות של פחות פחות מד"א, **וגדולה** מזו דעת הריטב"א, דאף בלבנים סדורות אסור, דהוא שבות הקרוב לדאורייתא, דהוא דומה לסתירת בנין, **ובע"כ** צריך ליישב באחד משני אופנים אלו, דהא מוכח בסוגיא דסותר ממש אינו עירוב, ורק בפסיקת חבל לא גזרו).

ואם נמצא המפתח בשבת במקום שיכול להביאו בלא מלאכה דאורייתא, שלא היה מפסיק ר"ה בין מקום שנמצא המפתח לבין המגדול, הוי עירוב, [דבשדה שהוא כרמלית דהטלטול הוא רק מדרבנן, לא גזרו ביה"ש, **ואף** דגם בר"ה יכול להעבירו פחות פחות מד"א, שבות זה לא התירו במקום עירוב], **ואע"פ** שלא היה בידו בין השמשות, כיון שמצא אותו אח"כ, חשבינן ליה כאלו היה בידו, שמצוי הוא שימצאנו.

§ סימן שצה – דיני ברכת עירוב §

סעיף א - מצוה לחזור אחר שיתופי מבואות - פן ישכחו ויבואו לידי איסור טלטול.

ומברך עליו: על מצות עירוב - שגם על שיתוף שייך שם עירוב, שמעורבין ומשותפין כל החצרות שבמבוי ביחד.

[**וכגון** שהמבוי לא היה מתוקן בתחילה בעירובין כדין, ועשו רק ע"ח להתיר הטלטול בחצר, ואח"כ ניתקן המבוי, ולא נחסר רק שיתופי מבואות, שגם בזה מברך: על מצות עירוב].

ואומר: בזה השיתוף יהיה מותר לכל בני המבוי להוציא ולהכניס מחצירות למבוי (ומהם לבתים) בשבת.

ומהם לבתים - ר"ל מן המבואות וחצרות לבתים, **ואף** דהכא איירי בשתופי מבואות לחוד, מ"מ הא מבואר בסימן שפ"ז, דסומכין על שיתוף במקום עירוב, ואיירי רמ"א באופן זה, **ועיין** לעיל בסוף סימן שס"ו במ"ב, שהעתקנו הנוסח הנהוג לומר.

אימתי מברך עליו, בשעה שמקבץ אותו מבני המבוי, או בשעה שמזכה להם - עיין לעיל בסימן שס"ו סט"ו במ"ב, ושייך ג"כ לכאן.

הגה: ואם גבו אותו לשם עירוב, ושכחו ולא ברכו עליו, הוי עירוב, כי אין הברכה מעכבת - הוא הדין אפילו לא אמרו עליו גם כן הנוסח של "בזה השתוף" הנ"ל.

§ סימן שצו – דין ארבע אמות שיש לכל אדם בשבת §

סעיף א - "שבו איש תחתיו", מכאן שכל אדם יש לו ד' אמות בכל מקום - פי' דכתיב "תחתיו", כתחתיו, גופו שלש אמות, ואמה כדי לפשוט ידיו ורגליו, **וכמבואר** בסי' שמ"ט ע"ש במ"ב, אך דשם מיירי לענין טלטול איזה חפץ בר"ה, והכא מיירי לענין יצא חוץ לתחום, דיש לו רשות להלך ד"א.

אפילו יצא חוץ לתחום - שהרי משה אמר זה לאותן שיצאו חוץ לתחום, "שבו איש תחתיו", [**וקרא** הכי פירושו, "שבו איש תחתיו", לאותן שיצאו לחוץ, "ואל יצא איש ממקומו", לאותן שלא יצאו עדיין ללקוט].

ומודדים לכל אדם באמה שלו, ואם היה ננס באיבריו - ר"ל שגופו בינוני וזרועו קצר, וכמו שביארתי לעיל בשמ"ט, **נותנים לו ד' אמות בינוניות של כל אדם, שכל אחת מהן ו' טפחים.**

הגה: ואלו ארבע אמות מודדין לו מרווחות - ר"ל בין כשמודדין לכל אדם באמה שלו, ובין כשמודדין ד' אמות בינוניות, מודדין לו מרווחות, ר"ל שיהיו מודדין אותו בריוח ולא בצמצום, [**ועולה** על ד' אמות עוד שני אצבעות].

ודע, דארבע אמות נותנין לו מרובעות לעבר פניו שהוא רוצה לילך, דהיינו שיכול לילך בהן אף באלכסונן, שעולה עוד אמה וג' חומשין, [**אבל** להלך במישור אסור יותר מד' אמות].

והוא באמצען - ט"ס, וצריך לכתוב זה אחר תיבת "לכל צד", **ויש אומרים דמותר להלך ארבע אמות לכל צד** - צ"ל: "**ויש אומרים דמותר להלך ארבע אמות לכל צד והוא באמצען**", ור"ל ממקום שהוא עומד יש לו לכל צד ד"א, ונמצא דהוא שמונה על שמונה, [וידוע דכל שיעורי שבת הוא מרובעין עם הזוית שלהם], **דלדעה** ראשונה אין לו רק ד"א לאותו רוח שבירר, ואם בירר למקום אחד, אינו יכול לחזור ולברור במקום אחר.

ועיין בא"ר שכתב, דיש לסמוך על דעה זו למעשה.

אבל לטלטל אין לו רק ארבע אמות עם אלכסונן, כמו שנתבאר לעיל סימן שמ"ט - ר"ל דיש אומרים הזה פליגי רק אהילוך, אבל לענין טלטול כו"ע מודו דאין מותר רק עד ד"א עם אלכסון, **ועיין** לעיל בסימן שמ"ט, דאותן ד"א שבירר לו, לכו"ע מותר לטלטל באלכסונן, אף שעולה יותר מחמש אמות.

סעיף ב - בכל מקום שקדש עליו היום, אם הוא מוקף לדירה - כגון ששבת בעיר או שאר מקום שהוקף לדירה, **אפילו אין בו עתה דיורין** - כגון שנחרבה מדיוריה אבל חומתה קיימת, **חשוב כולו כד' אמות** - אפילו אותו מקום גדול כאנטוכיא, ומונה אלפים אמה מחוץ אותו המקום.

ואם אינו מוקף לדירה, עד סאתים חשוב כולו כד' אמות - ואם היה ההיקף יותר מסאתים, אין לו אלא אלפים אמה לכל רוח ממקום ד"א שהוא עומד בה בעת שקידש היום.

ואפילו שבת בתל גבוה - עשרה טפחים, **ובקמה קצורה ושבלים מקיפות אותה** - שהניח גבוליה סביב מלקצור גבוה עשרה טפחים, **והוא** שקשר השבלים יחד, בענין שאין רוח מצויה מנידה אותן, שכל מחיצה שרוח מניד אותה אינה מחיצה, **חשיבי כד' אמות עד סאתים** - דאע"ג דהיא עשויה מאליה, שמה מחיצה, **ותל** אע"ג דאין לה למעלה היקף סביבה, מ"מ נחשב בכלל מחיצה, כיון שהיא גבוה י"ט.

[**בגמרא** איתא דה"ה בנקע (גומא) דהוא עמוק י"ט, ורחב מד"א עד סאתים].

§ סימן שצז – דין שביתת היחיד וכליו ומהלך אלפים אמה §

סעיף א - כל אדם יש לו אלפים אמה לכל רוח - והוא תקנת חכמים, דמן התורה מותר להלך עד י"ב מיל, כשיעור מחנה ישראל במדבר שהחזיקה י"ב מיל, וביותר מזה אסור, וכדכתיב: אל יצא איש ממקומו, והאי "ממקומו" קאי על המחנה, **והרבה** פוסקים חולקים ואומרים, דגם חוץ לי"ב מיל אינו אסור מה"ת, והאי "אל יצא" אינו אלא אזהרה לענין הוצאת כלים מרשות לרשות.

חוץ מארבע אמותיו - דמקומו של אדם בכל מקום ששובת הוא ד"א כדלעיל, ומשם יש לו אלפים לכל רוח, נמצא דיכול להלך מעמידת רגליו אלפים וד"א.

[**ולפי** דעה ראשונה לעיל בסי' שצ"ו, אם בירר לו הד"א בצד אחד, כגון שהלך הב' אלפים וד"א, הפסיד הד"א מצד השני, ואין מודדין לו לצד השני רק אלפים ולא יותר, **ולדעת** הי"א שם יש לו ד"א לכל רוח, **אך** כבר ביארנו שם דהלכה כדעה שניה].

או מהמקום ששבת בו - פי' דאם שבת במקום מוקף מחיצות, חשיב כולו כד"א, ויש לו אלפים סביב המקום ההוא.

סעיף ב - קדש עליו היום בבקעה, ואינו יודע תחום שבת, מהלך - לבד הד"א, **אלפים פסיעות (בינוניות)** - והיינו חצי אמה מקום מצב הרגל, וחצי אמה הוא בין רגל לרגל בפסיעה בינונית, **שהם תחום שבת** - ומיירי שהוא צריך ללכת לאיזה צורך שבת, ומקרי מדידה של מצוה, דשרי כדלעיל בסימן ש"ו ס"ז.

(**ופשוט דאם הוא אדם ארוך, שפסיעה בינונית שלו הוא יותר מאמה, דצריך לשער באדם בינוני דעלמא, שהרי יותר מאלפים אמה אסור לילך בשבת, ואסמכוהו אקרא, וכן פשוט דאם הוא אדם ננס, שפסיעותיו קצרות ואינו מחזיק כשיעור אמה, יוכל לילך יותר מאלפים, והשו"ע מיירי באדם בינוני**).

סעיף ג - כשם שאין אדם רשאי להלך בשבת וביום טוב אלא אלפים אמה לכל רוח, כך כליו ובהמתו אין יכול שום אדם להוליכם חוץ לאלפים אמה של בעליהם - אפילו היה בתוך תחומו של המוליך, דבמקום שאדם קונה שם שביתתו, קונים שם כליו ובהמותיו, דנגררים אחריו, **וה"ה** פירותיו וכל דבר השייך לו.

ומיירי ביו"ט, דלית ביה משום איסור הוצאה כי אם משום תחומין, דבשבת הלא אסור להוציא חוץ לד"א, **א"נ** מיירי במלבוש שלובש האדם עליו, דבזה ליכא משום הוצאה כי אם משום איסור תחומין, דהמלבוש נגרר אחר בעליו, [**ועוד** משכחת לה, למי שכלתה מדתו בחצי העיר המוקפת חומה, דאז הוא אסור לילך יותר, ואחרים מותרים לטלטל בכל העיר כיון שמוקפת חומה, וקמ"ל דאסורים להוליך הכלים של זה שכלתה מדתו בחצי העיר].

ואם עירבו בעליהם לרוח א', אין שום אדם יכול להוליכם לרוח האחרת אפילו פסיעה א', במקום שאין הבעלים יכולים לילך.

הגה: ועיין לעיל סוף סימן ש"ה, אם מותר למסור בהמה לעכו"ם במקום שיש לחוש שיוליכנה חוץ לתחום - דשם מבואר להיתר, ועי"ש במ"ב דיש מחמירין, והעולם נוהגין היתר, **אכן** לצוותו שיוליכנו חוץ לתחום אסור.

סעיף ד - המוסר בהמתו לבנו, הרי הוא כרגלי האב - ולא כרגלי הבן המוליכם, לפי שדרך בני אדם להפקיד כליהם ביד בניהם, ואין כונתם למסור ברשותם, **ולפי"ז** אפילו מסר לו מע"ש נמי דינא הכי.

והרבה חולקין על פסק המחבר, וס"ל דבנו לא עדיף מאחר, ולהכי אם הוא רגיל תמיד למוסרו לבנו לרעותה, דינו כמו מסרה לרועה בס"ה, דאפילו מסרה לו בשבת גופא, הרי הוא כרגליו.

[**אכן** נראה דאף להמחבר, אם היה בנו רועה קבוע, ורגילין הכל למסור לו בהמותיהם, מודה גם המחבר דהוא כרגלי הבן, ואפי' מסרה לו בשבת, דאז יש לו שם רועה אחר, דמוסר שביתתו אצלו, ולא נגרע כלל מפני שהוא בן].

סעיף ה - מסרה לרועה, אפילו נתנה לו ביו"ט, הרי הוא כרגלי הרועה - ואפי' לרועה עכו"ם, דהרי הוא כחפצי עכו"ם דקי"ל דקונה שביתה, ואינו נמשך אחר בעלים ישראל.

אפי' נתנה לו ביו"ט - דכבר מעיו"ט דעתו היה שלא לקנות שביתה אצלו, אלא אצל הרועה שמסר לו למחר, **ודע**, דמש"כ "יו"ט" לאו דוקא, דשייך זה גם לענין שבת, וכן דין דס"ח וס"ט וסי"א, **ושארי** הדינין שייך רק ביו"ט, ומשום גררא דאינך נקט לכולהו כאן.

ומשמע מסתימת לשון המחבר, דאפילו יש כמה רועים בעיר, כיון שהוא מסר רק לאחד, הרי הוא כרגלי הרועה, **אבל** כמה פוסקים חולקין ע"ז, וסוברין דהיכא שיש שני רועים בעיר, ומסר לאחד ביו"ט, הרי הוא כרגלי הבעלים, מאחר שלא הוברר מעיו"ט בשעת קניית שביתה למי ימסור למחר, נשאר ממילא ברשות הבעלים, **אם** לא שרגיל תמיד למסור לאחד מהם, דאז הרי הוא כרגלי הרועה ההוא, [**וכ"ש** אם אמר מעיו"ט לרועה שלמחר ימסור לו, דמהני].

ואם מסרה לשני רועים, הרי היא כרגלי בעליה, מפני שלא קנה א' מהם - ר"ל דבכגון זה שיש כמה רועים, אין דרכו למסור שיהיה ברשותם לענין קנין שביתה, [**נראה** שטעמו, דכמה פעמים נותן כל אחד עירובו למקום אחר, ובאופן כזה יתמעט התחום לבהמתו, שלא יהיה לה כי אם ב' אלפים אמצעים, ולהכי אין דעתו שיהיו נמשכין אחר הרועים].

ומסתימת המחבר משמע, דלא שני לן בין אם מסר לשני רועים מע"ש, בין אם מסר להם בשבת, **אבל** רבים חולקים ע"ז, וס"ל דבמסר להם בע"ש, אין נ"מ בין רועה אחד לכמה רועים, ובכולן הרי הוא כרגלי הרועים, ואין מוליכין אותם אלא למקום ששני הרועים יכולים להלך, **אכן** אם בשעה שמסרה להם לא בירר לאיזה מהם מסר שמירתו, ולמחר בשבת בירר שמוסר שמירתו לאחד מהם, הרי הוא כרגלי הבעלים, כיון שלא בירר מע"ש, **וכן** אם מסר לשני הרועים בשבת גופא, דעת רוב הפוסקים דהרי הוא כרגלי הבעלים.

סעיף ו - שור של פטם - שמפטם שוורים למכור, **כרגלי מי שלקחו לשחטו ביו"ט** - היינו שאפילו אם הוא מעיר אחרת, ובא לכאן ע"י עירוב, מוליכו למקומו, **והטעם**, שדרך שור כזה לקנותו גם מעיירות אחרות מפני שהוא מפוטם, ודעת בעליו מאתמול היה גם עליהם להקימו ברשות מי שיקחנו.

וכן אם שחטו בעליו ביו"ט ומכרו בשרו, כל א' מהלוקחים מוליך מנתו למקום שהוא הולך - מפני שדעת בעליו היה לחלקו למי שיבוא, ואפילו מעיירות אחרות וכנ"ל, **והוי** זה כבור של הפקר שהוא מסור לכל, דהוא כרגלי הממלא, וכדלקמיה בסי"ד, [**וי"א** עוד, דהקילו בזה משום תקנת הטבח והלוקחים, ומשום שמחת יו"ט]. **ולא** שייך לומר שינקו זה מזה כבסעיף י', כיון שלא נתייחדו עליה שם הבעלים מערב יו"ט, משא"כ בס"י, שנתייחד עליה שם הבעלים – ערוה"ש).

סעיף ז - שור של רועה - היינו אדם שמגדל בהמות, ופעמים שמוכרו לשכניו ומכיריו, **כרגלי אנשי אותה העיר** - אלפים לכל רוח, ואפילו אם עירב

הרועה הזה לצד אחד, אינו מעכב עליהם מלהוליך אלפים לרוח האחר של העיר, דמאתמול אוקים ברשותם לפי שרגילין ליקח ממנו, (**ואם** הלוקח עירב, יכול להוליכו למקום שעירב).

ומשום דכיון שאינו מפוטס אין דרך לקנותו מעיירות אחרות, דשור כזה ימצאו כל אחד במקומו, ולכן אין דעת בעליו אלא על בני עירו, והרי הוא כרגלם, (**ואם** בא בן עיר אחרת שעירב לכאן ולקחו ביו"ט, יכול להוליך עד אלפים אמה, דעכ"פ לא גרע מאנשי העיר).

(**ולענין** הרועה גופא אם לא מכר, פשוט דהרי הוא כרגליו, ולא אמרינן שחשב להוציא מרשותו אלא אם לבסוף מכר).

(**ומסתברא** בפשיטות, דהיינו דוקא של רועה שדרכו לפעמים למכור, וע"כ אמרינן דאף שמכרו ביו"ט, דעתו היה מעיו"ט לאוקמי ברשותיה של מי שיקחנו אח"כ, ולהכי אינו נגרר אחר רגלי המוכר, **אבל** באדם דעלמא שאין דרכו למכור בהמות, הולכין אחר המוכר, כיון דביה"ש היתה אצלו).

סעיף ח - כלים המיוחדים לאחד מהאחים שבבית - ר"ל שאין האחין משתמשין בהן, **הרי הם כרגליו** - אע"פ שיש להן חלק בהם, מ"מ חיילא עלייהו שביתת זה שמשתמש בהם, ואין לאחים כח לאסור ולהקנות עליהם את שביתתם.

ושאינן מיוחדים, אין יכולים להוליכם אלא למקום שכולם יכולים לילך - לאפוקי אם אחד עירב אלף אמה למזרח, והשני אלף אמה למערב, אין יכולין להוליך את הכלים אלא כשיעור אלף אמה מכאן ואלף אמה מכאן, שכולן יכולין לילך, מפני שכולן שותפין בו, וכל אחד מעכב על חבירו.

סעיף ט - שנים ששאלו חלוק - מבעוד יום, להיות ברשות שניהם, וקי"ל לקמיה סי"א, דע"י שאילה הוי כרגלי השואל, **זה לילך בו שחרית וזה לילך בו ערבית** - אין הכונה על הערבית של יו"ט שני, דבזה יכול כל אחד להוליך בזמן שאילתו עד מקום שעירב, דשתי קדושות הן, ואם אחד קדוש השני חול, ואין האחד אוסר על חבירו, [**ורק** יהא צריך להביאו קודם ביה"ש בתוך תחומו של השני, כדי שיהא מותר גם לו להוליך עד מקום שרשאי], **אלא** הכונה על הערבית שלפני שחרית, דשאילתן הוא ליום אחד, **לא יוליכו אלא למקום ששניהם יכולים לילך** - דכל אחד אוסר על חבירו, אם עירב זה לכאן וזה לכאן.

ואם עירב זה לסוף אלפים למזרח וזה לסוף אלפים למערב, לא יזיזוהו ממקומו - דהא זה לא יוכל לילך למזרח כלום, וכן השני למערב, וכן שייך דבר זה בסעיף הקודם.

סעיף י - ב' שלקחו בהמה בשותפות ושחטוה ביום טוב, אע"פ שלקח כל א' מנתו, הרי כל הבשר כרגלי שניהם; אבל אם לקחו חבית של יין וחלקוה ביום טוב, חלקו של כל א' מהם כרגליו - דכשחלקו אמרינן דלמפרע מעיו"ט הוברר כל חלק, וקנה שביתת בעליו, דבדרבנן יש ברירה, ואמרינן דכל חלק שהגיע לאחד הרי הוא כאלו היה ברור לו ומובדל מעיו"ט.

ובבהמה א"א לומר כן, דאפילו אם נאמר שהוברר כל אחד מעיו"ט, מ"מ הלא בע"כ יונק כל אחד מחלק חבירו בזמן ביה"ש, שהוא זמן קניית עירוב, וכל אבר מעורב מחלקו ומחלק חבירו, ולכן הרי הוא כרגלי שניהם להחמיר, וכאלו לא חלקו.

(**דע**, דדין זה אף שהמחבר העתיקו בלי מחלוקת, מ"מ נראה דיש להקל בו לצורך גדול, כי דין המחבר הוא רק דעת הרי"ף והרמב"ם, אבל שארי ראשונים פליגי על זה, וע"כ במקום צורך בודאי יש להקל, ובפרט שהוא מילתא דרבנן).

סעיף יא - השואל כלי מחבירו מעיו"ט, אפי' לא לקחו עד הלילה, הרי הוא כרגלי השואל - היינו אף שלא משך הכלי מעיו"ט, ומדינא לאו ברשותיה עדיין, מ"מ כיון שהבטיחו להשאילו מעיו"ט, העמידו ברשותיה ביה"ש לענין קנית עירוב.

ואם שאלו ממנו ביום טוב, אע"פ שדרכו לשאלו ממנו בכל יום טוב, הרי הוא כרגלי המשאיל - דלא אמרינן דברשותו אוקים, דכיון דלא אתי לבקש ממנו מבע"י, סבר דילמא איניש אחרינא אשכח לשאול ממנו.

(ביאור הלכה) [שער הציון] ‹הוספה›

סעיף יב - האשה ששאלה מחברתה מים ומלח לעיסתה, ותבלין לקדירתה - וה"ה מים ומלח לקדרתה, **ביו"ט, הרי העיסה ותבשיל כרגלי שתיהן** - ואינה רשאה להוליך העיסה והתבשיל כי אם במקום ששתיהן יש להן רשות לילך, כיון שנתערב בה דבר שקנה שביתה אצל אחר.

סעיף יג - לקח מחבירו ביו"ט גחלת, לא יוליכנה אלא כרגלי הנותן - דהואיל ויש בה ממש, הרי היא כשאר הכלים.

אבל אם הדליק נר או עץ משלהבת חבירו, הרי הוא כרגלי זה שהדליק - דהואיל ששלהבת אין בה ממש, לא חל עליה שביתת בעליה.

סעיף יד - בור של יחיד, הרי הוא כרגלי בעליו - ואם מילא מהם אחר, אינו יכול להוליכן רק למקום שבעליו מוליכן, ואם עירב בעליו למזרח, אין יכול זה להוליכן לצד מערב אפילו פסיעה אחת.

ובמים מכונסין ממי גשמים או שלגים מיירי, **דאלו** בבאר מים נובעין כמו בארות שלנו, אף שהוא של יחיד, הרי הוא כרגלי הממלא, וכמש"כ בסעיף שאחר זה, [רש"י ור"ח ור"ן וריטב"א, **והרשב"א** הביא פי' אחר, דכל שאין המעין מושך אלא עומד במקומו כמו בארות שלנו, דין מכונסין להם, **ומ"מ** לדינא יש להקל ככל הני רבוותא הנ"ל שהם רבים, וכפשטות הש"ס, ובפרט שהוא מילתא דרבנן].

ושל אותה העיר, כרגלי אנשי אותה העיר - ואם מילא אינש אחרינא דלאו מהאי מתא, לא מצי מפיק אלא ככל העיר, דאי לא עירבו כלל, מוליך אלפים לכל רוח, **ואי** עירב חד מבני העיר למזרח, אוסר עליו שלא יהיה יכול לטלטל לכל רוח אלא אלפים מן העיר למזרח, [**ואם** עירבו מקצתן למזרח ומקצתן למערב, אינו רשאי לזוז מהעיר וחוצה לה אפי' פסיעה אחת, וכדבס"ט], **וכ"ז** באינש אחרינא, אבל בני העיר, כל אחד יכול להוליך למקום שעירב, כמו גבי חבית של יין בסעיף י', **וכן** אם נתנן לאחד שאין מבני העיר, יכול להוליכן כרגלי הנותן.

ושל הפקר, כרגלי הממלא - דכל מידי דהפקירא, מאן דמגבה ליה קני, ואמרינן הוברר הדבר למפרע בין השמשות דלהאי גברי חזו, וברשותיה קיימא, **ואפילו** נתן הממלא לאחרים לאחר שמילאן ביו"ט לצורכו, הרי הן כרגליו.

סעיף טו - נהרות המושכים - אע"פ שאין נובעין, **ומעיינות הנובעים** - אע"פ שאין יוצאין ממקום נביעתן לימשך הלאה, **הרי הם כרגלי הממלא** - אפילו אינם הפקר, כגון ששייכים לאיזה עיר או ליחיד, **והטעם**, דכיון דניידי לא קנו שביתה אצל בעליהם, והרי הם כרגלי הממלא אותם, שאז קנו שביתה בשביתתו, כיון שנפסקו אז ממקום נביעותם, או ממקום הלוכם.

היו באים מחוץ לתחום לתוך התחום, ממלאים מהם בשבת, ואין צריך לומר ביום טוב - הואיל ולא קנו שביתה כלל חוץ לתחום מפני דניידי.

גשמים היורדים מעיו"ט סמוכים לעיר, [וסמוכין מקרי כל שהוא תוך התחום של עיר, **ויש** שכתבו דוקא כנוס הרבה בתוך התחום, אבל לא בסוף התחום], וכ"ש כשירדו בעיר עצמה, הם כרגלי אנשי אותה העיר, **והטעם**, משום דאנשי העיר סמכו דעתם עלייהו, **אבל** כשירדו ביו"ט, הרי הם כרגלי הממלא.

סעיף טז - מילא מים מבור של הפקר לצורך חבירו, הרי הם כרגלי הממלא - אף אחר שמסרם לידו, והטעם, דאף דקיי"ל המגביה מציאה לחבירו קנה חבירו, היינו משום מיגו דזכי לנפשיה זכי נמי לחבריה, וכיון דלא זכי אלא מכחו, הרי הם כרגליו.

ועיין בבה"ל שהרבה חולקין ע"ז, (ובאמת רוב ראשונים חולקים ע"ז, ודעתם, דהרי הם כרגלי המתמלא, לפי מה דקיי"ל בכל מקום המגביה מציאה לחבירו קנה חבירו, ובאמת מכל הני ראשונים מוכח, דאפילו עודן ביד הממלא, ג"כ אסור להוליכם כרגליו, אלא כרגלי מי שנתמלא בשבילו, דהרי אינם שלו, אלא שייכים הם למי שנתמלא בשבילו, דהמגביה מציאה וכו' קנה חבירו, וע"כ מסתברא לפסוק שלא כדברי המחבר, רק כרגלי שנתמלא בשבילו, ובפרט אם כבר הגיעו ליד מי שנתמלא).

ודע, דאם הבור מים היה של שותפות, ומילא לצורך שותפו, לכו"ע כרגלי מי שנתמלאו בשבילו, שהרי מחלקו נתן לו, דבדרבנן קי"ל דיש ברירה, ואינו זוכה כלל מחלק הראשון.

סעיף יז - מי שהיו לו פירות מופקדים בעיר אחרת רחוקה ממנו, ועירבו בני אותה העיר לבא אצלו, לא יביאו לו מפירותיו, שפירותיו כמוהו - והרי הוא לא הניח עירוב, (ובתוספתא סוף ביצה איתא: ואם יש שם {ר"ל במקום הפירות} אפוטרופוס מנהיג נכסיו של בעל הפירות, מביאין על פי אפוטרופוס אם הוא עירב, עכ"ל, ופשוט הוא, דהו"ל כמו רועה המובא בסעיף ה').

במה דברים אמורים, כשייחד להם קרן זוית - דהיינו שאושליה ביתא, ואמר ליה: הא ביתא קמך, שאין כאן קבלת שמירה, לפיכך הרי הם ברשות בעליו, **ופשוט** דה"ה שארי אופנים שאין עליו חובת שמירה מן הדין, ע"פ המבואר בחו"מ ריש סימן רצ"א.

(**אכן** באמת לשון המחבר שהוא לשון הרמב"ם אינו מורה כפירוש זה, אלא דעיקר הדבר תלוי בייחד לו מקום, דהעמידו ברשותו לענין עירוב, ובמסרו לנפקד בלא יחוד מקום, העמידו ברשות הנפקד, ולא תלי הדבר כלל בחיוב שמירה, ואפילו שכרו להדיא שישמור, אעפ"כ ביחוד מקום קאי ברשותיה לענין עירוב, **ומשמע** עוד מלשונו, דהאי ייחד לו קרן זוית קאי על המפקיד, והיינו כנ"ל, וכבר העיר בזה בנשמת אדם, עיי"ש שהאריך איך לנקוט לדינא).

אבל אם לא ייחד להם - אלא קיבלן תחת רשותו, ובאחריותו קיימי, **הרי הם כרגלי זה שהם מופקדים אצלו** - ולפי"ז אם הם לא עירבו, אסור לו להביאן אצלו ואפילו כשעירב.

וכ"ז כשהניח פירות בסתם, ואח"כ נמלך ליטול מהן ביו"ט, אבל אם היה הדבר עומד ליטול מהן ביו"ט, הם ברשות בעליהן בכל אופן, [**דהנפקד** גופא מקני ליה כשביתת בעל הפירות, וכמו בשור של פטם דמקני ליה כשביתת כל א', **ואפי'** לא ידע הנפקד שבדעת בעל הפירות ליקחם, מ"מ אם בעל פירות חשב בעת קניית שביתתו להשתמש בהם למחר, מותר להביאן, דקנו שביתתו].

סעיף יח - מי שזימן אצלו אורחים ביו"ט, לא יוליכו בידם מנות למקום שאין בעל הסעודה יכול לילך בו - וה"ה אם הזמינם מבעוד יום, כל שלא זיכה להן, הרי הם ברשות בעל הסעודה, שקנו שביתה אצלו, וכדמסיים: אא"כ זיכה וכו', **אא"כ זיכה להם מערב יו"ט ע"י אחר במנות אלו.**

§ סימן שצח – דין היאך מודדין אלפים אמה §

סעיף א- הבא למדוד אלפים אמה של תחום העיר, אם היתה העיר אריכא וקטינא - פי' שאין רחבה כארכה, **או שהיתה מרובעת ולא לרבוע העולם** - היינו שאין עומדת צפונה לצפון העולם, ודרומה לדרום העולם, אלא באלכסון, **הואיל ויש להם ארבע זויות שוות** - לאפוקי כשהיא רחבה מצד אחד וקצרה מצד אחר, אין זה זויות שוות, ואין זה ריבוע, ומרבעין אותה כמבואר בס"ד, **מניחים אותה כמות שהיא ומודדים לה אלפים אמה לכל רוח מארבע רוחותיה** - היינו באריכא וקטינא אין מוסיפין על רחבה להשוותה לארכה, **וכן** כשאינה מרובעת לריבוע העולם, אין מוסיפין עליה לרבע אותה בריבוע העולם, כמו בסעיף ג'.

סעיף ב- היתה עגולה, עושין לה זויות, ורואים אותה כאילו היא בתוך המרובע, ומודדין חוץ מצלעות אותו מרובע אלפים אמה לכל רוח, שנמצא משתכר הזויות; וכן אם היתה העיר משולשת - שמושכין הריבוע להשוות צד הקצר כפי אורך צד הארוך, **או שיש לה צלעות רבות** - שיש לה ו' זויות או ח', **מרבעים אותה** - מושכין החוט לרבעה כנגד המקומות היותר רחבין בה, **ואח"כ מוציאין חוץ למרובע אלפים אמה לכל רוח.**

סעיף ג- כשהוא מרבעה, מרבעה בריבוע העולם, כדי שתהא כל רוח ממנו משוכה כנגד רוח מרוחות העולם ומכוונת כנגדה - היינו שאינו יכול לעשות הריבוע כמו שירצה,

אלא דוקא לפי רוחות העולם, דרום כנגד דרום, וצפון כנגד צפון, ומשם ולהלן מודדין האלפים אמה.

סעיף ד - היתה רחבה מצד א' וקצרה מצד א', רואין אותה כאילו כולה רחבה - היינו כשבא למדוד התחומין אצל מקום הקצר, אין מודדין מן החומה, אלא מוסיפין מתחלה על העיר עד שיהא שוה עם מקום הרחב, ומשם ולהלן מודדין האלפים אמה.

היתה עשויה כמין גם - הוא אות יונית, וצורתה כמין כ"ף פשוטה, **או כקשת** - שבתיה בנויים כחצי עיגול, ובין שני ראשיה המקום פנוי, **אם יש בין שני ראשיה פחות מארבע אלפים אמה** - שתחום ראשה של זו מובלע בתוך תחום ראשה האחר, נעשית עיר אחת עי"ז, **מודדין לה מן היתר** - יתר נקרא חבל הקשור בשני קצות הקשת, **ורואין את כל הרוחב שבין היתר והקשת כאלו הוא מלא בתים** - וע"כ יכול לילך כל החלל שמן ראש הקשת עד היתר, ואין עולה לו בחשבון אלפים, **וכן** לענין הרוחב, יכול לילך מדרומו של הקשת לצפונו דרך חללו, ונותנין לו אלפים אמה שלמים מן צד הצפון והלאה, דכל הקשת וחללו רק כד' אמות דמיא.

(**לשון** הטור: רואין אותה כאילו היא מרובעת ומלאה בתים, ע"כ. **וכתב** הערוה"ש: דדנין רק על מקום היתר אם מודדין משם אם לאו, אמנם זהו ודאי דבצדדי החצונים של הקשת יש להוסיף עד שיהיה עליו תמונת מרובע).

וה"נ לענין עשויה כמין גאם, רואין כאלו מלאה בתים בריבוע, ממזרח למערב ומצפון לדרום, **וגם** בזה דוקא אם אין בין שני ראשי הגאם באלכסון מזוית לזוית, רק פחות מד' אלפים אמה, [**ואם** יש ד' אלפים אמה בראשיה, מרבעין אותה באותו המקום שימצאון באלכסון פחות מד' אלפים, ובעין שכתב הרמ"א גבי קשת לקמיה].

ואם היה בין שני ראשיה ד' אלפים, אין מודדין לה אלא מן הקשת - הטעם, דכיון דאין מובלעין התחומין זה בזה, וא"א להלך מקצה הקשת האחד לקצה השני, ע"כ א"א לחשוב החלל בכלל עיר, ועולה בתוך שיעור אלפים.

והסכימו הפוסקים, דכ"ז כשרוצה לילך דרך החלל של הקשת עד היתר ולהלאה, **אבל** מותרים לילך סביב דרך הבתים שבקשת עד קצה הקשת, ומשם ואילך מודדין לו אלפים אמה, מאחר שהולך הכל בעיר, חשיב כולה כד"א.

הגה: ויש אומרים מן המקום שנתקצר שם הקשת שאין בו ד' אלפים אמה - דס"ל דאף דבראשי הקשת היה רחב ד' אלפים ויותר, אפ"ה כיון שבאמצע הקשת מתקצר עד שאין בין זה לזה ד' אלפים אמה, נחשב עד אותו מקום כאלו מלא בתים, ומתחילין למדוד האלפים אף לאותן שדרין בגג הקשת, רק מאותו מקום ולהלאה, שמשם הולך ומתרחב ליותר מד' אלפים אמה.

(עיין בטור שדעתו, דאפילו במקום שלא נתקצר עדיין, כל שאין מן המקום ההוא עד גג הקשת רק אלפים, חשיב כל אותו המקום כאלו מלא בתים, ומודדין האלפים של תחום משם ולחוץ, והעתיקו המ"א, **אבל** לשון הגמרא דחוק מאוד לפי"ז, דהא קאמר דאם רחב במקום היתר יותר מד' אלפים, מודדין מן הקשת, ולדבריו הו"ל לומר ממרחק אלפים מן הקשת, **וגם** מרש"י משמע דהמדידה צריך להיות מראש הקשת, ומה שכתב הב"י, דהטור למד זה ממה שהקילו התוס' והרא"ש, לענין כשאין בין יתר לקשת יותר מאלפים, דה"ה כשיש יותר מאלפים, דעכ"פ מודדין ממקום שהוא בתוך אלפים, וכמו דמקילינן בנתקצר, **יש** לחלק בפשיטות, ובפרט דדין זה גופא כשאין בין יתר לקשת יותר מאלפים שהובא ברמ"א להקל, אינו דין ברור כלל, **ואף** דאפשר לסמוך על הפוסקים שהביא הרמ"א, משום דהלכה כדברי המקיל בעירוב, עכ"פ במה שהמציא עוד הטור ללמוד מזה עוד קולא, קשה מאוד לסמוך ע"ז, ונ"ל שמן הטעם הזה השמיט הרמ"א והלבוש דין זה בהעתקתם את דברי הטור, וכן בח"א השמיט האי דינא).

וכל זה שיש בין הקשת והיתר יותר מאלפים, אבל אם אין ביניהם אלפים - "אבל אם אין ביניהם אלא אלפים" - כצ"ל, **מודדין בכל ענין מן היתר, וכן נראה להקל** - כיון דהיתר מובלע תוך התחום, ויכול להגיע אליו מן הקשת, רואין כאלו הוא מלא בתים כל החלל, **ועיין** במ"א שדעתו, דלא מהני זה רק להיושבין בראשי הקשת, שיהיו יכולין לילך מראש זה לראש אחר אף שהוא יותר מארבע אלפים, **אבל** לא ליושבין בגג

הקשת למעלה שימדדו מן היתר, **אבל** האחרונים חולקין עליו, ודעתם דמהני גם ליושבין בגג הקשת, שימדדו מן היתר התחום שבת.

ודע, דלכו"ע מותרים בעלי הקשת לילך אלפים אמה מבתיהם ולמעלה בכל ענין, [**היינו** בין שהיה ד' אלפים בין ראשי הקשת, וגם יתר מאלפים בין הקשת והיתר, **בין** שלא היה ד' אלפים בין ראשי הקשת, ולא היה יתר מאלפים בין הקשת והיתר].

סעיף ה - כל בית דירה שהוא יוצא מהעיר - אע"פ שאין דרין בה, **אם היה בינו ובין העיר שבעים אמה ושני שלישים, שהוא צלע בית סאתים המרובעות, או פחות מזה, הרי זה מצטרף לעיר ונחשב ממנה, וכשמודדין לה אלפים אמה לכל רוח, מודדין חוץ מבית דירה זה** - פי' שמותחין חוט על כל פני רוחב העיר כנגד בית דירה זו, כדי שיהא התחום שוה בכל מקום, וכדאיתא לעיל בריש ס"ד, ומשם ולהלן מודדין התחום.

הגה: ויש אומרים שאין מתחילין למדוד מיד מן הבית, אלא מותחין חוט על פני רוחב העיר נגד הבית, ומרחיקין משם שבעים אמה ושיריים ומתחילין, וכן בכל מקום שמודדין - פי' כשאין שם בית דירה בתוך שבעים אמה, נותנין ג"כ שבעים אמה ושיריים לעיר, ואח"כ מודדין התחום, **ולדעה** ראשונה אין נותנין שבעים אמה ושיריים לעיר אחת כלל, ומודדין האלפים מחומתה, ורק בשתי עיירות סמוכות נותנין ביניהן קרפיפות, כמבואר בס"ז.

וכן נראה לי להקל – (ולמעשה הנוהג להקל כדעת המקילין בודאי אין למחות בידו, ובפרט שהרמ"א מיקל בדבר, **אולם** מה שהעתיק הרמ"א את דעת הטור להקל, בשנמצא בית בתוך השבעים אמה ושיריים, שנותנין לו משם עוד שבעים אמה, צ"ע בדבר, דדעת הראב"ד, והעתיקו הרשב"א בחידושיו בלי שום חולק, וכ"כ ג"כ הריטב"א, דאף לדעת הסוברין דנותנין קרפף לעיר אחת, הוא רק בשאין שם בית בתוך השבעים אמה, אבל כשיש עיבור לעיר מחמת בית שנמצא שם, שוב אין נותנין קרפף, ומשלימין רק עד שבעים אמה ושיריים מחומת העיר, **ובודאי** יש לחוש לדבריהם, כיון דלדעה הראשונה הלא ס"ל דאין נותנין כלל קרפף לעיר אחת, ועיין בביאור הגר"א שמצדד לעיקר כדעה הראשונה, ובודאי יש לחוש לדבריהם עכ"פ באופן זה).

סעיף ו - היה בית קרוב לעיר בע' אמה, ובית שני קרוב לבית הראשון בע' אמה, ובית שלישי קרוב לשני בע' אמה, וכן עד מהלך כמה ימים, הרי הכל כעיר אחת - שבתיה מפוזרין, **וכשמודדין מודדין מחוץ לבית האחרון** - אזיל לטעמיה בס"ה, ולרמ"א שם נותנין בתחלה בסוף בית האחרון שבעים אמה ושיריים, ואח"כ מודדין התחום, **ולמעשה** העיקר בזה כדעת המחבר, כמו שכתבנו בבה"ל, [היינו אף אם נקיל שם כדעת הרמ"א דנותנין קרפף לעיר אחת]. ‹הדברים צ"ע, {וכן בבה"ל בס"ה הנ"ל}, והא אין לנו שיעור אחר לצירוף בתים להיות נחשב לעיר, אלא ע' אמה ושיריים, ולא מצינו שנאמרה הלכה שתהא העיר צריכה תכנית וצורה, ולמה יגרע בזמן שהבית נמשך מהעיר – חזו"א›.

והוא שיהיה בית דירה זה ד' אמות על ד"א או יותר – (עיין במ"א שכתב, דאם אין בה רוחב ד"א, אע"פ שארוכה כמה, לא מקרי בית, **ולא** העתקתיו, כי האחרונים השיגו עליו, ודעתם דדבר זה תלוי בפלוגתא המובא ביו"ד סימן רפ"ו סי"ג ובש"ך שם, לענין מזוזה).

וכן בית הכנסת שיש בו בית דירה לחזנים - דסתם בית הכנסת לאו לדירה עביד, **ובית עבודת אלילים שיש בו בית דירה לכהניהם** - דלענין הצטרפות לעיבור לא בעינן דוקא דירת ישראל.

והאוצרות - לתבואה וליין ולשמן, **שיש בהם בית דירה** - דלאו לדירה מקרי, הלכך בעינן שיהיה בהן בית דירה לשומרים, **וכל** הנך בית דירה בעינן שיהיה בהן ד"א על ד"א.

והגשר והקבר שיש בהם בית דירה - לשומר הגשר ליטול מהם מכס, ולשומר בית הקברות, (וה"ה אורוות סוסים שיש בהן בית דירה).

ושלש מחיצות שאין עליהם תקרה, ויש בהם ד"א על ד"א - שהיה שם בית דירה מתחלה ונהרס, **וה"ה** בכל הני דקחשיב מקודם, אם נהרס ונשארו עדיין ג' מחיצות ובלא תקרה, או שתים עם תקרה וכדלקמיה.

והבית הבנוי בים - שעשוי לפנות בו כלים שבספינה, לכך נחשב בית דירה, **וגם** זה מיירי שיש בה ד"א על ד"א, ועומדת בתוך שבעים אמה ושיריים לעיר.

ושתי מחיצות שיש עליהם תקרה - איירי ג"כ שהיה בית דירה מתחלה ונהרס, **ומעזיבה** - ט"ס, וליתא בגמרא ופוסקים, (הגר"א, **ואני** בעניי מצאתי זה הלשון בסמ"ג ובעבוה"ק).

ומערה שיש בנין על פיה ויש בה בית דירה - דאל"ה אין מערה נחשבת לבית דירה, (**בגמרא** פריך ותיפוק ליה משום בנין, ומשני לא צריכא אלא להשלים, פי' הבנין והמערה מצטרפין לד"א – רש"י, **וכתבו** התוספות, והוא שיהא רוב הד"א מן הבנין, **א"נ** קמשמע לן שמתחילין למדוד מסוף המערה, ואיירי שיש בבנין לבד ד"א, עכ"ל התוספות והעתיקו המ"א).

(**והריטב"א** הוסיף עוד, דאפילו הבנין היה עומד חוץ להשבעים אמה ושיריים, והמערה בתוך השיעור הזה, ג"כ מהני כאלו היה הבית ומערה דבר אחד, **והנה** אף דבגמרא לא נזכר ענין השלמה אלא לגבי בנין שע"ג מערה, לכאורה נראה לומר דה"ה באינך, ובפרט לפי' התוס' וריטב"א, דהיינו לחשוב כל המערה במדידת השבעים אמה ושיריים, מסתבר לומר דה"ה באינך, דמאי שנא, **וגם** הלשון משמע קצת כן, דנקט ביהכ"נ שיש בו בית דירה וכן באוצרות וכו', ומשמע דכל הבהכ"נ או האצרות נמדדין ע"י הבית דירה שבתוכם).

הבורגנין {סוכות} שעושין שומרי גנות ושומרי העיר לשמור העיר והפירות, אין נמדדין עמה, **ודוקא** במקום דשכיחי גנבי דגנבי להו, או גשמים ששוטפין אותן, הלכך לא חשיבי מידי, אבל בעלמא נמדדין עמה, **ועיין** בשע"ת, דבורגנין אין צריך להיות בהן ד"א.

כל אלו מצטרפין עמה אם היו בתוך שבעים אמה ושיריים, ומאותו הבית היוצא רואים כאלו חוט מתוח על פני כל העיר, ומודדין חוץ מאותו החוט אלפים אמה.

אבל שתי מחיצות שאין עליהם תקרה, אע"פ שדרים ביניהם, והגשר והקבר ובהכ"נ ובית עבודת אלילים והאוצרות שאין בהן בית דירה, והבור והשיח והמערה והשובך, ובית שבספינה

- דלא קביעא, ופעמים שהולכת חוץ לע' אמה, **כל אלו וכיוצא בהם אין מצטרפין עמה.**

הגה: ואם היו שני בתים כאלו נגד העיר - ט"ס הוא, וצ"ל: "ואם היו בתים כאלו נגד שני ראשי העיר" וכו', **ור"ל** שאם הרבה בתים יוצאין זה אחר זה עד רחוק מאלפים מן העיר, וכן בצד השני, **דינם כעיר העשויה כקשת** - והיינו דאם היה בין שני הצדדין ארבע אלפים אמה, אין מודדין התחום אלא מעצם העיר, ולא מן אלו הבתים, [**היינו** להולך דרך החלל שיש בין שני שורות הבתים, אבל להולך דרך שורות הבתים גופא, פשוט דהוא יכול למדוד האלפים אמה מן בית האחרון והלאה].

וכ"ש אם בצד אחד יוצאין בתים עד חוץ לאלפים, אם העיר ארוכה יותר מארבע אלפים, אין מותחין המדה נגד הבית בצד השני, [מ"א, **ולאו** בדקדוק כתבו, דכיון דהוא יוצא מצד אחד, הרי הוא עשויה כמין גאם, דמודדין הארבעה אלפים שלה באלכסון, כדמוכח לעיל ס"ד, וא"כ אף שאין רוחב העיר ד' אלפים, באלכסונו יש הרבה יותר] **ודע**, דעכ"פ מותר לילך עד הבית האחרון, כמש"כ ריש הסעיף.

(**והוא** כשיטת הר"י ור"ח המוזכר בתוספות, דפגום היוצא מהעיר יש לו דין קשת, וכן הוא ג"כ דעת הראב"ד המובא בחידושי הרשב"א, **אמנם** דעת הרשב"א גופא, והסכים עמו הריטב"א, דפגום קיל מקשת, ואפילו החלל שבין שני שורות הבתים מחזיק יותר מארבעה אלפים, ג"כ מודדין התחום של העיר מבית האחרון, וכן אם הוא יוצא מצד אחד, לעולם מודדין התחום של העיר מבית האחרון, והיינו אפילו כשהולך מצד השני שאין שם בתים, **ואפשר** שיש לסמוך עליהם להקל בשעת הדחק).

(**ודע**, דאם הבתים שיוצאין זה אחר זה הוא כנגד אמצע העיר, גם דעת הראב"ד להקל בזה, ואפשר שגם הר"י ור"ח מודים לו).

סעיף ז - היו שתי עיירות זו סמוכה לזו קמ"א אמות ושליש, כדי שיהיה ע' אמה ושיריים לזו ושבעים אמה ושיריים לזו,

חשובים שתיהם כעיר אחת, ונמצאת כל עיר מהן מהלכת את כל העיר השניה וחוצה לה אלפים אמה - ולדעת ההג"ה בס"ה, נותנין מתחלה ע' אמה ושירים, ואח"כ האלפים אמה.

הגה: וכן חומת העיר שנפרלה מב' רוחותיה זו כנגד זו, והרבו הבתים שביניהם עד קמ"א אמה ושליש, דינו כסתום - ויכול לילך מקצה העיר ועד קצהו, ומשם ולחוץ מודדין התחום, דכל שאין בהפרצה יותר משיעור שני עיבורים, עדיין כעיר אחת היא, **אבל** ביותר מזה, נחשב כשתי עיירות נפרדות.

אבל בית אחד, אפילו גדול הרבה, אין לו דין עיר לתת לו שבעים אמה ושיריים - בין שהוא עומד בפני עצמו, ובין שהוא סמוך לעיר ברחוק יותר משבעים אמה ושיריים, דבשתי עיירות כה"ג נחשבין כעיר אחת עד קמ"א אמה ושליש וכנ"ל, אבל בית אחת אין לה דין עיר, **ואם** היו שלשה חצרות ובכל חצר שני בתים, אז מקרי עיר ליתן לה עיבור.

סעיף ח - היו שלשה כפרים משולשים, אם יש בין האמצעי ובין כל אחד מהחיצונים אלפים אמה או פחות מכאן - דיכולין לבוא מהאמצעי לשניהם בלי עירוב, **ובין שנים החיצונים רפ"ג אמות פחות שליש (מלבד רוחב העיר האמצעי), כדי שיהיה בין כל אחד מהם ובין האמצעי, כשתראה אותו כאלו הוא ביניהם, קמ"א ושליש** - ר"ל דאם נעמיד הכפר האמצעי בין שני החיצונים באמצע, לא ישאר ריוח כי אם קמ"א אמה ושליש מצד אחד שבין האמצעי לחיצון, וכן מצד השני, שהוא בסך הכל רפ"ג אמות פחות שליש, **הרי שלשתן כמדינה אחת, ומודדים להם אלפים אמה לכל רוח מחוץ לשלשתן** - ומותר לשנים החיצונים לילך מזה לזה אפילו רחוקים הרבה אחד מחבירו, וגם משם ולחוץ אלפים אמה, דכעיר אחת חשיבי.

ואפילו האמצעי מותר לו לילך עד בין החיצונים, ומשם ולהלן אלפים אמה, ואפילו אם בין שני החיצונים יש ריוח יותר מארבעה אלפים אמה, ג"כ דינא הכי, כיון דאם נעמיד האמצעי ביניהם לא ישאר כי אם קמ"א אמה ושליש מכל צד.

אבל אם היה האמצעי רחוק יותר מאלפים אמה מחיצונים, אינו מצטרף האמצעי עם שני החיצונים שיהיה עי"ז כעיר אחת, **אם** לא שהיה בין שני החיצונים רק קמ"א אמה ושליש, שאז אינם צריכין לצירוף האמצעי כלל.

וי"א דאין מודדין מן האמצעי - "להאמצעי" - כצ"ל, **רק מחומותיה** - ר"ל דלא מהני הסברא דרואין, רק לענין שני החיצונים שיהיו כעיר אחת, אבל לא לענין אמצעית עצמה, [ואפי' אם אין בין שני החיצונים ד' אלפים אמה], וע"כ מדידת תחומין שלה הוא רק סביב חומותיה לכל צד בלבד, **וטעמם**, שאם נראה אותו כמובלע ועומד בין החיצונים, יפסיד כל כך לרוח השנית שאינה לצד החיצונים.

ולענין הלכה נקטינן כדעה הראשונה, דבד"ס הלך אחר המקיל, ומודדים להאמצעי אלפים מחוץ לחיצונים, ואפ"ה לא הפסיד לרוח השנית, (**ולענ"ד** אף להחיצונים מודדין התחום מן האמצע ולהלן אלפים אמה, דהוי כולם כעיר אחת שהיא משולשת בשלשה קצוות, דהדר בקצה אחד מותר לילך לשני קצוות האחרות, ומחוץ להם אלפים, **אלא** שלא הזכירו המפרשים).

(יש להסתפק, אם היה ביניהם השיעור דרפ"ג אמות ולא יותר, ורק שהאמצעי לא היה עומד מכוון באמצע, ורק נוטה לצד אחד יותר, דאלו היו רואין אותו כאלו עומד כך באמצע בשורה אחת, היה ממנה לצד אחד פחות מקמ"א, ולצד השני יותר מקמ"א, **ובזה הלא לא מהני** לעשותן כעיר אחת, דכיון דמצד אחד תהא ריוח חלל יותר מקמ"א, אין הכפר ההוא מצטרף, ונמצא אין כאן רק שנים, ובשנים אין לנו כלל דין הזה, שנימא רואין כאלו סמוכה אף שרחוקה אלפים, דלשני עיירות אין נותנין רק קמ"א אמה ולא יותר, **או** אפשר דכיון דבסך הכל אין כאן אלא רפ"ג אמות, אף שהיא נוטה לצד אחד קצת, רואין אותה כאלו נתונה באמצע, דאין צריך לכוין כ"כ שתהא יושבת כנגדן באמצע מכוון דוקא, **והנה** מלשון המשנה משמע, שצריך שיהיה מכוון דוקא, שלא תהא מכל צד יותר מקמ"א אמה, **אכן** מלשון הרמב"ם, משמע לכאורה

דאין קפידא בזה, ורק שבין כולם לא תהיה יותר מהשיעור, ואז רואין האמצעית כאלו נתונה מכוון באמצע בין שניהם, וצ"ע, שוב מצאתי בחת"ס שנשאל בזה, ומדעתו נראה שצריך שיהיה מכוון באמצע דוקא, רחוקה משניהם בשוה).

סעיף ט - עיר שיושבת על שפת הנחל שרוב העתים הוא יבש ומשתמשים בו, שאינו מלא אלא בשעת הגשם, אם יש לפניה מצבה - ר"ל איצטבא, **רוחב ד' אמות על שפת הנחל, כדי שיעמדו עליה וישתמשו בנחל** - גם כשהיא מלאה, **נמצא הנחל בכלל העיר, ומודדין לה אלפים אמה משפת הנחל השני, ויעשה הנחל כולו בכלל העיר מפני המצבה הבנויה בצדה** - ואע"ג דאין מעברין להעיר אלא בית דירה, והנחל הלא אינו ראוי לדירה, **י"ל** דהתם הוא כשבאין לעבר העיר מפני מקום מסויים שחוצה לו, **אבל** הנחל הזה שהוא לפני כל העיר, וראויין להשתמש בו כל בני העיר, אע"פ שאינו ראוי לדירה, מעברין בו את העיר.

ועיין במ"א שמסתפק, אם בכל מקום שמשתמשים בני העיר נתחיל למדוד משם, **ועיין** בא"ר שהסכים דאין להקל, דגם בנחל גופא דעת כמה ראשונים שחולקין וסוברין דהנחל עולה במדת האלפים, והבו דלא להוסיף עלה.

ואם לא היה שם מצבה - של רוחב ארבע אמות, וכ"ש אם לא היה כלל, **אין מודדים להם אלא מפתח בתיהם** - פי' מבית החיצון, והיינו מקיר העיר, **ונמצא הנחל נמדד מן האלפים שלהם.**

סעיף י - יושבי צריפים, דהיינו שיושבים באהלים שעושין מהוצין וערבה - שאין קבועין במקום אחד, אלא יושבים כאן זמן מה, ואח"כ כשכלה המרעה הולכים למקום אחר, **אין להם דין עיר, ולפיכך אין מודדין להם אלפים אמה אלא מפתח בתיהם** - ר"ל שאין מצטרפין יחד להיות כעיר, אלא מודדין האלפים לכל א' בפני עצמו מפתח ביתו, (**אין הפי' "מפתח בתיהם" כמו בסעיף הקודם, דהתם לא בא אלא לאפוקי דאין הנחל נמדד עמה, אבל הבתים עצמם חשובין כשאר עיר, דהוי כולם כד"א ומודדין אלפים סביבם, משא"כ הכא אין שם עיר עליהם, ומודדין לכל בית בפני עצמו אלפים, בסיבה דאין מצטרפין יחד כלל כעיר**).

ואם קבועים במקום אחד, הוי כעיר, **ועיין** בפמ"ג שמסתפק בכמה זמן נקרא קבוע.

(אם אין להם כמין היקף מחיצה י', או חריץ י' סביב בתיהם) - דאם יש להם היקף זה סביב למחניהם, ומיירי שישבה ולבסוף הוקף וכדלקמיה, נחשב כל השטח כולו כד"א, ומודדין האלפים מסביב ההיקף, [**דלא** גריעי מבית אחד שהוקף מחיצה סביב לה, דמודדין אלפים מחוץ למחיצה, ואפי' השטח גדול יותר מב"ס, ומשום דהוקף לדירה, וה"נ דכוותיה, **ומסתבר** דבזה אין נותנין לה ע' אמות ושיריים, אף למ"ד דנותנין לעיר אחת בעלמא, דלא חשיבא עיר].

ואם יש שם ג' חצרות של שני בתים קבועים של אבן או של נסרים, אלו עושים את כולם קבע, ויש להם דין עיר, ומרבעים אותה, ונותנין לה אלפים אמה לכל רוח כשאר העיירות.

סעיף יא - עיר שהוקפה ואח"כ ישבה - ואינה מיושבת כולה עד החומה, **מודדין לה ממקום ישיבתה** - פי' לא ימדוד מהחומה אלא מן הבתים, שהחומה זו אינה חשובה לשויה כולה כד"א, שלא הוקפה לדירה, שנעשית קודם ישיבתה, והוא יותר מבית סאתים, כדמבואר בסי' שצ"ו ס"ב, וכדמצוי בסתם עירא, **ולדעת** הרמ"א בס"ה, נותן לה עוד ע' אמה ושיריים, **אם** לא שיש בחומה בית דירה, והיא בתוך ע' אמה ושיריים לישיבת בתי העיר, מצטרפת עמה, [**ולדעת** הרמ"א לעיל צריך ליתן עוד ע' אמה ושיריים מבית דירה זו, **ולעיל** בבה"ל ביארנו, דנכון לנהוג כהרבה ראשונים דסברי, דאחר שנתנו לה עיבור אחד, אין נותנין שם עוד ע' אמה].

ישבה ואחר כך הוקפה, מודדין לה מחומתה - אפילו החומה רחוק הרבה מן הבתים, דכיון שהוקפה אח"כ מקרי הוקף לדירה, וכל מה שבתוכה חשיב כד"א, **ולדעת** הרמ"א לעיל בס"ה, נותנין לה מתחלה השבעים אמה ושיריים מחוץ לחומה, ואח"כ מודדין לה האלפים.

§ סימן שצט – במה מודדין התחומין ומקום המדידה ומי הוא המודד §

סעיף א - אין מודדין תחום העיר אלא בחבל של פשתן - ואף דאין לך יפה למדה משלשלאות של ברזל, כך קיבלו חז"ל, דבחבל של פשתן מודדין, מדכתיב: ופתיל פשתים בידו.

של חמשים אמה, לא פחות, שהוא נמתח ביותר - ונמצא שיעור התחום יותר מאלפים, **ולא ארוך יותר, מפני שאינו נמתח כראוי** - מפני כובדו, ונמצא אתה מקצר בשיעור התחומין.

(כתב הכלבו בשם הר"מ, אדם שמודד אלפים אמה לתחום שבת דרך הילוכו, אם אין שם אלא אלפים בצמצום, אין לסמוך ע"ז ולילך בכולן, שמא יש יותר, כי מן הדין אין לאמה כי אם ששה טפחים, עכ"ל ד"מ, וכונתו, דשמא אין מצמצם למדוד פסיעה בינונית, דלא מצינו שסמכינן על פסיעות כי אם כששבת בבקעה ואינו יודע תחום שבת, שא"א לו בענין אחר, אבל עיקר מדידה לכתחלה הוא בחבלים, ומ"מ נראה מדברי הכל בו, שאם אין בדעתו למנות כל אלפים בשלימות, יוכל לסמוך אף לכתחלה על מדידות פסיעות).

סעיף ב - אם יש נהר לפניו לסוף ע"ה אמה - והוא רחב יותר מכ"ה אמה, דאם הוא רק כ"ה, הלא אפשר להבליעה ביחד עם כ"ה של היבשה בחבל של חמשים אמה, **לאחר שמדד חמשים אמה, חוזר לאחוריו כ"ה אמה, כדי שיהא החבל של נ' אמה שלם עד הנהר** - «משום דאז נמדד הכל במדידת החבל של נ' אמה, שמתחילה מודדין נ' אמה, ואח"כ חולק המקום שמדד באמצע – מהרל"ח». **ואח"כ** ימדוד בחבל זה משפת הנהר הזה עד אחורי עבר השני מן הנהר, **וכל** זה אם הנהר מחזיק רק עד חמשים אמה, ואם הוא רחב יותר מנ' אמה, עיין ירושלמי בכיצד מעברין.

סעיף ג - ישים החבל כנגד לבו - קבעו לו חכמים מקום לשום כנגדו ראש החבל, שלא יתן זה כנגד צוארו וזה כנגד רגליו, והחבל מתקצר והתחומין מתמעטין עי"ז. (**ובחי' הריטב"א כתב**, דה"ה דיכול למדוד בהנחת החבל ע"ג קרקע, ולא ממעטינן רק שלא יניח אחד כנגד ראשו ואחד כנגד מרגלותיו).

וימתחנו בכל כחו - משום דמכביד באמצע, ואינו נמתח כראוי אם לא שימתחנו בכל כחו.

סעיף ד - לא ימדוד אלא כנגד העיר, אפי' אם יש הרים וגאיות כנגדה, לא ילך מכנגדה בצדה שהוא ישר וימדוד שם, ויחזור כנגד העיר לפי מדה שמדד שם, אלא ימדוד כנגד העיר - והטעם, דלפעמים יש כנגד העיר הרים וגאיות שיש לו לקדר או למדוד מדידה יפה, וכדלקמיה, [רא"ש]. «הא אדרבה במקום שצריך לקדר, דאינו יכול להבליעו כנגדו, באמת הדין [בס"ו] דהולך למקום שיכול להבליע וחוזר למדתו, [וכדלקמן במ"ב], וצלע"ג, וה' יגלה עפר מעיני – רעק"א».

ואף דלקמן בס"ו כתב, דכשהגיע להר או לגיא ואינו יכול להבליע, מותר לילך מן הצד, **כאן** מיירי דהגיא וההר אינו רחב כ"כ, ויכול להבליעו בהחבל של נ' אמה, אלא שהוא רוצה לילך ולמדוד מן הצד שנוח לו יותר, כדי שלא יצטרך לזה, [פרישה]. «**לאפוקי** אם אינו יכול להבליעו, כתב בס"ו דיכול להבליע בתוך אלפים של צד צפון – פרישה».

ומ"מ אם כנגד העיר גופא יש מקום מישור בלא הרים וגאיות, צריך למדוד במקום המישור.

וכשיגיע להר, אם הוא כ"כ זקוף שאם יורידו חוט המשקולת מראשו לא יתרחק מכנגדו למטה בשיפולו ד' אמות, אז אין צריך למדוד (כל כך) הירידה והעליה, אלא אם יש מישור בראשו - ר"ל שימדוד המישור שלמעלה לבד, **והטעם**, כיון שהוא זקוף מאד, שאין רוחב השיפוע כי אם פחות מד"א, וגם קשה לעשות שם קידור בשיפוע קצר כזה, היינו מה שאחד עומד ברגלי ההר ואחד למעלה המבואר לקמיה, הקילו בו שלא ימדוד השיפוע כלל, (**ואין** חילוק בזה בין אם הוא רחב חמשים או יותר), **ואם אין מישור בראשו, אינו מודד כלל.**

ואם חוט מתרחק מכנגדו ארבע אמות, ומתלקט י' מתוך ה', דהיינו שבהילוך ה' אמות של שיפוע עולה עשרה טפחים - בשטח הגובה, ושיפוע זה הוא נוח להילוך, **אז רואים**

אם אין משפתו אל שפתו אלא נ' אמה, מבליעו בחבל של נ' אמה - פי' מבליע השיפוע ואינו מודד כי אם כמו שרחב למטה בתחתית ההר, ומבאר המחבר איך לשער זה, **שזוקף עץ גבוה בשפתו מזה, ועץ אחר כנגדו בשפתו מזה, ומותח חבל מזה לזה.**

ואם ההר קצר ברחבו, אין צריך לזקיפת עצים, אלא יעתיק עצמו מן ההר לצדו, וימדוד שם בחבל על הקרקע חלקה.

(**ואם** מתלקטים מתוך ששה, שנוח ההר מאוד להילוך, דעת הרשב"א, שבזה מודד ההר כשאר קרקע חלקה, והעתיק הא"ר דבריו להלכה, **ודע**, שאם יש ג"כ מקום מישור כנגד העיר, א"צ כלל למדוד את ההר, אלא מודד את מקום המישור ונשכר מקום ההר, ואין חילוק בין ההר הוא גדול או קטן).

ואם אינו יכול להבליעו בחבל של נ' אמה - מיירי שההר ארוך הרבה, ואינו מתקצר מחמשים אמה אף בתוך אלפים אמה שמצדדי העיר, דאל"ה הרי מבואר בס"ו שילך שם במקום שמתקצר ויבליעו שם, **מודדו בחבל של ד' אמות, וכך יעשה, אחד עומד ברגלי ההר למטה, ואחד למעלה ממנו ברחוק ד' אמות, ונותן התחתון החבל כנגד לבו, והעליון כנגד רגליו** - דעי"ז מתמעט מדרונו של כל ד"א חצי קומת אדם, **ועולה התחתון למקום שעומד העליון, והעליון עולה ד' אמות ומודדין כבתחלה, וכן יעשה עד שימדוד כולו.**

ואם הוא משופע יותר, שבהילוך ד' אמות עולה י' טפחים - שאינו נוח לילך ע"י הזקיפה, **אז הקילו בו ולא הטריחוהו להבליעו בחבל של נ' אמה ע"י קורות, אלא אם אין בו אלא נ' אמה, ישער אותו כמה יש בו לפי אומד הדעת; ואם יש בו יותר מנ' אמה, מודדו בחבל של ד' אמות** - והיינו כנ"ל, שאחד עומד ברגלי ההר וכו', **ועיין** בבה"ל, דדעת כמה פוסקים דס"ל, דאף בזה סגי המדידה ע"י אומד הדעת לבד, כיון שמתלקט עשרה מתוך ד"א, (**ועיין** בביאור הגר"א, שמצדד לדינא כהני רבוותא להקל).

סעיף ה - הגיע לגיא, אם חוט המשקולת מתרחק מכנגדו למטה ד"א, אז רואים אם יכול להבליעו בחבל של נ' אמה, מבליעו - ובזה אפילו מתלקט בעומק השיפוע עשרה טפחים גובה מתוך משך ארבע אמות, ג"כ מבליעו, **ולא** אמרינן אומדו כמו בהר בסעיף הקודם, שאין טורח בהבלעה, שא"צ לזקוף עצים.

ואם לאו, מודדו בחבל של ד' אמות - וכנ"ל ע"י קידור, דכיון דאין יורד הגיא בזקיפה למטה כ"כ, לכן שייך בו בין הבלעה בין קידור, **משא"כ** כשהשיפוע יורד בזקיפה הרבה, שאין החוט מתרחק מכנגדו ד"א, לא אמרינן ביה דין קידור וכדלקמיה.

והוא שלא יהא עמוק יותר מאלפים, אבל אם הוא עמוק יותר מאלפים, מודד הירידה והעליה של כל השיפוע - ר"ל מדידה יפה כמו קרקע חלקה, ואפי' אם יכול להבליעו בחבל של נ' אמה, **והטעם**, שכיון שהוא עמוק יותר מאלפים שהוא שיעור תחום שבת, חשבוהו בפני עצמו. (**ואע"פ** שבהר מודדו בחבל של ד' אמות כדי למעט מדרונו, ומשמע אפילו הוא גבוה יותר מאלפים, **שאני** הר דעלייתו קשה ואין דרך לעלות עליו הרבה, אבל גיא, ירידתו קלה, לפיכך חשבוהו למישור בפ"ע – חו"א.

(**אבל** עד אלפים אין חילוק בעמקו, בין עשרים אמה או נ' או אלף ויותר, הכל תלוי אם מתרחק למטה מכנגדו ד"א, **אע"פ** ששני אמות שיפוע של דבר מועט נוח להשתמש יותר מארבע אמות שיפוע של דבר גדול, והטעם, דמדת חכמים כך הוא).

ואם אין החוט מתרחק מכנגדו ד' אמות, אז אם יכול להבליעו בחבל של נ' אמה, מבליעו - והיינו נמי משום שאין טורח בגיא בהבלעה, **לאפוקי** הר שיש טורח בהבלעה ע"י עצים זקופים, לכך א"צ למדוד אלא המישור, כמ"ש ריש ס"ד ע"ש.

ואם לאו, אינו מודד כלל השיפוע של ירידה ועליה, אלא המישור של מטה - ר"ל דלא מצרכינן לקדר בשיפוע זקוף כזה, ורק למדוד את הקרקע השוה, וכמו למעלה לענין הר, **ואפילו אם עמוק יותר מאלפים.**

סעיף ו - הגיע להר (או לגיא), וכל מה שהוא ממנו מכנגד העיר הוא רחב מחמשים אמה שאינו יכול להבליעו, כגון שהוא במזרח העיר וכל אורך מזרח אינו יכול להבליעו, אם יכול להבליעו בתוך אלפים של צד צפון או דרום - ששם מתקצר ההר והגיא, **ילך שם ויבליעו, כיון שהוא עדיין בתוך התחום של צד העיר** - ומודד והולך שם משפתו והלאה עד כנגד מקום שכלה שם רוחב ההר והגיא כנגד העיר, וחוזר למדתו כנגד העיר ומשלים למדת תחומין.

אבל אם אינו יכול להבליעו בתוך אלפים של צד העיר - שההר והגיא אינו מתקצר מרחבו גם שם, **לא יתרחק יותר לצד העיר כדי להבליעו** - שלא יטעו לומר הרואין אותו שעוסק שם במדידה, שמדת תחום של צדדי העיר מגיע עד שם, **ובאופן** זה בע"כ צריך לקדר את רוחב ההר והגיא כנגד העיר.

סעיף ז - אין סומכין אלא על מדידת אדם מומחה שהוא יודע מדת הקרקע - וגם יהיה בקי בדיני המדידה, [**משום** דלפעמים ע"י חסרון ידיעה יוכל לבא לידי חומרא, כגון שיש הרים וגאיות שיוכל להבליע אותן, והוא ימדדם בקרקע חלקה, **וכן** לענין זויות, שימדדם עגולים, **ולפעמים** גם להיפך, דנמצא כמה דינים בענין המדידה להקל ולהחמיר].

סעיף ח - היו לנו תחומי שבת מוחזקין, ובא מומחה ומדד, ריבה בתחום מהם ומיעט בתחום - ר"ל שבמקום אחד ריבה ובמקום אחר מיעט, **שומעין לו אף בתחום שריבה** - פי' וכ"ש ששומעין לו במקום שמיעט להחמיר. **ואף** שהיו מוחזקין שעד כאן הוא מקום התחום, מ"מ כיון שהמומחה אמר שטעות הוא, שומעין לו בין להחמיר בין להקל, **ופשוט** דמיירי כשאין ידוע לן שהחזקה הראשונה נעשה ע"פ מדידת מומחה, דאל"ה אין שומעין להשני, רק כשמרבה ולא כשממעט, וכדלקמיה בס"ט.

הגה: מדד ומלא מדתו במזרחית לפונית יתירה על שכנגדה במזרחית דרומית, מותח החוט של סימן התחום מזה לזה באלכסון - דחיישינן שמא לא טעה במדידת מזרחית דרומית, ומה שנתמעט המדה, הוא מפני שמצא דרך מדתו איזה הר שצריך למודדו מדידה יפה כקרקע חלקה, [כגון שמתלקט י' מתוך ששה], ולכן נתקצר התחום באותו צד.

(ובביאור הגר"א תמה ע"ז, דהא ודאי כשמודדין התחום מאמצע העיר אלפים במישור, עושין ציון התחום שוה לכל אותו הרוח, **אף** שבמקום אחד יש שם הרים שהיו צריכין לקדר, והיה שם ציון סוף האלפים קודם ציון תחום זה, **מ"מ ודאי אזלינן בתר מדידת תחום במקום אחד, דהאיך אפשר שכל אחד יצטרך למדוד ברוח** אחד בכל המקומות שבאותו רוח, **וא"כ** למה נחמיר כאן שימדדו לו באלכסון, **ויפחתו לו בצד השני הרבה בחנם, אלא נראה ברור דכונת התוספות הוא באופן אחר עי"ש, וכן במחה"ש תמה ג"כ על סברת הרא"ש).**

וי"א בשוה, כפי המקום שריבה בו - אף שהוא בעצמו מדד גם המזרחית דרומית, תלינן ששם לא מתח החבל כל צרכו, ולכך נתקצר התחום שם, [דבמדידה צריך להיות מתיחת החבל בכל כחו], **וכ"ש** אם אותו המדה הקצרה היה מאדם אחר, בודאי תלינן להקל ואמרינן שאותו אדם טעה וכדלקמיה, **ולדינא** פסק הגר"א דמודדין בשוה, עיי"ש.

סעיף ט - אם באו ב' מומחים ומדדו את התחום, אחד ריבה ואחד מיעט, שומעין למרבה - דתחומין דרבנן, ואזלינן לקולא ואמרינן דהשני טעה, [**ואפי'** אם היה הרבה יותר מכדי מתיחת החבל, וכ"ש אם היה רק איזה אמות, שיש לתלות שלא נמתח החבל כל צרכו, דתלינן בזה], **אבל** אם האחד אינו מומחה, אין הולכין אחריו כלל.

ובלבד שלא ירבה יותר ממדת אלכסונה של עיר, כיצד, בעת שירבה זה, נאמר שמא הראשון מקרן אלכסון של עיר מדד האלפים - ר"ל ומדדו באלכסון, וכן מדד מקרן שכנגדה, ונמצא כשמותחים חוט מסוף תחום שמקרן זו לסוף תחום שמקרן זו, יהיה בין חוט זה לעיר הרבה פחות מאלפים, **ולפיכך מיעט מדתו, ונמצא צלע התחתון בינו ובין העיר פחות מאלפים** - צלע התחתון נקרא

השטח שיש מן החוט שנמתח, מקרן אלכסון זו עד קרן אלכסון שכנגדו וכנ"ל, עד העיר, **וזה האחרון מדד אלפים מצלע העיר** - ר"ל כנגד העיר בשוה ולא באלכסונה, ולפיכך הולכין אחריו שהוא מדד כהלכה.

ואין מחזיקין על הראשון שטעה ביותר על זה - והיינו שאין להקל לילך אחר מדידת האחרון, אלא כשאין עולה מדידתו יותר על מדידת הראשון רק לערך תק"פ אמה, שזה השיעור עלה ע"י הטעות שמדד הראשון האלפים באלכסון, כמבואר בב"י, (בשם הרמב"ם, והביא שהרב המגיד מחשב תקפ"ה [שעה"צ]. **וכתב** הב"י, ואפשר שלפי שכפי החשבון אמתא ותרי חומשי הנזכר בתלמוד, עולה התוספות לתקע"ב, [וכדמבואר בס"ין], ולחשבון חכמי המדות, עולה תקפ"ה, דאמתא בריבוע הוי באלכסונה טפי מאמתא ותרי חומשי, כתב הרמב"ם תק"פ בקירוב). **ואם** אירע שמחולקין במדידה ביותר משיעור הזה, מסתברא שאין הולכין אחר מדידת שניהם, וצריך למדוד מחדש ולברר הדבר.

סעיף י - עושין התחומין כטבלא מרובעת – (לאו דוקא מרובעת ממש קאמר, שיהיה ארכה כרחבה, דהא לפעמים כשהעיר רחב אלף אמה, ואורך אלפים, נמצא עיר עם התחומין אורך ששת אלפים, ורוחב חמשת אלפים, **אלא** הא דקאמר שיהא כטבלא מרובעת, לאפוקי שלא תהא עגול, כדי שיהיה נשכר לזוית).

דהיינו שמודד על פני כל אורך העיר למזרח אלפים אמה לחוץ, וכן לצפון, ואח"כ רואים כאילו היתה טבלא מרובעת בקרן למלאותו - דהיינו שיהיה בקרן אלפים על אלפים מרובע כמדת התחום, **ונמצא התחום בקרן אלפים ואלכסונן, שהם אלפים ות"ת** - היינו אם הולך באלכסון נגד הקרן, מותר לילך עד שיעור זה, משום דכל אמתא בריבועא, אמתא ותרי חומשי באלכסונא, ונמצא משיעור אלפים ניתוסף עוד שמונה מאות, וכן יש לו שיעור זה לכל קרן וקרן, לבד מה שיש לו אלפים אמה נגד רוחב העיר מכל צדדיו.

ודע, דאורך האלפים והזויות הוא שייך לכל עיר ועיר בשוה בין גדולה או קטנה, אמנם רוחב של האלפים תלוי לפי מדת העיר, שאם היא גדולה ברחבה, מתרחב התחום שכנגדה, ואם היא קצרה, התחום ג"כ קצר ברחבו.

אבל לא ימדוד מאמצע הקרן אלפים באלכסון, וכן בקרן שכנגדו, ויתן החוט מזה לזה, שא"כ מפסיד הת"ת שבקרן, וגם לא יהיה התחום כנגד העיר אלא אלף ותכ"ח - שבחשבון זה אם יתוסף עליהם האלכסון שלהם, שהוא על כל אמה שני חומשי אמה, ממילא יהיו אלפים, כי מאלף וארבע מאות, יתוסף עוד תק"ס, ומן הכ"ח יתוסף עוד לערך י"ב, סך הכל הוא תקע"ב, השלם אותם על האלף ותכ"ח, א"כ סך הכל הוא אלפים.

סעיף יא - אפילו עבד אפילו שפחה נאמנים לומר: עד כאן תחום שבת - דתחומין דרבנן ולפיכך האמינום, (אין ר"ל שמדדום, דהא אין סומכין אלא על מדידת אדם מומחה, וכנ"ל בס"ז, **אלא** ר"ל שיודעין שהיו מוחזקין לילך עד כאן, ומסתמא בפעם ראשונה היה ע"י אדם שיודע אופני המדידה). **אבל קטן לא, בעודו קטן; אבל נאמן הגדול לומר: זכור אני שעד כאן היינו באים בשבת כשהייתי קטן, וסומכין על עדותו** - והכל מטעם הנ"ל.

§ סימן ת – מי שישב לו בדרך לנוח ולא ידע אם הוא בתחום אם לאו §

סעיף א - מי שהיה בא בדרך ליכנס לעיר, וישב בדרך לנוח וחשכה לו, ולא ידע שהוא בתחום העיר, ואח"כ מצא עצמו בתחומה, קנה שביתה בעיר - ואפילו נתכוין לקנות שביתה במקום הזה, **ונכנס לתוכה בשבת, ומהלך את כולה וחוצה לה אלפים אמה לכל רוח** - כיון שמתחלה היה בדעתו ליכנס לעיר, ואילו היה יודע שהעיר תוך תחומו, לא היה חפץ לקנות שביתה אלא עם בני העיר, ולכן גם עתה הרי הוא כא' מבני העיר, להלוך את כולה ולהיות לו אלפים לכל רוח.

ומ"מ יש בזה חומרא ג"כ, שהוא מפסיד מצד זה במקום שהוא ישב, שאין לו משם שיעור אלפים, כיון שנחשב כאחד מבני העיר.

סימן ת – מי שישב לו בדרך לנוח ולא ידע אם הוא בתחום אם לאו

ונראה פשוט דכ"ז כשרוצה עכשיו לילך לעיר, ולטובתו הקילו עליו, אבל אם רוצה לישאר במקומו שקנה שביתה, הרשות בידו.

אבל אם לא היה דעתו ליכנס למדינה - ר"ל עיר **זו, קנה שביתה במקומו, ומשם יש לו אלפים אמה לכל רוח** - ואפי' אם לא נתכוין לקנות שביתה כאן, כגון שהיה ישן בבין השמשות, ובשבת כשננער מצא עצמו שהוא בתוך תחום העיר, אעפ"כ לא נחשב כאנשי העיר, כיון שלא היה בדעתו מתחלה לכנוס, וקנה שביתה כאן, וכדלקמיה בסימן שאחר זה.

ואם כלים אלפים אמה ממקום שביתתו בחצי העיר, אינו מהלך בעיר יותר מחציה - אבל אם כלים האלפים בסוף העיר, כל העיר אינו נחשב לו אלא כד"א, ומהלך גם חוץ לעיר עד תשלום מידת אלפים ממקום שביתתו, כמו שנתבאר בסימן ת"ח.

הגה: והוא הדין אם היה בדעתו ליכנס לעיר, ואמר: שביתתי במקומי, נמי דינא הכי - ר"ל דגם ברישא, דמיירי שהיה בדעתו ליכנוס, מ"מ לא מהני להיות כאחד מבני העיר, אלא בדוקא שלא הוציא בפירוש מפיו שקונה שביתה במקומו, אלא במחשבה, **אבל** אם אמר כן בפירוש בפיו בין השמשות: שביתתי במקומי, אף דבתחלה כשהיה בא בדרך היה בדעתו ליכנס לעיר, ואמירתו עתה היה ג"כ רק מפני שלא היה יודע שהעיר סמוכה לו, מ"מ כבר עקר בזה שביתתו מאנשי העיר, ואין לו אלא אלפים ממקום שביתתו.

§ סימן תא – מי שישן בדרך וחשכה לו קונה אלפים אמה לכל רוח §

סעיף א - מי שישן בדרך וחשכה לו, קנה שביתה במקומו, ויש לו אלפים אמה לכל רוח - ר"ל דאף שבין השמשות שהוא זמן קניית שביתה, היה ישן ולא היה מתכוין לקנות שם שביתה, אפ"ה קנה לו שם שביתה, להיות לו משם אלפים אמה לכל רוח, **והטעם**, דהואיל ואם היה ניעור וכו'.

ודוקא באדם, משום דהואיל ואם היה נעור היה קונה, ישן נמי קונה; אבל חפצי הפקר אינם קונים שביתה - דחפצי ישראל שיש להם בעלים, הם כרגלי הבעלים, אבל חפצי הפקר שאין להם בעלים, ומעצמן לא קנו שביתה במקומן, משום דלאו בני דעת הן לעולם, ולא דמו לאדם ישן, **והם כרגלי הזוכה בהם תחלה, שיכול להוליכן למקום שילך הוא** - ואף שהוא חוץ לאלפים למקום הנחת כלים מתחלה, (**ואם** זכו בו שנים, אחד עירב למזרח ואחד עירב למערב, הרי הוא כרגלי שניהם, ואסור לזוז אותו ממקומו).

אבל חפצי נכרי, קונין שביתה במקומן - היינו במקום הנחתן בין השמשות, דמשם יש להן אלפים אמה לכל רוח ולא יותר, (**ואף** דשביתת העכו"ם עצמו היה במקום אחר רחוק, משמע דלא אזלינן בתריה לאסור לזוז הכלים, כיון דבאמת אין לעכו"ם שביתה, ורק בתר הנחת הכלים אזלינן, ומ"מ אפשר משום דאיירי שהעכו"ם הבעלים ג"כ במקום הכלים, אבל במקום שאין העכו"ם במקום הכלים, אפשר שהולכים אחר העכו"ם, וכמו בישראל, וכ"כ בגאון יעקב, **אח"כ** מצאתי בבית מאיר שהחליט, דלא אזלינן בתר העכו"ם עצמו כלל, ודלא כהגאון יעקב).

אע"פ שבעליהם לאו בני שביתה נינהו, גזירה חפצי נכרי אטו חפצי ישראל - כיון דעכ"פ יש להם בעלים, אם נאמר דלא קנו שביתה, אתו למימר גם בכלים שבעליהם ישראל שלא קנו ג"כ שביתה, ויתירו להוציאן חוץ לאלפים.

ואם הוציאן נכרי חוץ לתחומן והביאן לעיר, יכולים לטלטל בכולה, שכולה כד' אמות - פי' דמן הדין חפצים שהוציאן חוץ לתחומן, אסורין לטלטלן רק בד"א, **מ"מ** בעיר זו שהיא מוקפת מחיצות, מותר לטלטל בכולה, דנחשבת כולה כד"א.

ובלבד שתהא מוקפת לדירה - שבנו תחלה בתים לדירה, ואח"כ הקיפו בחומה סביב, **משא"כ** אם היה ההיקף מקודם, אין לטלטל שם אלא בד"א, אם היה ההיקף יותר מבית סאתים, [דסאתים אף בהוקף תחלה מותר לטלטל], **וערים** הפרזים שלנו, כיון שתקנו

סימן תא – מי שישן בדרך וחשכה לו קונה אלפים אמה לכל רוח

המבואות כדינן בצוה"פ, נחשבת כולה מוקפת לדירה, דהבתים הרי הם כמחיצות, ומקומות הפרוצים הלא נתקנו בצוה"פ דנעשים לדירה, דהלא בונין הבתים תחלה ואח"כ עושים הצורת הפתח. **וחצר** לעולם חשוב כד' אמות.

וסתם עיירות מוקפות לדירה, שבונים בתים תחלה ואח"כ מקיפים אותם; אבל סתם מבצרים אינם מוקפים לדירה - דדרך הוא לעשות תחלה המבצר, ואח"כ מתישבין בתוכו אנשים לדור.

הגה: ולכן יש ליזהר ישראל שהשאיל כליו לנכרי - מערב שבת, והוליכן לביתו שהוא חוץ לתחום, דאף דהכלים של ישראל הם, מ"מ כיון שהשאילן לו קנו שביתה אצלו, **והחזירן בשבת** - וכ"ש בשואל כלים מן העכו"ם בשבת, **שלא לטלטלן חוץ מד' אמות, אם אין העיר מוקף מחיצה, שהרי הכלים קנו שביתה אצל נכרי** - היינו במלבושים, דבשאר כלים בלא"ה אסור לטלטל בשבת חוץ לד"א, כיון שאין עירוב, **וביו"ט** משכחת אף בשאר כלים, דאין בו איסור הוצאה.

§ סימן תב – דין חריץ מים בין שני תחומין §

סעיף א - חריץ מלא מים מכונסים - דוקא מכונסים, דנהרות המושכין אינם קונים שביתה כלל, והרי הן כרגלי כל אדם הממלא אותן, וכדלקמיה, **שהוא בין שני תחומי שבת, מקצתו בתחום עיר זה, ומקצתו בתחום עיר אחרת, שתי העיירות אסורות למלאות ממנו אפילו בתוך תחומם** – (ר"ל אף שכל אחד ממלא מן הצד שבתוך תחומו, ואפילו אינו מוליכן לביתו, ג"כ אסור, דיש על המים דין יצא חוץ לתחום), **שהמים שבתוך התחום קונים שביתת העיר** - דכיון שהם סמוכים לעיר, דעת אנשי העיר עליהם, ולא הוי כחפצי הפקר דאינם קונים שביתה, **ומתערבים אלו עם אלו.**

ודוקא בין שני עיירות, ומשום שיש עליהם דעת שני העיירות, ולכן אוסרים אלו על אלו, **אבל** אם אין שם רק עיר אחת, אף שהמים נמשכין הרבה מחוץ לתחום ומתערבין עם אלו, **מ"מ** מותר למלאות בתוך התחום, דהמים שמחוץ לתחום כיון שאינם סמוכים לעיר ואין עליהם רשות אחרת, הרי הן כחפצי הפקר דאינם קונים שביתה כלל.

ודוקא בכה"ג שהחריץ הוא בסוף התחום של כל אחד, שנמצא חלק ממנו חוץ לתחומו של כל אחד, **אבל** אם החריץ עומד כולו במקום המשותף לשתי העיירות, כגון שבין שתי העיירות הוא רק ג' אלפים אמה, והחריץ הוא באמצע שתיהם, **מותרות** למלאות ממנו בלי שום מחיצה, דאמרינן יש ברירה וכל אחד לוקח מחלקו.

(**לכאורה נראה דדוקא באופן זה, אבל אם החריץ רחב הרבה, ויש שטח גדול שאין שייך לא לתחום זה ולא לזה, יהיה מותר למלאות כל אחד בתוך תחומו, ולא אמרינן בזה דעריבי מיא, דהלא הוא חפצי הפקר, ואין לנו לחוש מה שמעבר השני יש מים ששייכים לאיזה עיר, דאל"ה אפילו הוא רחב כמה מילין, וקצה ממנו מגיע בתוך תחום של עיר זו, וקצה השני מרחבו מגיע בתוך תחום אחר, נמי נימא דאסור למלאות ממנו, וזה בודאי מסתברא דמותר**).

עיין פמ"ג, דאפי' היתה עיר האחרת של עכו"ם, ג"כ צריך להפסיקן, [**ומבואר** שם דדוקא עיר, אבל עכו"ם יחיד אינו אוסר משום דעתו, ובישראל יחיד מצדד דאוסר, **ואינו** ברור, די"ל דע"כ לא אמרינן האי סברא לאסור משום דדעתם עליהם וקנו שביתה, אלא גבי עיר שלמה, אבל לא ביחיד, כיון דבעצם הלא אין שייך לאותו יחיד, דהפקר הוא, ובור של הפקר הלא קי"ל דהוא כרגלי הממלא, ולא נזכר בשום מקום דאם הבור הוא סמוך לאיזה יחיד דישתנה דינו].

(**האי ענינא מיירי רק ביו"ט ולענין איסור תחומין, דאי בשבת, בלאו איסור תחומין יש בו משום הוצאה**).

וצריך לעשות מחיצה בסוף התחומין להפסיקן - והיינו אם היו ביניהם ארבעת אלפים אמה, שהוא שיעור שני תחומין, צריך לעשות מחיצה בסוף אלפים, שהוא סוף שני התחומין.

ואפי' היא תלויה שאינה מגעת לקרקע החריץ - דקל הוא שהקילו במים, מפני שיש לזה צורך הרבה, **ומ"מ** צריך שיהיה עכ"פ קצה המחיצה שקוע טפח במים, דבלא"ה אינה נראית כהפסק כלל, וכמבואר לעיל בסימן שנ"ו ס"א, ‹ובסי' שע"ו ס"א›, **ושל קנים בעלמא, סגי**

ויש פוסקים שחולקים על עיקר דין זה, ‹מה דאסורות למלאות משום דמתערבים אלו עם אלו›, (דהמ"א והגר"א הקשה על דין זה, דבגמרא משמע דזהו רק לר"י בן נורי, אבל לא לדידן דקי"ל כרבנן, **וכתבו** שהג"א חולק על פסק זה, וכתב הגר"א שכן מוכח מהתוספות, דלדידן דקי"ל כרבנן א"צ אפי' מחיצה של קנים, וכן מחידושי הריטב"א נראה כן, וכן מהרמב"ם שהשמיט סוגיא זו מהלכותיו, משמע ג"כ דס"ל הכי, וע"כ צ"ע להלכה).

הגה: ובור של תבן העומדת בין שני תחומין, אלו מאכילין מכאן ואלו מאכילין מכאן - דהלא כל אחד נוטל מתחומו, **ואין חוששין שמא יקח א' מחלק חבירו.**

ואם המים מושכים, א"צ שום תיקון, שאינם קונים שביתה, והרי הם כרגלי הממלא - מפני דניידי, [וה"ה למעינות הנובעין, גם כן בכלל ניידי הם], **ואפילו** הם שייכים ליחיד, ג"כ אינו כרגליו, אלא כרגלי הממלא.

§ סימן תג – דין בקעה שהקיפוה אינם יהודים §

סעיף א- שבת בבקעה - פי' וקנה שם שביתה להיות לו ממקומו להלוך אלפים לכל רוח, **אבל** לטלטל אין לו רק בארבע אמות, דכרמלית היא, **והקיפוה נכרים בשבת מחיצות לדירה** - שעשו לה מחיצה סביבה, וקי"ל מחיצה העשויה בשבת שמה מחיצה, **והקיפוה** לדור בתוכה, דאל"ה אם ההיקף יותר מבית סאתים, שהוא שבעים אמה על שבעים אמה, לא משתריא לטלטולי בה אלא בד"א אפילו ע"י זריקה, **אינו הולך בה אלא אלפים אמה** – (לכל רוח) ממקום שקנה שביתה, דלא מהני ליה האי מחיצות כלל לענין הילוך, **שאינה כולה כד' אמות כיון שלא שבת באויר המחיצות** - ר"ל דלא מהני מחיצות להיות ע"י כל השטח כד"א, אלא היכא שהיו המחיצות מבעו"י, ושבת בתוכן, **אבל** כאן שבין השמשות לא היתה מוקפת, ולא קנה באותו המקום שביתה אלא לאלפים אמה, אף שהקיפוה מחיצות בשבת, אין לו להלוך אלא אלפים שלו כדמעיקרא.

ולא דמי לסימן ת"ה, באם הוציאוהו עכו"ם בע"כ חוץ לתחומו, ונתנוהו תוך עיר אחרת המוקפת חומה, דמהלך את כולה, דחשבינן ליה כל העיר כד"א, ואע"ג שלא שבת באויר מחיצות מבעוד יום, **דהתם** הלא הוא חוץ לתחומו, דאין לו מן הדין להלך רק בד"א, ואם לא חשבינן ליה כל העיר כד"א, לא היה רשאי לילך רק ד"א כדין יוצא חוץ לתחום, לכן הקילו גביה כיון שיצא באונס, שיהא נחשב לו כל העיר כד' אמות, **משא"כ** כאן שיש לו אלפים אמה להלוך בלא"ה.

(בחידושי רע"א הביא בשם הריטב"א, שכתב בשם רבו, דאף אם הוציאוהו עכו"ם ונתנוהו חוץ לאלפים, אפ"ה אינו רשאי להלך בכולה, **ולא** דמי להוציאוהו ונתנוהו בדיר וסהר, דהתם כל ההיקף הוא חוץ לתחומו, וכיון שנתנוהו שם חשיב כולו כד' אמות, **אבל הכא** דאין ההיקף כולו חוץ לתחומו, ומעיקרא נאסר באותו מקום שהוא חוץ לתחומו, מפני שלא היה לו בו אלא אלפים, אף שהוציאוהו חוץ לאלפים שלו, לא ניתר לו בשביל זה כל אותו הרחב, ואין לו אלא ד"א, **ובספר** גאון יעקב מסתפק על דברי הריטב"א להלכה).

(מלשון "כיון שלא שבת באויר המחיצות" מוכח, דאפילו אצל הבקעה ששבת יש בנין שמחיצותיו היו מבע"י, כיון שלא שבת בהן בתחילת כניסת היום, והבנין ההוא הוא יותר מאלפים אמה, אינו רשאי להלוך בו אלא אלפים ממקום שקנה שביתה).

ומטלטל בכולה על ידי זריקה, שיכול לזרוק אפילו חוץ לאלפים, שהרי רשות היחיד גמור הוא כיון שהוקף לדירה - ר"ל אף דלענין הילוך לא נחשב ההיקף כלל למחיצה, מחמת שלא שבת באויר מחיצות, **לענין** איסור טלטול לא איכפת לן בזה, כיון שיש מחיצות עכ"פ עכשיו, וקי"ל מחיצה העשויה בשבת שמה מחיצה, [**ואף** דאם נעשו

המחיצות במזיד אין נחשבין מחיצות רק לחומרא, כאן שנעשו ע"י עכו"ם, כמו שנעשו בשוגג דמיא].

ודוקא בחפצים של אדם אחר שמגיע תחומו להלן מאלפים שלו, או חפצים של הפקר, **דאל"ה** הרי אסור להוליכם חוץ לתחומו, דהא הכלים כרגלי הבעלים, כמ"ש סימן שצ"ז ס"ג.

(אבל לטלטל ממש - היינו כאורחיה שלא ע"י זריקה, **חוץ לארבע אמות, אסור אפילו תוך אלפים)** - והטעם, דכיון דא"א לו לטלטל חוץ לאלפים אלא ע"י זריקה, דא"א לו להלוך שם, **תוך** אלפים שלו נמי אסור לטלטל כאורחיה, משום דאלפים שלו נפרץ במילואה למקום האסור לו בטלטול כאורחיה.

ודע, דרוב הפוסקים חולקים על זה, וס"ל דתוך אלפים אף בטלטול כי אורחיה מותר, **דלא** מקרי פרוץ למקום האסור, דמקום המותר הוא בעצם, ורק מפני שא"א לו לילך לשם שהוא חוץ לאלפים, אין לו עצה לטלטל לשם כי אם ע"י זריקה, וכן הסכימו האחרונים.

§ סימן תד - דין אם יש תחומין למעלה מעשרה טפחים §

סעיף א- המהלך חוץ לתחום למעלה מעשרה טפחים, כגון שקפץ על גבי עמודים שגבוהים עשרה - וה"ה בהילוך באויר ע"י שם וכדלקמיה, **ואין בכל אחד מהם ארבעה טפחים על ד' טפחים** - דהרי הוא כאלו הולך באויר, **אבל** אם היה בהם ד' על ד', דניחא תשמישתיה להילוך, חשוב כמהלך על הארץ, ופשיטא דאיסור תחומין נוהג שם, **ואפילו** אם היה רק עמוד אחד של ד"ט, מקצתו בתוך תחומו ומקצתו חוץ לתחומו, אסור לצאת מראש האחד לראש השני.

ואם היה מצד אחד פחות מד"ט, אף אם היה ארוך הרבה, לא ניחא תשמישתיה, וג"כ בכלל ספק הוא, [א"ר, **ומ"מ** אם היה גשר ארוך כה"ג, צ"ע, דאפשר דזה ניחא תשמישתיה, והוי כעמוד ד' על ד'].

הרי זה ספק אם יש תחומין למעלה מעשרה או לאו - דכל למעלה מעשרה אינו מקום הילוך, דעיקר מקום הילוך על הארץ היא, או עכ"פ בתוך עשרה דחשיב נמי כהילוך על הארץ, ונסתפקו חז"ל אם שייך בזה איסור תחומין.

ומה שיהיה בדרבנן, יהיה ספיקו להקל - כגון חוץ לתחום דאלפים אמה עד י"ב מיל, שהוא לכו"ע מדרבנן.

הגה: מיהו אם היה הולך בדרך זה - ר"ל ע"י עמודים, **או על ידי קפילת שם, מתוך י"ב מיל חוץ לי"ב מיל, אזלינן לחומרא, למאן דאמר תחומין י"ב מיל הוי דאורייתא** - ר"ל להפוסקים דנקטי להלכה כהירושלמי, דחוץ לי"ב מיל הוי דאורייתא, וילפינן זאת מקרא ד"אל יצא איש ממקומו ביום השביעי", ומקום זה הוא חוץ לי"ב מיל כנגד מחנה ישראל, **ומדברי** המחבר שכתב: ומה שיהיה בדרבנן וכו', משמע שמצדד כן להלכה להחמיר ביבשה בחוץ לי"ב מיל, אפילו בלמעלה מי', שהוא ספק דאורייתא, **ובביאור** הגר"א נוטה דעתו להפוסקים דלעולם הוא דרבנן.

(**ודע**, דלענין הוצאת בהמתו או כליו חוץ לי"ב מיל, כתב בכנה"ג דיש מחלוקת בזה, הרלב"ח כתב דבזה לכו"ע מדרבנן, והר"מ אלשקר סובר דהוא דאורייתא, והעתיקו המ"א, **ובחידושי הרמב"ן** איתא, דלמ"ד תחומין די"ב מיל הוא דאורייתא, אף כליו הוא דאורייתא, **ומ"מ** נראה דיש להקל בזה בלמעלה מעשרה, דהלא עצם תחום די"ב מיל ולמטה מעשרה, אף באדם, להרבה פוסקים אינו אלא מדרבנן).

והואיל ואין בימים ובנהרות איסור תחומין דאורייתא לד"ה, לפי שאינם דומין לדגלי מדבר - ר"ל אפילו חוץ לי"ב מיל אינן דאורייתא, לפי שאין דומין וכו', דלמ"ד דאורייתא ממדבר ילפינן כנ"ל, והליכתן במדבר היה ביבשה ולא במים, **ולכן** מקילינן בהו למעלה מעשרה.

(**וכתב** בחי' הגרעק"א בשם הרה"מ, וה"ה דאין בכרמלית, ומסיים דלפי"ז לדידן דלית לנו ר"ה, אין לנו עכשיו כלל תחומין דאורייתא, עכ"ל, וכ"כ הגר"ז, **אכן** באמת

קשה לומר כן, ואדרבה מסתימות המחבר שלא זכר כלל כרמלית, רק ימים ונהרות, משמע דדוקא ימים ונהרות שאינן מקום הילוך כלל, **וכן** מדכתב הרמ"א בהג"ה: מיהו אם היה הולך וכו' למ"ד תחומין דאורייתא, משמע דגם לדידן איכא תחומין דאורייתא, והלא לדעת איזה אחרונים הרמ"א הוא מן העומדים בשיטה זו, דבימינו ליכא רה"ר, **וע"כ** דאין מחלק בזה, כן נראה לענ"ד).

מי שבא בספינה בשבת - אין ר"ל שנכנס בספינה בשבת, דאי הכי הלא היה בביה"ש ביבשה, וקנה שם שביתה, ואסור לירד מהספינה לנמל, אלא ר"ל שבא עם הספינה בשבת, **והגיע לנמל, אם משנכנס השבת עד שהגיע לנמל לעולם היתה למעלה מי' מקרקע הים או הנהר, יורד ואינו נמנע** - ואם הספינה רחוק מן הנמל, יורד דרך כבש, **ולעבור** דרך מעבורת השט על פני המים, שקורין פראם, אם היא קשורה בספינה ובנמל, לכו"ע מותר לירד, **ואם** אינה קשורה, יש מתירין, ויש אוסרין מפני שנראה כשט, כיון שלא שבת עליו מבע"י, **אכן** בהגר"ז משמע, דכשלא יצא מן הספינה ליבשה מעת ששבת ביה"ש עד עכשיו, מותר, [דמיקל באופן זה אפי' לצאת מספינה לספינה, וכ"ש בזה].

ויש לו אלפים אמה ממקום שפגע בו למטה מי' - ר"ל אם פגע במקום שהוא למטה מי"ד רחוק מן הנמל, מודדין לו האלפים אמה משם.

(**לכאורה** מדסתם משמע, דאפילו רק דרך הלוכה פגעה במקום שהוא למטה מעשרה, גם כן קנה שביתה באותו מקום, **וקשה**, דהא משמע בגמרא דהיכא דמינד ניידי לא קנה שביתה אפילו בלמטה מעשרה, והכי נמי דכוותיה, **ואפשר** לחלק, דהולך בספינה שאני, דספינה מינח נייחא ומיא דקא מסגי תותה, **אמנם** אח"כ מצאתי בחידושי רשב"א שהקשה כעין זה, ומצאתי כדבריו ג"כ בחידושי הרמב"ן, שאפילו בפחות מעשרה בספינה מהלכת, אין בה משום יוצא מחוץ לתחום, משום דמינד ניידי, **אמנם** מכל הפוסקים דסתמו בזה, וכן מלשון הש"ס דקאמר במהלכת ברקק, משמע דאפילו דרך הלוכה קנה שביתה, **וצ"ע** למעשה).

לעולם היתה למעלה מי' - דאם היתה אפילו פעם אחת למטה מעשרה אף בתוך השבת, קנה שם שביתה, [ואף שההליכה באמצע היה למעלה מי'], ואם ממקום ההוא עד הנמל הוא יותר מאלפים, שוב אינו רשאי לירד מהספינה להנמל, דאין לו אלא ד"א, דהיינו מקום ישיבתו בספינה שחשיבא כולה כד"א.

וכשמפליג בשבת בספינה העומדת למעלה מי"ט, [דאם היתה אז עומדת למטה מי"ט, הוי כעומדת על הארץ, וקנה שביתה ביבשה], ע"מ לירד ממנה בשבת זה במקום אחר מעבר השני שהוא חוץ לאלפים אמה, **צריך** ליזהר שמיד שקנה שם שביתה בספינה בבין השמשות כשהיא עומדת למעלה מעשרה טפחים, לא יצא ליבשה, **דאם** יצא ליבשה שעה אחת, קנה שם שביתה, ושוב יהיה אסור לו לירד ממנה לנמל שהוא חוץ לאלפים ממקום שביתתו על הארץ, וכמש"כ בסימן רמ"ח, ע"ש.

הגה: ואם הוא ספק אם הוא למעלה מעשרה או לא - קאי אשיעור י"ב מיל דימים ונהרות, וה"ה לענין שיעור דאלפים דיבשה, **אזלינן לקולא** - ותלינן דמשנכנס השבת עד שהגיע לנמל היה למעלה מעשרה, משום דספיקא דרבנן לקולא, [**אף** דיש כאן ס"ס להחמיר, דשמא הוא למטה מעשרה, ושמא יש תחומין למעלה מעשרה].

ואם כבר יצא אלפים ממקום שפגע למטה מעשרה, דאין לו רק ד' אמות - ר"ל שפגע במקום אחד למטה מי"ט וקנה שם שביתה, ונתרחק שם יותר מאלפים, דמן הדין אין לו רק ד"א כדין יצא חוץ לתחום, דאפילו באונס אין לו רק ד"א, **מכל מקום אם צריך לצאת מן הספינה מכח גשמים שיורדים עליו, או שחמה זורחת עליו, או שצריך לנקביו, וצריך מכח זה ליכנס בעיר, הוה ליה כל העיר כארבע אמותיו, וכיון דעל על** - כדין הוציאוהו עכו"ם ונתנוהו בתוך עיר מוקפת מחיצות בסימן ת"ה, **וע"ל סי' ת"ו.**

וכ"ש אם דחפוהו עכו"ם לתוך העיר, דהוי ליה כל העיר כולה כד"א, **ומ"מ** לא יאמר לעכו"ם שידחפו אותו.

וכל זה כשלא מצא מקום צנוע לפנות, וכן מקום להסתר מחמה או גשמים עד תוך העיר, **דאל"ה** אסור לו

לכנוס, וכדלקמן בסימן ת"ו, **וזהו** שכתב רמ"א: ועיין לקמן וכו'.

ואם לא יצא חוץ לאלפים, ורק שכלתה מדתו בחצי העיר, אינו רשאי לילך רק עד מקום שכלתה מדתו.

הבא ביו"ט מחוץ לתחום ממקום שפגע למטה מעשרה, מ"מ בשבת שלאחריו מותר ללכת אלפים ממקום שעומד, דשבת ויו"ט שתי קדושות הן, [**וה"ה** להיפך, אם בא בשבת מותר ביו"ט שלאחריו], **ומשום** הכנה אין בו איסור, כיון דלא עביד ולא מידי.

וע"ל סי' רס"ו, מי שרוכב בדרך וחשכה לו בע"ש כילד יעשה – (עיין בחת"ס, בעגלות ההולכים ע"י קיטור, שנקרא אייזין באן, דאין לישב עליהם בשבת, וגם בע"ש אסור אם יודע שיסע בשבת, משום תחומין, וע"ש עוד טעם).

§ סימן תה – דין היוצא חוץ לתחום §

סעיף א - מי שיצא חוץ לתחום אפילו אמה אחת, לא יכנס להיות כבני העיר - ר"ל דלא תימא דאמה א' לא חשיב יציאה, וממילא הוא כבני העיר, **ואין לו אלא ד"א מעמידת רגליו ולחוץ** - אבל לצד פנים כלל לא, **דאף** דבודאי לכו"ע יכול לברר הד"א שלו לכל צד שירצה, **שאני** הכא כיון שהתחיל ללכת אל עבר זה, נראה כבורר הד"א ממנו ולהלאה.

והנה המחבר אזיל לטעמיה בסי' שצ"ו, דאין לו רק ד"א, אבל לפי מה שהביא הרמ"א שם בהג"ה בשם יש אומרים, דיש לו ד' אמות לכל צד, והכריעו שם האחרונים כדעה זו, **א"כ** יכול לילך הד"א שלו אף לצד העיר, דהיינו אם יצא אמה אחת, יוכל לחזור לתוך התחום בשיעור שלש אמות.

ודע, דכל זה אם יצא במזיד, אבל אם יצא באונס, או מחמת טרדתו שכח ויצא, הסכימו האחרונים, דכל שלא יצא מן התחום ארבע אמות, מותר לו לחזור ולכנוס תוך העיר, **דבכגון** זה אמרינן דכיון שיש לו רשות לחזור לתוך תחומו, חשוב כאלו לא יצא כלל מן התחום, והרי הוא כבני העיר, **וכ"ש** אם יצא לדבר מצוה, דמותר לו לחזור תוך תחומו, ומשם לעיר, כל שלא יצא מתוך התחום ד"א.

סעיף ב - היתה רגלו אחת תוך התחום ורגלו אחת חוץ לתחום, יכנס - דבתר רובו שדינן, וכיון דלא הוי אלא רגלו אחת חוץ לתחום, ועדיין רובו בתוך התחום, הלכך יכנס, **ולפי** מה שכתבנו לעיל, דיש לו שיעור ד"א חוץ לתחום, גם בזה יהיה הדין, אם יצא ע"י אונס, ורגלו אחת הוא עדיין בתוך ד"א של התחום, חשיב כאלו עדיין לא יצא.

סעיף ג - מי שקידש עליו היום והוא חוץ לתחום העיר אפי' אמה אחת, לא יכנס להיות כבני העיר, ואינו מהלך אלא אלפים אמה לכל רוח ממקום שקידש עליו היום - דאלו היה בתוך תחום העיר, חשוב כבני העיר, כיון שדעתו לכנוס לעיר, ויש לו כל העיר ואלפים אמה סביבה לכל צד, **אבל** כיון שהחשיך לו אמה אחת חוץ לתחום, אין לו אלא אלפים אמה סביב מקומו ששבת שם, **ר"ל** אף דמותר לו לכנוס לתוך העיר במקצת, דכיון ששבת רק אמה אחת חוץ לאלפים הסמוכים לעיר, יש לו לכנוס ג' אמות בתוך העיר, דשיעור אלפים מודדין חוץ מארבע אמות ששבת בהן, כדלעיל בסי' שצ"ז, **מ"מ** אינו נחשב עי"ז להיות כבני העיר, שיהיה מותר לו לילך בתוכה ואלפים סביבה, כיון דעכ"פ בעת שקידש היום היה חוץ לתחום העיר.

[**ודע**, דבעניננו אינו שייך לומר דין הבלעת תחומין, שעל ידי זה יהיה נחשב כאלו נכנס תוך התחום קודם ביה"ש, ואפי' אם היה זה ע"י אונס, **דלא** שייך זה אלא ביצא חוץ לתחום, אז אמרינן כיון דעל על, ולא בזה דשיעורו לכתחילה כן הוא אלפים אמה חוץ מקום ששבת בו ולא יותר].

סעיף ד - מי שיצא חוץ לתחום שלא לדעת - באונס או ששגג ויצא, וה"ה לדבר מצוה, **מותר לעשות לו מחיצה של בני אדם שעירבו לאותו רוח ויכולים לילך שם, ויעשו סביביו כמו מחיצה, ויכנס ביניהם** - היינו שיכנס ביניהם עד תוך תחומו, וכיון שנכנס לתוך התחום מותר לילך לעירו אף בלא מחיצות, **דכיון** שיצא, אף שאין לו רק ד"א, קי"ל דאם היו שם מחיצות מותר להלוך בכל רוחב

המחיצות, דכולה כארבע אמותיו חשיבא, וכמש"כ לקמיה בס"ו, **ולפיכך** כשעושין לו מחיצה של בני אדם סביביו עד תחומו, נכנס עי"ז בתחומו, וכיון שנכנס בתחומו בהיתר, הרי הוא כאלו לא יצא, וכדלקמיה בס"ה.

ואפי' אם היה אורך המחיצות יותר מאלפים, מותר להלך את כולה.

ולפי מה שכתבנו לעיל בס"א בשם הפוסקים, אף אם לא הגיע המחיצות של בני אדם עד תוך התחום ממש, אלא סמוך לתחום פחות מד"א, ג"כ שרי, דכיון דעכ"פ ד' אמותיו כלים בתוך תחומו, מותר לכנס.

והוא שלא ידעו אותם שנעשית בהם המחיצה שלשם כך נקראו - עיין בסי' שס"ב, שנתבאר שם פרטי הדינים של מחיצות בני אדם.

אבל אם יצא לדעת, אסור - שהרי אף אם הוא בתוך מחיצות גמורות, אינו רשאי בכה"ג לילך יותר מד"א, וכדלקמיה בס"ו, וכ"ש במחיצות של בני אדם.

סעיף ה - מי שהוציאוהו חוץ לתחום עכו"ם או רוח רעה - שנטרפה דעתו ואח"כ נשתפה, **או שאר כל אונס, או ששגג ויצא** - אף דכ"ש הוא מדין אונס, נקט זה משום סיפא, דהחזירוהו מהני אפי' בזה, **אין לו אלא ד"א** - ר"ל דאפי' באופן זה שהיה אנוס בדבר, ג"כ אין לו אלא ד"א, וכ"ש כשיצא במזיד, וכנ"ל בס"א, **ע"ל** בסי' שצ"ו בהג"ה איך חושבין הד"א.

החזירוהו לתוך התחום, כאילו לא יצא, והרי כל העיר כד' אמות כבתחלה, וחוצה לה אלפים אמה לכל רוח.

אבל אם חוזר לדעת, אין לו אלא ארבע אמות - ר"ל ברצון ובדעת, לאפוקי אם שגג וחזר, חשיב כאלו החזירוהו.

ודוקא שלא נכנס לעירו, אבל אם נכנס לעירו המוקפת מחיצות, הרי היא כולה כד"א, וכדלקמיה בס"ח, וע"ש מש"כ בזה.

הגה: וכן אם נכנס לספינה - מיירי שקנה שביתה ביבשה, ונכנס לספינה בשבת סתם לישב בה, ולא להפליג, **דאי** נכנס להפליג הוי כיצא לדעת, ואין לו אלא ארבע אמות, **והלכה הספינה חוץ לתחום** - ומיירי שהיה אותו המקום שחוץ לתחום פחות מעשרה טפחים, וא"כ היה אסור לו להחזיר מדעתו למקום הראשון, וכדלעיל בסוף סימן ת"ד, **וחזרה** - מעצמה, **לאחוריה לגמל שהפליגה משם, הרי הוא כאילו לא יצא, דהוה ליה כמו שהוליאוהו נכרים והחזירוהו.**

סעיף ו - נתנוהו עובדי כוכבים חוץ לתחום בדיר או בסהר ומערה - ר"ל שהוציאוהו מתוך התחום ונתנוהו שם, [**דאילו** יצא לדעת, אפי' אם אח"כ הוליכוהו בע"כ שם, אין לו אלא ד"א].

דיר הוא גדר של בהמות שעושין בשדות, היום כאן והיום כאן, כדי לזבלן בגללי הבהמות, **וסהר** נעשה לבהמות העיר, **ולא** הזכיר כאן שיהיה מוקף לדירה, משום דלא בעינן מוקף לדירה אלא בשהיה השטח יותר מבית סאתים, וסתם דיר וסהר לא הוי כ"כ, **ובאם** שהיה יותר מב"ס, בעינן שיהא מוקף לדירה, כגון ששומר הבהמות דר שם.

או בעיר אחרת מוקפת חומה לדירה - דעי"ז הוי כרה"י, והוי כולה כד' אמות, וה"ה לעיירות שאין מוקפות חומה ויש בהן תיקוני עירובין.

או שנאנס בשאר אונס, או ששגג ויצא חוץ לתחום - ר"ל שהיה טרוד בענייניו, ומתוך כך לא נתן לבו על תחומו ויצא, וכל כה"ג, **ונכנס לאחד מאלו, ונזכר והוא בתוכו, מהלך את כולו** - לאפוקי בשנזכר קודם שנכנס ונכנס, אין לו אלא ד' אמות, דהרי נכנס לדעת.

ודע, דה"ה אם הביאוהו עכו"ם בספינה, ג"כ אינו מותר מעצמו לצאת מן הספינה אם היא עומדת למטה מיו"ד, אא"כ כשנכנסה הספינה בתוך היקף מחיצות העיר, **וי"א** דאפילו אם העיר אינה מוקפת במחיצה מצד הנמל, עומק מקום המים שבמקום הנמל נחשב למחיצה, [**ואע"פ** שלא הוקפה לדירה, כיון דג' מחיצות שסביב העיר הוקפו לדירה, לית לן בה].

(**ודע, דמ"א הביא דעת ריא"ז, דעבורה של עיר נמי נחשב כעיר, וממילא דכ"ש דפליג על עיקר דין המחבר, דלא בעינן היקף חומה כלל, ובאמת מצאתי עוד כמה**

ראשונים שסוברין כן, היינו הרמב"ן האריך שם בזה, דאפילו אין מוקף מחיצות ור"ה עובר בתוכה, נמי חשיבא כד"א לענין זה, והביא שם שכן הוא ג"כ דעת רבינו תם בתשו', וכן הוא דעת רבינו יואל מובא באו"ז, ומ"מ קשה הדבר להקל כנגד השו"ע, דרוב הפוסקים קיימי בשיטת השו"ע, ומ"מ אפשר שבשעת הדחק יש לסמוך להקל כדעת הרמב"ן וסייעתו, אפילו בלא היקף מחיצות, מאחר דמלתא דרבנן הוא, וע"ש ברמב"ן דסובר דעיבורה של עיר נחשב ג"כ כעיר לענין זה, דמותר לילך אפילו בתוך עיבורה, מיהו מה שהביא המ"א בשם ריא"ז, דאפילו בהכניסוהו לעיבורו של עיר נמי חשוב לו כל העיר כד"א, זו קולא יתירא, דאף הרמב"ן מחמיר בזה בהדיא).

אבל אם יצא חוץ לתחומו לדעת, אע"פ שהוא בתוך א' מאלו, אין לו אלא ד' אמות - בין שנכנס מדעתו, בין שהכניסוהו עכו"ם לשם, כיון שעכ"פ יציאתו מתחום היה מדעת, לא אמרינן בזה כולו כד"א.

סעיף ז - מי שהפליגה ספינתו בים - מיירי שבא בע"ש סמוך לחשיכה לנמל, מקום שהספינה גוששת למטה מעשרה טפחים, והיה בדעתו לצאת מן הספינה ולכנוס לעיר, ונמצא שקנה שביתה ביבשה, **ובא** רוח והפליג את הספינה חוץ לתחום, במקום שהיו המים פחותים מעשרה טפחים מן הקרקע, [דלמעלה מי"ט אין דין תחומין כלל]. **ולפי** המבואר לעיל בסימן ת"ד, אסור לו לצאת מן הספינה, דאין לו אלא ד"א.

מהלך את כולה - אפילו כשהיא עומדת, דכד"א דמיא הואיל ומוקפת מחיצות, **הואיל ושבת באויר מחיצות** - הלשון מגומגם ולאו דוקא הוא, דלפי המבואר לעיל בס"ו, אם הפליגה ספינתו שלא מדעתו והביאתו לתוך עיר המוקפת מחיצות שלא שבת בה, או שנתנוהו עכו"ם לתוך ספינה אחרת, נמי מהלך את כולה, כיון שיציאתו באונס היתה, **אלא** עיקר הכונה הוא הואיל והוא באויר מחיצות, לאפוקי כשנפחת וכדמסיים.

[**והגר"א** כתב, דמשום סיפא נקט "ושבת", דהיכא דנפחת דופני הספינה לא מהני אף אם בתחילת שבת היו הדפנות].

(**ובמג"א** מיישב דברי השו"ע, דשבת באויר מחיצות דוקא, ומיירי שהפליג באיסור, כגון שנכנס שם בע"ש וקנה שביתה, ויצא, ולמחר נכנס בספינה והפליג, והמחבר לטעמיה בסי' רמ"ח ס"ג, דכיון דיצא מן הספינה בלילה, הוי ליה כמו שלא קנה שביתה, ואסור ליה להפליג למחר, ובכגון זה שמפליג באיסור בשבת, בודאי אסור לו לזוז מד' אמותיו בספינה גופא, וכמו ביצא חוץ לתחום מדעת המבואר בסעיף ו', **ואשמעינן הכא** דבענינו ששבת עכ"פ באויר מחיצות ביה"ש, אע"ג דלא מהני ליה לענין להתיר להפליג, מ"מ אם הפליג מותר ליה לטלטל בכל הספינה, רק אם לקחוהו עכו"ם משם ונתנוהו בספינה אחרת שלא שבת בה, אסור לו לשם לזוז מד' אמותיו, {ומ"מ אם נצרך לנקביו, יכול לכנס לספינה קטנה התלויה בה לפנות ולחזור לספינה גדולה, דאנוס הוא ביציאתו}, וכ"ז הוא לדעת המחבר, אבל לפי דעת הרמ"א שם בסי' רמ"ח, דמותר לצאת בלילה מן הספינה ולהפליג למחר, א"כ לא משכחת האי דינא, דכיון דנכנס בהיתר הוה ליה כיצא שלא לדעת).

ואם נפחתו דופני ספינה בשבת - ולא נשארו גבוה י"ט, דבטל שם מחיצות עי"ז, **וה"ה** אם נפרץ במקום אחד פרצה ביותר מעשר אמות ברחבה, או שהיה פרוץ מרובה על העומד, דבכל אלה בטל מינה שם רה"י, (**ולא** אמרינן בזה הואיל והותרה הותרה, דהיכא דליתנהו למחיצות לא אמרינן הכי).

אם היא מהלכת, מהלך את כולה - דבמהלכת לא שייך לומר דיוצא מארבע אמות שלו בהליכתו, דבכל שעה עומד בארבע אמות אחרים, דספינה נוטלתו תמיד מארבע אמותיו לארבע אמות אחרים.

ואם היא עומדת - חוץ לתחום במקום שהוא נמוך למטה מעשרה טפחים, דלמעלה מי"ט הלא נקטינן דאין בו איסור תחומין, ומותר להלך כמה שירצה אפילו בלא מחיצות כלל, ועיין בסימן רמ"ח ס"ב במש"כ מה נקרא למטה מעשרה, **אינו מהלך בה אלא ד"א.**

הגה: ואם באמצע יש לו מחיצות עשרה ובראשו אין לו - כגון שהיא עמוקה באמצעיתה, ובראשה היא משופעת והולכת כלפי מעלה, כדרך ספינות קטנות, **אזלינן בתר אמצעי** - דמה שבראשה יש עליה דין חורי רה"י, דכרה"י הוא, כדלעיל בסימן שמ"ה.

ואפי' אין לו כלל - שגם באמצעיתו אין עמוק עשרה, **רק יש בו לחקוק עשרה** - דהיינו עובי הנסרים שבקרקעיתה יש בהם לחקוק כדי שיעור להצטרף עם המחיצות להשלים לגובה עשרה, **דאמרינן: חוקקין להשלים** - ואף דקיי"ל אין חוקקין להשלים, שאני הכא דהוא בכלל מה דאמרינן: גידוד חמשה, היינו תל גבוה חמשה, ומחיצה חמשה, מצטרפין לשיעור י' טפחים.

סעיף ח - יצא לדעת והחזירוהו עובדי כוכבים - לתחומו, **אין לו אלא ארבע אמות** - דבעינן שיהיה היציאה והחזרה באונס, וכנ"ל בס"ה.

ומיהו אם החזירוהו לעירו - ששבת בה מבע"י, **(המוקפות מחילות לדירה)** - וה"ה אם מבואותיה מתוקנים בצורת הפתח וכנ"ל, **כולה כד' אמות** - כיון ששבת בה מבעוד יום, **ומ"מ** אסור לו לצאת חוצה לו אפילו אמה אחת, כיון דעכ"פ יצא מדעת הפסיד תחומו. **ואפילו יצא לדעת וחזר לדעת. (וע"ל דין סתם עיירות סי' ת"א).**

אבל אם הוליכוהו לעיר אחרת, אין לו אלא ד"א, כיון שיצא מתחומו לדעת, וכמו שכתב בסעיף ו'.

(**בית מאיר** מגמגם בזה, (מה דצריך דוקא היקף מחיצות), דהלא עיקר חידוש דין זה הוא מטעם ששבת בה בין השמשות, וא"כ מסתברא דלא בעינן כאן היקף מחיצות סביבות העיר, וכמו דקיי"ל בעלמא בשובת בעיר, שיש לו אלפים אמה לכל רוח, ואפילו אינה מוקפת כלל, ומסעיף ו' אין ראיה, דשאני התם דלא שבתו שם בין השמשות, ומ"מ אינו מוכרח, דע"כ אינו כשבת ממש, שהרי אין לו רק עירו ולא אלפים כבתחלה).

סעיף ט - פירות שהוציאו חוץ לתחום והחזירום, אפילו במזיד, לא הפסידו מקומם - ר"ל אף דלגבי אדם קי"ל לעיל, דאם היציאה היה במזיד, הפסיד מקומו ואין לו אלא ד"א, **פירות** לא הפסידו מקומן שהיה להם בין השמשות, שאנוסים הם ביציאתם ובחזירתם, וכדלקמיה.

שכל העיר להם כארבע אמות, וחוצה לה אלפים אמה לכל רוח כבתחלה, אם הוא יום טוב - שמותר להוליכן בכל התחום, **דבשבת** הלא אסור להעבירן ד"א אפילו בתוך התחום, **אם** לא שהיה עיר מעורבת, שאז מותר לטלטלן בכל העיר.

ואם הוא שבת - ר"ל דגם בשבת איכא נ"מ עכ"פ לענין אכילה, **מותרין באכילה במקומם** - ר"ל במקום שהחזירן בתוך התחום בארבע אמותיהן.

ואפילו לאותו ישראל שהחזירם לצרכו במזיד - ואע"ג דהבא מחוץ לתחום אסור למי שבא בשבילו, שאני הכא שהוחזרו למקום ששבתו ביה"ש.

(הלשון אינו מדויק, דמלשון "שהחזירם" משמע, דאפילו אותו האיש שהחזירן ג"כ מותר בהם, ומלשון "לצורכו" משמע, דמיירי באחר שהוציא והחזיר לצורכו, ובזה דוקא מתיר, דעכ"פ הוא בעצמו לא עשה מעשה באיסור, אבל בהוציא הוא בעצמו, אפשר שפיר דעכ"פ לו בעצמו אסור, ובב"י הביא ב' דיעות בזה, ולדינא בודאי יש לנקוט להקל בזה).

מאי טעמא, אנוסים הם - ר"ל דאף שהוציאן האדם במזיד, הפירות עצמן אנוסים הם ביציאתן ובחזירתן, והרי הן כאדם שהוציאוהו באונס והחזירוהו לעיל בסעיף ה', **וכן** לענין היתר אכילה הותרו נמי ע"י חזירתן.

וכל זמן שלא הוחזרו והם חוץ למקומם, אם הוציאן בשוגג, מותרים לאכלם - שם, בין לאנשים אחרים שנמצאים שם במקום הפירות, [שיש עיר אחרת סמוכה לשם, או אדם שעירב לאותו צד], **ובין** להמוציא בעצמו.

ואסור לטלטלם חוץ לד"א - וכמבואר לעיל בס"ה גבי אדם, דאפי' יצא שלא לדעת אין לו אלא ד"א.

ואם הוציאם במזיד, אסור לאכלם אפי' מי שלא הוציאם - ואע"ג דפירות שהביא עכו"ם מחוץ לתחום, אינו אסור רק למי שהובאו בשבילו, **הכא** כיון דאיתעביד איסורא ע"י ישראל, חמיר טפי.

ויש מתירים למי שלא הוציאם - ודוקא אם לא הוציאו בשבילו, דאל"ה גם לדעה זו אסור.

ולדינא קי"ל כדעה ראשונה, דאפילו למי שלא הוציאו בשבילו ג"כ אסור לאכול, דהיא דעת רוב הפוסקים.

אבל לטלטלם מותר בארבע אמותיהן, [**ומוקצה** לא הוי אף דאסורין באכילה, כיון דביה"ש היו מותרין באכילה, שהיו מונחין בתחומן, **או** כמ"ש המ"א, הואיל ואם הוחזרו הם מותרין, לא נחשבין למוקצה], **וכל** זה אם היו על פני השדה, אבל אם הביאן בעיר המוקפת מחיצות, אע"ג דעבד איסורא, מ"מ מותר לטלטלן בכל העיר כולה, בין שהוציאן שוגג בין שהוציאן מזיד, [**דהפירות** אנוסין הן, ודמי למאן דיצא שלא לדעת והכניסוהו בעיר זו].

§ סימן תו – מי שיצא חוץ לתחום שלא לדעת §

סעיף א - מי שיצא חוץ לתחום שלא לדעת, שאין לו אלא ד' אמות, והוצרך לנקביו, יכול לצאת מהם עד שימצא מקום צנוע לפנות - ר"ל מקום שאין בני אדם מצויים, מפני שגדול כבוד הבריות, **ועיין** לעיל בסימן ג', דאחורי הגדר חשיב מקום צנוע, ובשדה עד שאין חבירו יכול לראותו, **כתבו** האחרונים בשם ראב"ן, דיכול ללכת עד בית היהודים לפנות, והיינו אף אם ימצא מקום צנוע מקודם, אלא שהוא סמוך לבתי עכו"ם, מ"מ יכול להתרחק עד בתי היהודים, שמא העכו"ם יכוהו או יפחידוהו.

ועצה טובה לו שיתקרב בצד תחומו - ר"ל שאם יכול לחפש מקום צנוע בשאר רוחות, טוב לו יותר לבקש מקום צנוע לצד מקום שיצא משם, **שאם לא ימצא מקום צנוע עד תחומו, יכול ליכנס.**

(**צ"ע**, אם בשאר רוחות יכול למצא מקום צנוע בקירוב מקום, ולצד תחומו צריך להתרחק יותר, **אם** מותר לו לברור לצד תחומו כדי שיהא מותר לו לכנס בתוך תחומו, **ומלשון** הרא"ש משמע קצת דמותר, וצ"ע).

ואם מצא בתוך ד"א של התחום, חשוב כאלו בתוך התחום ויכול ליכנס, וכנ"ל בריש סימן ת"ה.

ולאחר שנכנס הוי כאילו לא יצא, כיון שנכנס ברשות - ויש לו אלפים לכל רוח, וכנ"ל בסי' ת"ה.

(**כתב הב"י**, דלא הקילו אלא כשנכנס לתוך תחום העיר ששבת בה, **אבל** בשנכנס לתוך תחום עיר אחרת, לא, ואין לו אלא ד"א).

אבל אם מצא מקום צנוע קודם, לא יכנס, אלא יפנה שם, ויתרחק ממקום שנפנה - דזהו ג"כ בכלל כבוד הבריות, **עד שיכלה הריח** - ותו לא, ואפילו לתוך מקום הראשון שישב שם מתחלה אם הוא יותר משיעור הזה, **ושם יש לו ד' אמות; ואם נתרחק מהריח ונכנס בתחומו, כאילו לא יצא.**

ואם יצא לדעת, אין לו תקנה - ר"ל אף דמותר לו בזה ג"כ לצאת חוץ לד' אמותיו עד שימצא מקום צנוע, וכן להתרחק ג"כ מן הריח וכנ"ל, **אבל** אין לו תקנה להחשב בזה כאלו לא יצא אם נכנס לתחומו, דאף אם יכנס אין לו אלא ד"א, כיון שיצא מתחלה מדעת, **אם** לא שנכנס עי"ז לעירו ששבת בה, דאז כל העיר לו כד"א בכל גווני, וכנ"ל בסי' ת"ה ס"ח.

זה שאמרנו בהוצרך לנקביו, י"א אפילו לקטנים, ויש אומרים דוקא לגדולים - אבל קטנים אין כבוד הבריות כ"כ, דהא משתינים מים בפני רבים, **וגם** אין כ"כ טינוף בהם שיהיה צריך להתרחק, דהא נבלעין במקומן, **ויש** להחמיר כסברא זו.

§ סימן תז – מי הם שיכולין לילך חוץ לתחום §

סעיף א - מי שיצא חוץ לתחום ברשות, כגון חכמה הבאה לילד, וכיוצא בזה - דבר שמותר לצאת בשבילו, כגון שארי ענין פקוח נפש וכדלקמיה בס"ג, **וכן** היוצא בשביל עדות לקידוש החודש, בזמן שקדשו ע"פ ראיה, **יש לו אלפים אמה לכל רוח באותו מקום שהגיע לו** - אף לאחר שכבר עשה המצוה ההיא, דהתקינו לו זה, דאם לא יהיה רשאי לזוז ממקומו, ימנע עצמו שלא לצאת עוד.

ואם היו מובלעין אלפים אלו בתוך תחומו שיצא משם, רשאי לחזור לביתו, ויש לו אלפים סביב ביתו, [א"ר, **ונראה** פשוט דאם עוד צריך לצאת משם בשביל המצוה, מותר לחזור לאותו מקום. **וכתב** עוד, דה"ה אם החזירוהו עו"ג לתחומו, או שהיה צריך ליכנס לתחומו משום שהוצרך לנקביו, הרי הוא כאלו לא יצא, וכההיא דלעיל לענין אונס, וכ"ש בזה דברשות].

ואם הגיע לעיר, הרי הוא כאנשי העיר, ויש לו אלפים לכל רוח חוץ לעיר - דעשאוהו כאלו שבת בה בין השמשות, דכל העיר לו כד"א, [**ומשמע** דאף באינה מוקפת מחיצות, כיון דחשבינן ליה כאנשי העיר].

[**ודע** עוד, דדינא דשו"ע דהעיר אינה נחשבת לו בחשבון אלפים, הוא דוקא שבשביל ענין דבר מצוה ההיא הגיע לעיר, **אבל** אם רק האלפים שנתנו לו חכמים מסביב היו מובלעין בתוך העיר, אין לו להלוך בתוך העיר אלא עד תשלום מדת אלפים שלו].

(וע"ל סוף סי' רמ"ח) - מענין יוצא בע"ש לדבר מצוה, וע"ש במ"ב מה שכתבנו בענין זה.

סעיף ב - היה יוצא ברשות והוא הולך בדרך, ואמרו לו: כבר נעשית המצוה שיצאת לעשות, יש לו ממקומו - שהגידו לו זה, **אלפים אמה לכל רוח; ואם היה מקצת התחום שיצא ממנו ברשות מובלע בתוך אלפים אמה שיש לו ממקומו, הרי זה חוזר למקומו וכאילו לא יצא** - דיש לו אלפים אמה סביב ביתו כבתחלה, **ומשמע** מלשון השו"ע, דאם שב לתחומו, שוב מפסיד האלפים החדשים שנתנו לו חכמים, וכן נראה מהפוסקים, [**וכל** זמן שלא שב לתחומו, מסתברא דאין לכופו לחזור לתחומו, ויכול לילך באלפים שנתנו לו חכמים].

סעיף ג - כל היוצאים להציל נפשות ישראל מיד עובדי כוכבים, או מן הנהר או מן המפולת, יש להם אלפים אמה לכל רוח ממקום שהצילו בו; ואם היתה יד העכו"ם תקיפה, והיו מפחדים לשבות במקום שהצילו - ר"ל אף שהצילו הישראל בפעם זה, אבל יד העו"ג תקיפה, ומפחדים לשבות בשדה, **הרי אלו חוזרים בשבת למקומם** - אף שהוא יותר מן אלפים.

ובכלי זיינם - וזה מותר אף כשיד ישראל תקיפה, דאם היה מקומם בתוך אלפים, מותר לחזור בכלי זיינם, **דאם** יסלקו הכלי זיין מהם, יש לירא שמא ירדפו האויבים אחריהם, כמבואר בש"ס.

§ סימן תח – דין הנחת העירוב וקניית השביתה §

סעיף א - מותר לערב עירובי תחומין ולקנות שביתה סוף התחום - היינו אף שאין לאדם להלך בשבת ממקום שביתתו רק אלפים, וכמבואר לעיל בסימן שצ"ז, **התירו** לו להלך ארבעה אלפים לצד אחד, ע"י שמניח מזון שתי סעודות בסוף אלפים ממקום שהוא עומד ביה"ש, ועי"ז חשבינן לו כאלו היתה שביתתו שם, ויש לו להלך אלפים לכל רוח ממקום ההוא, **ומשום** דהמחבר כתב לשון דיעבד, הוסיף הרמ"א דגם לכתחלה מותר לערב, **ולקמן** בסימן תט"ו נתבאר, דלכתחלה דוקא לדבר מצוה, ובדיעבד אף אם עירב לדבר הרשות עירובו עירוב.

ולכן, מי שיצא מהעיר בע"ש, והניח מזון שתי סעודות רחוק מהעיר בתוך התחום - וה"ה אם שלח ע"י אחר להניח שם עירובו, וכדלקמן בסימן שאחר זה.

ואף שמביתו הוא יותר מאלפים, לא איכפת לן, כיון שהוא בתוך תחום העיר, **ולאפוקי** אם הניח עירובו רחוק מהעיר יותר מאלפים, אין עירובו עירוב, שאינו יכול ללכת שם ביה"ש, מאחר שהוא חוץ לתחום העיר.

וקבע שביתתו שם - היינו שהניחו לשם קנית שביתה, **אע"פ שחזר לעיר** - היינו מבע"י, **ולן בביתו** - דאלו נתאחר שם עד אחר בין השמשות, אין צריך להניח שם מזון כלל, כמבואר בת"ט ס"ז.

נחשוב אותו כאילו שבת במקום שהניח בו השתי סעודות, וזהו הנקרא עירובי תחומין - נקרא כן, לפי שהוא מערב תחום שלא היה יכול לילך

בו תחלה, עם התחום שהיה יכול לילך בו, **ויש לו להלך ממקום עירובו למחר אלפים אמה לכל רוח.**

לפיכך, כשהוא מהלך ממקום עירובו למחר אלפים אמה כנגד העיר, אינו מהלך בעיר אלא עד סוף מדתו - ור"ל דעיקר שביתתו נעשה עי"ז במקום העירוב, ולכן אם רוצה לחזור לעירו, אינו רשאי להלך רק עד מקום שכלה מדת אלפים ממקום העירוב, (**ואם** לן בביתו והלך בשבת למקום עירובו, ורוצה לחזור, אינו יכול לחזור לדעה זו אלא עד מקום כלות אלפים ממקום עירובו, **ובכל** זה לענין הנחת עירוב לכתחלה אין אנו יכולין למנעו כל שהוא בתוך התחום מהעיר, דכיון דיכול ללכת שם בין השמשות, יוכל לקנות שם שביתתו, וכיון דקונה שם שביתתו ממילא מותר לו לילך לשם בשבת, דאל"כ למאי מהני עירובו, **אף** דלכאורה הדבר קשה, דממ"נ, כיון דמותר לו לילך לשם, ה"ה לשוב, וכיון דאסרת ליה לשוב לביתו מפני שהוא רחוק יותר מאלפים ממקום שביתתו, ממילא יהיה אסור לו לילך לשם, **והטעם** י"ל, דלענין ללכת שם, כיון דיכול לקנות שם שביתה מאחר שהוא בתוך התחום וכנ"ל, א"כ בע"כ מותר לו לילך לשם, והרי הוא לענין זה כמו קודם קניית העירוב, **אבל** לאחר שבא לשם, ומודדין לו משם אלפים לכל רוח, גם הרוח של צד העיר לא עדיף משאר הרוחות, דאין לו ממקום שביתתו רק אלפים אמה, כך יש לבאר סברתו).

ואפילו אם עדיין לא יצא מביתו שלן שם, מ"מ אם לפי המדה יש מהעירוב עד ביתו אלפים, אסור לו להלך מביתו לצד האחר אף בתוך העיר אפילו אמה אחת, ואף אם נמלך משביתתו לא מהני, [א"ר, **ועב"פ** בע"ש השניה נראה פשוט דיכול לחזור, אף שמתחילה היה דעתו לכמה שבתות, והעירוב עדיין קיים].

[**ולענ"ד** לא ברירא דברי הא"ר כ"כ, דאף אם נודה לדבריו, דנמלך לא מהני לחזור לגמרי ממקום שביתתו, שיהיה יכול להלך את כל העיר וחוצה לה אלפים לכל רוח, **מ"מ** כיון שלא יצא עדיין מביתו, אפשר דחשבינן לעת עתה חצי העיר השניה שמעבר לביתו ג"כ כד"א, כי היכי דחשבינן חצי העיר שלצד העירוב כד"א, לענין שיהא מותר לילך משם למקום עירובו, אף שבסך הכל הוא יותר מאלפים אמה, ואינו אסור כי אם כשבא למקום עירובו ורוצה לחזור לביתו, **אכן** מלשון השו"ע בסוף הסעיף משמע קצת, דבהנחת העירוב בעלמא הפסיד תיכף מעבר לביתו, ומ"מ צ"ע].

ואם היתה העיר מובלעת בתוך מדתו, תחשב העיר כולה כד"א, וישלים מדתו חוצה לה.

כיצד, הרי שהניח את עירובו ברחוק אלף אמה מביתו שבעיר לרוח מזרח, נמצא מהלך למחר ממקום עירובו אלפים אמה למזרח, ומהלך ממקום עירובו אלפים אמה למערב, אלף שמן העירוב עד ביתו, ואלף אמה מביתו בתוך העיר, ואינו מהלך בעיר אלא עד סוף האלף - ואם כלתה המדה באמצע העיר, אין לו להלך רק עד סוף מדתו וכנ"ל.

ואם היה מביתו עד סוף העיר פחות מאלף אפילו אמה אחת, שנמצאת מדתו כלתה חוץ לעיר - לאו דוקא פחות, אלא ה"ה אם כלתה מדת האלף בסוף העיר בשוה, ג"כ כל העיר נחשב כד"א, **וי"א** דדברי השו"ע בדיוקא הוא, משום דמדה זו של אלפים אמה בינוניות מסורה לכל אדם, וא"א לצמצם, וע"כ החמירו הפוסקים שיהיה כלה המדה חוץ לעיר דוקא, **ובשעת** הצורך יש להקל אף בכלתה מדתו בשוה עם העיר, **תחשב המדינה כולה כד' אמות, ויהלך חוצה לה תתקצ"ו אמה תשלום האלפים.**

לפיכך, אם הניח עירובו בריחוק אלפים אמה מביתו שבעיר, הפסיד את כל העיר - הא דנקט "מביתו", ולא כתב רחוק מהעיר אלפים, דכשהוא רחוק מביתו יותר מאלפים, אף דלמקום עירובו הוא רשאי לילך מביתו, וכדלעיל, אבל לחזור משם אחר שתחשך וללון בביתו אסור, אלא צריך ללון באחד מבתי העיר הסמוך בתוך אלפים למקום עירובו.

ונמצא מהלך מביתו עד עירובו אלפים אמה, ואינו מהלך מביתו בעיר לרוח מערב אפילו אמה אחת.

הגה: וי"א דאפילו כלתה מדתו באמצע העיר, מהלך בכל העיר כולה, אבל לא חוצה לה - דסבירא להו, דאף שהניח עירובו רחוק אלפים מביתו שבעיר, הואיל ולן בתוך העיר, נחשבת כל העיר כד"א לענין שיהיה מותר להלך בכולה, וכ"ש לחזור לביתו, **אבל** לענין מדת התחום, גם לדעה זו חשבינן העיר במדת אלפים, כיון שכלתה מדתו בחצי העיר, ולכן אסור להלך חוצה לה כלום, **וכל** זה בעיר שלן בה, אבל אם לן במקום שביתתו, וכלה מדת אלפים שלו באמצע העיר, **או** שלן בעיר זו, והגיע מדתו בחצי עיר אחרת, אין לו להלך אלא עד מקום שכלה מדתו לכו"ע. **וע"י** זריקה מותר לטלטל בכל העיר אם היתה רה"י, וכמבואר לעיל סימן ת"ג ע"ש.

ויש להקל - וכ"כ הב"ח ושארי אחרונים, [**והא"ר** כתב דיש להחמיר כדעה ראשונה, דהיא דעת רוב הפוסקים].

[**ואם** היה בביה"ש לבד בביתו ואח"כ הלך למקום קניית עירובו, יש לעיין בדבר אם מותר לו לחזור למחר לביתו אף לדעה זו, **דאף** דבעלמא י"ל דהכל תלוי בזמן ביה"ש, זהו רק לענין קניית עירוב, אבל הכא דקניית עירוב היה חוץ לעיר, אלא דאנן מקילינן ליה לחזור לביתו משום דלן בביתו, מסתברא דלא סגי בזמן ביה"ש לבד, **וקצת** ראיה לדברי, ממה שהקיל בח"א לחזור לביתו למחר ממקום עירובו, אם לינתו בלילה היה בביתו, אף שבביה"ש נתעכב במקום עירוב, הרי דאזלינן אחר הלינה להקל, אף דבעלמא עיקר קניית העירוב תלוי בביה"ש לבד, וה"ה בענינינו לענין להחמיר, וכן נכון להלכה, **אח"כ** מצאתי בבית מאיר שמסתפק שם ג"כ בדינו של ח"א, והביא דתלוי בפלוגתא של ראשונים, **וע"כ** נראה דלמעשה יש להחמיר גם בזה, דבלא"ה דינא של הי"א רפיא מאוד, דרוב הפוסקים חולקים ע"ז, **ונהי** דאין לנו למחות ביד המקילין, אחרי שכתב הרמ"א דיש להקל, והעתיקו כמה אחרונים את דבריו, מ"מ בדבר שיש להסתפק בדעת הי"א גופא, בודאי אין להקל].

ואם כלתה מדתו בסוף העיר, ואע"ג דעדיין עיבור לפני העיר, כל העיר כד"א, דלא אמרינן עיבור של העיר כעיר להחמיר - ר"ל דנימא דהוי ככלה מדתו באמצע העיר, משום דעדיין יש עיבור לפני העיר, דלא אמרינן עיבור של העיר כעיר, אלא להקל על מדת התחומין ולא להחמיר, **ונראה** דבזה עכ"פ לא חשבינן העיבור עם העיר כד"א, **אמנם** אם כלתה מדתו בסוף העיבור, פשוט דנחשב הכל כד"א, ומתחיל מדתו מסוף העיבור וחוצה.

כל מקום שהניח עירוב תחומין ויש לו אלפים לכל רוח, אסור לו לילך לצפון ולדרום - וה"ה לכל רוח, ומשום מסקנת דבריו שבסוף הג"ה הזכיר צפון ודרום, **רק נגד רוחב המקום שקנה בו שביתה** - ר"ל אם היה בבית או בעיר אף שהיא יותר גדולה, נותנין לו אלפים לכל רוח נגד רוחב המקום ההוא, ואח"כ מוסיפין לו ג"כ זויותיהן למלאות שיהיה כטבלא מרובעת, אבל לא יותר.

ואם אינו רק ד' אמות, כגון שאין העירוב ברשות היחיד - אלא הניח עירובו בשדה, [דאם הניח עירובו בעיר, אף שאינה מתוקנת בעירוב שיהיו יכולין לטלטל בה, נחשב לענין זה כמונח ברה"י], **אסור לו לילך לכל רוח אלפים רק ברוחב ארבע אמותיו** - והיינו עצם רוחב תחומו שתופס בכל צד אלפים אמה נגד מקום שביתת האדם שהוא ד' אמותיו, **עם זויותיהן, כדלעיל סימן שצ"ח סעיף ב'** – (ט"ס וצ"ל "שצ"ט סעיף י'"), דמבואר, שממלאין הקרנות, כל קרן בטבלא מרובעת של שני אלפים, **נמצא** שמדת תחומו אחר מילוי הקרנות מכל צד, נעשה כטבלא מרובעת של ד' אלפים אמה עם ד' אמות, על ד' אלפים אמה וד' אמות, ובכל שטח זה מותר לו להלך, **אכן** אם היתה מקום שביתתו גדולה, כגון בעיר שמחזקת אלף אמה ברחבה ובארכה, יהיה מדת תחומו טבלא של חמשה אלפים על חמשה אלפים, וכן כל כה"ג.

ומ"מ אם כלתה המדה סוף העיר, וכולה כארבע אמותיו, מותר לילך כל רחבה - ר"ל דאף שכתבנו דאין לו רק רוחב ד"א נגד מקום שביתתו, מ"מ אם פגע עיר בתחומו וכלתה מדתו בסופה, נחשבת כל רחבה כד"א, אפי' אם היא מחזקת יותר מארבעת אלפים אמה, **ויש לו אלפים חוץ לעיר לצפון ולדרום, אע"פ שאין לו רוחב כל כך נגד המקום שקנה בו עירוב** - ר"ל דאם נחשוב הרוחב רק נגד מקום קניית העירוב, לא

יעלה כ"כ כמו עתה, שחושבין רוחב העיר וגם האלפים אמה שמשני הצדדין, אפ"ה שרי.

לצפון ולדרום - למעוטי אלף אמה אורך שיש לו למערב העיר, דשם חושבין לכו"ע רק כרוחב שביתתו, וכמו אלף הראשונים שהם לצד מזרח העיר שהם ברוחב ד"א, ועם מלוי הקרנות הוא רוחב ד' אלפים וד"א ולא יותר, כן אלו.

אבל אם כלה מדתו באמצע העיר, אף לדעת הי"א הנ"ל, שבאם לן בעיר מותר לו ג"כ ללכת בכל העיר אף אם רחב הרבה מאד, **מ"מ** חוץ לעיר אף בצפון ודרום אין לו להלך, אלא נגד רוחב מדת תחומו במקום שביתתו, ועד כלות אורך תחומו, **ואם** העיר רחבה ארבעה אלפים וד"א כמדת רוחב תחומו, אין לו לצפון ולדרום נגד העיר כלל, [דהלא רק לענין העיר עצמה הקילו הי"א הזה, אבל לא חוצה לה]. **ולדעת** המחבר הנ"ל, אף בעיר גופא, אם היא רחבה יותר ממדת רוחב תחומו, אינו מהלך כל רוחב העיר אפילו בשטח אותו חצי העיר, ורק עד מקום רוחב תחומו עם הקרנות, מאחר שכלתה מדתו באמצע העיר.

כמה מהאחרונים חולקין על הרמ"א בזה, משום דברבינו יונתן שממנו מקור דין זה, מבואר להיפך, דאין לו בצפון ודרום העיר כלום, **ורק** אם העיר אינה רחבה כמדת רוחב תחומו, שרוחב תחומו אחר מילוי הקרנות הוא ד' אלפים וד"א כנ"ל, אז יש לו גם מחוץ לעיר מצפון ודרום עד כנגד רוחב תחומו, ולא יותר, **ואם** העיר גדולה שרחבה יותר מרוחב תחומו, אף שבעיר עצמה מותר לילך בכולה, אף כשהיא גדולה כאנטוכיא, מאחר שבארכה כלתה מדתה בחוץ לעיר, אבל מחוץ לעיר לצפון ודרום אין לו כלום.

(**ודע** דיש מאחרונים, האבן העוזר והחמד משה ובגדי ישע, שהעמידו דברי הרמ"א להלכה, ורק שכתבו דזה דוקא אם העיר אין רחבה ארבעת אלפים וד"א כמדת רוחב תחומו, דכיון שהעיר מובלעת בתוך רוחב תחומו, שוב נותנין לו כנגד העיר אלפים משני הצדדין, כיון דהעיר נחשבת רק כד"א, **אבל אם** העיר רחבה ממדת תחומו, וי"א **אפי'** אם היא שוה למדת תחומו, אף שהעיר עצמה מותר לו להלך בכולה עכ"פ גם לרחבה, כיון שמדת אורך תחומו כלה בסוף העיר, אבל מן הצדדין אין לו אז כלום.

אכן לדינא מאחר שברבינו יונתן כתב להדיא להחמיר, קשה להקל בזה, וכמש"כ המ"א וא"ר, וגם הגר"א ציין ג"כ לעיין במ"א, וכן פסק הח"א, **ומש"כ** הבגדי ישע והחמד משה להצדיק דעת הרמ"א, דס"ל דמאי נ"מ רוחב מאורך, וכשם שבאורך העיר נותנין לו אלף לצד מערב, משום דהעיר נחשבת רק כד"א, ה"ה ברוחב, כיון שהעיר כד"א א"כ יש לו משני הצדדין אלפים, **אין** הכרח בזה לדחות דעת המ"א וסייעתו, שכתבו כפשטיות משמעות ר"י דיש נ"מ בין אורך לרוחב, **והטעם** פשוט, דלענין מדתו לצד מערב, סברא הוא שכיון שנתן עירובו למזרח העיר אלף אמה, ומדידת תחומו דרך העיר הוא, א"כ מאחר שחושבין לו כל העיר כד"א, נשאר לו עוד אלף למערב, **אבל** לענין הצדדין שאין לו צורך כלל להלך דרך העיר לשם, אטו מפני שנמצא עיר או כפר מובלע בתוך תחומו יתרחב מדת תחומו, ואדרבה מסתבר דנמשך מדת תחומו בשוה מן הצדדין ממקום שביתתו אף כנגד העיר, ורק לענין הילוך בעיר גופא מקילינן דנחשבת לו כד"א, אף שרחבה עוד יותר ממדת תחומו, אבל לענין הצדדין לא יתרחב תחומו כלל, וכעין זה כתב הח"א. **אכן** מאחר שיצא מפי הרמ"א להקל, ודעת הא"ע ובגדי ישע וח"מ כן, המיקל בשעת הדוחק יש לו על מי לסמוך, כנלענ"ד).

סעיף ב - המניח עירובו ברשות היחיד - היינו מקום שמוקף מחיצות, (ומיירי שהוא שובת במקום אחר, אלא ששם הניח עירובו), **אפילו היתה מדינה גדולה כנינוה, ואפי' עיר חריבה** - היינו שהיו בה דיורין ונחרבו, ומחיצות החומה נשארו, **או מערה הראויה לדיורין** - ר"ל אפילו אין בה דיורין, אלא שהיא ראויה לדירה, **מהלך את כולה וחוצה לה אלפים אמה לכל רוח** - דחשבינן לה כולה כד"א, **וכ"ז** כשהיו המחיצות מוקפות לשם דירה, **אכן** אם לא היה רוחב הקיפה רק סאתים, אפילו אינה מוקפת לדירה נחשבת כד"א, וכמבואר לעיל בסימן שצ"ו ס"ב.

דאם אינה ראויה לדור בה, כגון שנפרצו מחיצותיה, או שהיא נמוכה הרבה וכיו"ב, אינה נחשבת כד"א, ומודדין האלפים ממקום הנחת העירוב.

סעיף ג - המניח עירובו בתוך העיר ששבת בה, לא עשה כלום - שהרי בלא עירוב נמי יש

לו מן העיר אלפים לכל רוח, וכל העיר לו כארבע אמות, **אין מודדין** - צ"ל "ואין מודדין" **ממקום עירובו, אלא הרי הוא כבני העיר כולם שיש להם אלפים אמה לכל רוח חוץ לעיר.**

וכן אם נתן עירובו במקומות המצטרפים לעיר שמודדין התחום חוץ מהם - פי' בעבורה של עיר, והוא תוך שבעים אמה ושיריים, **הרי זה כנותנו בתוך העיר** - ואפילו אם נתן אותו באמה אחרונה של העיבור, אין נותנין לו הארבע אמות שנותנין לשאר מניח עירוב לצד חוץ כמבואר לעיל, **דכשמניח** תוך מחיצה או מקום שנחשב כד"א, אין לו לצד חוץ כלום, והרי הוא כשאר בני העיר שמודדין תחומו תיכף מסוף העיבור והלאה.

סעיף ד - נתן עירובו חוץ לתחום, אינו כלום - כיון שא"א לו להגיע שם בין השמשות שהוא זמן קניית עירוב, מאחר שהוא חוץ לתחום ממקום שהוא עומד, **(ויש לו תחום מביתו)** - דכשהוא עומד בביתו או בתחום ביתו, אמרינן דמסתמא ניחא ליה לקנות שביתת ביתו, כשאין עירובו עירוב.

§ סימן תט – דין מקום נתינת העירוב §

סעיף א- הנותן עירובו בבית הקברות, אינו עירוב, לפי שבית הקברות אסור בהנאה, וכיון שרוצה בקיום העירוב שם אחר קנייה, הרי נהנה בו - דמה שמונח שם בין השמשות שהוא שעת קניית שביתה לא איכפת לן, כיון שאין מערבין אלא לדבר מצוה, ומצות לאו ליהנות ניתנו, וע"כ לא חשיבא הנאה מה שהוא יכול לילך עי"ז לחוץ לתחום, **אלא** מה שרוצה שיהיה העירוב קיים שם אף אחר קניית השביתה, כדי לאכול אח"כ אם ירצה, זה חשוב הנאה, ולכן אסרו לקנות שם שביתתו.

‹**תמוה** לי, היכן מצינו דבדיעבד לא הוי עירוב, הא איסור העבירה אינו תלוי בקיום המצוה, דאף אם נימא דאינו עירוב, מ"מ עבר על הנאה, דרוצה בקיום העירוב, והיא מילתא אחריתי ואין העבירה בקיום המצוה, וצע"ג – רעק"א. ‹**ואפשר** שהוא קנס חכמים – חזו"א›.

ומיירי בקבר של בנין, דאלו נתנו בקבר של קרקע, שרי, דקרקע עולם לא נאסר, כמש"כ ביו"ד סימן שס"ד, [**ובנין** נמי, דוקא כשהוא מעצים ואבנים, אבל בכוך שהוא מהקרקע גופא, לא נאסר, **וביו"ד** שם בהג"ה יש דיעות, דגם בקבר של קרקע, העפר שתלשו וחזרו וכיסו את הקבר, י"א דיש בזה איסור הנאה], **וכ"ש** אם לא נתנוהו בקבר רק על הקרקע שבצדדי הקברות, בודאי לכו"ע עירובו עירוב, דאין שם איסור הנאה כלל.

ומיירי אפילו בישראל, ואם נתנוהו שם העירוב בשביל כהן, בלאו הטעם שבפנים ג"כ אסור, משום דבעינן שיהיה יכול להגיע למקום עירובו, וכיון דכהן הוא לא אפשר, [**אף** דלענין דבר שמניחין לעירוב אין אנו חוששין שיהיה ראוי לו דוקא, כיון דחזי לישראל, **מ"מ** לענין מקום הנחת העירוב, צריך שיהא ראוי להגיע שם דוקא מי שהניחו שם בשבילו].

‹**סתם המחבר** כדעת הרמב"ם, דפוסק דאפילו לישראל אינו עירוב, **אמנם** כד מעיינינן מצינו כמה פוסקים דמקילין בישראל, משום דס"ל כר' יהודה דלא חשיב זה לאיסור הנאה, **וכתב** הקרבן נתנאל, דבשעת הדחק יכול לסמוך עליהם להקל›.

ואם נתנו בבית הפרס - הוא שדה שנחרש בה קבר, וחיישינן מדרבנן שמא נשאר שם עדיין עצם כשעורה, **ה"ז עירוב** - דלא שייך כאן איסור הנאה כלל.

ואפילו היה כהן, מפני שיכול להכנס שם במגדל הפורח - ר"ל אף דמדרבנן אסור לכהן לילך שם, שמא יסיט ברגליו עצם כשעורה דמטמא במגע ומשא, וא"כ הרי אינו יכול להגיע למקום עירובו, **מ"מ** שרי, דאפשר לו להכנס שם ע"י מגדל הפורח, והוא נישא ע"ג שוורים, שעי"ז לא יזוז בעצם, **ודוקא** בבית הפרס שהוא מדרבנן, ואין בו טומאת אוהל, משא"כ בבית הקברות אי אפשר בעצה זו לכהן, מפני שהוא מאהיל על הקברים, **ואפילו** אם יכנס במגדול שהוא מחזיק מ' סאה, לא הוי חציצה בינו לקבר, דקי"ל אוהל זרוק לאו שמיה אוהל, וכל שאינו אוהל אינו חוצץ.

או שינפח והולך - כי מפני שהוא מדרבנן סמכו להקל ולילך ע"י ניפוח בפיו, ואם יש שם עצם כשעורה ידחהו, ועצם גדול יראהו.

(**אכן** בהניח העירוב בשביל כהן בקבר יחידי של קרקע עולם שאין בו איסור הנאה, הוי עירוב, **דאף** דקבר תופס סביביו ד' אמות, הוא רק מדרבנן, ומותר לעמוד שם באוהל זרוק, וא"כ יכול שפיר להגיע שם ע"י שידה תיבה ומגדל, ויעמוד באויר הסמוך לקבר ויטול העירוב משם ע"י איזה כלי, ובמ"א משמע, דבעינן שיהא המגדל מחזיק ארבעים סאה, שהוא אמה על אמה ברום ג' אמות, ואין זה מוכרח כ"כ, בזה דהמגדל הוא רק משום הרחקה, גם מה שכתב שיטול העירוב ע"י פשוטי כלי עץ, ושלא יהיה בו רוחב טפח, אין זה מוכרח בזמנינו, שבלא"ה כולנו טמאי מתים).

סעיף ב- צריך שיהא הוא ועירובו במקום אחד, כדי שיהיה אפשר לו לאכלו בין השמשות - דהא טעם העירוב משום דנחשב כאלו קבע דירתו שם.

לפיכך אם נתכוין לשבות ברה"ר והניח עירובו ברה"י, או ברה"י והניח עירובו ברשות הרבים, אינו עירוב, שאי אפשר לו להוציא מרשות היחיד לרשות הרבים בין השמשות - שהוא זמן קנית עירוב תחלת שבת, **אלא בעבירה.**

(**אבל** היכא דיכול להגיע אליו, אפילו נתכוין לקנות שביתה רחוק ממקום הנחת העירוב, מקרי מקום אחד, כל שהוא בתוך תחומו ויכול להגיע אליו). (וצריך להוסיף, שהמרחק לא יהא יותר משיעור ביהש"מ – חזו"א).

אבל אם נתכוין לשבות ברשות היחיד או ברשות הרבים והניח עירובו בכרמלית, או שנתכוין לשבות בכרמלית והניח עירובו ברשות היחיד או ברשות הרבים, הרי זה עירוב, שבשעת קניית העירוב שהוא בין השמשות, מותר להוציא ולהכניס מכל אחד משתי הרשויות לכרמלית לדבר מצוה, שכל דבר שהוא מדברי סופרים לא גזרו עליו בין השמשות במקום מצוה או בשעת הדחק - ועירובי תחומין חשיב במקום מצוה, דהא אין מערבין אלא לדבר מצוה, כדלקמן בסימן תט"ו.

ומבואר בש"ס, דאף אם נותן עירובו ע"ג אילן שהוא למטה מעשרה טפחים, והוא נתכוין לשבות למטה בארץ שהוא ר"ה, אף שיש בזה שני שבותים אם יטול העירוב מן האילן, אחד, שהוא מכרמלית לר"ה, דהאילן כרמלית הוא, [דברוחב ד' מיירי], ועוד, שהוא משתמש באילן שהוא מחובר, אפ"ה הוי עירוב, מטעם דלא גזרו על שבותין ביה"ש, **ומ"מ** יש שבותין שגזרו אף לענין זה, וכדלקמיה בסעיף שאחר זה, [**ופשוט** דזה דוקא בשבותין של שבת, אבל בעבירה אחרת אף דרבנן, אין היתר כלל מחמת ביה"ש, וכמו בבית הפרס דלעיל].

סעיף ג- נתנו בראש הקנה או הקונדס הצומחים מן הארץ, אינו עירוב, מפני שמאחר שהם רכים ונוחים לקטום ויתחייב חטאת, גזרו בהם אפילו ביה"ש אפילו במקום מצוה - ר"ל אף דבהניח עירובו באילן, דיש בו נמי משום שבות דמשתמש באילן, ואפ"ה הוי עירוב, דלא גזרו ביה"ש במקום מצוה וכנ"ל, **מ"מ** בקנה שהוא רך ודק, קרוב שיבוא לידי קטימה בשעה שיבוא ליטול עירובו, וקטימה ממחובר הוא מלאכת קוצר, וגזרו אף ביהש"מ.

(**לכאורה אינו מבואר**, דהלא החשש הוא מפני שהוא רך אתי לידי קטימה שלא במתכוין, וא"כ אין כאן חיוב חטאת, דאינו אלא במתכוין למלאכה ורק ששגג בחיובה, **וצ"ל** דכיון דעצם המלאכה יש בו חיוב חטאת, וקרוב שיעשנו, גזרו בו אף שיעשה שלא במתכוין).

וכן הדין בהניח עירובו בר"ה רחוק שמנה אמות ממקום שנתכוין לשבות שם, דאינו עירוב, דאין מתירין להביאו אצלו בין השמשות פחות פחות מד"א, דהוא קל לבוא לידי חיוב חטאת, שיטלטלנו ד"א שלימות בר"ה, [**אבל** בפחות מח' אמות כשר, דהנותן עירובו יש לו מקום שביתה ד"א, ונמצא מטלטלו רק פעם אחת פחות מד"א].

(ואם הם רכים כירק - ר"ל שהם רכים ביותר, **ע"ל ריש סימן שנ"ו)** - דאז י"ל דדין ירק יש להם, ולא גזרו בהן משום השתמשות במחובר, ולא משום שמא יקטום.

(כך פירש"י בסוגיא, דמשום דקנה רך הוא קרוב לודאי שיקטום, והא דמבואר שם להיפך, דברך לא גזרינן לקטימה, פירש"י דהוא ברכים כירק שלא נתקשו עדיין

כלל, דאז כירק חשיב ואין עליו שם אילן, ועפ"ז הם דברי השו"ע כאן, **אכן** האחרונים פקפקו בהכרעת השו"ע, ובריטב"א חולק לגמרי על פירש"י, משום דבסוגיא שם משמע להיפוך וכנ"ל, דענין הרכות אדרבה מעלה היא, ולדידיה האיסור הוא דוקא בקנים קשים, משום דקנה דק הוא ואתי לשוברו כשיבוא ליטול ממנו עירובו, וברך שרי דיכול לנטותו, אבל בקשה שא"א לנטותו אסור, **אכן** נתבאר בריטב"א בשם מקצת רבותיו, דאף ברך דשרינן, הוא דוקא במין שהוא רך, אבל במין שהוא קשה, אף ברכותו אסור).

(ולריטב"א ניחא מה דיתחייב חטאת, דיבוא למלאכה גמורה לשוברו במתכוין בנטילתו, משום דא"א לנטותו משום דקשה הוא).

ואם היו תלושים ונעוצים, הרי זה עירוב - דבזה אפילו יקטום ג"כ ליכא איסור דאורייתא, **וי"א** דאף איסורא דרבנן לית בתלוש, עיין א"ר.

ומיירי אפי' בגבוה יותר מי' ועומדין בר"ה, ורק שלא יהיה ברחבן ד"ט, [דלא בעינן שיהיה העירוב מונח על מקום ד'], דאז אין עליהם שם רה"י, **וה"ה** ברוחב ד', ורק שהן פחותין מי"ט בגובה, שאין נחשבין רק לכרמלית, **אבל** אם הניח בקנה שהוא גבוה י"ט ורחב ד"ט שהוא רה"י גמור, לא הוי עירוב אם נתכוין לשבות למטה בארץ שהוא ר"ה, דיש מלאכה דאורייתא בנטילתו.

סעיף ד - נתנו במגדל ונעל בפניו, ואבד המפתח מבעוד יום, או שנפל עליו גל, אם יכול להוציאו בלא עשיית מלאכה דאורייתא, הרי זה עירוב - עיין לעיל בסימן שצ"ד סעיף ב' וג' לענין עירובי חצרות, דשם במ"ב ובה"ל מבואר כל פרטי הדינים, וה"ה הכא.

סעיף ה - כל המניח עירובו במקום, יש לו במקום עירובו ארבע אמות - שמקום עירובו קונה לו ד"א תמיד סביביו, לבד האלפים שנותנין לו לכל רוח, **והיינו** בכל מקום שאין מוקף מחיצות, דבמוקף מחיצות חשבינן כולהו כד"א.

לפיכך המניח עירובי תחומין שלו בסוף התחום, ונתגלגל בתוך ד"א - מבעוד יום, וה"ה אפילו אם גלגלו בעצמו בכוונה, **הרי זה עירוב** - דהד"א שייך לתחומו וכנ"ל, **ואם** יכול להניח לכתחלה העירוב בתוך ד"א שמחוץ לאלפים, יבואר לקמן בסי"א.

וה"ה בהניחו באמצע התחום, ונתגלגל בתוך ד"א שמחוץ לתחום, נמי דינא הכי, (**אכן** מדברי הרה"מ מוכח בהדיא, דהרמב"ם דוקא קאמר הניחו בסוף התחום, ומשום דעירובו קונה לו ד"א במקום שהוא מונח, ולכן בנתגלגל בסוף הד"א לא חשיב עדיין יצא חוץ לתחום, **אבל** בהניח עירובו בתוך התחום איזה אמות, ונתגלגל לחוץ אפילו אמה אחת, לדעתו לא הוי עירוב, דהא חוץ לתחום יצא, וכמו באדם שיצא חוץ לתחום, ולא אמרינן דיש לעירובו גם חוץ לתחום, רק היכא דהניח עירובו שם דקונה לו ד"א, וצ"ע).

חוץ לארבע אמות, אינו עירוב - דצריך שיהיה מונח במקום שיהיה ביכלתו להגיע אליו ביה"ש, וכיון שהוא חוץ לתחום ממקום שהוא עומד ביה"ש, ולא יוכל להגיע אליו, לא הוי עירוב, ונשאר על תחום ביתו וכדלעיל.

סעיף ו - אבד עירובו או נשרף, או אם היה בסוף התחום ונתגלגל חוץ לד"א, או שהיתה תרומה ונטמאת - דלא חזי לא לכהן ולא לישראל, **מבעוד יום** - אכולהו קאי, **אינו עירוב; משחשיכה, ה"ז עירוב, שקניית העירוב ביה"ש.**

אם ספק, כשר, שספק העירוב כשר, והוא שיהיה לו חזקת כשרות, כגון זה שהניחו שם ואירע בו ספק; אבל אם לא היה לו חזקת כשרות, כגון ספק אם הונח שם אם לאו, לא - וה"ה בהניח לכתחלה ספק תרומה טמאה או ספק טריפה, דאינו עירוב, דמלבד שלא היה לו חזקת כשרות, בעינן סעודה הראויה לאכול ביה"ש, וכאן שהוא ספק איסור אינה ראויה.

סעיף ז - כיצד עשיית עירוב, אם רוצה לילך בסוף התחום או בתוכו ולהחשיך שם - היינו שיהא יושב שם כל ביה"ש עד שחשיכה ודאי, שקונה שביתתו ברגליו שהוא עומד שם בעת שנכנס השבת, **זה הוא עיקר מצותו** - וה"ה דיכול לערב בפת

אפילו לכתחלה, אלא דעיקר התקנה הוא ברגל, וכדי להקל עליו שלא יצטרך לילך שם בעצמו דוקא ולישב שם עד שתחשך, (דעירוב ברגל אינו יכול לעשות ע"י שליח כי אם ע"י עצמו), התירו לערב בפת, שא"צ לישב שם עד שחשיכה, וגם יוכל לשלוח ע"י שליח וכדלקמיה.

ואפילו לא אמר: שביתתי במקומי, אלא החשיך שם ושתק, לא שנא מי שיוצא מביתו להחשיך על התחום, ולא שנא מי שבא בדרך וחשכה לו, קונה אלפים אמה בלא אמירה - היינו דבשניהם א"צ אמירה ודי בשתיקה, **אבל** מ"מ יש נ"מ, דכשיוצא מביתו, הוא דוקא ביוצא ע"מ להחשיך על התחום כדי לקנות שם שביתה, **אבל** סתמא, דהיינו שיצא מן העיר וחשכה לו תוך תחומו, ולא נתכוין לקנות שם שביתה, אינו קונה שם שביתה אלא בביתו, כיון שהוא סמוך לביתו, [**ונראה** דבמה שיוצא מביתו כדי להחשיך על התחום, זהו נקרא מכוין כדי לקנות שם שביתה, וא"צ לחשוב בהדיא כשבא שם כדי לקנות שביתה, **ולא** מיעטו הפוסקים רק היכא דיצא סתם מן העיר וחשכה לו, **אכן** מדברי הלבוש לא משמע הכי, וצ"ע למעשה], **אבל** הבא בדרך וחשכה לו, אפי' לא נתכוין לקנות שם שביתה, ממילא קנה שם שביתה, ויש לו אלפים לכל רוחותיו, ואפי' הוא ישן, כמו שנתבאר לעיל סי' ת"א.

ואם אינו רוצה לטרוח להחשיך שם, ילך מבע"י ויניח שם מזון שתי סעודות, כל אחד ואחד כפי מזונו ואם הוא חולה - "אם הוא חולה" - צ"ל, ור"ל דלחולה משערין בסעודות שלו כפי אכלו, ולא בעינן אפילו כששה ביצים, **וה"ה** דלזקן משערין ג"כ כפי אכלו, **אבל** לאדם בריא משערין לעולם בסעודות בינוניות וכדלקמיה.

(ויש מאחרונים שמצדדין להחמיר, דאפילו חולה וזקן שיעורם בשתי סעודות בינוניות, והיינו כששה ביצים כשאר כל אדם. **ודע**, דאפילו לדעת השו"ע, בעינן עכ"פ שיהיה אותו המזון ראוי לאכול לחולה, **ואם** אינו ראוי לו, בעינן עכ"פ שיהיה שתי סעודות, דאז הוי עירוב משום דחזי לאחרינא).

או רעבתן - צ"ל "ורעבתן", **שיעורו שתי סעודות בינוניות** - דאף דבחולה בדידיה משערינן, מ"מ ברעבתן משערינן בסעודה בינונית כשאר אדם, והוא משום דבשניהם אזלינן להקל.

שהם כששה ביצים - עם קליפתן, **(וע"ל סימן שס"ח סעיף ג')** - דשם הביא המחבר דעת י"א שהם כשמונה ביצים, וכאן סתם כדעה ראשונה, **ועיין** מש"כ שם, דלכתחלה נכון לנהוג כדעת הי"א.

מפת או מכל דבר שמשתתפין בו שיתופי מבואות - וכמבואר בסימן שפ"ו עי"ש, ולא כעירובי חצרות דאין מערבין אלא בפת.

והנשבע שלא יהנה מככר, אע"ג דתו לא חזי לשיתוף, כמבואר לעיל בסימן שפ"ו סוף ס"ח לדעת הי"א, לעירובי תחומין חזי לכו"ע, **דהא** אין מערבין עירובי תחומין אלא לדבר מצוה, והנאת מצוה לא חשיבא הנאה, דמצות לאו ליהנות ניתנו.

ואם הוא ליפתן, בכדי לאכול בו שתי סעודות סגי - ומה נכלל בכלל ליפתן, נתבאר הכל בסי' שפ"ו.

והנה לענין שיעור שתי הסעודות בכאן, צריך מזון שתי סעודות מאכל או ליפתן לכל אחד ואחד בפני עצמו, ואפילו בעה"ב עם בני ביתו, צריך להניח לכל אחד שיעור עירוב, **חוץ** מבנו קטן הצריך לאמו, וכדלקמן בסימן תי"ג ותי"ד, **ולא** הוי בזה דומיא דשיתופי מבואות, דשם מערבין במזון שתי סעודות לכל העיר, **ועיין** בב"י שכתב בשם הג"א עצה לערב בחומץ, דבמעט חומץ סגי להרבה אנשים לטבל בו ירק מזון שתי סעודות, דזהו השיעור בחומץ, כמבואר בסימן שפ"ו ס"ו, **אכן** לפי מה שכתב שם הא"ר בשם פוסקים, דלטבל שתי סעודות צריך רביעית חומץ, א"כ לפי שיעור האנשים שמניח עבורם העירוב, כן צריך ליתן חשבון הרביעיות.

ואומר: בזה העירוב אהיה מותר לילך למחר אלפים אמה - אבל בהניח בשתיקה, אף שכוון בלבו לקנות שם שביתה, לא הוי עירוב כשעירב בפת, **מיהו** אף אם לא אמר כל הנוסח הזה, ורק שאמר: זה יהיה לעירוב, סגי (בדיעבד - מ"ב סי' תט"ו ס"ד).

וחוזר ולן בביתו, ואפילו הכי מודדים לו תחומו ממקום עירובו, שאנו רואים כאילו דר שם - דאנן סהדי אלו היה לו שם מקום לדור, היה ג"כ לן שם.

אבל התלמידים האוכלים אצל בעלי בתים שבתיהם בשדה, וחוזרים ולנים בבית רבם, מודדין להם תחומם מבית רבם שהוא מקום לינתם, שהוא להם עיקר, ששם היו חפצים גם לאכול אילו היה שם מזונם - ומסתברא בפשיטות, דאף אם היו כל ביה"ש בבית הבע"ב שם, מ"מ לא קנו שביתה שם, ורק בבית רבם, **אם** לא שכוונו בפירוש לקנות שביתתם שם, [**דהלא** ביצא מעירו וחשכה לו בתוך התחום, ג"כ אמרינן לעיל דבסתמא לא קני שביתה בחוץ לעיר, דאין יוצאין מתחום בני העיר, **וכ"ש** בזה דחפץ לשבות מן הסתם בבית רבו].

וכן הרועים הלנים בשדה, אף שאוכלין בבית, הולכין אחר מקום לינתן, ששם היו חפצים לאכול ג"כ אילו היה ביכלתם, **וכן** הקייצים ושומרי פירות.

סעיף ח - אם ירצה ישלח העירוב על ידי שליח, ויאמר: בזה העירוב יהא פלוני מותר לילך – (אפילו ע"י עבד או שפחה, ור"ל כשהטבילן לשם עבדות, דאל"ה הרי הם בכלל עכו"ם).

(**והאמירה מעכב, ואם אמר בעה"ב: בזה הפת שמניח שלוחי לעירוב, אהיה מותר להלך ממקום פלוני אלפים לכל רוח, ג"כ מהני**).

ובלבד שלא יהא חרש שוטה וקטן - משום דלאו בני דיעה נינהו, ולא אלימי למיקני שביתה, **ואפילו** עומד ורואה מרחוק שמניחים שם במקום שצוה, **משא"כ** בעירובי חצרות, דשם העיקר הוא מה שמקבץ מכולם, ועי"ז מתערבין יחד, לכן מהני גם ע"י קטן, כמ"ש בסימן שס"ו ס"ג.

ואפילו אם החרש ההוא הוא שומע ואינו מדבר, דבעלמא הוא כפיקח לכל דבריו, מסתברא דהכא לא מהני, דהכא הלא בעינן שיאמר בפירוש ד"בזה העירוב יהיה מותר לפלוני להלך", והאמירה מעכב, והוא אינו יכול לדבר.

או שאינו מודה בעירוב - כגון עו"ג וצדוקים וכה"ג, [שבכלל צדוקים הוא ג"כ מי שאינו מודה במה שאחז"ל], דשמא לא יניחום שם, **ואפי'** אם יעמוד מרחוק ויראה ג"כ לא מהני, דשמא לא הניחום לשם עירוב.

ואם שלחו ע"י חרש שוטה וקטן, או עכו"ם, או א' שאינו מודה בעירוב, אינו עירוב - ונשאר על תחום ביתו, וכנ"ל בסימן ת"ח ס"ד.

ואם אמר לאחר לקבלו ממנו - ולהניחו לשם עירוב, **ושלחו ע"י אחד מאלו** - ר"ל שאמר להם שיוליכו לאדם ההוא, **ואפי' שלחו על הפיל או על הקוף, וראה מרחוק שהגיע שם ונתנו לו** - דאל"ה אמרינן דלמא לא ממטו ליה, **הוי עירוב, אף על פי שלא ראה שהניחו האחר, דחזקה שליח עושה שליחותו** - ודוקא שהאחר הבטיח לו בפירוש שיקבלו ויניחו לשם עירוב בשבילו, **אבל** אם שתק לו, לא אמרינן בזה דחזקה שיעשה שליחותו.

ודוקא בזה שהוא איסור דרבנן סמכינן על חזקה זו, אבל באיסור דאורייתא אין סומכין על חזקה זו להקל כי אם להחמיר, **ויש** אומרים דאפילו באיסור דאורייתא, היכא שיש מכשול להמשלח אם לא יעשה שליחותו, והוא יחשוב שעשה שליחותו, כגון הכא, סומכין על החזקה דעשה שליחותו, **וכשידעינן** שעשה שליחותו, ורק שספק שמא שינה, לכו"ע אמרינן דודאי לא שינה.

(**הנה המחבר העתיק "ונתנו לו" מלשון הטור, דמשמע דצריך דוקא שיראה שנתן לו, אבל משאר פוסקים מבואר, דבזה שראה שהגיע אצלו סגי, שמטעם חזקה שליח עושה שליחותו אמרינן שבודאי קיבל ממנו והניח לשם עירוב, ואמנם צ"ע על הטור מאין הוציא לשונו**).

וכן רבים שנשתתפו בעירובי תחומין, ורצו לשלוח עירובם ביד אחר, הרי אלו משלחין - וצריך השליח לומר בשעת הנחת העירוב: שבזה העירוב יהיו מותרין לילך כל אותן האנשים שנשתתפו בהעירוב.

סעיף ט - אחד או רבים שאמרו לאחד: צא ערב עלינו, ועירב עליהם באיזה רוח שרצה, הרי זה עירוב ויוצאים בו, שהרי לא ייחדו לו רוח - וע"כ אמרינן דמסתמא ניחא להו באיזה רוח שיערב, **ואף** אם לא נתודע להם עד שחשיכה, הוו עירוב, דאגלאי מלתא דמעיקרא קנו שביתה, [דבדרבנן קי"ל דיש ברירה, ראב"ד ומ"מ, **ובפמ"ג** תמה, דאפי' אם נימא דבעלמא אין ברירה, הכא עדיף, דכיון דסמך עצמו

על השליח, ניחא ליה בכל מקום שיערב, ואין חסר אלא להודיעו באיזה צד עירב, ומה דלא ידע מקודם לא איכפית לן, דהלא קנה עירוב אף שלא מדעתו, כבסי' ת"א].

אמנם נראה דאם היה ידוע להשליח שרצון המשלח לערב ברוח זה, אף שלא פירש לו בהדיא, לא מהני כשעירב ברוח אחרת, אף שעכשיו רוצה ללכת שם, [**ובפמ"ג** מסתפק, אפשר אם רגיל לערב תמיד במזרח, ג"כ אין רשאי לשנות למערב].

סעיף י - האומר לחבירו: ערב עלי בתמרים, ועירב עליו בגרוגרות; בגרוגרות, ועירב עליו בתמרים, ‹אינו עירוב› - ואין חילוק בין עירב משל משלח או משל שליח, בכל גווני הוי קפידא ואין חל השליחות.

אמר לו: הנח עירובי במגדל, והניחו בשובך; בשובך, והניחו במגדל; בבית, והניחו בעלייה; בעלייה, והניחו בבית, אינו עירוב - ששינה מדעת משלחו ועקר השליחות, **ואפילו** שניהם קרובים או שניהם רחוקים, דאמרינן דכאן דעתו לנוח בשבת ולא במקום אחר.

אבל אם אמר לו: ערב עלי סתם, ועירב עליו בין בגרוגרות בין בתמרים, בין בבית בין בעלייה, הרי זה עירוב.

סעיף יא - מי שבא בדרך, ומכיר אילן או גדר בסוף אלפים אמה - וה"ה שאר מקום מסויים, כגון סלע וכה"ג, **וירא שמא תחשך קודם שיגיע שם, ואמר: שביתתי תחתיו בעיקרו** - של אילן, **קנה שביתה בעיקרו** - באמירה בעלמא, דהקילו לבא בדרך, וכדלקמיה בסי"ג.

(ולא כתב דגמר בלבו נמי מהני, ‹אע"ג דמהני בסי' ת"י ס"ב בהחזיק בדרך›, ולכאורה כ"ש הכא דמהני גמר בלבו, **אכן** י"ל דהכא גרע לענין זה, דשם שהחזיק בדרך ע"ש ע"מ לקנות שם שביתה, יציאתו מוכחת על כונתו לקנות, **אבל** הכא דמיירי כשהולך בדרך מכבר, אין כוונתו מוכחת מתוך מעשיו, וע"כ צריך שיאמר בפיו דוקא, **אכן** באמת גם שם אין כאן מעשה המוכיח על הכוונה, כדאמרינן בעירובין ל"ח בגמרא דלמא חמרא אירכס ליה עי"ש, וכן מורה פשטיות לשון הרמב"ם, דגם בבא בדרך מהני כונה, **ואפשר** דתוס' פליגי עליו – הובא מסי' ת"י).

ומכיר אילן או גדר - (אבל אם אינו מכיר שום מקום, ואמר סתם: שביתתי בסוף אלפים מכאן, לא מהני אף לדעה ראשונה).

(מלשון "בסוף אלפים אמה" משמע, דוקא אם היה בשעת אמירה תוך אלפים לעיקרו של אילן, **אבל** אם היה יתר מאלפים, אף דבשעה שקידש היום הגיע ברגליו לתוך אלפים, וגם אם ירוץ משעת אמירה, יכול להגיע לעיקרו של אילן קודם שחשיכה, לא מהני, **אבל** מלשון הרמב"ם משמע, דאפי' אם בשעת אמירה היה יתר מאלפים לעיקרו של אילן, כיון דבשעה שקידש היום הגיע ברגליו לתוך אלפים, וגם דאם היה רץ משעת אמירה, היה יכול להגיע עד עיקרו של אילן קודם שחשיכה, מהני אמירתו – מספר בית מאיר, עי"ש שצידד להלכה כרמב"ם).

ויש לו משם אלפים אמה - ואם ציין מקום השביתה בתל שהוא גבוה עשרה טפחים, או בבקעה שהיא עמוקה עשרה טפחים עד בית סאתים, נחשבת כולה כארבע אמות, ויש לו מאותו מקום ולהלן אלפים אמה.

אף ע"פ שאינו יכול להגיע שם מבעוד יום במהלך בינוני אא"כ ירוץ, מותר לילך לשם בנחת אע"פ שאינו מגיע שם מבעוד יום - וה"ה דמותר לישב במקומו ולילך לשם למחר אלפים אמה למקום האילן, ואלפים אמה מן עיקרו של האילן והלאה, דכיון שהיה יכול להגיע שם ע"י ריצה מבע"י, מהני דיבורו לקנות שם שביתה, אף שאינו הולך עכשיו לשם.

אבל אם לא היה יכול להגיע שם כלל מבעוד יום, לא יזוז ממקומו, שהרי עקר דעתו מכאן, וגם שם לא קנה – (ואם יכול להגיע ביה"ש, אם מהני בדיעבד, מסתבר דתלוי בפלוגתא המבואר לקמן בסימן תט"ו ס"ג, והמחבר מילתא דפסיקא נקט).

ודוקא שייחד ד' אמות, והם בתוך אלפים אמה - ר"ל דאפילו היכא שיכול להגיע שם מבעוד יום, לא מהני אלא בשייחד וכו', **והנה** לא חידש המחבר בזה דבר על מה שכתב בריש הסעיף, וכונתו כאלו אמר: ודוקא באופן שציירנו, שאמר: שביתתי בעיקרו, שייחד בזה המקום לשביתה, וזה המקום היה בתוך אלפים,

אבל אם לא ייחד המקום תחתיו, ואין כל האילן בתוך אלפים, לא קנה שם שביתה, דשמא היה בדעתו וכו'.

כגון שאמר: שביתתי בעיקרו, ומכאן עד עיקרו אין יותר מאלפים - לאו דוקא, דאפי' אם היה ממקומו עד עיקרו אלפים וד"א, קנה שם שביתה, דנותנין לו ד"א למקום שביתתו לבד האלפים, **וגם** כונת המחבר הוא אלפים לבד הד"א של מקום שביתה, **וגם** מה שכתב אח"כ: אבל וכו' בתוך אלפים, הכונה בתוך אלפים וד"א.

אבל אם אין כל האילן בתוך אלפים, ולא ייחד מקום תחתיו, לא קנה שביתה - היינו אף שעיקרו בתוך התחום, אלא שמקצת ענפיו יוצאין חוץ לתחום, דהיינו חוץ לאלפים וד"א, והוא לא ייחד שביתתו שיהיה בצד עקרו שהוא בתוך התחום, אלא אמר סתם שקונה שביתה תחת האילן, לכן לא קנה שביתה כלל.

(**אינו** מדוקדק כ"כ, דגם מעיקרא מיירי שאין כל האילן בתוך אלפים, שהענפים שהם מעבר לעיקרו הם חוץ לאלפים, אלא שהוא ייחד למקום שביתתו בעיקרו, והו"ל לומר בקיצור: אבל אם לא ייחד מקום תחתיו וכו', **אלא** הלשון מסורס קצת, וכאלו אמר: אבל אם לא ייחד מקום תחתיו, אם אין כל האילן בתוך אלפים, דהיינו כמו שצייר מעיקרא, לא קנה שביתה, **ואם** כולו עומד תוך אלפים וכו', ולאפוקי מדעת הרמב"ם שכתב לקמיה).

דשמא היה בדעתו על ד"א שהם חוץ לאלפים, וגם כאן לא קנה, שהרי עקר דעתו מכאן, ולא יזוז ממקומו - ר"ל מתוך ד' אמותיו.

ואם כולו עומד תוך אלפים, ולא ייחד מקום שביתתו, כגון שאמר: שביתתי תחתיו, יש לו ארבעה אלפים ממקומו לצד האילן, חוץ משיעור משך תחתיו של אילן - קיצור לשון יש כאן, ור"ל יש לו ד' אלפים ממקומו מצד זה של האילן ומצד האילן והלאה לצד ביתו, חוץ משיעור משך תחתיו כו',

כגון אם שיעור האילן עשרים אמה, יש לו אלפים פחות עשרים אמה - היינו מכל צד של האילן אין נותנין לו רק שיעור זה, ונמצא שביחד עם רוחב האילן הוא בסך הכל ד' אלפים פחות כ' אמה, **והטעם**, משום דבכל רוחב האילן שהוא כ' אמה מספקינן למקום שביתה, ותלינן לחומרא, דכשמודדין האלפים השניים של מאילן והלאה, מודדין אותו ממקום התחלת האילן שהוא לצד רגליו, דשמא קנה שביתה שם, **ואף** דלפי"ז משם עד רגליו הוא אלפים פחות כ' אמה, אפ"ה אין יכול להלך לאחריו כלום ממקום שהוא עומד, דאמרינן שמא קנה שביתתו בארבע אמות של סוף האילן, שמשם עד רגליו הוא אלפים שלמים.

ולהרמב"ם, הקונה שביתה בריחוק מקום – (ריחוק מקום נקרא כשאינו יושב בביתו והולך שם לערב ברגליו, אלא כשבא בדרך וחשכה לו, ואומר: שביתתי למקום רחוק מכאן), **ולא סיים מקום שביתתו, לא קנה שביתה שם, אלא במקום שהיה עומד בו כשחשכה** - ואף שהוא בתוך התחום ממקום רגליו, דלדעה ראשונה קנה שביתה שם, ואין מפסיד אלא מקום רוחב האילן כנ"ל, **ולהרמב"ם** כיון שלא סיים מקומו, אינו קונה שם שביתה כלל, אלא קונה שביתתו במקום רגליו.

וכן אם אמר: שביתתי במקום פלוני, והוא רחוק ממנו יותר מאלפים, קנה שביתה במקומו - גם בזה פליג אדעה ראשונה, דלדעה ראשונה בזה לא יזוז ממקומו, מפני ששם לא קנה ומכאן עקר דעתו, **ולהרמב"ם** קנה שביתה עכ"פ במקומו, ויש לו אלפים לכל רוח ממקום שהוא עומד.

והאומר: שביתתי תחת אילן פלוני, אם יש תחתיו ח' אמות או יותר, לא קנה שביתה, שהרי לא כוון מקום שביתתו - גם בזה לדידיה אפילו כל השמונה אמות היו בתוך אלפים ממקום רגליו, **ולא** כן לדעה הראשונה.

לפיכך צריך להתכוין לשבות בעיקרו, או בד' אמות שבצפונו או בדרומו - ואם היה רחב יותר מח' אמות, אפשר ג"כ לסיים המקום, כגון ד"א הראשונים שתחת האילן או השניים.

ואם היה תחתיו פחות משמונה אמות, ונתכוין לשבות תחתיו, קנה; שהרי מקצת מקומו מסויים - באמה האמצעית, דממ"נ א"א שלא בירר

אותה, דאם באמצע האילן בירר לו הד"א, הרי היא מהן, ואם מן הצדדין בירר באיזה צד שיהיה, הרי היא מהן.

וכן דעת הרי"ף בזה - (ונ"ל שמה שכ' המחבר: וכן דעת הרי"ף "בזה", בכונה כתב כן, דהיינו רק בשני דינים האחרונים שהעתיק הרי"ף בהלכותיו, **אבל** בשני דינים הראשונים שהעתיק משם הרמב"ם, דקנה שביתה במקום שהיה עומד בו כשחשיכה, אין לנו ראיה מהרי"ף דס"ל כן, דאפשר דס"ל רק דלא קנה שביתה שם להיות מותר מעבר להאילן, אבל גם מעבר לרגליו ס"ל דאינו מותר).

עיין בא"ר שכתב, דהעיקר כדעה הראשונה, **ועיין** בבה"ל שכתבנו דאין דבריו מוכרחים, ועכ"פ לכתחלה בודאי יש ליזהר לסיים מקום שביתתו בצמצום כדעת הרמב"ם.

סעיף יב - היו שנים, אחד מכיר ואחד אינו מכיר, שאינו מכיר מוסר שביתתו למכיר - שאומר לו: שביתתי עמך, **ואומר** - המכיר: **שביתתנו במקום פלוני.**

סעיף יג - ודוקא לבא בדרך התירו לו כהאי גוונא - דמשום דהוא יגע בדרך, הוא דהקילו שקונה שביתה בדבור בעלמא, מה שאמר: שביתתי במקום פלוני.

(**ואפילו** אם יש בידו פת, סגי ליה במה שיאמר: שביתתי במקום פלוני, כיון שיצא מעירו על דעת שלא לערב, מקרי בא בדרך, ומשום דרובא אין לו פת לא פלוג רבנן, וכעני חשוב אף שיש לו פת אצלו).

אבל לא למי שהוא בביתו - אלא כשהולך ברגליו ויושב שם עד שתחשך, או שמניח שם מזון שתי סעודות.

ואם אמר כן, לא עלה לו, ואין לו אלא שביתת ביתו - בזה אפילו דעה ראשונה דלעיל בסי"א, דס"ל שם לא יזוז ממקומו, מודה דיש לו שביתה בביתו, **דכיון** דעומד בביתו, ודאי ניחא ליה דליקני שביתה בביתו כשלא יועיל אמירתו לקנות שביתה במקום אחר, וכמ"ש לעיל סוף סימן ת"ח במ"ב.

§ סימן תי – דין המחזיק בדרך כדי לקנות שביתה §

סעיף א - מי שנתכוין לקבוע שביתתו במקום ידוע אצלו - היינו שאותו המקום מסויים, כגון אילן או גדר, וכנ"ל בסימן הקודם, **והחזיק בדרך** - דחשבינן ליה בזה כבא בדרך בסימן הקודם, **והלך כדי שיגיע לאותו מקום ויקנה בו שביתה, אע"פ שלא הגיע** - והוא שהיה באפשר להגיע כבסימן הקודם, **ולא עמד שם, אלא החזירו חבירו ללון אצלו, או שחזר מעצמו ללון אצלו** - היינו שמתחלה לא נתכוין לזה, כי יצא ע"מ לחשוך שם ולקנות שם שביתה ברגליו, ואח"כ נמלך לחזור וללון בביתו ולמחר לילך לשם, **ואם** נמלך לגמרי, בודאי נעקר למפרע מה שהיה בדעתו לקנות שביתה שם, והרי הוא כבני עירו, **או שנתעכב, יש לו להלך למחר עד מקום שנתכוין לו, ומאותו המקום אלפים אמה לכל רוח; שכיון שגמר בלבו לקבוע שם שביתתו והחזיק בדרך, נעשה כמי שעמד שם**

או שהניח עירובו שם - המחבר סתם כדעת הרמב"ם, (**ובספר** גאון יעקב כתב, **דאף** להרמב"ם עכ"פ צריך שיצא ע"מ להחשיך שם, ואח"כ ללכת למקום השני, ולא ביצא לקנות שביתה ולחזור וללון בביתו, ולשון השו"ע נמי יש ליישב באופן זה).

אמנם דעת הרבה פוסקים, דדוקא אם יציאתו היתה שלא ע"מ לערב, ורק ללכת למקום אחר בסוף ד' אלפים מכאן, זה נחשב לבא בדרך, ואמרינן אף שהחזירו חבירו ללון אצלו, כיון דאנן סהדי דבעי למיזל להתם, אע"ג דלא אמר: שביתתי במקום פלוני, כמאן דאמר דמי, וקנה שם שביתה באותו מקום שרגיל תמיד לקנות שביתה שם, דבודאי נתכוין לקנות שביתה שם כדי שיוכל לילך למחר לשם, (**ודוקא** שהיה מכיר אילן וגדר מסויים באמצע ראוי לקנות שביתה, אבל במי שאינו מכיר באמצע שום מקום מסויים לקנות שביתה, ולא היה דעתו מעולם על מקום מסויים לקנות שביתה, האיך יקנה לו שביתה), **אבל** ביצא כדי לערב, לא חשיב כבא בדרך, ורק כיושב בביתו, דלא הוי עירוב באמירתו לבד.

בד"א, בעני, שאין מטריחין אותו להניח עירוב - ר"ל בעני שאין לו מזון שתי סעודות להניח עירוב, ולהטריחו שילך ויערב ברגליו לא רצו חכמים, ע"כ מותר לומר בביתו: שביתתי במקום פלוני, [**דלא** קאי האי "בד"א" לענין עני, כשהחזיק בדרך הכתוב מקודם, אלא קאי הבד"א לענין עיקר הדין, **ר"ל** אימתי יכול לקבוע שביתה על מקום שלא הגיע עדיין לשם, וגם בלי הנחת פת, דוקא בעני, והיינו אפי' הוא בביתו, או בריחוק וכו'].

או ברחוק כגון שהיה בא בדרך - וכבר ביאר מתחלה, דבהחזיק בדרך הקילו כאלו בא ממש בדרך, ואף בעשיר יכול לומר: שביתתי במקום פלוני.

אבל אם לא היה עני ולא רחוק, לא.

ועיין בבה"ל שהבאנו דעת כמה פוסקים שסוברין, דאף בעני לא הקילו לומר: שביתתי במקום פלוני כשהוא בביתו, כי אם כשהחזיק כבר בדרך, וכן פסק הח"א, (**ונראה דכתב זה בדרך הכרעה, דלא רצה לפסוק כדעת** הרמב"ם, שיהא מותר לעני אפילו בביתו לומר: שביתתי במקום פלוני, דרוב הפוסקים חולקין על זה, ולדבריהם כל שהוא בביתו לא חשיב עני לעולם, כי לא מצוי עני שלא יהיה לו מזון שתי סעודות, ולכן לא פלוג רבנן ורק בדרך).

(**וכן החמיר הח"א בעשיר אף בשהחזיק בדרך, כי אם** כשבא בדרך ממש, **ולכאורה הוא נגד כל הפוסקים,** דהרמב"ם גופא לא ס"ל כן, וכל הראשונים הנ"ל כולם סוברים דבהחזיק בדרך אף עשיר כעני חשוב, ומשום דרוב העומדין בדרך אין פת מצוי להן, **אמנם** מ"מ אין דברי הח"א דחויים מהלכה, משום דעיקר החזיק בדרך לדעת הרבה פוסקים הוא דוקא כשיצא שלא ע"מ לערב, דאז יש לחשבו כבא בדרך, אבל ביצא ע"מ לערב לא חשוב כבא בדרך, אלא הרי הוא כיושב בביתו שצריך לערב בפת דוקא, מפני שפתו מצויה לו בביתו, **ולכן** דעת הח"א דיש לחוש לדעת כל הני רבוותא, ואין להקל בזה עכ"פ אלא דוקא בעני שאין לו שתי סעודות, ובצירוף דעת הרמב"ם והרז"ה הנ"ל דבעני מותר אפילו בביתו, ונכון הוא, **אכן** בבא בדרך ממש, בודאי קונה שביתה באמירתו, אף שיש בידו פת).

סעיף ב - זה שאמרנו שהקונה שביתה בריחוק מקום שיחזיק בדרך, לא שיצא וילך בשדה, אלא אפילו ירד מן העלייה לילך לאותו מקום, וקודם שיצא מפתח החצר החזירו חבירו, הרי זה החזיק וקנה שביתה - (כאן לא הזכיר "או שחזר מעצמו" כבסעיף הקודם, **ואפשר** דבדוקא נקט, דבס"א שהחזיק ממש בדרך, אף שחזר מעצמו קנה שביתה, **אבל** כאן שלא ירד רק מן העליה, אפשר דדוקא כשהחזירו חבירו ולא מעצמו, **ובח"א** משמע דגם בזה מקילינן אף בחזר מעצמו, וצ"ע לדינא).

וכל הקונה שביתה בריחוק מקום אינו צריך לומר: שביתתי במקום פלוני, אלא כיון שגמר בלבו והחזיק בדרך כל שהוא, קנה שם שביתה - ויש חולקין, דדוקא במי שיש לו שני בתים בשני תחומי שבת, דהתם אמרינן אף דהחזירו חבירו, מ"מ היה דעתו לקנות שביתה כדי שיוכל אח"כ לילך לשם, **אבל** בלא"ה לא, דאמרינן דנמלך הוא שלא לילך לשם עוד, **אם** לא שאמר בפירוש: שביתתי במקום פלוני.

וא"צ לומר מי שיצא ברגליו ועמד במקום שקונה בו שביתה, שאינו צריך לומר כלום, אלא כיון שגמר בלבו - לשם שביתה, **קנה** – (ואינו דומה לסימן ת', לענין ישן, דלא בענין כוונה, דשם הלא בא בדרך וקונה שביתה ממילא במקומו שהוא שובת, **לאפוקי** בזה שהוא עומד בעירו ורוצה לחזור וללון בעירו, אלא שהיה בעידן חשיכה על התחום, בעינן שיכוין לקנות שם שביתה, ופשוט).

סעיף ג - אנשי העיר ששלחו אחד מהם להוליך להם עירובם למקום ידוע, והחזיק בדרך, והחזירו חבירו ולא הוליך עירובם, הם לא קנו שביתה באותו מקום, שהרי לא הונח שם עירובם, ואין להם להלך במדינתם אלא אלפים אמה לכל רוח; והוא קנה שם עירוב, שהרי הוא בא בדרך ונתכוין לשבות שם והחזיק בדרך, לפיכך יש לו לילך לאותו מקום למחר, ולילך ממנו אלפים אמה לכל רוח - עיין מה שכתבנו לעיל בס"א, דזהו לדעת הרמב"ם, אמנם הרבה פוסקים חולקים ע"ז.

§ סימן תיא – מי שהיה ביתו במזרח ונתן העירוב במערב §

סעיף א- מי שהיה במזרח ביתו בשדה - ר"ל שהיה בשדה במזרח ביתו, בעת שקידש עליו היום, **ואמר לשלוחו לערב לו במערב** - מבעוד יום.

אם נתן העירוב מהלאה לביתו, בענין שהוא רחוק ממנו יותר מאלפים, וביתו קרוב לו בתוך אלפים, העירוב אינו כלום, ונשאר לו שביתת ביתו - דכיון דקידש עליו היום רחוק מעירובו יותר מאלפים, נמצא שאינו יכול לילך וליטלו, וכיון דאינו עירוב, ממילא נשאר על שביתת ביתו, **ולא** דמי לסימן ת"ט סי"א, דאמרינן לא יזוז ממקומו, דהתם היה בא בדרך, ולא ניחא ליה דליקני שביתה במקומו, **אבל** עומד בביתו או בתחום ביתו, ודאי ניחא ליה דליקני שביתה בביתו כשאין עירובו עירוב, **ויש** אומרים דהכא הטעם משום דהשליח פשע, שהניח העירוב בחוץ לתחום מהמשלח, ויכול לומר לו: לתקוני שדרתיך ולא לעוותי, והוי ליה כאלו לא עירב כלל, **ולטעם** זה אף אם היה בדרך בכה"ג, ג"כ לא הפסיד שביתת מקומו שהיה בה בעת שקידש היום, **ונראה** דלעת הצורך יש לסמוך על זה להקל.

(**ולטעם הראשון**, שהוא של רש"י, אפילו הניח בעצמו העירוב חוץ לתחום, ג"כ ניחא ליה דליקני שביתת ביתו כשלא יחול העירוב שהניח מחוץ לתחום, **ומשא"כ לפירוש הי"א שהובא במ"ב, אם הניח בעצמו העירוב חוץ לתחום, לא יזיז ממקומו, ומ"מ למעשה נראה דיש להקל כסברת רש"י, שכן העתיקו הרמ"א להלכה** בסימן ת"ח ס"ד).

נתן העירוב בענין שהוא לו בתוך אלפים, אע"פ שגם ביתו לו בתוך אלפים, קנה שביתה במקום עירובו ולא בביתו - שהרי עשה שליחותו, ונחשב לו האלפים משם.

§ סימן תיב – דין החולק עירובו §

סעיף א- עירב חצי היום הא' לרוח צפון, והב' לרוח דרום - ר"ל לילך שחרית כאן וערבית כאן, **שטעה והיה סבור שאפשר לעשות כן** - אבל באמת אין עירוב לחצי שבת, וכיון שהוא הניח בשני מקומות ונתכוין לשתיהן, והאחת הוא דקנתה לו ואינו יודע אי זו היא, נותנין עליו חומרי זו וחומרי זו.

או שאמר לשנים: עירבו עלי, א' עירב עליו לצפון וא' לדרום, אם הניח כל אחד עירובו בסוף אלפים, לא יזוז ממקומו - מביתו, ואפילו כבני עירו אינו, **שאין ידוע איזה עירוב קנה לו** - דהא לא נתכוין לקנות שביתה אלא במקום העירובין, ואינו יודע איזה מהן קנה, וע"כ עירוב הדרום מפסידו אלפים של צפון, ועירוב הצפון מפסידו אלפים של דרום.

ואם לא נתנו העירובים בסוף אלפים, הולך מה שאפשר לו לילך מכח שניהם, כיצד, נתן כל א' עירובו לסוף אלף מביתו, יש לו אלף אמה מביתו לכל א' מהעירובים - דממ"נ מאיזו עירוב שקנה יש לו אלפים אמה, וכאן אין מעירוב זה לעירוב זה אלא אלפים, וחוץ להעירובין אינו יכול ללכת אפילו פסיעה אחת, דבכל אחד נאמר שמא העירוב שכנגדו קנה לו, וכלה כאן האלפים.

נתן אחד למזרח לסוף אלף, והשני למערב לסוף ת"ק, הולך למערב אלף מכח מה ששייר לו העירוב שבמזרח, ולמזרחו אלף ות"ק מכח מה ששייר לו העירוב שבמערב.

§ סימן תיג - דין המערב לרבים §

סעיף א - המערב לרבים משלו, אומר: הרי עירוב זה בשביל כל בני העיר - וגם בנתנו כל אחד בפני עצמו, כשמניח אחד בשבילם, צריך לומר בשעה שמניח, שהוא מניח לשם עירוב לכל בני העיר, וכדלעיל בסימן ת"ט ס"ח במ"ב, **אלא** דכשנותן עירוב משלו בשביל כולם, צריך לזכות מתחלה ע"י אחר בשבילם קודם שמניחו.

ובלבד שיהא בו מזון שתי סעודות לכל אחד - ואפילו בלפתן למזון שתי סעודות סגי, וכדלעיל בסימן ת"ט סעיף ז'. **ולא** דמי לעירובי חצרות, דבמזון שתי סעודות לכולם סגי, דשם העירוב הוא משום דאחד אוסר על חבירו, ועי"ז הם כמעורבין, **משא"כ** בתחומין אין שייך אחד לחבירו, וכל אחד כשרוצה לילך חוץ לאלפים שלו צריך לקנות שביתה לעצמו, לכך צריך מזון שתי סעודות לכל אחד. **וכל מי שירצה יסמוך עליו.**

(עיין בפמ"ג שכתב, דכשמקבץ לעירובי תחומין א"צ להניחם בכלי אחד, ופלא דברמב"ם מבואר להיפוך).

(ופשוט דאפילו אין בו מזון שתי סעודות לכל בני העיר רק למקצתן, ג"כ יוכל לערב, אך שיאמר: שאני מניחו לעירוב בשביל כל מי שירצה מבני העיר לסמוך עליו, דאז בודאי סגי שיהיה השיעור רק לפי חשבון האנשים שילכו על סמך העירוב).

וצריך לזכות להם על ידי אחר הראוי, כמו בעירובי חצרות. (וע"ל סי' שס"ו ס"י) - דשם נתבאר מי הוא הראוי לזכות על ידו, **ולענין** מי הוא שראוי להעשות שליח להנחת העירוב, נתבאר בסימן ת"ט ס"ח.

וצריך להודיעם - משום דעי"ז הלא מפסיד תחום של צד השני, ודלמא לא ניחא ליה.

(ואם הודיע לכל בני העיר, וכולם נתרצו לסמוך ע"ז, אבל לא היה שיעור מזון שתי סעודות לכל אחד, יש לעיין אם אפילו מקצתן יכולין לילך, כיון שהוא זיכה ע"י אחר לכולן, נמצא דכולן יש להן חלק בעירוב פחות מכשיעור, ולא מהני, **או** דנימא דמה שהודיע לכל בני העיר, לא היה כונתו רק מי שירצה לסמוך על עירובו יוכל לסמוך, וכן הזיכוי היה ג"כ בכונה זו, ונמצא דכשילכו למחר איזה אנשים עמו על סמך העירוב, נאמר דהוברר למפרע דעל אלו האנשים היה הכונה, וצ"ע).

וכל מי שהודיעו מבעוד יום - ואפילו בין השמשות סגי בדיעבד, כ"כ הפמ"ג, (**ופשוט** דהוא רק לדעה ראשונה בסימן תט"ו ס"ג, אבל לפי מה שכתב שם בס"ג, דיש חולקים וס"ל דאפילו בדיעבד לא הוי עירוב, ממילא בענינינו מבעוד יום הוא לעיכובא), **אפילו לא גמר בלבו לסמוך עליו מבעוד יום אלא לאחר שחשכה, הוי עירוב** - דאמרינן הוברר הדבר שקודם זמן קניית העירוב דעתו לכך היה, כיון שידע מתחלה, [**ונראה** דלאו דוקא שהיה דעתו ממש לזה, דא"כ אם הוא אומר שהוא יודע בבירור שלא גמר בדעתו מקודם, לא הוי עירוב, וזה אינו, **אלא** הכונה, דמה שהיה ספק אצלו, הו"ל כאומר: למקום שארצה אח"כ יקנה לי עירובי עתה, וכיון דאמרינן יש ברירה, קונה לו למפרע כאילו בירר מקודם, **אכן** אם גמר בלבו מבע"י שלא לסמוך על העירוב, אע"ג דנתרצה משתחשך, כיון דמבע"י לא הוי ניחא ליה, אוקמיה אחזקה דביה"ש נמי לא הוי ניחא ליה, והשתא הוא דאיתרצי].

אבל אם לא הודיעו מבעוד יום, אינו יכול לסמוך עליו לאחר שתחשך - דלא שייך לומר דהוברר, כיון שלא ידע כלל מבעוד יום.

וכן מי שהניח עירוב לכל שבתות השנה, ואמר: איזה מהם שארצה אלך ואסמוך עליו - (היינו שבשבת שלא ירצה יהיה כבני עירו, ולא יקנה לו העירוב להפסידו אלפים אמה שבמערב), **אע"פ שלא גמר בלבו עד למחר, יכול לסמוך עליו** - והוא נמי משום דאמרינן הוברר הדבר דקודם בין השמשות דעתו היה לכך, **וכל** זה הוא כפי מה דקי"ל, דלענין מלתא דרבנן יש ברירה, **ופשוט** דכל זה אם בלילה לא הלך מביתו לצד השני.

(ופשוט דאם לא התנה: לאיזה מהם שארצה, אין יכול לילך כי אם לצד עירובו, אם לא שביטל להעירוב מבע"י).

וכן מי ששמע שיש לחכם לבא, ואינו יודע לאיזה רוח, והניח שני עירובים ואמר: לאותו צד שיבא החכם יקנה לי עירוב, לרוח שבא לו החכם קנה לו - ולא מיבעיא אם כבר בא החכם קודם בין השמשות לאותו רוח, אלא שהוא לא היה יודע להיכן בא עד למחר שנשמע לו, בודאי קנה לאותו רוח, דגילוי מלתא בעלמא הוא, דאיגלאי מלתא השתא דההוא עירוב קנה, [**ואין** זו מטעם ברירה אלא קנייה ודאית, שהרי אמר: לצד החכם יקנה לי עירוב, וחכם כבר בא קודם קניית העירוב, וקנה], **אלא** אפילו היה החכם רחוק משם ביה"ש בתוך התחום של סוף ד' אלפים שלו, וא"כ אפשר שלא גמר אז החכם בדעתו כלל לבוא לתוך ד' אלפים שלו, דדלמא אז היה בדעתו שלא לזוז כלל ממקומו, וממילא לא קנה עירובו של זה, **אפ"ה** אמרינן דמהני תנאו משום ברירה, דאמרינן הוברר למפרע דלאותו צד שבא החכם היה מאתמול עומד לכך.

או אם אמר: אם לא יבא כלל אהיה כבני עירי, או אם יבואו שנים, למקום שארצה אלך, הכל לפי תנאו. וכן אם אמר לשנים או לשלשה: הריני מערב על איזה מכם שארצה, אע"פ שלא בירר את מי רצה עד שתחשך, הוי עירוב - דאמרינן כיון שרצה עכשיו, מסתמא ביה"ש שהוא זמן קניית העירוב היה גם כן דעתיה להאי.

(הנה לפי המתבאר בסימן זה נראה פשוט, דכשבא אורח בע"ש קודם חשיכה אצל אחד הדר בישוב, ואותו בעה"ב הניח עירוב שיוכל למחר לילך להתפלל במקום שיש מנין בסוף ד' אלפים אמה, לא יוכל האורח לילך למחר עמו על סמך העירוב, אפילו יש בו שיעור מזון ב' סעודות גם בשבילו, **אא"כ** זיכה לו מבע"י ע"י קנין סודר שיהיה לו חלק בהעירוב שהניח קודם בואו, **וצריך** שיאמר האורח: בזה העירוב שמונח שם יהיה מותר לי לילך למחר אלפים לכל רוח ממנו והלאה, וזה מהני אף שלא היה שם במקום הנחת העירוב, **ובעוה"ר** הרבה נכשלין בזה, דהיינו אם אחד מבני הישוב מניח עירוב, על סמך זה הולכין כמה אנשים, אף שלא זיכה בשבילן ולא עירב עליהם, **כי** ע"פ הדין צריך לפרט האנשים שמערב בשבילן).

(**אכן** אם היה יודע בשעה שהניח העירוב שיבוא היום אצלו אורח פלוני על שבת, יוכל לזכות ע"י אחר גם בשבילו, ומפרט בשעת הנחה: שבזה העירוב יהיה מותר לו וגם לאורח פלוני לילך ממנו והלאה אלפים אמה, ומודיע לו כשבא שהניח העירוב גם בשבילו, **ואם** מניח העירוב בשביל כל בני הישוב שסביבו, יזכה לכולם ע"י אחר, ובשעת הנחת העירוב יאמר ג"כ: בזה העירוב יהיה מותר לי וגם לכל בני היישוב שסביבי לילך וכו', **אך** שיהיה בו מזון שתי סעודות לכל אחד, ויודיעם מבע"י שהניח עירוב בשבילם).

§ סימן תיד - שלא לערב אלא לדעתו §

סעיף א - אין מערבין ערובי תחומין לאדם אלא לדעתו, שמא אינו רוצה לערב באותו רוח שרצה זה - כדי שלא להפסיד ע"ז האלפים שבעבר השני שלצד ביתו, כמו שנתבאר לעיל בסימן ת"ח.

חוץ מבנו ובתו הקטנים, אפילו אינם סמוכין על שלחנו - (ואפילו לדעת הי"א בסי' שס"ו ס"י, דקטן שאינו סמוך על שלחנו אינו שייך לגבי אביו, ויוכל לזכות על ידו), **והטעם**, דהא קי"ל דאין מערבין אלא לדבר מצוה, וע"כ מערב תמיד עליהם, דהיינו שמזכה להם ע"י אחר את העירוב, כדי לחנכם במצות.

(מיירי שהיו ביותר מבן שש, דעד אותו העת הם נגררים אחר אמן, וכדלקמיה בס"ב, ותלוי הדבר בה, אם היא עירבה, או שעירב בעלה עבורה, גם התינוק מותר).

ועבדו ושפחתו הכנענים - מפני שידן כידו, **ואפילו מיחו בו שלא לערב עליו, ואפילו עירבו הם עירוב אחר, אינו כלום** - (ר"ל שעירובו מה שהניח בשבילם קיים, כדי לחנכן במצות, ולא מה שהניחו הם עירובן לצד אחר).

(ונ"ל דאף שבברייתא משוה בנים קטנים לעבדים כנענים לענין עירוב, מ"מ לפעמים יש חילוק ביניהם, דהיינו אם האב לא הניח עירוב כלל (בשביל הקטנים), ואחר הניח

עירוב בשבילם לאיזה צד, עירובו קיים, משא"כ לענין עבדים, כיון שמשועבדין לו לילך ולשמשו במקום שהוא הולך, והוא אינו רוצה במה שהניחו לצד אחר, דעי"ז אין יכולין לילך מעבר לבית כלום, אין עירובן חל).

אבל בנו ובתו הגדולים, אפי' סמוכים על שלחנו – (ר"ל אפילו לדעת הי"א בסי' שס"ו ס"י, דכיון שהוא סמוך על שלחנו נטפל לגבי אביו, ואינו יכול לזכות על ידו, אפ"ה הכא לענין עירוב כשהוא מוחה אין האב יכול לערב בשבילו), **ועבדו ושפחתו העברים, ואשתו, אינו מערב עליהם אלא מדעתם.**

(ודע, דאפילו נתרצו בהדיא לעירובו שהניח בשבילם, אינו מועיל כלל, דעדיין לא יצא העירוב מרשותו, אא"כ זיכה להם בעירוב ע"י אחר, או שהגביהו בעצמו, ובעו"ה הרבה אנשים טועין בזה, וסוברין שכיון שבעה"ב הניח העירוב, מותרין כל בני בית לילך על סמך זה).

ואם עירב עליהם ושמעו ושתקו ולא מיחו, יוצאים בעירובו - דמסתמא נתרצה העבד והשפחה ליד אדוניהם, וכן הבנים לאביהן, והאשה לדעת בעלה, **ואפילו** לא הודיעם מן העירוב עד שתחשך, ג"כ מהני, [אף דבעלמא לא מהני], אף דזמן קניית עירוב הוא בין השמשות, משום דמסתמא עומד העירוב להתקיים וכמש"כ, ולא להתבטל.

(**ומסתפקנא** אם ה"ה כן לענין משרת בזמנינו, דאפשר דוקא עבד עברי וכן שפחה העברית, משום דגופן קנוי לאדוניהם, אבל משרת אפשר דדמי לאיש אחר בעלמא, דבעינן דוקא שיודיעו מבעוד יום, כמו שכתב בסימן ת"ג).

אבל אם מיחו בו - ר"ל מיד ששמעו, ‹אין עירובו עירוב להם›, [ואפי' אם אח"כ חזרו ונתרצו קודם חשיכה, אפשר דלא מהני אא"כ חזר וזיכה להם, וצ"ע], **לאפוקי** ששתקו ואח"כ מיחו, לא מהני מחאתן, דתיכף כששתקו הוי כהודאה שמסכימים למעשיו, ונתקיים העירוב, **וכ"ז** דוקא כששמעו משחשיכה ושתקו, אבל אם שמעו בצהרים ושתקו, ומיחו קודם חשיכה, נתבטל העירוב, כיון שבזמן קניית העירוב דהוא ביה"ש כבר היתה מחאה.

או שעירבו הם עירוב אחר לעצמם - אפילו אם עירובן היה בתר עירובו, **אין עירובו עירוב להם** - דכיון שעירבו אין לך מחאה גדולה מזו, והולכין לאותו רוח שעירבו הם.

סעיף ב - קטן בן שש שנים או פחות, יוצא בעירוב אמו, וא"צ להניח עליו מזון ב' סעודות לעצמו - דעד אותה העת הוא כרוך אחריה וכגופה דמיא, ואף דאין מערבין אלא לדבר מצוה, וקטן לאו בר מצוה הוא, מ"מ כיון דלא אפשר לו בלא אמו, יוצא עמה, [**ופשוט** דקטן ביותר שהוא אצל אמו או מינקת, יוצא עמה לכו"ע, כיון דא"א להיות זולתה, ונ"מ ביו"ט שיכולה לישא אותו ולילך עד מקום רגליה].

ואם לא עירבה אמו אלא אביו, אינו יוצא בעירובו, **ונ"ל** דאף אם זיכה עליו אביו, ג"כ לא מהני, דעד אותה העת צוותא דאמו ניחא ליה, והיא הלא לא עירבה לשם, [**אכן** אם אין לו אמא, אפשר דיוצא בעירובו של אביו, וצ"ע].

אבל אם נכנס בתוך שבע אפי' יום אחד, צריך לערב עליו בפני עצמו, ואינו יוצא לא בעירוב אמו ולא בעירוב אביו, [דבן שש מקרי כל שנת שש, וזה כבר נכנס בשבע].

והנה השו"ע סתם בזה כהפוסקים, דעד בן ששה וששה בכלל יוצא בעירוב אמו, באין חילוק אם אביו בעיר או לא, **אמנם** בא"ר מצדד כדעת כמה פוסקים, דאם אביו בעיר, אפילו בן ד' שנים, או בן חמש שנים באינו חריף כ"כ, אינו יוצא בעירוב אמו, משום דאז אינו נמשך כ"כ אחר אמו, אא"כ היה זיכוי בשבילו.

§ סימן תטו – שלא לערב עירובי תחומין אלא לדבר מצוה §

סעיף א - אין מערבין עירובי תחומין אלא לדבר מצוה - ויש מחלוקת בין הפוסקים, די"א דזה דוקא כשעירב בפת, אבל במערב ברגליו מותר לכתחלה אף לדבר הרשות, דכיון שיושב שם בעצמו וקונה שביתה בישיבתו, אפילו לדבר הרשות מותר, **וי"א** דאין חילוק בין פת ובין רגליו, לעולם אין מערבין לכתחלה אלא לדבר מצוה, **ובמקום** צורך יש להקל כדעה הראשונה.

(ביאור הלכה) [שער הציון] ‹הוספה›

כגון שהיה רוצה לילך לבית האבל, או לבית המשתה של נישואין - וה"ה סעודת אירוסין, [**ובביאור** הגר"א כתב, דוקא להארוס עצמו]. **או** סעודת קנין שנוהגין לעשות עכשיו, שגם אלו סעודת מצוה הם.

נשואי בת כהן לישראל ע"ה, או בת ת"ח לע"ה, אינה סעודת מצוה, **ובתשובת** חו"י כתב, דעכשיו אין לנו ע"ה שדברו חכמים כאן, {**אם** לא כשידוע שהם מזלזלים במצות, דלא עדיפא מע"ה המוזכר בש"ס, [**והם** גריעי מע"ה, דאף אם שני הצדדים הם אנשים כאלו, אין בהם משום סעודת מצוה, דמצוה להתרחק מאנשים כאלו שלא יבואו ללמוד ממעשיהם, וכ"ש שלא להתקרב ולשמוח בשמחתן]}, **וכ"ש** אם הוא בת ע"ה לע"ה, דלכו"ע הוי סעודת מצוה, **אכן** אם ידוע שלא ינהגו שם כדת, וירקדו שם בחורים ובתולות יחד, בודאי אין כאן מצוה לערב כדי לילך לשם ולשמחם, וגדולה מזו כתבו הפוסקים באה"ע, דאין נכון לברך בכגון זה "שהשמחה במעונו", **אם** לא שבהליכתו שם יוכל למנעם מזה, בכגון זה בודאי מצוה לילך שם.

או להקביל פני רבו, או חבירו שבא מן הדרך - אפילו אינו חכם, דחשיב זה מצוה כיון שבא מן הדרך, **ודעת** הא"ר דבחבירו חכם מיירי, [**ומסתברא** דלא מיירי בחכם דוקא, דלא נחית אלא משום דבא מן הדרך, דמצוה לחבירו לקבל פניו, והוא נכנס בכלל שאילת שלום וכבוד הבריות דמצוה הוא, **דאילו** בחכם ומשום דמצוה לשמוע דברי תורה, אפי' לא בא מן הדרך נמי].

וכיוצא באלו - כגון שצריך לצאת לפקח על עסקי רבים, או ללכת לברית מילה, או להתפלל במנין, וכן כשהיה חוץ לעירו ורוצה לבוא לביתו להתפלל בשבת ויו"ט, **אכן** לפדיון שבויים, וחכמה הבאה ליילד, והבא להציל מן הכותים, יוצאים אף בלא עירוב.

הגה: או שרוצה לילך לטייל ביו"ט או שבת בפרדס, שיש בו שמחה בזה, מקרי דבר מצוה - מיהו פשוט דמיירי בשמחה של היתר, אבל לפי מה שמצוי בעו"ה באיזה מקומות בעיירות גדולות, שעוסקין שם בהוללות ובהתערבות זכרים ונקבות, לזה בודאי אין לערב, דמקרי דבר עבירה ולא דבר מצוה, וכבר צווחו על הוללות זו כמה גדולים, והשומר נפשו ירחק מלילך שם, ועל זה אמר דוד המלך ע"ה "אשרי האיש אשר לא הלך" וגו'.

או מפני היראה, כגון שהיה רוצה לברוח מן העובדי כוכבים - שיצערו אותו או יגבו ממנו ממון, **ואם** יש בזה חשש סכנה, אף בלא עירוב מותר לברוח, **או מן הלסטים וכיוצא בזה.**

(ואז מותר לו לילך אפי' לדבר הרשות) - קאי על כל הסעיף הנ"ל, ור"ל דכיון דקנה שם עירובו משום צורך מצוה, מותר לו ללכת אלפים אף לדבר הרשות, [**וגם** המחבר מודה לזה, אלא שלא היה צריך להביאו, דהא גדולה מזו כתב לקמיה, דבדיעבד אם עבר ועירב אפי' לדבר רשות, הוי עירוב ומותר לצאת, כ"ש היכא שתחילת העירוב היה לדבר מצוה, שמותר אח"כ לצאת אף לדבר רשות].

ואם עירב שלא לאחד מכל אלו, אלא לדברי הרשות, הרי זה עירוב.

סעיף ב - אין מערבין עירובי תחומין בין השמשות - דעירובי חצרות מותר לכתחלה ביה"ש, וכדלעיל בסימן רס"א ס"א, ועירובי תחומין חמיר ממנו, דיש סמך לעירובי תחומין מקרא.

ואם עירב, עירובו עירוב - משום דאיסור תחומין הוא דרבנן, וספיקא לקולא, **ומ"מ** ספק הונח העירוב או לא, גרע מזה, וכמבואר לעיל בסי' ת"ט ס"ו ע"ש.

והיש חולקין דס"ג, ס"ל גם בזה דפסול, כיון שלא היה לעירוב חזקת כשרות, (**והנה** לפי מה שכתבנו לקמיה, דרוב פוסקים ס"ל כהיש חולקין דבסמוך, ממילא כאן אפילו בדיעבד אין עירובו עירוב, ומ"מ נ"ל, אם הניח העירובי תחומין בבין השמשות דר' יהודה, דלר' יוסי זה הזמן הוא עדיין יום גמור, יש להקל).

סעיף ג - אמרו לו שנים: צא וערב עלינו, אחד עירב עליו מבעוד יום, ואחד עירב עליו בין השמשות, זה שעירב עליו מבעוד יום נאכל עירובו ביהש"מ, וזה שעירב עליו בין השמשות נאכל עירובו משחשכה, שניהם קנו עירוב - דלכל אחד נקטינן להקל, משום דהוא מילתא דרבנן,

סימן תטו – שלא לערב עירובי תחומין אלא לדבר מצוה

ודין זה נזכר לעיל בסימן שצ"ג ס"ג, אלא דשם מיירי לענין עירובי חצירות, והכא קמ"ל דאף לענין עירובי תחומין ג"כ דינא הכי, וע"ש במ"ב ובה"ל במה שכתבנו שם.

(**נסתפקתי**, אם נאכל בבין השמשות דר' יהודה, דמתחיל תיכף אחר שקיעה, נמי מהני, או דוקא בביה"ש דר' יוסי, דהוא אחר דשלים ביה"ש דר' יהודה, **אבל** הא לא מספקינא, במי שהניח ביה"ש ‹דמהני בדיעבד›, אי דוקא בביה"ש דר' יהודה, או אפילו בביה"ש דר' יוסי, שהוא זמן מועט מאוד קודם צה"כ, **דודאי** מסתברא דאפילו בביה"ש דר' יוסי, דמעיקר הדין בודאי הלכה כר' יוסי נגד ר' יהודה, והא קי"ל דעד צה"כ יממא הוא, אלא דמחמרינן כר' יהודה לענין שבת, וע"כ לענין עירובי תחומין בודאי יוכל לסמוך על דעת ר' יוסי, כנלענ"ד).

ויש חולקים - ס"ל דדוקא בעירובי חצירות הקילו בזה, אבל לא בעירובי תחומין, ואינו קונה העירוב אלא דוקא הראשון, משום דמוקמינן לעירוב אחזקתיה, ובודאי היה קיים עד הזמן שצריך להתקיים, ‹עיין בבה"ל בסמוך›, **אבל** לא לשני דהניח ביה"ש, דאין שייך בזה חזקה.

(הנה מלשון המחבר משמע, דמעיקר הדין תפס כדעה ראשונה, **ולענ"ד** צע"ג, דהנה מצינו ט' ראשונים, דהיינו רוב ראשונים, דסברי דאפילו בדיעבד אין עירובו עירוב כשעירב ביה"ש, והיה לו להביא דעה זו לעיקר, והדעה ראשונה בשם יש אומרים, וצ"ע לדינא).

(**ודע** עוד, דלדעת המחמירין לענין תחומין לענין זמן ביה"ש, יש פלוגתא דרבוותא לענין אם נאכל עירובו בין השמשות, **דדעת** הרשב"א בעל התוספות, אם חזינן דנאכל עירובו בין השמשות, אין שייך בזה לומר חזקת כשרות, **דדוקא** אם יש לנו ספק אם נאכל מבעוד יום או משחשיכה, או בתרומה מתי נטמאה, תלינן להקל דנטמאה משחשיכה, דהעמידנה על חזקתה שהיתה טהורה עד עתה, או שהיתה קיימת עד עתה, **משא"כ** היכא דחזינן ביה"ש שנתקלקלה, הוי כמו שהניח בין השמשות, דאנו דנין על הזמן ההוא, ולא שייך בזה חזקת כשרות, **אבל** דעת הרשב"א והריטב"א, דנאכל עירובו ביה"ש אף בתחומין תלינן להקל, דדמי זה לתרומה ספק נטמאה מבעוד יום או משחשיכה, **ואמינא** לנפשאי דסברתו הוא, דכיון דספק לנו אימת נאכל, תלינן דבודאי היה קיים העירוב עד זמן שצריך להתקיים מדינא).

סעיף ד - כשמניח עירובי תחומין מברך: על מצות עירוב - אע"ג שאם לא ירצה לילך חוץ לאלפים א"צ עירוב, **מ"מ** שייך לומר "וצונו" שלא לילך בלי עירוב, כענין שחיטה, שמברך עליה אע"ג שאינו מחוייב לאכול בשר. **ואם** לא בירך אינו מעכב.

ואומר: בזה העירוב יהא מותר לי לילך - בלבוש הנוסח "לילך למחר", וכן איתא לעיל בסימן ת"ט ס"ז, **ממקום פלוני** - פי' ממקום זה, דהא אומר בשעה שמניח, **אלפים אמה לכל רוח** - ואם מערב לכל השבתות, יאמר "לכל שבתות השנה".

ואם לא אמר, לא הוי עירוב, **מיהו** אם אמר: יהא זה לעירוב, מהני בדיעבד, [**ולפי"ז** אפשר דאפי' לא אמר כלל, רק שמברך עליו "על מצות עירוב", יהיה נחשב זה כאילו אמר: יהא זה לעירוב, ומה שהחמירו האחרונים, היינו בשלא בירך כלל, וצ"ע]. **וכ"ז** כשעירב בפת, אבל אם עירב ברגליו, בכונה לחוד סגי כשהלך לשם.

ואם מערב לרבים אומר: "יהא מותר לפלוני ולפלוני", או "לבני מקום פלוני".

§ תטז – דין עירובי תחומין ביום טוב שחל להיות סמוך לשבת §

סעיף א - יום טוב שחל להיות סמוך לשבת, בין מלפניה בין מלאחריה, או שני ימים טובים של גליות, יש לו לערב שני עירובין לשתי רוחות - פירוש יכול לערב שני עירובין בפעם אחת וכו', דיום טוב ושבת, וכן שני ימים טובים של גליות, שתי קדושות הן, ולכן אין עירוב יום אחד שייך לחבירו.

ומכוון שהעירוב שיברור בלילה הזה לילך משם האלפים, יקנה לו שביתה בבין השמשות של יום זה לצורך מחר, והעירוב שבצד השני, יקנה לו שביתה בבין השמשות דלמחר לצורך יום השני.

וסומך על איזה מהם שירצה ליום הראשון, ועל העירוב שברוח השניה ליום השני - וא"צ לברר דעתו מעיו"ט, דאמרינן יש ברירה, והוברר

הדבר למפרע שבמקום הזה קנה לו שביתה היום בבין השמשות, וכדלעיל בסי' תי"ג, **אך** מכיון שבירר צד אחד ביום ראשון, שוב אינו רשאי לילך באותו יום לצד השני.

או מערב עירוב א' לרוח א', וסומך עליו לאחד משני הימים - היינו לאיזה מהם שירצה, **וביום השני יהיה כבני העיר, וכאילו לא עשה עירוב, ויש לו אלפים אמה לכל רוח** - ומיירי ג"כ שמכוין בהנחתו, שעירובו יקנה לו בבין השמשות של איזה משני הימים לצורך יום מחר שלו, וביום האחר יהיה כבני עירו.

בד"א, בשני ימים טובים של גליות, אבל בשני ימים טובים של ר"ה, הרי הן כיום אחד, ואינו מערב לשני ימים אלא לרוח אחת - דכיום אחד ארוך חשבינן ליה, וביום אחד אינו יכול לערב חציה לכאן וחציה לכאן, **וה"ה** דאינו יכול לומר: יקנה לי עירובי כאן היום, ולמחר אהיה כבני עירי.

וכן מתנה אדם על עירובו ואומר: עירוב לשבת זו אבל לא לשבת אחרת, לשבת אחרת אבל לא לשבת זו; לשבתות ולא לימים טובים, ליו"ט ולא לשבתות - אריש הענין קאי, כמו שם שיכול להניח עירוב אחד בעיו"ט, ושיחול עליו לבדו, או רק על השבת שאחר יו"ט.

והוא שיהיה עירובו קיים באותו שבת בין השמשות, וכשמניחו לכמה שבתות, צריך להשגיח תמיד שמא נתעפש או התליע, דזה הוא דבר המצוי, ובפרט בימי הקיץ, או נאבד לגמרי.

סעיף ב - המערב לשני ימים טובים של גליות, או לשבת ויו"ט - ר"ל שפירש בהדיא שיחול העירוב על שני הימים או על שבת ויו"ט, **אע"פ שהוא עירוב אחד לרוח אחת לשני הימים, צריך שיהיה העירוב במקומו מצוי בליל הראשון ובליל ב' כל ביה"ש** - ולא אמרינן כיון שהוא עירוב אחד, דדי שיהיה העירוב קיים ביום הראשון לבד, כיון דשתי קדושות הן.

ולאפוקי שני ימים טובים של ר"ה, אף אם נאכל עירובו ביום הראשון, יכול לילך גם בשני, שתיכף בביה"ש ראשון נקנה לו העירוב לשני הימים, דקדושה אחת הן, **והגם** דקימ"ל דהא דקדושה אחת הן, זהו לחומרא ולא לקולא, עיין בסי' תק"ג ס"א, הטעם פשוט, דאם הראשון עיקר, שכן הוא כפי האמת, אזי השני חול וא"צ עירוב, אבל שם אדרבא שכהשני הוא חול, הלא אסור לבשל מיו"ט לחול – ערוה"ש, **משא"כ** בשל גליות, לא נתקן השני רק משום ספיקא דיומא, **וה"ה** במערב ברגליו בבין השמשות דיום ראשון של ר"ה, קונה שביתה בזה לשני הימים.

כיצד הוא עושה, מוליכו בעיו"ט או בע"ש ומחשיך עליו, ונוטלו בידו ובא לו אם היה ליל יו"ט - ר"ל אם הוא מקום שאינו משתמר, שחושש שמא יאבד ביום ראשון, לכך מוליכו שם ע"י עצמו וה"ה ע"י שליח, ויושב שם עד שחשיכה, ואח"כ נוטלו לביתו, ומוכרח להוליכו למחר עוד הפעם לשם, [**דאם** הוא מקום המשתמר, א"צ להביאו לביתו, אלא מניחו שם, וכשיגיע ביה"ש דיום שני, יקנה לו ממילא ליום השני ג"כ].

ובשבת שאסור לישאנו לביתו, יהיה מוכרח לילך למחר קודם בין השמשות לשם, לראות אם העירוב קיים, ולישב שם עד שתחשך.

ולמחר מוליכו לאותו מקום ומניחו שם עד שתחשך, ואוכלו אם היה ליל שבת - ר"ל שמותר לאכלו כשירצה מכיון שכבר חל העירוב, **או מביאו אם היה ליל יו"ט, מפני שהן שתי קדושות, ואינם כיום אחד כדי שנאמר מליל ראשון קנה העירוב לשני ימים.**

(**לכאורה** כיון שהולך בעצמו ויושב עד שתחשך, למה לו לקחת הפת, הלא ממילא קנה שביתה בישיבתו שם, דהלא אמרינן דאם עירב בפת בראשון, יכול לערב ברגליו בשני, כמש"כ בסוף הסעיף, **ונראה** דע"י שליח מיירי, וגם בתחלה שכתב כיצד הוא עושה מוליכו וכו', הכונה ג"כ ע"י שליח, דע"י עצמו כיון שיושב עד שתחשך א"צ להפת, **אך** ביום הראשון אפשר משום דחושש שמא למחר יכבד לו לילך בעצמו לערב ברגליו, וע"כ לוקח אתו פת, פן ימצא מקום המשתמר להניחו שם, ויוכל להניחו שם לשם עירוב בהדיא על שני הימים).

נאכל העירוב בראשון, קנה העירוב לראשון ואינו עירוב לשני; עירב ברגליו בראשון,

צריך לערב ברגליו בשני - דעירוב יום הראשון שעירב ברגליו, אפי' אם כוון שיועיל לשני הימים, אינו מועיל כלל ליום השני.

והוא שילך ויעמוד באותו מקום - אבל לרוח אחרת אינו יכול לערב ברגליו ביום שני, דכיון שמקום זה היה אתמול אסור לילך, נראה כמכין עתה מיו"ט לשבת, [ריטב"א], **וי"א** דאף ברוח אחרת יכול לערב ברגליו ליום שני, [כ"כ בעבוה"ק], ואך שיזהר שלא יאמר כלום, רק שישב עד שתחשך וכדלקמיה, [**ונראה** שיש להחמיר].

וכתבו הפוסקים, דאם לא עירב בראשון לא בפת ולא ברגליו, אינו יכול לערב בשני אפילו ברגליו, דמכיון שמתחלה היה אסור במקום זה לילך מחוץ לתחום, נראה כמכין, [ריטב"א, וגם דאסור משום מיקני שביתה בשבתא, וכן מוכח מהרשב"א בחידושיו, **אכן** מעבוה"ק לכאורה לא משמע כן, וצ"ע].

ויחשוב שם בלבו שיקנה שם שביתה, ולא יאמר כלום - ואם עבר ואמר, אפ"ה קונה שביתה, **מפני שאסור לעשות שום הכנה מיו"ט לשבת או משבת ליו"ט אפילו בדיבור; וכל שכן שאינו יכול לערב בפת שלא עירבו בו כבר ביום הראשון, מפני שהיה צריך לקרות עליו שם עירוב ונמצא מכין** - ואפילו בדיעבד לא מהני כשעירב בפת, כיון שבפעם הראשון לא עירב אלא ברגל, **וכן** במה שכתב המחבר לקמיה: דדוקא באותה הפת עצמה, אם עשה בפת אחר, אפילו בדיעבד לא הוי עירוב.

וה"ה לענין שני ימים טובים של גליות, שאסור להכין מיו"ט לחבירו, ‹אפי' בדיבור›, (**והנה** כ"ז לענין לכתחלה, אבל בדיעבד אפילו כשעירב בפת, וקרא עליו שם עירוב ביו"ט ראשון של גליות לצורך מחר, דהיינו שהניחו על תנאי: אם היום קודש ולמחר חול, אין בעירובי כלום, ואם היום חול ולמחר קודש, אני מניחו לצורך עירוב, בדיעבד מהני, דדוקא לענין משבת ליו"ט או מיו"ט לשבת מחמרינן אפילו בדיעבד, כשעירב בפת שלא עירב מאתמול, אבל לא לענין יו"ט של גליות).

עירב בראשון במאכל, אם רצה לערב ברגליו בשני, הרי זה עירוב - משום דברגליו א"צ לו לומר כלום, ואין בו משום הכנה כנ"ל, (**ומשמע** דברצונו תלוי, ואפי' כשלא נאכל הפת).

ואם רצה לערב בפת, צריך לערב באותה הפת עצמה שעירב בה בראשון, שאין צריך לומר כלום, שכבר קרא שם עירוב, ואם כן אינו מכין כלום - ועיין בפמ"ג שמצדד לומר, שגם הברכה על העירוב לא יוכל אז לברך, כי עי"ז יהיה מנכר הכנה.

(**עיין** בב"ח וט"ז, דלכתחלה אסור לומר דהוא לשם עירוב למחר, דבזה מוכחא מילתא דהניחו לשם עירוב, ונראה כמכין, דאף דא"צ לומר, ע"י אמירתו גרע טפי, **ודומיא** דרישא לענין מערב ברגליו, דג"כ א"צ לומר, ואפ"ה פסק בשו"ע דאסור לומר, וכ"כ הא"ר, **ומ"מ** בדיעבד כשאמר דהוא לשם עירוב, לא נתבטל עי"ז, כיון דעל פי דין א"צ לומר, אמירתו לא מבטל הדבר, כ"כ הב"ח וא"ר).

באותו פת עצמה וכו' - משא"כ אם יקח פת אחר, צריך לקרות עליה שם עירוב, והוא בכלל הכנה, [**דאף** דבתחילת היום קונה עירוב, ושבת מכינה לעצמה, כיון דצריך לקרות שם עירוב על הפת מבע"י, הוי הכנה].

ובאותו מקום דוקא, דבמקום אחר א"א לערב אף באותה הפת, [**ואפשר** עוד דאפי' ברוח זה, כגון בחמש מאות אמות להלן ממקום הראשון], **דכיון** שעקר הפת ממקומו שלא ע"מ להניחו עוד במקום הזה, נעקר ממנו שם עירוב, והוי כמערב בפת חדשה, [**ובזה** כו"ע מודים, הרשב"א בעבוה"ק והריטב"א, לפי שאין מערבין לכתחילה מיו"ט לשבת, **ואע"פ** שאמרו תחילת היום קונה עירוב ושבת מכינה לעצמה, כיון שהוא מניח פת ביו"ט לכתחילה, מוכחא מילתא כיון דאמש היה נאסר ברוח זה, ועכשיו הותר, נראה כמכין מיו"ט לשבת, **ואף** בדיעבד לא מהני, ומה שאמרו מערב לשני רוחות, הוא דוקא כשמניח פת מעיו"ט לשני רוחות].

סעיף ג - זה שאמרנו שיש לו לערב ב' עירובין בשתי רוחות לשני הימים - היינו בתחלת ס"א, **הוא שיהיה אפשר לו להגיע לכל אחד משני העירובים ביום הראשון** - היינו שלא יהיו רחוקים זה מזה יותר מאלפים וכדמפרש.

(ביאור הלכה) [שער הציון] ‹הוספה›

אבל אם א"א להגיע לעירוב של יום השני ביום הראשון, אין עירוב השני עירוב; שהעירוב מצותו שיהיה בסעודה הראויה מבעוד יום, וזה הואיל ואינו יכול להגיע לזה העירוב ביום הראשון, הרי זה אינה ראויה מבעוד יום - דאף דקנין העירוב הוא בתחלת יום השני, מ"מ צריך שיהיה ראוי לו להגיע ולאכול מסוף יום הראשון, [**ולענ"ד** אפשר קצת להסביר, משום דביה"ש הוא זמן קניית עירוב, והוא ספק יום ראשון או שני, ע"כ צריך שיהא ראוי לו לבא ולאכול אף אם יום ראשון הוא].

כיצד, הרי שהניח עירובו ברחוק אלפים אמה מביתו לרוח מזרח - היינו כשביתו הוא בשדה, אבל אם הוא בעיר, כל העיר חשובה כד"א, ומודדין האלפים חוץ מחומת העיר, **וסמך עליו ליום ראשון, והניח עירוב שני ברחוק אמה אחת או מאה או אלף ברוח מערב, וסמך עליו ליום שני, אין זה השני עירוב, שהרי ביום הראשון אין זה עירוב השני ראוי לו מבעוד יום, לפי שאינו יכול להגיע אליו, שהרי לא נשאר לו ברוח מערב כלום.**

אבל אם הניח עירובו ברחוק אלף ות"ק מביתו ברוח מזרח, וסמך עליו ליום ראשון, והניח עירוב שני רחוק מביתו לרוח מערב בתוך ת"ק אמה, וסמך עליו ליום השני, הרי זה עירוב, שהרי אפשר שיגיע לו ביום ראשון - הכלל בזה, בין שהרחיק העירוב מצד זה הרבה או מעט, לעולם צריך שיהיה העירוב השני שכנגדו, אינו מרוחק ממנו יותר מאלפים.

סעיף ד - יום הכיפורים הרי הוא כשבת, בין לענין עירובי חצירות, בין לענין עירובי תחומין - דיש בו איסור הוצאה כמו לשבת, וע"כ שייך בו כל אלו הדברים.

סעיף ה - יו"ט נוהג בו עירובי תחומין, אבל לא עירובי חצירות - משום דאין איסור הוצאה ביו"ט, **ועיין** בסימן תקי"ח באחרונים, דמ"מ כשמערב עירובי חצירות לשבת, יכלול גם יו"ט, משום דברים שאין צריך היום כלל, דאסור גם ביו"ט בלא עירוב.

§ סימן תיז §

סעיף א- מנהג קדמונינו לברך את החודש בשבת שלפני ר"ח, **חוץ** מלפני ר"ח תשרי, ורמז לזה "בכסה ליום חגנו", [**ועיקר** הטעם הוא, דכיון דר"ח תשרי הוא יו"ט של ר"ה, למותָר להזכיר זאת מקודם, ופשוט], **ויש** מקומות שאין נוהגין לברך ר"ח אב, משום שהוא חודש של פורעניות. **ואין** ברכת ר"ח כקידוש החודש שהיה מלפנים, אלא שמודיעים להעולם מתי יחול ר"ח, ויזהרו בכל הלכות החודש, **ומ"מ** נהגו לעמוד בשעת אמירת "ר"ח פלוני ביום פלוני", דוגמת קידוש החודש שהיה מעומד.

ר"ח מותר בעשיית מלאכה, והנשים שנוהגות שלא לעשות בו מלאכה, הוא מנהג טוב - לפי שלא פרקו נזמיהן לעגל, ניתן להם ראש חודש ליום טוב, **אבל** אם נהגו אנשים, אין זה מנהג כלל.

(צ"ע בכוונת המחבר, אם לדעתו עכ"פ מצד מנהג מחויבות כל הנשים לנהוג כן, מצד שהוא מנהג קדום שאמותיהם החזיקו בו כבר, וכשאר דברים המותרים שבנות ישראל קבלו עליהם מזמנים קדמונים, שבודאי כל הדורות מחויבים לנהוג כן, **או** כוונתו רק לומר דאשה שנוהגת כן הוא מנהג טוב, וגם אין רשאה לחזור ממנהג זה, וכמו כל מנהג של מצוה שאין להתירו, אבל לכתחלה אין כל אשה מחויבת לנהוג כן אף מצד המנהג, **וכן** משמע לכאורה מדברי ר' ירוחם וממ"א בשם ב"י ושארי פוסקים, **ומ"מ** אין להקל, כי מרוב הפוסקים הראשונים משמע, שאין הדבר תלוי כלל בנשי דידן, אלא מצוות ועומדות הן מאמותיהם מדורות קדומים, עיין בשב"ל שכתב, שהרי קבעוהו לחוק מימות משה רבינו, **וגם** ממג"א אין סתירה, דאף לדברינו שכל אשה צריכה לקבל עליה מנהג זה, היינו דאינה רשאה עכ"פ לעשות

יום זה כחול ממש, לעסוק בכל המלאכות, דלענין זה מצוות ועומדות מימים קדמונים, **אבל** לענין שלא תעסוק בשום מלאכה, תלוי הדבר במנהגה, **ואם** משעה שגדלה נהגה לעשות מקצת מלאכות, אין לאסור עליה, שעל זה אינה מצווה כלל, שבזה לא היה מעולם מנהג שוה לכל ישראל, וגם בימים קדמונים יש שנהגו לעשות קצת מלאכות, ויש שקדשו עצמם ולא עשו בשום מלאכה, **אלא** דאם היא בעצמה נהגה מתחלה שלא לעשות שום מלאכה, או בסתם, הוי כקיבלה עליה לפרוש מכל מלאכה, **ועכ"פ** כל בת ישראל מחויבת לנהוג לפרוש עכ"פ ממקצת מלאכות, ושיהא הבדל בין יום זה לשאר ימות החול).

הגה: ואם המנהג לעשות מקצת מלאכות ולא לעשות קצתן, אזלינן בתר המנהג - דבודאי מעיקרא אדעתא דהכי קבילו עלייהו לנהוג, **והיכא** דידעינן שנהגו בסתם, אין להם להקל בשום מלאכה, ועיין בה"ל.

(**הב"ח** כתב שיטה אחרת בזה, ולדבריו האי מנהג לאו לאחמורי אנשיא קאתי, ולמונען ביום זה ממלאכה, רק לאקולי, והיינו דהן בעצמן אם רוצין לעשות מלאכה אפילו מלאכה כבדה, בודאי מותרות, אלא דאין הבעל רשאי לכופן לעשות מלאכה, חוץ ממלאכת הבית כבישול ואפיה וכדומה, **והוסיף** עוד, דלאו דוקא לאשתו אין הבעל יכול לכופה, אלא אפילו למשרתיו ג"כ אין יכול לכוף, אלא שיש חילוק בדבר, דלמשרתיו אינו יכול לכוף למלאכה כבדה, ולאשתו אינו יכול לכוף לעסוק בשום מלאכה אף לקלה, עי"ש, **אכן** מכל הפוסקים שהבאתי למעלה לא משמע כדבריו, אלא דיש מצוה על הנשים למנוע בר"ח ממלאכה, וממילא בודאי אינו יכול לכופה למלאכה, **ואנשים** שנוהגין שלא לעשות מלאכה בר"ח, הוא מנהג בטעות).

(**והרב יעב"ץ** במור וקציעה כתב, דמסתברא דבלילה מותרים במלאכה, דהוי בצנעא, ולא נאסרה בר"ח אלא מלאכת פרהסיא, ולא חמיר נמי מת"צ, **ועי"ש** עוד במה שכתב להקל במלאכות קלות, ואיני יודע אם נהגו כדבריו בכל זה).

אם היה ר"ח שני ימים, יש דעות בפוסקים, יש שכתבו דצריכין להיות בטלין שני ימים ממלאכתם, ויש שכתבו דזה תלוי במנהג המקום, **ומ"מ** אף לדעה זו, אין להם להקל רק יום א' של ר"ח, שהוא השלמת חודש העבר, אבל לא ביום ב' שהוא עיקר ר"ח.

יש שנוהגין להתענות ער"ח, וטוב שיתנה בפעם ראשונה שמתענה, שאינו מקבלו עליו לעשות זאת לעולם, דשמא יארע לו איזה פעם אונס ולא יוכל להתענות, לא יהיה עליו כנדר, **וטוב** שמי שמתענה ינהיג עצמו להשלים התענית עד הלילה, כן משמע מא"ר, ומקומות חלוקין יש בענין זה, והכל לפי כח האדם, וכן משמע במ"א, **מיהו** במקום שעושין ממנו ת"צ וקורין "ויחל", והוא נמנה עמהם, בודאי צריך להשלים, ואפילו אם חל בע"ש, ועיין לקמן סימן תקס"ו ס"ב ובמ"ב שם.

ויש נוהגין לעשות למנחה סדר יוה"כ קטן, וטעם לשם זה הוא לפי מה דאיתא בפר"ח, דמהר"ם קורדווירו ז"ל היה קורא אותו "כפור קטן", לפי שבו מתכפרים עונות של כל החודש, דומיא דשעיר של ר"ח, וכדאמרינן במוסף "זמן כפרה לכל תולדותם", וכדכתב הב"י בסימן תכ"ג בשם האו"ח, כי כינוי "תולדותם" קאי על החדשים, ר"ל כי עולת ר"ח היתה באה על תולדות ימי החודש, עכ"ל הפר"ח, **וכתב** המ"א, דמנהג טוב לומר הסליחות קודם תפלת המנחה, ובמקום שאומרים דברי כבושים, יאמרו ג"כ קודם תפלת המנחה, ובזמנינו המנהג לומר הסליחות אחר תפלת המנחה.

אם חל ער"ח ביום שבת, מקדימין להתענות ביום ה', **ואם** חל ביום ו', אותן שאומרין סליחות יתענו ביום ה', ואותן שאין אומרין סליחות יתענו ביום ו', **ולענין** השלמה, עיין לעיל בסימן רמ"ט במ"ב.

כתב בשו"ת מנחם עזריה, מי שמתענה בער"ח, צריך למהר בסעודת הלילה, שלא יכנס בו כשהוא מעונה, והיינו שלא לשהות אחרי צאת הכוכבים, אבל עכ"פ צריך להשלים למי שנוהג כן, **ועיין** במ"א שהביא עוד מנהגים אחרים בזה בשם שו"ת מנחם עזריה וסייעתו, ומסיים: שכל אחד לפי מנהגו בזה בענין התענית, אין לשנותו להקל עד שיתירו לו נדרו.

כתבו הספרים, דאף מי שאינו מתענה, מ"מ יראה לעשות תשובה ביום זה, ולתקן את אשר עוות בכל החודש, מאחר שהוא יום אחרון של כל החודש, כמו ער"ה מכל השנה, ואז בודאי יהיה לו יום החודש זמן כפרה לכל תולדותיו.

§ סימן תיח – דין תענית בראש חודש §

סעיף א - ראש חודש אסור בתענית - ומבואר לעיל בסימן קפ"ח, שאפילו אכל פירות יצא, וא"צ דוקא פת.

ואנשי ק"ק ווירמייש"א מתענין בר"ח סיון, על הגזירות שהיה באותו הזמן בשנת תתנ"ו לאלף החמישי, ואומרים סליחות ותחנונים, **וכתב** רמ"ע, דלא ילפינן מינייהו בעלמא אף לענין תחנונים.

(עיין במ"א שמסתפק לענין אי מותר בו תענית שעות, ומשמע מניה דזה תלוי אי ר"ח אסור מדאורייתא בתענית או דרבנן, **ולכאורה** מוכח (מהגמ') דאסור לכו"ע, וגם בפמ"ג מפקפק על דברי המ"א, וצ"ע למעשה, **אח"כ** מצאתי בגאון יעקב דמסיק ג"כ להלכה, דכל דאסור לאתענויי בהו, שעות נמי אסירא, וכמו שכתבנו).

סעיף ב - אין גוזרין תענית על הצבור בראשי חדשים, חנוכה ופורים - ואם עברו וגזרו, אין גזירתם גזירה וא"צ להתענות.

ואם התחילו, שגזרו להתענות כך וכך ימים, והתחילו בהם קודם ראש חודש אפילו יום אחד, אין מפסיקין - כגון שגזרו על מיעוט גשמים וכדומה, להתענות שני וחמישי ושני, ולא אסקו אדעתיהו שבאחד מהם יחול ר"ח, והתחילו להתענות, חל גזירתם בדיעבד, מאחר שלא רצו בכיון לעקור ולבטל דינא דר"ח.

(**ומסתברא** דה"ה אם לא גמרוהו עדיין היום בתענית, רק שהתענו כבר רוב היום, ושוב נזכרו דבתענית השני יחול ר"ח, דג"כ מה שעשו עשו, וצריכין לגמור התענית ולהתענות אח"כ כפי גזירתה, דרוב היום ככולו, **ומיהו** אם לא התענו עדיין רק איזה שעות ונזכרו, אפשר דבטל גזירתם, וצריכין להפסיק תיכף מלהתענות, וכן משמע בריטב"א).

ומתענין ומשלימין - כבשאר תענית, **וה"ה** דבחנוכה ופורים מתענין ומשלימין, כיון שהתחילו כבר להתענות, וחוה"מ נמי הוי כחנוכה ופורים ור"ח.

(**אבל** כשאירע בהם יו"ט, בודאי מפסיקין ואין מתענין באותו יום, **ולכאורה** אפילו יום אחר א"צ להשלים, דאין כח אפילו בגזירת צבור לדחות יו"ט שהוא דאורייתא, וצריך להיות דינם כמו ביחיד שקבל עליו להתענות בה"ב, ואירע ר"ח באלו הימים, שהסכים בב"י להפוסקים דא"צ להשלים יום אחר).

ודע, דבסי' תקע"ב מבואר באחרונים, דכל זה היה מדינא בא"י, אבל האידנא צבור דינם כיחיד, ומפסיקין בר"ח ומשלימין יום אחר, [מ"א, **ופלא**, דהרי בב"י הסכים לדעת רש"י, דביחיד כשאירע בו ר"ח, א"צ להשלים יום אחר, **ואפשר** דלענין זה החמירו בגזירת צבור].

סעיף ג - יחיד שקבל עליו תענית כך וכך ימים, ופגע בו ראש חדש, או שקבל עליו להתענות בראש חודש - זו ואצ"ל זו קתני, דבקבלה בפירוש בר"ח, אפילו גזירת הצבור לא מהני, וכמו שכתבנו, **או** אפשר דנקט משום סיפא, דאפילו בזה אם הוציא בלשון נדר, חל, **אם קבלו בלשון קבלת תענית בעלמא, אינו צריך התרה** - דדוקא בצבור דאלימא גזירתם, החמירו בגזרו על כך וכך ימים ופגע בהם ר"ח וכנ"ל.

כתבו הפוסקים דא"צ לפרוע אותו תענית, שלא חלה עליו כלל, **ונ"ל** דדוקא כשקבל עליו תענית ב' וה' של כל השנה, או של כמה חדשים, ואירע בהם ר"ח, התם שייך לומר דאין כח קבלתו חל כלל על יום זה שהוא אסור בתענית, וממילא א"צ לפרוע עבורו יום אחר, **אבל** כשקיבל עליו סתם כך וכך ימים להתענות, ואירע בהם שבתות ויו"ט ור"ח, צריך לדלגן ולהשלימן אח"כ, דהא לא היה מיוחד במאמרו לר"ח כלל.

ואם קבלו עליו בלשון: הרי עלי, שהוא לשון נדר, צריך התרת חכם - דנדרים חלים אף על דבר מצוה, **ומיהו** מוכח ביו"ד, דמחוייב לשאול על נדרו כדי שלא יתענה, **ומבואר** שם עוד, דפותחין לו בהם, ואומרים לו: אילו שמת על לבך שיפגעו בתוך הזמן הזה אלו הימים, לא היית נודר, ומתירין לו.

(ועיין ביו"ד סימן רט"ו ס"ג).

סעיף ד - אם נשבע להתענות כך וכך ימים, ואירע בהם ראש חדש, השבועה

חלה עליו מטעם איסור כולל - דמיגו דחל שבועתו אימים המותרים, חל שבועתו נמי גם אימים האסורים בתענית, דהא כלל אותם בלשון אחד.

ואם נשבע בפירוש להתענות בראש חדש, נ"ל שחלה עליו שבועה - כלומר שגם בזה חלה עליו שבועה, **כיון שאינו אלא מדרבנן** - וע"כ שבועה חלה עליו עד שיתיר, וכמבואר ביו"ד, וע"כ בענייננו נמי מחוייב להתיר וכנ"ל.

אלא שמדברי הרמב"ם נראה לכאורה שהוא מדאורייתא - היינו מדכתיב: ובמועדיכם ובראשי חדשיכם, איתקש ר"ח למועד, וע"כ אין שבועה חלה עליו לדידיה רק בכולל וכנ"ל, **אבל** הש"ך ביו"ד כתב, דאפילו תימא דבר"ח מדאורייתא אסור להתענות, מ"מ שבועה חלה עליו, כיון שאינו מפורש בתורה בהדיא כשבת ויו"ט, וכן הסכים הפר"ח. **(וע"ל סי' תק"ע).**

סעיף ה - המתענה בר"ח או בחנוכה ופורים תענית חלום - שמותר להתענות אפילו בשבת ויו"ט, וכדלעיל בסימן רפ"ח, וה"ה אם התענה משום נדר, **צריך למיתב תעניתא לתעניתיה** - כדי לכפר עליו על שביטל עונג ר"ח, וכמו לעיל סימן רפ"ח לענין שבת, **וכתב** המ"א, שאם מתענה תענית חלום בר"ח ניסן או בר"ח אב, א"צ למיתב תענית לתעניתו, דהא י"א דמצוה להתענות בהם, וכמבואר לקמן בסימן תק"פ.

§ סימן תיט §

סעיף א - מצוה להרבות בסעודת ראש חודש - ואע"ג דמעיקר חיובא אינו מחוייב לאכול דברים הטעונים בהמ"ז, ויכול לצאת בשארי דברים, וכדלעיל בסימן קפ"ח, [**ומשמע** דלכתחילה טוב יותר שיאכל פת לשם סעודת ר"ח], **מ"מ** המוציא על סעודת ר"ח ואוכל ושותה בו בטוב, הרי זה משובח.

ונראה דמה שמרבה בסעודה ביום לכבוד ר"ח די, וא"צ להרבות גם בלילה. **כתבו** האחרונים, דהמדקדקים נוהגים כשחל ר"ח בחול, עושים מאכל אחד יותר מבכל הימים לכבוד ר"ח, **וכשחל** בשבת, עושים מאכל אחד יותר ממה שנוהגים בכל השבתות, כדי שיהיה ניכר כבוד של ר"ח, [**והנה** לפי דעת הירושלמי שהובא במ"א, אף אם לא עשה מאכל יותר בשבת, יכול לקיים זה במו"ש, שירבה בסעודת מלוה מלכה לכבוד ר"ח שעבר].

וכתבו הפוסקים בשם מדרש פסיקתא: כל מזונותיו של אדם קצובין לו מר"ה עד ר"ה, חוץ ממה שמוציא בשבתות ויו"ט ור"ח וחוה"מ, ומה שהתינוקות מוליכין לבית רבן, אם מוסיף מוסיפין לו ואם פוחת פוחתין לו, **וכתב** הב"י, דמה שאמר: מה שהתינוקות מוליכין וכו', קאי על שכר לימוד, **והב"ח** פירש דקאי על ר"ח, והכונה על מה שאנו נוהגין לשלוח ע"י התינוקות מעות של ר"ח לרבן, ואין לבטל המנהג, ע"כ.

§ סימן תכ – אם הנשים רשאות לקונן בר"ח §

סעיף א - על המת, נשים מענות, שכולן אומרות כאחד; ומטפחות, דהיינו להכות כף אל כף; אבל לא מקוננות, שתהא האחת אומרת והאחרות עונות אחריה - שזהו עיקר ההספד, ואסור בר"ח שהוא כמו יו"ט. **ועיין** ביו"ד, דכל זה באינש דעלמא, ולת"ח מקוננות כדרכן בחול. **ואחר שנקבר המת, לא מענות ולא מטפחות.**

סעיף ב - אומרים צדוק הדין וקדיש - שאינו הספד, אלא הודאה וקבלת דין שמים.

הגה: ואין נוהגין כן - שמרגיל להספד, **וכתבו** האחרונים, שאפילו לחכם בפניו אין נוהגין בר"ח לומר צדוק הדין, שהוא תחנה, אלא דורשין עליו אם הוא בר הכי, ‹שרק לדרוש עליו שמספרין שבחיו התירו, אבל הרגלה להספד שעושה צדוק הדין, הוא להספד בעלמא, שלזה סובר שלא הותר – אג"מ›, ואומרים קדיש אחר הדרשה, [**ובח"א** מפקפק אם בתוך הדרשה מעורר קינים והספד, מחמת שאין לנו כעת ת"ח לענין זה, ע"ש, **ודוקא** על ר"ח, אבל בשאר ימים שא"א בהם תחנון, דמדינא אין ההספד אסור בהן, אין להחמיר]. **ועיין ביו"ד סי' ת"א ס"ו בהגה.**

וכן בכל הימים שאין אומרים בהם תחנון, וכן בע"ש אחר חצות - שג"כ אין אומרים תחנון, וה"ה

בעיו"ט, לכן אין אומרים צדוק הדין, ועיין עוד פרטי דינים בזה ביו"ד ובאחרונים שם.

כתב הט"ז, דמותר לומר צדוק הדין על אדם גדול שמת אפילו בימים שאין אומרים בהם תחנון, כמו ל"ג בעומר או ט"ו באב ובשבט וכדומה, דאינם מועד, וז"ל: שמעתי מזקן א' שהעיד, שהיה בק"ק קראקא בשנת של"ג שנפטר רמ"א ז"ל ביום ל"ג בעומר, והיו מסופקים אם לומר צדוק הדין, עמד אדם חשוב אחד והעיד ששמע מפי רמ"א ש"ל צדוק הדין על אדם גדול, ותכף אמרוהו על רמ"א בקול רם, ונראה לסמוך ע"ז בימים שאין בהם תחנון, **אבל** לא בר"ח חנוכה ופורים, דאלו נזכרו בתלמוד.

י"א שאם קוברין מת בלילה, שא"א קדיש ולא צדוק הדין - אבל בביה"ש יכול לומר צדוק הדין וקדיש.

§ סימן תכא - קריאת ובראשי חדשיכם קודם פסוקי דזמרה §

סעיף א - נוהגין באשכנז שאומרים פרשת "ובראשי חדשיכם" שחרית אחר פרשת התמיד - כדי לפרסם שהוא ר"ח, **ובספרד אין נוהגין לאומרה, לפי שעתידין לקרות אותה בס"ת.**

§ סימן תכב - סדר התפלה וההלל בראש חודש §

סעיף א - ערבית שחרית ומנחה, מתפלל י"ח ברכות ואומר "יעלה ויבא" ב"רצה" - ומבואר לעיל בסימן רל"ו ס"ב, דמכריז הש"ץ בין קדיש לתפלה שהוא ר"ח, ולא חשיב הפסק כיון שהוא צורך תפלה, [**ודוקא** בין קדיש לתפלה, אבל כשהוא עומד בברכת ק"ש בין הפרקים, אסור להפסיק]. [**ודוקא** בערבית, דסמיכת גאולה לתפלה שלו לא חמיר כולי האי, משום דתפלת ערבית רשות, **אבל** בין גאולה לתפלה דשחרית, חמירא טפי ואסור - מסי' רל"ו ס"ב].

ואם לא אמרו בערבית, אין מחזירין אותו, (ובאיזה מקום שנזכר שאינו חוזר, ע"ל סימן רל"ד סעיף ד' וכ') - ושם מבואר, דמשהתחיל לומר "ותחזינה" והזכיר "ברוך אתה ה'", אפילו לא סיים "המחזיר" וכו', נמי אינו חוזר.

בין שר"ח יום אחד בין שהם ב' ימים, מפני שאין מקדשין את החדש בלילה - ולא היה עדיין קדושת ר"ח על היום, **ואפילו** בליל ב' של ר"ח שייך טעם זה, שהלא יום ב' הוא רק משום ספיקא, דאילו היום א' היה קודש, היום שני הוא חול.

אבל אם לא אמרו שחרית ומנחה, מחזירין אותו - כתב הכנה"ג, דדוקא בשנזכר קודם שהתפלל מוסף, אבל אם לא נזכר עד שהתפלל מוסף, יצא בדיעבד במה שהזכיר קדושת היום בתפלת מוסף, וא"צ לחזור ולהתפלל שחרית, וכמו דמקילינן בזה בסימן קכ"ו ס"ג בש"ץ לכתחלה, יש להקל בזה עכ"פ ביחיד בדיעבד, והעתיקו במג"א.

[**לכאורה** דוקא לענין שחרית, אבל אם התפלל מנחה ולא הזכיר "יעלה ויבא", והתפלל אח"כ מוסף, אינו מועיל לזה, דאי לא תימא הכי, אמאי קי"ל דאם שכח להזכיר "יעלה ויבא" בתפלת המנחה יחזור ויתפלל, הלא מסתמא התפלל מוסף והזכיר בו קדושת היום, **אכן** יש לדחות, דזכירת קדושת היום במוסף איננו תיקון רק על מה שקלקל מקודם ולא הזכיר, אבל לא על מה שיקלקל אח"כ, ועל כן צ"ע].

[**נ"ל** דאף לדעה זו, אם אירע שהתפלל מנחה מקודם מוסף, והזכיר "יעלה ויבא", אין זה תיקון למה שלא הזכיר בשחרית, דאין לנו אלא מה שנאמר בגמרא, שמוסף הוא תיקון לתפלת שחרית, וע"כ יחזור ויתפלל עוד תפלה לתשלומין על שחרית].

אבל בשיורי ברכה בשם הרשב"א כתב, דביחיד לעולם חוזר, ואפילו כבר התפלל מוסף, **וכן** הסכים בספר מור וקציעה, אלא דכתב דמ"מ משום ספק יתנה: דאם אינו חייב מתפלל הוא בתורת נדבה, **אכן** אם כשהיה מתפלל ג' ראשונות על דעת להתפלל מוסף נזכר שלא אמר "יעלה ויבוא" בתפלת שחרית, בודאי יש להורות שיסיים התפלה בשל שחרית, ואח"כ יתפלל מוסף.

ואם נזכר קודם שהתחיל "מודים", אומר במקום שנזכר - ואח"כ יאמר "מודים", והיינו אפילו כבר אמר וסיים ברכת "ותחזינה", **ואם** לא סיים עוד "המחזיר", רק אמר "ברוך אתה ה'", כתבנו לעיל בסי'

קי"ד ס"ו בבה"ל, דנכון יותר לסיים "למדני חקיך", כדי שלא יהיה הזכרת השם לבטלה, ויאמר "יעלה ויבא", ואח"כ יאמר עוד הפעם "ותחזינה".

ואם לא נזכר עד אחר שהתחיל "מודים", אם נזכר קודם שהשלים תפלתו, חוזר ל"רצה" - דג' אחרונות חשובות כאחת.

ואם לא נזכר עד שהשלים תפלתו - היינו שסיים ברכת "שים שלום" ואמר "יהיו לרצון", ד"יהיו לרצון" מכלל התפלה הוא, וכדלעיל בסי' קכ"ב, **חוזר לראש.**

ואם הוא רגיל לומר תחנונים אחר תפלתו, ונזכר אחר שהשלים תפלתו קודם שיעקור רגליו, חוזר ל"רצה" - ואין נ"מ בזה בין אם אומר התחנונים קודם "יהיו לרצון" או אחר "יהיו לרצון", דכל שהוא עוסק עדיין בתחנונים, או שעדיין צריך לומר תחנונים, לא מקרי עדיין סילוק תפלה.

נקט האי לישנא ד"קודם שיעקור רגליו", משום דהמחבר מיירי שעדיין לא אמר תחנונים, רק דכיון דרגיל, מסתמא יתחיל לומר גם עתה, **אבל** אם כבר אמר תחנונים וסיים אותם, ואין במחשבתו לומר עוד, אפילו עדיין לא עקר רגליו, כמי שעקר דמי וחוזר לראש התפלה.

[**עוד** פשוט, אם דרכו לומר אחר תחנונים עוד פעם "יהיו לרצון" כמנהג המדקדקין, כל שלא סיים "יהיו לרצון" שני, הוי כלא סיים, דהוא ג"כ מכלל התחנונים, וכ"כ בא"ר].

הגה: ואם הוא ספק אם הזכיר או לאו, אין לריך לחזור - טעמו, דכיון שאין עוברין שלשים יום שאין מזכירין בו "יעלה ויבוא", אין זה חזקה שלמה לומר שבודאי לא הזכיר.

ומ"מ להלכה לא נקטינן כן, דרוב האחרונים וכמעט כולם חולקין ע"ז, וסוברין דאפילו בספק צריך לחזור ולהתפלל, דמסתמא התפלל כמו שרגיל בכל יום בלא "יעלה ויבוא", **מיהו** כבר כתבנו לעיל בסימן קי"ד במ"ב בשם האחרונים, דאם ברור לו שהיה בדעתו לזכור מעין המאורע בתוך התפלה, ולאחר זמן מופלג נפל ספק בלבו אם זכר בתפלה או לא, אין צריך לחזור, **אך** כ"ז אם הספק נפל לו לאחר זמן, אבל אם נתעורר לו הספק מיד אחר התפלה, יש לו לחזור.

וע"ל ששכח מלהזכיר בשחרית, ע"ל סימן קכ"ו - דשם מבואר שאין צריך לחזור משום טרחא דצבורא, ויש לו לסמוך על תפלת מוסף שיתפלל, ושם נזכר קדושת היום.

סעיף ב - וקורים הלל בדילוג, בין יחיד בין צבור - וכל ההלל אין לקרוא, משום דכתיב: השיר יהיה לכם כליל התקדש חג, ודרשינן: ליל המקודש לחג, ר"ל שאסור בעשיית מלאכה, טעון שירה, ושאין מקודש לחג אין טעון שירה, **אלא** שנהגו אבותינו לקרותו, וכדי שיהיה היכר שאינו מצד הדין, לכן מדלגין בו.

והמנהג הפשוט שמדלגין מן "לא לנו" עד "ד' זכרנו", ומן "אהבתי כי ישמע" וגו' עד "מה אשיב", **ויש** מדלגין דילוג אחר, ועיין בא"ר טעם למנהגנו.

וי"א שהצבור מברכין עליו בתחלה "לקרוא את ההלל", (ואם בירך "לגמור" א"ל לחזור) - בדיעבד, דלשון "גומר" אינו בדוקא על מי שגומר, דלפעמים "גומר" בלשון חכמים כמו "קורא". **ולבסוף "יהללוך"; והיחיד אין מברך עליו.**

וי"א שאף הצבור אין מברך עליו לא בתחלה ולא בסוף, וזה דעת הרמב"ם, וכן נוהגין בכל א"י וסביבותיה - דעיקר ההלל בר"ח אינו אלא מנהגא ולא מן הדין, וכנ"ל, ואמנהגא לא מברכינן.

הגה: ויש אומרים דגם יחיד מברך עליו, וכן נוהגין במדינות אלו - ואע"ג דאינו אלא מנהגא, מצינו הרבה דברים שאינם אלא מנהגא ואעפ"כ מברכין עליהם, [וכמו ביו"ט שני. **ונהי** דודאי אינו מחוייב לאמרו, מ"מ מאחר שמזקיק עצמו לכך, אין זה ברכה לבטלה, כמו שנשים מברכות על נטילת לולב שאינו לבטלה].

ומ"מ יזהר אדם לקרות בלבור, כדי לברך עליו עם הלבור - לצאת ידי דעת הפוסקים שביחיד אין מברכין עליו, **ולהכי** כתבו האחרונים, דאם בא לביהכ"נ סמוך להלל, יקרא הלל תחלה עם הצבור, ואח"כ יתפלל, [**ודוקא** שיש עוד שהות לק"ש ולתפלה].

וכתבו עוד, דאם הוא באמצע פסוקי דזמרה, יש לו להפסיק לקרות הלל עם הצבור, ואין זה הפסק,

דלא גרע ממזמורים שמוסיפין בשבת, **מיהו** לא יברך על ההלל לא בתחלה ולא בסוף, ויוצא במה שכבר בירך "ברוך שאמר" בתחלה וברכת "ישתבח" בסוף, [**והכי** עדיף טפי, שיוצא בזה גם דעת הרמב"ם, דס"ל דבר"ח אין לקרות בברכה בשום גווני]. **וכל** זה בהלל דר"ח, שיש פוסקים דאין לברך עליו, אבל בימים שגומרים את ההלל, דאז חייב הוא בברכה לכו"ע, אין לו לומר באמצע פסוקי דזמרה, שלא יפסיד הברכות.

וי"א דכשיחיד קורא, אומר לשנים שיאמרו עמו ראשי פרקים, דאז הוי כרבים - כגון בשעה שאומר "הודו" יענו ג"כ אחריו "הודו", וכשאומר "אנא" יענו אחריו "אנא".

ונהגו כן ב"הודו" ולא ב"אנא" - דב"הודו" שייך זה טפי, דהרי אומר "הודו", ומשמע דלאחרים אומר, [**ואף** דאומרים ביחיד בשאר "הודו", כגון בהלל הגדול, אפשר דשאני הכא, כיון שהוא דרך שירה, בעי שיענה אחריו, כדמצינו בשירת הים].

וכתבו האחרונים, דאין נ"מ בזה בין ר"ח לימים שגומרין בם ההלל, ובכל גווני יש לו לומר לשנים, **ומש"כ** הרמ"א "דאז הוי כרבים", ר"ל דבר"ח שייך עוד יותר, דיוצא עי"ז ג"כ קצת דעת הפוסקים דבעינן צבור לברכת הלל, **אלא** דכתבו דעיקר דבר זה אינו אלא לכתחלה, ואם אין מצויין לפניו שנים, אין לו לחזור אחריהם.

(**איתא** במגילה כ', דהלל זמנה כל היום, חוץ מהלל דליל פסחים, **ואיתא** בתשו' שאילת יעב"ץ, דהלל שייכא לתפלת שחרית, וע"כ אין לטעום עד אחר הלל, **אם** לא למאן דחליש ליבא דמותר, ואפילו מדת חסידות ליכא).

(**כתב** רבינו ירוחם, בהלל אע"פ שיצא מוציא, בין ביחיד בין בצבור, **ודוקא** שאינו בקי שאינו יודע לענות, אבל אם יודע לענות, אם יצא אינו מוציא, אא"כ עונה אחריו "הללויה", עכ"ל, **ותימה** קצת, דהאיך אפשר שלא יהא יכול לענות תיבת "הללויה", **ואולי** דאינו יודע באיזה מקום לענות זו התיבה, **ומש"כ** ר' ירוחם דבריו ביצא, לאו דוקא, דה"ה אפילו בלא יצא, נמי אינו יכול להוציא חבירו ביכול לענות, אא"כ עונה, וכ"כ הא"ר, **והרב** פר"ח כתב, דדוקא ביצא צריך לענות, אבל אם עדיין לא יצא בעצמו, ומברך לעצמו ולחבירו, אפילו לא ענה חבירו דבר יצא, **ועיין** שם בפר"ח, דגם על עיקר דינא דרבינו ירוחם פליג, ולדידיה אפי' בבקי נמי יכול להוציא).

(**ומבואר** עוד בש"ס סוכה ל"ח ובפוסקים, דנשים פטורות מהלל, ומשום דהיא מצוה שהזמן גרמא, חוץ מהלל דלילי פסחים, דחייבות משום "שאף הן היו באותו הנס", **ולפיכך** אין יכולות להוציא אנשים, אא"כ עונים אחריהם מלה במלה, ומסיים שם בברייתא: תבא מארה לאדם שהוצרך לכך שתהא אשתו מקראת לו, **ועכ"פ** היא עצמה יכולה לקרות הלל ולברך, אע"פ שאינה מחוייבת, וכמו בכל מ"ע שהזמן גרמא, שמדקדקות על עצמן ומברכות, **ומסתברא** עוד, דגם בהלל דר"ח לפי מנהגינו דמברכין על ההלל, דגם אשה יכולה לברך וכמו אנשים).

(**והנה** משמע ממ"א, דגם בר"ח אין יכולות להוציא אנשים, **ולענ"ד** אין זה ברור, דזה שייך לומר רק בימים שגומרין ההלל, דיש על האנשים חיוב מד"ס, אין הנשים יכולות להוציאם, אף במקום שנהגו במצוה זו מכבר, שאלו רק מצד מנהגא בלבד, ואלו מצד חיובא, **אבל** בימים שאין גומרין את ההלל, דעל האנשים הוא ג"כ רק מצד מנהגא, ובמקום זה נהגו הנשים ג"כ במצוה זו, מאי נ"מ בין אלו לאלו, **ואולי** כונת המ"א, במקום שלא החזיקו הנשים במצוה זו עד עתה, דמצד מנהגא ג"כ אין עליהם שום חיוב, ועתה רוצה אשה לקרות ולהוציא, וצ"ע).

סעיף ג - בענין הפסוקים שכופלין בו, וכן בפסוקים שש"צ אומר והקהל עונים אחריו, כל מקום כפי מנהגו - ובמקומותינו המנהג לכפול מ"אודך" עד סוף הלל.

עיין בטור, שהש"ץ אומר "הודו לד'" וגו', והקהל עונים אחריו "הודו" וגו', והוא אומר "יאמר נא" וגו', והקהל עונים אחריו "הודו" וגו', וכן ב"יאמרו נא בית אהרן", וב"יאמרו נא יראי ד'", **וכתבו** האחרונים, דאף דאמירת "יאמר נא ישראל" וגו' "יאמרו נא בית אהרן" וגו' "יאמרו נא יראי ד'" וגו', יוכלו הצבור לצאת במה ששומעין מפי הש"ץ, דשומע כעונה, מ"מ טוב יותר שיאמרו בעצמם בנחת, דלפעמים אינו מכוין, **וכן** נוהגין כהיום.

סעיף ד - לענין הפסקה, אפילו באמצע - הפרק, **שואל בשלום אדם שהוא צריך לנהוג בו כבוד, ומשיב שלום לכל אדם; אבל בענין**

אחר לא יפסיק - ואפילו בין הפרקים. **ועיין** לעיל בסימן ס"ו, ותלמוד לכאן ביאור הדברים.

(עיין בא"ר בשם הרב דוד אבודרהם, דלדעת הפוסקים דיחיד אין מברך על הלל, אין שייך בזה שם הפסק כשקורא ביחיד, **אכן** מדברי המחבר שהביא למעלה דעת הרמב"ם, שאין מברכין כלל בר"ח על הלל, ושנהגו כוותיה, והכא סתם בדין זה, משמע דס"ל דדין זה שייך לכו"ע, **ולא** דמי למי שקורא בספר תהלים דיכול להפסיק לכל דבר, דשאני הכא דהוא פרסומי ניסא וחשיבא יותר, ולהכי אין להפסיק בכדי).

הגה: ודוקא בר"ח, ופסח בימים שאין גומרים הלל; אבל כשגומרים אותו, לענין הפסקה דינו כמו בק"ש, וע"ל סי' תפ"ח ס"א - ששם מבואר היטב דיני הפסקה.

סעיף ה - אם הפסיק בו ושהה, אפי' שהה כדי לגמור כולו, אינו צריך לחזור לראש - אפי' שהה מחמת אונס, שהיה המקום אינו נקי וכה"ג, ואפי' בשעה שגומרים ההלל נמי א"צ לחזור, **ואפי'** לפי פסק הרמ"א בסי' ס"ה גבי ק"ש, דהיכי שהיה השהיה מחמת אונס דצריך לחזור לראש, **שאני** הלל דכל עקרו אינו אלא מדרבנן, ואפי' בשעה שגומרים אותו, ולהכי לא מחמירנן ביה, **ויש** מחמירין בזה, וע"כ טוב לחזור ולקרותו בלי ברכה, וע"ל בסי' ס"ה במ"ב ובה"ל, שם בארנו כל פרטי דינים אלו.

סעיף ו - הקורא הלל למפרע, לא יצא - ונפקא בגמרא מדכתיב: ממזרח שמש עד מבואו מהולל שם ד', מה השמש הולכת כסדר ממזרח למערב, כן ההילול צריך להיות כסדר דוקא ולא למפרע.

והאי למפרע לכאורה היינו דוקא בסדר הפסוקים, אבל אם הקדים פרשה לחברתה, אע"פ שאינו רשאי, יצא, וכדלעיל בסימן ס"ד לענין ק"ש, **אבל** כמה אחרונים מחמירים גבי הלל אפילו בפרשיות, כיון דסמוכים הם זה לזה בתהלים, **וע"כ** בודאי נכון להחמיר בזה ולחזור ולקרות, **אכן** אם יחזור ויברך, יש לעיין בדבר, [היינו אפי' בימים שגומרין ההלל], **ואפילו** לענין קריאת פסוקים למפרע, ג"כ לא ברירא מלתא לגבי ר"ח שיחזור ויברך, כמו שכתבתי בביאור הלכה.

(**ולכאורה** הש"ס לא קאי אלא אזמנים שמחוייב לקרותן, דבהן שייך לומר יצא או לא יצא, **משא"כ** בימים שאין גומרין והוא רק מצד מנהגא בעלמא, מאי שייך יצא או לא יצא, וא"כ מנ"ל להשו"ע להעתיק הדין לגבי ר"ח, **ועוד** לכאורה למפרע נקרא אם דילג פסוק אחד באיזה קאפיטל, ואחר שאמר אחריו איזה פסוקים נזכר מדילוגו, ואמר שם זה הפסוק, דכתב הב"י ומביאו המ"א, דזה נקרא קורא למפרע, וקשה לי, דזה שייך רק לגבי ק"ש, ששם אם חיסר פסוק א' לא יצא, וזה הפסוק שקרא שלא כסדרן לא עדיף משלא קראהו כלל, כגון שקרא "והיו הדברים" קודם "ואהבת", דינא הוא שצריך לחזור ולקרות "והיו הדברים", דקריאה ראשונה שקרא "והיו הדברים" לא נחשב לקריאה, ואם לא יקראהו פעם שניה נמצא שחסר זה הפסוק, **אבל** הכא גבי הלל דר"ח שקוראין אותו בדילוג, מאי נ"מ אם חיסר פסוק א', הלא בודאי לענין דילוג אינו מיוחד שידלג דוקא קאפיטל "לא לנו", דה"ה אם עושה דילוג אחר, **ואולי** גבי הלל למפרע, כיון דנפקא לן בגמרא זה מקרא, גרע זה מאם חיסר פסוק אחד לגמרי, **ולולי** דבריהם היה נ"ל לומר, דהאי למפרע מיירי באופן זה דוקא, כגון שחיסר פסוק ראשון מן הלל, והתחיל פסוק שני, ואח"כ אמר פסוק ראשון, **או** לפי מה שכתב הפר"ח, דכאן שייך שם למפרע גם לענין פרשיות, ויצוייר שקרא קאפיטל "בצאת ישראל" קודם קאפיטל ראשון, **וענין** זה של למפרע לא נוכל להכשירו מטעם דילוג, דדילוג נקרא שהתחיל כראוי ודילג באמצע, **והנה** למעשה בודאי יש להחמיר בכל גווני שקרא למפרע, לחזור ולקרות, כמו שכתב הב"י ומ"א, **אבל** לענין ברכה בודאי יש ליזהר שלא לחזור ולברך, וכמו שכתבנו מתחלה, ובפרט היכא שקורא ביחיד, דבלא"ה דעת כמה ראשונים שלא לברך).

(טעה, יחזור למקום שטעה בו) - ר"ל אם דילג פסוק אחד ונזכר אח"כ, לא יאמרנו במקום שנזכר, דהו"ל קריאה למפרע, אלא יתחיל מאותו פסוק ויאמר על הסדר עד סוף.

ואם אינו יודע באיזה מקום טעה, יחזור לראש הפרשה שנפל לו הספק, (הוא מרבינו ירוחם, **ואיני** יודע מהיכן למד זה, אי מק"ש, הלא הוא דאורייתא ויש להחמיר מספק, משא"כ בהלל, אפילו בימים שגומרין הלל הוא ג"כ רק מדרבנן, **ואף** דשם חוזרין אפילו אם

הספק הוא על פרשה שניה, דשם לכמה פוסקים הוא מדרבנן, שם הטעם הוא, מכיון שכבר עסוק הוא בקריאה של פרשה ראשונה שהוא מחוייב בה, ואולי דכיון שהוא מברך על ההלל, ויש בזה משום חשש ד"לא תשא" וגו' אם לא יחזור ויקרא, והוא כעין ספק בדאורייתא, וצ"ע).

סעיף ז - מצות קריאת הלל מעומד - לפי שההלל עדות שבחו של מקום ונפלאותיו ונסים שעשה לנו, ומצות עדות בעמידה, וכן כתוב בהלל: הללו עבדי ד' שעומדים וכו', **ומיהו** בליל פסח מתוך שחולקים אותו, שאין קורין אותו כולו כאחת, לא מטרחינן אותו לעמוד בכל פעם, ועוד שדרך לילי פסחים הוא דרך הסיבה וחירות, **ומ"מ** בדיעבד אם קרא מיושב, אפילו בימים שגומרין ההלל, יצא.

(עיין מ"א, דאסור לסמוך עצמו לעמוד או לכותל, דסמיכה אינה כעמידה, **אך** בספר בית מאיר האריך להשיג עליו, **ודעתו** דבדרבנן לא מחמרינן בסמיכה, וכמו בישיבה בעזרה דלא מחמרינן בסמיכה, **ונלענ"ד** כדבריו עכ"פ בנידון דהלל, דאפילו אם נאמר כמ"א דלא ילפינן עדות מישיבה בעזרה, מ"מ הכא לענין הלל אין להחמיר יותר מישיבה בעזרה, **שהרי** עיקר דבר זה נובע משיבולי לקט, ואחר שכתב טעם דעמידה משום דהוי כעין עדות, מסיים שם: וכן היו קורין בעזרה על שחיטת פסחים בעמידה, שהרי אין ישיבה בעזרה, עכ"ל, **הרי** דמסייע להוראתו מישיבה בעזרה, ולפי מש"כ תוס', דשם מותר סמיכה, א"כ מכ"ש דאין להחמיר בהלל חוץ למקדש בסמיכה, **ורק** לפי הטעם שכתבו רמז לזה מקרא "העומדים בבית ד'", **אפשר** שיש להחמיר לכתחלה דסמיכה לא מקרי עמידה, **וסמיכה** מועטת שאם ינטל אותו דבר לא יפול, בודאי מותר).

§ סימן תכג – סדר קריאת התורה בר"ח §

סעיף א - אומר קדיש תתקבל וכו' - וכלל הוא, דכל יום שיש בו מוסף, אומרים קדיש תתקבל אחר הלל, דהוא סיומא דתפלת שחרית, [לאפוקי חנוכה].

ומוציאין ס"ת וקורים בו ד', אין פוחתין מהם ואין מוסיפין עליהם, ואין מפטירין בנביא.

סעיף ב - וקורא הכהן ג' פסוקים, שהם: "וידבר", "צו", "ואמרת"; ולוי חוזר וקורא "ואמרת", וקורא "את הכבש אחד", "ועשירית האיפה"; וישראל קורא "עולת תמיד" עד "ובראשי חדשיכם"; ורביעי קורא "ובראשי חדשיכם" עד הסוף - הטעם מבואר בגמרא, משום דליכא בפרשת "וידבר" אלא ח' פסוקים, וא"כ אם יקרא הלוי כדרכו ג' פסוקים, לא ישתייר בפרשה אלא ב' פסוקים, וקיי"ל דאין משיירים ב' פסוקים לפני הפרשה, וכדלעיל ריש סימן קל"ח, **וליכא** למימר דלא ליקרו בפרשה זו אלא כהן ולוי, והשלישי והרביעי יקראו בפ' "וביום השבת" ובפ' דר"ח, **גם** זה א"א, דבפרשה דשבת ליכא אלא ב' פסוקים, וע"כ יהא צריך לסיים לשלישי באיזה פסוקים בפ' דר"ח, ולפי מה דקיי"ל דאין פוחתין בפרשה בפחות מג' פסוקים, לא ישתייר בפ' דר"ח לפני הרביעי אלא ב' פסוקים, לפי שהיא כולה רק חמשה פסוקים, **וע"כ** צריך לעשות כנ"ל.

ודעת הב"ח ופר"ח, שיותר טוב לסיים לשלישי עד "וביום השבת", והרביעי יקרא "וביום השבת" עד סוף הקריאה, **אכן** מפמ"ג משמע שעדיף לעשות כמנהגנו.

ודע עוד, דהגר"א חולק אעיקר דינא דמחבר, ולדעתו סדר הקריאה בר"ח הוא כן, כהן קורא ג' פסוקים, והלוי חמשה עד סוף הפרשה, והשלישי חוזר וקורא ג' פסוקים האחרונים בפרשה שקראו, וקורא "וביום השבת" עד פ' דר"ח, והרביעי קורא בפ' דר"ח.

(**והרשב"א** הקשה על פירוש המפרשים, דאמאי לא נעשה כמו שכתב הגר"א, ונשאר בצ"ע, וכן פסק הרמב"ן, **ומ"מ** למעשה נסיים במה שכתב הרמב"ן, אחר שהרעיש על כל המפרשים שטעו, מסיים בזה הלשון: אלא שאין ליגע במה שהונהג ע"פ הגאונים, וכ"ש בזה שאין במנהג שלהם משום איסור, וכבר שנינו: אל ישנה אדם מפני המחלוקת, עכ"ל, **ועיין** בתשו' חת"ס שהחזיק ג"כ מנהג דידן, וכן בתשו' משכנות יעקב).

סעיף ג - אומר קדיש - היינו החצי קדיש שאומרים על הבימה על הס"ת, **ו"אשרי ובא לציון"**

- וחצי קדיש בשביל הפסוקים של "אשרי ובא לציון", **ואין אומרים "יענך ה' ביום צרה"**.

ומחזיר ספר תורה למקומו - ובמקומנו המנהג שמחזירין הס"ת להיכל מיד אחר קריאה, כמו שכתב הרמ"א בסוף סי' כ"ה.

ועומדים להתפלל תפלת מוסף - ויש איזה שינויי נוסחאות, יש גורסין "זכרון לכולם היו", ויש גורסין "זכרון לכולם יהיו", ויש אומרים "זכרון לכולנו יהיה", ואין לשנות שום מנהג. **צ"ל** "ומנחתם ונסכיהם", לאפוקי ממ"ד שאין לומר "ונסכיהם". **יש** שכתבו שצ"ל "את מוסף" וכו', ויש שכתבו שצ"ל "ואת מוסף" וכו'. **וכן** יש אומרים "ולכפרת פשע", ויש שאינם אומרים רק בשנת העיבור, **ואפילו** בשנת העיבור יש שאינם אומרים אותו אלא עד כלות חודש העיבור, דהיינו עד אחר חודש אדר, **ובכל** אלה נהרא נהרא ופשטיה, וכל אחד יעשה כמנהג המקום.

אם התפלל תפלת י"ח במקום מוסף, לא יצא, אפי' הזכיר "יעלה ויבא", וצריך לחזור ולהתפלל, והטעם, דצריך להזכיר קרבנות המוספים, **מיהו** אם אמר באחת מן הברכות, "יהי רצון שנעשה לפניך חובותינו בתמידי יום ובקרבן מוסף", יצא, וכדלעיל בסי' רס"ח ס"ד.

ומחזיר ש"צ התפלה ואומר "כתר" - היינו לפי מנהג בני ספרד, ואנו בני אשכנז אומרים "נקדש" כמו בתפלת שחרית, **וכשמגיע ל"מלא כל הארץ כבודו", אומר "לעומתם משבחים", כמו בקדושת שחרית.**

ואחר שסיים חזרת התפלה אומר קדיש - היינו קדיש שלם עם "תתקבל" בשביל התפלה.

ואומר מזמור "ברכי נפשי את ה'" - משום דנזכר בו מקרא "דירח עשה למועדים", **וכתב** מג"א, דבקצת מקומות אין אומרים אותו.

סעיף ד - נוהגים לחלוץ תפילין כשרוצים להתפלל מוסף - והטעם, דכמו דאין מניחים תפילין ביו"ט, משום שיו"ט בעצמו אות, כמו כן יש לנהוג בר"ח, עכ"פ בשעת מוסף שמזכירים מוספי היום, דאותה זכירה ג"כ הוא כעין אות, **וכתב** הפמ"ג, שיש לחלוץ התפילין ב"ובא לציון" קודם "יהי רצון שנשמור חוקיך", [משום דבמערבא היו מברכין על חליצת תפילין "לשמור חוקיו"], **ויש** נוהגים רק לחלוץ הרצועות מהאצבע קודם "יהי רצון", **מיהו** כ"ז בר"ח, אבל בחוה"מ שהוא יו"ט גמור, יש לחלצם קודם הלל - מג"א.

§ סימן תכד - דין הזכרת יעלה ויבא בברכת המזון §

סעיף א - מזכירין "יעלה ויבא" בברכת המזון, ואם לא אמר, אין מחזירין אותו - דאין חיוב לאכול פת בר"ח, וא"כ אי בעי לא הוי אכיל פת, ולא נתחייב כלל בברכת המזון.

ואם נזכר קודם שהתחיל "הטוב והמטיב", אומר: ברוך שנתן ר"ח לעמו ישראל לזכרון - עיין לעיל סימן קפ"ח בביאור הלכה, דצ"ל בשם ומלכות.

הגה: וע"ל סי' קפ"ח ס"ז - ועיי"ש עוד בס"ז, לענין אם בירך לאחר שיצא ר"ח, דצריך להזכיר של ר"ח בבהמ"ז, דבתר התחלת הסעודה אזלינן שהיה בר"ח.

וכתב עוד המג"א, דאם התפלל ערבית שלאחר ר"ח, אפילו התפללו מבעוד יום, שוב אינו מזכיר אח"כ בבהמ"ז של ר"ח, שהרי עשאו חול בתפלתו, **אבל** אם הוא לא התפלל, אע"פ שהצבור כבר התפללו, אינו נמשך אחריהם, וצריך להזכיר ר"ח בבהמ"ז, **בד"א** שאינו נמשך אחרי הקהל, אלא במקום שכבר התחיל לאכול מקודם, אבל אם התחיל לאכול אחר שהתפללו הקהל מעריב, אפילו התפללו מבעוד יום, אינו מזכיר של ר"ח בבהמ"ז, **וכ"ז** בשהתפלל עכ"פ מנחה, אבל אם לא התפלל עדיין מנחה, אפי' מתחיל לאכול אחר תפלת מעריב של הקהל, נמי צריך להזכיר של ר"ח בבהמ"ז, דליכא למימר שימשך אחר הקהל, שהרי ע"כ ר"ח הוא אצלו, שהרי לא התפלל עדיין מנחה, וצריך ע"כ להזכיר ר"ח בתפלת המנחה.

וה"ה איפכא, אם הקהל התפללו בערב ר"ח מעריב מבעוד יום, והתחיל לאכול אחר ערבית, אע"פ שהוא לא התפלל ערבית, אעפ"כ מזכיר של ר"ח, דנמשך אחרי הקהל, **מיהו** אם הוא לא התפלל מנחה עדיין, אינו מזכיר של ר"ח, כיון שעתיד להתפלל מנחה של חול, **כ"ז** כתב המ"א והעתיקוהו האחרונים לדינא.

(ביאור הלכה) [שער הציון] «הוספה»

§ סימן תכה – דיני ר"ח שחל להיות בשבת §

סעיף א - ר"ח שחל להיות בשבת, ערבית שחרית ומנחה מתפלל שבע ואומר "יעלה ויבא" בעבודה, ואינו מזכיר של שבת ב"יעלה ויבא" - שהרי כבר הזכיר שבת בברכה רביעית.

ומוציאין שני ספרים, וקורין בא' שבעה בסדר היום - דלכתחלה אין מפטיר עולה למנין שבעה, וכדלעיל סי' רפ"ב ס"ד. **ומניחין** ספר שני אצל ספר ראשון, ואומר חצי קדיש על שניהם.

ובשני קורא מפטיר "וביום השבת", "ובראשי חדשיכם", עד סוף הפרשה, ומפטירין "השמים כסאי" - ששם נזכר מענין ר"ח. **(ואם מזכיר של ראש חודש, ע"ל סימן רפ"ד ס"ב).**

ואם שכח וקרא בהפטרה של שבוע, קורא אחריה "השמים כסאי", **ואם** נזכר אחר שכבר בירך ברכות אחרונות, קורא אותה בלי ברכה.

חוץ מר"ח אלול שחל להיות בשבת, שמפטירין "עניה סוערה" - מפני שאין לדלג ז' דנחמתא.

הגה: וי"א "השמים כסאי", וכן נוהגין במדינות אלו - דבהפטרה זו יש בה תרתי, זכרון ר"ח ונחמות ירושלים. **וכתבו** האחרונים, דאעפ"כ אין לדלג אחת מז' דנחמתא, וע"כ כשיפטירו בפ' תצא ב"רני עקרה", יסיימו גם ב"עניה סוערה" הכתובה אחריה.

אבל ראש חדש אב שחל להיות בשבת, מפטירין "שמעו", וי"א "השמים כסאי", וכן עיקר במקום שאין מנהג - ועיין בביאור הגר"א שדחה סברא זו מהלכה, ופסק כדעה ראשונה דמפטירין "שמעו".

ואם אירע ר"ח בד' פרשיות, מפטירין בשל פרשה, ועיין לקמן סימן תרפ"ה.

סעיף ב - ר"ח שחל להיות בא' בשבת, מפטירין בשבת שלפניו "ויאמר לו יהונתן מחר חדש", (ואין דוחין "עניה סוערה", ולא "שמעו" משום **"מחר חדש")** - כתב המג"א, דאגב שיטפא הזכיר "שמעו" בהג"ה, דלעולם לא חל ר"ח אב בא' בשבת.

ואם ראש חדש שני ימים, שבת ויום ראשון, מפטירין "השמים כסאי" - דסלקא דעתך דיום ב' דר"ח הוא עיקר, ונפטיר בשבת "מחר חודש".

ונוהגים לומר אח"כ פסוק ראשון ופסוק אחרון מהפטרת "ויאמר לו יהונתן", לזכר שמחר גם כן הוא ר"ח. הגה: וי"א שאין להפסיק מנביא לנביא, ואין אומרים רק הפטרת ר"ח - ולא מסיימים בפסוקי דהפטרת "מחר חודש", **וכן נוהגין.**

אבל אם ההפטרה באותו נביא, עושין כן; וכן אם היה חתונה בר"ח, או בשאר שבתות שאין דוחין ההפטרה - כגון הני המוזכרים ס"ס תכ"ח עיי"ש. **ר"ל** דמנהג הוא בשבת שיש חתן, לדחות הפטרת השבוע ולקרות הפטרת "שוש אשיש", שהוא מעניינא, כדמבואר לקמן בס"ס תכ"ח, **ומבואר** שם דכ"ז הוא בשבתות דעלמא שאין הפטרה שלהם מוזכרת בש"ס, אבל בהפטרות שנזכרים בש"ס ומדרשים, אין דוחין אותן מפני חתונה, שאין זה אלא מנהג בעלמא, וגם אחר שקראום אין לקרות "שוש אשיש", מפני שאין מדלגין מנביא לנביא, **וע"ז** אשמעינן כאן בהג"ה, דעכ"פ במקום שהם בנביא א', כגון בשבת ר"ח שקורין "השמים כסאי", שהוא בנביא א' עם "שוש אשיש", אז אין לדחות "שוש אשיש" לגמרי, ויש לקרות מקצת ממנה אחר שיסיים "השמים כסאי".

סעיף ג - ר"ח שחל להיות בשבת, כולל במוסף בברכה רביעית שבת ור"ח, וחותם: מקדש השבת וישראל וראשי חדשים - ואם חתם בשל שבת לבד, יצא בדיעבד, [**ועיין** במאמר מרדכי שמפקפק קצת על פסק זה].

בסידורים כתוב בשבת ר"ח ובשאר ימים טובים, אחר שמסיים קרבן שבת יסיים: "זה קרבן שבת וקרבן היום כאמור", וכן כתב בסידור רב עמרם, **אכן** כמה פוסקים כתבו דהוי יתור לשון, וקמי שמים גליא, והוי הפסק, ולכן כתבו שאין לאומרו.

§ סימן תכו -ברכת הלבנה וזמנה §

סעיף א - הרואה לבנה בחדושה מברך: אשר במאמרו ברא שחקים וכו' - (עיין בסנהדרין מ"ב ע"א, דקאמר שם: במערבא מברכי "ברוך מחדש חדשים", א"ל האי אפילו נשי דידן נמי מברכי, אלא כדא"ר יהודה "אשר במאמרו" וכו', ומשמע מזה דאם בדיעבד בירך "ברוך אתה ה' אלהינו מלך העולם מחדש חדשים", דיצא, אלא דאינו מן המובחר, והוא מנהג נשים ועמי הארץ, וצ"ע).

ונשים פטורות מלקדש הלבנה, דהוי מ"ע שהזמן גרמא, ואף דכל מ"ע שהזמן גרמא נוהגות הנשים שמקיימות ומברכות עליהן, **מ"מ** מצוה זו אין צריכין לקיימה, משום דהם גרמו פגם הלבנה.

וסומא חייב בקידוש הלבנה, כי ברכה זו נתקנה על חידוש העולם, וגם הוא נהנה ע"י שאחרים רואין ומוליכין אותו על הדרך, ודומה ל"יוצר המאורות", כ"כ האחרונים, (והוא מרש"ל, **אבל** הרדב"ז נראה לכאורה דאינו מודה לדינו של רש"ל לענין סומא, **וע"כ** נראה לענין סומא, דיותר טוב שלא יברך בעצמו, ויבקש לאחר שיוציאנו בברכה "אשר במאמרו", ושארי האמירות שאומרים בעת קידוש הלבנה, יכול לומר בעצמו).

וקטן משהגיע לחינוך מחנכין לו בה, כ"כ בשם רבי יעקב עמדין, **ונראה** דזהו רק לר"ת בסימן ע', אבל לרש"י שם לא נהירא, ודמי לק"ש, עי"ש, **ואפשר** דכונתו ג"כ דטוב לנהוג כן לכתחלה, וכמו שפסק שם בשו"ע לענין ק"ש.

הגה: ואין לקדש החדש אלא בלילה - לאפוקי ביה"ש, שהלבנה נראית קצת ועדיין הוא יום, **בעת שהלבנה זורחת ונהנין מאורה** - דהיינו בעת שזריחתה ניכרת על גבי קרקע.

אם נתכסה הלבנה בעבים, אם העב דק וקלוש, שנראית הלבנה ממנו ונהנה בה, מברך, ואם הענן עב, אינו מברך, **ואם** התחיל לברך ואח"כ נתכסה בעבים, גומר הברכה, **אם** לא שהוא משער שתתכסה הלבנה באמצע ברכתו, שאז לא יתחיל ברכתו.

(**והגאון** ר"ח צאנזאר כתב, דנ"ל דאפילו לא התחיל עדיין לברך עד שנתכסה הלבנה, כל שלא עבר יותר מכדי דיבור משעה שזרחה הלבנה, יכול לכתחלה להתחיל ולברך, אפילו כיסהו הענן, ומקורו מההיא דלעיל סימן רכ"ז ס"ג, **ויש** לדחות קצת, דהתם לענין רעם וברקים, נתקן הברכה רק על מנהגו של עולם, **אבל** הכא הלא בעינן שיהנה לאורה, וע"כ אינו מברך אחר שנגמר ההנאה, וכמו לענין ברכת "המוציא" דאינו מברך אחר שגמר סעודתו, ומשמע דאפילו נזכר בתוך כדי דיבור).

וה"ה אם יש מסך מבדיל בינו לבין הלבנה, הדין ג"כ כמו לענין עבים, דאם המסך הוא דק וקלוש, שעובר ממנו אור הלבנה עד שהוא נהנה ממנה, ויכול להכיר מן הדברים שהם ניכרים לאור הלבנה, יכול לברך עליו, [**ומבואר** להדיא מזה, דאם הוא רואה הלבנה דרך זכוכית החלון, דמברך], **ואם** המסך הוא גס, ואין נהנה מאור הלבנה, אין לברך, דהוי ברכה לבטלה, (**ונראה** דגם הרש"ל מודה לזה, ואינו דומה לסומא, מפני שבזה כל העולם אין נהנין אז מאורה).

סעיף ב - אין מברכין על הירח אלא במוצאי שבת - וה"ה במוצאי יו"ט, **כשהוא מבושם ובגדיו נאים** - והוא למצוה מן המובחר, וכדמסיים בהג"ה.

(**ודעת** הב"ח, שלא להחמיץ המצוה עד מו"ש, אלא אחר שעברו עליה שלשה ימים מהמולד מקדשין, וכ"כ במעשה רב).

וכתב בספר מגיד מישרים, סימן זה יהיה בידך, בחודש שתברכו ברכת הלבנה במו"ש, תמצאו הצלחה, וכשתתכסה ותתעלם ולא יוכלו לברך, אותו החודש לא יהיה מוצלח ח"ו.

הגה: ודוקא אם ליל מוצאי שבת הוא קודם י' בחדש, אז ממתינין עד מוצ"ש, אבל אם הוא אח"כ - ר"ל שליל מו"ש הוא ליל י"א, **אין ממתינין עד מוצאי שבת, שמא יהיו ב' לילות או ג' או ד' עננים** - ר"ל דשמא תתכסה בעבים אז (במו"ש), וגם בארבע לילות שאח"כ, **ולא יראו הלבנה ויעבור הזמן** - ולפי מש"כ בס"ג בהג"ה, צריך לחשוב אם ישארו עוד חמשה לילות עד חצי כ"ט יום י"ב שעות תשצ"ג חלקים ממולד.

וכשמקדשין אותה בחול, יש ללבוש בגדים נאים - ועכשיו אין נוהגין לדקדק בזה.

אין מקדשין הלבנה קודם תשעה באב - דשרויין באבילות, **ולא קודם יוה"כ** - דג"כ מאויימין מכח הדין ואין שרויין בשמחה.

(ודעת הלבוש, דאדרבה יש לו לקיים המצוה בימים כאלו, שתלויין ועומדין, ופן זכות אחד יכריע הכף, וכן נוטה דעת בית מאיר).

ובמוצאי יוה"כ מקדשין אותה, דאז שרוין בשמחה, אבל לא במוצאי ט"ב - דאין שרויין בשמחה, ויברכו בימים שאחריה, **ומבואר** בד"מ, דאם ט"ב חל ביום ה', יש לו להמתין עד מו"ש שהוא י"ב לחודש.

או שאר תענית - כגון אם לא קידש בחודש טבת עד התענית, אין לו לקדש אחר התענית, אלא ימתין עד הלילה שלאחריה שהוא י"ב לחודש, **ומ"מ** אם אירע זה בחודש אדר שלא קידשו עד תענית אסתר, כתב הט"ז דיש לקדש אחר התענית, כיון שהשעה עוברת.

והנה כ"ז לדעת רמ"א, אבל דעת האחרונים בכל זה, דמקדשין אפי' במוצאי ט"ב, וכ"ש בשאר תענית, אלא דכתבו דצריך לטעום קודם, [ח"א, **ובא"ר** משמע, שאם יש לו לקדש עם צבור, יכול לקדש עמהם אף שלא טעם, משום "ברוב עם" וגו'], **ובמוצאי** יוה"כ מתוך ששמחין שיצאו בדימוס, מקדשין אף קודם שיטעמו, **ומיהו** במוצאי ט"ב צריך ליזהר שלא לקדש בלי מנעלים.

[**מיהו** כ"ז (דמקדשין במוצאי תעניות), בהיה התענית בט' או בעשרה ימים לחודש, אבל אם היה הת"צ בימים ראשונים לחודש, צריך להמתין, **מיהו** אם יחיד מתענה בימים ראשונים לחודש, וראה צבור שמקדשין, יש לו לקדש עמהם משום "ברוב עם הדרת מלך", אם לא שיודע שלמחר ג"כ יכול לקדש בצבור].

(**ודע**, דמדינא מותר לקדש אפילו ביחידי, וכ"ש דלא בעי עשרה, אלא דלכתחלה מצוה לעשותה ברוב עם, כי ברוב עם הדרת מלך, ולהכי אם יודע שיזדמן לו לברך בעשרה לאחר איזה ימים, עד ליל עשירי צריך להמתין, ויותר לא, וכמו שכתב בהג"ה לענין מוצאי שבת, כ"כ בספר אשל אברהם, **ולפי** מה שהוכיח הח"א, דבשלשה נמי נקרא ברוב עם, אין צריך בשביל עשרה להמתין עד ליל יו"ד, ובפרט בחורף בימי העננים).

ולענין אבל אימת מקדש, דעת המ"א, דאם ישלים אבילותו קודם עשירי בחודש, ימתין ויקדש בליל י', **אבל** אם כלה אבילותו ביו"ד בחודש, לא ימתין על ליל י"א, ומוטב שיקדש הלבנה בתוך ימי אבילותו, **ודעת** בעל שער אפרים, דאם יש שהות לקדש אחר כלות ימי אבילותו, ימתין, (ואפילו לא ישאר בכלות ימי אבילות רק לילה אחת, יש לו להמתין עד כלות ימי אבילותו, ולא חיישינן לשמא לא יוכל לקדש בלילה האחרונה), **אך** אם כשימתין יעבור הזמן, יכול לקדש בתוך ימי אבילותו, (ולענ"ד הדין עם שער אפרים).

ויכול אבל לצאת לחוץ לקדש, [שער אפרים, **ובא"ר** כתב, דכשמקדש בימי אבל, יקדש בביתו אם יכול].

ואין מקדשין אותה במוצאי שבת שחל בו יו"ט - ומכ"ש שאין מקדשין אותה בליל שבת, והרבה טעמים נאמרו בזה ע"פ הקבלה, [**וע"פ** פשוטו י"ל, משום דעושין את המצוה בשמחה, ורגיל לבא לידי ריקודין, וכמו דמשמע אח"כ בהג"ה, וזה אסור בשבת, **ואף** דריקודין של מצוה התירו, וכמו בשמחת תורה, שאני התם דאי אפשר לדחות היום, **משא"כ** הכא דאפשר לעשות המצוה מקודם השבת, או לדחות לאחר השבת].

ומ"מ אם לא קידשו עד שבת ויו"ט ויעבור הזמן, בודאי מותר לקדש גם בשבת ויו"ט, ואפי' ביחידי, וכן הוא מסקנת הפוסקים, [**ואם** יש לו עוד שהות לקדש לילה אחת, ג"כ איכא מ"ד דיש לקדש בליל שבת, **ויש** להחמיר].

ותולה עיניו ומיישר רגליו ומברך (מעומד) - (ואיתא בש"ס: אמר אביי הלכך צריך למימרא מעומד, מרימר ומר זוטרא הוי מכתפי להו ומברכי, **ועיין** פירושו בטור, וביד רמה פי', דמחמת זקנותן וכבדן אי אפשר היה להן לעמוד, והיו נסמכין על כתף של עבדיהם כדי לקדש בעמידה, עי"ש, **ומשמע** מזה דעכ"פ סמיכה לענין זה כעמידה, למאן דא"א לו בעמידה, **ועיין** בחי' רע"א, דאסר לסמוך אז על מקלו, והיינו בדאפשר לו בלא"ה).

ואומר שלש פעמים "סימן טוב תהיה לכל ישראל", "ברוך יוצרך" וכו' - כתב בשיורי כנה"ג, דמשמע לכאורה דעד גמר כל הסדר תולה עיניו בה, וכן

נהוג עלמא, **אבל** שמע משם ספר חרדים, שהחמיר בזה מאד מלהסתכל בלבנה, ולא התיר להסתכל בה אלא עד שסיים הברכה, **והמ"א** בשם של"ה החמיר עוד יותר, דאפילו בשעת הברכה אין לו להסתכל בה, אלא רואה אותה פעם אחת כשירצה לברך, ואח"כ לא יסתכל בה.

הגה: ורוקד ג' פעמים כנגדה ואומר "כשם שאני רוקד" כו' - וכתבו האחרונים, דיזהר מאוד שלא יכרע ברכיו לרקוד, דלא יהא נראה ככורע ללבנה, **אלא** יסמוך על אצבעות רגליו וירקוד.

ואומר "תפול עליהם" וגו' ולמפרע "כאבן ידמו" כו' ג' פעמים - וכתב מ"א בשם מטה משה, שי"א כל הפסוק עד "קנית" ואח"כ למפרע.

ויאמר לחבירו ג"פ "שלום עליך" - כלומר מפני שאמר בתחלה "תפול" וכו', אומר לחבירו "שלום עליך", **ומשיב הוי כשואל (הג"ה החדשות)** - וז"ל שם בשלטי הגיבורים על המרדכי ברכות פ"ח בשם מהר"ש: וכשמשיב ג"פ די, עכ"ל. וז"ל המהר"ש: מה שמשיב ג"פ "עליכם שלום", חשיב כאילו אמר להם ג"פ "שלום עליכם", ודיו.

ונוהגין לומר: דוד מלך ישראל חי וקיים, שמלכותו נמשל ללבנה ועתיד להתחדש כמותה, וכנסת ישראל תחזור להדבק בבעלה שהוא הקב"ה, דוגמת הלבנה המתחדשת עם החמה, שנאמר: שמש ומגן ה', ולכך עושין שמחות ורקודין בקידוש החדש דוגמת שמחת נשואין - (עיין בפר"ח שכתב, שיש לזה סמך מפ"ב דר"ה, דא"ל רבי לר' חייא, זיל לעין טב וקדשיה לירחא, ושלח לי סימנא: דוד מלך ישראל וכו').

ועיין מ"א שהזכיר עוד על כמה פסוקים שיש קבלה לאומרם, ולא העתקנום, דכבר כתובים הם בסדר קידוש הלבנה, ונהגו הכל לאמרם.

(**בש"ס איתא:** תנא דבי ר' ישמעאל, אלמלא לא זכו בני ישראל אלא להקביל פני אביהן שבשמים פעם אחת בחודש דים, אמר אביי וכו', והכונה במה שאמר: להקביל, היינו שע"י הלבנה ושארי צבא השמים ששומרים תמיד את תפקידם, אנו רואין גדולתו של הקב"ה, **ואנו** מברכין "פועל אמת", על הקב"ה שהוא אלהים אמת, "שפעולתו אמת", היינו שהפעולה עצמה היא ג"כ אמת, שהיא קיימת לעולם, כענין שנאמר: ויעמידם לעד לעולם, **וכלל** הברכה להשי"ת לבדו, ולזולתו ח"ו אין לברך ולהתפלל, רק ע"י הלבנה נראה גבורותיו, וזהו "להקביל פני אביהם די", **ושמעתי** מאחד דברי טעם במה שנהגו בכמה מקומות אחר קידוש לבנה לומר "עלינו לשבח", היינו שלא יטעו ח"ו במה שאנו יוצאין נגד הלבנה ושמחין נגדה, שיש שום חשש רעיון שאנו נותנין כבוד ללבנה, לכך אנו אומרין "עלינו לשבח", ומסיימין: כי ה' הוא האלהים בשמים ממעל וגו' אין עוד, ומה שאנו יוצאין, הוא רק כדי לראות גבורות של הקב"ה, שהוא מאיר ברצונו לכל באי עולם, וכענין שנאמר: שאו מרום עיניכם וראו מי ברא אלה).

סעיף ג - עד אימתי מברכין עליה, עד ט"ז מיום המולד - לאו דוקא מיום המולד, אלא משעת המולד מנינן, דמשעה זו מנינן ט"ו יום מעל"ע, וא"כ כשהיה המולד באמצע יום הראשון, מותר לקדש בליל יום שני, דעדיין ליכא ט"ו מעל"ע. **ולא ט"ז בכלל** - דכיון שעבר ט"ו יום, הולכת הלוך וחסור, ואין כאן חידוש.

ואין לקדש אלא עד חצי כ"ט י"ב תשצ"ג מן המולד - דקי"ל דאין חדשה של לבנה פחות מן כ"ט יום וי"ב שעות ותשצ"ג חלקי שעה, דשעה מתחלק על תתר"ף חלקים, **וא"כ** אם חל המולד במו"ש ב' או ג' שעות בלילה, אסור לקדשה בעוד שני שבועות בתחלת ליל שני להרמ"א, אע"פ שלא נמלאו עדיין ט"ו יום שלמים.

(**עיין** בכנה"ג שהביא בשם מקצת מפרשים, דגם ט"ז בכלל, **ואף** שאין הלכה כן, אלא כמחבר ורמ"א, וכמו שכתב בפר"ח, מ"מ כתבו איזה אחרונים, דבדיעבד אם לא קידש עד ט"ז, יקדש בליל ט"ז בלי שם ומלכות, **אכן** אם הוא עדיין יום ט"ו, אלא שהיה אחר חצי כ"ט יום י"ב שעות ותשצ"ג חלקים, אפשר שיש לסמוך על בעל מור וקציעה, שדעתו להתיר לברך בשם ומלכות, וכן הסכים הגאון מהר"ץ אורינשטיין).

(**ועיין** עוד בנו"ב, דאם לא היה יכול לקדש עד עתה, שהיה תמיד מעונן וכיוצא, והיה קורא ק"ש ונראתה הלבנה, **ואם** ימתין עד אחר ק"ש ותפלה יכלה הזמן של קידוש הלבנה, יש לו לפסוק אפי' באמצע הפרק ולקדש, **ומ"מ** אם אפשר לו יגמור הפרק, **ומ"מ** פשוט דאין רשאי לומר אז אלא הברכה, ולא שארי פסוקים).

סעיף ד - אין מברכין עליה עד שיעברו שבעת ימים עליה - ורוב האחרונים פליגי ע"ז, ולדידהו עכ"פ לאחר ג' ימים מעל"ע מעת המולד, שנהנין כבר מאורה, יש לברך עליה, ואין להחמיץ המצוה.

אכן אם הג' לחודש הוא באחד מימי השבוע, נכון להמתין עד מו"ש הבאה, וכפי המבואר בס"ב בהג"ה, [**והכל** הוא רק לענין מצוה מן המובחר, ומ"מ נראה דאם הצבור מקדשין, יקדש עמהם אף באופן זה, אם לא שיודע שבמו"ש יהיה לו ג"ב צבור].

וכמה אחרונים והגר"א מכללם מקילין אף באופן זה, וסברי דאין כדאי להשהות המצוה בכל גווני, [דלא משהינן מצוה, אף אם יחשוב שאח"כ יעשה מן המובחר יותר], **וע"כ** הנוהג כן בודאי יש לו על מי לסמוך, ובפרט בימי החורף וגשם, בודאי הזריז לקדש הרי זה משובח.

הגה: ואין מקדשין הלבנה תחת הגג - אלא תחת כיפת השמים, והטעם, דקידוש הלבנה הוא כקבלת פני השכינה, ואין זה דרך כבוד שיהא עומד תחת הגג, לפיכך יוצאין מתחת הגג לרחוב, כדרך שיוצאין לקראת מלכים, **ומ"מ** כ"ז הוא רק לכתחלה, אבל מי שחושש באיזה מיחוש שלא יוכל לצאת לחוץ, אי נמי שהמקום אינו נקי, או ששרוי בין העכו"ם, יקדש בביתו דרך חלון או פתח הפתוח נגד הלבנה.

[**ולפי** מש"כ לעיל, אפי' אין החלון פתוח נמי אינו מעכב מדינא, כל שיודע בבירור שמה שמאיר נגדו הוא אור הלבנה, ולא זהרורית בעלמא כעין דמות לבנה, **ולכתחילה** טוב יותר לפתוח החלון, אך כשאי אפשר, כגון מפני הקור וכדומה, מותר אפי' אין החלון פתוח].

§ סימן תכז - כשראש חדש ב' ימים האיך כותבין בשטרות §

סעיף א - כשר"ח שני ימים, כותבין בשטרות ביום הראשון: "ביום ראש חודש שהוא יום ל' לחדש שעבר" - ר"ל שכך כותבין: "שהוא יום ל' וכו'". **ודעת** הב"ח שכותבין להיפך: "ביום ל' לחודש פלוני שהוא יום ר"ח פלוני", וכן משמע מפמ"ג.

וכמנין לחדש מיום השני - ר"ל שממנו מתחילין למנות ימי החודש הבא, כי הוא עיקר הקביעות, והיום שלשים הוא רק השלמה לחודש שעבר, **וכותבין בו: בא' לחדש.**

הגה: כשמעברין השנה, כותבין באדר ראשון "אדר" סתם, ובשני "אדר השני" - והוא הדין כשמברכין החודש בבהכ"נ, **ומסקנת** האחרונים, דהנכון לפרש בשניהם, באדר ראשון יכתוב "אדר ראשון", ובשני "אדר השני".

§ סימן תכח - סדר קביעת המועדים וקריאת הפרשיות §

סעיף א - (הקדמה זו מובא מסוף הסימן), [דע, שחדש הלבנה כ"ט יום, י"ב שעות, תשצ"ג חלקים, ובכל שעה יש תתר"ף חלקים, וכ"ח ימים הם ד' שבועות, א"כ נמשך מולד א' מחבירו, יום א' י"ב שעות תשצ"ג חלקים, **א"כ** אם היה מולד דרך משל ו' כ"ב תר"א, תן עליו א' י"ב תשצ"ג, צרף בתחילה החלקים תשצ"ג ותר"א, צא מהם תתר"ף, ישארו שי"ד חלקים, ואותן תתר"ף צרף אל השעות, והוי ל"ה שעות, צא מהן כ"ד שעות ליום, ישארו י"א שעות, צרף היום אל הימים, א"כ הוי ח' ימים, צא מהן שבעה שכלים בשבוע, **א"כ** הוי המולד ביום א' י"א שעות ושי"ד חלקים תוך הלילה].

[**דרכי** הקביעות: צריך שתדע כי כל החדשים א' מלא {למ"ד יום}, וא' חסר {כ"ט יום}, חוץ מחשון וכסלו, שפעמים ששניהם מלאים, ואז יהיה כסלו וטבת ב' ימים ר"ח, ותקרא השנה שלמה, ואם הב' חסרים תקרא השנה חסרה, ואם א' מלא וא' חסר תקרא כסדרן, ויקרה זה מפני הדחיות, **ולכן** צריך שתחשוב מולד מתשרי זה לתשרי הבא, והיתרון הוא לשנה פשוטה ד' ח' תתע"ו, ולשנה מעוברת ה' כ"א תקפ"ט, ובאיזה יום שיבא המולד יהיה ר"ה בשנה הבאה, **אך** יש ד' דחיות, האחת: "לא אד"ו ראש", לכן אם חל ר"ה בא' מימי אד"ו, דוחין אותו ליום שלאחריו, **והשנית**: "מולד זקן בל תדרוש", כגון אם חל המולד אחר י"ח שעות, אין קובעין ר"ה באותו יום, **וכן** אם

סימן תכח – סדר קביעת המועדים וקריאת הפרשיות

חל מולד תשרי ג' ט' ר"ד וממנו ולמעלה, אין קובעין ר"ה באותו יום אלא ביום ה', **ודוקא** כשהשנה שעברה היתה פשוטה, אבל אם תהיה מעוברת, אזי אם חל המולד ב' ט"ו תקפ"ט ומשם ולהלן, אין קובעין בו ר"ה].

[**ואחר** שידעת אימתי יהיה ר"ה לשנה הבאה, תראה כמה ימים יש בין ר"ה זה לר"ה הבא, אם יש ביניהם ב' ימים, כגון שר"ה זה ביום ז' ור"ה הבא יהיה ביום ג', אזי תהיה השנה חסרה, **ואם** יש ג' ימים, כגון כגון שר"ה זה ביום ג' ור"ה הבא ביום ז', תהיה כסדרן, **ואם** ד' ימים, כגון שר"ה זה ביום ז' ור"ה הבא ביום ה', אזי תהיה שלמה, **ואם** השנה מעוברת, אז אם יש ביניהם ד' ימים היא חסירה, ואם ה' ימים היא כסדרה, ואם ו' ימים היא שלמה].

[**ואם** לא תרצה לחשוב הקביעות, עיין סדר הקביעות בטור, (והנה בטור סידר הקביעות, שכל י"ג מחזורים קביעותם שוה, והוא מה שקראו הלבוש "עיגול דרב נחשון גאון", **אך** הלבוש כתב ע"ז: המון המעברים חושבים י"ג מחזורים בשוה, אבל כשתדקדק היטב תמצא שאינו כן, עכ"ל, וכן בפר"ח השיג על הטור, ופירש השנים האיך עולה לפי חשבון, **אך** לעניננו אין שום נ"מ מזה, כי על שנים שעברו עד הנה, מה דהוה הוה, וגם באמת כבר נתקן באיזה מקומות בלוח של הטור גופא, כפי מה שהגיה הפר"ח, **ועל שנת** תרס"ב תרס"ג תש"ז תש"ח כתבתי לקמן איך הוא הקביעות באמת, ‹עיין במ"ב בהג"ה›, **ויתר השנים** משך רב כמעט עד שנת תתמ"ז, כתובות בלוח הטור כהוגן, כפי מה שנראה מפר"ח שלא הגיה עליו, {ורק על שנת תשמ"ט כתוב בטור: ג"ח, וצ"ל: ב"ח}, **ואין לנו** לדאוג כ"כ יותר, כי בודאי בעת ההיא וגם הרבה קודם, יהיה הגאולה ונקדש ע"פ הראיה).

[**והנה** בעתים הללו נמסר בעוה"ה הדפסת הלוחות ביד כל אחד ואחד, ויש מזה קלקול גדול, שיש מהם שלוקחים איזה לוח ישן ומדפיסים ממנו, ומטעים בהם הבריות, שהרבה עוברי דרכים שאין יודעים זמני חדשים ומועדים, וסומכין עליו כבעל פוסק מפורסם, וראוי מאד לגדולי ישראל להשגיח ע"ז, **ומה** טוב אם היה הנהגה בישראל, שלא ליקח לוח כי אם כשיש עליו הסכמה מאחד מהגדולים שנדפס כדין].

[**תקופה** נמשכת מחברתה צ"א ימים ז' שעות ומחצה, וצ"א יום הם י"ג שבועות, א"כ התקופה נמשכת ז' שעות ומחצה, **דרך** משל אם תקופת תשרי ביום ב' ח' בו ז' שעות ומחצה, אזי תקופת טבת ג"כ ביום ב' שאחר ח' בו ט"ו שעות, ותקופת ניסן ביום ב' שאחר ח' בו כ"ב שעות ומחצה, ותקופת תמוז ביום ג' ו' שעות, וכן לעולם].

[**ודע**, שבכל מחזור יש י"ט שנה, ושנת ג' ו' ח' י"א י"ד י"ז י"ט, הם מעוברות, ובשנת תל"ה היה תחילת המחזור].

אלו הימים שאין קובעים בהם המועדים: לא אד"ו ר"ה; ולא גא"ו יוה"כ – (כלל הענין: לעולם צריך לראות שלא יהיה יוה"כ ביום א' ולא ביום וי"ו, כדי שלא יהא שני ימים קדושים שאסורין בכל מלאכה מה"ת סמוכים זה לזה, וגם שלא יהיה הו"ר ביום השבת, כדי שלא תדחה נטילת הערבה, **ובזה** תדע טעם כ"ז הסעיף, דאם נעשה ר"ה ביום א' ד' ו', ממילא יהיה מקלע יום כפור של השנה ההיא ביום א' ג' ו', והנה ביום א' וביום וי"ו א"א להיות, שיהיו ב' ימים קדושים סמוכים זה לזה, וביום ג' א"א, דעי"ז יהיה מקלע הו"ר ביום השבת).

ולא זב"ד פורים; ולא בד"ו פסח; ולא גה"ז עצרת והושענא רבה – (שכשנעשה ז' ב' ד' פורים, יהיה מקלע יום ראשון של פסח ביום ב' ד' ו', וכשיהיה ב' ד' ו' פסח, יהיה מקלע עצרת שהוא חג השבועות ביום ג' ה' ז', וממילא יהיה הו"ר ג"כ ביום זה, כי ביום שמקלע עצרת מקלע הו"ר, וזה אי אפשר, שביום ז' אי אפשר משום נטילת ערבה, וביום ג"ה ג"כ אי אפשר, דהלא לפי"ז היה לו לחול יוה"כ שלפניו ביום וי"ו וביום א', וזה ג"כ אי אפשר וכנ"ל).

לא ג' חנוכה – (יום א' דחנוכה, דכיון דקי"ל לא ביום א' ד' ו' ר"ה וכו', ממילא אי אפשר לחול בשום גווני חנוכה ביום ג', לא בפשוטה ולא במעוברת, בין כשהשנה שלמה או חסרה או כסדרן, ואין כאן מקום להאריך, ועיין בלבוש).

ולא אג"ו צום אסתר – (דא"כ יהיה ז' ב' ד' פורים), **ולא בד"ו צום תמוז ואב** - (דא"כ יהיה מקלע ר"ה ביום א' ד' ו', וזה אי אפשר וכנ"ל).

לעולם ביום שיהיה פורים יהיה ל"ג לעומר, וסימן: פל"ג – (שהוא ח"י אייר, כי הוא ט' שבועות בצמצום, שהכלל: דמחודש טבת ואילך ילכו החדשים עד חודש חשון כסדרן, טבת חסר שבט מלא,

אדר חסר, ואם יש שני אדרים, אדר הראשון הוא מלא, ניסן מלא אייר חסר, סיון מלא תמוז חסר, אב מלא אלול חסר, תשרי מלא, אבל חשוון וכסלו משתנים, פעמים שניהם מלאים או שניהם חסרים, ופעמים כסדרן, דהיינו חשוון חסר כסליו מלא, ואין כאן מקום להאריך).

וביום שיהיה חנוכה יהיה עצרת, כשיהיו כסדרן או חסירים - הנה באמת זה אינו, דהא חנוכה אפשר להיות ביום ה"ז, ועצרת אי אפשר להיות וכנ"ל, (היינו דגם מחמת קושיא זו א"א הנוסחא כך, ומיהו בלא"ה יש להגיה – פמ"ג. דגם לפי חשבון הימים שבין חנוכה לעצרת לא בא החשבון מכוון – מחה"ש). **אכן** באמת שט"ס הוא, וצ"ל: "וביום שיהיה עצרת יהיה חנוכה", דהיינו החנוכה שאחריו, [**וע"פ** הדחק אפשר ליישב הגירסא שלנו, דהיינו אגב דהמחבר מיירי מענין אימתי יחול ל"ג בעומר, כתב נמי אימתי יחול עצרת, ומנח סימנא ביום שיהיה בשנה הבאה חנוכה, יהיה עתה בשנה זו עצרת]. **אכן** דזהו דוקא כשהשנה הוא כסדרה, דהיינו חשון וכסלו אחד מלא ואחד חסר, או שניהם חסרים, (דבין כך ובין כך חשון חסר), **אבל** כששניהם מלאים, (ר"ל דחשון מלא – מחה"ש), יבוא יום א' של חנוכה ביום שאחר עצרת, כגון אם יום א' של עצרת חל ביום ראשון, יבוא חנוכה ביום ב'. (ואם יהיה עצרת ד"ו, אז חנוכה ה"ז, וזהו דכתב בשו"ע לא ג' חנוכה, הא ה"ז בא יבא, היינו כשהם מליאים – פמ"ג).

סעיף ב - אלו הימים שהוקבעו בהם ראשי חדשים ולא בזולתם - כל אלו הימים שהוא חושב, אם הר"ח הוא של שני ימים, מפני שהחודש שעבר היה מלא, קאי הסימן על יום שני של ר"ח, שממנו מתחיל למנות מנין ימי החודש.

ניסן אגה"ז; אייר בגה"ז; סיון אגד"ו; תמוז אגה"ו; אב בדו"ז; אלול אבד"ו; תשרי בגה"ז – (ניסן אגה"ז ולא בשאר הימים, כדי שלא יחול ביום ב' ד' ו' פסח, וכיון דניסן ידוע שהוא מלא, א"כ מינתק שני ימים לחודש הבא, וצריך לקבוע יום שני של חודש אייר דוקא ביום ג' ה' ז' ב', ואייר הלא הוא חסר דהיינו של כ"ט יום, ומינתק רק יום אחד להלן, וממילא צריך לקבוע החודש סיון ביום ד' ו' א' ג', וכו' וכו', הכל באופן זה).

מרחשון גדו"א - ט"ס הוא, וצ"ל: בדה"ז, **ויש** שרוצים ליישבו דקאי על יום א' דר"ח מרחשון שחל באלו הימים, **ודוחק** גדול הוא, דמאי שנא דבזה החודש נתן הסימן על יום א' שלו, מה שלא עשה כן בשאר החדשים.

(**והוא** ג"כ מטעם, דכיון דתשרי בגה"ז והוא מלא, ממילא ר"ח חשוון הוא ב' ד' ה' ז').

כסלו א"ב ג"ד ה"ו – (כסלו הוא תלוי לפי מרחשון, אם היה מלא או חסר, ובאיזה יום נקבע, והוא יכול לבוא בששה ימים ולא ביום שבת, דא"כ יהיה יום א' דחנוכה ביום ג', וזה אי אפשר כנ"ל, כ"כ הפר"ח).

טבת אבגד"ו – (ומה שאמרו בטבת שיוכל לחול ביום שני, הוא כשהשנה מעוברת).

שבט בגדה"ז – (ומה שאמרו ששבט יוכל לחול ביום שלישי, הוא ג"כ דוקא כשהשנה מעוברת, ויום ד' לא יחול כי אם בפשוטה ולא במעוברת).

אדר זבד"ו. (ובעיבור: אדר הראשון בדה"ז, ושני בדו"ז).

סעיף ג - סימן לקביעת המועדים: א"ת ב"ש, ג"ר ד"ק, ה"צ ו"ף, פירוש: ביום א' של פסח יהיה לעולם ת"ב, וסימן: על מצות ומרורים יאכלוהו; ביום ב' בו שבועות; וביום ג' בו ר"ה; ביום ד' בו קריאת התורה שהוא שמחת תורה - היינו לבני חו"ל שעושין שמיני עצרת שני ימים, וחל שמחת תורה ביום כ"ג לחודש תשרי, **ביום ה' בו צום כיפור; ביום ו' בו פורים שעבר.**

סעיף ד - לעולם קורין "צו את אהרן" קודם פסח בפשוטה, ו"מצורע" במעוברת – (מפני שב"צו" מדבר מהגעלת כלים לענין נותר קדשים, והגעלת כלים מחמץ למוד מקדשים, וגם במעוברת שקורין "מצורע" קודם פסח, דכתיב בה: וכלי חרש ישבר, שהוא כעין הגעלת כלים).

חוץ מבה"ח מעוברת - הוא סימן, שהה"א מורה שיום ר"ה היה חל ביום ה', **והחי"ת** מורה שאותה השנה היתה חסרה, ר"ל שחשוון וכסלו היו שניהם חסרים, [**והבי"ת** של בה"ח אינה סימן, אלא פעולה, בשנה שסימנה ה"ח].

(וכ"ש מעוברת) - וזה ג"כ סימנא, שהה"א מורה על יום ר"ה שחל ביום ה', **והשי"ן** מורה שאותה השנה היתה שלמה, דהיינו שחשוון וכסלו היו מלאים.

שקורין "אחרי מות" קודם הפסח - ור"ל כשחל ר"ה ביום ה', והשנה היתה מעוברת, בין שאלו החדשים שלמים או חסרים, קורין פרשת "נח" בר"ח חשוון, וממילא ניתוסף שבת אחת לקריאה, וע"כ קורין פרשת "אחרי" קודם הפסח. ‹ובשנה מעוברת א"א "ה"כ" [יום ה' וכסדרן], שא"כ יהיה ראש השנה הבא ביום ד' – לבוש›.

ולעולם קורין פרשת "במדבר סיני" קודם עצרת – (כדי שלעולם תפסיק בפרשה הזאת בין פ' "בחוקותי" שיש בה קללות התוכחה, ובין חג השבועות שהוא יום הדין על פירות האילן, שלא יקראו הקללות סמוך ליום הדין, ויהיה לו פתחון פה לשטן לקטרג ח"ו).

(**ולפעמים** אף פרשת "נשא" קודם עצרת, כגון שאותה השנה היתה מעוברת, וחל ר"ה ביום ה', בין שהשנה ההיא היו חשוון וכסלו מלאים או חסרים, שקורין פרשת "אחרי מות" קודם חג הפסח, ואז קורין פרשת "נשא" קודם עצרת, כן מבואר בפוסקים).

תשעה באב קודם "ואתחנן" – (והטעם, כדי שיקראו בה בפרשת "דברים" שהיא מתוכחותיו של משה, קודם ט"ב, כדי להפטיר בה ב"חזון" שהיא תוכחות ישעיה על חורבן).

"אתם נצבים" קודם ר"ה – (מפני שיש בה מעניני תשובה), **ולכן כשר"ה ביום ב"ג** - ר"ל שחל יום א' של ר"ה ביום ב' או ביום ג', **שיש שתי שבתות בין ר"ה לסוכות, צריכים לחלק "נצבים וילך", כדי שיקראו "וילך" בין ר"ה לצום כפור, ו"האזינו" בין צום כפור לסוכות; וסימן: ב"ג המלך פת וילך** - פי' "המלך", היינו ר"ה שאומרים "המלך המשפט", כשחל ביום ב' או ג', "פת וילך", מלשון פתות אותה פתים, שמחלקים "נצבים וילך" לשתים.

אבל כשר"ה ביום ה"ו - "ביום ה"ז" - כצ"ל, וכן איתא בטור ובספרי שו"ע ישנים, **ור"ל** שחל יום א' של ר"ה ביום ה' או ביום ז', דביום ו"ו א"א לחול כנ"ל, **אז אין בין ר"ה לסוכות אלא שבת א' שקורין בה "האזינו", אז "וילך" עם "נצבים" קודם ר"ה.**

וסימן לפשוטה: "פקדו ופסחו" - "פקדו" לשון צוו, כלומר "צו" קורין סמוך לפסח, **ולמעוברת: "סגרו ופסחו"** - "סגרו" לשון מצורע מוסגר, **"מנו ועצרו"** - פי' "במדבר" שהוא מנין בני ישראל, קודם עצרת, **"צומו וצלו"** - "צומו" היינו ט"ב, "וצלו" היינו "ואתחנן", **"קומו ותקעו"** - "נצבים" קודם תקיעת ר"ה.

כשחל יום א' של פסח בשבת, דאז בני ארץ ישראל שעושין פסח רק שבעה ימים, קורין בשבת שאחריו פ' "שמיני", וא"כ ממילא יותר להם בשנה שבת אחת בלי סדרה, **וע"כ** יש מפרידין אפילו בשנה פשוטה "תזריע" ו"מצורע", ויש מפרידין "בהר" ו"בחוקותי", **ואם** היא מעוברת, מפרידין גם "מטות" ו"מסעי".

(**ואעתיק לפני הקורא מביאור הגר"א, שידע איזה פרשיות מחוברות ואיזה נפרדות, סימן לפרשיות המחוברות: "ויקהל" ו"פקודי", "תזריע" ו"מצורע", "אחרי מות" ו"קדושים", "בהר בחקותי", לעולם מחוברות בשנה פשוטה, וחלוקות במעוברת, חוץ מה"ש, דהיינו שר"ה חל ביום ה', והיא שלמה, דהיינו שחשוון וכסלו היו מלאים, שאז אף בפשוטה מתחלקין "ויקהל פקודי", משום שניתוסף שבת אחת קודם לפסח).

(ו"חוקת" "ובלק" אינן מחוברין אלא כשחל שבועות בשבת, שניתוסף פרשה א', שהלא ביו"ט אין קורין פרשת השבוע, וזהו בין בפשוטה ובין במעוברת).

(ו"מטות" ו"מסעי" אינן נפרדין אלא כשהשנה מעוברת, וחל ר"ה ביום ה', ובין כשהשנה שלמה או חסרה, שאז קורין "אחרי מות" קודם פסח ו"נשא" קודם עצרת, וחסר פרשה אחת, מפרידין "מטות" ו"מסעי").

(ו"**נצבים וילך**" אינן נפרדין אלא כשחל ר"ה ביום ב' או ביום ג', כמ"ש בשו"ע, ואין חילוק בזה בין מעוברת לפשוטה, ובין שלמה לחסרה).

(**עוד אעתיק לפני הקורא בקיצור מביאור הגר"א עקרי הכללים לקביעות החדשים, והוא: כשר"ה חל היום ראשון ביום ג', אז הולך לעולם כל החדשים כסדרן, אחד מלא ואחד חסר, דהיינו תשרי מלא וחשון חסר, כסלו**

מלא וטבת חסר, שבט מלא אדר חסר וכו', עד סוף השנה, בין בפשוטה ובין במעוברת, **אכן** במעוברת גם אדר הראשון מלא, כמבואר בפוסקים).

(וכשחל היום ראשון של ר"ה ביום שני או ביום זיי"ן, אי אפשר להיות השני חדשים, דהיינו חשוון וכסליו, כסדרן, אלא פעמים שניהם מלאים או שניהם חסרים, בין כשהשנה פשוטה או מעוברת, וכן כשחל יום ראשון של ר"ה ביום ה', והיתה אותה השנה מעוברת, ג"כ אי אפשר להיות אלו השני חדשים כסדרן, אלא פעמים ששניהם מלאים או שניהם חסרים).

(וכשחל יום ראשון של ר"ה ביום ה' בשנה פשוטה, אי אפשר להיות אז שנה חסרה, דהיינו שאלו השני חדשים יהיו שניהם חסרין, אלא פעמים שחשוון חסר וכסלו מלא, ופעמים ששניהם מלאים).

(הרי ז' מיני קביעות בשנה פשוטה: ב' חסרה ב' שלמה, ג' כסדרן, ה' כסדרן ה' שלמה, ז' חסרה ז' שלמה. וז' מיני קביעות בשנה מעוברת: ב' חסרה ב' שלמה, ג' כסדרן, ה' חסרה ה' שלמה, ז' חסרה ז' שלמה).

(ועוד נתנו סימן: יום א' של שבועות הוא יום א' של חנוכה שאחריו, וסימן: כי נר מצוה ותורה אור, **אם** לא כשהשנה שלמה, דאז יום ב' של שבועות הוא יום א' של חנוכה. **ויום** א' של חנוכה הוא יום פורים, וזהו דוקא כשהשנה היא פשוטה וחסרה).

סעיף ה - פרשת "האזינו" מחלקין פרשיותיה כדרך שהיו מחלקין אותה במקדש - והטעם, מפני שהם דברי תוכחה שיחזרו העם בתשובה, **ואפילו** יש חיובים, לא יחלקו הפרשה יותר.

שהיו קורין השירה פעם אחת לששת ימי השבוע - והיו מחלקין אותה לששה חלקים לששת ימי המעשה, **וסימן: הזי"ו ל"ך: "האזינו", "זכור", "ירכיבהו", "ויורא", "לו חכמו", "כי אשא אל שמים" עד סוף השירה** - ויש פוסקים שסוברין דתיבת ל"ך מרמז על "לולי כעס" וגו', "כי ידין" וגו', וכן נוהגים במדינתנו, [**ויש** מקומות שנוהגין כהשו"ע, ונהרא נהרא ופשטיה, **ועכ"פ** לנהוג להפסיק בשני המקומות אסור].

והשביעי קורא מסוף השירה עד סוף הפרשה - ובמקום שמוסיפין בשבת, רשאין להוסיף אחר הזי"ו ל"ך, מ"ויבא" ולהלן.

הגה: ודוקא בשבת מחלקין הפרשיות, אבל במנחה בשבת ובב' וה', אין לחוש.

סעיף ו - קללות שבתורת כהנים אין מפסיקין בהם - וסמכוה זה אקרא דמשלי, דכתיב: מוסר ד' בני אל תמאס ואל תקוץ בתוכחתו, ואם היה זה הקורא מפסיק בהן, והיו צריכין לקרות אחר, היה נראה כאלו קץ זה בתוכחת הש"י, **אלא אחד קורא כולם.**

ומתחילין בפסוקים שלפניהם ומסיים בפסוקים שלאחריהם - דאמרו חז"ל שאמר הקב"ה: אינו בדין שיהיו בני מברכוני על הצרות שלהם, אלא יקרא אחד הכל, ויתחיל בדבר אחד ויסיים בדבר אחר, ויוכל לברך תחלה וסוף, עכ"ל, **ומשום** זה לבד היה די שיתחיל בפסוק אחד מלפני התוכחה, ופסוק אחד אחר התוכחה, אלא מפני דקי"ל דאין מתחילין בפרשה פחות מג"פ, וכן אין מסיימין סמוך לפרשה פחות מג"פ, לכך צריך להתחיל ג"פ מקודם התוכחה, וכן ג"פ אחר התוכחה, **וזהו** בפ' "בחוקותי", שיש שם ג"פ קודם כלות הפרשה, ובפ' "תבא", די בפסוק אחד, "אלה דברי הברית" שמסתיים בזה הפרשה.

ובמקום שנוהגים שהרב אב"ד יהיה שלישי אפילו בפרשת "בחוקותי", ,וא"כ צריכים לקרות עמו עד התוכחה - מ"א, וא"כ שוב לא ישאר להתחיל ג"פ מקודם קריאת התוכחה, יש להתחיל עוד הפעם לקרות ג"פ למפרע, **אך** נכון הדבר שהרב ימחול על כבודו ויעלה לרביעי באותו שבת.

מהרי"ל הקפיד על מי שעלה לתוכחה, דדוקא השמש ששוכרין אותו לזה אין קפידא, **ומ"מ** אם קראוהו, בודאי צריך לעלות, דמי שקראוהו לעלות לס"ת ואינו עולה, גורם שיתקצרו ימיו, **ולא** יארע לו שום דבר רע, דכיון שעולה משום כבוד התורה, "שומר מצוה לא ידע דבר רע".

ובהרבה מקומות נוהגין, שהש"ץ הקורא בעצמו עולה, ונכון הוא, **ואפי'** אם הוא כהן, יכול לקרות מתחלת

פרשת "בחוקותי" עד אחר התוכחה, ומנין הקרואים ישלים משם והלאה, **ובפ'** "תבא", יצמצם שישתלם מנין הקרואים עד שם, והוא יהיה אחרון, (**ואפי'** אם הסדרה "בהר בחוקותי" הם מחוברות, ג"כ יש עצה לכהן, שעד פסוק "וישבתם לבטח בארצכם" יהיה ששה קרואים, כי יחבר למי שיעלה לתורה לששי פ' "בהר" עם פ' "בחוקותי" עד "לבטח בארצכם" כנ"ל, **ואף** שהרגילות תמיד להתחבר השני סדרות בפרשה רביעי, אין קפידא בדבר כידוע, ומן פסוק "ונתתי שלום בארץ" עד "את בריתי אתכם", יקרא לשביעי, ומן "ואכלתם ישן נושן" עד סוף סדר "בחוקותי", יקרא הש"ץ הכהן בעצמו בתור אחרון).

אבל קללות שבמשנה תורה יכולין להפסיק בהם - שהם אינן חמורות כ"כ, שנאמרו רק בלשון יחיד, ומשה מפי עצמו אמרו, שהרי במשנה תורה כתיב: ידבק ה' בך, ישלח ה' בך, **שאף** שהכל היה ע"י צווי השי"ת, כמו שנאמר בסוף הפרשה: אלה דברי הברית אשר צוה ה' את משה לכרות את בני ישראל וגו', עם כל זה בשעה שאמרן היה מפי עצמו, **משא"כ** בתו"כ, הדברות נאמרו מפי הגבורה, כי שכינה היתה מדברת מתוך גרונו של משה, שהרי אמרו בלשון משלחו, "ונתתי" "והפקדתי" "והשלכתי", מי שהיכולת בידו לעשות כך. **ואע"פ כן נהגו שלא להפסיק בהם.**

(וכן נוהגין שלא לקרות אחד בשמו לעלות, אלא קורין מי שירצה) - דשמא לא ירצה לעלות אותו שיקראוהו, ויבוא לקוץ בתוכחות, (**הנה** לכאורה משמע מלשון זה, שיאמר: "יעמוד מי שירצה", **אבל** לא נהירא לחדש ענין כזה שאין לזה טעם, וגם אין נוהגין כן, כי יותר טוב שישאלו מתחלה מי ירצה לעלות, או יבטיחו ליתן דבר מה למי שדחיקא ליה שעתא, ויקראוהו בשמו, ונ"ל דאין הכי נמי קאמר רמ"א, דלא יקראו סתם לאחד בשמו שיעלה, אלא למי שידעו מתחלה שיתרצה לעלות, וכמש"כ, והגם דהלשון קצת דחוק, מ"מ הכונה כמש"כ, וכן משמע בד"מ).

(**והנה** ראיתי שערוריה בענין זה בין ההמון, שיש מקומות מן הישובים שבהגיעם לסדר "בחקותי" ו"כי תבא", אין קוראין בתורה בשבת זו, **וכמה** רעות עושין, **אחד** שאין מקיימין קריאת התורה שהיא תקנה קדומה מימות משה רבינו ע"ה, וגם על מה שאמר הכתוב: מוסר ה' בני אל תמאס ואל תקוץ בתוכחתו, **וגם הוא טעות מעקרו**, דכי מפני שאין קוראין בתורה ואין רוצין להביט בתוכחה, בטוחים הם שלא יחול עליהם התוכחה, ואדרבה ח"ו, ודומה זה הדבר לאחד שהתרו בו מכיריו שלא ילך בדרך ההוא, שהוא מלא בורות ופחתים, וענה להם: אני אינני ירא מן הפחתים, יש לי מכסה עבה ואכסנה על עיני שלא אראה אותם, ואפי' כי אפול חלילה לא ילעיגו ממני, מפני שהיו עיני מכוסים ולא ראיתי אותם, **האם** יש שטות גדול מזה, אדרבה כל מה שמסגיר יותר עיניו, היא הסיבה הגורמת להזיק לנפשו, ויהיה ללעג ולבזיון ח"ו לכל, והנמשל מובן, **ואני** דן אותם לכף זכות, מפני שיראין שלא יבוא לאינצויי ח"ו אצל ס"ת, שזה יאמר ע"ז שיעלה לתוכחה, וזה על זה, **אבל** הלא יש עצה גם לזה, שהש"ץ הקורא בעצמו יעלה לתורה לפרשה זה, ובזה אין שום חשש כלל לכו"ע, ואפי' אם הוא כהן ג"כ יש עצה, וכנ"ל).

סעיף ז - ח' פסוקים אחרונים שבתורה - דהיינו מ"וימת שם משה", **אין מפסיקין בהם** - לחלקן לשני קרואים, **אלא יחיד קורא את כולם** - והטעם, דיש בהן שינוי משאר ס"ת, דיהושע כתבן, **ואפילו** למ"ד דמשה כתבן בדמע, הואיל שיש שינוי בהן שנכתבו בדמע, נשתנו שלא לחלקן כשאר ס"ת.

כתב בספר צרור המור, מ"ב מסעות שבפרשת "אלה מסעי", אין להפסיק בהם, שהם כנגד שם מ"ב.

סעיף ח - מי"ז בתמוז ואילך מפטירין: ג' דפורענותא, ז' דנחמתא, תרתי דתיובתא. ג' דפורענותא: "דברי ירמיהו", "שמעו דבר ה'", "חזון ישעיהו" - ואם טעה והפטיר בשבת ראשון בפרשה דיומא, יפטיר בשבת הבאה "דברי ירמיהו" וגם "שמעו", מפני שהם סמוכות זו לזו.

[**וכתב** הצמח צדק, דה"ה אם טעה ולא קרא הפטרה "ותאמר ציון" בשבת הקבוע לה בפרשת "עקב", יש לה תשלומין לקרותה בפרשת "שופטים" עם הפטרת "אנכי", דהיינו שיתחיל מן "ותאמר" עד לבסוף פ' "אנכי", {**ר"ל** שלא ידלג אפי' איזה פסוקים שיש באמצע, וכונתו, אם קורא בנביא ויצטרך לחפש על פ' "אנכי", הלא קי"ל

דבעינן שלא ישהא בדילוג בענין שיעמדו הציבור בשתיקה], **וכן** אם לא הפטיר "אנכי" בפ' "שופטים", יש לה תשלומין לשבת הבאה לקרותה עם "רני עקרה", דהיינו שיתחיל מן "אנכי" ויקרא עד סוף "רני עקרה", **והפטרת** "קומי אורי" שהוא לפ' "תבא", יש לה תשלומין בהפטרת "שוש אשיש" דשייכא לפ' "נצבים", **והעתיקו** הא"ר ודה"ח להלכה, ואף שהמ"א לא העתיקו, משמע דלא פסיקא ליה, מ"מ יש לסמוך על א"ר ודה"ח, ובפרט בזמנינו שקורין בחומשים, ויוכל לחפש מהר, נראה דלכו"ע יש לעשות כן].

ז' דנחמתא: "נחמו", "ותאמר ציון", "עניה סוערה", "אנכי", "רני עקרה", "קומי אורי", "שוש אשיש". וביום צום גדליה במנחה מפטירין: "דרשו".

ובשבת שבין ר"ה ליוה"כ מפטירים לעולם "שובה" - ולפי שבהושע הוא סיום ההפטרה זו "ופושעים יכשלו בם", ואין מסיימין בזה, לכך מוסיפין בו פסוקים, יש שכתבו שמוסיפין פסוקי מיכה: מי אל כמוך וגו', ויש שכתבו שמוספין פסוקי יואל: תקעו שופר וגו', **ובא"ר** כתב, שבפראג נהגו להוסיף פסוקי מיכה וגם פסוקי יואל, **ובדגול** מרבבה הכריע, דאין צריך להוסיף משתיהם, אלא דכשקורין "וילך" בשבת שובה, יש לסיים בפסוקי מיכה, דהוא מעין הפרשה "וילך", דכתיב: וחרה אפי וכו', ובפסוקי מיכה כתיב: לא החזיק לעד אפו, **וכשקורין** "האזינו" בשבת "שובה", יש לסיים בפסוקי יואל, דהוא ג"כ מעין הפרשה, דכתיב בה: יערוף כמטר לקחי וגו', כשעירים וגו' וכרביבים עלי עשב, ובפסוקי יואל כתיב: ויורד לכם גשם מורה וגו', **ועיין** בשע"ת שמסיים בזה, שהכל כפי המנהג.

וכשר"ה בב"ג, שיש שבת בין יוה"כ לסוכות וקורין בו: האזינו, מפטירין בו: וידבר דוד.

וי"א שכשר"ה בב"ג, ש"וילך" בין ר"ה ליוה"כ, מפטירין בו: דרשו - משום דכתיב: דרשו ד' בהמצאו, ואמרו חז"ל זהו בעשרה ימים שבין ר"ה ליוה"כ, **ובשבת שבין יוה"כ לסוכות, שקורים "האזינו", מפטירין: שובה** - דיפה צעקה לאדם בין קודם גזר דין בין לאחר גזר דין.

הגה: והמנהג כסברא הראשונה.

ובשאר שבתות השנה מפטירין מעין הפרשה; וכשקורין ב' פרשיות, מפטירים באחרונה; בלבד ב"אחרי מות" ו"קדושים", דמפטירין: הלא כבני כושיים, שהיא הפטרת "אחרי מות" - מפני שההפטרה של פרשה שניה מזכרת מתועבת ירושלים, משא"כ כשהן נפרדות, שכבר קראו "הלוא כבני כושיים" בפ' "אחרי", בהכרח להפטיר בפ' "קדושים" "התשפוט".

והנה הלבוש חולק על רמ"א, ודעתו דגם כשהיא כפולה קוראין הפטרה אחרונה, דהיינו של פרשת "קדושים", **אבל** הב"ח וש"א כתבו, שנתפשט המנהג בכל הקהלות כהרמ"א בזה, **וה"ה** אם שבת פ' "אחרי" היה ער"ח, ומפטירין "מחר חודש", דמפטירין בשבת פרשת "קדושים" "הלוא כבני כושיים".

ונוהגין להפטיר בחתונה "שוש אשיש", ואין דוחין מפניה שום הפטרה הנזכרת כאן, ולא של ד' פרשיות, ולא של ר"ח או "מחר חודש", או חנוכה או שירה, אבל שאר הפטרות דוחין מפניה.

וכבר נתבאר לעיל סי' תכ"ה דאין מדלגין מנביא לנביא. וגם נתבאר שם ס"ב, אם דוחין מפני של ר"ח אחת מאלו הפטרות שנזכרות כאן.

מה שכתוב בחומשים הפטרת "וישלח" "ויברח יעקב", הוא טעות, אלא ב"ויצא" מפטירין מן "ויברח" עד סוף הושע, ואח"כ פסוקים מיואל "ואכלתם אכול" וכו' "וידעתם" וכו', והוא מטעם שצריך לסיים בדבר טוב, ובהושע נסתיים "ופושעים יכשלו בם", **וב"וישלח"** מפטירין מן "ועמי תלואים", וגם מקצת "ויברח יעקב" עד "ומושיע אין בלתי", **ועל** פי הגר"א נוהגין להפטיר בפרשת "וישלח" "חזון עובדיה".

תם ונשלם חלק ד' מספר משנה ברורה

מחבר **רמ"א** משנה ברורה

לוח הלכתא דיומא – לסיים משך שנה תמימה

מדריך עזר ללוח

1) באור נכון היום של חג שמחת התורה, נגיל ונשמח להתחיל מחדש מחזור לימוד שנתי של המשנה ברורה בעז"ה.

2) לא כללנו בהשיעורים הלכות הנוגעות לכתיבת סת"ם ממשנת סופרים, כי הדברים ארוכים ויגיעים ואינו נוגע לכל יחיד, ומי שרוצה ללמדו 'ישמע חכם ויוסף לקח'.

3) השיעור של היום ושלמחרת הוקטנו, כדי שבשנה שחודש חשון הוא חסר, יהי' אפשר לכלול שיעור נוסף מיום ל' חשון.

4) חלק השיעור ליום זה הוא עד סוף סימן קי"ז.

5) כאן עוברים ללימודי הלכות חנוכה (הנחלקות למשך חמשה ימים), מענייני דיומא דימי החנוכה המתקרב ובא.

6) חלק השיעור ליום זה הוא עד סוף סימן תרפ"ה.

7) השיעור של היום ושלמחרת הוקטנו, כדי שבשנה שחודש כסלו הוא חסר, יהי' אפשר לכלול שיעור נוסף מיום ל' כסלו.

8) כאן מתחילים השיעורים בהל' שבת (מיועץ מקודם לעבור על ההקדמה שבמשנה ברורה על הל' שבת).

9) חלק השיעור ליום זה הוא עד סוף סימן רמ"ט.

10) לשנה מעוברת צירפנו בכאן לימודים מיוחדים בקיצור שו"ע בדיני יו"ד, חו"מ ואה"ע, הנוגעים ביותר למעשה, (תמצא אותם בעמוד מיוחד) וחילקנו אותם לשיעורי יומיים למשך ימי אדר א'.

11) כאן עוברים ללימודי הלכות פורים (הנחלקות למשך חמשה ימים), מענייני דיומא דימי הפורים המתקרב ובא.

12) חלק השיעור ליום זה הוא עד סוף סימן תרצ"ז

13) השיעורים מיום זה מתחילים בהלכות פסח, מענייני דיומא דימי הפסח המתקרב ובא.

14) חלק השיעור ליום זה הוא עד סוף סימן תצ"ד.

15) מכאן שוב חוזרים ללימודי הלכות שבת על הסדר מסימן ר"נ.

16) חלק השיעור ליום זה הוא עד סוף סימן שצ"ה.

17) כאן עוברים ללימודי הלכות תשעה באב והלכות תענית

18) חלק השיעור ליום זה הוא עד סוף סימן תק"פ.

19) מכאן שוב חוזרים ללימודים הרגילים על הסדר.

20) חלק השיעור ליום זה הוא עד סוף סימן תכ"ח.

21) מכאן שוב חוזרים ללימודים הרגילים על הסדר מן סימן תצ"ה.

22) חלק השיעור ליום זה הוא עד סוף סימן תקכ"ט.

23) מכאן עוברים השיעורים ללימודי ענייני דיומא, החל מדיני ימי תחנונים של חודש אלול, מדיני ראש השנה, ויום הכיפורים, והלכות סוכות וארבעה מינים, וכלה בהלכות חול המועד.

24) חלק השיעור ליום זה הוא עד סוף סימן תרס"ו.

25) חוזרים להשלים הסדר ללימודי הלכות חוה"מ, מסימן תק"ל.

26) חלק השיעור ליום זה הוא עד סוף סימן תקמ"ח.

27) בכדי לסיים בדבר טוב ובענייני דיומא שוב חוזרים לסימן תרס"ז עד סוף סימן תרס"ט – ובזה תם סדר השיעורים של כל חלקי שו"ע או"ח.

סידור חלוקת השיעורים "הילכתא דיומא"

- השיעור בכל יום מתחיל בהסימן והסעיף המצויין לאותו יום בהלוח ונמשך עד לסימן המצויין לשיעור היומי הבא אחריו.
- בהלוח מצויין על כל יום מהשנה מאיזה סימן מתחיל השיעור היומי, וגם באיזה הלכה, (אבל זה לא מוכרח שהסימן שצויין על אותו יום מתחיל כבר מאותה ההלכה, כי יכול להיות שבאותו סימן עדיין נכלל מההלכה הקודמת).
- השיעורים [של הימים הרגילים] נחלקו בהשתדלות במידת האפשר, באופן שיפול על כל יום ערך-כמות-לימודי שווה בקירוב, שיהיו חלק כחלק – אך מפאת שלפעמים יוצא ששיעור של יום מסויים מסתיים בסעיף ארוך, ובכדי לא לקטוע אותו באמצע הסימן, קבענו שיעור קטן ליום שלאחריו (אם שבמקרה שלא אופשר לו לגמור את השיעור של אתמול יוכל להשלימו ביום שלאחריו).
- סדר השיעורים לימי החג הטרודים (למשל: פורים, ערב פסח, ערב ר"ה, ור"ה, ערב יוה"כ, ויוה"כ, וכדו') הוא במתכונת אחרת והשיעורים קטנים בהרבה, בכדי שיספיקו ללמדם.
- לשנה מעוברת, כפי שעיניכם תחזינה מישרים, צירפנו סדר לימודים מיוחד מקיצור שו"ע בדיני יו"ד, חו"מ ואה"ע – הנלמד מד' אדר א' עד לד' אדר ב' – ואח"כ חוזרים לסדר השנתי הרגיל.
- בהתקרב זמני החגים והמועדים עוברים לסדר לימודים השייכים להם, לקיים: "משה תיקן להם לישראל שיהיו שואלין ודורשין הלכות חג בחג", ומסומן בהלוח בצבע אחר, איפה שהשיעורים הם מענייני דיומא וחגים, כך שיהיה היכר.

כדי שלא יבוטל התמיד ולא יופסק השיעור
ביום שאין ביכלתו ללמוד המשנה ברורה
ילמוד במקומו הבאר היטב, ואם גם זה לא עלתה בידו
ילמוד לכל הפחות המחבר ורמ"א בלבד

לוח הלכתא דיומא – לסיים משך שנה תמימה

יום החודש	תשרי סימן	תשרי סעיף	תשרי הלכות	חשון סימן	חשון סעיף	חשון הלכות	כסלו סימן	כסלו סעיף	כסלו הלכות	טבת סימן	טבת סעיף	טבת הלכות	שבט סימן	שבט סעיף	שבט הלכות	אדר סימן	אדר סעיף	אדר הלכות	ניסן סימן	ניסן סעיף	ניסן הלכות
א			ראש השנה	יג	ג	ציצית	סט	א	קריאת שמע	קכח	ל	נשיאות כפים	קעו	א	סעודה	רמו	א	שבת	תנו	ב	פסח
ב				טו	ג	ציצית	עא	א	קריאת שמע	קכט	א	נשיאות כפים	קעח	ב	סעודה	רמז	א	שבת	תנט	א	פסח
ג				יח	ב	תפילין	עד	א	קריאת שמע	קלא	ז	סוף התפילה	קעט	ג	ברכת המזון	רמח	ג	שבת (9) (10)	תס	א	פסח
ד				כה	ב	תפילין	עה	ג	קריאת שמע	קלה	ג	קריאת ס"ת	קפב	ב	ברכת המזון	תרפו	א	פורים (11)	תסא	ה	פסח
ה				כה	יג	תפילין	עז	ב	קריאת שמע	קלו	א	קריאת ס"ת	קפד	א	ברכת המזון	תרפח	ז	פורים	תסב	ז	פסח
ו				כז	ט	תפילין	פ	א	קריאת שמע	קלט	א	קריאת ס"ת	קפח	א	ברכת המזון	תרצ	ט	פורים	תסו	ד	פסח
ז				לב	א	תפילין	פד	א	קריאת שמע	קמא	א	קריאת ס"ת	קצ	ג	ברכת המזון	תרצב	א	פורים	תסז	ד	פסח
ח				לב	טו	תפילין	פז	ב	תפילה	קמג	ד	קריאת ס"ת	קצג	ג	ברכת המזון	תרצה	ג	פורים (12)	תסז	יב	פסח
ט				לב	יח	תפילין	פט	ד	תפילה	קמד	א	קריאת ס"ת	קצז	ג	ברכת המזון	תכט	א	פסח (13)	תסז	טו	פסח
י			יום כיפור	לב	כה	תפילין	צ	ט	תפילה	קמז	ב	בית הכנסת	ר	ב	ברכת הפירות	תלג	א	פסח	תע	א	פסח
יא				לב	לו	תפילין	צ	כה	תפילה	קנא	א	בית הכנסת	רב	ו	ברכת הפירות	תלד	א	פסח	תעב	ח	פסח
יב				לב	מב	תפילין	צד	א	תפילה	קנג	א	בית הכנסת	רג	ג	ברכת הפירות	תלו	ג	פסח	תעג	ה	פסח
יג				לג	ג	תפילין	צז	ד	תפילה	קנג	ח	בית הכנסת	רד	י	ברכת הפירות	תלט	ב	פסח	תעה	ב	פסח
יד				לו	א	תפילין (2)	קב	א	תפילה	קנג	כ	בית הכנסת	רו	ה	ברכת הפירות	תמא	א	פסח	תעח	א	פסח
טו			סוכות	לח	ח	תפילין	קה	א	תפילה	קנד	ו	בית הכנסת	רח	ח	ברכת הפירות	תמב	ג	פסח	תפב	א	פסח
טז			ביום שמחת תורה המחזור מתחיל	מ	ב	תפילין	קח	ג	תפילה	קנה	א	נטילת ידים	רט	א	ברכת הפירות	תמג	א	פסח	תפז	א	פסח
יז				מג	א	ברכות השחר	קט	א	תפילה	קנח	א	נטילת ידים	ריא	ג	ברכת הפירות	תמד	ה	פסח	תפט	ג	פסח
יח				מו	ד	ברכות השחר	קי	ז	תפילה	קנט	א	נטילת ידים	ריג	א	ברכת הפירות	תמו	ב	פסח	תצא	א	פסח (14)
יט				מז	י	ברכות השחר	קיד	ד	תפילה (4)	קנט	ח	נטילת ידים	רטז	א	ברכות שונות	תמז	ה	פסח	רנ	א	שבת (15)
כ				נא	ז	ברכות השחר	תרע	א	חנוכה (5)	קס	ד	נטילת ידים	ריז	ב	ברכות שונות	תמז	ח	פסח	רנב	ג	שבת
כא				נג	ה	ברכות השחר	תרעא	ח	חנוכה	קסא	א	נטילת ידים	ריט	ח	ברכות שונות	תמח	ג	פסח	רנג	א	שבת
כב				נג	כא	ברכות השחר	תרעד	א	חנוכה	קסב	ב	נטילת ידים	רכד	א	ברכות שונות	תמח	ז	פסח	רנג	ב	שבת
כג	א	א	הנה"א בבוקר (1)	נה	א	ברכות השחר	תרעז	א	חנוכה	קסג	א	בציעת הפת	רכו	א	תפילת המנחה	תנ	ז	פסח	רנג	ה	שבת
כד	ב	א	הנהגת אדם בבוקר	נה	יג	ברכות השחר	תרפב	א	חנוכה (6)	קסז	א	בציעת הפת	רלב	ב	תפילת המנחה	תנא	ה	פסח	רנד	ד	שבת
כה	ד	א	הנהגת אדם בבוקר	נז	א	קריאת שמע	קיח	א	תפילה	קסז	יד	בציעת הפת	רלג	ב	קר"ש של ערבית	תנא	יז	פסח	רנז	א	שבת
כו	ד	כג	ציצית	נט	ד	קריאת שמע	קכג	ג	תפילה	קסח	ח	בציעת הפת	רלו	א	קר"ש של ערבית	תנא	כג	פסח	רנח	א	שבת
כז	ח	ה	ציצית	סא	יב	קריאת שמע	קכד	י	תפילה	קסח	יד	סעודה	רמ	א	קר"ש של ערבית	תנב	ב	פסח	רסא	א	שבת
כח	ט	א	ציצית	סד	ג	קריאת שמע	קכח	א	נשיאות כפים	קע	יח	סעודה	רמב	א	שבת (8)	תנג	ה	פסח	רסג	א	שבת
כט	י	יב	ציצית	סו	ה	קר"ש (3)	קכח	יב	נשיאות כפ' (7)	קעד	ה	סעודה	רמג	ב	שבת	תנה	א	פסח	רסג	טו	שבת
ל	יא	י	ציצית	סז	א	קריאת שמע	קכח	כא	נשיאות כפים				רמד	ו	שבת				רסו	א	שבת

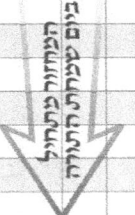

לוח הלכתא דיומא – לסיים משך שנה תמימה

יום החודש	אייר סימן	אייר סעיף	אייר הלכות	סיון סימן	סיון סעיף	סיון הלכות	תמוז סימן	תמוז סעיף	תמוז הלכות	אב סימן	אב סעיף	אב הלכות	אלול סימן	אלול סעיף	אלול הלכות	תשרי סימן	תשרי סעיף	תשרי הלכות
א	רסז	א	שבת	שיא	ז	שבת	שדמ	א	רשויות שבת	תקנב	ג	תשעה באב	תקי	ב	יום טוב	תרלו	ב	סוכה
ב	רעא	ב	שבת	שיג	ב	שבת	שמה	י	רשויות שבת	תקנד	ח	תשעה באב	תקיב	א	יום טוב	תרלח	ב	סוכה
ג	רעא	יב	שבת	שיד	ב	שבת	שמו	ב	רשויות שבת	תקנט	ב	תשעה באב	תקיג	ז	יום טוב	תרלט	ג	סוכה
ד	רעב	ט	שבת	שטו	ב	שבת	שמט	ב	רשויות שבת	תקסא	א	תשעה באב	תקטו	א	יום טוב	תרמ	א	סוכה
ה	רעה	א	שבת	שטו	יא	שבת	שנג	ב	רשויות שבת	תקסב	י	תענית	תקטו	ד	יום טוב	תרמג	א	לולב
ו	רעו	ד	שבת	שטז	ח	שבת	שנה	ד	רשויות שבת	תקסו	ז	תענית	תקטז	ג	יום טוב	תרמה	ט	לולב
ז	רעט	ד	שבת	שיז	א	שבת	שנח	א	רשויות שבת	תקסח	ו	תענית	תקיח	ז	יום טוב	תרמח	א	לולב
ח	רפג	א	שבת	שיח	ב	שבת	שנח	י	רשויות שבת	תקעג	א	תענית	תקכו	א	יום טוב	תרמח	יח	לולב
ט	רפו	ב	שבת	שיח	ו	שבת	שסא	א	רשויות שבת	תקעו	ד	תענית (18)	תקכז	א	יום טוב	תרמט	ה	לולב
י	רצא	א	שבת	שיח	טז	שבת	שסב	ח	רשויות שבת	שצו	א	תחומין (19)	תקכז	יח	יום טוב (22)	תרנ	א	לולב
יא	רצה	א	שבת	שיט	ה	שבת	שסג	ז	רשויות שבת	שצז	יז	תחומין	תקפא	א	ראש השנה (23)	תרנא	ד	לולב
יב	רצז	ה	שבת	שכ	א	שבת	שסג	כו	רשויות שבת	שצט	ג	תחומין	תקפב	ז	ראש השנה	תרנג	א	לולב
יג	רצט	ב	שבת	שכ	יח	שבת	שסג	לא	רשויות שבת	תג	א	תחומין	תקפו	ב	ראש השנה	תרנח	ד	לולב
יד	שא	ז	שבת	שכא	יב	שבת	שסד	ד	עירובין	תה	ז	עירובי תחומין	תקפו	יב	ראש השנה	תרסג	א	לולב (24)
טו	שא	יח	שבת	שכב	א	שבת	שסו	א	עירובין	תח	ב	עירובי תחומין	תקפח	ב	ראש השנה	תקל	א	חול המועד (25)
טז	שא	לב	שבת	שכג	ה	שבת	שסו	י	עירובין	תט	יא	עירובי תחומין	תקצ	ד	ראש השנה	תקלג	ה	חול המועד
יז	שא	מו	שבת	שכה	א	שבת	שסח	ה	עירובין	תטו	א	ראש חודש	תקצג	א	ראש השנה	תקלז	ה	חול המועד
יח	שב	ט	שבת	שכה	י	שבת	שע	ח	עירובין	תיח	א	ראש חודש	תרג	א	יום הכפורים	תקלט	ו	חול המועד
יט	שג	יא	שבת	שכו	ט	שבת	שעב	ג	עירובין	תכב	ו	ראש חודש	תרז	א	יום הכפורים	תקמב	א	חול המועד
כ	שד	א	שבת	שכח	יב	שבת	שעב	יב	עירובין	תכו	ג	ראש חודש (20)	תריא	א	יום הכפורים	תקמה	ו	חול המועד
כא	שה	י	שבת	שכח	לב	שבת	שעד	ב	עירובין	תצה	א	יום טוב (21)	תריד	א	יום הכפורים	תקמח	ב	חול המועד (26)
כב	שו	ד	שבת	שכט	ד	שבת	שעז	א	עירובין	תצז	א	יום טוב	תריח	א	יום הכפורים	תרסז	א	שמ"ע ש"ת (27)
כג	שז	א	שבת	שלא	ד	שבת	שפא	א	עירובין	תצז	טו	יום טוב	תרכא	א	יום הכפורים	חזק חזק ונתחזק		
כד	שז	יב	שבת	שלד	ג	שבת	שפב	ח	עירובין	תצח	ח	יום טוב	תרכד	ה	סוכה			
כה	שח	ג	שבת	שלד	כה	שבת	שפד	א	עירובין	תצח	יח	יום טוב	תרכז	ג	סוכה			
כו	שח	טו	שבת	שלו	ב	שבת	שפו	ז	עירובין	תק	ה	יום טוב	תרכט	ח	סוכה			
כז	שח	ל	שבת	שלז	ב	שבת	שצא	ב	עירובין (16)	תקב	א	יום טוב	תרל	ה	סוכה			
כח	שט	א	שבת	שלט	א	שבת	תקמט	א	תשעה באב (17)	תקד	ג	יום טוב	תרלא	ה	סוכה			
כט	שי	ז	שבת	שמ	ג	שבת	תקנא	ה	תשעה באב	תקו	ד	יום טוב	תרלג	ב	סוכה			
ל				שמ	ט	שבת				תקז	ו	יום טוב						

חודש אדר א' (לשנה מעוברת)

נלקט מספר קיצור שו"ע – בחלקי יו"ד חו"מ ואה"ע

יום החודש	סימן	סעיף	סימן	סעיף	סימן	סעיף	השיעורים הם רק הסימנים הנקובים
ד אדר א'	יא	א					הלכות מזוזה
ה	יא	כג	כז	א	כח	א	הל' ת"ת / הל' ס"ת ושאר ספרי קודש
ו	כח	יא	כט	א			מידות שירגיל בהם האדם את עצמו
ז	כט	יב	ל	א			איסור רכילות לשה"ר נקימה ונטירה
ח	ל	ה	לא	א	לב	א	שכל מעשיו יהי' לש"ש/ שמירת הגוף
ט	לב	ג					שמירת הגוף ע"פ הטבע
י	לב	יז					שמירת הגוף ע"פ הטבע
יא	לג	א	לד	א			דברים האסורים משום סכנה/ הל' צדקה
יב	לד	ו	לה	א			הלכות חלה
יג	לז	א	לח	א			טבילת כלים/ הל' פת ובישולי וחלב נכרי
יד	לח	יב	מו	א			הל' מאכלות אסורות
טו	מו	כה	סב	א			הל' משא ומתן
טז	סב	ג					הל' משא ומתן
יז	סג	א	סד	א	סה	א	איסור להונות בדברים/ שלא לעשות סחורה בדבר האסור
יח	סה	י					הלכות רבית
יט	סה	כד	סו	א			הל' עסקא
כ	סו	ט	סז	א			הל' נדרים ושבועות
כא	קמג	א					הל' כיבוד אב ואם
כב	קמד	א	קנא	א			הל' כיבוד רבו וזקן ות"ח/ איסור הוצ' ז"ל
כג	קנב	א	קסג	א			איסור יחוד/ הל' מילה
כד	קסג	ח	קסה	א	קסו	א	דין חינוך קטנים/ שלא לנחש ולעונן
כה	קסו	ג	קסז	א	קסח	א	הל' עבודה זרה/ צורות האסורות
כו	קסט	א	קע	א	קעא	א	קעב א / קעו א
כז	קעו	ו	קעט	א	קפ	א	איסור כתובת קעקע/ הל' חדש/ לא ילבש הל' שעטנז/ הל' הלואה/ שמיטת כספים
כח	קפ	ח	קפא	א			הל' טוען ונטען
כט	קפא	יג	קפב	א			הל' גניבה וגזילה
ל	קפב	ט	קפג	א	קפד	א	הל' נזקי ממון/ הל' נזקי הגוף
א אדר ב'	קפד	ה	קפה	א	קפז		הל' שאלה/ הל' אבידה ומציאה
ב	קפח	א	קצ	א	קצא	א	קצב א / פיקדון/ש' הגוף/ צער בע"ח
ג	קצב	ז	קצג	א			דין החולה והרופא / הל' ביקור חולים

השיעור מתחיל בהסימן וסעיף המצויין וממשיכין עד סוף הסימן – או בסעיף המצויין ביום הבא

לוח הלכתא דיומא – מחזור שנתיים

מדריך עזר ללוח שנה א'

) באור נכון היום של חג שמחת התורה, נגיל ונשמח להתחיל מחדש מחזור שנתיים ללימוד המשנה ברורה בעז"ה.

) השיעור של היום ושלמחרת הוקטנו, כדי שבשנה שחודש זה הוא חסר, יהי' אפשר לכלול שיעור נוסף מיום ל' לחודש.

) לא כללנו בהשיעורים הלכות הנוגעות לכתיבת סת"ם ממשנת סופרים, כי הדברים ארוכים ויגיעים ואינו נוגע לכל יחיד, ומי שרוצה ילמדו 'ישמע חכם ויוסיף לקח'.

) חלק השיעור ליום זה הוא עד סוף הסימן.

) כאן עוברים השיעורים ללימוד ענייני דיומא, בהלכות חנוכה המתקרב ובא.

) חלק השיעור ליום זה הוא עד סוף סימן תרפ"ד.

) כאן שוב חוזרים ללימודים הרגילים על הסדר.

) חלק השיעור ליום זה הוא עד סוף סימן קכ"ז.

) לשנה מעוברת מצורף כאן לימודים מיוחדים בקיצור שו"ע בדיני יו"ד, אה"ע וחו"מ, הנוגעים ביותר למעשה, (תמצא אותם בעמוד מיוחד) מחולק למשך ימי חודש העיבור, מתחילים ביום כ"ו שבט עד כ"ו אדר א'.

10) כאן עוברים השיעורים ללימוד ענייני דיומא, בהלכות פורים המתקרב ובא.

) חלק השיעור ליום זה הוא עד סוף סימן תרצ"ז.

) מכאן עוברים השיעורים ללימוד ענייני דיומא, בהלכות פסח המתקרב ובא - בשנה זו לומדים רק חציו הראשון.

) חלק השיעור ליום זה הוא עד סוף סימן ר"ט.

) כאן עוברים ללימוד הלכות תשעה באב והלכות תענית.

) חלק השיעור ליום זה הוא עד סוף סימן תק"פ.

16) חלק השיעור ליום זה הוא עד סוף סימן רמ"א, ובזה מסיימים חלק הב' של המשנה ברורה.

17) כאן עוברים השיעורים ללימוד ענייני דיומא, בהלכות ראש השנה המתקרב ובא.

18) חלק השיעור ליום זה הוא עד סוף סימן תר"א.

19) כאן עוברים השיעורים ללימוד ענייני דיומא בהלכות סוכה.

20) חלק השיעור ליום זה הוא עד סוף סימן תרמ"ד.

) כאן עוברים ללימוד הל' חול המועד הלכות המועד במועדו.

22) חלק השיעור ליום זה הוא עד סוף סימן תקמ"ח - בזה סיימנו בעז"ה לימודי מחזור שנה א', ומכאן ואילך מתחילים לימודי מחזור שנה ב'.

מדריך עזר ללוח שנה ב'

23) באור נכון היום של חג שמחת התורה, נגיל ונשמח להתחיל בעז"ה מחזור שנה ב' ללימוד המשנה ברורה, ומתחילים בהלכות שבת (מיועץ מקודם לעבור על ההקדמה שבמ"ב על הל' שבת).

24) השיעור של היום ושלמחרת הוקטנו, כדי שבשנה שחודש זה הוא חסר, יהי' אפשר לכלול שיעור נוסף מיום ל' לחודש.

25) חלק השיעור ליום זה הוא עד סוף הסימן.

26) כאן עוברים השיעורים ללימוד ענייני דיומא, בהלכות חנוכה המתקרב ובא.

27) חלק השיעור ליום זה הוא עד סוף סימן תרפ"ה.

28) כאן שוב חוזרים ללימודים הרגילים על הסדר.

29) לשנה מעוברת מצורף כאן לימודים מיוחדים בקיצור שו"ע בדיני יו"ד, אה"ע וחו"מ, הנוגעים ביותר למעשה, (תמצא אותם בעמוד מיוחד) מחולק למשך ימי חודש העיבור, מתחילים ביום ד' אדר א', עד ד' אדר ב'.

30) כאן עוברים השיעורים ללימוד ענייני דיומא, בהלכות פורים המתקרב ובא.

31) חלק השיעור ליום זה הוא עד סוף סימן תרצ"ז.

32) כאן עוברים השיעורים ללימוד ענייני דיומא, בהלכות פסח המתקרב ובא - בשנה זו לומדים חציו השני.

33) חלק השיעור ליום זה הוא עד סוף סימן תצ"ד.

34) חלק השיעור יום זה הוא עד סוף הסימן, ובזה מסיימים חלק ד' מהמשנה ברורה.

35) כאן עוברים ללימוד הלכות יום טוב.

36) כאן עוברים השיעורים ללימוד ענייני דיומא, בהלכות יום הכיפורים המתקרב ובא.

37) כאן עוברים השיעורים ללימוד ענייני דיומא בהלכות לולב.

38) תם ונשלם סדר השיעורים של כל חלקי שולחן ערוך או"ח, לפי מחזור שנתיים, ולמחרתו ביום שמחת התורה מתחילין הסדר מחדש.

מדריך עזר ללוח קיצור שו"ע -בשנה מעוברת

סדר זה מיוחד לשנה מעוברת, לרכוש ידיעות בהלכות הנוגעות בכל יום מחלקי יורה דעה אבן העזר וחושן משפט.

אם השנה מעוברת חל בשנה א', עוברים לסדר זה מיום כ"ו שבט עד כ"ו אדר א', - ואם חל בשנה ב' עוברים לסדר זה מיום ד' אדר א' עד ד' אדר ב'.

השיעורים הנלמדים בסדר זה הם רק הסימנים הנקובים בפירוש בהלות. - השיעור בכל יום מתחיל בהסימן וסעיף המצויין וממשיכין ולומדים על הסדר עד סוף הסימן - או עד הסעיף המצויין ביום הבא.

לוח הלכתא דיומא – מחזור שנתיים (שנה א')

יום החודש	תשרי סימן	תשרי סעיף	תשרי הלכות	חשון סימן	חשון סעיף	חשון הלכות	כסלו סימן	כסלו סעיף	כסלו הלכות	טבת סימן	טבת סעיף	טבת הלכות	שבט סימן	שבט סעיף	שבט הלכות	אדר סימן	אדר סעיף	אדר הלכות	ניסן סימן	ניסן סעיף	ניסן הלכות	אייר סימן	אייר סעיף	אייר הלכות	יום החודש
א	ראש השנה			ח	יד	ציצית	לג	ד		נה	יד		צ	י	תפילה	תרצ	י	פורים	תמח	ג		קמ	ב		א
ב				ט	ג		לד	ג		נו	א		צ	כ		תרצ	יח		תמח	סקי"ז		קמא	ו		ב
ג				י	ו		לו	ג	3	נז	א	קריאת שמע	צא	ג		תרצב	א		תמח	ו	פסח	קמג	ד		ג
ד				יא	ב		לח	א		נח	ו		צב	ו		תרצג	ג		תנ	ג		קמג	סקכ"ה		ד
ה				יא	ח		לט	א		נט	ה		צד	ד		תרצה	ג		תנ	ז		קמד	א		ה
ו				יא	יד		מ	א		סא	ב		צז	א		תרצו	ה	11	תנא	ב		קמו	ג		ו
ז				יג	א		מב	א		סא	כא		צט	א		תכט	א	12	תנא	ה		קמז	ב	בית הכנסת	ז
ח				יד	ב		מג	א		סג	ג		קא	ג		תלא	ב	פסח	תנא	יב		קנ	ב		ח
ט				טו	ב		מה	א		סה	א		קג	א		תלג	ב		תנא	טז		קנא	ב		ט
י	יום כיפור			טז	א		מו	ה	ברכות השחר	סו	ג		קד	ו		תלג	ט		תנא	יט		קנג	א		י
יא				יח	ב		מז	ד		סו	ח		קז	א		תלה	א		תנא	כב		קנג	ז		יא
יב				כב	א		מז	יג		סח	א		קח	ב		תלו	ב		תנא	כו		קנג	ח		יב
יג				כה	ד	תפילין	נא	א		סט	א		קח	י		תלז	ג		תנב	סקי"א		קנג	יג		יג
יד				כה	יב		נב	א		ע	א		קט	א		תלט	א		תנב	ג	4	קנג	כא		יד
טו	סוכות			כו	א		נג	ד		עא	א		קי	א		תלט	ד		קכח	א	7 נשיאת כפים	קנד	ד		טו
טז	המחזור מתחיל ביום שמחת התורה			כז	ו		נג	יב		עב	א		קי	ז		תמ	ב		קכח	ג		קנד	יא		טז
יז				כח	א		נג	כ	4	עד	א		קיג	א		תמא	ב		קכח	ח		קנה	א		יז
יח				לא	א		תרע	א	5	עה	א		קיד	ד		תמב	ב		קכח	טו		קנז	א	נטילת ידים	יח
יט				לב	ה		תרעא	ג	חנוכה	עה	ג		קטו	א		תמב	ז		קכח	כג		קנח	ה		יט
כ				לב	טו		תרעא	ח		עו	ה		קיח	א		תמג	א		קכח	לא		קנט	א		כ
כא				לב	סקנ"ג		תרעג	א		עח	א		קכא	א		תמג	ג		קכח	לח		קנט	ד		כא
כב				לב	יח		תרעג	ג		עט	ג		קכג	ג		תמד	ה		קכח	מה		קנט	ז		כב
כג	א	א	1	לב	כ		תרעה	ב		פא	ב		קכד	ה		תמה	ב		קלא	א		קנט	י		כג
כד	א	ג	הנהגת אדם בבוקר	לב	כה		תרעז	א		פג	ד		קכד	י		תמו	ג		קלא	ז		קס	ב		כד
כה	ב	ג		לב	כח		תרפה	א		פה	א		קכו	א	8	תמז	ג		קלג	א	קריאת ס"ת	קס	י		כה
כו	ג	יא		לב	לו		תרפב	א	6	פז	ב		תרפה	א	9 10 פורים	תמז	ה		קלה	ג		קס	יד		כו
כז	ד	ה		לב	לח		נד	א	7	פט	א	תפילה	תרפו	א		תמז	סקס"ו		קלה	י		קסא	ג		כז
כח	ד	כא		לב	מב		נה	א		פט	ד		תרפח	א		תמז	ח		קלו	א		קסב	ב		כח
כט	ו	ג		לב	נ	2	נה	ד	2	צ	ד		תרפח	ז		תמז	יא		קלז	ה		קסב	ה		כט
ל	ח	ו		לג	א		נה	ט					תרצ	א					קלט	ג					ל

לוח הלכתא דיומא – מחזור שנתיים (שנה א')

יום החודש	סיון סימן	סיון סעיף	סיון הלכות	תמוז סימן	תמוז סעיף	תמוז הלכות	אב סימן	אב סעיף	אב הלכות	אלול סימן	אלול סעיף	אלול הלכות	תשרי סימן	תשרי סעיף	תשרי הלכות	יום החודש
א	קסד	א		קצד	ג		תקסו	ב		רלו	ב	ק"ש ערבית	תרלט	ב	סוכה	א
ב	קסו	א	בציעת הפת	קצז	א		תקסז	ג		רלט	א		תרלט	ג		ב
ג	קסז	ד		קצח	א		תקסח	ג		רמ	ו	[16]	תרלט	סקל"ה		ג
ד	קסז	יא		קצט	י		תקסח	יא		תקפא	א	[17] ראש השנה	תרמ	א		ד
ה	קסז	יט		רא	ב	ברכת הפירות	תקעא	ב		תקפא	ג		תרמ	ה		ה
ו	קסח	ד		רב	ג		תקעד	ד		תקפג	א		תרמג	א	[20]	ו
ז	קסח	ו		רב	ח		תקעו	א		תקפה	ב		תקל	א	[21] חול המועד	ז
ח	קסח	ח		רב	יג		תקעו	ז		תקפו	ד		תקלב	א		ח
ט	קסח	יא		רג	ד		תקעט	א	[15]	תקפו	ט		תקלד	א		ט
י	קסח	יד	דברים הנוהגים בסעודה	רד	ב		רי	א	[7]	תקפו	כב		תקלה	א		י
יא	קע	א		רד	י		ריא	א		תקפח	ב		תקלז	א		יא
יב	קע	טז		רה	ב		ריא	ד		תקצ	ב		תקלז	ח		יב
יג	קעב	א		רו	ג		ריב	א		תקצ	ז		תקלח	ב		יג
יד	קעד	ה		רז	א		ריג	א		תקצב	א		תקלט	ו		יד
טו	קעד	ח		רח	ו		רטו	א		תקצו	א	[18]	תקמ	א		טו
טז	קעו	א		רח	י		רטז	א		תרכה	א	[19] סוכה	תקמא	א		טז
יז	קעז	ב		רח	יז	[13]	רטז	ו		תרכו	ג		תקמג	א		יז
יח	קעח	ב		תקמט	א	[14]	ריז	א	ברכות שונות	תרכז	ד		תקמה	ג		יח
יט	קעח	ד		תקנא	ב	תשעה באב	ריח	ב		תרכט	ג		תקמה	ז		יט
כ	קעט	ד		תקנא	ז		ריט	ד		תרכט	י		תקמז	א		כ
כא	קפא	ב		תקנא	טו		רכא	א		תרל	א		תקמח	ג		כא
כב	קפב	ב	ברכת המזון	תקנב	י		רכג	ג		תרל	ה		תקמח	ז	[22]	כב
כג	קפג	ג		תקנד	ו		רכד	י		תרל	ט					כג
כד	קפג	ט		תקנד	כב		רכה	ה		תרלא	ה					כד
כה	קפה	א		תקנט	א		רכז	א		תרלב	א					כה
כו	קפז	ג		תקנט	י		רכט	א		תרלג	ד					כו
כז	קפח	ז		תקסא	ב		רלב	ב	מנחה	תרלה	א					כז
כח	קצ	א		תקסב	ה		רלג	א		תרלז	ג					כח
כט	קצב	א		תקסב	יג		רלד	א		תרלח	ב					כט
ל	קצג	ב					רלה	ב								ל

חודש אדר א' (לשנה מעוברת)

נלקט מספר 'קיצור שלחן ערוך' - מחלקי יו"ד אה"ע וחו"מ

שנה א'	סימן	סעיף	סימן	סעיף	סימן	סעיף	השיעורים הם רק הסימנים הנקובים	שנה ב'
שבט כו	יא	א					הלכות מזוזה	ד אדר א'
כז	יא	כג	כז	א	כח	א	הל' ת"ת / הל' ס"ת ושאר ספרי קודש	ה
כח	כח	יא	כט	א			מידות שירגיל בהם האדם את עצמו	ו
כט	כט	יב	ל	א			איסור רכילות לשה"ר נקימה ונטירה	ז
ל	ל	ה	לא	א	לב	א	שכל כוונתו יהי' לש"ש/ שמירת הגוף	ח
אדר א' א	לב	ג					שמירת הגוף ע"פ הטבע	ט
ב	לב	יז					שמירת הגוף ע"פ הטבע	י
ג	לג	א	לד	א			דברים האסורים משום סכנה/ הל' צדקה	יא
ד	לד	ו	לה	א			הלכות חלה	יב
ה	לז	א	לח	א			טבילת כלים/ הל' פת ובישולי וחלב נכרי	יג
ו	לח	יב	מו	א			הל' מאכלות אסורות	יד
ז	מו	כה	סב	א			הל' משא ומתן	טו
ח	סב	ג					הל' משא ומתן	טז
ט	סג	א	סד	א	סה	א	איסור להונות בדברים/ שלא לעשות סחורה בדבר האסור	יז
י	סה	י					הלכות ריבית	יח
יא	סה	כד	סו	א			הל' עסקא	יט
יב	סו	ט	סז	א			הל' נדרים ושבועות	כ
יג	קמג	א					הל' כיבוד אב ואם	כא
יד	קמד	א	קנא	א			הל' כיבוד רבו זקן ות"ח/ איסור הוצ' ז"ל	כב
טו	קנב	א	קסג	א			איסור יחוד/ הל' מילה	כג
טז	קסג	ח	קסה	א	קסו	א	דין חינוך קטנים/ שלא לנחש ולעונן	כד
יז	קסו	ג	קסז	א	קסח	א	הל' עבודה זרה/ צורות האסורות	כה
יח	קסט	א	קע	א	קעא	א	קעב א קעו א	כו
יט	קעו	ו	קעט	א	קפ	א	איסור כתובת קעקע/ הל' חדש/ לא ילבש הל' שעטנז/ הל' הלואה/ שמיטת כספים	כז
כ	קפ	ח	קפא	א			הל' טוען ונטען	כח
כא	קפא	יג	קפב	א			הל' גניבה וגזילה	כט
כב	קפב	ט	קפג	א	קפד	א	הל' נזקי ממון/ הל' נזקי הגוף	ל
כג	קפד	ה	קפה	א	קפז	א	הל' שאלה/ הל' אבידה ומציאה	אדר ב' א
כד	קפח	א	קצ	א	קצא	א	קצב א פיקוח/ש הגוף/ צער בע"ח	ב
כה	קצב	ז	קצג	א			דין החולה והרופא / הל' ביקור חולים	ג

לוח הלכתא דיומא – מחזור שנתיים (שנה ב')

יום החודש	תשרי סימן	תשרי סעיף	תשרי הלכות	חשון סימן	חשון סעיף	חשון הלכות	כסלו סימן	כסלו סעיף	כסלו הלכות	טבת סימן	טבת סעיף	טבת הלכות	שבט סימן	שבט סעיף	שבט הלכות	אדר סימן	אדר סעיף	אדר הלכות	ניסן סימן	ניסן סעיף	ניסן הלכות	אייר סימן	אייר סעיף	אייר הלכות	יום החודש
א	ראש השנה			רמו	ה	שבת	רעא	י	שבת	שא	כה	שבת	שיב	ב	שבת	שכה	ב	שבת	תסח	א		שלד	ד	שבת	א
ב				רמז	א		רעא	יד		שא	ל		שיג	ב		שכה	ח		תסח	ו		שלד	יג		ב
ג				רמח	א		ערב	ז		שא	לח		שיג	ט		שכה	יא	25	תעא	א		שלד	כה		ג
ד				רמח	ג		רעג	ג		שא	מג		שיד	ה		תרפו	א	29 30	תעב	ז		שלה	א		ד
ה				רמט	ב		רעד	ב		שב	ב		שטו	א		תרפח	ז	פורים	תעג	א		שלו	ב		ה
ו				רנ	א		רעו	א		שב	ט		שטו	ג		תרצ	ט		תעג	ה		שלו	י		ו
ז				רנב	א		רעו	ד		שג	א		שטו	ח		תרצב	א		תעג	ז		שלז	ב		ז
ח				רנב	ד		רעז	ד		שג	טו		שטז	א		תרצה	ג	31	תעה	ב		שלח	ב		ח
ט				רנג	א		רעט	ז		שג	כג		שטז	ז		תנג	א	32	תעו	ב		שלט	ד		ט
י	יום כיפור			רנג	סקל"ז		רפב	ד		דש	סקט"ז		שטז	י		תנג	ד	פסח	תעט	א		שלט	ו		י
יא				רנג	סקס"ג		רפד	ב		שה	ו		שיז	א		תנג	ט		תפא	א		שמ	ד		יא
יב				רנג	ה		רפה	ד		שה	יז		שיח	א		תנה	א		תפד	א		שמ	ו		יב
יג				רנד	א		רפח	ג		שו	א		שיח	ד		תנה	ג		תפז	ב		שמב	א		יג
יד				רנד	ד		רצ	א		שו	ו		שיח	ה		תנז	א		תפט	א		שדמ	א		יד
טו	סוכות			רנד	ז		רצא	ה		שו	יב		שיח	ט		תנז	ב		תפט	ג	שבת	שמה	א	רשויות שבת	טו
טז				רנז	א		רצד	א		שז	ב		שיח	יד		תנט	א		תפט	ח		שמה	ז		טז
יז				רנז	ח		רצו	ב		שז	ז		שיח	יט		תנט	ד		תצ	ז		שמה	יד		יז
יח				רנט	א		רצז	א		שז	יד		שיט	ג		תס	א		תצג	ג	33	שמה	יז		יח
יט	ממשיכין על הסדר שנה ב'			רס	א		רצח	ג	25	שח	א		שיט	י		תסא	א		שכו	א	28	שמו	ג		יט
כ				רסא	ב		תרע	א	26	שח	ה		שיט	יז		תסא	ה		שכו	יא		שמז	א		כ
כא				רסב	ג		תרעא	ח	חנוכה	שח	יב		שכ	ג		תסב	ג		שכח	א	שבת	שמח	א		כא
כב				רסג	ה		תרעד	א		שח	כ		שכ	יג		תסב	ז		שכח	י		שמט	ג		כב
כג	רמב	א	23	רסג	יד		תרעז	א		שח	כח		שכא	א		תסה	ג		שכח	יז		שנא	א		כג
כד	רמג	א	שכירות וקבלנות	רסד	ה		תרפב	א	27	שח	לט		שכא	ח		תסו	ד		שכח	כה		שנג	ב		כד
כה	רמג	ב		רסו	א		רצט	א	28	שט	א		שכא	יד		תסו	ו		שכח	לז		שנה	א		כה
כו	רמד	ב		רסו	ח		רצט	ז		שי	א		שכא	יז		תסז	ה		שכח	מח		שנה	ב		כו
כז	רמד	ו		רסח	א		שא	א		שי	ז		שכב	ה		תסז	ט		של	א		שנה	ה		כז
כח	רמה	א		רסט	א		שא	י		שיא	א		שכג	ד		תסז	יב		של	ז		שנו	ב		כח
כט	רמה	ד		רעא	ג	24	שא	טז	24	שיא	ז		שכג	ח		תסז	יד		שלא	ו		שנז	ג		כט
ל	רמו	ג		רעא	ו		שא	כב					שכד	ז					שלג	א					ל

לוח הלכתא דיומא – מחזור שנתיים (שנה ב')

יום החודש	סיון סימן	סיון סעיף	סיון הלכות	תמוז סימן	תמוז סעיף	תמוז הלכות	אב סימן	אב סעיף	אב הלכות	אלול סימן	אלול סעיף	אלול הלכות	תשרי סימן	תשרי סעיף	תשרי הלכות	יום החודש
א	שנח	ב	שבת	שעב	יז	שבת	תט	יא		תקי	ט		תרכג	א		א
ב	שנח	ז		שעד	א		תיא	א		תקיב	א		תרכד	ג	25	ב
ג	שנח	יא		שעה	א		תטו	א		תקיג	א		תרמה	א	37	ג
ד	שס	א		שעו	ב		תטז	ב	ראש חודש	תקיג	ז		תרמה	ט	לולב	ד
ה	שסא	א		שעח	א		תיח	ג		תקיד	ג		תרמו	ט		ה
ו	שסב	א		שפ	ג		תכב	ב		תקטו	א		תרמח	ג		ו
ז	שסב	ה		שפא	ד		תכג	ג		תקטו	ב		תרמח	יג		ז
ח	שסב	ט		שפב	ג		תכו	ב		תקטו	ה		תרמט	א		ח
ט	שסב	יא		שפב	יג		תכז	א		תקטו	ח		תרמט	ד		ט
י	שסג	ד		שפב	כ		תכח	ו	34	תקיז	ב		תרמט	סקל"ט		י
יא	שסג	יב		שפה	ג		תצה	א	35 יום טוב	תקיח	ג		תרמט	ו		יא
יב	שסג	יח		שפו	ה		תצו	א		תקיח	ח		תרנא	סקי"א		יב
יג	שסג	כו		שפז	א		תצז	ג		תקכא	א		תרנא	ח		יג
יד	שסג	סקקי"ב		שצא	א		תצז	י		תקכו	א		תרנא	יד		יד
טו	שסג	ל		שצב	א		תצח	א		תקכו	ה		תרנג	ב		טו
טז	שסג	לד		שצב	ו	תחומין	תצח	ו		תקכז	א		תרנו	סק"ז		טז
יז	שסד	ג		שצו	א		תצח	יא		תקכז	ח		תרנח	ג		יז
יח	שסה	ב		שצז	ו		תצח	יז		תקכז	כ		תרנח	ח		יח
יט	שסה	ד	עירובי חצירות	שצז	יז		תצט	ג		תקכט	א	25	תרסג	א		יט
כ	שסו	ב		שצח	ו		תק	ב		תרב	א	36 יום כיפור	תרסד	ט		כ
כא	שסו	ד		שצח	י		תק	ו		תרה	א		תרסז	א		כא
כב	שסו	י		שצט	ו		תקא	ו		תרו	ד		תרסט	א	38	כב
כג	שסז	א		תא	א		תקב	ב		תרח	ב		חזק חזק ונתחזק			כג
כד	שסח	ה		תד	א		תקד	א		תריא	א					כד
כה	שע	ג		תה	ד		תקה	א		תריג	א					כה
כו	שע	ו		תה	ח		תקו	ג		תריד	ג					כו
כז	שעא	ד		תח	א	ע' תחומין	תקז	א		תריז	ג					כז
כח	שעב	ב		תח	ב		תקז	ה		תריח	ט					כח
כט	שעב	ז		תט	ז		תקט	א		תרכא	ב					כט
ל	שעב	יב					תקי	א								ל

חודש אדר א' (לשנה מעוברת)

נלקט מספר 'קיצור שלחן ערוך' - מחלקי יו"ד אה"ע וחו"מ

שנה א'	סימן	סעיף	סימן	סעיף	סימן	סעיף	השיעורים הם רק הסימנים הנקובים	שנה ב'
כו (שבט)	יא	א					הלכות מזוזה	ד (אדר א')
כז	יא	כג	כז	א	כח	א	הל' ת"ת / הל' ס"ת ושאר ספרי קודש	ה
כח	כח	יא	כט	א			מידות שירגיל בהם האדם את עצמו	ו
כט	כט	יב	ל	א			איסור רכילות לשה"ר נקימה ונטירה	ז
ל	ל	ה	לא	א	לב	א	שכל כוונתו יהי' לש"ש/ שמירת הגוף	ח
א (אדר א')	לב	ג					שמירת הגוף ע"פ הטבע	ט
ב	לב	יז					שמירת הגוף ע"פ הטבע	י
ג	לג	א	לד	א			דברים האסורים משום סכנה/ הל' צדקה	יא
ד	לד	ו	לה	א			הלכות חלה	יב
ה	לז	א	לח	א			טבילת כלים/ הל' פת ובישולי וחלב נכרי	יג
ו	לח	יב	מו	א			הל' מאכלות אסורות	יד
ז	מו	כה	סב	א			הל' משא ומתן	טו
ח	סב	ג					הל' משא ומתן	טז
ט	סג	א	סד	א	סה	א	איסור להונות בדברים/ שלא לעשות סחורה בדבר האסור	יז
י	סה	י					הלכות ריבית	יח
יא	סה	כד	סו	א			הל' עסקא	יט
יב	סו	ט	סז	א			הל' נדרים ושבועות	כ
יג	קמג	א					הל' כיבוד אב ואם	כא
יד	קמד	א	קנא	א			הל' כיבוד רבו חקן ות"ח/ איסור הוצ' ז"ל	כב
טו	קנב	א	קסג	א			איסור יחוד/ הל' מילה	כג
טז	קסג	ח	קסה	א	קסו	א	דין חינוך קטנים/ שלא לנחש ולעונן	כד
יז	קסו	ג	קסז	א	קסח	א	הל' עבודה זרה/ צורות האסורות	כה
יח	קסט	א	קע	א	קעא	א	קעב א קעו א	כו
יט	קעו	ו	קעט	א	קפ	א	איסור כתובת קעקע/ הל' חדש/ לא ילבש הל' שעטנז/ הל' הלואה/ שמיטת כספים	כז
כ	קפ	ח	קפא	א			הל' טוען ונטען	כח
כא	קפא	יג	קפב	א			הל' גניבה וגזילה	כט
כב	קפב	ט	קפג	א	קפד	א	הל' נזקי ממון/ הל' נזקי הגוף	ל
כג	קפד	ה	קפה	א	קפז	א	הל' שאלה/ הל' אבידה ומציאה	א (אדר ב')
כד	קפח	א	קצ	א	קצא	א	קצב א מיקוזו"ש הגוף/ צער בעל"ח	ב
כה	קצב	ז	קצג	א			דין החולה והרופא / הל' ביקור חולים	ג

This publication was made possible by Chazarah MP3.

Chazara MP3 is a series of recorded shiurim covering all of Shas, Mishna Berurah, sections of Yoreh Deah, and all the Mishnayos in Shisha Sidrei Mishna. The purpose is to enable someone to review material that they're familiar with, (ie; daf yomi) quickly and smoothly. Some have even been using it to learn new Gemara. Additionally, it helps people use their time productively when traveling etc.

The Gemara is read and translated in a clear and simple fashion, geared toward someone with a yeshiva backround. Almost all the Rashi's are spoken out as the Gemara is being explained. The approximate timing is 15 - 18 minutes a blatt.

For more information please call 718-646-1243. or email info@chazarahmp3.com or visit www.chazarahmp3.com